dicionário analógico
da língua portuguesa

Lexikon | *obras de referência*

FRANCISCO FERREIRA DOS SANTOS AZEVEDO

dicionário analógico da língua portuguesa

ideias afins / *thesaurus*

3ª edição / 4ª impressão

© 2021, by Lexikon Editora Digital Ltda.

Direitos de edição da obra em língua portuguesa adquiridos pela Lexikon Editora Digital Ltda. Todos os direitos reservados. Nenhuma parte desta obra pode ser apropriada e estocada em sistema de banco de dados ou processo similar, em qualquer forma ou meio, seja eletrônico, de fotocópia, gravação etc., sem a permissão do detentor do copirraite.

Lexikon Editora Digital Ltda.
Av Rio Branco, 123 sala 1710 Centro
20040-005 – Rio de Janeiro – RJ – Brasil
Tel.: (21) 3190 0472 / 2560 2601
www.lexikon.com.br
sac@lexikon.com.br

Veja também www.aulete.com.br — seu dicionário na internet

1ª edição – 1950
2ª edição – 2010
2ª edição – 2ª - 5ª impressão – 2010
2ª edição – 6ª impressão – 2012
2ª edição – 7ª impressão - 2014
2ª edição – 8ª impressão - 2015
3ª edição – 2ª impressão - 2019
3ª edição – 3ª impressão - 2020

CIP-Brasil. Catalogação na Fonte
Sindicato Nacional dos Editores de Livros, RJ

A987d Azevedo, Francisco Ferreira dos Santos, 1875-1942
3.ed.   Dicionário analógico da língua portuguesa: ideias afins/thesaurus / Francisco Ferreira dos Santos Azevedo. — 3.ed. atual. e revista. — Rio de Janeiro: Lexikon, 2016.
        800 p.: il; 23 cm

        ISBN 978-85-8300-016-7

        1. Língua portuguesa – Sinônimos e antônimos – Dicionários. 2. Língua portuguesa – Analogia – Dicionários. I. Título.
                                                                    CDD: 469.31
                                                            CDU: 811.134.3'3374.2

os dicionários de meu pai

Pouco antes de morrer, meu pai me chamou ao escritório e me entregou um livro de capa preta que eu nunca havia visto. Era o dicionário analógico de Francisco Ferreira dos Santos Azevedo. Ficava quase escondido, perto dos cinco grandes volumes do dicionário Caldas Aulete, entre outros livros de consulta que papai mantinha ao alcance da mão numa estante giratória. Isso pode te servir, foi mais ou menos o que ele então me disse, no seu falar meio grunhido. Era como se ele, cansado, me passasse um bastão que de alguma forma eu deveria levar adiante. E por um bom tempo aquele livro me ajudou no acabamento de romances e letras de canções, sem falar das horas em que eu o folheava à toa; o amor aos dicionários, para o sérvio Milorad Pavic, autor de romances-enciclopédias, é um traço infantil no caráter de um homem adulto. Palavra puxa palavra, e escarafunchar o dicionário analógico foi virando para mim um passatempo (desenfado, espairecimento, entretém, solaz, recreio, filistria). O resultado é que o livro, herdado já em estado precário, começou a se esfarelar nos meus dedos. Encostei-o na estante das relíquias ao descobrir, num sebo atrás da Sala Cecília Meireles, o mesmo dicionário em encadernação de percalina. Por dentro estava em boas condições, apesar de algumas manchas amareladas, e de trazer na folha de rosto a palavra anauê, escrita à caneta-tinteiro.

Com esse livro escrevi novas canções e romances, decifrei enigmas, fechei muitas palavras cruzadas. E ao vê-lo dar sinais de fadiga, saí de sebo em sebo pelo Rio de Janeiro para me garantir um dicionário analógico de reserva. Encontrei dois, mas não me dei por satisfeito, fiquei viciado no negócio. Dei de vasculhar livrarias país afora, só em São Paulo adquiri meia dúzia de exemplares, e ainda arrematei o último à venda na Amazon.com antes que algum aventureiro o fizesse. Eu já imaginava deter o monopólio (açambarcamento, exclusividade, hegemonia, senhorio, império) de dicionários analógicos da língua portuguesa, não fosse pelo senhor João Ubaldo Ribeiro, que ao que me consta também tem um, quiçá carcomido pelas traças (brocas, carunchos, gusanos, cupins, térmitas, cáries, lagartas-rosadas, gafanhotos, bichos-carpinteiros). A horas mortas, eu corria os olhos pela minha prateleira repleta de livros gêmeos, escolhia um a esmo e o abria a bel-prazer. Então anotava num moleskine as palavras mais preciosas, a fim de esmerar o vocabulário com que eu embasbacaria as moças e esmagaria meus rivais.

Hoje sou surpreendido pelo anúncio desta nova edição do dicionário analógico de Francisco Ferreira dos Santos Azevedo. Sinto como se invadissem minha propriedade, revirassem meus baús, espalhassem aos ventos meu tesouro. Trata-se para mim de uma terrível (funesta, nefasta, macabra, atroz, abominável, dilacerante, miseranda) notícia.

Francisco Buarque de Hollanda

prólogo

Sem sombra de qualquer dúvida, a reedição, em boa hora, do amplo *Dicionário Analógico da Língua Portuguesa*, elaborado pela competência de Francisco Ferreira dos Santos Azevedo, vem enriquecer a ampla bibliografia especializada no assunto.

Como se sabe, a nossa língua portuguesa tem sido contemplada, tanto em Portugal como no Brasil, com excelentes dicionários, a exemplo dos que vamos mencionar, e que foram elaborados por eminentes filólogos brasileiros e portugueses, como Caldas Aulete, Antenor Nascentes, Laudelino Freire, Cândido Figueiredo, Aurélio Buarque de Holanda Ferreira, Antônio Geraldo da Cunha, Antonio Houaiss e Evanildo Bechara. Obras aqui citadas apenas a título de exemplificação, entre muitas outras existentes, também de boa qualidade

Nos domínios filológicos da lexicografia brasileira, ressurge agora este monumental *Dicionário analógico da língua portuguesa*, seguido de um importante índice de referência em que vão figurar todos os termos integrantes do *Dicionário*. A Lexikon Editora digital, sob o comando de Carlos Augusto Lacerda e a segura orientação editorial de Paulo Geiger, já publicou importantíssimos títulos de interesse linguístico-filológico, a exemplo da 5ª edição da *Nova gramática do português contemporâneo*, de acordo com a nova ortografia, de autoria de Celso Cunha e Lindley Cintra, obra escrita não só para o Brasil, mas também para todo o mundo lusófono. A mesma editora publicou ainda o excelente *Dicionário etimológico da língua portuguesa*, de autoria do competente filólogo Antônio Geraldo da Cunha. Do mesmo autor, o *Vocabulário ortográfico da língua portuguesa*, já em segunda edição revista e ampliada. E isso entre outras edições de fundamental interesse filológico-linguístico, tais como: Caldas Aulete — *Minidicionário contemporâneo da língua portuguesa*; o grande dicionário *Caldas Aulete* em versão para computador, grátis na internet; o *Dicionário de dificuldades da língua portuguesa*, de Domingos Paschoal Cegalla; *Para falar e escrever melhor o português*, de Adriano da Gama Kury; *A nova ortografia sem mistério*, de Paulo Geiger e Renata de Cássia Menezes; *Dúvidas em português nunca mais*, um guia prático e direto para a solução de questões linguísticas, de autoria de Cilene Cunha Pereira, Edila Vianna da Silva e Regina Célia Cabral Angelin, entre outras obras de interesse para os estudos universitários voltados para a língua portuguesa.

O *Dicionário Analógico da Língua Portuguesa*, como todo dicionário analógico, tem função inversa à de um dicionário comum, o qual, a partir de uma palavra conhecida informa seus significados. Neste, busca-se uma palavra, entre muitas análogas, em uma área de significados conhecida e classificada numa frondosa árvore de classificações.

Num grosso volume de 800 páginas, o livro prestará, seguramente, extraordinário serviço ao estudo e conhecimento, em extensão e profundidade, de todo o léxico da língua portuguesa, em termos relacionais.

Trata-se de uma obra de fôlego, não existindo, que nos conste, na ampla bibliografia sobre o assunto, nada semelhante. Daí a sua originalidade, na construção de um livro de consulta que será extremamente útil a todos que falam e escrevem a língua

prólogo

em que Camões cantou — como dizia o poeta Olavo Bilac — "o gênio sem ventura e o amor sem brilho."

Como é de conhecimento geral, a lexicologia, voltada para o estudo do conjunto das palavras de uma língua, palavras gramaticais e vocábulos metalinguísticos, tem por objetivo reunir e descrever o funcionamento do vocabulário de uma língua. No caso em questão, vai-se, além disso, analisando-se o relacionamento de um conjunto de palavras semanticamente agrupadas, levando-se em conta todas as categorias gramaticais do idioma. E isso atesta a sua originalidade, louvando-se o extraordinário esforço de pesquisa e de penetração lexical de uma língua como a nossa, que é falada por cerca de 250 milhões de pessoas, sendo que, mais ou menos, 190 milhões se encontram no Brasil. Está de parabéns, por tudo isso, a editora que aceitou o encargo e a responsabilidade de atualizar e republicar este monumental estudo de lexicologia comparativa, obra destinada a prestar relevantes serviços a todos que estudam e amam a língua portuguesa, hoje falada e escrita em Portugal, no Brasil, em cinco nações africanas e, por fim, em Timor Leste. Uma língua que produziu rica literatura aqui e além-mar, por isso mesmo sendo considerada uma das grandes línguas de cultura do mundo. Justifica-se, assim, o grosso volume agora publicado, pois um *dicionário moderno* e original, voltado para uma grande língua de civilização escrita, necessariamente, teria de apresentar uma feição enciclopédica, como no caso em questão. Por tudo isso, homenageamos a memória do autor e congratulamo-nos com o editor desta obra, verdadeiramente única em nossa bibliografia especializada.

Leodegário A. de Azevedo Filho
Professor Emérito da UERJ, Titular da UFRJ
Presidente de Honra da Academia Brasileira de Filologia e
Acadêmico Correspondente da Academia das Ciências de Lisboa

apresentação

Sessenta anos depois de sua primeira publicação, a Lexikon Editora Digital lança esta edição — pela primeira vez atualizada e ampliada — do *Dicionário analógico da língua portuguesa — Thesaurus*, do professor Francisco Ferreira dos Santos Azevedo. Sua publicação é mais um passo da editora em sua autoatribuída missão de prover todos os usuários da língua portuguesa — como instrumento de comunicação, formação e registro de ideias e conhecimento — de todas as ferramentas necessárias para seu bom uso, seja na abrangência seja na qualidade de suas possibilidades e seus recursos.

Um dicionário analógico, ou de ideias afins, ou *thesaurus*, como concebido por Peter Mark Roget, parte de um pressuposto simétrico àquele que rege a função de um dicionário de língua, como o conhecemos. Este é uma ferramenta de busca de significados e informações de uso para palavras que conhecemos; ou seja, partimos de uma palavra conhecida para buscar-lhe as acepções e usos possíveis. O dicionário analógico, ou *Thesaurus*, na concepção de Roget, pressupõe que, ao contrário, temos noção de um significado, temos uma intenção de uso, mas não nos ocorre uma palavra satisfatória. O *thesaurus*, a partir de um contexto de possíveis significados, oferece uma nuvem de palavras em torno desse significado, ou seja, palavras análogas num maior ou menor grau de proximidade e exatidão, para que nessa nuvem possamos achar a palavra — ou expressão — que melhor nos convém, em qualquer de suas mais prováveis funções gramaticais.

Não é difícil concluir daí que um dicionário analógico completa, com um dicionário de língua, o ferramental necessário a quem busque a compreensão e o domínio de todas as potencialidades do código linguístico, seja no entendimento de significados e usos de palavras e expressões, seja na capacidade de encontrar as palavras e expressões que melhor traduzam o que se quer exprimir. Não foi por acaso, como nos conta Chico Buarque em seu comentário a esta edição, que foi com um par desses dicionários — um Caldas Aulete e a primeira edição desta obra — que seu pai, o renomado sociólogo Sérgio Buarque de Holanda, pretendeu o estar munindo dos instrumentos de que necessitava, dizendo-lhe "Isso pode te servir".

O admirável trabalho do professor Ferreira, como gostava de ser chamado, calcado no método original de Roget, foi aplicá-lo à língua portuguesa, identificando mais de mil contextos conceituais da existência real — concreta e abstrata, física e espiritual, objetiva e subjetiva — para que a partir deles, em sub-ramificações que facilitam sua localização, possam ser encontrados os termos que melhor os expressem. Tomando essa base, fruto de mais de uma década de pesquisa e registro, que veio à luz em 1950, a Lexikon preservou em quase sua totalidade os critérios do autor, e acrescentou termos e expressões que vieram enriquecer a língua a partir de então, muitos deles referentes a coisas e conceitos que sequer existiam naquele tempo, e excluindo somente os fortemente datados, seja por sua estrutura estilística seja por serem reflexo de uma influência francesa que caiu em desuso.

A Lexikon espera que esta nova edição do *Dicionário analógico* seja apenas a primeira de muitas futuras edições renovadas e ampliadas, acompanhando o dinamismo e o crescimento da língua portuguesa, a partir de — e visando a — seu uso e seus usuários.

como usar este dicionário

Este *Dicionário analógico da língua portuguesa* (ou de ideias afins, ou Thesaurus), como se descreve na apresentação da editora, visa a encontrar uma sugestão de palavra ou expressão numa nuvem de palavras ou expressões análogas, quando o consulente tem noção do que quer expressar, e busca essa sugestão de como fazê-lo.

Sua primeira e única edição até agora fora pesquisada e preparada sessenta anos antes desta segunda edição, e contém termos, formas de falar, empréstimos, expressões que, hoje menos usadas do que então, continuam a constituir riquíssimo material, de grande expressividade, merecedor de ser revivido como opção de uso no português contemporâneo. A maior parte desse material foi mantida, e a ele foi acrescentado um acervo de termos e expressões mais recentes, o que continuará a ser feito nas próximas edições, mantendo o dicionário sempre atualizado e sincrônico com a evolução e crescimento da língua.

O acesso às sugestões apresentadas pode ser feito por dois caminhos de busca. Um, no modelo do *Thesaurus* de Roget, identificando a área conceitual na qual se encaixa a palavra ou expressão que se quer encontrar, e buscando nessa área o grupo analógico mais próximo daquele que provavelmente conteria o termo procurado, como se verá abaixo. Outro, a partir de um termo ou expressão que se conhece, para buscar no(s) grupo(s) analógico(s) onde ele se encontra outras alternativas de expressão. No primeiro caso, a busca se faz pela árvore classificatória dos **grupos analógicos**. No segundo, pelo **índice geral** que relaciona cada um dos quase 100 mil termos e expressões do dicionário ao(s) grupo(s) em que se encontra.

GRUPOS ANALÓGICOS

Os quase 100 mil termos e expressões diferentes (que resultam em cerca de 160 mil referências) que constituem as sugestões de uso oferecidas pelo dicionário estão distribuídos em mais de mil grupos, cada um deles referente a uma certa área de analogias, ou seja, um limite conceitual que define aproximadamente qual o âmbito da busca do consulente. Esses mais de mil grupos estão organizados numa 'árvore' em três níveis de ramificação, e são apresentados em dois quadros (p. xiii).

O primeiro, mais geral, 'Classificação das palavras' apresenta seis grandes áreas de uso (*classes*) ramificadas em 24 subáreas (*divisões*). Cada divisão indica ao lado o intervalo dos grupos (terceiro nível de ramificação) que pertencem a essa subárea. Os grupos estão numerados de 1 a 1.000, mas há alguns grupos intermediários (p.ex.: 465a).

O segundo, 'Quadro sinóptico de categorias' é uma relação detalhada de todos os grupos, por área de conceito. Ele apresenta, hierarquicamente, as classes, dentro de cada classe suas divisões, em cada divisão algumas subdivisões, e para cada subdivisão os grupos numerados que a integram. Cada uma dessas classes, dessas divisões e subdivisões e desses grupos têm seu âmbito definido por uma palavra-chave. Por exemplo, na classe **Relações abstratas**, a divisão I está definida como **Existência**,

como usar este dicionário

por sua vez dividida em quatro subdivisões — **Abstrata**, **Concreta**, **Formal**, e **Modal**. Cada uma destas pode ter dois grupos antagônicos. Por exemplo, o conceito da subdivisão 1 (existência abstrata) tem dois grupos antagônicos, o **1 Existência** (abstrata), e o **2 Inexistência** (abstrata). E assim por diante. O quadro, em sua estrutura, define essa árvore dos conceitos: os antagônicos estão, lado a lado, nas colunas das extremidades, os 'neutros', na coluna central.

Exemplo de uso: Digamos que se procura um adjetivo que expresse algo que é feito por livre vontade, com premeditação. Isso cabe na classe V, Vontade individual, e na divisão Vontade em geral, subdivisão Atos de vontade, grupo 600, Vontade. Nesse grupo, nos adjetivos, pode-se escolher entre voluntário, volitivo, livre, opcional, intencional, tencionado, entre outros termos análogos mas fora dessa intenção, como discricionário, propenso, perseverante etc.

Nota: no texto, os grupos antagônicos são marcados: um com uma seta para cima, e o antagônico deste com uma seta para baixo. Os grupos 'neutros' não são marcados.

ÍNDICE GERAL

A outra forma de busca tem como ponto de partida um termo ou expressão conhecidos, quando se quer usar outro termo ou expressão como alternativa. O índice é ordenado alfabeticamente pelo termo ou expressão que origina a busca, e apresenta os números de todos os grupos em que o termo ou a expressão se encontra; num desses grupos o consulente obterá uma alternativa de uso. Os termos que intitulam grupos (e respectivos números) estão em **negrito**.

Exemplo de uso: Numa busca similar à acima apresentada, caso o consulente queira uma alternativa para o termo 'intencional', ele busca este termo no índice, e vai aos grupos 600 e 620 indicados junto a este termo no índice, onde encontrará, por exemplo, no grupo 600 (adjetivos) voluntário, volitivo, opcional, tencionado. No grupo 620 (adjetivos), proposital, predeterminado, em vista, destinado a etc.

O índice geral permite que se forme uma intricada rede de analogias, pois num grupo de analogias, cada termo (via índice) pode levar a outros grupos, e assim por diante.

TEXTO DOS GRUPOS

Os grupos não têm uma estrutura lógica, embora as palavras estejam, geralmente, agrupadas por proximidade semântica. A única estrutura é a de classes gramaticais (para facilitar a busca de um substantivo, de um verbo, de um adjetivo, de um advérbio, de uma frase feita, de uma interjeição etc.). Quando um termo é seguido de um número, significa que se está sugerindo que se busquem mais analogias no grupo que corresponde àquele número.

Às vezes há indicações de contextos de uso (termos depreciativos, desusados, brasileirismos etc.).

Nota: Muitas vezes o mesmo termo ou expressão aparece mais de uma vez no mesmo grupo. Isso acontece quando estão em classes gramaticais diferentes, ou na proximidade de outros termos formando grupos de significado ou contexto ligeiramente diferentes.

abreviaturas

ant.	antigo	loc. elip.	locução elíptica
adj.	adjetivo	lus.	lusitanismo
adv.	advérbio	m.	masculino
afric.	africanismo	mit.	mitologia
asiát.	asiático	neol.	neologia
bras.	brasileirismo	p. ext.	por extensão
bud.	budismo	p. op. a	por oposição a
burl.	burlesco	p. us.	pouco usado
dep/depr.	depreciativo	pej.	pejorativo
desus.	desusado	pl.	plural
esp.	espanhol	pleb.	plebeísmo
euf.	eufemismo	poét.	poético
f.	feminino	pop.	popular
fam.	familiar	Port.	Portugal
fig.	figurado	port.	português
gal.	galicismo	pron.	pronome
gír.	gíria	prov.	provérbio
hist. ant.	história antiga	quím.	química
inf./infant.	infantil	reg.	regionalismo
int.	intransitivo	ret.	retórico
interj.	interjeição	sm.	substantivo masculino
iron./irôn.	irônico	subst.	substantivo
joc.	jocoso	tb.	também
jur.	jurídico	teol.	teologia
lat.	latim/latino	v.	verbo
lit.	literatura	vet.	veterinária
loc.	locução	vulg.	vulgar

classificação das palavras

Classes		Divisões	Números
I. Relações abstratas	I.	Existência	1 – 8
	II.	Relação	9 – 24
	III.	Quantidade	25 – 57
	IV.	Ordem	58 – 83
	V.	Número	84 – 105
	VI.	Tempo	106 – 139
	VII.	Mudança	140 – 152
	VIII.	Causa	153 – 179
II. Espaço	I.	Em Geral	180 – 191
	II.	Dimensões	192 – 239
	III.	Forma	240 – 263
	IV.	Movimento	264 – 315
III. Matéria	I.	Em geral	316 – 320
	II.	Inorgânica	321 – 356a
	III.	Orgânica	357 – 449
IV. Entendimento	I.	Formação das Ideias	450 – 515
	II.	Comunicação das Ideias	516 – 599
V. Vontade	I.	Individual	600 – 736
	II.	Com referência à Sociedade	737 – 819
VI. Afeições	I.	Em Geral	820 – 826
	II.	Pessoais	827 – 887
	III.	Simpáticas	888 – 921
	IV.	Morais	922 – 975
	V.	Religiosas	976 – 1000

quadro sinóptico de categorias

Classe I. RELAÇÕES ABSTRATAS			
Divisão I. EXISTÊNCIA			
1ª) **Abstrata**	1. Existência		2. Inexistência
2ª) **Concreta**	3. Substancialidade		4. Insubstancialidade
3ª) **Formal**	5. Intrinsecabilidade		6. Extrinsecabilidade
4ª) **Modal**	*Absoluta*		*Relativa*
	7. Estado		8. Circunstância
Divisão II. RELAÇÃO			
	9. Relação		10. Não relação
1ª) **Absoluta**	11. Consanguinidade		
	12. Correlação		
	13. Identidade		14. Contraste
		15. Diferença	
2º) **Contínua**	16. Uniformidade		16a. Diversidade
	17. Semelhança		18. Dessemelhança
3º) **Parcial**	19. Imitação		20. Originalidade
		20a. Variedade	
	21. Cópia		22. Protótipo
4º) **Relação geral**	23. Acordo		24. Desacordo
Divisão III. QUANTIDADE			
	Absoluta		*Relativa*
1º) **Simples**	25. Quantidade		26. Grau
	27. Igualdade		28. Desigualdade
		29. Média	
		30. Compensação	
		por comparação	
2º) **Comparativa**	31. Grandeza		32. Pouquidão
	Por comparação com um objeto semelhante		
	33. Superioridade		34. Inferioridade
	Variação de quantidade		
	35. Aumento		36. Diminuição

quadro sinóptico de categorias

3°) **Subordinada**	37. Adição		38. Subtração
	39. Adjunto		40. Resto
	41. Mistura		42. Singeleza
	43. Junção		44. Disjunção
		45. Vínculo	
	46. Coesão		47. Incoesão
	48. Combinação		49. Decomposição
4°) **Concreta**	50. Todo		51. Parte
	52. Completamento		53. Deficiência
	54. Composição		55. Omissão
	56. Componente		57. Alheamento

Divisão IV. ORDEM

1°) **Geral**	58. Ordem		59. Desordem
	60. Arranjo		61. Desarranjo
2°) **Consecutiva**	62. Precedência		63. Sequência
	64. Precursor		65. Sucessor
	66. Começo		67. Fim
		68. Meio	
	69. Continuidade		70. Descontinuidade
		71. Termo	
3°) **Coletiva**	72. Reunião		73. Dispersão
		74. Foco	
		75. Classe	
4°) **Distributiva**	76. Inclusão		77. Exclusão
	78. Generalidade		79. Especialidade
5°) **Categórica**	80. Regularidade		81. Multiformidade
	82. Conformidade		83. Desconformidade

Divisão V. NÚMERO

1°) **Abstrato**		84. Número	
		85. Numeração	
		86. Lista	
	87. Isolamento		88. Acompanhamento

quadro sinóptico de categorias

2°) Determinado			89. Dualidade	
	90. Duplicação			91. Bisseção
			92. Trialidade	
	93. Triplicação			94. Trisseção
			95. Quaternidade	
	96. Quadruplicação			97. Quadriseção
	98. Numerais cardinais			99. Numerais ordinais
3°) Indeterminado	100. Pluralidade			100a. Singularidade
				101. Zero
	102. Multidão			103. Pouquidade
			104. Repetição	
			105. Infinidade	

Divisão VI. TEMPO

1°) Absoluto	106. Tempo			107. Nunca
	108. Período			109. Curso
	110. Diuturnidade			111. Transitoriedade
	112. Eternidade			113. Instantaneidade
	114. Cronometria			115. Anacronismo
2°) Relativo				
I. A sucessão	116. Prioridade			117. Posterioridade
	118. Tempo presente			119. Tempo diferente
			120. Sincronismo	
	121. Futuro			122. Passado
II. A um período determinado	123. Novidade			124. Velharia
	125. Manhã			126. Tarde
	127. Infância			128. Velhice
	129. Infante			130. Ancião
			131. Adolescência	
III. A um efeito ou propósito	132. Presteza			133. Demora
	134. Oportunidade			135. Inoportunidade
3°) Periódico	136. Frequência			137. Infrequência
	138. Periodicidade			139. Irregularidade

quadro sinóptico de categorias

Divisão VII. MUDANÇA

1º) Simples	140. Mudança		141. Permanência	
	142. Cessação		143. Continuação	
	144. Conversão		145. Reversão	
		146. Revolução		
	147. Substituição		148. Troca	
2º) Composta	149. Mutabilidade		150. Estabilidade	
	Presente		*Futuro*	
	151. Eventualidade		152. Destino	

Divisão VIII. CAUSA

	Antecedente constante		*Consequente constante*
1º) Constância de efeito	153. Causa		154. Efeito
	155. Atribuição		156. Acaso
2º) Relação entre causa e efeito	157. Poder		158. Impotência
		Graus de potência	
	159. Força		160. Fraqueza
3º) Poder em ação	161. Produção		162. Destruição
		163. Reprodução	
	164. Produtor		165. Destruidor
	166. Ascendência		167. Posteridade
	168. Produtividade		169. Improdutividade
		170. Agência	
	171. Energia		172. Inércia
	173. Violência		174. Moderação
4º) Poder indireto	175. Influência		175a. Inocuidade
		176. Tendência	
		177. Risco	
5º) Combinação de causas	178. Concorrência		179. Resistência

CLASSE II. ESPAÇO

Divisão I. ESPAÇO EM GERAL

1º) Considerado abstratamente	180. Espaço	180a. Inextensão
		181. Região
		182. Lugar

quadro sinóptico de categorias

2°) Relativo		183. Situação	
	184. Localização		185. Deslocação
3°) Existência no espaço	186. Presença		187. Ausência
	188. Habitante		189. Morada
		190. Conteúdo	
		191. Receptáculo	

Divisão II. DIMENSÕES			
1°) Em geral	192. Tamanho		193. Pequenez
	194. Dilatação		195. Contração
	196. Distância		197. Proximidade
	198. Intervalo		199. Contiguidade
2°) Lineal	200. Comprimento		201. Encurtamento
	202. Largura		203. Estreiteza
	204. Camada		205. Filamento
	206. Altura		207. Baixeza
	208. Profundidade		209. Vau
	210. Cume		211. Base
	212. Verticalidade		213. Horizontalidade
	214. Pendura		215. Suporte
	216. Paralelismo		217. Obliquidade
		218. Inversão	
		219. Cruzamento	
3°) Central			
I. Em geral	220. Exterioridade		221. Interioridade
		222. Centralidade	
	223. Cobertura		224. Forro
	225. Indumentária		226. Despimento
	227. Circunjacência		228. Interjacência
		229. Circunscrição	
		230. Contorno	
		231. Borda	
		232. Cerca	
		233. Limite	

quadro sinóptico de categorias

II. Em especial	234. Frente		235. Retaguarda
	236. Lateralidade		237. Contraposição
	238. Destra		239. Sinistra

Divisão III. FORMA

1º) Em geral	240. Forma		241. Amorfia
	242. Simetria		243. Assimetria
2º) Especial		244. Angularidade	
	245. Curvatura		246. Direitura
	247. Circunferência		248. Sinuosidade
3º) Superficial		249. Esfericidade	
	250. Convexidade		251. Planeza
			252. Concavidade
	253. Agudeza		254. Embotamento
	255. Lisura		256. Aspereza
		257. Encaixe	
		258. Dobra	
		259. Sulco	
	260. Abertura		261. Fechamento
	262. Perfurador		263. Tapador

Divisão IV. MOVIMENTO

1º) Em geral	264. Movimento		265. Imobilidade
	266. Locomoção		267. Navegação
	268. Viajante		269. Equipagem
		270. Transferência	
		271. Carregador	
	272. Veículo		273. Nave
2º) Graus de movimento	274. Velocidade		275. Vagareza
3º) Movimento e força	276. Impulso		277. Recuo

quadro sinóptico de categorias

4º) Movimento e direção	278. Direção		279. Desvio
	280. Precessão		281. Sucessão
	282. Progressão		283. Regressão
	284. Propulsão		285. Tração
	286. Aproximação		287. Retirada
	288. Atração		289. Repulsão
	290. Convergência		291. Divergência
	292. Chegada		293. Partida
	294. Ingressão		295. Egressão
	296. Recepção		297. Expulsão
	298. Comida		299. Excreção
	300. Inserção		301. Extração
		302. Passagem	
	303. Transcursão		304. Falta
	305. Subida		306. Descida
	307. Elevação		308. Depressão
	309. Salto		310. Mergulho
		311. Circuição	
	312. Rotação		313. Evolução
		314. Oscilação	
		315. Agitação	

CLASSE III. MATÉRIA

Divisão I. MATÉRIA EM GERAL

	316. Matéria		317. Imaterialidade
		318. Universo	
	319. Gravidade		320. Leveza

Divisão II. MATÉRIA INORGÂNICA

1º) Sólidos	321. Densidade		322. Ralidade
	323. Rigidez		324. Flexibilidade
	325. Elasticidade		326. Falta de elasticidade
	327. Tenacidade		328. Fragilidade
		329. Textura	
		330. Pulverização	
	331. Atrito		332. Lubrificação

quadro sinóptico de categorias

2º) Fluidos			
I. Em geral	333. Fluidez		334. Gás
	335. Liquefação		336. Vaporização
II. Específico	337. Água		338. Ar
	339. Umidade		340. Secura
	341. Oceano		342. Terra
	343. Golfo		344. Planície
	345. Pântano		346. Ilha
III. Em movimento		347. Corrente	
	348. Rio		349. Vento
	350. Conduto		351. Canal
3º) Fluidos imperfeitos	352. Meio líquido		353. Bolha
	354. Pasta		355. Untuosidade
		356. Óleo	
		356a. Resina	

Divisão III. MATÉRIA ORGÂNICA			
1º) Vitalidade			
I. Em geral	357. Organização		358. Não organização
	359. Vida		360. Morte
		361. Homicídio	
		362. Cadáver	
		363. Enterro	
II. Especial	364. Animalidade		365. Vegetabilidade
	366. Animal		367. Vegetal
	368. Zoologia		369. Botânica
	370. Domesticação		371. Agricultura
		372. Humanidade	
	373. Macho		374. Fêmea
		374a. Hermafrodismo	
2º) Sensação			
I. Em geral	375. Sensibilidade		376. Insensibilidade
	377. Fruição		378. Dor
II. Especial			

quadro sinóptico de categorias

1º) Tato		379. Tato	
	380. Comichão		381. Impalpabilidade
2º) Calor	382. Calor		383. Frio
			383a. Frescura
	384. Aquecimento		385. Resfriamento
	386. Fornalha		387. Refrigerador
		388. Combustível	
		389. Termômetro	
3º) Gosto	390. Gosto		391. Insipidez
		392. Picante	
		393. Tempero	
	394. Sabor		395. Amargura
	396. Doçura		397. Azedume
4º) Odor	398. Odor		399. Anosmia
	400. Fragrância		401. Fedor
5º) Som	*a. Som em geral*		
	402. Som		403. Silêncio
	402a. Som de coisas		
	404. Barulho		405. Sussurro
	b. Sons especiais		
	406. Estalo		407. Prolação
	408. Ressonância		408a. Não ressonância
		409. Sibilação	
		410. Estridor	
	411. Grito		412. Vozes de animais
	c. Sons musicais		
	413. Melodia		414. Dissonância
		415. Música	
		416. Músico	
		417. Instrumentos musicais	
	d. Percepção do som		
	418. Audição		419. Surdez

quadro sinóptico de categorias

		a. *Luz em geral*	
6º) Luz	420. Luz		421. Obscuridade
	420a. Abertura para passagem da luz		
		422. Meia-luz	
	423. Corpos luminosos		424. Sombra
	425. Transparência		426. Opacidade
		427. Semitransparência	
		b. *Luz especial*	
	428. Cor		429. Acromatismo
	430. Brancura		431. Pretidão
	432. Pardo		433. Castanho
	434. Vermelhidão		435. Verde
	436. Amarelo		437. Roxo
	438. Azul		439. Alaranjado
		440. Variegação	
		440a. Cores e sinais de cavalos	
		440b. Cores e sinais de bois	
		440c. Cores e sinais de diversos animais	
		440d. Sinais característicos do homem	
		440e. Partes do corpo humano	
		c. *Percepção da luz*	
	441. Visão		442. Cegueira
		443. Visão imperfeita	
		444. Espectador	
		445. Instrumentos de óptica	
	446. Visibilidade		447. Invisibilidade
	448. Aparecimento		449. Desaparecimento

quadro sinóptico de categorias

CLASSE IV. ENTENDIMENTO			
Divisão I. FORMAÇÃO DAS IDEIAS			
1º) Operações intelectuais em geral		450. Intelecto	
	451. Pensamento		452. Incompreensão
	453. Ideia		454. Tópico
2º) Condições e operações	455. Curiosidade		456. Incuriosidade
	457. Atenção		458. Desatenção
	459. Cuidado		460. Negligência
	461. Investigação		462. Resposta
		463. Experiência	
		464. Comparação	
	465. Discriminação		465a. Indiscriminação
		466. Medida	
3º) Materiais de raciocínio	467. Evidência		468. Réplica
		469. Atenuação	
		Graus de evidência	
	470. Possibilidade		471. Impossibilidade
	472. Probabilidade		473. Improbabilidade
	474. Certeza		475. Incerteza
4º) Raciocínio	476. Raciocínio		477. Irracionalidade
	478. Demonstração		479. Refutação
5º) Resultado do raciocínio	480. Julgamento		481. Obliquidade de julgamento
	480a. Descoberta		
	482. Exageração		483. Depreciação
	484. Crença		485. Descrença
	486. Credulidade		487. Incredulidade
	488. Assentimento		489. Dissentimento
	490. Conhecimento		491. Ignorância
	492. Douto		493. Ignorante
	494. Exatidão		495. Erro
	496. Máxima		497. Absurdo
		Faculdades	
	498. Inteligência		499. Imbecilidade
	500. Sábio		501. Tolo
	502. Sanidade		503. Loucura
			504. Louco

quadro sinóptico de categorias

6°) Extensão do pensamento			
I. Passado	505. Memória		506. Esquecimento
II. Futuro	507. Expectativa		508. Surpresa
		509. Ceticismo	
		510. Previdência	
		511. Predição	
		512. Agouro	
		513. Oráculo	
7°) Pensamento criador		514. Suposição	
		515. Imaginação	

Divisão II. COMUNICAÇÃO DAS IDEIAS			
1°) Natureza das ideias comunicadas	516. Significação		517. Sem significação
	518. Inteligibilidade		519. Ininteligibilidade
		520. Equívoco	
		521. Metáfora	
	522. Interpretação		523. Interpretação errônea
		524. Intérprete	
2°) Maneiras de comunicação	525. Manifestação		526. Latência
	527. Informação		528. Desinformação
	529. Exposição		530. Esconderijo
		531. Publicidade	
	532. Notícia		533. Segredo
		534. Mensageiro	
	535. Afirmação		536. Negação
	537. Ensino		
	538. Estudo		539. Desensino
	540. Mestre		541. Discípulo
		542. Escola	
	543. Veracidade		544. Falsidade
		545. Fraude	
		546. Mentira	
	547. Ingênuo		548. Enganador
		549. Exagero	

quadro sinóptico de categorias

3º) Meios			
I. Meios naturais		550. Indicação	
	551. Registro		552. Supressão
		553. Registrador	
	554. Representação		555. Arremedo
		556. Pintura	
		557. Escultura	
		558. Gravura	
		559. Artista	
II. Meios convencionais			
a. Linguagem em geral		560. Linguagem	
		561. Letra	
	562. Sílaba		563. Neologismo
	564. Nomenclatura		565. Apelido
		566. Frase	
	567. Gramática		568. Solecismo
		569. Estilo	
	Qualidades do estilo		
	570. Clareza		571. Imprecisão
	572. Concisão		573. Prolixidade
	574. Vigor de expressão		575. Frouxidão
	576. Sobriedade		577. Floreio
	578. Elegância		579. Deselegância
b. Linguagem falada	580. Voz		581. Afonia
	582. Discurso		583. Gagueira
	584. Loquacidade		585. Taciturnidade
	586. Alocução		587. Reação ao discurso
	588. Palestra		589. Monólogo
c. Linguagem escrita	590. Escrita		591. Impressão
	592. Correspondência		593. Livro
		594. Descrição	
		595. Dissertação	
		596. Compêndio	
	597. Poesia		598. Prosa
		599. Drama	

quadro sinóptico de categorias

CLASSE V. VONTADE INDIVIDUAL				
Divisão I. VONTADE INDIVIDUAL				
1º) Vontade em geral				
I. Atos de vontade	600. Vontade		601. Compulsoriedade	
	602. Boa vontade		603. Má vontade	
	604. Resolução		605. Irresolução	
	604a. Perseverança			
	606. Obstinação		607. Tergiversação	
		608. Capricho		
	609. Escolha		609a. Abstenção	
			610. Rejeição	
	611. Predeterminação		612. Ímpeto	
	613. Hábito		614. Descostume	
II. Causas	615. Motivo		615a. Ausência de motivo	
			616. Dissuasão	
		617. Alegação		
III. Objetos	618. Bem		619. Mal	
2º) Vontade em projeto				
I. Conceito	620. Intenção		621. Casualidade	
	622. Perseguição		623. Transigência	
		624. Desamparo		
		625. Trabalho		
		626. Plano		
		627. Passadouro		
	628. Meação		629. Circuito	
		630. Necessidade		

quadro sinóptico de categorias

II. Relação com o fim		a. *Utilidade presente*	
		631. Instrumentalidade	
		632. Meios	
		633. Instrumento	
		634. Sucedâneo	
		635. Material	
		636. Depósito	
	637. Provisão		638. Esbanjamento
	639. Suficiência		
	640. Redundância		641. Insuficiência
		b. *Graus de utilidade*	
	642. Importância		643. Insignificância
	644. Utilidade		645. Inutilidade
	646. Conveniência		647. Inconveniência
	648. Bondade		649. Ruindade
	650. Perfeição		651. Imperfeição
	652. Limpeza		653. Sujidade
	654. Saúde		655. Doença
	656. Salubridade		657. Insalubridade
	658. Melhoramento		659. Pioramento
	660. Restauração		661. Recaída
	662. Remédio		663. Veneno
		c. *Utilidade contingente*	
	664. Segurança		665. Perigo
	666. Refúgio		667. Recife
		668. Advertência	
		669. Alarma	
		670. Preservação	
		671. Escapatória	
		672. Desembaraçamento	
III. Precursores de um ato	673. Preparação		674. Despreparo
		675. Ensaio	
		676. Empreendimento	
	677. Uso		678. Desuso
			679. Mau uso

quadro sinóptico de categorias

3º) Ação				
I. Simples		680. Ação		681. Inação
		682. Atividade		683. Inatividade
		684. Pressa		685. Ócio
		686. Esforço		687. Repouso
		688. Fadiga		689. Revigoramento
II. Complexa			690. Agente	
			691. Oficina	
			692. Conduta	
			692a. Artes	
			693. Gestão	
			694. Diretor	
			695. Conselho (recomendação)	
			696. Conselho (corpo consultivo)	
			697. Preceito	
		698. Habilidade		699. Inabilidade
		700. Proficiente		701. Improficiente
		702. Astúcia		703. Candura
4º) Antagonismo				
I. Condicional		704. Dificuldade		705. Facilidade
		706. Estorvo		707. Auxílio
		708. Oposição		709. Cooperação
		710. Oponente		711. Auxiliar
			712. Partido	
		713. Discórdia		714. Concórdia
			715. Desafio	
II. Ativo		716. Ataque		717. Defesa
		718. Retaliação		719. Renitência
		720. Contenda		721. Paz
		722. Guerra		723. Pacificação
			724. Mediação	
			725. Submissão	
			726. Combatente	
			727. Potencial de guerra	
			728. Arena	

quadro sinóptico de categorias

5º) Resultados da ação	729. Acabamento		730. Não acabamento
	731. Sucesso		732. Insucesso
		733. Troféu	
	734. Prosperidade		735. Adversidade
		736. Mediocridade	

Divisão II. VONTADE COM REFERÊNCIA À SOCIEDADE

1º) Geral	737. Autoridade		738. Anarquia
	739. Tirania		740. Tolerância
		741. Comando	
	742. Desobediência		743. Obediência
		744. Obrigatoriedade	
	745. Amo		746. Servo
		747. Insígnia	
	748. Liberdade		749. Sujeição
	750. Libertação		751. Restrição
		752. Prisão	
	753. Carcereiro		754. Preso
	755. Comissão		756. Revogação
		757. Resignação	
		758. Consignatário	
		759. Deputado	
2º) Especial	760. Permissão		761. Proibição
		762. Consentimento	
	763. Oferta		764. Recusa
	765. Pedido		766. Deprecação
		767. Peticionário	
3º) Condicional		768. Promessa	
		769. Contrato	
		770. Condições	
		771. Fiança	
	772. Observância		773. Inobservância
		774. Compromisso	

quadro sinóptico de categorias

4º) Relações referentes à posse				
I. Propriedade em geral		775. Aquisição		776. Perda
			777. Posse	
			777a. Desprovimento	
			778. Participação	
			779. Possuidor	
			780. Propriedade	
		781. Retenção		782. Abandono
II. Transferência de propriedade			783. Transmissão	
		784. Doação		785. Recebimento
			786. Partilha	
		787. Empréstimo		788. Empenhamento
		789. Apropriação		790. Restituição
			791. Furto	
			792. Ladrão	
			793. Presa	
III. Troca de propriedade			794. Permuta	
		795. Compra		796. Venda
			797. Mercador	
			798. Mercadoria	
			799. Mercado	
IV. Relações monetárias			800. Dinheiro	
			801. Tesoureiro	
			802. Tesouraria	
		803. Riqueza		804 Pobreza
		805. Crédito		806. Dívida
		807. Pagamento		808. Insolvência
		809. Despesa		810. Receita
			811. Contabilidade	
		812. Preço		813. Desconto
		814. Carestia		815. Barateza
		816. Liberalidade		817. Economia
		818. Prodigalidade		819. Sovinaria

xxxi

quadro sinóptico de categorias

CLASSE VI. AFEIÇÕES					
Divisão I. AFEIÇÃO EM GERAL					
			820. Qualidades		
			821. Sentimento		
		822. Interesse			823. Desinteresse
			824. Excitação		
		825. Excitabilidade			826. Inexcitabilidade
Divisão II. AFEIÇÕES PESSOAIS					
1º) Passivas		827. Prazer			828. Sofrimento
		829. Deleite			830. Dolorimento
		831. Contentamento			832. Descontentamento
			833. Saudade		
		834. Alívio			835. Agravação
		836. Alegria			837. Tristeza
		838. Regozijo			839. Lamentação
		840. Divertimento			841. Enfado
		842. Espírito			843. Chateza
			844. Humorista		
2º) Particulares		845. Beleza			846. Fealdade
		847. Ornamento			848. Mancha
					849. Simplicidade
		850. Bom gosto			
		851. Moda			852. Mau gosto
			853. Ridicularia		
			854. Janota		
			855. Afetação		
			856. Ridicularização		
			857. Anedota		
3º) Em projeto		858. Esperança			859. Desesperança
					860. Medo
		861. Coragem			862. Covardia
		863. Temeridade			864. Cautela
		865. Desejo			866. Indiferença
					867. Aversão
					868. Exigência
					869. Saciedade
4º) Em contemplação		870. Admiração			871. Expectação
			872. Prodígio		

quadro sinóptico de categorias

5º) **Extrínsecas**	873. Fama		874. Infamação
	875. Nobreza		
	876. Título		877. Plebeísmo
	878. Orgulho		879. Humildade
	880. Vaidade		881. Modéstia
		882. Ostentação	
		883. Celebração	
		884. Jactância	
	885. Insolência		886. Servilismo
		887. Fanfarrão	
Divisão III. AFEIÇÕES SIMPÁTICAS			
1º) **Sociais**	888. Amizade		889. Inimizade
	890. Amigo		891. Inimigo
	892. Sociabilidade		893. Reclusão
	894. Cortesia		895. Descortesia
		896. Congratulação	
	897. Amor		898. Ódio
		899. Favorito	
		900. Ressentimento	
		901. Irascibilidade	
		901a. Hipocondria	
		902. Carícias	
	903. Casamento		904. Celibato
			905. Divórcio
2º) **Altruístas**	906. Benevolência		907. Malevolência
		908. Maldição	
		909. Ameaça	
	910. Filantropia		911. Misantropia
	912. Benfeitor		913. Malfeitor
3º) **Especiais**	914. Clemência		914a. Inclemência
		915. Condolência	

xxxiii

quadro sinóptico de categorias

4º) Retrospectivas	916. Gratidão		917. Ingratidão	
	918. Perdão		919. Vingança	
		920. Ciúme		
		921. Inveja		

Divisão IV. AFEIÇÕES MORAIS				
1º) Obrigações	922. Justiça		923. Injustiça	
	924. Direito		925. Impropriedade	
	926. Dever		927. Transgressão	
			927a. Isenção	
2º) Sentimentos	928. Respeito		929. Desrespeito	
		930. Desprezo		
	931. Aprovação		932. Reprovação	
	933. Lisonja		934. Difamação	
	935. Adulador		936. Difamador	
	937. Justificação		938. Acusação	
3º) Condições	939. Probidade		940. Desonestidade	
		941. Velhaco		
	942. Altruísmo		943. Egoísmo	
	944. Virtude		945. Desvirtude	
	946. Inocência		947. Culpa	
	948. Homem bom		949. Homem ruim	
	950. Penitência		951. Impenitência	
		952. Expiação		
4º) Prática	953. Temperança		954. Intemperança	
		954a. Sensualista		
		955. Ascetismo		
	957. Jejum		957. Gula	
	958. Abstemia		959. Embriaguez	
	960. Pureza		961. Impureza	
		962. Libertino		

quadro sinóptico de categorias

5°) Instituições		963. Legalidade		964. Ilegalidade
		965. Jurisdição		
		966. Tribunal		
		967. Juiz		
		968. Advogado		
		969. Demanda		
	970. Absolvição			971. Condenação
		972. Punição		
	973. Recompensa			974. Penalidade
		975. Azorrague		

Divisão V. AFEIÇÕES RELIGIOSAS

1°) Seres sobre-humanos e regiões		976. Divindade		
	977. Santo			978. Demônio
	979. Entidades divinas			980. Entidades demoníacas
	981. Céu			982. Inferno
2°) Doutrinas		983. Teologia		
	983a. Ortodoxia			984. Heterodoxia
	985. Revelação			986. Pseudorrevelação
3°) Sentimentos	987. Piedade			988. Impiedade
		988a. Carola		
		989. Irreligião		
4°) Atos		990. Culto		
		991. Idolatria		
		992. Bruxaria		
		993. Encantamento		
		994. Feiticeiro		
5°) Instituições		995. Cargos da Igreja		
	996. Clerezia			997. Secular
		998. Rito		
		999. Batina		
		1000. Templo		

primeira parte

CLASSE I. PALAVRAS QUE EXPRESSAM RELAÇÕES ABSTRATAS

Divisão I. EXISTÊNCIA

1º) Ser — abstrato

△ **1. Existência,** existibilidade, tudo que vibra e palpita, realeza, realidade, positividade, atualidade, subsistência, presença; ente, ser, forma, silhueta, pegadas, vulto; permanência, estabilidade, conservação das coisas; vida, vivência; objetividade, palpabilidade, fato, fato consumado; realidade gélida/pura/palpável/fria/indiscutível; exatidão 494; concretização, materialização, corporificação; concrescibilidade, materialidade; presença 186; coexistência 120; (ciência da existência): ontologia.
V. Existir, ser, haver, subsistir, estar, permanecer, viver 359; conservar sua força ou ação, continuar a ser, ficar em pé, perdurar, fazer-se sentir, prevalecer, persistir, desenvolver-se, crescer; medrar, pulular, florescer, reinar, imperar, dominar, aparecer 446; começar 66; respirar, palpitar, vibrar, ter vida, ocorrer 151; vegetar, produzir 161; vigorar, viger, viçar, estar de pé, estar em vigor; sorrir, alvejar, negrejar, correr, soprar, erguer-se; contemplar-se, admirar-se, encontrar-se, notar-se, ver-se, ostentar-se em.
Adj. existente & *V.*; vivente, existencial, vital, real, positivo, efetivo, absoluto, verdadeiro, prevalente, substancial, substantivo, exato 494; cuja existência não se contesta, concrescível, inextinto, ativo, em erupção, em movimento, vivo 359; corrente, inexausto, imperecível, palpável, material, inideal, infantasiado, concreto 316; de existência concreta, impotencial.
Adv. realmente & *adj.*; de fato, efetivamente, concretamente, na realidade, sob o sol, *subsole, sub-Jove, subdivo, de facto, ipso facto;* em carne e osso, em voga.
Frases: Reclama seu direito a um lugar ao sol. Corresponde à existência concreta. É portador de existência física.

▽ **2. Inexistência,** não existência, negação da existência, falta de existência, ausência 187; falta, finitude, morte, desconhecimento, nulidade, vacuidade, niilidade, insubsistência, nada, coisa nula, irrealidade, *tabula rasa*, lacuna, falha, omissão, espaço em branco, vácuo, carência; aniquilamento, desaparecimento, extinção, sumiço, destruição 162.
ilusão, fantasia, fantasmagoria, produto da imaginação, ficção, fábula, mito, pilhéria, farsa, burla, mentira 546; arremedo, simulacro, figura de retórica, rótulo falsificado, fantastiquice, problema, niilismo.
V. inexistir, não (existir & *V.* 1); estar no rol das coisas inexistentes, brilhar pela ausência, ainda estar por vir ao mundo, ser nulo e vazio, ser fruto da imaginação, desertar, não se conhecer, perecer, extinguir-se, acabar-se, findar, desaparecer, sumir, evaporar-se, dissolver-se, diluir-se, morrer 360; tornar inexistente & *adj.*; aniquilar, exinanir, anular, nulificar, ab-rogar, extinguir, suprimir, cancelar (*destruir*) 162; fantasmagorizar.
Adj. inexistente, irreal, insubstancial, imaterial, negativo, nenhum, nulo, omisso,

3. Substancialidade | 5. Intrinsecabilidade

aniquilado, exinanido, extinto, exausto, esgotado, diluto, perdido, extraviado, desconhecido, morto 360; incriado, ingerado, inato, inascível, que não teve nascença, que Deus ainda não criou, potencial, virtual, abstrato; fabuloso, mitológico, imaginário, fantasmal, fantasmagórico, fantasmático, fictício, umbrático, umbrátil, alegórico, fantasioso, fantástico; vão, inventado, incogitado e incogitável, quimérico 516; subjetivo, hipotético, supositivo, atribuído falsamente a, suposto, pseudo, falso, fingido, de existência impossível 471; sem fundamento, infundado, *in nubibus.*
Adv. negativamente & *adj.*
Frase: Nunca se viu consentida no mundo sua existência.

2º) Ser — concreto

△ **3. Substancialidade,** materialidade, concretude, ser, ente, personalidade, pessoa, coisa, objeto, artigo, massa, sangue, alguma coisa, um quê, algo, existência, alguém, individualidade, entidade, criatura, ser criado, corpo, forma, substância = suposto, carne e osso, matéria 316; essência, célula-mãe, quinta-essência, *substratum*, osso, organismo, hipóstase, consubstanciação, corporificação, corporeidade, corporalidade; substancialização, substancialismo;
(totalidade da existência): mundo, universo, galáxia, planeta 319, cosmo.
V. substancializar, converter em substância, considerar como substância, hipostasiar, supositar, corporificar, corporizar, corporalizar, substantificar, consubstantificar, consubstanciar; materializar-se.
encarnar, humanar-se, tomar carne humana.
Adj. substantivo, substancial, sobrestancial, hipostático, pessoal, corpóreo, carnal, corporal, tangível, palpável 316; ponderável, somático, objetivo, essencial, precípuo, sólido, consistente, maciço, maçuco (ant.), massudo, basto, cerrado, compacto.
Adv. substancialmente & *adj.*

▽ **4. Insubstancialidade,** nada, niilidade, invalidade, futilidade, zero, absolutamente nada, coisa nenhuma, nada sobre a terra, nem uma partícula 32; imaterialidade, bagatela, nonada, ninguém, fumo, inanidade, fantasmagoria, miragem, visão, fantasma, espectro, fogo-fátuo 443; ilusão de óptica, quimera, utopia, sombra, sonho, devaneio, faz de conta, produto da imaginação 515; bolha-d'água, material com que se fabricam os sonhos, mito, fábula; idealismo.
V. dissipar-se, esvaecer-se, desvanecer-se, desfazer-se, diluir-se, sumir-se, evaporar-se, dissolver-se, não deixar vestígio, apagar-se rapidamente, desaparecer 449; aniquilar, exinanir, fantasmagorizar-se.
Adj. insubstancial, insubsistente, visionário, ideal, etéreo, concebido apenas pelo pensamento, espiritual, imaterial 317; imponderável, impalpável, intangível, oco, inane, subjetivo, incorpóreo, nominal, nulo, inútil, vazio, fantasmagórico.
Adv. insubstancialmente & *adj.*; *in nomine.*
Frase: *Vox et præterea nihil.*

3º) Existência formal

△ **5. Intrinsecabilidade,** inerência, hereditariedade, tara, atavismo, essencialidade, intimidade, subjetividade, fundo, essência, veio, quinta-essência, âmago, imo, encarnação, imanência = persistência, quididade, especialidade;
seiva, elementos vitais, suco, medula, tutano, vísceras, entranhas, alma, coração, sangue, cerne = durame, força, energia, virtude, substância, espinha dorsal, miolo (*interioridade*) 221; composição, contexto, contextura, princípio, natureza, constituição, caráter, tipo, qualidade, apanágio, disposição, predisposição, bossa, atributo, gênio, requinte, índole, predicado, feição, temperamento, qualidade inata, crase, hábito, diátese, espírito, humor, dom, capacidade, poder 159; fisionomia, semblante. aspecto, particularismo, particularidade 79; idiossincrasia, tendência, instinto, inclinação, pendor, queda 176; sintoma.
V. estar no sangue, na massa do sangue; ser (inerente & *adj.*); inerir, vir a alguém de casta, não poder separar-se de, ser herdado, dormir e acordar com;
pertencer a alguém "como o riso à inocência, como o aroma à flor"; ser qualidade essencial, ser adjetivo explicativo, constituir uma segunda natureza.
Adj. intrínseco, subjetivo, íntimo, radical, básico, fundamental, essencial, visceral, precípuo, quididativo, normal, conato, con-

gênito, ínsito, de nascença, nado, nato, inato, nativo, nadível, inerente, inadquirível, nascidiço, encarnado, hereditário, herdado, imanente, implantado, privativo, especial 79; permanente, constante, imutável, interno 221; constitutivo, orgânico, natural, característico, indicativo 550; "que a natureza fez assim de nascimento", atávico, especificativo, invariável, incurável, inauferível, invaporável, irradicável, inextirpável, inabdicável, inalienável, inalterável; arraigado, inartificial, inadmissível, imperdível, anímico, idiossincrásico, qualitativo.
Adv. intrinsecamente & *adj.*; na substância, no fundo, na essência; praticamente, virtualmente, visceralmente.
FRASES E PROVÉRBIOS: *Quod natura datur nemo negare potest.* Quem torto nasce, tarde ou nunca se endireita. O pelo muda a raposa, mas o natural não o despoja. O que o berço dá, só o túmulo o leva.

▽ **6. Extrinsecabilidade,** objetividade, *non ego,* singularidade 57; acidente, crosta, esmalte, verniz, revestimento 223; casquinha, roupagem, indumentária, vestuário, aparência, casca, *superstratum,* forma, enxerto, maquiagem; cooptação.
V. ser um acidente, ser uma qualidade acidental;
cooptar.
Adj. objetivo, extrínseco, estranho 57; alheio, adventício, vindiço, modal, incaracterístico, acidental, impróprio, relativo, acidentário (ant.), fortuito, inessencial, enxertado, emprestado, externo, superficial, aparente, desnatural, artificial, adquirido, mutável, perdível, alienável, abdicável, extinguível, inassimilável, inorgânico, radicável, extirpável, curável, sanável, eliminável, que não foi herdado.
Adv. extrinsecamente & *adj.*

4º) Existência modal

ABSOLUTA

7. Estado, condição, esfera, círculo, categoria, feitio, forma, predicamento, graduação, posição, posto, setor, ordem, disposição, natureza, gênero, espécie, classe, aspecto 448;
modo, modalidade, forma, formato, configuração 240; tom, caráter, índole, cunho, teor, marca, selo, distintivo, gênio, inclinação, estilo, constituição, hábito, diátese, textura, contextura, estrutura 329.
Adj. modal, condicional, formal, essencial, estrutural, fundamental, orgânico, anímico.
Adv. modalmente & *adj.*; como ocorrem as coisas.

RELATIVA

8. Circunstância, situação, localização, particularidade, temperatura, fase, posição, ponto, positura, postura, condição, pé, estado, disposição, atitude, lugar, termo, regime, classe, categoria, *status,* ocasião, oportunidade, contexto, conjuntura, congeminência, contingência, lance, transe, emergência, passagem, caso, crise 151; vicissitude, últimas, lance decisivo;
predicamento, peripécia, aperto, embaraço, momento;
momento psicológico/crítico.
Adj. circunstancial, dado, condicional, provisional, crítico, provisório, passageiro, efêmero, ocasional, modal, contingente, eventual, acidental.
Adv. circunstancialmente & *adj.*; sob o império das circunstâncias, como vão as coisas, conforme der o dado, conforme soprar o vento, segundo as circunstâncias, por essa razão, segundo, conforme;
em circunstâncias & *subst.*; assim, desse modo, por esse modo, dessa maneira;
consoante, sendo esse o caso, assim sendo, assim considerando, tendo em vista essa circunstância;
no rumo em que as coisas vão, nesse estado de coisas;
condicionalmente, contanto que, no caso de, na hipótese de, se tal suceder, se isto se verificar, se isto se der, nessa conjuntura, em tal caso, a menos que, sem que;
conforme as circunstâncias/a ocasião/o momento, como Deus for servido, *pro re nata.*
FRASE: *Ça dépend.* Depende. Vai depender.

Divisão II. RELAÇÃO

1º) Relação absoluta

△ **9. Relação,** encadeamento, conexidade, conexão, ligação, plexo, travação, filiação, dependência, vinculação, condiciona-

10. Não relação | 11. Consanguinidade

mento, conotação, interdependência, subordinação, correlação, mutualidade 12; concatenação, analogia, semelhança 17; consanguinidade 11; parentesco, homologia, homogeneidade, homomeria; aliança, associação, aproximação 197; correspondência, comparação, cotejo, confronto 464; proporção, eutaxia, razão, vínculo, liame, ligação 45; nexo, elo, cadeia, equação, alusão, referência.
V. referir-se, ter relação, ter referência; conectar, referenciar;
estar em proporção/em íntima conexão, medir-se por, tocar, respeitar, concernir, dizer respeito, ter que ver com, versar, interessar, ser de, pertencer a, afetar, depender, subordinar-se, repousar em, estribar-se em, reagir sobre, aplicar-se a, relacionar-se, compreender-se a;
pôr em relação, encadear, concatenar, associar, aliar, traçar um paralelo, comparar, cotejar, ligar 43; aparentar = ligar por parentesco, armar uma equação, equacionar, adequar, prender, correlatar, correlacionar, referir, aludir.
Adj. relativo, concernente, respeitante, atinente, referente, alusivo, pertinente, conexo, conexivo, ligado, preso, atado, implicado, associado, aliado, casado, dependente, subordinante, subordinado, filial, correlato, correlativo, interdependente 12; cognato, propínquo, pertencente a, associativo, respectivo, proporcional, comparável, homólogo, homogêneo, homômero, subordinativo;
da mesma categoria, da mesma laia 75; semelhante 17; harmônico, compatível, correspondente, equivalente, condizente.
Adv. e conj. relativamente & *adj.*; segundo, consoante, conforme, sob todos os respeitos, a respeito de, pelo que pertence a, no que concerne a, no que tange a, quanto a, no que diz respeito a, no que interessa a, sobre, em referência, com referência, a propósito de, a tal respeito, a esse respeito, por conta de, com relação a, em proporção, à proporção que, à medida que.

▽ **10. Não relação,** dissociação, desligamento, inconexão, insulação, desconexão 44, desvinculação; diversidade, multiplicidade, inconsequência, independência, insubordinação, incomensurabilidade, desconformidade 83; irreconciliabilidade 24; heterogeneidade, impertinência, *nihil ad rem*, intrusão 24; alotriologia;
corpo estranho, quisto, parêntese, planta exótica 57.
V. não ter (relação & *subst.* 9); nada ter de comum com, não se entender com, independer, não dizer nada ao caso, não vir para o caso, ser (independente & *adj.*); insular, isolar, desligar, desassociar, dissociar, desintegrar, desmembrar, desvincular, segregar, des (aliar & *v.* 9); separar, desjungir 44.
Adj. irrelativo, inconsequente, arbitrário, desconexo, desassociado, descasado, desemparceirado, desarticulado, desvinculado, rotulado à parte, desemparelhado, desligado, forâneo, forasteiro, insular, desatremado, estranho, exótico, inaclimável, desambientado, profano, solto, distinto, destacado, avulso, descosido, heterogêneo, heteróclito, desaparentado, incoerente, desconjunto, desunido, desconforme 83; impacto = metido à força, forçado, episódico, quistoso, esporádico;
incomparável, incotejável, incomensurável, que não vem ao caso;
fora de propósito/de questão; inconcordável, discordante 24; diferente, ímpar;
antipático, antagônico, inconciliável, dissocial, incompatível.
Adv. irrelativamente & *adj.*; entre parênteses, de passagem, incidentemente, sem referência a, sem ligação com, à parte, sem a mínima conexão.

11. Consanguinidade, sanguinidade, agnação, agnatia, relação, linha colateral, grau colateral, grau de parentesco, cognação natural, parentela = germanada, sangue, carne, paternidade 166; filiação 167; fraternidade, linhagem, parentesco = ascendência, ancestralidade, conexão, afinidade, aliança, família, laços de sangue, nepotismo, linha dos ascendentes, os quatro costados, estirpe, colacia, irmandade, casta, raça, geração, vergôntea, ramo, parente, agnado, propínquos, pervinco, afim, tio, sobrinho, primo-irmão, primo-segundo;
parente próximo, remoto, distante; parente em grau arredado, irmão, agnato;
irmão uterino, colaço, coletâneo;
irmão de leite, os meus, os seus, os nossos; entes queridos.

12. Correlação | 12. Correlação

Lista dos parentescos por consanguinidade segundo o Direito Civil Brasileiro
1º Grau
a) na linha reta ascendente — pai e mãe;
b) na linha reta descendente — filho e filha;
(Não há colaterais em 1º grau);
2º Grau
a) na linha reta ascendente — avô e avó paternos e maternos;
b) na linha reta descendente — neto e neta;
c) na linha colateral — irmão e irmã;
3º Grau
a) na linha reta ascendente — bisavô e bisavó;
b) na linha reta descendente — bisneto e bisneta;
c) na linha colateral: 1º, sobrinho e sobrinha (filhos de irmão ou irmã); 2º, tio e tia (irmãos de pai ou mãe);
4º Grau
a) na linha reta ascendente — trisavô, trisavó;
b) na linha reta descendente — trineto, trineta;
c) na linha colateral: 1º, sobrinho-neto e sobrinha-neta (filhos de sobrinha ou sobrinho); 2º, tio-avô e tia-avó (irmãos de avô ou de avó); 3º, primo-irmão e prima-irmã (filhos de tio e tia);
5º Grau
a) na linha reta ascendente — tetravô e tetravó;
b) na linha reta descendente — tetraneto e tetraneta;
c) na linha colateral: 1º, sobrinho-bisneto e sobrinha-bisneta (filhos de sobrinho-neto e sobrinha-neta); 2º, tio-bisavô e tia-bisavó (irmãos de bisavô e de bisavó); 3º, primo-segundo e prima-segunda (também primos) (filhos de tio-avô e tia-avó); 4º, primo-segundo e prima-segunda (também chamados primos-sobrinhos); (filhos de primo-irmão e prima-irmã);
6º Grau
a) na linha reta ascendente — pentavô e pentavó;
b) na linha reta descendente — pentaneto e pentaneta;
c) na linha colateral: 1º, sobrinho-trineto e sobrinha-trineta (filhos de sobrinha-bisneta e sobrinho-bisneto); 2º, tio-trisavô e tia-trisavó (irmão de trisavô e trisavó); 3º, primo-terceiro e prima-terceira (filhos de tio-bisavô e tia-bisavó); 4º, primo-terceiro e prima-terceira (filhos de primo-segundo e prima-segunda).

A linha reta é infinita. Para a contagem dos graus de parentesco por afinidade, seguem-se por analogia as mesmas regras aplicadas às do parentesco por consanguinidade. Assim, a mulher é parente afim do pai de seu marido (sogro) em 1º grau; do filho do marido (enteado) também em 1º grau; e, em segundo, do avô do marido como do seu neto e assim por diante, isto em linha reta. Quanto à linha colateral, a regra ainda é a mesma; a mulher é, por exemplo, parente em 2º grau do irmão do seu marido (cunhado) e em 3º grau de seu tio ou sobrinho.

V. ser parente, ser do mesmo sangue de alguém, ser da família de, estar ligado a alguém por vínculos de sangue, aparentar, aparentelar, contrair parentesco, adotar, ter costela, afilhar, perfilhar, receber legalmente como filho, servir de padrinho.

Adj. aparentado, parente, semiparente, divedo (ant.), ligado pelas raízes do parentesco, consanguíneo, chegado, próximo, remoto, carnal, cognato, agnato, germano, materno, maternal, paterno, paternal, legítimo, legitimado, colateral, ilharguiero, avuncular, contraparente, parental, parenteiro, gêmeo, trigêmeo, trigêmino; familiar.

Adv. aparentadamente & *adj.*; *carnis lege* = pelos laços de sangue.

12. Correlação, reciprocidade, compatibilidade, correspondência mútua, reciprocação, correspondência de direitos e deveres, mutualidade, interdependência, intercâmbio 148; ação e reação, oferta e procura, barganha recíproca, permuta 148; compra recíproca = coempção, fogo cruzado, as relações de mútua dependência.

V. correlatar, correlacionar, pôr em mútua relação, estar em relação entre; reciprocar, contracambiar, trocar mutuamente, barganhar, dar e receber em troca, permutar 148.

Adj. recíproco, mútuo, mutual confraternal, compatível, correlato, respectivo, correlativo, correspondente, concernente, reflexo, reflexivo, permutável, alternado, bilateral, atinente.

Adv. reciprocamente & *adj.*; com reciprocidade, de parte a parte, com geral correspondência, *mutatis mutandis*; vice-versa.

13. Identidade | 16. Uniformidade

△ **13. Identidade,** comunidade, coincidência, semelhança perfeita, indistinção, paridade absoluta, aderência, coalescência, aglutinação, convertibilidade, igualdade 27; sinonímia; identificação, consubstanciação;
monotonia, tautologia (*repetição*) 104;
Pai, Filho e Espírito Santo; fac-símile, cópia perfeita 21, *alter ego, ipssima verba* (*exatidão*) 494; o mesmo, o mesmíssimo; sinônimo perfeito, igualdade geométrica.
V. ser (idêntico & *adj.*); não ser outro, ser o próprio, unir-se;
ligar-se, coincidir em toda a extensão; identificar, fazer de duas ou mais coisas uma só, consubstanciar, coincidir, acertar, ajustar; irmanar, confundir em toda a linha.
Adj. idêntico, indistinto, natural, sinônimo, igual 27;
exatamente, matematicamente igual; igual sob todos os aspectos, igual encarado por qualquer prisma; homogêneo, gêmeo.
Adv. identicamente & *adj.*; sem mais nem menos; tal qual, sem tirar nem pôr (ponto); sem discrepar duma coma, ponto por ponto.

▽ **14. Contraste,** contrariedade, diversidade, antítese = síncrese, oposição, antonímia, contradição, implicação, implicância, antifonia, repugnância, inconsequência, choque, embate, colisão, contraposição, desarmonia, desigualdade, disparidade, divergência, distinção, antagonismo 708; atrito, conflito, contraindicação;
o reverso, o contrário, o avesso, o oposto (*inversão*) 218; antífrase; antônimo, antípoda.
V. ser (contrário & *adj.*); contrariar, contrastar, divergir, fazer contraste, serem o dia e a noite, contrapor-se, embater, colidir, chocar, destoar, repelir-se, diferir *toto coelo*, destacar-se, distinguir-se;
realçar, contraditar.
Adj. contrário, atravessadiço, antagônico, conflitante, discordante, discorde, divergente, oposto, desconforme, díspar, inverso, adverso, antitético, sincrítico, alheio a, antipódico, antipodiano, antipodal, desconveniente, contraditório, inconcordável, berrante, chocante, inaliável, incomparável, incompatível = incongruente, heterogêneo, negativo, reverso, hostil 708; diferindo *toto coelo*; morganático; *tout au contraire*, diametralmente oposto, de caráter contrário, avesso 218; antônimo, que não se adjetivam, *qui hurlent de se trouver ensemble*;
tão opostos como branco e preto/como luz e trevas; que não se coaduna com.
Adv. contrariamente, inversamente; contra, *per contra*, pelo contrário, vice-versa, por outro lado 30; às avessas, ao revés, de revesilha, ao avesso.

▽ **15. Diferença,** distinção, variação, variedade, diversidade, discordância, disparidade, discrime, modificação, divergência, desacordo, incoincidência, desencontro, desigualdade 28; dessemelhança 18; desvairança, heterogeneidade;
distinção fina/delicada/sutil; sombra de diferença, *nuance*, gama, gradação, modulação, matiz, discriminação 465;
(coisas diferentes): alhos e bugalhos, gato por lebre, maçã de outra árvore, outro par de sapatos, cantar de outro galo, vinho de outra pipa, espeto e ovo, remendo de outro pano.
V. ser (diferente & *adj.*); diferir, discrepar, contrastar;
diferir *toto coelo, longo intervalo*; divergir, diversificar, destoar, oferecer aspecto diferente;
fazer diferença, diferençar, diferenciar-se, distinguir-se, não se confundir; desaproximar-se, distanciar-se, afastar-se, não ser bem irmão de, tomar outro rumo, mudar de aspecto, não coincidir.
Adj. diferente, divergente, dessemelhante, discrepante, longe, diverso, outro, desvairado (ant.), desconforme, mudado, inconfundível, segundo, novo, heterogêneo, vário, discorde, desunido, desconjunto, distinto = desadunado, separado, multíplice, multifário, variegado, desigual 28; sem-par, desemparceirado, essoutro, vazado em moldes diferentes, díspar.
Adv. diferentemente & *adj.*
Frases: *Il y a des fagots et fagots*. Há tradutores e tradutores. Isso é outro cantar. O caso agora muda de figura. Se ..., outros galos me cantariam. Uma coisa é ..., outra é ...; Isso é outra história.

2º) Relação contínua

△ **16. Uniformidade,** igualdade, homogeneidade, constância, permanência, regularidade, invariabilidade, conformidade 82; au-

16a. Diversidade | 17. Semelhança

sência de acidentes, consistência, harmonia 23; congruência, rotina, ramerrão, falta de variedade, mesmice, homologia, tautometria, tautofonia, monotonia, chatura, tédio.
V. ser (uniforme & *adj.*); não destoar, não divergir, não conhecer modificação, não manifestar variedade, oferecer a mesma face, tornar-se uniforme, uniformizar-se, seguir a corrente, serem da mesma laia, serem farinha do mesmo saco; serem galhos da mesma árvore;
assimilar, nivelar, homogeneizar, aplainar, terraplenar 251.
Adj. uniforme, homogêneo, igual, equável, conatural, monótono, liso, sem ondulação, constante, regular, invariável, inalterável, imutável, inacidentado, inteiriço, inconsútil, monódico, monocórdio, chato, tedioso.
Adv. uniformemente & *adj.*; sem exceção, sem restrição, de harmonia com 23; sempre, invariavelmente, sem incidentes.

▽ **16a. Diversidade,** desconformidade, inconformidade, desvairança (ant.), inconstância, variabilidade, instabilidade, multiformidade, heterogeneidade, multiplicidade, singularidade, novidade, anormalidade, peculiaridade 83; *multiformidade* 81; exceção, irregularidade, aspereza, desigualdade, nodosidade, ondulação 256; acidente, rugosidade.
V. ser diverso, diversificar, mudar de aspecto, desconfigurar-se, cambiar 440; quebrar a harmonia, não manter a mesma jurisprudência, variar, enrugar, encrespar, acidentar-se, apresentar-se sob aspectos vários, desassimilar-se.
Adj. diverso, variado, variegado, irregular, anormal, incurial, desigual, pontilhado de, áspero, escabroso, cheio de altos e baixos, com muitas curvas e desvios, acidentado, fragoso, cortado de, sulcado de, impolido, agreste, multifário, multiforme, multiface, variforme, mosaico, oniforme, heterogêneo;
de várias espécies, sortes, maneiras.
Adv. diversamente & *adj.*

3º) Relação parcial

△ **17. Semelhança,** analogia, similaridade, similitude, imitação, longes, parecença, vislumbre, consanguinidade, afinidade, conformidade, parentesco, relação, proporcionalidade, isomerismo, aproximação, vizinhança, paralelismo, conexão, aliança, paridade, parilidade, vizindade, propinquidade, reminiscência, polimeria, polimerismo, paronomásia, aliteração, rima, trocadilho, calembur;
conaturalidade, irmandade;
repetição 104; identidade 13; uniformidade 16; isomeria, imagem, retrato, fotografia, cópia, réplica, companheiro, par, duplo, irmão gêmeo, *pendant, alter ego,* sósia, clone;
tal pai, tal filho; farinha do mesmo saco, vinho da mesma pipa;
lé com lé, cré com cré; *par nobile fratrum; Arcades ambo; et hoc genus omne*; parelha, símile, similar, igualha, arremedo, simulacro, miniatura 554;
semelhança fiel, perfeita, exata, rigorosa; semelhança bem-acabada; o mesmo, o mesmíssimo.
V. ser (semelhante & *adj.*); ter muitos pontos de contato, ser segundo tomo de, ser o retrato de, ser a cara de, dar ares de, ter a aparência de, imitar 19; lembrar, arremedar, parecer, ser cópia escarrada, semelhar-se, toar, soar, frisar, assemelhar-se, ter semelhança, confundir-se com, parecer-se, sair ao, puxar por, dar ideia de, cheirar a, sair o pau à racha;
aproximar-se, avizinhar-se, convizinhar-se, abeirar-se de, tocar as raias de, atingir quase, roçar, oscular; homogeneizar-se;
tornar semelhante & *adj.*
Adj. semelhante, análogo, símil (poét.), quejando, parecido, (cuspido e) escarrado (chulo) tal, tal e qual, outro, outro tal, outro que tal, próprio;
pariforme = da mesma forma, da mesma natureza, isomorfo, segundo, novo, semeável (ant.), similitudinário, gêmeo, trigêmeo, parente, par, recordativo, lembrativo, frisante, similar, mesmo, congênere, paralelo, homólogo, parônimo, aproximado, próximo, vizinho, proporcional, isólogo, isômero, exato (*verdadeiro*) 494; que parece estar vivo, que tem certo ar de família; que coxeiam do mesmo pé; *comme les autres; instare omnium,* como os outros.
Adv. semelhantemente & *adj.*; qual, como, assim como, tal como, bem como, da mesma forma que = tal qualmente, do mesmo modo que, como que, como se, tanto assim que, de semelhante = assim dessa maneira;
mais ou menos;

à imagem, à semelhança, à laia, à guisa, à imitação, à moda, à maneira de, ao modo de, a exemplo de, em forma de, *veluti in speculum*.
Frases: Cada ovelha com sua parelha. Parecem-se como duas gotas d'água, (*comme deux gouttes d'eau*). Parecem-se como dois raios do mesmo sol. Parecem-se como duas gotas de orvalho. Parecem-se como duas folhas do mesmo galho. *Colubra non parit restem* = tal pai, tal filho; cara de um, focinho do outro (pop.); ...é o clone de...

▽ **18. Dessemelhança,** desigualdade, diferença 15; dissimilitude, imparecença, inverossimilhança, contraste, divergência, discrepância, diversidade, desacordo, desavença, dissensão, heterogeneidade, novidade, originalidade.
V. ser (dessemelhante & *adj.*); não se parecer com 18; dessemelhar-se, variar, contrastar, colidir, discordar, divergir, discrepar, destoar, diversificar, diferir, diferençar-se 15; apartar-se de, desviar-se de, afastar-se de, não seguir, desseguir, distinguir-se de, não se confundir com, desemparelhar, desassemelhar, desassimilar.
Adj. dessemelhante, diferente, díspar, absímile (ant.), desigual, variado, dissimilar, de diferente padrão, de diferente classe 75; destoante de, inconfundível, imbaralhável, imiscível, incomparável, heterogêneo, distinto, sem-par, sem segundo, sem precedente 83; desemparelhado, desemparceirado, único, novo, original, inédito, vazado em moldes diferentes, *tertium quid*, tão parecidos como ovo com espeto; *lucendus a non lucendo*.
Adv. e conj. dessemelhantemente & *adj.*; de outro modo, de outra forma, quando não, senão, aliás, mas, contudo, todavia, porém, do contrário, nada disso, nada que se pareça com isso, longe disso, coisa bem diversa, de outra estopa.

△ **19. Imitação,** cópia, modelação, macaqueação, assimilação, similação, semelhança, analogia 17; mimologia, mimese, bufonaria, simulacro, arremedo, arremedilho, contrafação, fingimento, personificação, representação 554; simulação;
anglomania, francomania, lusomania; cópia, réplica, transcrição, fac-símile, retrato, repetição, pública-forma, nova edição, citação, aspas, decalque, reprodução;
paráfrase, paródia 21; plágio, plagiato, falsificação 546;
imitador, eco, macaqueador, arremedador, bugio, mono, macaco, símio, papagaio, plagiário, plagiador, copista, amanuense, transcritor, escrevente, recopilador, fotógrafo, pantógrafo, pentágrafo = bugio, copiógrafo, mimeógrafo, *balancé*, quadriculação, craticulação, heliocromia, heliografia, autografia; onomatopeia.
V. imitar, copiar, remedar, arremedar, macaquear, contrafazer, fingir, simular, espelhar, retratar, fotografar, fac-similar, refletir, ecoar, reproduzir, replicar, clonar, repetir, fazer obra de amanuense, parafrasear, modelar, plasmar, seguir de perto o original, representar 554; parodiar, fazer o mesmo, seguir o caminho de, ter os olhos fitos em alguém;
adotar por norma/por modelo/por padrão; seguir as pegadas, o exemplo; seguir como norma, retrilhar as pegadas de, mirar-se no exemplo de, moldar-se, tomar o exemplo de, regular pelo molde de;
emular, modelar ou pautar seus atos pelos de; ir na esteira de 281; fazer obra por; seguir as pegadas, os passos de; levar o caminho de, imitar alguém como norma, plagiar, apoderar-se das ideias de outrem para fazê-las suas, copiar, transcrever, reproduzir, passar para o papel, estresir, lucidar, politipar, autografar, copiografar, mimeografar, litografar, trasfoliar, forragear, repintar, avivar, crespir.
Adj. copiado & *v.*; clonado, fac-similado, imitado, imitador, imitativo & *v.*;
parafrástico, literal, servil, fiel, autêntico, genuíno, fidedigno, exato 494; anomatopaico; anglomaníaco, francomaníaco, franduno.
Adv. literalmente & *adj.*; imitativamente, com todos os ff e rr, tim-tim por tim-tim, pá-a-pá-santa-justa; *ad amussem; verbatim et litteratim; sic; totidem verbis*, palavra por palavra, *verbum ad verbum*, ao pé da letra, *mot à mot*, sem discrepância de uma coma, *ipsissimis verbis, ad unguem*, sem tirar nem pôr, *mutatis mutandis*.

▽ **20. Originalidade,** inovação, novação, novidade, ineditismo; individualidade, peculiaridade, singularidade, particularidade.
V. ser (original & *adj.*); ter cunho ou caráter próprio, singularizar-se, afastar-se da

rota trilhada, não conhecer modelo, não imitar 19; não ir pelo caminho do carro, inovar 123; desviar-se de, não se conformar com a rota batida;
diferençar-se, desgarrar-se da trilha comum; não se deixar levar pela corrente, viver fora do seu tempo;
ser um revoltado/um desambientado/um excêntrico.
Adj. original, inédito, nunca visto, inimitado, incopiado, desemparceirado, excepcional, sem precedente, sem exemplo, sem paralelo, *tombé des nues*, novo, ainda não devassado, ainda não trilhado, inexplorado, virgem, único, fora dos moldes clássicos, singular, inestreado, que ainda não logrou sua estreia, vazado em moldes inteiramente novos; revolucionário.
Adv. originalmente & *adj.*; com originalidade.

20a. Variedade, inovação, novação, novidade, diversidade, algo de novo, alteração, modificação, mudança 140; colcha de retalhos, empada, olha, salada, mosaico, sortimento, oásis;
divergência 291; desvio 279; aberração; modos, tempos e pessoas; flexão, declinação.
V. variar 140; desviar 291; inovar; fazer/introduzir inovações; modificar, alterar, diversificar, flexionar, sortir, quebrar a monotonia.
Adj. variado, variegado, sortido, diversificado, sorteado, vário, divergente 291; biforme, triforme, quadriforme, oniforme, multiforme, multímodo, multifário, multiface, variforme, mosaico, heterogêneo, heteróclito.

△ **21.** (Resultado da imitação) **Cópia,** clone, fac-símile, isografia, xerox, simulacro, transcrito, antígrafo, traslado, pública-forma, testemônio (ant.), efígie, vera-efígie, éctipo, imagem, retrato 554; duplicata, triplicata, transcrição, transunto, reflexo, reflexão, sombra, eco, repercussão, repercusso (ant.), reprodução, reprodução caricatural, segunda edição, nova edição, repetição 104; reimpressão, apógrafo;
cópia perfeita (exata 494); plágio, plagiato, servilismo, imitação servil, heliocromia, heliografia, autografia, paródia, paráfrase, metáfrase, chancela, caricatura, *travesti*, fantasia, contrafação, contrafeição, falsificação (*fraude*) 545.
Adj. fiel, exato 494; perfeito 650; fac-similar, tirado do natural, imperfeito 651; semelhante 17.
Adv. fielmente & *adj.*

▽ **22.** (Coisa que serve de cópia) **Protótipo,** arquétipo, tipo, antítipo, original, autógrafo, calco, norma, minuta, rascunho, paradigma, modelo, traslado, padrão, craveira, forma[ô], molde, contramolde, exemplo, protoplasto, amostra, figurino, esquisso, croqui, natural, chavão, maquete, texto, matriz, protoplasma, cunho, regra.
V. dar o exemplo; servir de modelo/de paradigma/de regra.
Adj. modelar, exemplar, normal, arquetípico, paradigmático.
Adv. modelarmente & *adj.*

4º) Relação geral

△ **23. Acordo,** combinação, ajuste, concerto, unissonância, harmonia, regularidade, composição (*concórdia*) 714; avença, ligação, aliança, conformidade, coalho, coadunação, união de vistas, concordância, acordação (ant.), convênio, pacto, trato, contrato;
parilidade, conformidade 82; uniformidade, consonância, consentaneidade, consistência, congruidade, congruência, conveniência, congenialidade, correspondência, paralelismo, aposição, conjunção, aptidão, relevância, idoneidade, capacidade, pertinência, coaptação, ajustamento, aplicabilidade, admissibilidade, compatibilidade, comensurabilidade, encadeamento 9; justura, adaptação, acomodação, assimilação, reconciliação, assentimento 488; concorrência 178; cooperação 709.
V. estar de (acordo & *subst.*); cair a sopa no mel, consonar, ser luva para mão de, concordar, admitir, grudar, harmonizar-se, quadrar, acordar-se = combinar-se, acertar-se, ajustar-se, pactuar, ser ouro sobre azul, corresponder, encontrar forma para o pé, responder;
ficar, assentar bem; servir, assentar, aclimatar-se, estar a calhar, coadunar-se, assentar como uma luva, condizer, frisar, rimar, afinar-se com, compadecer-se com, convir, acertar com toda a exatidão, conformar-se,

acomodar-se, ser compatível & *adj.*; caber, condizer, dizer com;
fazer boa massa/boa liga; não excluir, compor-se, aliar-se, coligar-se, mancomunar-se, conluiar-se, jogar bem com, cair bem sobre, ir lindamente, coalhar;
pôr-se em harmonia/em proporção; acomodar, pôr de acordo, graduar, conformar, aptar (desus.), ajeitar, adaptar, amoldar, ajustar, acertar, proporcionar, igualar 27; propositar, apropriar, reconciliar, coadunar, arranjar, desincompatibilizar, temperar, adequar.
Adj. acomodado & *v.*; conveniente, conforme, consono, consoante, côngruo, congruente, concorde, concordante, adequado, apósito, cômodo, apropriado, qualificado, escolhido a dedo, proporcionado, comensurado, talhado, talhado de molde, consentâneo, correspondente, congenial, harmônico, harmonioso, coerente, acordante, decente, decoroso, condigno, competente, idôneo, perfeito, bem-assentado, oportuno, afortunado, bem-nascido, feliz, propício, providencial, apropositado, pertinente, hábil, tempestivo, reconciliável, conciliável, compatível, harmonizável, aplicável, admissível, coadunável, adequável & *v.*
Adv. acomodadamente & *adj.*; de acordo com, à altura, em proporção ao, no seu elemento, a propósito, à justa, *ad hoc*, a jeito, de modo apropriado, ao compasso de, a talho de foice 134; à fiveleta, segundo, conforme, consoante, em harmonia com, na medida de, à medida que.

▽ **24. Desacordo,** inarmonia, desarmonia, irregularidade, discordância, (discórdia) 713; desconcerto, desencontro, controvérsia, altercação, contenda, disputa, divergência, dissensão, dissidência 489, pendência; dissonância, desafinação, divórcio, descompasso, discrepância, antinomia, inconciliabilidade, inconciliação, desconciliação, desconformidade 83; incongruência, incongruidade, *mésalliance*, casamento morganático, desunião, desavença, confronto, conflito, choque, embate, colisão, litígio, quizila, contradição, implicância, implicação, oposição 708, antagonismo, rebordosa; exotismo, hibridismo, disparidade, desigualdade, desproporção, improporção, repugnância, inaptidão, impropriedade, inaplicabilidade & *adj.*; irrelação 10; disjunção, sincretismo, intrusão, interferência;
peixe fora-d'água, planta exótica, corpo estranho, quisto, macaco em casa de louças, remendo de pano diferente.
V. estar em (desacordo & *subst.*), ir de encontro a; desacordar, não combinar 24; estar divorciado de, desconcordar, dissentir, chocar, colidir, embater, desavir-se, implicar = não se harmonizar, desconchavar-se, divergir, contradizer, contrariar, opor-se 708; desentoar, promover discórdia 713; desconvir, destoar, ficar gritante, desafinar, discordar = desencontrar, fugir, não ir bem, aberrar de, contrastar, não fazer boa liga, dar-se mal, desconcertar, não se ajustarem, não dizerem bem, não se adjetivarem, *hurler de se trouver ensemble*, desencontrar-se, não estar de avença com, romper a harmonia, desdizer, embater-se contra, encerrar contradições, repugnar, andar às testilhas 713;
intrugir, intrujar, intrometer-se, apresentar-se sem ser chamado 682; tornar discordante & *adj.*; impropriar, desarmonizar, desarranjar, desunir, desmantelar, pôr em desordem 60.
Adj. discordante, desconcordante, desconforme, discorde, mal-avindo, rival, discrepante, chocante, desconcertante, inconsistente, ábsono (ant.), dissonante, desacorde, díspar = desigual, inarmonioso, desarmonioso, desafinado, hostil, infenso, conflituoso, litigioso, repugnante, incompossível = incompatível, inconciliável, destoante, desaconselhado, desaconselhável, antagônico, inconcordável, incombinável, inaliável, irreconciliável, implicado, desproporcionado, inadmissível, inaceitável, incabível, contrário, antípodo, impróprio, excepcional 83; inconsentâneo, incôngruo, incongruente, incoerente, inconsequente, inepto, desconveniente, inadequado, inqualificado, desassazonado, malpropício, inaplicável, inoportuno, descabido, impropício, disparatado (*inoportuno*) 135; temporão, prematuro, intempestivo, exótico 10, incômodo, ineficaz, (impropriedade) 647; inidôneo, heterogêneo, extravagante, heteróclito, híbrido, excêntrico, deslocado, desigual, incongenial, morganático, esporádico;
intruso, intrometido, enxerido, metido, metediço, indesejável, enxertado, metido à cunha.

Adv. discordantemente & *adj.*; em desarmonia com, a despeito de, de mau grado, fora da monção, *per fas et nefas*, a bem ou a mal, fora de propósito, sem vir ao caso 135; em embate com.

Divisão III. QUANTIDADE

1º) Quantidade simples

Absoluta

25. Quantidade, plenitude, pujança, intensidade, tamanho, grandeza, volume, extensão, (*dimensão*) 192; amplitude, magnitude, vastidão, abundância, copiosidade, soma, montante, importância, quantia, medida, valor numérico, força, massa, maciço, *quantum*, auge 210; raia; matemática;
(quantidade finita): mão, bocado, pratalhada, colherada, carregação, remessa, *mare-magnum*, rosal, estoque, partida, carregamento, fornada, pazada, quinhão, lote, pinga, dose, data, quatorzada, mão-cheia ou mancheia, manípulo, manilha, um par de, punhado, meda, feixe, molho, gavela, paveia, braçada, pacote, pacotilho, mainça ou maunça, manojo, manolho, peso, tarraçada (*reunião de*) 72; trambolhada.
Adj. quantitativo, qualquer, pouco, dosado.
Adv. quantitativamente & *adj.*; mais ou menos, aproximadamente, quanto.

Relativa

26. Grau, grado, padrão, calibrador, altura, elevação, potência, expoente, ápice, amplitude, espaço, âmbito, extensão, fundura, calibre, passo, gradação, proporção, craveira, cunho, alcance, esfera, ordem, bitola, medida, remate;
ponto; marca, furo, escopo, termo 71; intensidade, agudeza, aperto, rigor, força, plenitude, eficiência, grandeza, apogeu, auge 210; quantidade, sensível 31.
Adj. comparativo, gradual, gradativo, progressivo, proporcional.
Adv. comparativamente & *adj.*; pouco a pouco, palmo a palmo, gota a gota, aos pouquinhos, às pinguinhas, pinga por pinga, um a um, à formiga, por graus, de grau em grau, gradativamente, de degrau em degrau, dentro dos limites, em certo grau, até certo ponto, às avançadas, aos pedaços, a prestação.

2º) Quantidade comparativa

△ **27. Igualdade,** paridade, coextensão, simetria; monotonia, mesmice; nível; equivalência, equipolência, equipendência, equilíbrio, equilibração, equação, perequação; seis de um e seis dúzias de outro, identidade 13; similaridade 17, similitude; rivalidade, empate, igualação, nivelamento, igualamento & *v.*; coordenação, ajustamento, jogo, batalha indecisa, isonomia, par, parelha, companheiro, parceiro, confrade, *alter ego*, *quid pro quo*, irmão, rival, êmulo, competidor, equivalente, pena de Talião 718.
V. ser (igual & *adj.*); igualar, responder, corresponder;
fazer, correr parelhas; pairar no mesmo nível;
apostar, pleitear primazia; competir, contender, equiparar-se, valer, equiponderar-se, valer tanto como, entrar em concorrência com, pleitear parelhas com, pôr-se ombro a ombro com, rivalizar-se, emular-se, nada ficar a dever a, porfiar-se, ser rival, ombrear-se, nivelar-se, pôr-se em paralelo, estar no caso de, empatar com, estar em paralelo, não ficar a dever nada a, calçar pelo mesmo pé, calçar pela mesma forma, afinarem-se pelo mesmo diapasão, serem farinha do mesmo saco, serem da mesma laia, comensurar-se com, estar em equilíbrio, sopesar-se, dar pelo rosto a, dar na mesma, estar a balança na fieira, estar a ouro e fio, corresponder, importar em, somar, andar por, guardar neutralidade, tornar igual & *adj.*; igualar, emparelhar, sinonimizar, germanar, irmanar, alhanar, adequar, balançar, balancear, equilibrar, equiparar, rasourar, nivelar, livelar, contrabalançar, contrapesar, compensar, reciprocar.
Adj. igual, irmão, idêntico 13; equivalente, equipendente, equiponderante, equipolente, equidistante, sem nuança, rival, parelho, êmulo, homogêneo, par, cômpar, simétrico, conversível, sinônimo 522; redutível a, pariforme, igualado & *v.*; equiparável & *v.*; digno de, isodinâmico, isócolo, isógono, isométrico, isolítero = homógrafo.

Adv. igualmente & *adj.*; *pari passu, ad eundem, coeteris parubus*; em equilíbrio, nem mais nem menos, sem tirar nem pôr, tal e qual; aná = em partes iguais, tanto por tanto.

▽ **28. Desigualdade,** desigualeza, dissimilitude, desproporção, inequação, disparidade, inconformidade, desequilíbrio, diferença 15; desacordo, dessemelhança 18; inclinação da balança, parcialidade, superioridade 33; subordinação, inferioridade 34; irregularidade, assimetria, dessimetria, contrapeso.
V. ser (desigual & *adj.*); sair perdendo, não suportar confronto, tornar desigual & *adj.*; desigualar, fazer pender a balança, romper o equilíbrio, desequilibrar, desempatar, desnivelar, desirmanar, desequiparar, discriminar, privilegiar, subordinar.
Adj. desigual, desirmão, desconforme, diferente, desproporcionado, dessemelhante 18; inferior 34; superior 33; irregular, assimétrico, dessimétrico, maior ou menor que, somenos.
Adv. diferentemente & *adj.*; *haud passibus equis*; desigualmente = às panderetas = com altos e baixos.

29. Média, médio, intermédio, mediana, mediocridade, termo médio, justo, generalidade, compromisso 774; neutralidade, equidistância, ecletismo, sincretismo, indecisão, justo meio;
média aritmética, geométrica.
V. rachar a diferença, tomar a média, ser meio, mear.
Adj. médio, intermédio, intermediário, meão, mediano; moderado, medial, medíocre, equidistante, neutro, imparcial, arrazoado.
Adv. medianatemente & *adj.*; em números redondos, assim-assim; nem muito bem nem muito mal, mais ou menos.

30. Compensação, equação, comutação, satisfação de danos, ressarcimento, indenização, indenidade, retribuição, refazimento, reparação, recompensa, compromisso 774; neutralização, nulificação, reação 179; olho por olho, retaliação 718; igualação 27; contrapeso = enxalmo, equilíbrio, equivalência, equiponderância, equilibração, lastro, torna, volta, *quid pro quo*, peita, suborno, propiciação 952; resgate.

V. estabelecer (compensação & *subst.*); compensar, retribuir, contrapesar, contrabalançar, enxalmar, equiponderar, equilibrar, pôr em equilíbrio = librar, reagir, neutralizar, nulificar, anular, suprimir, redimir ou remir, ressarcir, indenizar, recuperar, refazer, desforrar-se = forrar, ficar uma por outra, reciprocar, substituir, dar e tomar, restituir o dano, cobrir, voltar, encher, remir as perdas, reparar 952.
Adj. compensador, compensativo, compensatório & *v.*; equivalente 27; reativo, reagente, quite.
Adv. e *conj.* compensadoramente & *adj.*; mas, porém, todavia, contudo, não obstante, ao menos, pelo menos, ainda, entretanto, entrementes, ainda que, posto que, ainda quando, senão, mesmo ainda, mesmo assim, assim mesmo, em todo caso, de qualquer modo, por outro lado, conquanto, mau grado a, mau grado de, nem que, bem que, se bem que, sem embargo de, a despeito de, embora, mesmo no caso de, em que pese a, em contrário de, às avessas de, ao arrepio de, apesar de, no entanto.
Provérbio: Não há medalha sem reverso.

Quantidade por comparação

31. Grandeza, quantia, quantidade, magnitude, magnificência, pujança, tamanho 192, abundância, fartura, profusão, munificência; multidão 102; imanidade, imensidão, imensidade, vasteza, vastidão, amplidão, enormidade, imensurabilidade & *adj.*; fundura, profundidade, infinito 105; poder, força, intensidade, agudeza, plenitude, esplendor, importância 642; graveza, gravidade, incredibilidade, o máximo, mundos e fundos, coisas e lousas, montes de ouro, reunião 72; o grau de, grande quantidade, roda, rima, montão, parga, pilha, pecúlio, mole, volume, peso, extensão, mundo, montanha, massa, abalada, rosário, saraivada, carrada de, tarraçada, monte, cabazada, moroiço, taco, número, acervo, enchente, fardo, amontoado, cheia, dilúvio, rosal, rol, rolo, pacote, série, estoque 636; embrulho, remessa, ruma, pratalhaz, carregação, carregamento, arroba, alqueire, tonelada, quilômetro, uns bons pares de; (de coisas ruins): sudário, estendal, monturo, quadrilha 72.
V. ser (grande & *adj.*); transcender, não conhecer limites, estar à prova de fogo, au-

31. Grandeza | 31. Grandeza

mentar 35; ocupar uma grande área, pulular 639, fervilhar; avultar, dilatar-se 194; ir longe, perder-se de vista, esfervilhar aos centos, revestir proporções assombrosas.

Adj. grande (no sentido de muito), palmar, maior 33; considerável, alentado, avultado, vultoso, crescido, graúdo, quantioso, acima do par, volumoso (*grande no tamanho*) 192; amplo, largo, lato, tanto, vasto, rasgado, abundante 639; cheio, pleno, plenário, forte, intenso, são, pesado, completo, profundo, alto, assinalado, incontestável, inacabável; sonoroso, clangoroso, escandaloso, estrepitoso, retumbante, ruidoso 404; (muitos) 102;

imenso, desabalado, enorme, urca ou urco (bras.), extremo, desordenado, tremendo, abracadabrante, excessivo, extravagante, imane, fantástico, monstruoso, grandíssimo, fero;

grandioso, esmensurado, monumental, descomunal, colossal, estupendo, prodigioso, surpreendente;

inarrável, inenarrável, incrível, inimaginável, incalculável, maravilhoso 870; descabelado, formidável, formidante (poét.), renhido, encarniçado, sobrenumerável, infinito, irrestrito, ilimitado 105; fabuloso, inaudito, terrível, importante 642; impressionante, imponente, respeitável, valioso, decisivo, de exceção, numeroso, absoluto, positivo, decidido, inequívoco, essencial, perfeito, acabado, notável;

digno de nota, de menção; subido, extraordinário, transordinário, inapreciável, gordo, pingue, grosso, ingênito, desmedido, descomedido, desmarcado, descompassado, desmesurado, infrene, sobre-humano, interminável, tantíssimo, sobrenatural, fidagal, entranhado, mortal;

gigantesco, desproposital, fora do comum, ciclópico, agudo, formidando, horrendo, ideal, insuportável, inadmissível, indeclarável, inextirpável, inextinguível, invencível, invejável, mirabolante, dantesco, sem precedentes, penoso, doloroso, desenvolvido, extenso, vasto, não acanhado, refinado, de marca, de marca G, de marca maior, maior da marca, fenomenal, peregrino, invulgar, quantitativo.

Adv. grandemente & *adj.*; muito, muitíssimo;

(em grau positivo): exatamente 494; decididamente, inequivocamente, irrefragavelmente, matematicamente, fatalmente, pura e simplesmente, solidamente, seriamente, essencialmente, visceralmente, fundamentalmente, radicalmente, pronunciadamente, sensivelmente;

(em grau completo): plenamente, inteiramente, integralmente, absolutamente, redondamente, totalmente, ricamente, completamente 52; abundantemente 639; largamente;

(em grau alto): grandemente, sobremodo, sobremaneira, deveras, muito, bastante, intensamente, altamente, enormemente, supinamente, piramidalmente, nimiamente, sobradamente, sobejamente, incalculavelmente, vivamente, em alta escala;

(em grau supremo): maximamente, exaustivamente, até a ponta dos cabelos, até mais não poder, em assombrosa quantidade, em barda, às braçadas; em subido grau, em sumo grau; até a medula dos ossos, no cúmulo, no auge, no apogeu, no zênite, em toda a plenitude, até os olhos, até as orelhas, a morrer, até mais não (seguido de um verbo no infinito); poderosamente, preeminentemente, desmesuradamente, sumamente, superlativamente, superiormente 33; infinitamente, ilimitadamente, em toda a extensão da palavra;

(em grau assinalado): particularmente, especialmente, singularmente, curiosamente, ordinariamente, comumente, notavelmente, assinaladamente, principalmente, enfaticamente, egregiamente, vantajosamente, admiravelmente, estupendamente, de maneira toda especial, a olhos vistos;

(em grau excepcional): peculiarmente, anomalamente, escandalosamente, anormalmente, grotescamente, fantasticamente, prodigiosamente, abusivamente, exclusivamente, excetuadamente;

(em grau violento): violentamente, agressivamente, imoderadamente, furiosamente 173; desesperadamente, loucamente, endiabradamente, caprichosamente, estrondosamente, veementemente, fanaticamente, desenfreadamente 825; tibericamente, iradamente, raivosamente, colericamente, despoticamente, atramente, descabeladamente, obstinadamente;

(em grau doloroso): penosamente, tristemente, amargamente, cruelmente, desgraçadamente, lamentavelmente, lamentosamente, horrivelmente, lugubremente, pobremente,

13

32. Pouquidão | 33. Superioridade

plangentemente, clamorosamente, funereamente, melancolicamente, tetricamente, sombriamente, lutuosamente (839); mortificantemente (830);
(em grau festivo): otimamente, deliciosamente, festivamente, solenemente, exultantemente, alegremente, gostosamente, prazenteiramente, deleitosamente, gratamente (829); feericamente, satisfatoriamente, encantadoramente, ledamente, jubilosamente, sorridentemente;
(em grau malévolo): diabolicamente, nocivamente, perversamente, infernalmente, satanicamente, zangadamente, endemoninhadamente, perniciosamente, truculentamente, desumanamente, despoticamente, ferozmente, iniquamente, maldosamente, impiedosamente, sadicamente.

▽ **32. Pouquidão,** pouquidade, exiguidade, pequenez, (*pequenez em tamanho*) 193; tenuidade, modicidade, mediocridade, um pouco, um tanto, um quê, pouco (*número*) 103; poucochinho, pouquinho, insignificância, irrelevância, modéstia, parcimônia, escassez, carência, penúria, inópia, angústia, estreiteza, (*sem importância*) 643; moderação, pobreza, miséria;
(*zinho*, sufixo designativo de pouquidade); quantidade diminuta, ponto, partícula, corpúsculo, sinal, pinta, mancha, nódoa, tantito, vislumbre, verniz, centelha, faísca, pedacinho, *minutiae*, minúcias, pontinha, pelotilha, detalhes (gal.), sombra, alguma coisa, talisca, grão, grânulo, glóbulo, pastilha, miúça, mínimo, sorvo, pitada, tinta, gota, baga, bago, pingo, pinga, borrifo, lambisco, salpicadura, dedada, cigalho = migalha, mica, negalho, lambuzada, lambuzadela, tintura, pacotilho, polegada = úncia, remendo, semente, semínula, nadinho, bocado, lambujem, fragmento, mealha, esgarço, retalho, nesga, estilhaço, lasca, farrapo, trapo, vintém, resquício, vestígio, salpicos, fatia, dedal, quinhão, parcela, aparas, cabelo, pepita (de ouro), torrão, colher, casca de noz, punhado, fração, gota d'água no oceano, animálculo 193; bagatela 643; ninharia, nonada, sombra de outra sombra, tudo-nada, és não és, dose homeopática, quantidade finita, átimo, raio, aparência.
V. ser (pouco, ser de dimensões acanhadas & *adj.*); caber numa casca de noz, diminuir 36; contrair 195; escassear 641, carecer.

Adj. pouco, escasso, parco, parcíssimo, mínimo, exíguo, insuficiente, irrisório, minguado, modesto, módico, diminuto, diminutivo, pequeno (*no tamanho*) 193; apoucado, restrito, miúdo, insignificante (*sem importância*) 643; tantito, pequenito, desprezível, vil, baixo, tênue, débil, frágil 160; delgado, leve, limitado, magro (*insuficiente*) 641; inconsiderável, inapreciável, algum 103; assim-assim, medíocre, sofrível, tolerável, abaixo do par, meão, vazante, moderado, ínfimo, infinitésimo, infinitesimal, sutil, lançadiço, mísero, miserável, homeopático, mero, simples.
Adv. escassamente & *adj.*; em pequena escala, em pequena extensão, mal, pouco, às migalhas;
(em grau pequeno): imperceptivelmente, miseravelmente, insuficientemente, escassamente, imperfeitamente, parcimoniosamente, debilmente 160; sofrivelmente, sofrivelmente bem;
(em grau limitado): em parte, tão só, em certo grau, alguma coisa, um tanto, um quê, a desejar, no menos, no máximo, a pouco e pouco, pouco mais ou menos, quando muito, quando menos, ao menos, sequer, pelo menos, quase, vai não vai, por um triz, por um cabelo, apenas, mal, ainda não, parcialmente, restritamente, pura e simplesmente;
(em grau incerto): acerca de (ant.), cerca de, perto de, obra de, coisa de, aproximadamente;
(em grau negativo): de modo algum, absolutamente, não, nem por sombra, nem para lá vai, nem assim, nem assado, nada disso, nanja = por forma alguma, de forma alguma, nem pensar, nem por pensamento, em hipótese alguma, nenhumamente, por nenhuma condição, nem à mão de Deus Padre.

Por comparação com um objeto semelhante

△ **33. Superioridade,** excelência, maioria, melhoria, grandeza 31; predomínio, predominação, preponderância, soberania, hegemonia, primado, primazia, prevalência, suplantação, superação, reino, reinado, império, domínio, liderança, supremacia, preeminência, avassalamento, vantagem, vitória, cetro, unicidade, requinte, quinta-essência, culmi-

34. Inferioridade | 34. Inferioridade

nância, suprassumo, máximo, máximum, clímax, culminação, zênite 210; transcendência, parte do leão, excesso, superfluidade 641; avanço, dianteira, vanguarda;
o primeiro, *primus inter pares*, primicério, *nulli secundus*, corifeu, rei, rainha, generalíssimo, *fuehrer*, *duce*, príncipe, sumo pontífice, deus, princesa, prócer, potentado, líder, águia, leão, varão ilustre 873; o ás de...
V. ser (superior & *adj.*); superar 731, ser o príncipe de & *subst.*; exceder, deixar atrás, ser mais que, transcender, vencer, pujar, sobrepujar, transmontar, ultrapassar 303; disputar precedência, ganhar a todos, não temer concorrência, desafiar seus congêneres, dar codilho, codilhar, avantajar-se, aprimorar-se, ir além das medidas de, eclipsar, ofuscar, obumbrar, fazer sombra a, deixar na penumbra, deixar a perder de vista, levar primazia sobre, matar de inveja, preponderar, dar sota e ás, dar sota e basto, imperar, reinar, desbancar;
levar as lampas/a palma; levar de vencida, levar decidida melhoria, valer por todos os mais, prevalecer, exceler, sobre-exceler, sobre-exceder, suplantar, meter no chinelo, fazer raivar de inveja e ciúme, ganhar a palma, dominar;
não ter par, primar, cobrir, figurar na primeira plana, pairar num nível elevado, liderar, sobressair, destacar-se, preluzir; (pop.) arrebentar a boca do balão;
tomar/alçar o colo;
ter precedência, primazia; sair além de, aumentar 35; expandir-se 196; lançar a barra mais longe que alguém, chaçar = levar vantagem, requintar, culminar, sobrelevar, prelevar, preterir, preferir, ter preferência, riscar por cima, levar a barra diante de alguém, lançar o malhão mais alto, baixar a cabeça a alguém, andar adiante de alguém, dar arras a, bater o recorde, deter o campeonato de, não ter que invejar a, pedir meças a, empanar, sobrepujar todas as normas da praxe;
tornar superior & *adj.*; superiorizar, superlativar, fazer grande cabedal de, encarecer 482; privilegiar.
Adj. superior, superno, supernal, súpero, supremo, maior, mor, primeiro, mais alto, mais elevado, supino, grande (*quantidade*) 31; distinto, soberano, absoluto, sumo, preeminente, primacial, prevalente, dominador, dominante, principal, essencial, preponderante, poderoso, importante 642; excelente, excelso, único, excepcional, invulgar, privilegiado;
sem rival, sem par, sem paralelo, sem igual, sem competidor;
inimitável, invencível, invicto, inigualável, inconfundível, incomparável, inexcedível, inofuscável, ineclipsável, inobumbrável, insuplantável, insuperável, inultrapassável;
de primeira água/luz/classe/grandeza/plana/de primeiríssima, irrivalizado e irrivalizável, soberano, transcendente, transcendental, sobranceiro, culminante, de nenhum outro avantajado, indiminuto, sem nada que lhe faça sombra, melhor do que, superlativo, insubstituível, peregrino, raro.
Adv. superiormente & *adj.*; de modo superior, com superioridade, em grau elevado, sobretudo, vantajosamente, nomeadamente, primariamente, principalmente, avante de, passante de, para mais de, acima de, *plusquam*, por excelência.
A superioridade indica-se também colocando a preposição *de* entre um subst. no singular e o mesmo subst. no plural. Exs.: *a rosa das rosas*, *o livro dos livros* etc.
Para os adjs., a superioridade indica-se antepondo-se-lhes a expressão *o mais* e pospondo-se-lhes a preposição *de*. Exs.: *o mais rico de*, *o mais belo de*, ou então antepondo ao adj., e mesmo ao verbo, o prefixo *per*. Exs.: *pertênue*, *perlouvar*, *perluzir*, *perlouvável*.

▽ **34. Inferioridade,** subalternidade, subordinação, baixeza, barateza, dependência, sujeição, submissão, acatamento, deficiência, minoria, mínimo, *minimum*, pequenez 32; insignificância, imperfeição 651; desvantagem, derrota, depreciação, desvalorização;
inferioridade pessoal: plebeísmo 876; joão-ninguém 876, humilhação.
V. ser inferior, marchar atrás, carecer de importância 643; faltar (*deficiência*) 641;
estar abaixo de outro em valor ou em mérito; sobestar, não pedir meças a, ser ofuscado/eclipsado/suplantado/obumbrado por; não chegar a, não passar de, não poder medir-se;
rivalizar-se ou competir com, levar desvantagem, perder terreno, perder de preço, ceder a palma (*insucesso*) 732; ficar a dever,

35. Aumento | 36. Diminuição

depender de, ser um prolongamento de, esbater-se na penumbra;
não poder chegar aos pés, ao calcanhar de; não ser digno de chegar às solas do sapato de, lutar com desvantagem contra, ser de insignificância microscópica; tornar inferior & *adj.*; subalternar, subalternizar, desvalorizar, depreciar, baratear, malbaratar 483; diminuir 36; inferiorizar; humilhar, tripudiar, submeter, sujeitar, espezinhar.
Adj. ínfero, inferior, menor, mais (pequeno & 32); menos (grande & 31); derradeiro, último, subordinado, subalterno, subalternizado, segundo, mediato, diminuído 36; reduzido 195; de pouca monta 643; mínimo, insignificante, somenos, ordinário, vulgar, comum, pífio, reles, fajuto, chué, medíocre, safado, pulha, desprezível, moncoso, lançadiço, chocho, ínfimo, secundário, segundeiro, barato, tosco, malfeito, chavasco, chavasqueiro, atamancado, defeituoso 651; das dúzias, de meia-tigela, imperfeito, desprimoroso, deselegante 846; desprimorado, tal e quejando; fajuto, grosseiro.
Adv. inferiormente & *adj.*; menos, abaixo do par, sob, abaixo de.

Variações de quantidade

△ **35. Aumento,** aumentação, majoração, crescença, acessão, ascensão, subida, alta, ampliação, amplificação, magnificação, dilatação 194; expansão, inflação, desdobramento, progresso, engrandecimento, incremento, crescimento, subimento, acrescentamento, recrescimento, encarecimento, desenvolvimento & *v.*; cúmulo, medra, medrança, médrio; multiplicação, duplicação, triplicação, quadruplicação, quintuplicação, sextuplicação & *v.*, proliferação, prolificação, progressão, agravação, agravamento, recrudescência, recrudescimento, reforço, exageração, exacerbação, irritação, irritamento, dispersão, difusão, propagação 73; redobramento, adição 37;
progressão ascendente, crescente; melhoria, realce, prosperidade, preamar, fluxo, hipertrofia, diástole;
prótese, epêntese, paremptose, paragoge.
V. aumentar, crescer de vulto;
tomar corpo/vulto; crescer, subir, alargar-se, espraiar-se, subir de ponto, recrescer, ir em aumento, atingir (a) elevadas cifras, dilatar-se, avolumar-se, adquirir grande extensão, fortalecer-se, nutrir-se, fortificar-se, robustecer-se, avançar, subir 305; medrar, rebentar, expandir-se, encorpar-se; crescer a palmo/a olhos vistos; tomar as proporções de, viçar, agraudar, generalizar-se, propagar-se, alastrar-se 73; grassar, desdobrar-se, multiplicar-se = refilar, intumescer 194; fazer progresso, ir num crescendo contínuo, recrudescer, chegar ao auge, progredir; tornar maior & agraudar, ampliar, amplificar = ensanchar, acumular, enricar, enriquecer, pluralizar, proliferar, multiplicar, incrementar, acrescentar 37; avultar, engrossar, dar amplas proporções a, procriar, engrandecer, profundar, aprofundar, elevar, impulsionar, começar a maré montante de, realçar, intensificar, reforçar, magnificar, requintar de intensidade, redobrar, acerar (o ódio), duplicar 90; triplicar 93; quadruplicar 96; quintuplicar, sextuplicar etc. 98; agravar, assanhar, exagerar, exacerbar, lançar combustível ao fogo = *oleum addere camino*, pôr lenha na fogueira, espalhar 73; majorar, abundanciar, amiudar, amontar, atear, retemperar, avivar, carregar, refinar, apurar.
Adj. aumentado, aumentativo, aumentatório & *v.*; adicional 37; incrementado, progressivo, crescente, subinte, reforçativo, ampliativo;
aumentável, amplificável & *v.*; protético.
Adv. crescendo, aumentadamente, progressivamente & *adj.*; gradualmente, por graus, em aumento progressivo, cada vez mais; quanto mais, melhor.

▽ **36. Diminuição,** decréscimo, decremento, decrescimento, redução, queda, minoração, simplificação, subtração 38; abatimento, encolhimento, baixa, desfalque, tara, descida, coarctação, contração 195; restrição, limitação, encurtamento 201; extenuação, enfraquecimento, empobrecimento, abaixamento, declínio, declinação, decadência, amputação, baixa-mar, vazante, descida 306; refluxo, depreciação, deterioração, míngua, escassez, pioramento 659; mitigação, moderação 174, atenuação;
aférese, síncope, haplologia, polissíntese, apócope.
V. diminuir, decrescer, desfalcar-se, adelgaçar-se, fundir-se, apoucar-se, declinar, descer 306; languescer, arrefecer, afrouxar,

amainar 174; definhar, minguar, recuar suas fronteiras, escassear, decair, ir num decrescendo contínuo, ir numa progressão decrescente, perder volume (*contrair*) 195; abaixar, baixar, desentumecer, estar no quarto minguante, estar em minguante, ir em diminuição, percorrer a escala descendente, diminuir de ponto, ananicar-se, sofrer redução;
tornar menor, diminuir, resumir, abreviar, condensar, esbanjar, encurtar 201; amputar, mutilar, podar, coarctar, cercear, limitar, circunscrever, restringir, atalhar, contrair 195; minorar, tirar, retirar, mitigar, atenuar, enfraquecer, desagravar, abrandar, serenar, sofrear, modicar, moderar 174; simplificar, dilacerar, entibiar, apoucar, acanhar, estreitar, apertar, fraquear, fraquejar, subtrair.
Adj. diminuído, decrescente, declinante, diminuível, diminuidor & *v.*; diminuto, inaumentado, inaumentável, redutível, reducente.
Adv. Declinantemente, decrescentemente.

3º) Quantidade subordinada

△ **37. Adição,** adicionação, anexação, reunião, acrescentamento, acadimento (ant.), anumeração, junção, superadição, superposição, sobreposição, superjunção, superfetação, acessão, adicionamento, adimento, aditamento, subjunção, reforço (*aumento*) 35; contribuição, suprimento, acompanhamento 88; complemento, suplemento, interposição 228; inserção 300; soma, somatório, justaposição, aglutinação.
V. adir, ajuntar, reunir, anexar, somar, acrescentar, englobar, adicionar, anumerar (ant.), áditar, apor, agregar, justapor, aglutinar, afixar, prefixar, unir, juntar, fundir num só número, apensar, apender, enxertar, introduzir 228; inserir 300; incorporar, suprir, engrossar, advir, superpor, repetir, acrescer, ser superadito.
Adj. ádito & *v.*; ajuntado, adido, anexo, apenso, aposto, junto, adicional, suplementar, suplementário, supletório, subjuntivo, aditício, adjetivo.
Adv. e conj. em aditamento, mais, inclusive, *plus*, extra, e, também, outrossim, semelhantemente, da mesma forma, do mesmo modo, afora, além disso, não excluindo, além de que, ademais de, demais, acresce que, *item etc.*, *et coetera*; *et ejusdem furfuris*, *et reliqua*, e quejandos; e assim por diante, assim como, bem como, *cum multis aliis*, bem assim, conjuntamente com, igualmente, parelhamente (ant.), de envolta com, juntamente com, para mais, ainda em cima, além de = sobre (seguido de verbo no infinitivo). Ex.: *além de ser poeta* = *sobre ser poeta*.

▽ **38. Subtração,** diminuição, dedução, remoção, ablação, eliminação, supressão, abstração, mutilação, truncação, decepação, corte, poda, abscisão, rescisão, encurtamento 201;
minuendo, subtraendo, diminuendo, diminuidor;
V. subtrair, diminuir, suprimir, eduzir = tirar, descontar, deduzir, abater, retirar, excluir, desfalcar, cortar, podar, separar, aparar, remover, mutilar, amputar, truncar, esnocar, decepar, jarretar, espontar, dizimar, limar, desgastar, cercear, castrar, eliminar, suprimir, desguarnecer, coarctar, circunscrever;
privar, fraudar de 789; diminuir 36; encurtar 201.
Adj. subtraído & *v.*; subtrativo & *v.*
Adv. e prep. menos, *minus*, sem, fora de, exceto 55; afora, salvante, exclusive, com exclusão/restrição, exceção de; salvo, não se computando, não se incluindo, não se falando.

△ **39.** (Coisa acrescentada) **Adjunto,** agregado, adido, ádito, aditivo, aditamento, acréscimo, achega;
sufixo, afixo, prefixo, acessório, cortejo, pertença, aposto, anexo, apêndice, apendículo, postila, apostila, apenso, paralipômenos, aumento, reforço, contingente, supranumerário, adorno, parergo, bordado, debrum, enfeite, babado, raboleva, *postscriptum*, epíteto, adscrição, molho, tempero, prolongamento, acompanhamento, adendo, *addendum*, complemento, suprimento, suplemento, sucursal, filial, continuação, cauda, uropígio, sobrecu, rabo, aba, orla, fralda, crescença, sequela 65; postiça (de navio).
V. ajuntar, acrescentar, aditar, apor, anexar, apensar, apender, justapor, afixar, prefixar, sufixar, prepor, antepor, pospor, apostilar, bordar, debruar, adicionar 37; completar.

40. Resto | 42. Singeleza

Adj. adicional, postiço, complementar, suplementar, ádito, aditivo, apendicular, apendiculado, apenso, apendiciado, adscrito, de sobressalente, extranumerário, supranumerário = ascritivo; adjeto, adjetivo.

▽ **40.** (Coisa restante) **Resto,** sobejos, migalhas, sobras, excedente, excesso, remanescente, ensancha, sarandalhas, maravalhas, aparas, diferença, resíduo, resquício, fragmento, cisalhas, ramentos (ant.), caídos, coto, toco, arnela, barra, pé de vinho, fezes, varredura, lixo, rapalha, litargírio, rabeira, biscatos, restolho, relíquia, despojos, magma, impureza, sedimento, aluvião, sujidades 653; jorra, cuim, sarro, refugo 645; outo, rebotalho, cigalho, cinzas, carusma, detritos, destroços, ruínas, ossada, ossaria, ossama, esqueleto, caveira, saldo, crescidos, escória, complemento, escorralha, escorralho, escorralhos, fundagem, fundalha, fundalho, superfluidade 641; marroxo, sobressalente, sobrevivente, o mais, o restante, restojo, gato, pisca = ponta.
V. restar, ficar, sobrar, ficar de sobra, sobrerrestar, sobre-exceder, remanescer, ficar além do necessário, sobreviver, subsistir, sobejar.
Adj. restante, remanente, remanescente, subsecivo, resíduo, deixado, sedimentar, sedimentário, sobrevivente, supervivente, subsistente, sobrevivo, excedente, passante, líquido, supérfluo 641; abandonado 782.
Adv. restantemente & *adj.*

△ **41. Mistura,** sortimento, comistão, permistão, estricote (desus.), babel, metralha = miscelânea, mistifório, mescla, antrecambamento, aliagem, confusão, liga, união = compage, macedônia, amálgama, baralhada, fusão, transfusão, matrimônio, salada, salpicada, salsada, salgalhada, tutilimúndi, choldraboldra, junção 43; combinação 43; promiscuidade, ajoujo, heterogeneidade, hibridismo, sincretismo, ecletismo; impregnação, infusão, difusão, sufusão, infiltração, interpolação, inserção, intercalação 228; adulteração, falsificação, imitação, tempero, adubo, ingrediente, impureza, elementos;
(composto resultante de mistura): liga, misto, amálgama, forragem, metralha, mistela, mistifório, confusão, embrulhada, misturada, mixórdia, mexerufada = comida de porco, (desordem) 59; olha, olha-podrida, empada, salada, ensalada, salgalhada, *pot-pourri*, salsicha, paio, salpicão, linguiça, salame, micha, anguzada, tigelada, *cocktail*, macedônia; colcha de retalhos, manta de retalhos, mosaico, museu, arca de Noé, caldeirão, maionese, *mare-magnum*, farpas e gravetos, alhos e bugalhos, coisas e lousas, ambígua, fressura, cabidela, mulato, centão, crestomatia, seleta, analectos, crioulos, moreno, pardo, pardavasco, cabra, curiboca, mestiço, caboclo, caboré, abaju, bujamé, zombo, mameluco, brancarana (bras.), mazombo, quarterão, cafuz, cafuza, monho;
cruzamento, mestiçagem, mestiçamento, mestiçaria.
V. misturar, mesclar, antrecambar, entramar, mexer, amassar, sovar, bater, agitar, revolver, ajuntar 43; combinar 48; sortir, ligar, entremear, baralhar, embaralhar, confundir (*desarranjar*) 61; ababelar, amalgamar, consorciar, casar; salpresar, salpimentar, impregnar, saturar, interpolar 228; entrelaçar, entretecer, tecer, englobar, salpicar, cerzir, remendar, entressachar, entremear, associar, envolver, incorporar, enredar, maranhar, instilar, embeber, fundir, infundir, transfundir, infiltrar, tingir, dar cor, colorir, dosar, adubar, temperar, calabrear, batizar (o vinho), aspergir, borrifar, aguar, cruzar, arraçar, mestiçar, caldear, compor, adulterar, falsificar, confeccionar.
Adj. misturado, englobado & *v.*; antrecambado, implexo = emaranhado, envolvido, indiscriminado, comisturado, permisto = amalgamado, híbrido, ambígeno, heterogêneo, matizado, mosqueado, variegado, pampa 440; miscrado = mesclado = misto, miscelâneo, impuro, babélico, ababelado, decomponível;
miscível, misturável, promíscuo, confuso, aliável, combinável, sociável, associável.
Adv. misturadamente & em tigelada, altamaea = indiscriminadamente.

▽ **42.** (Ausência de mistura) **Singeleza,** pureza, simpleza, simplicidade, genuinidade, homogeneidade, clareza, transparência cristalina, cristalinidade, autenticidade; eliminação, peneiramento, desoxidação, destilação = deflegmação, purificação, limpeza 465; coadura, filtração, filtragem, filtramento, coadouro, coador, filtro, alam-

bique, retorta, cadinho, crisol; número primo, ouro, corpo.
V. ser puro, não conhecer outra substância;
tornar (simples & *adj.*); simplificar, joeirar, ageirar, cernir (ant.) = peneirar 465;
passar pela joeira/pelo crivo; cirandar, coar, deflegmar = filtrar, alambicar, acrisolar, purificar, clarear, clarificar, refinar, depurar (limpar) 652; isolar, libertar de impurezas, apresentar um produto genuíno, desoxigenar.
Adj. simples, puro, indivisível, intemperado, extremo, genuíno, do papo-amarelo, da gema, legítimo, verdadeiro = germano, homogêneo, impermisto, de sangue, de raça, de lei, isento de, alheio a qualquer mistura = acrato, maciço, superfino, autêntico, infalsificado, incomposto, indecomponível, límpido, claro, *pur et simple*, elementar, chilro = imesclado, sem liga, sem confeição, uniforme, homogêneo, incontaminado, impoluto, transparente, diáfano, casto, castiço, lídimo, exclusivo, mero.
Adv. meramente & *adj.*

△ **43. Junção,** ligamento, inseparabilidade, indissolubilidade, liga, associação, nexo, travação, deligação = aplicação de ligaduras, ligação, ligadura, ligame, ligâmen, fusão, enlace, união, complexão = encadeamento, conexão, aliança, amarração, aperto, anexação, acoplamento, coagmentação, conjunção, cópula, juntura, atadura, liação, soldadura, arreatadura, cravação, ensamblagem, ensambladura, ensamblamento, pregagem, pregadura, pregamento & *v.*;
adstrição, emparelhamento, casamento 903; infibulação, afivelação, abocamento, anastomose = inosculação, sindesmose, fibulação, sínfise, comunicação, concatenação, compaginação, reunião 72; laçada, colagem, grudadura, costura, comissura, sutura;
articulação, junta, patela, rótula, pivô, gonzo, quícío, bisagra = dobradiça, eixo, mola, braçadeira, macha-fêmea, coiceira, apontoado, cosedura, chuleio, ponto (de costura), pesponto, anel, elo 45, encavo, encaixe, calço.
V. juntar, unir, jungir, liar, ligar, agregar, acoplar, copular, encastalhar, apertar = obstringir, anexar, coagmentar, combinar, fundir, germanar, irmanar, englobar, reunir, associar, somar, aliar, entear = entrelaçar, conjuntar, casar, acasalar;
incorporar, conjugar, envencilhar, emparelhar = emparceirar = amatalotar (dep.), cingir, atar, reatar, enodar, vincular, acorrentar, algemar, amarrar, atracar, aferrolhar, encadear, pregar, chumbar, prender, ajoujar, atrelar, encorrear, amatilhar, arrochar, agarruchar, agarrunchar, atochar, segurar, encaixar, atrusar, engonçar, conchavar, agarrar, apeirar, encambulhar = encangalhar, aferrar, arpoar, entrançar, enredar, entralhar, entretecer, laquear, ilaquear, laçar, enlaçar, enlear, emaranhar; travar, abraçar, embrulhar, encintar, enrolar, montar, pinar = cravejar, cravar, embutir, ensamblar, emalhetar, encastoar, cilhar, abarbelar, aboiar = prender à boia, envincilhar, abrochar, grampar, acolchetar, chavetar, afivelar = infibular, agrilhoar, engastar, engastalhar, enganchar = engranzar, apresilhar, cavilhar, arreatar, arrematar (o cabelo), arrochar, articular, atacar, entarraxar, (a)parafusar, faixar, precintar, fincar, gatear, encadernar, brochar, compaginar; pear, acabramar, apedar (ant.), manear, manietar, maniatar, manuatar, encabrestar, abotoar, coser, suturar, costurar, alinhavar, cerzir, pontear, pespontear, chulear, tachonar, soldar, solidificar, grudar, betumar, cimentar, argamassar, colar, enviscar, enfardar, encaixotar, enfeixar.
Adj. junto, anexo, conjunto, conjugado, unido & *v.*; atado, enodado, enredado, preso, ilaqueado;
compacto, maciço, inteiriço, inconsútil, comprimido, firme, fixo, sólido, inabalável; estreita/íntima/evisceralmente ligado, travado, indissolúvel, inseparável, íntimo, indesatável, seguro, férreo, êneo = brônzeo, insecável, indestrutível, imperecível, indescosível, irretalhável, incindível, infracionável, insegregável, ilacerável;
unitivo, vinculatório, conjuntivo, copulativo, conectivo, sutural, sinfisiano, infuso, de conjunto.
Adv. juntamente & *adj.*

▽ **44. Disjunção,** desconexão, desunidade, desconjuntura, desunião, desassociação, desarticulação, desemparelhamento, desligamento, descontinuidade, desagregação, dissolução, desmoronamento, se-

45. Vínculo | 45. Vínculo

cessão, inconexão, quebra, abstração, isolação, insulação;
isolamento, oásis, clareira, incomunicabilidade, separabilidade, dissolubilidade, abjunção, segregação, *disjecta membra*, membros esparsos, dispersão 73; espalhamento 73, distribuição 786;
separação, afastamento, distanciamento, apartação, arredamento, remoção, ablação, divulsão = separação violenta, apartamento, aparta (ant.), destacamento, divórcio, divisão, merisma, subdivisão;
laceramento, laceração, dilaceração, amputação, fratura = agma = ab-rupção, rotura, elisão, *cœsura*, cesura, incisão, aposcasia, desmembramento, repartimento, desintegração, deslocação, desmonte, luxação, fendimento, rompimento, ruptura, ab-cisão, rescisão, cisão, seção = corte, rachadela, rachadura, fenda, greta, gretadura, abertura, rasgão, rasgadura, rasgadela;
frincha, fisga, cortadura, incisura, serradela, dissecção, dissecação, autópsia, laparotomia, retalhação anatômica, lanho, anatomia, apospasmo = solução de continuidade, dissetor (*instrumento cortante*) 253.
V. ser (separado & *adj.*); fazer-se em pedaços;
disjuntar, separar = cindir, fender = escachar, departir, desajustar, afastar, distanciar, arredar, desaconchegar, desenfeixar, desunir, disjungir, desajuntar, desapartar, apartar, desagarrar, espalhar, dispersar 73, desliar, desligar = exsolver, descimentar, deslaçar, soltar, largar = desasir, desobrigar, desarticular, desassociar, tesourar, divorciar, destroncar, luxar, desanexar, desatar, desdar = desnodar, despregar = desemalhetar, desenastrar, desprender = ablaquear, ablaquecer;
segregar, isolar, insular, ilhar, extremar, encantoar, desembaraçar, desmontar, desabraçar, desenclavinhar, desatacar, destravar, fracionar, desmembrar, desagregar, desintegrar, desvincular, desencorporar, desamalgamar, desemaçar, desemedar, descingir, desempilhar, desacavalar, afrouxar, alargar, suxar, bambar, bambear, deslassar, desentesar;
desapertar, desarrochar, desabrochar, desabotoar, desatrelar, desalinhavar, desatracar, desamarrar, desacumular;
descoser, descosturar, desencorrear, soltar, desentrouxar, desacolchetar, desenlear, desempastar, desencadear, desencavilhar, desalgemar, desacorrentar, desagrilhar, desirmanar, descasar, desmaridar, desemparelhar, desemparceirar, descravar, descravejar, desencilhar, desajoujar, descangar, desjungir, descimentar, desgrudar;
desencastoar, desquiciar, quebrar, retalhar, secionar, cortar, cortilhar, fender, refender, rachar, estalar, serrar, serrafaçar, sarrafaçar, serrotar, sarrafar, estilhar, partir em estilhaços, escadraçar, esfarrapar, escaqueirar, arrebentar, rasgar, esgarçar, escangalhar, espatifar, estracinhar, lacerar, atassalhar, esborraçar;
esbarrondar, esboroar, desfazer, romper, postejar, eviscerar, esquartejar, espostejar, abrir, dilacerar, escanchar;
amputar, laparotomizar, escacar, despedaçar, cassar;
fazer em fatias, em frangalhos; fraturar, esbandalhar, esborrachar, esfacelar, estraçalhar, desconjuntar, desarticular, esbuxar, desferrolhar, lanhar, parcelar, desencadernar, desencaixar, desenglobar; desenfiar, desengranzar, desengastalhar, desengastar, desgalhar, debandar 73; cortar, dissecar, anatomizar, deslocar, desnocar, pulverizar 330; partilhar 786.
Adj. separado, esparso, disperso, soluto, solto, ímpar, desconexo, inconexo, desconjuntado, desunido & *v.*;
descontínuo 70; fragmentado, interciso = retalhado;
erradio, errático, órfão, solteiro, viúvo;
avulso, salteado, perdido, etiquetado à parte, solitário;
inarticulado, desemparelhado, desacompanhado 87; isolado, semoto = afastado, insulado, incomunicável, distinto, diferente, outro (pron.), diverso, parcelado, único, só, esporádico, fracionado, cortado, frouxo, desapertado, bambo, suxo, lasso;
separável, retalhável, dissolúvel, lacerável & *v.*
Adv. separadamente & *adj.*

45. Vínculo, laço, laçada, arca da aliança, monho, trena, nó, nódulo, nó cego, nó cassiótico;
atadura, amarilho (bras.), atadouro, liga, ligamento, ligadura, ligame, liamento;
conectivo, conjunção, jugo, canga, ajoujo = engaço, conexão, elo = nexo = fuzil, junção 43;

risca, traço de união; hífen = tirete, travessão, cópula, intermédio, parêntese, istmo; dobradiça, quício, bisagra, engonço, gonzo, macha-fêmea, eixo, raiz, encarna = engaste, tendão, cordão umbilical = vidma = úraco = funículo;
junta 43; articulação;
corrente, cadeia, cadeia ênea, catênula, corda, cordel, megalho, cordão, presilha, barbante, fita, alamar, cabo, gúmena, camelo, amante, calabre, maroma, correia, embira, calabrote, amarra, amarreta, baraço = soga, guita, correão, grilheta, colhera (bras.), atilho, lio, precinta, cabeçada, arreata, cabresto = torçal (bras.), maneia, maniota = solta = peia = manica = manicla (bras.) = prema = acabramo ou cabramo = trambolho, rabicho, retranca, cambão;
atadura, atadouro, cinto, petrina, faixa, banda, cintilho, cilha, abrochador, alça, fecho, alfinete, acícula, grampo, grampa, balmaz, balmázio, pino, prego, tacha, clavija, cravija, cravo, cavilha, chaveta, tarraxa, parafuso, parafuso de Arquimedes = cóclea;
tira-fundo, taramela, fechadura, botão, percevejo, colchete, firmal, broche, liga, presilha, engate, ferrolho, carmona, bedelho, trinco = castanho, talambor, cadeado = loquete (pop.), embude, abraçadeira, anzol, ataca, atacador, fiveleta, fivela = fíbula (ant.);
gato, garavato, arpéu, arpão, fateixa, gancho, ganchorra, gastalho, croque, barrilete, linhote, trave, sobrecinga;
cimento, terra, inglesa, *beton*, betão, betonilha;
argamassa gorda, magra; aglomerado, betume, areísca, tetim, grude, cola, marufle, eitocola, malta, solda, tincal, tincar, visgo, barro, obreia, lacre, pegamasso;
ponte, pinguela, viaduto.
V. lançar uma ponte entre, ligar 43; pendurar 214; conglutinar, argamassar, grudar, colar, soldar, betumar, vincular, lacrar, acabramar.
Adj. vincular, grudadeiro, pegadiço, peganhento, viscoso, grudento, glutinoso, conglutinante, conglutinativo 46; visguento.

△ **46. Coesão,** ligação recíproca das moléculas, aderência, coerência, conexão, ancilotia, adesão, concreção, conglutinação, aglutinação, aglutinamento, coalescência, aglomeração, agregação, pegamento, grudadura, pegadura, soldagem, soldadura, tenacidade, pegajosidade, viscosidade 352; aliança, concerto, concordância, harmonia, pacto, sintonia;
conglomerado, aglomerado, concreto (*densidade*) 321; rêmora.
V. ter (coerência & *subst.*); aderir, coerir, pegar, pregar como cera, aderir como ostra ao rochedo, ligar, segurar, elar-se, abraçar, fixar-se em, enroscar-se em;
aderir, aglomerar(-se), grudar(-se), colar-(se), encolar(-se), conglutinar, glutinar, aglutinar, coalescer, juntar-se, unir(-se), soldar, consolidar(-se), solidificar(-se) 321; cimentar.
Adj. coesivo, adeso, adesivo, aderido & *v.*; aderente, coalescente, aglutinante, aglutinativo, pegadiço, peganhento, pegajoso, grudento, languinhento, viscoso, conglutinoso, glutinoso, conglutinativo;
unido, junto, pegado, agarrado, inseparado, séssil, inextricável, inseparável, infrangível, compacto 321; maciço, tenaz.
Adv. unidamente & *adj.*

▽ **47. Incoesão,** imiscibilidade, incoerência, separabilidade, relaxe, relaxação, frouxidão, laxação, lassidão, separação, disjunção 44; inaderência, inaglutinação, incoalescência, desgrudadura, dessoldadura.
V. soltar, desgrudar, dessoldar, descolar, despegar, desaglutinar, descimentar, desaderir, desprender, afrouxar, laxar, desapertar, destacar.
Adj. imissível, inaderente, incombinável, incoerente, desatado, solto, frouxo, soluto, desagregado, espalhado, lasso, bambo, incombinado 49; impermisto.
Adv. incoerentemente & *adj.*

△ **48. Combinação,** mistura 41; junção 43; temperamento, recomposição, composição, mescla, união, unificação, posição, crase, concentração, contração, síntese, incorporação, agrupamento, miscibilidade, amalgamação, amalgamamento, fusão, ligação íntima, coalescência, casamento, adequação, compatibilidade, consórcio, absorção, absorvência, aglutinação, inquartação, liga, afinidade, assimilação;
composto, produto, preparado, amálgama, resultado, complexo de diversas combinações, composição, *tertium quid*, resultante, impregnação.

49. Decomposição | 51. Parte

V. combinar, sintetizar, misturar harmonicamente; unir intimamente dois ou mais corpos e obter um corpo inteiramente diverso; incorporar, fundir, adunar, terçar, unificar, absorver, reincorporar, consolidar, congregar, amalgamar, casar, diluir, centralizar, cimentar uma união, consorciar, compor, recompor, quinar, compor-se, ser constituído, ser formado, consistir, constar; ter, entrar na sua composição.
Adj. combinado, combinável, combinatório & *v.*; miscível, associável; impregnado, saturado de; sintético.

▽ **49. Decomposição,** análise, diálise, dissecção, dissecação, resolução, catálise, dissolução, desagregação, desarticulação, esfacelamento, corrupção (*sujidade*) 653; dispersão 73; disjunção 44; eletrólise, eletrolisação, dialisação, dialisador, copelação.
V. decompor, dissolver, desagregar, dissecar = anatomizar, copelar;
resolver, separar em seus elementos; analisar, dialisar, eletrolisar, descarnar, dividir em partes, retalhar anatomicamente, escarnar, escarnificar, descentralizar, desincorporar, desamalgamar, destrinçar, desmontar, desarmar, desenredar, desenrolar 313.
Adj. decomposto & *v.*; catalítico, eletrolítico, analítico.

4º) Quantidade concreta

△ **50. Todo,** totalidade, conjunto, íntegra, somatório, integridade, total, inteireza, plenitude, completude, *ensemble*, coletividade, universalidade, unidade 87; completamento, tudo, um, a unidade, agregado, complexo, o grosso, o montante, soma, bolo, *tout ensemble*, comprimento e largura, o alfa e o ômega, massa, corpo, *compages*, tronco, esqueleto, armação, ossada, ossatura, arcabouço, estrutura 329; a parte maior, principal ou mais favorecida; parte essencial 642; a parte do leão, o melhor bocado, o comprido e o curto.
V. formar, constituir, reunir em um todo; integrar, integralizar, arredondar, completar, complementar, repletar, inteirar, inteiriçar, adunar = aunar (ant.) = incorporar, unificar, tornar uno e indivisível, amontoar = coacervar, agregar (*reunir*) 72; totalizar.

Adj. todo, total, íntegro, integral, inteiro, global, completo 52; um, *uno*, inquebrado, indiviso, impartilhado, inconsútil, inteiriço = monóxilo, imutilado, incoarctado, irrepartido, irrestrito, indissolvido, indiluto, indestruído, inconsunto, perfeito; impartilhável, indivisível, inconsuntível, inconsumível, irrepartível, infrangível, inquebrável, inseparável, insé(c)til = que se não divide, indecomponível, indissolúvel.
Adv. totalmente & *adj.*; inteiramente, integralmente, completamente 52; em cheio, em grosso, englobadamente, por atacado, por grosso, por encheio, por junto, em globo, em bloco, em massa, em peso, de altamala, na totalidade, *in-extenso*, por extenso, *en bloc*, de monte a monte, na íntegra = *in integrum*, por inteiro;
sem lhe faltar um jota/um til; de alto a baixo, dos pés à cabeça, de lés a lés, de fio a pavio, de cabo a rabo, de alfa a ômega.

▽ **51. Parte,** porciúncula, punhado, jacto/jato, porção, dose, gole, trago, *item*, partícula, particular, particularidade, um pouco, alguma coisa, algo, um tanto, um quê, divisão, subdivisão, fração, articulação, seção, lanço, estirão, trato, capítulo, centúria, verso, versículo, artigo, parágrafo, inciso, cláusula, verba, párrafo (ant.), provará;
passagem, trecho, setor, quadrante, segmento, trocisco, fragmento, ramento (ant.), miúça, miuçalha, escombro, apara, remendo, raspa, talisca, parcela, verbete, cigalho, pedaço, nesga, retalho, unidade, pétala, tassalho, negalho, migalha 32;
motreco, motreto, fatia, taco, talhada, fatacaz, bocado = biró, lasca, posta = trincha, faneco, tira, toco, coto, toro, camada, matacão = naco, palmo, pazada, catrameço = grande pedaço = tracanaz = tracalhaz, ração, lâmina 204; metade, terça parte 91, 94, 97, 99; prestação, anuidade, data, dúnia, quinhão 786; estilha, resquício, gomo, página, folha, malha, peça, percentagem, rapsódia, estrofe, canto, episódio;
membro, braço, galho, ramo, rebento, vergôntea, renovo, renova, componente 56, elemento;
sucursal, filial, manta (de carne), posta, lombo, perna, órgão, compartimento, seção, dependência, departamento (*classe*) 75;
distrito, zona, província 181; calota, fator.

52. Completamento | 53. Deficiência

V. partir, cortar, repartir, estilhaçar, cortilhar, ramificar, subdividir, esquartejar, espostejar, aparcelar, parcelar, fracionar 44; fragmentar = cominuir, secionar, torar, trinchar, afatiar, partilhar 786; esfatiar, trociscar, lascar, rascar, tesourar, picar, partir em bocados, postejar, desmontar, desarmar, desmanchar, decompor, desmantelar, desfazer, desacavalar, encanteirar, esmigalhar, esborraçar 44; escadraçar, segmentar, talhar, truncar; dividir em duas, em três partes 91, 94, 97, 99.
Adj. parcial, parcelado, parcelário, fracionário, partitivo, fragmentário, secional, divisional, alíquota, aliquanta, divisionário, subdivisionário, submúltiplo 91, 94, 97, 99;
cortado, retalhado & *v.*, interciso = truncado;
cortável, cindível, retalhável, fracionável & *v.*
Adv. parcialmente & em parte, por partes, fragmentariamente, por prestações, a varejo, a retalho, parceladamente, em quotas, palmo a palmo, gota a gota, às pinguinhas, às colheradas, aos empurrões, aos bocados, pinga por pinga, peça por peça, por miúdo.

△ **52. Completamento,** completação, complementação, integração, integralização, preenchimento, remate; enchimento, inteireza, integridade, perfeição 650; solidez, solidariedade, unidade, tudo, *nec plus ultra*, ideal, limite;
complemento, suplemento, apódose, cogulo; plenitude, saturação, saciedade, preamar, abastança, suficiência 639, abundância.
V. estar (completo & *adj.*); tornar completo & *adj.*; integrar, integralizar, inteirar, completar, complementar, perfazer 729; colmar, encher, lotar, atestar, carregar, preencher, atufar, imbuir, ingurgitar, inçar, pejar, rechear, empanturrar, abarrotar, fartar, saciar, preencher as deficiências, suprir, saturar, encher até as bordas, atulhar, entulhar, entupir, obstruir, impregnar, alforjar, apinhar, apinhoar, povoar, congestionar.
Adj. completo, perficiente, inteiro, todo 50; perfeito 650; cheio, pleno, cabal, maciço, rematado, bom, absoluto, total, plenário, exuberante, sólido, indiviso, com todas suas partes, íntegro, integrante, bruto, ilíquido; exaustivo, radical, regular, consumado, bem-acabado, incondicional, inqualificado, livre, abundante 639; transbordante, recheado; abarrotado, cheio até a boca/até as bordas; replenado, lotado, superlotado, entulhado & *v.*; alambazado, congestionado, repleto (*superabundante*) 640; saturado, supersaturado, atestado, empanturrado, copioso, onusto, prenhe, completável, complementar, suplementar, supletivo, supletório, chapado, rematado, matriculado, experimentado, refinado, matraqueado, com todos os acessórios, sem faltar um til, redondo.
Adv. completamente & *adj.*; redondamente, unidamente, perfeitamente 650; totalmente, *in toto*, plenamente, eficazmente, uma vez por todas, por força;
sob todos os aspectos, todos os pontos de vista; de todo o ponto, cabalmente, para todos os fins e intenções, *toto coelo*, amplamente, até a medula dos ossos, de corpo e alma;
com todos os sacramentos/todos os requisitos/todos os matadores;
até as orelhas/os cotovelos/os olhos; sem faltar nada, tanto quanto possível, *à outrance*, como sói ser;
por todo, do primeiro ao último, do princípio ao fim, do alfa ao ômega, de uma extremidade a outra, da cabeça aos pés, de alto a baixo, *de fond en comble*, de fio a pavio, de cabo a rabo, de ponta a ponta, de mar a mar, de meio a meio, fibra por fibra, *à fond*, a fundo, *a capite, ad calcem, ab ovo usque ad mala*, a pleno, na íntegra, de lado a lado, de lés a lés, de um extremo a outro, pela proa e pela popa, *de pied en cap, cap à pied*, de ponto em branco, até o fim da linha, *sous tous les rapports*.

▽ **53. Deficiência,** escassez, desprovimento, exiguidade, parcimônia, míngua, privação, inópia, carência, insuficiência 641; falha, lacuna, omissão, falta, silêncio, defeito, buraco, estacionamento 304; imperfeição 651; precariedade, senão, imaturidade, vacuidade, inanidade;
deficit, desfalque, supressão, *caret*, intervalo 198; sinalefa, elisão, inacabamento 730; vácuo, solução de continuidade 70; oco, vazio, croca, falha.
V. estar incompleto, não atingir a meta 304; demear, carecer, mancar, faltar 640, escas-

sear; negligenciar 460; omitir, suprimir, cancelar, desfalcar, desprover, rarear, truncar, esquecer, preterir, passar em claro, abstrair-se de, esvaziar, vazar o conteúdo, esgotar, exaurir, ficar em meio, ficar por concluir, faltar pouco, despejar, pôr de parte, prescindir-se de, dispensar, refugar, desprezar, eliminar, expulsar, desalistar, segregar; passar por cima, pretermitir, sotopor, postergar, deitar fora, largar de mão, pular, glosar, cortar, tesourar, excetuar; passar em silêncio/em claro; deixar no tinteiro; capinar, esgaraminhar, mondar, comer.
Adj. deficiente, incompleto, interminado, inacabado, mútilo (poét.), mutilado, lascado, manco, imperfeito 651, precário; semipleno; defectivo, defeituoso 651; deficitário, restrito, falho, magro, lacunar, lacunoso, superficial, perfunctório, em falta, em atraso, desprovido de, pobre de, despido de, falto de, diminuto, esboçado, cru (não preparado) 674; vazio, inane, decepado, truncado & *v.*;
em andamento, em construção, em preparo, em agraço, por encher.
Adv. incompletamente & *adj.*; por partes, a retalho, às migalhas, por prestação 51.

△ **54. Composição,** preparo, constituição, formação, configuração, organização, arrumação, confecção, fabricação, manipulação, combinação 48; inclusão, admissão, inexclusão, compreensão, abrangimento, recepção (inclusão) 76; crase, sinérese, mistura, fusão.
V. ser composto/feito/formado/constituído; ter na sua composição, consistir, cifrar-se, resolver-se, transformar-se, admitir, comportar, incluir 72; compreender, abarcar, conter, encerrar, admitir, abranger, abraçar;
compor, recompor, adunar, constituir, reconstituir, formar, fabricar, manipular, fazer, confeccionar, organizar, preparar, aviar, aprontar, fazer a síntese.
Adj. composto, continente, constituinte, constitutivo, componente, compositivo.

▽ **55. Omissão,** exclusão, exclusiva, ressalva, exceção, inadmissão, inadmissibilidade, preterimissão, pulo, salto, silêncio, supressão, expulsão, eliminação, repúdio, rejeição, divórcio, exílio, banimento, proscrição 970; restrição, separação, segregação, isolamento, corte, dispensa, demissão, exoneração.
V. ser excluído, ficar de fora, não ganhar admissão, extravagar = andar fora do número, excluir, barrar, deixar fora, vedar a entrada, varrer do cenário, rejeitar, recusar, afastar, desviar, tirar, deserdar, privar de, prescindir, passar sem, dispensar, abstrair-se de, refugar, desprezar 930; expulsar, esquadrilhar, eliminar, desalistar, dar baixa, repelir, distanciar, segregar, negligenciar 460; banir 972; demitir, exonerar, desjungir 44; extirpar, passar por cima, pretermitir, sotopor, postergar, largar de mão, omitir, pular, suprimir, glosar, cortar, tesourar, excetuar; passar em silêncio, em claro; deixar no tinteiro, joeirar, capinar, peneirar, esgraminhar, mondar.
Adj. excluído, exclusivo, excluso, inincluído, disperso, inadmitido, inadmissível, inaceito, inaceitável, eliminado, dispensado, demitido, eliminador, eliminatório, eliminável & *v.*; exceto, afora, salvo, sem entrar na conta, excluindo, tirante, menos, salvante;
Adv. com exceção/exclusão de; exclusive, fora, à parte;
pondo de parte/de lado; abstraindo-se de, a menos que, a não ser que.

△ **56. Componente,** componência; parte integral/integrante/essencial; componente, componente constitutivo, célula; elemento, elemento constitutivo, constituinte, forças componentes, princípio, símplices, material, ingrediente, substância, droga, fermento, levedura, parte e parcela, fator, fragmento, átomo, molécula, protoplasma, conteúdo, mônada, pertences, membro, parte 51; base, dependência; insumo, matéria-prima,
V. combinar-se; entrar na composição/na confecção;
ser a base de, incorporar-se, fazer parte de, ser elemento componente de, compor, constituir, pertencer a, formar, participar de 778; constituir a essência de.
Adj. componente, inclusivo, constitutivo, constituinte, compositivo, integrante, essencial, inerente, indispensável.
Adv. inclusivamente & *adj.*

▽ **57. Alheamento,** divórcio, extrinsecabilidade 6; singularidade, barbarismo, estrangeirismo, exterioridade 220;

58. Ordem | 59. Desordem

corpo estranho; quisto, planta exótica, entrelopo, alienígena, estrangeiro, ave de arribação = *cencramidade*, imigrante, emigrante, forasteiro, ádvena, particular, desconhecido, intruso, intrujão, intrometido, zarelho, bilhostre (depr.) = emboaba (depr.), indesejável, fulano, fuão, pau-rodado (bras.).
Adj. estranho, alheio, franduno, franduleiro (desus.) = estrangeiro, forasteiro, peregrino, forâneo, arribadiço, adventício, desconhecido, profano, leigo, vindiço, esquisito, singular, exótico, gringo (depr.), importado, transmontano, ultramontano;
inassimilável, inaclimável, imiscível, intruso, intrometido, intrujão, metediço.
Adv. em terras estrangeiras, no estrangeiro, além dos mares, de contrabando.

Divisão IV. ORDEM

1º) Ordem em geral

△ **58. Ordem,** ordenação, regularidade, harmonia, correção, boa disposição, critério, conformidade, proporcionalidade, incomplexidade, correspondência, simetria, música das esferas, periodicidade, arranjo, ciclo, classificação, acomodação, sintaxe, distribuição ordenada, regra, método, simplicidade, gradação, graduação, passo, grau, progressão, série 69; ritmo, cadência; subordinação, rotina, compasso, disciplina, disposição, orientação, coordenação, alinhamento, sistema, economia, seriação, direção, fileira 69; arranjo 60.
V. ordenar(-se), arrumar, organizar, dispor, estar, ficar em ordem; formar, enfileirar-se, alinhar-se, colocar-se, ocupar o lugar devido, acomodar-se, estar em regra, corresponder, funcionar regularmente, arregimentar-se (60).
Adj. ordenado, regulado, bem regulado, bem disposto, simétrico, organizado, enfileirado & *v.*; sistemático, gradual, gradativo, graduado, serial, seriário, seriado, disciplinar, uniforme, normal, incomplexo, simples, regrado, rítmico, ritmado, metódico, trístico = em três fileiras.
Adv. ordenadamente, sistematicamente & *adj.*; metodicamente, por ordem, em marcha regulada, *seriatim*, de grau em grau, apostadamente = em boa ordem, em escala ascendente, em escala descendente, com movimento de relógio, em períodos fixos 138; por escala, por tabela; obedecendo a um critério/a uma lei.

▽ **59. Desordem,** desarranjo 61; irregularidade, descompasso, anomalia 83; desmanho = confusão, anarquia, desgoverno, transtorno, desmantelo, ausência de método, desacordo 24; assimetria, dessimetria, desalinho, desmaranho, indistinção, indiscriminação;
sarabulhada, sarapatel, angu, angu de caroço, sarabulho, sarafusco, trapalhada, embrulhada, barafunda, bagunça, bafafá, auê, cipoal, bochincho, o diabo a quatro, choldra, choldraboldra, balbúrdia de mil demônios, encrenca, turumbamba (bras.), baralha, barrilada, badanal, promiscuidade, matalotagem, complicação, intrincamento, meada, emaranhamento;
labirinto, dédalo, massagada, chirinola, estricote, envolta, atarantação, perturbação, banzé, caos, *imbroglio*; *omnium gatherum*, pandemônio, contradança, salgalhada, tralhoada, espalhafato, tibornice, tiborna, tibórnia, tumulto, balbúrdia, tropel, chinfrim, orgia, valverde (reg.), azáfama, marejada, marulhada, rastolho, *mare-magnum*, bambá (bras.), charivari, rebuliço;
carnaval, mixórdia, alvoroço, alvoroto, mistifório, caldeirada, miscelânea, empada, montão, mistela, moxinifada, maionese, embrulhada = garabulha, misturada, salada, cabidela, remexido, cipoal, grenha, ninho de ratos, sorvalhada, irregularidade, complexidade, incurialidade, indisciplina, *non descriptum*, pastel, Babel, Babilônia, fermentação, ebulição, agitação 315; convulsão, motim, polvorosa, arruaça (contenda) 720; alarido, celeuma, vozearia, matinada, escarcéu, algazarra 411; saturnais, casa de malta, açougue, beetria.
V. desordenar, estar, ficar em desordem, ababelar;
andar, estar tudo desorganizado/às avessas/de pernas para cima; desorganizar 61; bagunçar; não haver regra.
Adj. desordenado, não (organizado 60); incôndito, irregular, incurial, anômalo, desassimétrico, assimétrico, descompassado, anárquico, mau, ruim, anormal, emaranhado = engodilhado, dessultório, caótico, confuso, bagunçado, turvo, túrbido, indigesto, desarranjado 61; invertido

218; informe 241; complicado, indiscriminado, indiscriminável, incomplexo = intrincado (*difícil*) 704; ababelado, babélico, babilônico, labiríntico, entrecambado = enredado, dedáleo, impenetrável, embaraçoso, inextricável, violento 173; ametódico, atropelado, promíscuo, atabalhoado, confundido, envolto, orgíaco, baralhado, tumultuoso, tumultuário, perplexo, revoluto, revolvido (*v.* 61); prepóstero = oposto à boa ordem.
Adv. desordenadamente & *adj.*; interrompidamente, por saltos bruscos, *per saltum*, precipitadamente, tumultuariamente, ao desbarato, desbaratadamente, de tropel, a trouxe-mouxe, de montão, em montão, atabalhoadamente, promiscuamente, amatalotadamente, atrapalhadamente, às três pancadas, de cambulhada, à toa, *à tort et à travers*, *ab hoc et ab hac*, a torto e a direito, de roldão, de rondão, *sine delectu* = granel, à lota, de cambalhota, em monta, à fula--fula, ao estricote, às soltas, em desalinho, torraz-borraz (pleb.), à matroca, sem trelho nem trabalho, em debandada.

△ **60.** (redução à ordem) **Arranjo,** arranjamento (*plano*) 626; preparação 673; coordenação, composição, arrumação, ordenação, distribuição, colocação, combinação, organização, esquema, estrutura, graduação, classificação, seriação, instalação, simplificação, estruturação catalogação, alfabetação, ordenamento, agrupamento, acondicionamento, alinhamento & *v.*; taxinomia, sintaxe, análise, sistematização & *v.*
V. arranjar, pôr em ordem, ordenar;
reduzir, trazer à ordem; restabelecer a ordem; entabular, dispor, colocar, dispor bem, formar, alinhar, agrupar, distribuir, designar as posições, endireitar, regrar, classificar, predicamentar, sistematizar, estruturar, alfabetar;
normalizar, regular, regularizar, teorizar, metodizar, coordenar, organizar, catalogar, categorizar, recompor, simplificar, regulamentar, capitular;
colocar por ordem alfabética ou cronológica; sortear, registrar 553; graduar = esbater, assingelar, desembaralhar, perfilar, destramar, desemaranhar, cardar, carmear = desenredar, destecer, desembaraçar, desenrascar, engrenhar, consertar, desenviesar, encaminhar, encarreirar;
encarrilar = pôr nos trilhos/nos eixos; arregimentar, fazer ala, dispor metodicamente = combinar, dicionarizar, uniformizar, orientar.
Adj. arranjado, metódico, regrado, comedido, pautado, criterioso, ordenado 58; sistemático, harmonioso, classificado, estruturado, alfabetado, catalogado & *v.*; uniformizado, uniforme, classificável, classificativo & *v.*
Adv. metodicamente & *adj.*

▽ **61. Desarranjo,** desarranjamento, incoordenação, desorganização, perturbação, transtorno, bagunça, confusão, mixórdia, desarrumação, anarquização, interrupção, eclipse, distúrbio, destrambelho, subversão 218; preposteração.
V. desarranjar, desamanhar, complicar, desconsertar, deslocar, esbuxar, desorganizar, desclassificar, desacomodar, desmanchar, confundir, atrapalhar, assarapantar, desordenar, turbar, pôr em desordem, baguncar, anarquizar, remexer, revolver, subverter 218; convulsionar, esbaralhar, embaralhar, baralhar, descoordenar, enredar, emalhar, obscurecer, interromper, interpolar, perturbar, transtornar, transverter, vascolejar, remoinhar, complexar, enriçar = emaranhar, barulhar, balburdiar, misturar 41; intricar, atarantar, prepostear, perverter, alterar, descompor, desconjuntar, indisciplinar;
levar a indisciplina/a desordem a;
desgalgar = lançar por um declive ou pela ladeira abaixo; desmantelar, desarvorar, descompassar, desproporcionar, desmontar, pôr fora do lugar, desarrumar, desperfilar, descarrilar;
tirar dos gonzos/dos trilhos; desquiciar, escouçar, descarreirar, desenfileirar, confundir alhos com bugalhos.
Adj. desarranjado, bagunçado, anarquizado, tumultuado, caótico, desarranjável, desarranjante & *v.*

2º) Ordem consecutiva

△ **62. Precedência,** guia, *le pas*, superioridade 33; importância 642; véspera, preponência, preferência, antecedência, anterioridade (frente) 234; precursor 64; primado, primazia, primogenitura, preeminência, principalidade, prioridade 116; chefia, pre-

cessão 280; anteposição, anteocupação, alvorada, os primeiros clarões.
V. preceder, precursar, precorrer, vir antes, vir primeiro, vir na vanguarda, vanguardear, romper a marcha, ir à testa, ir na frente 280; madrugar, capitanear, chefiar, tomar a dianteira, desvirginar, introduzir, antepassar, antecipar, priorizar, antepor, ter a precedência, preluzir, prefixar, prefinir, prepor, preestabelecer, preludiar, prefaciar, preambular, exordiar, proemiar, antepor prêmio a.
Adj. precedente, antecedente & *v.*; passado, último, findo, pregresso = anterior, prévio, prior 116; sobredito, predito, referido, aludido, citado, primeiro, primaz, supramencionado, acima mencionado, supradito, supracitado = predito, já mencionado, primitivo, primal, primevo, primordial, precursor, precursivo, preponente, prepositivo, preveniente, liminar, preliminar, anteprimeiro, preparatório, vestibular, preambular, exordial, proeinal, introdutivo, introdutório, inaugural 66; preluzivo, penúltimo, antepenúltimo, primário, transato, pré-agônico, primoponendo.
Adv. precedentemente & *adj.*; de antemão, antecipadamente, em primeiro lugar, *in primo loco*, antes, antes de tudo, primitivamente, antes de mais nada, primeiramente, primeiro, *primo*, suso, acima, supra.
Provérbio: A quem madruga, Deus ajuda.

△ **63.** (o que vem depois) **Sequência,** sucessão, subsequência, consequência (*vinda atrás*) 281; consecução, sucesso, posterioridade 117; ulterioridade, continuação, ordem de sucessão, sucedimento, sucessividade, continuidade, enfiada, secundariedade (*falta de importância*) 643; subordinação 34; futuro.
V. suceder;
vir depois/em seguida (*atrás* 281); ir na retaguarda, seguir-se, sobrevir, encerrar, fechar, substituir, sufixar, pospor, apender, apensar.
Adj. sequente, consequente, subsequente, seguinte, futuro, vindouro, porvindouro, imediato, consecutivo, conseguinte, subsecutivo, sucessivo, decorrente, seguido, ulterior, inframencionado, infra-assinado, abaixo mencionado, abaixo-assinado, infraescrito, alternado, último, posterior (retaguarda) 235; póstero, pospositivo, posponente, codicilar.
Adv. consequentemente & *adj.*

△ **64. Precursor,** prenunciador, antecessor, decessor, predecessor, antepassado, nossos pais, antecedente, precedente, ascendente, vanguardeiro, pioneiro, dianteiro, introdutor, prógono, protonauta, protomártir, primogênito, arauto, anunciador, porta-voz, núncio, heraldo (ant.), faraute, anteâmbulo, prenúncios, pressentimentos, pródromos, propatia, guia, mistagogo, alimpadeiras, guarda-avançada, dianteira, anteguarda, vanguarda = *prima acies*, vedeta, banda de música, guieiro, guiador, batedor, bandeirante, matalote;
estreante, debutante (gal.), introdução, nariz de cera, prolegômenos, prefácio, prefação, antelóquio = proêmio = isagoge, prólogo, preâmbulo, aviso ao leitor, advertência, loa (ant.), exórdio, primórdio;
edição *princeps*, prolepse, cabeça, cabeçalho, título, preliminares, antepredicamentais, prótase, frontispício, fachada, porta, frontaria, preparativo 673; prelúdio 66; premissa, primícias, predição 512; profecia, prognóstico, presságio 512; prefixo, anteocupação, antenome, anteporta, antefirma, antepasto = aperitivo, preposição = prevérbio, retro.
Adj. precursor, precursador, preluzivo, protático, proemial, exordial, prodrômico, inaugural 66; preliminar, propedêutico, isagógico, precedente, vanguardeiro 280, antecipatório.

▽ **65. Sucessor,** substituto, sucedâneo, herdeiro, continuador, porvindouro, descendência, progênie; retaguarda, comitiva, sequela, séquito, cortejo, acompanhamento, escolta, sequaz, caudatário, satélite, cerra-fila, ordenança, sombra, comboieiro, guarda, filho póstumo, sobrestante, sufixo, cauda, *queue*, esteira, cola, coice, apêndice, posfácio, *postscriptum*, pós-escrito, adscrição, apostila, fecha, fecho, epodo, epílogo, peroração, codicilo, prole, secundinas, póstero, posteridade, dependência, desenlace, desfecho, conclusão, desate, desenredo, remate, solução, fim 67; sobremesa, apoteose, *arrière-pensée*, assinatura.
V. suceder, substituir, render, advir, continuar, seguir-se, vir depois.

66. Começo | 67. Fim

Adj. sucessório, porvindouro, póstero, posterior, futuro, seguinte, sequente, subsequente, ulterior, vindouro.
Adv. sucessoriamente & *adj.*

△ **66. Começo,** início, iniciação, princípio, primitiva, instauração, encetamento, aparecimento, incipiência, incoação, primórdio, *incipit*, introito, introdução, prólogo, proêmio, prefácio 64; alfa, instalação, inauguração, exórdio, estreia, debute (gal.), iniciativa, compeço, fundamento, pedra fundamental; origem (causa) 153; tronco, botão, rebento, nascença, semente, raiz, embrião, feto, germe 153; ovo, primeiro degrau, primeira etapa, rudimentos, elemento inicial, alicerces, abecedário, alfabeto, bê-á-bá, abc, primeiras noções, gênese, incunábulo;
berço = cuna (poét.), pátria, vida intrauterina, nascimento = orto, natal, natividade, infância, ponto de partida 293; dilúculo, aurora, alvorada, manhã 125; advento;
os primeiros vagidos/tartareiros/passos; abertura, entrada, entrância, entrança, bicada (de uma mata), boca (da noite), fonte, cabeceira, nascente, nasceiro, nascedouro, manancial, minadouro, manadouro, umbral, ombreira, soleira, coição, couceira, soportal, ádito, pronau, propileu, pilone, pórtico, átrio, portal, anteporta, anteportão, saguão, vestíbulo, postigo, limiar, liminar, portaló, batente, pátio, borda, fronteira, dianteira, beirada 231; título, cabeçalho, epígrafe (*precursor*) 64.
V. começar, compeçar (ant.), principiar, iniciar, encetar, deslanchar, empreender, entabular, dar a partida, incoar, originar, conceber, abrir, assomar no horizonte, raiar, nascer 125; despontar, esboçar-se, estalar, irromper, explodir, ter pátria, fundar;
lançar os alicerces/a primeira pedra/os fundamentos; instaurar, inaugurar, abrir a porta a, empreender, dar o lamiré;
tomar a iniciativa/a mão; brotar, aflorar, vir à existência, renascer, abrir os olhos à luz, vir à luz, albor/alvor, aparecer, surgir, assomar, iniciar os passos;
estar em germe/em estado embrionário/em estado rudimentar/em embrião/em mantilhas/em seu choco/em sua primeira infância; agomar, madrugar, matinar, aurorar 125;
meter/pôr mãos à obra; fazer sua estreia, estrear = debutar (gal.), abrir praça, assentar praça, jurar bandeira, tomar posse, entrar em função.
Adj. inicial, iniciatório, iniciativo; inaugural, principiante, introdutor, novo, recém-fundado, incipiente, proemial 64; nascente = ortivo, primário, incoativo, embrional, embrionário, rudimentar, fetal, primeiro, primogênito, primordial, primal, primitivo, primevo, primígeno, primigênio, aborígene, autóctone, natal, nascente, primoponendo.
Adv. inicialmente & *adj.*; a princípio, primeiro, *primo*, em primeiro lugar, primeiramente, antes de tudo, *in limine*, no nascedouro, em botão, em embrião, na infância de, no berço de, desde o princípio, às mantilhas, *ab initio, ab ovo, ab incunabilis, in primo loco*, à primeira vista.

▽ **67. Fim,** final, finalização, encerramento, encerro, arremate, fecho, terminação, término, finamento, finda (ant.), *finis, finale*, ponto, termo, completório, desinência, último degrau, derradeira etapa, polo, limite, fronteira, *última Thule*, meta, ômega, zê, tau, extrema, barra, cabo, orla, cauda, rabo, fundo, borda 231; *bonne bouche*, sobremesa, estuário;
consumação, *dénouement*, desenlace, desenredo, conclusão, desfecho, epílogo 65; remate 729; posfácio, dia do juízo final, *dies irae*, despedida, apagar das luzes, baliza, destino, os derradeiros estertores, agonia, vasca, expiração, exício = morte 360; crepúsculo, ocaso, últimas, catástrofe, apoteose, acabamento, fenecimento, apotelesma (de uma doença);
parada, paradeiro, foz, desembocadura, embocadura, cemitério 363; começo do fim, *coup de grâce*, tiro/golpe de misericórdia, pá de cal, golpe de morte, *vulnus insanabile, vulnus immedicabile*;
escatologia;
Calvário, Gólgota.
V. findar, finalizar, acabar, terminar, consumar, arrematar, colmar, fechar; rematar 729; não prosseguir, parar, cessar, cerrar, ultimar, concluir, aprontar, levar a cabo, agonizar, finar, expirar 360; vasquejar, perecer, morrer 360; desfechar;
ter seu desfecho/seu remate; fenecer, extinguir(-se), sumir(-se), desaparecer 449; embocar, abocar, ir dar em, levar a, desaguar, desembocar 349; volatilizar, evaporar,

vaporar-se, diluir-se, voar, partir 293; completar, coroar;
dar/fazer/pôr um fim; levar até o calvário, dar com o basta, chegar a bom termo, pôr um prego na roda, pôr um freio, pôr um ponto final.
Adj. findo, final, terminal, terminativo, epilogal, sainte, definitivo, último, extremo, postemeiro, postrimeiro, postremo, postremeiro, derradeiro, cabeiro (dente), posterior, póstumo, transato, passado, vencido, dorsal, caudal 235; contérmino, terminado & *v.*; penúltimo, antepenúltimo, morrediço.
Adv. finalmente & *adj.*; ao apagar das luzes, quando Inês já era morta; afinal.

68. Meio, mediana, medianidade, metade, meiadade (ant.), meio-termo, centro 222; metade do caminho 628; *mezzo termine, juste-milieu* 628; tutano, medula, sertão, eixo, zina, plenitude, coração, âmago, recôndito, cerne, alma, nave, umbigo, miolo, ônfalos, seio, núcleo, equidistância, bisseção, equador, diafragma, interjacência 228; bissetriz, mediatriz, mesopotâmia.
V. mediar, equidistar, ficar no meio.
Adj. meio, médio, medial, mediano, medianeiro, medieval, meão, meante, meeiro, interposto 228; equidistante, meidado, central 222; mediterrâneo, equatorial, intermediário, intermédio, mesopotâmico.

△ **69. Continuidade,** sequência, ininterrupção, seguimento, prosseguimento, constância, perenidade, andamento, encadeamento, encadeação, conexão, concatenação, progressão, continuação, prolongamento, mantenimento, manutenção, manutenência, consecução, sucessão, enfiada, gradação, escala, marcha, gama, prossecução, procissão, cortejo, préstito, coluna, comitiva, cavalgada, caravana, aparato, processional, linha de batalha, genealogia, linhagem, raça, descendência;
fila, renque, aleia, ala, fileira = coxia, carreira, andaina, cordão, linha, rosário, terço, fieira = fio, alinhamento, arruamento, colunata, avenida, boulevar, cadeia, corrente, chorrilho, enxame 72; série, enfiada, correnteza, estirão (bras.), réstia, dízima periódica.
V. continuar, formar uma série, encadear, alar, alinhar, arruar, prolongar, prosseguir, estar de pé, desfilar, suceder-se, seguir(-se), concatenar-se, alcançarem-se uns aos outros, estender-se, desenvolver-se, desenrolar-se, desenovelar-se, derramar-se, estirar-se, alongar-se (*comprimento*) 200; marchar a um de fundo, seguir uma progressão.
Adj. contínuo, imutável, invariável, monótono, rotineiro, porfioso, consecutivo, subsecutivo, progressivo, sucessivo, gradual, gradativo, serial, seriário, inintercepto, ininterceptado, ininterrupto, ininfracto, inquebrado, seguido, prolongado, interminente, irremitente, inteiro, íntegro, inconsútil, linear, perene, perenial, indefesso, constante, incessante, incansado e incansável, permanente, perpétuo, vitalício, endêmico, processional, inteiriço, indissolúvel.
Adv. continuamente & *adj.*; de contínuo, sempre, sem intermitência, sem desfalecimento, sem eclipse = *de tenente*;
de uma tirada/uma assentada/uma cajadada; por fila singela, de um fôlego = *uno spiritu*, em bica, à formiga, a fio, a eito.

▽ **70. Descontinuidade,** incontinuidade, descontinuação, interpolação, disjunção 44; intermitência, intercadência, parada, intercepção, suspensão, anacoluto, anacolutia, intermissão, paralisação, interrupção, corte, quebra, aparte, interpelação, remitência;
fenda, falha, racha, rachadela, abertura, fresta, fisga, obstáculo, estorvo 706; solução de continuidade = apospasmo, intervalo 198; entreato, pausa, entrepausa, interregno, interlúdio, parada, eclipse, cesura, travessão, parêntese, reticência = aposiopese, síncope, desmaio, episódio, rapsódia, centão, remendo, alternação (*periodicidade*) 138.
V. descontinuar, ser descontínuo, alternar, entremear, interpolar, intermitir, estacar, ser (intermitente & *adj.*); fazer pausa, pausar, entrecortar, interromper, atalhar, sobrestar, perturbar, apartear, interpelar, intervir, romper, fragmentar, quebrar o fio a, cessar, suspender, vascolejar, cesurar, falar à mão, atravessar, interceptar, impedir o curso de, intervalar, cortar, secionar, cortilhar, desjungir 44; obstruir 706; entreturbar, paralisar;
desconversar, mudar de assunto.
Adj. descontínuo, incontínuo, descontinuado & *v.*; entrecortado, interrupto = interciso, interruptor, intercepto, interpolado,

71. Termo | 72. Reunião

cortado, salteado, falhado, fragmentário, lacunoso, improgressivo, inconexo, solitário, isolado, esparso, intermitente, parcial, intercadente, remitente, caprichoso, irregular 139; espasmódico, epidêmico, esporádico, periódico, desunido (*não relação* 10).
Adv. descontinuadamente & *adj.*; por intervalos, por sofreadas, por saltos, por acessos, a prestações, *per saltum*, a longo intervalo, com solução de continuidade, às vezes, de quando em quando; ora sim ora não; com intermitência.

71. Termo, posto, classe, posição, pé, situação, fase, etapa, passo, grau, escala, trâmite, elo, ponto, altura, degrau, *status*, dignidade, período, curso, estação, lance, quadra, alto, culminação, condição, classificação, nível, categoria, série, estado, plano, lugar.
V. ocupar/encher um lugar; achar-se em certa fase, classificar-se, enfileirar-se, colocar-se.

3º) Ordem coletiva

△ **72. Reunião,** reconcentração, concentração, agrupamento, grupo, coleção, coletivo, jogo, série, repertório, pecúlio, coligação, compilação, codificação, complexo, bando, leva, recrutamento, colheita, ajuntamento, rebanhada, agregação, agregado, cúmulo, rima, agrumento, grumento, concorrência, afluência, concurso, pinha, congregação, conjunto, união, complexão, convergência 290, confluência, afluxo;
reunião social: divertimento 892;
comício, assembleia, junta, congresso, sínodo, concelho, concílio 696; convenção, conventículo, conciliábulo, pandemônio, conclave, consistório, bordel 961; companhia, esquadra, exército 726; multidão 102; *meeting*, sorte, sortimento, congestão, enchente, dilúvio, conglomerado, conglomeração, coacervação, coagmentação, cumulação, acumulação, *omnium, gatherum,* espicilégio, quantidade 31; arquipélago, feixe, trouxa, atado = molho = fuste, liaça, lio, pacote, embrulho, maçaroca, braçada, abada, pazada, maço, cacho = racimo, paveia, meda, gavela, fardo = paca, grei, rebanho, montanha, acervo;
miscelânea (*mistura*) 41; coletânea, antologia 596; mapoteca = coleção de mapas, museu, *ménagerie* 636; código, restolhada, constelação, plêiade, massa popular, enchente, barafunda, acúmulo, armada, esquadra, hoste, grumetagem;
armento, armentio (de bois), atilho (de espigas), alcateia (de lobos), cambo, enfiada, espiche, cambada (de peixes), baixela, batelada (de arroz), bateria (de peças de artilharia), braçada, abada (de flores), capítulo, cabido (de cônegos), capítulo (de frades), cáfila (de camelos), caravana (de viajantes), boana = cardume (de peixes), carrada (de razões), caterva ou magna caterva (de vagabundos), cavalgada, asnada, asnaria, colunata; coxia (de bancos), cenáculo (de crentes), chafardel (de ovelhas), choldra, choldraboldra (de assassinos), chorrilho (de asneiras), chusma (de pessoas), cingel (de bois), coorte (de soldados), colmeal, colmeia; congérie (de paus), congregação (de professores), constelação (de talentos), corda (de vento), castelo (de nuvens), cordoalha; corja; elenco (de artistas), fauna, festão = grinalda = ramalhete; pinhota; fieira (de dentes), correnteza (de casas), fornada (de doutores, girândola; herbário; horda (de mal-feitores), enxárcia; espicha (de sardinhas), enfiada (de asneiras), farândula, farandulagem (de maltrapilhos), chibarrada = rebanho caprino, fato (de cabras), jolda (de velhacos), jugada (de bois); junta (de médicos), júri, leva (de degredados); lote, pinha = magote (de gente), gentiaga, canalha 877; malhada (de ovelhas), malta, quadrilha (de ladrões), malandragem, matulagem = bando de vadios, maltesia, maltaria (de trabalhadores), maromba (bras.) = manada (de vacas), manga (de arcabuzeiros), mastreação = palamenta, matula, matulagem (de malandrins), mó ou mole (de gente), miríade (de insetos), montão, morouço, moirouço (de pedras), ninhada (de pintos), nuvem (de gafanhotos), oviário; plêiade, falange (de heróis), pecúlio (de anedotas), piara (bando de animais), ruma, pilha (de livros), manicodiata (de heróis), ponta (de mulas), praga (de percevejos), partida (de contrabandistas), trindade, quarteto, quaternidade 95; trinca; rancho, ranchada (de rapazes), récova ou récua (de cavalgaduras), reco-

vagem; ramo (de gente), rebanho, rebanhada; mulherio, revoada (de pardais); roda (de homens), rol (de roupa), resma, rima (de papéis), súcia (de velhacos); teoria (de anjos, bispos), troço (de soldados), tropel (de cavalos), turbilhão, turbamulta (de malfeitores), turno, turma (de examinandos, examinadores), vara (de porcos) ou persigal.

V. reunir, grupar, agrupar, juntar, ajuntar, coordenar, coadunar, incorporar, colocar, congregar, coligar, glomerar, aglomerar, conglomerar, concentrar, englobar, agremiar, emagotar, enramalhetar, convocar, coacervar, colecionar, respigar, coligir, recoligir, recolher, codificar, acumular, entesourar, estocar, enxamear, formigar, inçar, abundar, conglobar, amontoar, amonturar, encastelar, emedar, empilhar, acavalar, agavelar, engavelar, enfeixar, apinhar, encher, abarrotar, atestar, pôr em montão, cooptar, agregar, afiliar, justapor, aglutinar (*misturar*) 41; entrouxar, acondicionar, empacotar, embarrilar 190; embrulhar, suciar, arregimentar, enramalhetar, enramilhetar, associar, consorciar, irmanar, arrebanhar, atropilhar, aquadrilhar, enranchar, somar, atropar;
acardumar-se, andoar-se, andar em súcia, comer de matula; acotovelar-se, comprimir-se, premer.

Adj. reunido & *v.*, agrupado, coletivo; empinhocados, juntado, agarrados uns aos outros, compacto, apertado, cheio, denso, repleto, apinhado, abarrotado, prenhe, enxameante, populoso; fasciculoso, racimoso, cumulativo, armentado, agregativo, coletor, convocativo, gregal, gregário, rebanhio, manadio, sinagelástico; racimado.

Adv. reunidamente & *adj.*; em bando, em bandadas, às bandadas, em revoada.

▽ **73. Dispersão,** disjunção 44, abjunção; divergência 291; afastamento, apartamento, distanciamento, espraiamento, espalhamento, divórcio, separação; desmanho = debandada, fuga, disseminação, difusão, derrama, ramificação, contágio, invasão, dissipação, esbanjamento, desperdício, distribuição, partilha 786; circunfusão, esparzimento, espargimento, alastramento, propagação, contaminação; estouro da boiada.

V. dispersar, desabelhar = partir em bandos como enxames de abelhas, debandar, derramar, alastrar, espraiar, distanciar, separar, defluir, descentralizar, vagar, espalhar, disseminar, desmembrar 44; grassar, arramar, repartir 786; circunfundir, circunfluir, propagar, invadir, infestar, inçar, contagiar, pegar, desdobrar, desenvolver-se, lavrar, infiltrar-se, irradiar;
pôr em fuga/em debandada; esquadrilhar, desenxamear, desarregimentar, licenciar, dissolver, pulverizar, semear, sementar, difundir, desconcentrar, desacumular, desacavalar, desmontar, desarmar, espargir, esparzir, atirar aos ventos, impelir para diferentes partes, borrifar, salpicar, desgarrar-se, extraviar-se.

Adj. disperso, separado, extraviado, erradio, errático, avulso, desgarrado, esparso, roto, derramado & *v.*; difuso, esporádico, contagioso, epidêmico, geral 78; divergente 291; pegadiço, vagabundo, errabundo, errante.

Adv. dispersivamente & *adj.*

74. (Lugar de reunião) **Foco,** ponto de (convergência & 290); metrópole, capital, corradiação, centro 222; ponto de concentração, polo, sede, esperadouro, ponto de reunião, *rendez-vous*, cidadela, quartel-general, teatro, empório, mercado, interposto, cassino, grêmio, clube, cenáculo, êxedra, varadouro, Meca, feira; antro, covil, querença, malhada, bebedouro, redil, aprisco.

75. Classe, divisão, número, seção, categoria, hierarquia, grau, posto, patente, graduação, padrão, linha, título, rubrica, rol, lista, pauta, elenco;
tabela, quadro, ordem, qualidade, igualha, feitio, espécie, jaez, laia, estofa, têmpera, estatura; quilate, tamanho, naipe, sorte, lote, gênero, natureza, toada, variedade, condição, modalidade;
família, gente, raça, nação, tribo, cabila, cabilda, casta, geração, sangue, tipo, linhagem, estirpe, seita, rito, escola, genealogia, sexo, afinidade, grupo, grei, bando, facção, parcialidade, séquito (*partido*) 712; panelinha (dep.), patota, curriola;
maneira, modo, feição, descrição, denominação, designação, caráter, calibre, similaridade 17.

Adj. quejando, congênere.

76. Inclusão | 79. Especialidade

4º) Ordem distributiva

△ **76. Inclusão,** admissão, inscrição, registro, alistamento, incorporação, integração, anexação, matrícula, compreensão, recepção, iniciação, inclusiva, composição 54; matriculando, recipiendário.
V. incluir, ser (incluído & *adj.*); figurar no rol, matricular-se, inscrever-se nos registros de;
ser aceito/admitido; ingressar nas fileiras de, passar a fazer parte, alistar-se, sentar praça, pertencer a, ser do número de, acotovelar-se com, numerar, registar, admitir, aceitar, empadroar, inscrever, lançar no rol, compreender, conter, abarcar, abraçar, alistar, dar praça a, arrolar, relacionar, iniciar, recrutar, enriquecer, aumentar a lista;
contar, enumerar, meter entre;
classificar, predicamentar sob.
Adj. Incluído, incluso, inclusivo, admitido, inscrito, integrado, registrado, alistado, incorporado, matriculado.
Adv. inclusive, admitidamente & *adj.*

▽ **77. Exclusão,** eliminação, inadmissão 55, recusa, rejeição, dispensa, demissão, descarte, expulsão, desconsideração, refutação, omissão.
V. excluir, eliminar, inadmitir, recusar, rejeitar, dispensar, demitir, descartar, expulsar, desconsiderar, refutar, omitir.
Adj. excluído, excluso, recusado, descartado, demitido, refutado, omitido, exclusivo, desconsiderado, descartável, refutável, omisso.
Adv. excluidamente & *adj.*, exclusive.

△ **78. Generalidade,** universalidade, inespecificidade, atipicidade, catolicidade, ecumenicidade, catolicismo, cosmopolitismo, exoterismo, miscelânea, impersonalidade, impessoalidade, tutilimúndi = cosmorama, panorama, epidemia, pandemia;
todos, cada um, todos os corações, a totalidade, o mundo inteiro, a humanidade, toda a gente, o gênero humano, todo o mundo, fulano 372; beltrano, sicrano, A ou B, qualquer um, unidade, uniformidade.
V. generalizar, ser (geral & *adj.*); prevalecer, dominar, predominar, reinar, imperar, transcender, não haver restrição, universalizar, nacionalizar, internacionalizar, unificar, uniformizar, padronizar; desenvolver, propagar, promover a generalização; descaracterizar, desprivilegiar, impersonificar, impersonalizar.
Adj. e *pron.* geral, genérico, que tem o caráter de generalidade, coletivo, lato, amplo, irrestrito, onímodo, enciclopédico, difundido 73; uniforme, universal, universitário, católico, exotérico, unívoco, ecumênico, panorâmico, comum, vulgar, mundial, mundanal, internacional, transcendente, transcendental, prevalecente, predominante, cosmopolita, epidêmico, pandêmico, inespecificado, atípico, incerto, vago, indeterminado, impreciso, abstrato, habitual;
todo, cada, cada qual, qualquer.
Adv. geralmente & *adj.*; qualquer que, todos que, em geral, geralmente falando, de modo geral, seja quem for; seja este, seja aquele; sem referência pessoal, sem declinar nome, por via de regra, em termos gerais, de modo genérico, sem individualizar, sem exceção, sem restrição, falando em tese; para todos os casos, na generalidade.

▽ **79. Especialidade,** *spécialité*, individuação, individualidade, caracterização, exemplificação, particularidade, idiotismo, modismo, regionalismo, esoterismo, provincianismo, bairrismo, sectarismo, idiossincrasia, diátese, tendência 176; personalismo, personalidade, característica, tipicidade, tipificação, maneirismo, originalidade, excentricidade, especificidade, singularidade, anomalia 83; traço, lineamento, sinais característicos, distintivo, condições personalíssimas, minudências, pormenores, eu, eu mesmo, tu, tu mesmo etc.;
particularista, individuador, especificador, destrinçador.
V. especificar, apontar individualmente, indicar, particularizar, caracterizar, assinalar, concretizar, substantificar, exemplificar, distinguir, marcar, precisar, determinar, singularizar, individuar, individualizar, tipificar, personalizar, personificar, designar, nomear, diagnosticar, referir-se, declinar nome;
descer à particularidade, pormenorizar, detalhar (gal.);
entrar em detalhes (gal.)/em minúcias; fazer referência.
Adj. especial, particular, individual, pessoal, específico, especificativo, próprio, inseparável 5; privado, privativo, respectivo, com-

petente, concreto, determinado, marcante, certo, esotérico, endêmico, parcial, peculiar, característico, típico, ilustrativo, exemplificativo, explicativo, diferente, distintivo, inconfundível, exclusivo, singular (*excepcional*) 83; idiomático, modal, *sui generis*, étnico, provincial, regional, local;
este, presente, aquele, tal.
Adv. especialmente & *adj.*; em particular, *in propria persona*, pessoalmente, *ad hominem*; no que me concerne/respeita/interessa; cada, cada um, um por um, por partes, nomeadamente, nominalmente, designadamente, principalmente, especificadamente, *seriatim, pro hac vice, pro re nata*;
isto é, a saber, por exemplo, queremos dizer, *videlicet*.

5º) Ordem categórica

△ **80. Regularidade,** normalidade, harmonia, regra, proporção, eutaxia, ordem, medida, compasso, ritmo, batuta, proporcionalidade, precisão de relógio, constância, pontualidade, rigorosidade, uniformidade (*exatidão*) 494; método, observância 772; atenção, rotina, rotineira, uso, usança, costume, ramerrão, chavão (*costume*) 613, mesmice, obviedade;
fórmula, lei = nomia, chapa, código, palavras rituais, preceito, praxe, estilo, formalidade, dídia, pragmática, ritual, regimento, roteiro 697; ditame, analogia, caso análogo, nota tônica, padrão, paradigma, modelo, calibrador, exemplo, precedente, molde (*protótipo*) 22; princípio, conformidade, teorema, axioma, provérbio, norma, teor, esteira, bitola, craveira, natureza, postulado, ordem das coisas;
condição normal/ordinária; lei procustiana, lei dos medas e dos persas, princípios basilares, preceituário.
Adj. regular, uniforme, corriqueiro, costumeiro, cediço, habitual, usual, banal, comum, óbvio, ordinário, trivial, usitado, vulgar, constante, proporcional, harmônico, normal, normativo, inalterável, imutável, imudável, permanente, eterno, sacrossanto, sagrado, metódico, sistemático, moente e corrente, pautado, consagrado pela lei e pelo uso, geralmente recebido, uniformemente admitido.
Adv. regularmente & *adj.*; a preceito = com todas as regras, por via de regra, sempre assim, como é de praxe, sem exceção, em voga.

▽ **81. Multiformidade,** multiplicidade, variedade, diversidade, pluralidade, trimorfia, polimorfia, polimorfismo.
Adj. multiforme, multímodo, multifário, multifacetado, Proteu, camaleão, biforme, triforme, quadriforme, septiforme, bimorfo, dimorfo, trimorfo, polimorfo, múltiplo, multígeno, multíplice, oniforme, variado, variegado, vário, proteico, proteiforme, camaleônico, onígeno, onigênero, onímodo, de todos os gêneros, onifário, dessultório, heterogêneo, mosqueado, mosaico, epiceno, comum de dois, promíscuo, indistinto, indiscriminado, de todas as espécies, de todos os feitios, diverso, *et hoc genus omne*.
Adv. multiformemente & *adj.*

△ **82. Conformidade,** conformação, adequação, congruência, analogia, parilidade, paridade, observância, proporção, simetria, harmonia, similitude, entrelaçamento, correspondência, ajustamento, eutaxia, adaptação, conservantismo, regra, rotina 80; ordem natural, ordem das coisas, leis da natureza; naturalização, convencionalidade (*costume*) 613; acordo 23; exemplo, espécime, exemplar, amostras, modelo, padrão 22; citação, exemplificação, ilustração.
V. conformar(-se), acomodar(-se), adequar(-se), harmonizar(-se), ajustar(-se) 23; adaptar(-se), não fugir à regra 80;
ser regular, mover-se na sua órbita;
observar, praticar, respeitar, cumprir as regras/os preceitos; quadrar, sujeitar-se, obedecer, convir com;
ser guiado/dirigido; adquirir o hábito de; seguir a moda, a corrente; acompanhar a onda, ir na onda, acomodar-se ao tempo, ser *fashion*, fazer atença com o tempo, ir pelo caminho do carro, deixar-se levar pelo uso, seguir a trilha palmilhada, fazer como os outros, *hurler avec les loups*, fazer em Roma o mesmo que os romanos;
ir com alguém/com a moda/com as turbas; pôr os olhos em alguém, seguir a ordem natural, submeter-se ao *stare decisis*, exemplificar, ilustrar, citar, aduzir exemplos.
Adj. conforme à regra/aos princípios preestabelecidos; regular, natural, normal 80; em regra, *en règle*, bem regrado, adequado, praxista, convencional;

83. Desconformidade | 83. Desconformidade

segundo o costume/a rotina/costumeiro; rotineiro, corriqueiro, vulgar, trivial, trilhado, palmilhado, consagrado, batido, usual, correntio, cediço;
geralmente aceito, recebido, admitido; frequente, habitual, típico, exemplar, formal, canônico, ortodoxo, são, estrito, rígido, severo, rigoroso, positivo, procustiano;
secundum artem, comme il faut, técnico, científico, modelar, ilustrativo, exemplificativo.
Adv. e *conj.* regularmente & *adj.*; segundo, conforme, consoante, de regra, em regra, por via de regra, de conformidade, de acordo, em harmonia com;
como de costume, de praxe; *ad instar*, à laia de, à guisa de, à semelhança de, à maneira de, *instar omnium, more solitum, move majorum.*
FRASES: *Cela/ça va sans dire. Ex pede Herculem. Noscitur a sociis.*

▽ **83. Desconformidade,** descompasso, divergência, desacordo 24, inadequação, incongruência; deformidade, anomalia, distorção, desvio, anormalidade, contraneutralidade, singularidade, inexplicabilidade, peculiaridade, sobrenaturalidade, excentricidade, excepcionalidade, originalidade, irregularidade, monstruosidade, novidade, fenomenalidade, incurialidade, invulgaridade, arbitrariedade, aprosopia, aberração, exceção, desvio das leis normais = heteronomia;
infração, violação, transgressão, postergação, infringência das leis da natureza; rebeldia às leis naturais, esdruxularia, extravagância, variedade, uromelia, sissomia, anencefalia, hibridismo, hibridez, hibridação, heterotaxia, anomalia teratológica, heterorrexia = depravação do apetite;
idiossincrasia, teratogenia, teratologia, individualidade;
original, monstro, prodígio, portento, fenômeno, milagre, milagreira (dep.), peixe-voador, cisne-preto, lépido-sereia, *lusus naturae, avis rara*, produto híbrido, *tertuim quid*, hermafrodita;
salamandra, fênix, quimera, hidra, hidro, esfinge, minotauro, centauro, grifo, ogro, elfo, *hobbit*, gnomo, duende, hidra, basilisco, górgona, lobisomem, vampiro, velocino, notômelo, semicapro, hipocentauro, melômelo, sagitário, dragão, sereia, macroceronte, unicórnio, ciclope, iniódimo, escolopendra, epicéfalo, comocéfalo, cefalópago, urômelo, hipocampo, onocentauro, aprósopo, hipógnata, hipogrifo, omacéfalo, otocéfalo, monstro sinadelfo, pleuróssomo, macrocéfalo, autósito, dugongo = homem-peixe, peixe fora d'água, capricho da natureza, nem uma coisa nem outra, um dentre mil, Shrek, Hulk, ET.
V. ser (anormal & *adj.*); não seguir a rota palmilhada;
infringir, quebrar, contravir, transgredir, preterir as leis universais; desafiar a qualquer descrição, aberrar das normas consagradas, diferençar-se de, constituir uma anomalia, ir contra as leis naturais, viver fora do seu século, ter nascido de princípios irregulares, ser um revoltado.
Adj. desconforme, inviso = nunca visto, desproporcionado, grande, excepcional, inaudito, esdrúxulo, singular, anômalo, anormal, arbitrário, ilegal, original, contranatural, preternatural, desnatural, sobrenatural, informe, extravagante, grotesco, único, desgarrado, aberrante, mirabolante, desconcertante, gritante, do arco-da-velha, caprichoso;
desmarcado, descompassado, desmedido, descomedido, desusado, peculiar, exclusivo, misterioso, estranho, fenomenal, excêntrico, extraordinário, esquisito, fora do comum, estrambótico, insólito, cerebrino, inconcebível, inverossímil, incrível, inimaginável, estúrdio, estapafúrdio, monstruoso, muliado, fantástico, híbrido, transordinário, desengonçado, admirável 870;
milagroso, exótico, rústico, engraçado, horrendo, raro, inexprimível, incomum, invulgar, peregrino, curioso, interessante, *sui generis*, indescritível, inenarrável, inexplicável, sem precedentes, sem exemplo, sem igual, sem paralelo, sem par, *tombé des nues*, assimétrico, contrário ao natural, superior às forças da natureza, fora do usual;
heterogêneo, heteróclito, heterônomo, anfíbio, assexuado, amorfo, ambígeno, andrógino, hermafrodita, teratológico;
isadelfo, bicípite, bifronte, macrocéfalo, janicéfalo, anencéfalo, microcéfalo, otocéfalo, monocéfalo, bicéfalo, tricéfalo, tauricéfalo, semífero, semicarpo, macrogloso,

aglosso, monopódio, monópode, monóculo, monodente, monodáctilo, heterótipo, grífico, trifauce (poét.), centóculo, centímano, centípede, sexdigital, sexdigitário, unipedal, septiforme, tetroftalmo, omacefaliano, aprósopo.
Adv. e *prep.* desconformemente & *adj.*; à parte, fora, à exceção de, exceto 38, 55; fora da craveira comum/das leis eternas da Providência.
Interj. mirabile visu! 870.
FRASE: Nunca se viu/ouviu/conheceu ou ouviu falar de semelhante coisa.

Divisão V. NÚMERO

1º) Número abstrato

84. Número, símbolo, algarismo, cifra, cifrão;
número inteiro/fracionário/redondo/decimal/comensurável/incomensurável, dígito = mônada, fórmula, função, série, parcela, soma, somatório, excesso, diferença, minuendo, diminuendo, subtraendo, diminuidor, produto, resultado;
produto parcial, total; multiplicando, multiplicador, fator, coeficiente, dividendo, divisor, quociente, resto, submúltiplo; parte, alíquota, fração, número misto, numerador, denominador, decimal;
dízima periódica simples, composta; medida, unidade de;
número primo, múltiplo, par, ímpar = nones ou nunes; parnão, arranjo, permutação, combinação, sinal somatório;
razão ou relação;
razão por diferença/por quociente, proporção; razão aritmética, geométrica; potência, expoente, base, quadrado, cubo;
raiz quadrada, cúbica, radical, índice, logaritmo, cologaritmo, antilogaritmo, módulo, equação, termo, coeficiente, raiz, parâmetro, abscissa, ordenada; matriz, determinante;
cálculo diferencial, integral, infinitesimal; limite, derivada, método das fluxões.
Adj. numeral, numerativo, arábico, romano, complementar, suplementar, divisível = divíduo, numérico, numerativo, dimidiato, alíquota, aliquanta, primo, equimúltiplo, múltiplo, submúltiplo, fracionário, divisional, mensurável, imensurável, comensurável, proporcional, exponencial, diferencial, fluxionário, integral; complexo, incomplexo;
positivo, negativo, nulo, racional, irracional, real, imaginário, impossível, infinito.
Adv. proporcionalmente & *adj.*
FRASE: *Numero Deo impare gaudet.*

85. Numeração, numeramento, paginação, relação, recenseamento, cálculo, conta, cômputo, computação, suputação (desus.), rabdologia, dactilonomia, aparitmese, medição 466; aritmética, algoritmia, cálculo dos valores, aritmografia, álgebra, cálculo das funções, aritmologia, análise;
(estatística): censo, capitação, recenseamento, recenseio, estatística 466; cadastro, cadastragem, revista, chamada;
(instrumentos para calcular): ábaco, contador mecânico, logômetro, régua de cálculo, máquina de calcular, aritmógrafo de Galley, aritmômetro de Thomas; mesolábio, calculadora, computador;
abacista, computista, calculista, calculador, algebrista, matemático, Condorcet;
(operações): adição, subtração, multiplicação, divisão, potenciação, radiciação, binômio de Newton, regra de três = regra áurea, redução de frações ao mesmo denominador, isomerismo.
V. numerar, contar, computar, dinumerar, inventariar, paginar, balancear, recensear, chamar, fazer chamada, avaliar, medir, pesar, calcular, suputar, apodar = esmar = orçar = estimar, somar, subtrair, multiplicar, dividir, dimidiar, mear, extrair raiz, potenciar, interpolar, inserir meios, permutar, apurar, liquidar, examinar, provar, demonstrar.
Adj. numeral, numérico, aritmético, analítico, algébrico, matemático, trigonométrico, estatístico, numerável, computável, comensurável, incomensurável & *v.*; somatório.

86. Lista, listagem, rol, ementa, ementário, agenda, relação, lista descritiva, catálogo, pauta, elenco, nomenclatura, vocabulário, inventário, arrolamento, romaneio, nômina (ant.), quadro, conta, verbete, cédula, enumeração, livro, compêndio, registro 553; tombo, cadastro, autos, processo, calendário, hagiológio, tabela, tábua, dípticos, razão, diário, borrador, sinopse, qua-

dro sinóptico, fatura, prospecto, programa, *ménu*, cardápio, censo, estatística, diretório, cartulário, rolo, repertório, pecúlio, sumário, índice, glossário, nominata; livro azul, vermelho.
V. listar, tabelar, arrolar, inscrever em rol, ementar, fazer ementa de, faturar, meter em faturas, recensear, alistar, pôr em lista.
Adj. arrolado & *v.*, cadastral.

△ **87. Isolamento,** singularidade, isolação, imparidade, bloqueio, sequestro, afastamento, apartamento, apartação, segregação, separação, incomunicabilidade, solidão (*reclusão*) 893; gueto, inarticulação, desolação, viuvez, orfandade, abandono, disjunção 44; unificação 48; um, unidade, indivíduo, um só, um único, uma única voz, nenhum outro, e ninguém mais; solitária; quarentena;
sentinela, isolador, insulador, dielétrico.
V. isolar 44; estar só, ser único, ficar para semente, ser no número singular; insular, ilhar, bloquear, sequestrar, confinar;
tornar incomunicável/solitário & *adj.*;
descasar, descasalar, desemparelhar, desirmanar, desemparceirar, enviuvar, orfanar, descangar, apartar, segregar, destacar, desunir, separar, desacompanhar, desajuntar.
Adj. isolado, segregado, apartado & *v.*; uno, um, único, só, solteiro, viúvo, divorciado, órfão, solitário, sozinho, sem segundo, ímpar, singular, individual, personalíssimo, desacompanhado, distinto, *solus*, desamparado, abandonado, entregue aos próprios recursos, desirmão, desirmanado, esquecido dos homens, inarticulado, desemparceirado, sem par, descasado, ímpar, díspar, desemparelhado & *v.*; avulso, esparso, perdido, extraviado, semoto (poét.), unipessoal, mero, simples, irrepetido, desconjunto, fragmentário, errático, erradio, desolado, infrequentado, incomunicável 893; etiquetado à parte, impartível, indecomponível indivisível, irrepartível, compacto, maciço.
Adv. isoladamente, a sós, às singelas, somente, unicamente, meramente, simplesmente & *adj.*; ao menos, pelo menos, no número singular, um por um, distributivamente, *per se*, por si, em separado, à parte, em abstrato.
FRASE: *Natura il face e poi rompe la stampa.*

▽ **88. Acompanhamento,** adjunção, (junção) 39; contexto, contextura, encadeamento, xipofagia = teratopagia 89; coexistência, coabitação, inseparabilidade, paridade, concomitância, companhia, parceria, associação, coeficiência, acessório, cortejo, pertence, coeficiente, companheiro, par 89; serviçal, associado, sócio, parceiro, parcioneiro, cúmplice, comparte, comanditário, sombra, papagaio de pirata;
sombra de Nino, Bânquo; cerra-fila, satélite, consorte, esposa, colega, condiscípulo, parasita, carrapato, carraça; papa-jantares, guarda-costas, contrapé, corréu, ordenança; escolta, comitiva, séquito, caravana, missongo; guarnição (de prato), agregado, *kit.*
V. acompanhar, não se separar de, não largar do pé, dormir e acordar com, ir de mãos dadas com, fazer companhia a, ser a sombra de, acompanhar alguém como a sombra acompanha o corpo, perseguir alguém como espectro, fazer coro com, sobraçar-se com alguém = andar de braço dado com alguém, acompadrar-se com, navegar no mesmo barco com (*amizade*) 888; grudar-se a, grudar em, engarupar-se, encostar-se a alguém, emparelhar-se com, unir-se a, misturar-se com, ficar ao lado de, ladear, fazer coro com, ir de conserva, acotovelar-se com, coexistir, coabitar, conviver, sincronizar 120; associar-se a, trazer no seu séquito, fazer companhia, levar a reboque, não largar alguém.
Adj. concomitante, gêmeo, trigêmeo, coexistente, coabitantes, emparelhado, emparceirado, parceiro, juntos, inseparáveis, casados, amigos, misturados, unidos, ladeado & *v.*; acessório.
Adv. inseparavelmente & *adj.*; além disso, ao mesmo tempo, junto, à mistura com, em companhia de, de braço dado com, a par, ao lado um do outro, ombro a ombro.

2º) **Número determinado**

89. Dualidade, dualismo, duplicidade, biformidade, polaridade, xipofagia = teratopagia, congeminação, geminação, duplicata, dois, par, paridade, díada, díade, binômio, casal, duidade, duo, dueto, diálogo, yin e yang, junta, cingel, *gemini*, gêmeos, ajoujo, Castor e Polux, Dióscuros, irmãos siameses, um par de galhetas, ambiguidade, ambigrama, figura e fundo, massa e

mona, parêntese, parelha, a corda e o caldeirão, o balaio e a tampa; bicampeão.
V. dualizar, emparelhar, engarupar, irmanar, ajoujar, casar, acasalar, repetir, conduplicar.
Adj. e *pron.* dois, ambos, ambos os dois, um e outro, todos os dois (gal.), dual, dualístico, dualista, binário, duplo, dúplex, dúplice, unijugado = que forma um só par, dídimo, gêmeos, bigêmeo, bíparo, bigênito, conduplicado, xifópago = teratópago.

△ **90. Duplicação,** dobradura, dobro, duplo, redobro, redobração, redobramento, reduplicação, iteração (*repetição*) 104; geminação, diplasiasmo, renovamento, dicrotismo; mitose, cariocinese; clone.
V. dobrar, duplicar, redobrar, reduplicar, clonar, bisar, repetir, geminar, congeminar, renovar 104.
Adj. duplo, dois 89; dúplice, dobrado, geminado, gêmino (poét.), dícroto.
Adv. duplamente & *adj.*; duas vezes, *secundo*, em segundo lugar, mais outra vez (*repetição*) 104; outro tanto, outra vez, bis, de novo, novamente.

▽ **91.** (Divisão em duas partes) **Bisseção,** bipartição, bissegmentação, meação, subdivisão, dicotomia, subdicotomia; meiose; meio, meado, metade, dimidiação, bissetriz, meia-esquadria, eixo, axe, bifurcação, ramificação, forquilha, forcadura, garfo, forção, forcado, forqueta, galhada, encruzilhada, bívio; dilema.
V. dividir, rachar, separar, fender, cindir, repartir em duas partes; reduzir à metade, subdividir, mear, dimidiar, bissegmentar, bipartir, bifurcar, aforquilhar, forquilhar, forquear, ramificar, agalhar, esgalhar, dicotomizar.
Adj. fendido, semifendido, cortado ao meio = interciso, rachado, meidado (ant.), bipartido, bifendido, biconjugado, bicúspide, bífido, galhudo, forquilho, aforquilhado, bifurcado, subduplo, franchado, dímero, meado, meeiro, dicótomo, dicotômico.

92. Trialidade, trinalidade, trinidade, triplicata, trinômio, trípode, tripeça; tripé, trempe, tríade, trindade, trilogia, trinca, trimúrti; três, terceto, trio, terno, trigêmeo, terceira potência, cubo; tricampeão.
Adj. três, triforme, trino, trinômio, terno, terciário, trinitário, trispermo, tritongo, trinervado, trissílabo.

△ **93. Triplicação,** tresdobre, tresdobro, triplo, triplicidade, triplicata.
V. triplicar, cubar, elevar ao cubo, tresdobrar.
Adj. triplo, triplicado, tresdobrado, atrenado (ant.), triple, tríplice, tergêmino, tergeminado, ternário, trilogístico, tribásico, triforme, trilheiro, triliteral.

▽ **94.** (Divisão em três partes) **Trisseção,** tripartição, trívio, trifurcação, tricotomia, terço, trissetor, trissetriz, tércios, trimorfismo.
V. terçar, trissecar, tripartir, trifurcar, reduzir à terça parte.
Adj. trímero, terço, terceiro, trífido, trigêmino, trissecado, tricótomo, tricotômico, tricúspide, trifurcado, tricorne, trifacial, trifloro, trilobado, trimembre, trimorfo, trípodo, trissílabo, trissilábico, trissulco, trinérveo, trinervado, trifauce, tripartível.

95. Quaternidade, quatro, quadrado, quartado, quadrantal, quadratura, quadriga, quadrilha, quadrículo, quadra.
V. quadrar, quadricular.
Adj. quatro, quaternal, quadrático, quartado, quadrantal, quadrissilábico 97; quadriforme, quadrifonte.

△ **96. Quadruplicação.**
V. quadruplicar, biquadrar.
Adj. quádruplo, quadrigêmino, redobro, quadruplicado, quadriforme, biquadrado, biquadrático, quaterno 95, quaternário.

▽ **97.** (Divisão em quatro partes) **Quadriseção,** quadripartição, quarto, quartão (de um almude), quarteirão (de cem), quartola (de um tonel), quartário (de qualquer medida), quartano (de um quarteiro), quarteiro (de um moio), quartel, quartilho, quadrante; quartinho (caderno gráfico de quatro páginas).
V. quadripartir, quadrissecar, quadrifender, quartear, quartejar, esquartilar (bras.), esquartilhar, esquartejar, esquartelar, reduzir à quarta parte, quadricular.
Adj. quartado, tetrâmero, quadripartido, quadrifendido, quadrissecado, quadrífido, quadricúspide, quadricórneo, quadricula-

do, quadriforcado, quadriflóreo, quadrigúmeo, quadridentado, quadrilobado, quadriloculado, quadrissulcado, quadrissilábico, tetráfido.

98. numerais cardinais, cinco, lustro, quincôncio, quincunce, caderno, um, dois, três, quatro, seis, meia dúzia, sete, oito, nove, dez, década, dezena, decúria, onze, doze, dúzia, treze, trezena, quatorze, quinze = quindênio, dezesseis, dezessete, dezoito, dezenove, vinte, vintena, trinta, trintena, quarenta, quarentena, cinquenta, sessenta = moio, setenta, oitenta, noventa, cem, cento, centena, centúria, grosa = doze dúzias, centenário, hecatombe, século, duzentos, trezentos, mil, milhar, milhas, quilíade, milheiro, miríade, milhão, conto, bilhão, trilhão.
V. quintuplicar, sextuplicar, setuplicar, octuplicar, nonuplicar, decuplicar, centuplicar, decuplar.
Adj. cinco, quinário, quinto, quíntuplo, senário, seis, seisdobro, sêxtuplo, setiforme, sétimo, setenário, setimal, hebdomático, óctuplo, octonário, eneático, nônuplo, novenário, decimal, duodécuplo, centenário, cêntuplo, centesimal, múltiplo, plural, alguns, muitos 31.
Adv. em quincôncio, cinco a cinco, mais de um, para cima de.

99. numerais ordinais, sesma, quintação, sextante, vintena, décima, dízima, esgalho, ramificação, redução à quinta parte.
V. quintar, dizimar, oitavar, apresentar-se sob a forma de um leque, ramificar, esgalhar.
Adj. quinquefendido, quinquífido, quinquepartido, octófido, multipartido, esgalhado, frondoso, ramalhado, primeiro, segundo, terceiro, quarto, quinto, sexto, sétimo, oitavo, nono, décimo, decúmano, undécimo = décimo primeiro, subdécuplo, décimo segundo, duodécimo, décimo terceiro, trezeno, tredécimo, tércio décimo, décimo quarto, vigésimo, vicésimo, vinteno, vintavo, vigésimo primeiro/segundo... etc., trigésimo, trintena, quadragésimo, quinquagésimo, sexagésimo, septuagésimo, octogésimo, nonagésimo, centésimo, centavo, centesimal, ducentésimo, tricentésimo, quadringentésimo, quingentésimo, sexcentésimo, setingentésimo, octingentésimo, nongentésimo, noningentésimo, milésimo, milionésimo, bilionésimo, enésimo.

3º) Número indeterminado

△ **100. Pluralidade,** multiplicidade, diversidade, variedade, quantidade, profusão, maioria, multidão, um certo número 25; sem-número, multidão de 102; magote 72; numeralidade.
V. pluralizar, pôr no plural, indicar mais de um objeto, multiplicar, variegar.
Adj. plural, múltiplo, multíplice, alguns, poucos 32; muitos 31; diversos.
Adv. pluralmente, quantitativamente, diversificadamente.

▽ **100a. Singularidade,** unidade, individualidade, unicidade, número um;
(menos de um): *fração*, parte 51; um terço, um sexto, zero 101; menoridade.
V. singularizar,
Adj. singular, um, único, unitário, racionário, quebrado, menor do que zero, negativo, solteiro.

101. Zero, nada, cifra, ninguém, nem vivalma, *ame qui vive* (ausência) 187; insubstancialidade 4; coisa nenhuma, coisíssima nenhuma, nicles (pop.), néris, coisa alguma, patavina, nem um sequer, nenhum, sombra de sombra.

△ **102. Multidão,** numerosidade, compacidade, numeralidade, multiplicidade, infinidade, pluralidade, maioria, concorrência (*profusão*) 640; corro (ant.), legião, hoste, gente de todos os calibres, tropa, turba, horda, massa enorme e compacta, piara, romaria, dilúvio, um número avultado de, oceano, pélago, vaga, preamar, quadrilha, bando, plêiade, chusma 72; frota, falange, exército, batalhão, esquadrão, regimento, tiufadia (ant.), brigada, centúria, divisão 726; mundo, nuvem, ninhada, rebanho, enxame, colmeia = alveário, colmeal, viveiro, formigueiro, cardume, troço [ô], povo; miríade, quilíade, milhares, milheiro, aperto, apertão, apertada, acotovelamento; floresta, mata, bastida, bastidão, selva, cheia, enchente, avalanche.
V. ser numeroso & *adj*;
formigar, formiguejar, enxamear, pulular, regurgitar, apinhar, grassar, acotovelar-se,

atropelar-se, abarrotar, encher, apertar-se, comprimir-se.
Adj. muitos, inúmeros, diversos, vários, mil, profuso, multíplice, múltiplo, abundante, numeroso, inumerável, copioso, crescido, avultado, imenso, inúmero, excessivo, exuberante, denso, compacto, cerrado, basto; centenas, milhares de; nunca visto, enorme, colossal 31; fervilhante, sobrenumerável, sem conta, repleto, cheio, transbordante, que excede a lotação, populoso, excepcional 83.
Adv. profusamente & *adj.*; à cunha, em turba, em massa.

▽ **103. Pouquidade,** pouquidão, pouquinho, número limitado, um tantito, alguma coisa, pequena quantidade 32; punhado, exiguidade, parcimônia, escassez, carência, inópia, diluição, irrelevância, insignificância (*sem importância*) 643; raridade, infrequência 137; escolta, patrulha, destacamento, manípulo, maunça, manhuço, manhuça, manojo, manolho, vazante, minoria, menoridade, grupo 72; troco, pugilo, magote;
(diminuição do número): redução, limitação, restrição, restringência, abatimento, deserção, despovoamento, emigração, êxodo, ceifa, monda, dizimação, quintação, rarefação, eliminação, abandono.
V. apoucar, serem poucos, minguar, escassear, rarear, rarefazer, desertar;
restringir, limitar, reduzir, decrescer, minguar, ceifar, despovoar, eliminar, dizimar, quintar, tornar menos denso, abrir claros, afinar, enfraquecer, diluir.
Adj. pouco, escasso, raro, rarefeito, isolado, esparso, disperso, espalhado, perdido, derramado, diminuto, parcimonioso, parco, minguado, infrequente 137; reduzido & *v.*; rarefato, que se pode contar nos dedos, enfraquecido.
Adv. escassamente & *adj.*; aqui e ali.

104. Repetição, repetência, repetimento, reiteração, iteração, bis, eco, *replay*, ressonância, renovação, renovamento, repisa, sucessão, proliferação, prolificação, multiplicação, insistência, persistência, reprodução, duplicação, conduplicação, dízima periódica, período, estribilho, refrão, *ritornello*, antecanto, *cabaletto*, bordão, recapitulação = ressunta, chavão, ramerrão, chapa, ladainha, cantilena, epânodos, epanástrofe, espanapse, epanáfora, epanadiplose, diáfora, palilogia, aliteração, batologia, tautologia, ritmo 138; monotonia, papagaio, fonógrafo, realejo (*imitação*) 19; relógio de repetição; velha história, história de sempre; nova, segunda edição.
V. repetir, iterar, reiterar, ecoar, retumbar, chover no molhado, ressoar, bisar, tocar tambor, moer, remoer, corvejar, renovar, reproduzir, relembrar, redizer, multiplicar, proliferar, prolificar, refletir, batucar = martelar, repisar, teimar, insistir, mascar, mastigar, voltar à carga, malhar no mesmo assunto, redobrar, amiudar, cantar sempre a mesma cantiga, remorder, bater na mesma tecla, retrilhar, batologizar, tautologizar, tautossilabismo;
remedar, macaquear, imitar 19; papaguear, recapitular, reaparecer, repetir-se, renovar-se, tornar a suceder, reproduzir-se, apoquentar, causticar, importunar = serrazinar, martelar a paciência, buzinar aos ouvidos de.
Adj. repetido & *v.*; repetitivo, falado, batido, sovado, sediço, velho, rançoso, corriqueiro, repisado, retrilhado, amiudado = crebro = frequente, habitual 613, usual; repetente, incessante, miúdo, contínuo, ininterrupto, iterábile (ant.) = reiterável;
monótono, sonolento, iterativo, reiterativo, frequentativo, acima citado, acima dito, predito, supradito, idêntico.
Adv. repetidamente & *adj.*; muitas vezes, a cada triquete, a cada momento, amiúde, de novo, outra vez, mais uma vez, ainda, *encore, bis, da capo*;
repetidas/sucessivas/inúmeras vezes; dias após dias, anos após anos, todo santíssimo dia.
Interj. arauné! (bras.).
FRASES: *Ecce iterum Crispinus. Idem per idem. Toujours perdrix.* Está sempre a repisar a mesma cantilena.

105. Infinidade, infinitude, imensidade, imensitude, ilimitabilidade, a imensidão das imensidades, perpetuidade 112; infinito, absoluto, imensidão, amplidão, incomensurabilidade, inesgotabilidade, um nunca findar, um sem-fim, infindabilidade, inumerabilidade.
V. ser infinito;
não conhecer margens/limites/fronteiras/nascente nem ocaso; não se poder calcular até onde vai.

Adj. infinito, grande, enorme, infindo, imenso, imane, largo, inacabável, infindável, imensurável, incontável, inúmero, inumeroso, inumerável, incalculável, ilimitado e ilimitável, incircunscrito, incircunscritível, interminável, insondável, inacessível, inabordável, inaproximável, inexaurível, inesgotável, inextinguível, sobrenumerável, indefinido, sem-fim, sem limite, sem margem, sem termo, irrestringível, incompreensível, inexplicável, inapreciável, indevassável, imedido, irrestrito, perpétuo 112; insondado, inatingido, desmedido, incomensurável, inexterminável, inextirpável, invencível, inverificável.
Adv. infinitamente & *adj.*

Divisão VI. TEMPO

1º) Tempo absoluto

△ **106. Tempo,** duração, período, decurso, transcurso, prazo, fase, lapso de tempo, estação, temporada, quadra, tempo intermediário, entrementes, comenos, entremeio, ínterim, intervalo, mediação, intermissão, intermitência, interlúnio, interstício, interregno, entremez, entreato, trégua;
era, época, ocasião, sazão, idade, estádio, ano, data, década (*período*) 108; momento (*instante*) 113, átimo, horas, dias;
V. durar, datar, continuar, remanescer, persistir, perdurar, perpassar, marcar, fixar, determinar, precisar; encher, ocupar o tempo;
passar/gastar/consumir/matar/levar o tempo; aproveitar a oportunidade 134; dar tempo ao tempo (*procrastinar*) 133; (*ficar inativo*) 683; correr, decorrer, transcorrer, passar, voar.
Adj. permanente & 110, perene, eterno, durável.
Adv. permanentemente & *adj.* 110; sempre, durante, no correr do tempo, dia por dia, no tempo de, quando, então, no entanto, no entrementes, nesse entrementes, nesse comenos, nesse entremeio, nesse ínterim, *ad interim*, nesta mesma ocasião, *pendente lite*, de dia, *in diem*, de dia a dia, *de die in diem*, de hora a hora, todas as horas, até, todo o tempo, todo o santíssimo dia, todo o decurso do ano, a cada hora, de sol a sol, entre dois sóis, para sempre 110;

ano do mundo, *anno Domini*, a.D., *anno ante Christum*, a.C., *anno urbis canditae*, A.U.C., *anno regni*, hégira, sob, sob o reinado de, era um dia, era uma vez, numa bela manhã.
FRASES: *Fugaces labuntur anni. Eunt anni* = fogem os anos.

▽ **107. Nunca,** jamais, em tempo algum/nenhum, mais do que nunca, nanja, em ocasião alguma, indefinidamente, *sine die*, véspera de Tibe, calendas gregas, *ad calendas graecas*, dia de s. Nunca, na semana de nove dias, quando caírem juntos dois domingos, quando um camelo passar no fundo de uma agulha; quando eu for papa; quando alguém tirar numa peneira leite de um bode; quando fizer sol na eira e chover no nabal; quando o Amazonas correr para cima/se incendiar; quando um burro voar; para o dia de santa cereja, no dia 31 de fevereiro, nunca mais, em hipótese alguma, em caso algum.

△ **108.** (Duração limitada) **Período,** segundo, instante, minuto, hora, prima, terça, noa, vésperas, dia, dia ferial, nictêmero, féria, semana = hebdômada = doma (ant.), decêndio, década, período, era, mês, lunação, quarentena, quadragésima, quinquagésima, sexagésima, setuagésima, octogésima, nonagésima, trimestre, quadrimestre, quartel, semestre, decemestre, ano, estação, verão, outono, inverno, primavera, revolução sideral, revolução sinódica, bíduo, tríduo, quatríduo, quinquídio = cinquena, seteno (desus.), setenário, novena, trezena, quinzena, biênio, triênio, quadriênio, quinquênio, sexênio, setênio, novênio, decênio, vicênio, decenário, trienado = trietéride, octaetéride, epacta;
indicação, século, centúria, centenário, idade, milênio; existência, geração.
Adj. horário, anual (periódico) 138 ; diário, semanal, quinzenal, mensal, trimestral, semestral, decenal, secular, milenar.

▽ **109.** (Duração indefinida) **Curso,** progresso, corrida, o correr/perpassar/transcorrer/andar/volver/decorrer do tempo, decursivo, marcha, passagem, decurso, transcurso do tempo; espaço de tempo 106; temporada.
V. decorrer, perpassar, transcorrer, transcursar, seguir-se, arrastar-se, correr, voar, fugir, andar, mover-se, avançar, escoar-se,

110. Diuturnidade | 111. Transitoriedade

deslizar, seguir sua marcha, não parar, não conhecer repouso, ir-se, sumir-se; expirar, findar, ser decorrido (*passado*) 122.
Adj. transcorrente & indefinido, indeterminado, aoristo.
Adv. com o andar do tempo, enquanto isso, concomitantemente, progressivamente, simultaneamente, com a sucessão dos anos, ao tempo próprio, na plenitude do tempo, a tempo.
Frase: *Labitur et labetur.*

△ **110.** (Longa duração) **Diuturnidade,** perduração, extensão de tempo, perenidade, duração, durabilidade, cronicidade, perpetuidade, assiduidade, permanência, imanência (*estabilidade*) 150; sobrevivência, supervivência, longevidade, macrobia (*velhice*) 128; distância do tempo, obras de sta. Engrácia;
idade, século, milênio, eternidade, vagareza 275; duração sem fim 112; longo tempo, tirada, grande espaço de tempo, temporada;
protraimento, prolongação, prorrogação, extensão do tempo; eternização, delonga, dilatação, demora 133; dias e dias, horas esquecidas.
V. durar, resistir, perdurar, aturar, ter fôlego de gato, fazer face, ficar, permanecer, persistir, protrair 133; prolongar, prorrogar, dilatar, alongar, espaçar, acompridar, atrasar, retardar, demorar, eternizar-se, ganhar tempo, temporizar, fazer roça (bras.) = comer pomba (bras.) = encher tempo, esperar ensejo favorável;
sobreviver, sobrerrestar, exceder em duração;
tornar durável, arraigar.
Adj. durável, duradouro, viável, aturadouro, vivedouro, longo, longevo, largo, dilatado, grande, permanente, vitalício, imanente, constante, assíduo, resistente, aturado, crônico, poupado à pira inexorável do tempo, contínuo, demorado, estatário, inveterado, arraigado, sólido, êneo, imutável, porfioso, intransmutável, irremitente, persistente, teimoso 606; perdurável, interminável, macróbio, sobrevivente, supervivente, supérstite, diuturno, perene (eterno) 112; incessante, incansável, perseverante, sempre verde.
Adv. e prep. duravelmente & *adj.*; por longo tempo, longamente, há muito tempo (*tempo passado*) 122; todo santíssimo dia, todo ano, dia e noite, horas e horas; durante, por muito tempo;
horas esquecidas/inteiras; todo o decurso do ano, a fio, ininterruptamente.

▽ **111. Transitoriedade,** marcescência, evanescência, fluxibilidade, efemeridade, temporalidade, fugacidade, celeridade, brevidade, impermanência, presteza, voo, perecimento, momento, instante, palhetada, prontidão, interregno, obra de um instante, lapso de tempo, fugazes pés, unha negra, bolha de sabão, amizade de barca, missa de caçador, visita de médico, rosas de Malherbe, sonho, nuvens de agosto, meteoro, estrela cadente, velocidade 274; instantaneidade 113; mutabilidade 149, piscar de olhos, átimo.
V. ser (transitório & *adj.*); passar, voar, galopar, fugir, correr, correr a bom correr 274; evanescer, evaporar, murchar, desbotar, perecer;
durar como um sonho/como as rosas de Malherbe;
passar como sombra/como nuvem; não durar três padre-nossos, ser um almoço, medir poucos passos do berço à sepultura, morrer à nascença, ser obra de um instante, desfazer-se como o sal n'água;
já ter nascido com a *vulnus*; estar por um fio, já ter os dias contados, estar ferido de morte, encurtar, abreviar, apressar, adiantar, antecipar, acelerar, não perder tempo, temporalizar, efemerizar; afogar na nascença.
Adj. transitório, passadiço, lábil (poét.), volante, frágil, precário, contingente, provisório, interino, factício, provisional, fluxo, fluxível, fluxionário, passageiro, momentâneo, instantâneo, temporal, temporário, temporâneo, precipitado;
fugaz como um sorriso/como uma estrela cadente; fugitivo, célere 274; espasmódico, episódico, efêmero, fugaz, decíduo, morredor, morredouro, morrediço, perecível, perecedouro, perituro, mortal, extemporâneo, sumário, apressado 684; repentino, lesto, lestes, pronto, finito, fungível, enejo, aneiro, setemesinho, perfunctório, marcescente, marcescível, melindroso, impermanente, amovível, rápido como o pensamento (*instantâneo*) 113.
Adv. transitoriamente & *adj.*; por alguns instantes/algum tempo, *en passant, in transitu,* de passagem, em trânsito, em curto es-

112. Eternidade | 114. Cronometria

paço de tempo, logo (*cedo*) 132; na véspera de, à beira de, *in articulo*, num rufo, num pronto, por agora, antequanto, sem mais tardar, imediatamente, *uno spiritu* = de um fôlego, de uma assentada, num átimo.

△ **112.** (Duração sem fim) **Eternidade,** perpetuidade, sempiternidade, imperecibilidade, eviternidade, imortalidade, perenidade, infinitude, continuidade, imarcescibilidade, vitaliciedade, imortalização, séculos, evos (poét.).
V. durar eternamente, eternizar-se, eternar-se, perpetuar-se, perdurar; resistir ao perpassar do tempo/à sucessão dos anos; imortalizar-se, desafiar a ação do tempo, não morrer, datar de muitos séculos (*velho*) 124; vitaliciar-se, remontar à infância da humanidade.
Adj. eterno, eviterno, eternal, perpétuo, infinito, perene = eternífluo, incessante, incessável, infindável, sempiterno, coeterno, duradouro, incorruptível, indestrutível, inconsuntível, inconsumível, inconsunto, inesgotável, inexaurível, infindo, sem-fim, imortal, imperecível, imperecedouro, imperituro, imorredouro, imarcescível, infalível, indefectível, perdurável, inacabável, interminável, incicatrizável, imputrescível.
Adv. eternamente, perpetuamente & *adj.*; sempre, *in eternum* = *in perpetuum* = *para sempre*, para a vida e para a morte, na boa e na má andança, para todo o sempre, para aqui e para diante de Deus, como um sol sem ocaso, em todos os tempos, *bello domique* = na paz e na guerra, de geração em geração, de pai a filho;
in secula seculorum, por todos os séculos e séculos = até a consumação dos séculos/dos tempos; até o dia do juízo final, até a ressurreição da carne, até o acabamento do mundo, *ad vitam eternam*, *ab aeterno*, desde toda a eternidade, *post homines natos* = desde que o mundo é mundo = *ab condito oevo*, desde o *fiat*, enquanto o mundo for mundo, através da interminável sucessão dos séculos; *ab initio* = desde que há mundo.
Frases: *Esto perpetuum. Labitur et labetur. In omne volubilis oevum.*

▽ **113. Instantaneidade,** fugacidade, rapidez, imediatismo, prontidão, momento, instante, explosão, vai não vai, minuto, segundo, piscar de olhos, abrir e fechar d'olhos, triz, ápice, átimo, relâmpago, raio, sopro, estouro, momento psicológico, palhetada, relance.
V. ser (instantâneo & *adj.*); mostrar-se momentaneamente, relampejar, relampadejar, relampaguear, relancear, explodir, estourar.
Adj. instantâneo, imediato, repentino, momentâneo, presentâneo, súbito, ligeiro, rápido, fulminante, ab-rupto, brusco, violento, rápido como o pensamento, que tem a duração do relâmpago, passageiro, elétrico, veloz, transitório, fugaz, pronto, espasmódico, temporal, temporário 111.
Adv. instantaneamente & *adj.*; em menos de um minuto, *presto*, *subito*, *instanter*, de um golpe, de um fato, de supetão, como um tiro, de uma cajadada;
num abrir e fechar de olhos, num simples volver de olho, num relance de olhos; num rápido lance de vista, de um salto = *uno saltu*, de um rasgo, imediatamente, logo, de pronto, em um instante, da noite para o dia, a lume de palha, sem tirte nem guarte, num pronto; sem aviso, sem dizer: água vai; sem perda de tempo, às duas por três, num ápice, num triz, num átimo, num santiâmen (vulg.), como por encanto, vai senão quando, eis senão quando, num momento, de improviso, numa volantina, de esfusiote, quebradamente = de repente, de chofre = de peso, de chapuz, num ai, sacudidamente, de afogadilho, de arrancada, de arrebate (ant.), num átimo de tempo, num vai não vai, no mesmo instante, de impensado, em uma volta de mão, de passagem, (*curta duração*) 111; de uma assentada, de salto, *ab abrupto*, à queima-roupa, à mão-tenente, ato contínuo, à queima-bucha, na bucha, sem pestanejar.
Frase: Dito e feito.

△ **114.** (Registro e medida do tempo) **Cronometria,** cronologia, cronografia, ciências das datas, horometria, horologia, hemerologia, hemerológio, ciografia;
estilo;
novo/velho estilo; era, hégira, era cristã 106; cronograma, almanaque, folhinha, calendário;
calendário juliano/gregoriano/israelita/ateniense; repertório, reportório, lunário, lunário perpétuo, efemérides, crônica, anais, diário, anuário;

115. Anacronismo | 118. Tempo presente

relógio, despertador, pêndulo, sabonete (pop.), cebola (pop.), horológio, relógio de longitude, cronômetro, cronoscópio, cronógrafo, relógio solar, solário, declinante, quadrante solar, meridiano, armila, gnomo, engonatão, ampulheta, relógio de areia, clepsidra, relógio-d'água, noturlábio, pulsímetro, ponteiro 550; dipleiscópio, cronólogo, cronogista, cronógrafo, analista, cronista, hemerólogo, ciógrafo; relógio analógico, relógio digital, relógio atômico, relógio de quartzo, relógio de pêndulo;
V. datar, pôr data em;
fixar, designar, marcar, estipular, registrar, assinar, prefixar o tempo; aprazar, dar a hora, cronometrar, limitar, escolher, prefinir, bater, soar, tocar, martelar, vibrar, tanger, dar.
Adj. cronológico, cronométrico, ciográfico, gnomônico, lunissolar.
Adv. cronologicamente & *adj.*; por ordem cronológica, segundo a ordem dos tempos, por antiguidade.

▽ **115.** (Erro de data) **Anacronismo,** fato anacrônico, antecronismo, metacronismo, paracronismo, procronismo, prolepse, antedata, pós-data, inconsideração pelo tempo, intempestividade 135.
V. antedatar, atrasar uma data, pós-datar, pôr pós-data em, adiantar uma data, antecipar, anacronizar.
Adj. antedatado & anacrônico; antedatado, pós-datado.

2º) Tempo relativo

I. Relativo a sucessão

△ **116. Prioridade,** primado, principalidade, antecedência, antecipação, primazia, pródromo, anterioridade, precedência, preexistência, precessão 280; precursor 64; passado 122; primícias, primogenitura, preponência, preposição, prelibação, prévia, preliminares, antegosto, antegozo, vigília, véspera, antevéspera, tríduo, setenário, novena, advento, quaresma, noivado.
V. preceder, antecipar, adiantar(-se), queimar a largada, vir antes, anteceder, fazer-se seguir, ir na frente 280; anunciar, prognosticar, predizer, precorrer, precursar, preexistir, raiar, despontar, alvorecer, pressagiar 511; tomar a dianteira (*ser madruga-*

dor) 132; madrugar, romper a marcha, antepassar, antepor(-se), prepor, abrir a cena, inaugurar, iniciar (*começar*) 66; estar na véspera de, antegozar, prelibar, antegostar, desvirginar 961.
Adj. prévio, primeiro, primo, antecedente, antecipado, preparatório, preliminar, liminar, primário, anterior, preexistente, primitivo, primordial, primevo;
já, supramencionado; supracitado, precitado, predito, acima dito, sobredito, supradito, susodito, introdutório (*precursor*) 64; pregresso = decorrido anteriormente, temporão = lampo.
Adv. previamente & *adj.*; antes, ante, mais cedo, quanto antes;
primeiro, antes que; de antemão, antecipadamente, de previsto, antes de mais nada, desde já, em primeiro lugar, *in primo loco,* antes de qualquer..., de primeiro, nas vésperas de.
Provérbios: Quem vai adiante bebe água limpa. Deus ajuda quem cedo madruga.

▽ **117. Posterioridade,** ulterioridade, continuidade, sucessão, sequência, subsequência, continuação, pós; posição, superveniência, futuridade 121; sucessor 65, posteridade, descendência, prole; resto, postumária, sobrevivência; caçula, filho póstumo.
V. seguir 281; subseguir;
vir, ir, ser depois; acompanhar as pegadas de, sobrevir, sobrechegar, suceder-se, encontrar o caminho já desbravado, ser anunciado, renovar-se, pospor-se, sobreviver.
Adj. subsequente, sucessor, seguinte, imediato, ulterior, póstero, posterior, consecutivo, pospositivo, *post-nato*/pós-nato, pós-diluviano, póstumo, posteiro, futuro, superveniente, sobrevivente, supérstite.
Adv. subsequentemente & *adj.*; depois, em seguida, logo depois, depois disso, desde, depois que, desde então, daí por diante, mais tarde, ato contínuo, logo imediatamente, desde esse tempo, desde logo, para logo, a partir de, a datar de;
ao cabo/ao fim de; com o correr do tempo, passante.

△ **118. Tempo presente,** atualidade, tempo atual, tempo de agora, século XXI, o corrente ano, o corrente mês, o ano da graça de..., os tempos que correm, o presente.
V. atualizar, sincronizar.

Adj. presente, atual, corrente, fluente, andante, reinante, existente, contemporâneo, que corre, hodierno, de hoje, de agora, este mesmo, este, recente, vigente, síncrono, coetâneo.
Adv. presentemente, neste instante, neste momento, em ponto, agora, agora mesmo, já, *hic et nunc*, desta feita, a esta hora, a estas horas, hoje;
no momento em que falo/em que escrevo; em nossos dias;
nos tempos que correm; nos dias de hoje, até o presente, ao presente, de presente, por enquanto, ainda há bocadinho, por hora, por agora, *pro hac vice*, desta vez, por esta vez, há nada, recentemente, ainda agora, há muito pouco tempo, *in presente*, recém (designativo de há pouco).

▽ **119.** (Tempo diferente do presente) **Tempo diferente,** tempo diverso, tempo bem mudado, aoristo anacronismo, diacronismo, extemporaneidade, desatualidade, assincronismo, desatual, extemporâneo.
Adj. aoristo, aorístico, crástino.
Adv. e conj. naquele tempo, então, em outra ocasião, dessa vez;
quando, todas as vezes que, sempre que, em qualquer tempo que for, cada vez que;
em qualquer/em outra/em diferente ocasião; em outra hora, um desses dias, por diversas vezes, mais cedo ou mais tarde, mais dia ou menos dia, hoje ou amanhã, qualquer dia, mais hoje ou mais amanhã, a breve trecho, dentro de poucos dias, em breve, era uma vez, *sine die*.

120. Sincronismo, sincronicidade, paralelismo, isocronismo, tautocronismo, coexistência, concorrência, junção, simultaneidade, coeternidade, concomitância, contemporaneidade;
coetâneo, contemporâneo, os modernos; sincronista.
V. sincronizar, conciliar, conjugar, concomitar;
coexistir, concorrer, ser (simultâneo & *adj.*); acompanhar, ir de mãos dadas;
obedecerem ao mesmo ritmo/ao mesmo compasso; correr parelhas com, coincidir, dar-se/ocorrer ao mesmo tempo, não haver diferença, suceder ao mesmo tempo que.
Adj. síncrono, sincrônico, sincronístico, simultâneo, tautócrono, isócrono, coexistente, junto, conjunto, coincidente, concomitante, concorrente, coetâneo, contemporâneo, coevo, equevo, paralelo, rítmico, ritmado, helíaco.
Adv. sincronicamente & *adj.*, simultaneamente; ao mesmo tempo, no mesmo momento, na mesma hora, à uma, à mistura, *pari passu*, no mesmo ato, ao mesmo passo, conjuntamente, juntamente, de envolta com, a um só tempo, na mesma ocasião, enquanto, à medida que, à proporção que, ao passo que, ao tempo que, ao tempo em que, segundo que, tanto que, apenas, mal, assim que, tão logo, mal que, cada vez que, logo que, quando.

△ **121. Futuro,** futuridade, futurição, tempo vindouro, devir, devenir, augúrio, vaticínio; chegada, vinda, advento do tempo; porvir, horizonte, destino 152; eventualidade, propinquidade, proximidade, milênio, dia do juízo, dia do juízo final, dia do juízo universal, amanhã;
as brumas, os longes luminosos do futuro; séculos por vir, herança, herdeiros, pósteros, posteridade, porvindouros, sucessores, perspectiva do futuro, prenúncio, profecia, previsão, presságio, pressentimento, expectação 507; horóscopo 510.
V. olhar para o futuro, antecipar 507; prever 510; pressagiar, profetizar, prenunciar, augurar, vaticinar, mergulhar o olhar no futuro, madrugar 132; estar iminente, sobrestar, chegar, descortinar-se, aproximar-se, beirar, avizinhar-se, tocar, caminhar para, bater à porta, rasgar-se, apresentar-se, impender, pender, estar em vésperas, estar na bica, estar no gume de/em risco de/à ponta de/para dar a hora/à bica/para cada hora/ para toda a hora/por horas/em oratório.
Adj. futuro, que há de vir, que está por vir, que está por suceder, que Deus nos há de conceder, póstero, vindouro, porvindouro, venturo, próximo, iminente, impendente, propínquo, pervinco, crástino, eventual, ulterior, em perspectiva, em gestação, em embrião, aleatório;
incerto, misterioso, prenhe de surpresas, brumoso, nevoento, desconhecido, cheio de pontos de interrogação.
Adv. futuramente, depois, para o futuro, em futuro, doravante, daqui por diante, daqui em diante, daqui avante, de hoje em diante, a partir de, a contar de, a datar de, desde já, em breve 132; mais hoje ou mais amanhã 119; o mais tardar até, daqui a pou-

co, logo, dentro em pouco, um dia destes, *paulo post futurum*, adiante.

▽ **122. Passado,** pretérito, tempos de outrora, antanho, antiguidade, primórdios; tempos idos/remotos/passados/antediluvianos, que não voltam mais; o perpassar das idades, a ação corrosiva dos séculos; arcaísmo, passadismo, saudosismo; a ação/a ferrugem/a pira do tempo; noite dos tempos;
tempo imemorial/antigo/do onça, os longes, os primeiros tempos, (*antiguidade*) 124; tempos primitivos/fabulosos/pré-históricos; idade da pedra, idade média, meia-idade, idade primitiva, pré-história, ancianidade, vetustade, *statu quo*, distância do tempo; paleontologia, paleontografia, paleografia, paleologia, diplomática, arqueografia, arqueologia, fossilismo, medievalismo, pré-rafaelismo, quinhentismo, seiscentismo, retrospecto, retrospecção, retroatividade, anticomania, *laudator temporis acti*, paleógrafo, arqueógrafo, pré-rafaelita, antiquário, medievalista, anticômano, rotineiro, passadista, saudosista, praxista, tradicionalista, retrógrado, pé de boi, sebastianista (*costume*) 613; imobilista, antiprogressista.
V. ser (passado & *adj.*); ter (decorrido & *adj.*); andar, ir por muitos anos; evolar-se aroma misterioso de antiguidade, pertencer ao arquivo do passado, já ir longe, ter tido sua época; não ser de ontem nem de hoje; volver as vistas para um passado muito longínquo, remontar aos tempos antigos, mergulhar o olhar no passado, exumar, desenterrar, ter saudades de, recuar num afastamento contínuo e saudoso, retroagir, retrair, retroverter.
Adj. passado, ido, remoto, longínquo, distante, afastado, decorrido;
que expirou, findou; expirado, findo, transato, derradeiro, último, já enterrado, antecedente, pretérito, anterior, extinto, volvido, transcorrido, próximo passado, próximo findo, esquecido, arcaico, que já passou pela ampulheta do tempo, irrecuperável, obsoleto (*velho*) 124; perdido na noite dos tempos, primeiro, prístino, prisco, *quondam, ci devant*, defunto, falecido, vetusto, ancestral, avito, medievo, medieval, avoengo, avoengueiro, precedente, expirante, recente, hesterno = de ontem, primeiro, anacrônico, dinossauro.
Adv. antigamente, primordialmente, derradeiramente & *adj.*; dantanho, na infância da humanidade, dantes, outrora, em outros tempos, em tempos que já vão longe, já, há alguns anos, de há muito, até aqui, até agora, há bocadinho, há poucos dias andados, ultimamente, anda por muitos anos que, havia poucos dias que, de há três anos, vai para um ano que, desde tempos imemoriais, atrás, ontem, antontem, trasanteontem.
FRASES: Era uma vez... Volveram-se muitos anos...

II. Relativo a um período determinado

△ **123. Novidade,** maturidade, moda, modernice, modernismo, última moda, lançamento, mocidade, flamância, frescura, *vient de paraitre, dernier cri*, inovação, novação, renovação 660;
parvenu, tubarão, *nouveau riche*, modernista, Benjamim;
modismo, criação, protótipo, última palavra, última geração.
V. renovar 660; modernizar, atualizar, remoçar, rejuvenescer, tornar novo & *adj.*; inovar, revolucionar, lançar, desenterrar, exumar, reflorir, reflorescer, dar frescor a, ressuscitar;
ter nascido ontem, ser (moderno & *adj.*); datar de pouco, estar ainda quente, estar ainda à flor da terra.
Adj. novo, moderno, de pouco tempo, novel, novo em folha, inovador, revolucionário, experimental, promissor, fresco, bimo, frescal, em botão, novo do trinque, de primeira mão, verde, recém-criado, recém-fundado, recém-saído do forno, recém-parido (jovem) 127, 129; cru, imaturo, virgem, inexperimentado, não trilhado, não palmilhado, não descortinado, inexplorado, intato, desconhecido, inédito, que ainda não foi utilizado, último, presente, neotérico, de agora, hodierno, recente = nupérrimo, dos dias atuais, hesterno = de ontem, de novo gênero, verno, vernal, primaveril, *up-to-date*, acabado de fazer; ainda não encetado, não estreado, não lançado à circulação; principiante 66; palpitante; fresco como uma rosa, como as rosas de maio; vistoso, flamante, que tem o brilho das coisas novas.
Adv. recentemente & *adj.*; de novo em novo, em primeira mão, outra vez, de fresco, de há pouco, ultimamente, de pouco tempo, à moderna, de primeira mão, recém... (designativo de *há pouco*).

124. Velharia | 125. Manhã

▽ **124. Velharia,** velhada, antigalha, idade, antiguidade, ancianidade, maturidade, decadência, declínio, ocaso, poente, descambação, senilidade 128; sênio (ant.), primogenitura, decania, primiceria, vetustez, vetustade, veteranice, envelhecimento, inveteração, sabor antiquado, ranço, o pó dos arquivos, ultraje dos tempos (*passado*) 122; pré-história; arcaísmo, relíquia do passado, megatério, dólmen, anta, fóssil, fossilismo, pátina, bolor, mofo, limo, ruína, tapera;
tradição, prescrição, lenda, anticomania, imobilismo;
caducidade, caimento, degringolada, outono (fig.), ocaso (fig.), conservadorismo, ranhetice, caretice.
V. envelhecer, decair, declinar, descambar, avelhentar, bolorecer, abolorecer, durar por muito tempo, tornar-se desusado, obsoletar-se, obsolescer, cair em desuso, ficar ultrapassado, enferrujar, oxidar, rançar, rancescer, arruçar, agrisalhar, carunchar, bichar (bras.), carcomer, estragar com o uso, rafar, tornar crônico, inveterar, murchar, desbotar, fanar, desflorescer, apodrecer, inclinar-se para a ruína, estiolar, combalir, não ter mais o frescor dantanho, esbarrocar-se, correr para a destruição, ir em franca decadência, ameaçar ruínas, pender = estar para cair, desmerecer, ter conhecido dias melhores, piorar 659; ser uma ruína do que foi, mirrar, esmirrar, definhar, aproximar-se do seu fim, caminhar rapidamente para o seu ocaso, abrir fendas, desconjuntar-se, deteriorar, radicar-se, aprofundar-se, arraigar-se, enraizar-se, mumificar;
ser velho, vir de longe, cheirar a mofo, ter a aparência de velhice, estar fora de uso, desusar-se, não admitir ponto nem ataca, estar podre de velho, ameaçar ruína, vacilar, cair de maduro, datar do século passado, remontar ao século passado.
Adj. velho, vedro (ant.), vetusto, antigo, antiquário, antiquado, antigório, fóssil, rançoso, râncido;
deteriorado pelo uso, pelo tempo; anoso, ruim, imemorável, imemorial, desusado, respeitado pela antiguidade, venerável, venerando, negro, requeimado do tempo, avelhado, avelhantado, superado, ultrapassado, ferrugento, enferrujado, primígeno, primitivo, inicial, primevo, estragado, caruncoso, ruvinhoso, carcomido, bichado (bras.), bolorento, mofento crônico, avito,
avoengueiro, coevo dos primeiros tempos, prístino, sempiterno = antiquíssimo, prisco, diluviano, antediluviano, ante-histórico, pré-histórico, anterromano, fabuloso, pré-adamita, nebuloso, patriarcal, pliocênico, paleozoico, mesolítico, neolítico, secular, milenário, bissecular, trissecular, arcaico, clássico, medievo, medieval, histórico, quatrocentista, seiscentista, quinhentista, pré-rafaelista, ancestral, ancião, avoengo, avoengueiro, faraônico, servidiço, gasto, safado, surrado, puído, rafado;
longínquo, remoto, remontado, tradicional, legendário, habitual, entranhado, inveterado, arraigado, acentuado, cadivo (que cai de maduro), *out-of-date*, decadente, fora da moda, frusto, bichoso (*deteriorado*) 659; amanhecido;
do tempo do Onça, dos Afonsinhos;
recebido de mão em mão, por tradição; corriqueiro, vulgar, sediço, comum, batido, explorado, trilhado; mais velho que o vinho, que o azeite, que a serra.
Adv. antigamente & *adj.*; desde a criação do mundo, desde que o mundo é mundo, desde o ano zero, primitivamente.

△ **125. Manhã,** madrugada, alvorada, anteaurora, matinada, primeira raiada, alvor, albor, alva, alba, o primeiro branquejar do horizonte, antemanhã, dilúculo, crepúsculo matutino, ponta do dia, aurora = angélia = titônia, arraiada, manhãzinha, o primeiro raio de luz, o primeiro alvor da manhã, claro-escuro, o dealbar da madrugada, galicínio = galicanto = alectriofonema, o rosicler da aurora, arrebol (*claridade frouxa*) 422; nascer do sol, sobremanhã, os primeiros albores da manhã;
manhã luminosa, radiante, doce, radiosa, pálida, risonha, mimosa, de rosas e de ouro;
o esplendor da manhã, alto dia, alta manhã, horas antemeridianas, Deusa Matuta, máter Matuta; matrália, meio-dia, meridiano, zênite, sol a pino.
V. alvorecer, alvorar, amanhecer, romper o dia, rasgar, raiar, arraiar, despontar, repontar, aparecer, surgir, brilhar 420; clarear, enclarear, alvorejar, fazer-se a luz por todos os lados, vir a manhã surgindo, romper a manhã, ser sobremanhã, empinar-se o sol.
Adj. matinal, matutino, auroral, auroreal, antelucano, amanhecente, crástino, antemeridiano, madrugador.

Adv. matinalmente, de manhã, pela fresca, *prima luce* = ao repontar da madrugada, ao romper da manhã, aos primeiros assomos do amanhecer, na primeira gaita, de manhãzinha, ao cantar do, ao sair/raiar/nascer do sol;
ao levantar do sol, na névoa matutina; *sub luce* = de dia = entre dia, no pino do dia, com o sol empinado.

▽ **126. Tarde** (noite), declinar do dia 422; crepúsculo, o cair da noite, sonoite, pôr do sol, nuvens purpúreas, sol-posto, sol poente, arrebol, rosicler, vésper, véspero, véspera, sobretarde, ave-maria; Ângelus, Trindade, o desmaiar do dia, o toque das ave-marias, boca-da-noite, o anoitecer, noitinha, crepúsculo = lusco-fusco, hora entre a claridade e as trevas, (*meia-luz*) 422; *happy hour*, tarde de rosas, hora do Ângelus, meia-noite, hora zero, corpos celestes 318.
V. ir caindo a tarde, pôr-se o sol, morrer, tramontar, caminhar para o ocaso, lançar sobre a terra os seus derradeiros clarões (o sol), estar baixo o dia, entardecer, clarescurecer (neol.), descer o dia; tingir-se de rubro o céu, apagar-se o brilho do poente, anoitar, anoitecer, noitecer, entenebrecer, escurecer, descerem as trevas 421; ir já alta a noite, cobrir de trevas, constelar, acenderem-se as lâmpadas do firmamento, estrelar, estrelejar, surgir a estrela vespertina, recamar o céu, librar; pestanejar, tremeluzir; admirar-se a beleza dos poentes; cair a noite lenta e povoada de mistérios; argentar, pratear, palhetar de prata, bordar arabescos de prata (a lua).
Adj. vesperal, vespertino, crepuscular, pós-meridiano, noturno, notívago, lucífugo, tenebroso 421.
Adv. vespertinamente & *adj.*;
ao pôr/ao cair do sol; ao cair das trevas, ao ar pardo, à tarde, ao lusco-fusco, entre o lobo e o cão, à boca da noite, ao anoitecer, às horas do silêncio, sob a luz das estrelas.
Frases: Nem um ponto de luz piscava na amplidão. De noite, à candeia, a burra parece donzela. De noite, todos os gatos são pardos.

△ **127. Infância,** parvulez, puerícia, puerilidade, pequenez, menoridade, infantilidade, juvenilidade, mocidade, juvenescência; idade pueril, juvenil; *incunabula*, aurora da vida, tenra idade, a flor dos anos, florescência da vida, impuberdade, nubilidade, antese, a idade da inocência, primeira idade, primeira infância, primeiro quartel da vida, os primeiros vagidos, os primeiros tartareios, pupilagem, *pucelage*, o desabrochar da vida, jovem ou criança 127;
cuna = berço, *biberon*, biberão = mamadeira = apisteiro, chucha, odaxismo, nevo = baço = (*noevi materni*), odontose = dentição = erupção natural dos dentes, ama, criadeira, desmama, ablactação, cinteiro, cueiro, bragueiro, faixeiro, faixas infantis, touca, enxoval = *layette*, chumela, aiaia (bras.), babeiro, babador, timão, bibe, mandrião, apertadouro.
V. estar na flor dos anos, ser nascido ontem, balbuciar, usar babadouro, cheirar a cueiro, andar no colo, começar a suster-se nas pernas, fazer tem-tem, fazer teres, engrelar, mamar, lactar, tetar, mamujar, chuchar, endentecer, estar no período da dentição, vagir, amamentar, desmamar, desmamentar, ablactar, enfaixar.
Adj. infantil, jovem, juvenil, pueril, pequeno, puelar, párvulo, pequenino, inocente, impúbere, inúbil, impubescente, de menoridade, imberbe, lampinho, setemesinho, desbarbado, recém-nascido, recém-nado, recém-parido, menineiro, *in statu pupillari*, desmamado, exúbere, júnior, filho, neto.
Adv. infantilmente & *adj.*

▽ **128. Velhice** = *cardo extremus*, velhez, ancianidade, anciania (ant.), senescência, senilidade, caducidade, caduquez, caduquice, decrepidez, decrepitude, sênio (desus.), sol-posto, último quartel da vida, a última estação, a estação das neves, segunda infância; terceira idade, melhor idade;
idade avançada/provecta, grave, em que o sangue gela nas veias; fardo da velhice;
inverno da vida/da idade;
o peso dos anos, de muitos janeiros; anos provectos, maturidade, idade madura, fase climatérica da vida;
última quadra, outono, crepúsculo da vida; declínio da existência, canície, cãs, neve, brancas;
cabelos brancos/nevados; anadema (ant.); cara de pergaminho, de jenipapo maduro (pop.); rosto (encarquilhado 256); passos vacilantes, arrastamento dos pés (vagare-

za) 275; fraqueza 160; perigalho, pelhancas, pelhancaria, pelharanca, pelanga, menopausa, melasmo, traspés, gerocômio ou gerontocômio;
senioridade, velho 130.
V. envelhecer, ir em decadência;
ficar, tornar-se/fazer-se velho; ser de anos já maduros, avelhentar-se 124; carregar o peso dos janeiros, ser uma ruína do que foi, murchar-se a beleza, o acabar-se, estar acabado, estar mais para lá do que para cá, estar um caco, estar com um pé na cova, estar na prorrogação, render-se aos anos; arrastar os pés (*vagareza*) 275; estar um podão, já estar com a memória obliterada (*esquecimento*) 506; tender para a decrepitude, decrepitar-se, abordar-se trêmulo ao cajado (*fraqueza*) 160; adiantar-se em anos, maturar-se;
estar no seu quarto minguante, perto do seu ocaso; já estar chegando ao fim, ter caruncho, carunchar, caducar, tremelicar (*frio*) 383; ter o cabelo com muitas brancas, encanecer, já lhe nevar na serra, cobrir-se de cãs, nevar, cobrir de neve, ruçar, agrisalhar-se, rabujar, escanar-se (ave de rapina).
Adj. velho, idoso, vedro, dioso (ant.), antigo 124; ancião, vetusto, senil, anil, caduco, cadivo, decrépito, tarouco, valetudinário, morredouro, envelhecido, avelhentado, anoso;
avançado, entrado em anos;
pesado, confecto, cheio de anos; quinquagenário, sexagenário, setuagenário, octogenário, nonagenário, macróbio, revelho, velhusco, revelhusco, chegado à idade provecta, carifranzido, anodonte, trôpego, trêmulo, tremelicoso, zoupeiro, alquebrado, caquético, quebrantado, abatido, infracto, venerando, patriarcal, matronal, jubilado, reformado, aposentado, emérito, grandevo, longevo, reumático, rabugento, de barbas nevadas, barbicano (poét.), ancestral, frescalhão, frescalhota, sênior, pai climatérico, aprico = que gosta de se aquecer ao sol; escanado.
Adv. antigamente & *adj.*; *in processa aetate* = em idade avançada.

△ **129. Infante,** bebê, bambino, anjo, anjinho, nenê, nini, nino, nina, criança, catraio, nascituro, recém-nascido, recém-nado, recém-parido, nengro, nêngaro, criancinha, criatura, pequeno, pequerrucho, pequenote, pequenitates, criança de mama, menino, inocente, párvulo, pitanga (bras.), mafarrico, diabrete, trasgo, demonete, pivete, berrão, cabrão, fungão, pegulho, arrebite, murganho, mamão, cadete, caçula, menor, petiz, guri, agripa, piá (bras.), franchinote, criançola, filho-família, rapazito, rapazelho, garoto, galopim, fedelho, bedelho, enguiço, menina, pupilo, pupila, tutelado, afilhado, afilhadas, badameco, toirão, chincharavelho, culumi, rapaz, rapazola, rapazote, rapagão, gargajola, taludão, mocetão, moçalhão, polhastro, zagal, muchacho, moço, escolar, negrilho, mancebo, gaiato, juvenote, jovem, tramelo, adolescente, pungibarba, efebo, filho 167; estudante, calouro 541; franganito, cachopo, órfão, moleque (dep.), primogênito, meninada, petizada, pequenada, gurizada, filharada, rapaziada, rapariqada, mocedo;
rebento, sóbole, renovo, renova, vergôntea, filhote, cria, pinto, pintainho, frango, franqainho, franganito, franganote, frangote, frangão, frangalhote = polho, polhastro, perdigoto (de perdiz), borracho (bras.) = pichão (de pombo), galispo = garnizé, cachorro (de leão, lobo ou tigre), larva, lagarto, garraio, almalho, caruara, vitelo, guecho, vítulo, novilho, anojo, tenreiro = juvenco (poét.), aralha, potro, poldro, redomão, potranca, lobacho (de lobo), ovelha = cordeiro, cuscúscio = anho = recental = borro = borrego, borrega, láparo = caçapo, leitão, cúcio, farroupo, marrão, marracho, báccoro, erviço, porcalho, porcalhota, malato, larego, cervato, anhante, lebracho, maçarico, tonina, tonino, toninha, cibato, chibo, cresto = chibarro, cabrito, godalha = cabrita, garçota, ovelhada, oviário, donzela, polha, virgem, mocetona, cachopa, muchacha, diabinha, moçoila, rapariga, rapariqota, rapariqaça, *demoiselle, miss, pucelle, frau,* manceba, pupila, órfã, tricana.
V. infantilizar, puerilizar; cheirar a cueiros.
Adj. infantil, infante, pueril 129, mirim, júnior; implume, nos cueiros, ameninado, meninil, balbuciante, novato, inexperiente, verde, ingênuo, fetal, pupilar, imberbe, lampinho, mamão, setemesinho, anejo, anaco.
Adv. infantilmente & *adj.*; no berço, nos cueiros, no colo.

▽ **130. Ancião,** velho, veterano, idoso, primicério = decano, patriarca, avô, bisavô,

trisavô, tetravô, homem de dias, velhote, velhota, velhustro, barbaças, velhusco, velhusca, solteirão, velhão, velhaço, quinquagenário, sexagenário, setuagenário, octogenário, nonagenário, centenário, macróbio, oitentão, quarentão, cangalho, capoeirão, vegete, zopo, podão, mulher idosa, cuca, gangana (bras.), geba, bruaca, jabiraca, caiçara, velhota, calhamaço, serpente, cascata, camafeu, urca, toupeira, canhão, coruja, paspalhona, matrona, catatau, dorna, carcaça, jarreta, solteirona, titia, centopeia, tartaruga, seresma, farauta, piguancha; Matusalém, Nestor, antepassado 166; ancestral, primogênito.
Adj. anil, velho & 128.

131. Adolescência, mancebia, juventude, mocidade, juvenilidade, nubilidade, maioridade, virilidade, alvorada, verdura, pubescência;
a estação dos amores, dos prazeres, dos risos; meridiano da vida, estio da existência, idade da razão, puberdade, rébora, primeira mocidade, meia-idade, maturidade;
vigor, frescor da mocidade; primavera da vida, lanugem, buço, barbinha, bigode, barba;
barba comprida/quadrada/real, em ponta; mosca, suíça;
menstruação 299; visita.
V. ser maior, ser gente; atingir a maioridade, fazer-se gente, adolescer, estar na adolescência = granar (bras.), empubescer; amadurecer,
estar no abril, na flor dos anos, na aurora da vida; já comer pão com côdea, vestir a *toga virilis*, entrar no pleno gozo de seus direitos civis, pubescer; tornar-se púbere & *adj.*; sair da infância, ter atingido a idade núbil, mudar a voz, já estar homem, já ser mulher, já pungir a barba a alguém, embarbecer, barbar, apontar o buço a alguém, atingir a virilidade, cerrar (o cavalo), remoçar, rejuvenescer.
Adj. adolescente, adulto, púbere, pubescente, impubescido, núbil, crescido, grande, alto, descriado (fam.), taludo, desenvolvido, espigado, escanado, maior de idade/de 21 anos, viril, que tem o viço da mocidade, barbado, barbudo, barbaçudo, barbiloiro, barbilongo = barbipoente, barbinegro, barbiteso, barbilimpo, barbeado, barbirruivo, barbífero, juvenil, mancebil, frescalhota, frescalhão, bem conservado, casadouro, mulheril, primidiça, matronal, viripotente, menstruada.
Adv. no verdor dos anos;
no agraço, na plenitude da mocidade.
FRASES: Já lhe pinta o bastardo. Já a barba o ameaça.

III. Tempo relativo a um efeito ou propósito

△ **132. Presteza,** prontidão, ligeireza, agilidade, celeridade, lepidez, madrugada 125; pontualidade, exação no cumprimento dos deveres, brevidade, solicitude, (*atividade*) 682; pressa (*velocidade*) 274; instantaneidade 113; prematuração, prematuridade, precocidade = *festinata maturitas*, precipitação, antecipação, adiantamento, abreviamento, apressamento, sofreguidão, impaciência, nervosismo, açodamento, urgência, afoiteza.
V. prematurar, antecipar, encurtar, abreviar, apressar, precipitar, adiantar, ativar, ganhar terreno, tomar a dianteira (*velocidade*) 274; açodar, não perder tempo, urgir (*acelerar*) 684; madrugar.
Adj. presto, ágil, lépido, madrugador, tempestivo, pontual, pronto, antecipado (*ativo*) 682; prematuro, imaturo, precipitado, precoce, imite, preveniente, antecipatório, temporão, verde, baixo (diz-se das festas móveis);
repentino, inesperado 508; imediato, breve, rápido, toste, afoito.
Adv. tempestivamente & *adj.*; cedo, em breve, às duas por três, a breve trecho, dentro de pouco tempo, logo, não tarde, em breve tempo, pontualmente & *adj.*; a tempo, no tempo preciso, de antemão, antecipadamente, prematuramente, antoras (p. us.), de supetão 508; precipitadamente, inesperadamente, de chofre, de uma cajadada, imprevistamente, sem mais tardar, sem mais tardança, quanto antes, mais depressa que a palavra = *dicto citius*, no mesmo instante, de pronto, de plano, de imediato, ato contínuo, sem demora, sem detença, sem hesitar = *haud cunctanter*, prestes, com presteza, à primeira enxadada, para logo, seguintemente, de uma só vez, de pancada, sumariamente, velozmente, na primeira oportunidade, ao primeiro relancear d'olhos, *à vue d'œil*, sem mais preâmbulo, de jato,

133. Demora | 134. Oportunidade

de uma assentada = *uno spiritu*, de uma penada, sem pestanejar, sem desfalecimento, sem tardança, a trouxe-mouxe.
Frases: Não deixes para amanhã o que podes fazer hoje. Dito e feito.

▽ **133. Demora,** parada, traspasso, atraso, atrasamento, retardação, retardamento, retardança, cera, operação padrão/tartaruga, detenção, retenção, detença, mora, delonga, perlonga, mórula, temporização, temporizamento, tardada, tardança, tardamento, tardeza, remancho, paliativo, indúcias = tréguas, espera, pouca vontade, negligência, pachorra, rêmora, remissa, prazo, posposição, dilação, prolação, prorrogação, paliação, prolongação, reserva, adiamento, aprazamento, transferência, procrastinação, tercedia, moratória, fugalaça, assinação, alongamento, longura, longueza, tática fabiana, *medicine expectante, médicine de minuit*, obras de sta. Engrácia; lentidão, vagareza, cágado, lesma, tartaruga.
V. ser (tardo, remisso & *adj.*); tardar, reservar = demorar, pausar, deter-se, esperar, remanchar, ficar enchendo o tempo, fazer cera, encher linguiça, roncear (*ficar inativo*) 683; expectar, ficar na expectativa, arrastar-se, dormir;
adiar, pospor, postergar, remorar, deixar para outra ocasião, aguardar melhor oportunidade, sustar, empatar, diferir, delongar, usar de delongas, perlongar, atrasar, dilatar, entreter, deter, atardar, retardar, procrastinar, deixar para amanhã, transferir, transferir *sine die*, aguardar, esperar melhor ocasião, remeter para logo, contemporizar, temporizar, empacar;
atempar, atemperar, fazer roça (bras.), comer pomba (bras.), encher tempo, ganhar tempo, dar tempo ao tempo, espaçar, meter tempo em meio, empalhar (fam.), paliar, prolongar, prorrogar, protrair, protelar, atermar, pôr de remissa, consultar o travesseiro, dormir sobre o caso, marcar, assinalar, aprazar, deixar para as calendas gregas, perder a oportunidade 135; ficar esperando, ficar de remissa, *faire antichambre*, esperar impacientemente, velar à noite; ficar adiado, ficar de remissa, encher linguiça.
Adj. tardo, tardeiro, tardião, tardio, serôdio, remisso, tardonho, demorado, pachorrento, tardinheiro, tardígrado, remorado, remoroso, detido, retardado, retardatário, dilatório, retardio, tardívago, vagaroso 275; estatário, lento, lerdo, moroso, manhoso, prolongado, arrastado, ulterior, impontual, alto (diz-se das festas religiosas móveis), póstumo;
retardativo, retardador, retardatório, prorrogativo, procrastinatório, dilatório, moratório, protelatório, sustatório, ser tardo/remisso & *adj*.
Adv. tardiamente & *adj.*; ultimamente, afinal, alfim (p. us.), enfim, por fim, mais logo, amanhã, fora de horas, a desoras, em hora avançada, por alta noite, ao pôr do sol, demasiado tarde 133;
vagarosamente, ociosamente, preguiçosamente, dilatoriamente, *ex post facto*; *sine die*.
Frase: *Nonum prematur in annum*.
Provérbio: O que não se faz no dia de sta. Luzia, faz-se em qualquer outro dia.

△ **134. Oportunidade,** ocasião, azo, razão, ensejo, ansa, entrada, monção, vez, vagar, léu, lazer;
ocasião favorável/propícia; chance, brecha; comenos, conjuntura de circunstâncias favoráveis, lance, momento, ocorrência de tempo, acerto, tempo próprio, conveniência, cabimento, aberta, circunstância, campo livre, pó de cantiga (fam.), obra de circunstância, licença, faculdade, liberdade, ensancha, entrada, maré do carvoeiro;
oportunidade favorável/feliz/áurea/bem-vinda/auspiciosa; o momento conveniente/psicológico/crítico;
crise, tempo, maré, conjuntura, tempestividade.
V. ser (oportuno & *adj.*); vir a talho de foice, como talhado de molde, a talho, a jeito, ao pintar, à própria hora, ao caso; ter seu lugar, não ser deslocado;
vir a pelo/a propósito; ser bem cabido, ser ouro sobre azul, estar a calhar, vir a calhar, cair a sopa no mel, dar ocasião a, ocasionar ensejo de, aproveitar-se da ocasião, lançar mão de uma aberta, agarrar a ocasião pelas repas, malhar no ferro enquanto está quente, aproveitar o momento psicológico, não deixar resvalar a ocasião, ensejar, agarrar a oportunidade pelo cabelo, azar-se;
tornar (oportuno & *adj.*); proporcionar, aprositar, facilitar, facultar, *battre le fer sur l'enclume*, bater com a vara na cabeça da cobra, *prendre la balle au bond*, propiciar.
Adj. oportuno, justo, azado, frisante, favorável, propício, presente, adequado, de bom

135. Inoportunidade | 136. Frequência

ensejo, feliz, ditoso, bem-vindo, abençoado, excelente 648; venturoso 734; conveniente 23; providencial, providente, promissor, prometedor, próprio, hábil, tempestivo, imprematuro, sazonado, maduro, crítico, auspicioso, *obiter dicta*, talhado de molde.
Adv. oportunamente & *adj.*;
na quadra, na estação, na época conveniente;
em boa/em bem nascida hora; a boas horas, agora ou nunca, a ponto, a ponto dado, à certa confita, na ocasião aprazada, a propósito, a pelo, *à propos, en passant, pro re nata, pro hac vice*, entre parênteses, *ad rem*, a talho de foice, *ad hoc*, ao pintar da faneca, de molde, na ocasião própria, em havendo vagar, a tempo, em tempo, de feição, a calhar, a jeito, ao pintar.
Frases: *Carpe diem. Occasionem cognosce.* Quando há vento, molha-se a vela. Quando te derem um porquinho, acode logo com o baracinho. *Commodita est consideranda* = é preciso estudar a oportunidade.

▽ **135. Inoportunidade,** intempestividade, extemporaneidade, inconveniência;
tempo impróprio/inadequado;
ocasião inoportuna, infeliz, desfavorável; prematuração, precocidade, madrugada, descabimento, destempero, estouvamento, precipitação, impertinência, gafe, rata, pontapé, contratempo, acidente, imprevisto, intrusão, anacronismo.
V. ser (intempestivo & *adj.*); vir tarde, vir fora de tempo, ser um desastre, não ser o momento azado, não vir a pelo, descaber, não ter jeito, chegar na maré da tarde;
perder, deixar passar, atirar fora, enxotar, desperdiçar uma boa ocasião, bobear, dormir no ponto; fazer uma coisa a contratempo, perder o tempo (*inatividade*) 683; arrombar uma porta aberta, malhar em ferro frio, passar à história, chegar quando Inês já era morta, pôr trancas à porta depois de roubado, chover no molhado;
tornar inoportuno, despropositar, impropriar, entardecer.
Adj. inoportuno, despropositado, impróprio, inconveniente, inadequado 24; prematuro, temporão, verde, precoce, desassazonado, antecipado (*cedo*) 132; extemporâneo, imaturo, defasado, anacrônico, disparatado, desagradável, infeliz, inauspicioso, impropício, malpropício, malventuroso, mal-afortunado, desastroso, funesto, sinistro, nocivo, fatal, ruinoso 649; nefasto, negregado, intempestivo, tardio 133; *mal à propos*, impertinente.
Adv. inoportunamente & *adj.*; *ante diem* = prematuramente, antessazão, antetempo, ao destempo, fora de ocasião, desapropósito (*cedo*) 132; tarde, demasiado tarde, ao atar das feridas;
fora de hora(s), de propósito, da monção; com precipitação, sem vir ao caso, temporâmente, em má hora = aramá.
Interj. a boas horas! é tarde!, aramá!, *non possumus!*.
Frases: Falo em alhos e respondes em bugalhos. Asno morto, cevada ao rabo. Depois da morte, o médico. *Non erat his locus.*

3º) Tempo periódico

△ **136. Frequência,** sucessão, persistência, constância, assiduidade, permanência, pontualidade, perseverança, continuidade, repetição, reaparecimento, repetimento, repetência, reiteração, insistência, reprodução, multiplicação, abundância, hábito, endemia, interação.
V. ser (frequente & *adj.*); não fazer outra coisa senão, amiudar, voltar, repetir, reiterar, reproduzir, reaparecer, renovar-se, multiplicar, insistir 104; rebrotar, surgir de novo como cogumelo, repulular, renascer, reviver 163, interar.
Adj. frequente, repetitivo, amiudado, crebro, incessante, miúdo, incessável, perpétuo, contínuo, constante, comum, vulgar, sediço, muito conhecido, assíduo, diário, quotidiano, cotio, repetido 104; semanal etc. (*frequência periódica*) 138; de todos os dias, de todas as horas, de todo o momento, encontradiço, reiterado, endêmico, persistente, permanente, teimoso 606; certo, infalível 474; provável 472;
quinzenal, mensal, trimestral, semestral, anual, periódico, cíclico.
Adv. frequentemente & *adj.*; muitas vezes, repetidas vezes 104; em rápida sucessão, sem descontinuar, dia a dia, diariamente, seguidamente, sem eclipse, a cote, de cote, a cada triquete, a cada passo, a todo o momento, de quando em quando, dia e noite, de tempo em tempo, sem intermitência, de vez em quando, dias após dias, as mais das vezes, algumas vezes, amiúde, a cotio,

a todo o instante, de momento a momento, sem cessar, *toties quoties.*

▽ **137. Infrequência,** raridade, parcimônia, rareza, exiguidade 103; escassez, pouquidão, inconstância, intermitência (*frequência irregular*) 139; eventualidade, esporadicidade, fenômeno, *avis rara.*
V. ser (raro & *adj.*); ser uma raridade, aparecer 136 de tempos a tempos; acontecer esporadicamente, escassear, diminuir, minguar, intermitir, espaçar, arrarar, rarear, ser uma surpresa.
Adj. infrequente, descontínuo, inconstante, intermitente, episódico, eventual, imperdurável, inabitual 614; escasso, raro, vasqueiro, aleatório, randômico;
raro como diamante azul, como eclipse total do Sol;
peregrino, isolado, perdido, particular, pouco comum, invulgar, sem precedente, esporádico, disperso, caprichoso, de que não há memória, contingente, incerto, duvidoso 475; improvável 473.
Adv. raramente & *adj.*; bem poucas vezes; raras, escassas vezes; uma ou outra vez, espaçadamente, intervaladamente, às vezes, de vez em quando, de quando em quando, eventualmente, episodicamente, de longe em longe, de tempos a tempos, só por acaso, só por um milagre.

△ **138.** (Frequência periódica) **Periodicidade,** ciclicidade, intermitência, remitência, oscilação 314; pulso, pulsação, ritmo, compasso, regularidade, euritmia, cadência, alternação, alternativa;
turno, volta, giro, revolução, peragração, rotação, rotativismo, rodízio, reciclagem;
(volta regular) voltas sucessivas, *looping,* período, circuito, ciclo, ciclo solar, ciclo lunar, fase, fases da Lua, lunação, novilúnio, neomênia, lua nova, interlúnio, conjunção, primeira sizígia, quarto crescente, primeira quadratura, lua cheia, panselene, plenilúnio, segunda sizígia, oposição, quarto minguante, segunda quadratura, período de Saros, dias da semana, mês, festas, Natal, Semana Santa, aniversário, centenário, jubileu, ano santo; pontualidade, assiduidade, invariabilidade, ordem, harmonia, simetria.
V. voltar periodicamente, ter remitência, remitir, reciclar, reproduzir-se mensalmente, cadenciar;

pulsar, alternar-se, revezar-se, subalternar-se, ter horas canônicas para.
Adj. periódico, serial, seriado, cíclico, rotativo, ritmado, rítmico, cadenciado, remitente, intermitente, horário, diurno, diurnal, diário, quotidiano, dial, domingal, dominical, semanal, hebdomadário, bissemanal, plenilunar, novilunar, mensal, bimestral, bimensal, menstrual, trimensal, trimestral, semestral, semestreiro, semianual, anual, bienal, bisanual, trianual, sexenal, trienal, vicenal, secular, centenário, pascal, quaresmal, natal, natalício, genetlíaco, eurítmico, interlunar;
pontual, regular, uniforme, regrado; feito por escala/por tabela; compassado, normal, natural, inalterável 80.
Adv. periodicamente & *adj.*; a compasso, por intervalos regulares, com movimento uniforme, por períodos invariáveis, com precisão matemática, com exatidão rigorosa, pontualmente, assiduamente, *de die in diem,* dia por dia, por turnos, em dias alternados, no primeiro, no segundo etc., turno.

▽ **139.** (Frequência irregular) **Irregularidade,** infrequência 137; imprecisão, incerteza, impontualidade, inconstância, versatilidade, impermanência, anormalidade, flutuação, falta de ritmo, arritmo, arritmia, incurialidade, intercadência, acesso, espasmo, intempérie.
Adj. irregular, arrítmico, anormal, incerto, duvidoso, incurial, impontual, esdrúxulo, extravagante, desordenado 59; caprichoso, impreciso, inconfiável, aleatório, randômico, variável, inconstante, impermanente, imperdurável, improgressivo, descompassado, descontrolado, espasmódico, intercorrente = intercadente, excêntrico 83; descontinuado, interpolado.
Adv. irregularmente & *adj.*; interruptamente 70; interpoladamente.

Divisão VII. MUDANÇA

1º) Mudança simples

△ **140. Mudança,** alteração, muda, mutação, transformação, movimento, rodeio, metamorfismo, metabolismo, imutação, permutação = alborque, insubsistência, variação, modificação, evolução, reforma, resmuda,

141. Permanência | 142. Cessação

modulação, modo, inovação, metástase, metaptose, metatipia, metátese, metagênese, desvio, diversão, transição, passagem; transformação, transfiguração, translação, transubstanciação, alomorfia = metamorfose, reviravolta, transmigração = metempsicose, perimorfose, avatar, alterante, conversão gradual 144; mudança radical 146; inversão 218; deslocamento 185; mudança de partido 607; metábole, antimetábole, metacronismo.
V. mudar, alterar, variar, crescer, minguar, modular, diversificar, modificar, transfundir, virar, rodar, girar, desviar, destruir 162; derribar, interverter, remover, pôr em lugar diverso, cementar, metamorfosear, permutar, insubsistir, imutar, transtornar = transverter, inovar, transformar, transfigurar, transubstanciar, transmudar, transmutar; operar uma transformação, dar outro aspecto, reconfigurar, mudar de rumo, embaralhar as cartas, fazer cair o prato da balança, apresentar outro cenário, virar uma nova página, bordejar, mudar de rumo, perturbar, emprestar novo colorido a.
Adj. mudado & *v.*; mutável 149; transubstancial, insubsistente, metastático, metabólico, metamórfico, metaplástico, troponômico, modificável & *v.*, volúvel, instável; alterativo.
Adv. Mutatis mutandis; alteradamente & *adj.*
Interj. Quantum mutatus!.
FRASES: *Tempora mutantur nos et mutamur in illis. Non sum qualis eram.* No universo tudo passa, tudo cai, tudo se esvai e tudo finda. Na natureza nada se cria, nada se perde, tudo se transforma.

▽ **141.** (Ausência de mudança) **Permanência,** estabilidade 150; quietude 265; obstinação 606; imanência, efetividade, persistência, insistente, resistência, *statu quo*, conservação, constância, firmeza, inalterabilidade, intangibilidade, subsistência, repouso, calma, calmaria, tranquilidade, estagnação, *uti possidetis*, sobrevivência, supervivência, reincidência, manutenção, manutenção, preservação, conservantismo, imobilismo, desafio à ação do tempo, lei dos medas e dos persas, inércia, partido de resistência, tradicionalismo, rotina, monotonia = tautofonia, marasmo, mesmice, tautometria.

V. ser (imutável & *adj.*), não passar de, continuar na mesma, deixar estar, persistir, resistir, afrontar, fazer frente, desafiar, aguentar, repousar, manter-se o mesmo, fossilizar-se, subsistir, sobreviver, sobrerrestar, ficar, restar, manter o terreno, não ceder um passo, não alterar uma linha, permanecer, quedar, estacionar, durar, conservar-se, arraigar-se a, estar muito arraigado, estar no mesmo pé, marcar passo, estar ainda de pé, dormir, ter a páscoa ao domingo, estagnar(-se), seguir sempre a linha reta, não conhecer curvas nem desvios, não ter altos nem baixos, ser de uma horizontalidade monótona.
Adj. estável, persistente, infindo, contínuo, constante, perene, porfioso, inalterável, permanente, efetivo, manente, imanente, dominante, prevalente, prevalecente, intangível, estabelecido, intato, inviolável, ileso, incólume, bem conservado, monótono, sobrevivente, supervivente, supérstite, infalível, imutado, imutável, indeclinável, inflexível, invariável, fixo, uniforme, prescrito (*velho*) 124; incorruto, incorrutível, ilacerado, congelado, indestruído, irrevogado, insuprimido, impervertido, intranstornado, inconsunto, conservado, preservado, *qualis ab incepto*, estacionário 265, estagnado; o mesmo, o mesmíssimo.
Adv. persistentemente & *adj.*; *in statu quo.*
FRASES: *Nolumus legis Angliae mutari. Ne varietur.* Tal qual era.

△ **142.** (Mudança de ação para repouso) **Cessação,** descontinuação, descanso, repouso, parança, pausa, parada, paralisação, paradeiro, desistência, desinência; intermissão, remissão, interpolação, suspensão, refreio, calma, interrupção 70; incontinuidade, perturbação, intervalo, interpelação, interlúnio, chegada 292; calmante, trégua = indúcias, armistício, interregno, moratória, vagatura, férias, folga, estagnação, encerramento, suspensão, coma, vírgula, ponto e vírgula, ponto final, morte 360; fim, ocaso.
V. cessar, descontinuar, desistir, ficar ao meio do caminho, não concluir, parar, pousar, deter, paralisar, estagnar(-se), estacar, quedar-se, fazer alto, esbarrar, imobilizar-se, pernoitar, repousar, suspender, ter efeito suspensivo, pôr fim, fazer ponto, pôr termo = perimir, suspender o braço, sobrestar,

143. Continuação | 146. Revolução

pôr paradeiro a, trancar a porta, fechar a saída, sustar, quebrar, cortar, demorar, dar com o basta, fazer cessar, sobresser, sobrestar, interromper 70; interpolar, interpelar; romper, cortar a continuação; ter mão em; pôr freio/cobro/dique; reprimir, conter, sofrear, ir à mão a alguém, deter a corrente, represar, pôr um prego na roda, debelar, sufocar, vencer.
Adj. descontinuado & *v.*; suspensivo, sustatório etc. *v.*; substatório, represatório, peremptório, desitivo.
Adv. descontinuadamente & *adj.*
Interj. basta!, avonda! (ant.), alto!, tenha mão!, não mais!, alto lá!.

▽ **143.** (Continuação de ação) **Continuação,** continuidade, firmeza, persistência, insistência, constância, prosseguimento, progresso, ininterrupção 69; permanência 143; perseverança 604, mantenimento, manutenção, manutenência; repetição 104; dois-pontos, praxe, rotina.
V. continuar, ir adiante, ir em frente, prosseguir, progredir, não se deter; não conhecer obstáculos, levar de vencida todos os diques, perseverar, persistir, manter sua trajetória;
ir, levar por diante, ir direito a, chegar ao fim da linha, não recuar, seguir, ficar de pé, manter o fogo sagrado, reiterar 104; perpetuar, cultivar, continuar a, não deixar perecer, manter o *stare decisus*, sustentar, conservar, conservar ileso, conservar em bom estado, não quebrar.
Adj. continuado & *v.*; ininterrupto, invariável, persistente, porfioso, firme 604, perene; imorredouro, (*perpétuo*) 112; inestancável, inconversível, inconvertível, incristalizável, incongelável, indissolúvel, indestronável, inexterminável, infindável, irrevogável, invariável, ininterminente, indetido.
Adv. continuadamente & *adj.*
Interj. avante!.
FRASES: *Nolumus leges Angliæ mutari. Vestigia nulla retrorsum. Labitur et labetur.*

△ **144.** (Mudança gradual) **Conversão,** transformação, reforma, imutação, redução, transmutação, transmudação, metamorfose, resolução, assimilação, adaptação, assunção, quilificação, naturalização, perimorfose, monera, crisálida, fase, *fade-in*, *fade-out*;

química, alquimia = espagíria, progresso, evolução, medra, medrança, desenvolvimento, ilapso, influxo, fluxo, passagem, trânsito, transição, transmigração, areia movediça, crisol, cadinho, alambique, alquitara, retorta, caldeirão, forja, oficina, tenda, coadouro, filtro.
V. converter-se em, transformar-se em 140; vir a ser, passar a, fazer-se, tornar-se, tomar as proporções de, ficar, virar, reduzir-se a; assumir o aspecto/a forma de; entrar em nova fase, sofrer modificação, ir de... a..., alterar-se, redundar em, resolver-se em, fundir, desfazer, desarmar, reverter, parar em, derreter, evoluir, ambientar-se, adaptar-se, desnaturar, reformar, reorganizar, remodelar, trasmudar, transmudar, transfigurar, assimilar, quilificar, quimificar, sacarificar, converter em quimo, digerir, alambicar.
Adj. convertível, conversível, conversivo, redutível, resolúvel, fusível, fundível, moldável, congelável, quimificativo, quilificativo, dissolúvel, solúvel, transformável & *v.*
Adv. gradualmente 275 & *adj.*; *in transitu* 270.

▽ **145. Reversão,** volta, regresso, retrocesso, retrogradação, retrogressão, marcha a ré, involução, revulsão, reversibilidade, ponto de partida, estado primitivo, *statu quo ante*, calmaria anterior à tempestade, alternação (*periodicidade*) 138; inversão 218; recuo 277, tornada; restauração 660; recaída 661; contrarrevolução, contramarcha, contravapor.
V. reverter, voltar ao primitivo estado, contramarchar, recuar, regressar, retrogredir, retroceder, involuir, desfazer;
rejuvenescer, remoçar, despir a pele, infantilizar-se, ameninar-se.
Adj. reversivo, regressivo, reversível, revertível, revulsivo, reacionário, retrógrado.
Adv. reversivamente & *adj.*; *à rebours*.
Interj. para trás! *vade retro!*.

▽ **146.** (Mudança súbita ou violenta) **Revolução,** *bouleversement*, derrocada, esborralhada, conflagração, incêndio, subversão, transposição de polos, desmoronamento, viravolta, giravolta, reviravolta, preposteração, soçobro, desmoronamento (*destruição*) 162; trambolhão, cambadela, cambalhota, crise, peripécia;
mudança súbita/radical/orgânica/completa;

mudança *de fond en comble*/de alto a baixo/de fio a pavio; golpe de estado, *coup d'état*, reversão, inversão de valores, salto, saltada, salto mortal, mergulho, imersão, queda repentina, choque, explosão, espasmo, convulsão, revulsão, tempestade, ciclone, grisu, furacão, vendaval, tornado, lufada, terremoto, terramoto, tremor de terra, maremoto, sismo, cataclismo, dilúvio, varinha de fada.
V. revolucionar, desencadear-se a revolução, operar grande transformação, transformar, convulsionar, revolver, subverter, prepostrar, inverter a ordem, transmudar, mudar a face, criar novas diretrizes, traçar novos rumos, mudar 140 radicalmente, sofrer alteração profunda na sua estrutura, romper com o passado, calcar aos pés a rotina, algemar a praxe, derrocar, abalar os alicerces, rentear a praxe, criar nova mentalidade, abrir novos horizontes, remodelar, refundir, revirar, não deixar pedra sobre pedra, soçobrar, submergir, afundar, ruir, desmoronar = trabucar.
Adj. revolucionário, subversor, subversivo, eversor, eversivo, remodelador & *v.*; sísmico, sismal, ciclônico, radical.
Adv. revolucionariamente & *adj.*; por arte mágica.

△ **147.** (Mudança de uma coisa por outra) **Substituição,** mudança, alternativa, alternância, viravolta, fluxo, revezamento 148, troca-troca; sub-rogação, comutação, rendição, suplantação, morioplástica, metonímia (*figura*) 521; substituto, estepe, reserva, serventuário, imediato, vice-presidente, subdiretor, subprefeito, subchefe, subcomissário, suplente, sucessor, sucedâneo, substituinte, *locus tenens*, lugar-tenente; bode emissário, bode expiatório, hazazel, cabeça de turco, duplo, menino trocado, *quid pro quo*, as pontas aceradas de um dilema, representante 759; palimpsesto; preço, valor equivalente; metáfora, símbolo, ícone, emblema.
V. substituir, sub-rogar, pôr em lugar de alguém, substabelecer, tomar o lugar de; fazer as vezes/o papel/o ofício de; servir de substituto/de sucedâneo/de sucessor; tomar praça, suplantar, suprir a falta, render, suceder a, suprir o impedimento de, despir um santo para vestir outro, ser substituído & *adj.*;

dar, ceder o lugar; resgatar, compensar, dar compensação, dar em troca, sacrificar-se por, pôr-se em lugar de.
Adj. substituto, substituível, substituinte, substituído & *v.*; suplente, supletório, delegado, vigarial, sucedâneo.

▽ **148.** (Mudança dupla ou recíproca) **Troca,** escambo, alborque (ant.), permuta, intercâmbio, permutação, mútuo, contramudação, revezamento, rodízio, rotatividade, rotativismo, retorno, viravolta, giravolta, mutuação, cambalacho, recambó, contracâmbio, contradança, quadrilha, câmbio, comutação, barganha, reciprocidade, destroca, mutualidade, transposição, metaplasma;
jogo de empurra, gigajoga, gangorra, oferta e procura, barataria, olho por olho 718; fogo cruzado, chumbo trocado, *quid pro quo*.
V. trocar, permutar, intercambiar, escambar, cambar, cambiar, alborcar (ant.), contracambiar, substituir 147; barganhar, reciprocar, retribuir, devolver, recambiar, representear, mutuar, dar e receber em troca, corresponder ao cumprimento, destrocar, desdar, não deixar cair no chão um favor, retaliar 718; alternar(-se), revezar(-se), subalternar(-se).
Adj. recíproco, mútuo, comunicativo, intercorrente, intercambiável, trocado & *v.*; alternado, alternativo, alterno, rotativo.
Adv. reciprocamente & *adj.*; elas por elas, em troca, em paga, vice-versa, *mutatis mutandis*, cada um por sua vez, a revés, por seu turno, alternativamente.

2°) Mudança composta

△ **149. Mutabilidade,** transmutabilidade, inconstância, impermanência, versatilidade, destempero, mobilidade, inconsistência, infixidez, insolidez, instabilidade, equilíbrio instável, fluxibilidade, fragilidade, vacilação (*irresolução*) 605; flutuação, infidelidade, vicissitude, oscilação 314, mutação; inquietação & *adj.*; desinquietação, desassossego, excitação, agitação 315, efervescência, fervilhamento; transmissibilidade, redutibilidade, mimetismo;
fugacidade, efemeridade, volubilidade, precariedade;
Lua, Proteu, camaleão, mercúrio, areia movediça, cata-vento, grimpa, ventoinha, veleta, veneta, arlequim, nuvem, roda da fortu-

150. Estabilidade | 151. Eventualidade

na, transitoriedade 111, ductilidade; onda, circuito.
V. flutuar, variar, diversificar, ondear, ondular, tremular, tremer, aluir, vacilar, rodopiar, girar;
vibrar, oscilar entre os dois extremos; alternar, variegar, ter tantas fases como a Lua, mudar 140; rodear.
Adj. vário, variável, desigual, mudável, mutável, mutante, mudadiço, irregular, volante, móvel, movível, ambulante, andejo, erradio, errático, errante; inconsistente, inconstante, impersistente, lábil, arisco, esquivo, fugidio, fugaz, fugitivo, infiel, infido, versátil, volúvel, volátil, vacilante (*irresoluto*) 605; impermanente, incerto, acatástico (febre etc.), instável = astático, fluxível, flutuante, revocável, proteano, proteiforme, camaleônico, agitado 315; dessaltório, esdrúxulo, caprichoso 608; corredio, corrediço, movediço, espasmódico, intercadente, vibrante, vibrátil, vibratório, pulsátil, vagabundo, climático, climatérico, travesso, alternável, revezável, abalável, amoldável, plástico, plasmável, passageiro, mutatório, vicissitudinário; passível, suscetível de mudança; redutível, simplificável; efêmero, precário, transformável.
Adv. variavelmente & *adj.*; sem condições de fixidez.

▽ **150. Estabilidade,** intransmutabilidade, subsistência, imutabilidade, intransmissibilidade, inalterabilidade, constância, manutência, manutenência, fixidez, solidez, incomutabilidade, equilíbrio estável, irrevogabilidade, imobilidade, rotina, conservadorismo, tradicionalismo, culto das tradições, imobilismo, fixura, fixidade, cronicidade, vitalidade, consistência, persistência, preservação, emperramento, firmeza, firmidão, segurança, rigidez, anquilose = acampsia, hibernação, *aplomb*, permanência 141; obstinação 606; irredutibilidade;
alicerce, rochedo, torre, montanha, granito, penedo.
V. estar (firme & *adj.*); ter a solidez do granito;
ficar, permanecer firme; persistir, afrontar a tempestade, subsistir, estabelecer-se, imobilizar-se, anquilosar-se, ossificar-se, fossilizar-se, inalterar, endurecer, emperrar, afixar-se, consolidar-se, preservar-se, firmar-se, tomar pé, assentar-se em bases sólidas, fundamentar-se, assentar a tenda 184; lançar raízes, fincar-se, arraigar-se, enraizar-se;
fazer seu quartel-general, sua tenda em; estacionar-se, inveterar-se, encruar, construir sobre um rochedo, firmar, perpetuar, atar 43.
Adj. imutável, imudável, imodificável, incristalizável, inalterável, estacionário, perpétuo, constante 141, persistente; indispensável, permanente 141; indeclinável, inflexionável, inexterminável, inconjugável, invariável, indesviável, inabalável, incontrastável, irrevogável, inextirpável, incalcinável, inquebrantável, inerradicável, irretratável, irrevocável, intransmutável, incomutável, irreformável, indeformável, incongelável, imóvel, seguro, emperrado, perene 110; consistente, fixo, fixado, firme, assente, sólido, imoto, inconcusso, inconsunto, maciço, arraigado, fundo, radicado, inveterado, velho; rotineiro, crônico, obstinado 606; fatal, irremediável, imperecível, insuscetível de mudança, sem direito nem avesso, insimplificável, indelével, intransferível, incorrutível, inconversível, inflexível, irremovível, inamovível, inconsuntível, invertível, inextinguível, irredutível, irreduzível, indestrutível, indecomponível, indivisível.
Adv. imutavelmente & *adj.*

Presente

△ **151. Eventualidade,** sobrevença, evento, acontecimento, vicissitude, acaecimento (desus.), passo, caso, passagem, lance, aventura, episódio, ocorrência, conjuntura, acidente, incidente, negócio, coisa, transação, procedimento, fato, questão de fato, fenômeno, fato consumado, advento;
recontro, peripécia, caso estranho e imprevisto, circunstância particular, casualidade, acaso, situação, condição, crise, emergência, contingência, consequência, vaivém, viravolta, circunstância acidental;
mundo, vida, coisa, existência, afazeres;
coisas, negócios em geral; estado dos negócios, ordem do dia;
marcha, desenrolar, preamar, corrente, onda, maré dos acontecimentos; sucedenho, sucesso, sucedido, sucedimento;
os altos e baixos, os altibaixos da vida/da fortuna; a boa e a má andança, a alternati-

va de bens e de males, o fluxo e refluxo da sorte.
V. acontecer, acaecer (desus.), haver, dar-se, proceder, suceder, calhar, acertar, adregar, sobrevir, correr, sobrechegar, ocursar, ocorrer, surgir, vir, realizar-se, verificar-se, entrecorrer, sair, ter lugar (gal.), realizar-se, consumar-se, apresentar-se, desenrolar-se, passar-se, ser passado, intervir, transcorrer, nascer, brotar, ter a sua marcha, encontrar, topar, deparar-se a/com alguém, marrar, experimentar, provar, tocar por sorte;
ser a sorte/o destino/o fadário de alguém; passar por (*sentir*) 821; ser teatro de.
Adj. incidente, eventual, acidental, incidental, acidentado, casual, circunstancial, contingente, vicissitudinário, fortuito, adventício, aleatório, randômico, avindo;
cheio de incidentes/de peripécias; pontilhado de peripécias.
Adv. acidentalmente & *adj.*; em questão, em tela, sobre o tapete, *sub judice*, dado o caso, no caso em que, no caso de, caso, a não (seguido de um verbo no infinitivo); na hipótese de, na eventualidade de;
no curso natural/ordinário/forçado das coisas, como as coisas vão indo, nesse andar, quando for caso que.

Futuro

▽ **152. Destino,** fatalidade 601, fortuna, dita, fado, sina, sorte, ventura;
existência futura/d'além túmulo; pós-existência, o outro mundo, o mundo do além, futuro 121; vida eterna, morte eterna, perspectiva 507.
V. pender, estar suspenso, esvoaçar, adejar, pairar sobre, erguer-se como ameaça, ameaçar, estar iminente, estar prestes a, avizinhar-se, aproximar-se, abeirar-se, bater à porta, aldravar à porta, vir chegando, estar para sobrevir, impender, devir, porvir;
estar a pique de, estar por um fio, estar à beira de, estar em erre de, estar próximo, instar, sobrestar, trazer em seu bojo;
ordenar antecipadamente, preordenar, predestinar, predeterminar, sentenciar, decidir da sorte.
Adj. iminente, instante, destinado, prestes a acontecer, à mão, de reserva, próximo, prestes a manifestar-se, que está sobranceiro, que desponta no horizonte, futuro.

Adv. proximamente & *adj.*; sobre a cabeça, em preparo, em perspectiva 507; em embrião, no bojo do tempo, a tempo, eventualmente 151; aconteça o que acontecer (*certamente*) 474; por um triz, por um nada, por um pouco, por um quase nada, por um lambisco, vai não vai, a pique de, quase a, por uma linha.

Divisão VIII. CAUSA

1º) Constância de efeito

Antecedente constante

△ **153. Causa,** motivo, origem, procedência, nascença, procissão, proveniência, vida, princípio, mãe, nascimento, elemento, objeto, fator, razão, respeito;
causa geradora, ocasionador (*autor*) 164; semente, sementeira, *primum mobile, vera causa*, *causa causans*, fundamento, móbil, mola real, título, agente, força motriz, alicerce, base 215; primitiva, *fons et origo*, fonte, primórdio, matriz, manadeiro, manancial, cabeceira, gênese, embriogenia, embrião, teta, geração, paternidade 166; genitura, pivô, eixo, chave, alavanca;
razão por quê, pé, princípio fontanal, causa final (*intenção*) 620; *les dessous des cartes*, corrente submarina, influência, rudimento, ovo, germe, plúmula, embrião, rebento, rebentão, renovo, grelo, botão, gema, vergôntea, broto, raiz, *radix*, radical, étimo, núcleo, tronco, estirpe, linhagem, raça, raiz mestra, ascendência, viveiro = alfobre, cuna, incunábulo, berço, pátria, nascedouro, minadouro, ventre, ninho, *nidus*, terra natal, foco, mãe-pátria, causalidade, produção 161.
V. ser a causa de, azar (ant.), causar, decidir, trazer;
fazer nascer, brotar; ocasionar, acarrear, acarretar, implicar, envolver, significar, originar, importar, ficar, produzir, procriar, fabricar;
frutar = dar origem, motivo, margem, razão, ocasião; ter culpa de, trazer no bojo, ser sementeira de, ter como resultado = surtir, ser responsável por, atear, acender, suscitar, acirrar, levantar, provocar, excitar, dar lugar a, infundir, abrir a porta a, abrolhar = desabrolhar, redundar em, ser a causa determinante, promover, provocar,

154. Efeito | 156. Acaso

engendrar, criar 161; instituir, fomentar, introduzir, inspirar, semear, procurar, induzir, gerar, germinar = agomar, levar a (*tender a*) 176; contribuir, influir, motivar, despertar, evocar, proporcionar, oferecer, dar;
fazer pender, inclinar a balança; atear o facho de;
terem origem comum, emanar, derivar sua origem de 154.
Adj. causal, causado & *v.*; original, primitivo, primário, primordial, aborígine, radical, matriz, fundamental, embrionário, *in embryo*, *in ovo*, germinal, embriogênico, congênito, natural, seminal, natural de, filho de, terrantês de;
causador & *v.*; implicatório, gerativo, determinante & *v.*
Adv. originalmente & *adj.*
FRASE: *Sublata causa, tollitur effectus.*

Consequente constante

▽ **154. Efeito,** consequência, corolário, resulta, resultado, resultante, sequela, tiro, repercussão, derivação, derivado, derivativo, dimanação, fruto, êxito, remate, desenlace, *denouément*, desfecho, epílogo, solução, conclusão (*fim*) 67; desenvolvimento, função, dependência, produto, eco, reflexo, projetis, produção, primícias, parto, trabalho, obra, execução, criação, criatura, prole, rebento, sóbole, ceifa, vindima, colheita, safra, messe, seara; fumo, fumaça, aroma; conceito, moralidade, afabulação.
V. ser o efeito/o reflexo de; traduzir, dever-se a, originar-se de, ser consequência lógica de, seguir-se, ter origem, nascer, brotar, rebentar;
ser proveniente, oriundo de; sair, resultar, provir, surdir, partir, trazer, derivar, descender, dimanar, manar, proceder, seguir-se como corolário, pender, depender;
ser o efeito natural/lógico/forçado de; derivar-se, transverberar, saltar, promanar, emanar, advir, germinar de, ser função de, plantar ventos e colher tempestades, dar em resultado, ser filho de.
Adj. devido a, resultante de, proveniente de, vindo de, oriundo de, natural de, procedente, emanente, dimanante, promanante, causado por, nativo, originário, provindo, hereditário, profetício, pendente de, dependente de, consequente, fontal, fontanal, derivado de.

Adv. consequentemente & *adj.*; devidamente; mercê de, graças a, sem dúvida, por força, fatalmente, naturalmente, logicamente, obviamente, forçadamente, matematicamente, indisputavelmente, necessariamente, como consequência, em consequência, por consequência, daí.
FRASES: Segue-se que. *Ca/cela va sans dire.*

△ **155.** (Determinação de causa) **Atribuição,** imputação, pertença, filiação, afiliação, ligação, conexão, teoria, teórica, hipótese, etiologia, referência, razão física, análise racional, explicação, dimanação, explanação (*interpretação*) 522; o porquê, razão por quê, *causa causans* 153; etimologia.
V. atribuir, irrogar, imputar, deitar, referir, remontar, culpar, incriminar, atirar a culpa sobre, responsabilizar, imputar responsabilidade, acusar, queixar-se, fazer acusação 932;
buscar a causa em;
atribuir a autoria, a paternidade a; indicar a razão de;
assinalar, assinar como causa; lançar à conta de, explicar, teorizar, formular hipótese, filiar, prender, ligar, relacionar 9; entroncar, deduzir de;
indicar, determinar, precisar a causa; agradecer a.
Adj. atribuível, atributivo, imputável, referível, remontável, devido a 154; derivável, putativo, reputado, suposto, pretenso, *soi-disant*;
preconcebido, calculado, intencionado, propositado, bem planejado 611; de há muito esperado 507; previsto.
Adv. preconcebidamente & *adj.*; daí, em consequência, portanto, logo, por causa de, por amor de, graças a, mercê de, por isso, pois, visto que, porquanto, pois que, já que, *propter hoc*, por onde, à vista de, em presença de, em face de, sob o império de, sob a preminência de, em virtude de, por efeito de, em razão de;
em atenção, em consideração a; atendendo a, por motivo de, por culpa de;
em consequência, em resultado de; à força de, por força de, a poder de, à custa de, à prova de, devido a, *ex-vi de*;
por quê? a que propósito? por que cargas-d'água?
FRASE: *Hinc illae lacrymae.*

▽ **156.** (Ausência de causa assinalável) **Acaso,** escança = esquença, azar, indeterminação, casualidade da sorte, dita, ventura, sorte, fado, fadário, estrela, fatalidade, *vis magna* = força maior, situação, acidente, acidência, incidência, jogo da fortuna, horóscopo, vicissitude, felicidade, encontro, eventualidade, contingência; lances, caprichos, pontapé, dedo do destino; milagre, bambúrrio, sancadilha; destino 601; jogo de sortes, rifa, víspora, loteria, sorte grande, loto, megassena, jogo 621; aposta, sentença dos dados; reveses, bafejo da fortuna; lansquené, lansquenete, infidelidade da sorte; *sortes Virgilianæ*, probabilidade, perspectiva, contratempo, especulação, cálculo das probabilidades, plausibilidade.

V. acontecer 151; ocorrer casualmente, adergar ou adregar, dar-se, caber a alguém a sorte, ser o destino de 601; estar destinado a alguém, acertar casualmente, propiciar a sorte a alguém, aventurar, arriscar, encontrar, deparar-se a alguém, topar, cair para trás (fig.), dar de rosto, sair a alguém o prêmio;

tocar, cair, caber a alguém; vir a talho de foice, ser surpreendido 508; ser uma surpresa.

Adj. casual, ventureiro, acidental, acidentário, vicissitudinário, ocasional, aleatório = fortuito, eventual, contingente, imprevisto, incerto, vindiço, adventício, chegadiço, sem causa justificada, incidente, incidental, inopinado 508; improvocado, indeterminado, indefinito, indefinido, impremeditado, imprevisto, inintencional 621; possível 470; qualquer.

Adv. casualmente & *adj.*; por acaso, por encontro, por acontecimento, ao acaso, à sorte, a esmo, a monte, ao montão, ao léu, à toa, à aventura, à faca, às cegas, às tontas, ao deus-dará, a Deus e à ventura, por milagre, *Deum virtute* = com a ajuda dos deuses.

2º) Relação entre causa e efeito

△ **157. Poder,** potência, potencialidade, potestade, intensidade, pujança, força 159; energia 171; ascendente, ascendência, domínio, avassalamento, controle, esfera de ação, predominação, predominância, predomínio, preponderação, supremacia, hegemonia, onipotência, prepotência, plenipotência (*autoridade*) 737; vigor, vitalidade;
habilidade, capacidade, dom, competência, eficácia, eficiência, validez, validade, habilitação, influência 175; autorização;

pressão, elasticidade, tensão, elastério, gravidade, eletricidade, magnetismo, galvanismo, força hidráulica, energia elétrica, eletricidade voltaica;
atração universal/terrestre; gravitação; força centrífuga, centrípeta; *vis inertia, vis mortua, vis viva*;
energia potencial, dinâmica; fricção, sucção 296; força bruta, braço, capacidade, *quid valeant humeri*; *quid ferre recusent*, virtude, mérito, particularidade, propriedade, atributo, apanágio, dote, prenda, dom, condão, privilégio, virtude especial, suscetibilidade.

V. ser (poderoso & *adj.*); ganhar força, ter a faca e o queijo na mão, ter a faculdade, poder, ser capaz de, competir, pertencer, caber; jazer, estar no poder de alguém;
ser da competência, da atribuição, da alçada; estar ao alcance de, estar na mão de, ter bojo para, exercer poder;
dar/conferir poder; capacitar, fazer dependente de, habilitar, dar investidura, dar meios de, petrechar, investir, revestir, armar, fortalecer 159; compelir 744; magnetizar, imanar, eletrizar, galvanizar.

Adj. poderoso, pujante, vigoroso, potente, potencial, apotentado, dominante, preponderante, capaz, eficaz, eficiente, operoso, obrante, ativo, pronto, válido, infalível, seguro, de grande poder, efetuoso, bom, excelente 648; presentâneo, adequado, competente, multipotente, onipotente, plenipotente, intenso, forte (*enérgico*) 171; influente 171; produtivo 168.

Adv. poderosamente & *adj.*; com poder, à força de, a golpe de, a poder de, à custa de, por meio de, à viva força, *per vim*, por força d'armas, com toda a força, à força bruta.

▽ **158. Impotência,** inabilidade, falta de vigor = mela, incapacidade, insuficiência, imbecilidade, inaptidão, ineptidão, desnervamento, enervamento, inépcia, indocilidade, invalidez, morbidez, decrepitude, ineficácia, ineficiência, inocuidade, incompetência, desclassificação, inidoneidade, tiro de pólvora seca, *vox et praeterea nihil*, letra morta, cadáver, inutilidade 645; insucesso 732;
fraqueza, quebreira, quebradeira, quebrantamento, marasmo, desânimo, abatimento, prostração, apatia, inação, paralisia, frouxidão, indolência, leseira, párese, paresia, diplegia, anervia, ignávia, es-

159. Força | 159. Força

tupor, lassidão, hemiplegia, entrevação, manoplegia, apoplexia, síncope, desacordo, fanico, faniquito, desmaio, desfalecimento, colapso, vertigem, esmaio, oura, tontura, vágado, delíquio, cataplexia, exanimação, lipotimia, chilique, sideração, esgotamento, exaustão, extenuação, depauperamento, amolecimento cerebral, exinanição, inanição, anemia, extrema debilidade, fraqueza 160; castração, desvirilização, fraqueza genesíaca, agenesia, anafrodisia.
V. ser (impotente & *adj.*); não ter onde se apoiar, não ter capacidade para, querer quebrar um feixe de varas (*impossibilidade*) 471; embarrancar sempre na mesma dificuldade, *verbare lapidem* = malhar em ferro frio (*insucesso*) 732; *cantare ad surdas aures* = pregar no deserto, espirrar para o céu, estar de pernas quebradas;
descaírem, vergarem os joelhos; não surtir efeito, desmaiar, esmaiar, desfalecer, esvair-se, desacordar, não dar acordo de si, sucumbir, esbarrar de encontro a, descair, entontecer, ourar, esmorecer-se, ser todo (prostração & *subst.*); não passar de um (impotente & *adj.*); ser um podão, entibecer-se, entibiar-se, desanimar-se, confessar-se vencido, desacoroçoar-se, desalentar-se, rebotar-se, tornar (impotente & *adj.*); reduzir à impotência, tirar a força a alguém, chupar o sangue e os ossos a alguém, incapacitar, inabilitar, manietar, maniatar, manietar as mãos de alguém, manietar alguém de pés e mãos, desunhar, acabramar, pear, privar de agir, dar a mela a alguém, desarmar, enfirmar, invalidar, paralisar, impossibilitar, entibiar, quebrar a energia, inutilizar, suprimir, pôr fora de combate, desmanchar, prostrar, abater, derrubar, enfrouxecer, debilitar (*enfraquecer*) 160; esfalfar, exaurir as forças, açaimar, açamar, amordaçar, estropear, entrevecer, mutilar, delapidar, decepar, castrar, capar, aleijar, entrevar, jarretar, desmouchar, sufocar, estrangular, desenervar, enervar, desfibrar, desvigorar, desvirilizar, efeminar, garrotar, silenciar, aparar as asas, desasar, desaparelhar, amarrar o guizo no pescoço do gato, embotar, combalir, destripular, mochar, desproteger, desabrigar, desamparar, desfortalecer, desguarnecer, encravar, ensolvar (peça de artilharia).

Adj. impotente, insipiente, inábil, incapaz, agenésico, insuficiente, de águas-mornas, incompetente, inadequado, inqualificado, insuficiente, inepto, aleijado, desfibrado, desvirilizado & *v.*; manco, coxo, inválido, maneta, perniquebrado, hemiplégico, paralítico, embargado dos membros, tolhido, leso, entrevado, estuporado, enervado, desmedulado, desconjuntado, desengonçado, alquebrado, escanastrado, combalido, desasado, derreado, derrengado, exausto, extenuado, marasmático, apatetado, choquento, enfraquecido, quebrado de forças, embaraçado 704; incapacitado, exânime, anafrodita, bestificado, velho 124;
inofensivo, anódino, inócuo, inóxio, abnóxio, inocente, desarmado, aberta (cidade), indefeso, indefenso, indefensável, indefensível, expugnável, infortificado, desabrigado (*periclitante*) 665; desagasalhado, desprotegido, inerme, exposto, imbele, vencível, opugnável, insustentável, abandonado, órfão, desamparado;
nulo, vão, fútil, nugativo, nugatório, imprestável 645; ineficaz, ineficiente, malogrado 732.
Adv. impotentemente & *adj.*

Graus de potência

△ **159. Força,** tenacidade, fortaleza, vigor, capacidade, resistência, possança, vitalidade, potência, poder 157; energia 171; luxo, viço, exuberância de seiva, luxúria, agraço;
força física/muscular/bruta; potestade, verdor, verdura, solidez, elastério, elasticidade, tom, tensão, tonicidade, tônico, mola;
corpulência, eucrasia = organização robusta, corpanzil, proceridade = corpulência, aspecto varonil, varonilidade, virilidade, formas alentadas, muscularidade, pujança das formas, robustidão, robusta compleição, constituição atlética, robustez, ombro, musculatura, musculosidade, musculação, malhação, rijeza, firmeza, florescência, louçania, brilho, nervo, nervosidade, músculo, tendão, muque, pulso, braço, músculos de aço;
atlética, atletismo, ginástica, halterofilismo, acrobacia, anabolizante, esteroide, culturismo, fisioculturismo;
diamante, ferro, aço, carvalho, aroeira, cerne, granito, atleta, púgil, pugilista, luta-

dor, combatente 726; gladiador, tamanhão, taludão, gigante, atlante, homem de três tornozelos, touro, toureiro, barra (fam.), leão, machacaz, granadeiro, manipanso, onça, pretalhão, negralhão, richarte, Atlas, Atlante, Hércules, Titã, Anteu, Sansão, Ciclope, Golias, Super-Homem, Hulk;
fragata, matronaça, mulheraça, mulherão, varoa (ant.), virago, marimacho;
(ciências das forças): estática, dinâmica; mecânica; dinamômetro; quilogrâmetro.
V. ser (forte & *adj.*); ser homem de nervo, ser um barra, ser de canelos, ser de ferro, ser de constituição forte e robusta, ter bom sangue, ter uma figura musculosa, aguentar, suportar, resistir, fazer face, durar;
tornar (forte & *adj.*); malhar, dar força, fortalecer, fortalezar, aviventar, roborar, roborizar, confortar, avigorar, vigorar, revigorar, refazer, fortalegar, fortificar, enfibrar, inervar, tonificar, desenervar, nutrir, masculinizar, reforçar, secundar, reconstituir, retemperar, desentibiar, substanciar, guarnecer, enrobustecer, robustecer, prestigiar, temperar, endurecer, enrijar, enrijecer, solidificar, recrutar, vivificar, infundir novas energias, consolidar, alicerçar, cimentar, argamassar, estreitar, reanimar, desentorpecer, alentar, desadormecer, desadormentar, refocilar 689;
adquirir/cobrar forças; invalescer, apotentar, fornir, pulsear = medir forças, apetrechar, armar, proteger, abrigar, defender.
Adj. forte, possante, poderoso, valoroso, forçoso, vigoroso, pujante, sarado, loução, enérgico, másculo, fornido, sólido, resistente, durável, que desafia a ação do tempo, de alvenaria, diamantino, adiamantino, êneo, férreo, endurecido;
irresistível, invicto, invencível, inconquistado, inconquistável, inexterminável, inextirpável, insaciável, encarniçado, renhido, entranhado, profundo, inquebrantado, inquebrantável, esmagador, inesmagável, ossífrago, numeroso, opressivo, acabrunhante, soberano, irredutível, onipotente, rebelde, indomado, indomável, indomesticável, varonil, válido, atlético, membrudo, titânico, hercúleo, agigantado;
fornido de carne, de membros; carnoso, carnudo, de formas alentadas, ciclópico, dinâmico, reforçado, refeito, harto, robusto = *potens corpori*, macho, atlantiano, muscular, musculoso, malhado, compleicionado, compleiçoado, espadaúdo, carregado de espáduas, encorpado, braceiro; dobrado de ossos, de carne, corpulento, anabolizante, taludo, viripotente, solidamente constituído, braçudo, bem compleicionado, afeito a todos os contratempos, na plenitude da força, acamato = dotado de organização robusta; inenfraquecido, inquebradiço, inabalado, inconsuntível, inexaurível, inesgotável, holossídero = que é todo de ferro;
reconstituinte, refetivo, tonificante, fortificante;
forte como um leão, como uma onça & *subst.*
Adv. fortemente & *adj.*; à força 157; à fina força, a todo o pulso (*obrigatoriedade*) 744; *velim, nolim* = por bem ou por mal.

▽ **160. Fraqueza,** debilidade, analose = consunção patológica = enfraquecimento, depauperamento, acracia = malácia, atenuação, atonia, agasturas (reg.), laxação, lassidão, relaxação, frouxidão, frouxeza, frouxidade, acidia, tibieza, mornidão, langor, languidez, desalento, desânimo, desvigor, apatia, morbidez, enervação, enervamento, abatimento, decadência, desmedrança, inanição (*impotência*) 158; enfezamento, enfraquecimento, alquebramento, atrofia, raquitismo, alquebre, debilitação, remissão, desânimo (*impotência*) 158; depressão, enfermidade, efeminação, feminação, feminilidade, desfalecimento, quebranto, prostração, caquexia, fragilidade, flacidez, inatividade 683; estiolamento;
declínio, perda, diminuição, aniquilação das forças = hipostenia; delicadeza, estado melindroso, invalidez, decrepitude, anemia, astenia, anervia, adinamia;
compleição fraca/delicada; fio, castelo de cartas, buriti, aranhiço, cataplasma, alfenim, alma de chicharro, verdizela (reg.), pessoa magra 203; infante 129; inválido, maricas, maricão, podão, covarde 862; cebola, seresma, homem velho 130.
V. ser (fraco & *adj.*); ser mesmo uma galinha, estar um podão, cair, esmigalhar-se, desmoronar (fig.), ceder, cambalear, vanguejar, vacilar, tremer, coxear, claudicar, desmaiar, languescer, fraquear, fraquejar, desfalecer, definhar, desmedrar, languir, estiolar-se, esvaecer, perder o vigor, bro-

161. Produção | 161. Produção

char, murchar-se, fanar-se, murchecer-se, emurchecer-se, emagrecer 203; declinar, pender, estar com um pé na cova (*velhice*) 128; ter os braços mortos (*cansaço*) 688; pedir quartel, estar por um fio (*doente*) 655; deperecer, andar por arames, descair de fome, não poder consigo, descaírem os joelhos, não poder com uma gata pelo rabo (pop.), amorrinhar-se, não (aguentar 159); tremelicar, trepidar, amarroar; tornar (fraco & *adj.*); enfraquecer, enfraquentar, pôr alguém em estaleiro, alfeninar, amorrinhar, alquebrar, depauperar, anemiar, afracar, desfortalecer, exinanir, abater, dessangrar, debilitar, exaurir, atenuar, combalir, entibiar, atibiar, quebrantar, infirmar, tolher o desenvolvimento de, enfezar, desmedrar, privar de forças, inanir, relaxar, atrofiar, enervar, entorpecer, remitir, afrouxar, enfrouxecer, amainar, aleijar, laxar, desvirilizar (*tornar impotente*) 158; aluir, abalar, prejudicar, minar, solapar, concutir, enlanguescer, sopitar = debilitar, embrandecer, dizimar, alfenar, efeminar, feminar, insensibilizar, derrear, derrengar, gastar, *mettre de l'eau dans son vin*, amolecer, amolentar, destemperar, mangrar.

Adj. fraco, grácil, delgado, delicado, fino, frágil, irresistente, débil, tênue, imbele, impotente 158; enervado, lasso, gasto, mole, molangueiro, molangueirão, amarrado/ preso ao leito, combalido, valetudinário, afracado, abatido, alquebrado, infracto, amarroado, enfraquecido & *v.*, flácido, adinâmico, astênico, chocho, franzino, tenro, raquítico, desmedrado, petisseco, mimoso, vidroso, falto de forças, apômaco = incapaz, efeminado, clorótico, exangue, insubstancial, vaporoso, mesquinho, lânguido, vacilante, barbalhoste = sem préstimo, fracalhão, fraquete, fraqueiro, malcompleicionado, quebrado, trêmulo, estropiado, decrépito, paralítico 158; coxo, derreado, rengo, fraco das pernas, manqueba (bras.), claudicante (*vagaroso*) 275; atônico, hipostênico, atrófico, frio, mórbido, morbífico, enfermo, anêmico, doente 655; langoroso, languinhento, cansado 688; rendido, decadente, resvalante, murcho, fanado, márcido, sem seiva, quebradiço, inanido, inanimado, debilitado, gasto, de fraca compleição.

Adv. fracamente & *adj.*

3°) **Poder em ação**

△ **161. Produção,** geração, criação, elaboração, formação, construção, fazedura, fábrica, fabrico, fatura, feitura, fazimento, confecção, confeccionamento, confeição, artifício, manufatura, coisa da mão do homem, edificação, arquitetônica, arquitetura, multiplicação, fundação, organização, ereção, cunhagem, fundição, *nisus formativus*, estabelecimento, instituição, artefato, manufato, primícias, peça, obra manual, obra-d'arte, execução, feitio, mão de obra, acabamento 729; fornada, novidade, florescência, florescimento, desabotoadura, desabotoamento, incubação, choco, desova, paridura, parto, *délivrance*, delivramento, desgravidação, eutocia, distocia, nascimento, dor de parto = *tórmina*, secundinas, páreas, puerpério, gravidez, prenhez, segurança, estado interessante, obstetrícia, placenta, genitura, gestação (*maturação*) 673; evolução, desenvolvimento, crescimento, gênese, epigenesia, procriação, reprodução, propagação da espécie, progênie, semel, prole, sóbole, fecundação, impregnação, fovila, pólen, esperma, líquido espermático, sêmen, semente;

autoria, paternidade;

geração espontânea = heterogenia = epigenesia, arquegênese, arquebiose, biogênese, metagênese, homogênese, homogenesia, homogenia, xenogênese, puericultura;

(relativamente a partos): tocografia, tocologia, toconomia, tocotecnia, calipedia;

publicação, obra, *œuvre*, produto, obragem, fruto, trabalho, edifício, construção, estrutura, flor, fruto, messe.

V. produzir, criar, render;

fazer nascer, aparecer; realizar, operar, obrar, fazer, causar, formar, manufaturar, instaurar, brotar, dar o ser, levantar, erguer, erigir, lançar os alicerces, construir, edificar, bastir, fabricar, inventar, preparar, tecer, forjar, urdir, fundir, cunhar, amoedar, entalhar, esculpir, cinzelar, estabelecer, instituir, fundar, constituir, povoar, dotar, enriquecer, ornar, compor, organizar, confeccionar, confeiçoar, aviar, concluir 729; medrar, crescer, florir, florescer, floretear, florear, florejar, enflorar, reflorir, reflorescer, desabrochar, desatar-se em flores, abrolhar, acarretar, suscitar, abotoar, dar frutos, frutificar,

desabotoar, desabrolhar, pulular, desenvolver-se, ser uma mina de, ser mimoso de, chocar, incubar, desovar, estar de proveito, estar no período de gravidez, estar de esperança, trazer a barriga à boca, ter seu sucesso, parir, dar à luz, desgravidar, desemprenhar, estar em adiantado estado de gravidez, conceber, dequitar-se = delivrar-se, enriquecer o lar;
trazer, chamar à existência; dar o ser a, gerar, procriar, fecundar;
perpetuar, multiplicar, propagar a espécie; apimpolhar-se, prolificar, espermatizar, lançar renovos, ter (bacorinhos & 129); inçar a ninhada, alastrar, prosperar.

Adj. produzido & *v.*; produtor, produtivo, manufatureiro, genitor, genital, reprodutivo, prolífico, fecundo 168; frutificativo, gerador, geratriz, criador, criativo, formador, genético, genesíaco, espermático, seminal, seminário (desus.), semental, reprodutor, afrodisíaco, fecundante, prolífero, unípara, bípara, trípara, multípara, puérpera, puerperal, parturiente, primidiça; fecundador, filheiro, filhento, frutífero, frugífero, frutuoso, gestante, grávida, pejada, prenhe, buchuda (bras.), coberta, padreada; arquitetônico, arquitetural, compósita.

Adv. produtivamente & *adj.*

▽ **162. Destruição,** dissolução, pernície, assolação, estrago, arrasadura, arrasamento, apagamento, aniquilação, aniquilamento, desbaratamento, consunção, absunção (ant.), desagregamento, dirupção, rompimento, dilaceração, ruptura, rotura, definhamento progressivo e rápido, expunção;
queda, desmoronamento, arruinamento, ruína, esborralhada, exício, perdição, estilhaçamento, despedaçamento, destroço, eversão, *délabrement*, *débâcle*, derrocada, prostração, desolação, *bouleversement*, subversão, reviramento, reviravolta, naufrágio;
extinção, eliminação, morte 360; derribamento, fulminação, sideração, varredouro, golpe, condenação, demolição, extirpação, extirpamento, extermínio, rasoura, sapa, desbarato, derrota, faxina, roedura, cárie, broca, supressão, abolição, revogação 756; sacrifício, devastação, vandalismo, razia, incêndio, mudança violenta 146; extração 301; *commencement de la fin*, festim de Baltazar, a caminho da ruína, dilapidadura, absorção, clarões de incêndio, rajadas de vendavais;
destruidor 165.

V. ser (destruído & *adj.*); perecer, desmoronar, soçobrar, aniquilar-se;
desintegrar-se, reduzir-se a nada, a pó, a cinzas, a frangalhos; ir pelos ares;
fazer-se em pedaços, em trapos, em molambos; ruir por terra, desaparecer ao sopro destruidor de, quebrar-se, espatifar-se, sofrer golpe mortal, esfacelar-se, acabar-se com;
destruir, anular 736; sacrificar, desfazer, derrocar, demolir, trabucar, dilacerar, estrafegar, rasgar, subverter, alagar, submergir, engolfar, abismar;
pôr um termo, um paradeiro a; desmanchar, desarmar, desurdir, desinçar, limpar, vassourar, varrer, gastar, estrompar, corroer = lavrar, esbarrondar, derrubar, esboroar, derruir, desmoronar, cortar, quebrar, rechaçar, destroçar, derrotar, desbaratar, profligar, dispersar, desarraigar 301; arrancar, degolar, abater, roer, despedaçar, esfarrapar, escavacar, escaqueirar, estracinhar, esbandalhar, esborraçar, esborrachar, escangalhar, fazer pasto de, triturar, dissipar, dirimir, extinguir, exinanir, malbaratar, sumir, dar sumiço a, suprimir, eliminar, descimentar, arruinar, abalar, atalhar, dar talho a, atassalhar, tirar, riscar, apagar, comer, baratar (ant.), expelir, dissolver, tragar, sorver, esmigalhar, consumir, absumir (ant.), iniciar a obra de devastação;
não deixar verde nem seco, pedra sobre pedra; deitar por terra, entrar como um vândalo, desolar, depopular, despovoar, ermar, levar o luto e a desolação, fechar as portas a, esmagar, sufocar, superar, debelar, jugular, domar, carbonizar, cinerar, incinerar, neutralizar, despedaçar;
britar = reduzir a nada, a pequeníssimos fragmentos; expungir, arrasar, desmantelar, extirpar, desinçar, rasourar, nivelar, rentear, deitar abaixo, petardar, petardear, dinamitar, incendiar, nivelar com o chão, pôr em posta, espostejar, esquartejar, cortar cerce, cercear, consumar a destruição de, dissolver os depósitos de, ceifar do hastil, abrir o caminho para a derivação da seiva, prosseguir a obra assombrosa de devastação;

conduzir a uma situação dissolvente, desorganizar, desarvorar, desentabular, meter a pique, inutilizar 645; devorar, engolir, deglutir, minar, sapar, solapar, desmurar, fazer trabalho de sapa, cortar pela raiz, crestar, queimar, exterminar, calcar aos pés, fazer em pó, dar cabo de = aviar, abalar nos seus fundamentos, atirar aos cães, arrancar 301;
roçar, alhanar, banir, proscrever, carcomer, fazer em fanicos, talar, infestar, pôr por terra, pôr a ferro e fogo;
mandar de presente ao inferno, ao diabo; desfabricar.
Adj. destruidor & *v.*; destrutor, destrutivo, demolitório, vandálico, subversivo, subversor, subvertedor, fulmíneo, fulminoso, fulminívomo, fulminante, voraz, voraginoso, diruptivo;
destruído, cérceo, ignívomo.
Adv. destruidoramente & *adj.*; de efeito mortífero.

163. Reprodução, renovação, renovamento, restauração 660; reimpressão, recomposição, reconstrução, nova edição, revivificação, revivescência, revivência, regeneração, renascimento, renascença, reaparecimento = palingenesia, apoteose, ressuscitação, ressurreição, reanimação; Fênix;
geração (*produção*) 161; multiplicação, proliferação, prolificação.
V. reproduzir, recriar, regenerar, restaurar 660; regerar, reviver, revivescer, ressuscitar, ressurgir, reanimar, aviventar, repulular, multiplicar, repetir, reconstruir, reedificar, renascer, recompor, reconstituir, reestabelecer, reorganizar, reimprimir, renovar, reeditar, revivificar, reaparecer, reforjar, recunhar, reerguer, surgir de novo como cogumelos.
Adj. reproduzido & *v.*; renascente, revivescente, revivescível, reprodutivo & *v.*

△ **164. Produtor,** produção 161, produzidor, procriador, fecundador, semeador, sementeiro, causador, motor, motriz, promotor, originador, gerador, móbil, criador, pai, genitor, genitriz, construtor, achador, inventor, descobridor, autor, artífice, arquiteto, fundador, iniciador, proclamador, obreiro, obrador, fator, propugnador, romeiro, organizador, manufator, fabricador, fabricante, alma, padreador, o alfa e o ômega.

▽ **165. Destruidor,** destruição 162; iconoclasta, arrasador, aniquilador, exterminador, camartelo, picareta, picão, foice, segadora, raio, dinamite, lidite, carcoma, cárie, caruncho, gusano, tínea, lagarta, lagarta-rosada, pulgão, gafanhoto, broca, traça, daco, bicho-carpinteiro, cupim, formiga-branca, vendaval, cataclismo, terramoto, terremoto, hidra, furacão, tufão, tempestade, vândalo, eversor, demolidor, extintor, dinamiteiro, petardeiro, incendiário, petroleiro, petrolista, anarquista, assassino 361; veneno 663; devorador, inimigo 891; ente malfazejo 913.

△ **166. Ascendência,** paternidade, geração, autoria, sangue, consanguinidade 11; pai, tatá, genitor, palúrdio (gír.), aba, gerador, autor dos dias de alguém, procriador, páter-famílias, papai, progenitor, padrasto, mamãe, mãe, genetriz, mamã, madrasta, megera (dep.), primogenitor, avô, bisavô, trisavô, tetravô, bisdono, genearca, patriarca, costado, casa, lar, tronco, árvore, linhagem, estirpe, estema = árvore de geração = árvore genealógica, árvore de costados; linhagem, progênie, sementeira, família, linha, tribo, horda, cabilda, casta, nação, ramo, raça, ascendência = prosápia, ascendentes, antepassados, ancestrais, os nossos pais, os nossos antecessores, predecessores, os maiores, avoengos, os antigos, patriarcas; maternidade, máter-famílias, genitora, progenitora, primogenitora, avó, vovó.
V. estudar a genealogia de alguém, desenterrar os ossos.
Adj. paterno, paternal, filheiro, materno, maternal, parental, familiar, lineal, linear, patriarcal, tribul, genealógico, ascendente, avoengueiro, ancestral, avito, avoengo, avoengado.
Adv. paternalmente & *adj.*

▽ **167. Posteridade,** varonia, progênie, progenitura, sóbole, semel (ant.), descendência, sucessão, prole, ramo, família, produto, fruto, semente, ninhada, netos, herdeiros, bisneto, trineto, tetraneto, abneto (3º neto);
filho, órfão, progênito, primogênito, unigênito, secundogênito, fruto do matrimônio,

168. Produtividade | 169. Improdutividade

os despojos de suas entranhas, rebentos d'alma, a alma de sua alma, a vida de sua vida, penhor de amor, rabeca do casamento, filhos de bênção;
filho do pecado, do crime, das ervas;
filho ilegítimo, bastardo, adulterino, póstumo, primogênito; enteado = filhastro = filharasco, morgado;
herdeiro aparente, presuntivo; legatário, rebento, gomo, renovo, vergôntea, ramo, novedio, galho, ramificação;
infante 129; epígono, descendentes, pósteros, vindouros, porvindouros, as raças vindouras, os homens do futuro, sucessores;
ninhada, filharada, descendência em linha reta, linha de masculinidade, varonia, filiação, primogenitura.
V. descender, provir, proceder, perfilhar, sair o pau à racha.
Adj. primogênito, póstero, porvindouro, futuro, filial, secundogênito, descendente, bastardo.
Adv. posteramente & *adj.*
Provérbios: *Colubra non parit, restem* = tal pai, tal filho. Quem tem filhos, tem cadilhos.

△ **168. Produtividade,** produtibilidade, frutuosidade, fertilidade, proficuidade, faculdade reprodutiva, fecundidade, feracidade, fecundez, fecúndia, exuberância, vigor, viço, pujança, força vegetativa, pululância, uberdade;
vegetação perene, exuberante; oceano de verdura, sombra, louçania, riqueza, opulência, medrio, medrança, medra, pululação, germinação, galadura, fecundação, fertilização, frutificação, multiplicação, propagação, criação, procriação, proliferação, superfetação, amojo = apojadura, calipedia, eugenia, afrodisia, prenhez, prenhidão, fartura 639; abundância, seiva, seve;
vaca de leite, coelho, rato, hidra, seminário = viveiro, aquário, terra em que os rios são de leite e mel, nata da terra, terra vegetal = humo, húmus, protoplasma;
versada; terra da Promissão, de Canaã; as tetas fartas da natureza, olhalva (reg.), oásis, eugenesia.
V. ser (fecundo & *adj.*);
produzir, abundar, exuberar, medrar, crescer, florescer, florir, pulular, proliferar, transbordar, ter exuberância de, ostentar louçania, infundir vida; tornar (fecundo & *adj.*); frutificar, emprenhar, espermatizar, procriar, impregnar, fecundar, fecundizar, semear, gerar, galar, acasalar, fertilizar, levar a fertilidade a, enatar, adubar 371; render, produzir 161;
promover a germinação/a multiplicação de; desenvolver, castiçar, juntar, ter o macho cópula com a fêmea.
Adj. produtivo, prolífico, prolífero, profícuo, abundante em, natento, frutuário, fértil, feraz, feracíssimo, rico, fecundo, dadivoso, bom, abençoado, privilegiado, frutífero, frutificativo, frutuoso, frugífero, frutescente, polígeno = muito produtivo, luxuriante, opulento, ridente, vicejante, verdejante, exuberante de seiva, louçom, flóreo, florescente, florente, frumentoso, pujante, soberbo, cheio, opimo, excelente, farto, úbere, ubérrimo, ubertoso, oniparente, viridente, florífero, florígero, frondoso, de fecundidade, bem-acondiçoado, afrutado, chorudo, pingue, umbrátil, umbrático;
cheio de sombra, de frescura; nemoroso, inexausto, inexaurível, inesgotável, procriador, castiço, procriativo, fecundador, generante, generativo, generatriz, eugenésico, filheiro, filhento, bípara, ovípara, vivípara, unípara, multípara, primípara, secundípara, produtor, propagável, espermático, multiplicável (*parturiente* 161); proveitoso 644; amojado, poedeira, afrodisíaco, arundinoso, fermentoso, piscoso.
Adv. produtivamente & *adj.*

▽ **169. Improdutividade,** aridez, ingratidão, infertilidade, improficuidade, frialdade, esterilidade, acisia (de mulher), atocia, maninhez, agenesia, aforia, infecundidade, impotência 158; inaproveitabilidade, inutilidade 645; secura (aridez) 340; desolação, esterilização, desertificação, maltusianismo;
charneca, arnado, exido, maninha, feital, járdia, enxara, arenata, arneiro, arnedo, landes, arnoso, sapezal, gândara, sarandi, sáfara, terra cansada, baldio, carrascal, machorra, pragal, rapadouro, camarção, maninhado, cardal, silvado, silvedo, caatinga (bras.), chavascal, chavasqueiro, chaparral, machial, charabasca, charabasco, terréu, carrasqueiral, charnecal, salgados, areal, deserto, Saara, urzal.

65

V. ser (improdutivo & *adj.*); terrear = mostrar-se sem vegetação = apresentarem os campos a cor da terra;
não conhecer a sombra/a verdura; não dar frutos; machiar = esterilizar-se, degenerar, abrolhar espinhos, escalvar, esterilecer, desertificar, infertilizar, empobrecer, exaurir, amaninhar, ficar em mortório;
sair mais caro a mecha do que o sebo; abortar, malparir.
Adj. improdutivo, ingrato, estéril, infértil, infecundo, sáfaro, machorra, maninho, inoperativo, desafrutado, rabisseco, improfícuo, infrutuoso, infrutífero, magro, pobre, morto, mesquinho, improlífero, incultivável, escalvado, encalvecido, nudo, desnudo, árido 340; exausto, cansado, arenoso, arenário, areeiro, areento, baldio, abandonado, inaproveitável, desfavorecido, agreste, desértico, inóspito, selvagem, selvagíneo, selvático, inabitável (*inútil*) 645;
ermo, desolado, que só abrolha espinhos, fragueiro, mealheiro, pouco rendoso, carrasquento, carrasquenho.
Adv. improdutivamente & *adj.*; *sine prole*.

170. Agência, operação, atividade, ação, eficiência, eficácia, influência, virtude, força, trabalho, empreendimento, empresa, obra, esforço, função, cargo, ofício, serviço, manutenção, gerência, administração, exercício, desempenho;
causa 153; instrumentalidade 631; influência 175; ação voluntária 680; *modus operandi* 627.
V. estar em ação, acionar, operar, agir, proceder, desempenhar, executar, exercer, realizar, empreender, efetuar, praticar, suportar, sustentar, fazer-se sentir, refletir-se, esforçar-se, manter, conservar, acelerar, influir, ter força sobre, forçar, atabular, ativar, apressar, atuar, obrar com prontidão, preencher o seu fim, dar resultado.
Adj. operativo, operacional, obrante, operante, pronto, atuante, eficiente, eficaz, presentâneo.
Adv. operativamente & *adj.*; em operação, em ação, em função, em execução, por influência de, por meio de 631 e 632; por intermédio de.

△ **171.** (Energia física) **Energia,** sinergia, dinamismo, força, febra, reação, esforço, agudeza, graveza, gravidade, intensidade, grau, tonicidade, vigor, tensão, tom, elasterio, elasticidade, força expansiva, intensão, veemência, pressão, radioatividade, agerasia;
acridez, acritude, acrimônia, queima, queimação, ardor, causticidade, adurência, erosão, mordacidade, virulência, aspereza, severidade, gume, picante 392;
cantárida, vesicatório, cáustico, pedra infernal, água-régia, reativo, revulsivo, afrodisíaco, emético, vomitório, azougue, argento-vivo, atividade, agitação, efervescência, fermento, fermentação, ebulição, tumulto, perturbação, energia voluntária 682; resolução 604; esforço 686; excitação 824; corrosivo, estiômeno.
V. dar (energia & *subst.*); energizar, estimular, desentorpecer, ensofregar, apimentar, inflamar, incitar, excitar 824; reagir, intensificar, intensar, dinamizar, atear, atuar, explodir 173; dar corda, fortalecer 159; ativar;
fazer impressão, produzir efeito 170;
queimar, carcomer, roer, arder, adstringir, irritar, corroer, causticar, estiomenar.
Adj. enérgico, energético, forte, tônico, intenso, intensivo, esperto, estimulante, ativante, poderoso, válido, eficaz, eficiente, vivo, ativo, rijo, lesto, lestes, acerbo, sinérgico, rigoroso, afiado, agudo, aguçado, espirituoso, licoroso, capitoso, violento, impetuoso, irritante, excitante, áspero, penetrante, cortante, picante, caterético, dierético, pirótico, reativo, reagente, escarótico, erosivo, corrosivo, estiômeno, anabrótico (ant.), drástico, mordente, mordicante, candente, pungente, pungitivo, queimoso, queimante, ardentoso, adstringente = estítico; de dois gumes = bigúmeo = ancípite, de grande poder eficiente, de quinta dinamização, emético, revulsivo;
incisivo, penetrante, cortante, trinchante.
Adv. energicamente, fortemente & *adj*.

▽ **172.** (Inércia física) **Inércia,** preguiça, indolência, torpor, assinergia, embotamento, insensibilidade, *vis inertia*, passividade, inatividade, amolecimento, langor, languidez, *languor*, repouso 265; frouxidão, atonia, latência, letargia, inação, frio;
inércia mental, apatia 683; inexcitabilidade 826; irresolução 605; *permanência* 141; quebranto, quebreira, moleza de corpo, anorexia = inapetência, morbidez, lassidão.
V. estar (inerte & *adj.*); entorpecer.

Adj. inerte, inócuo, inóxio, inofensivo, antálgico, frio, argel, inativo, ineficiente, ineficaz, negligente, brando, impassível, indiferente, passivo, indolente, sonolento 683; entorpecido = tórpido, letárgico, lento, vagaroso, lerdo, pesado, frouxo, morno, enervado, mórbido, langoroso, lânguido, embotado, remisso, morto, inanimado, anquilosado, relaxado, laxo, lasso;
latente, dormente.
Adv. inofensivamente & *adj.*

△ **173. Violência,** agressividade, imoderação, bruteza, brutalidade, protérvia, inclemência, intensão, intensidade, veemência, impetuosidade, enfurecimento, fúria, força, poder, ímpeto, furor, loucura, insânia, braveza, desespero, cólera, ira, raiva, rancor, fervor, açodamento, arrebatamento, efervescência, ebulição, fervura, fervedura, turbulência, fragor, tumulto, confusão, algazarra, *le diable à quatre*, uma dos diabos;
severidade 739; fereza, ferocidade, rábia, furiosidade, embravecimento, estrebuchamento, assanhamento, madria = encapelamento, sanha, rompante, exacerbação, exacerbamento, irritação, irritamento, desvairamento, exasperação, malignidade, acesso, paroxismo, vasca, orgasmo, eretismo, *coup de main*, ultraje, arranco, choque, abalo, quebrança, espasmo, convulsão, histerismo, tremor, paixão (*excitabilidade*) 825; acesso de fúria = rebentina = rebentinha, inquietação;
erupção, irrupção, explosão, arrebentação, estouro, salto, descarga, detonação;
conflagração, incêndio, agitação (*desordem*) 59; fermento 315; marouço, tempestade, borrasca, procela, serranias do mar, fervedouro, furacão, redemoinho, maremoto, terramoto = terremoto, tremor de terra, trovão, trovoada, fulminação, sideração, raio, fogo do céu, ceráunia, fúria, dragão, demônio, tigre, pantera, onça, as fúrias infernais, *sorores vipereæ*, Megera, Eumênides, Tisífone, Alecto, louco, tresloucado 504; fera (*homem ruim*) 949; come-brasas (*fanfarrão*) 887.
V. ser violento, violentar, efervescer, doidejar, tornar-se impetuoso, partir para cima, agredir, intensar-se, quebrar a paz, pintar o sete, precipitar-se, desvairar-se, correr desvairadamente, investir, assaltar, acometer, levantar tempestades, tempestuar, fremir, bramir, bramar, bradar, estrondear, rebramar;
redemoinhar, turbilhonar, alterar-se, tornar-se irado 900; arrevessar, torvelinhar, debater-se, espinotear, estortegar, revolver-se, estrebuchar-se, espernear, agritar-se convulsivamente;
raivecer, raivejar, enfurecer-se, enraivecer (-se), irar(-se), raivar de cólera, rugir como leão, ferver, referver, bravear, bravejar, esbravear, esbravecer, esbravejar, embravecer, encolerizar-se, derrubar, vociferar, estalar, desencadear, explodir, estourar, rebentar, detonar, arrebentar, ir aos ou pelos ares, voar pelos ares;
encarneirar-se, encapelar-se, encarapelar-se, empolar-se, crescer e recrescer a onda de, tomar freio nos dentes, desfrear-se, desbridar-se, desencabrestar-se, desembestar-se (*velocidade*) 274; desenfrear-se, soltar, arremessar-se impetuosamente, romper (o mar) em flor, estar de levadia, emparedarem-se as ondas, assoberbar-se, tumultuar, crescer em fúria, sacudir os vagalhões, soluçar em grandes tremores, arrombar, romper, levar de vencida, despedaçar, espatifar, descomedir-se, desmoderar-se, exceder-se, irromper, ir fora das marcas, desmedir-se, descompassar-se, desmesurar-se, soltar-se, meter a mão até o cotovelo;
não respeitar, exceder os limites;
passar, transpor as raias; correr desenfreadamente, desesperar, prorromper = disparatar, destampar, endemoninhar-se, ficar endemoninhado 825; fazer das suas, fazer algumas do diabo, fazer coisas do arco da velha, pintar o caneco, desgrenhar, destelhar, descolmar, despir;
tornar (violento & *adj.*); aguçar, agitar, acelerar, ensofregar, excitar, incitar, avivar, urgir, estimular, irritar, inflamar, acender, suscitar, fomentar, agravar, piorar, exasperar, enfurecer, marfar, exacerbar, encarniçar, desatinar, convulsionar, revolucionar, enlouquecer, desvairar, conflagrar, incendiar;
jogar lenha na fogueira; abanar o fogo, as chamas, as labaredas;
trazer combustível, gravetos para a fogueira; atiçar, açular, *oleum addere canino*.
Adj. violento, agressivo, imoderado, desabrido, desfeito, protervo, veemente, quente, agudo, afiado, penetrante, áspero, rude, cortante, arrogante, brusco, abrupto, im-

174. Moderação | 174. Moderação

pertinente, impetuoso, torrentoso, tormentoso, tormentório, turbulento, irrequieto, desordenado, agitado, convulso, estrondoso, vascoso, marulhoso, louco, de mil-diabos, raivoso, revolto, aparcelado, arrebentadiço, tumultuoso, tumultuário, descabelado; estrepitoso, ruidoso, borrascoso, proceloso, flutuoso, tempestuoso, extravagante, rolado, roleiro, encrespado, crespo, cavado, encarneirado, irado, iracundo;
enfurecido & v.; endiabrado, aloprado, endemoniado, voraz, sôfrego, indócil, irrefreável, indômito, indomável, insofrido, frenético, desatinado, desvairado, enfurecido, bravo, bravio, ferino, titânico, selvagem, montaraz, insano 503;
desesperado 863; sanhoso, sanhudo, convulsionário, furioso, furente, enfurecido, desapoderado, irritado, histérico, iroso, assanhado, assanhadiço, embravecido, agressivo, exacerbado, aceso, alteroso, medonho, desabrido = ríspido = despedrado (reg.), fremente, fremebundo, fogoso, acalorado, renhido, encarniçado, fero, feroz, grosso, empolado;
feroz como um tigre, como uma hidra de cem cabeças, imane, descompassado, excitado, indomado, indomesticável, irreprimível, incoercível, inextinto, inextinguível, insaciável, ignívomo, ignipotente, ignífero, desenfreado, desencabrestado, desembestado (*veloz*) 274; incontido, infrene, ingovernável, insubmisso, obstinado, imitigável, incontrolável, implacável, insofreável, irremediável, intolerável;
espasmódico, convulsivo, epiléptico, epileptiforme, explosivo, detonante, (*tempestuoso*) 349; forte, em febre, febril, febricitante, tonante, tonitroante (*som alto*) 404; arrebatado, desabusado, férvido, árdego, inquieto, agitado, impaciente, fulgural, fulmíneo, grande, rábico, sísmico, de força e de brutalidade.
Adv. violentamente & *adj.*; com grande força, de assalto, à força, à fina força, de repelão, de repelo, de roldão, *vis et armis*; à ponta de espada, de baioneta; *à toute outrance*, em doida sanha, sacudidamente, em lutas e contrações nervosas, rijamente, num delírio de louco, acaloradamente, às mãos ambas;
com desespero, com ímpeto, de chapuz, em borbotões, em cachão, de arrancada, em cheio, com a mão armada;

▽ **174. Moderação,** lenidade 740; brandeza, brandura, leniência, temperança, comedimento, meio-termo, reportação, modéstia, parcimônia, prudência, abrandamento, refreio, resfriamento, afrouxamento, sobriedade, austeridade, compostura, continência, placidez, quietação, quietude, mansidão, mansidade, mansuetude, delicadeza, apaziguamento, sossego, calma, paz, remanso, suavidade, tranquilidade, inalterabilidade, pacacidade, pacatez, inação, bonança, benignidade, serenidade, limpidez, seio de Abraão, arrolo, nana, nina, cafuné, chamotim, bálsamo (*calmante*) 834;
tranquilização, alívio, lenitivo, frescor, refrigério 834;
contemporização, pacificação, abirritação, minoração, relaxação, remissão, mitigação, controle.
V. ser (moderado & *adj.*); moderar(-se), contemporizar, atemperar;
conservar-se dentro dos limites, das normas; manter a paz, não exorbitar, reportar-se, cair em si, sofrear-se, comedir-se, desengrilar-se = desenfurecer-se, amainar;
colher, arriar a vela; oscular suavemente, tornar (moderado & *adj.*); lenir, acalmar, medir, aplacar, abonançar, abrandar, lenificar, sedar, mitigar, desalterar, demulcir, abirritar, temperar, apaziguar, desarrufar, amortecer, quebrar, tranquilizar, desassanhar, acalentar, sossegar, serenar, açamar, suavizar;
abater, aquietar, impassibilizar, achanar, aplanar, relaxar, modificar, desengravecer; embotar, entorpecer, tirar o corte, obtundir, sopear, remansear, sofrear, refrear, restringir, conter, reprimir, sufocar, retundir, descomover;
embainhar a espada, subjugar, vencer, debelar, jugular, submeter, castigar, corrigir, sofrear a bravura, cortar cólera a alguém, desembravecer, desenfezar, desencolerizar, desendemoninhar; descair, afrouxar, amaciar, enfraquecer 160; diminuir 36;
pôr cobro a, pôr um refreadouro a, refrear, paliar, acariciar, embrandecer, amenizar, amortecer, melhorar (o tempo), contraestimular, quietar, abafar = atafegar (reg.), pacificar, atenuar, minorar, arrefecer, compassar, lançar balde de água fria, esfriar, resfriar, pôr água na fervura, deitar bálsamo em, *mettre de l'eau dans son vin*, opiar,

175. Influência | 175a. Inocuidade

embalar, adormecer, adormentar, fazer nana, fazer nina, ninar.
Adj. moderado & *v.*; lenitivo, leniente 740; comedido, austero, contido, brando, reportado, equilibrado, ponderado, prudente, sensato, sóbrio, gentil, fraco, suave, manso, tolerável, mimoso, sereno, bonançoso, temperado, razoável, plácido, sossegado, tranquilo, controlado, imperturbado, acalmado, calmo, quieto, remansoso, dormente, parado, medido, compassado, pacífico, liso, doméstico, resfolegado, alciôneo, alciônico, meigo, preguiçoso, quedo, imóvel, galerno, banzeiro, de leite, benigno, almo, descuidoso, descansado, lento 275;
imperturbável, impassível, aplacável, inexcitável, inalterável, inabalável, inirritável, emoliente, calmante, demulcente, lenitivo, mitigativo, anódino, hipnótico 683; sedativo, paliativo, abirritativo, apaziguador, antiafrodisíaco, antiafrodítico.
Adv. moderadamente & *adj.*; pé ante pé, pouco a pouco, a fogo brando, gradativamente, com regra, regradamente, a meia velocidade, dentro dos limites traçados;
com conta, peso e medida; *piano*, devagarinho, metodicamente 58.
Frase: *Est modus in rebus.*

4º) Poder indireto

△ **175. Influência,** influxo, influição, sopro, repercussão, eco, importância 642; peso, pressão, mão, preponderância, hegemonia, soberania, poder, prevalência, poderio, domínio, valimento, predomínio, predominação, predominância, atuação, contato, autoridade, supremacia, preeminência, ascendência, ação, superioridade 33; prepotência, despotismo, reinado, império, prestígio, crédito, premência, dominação, governo 737; capacidade (*poder*) 157; calor, fascínio, fascinação, atração, magnetismo, alfridária, simpatia, magia, encanto, quebranto, suporte 215; alavanca, papel saliente;
proteção, patronato, patrocínio, padroado, protetorado, amparo, auspícios;
pistolão, *lobby*, lóbi, lobismo, lobista, mensalão, q.i. (quem indicou), corrupção;
árbitro, senhor absoluto, farol, fanal, guia, condutor de homens, líder, cacique, mandachuva, mandão, machucho, macota (bras.), primates, primatas, optimate, magnata, potentado, régulo 739; homem de representação, de quotiliquê (burl.); trunfo, dunga (bras.), coronel; homem de posição, de destaque, de grande projeção; chefe de orquestra, personagem, vulto, herói 873; homem do dia, da época; campeão.
V. influir, influenciar, ser (influente & *adj.*); ter (influência & *subst.*); pesar, decidir, fazer pender a balança, suscitar;
exercer, fazer pressão; fazer lóbi; mover, remexer, fazer peso, enraizar-se, estender sua esfera de ação a, ganhar pé, entusiasmar;
deitar, lançar, criar raiz, mobilizar, penetrar, prevalecer, predominar, preponderar, sobrepujar, avassalar, assenhorear-se de, subjugar, cativar, reinar, dominar, imperar, reger, governar, dominar a vontade de, ganhar a dianteira, empolgar, ter manifesta superioridade sobre, fazer sentir sua ação, conquistar ascendência sobre, incidir, refletir-se, atuar sobre, ungir, convencer, persuadir, arrebatar, fascinar, induzir, eletrizar, magnetizar, comover, ser sempre ouvido, fazer ouvir a sua voz, representar papel saliente;
ser elemento decisivo, preponderante; dar cartas, estabelecer a moda, ser o árbitro de, ter ação, ser o primeiro em predomínio, impor-se a, puxar os cordões, ser mandachuva;
sofrer, sentir a influência de; deixar-se influenciar, obedecer, cair sob o peso de, ressentir-se de, curvar-se, submeter-se, dobrar a cerviz a.
Adj. influente, machucho, importante 642; prestigioso, popular, conhecido, predominante, prevalente, imperioso, poderoso, prepotente, onipotente, soberano, dominante, dominador & *v.*; reinante, hegemônico, lobista.
Adv. influentemente & *adj.*

▽ **175a.** (Ausência de influência) **Inocuidade,** impotência 158; desprestígio; inércia 172; ineficácia;
o desnecessário, o contraproducente, o que não conduz a coisa alguma, inutilidade, nulidade, negação; medalhão; figuras decorativas.
V. não ter (influência & *subst.*); ser ineficaz, ser inútil, ser nulo, não servir para nada, não fazer falta, ser dispensável, ser carta fora do baralho.

Adj. ineficaz, contraproducente, impotente; inerte, inútil, inócuo, desnecessário, nulo, vão.
Adv. ineficazmente & *adj.*; em vão, em balde, debalde.

176. Tendência, aptidão, ralé, propensão, queda, gênio, bossa, pendor, jeito, pendência, disposição, predisposição, inclinação, vocação, suscetibilidade, possibilidade 177; qualidade, caráter, natureza, temperamento, idiossincrasia, estro, veia, humor, modos, maneiras, fraco, impulso (*direção*) 278; utilidade, serventia, aproveitabilidade 644; subserviência 631; jeito (*qualidade*) 820.
V. tender, propender, convergir, contribuir, conduzir, levar a, dispor-se, inclinar-se, abeirar-se de, avizinhar-se de, encaminhar-se para, aproximar-se de, descambar, gravitar, dirigir-se para, dar esperanças de, prometer, trabalhar para, promover (*auxiliar*) 707;
convergir, puxar para; destinar-se, reservar-se.
Adj. tendente, conducente, condutivo, destinado, atreito a, chegado a, disposto a, dado a, inclinado a, sujeito a 177; útil 644; subsidiário 707; prono, propenso, capaz de, suscetível de.
Adv. tendentemente & *adj.*; a caminho de, em demanda de, em busca de, para onde quer que.

177. Risco, possibilidade (de evento ou situação ruins), perigo, ameaça, pique, ponto, contingência 151; eventualidade, suscetibilidade, probabilidade, sujeição.
V. arriscar(-se a), estar (sujeito & *adj.*) a; correr risco, incorrer em, expor-se a, atrair sobre si, achar-se exposto a;
correr o risco/o perigo 665; aventurar-se, arriscar-se, sujeitar-se a, ficar à mercê de, abrir a porta a, não estar isento de; dar oportunidade ao azar.
dar lugar/ocasião/ensejo a.
Adj. arriscado, perigoso, ameaçado, ameaçador, periclitante; exposto, sujeito, vulnerável, inisento de, em risco 665;
aberto a, franqueado a, obnóxio, apto para, passível de, propenso a, suscetível de, capaz de, pendente de, dependente de;
contingente, aleatório, eventual, acidental, possível, provável.

Adv. à mercê de, ao arbítrio de, ao sabor de; no talante, ao capricho de; ao bel-prazer de, sob a dependência de, a ponto de, em perigo de, a risco de.

5º) Combinação de causas

△ **178. Concorrência,** confluência, concentração, convergência; simultaneidade; cooperação, colaboração, concurso, união, congregação, acordo 23; assentimento 488; aliança, coalizão, coadjuvação, coligação 709; sociedade 712; conjugação de esforços, auxílio 707; cooperativismo.
V. concorrer, confluir, convergir, conjugar esforços, ir com outrem, ter ação, congregarem-se, darem-se as mãos, ter parte em, contribuir, ir ao encontro de, unir-se, coligar-se, confederar-se, empandilhar-se 709; fundirem-se as forças, ajudar 707; acompanhar, correr parelha com, correr paralelo a, ir de braço dado com.
Adj. concorrente, confluente, convergente, simultâneo; irmanado, combinado, unido, contributivo, colaborativo.
Adv. concorrentemente & *adj.*; em aliança, em perfeita comunhão, ao lado de, conjuntamente com, de parceria com, ombro a ombro com, em concorrência com.

▽ **179. Resistência,** reação, renitência, insubmissão, oposição, contraposição, contrariedade 14; choque, colisão, embate, encontro, conflito, enfrentamento, confronto, interferência, relutância, rebeldia, rebeldaria, parede, insurreição, greve, atrito, retroação, recuo 277; contrapeso, contrabateria, neutralização 30; oposição voluntária 708; resistência voluntária 719; repressão 715; *vis inertiæ*, obstáculo 708; firmeza, durabilidade; estoicismo.
V. resistir, entesar, renitir, ferir, ofender, ir de encontro, reagir contra, conflitar, repugnar, rebater = ilidir, colidir, chocar, abalroar, esbarrar com, embater, dar de rosto, contrariar, ser contrário, ser reciprocamente oposto, opor-se 708; lutar contra, abrir conflito com;
ir, militar contra; resistir voluntariamente 719; impedir 706; restringir 751; recuar 279; desfazer, desmanchar, desmantelar, neutralizar, contrapesar, contrabalançar, tolher o desenvolvimento, comprimir, atrofiar, sufocar, abafar.

Adj. resistente, insubmisso, antagônico, adverso, inabalável, inaliável, incombinável, inconciliável, conflituoso, contencioso, *qui hurlent de se trouver ensemble*, que não se adjetivam, chocante, renitente, reacionário, contrário 708 e 14.
Adv. antagonicamente & *adj.*; posto que 30; a despeito de 708; contra.

CLASSE II. ESPAÇO

Divisão I. ESPAÇO EM GERAL

1º) Espaço considerado abstratamente

△ **180.** (Espaço indefinido) **Espaço,** grandeza, vasteza, vastidão, amplidão, imensidade, extensão, amplitude, campo, latitude, capacidade, alcance, largueza, intermúndio; abrangência, âmbito, ambiente
espaço aberto/livre/ilimitado; paragem, vácuo 187; charneca, deserto, ermo, solidão, descampado, campanha, campos gerais, plaino, planície 344; abismo 198; espaço infinito 105; mundo, universo, ubiquidade 186; comprimento e largura da Terra, área, superfície.
Adj. espaçoso, vasto, dilatado, largo, imenso, amplo, grande, extenso, intérmino, rasgado, desfogado, incircunscrito, ilimitado, infinito 105; intrilhado, ínvio, sem margem, sem termo, sem fronteiras.
Adv. espaçosamente & *adj.*; em qualquer lugar, algures, alhures, neste mundo, de telhas abaixo, por toda a parte, longe e perto, à direita e à esquerda, pelo mundo afora, a cada passo, a cada triquete;
sob o sol, neste mundo sublunar, neste vale de lágrimas, neste mundo transitório, em todas as latitudes, em todos os climas, universalmente, nos dois hemisférios, ao norte e ao sul do equador, de polo a polo, da China ao Peru, do Brasil ao Japão, de ponta a ponta, na face da terra, em todos os recantos do globo, aos quatro ventos, em todas as direções 278; de toda parte = adúnia (ant.), por aí além, onde quer que, em qualquer parte que, de vale em vale.

▽ **180a. Inextensão,** ponto, átomo, molécula (*pouquidão*) 32.

▽ **181.** (Espaço definido) **Região,** esfera, área, reino, hemisfério, círculo, território, departamento, comarca, distrito, município, estado, país, continente, mundo, principado, grão-ducado, condado, império, sultanato, província, cantão, governo, arredondamento, *arrondissement*, parvalheira, satrapia, capitania, paróquia, freguesia, curato, comuna, ducado, alcaidaria, beilicado, circunscrição, divisão territorial, diocese, arcebispado, patriarcado, arena, bairro, bandel, *enceinte*, recinto, gleba, lote, latifúndio;
nesga, retalho de terra; sesmaria, quinteiro, cortinha, fazenda (*propriedade*) 780; eido, quinchoso, pátio, átrio, vestíbulo, períbolo, cerrado, torrão, lugar, leira, jeira, quintal, quintalejo, quintalório, peristilo, adro, rua (*morada*) 189; clima, faixa de terra, coutada, valado, zona, meridiano, latitude, equador.
Adj. territorial, local, paroquial, provincial, imperial, cantonal, comarcão; municipal, distrital, ducal; reinol, reinícola, regional, latitudinal, longitudinal, hemisférico, equatorial 182.

▽ **182. Lugar** (diversas denominações), terreno estéril 169; deserto, planície 344, localização, sítio, coordenadas, posição; propriedade 780; jardim, horta 371; lugar de divertimento 840; lugar perigoso 667; lugar seguro 666; lugar sagrado 1000; esconderijo 530; lugar de morada 189; prisão 752; cemitério 363; ponto de reunião 74;
V. localizar(-se), situar(-se), posicionar(-se).

2º) Espaço relativo

183. Situação, posição, colocação, localização, topografia, localidade, *status*, coordenadas geográficas, latitude, longitude, altitude; condição, local, ponto de vista, posto, atitude, pose, postura, aspecto físico, fisiografia;
lugar, sítio, estação, sede, *venue*, paradeiro, cabeça, quartel-general, *locale*, geografia, corografia, topologia, toponímia, topotesia (descrição de lugar imaginário), topônimo, toponomástica.

184. Localização | 186. Presença

V. estar (situado & *adj.*), situar(-se), estar baseado; ficar, demorar, erguer-se, admirar-se em, pousar, assentar-se, levantar-se, elevar-se, repousar, jazer, ter sede.
Adj. situado, sito, assento, posto, localizado, plantado, locado (e outros particípios dos verbos que figuram no verbete 184).
Adv. in loco, in situ, no meio desse cenário.

△ **184. Localização,** posicionamento, coordenadas, alojamento, alojação, aposentação, aposentadoria, colocação, disposição, reposição, estabelecimento, plantação, instalação, acomodação, fixação, inserção 300, acolhimento;
arrumação, empacotamento, embalagem;
bússola, rosa dos ventos, GPS, mapa, carta;
domicílio, estalagem, hospedagem, agasalho, abrigo, ancoradouro, amarração, arraial, bivaque, fazenda, colônia, núcleo colonial, possessão;
acantonamento, acampamento, colonização, habitação 189; coabitação, naturalização, carta de naturalização, boleto, bilhete;
endereço, endereço eletrônico, *e-mail, site.*
V. localizar, colocar, situar, locar, postar, poiar, assentar, arrumar, arranjar um lugar para, domiciliar, aparoquianar, pôr, meter, chantar (ant.), acomodar, instalar, arranchar, albergar, aposentar, dispor, depositar, estacionar, anichar, agasalhar, hospedar, alojar, abrigar. aldear, aquartelar, aboletar, acantonar, encorticar, aninhar, enfurnar, encovilar, enlapar, hospitalizar, implantar, fixar, prender, chumbar, pousar, enxertar, arraigar, inocular, criar, fundar, acampar, atendar, bivacar, ancorar, amarrar, atracar, fundear, deitar, acamar, empregar, carregar, habitar 186; colonizar, povoar;
lançar raízes/âncora; assentar-se, armar sua tenda, encadeirar-se, abancar-se, empoleirar-se, engrimpar-se, engrimponar-se, alcandorar-se, estabelecer seu quartel-general, aquartelar-se, escarrapachar-se, tomar/fincar pé, fazer toca, tomar quartel, fincar-se, alapar-se, pendurar-se, nidificar, aninhar-se, naturalizar-se, fazer-se natural, adotar outra pátria.
Adj. localizado, colocado & *v.*; assente, sito, situado, posto, empoleirado, alcandorado, comorante, adotivo, naturalizado; filho de, natural de, tarrantês de, procedente de.

▽ **185. Deslocação,** desalojamento, sacudidela, remoção, transposição, expulsão 297; exílio, banimento 893; mudança (*transferência*) 270; luxação.
V. deslocar, desalojar, afastar, relegar, desviar, sacudir, desacamar, desagasalhar, desabrigar, amover, remover, desinvernar, demover, exilar 893;
desanichar, desaquartelar, desaposentar, desacampar, desacoitar, desenfurnar, desencavernar, desencovilar, desencovar, desemboscar, desempalhar, desenlapar, desentocar, desencurralar, desentrincheirar, desencantoar, desencastelar, desacomodar, desenconchar, desninhar, desaninhar, desenvasilhar, pôr de parte, desintumescer, descongestionar, descarregar, desencher, esvaziar 297; transferir 270; vagar, partir 293; dispersar, arredar, des(arranchar & 184).
Adj. deslocado & *v.*; sem casa, sem lar, sem teto, vagabundo, errante, perdido, multívago, aciganado 264; foragido.

3º) Existência no espaço

△ **186. Presença,** existência, comparência, comparecência, comparecimento, assiduidade, conspecto, ocupação, posse, detenção, penetração, invasão, difusão (*dispersão*) 73, pervasividade; visita, estada, estadia, permanência;
ubiquação, ubiquidade, onipresença, onividência;
espectador;
testemunha visual, presencial, ocular 444.
V. estar (presente & *adj.*), existir em; responder à chamada, assistir, comparecer, honrar com o brilho de sua presença;
decorar, distinguir com o seu comparecimento; dar o(s) ar(es) de sua graça, frequentar, permanecer, achar-se, encontrar-se, apresentar-se, presenciar, visitar, jazer, ser visto;
povoar, habitar, ocupar, residir, morar, estanciar, estar, viver, ter a sua residência em, domiciliar-se, assistir em, coabitar, comorar, conviver, parar, acoitar, passear, hospedar-se, aninhar-se, implantar-se em 184; visitar amiúde, infestar, pervasivo;
encher, apinhar, transbordar, invadir, entupir, obstruir, penetrar, estar disseminado, estar difundido, espalhar-se, meter-se como piolho por costura;

respirar o mesmo ar que outrem, viver em comum, viver no mesmo ambiente, conviver com.
Adj. presente, assíduo, presencial, contemplador, ocular, visual, ocupante;
ubíquo, onipresente, onividente, povoado, populoso, habitado.
Adv. assiduamente, presencialmente, aqui, aí, cá, acolá, onde, em/por toda a parte 180; a bordo, em casa, em domicílio, no campo;
em presença, em face de; na presença, às abas, diante de, ante, perante, sob as vistas de, *in propria persona*, em pessoa, propriamente, na cara, em carne e osso, pessoalmente, de viva voz, braço a braço = de mão a mão, face a face, frente a frente, cara a cara, de frente, nas bochechas, de barba a barba, de presença a presença, rosto a rosto;
no rosto, no nariz de, nas fuças de; à vista de, à barba de.

▽ **187. Ausência,** inexistência, vaga, falta, afastamento, não comparecimento, absenteísmo, absentismo, inassiduidade;
vazio, vácuo, *vacuum*, vacuidade, vacatura, *tabula rasa*, hiato (*intervalo*) 198; separação, saudades 833; ermo, deserto, 893; interrupção 70;
ninguém, ninguém sobre a terra, pessoa alguma, nem uma vivalma, nenhum mortal, nem uma só pessoa, falta de *quorum*, nem um sequer.
V. ausentar-se, estar (ausente & *adj.*); estar faltando à, faltar, afastar-se, retirar-se, ir-se embora, abandonar, deixar, partir 293; conservar-se afastado, olhar de palanque, brilhar/primar pela ausência, vender-se caro; não responder à chamada, à revista; não comparecer;
vagar, vacar;
desabitar, despovoar, ermar, esvaziar.
Adj. ausente, faltoso, impontual, perdido, omisso, que não se encontra em parte alguma, inexistente, retraído, esquivo, vasqueiro, afastado, sumido;
vazio, vacante, vago, impreenchido, desocupado, desabitado, despovoado, inabitado, deserto, inóspito, ermo, inabitável, infrequentado, desfrequentado, solitário 893.
Adv. menos, *minus*, sem, em parte alguma, em qualquer outra parte, nem aqui nem lá, na falta de, pelas costas, por detrás, fora, à revelia, *in absentia*.

FRASES: Quem não aparece, esquece. Ausências causam esquecimento. Longe dos olhos, longe do coração.

△ **188. Habitante,** morador, alma, íncola, habitador, povoador, pessoa, ocupador, ocupante, posseiro, colono, colonizador, hóspede, residente, inquilino, locatário, arrendatário, agregado (bras.), vigia, rendeiro, quinteiro, fazendeiro, foreiro, usufrutuário, *locum tenens*, casaleiro, intruso, cidadão, ilhéu, ilhoa, insulano, islenho, citadino, urbanita, burguês;
paroquiano, munícipe, comarcão, provinciano, opidano, maladio (ant.), vassalo, labrego, campônio, agricultor, vação, serrano, rurígena, camponês;
(bras.): araruama, babaquara, bruaqueiro, caboré, caiçara, canguçu, capiau, capuava, casaca, casacudo, chapadeiro, corumbá, curau, groteiro, quasca, feca, mambira, mandi, mandioqueiro, manojuca, matuto, mixanga, mucufo, muxuango, mixuango, pioca, piraquara, queijeiro, restingueiro, roceiro, sertanejo, tabaréu, tapiocano; tapuio;
vilão, aldeão, saloio, rústico, cabaneiro, choupaneiro, natural, indígena, aborígine, autóctone, silvícola, selvagem;
imigrante, emigrado; nacional, ádvena, estrangeiro 57; áscios, anfíscios, heteróscios, antecos, antíscios, macróscios, períscios; europeu, asiático, americano, africano 431; guarnição, tripulação 269; população, povo 372;
terrícola, lunícola, selenita, marciano, extraterrestre, ET;
compatrício, compatriota, coestaduano, comprovinciano, patrício.
V. habitar 186; naturalizar-se 184; povoar, colonizar.
Adj. indígena, nativo, natal, autóctone, nacional, pátrio; doméstico, interno, reinol, reinícola, montanhês, montesino, montesinho, serril, serrano, levântico, levantino, urbanita, charnequeiro, sertanejo, matuto, montívago, transmontano, transrenano, transtagano, cisplatino, alentejano, reguengueiro, adventício = vindiço, domiciliado; alienígena.

▽ **189.** (Lugar de habitação) **Morada,** moradia, habitação, condomínio, residência, assento, sede, paradeiro, vivenda, mansão, tabernáculo, casa, apartamento, apê, bar-

190. Conteúdo | 190. Conteúdo

raco, cafofo, estância, habitáculo, pago(s), lar, endereço, domicílio, quartel, quartel-general, edifício, tetrastilo, castelo, palácio, palacete, arranha-céu, régia, paço, solar, alcácer, alcáçova, gineceu, pártenon, harém, anfitálamo, bordel 961; senzala, trono, arca;
pátria;
terra, berço, torrão natal, torrão nativo; ninho paterno, casa paterna, regaço da família, penates, natio, lar doméstico, *lares et penates, dulce domum*, larário, lares paternos, domicílio paterno, lareira, fogo, frouxel do lar, teto, imóvel, ninho, *nidus*, agasalho, retiro 191; subterrâneo, casamata, furna, *sanctum sanctorum*, abrigo, recinto;
bivaque, campo, acampamento, arraial, dormida, pousada, acantonamento, barraca, tenda, tendilha, tendola, tentório (*cobertura*) 232; trascâmara, câmara (*receptáculo*) 191;
fazenda, sítio, chácara, quinta, granja, *hacienda* (*propriedade*) 780;
choça, cabana, casitéu, tugúrio, choupana, quilombo, mocambo, arribana, quimbembe, malhada (de pastores), tijupá, tijupar, malha, palhoça, palhal, barga, toca, palhota, cubata, enramada, colmo, copé (bras.), cortiço, meia-água, rancho, pardieiro, ranchel, mansarda, água-furtada, trapeira, espelunca, corujeiro, coveiro, cafua, casebre, cadoz, casinhola, casinhota, casinhoto, pocilga, cochicholo, libata, jurão (bras.), rés do chão, *rez-de-chaussée*, andar térreo, sótão, sobrecâmara, celeiro, madrigueira;
chalé, bangalô, casa de campo = vila, prédio, propriedade, andurrial, eremitério, *rus in urbe*, rotunda, castro, castrejo, casão, pavilhão, hotel, pátio, sobreloja, perípolo, compartimento, cubículo, ventrecha, cubelo, quarto, quartinho, telheiro, copiar (bras.), copiara (bras.), alpendre, alpendrado, barracão, sobrado, *hangar*, talanqueira, sacada;
balcão, varanda;
povoação, povoado, lugarejo, localidade, arraial, aldeia, aduar, pago (bras.), terríolo, terrejola, corujeira (dep.), casalejo, casario, vila, vilar, vilarinho, vilela, vileta, vilota, vilório (dep.), taba, tabanca (África), cidade, capital, almedina, metrópole, corte, capital federal, província 181;

rua, viela, alameda, avenida, álea, bulevar, arruamento, galeria, boqueirão, artéria, beco, travessa, quebra-costas, caleja, ruela, quelha, congosta, angiporto, rossio, praça, largo, rotunda, bairro, bandel, judiaria, aljama, subúrbio, arredores, ourolo, eirado, sótea, saguão, vestíbulo, cárcere 752;
jardim, parque 371;
(casa de reunião): cenáculo, clube, cassino, hospedaria, caravançará, caravançaraí, estalagem, estau, hostal, hostau, hospedagem, albergue, albergaria, diversório, pousada, pousadeiro, pouso, tasca, chafarica, taverna 799; pensão, restaurante, casa de pasto, hotel, *buffet*, cantina, botequim = *estaminet*, bar, cervejaria, leiteria, logradouro, exido, passeadouro, passadouro, passeio, maninho; morada da divindade; latíbulo, tabernáculo, sacrário, santuário, Parnaso, templo (*de diversas religiões*); Olimpo, céu, firmamento;
(morada de animais): toca, lura, encame, malhada, antro, covil, viveiro, cova, cafua, cafurna, colmeia, canil, gatil, galinheiro, pombal, chiqueiro, alfeire, coelheira, madrigoa, madrigueira, madrilheira, cavalariça, estrebaria, cocheira, coxia, estábulo; corte de ovelhas, de bois; covão, coutada, cortiço, aprisco, redil, ovil, curral, presépio, arribana, ninhada, valhacouto, cadoz, lousa, buraco, termiteira, leoneira, caverna (*esconderijo*) 530.
Adj. urbano, metropolitano, suburbano, provincial, rural, citadino, rústico, doméstico, cosmopolita, orbícola, palacego, palaciano, apaçado, predial, caseiro, familiar, cubicular, habitacional.

190. Conteúdo, carga, pacotilha, carregação, carregamento, arrecova, enchimento, chumaço, recheio, carrego, carrada, carroçada, tisnada, taçada, cabazada, cabaçada, gamelada, garrafada, barrilada, tarrada, batelada, bateada, tachada, caldeirada, baciada, panelada, chapeirada, barcada, barcagem, baldada, miúdos 221; refil.
V. carregar, encher, acondicionar, acogular, atestar, entupir, amontoar, rechear, estufar, acolchoar, estofar, chumaçar, encanastrar, atulhar, entulhar, alforjar, encaixotar, embaular, emalar, ensacar, entaleigar, enfardar, enfardelar, embalar, embrulhar, empacar, empacotar, embarricar, embarrilar, embolsar, empalmar, embocetar, engarra-

far, embotijar, embotelhar, enfrascar, envasar, envasilhar, atufar, atuir, embornalar.
Adj. carregado, cheio, repleto, onusto, acondicionado & *v.*

191. Receptáculo, conceptáculo, receptor, receptador, recipiente, repositório, recebedor, colhedor, coletor, captador, colheiceiro (ant.), continente, contêiner, arca-d'água, reservatório, tanque; compartimento, alcova, cela, célula, câmara, antessala, antecâmara, aposento, quarto, camarinha, recâmara, beliche, camarim, camarote, escritório, vestíbulo, andar, sala, salão, hipostilo, locutório, parlatório, grade, galeria, gabinete, reservado, tinelo, cenáculo, refeitório, triclínio, sala de jantar;
lóculo, abada, ciste, bexiga, estábulo 370; concavidade 252; utrículo, estômago, crespina, bucho, bandulho (pop.), abomaso, inglúvias, papo, folhoso, moela, folho, barriga, rúmen, pança, abdômen, bojo, panturra, ventre, ventrículo;
claustro materno, seio, útero, madre, matriz, cofre, cacifo, cacifro, guarda-prata, burra, guarda-roupa, guarda-vestido, guarda-louças, rouparia, armário = escaparate;
prateleira, caixa, caixeta, caixão, caixote, gaveta, cheiradeira = boceta = exátula, estojo, funda;
invólucro, coldre, bainha, vagínula, sobrebainha, saco, sacola, sáculo, surrão, alforje, merendeira, marmita, carapetal, mântica, golpelha, bornal, embornal, porta-mantô, maleta, capeiro, cabide, mala, almafreixe, mochila, porta-manta, canastra, baú, canastrel, valise, barjuleta, mocó (bras.), posta, porta-colo, carteiro, cesto, cesta, cestinho, alcofa, samburá, corbelha, teiga, cofo (bras.), seira, seirão, cabaz, tanho, condessa, paneiro, poceiro (bras.), cabaneiro, balaio, giga; gamela = alguidar, barrenhão, pilhota, selha, amassadeira, masseirão, mácea, vaso, vasilha, lata, palangana, gomil = jarro, jarra, jarrão, louça, porcelana, faiança, tremonha, canoura, tabuleiro, bandeja, salva, açafate, escarradeira, cuspideira, maceta, escarrador, quimanga, bolso, algibeira = sacola;
(para objetos sagrados ou preciosos): cibório, gazofilácio, empelota, redoma, âmbula, artóforo, firmal, hostiário, píxide, relicário, encólpio, nômina, osculatório, sacrário, santuário, edícula, nicho, escrínio, cúneo, guarda-joias, guarda-prata, medalhário, medalheiro; cálice;
(para líquidos): pia, vaso, tacha, tacho, odre = cúleo, tina, tinote, tinalha, cuba, bacia, tonel, bota, chaguer, garrafa, garrafão, garrafinha, frasco, frasquinho, bécher, pipeta, proveta, cálpar (ant.), hídria, hidrião, ânfora, cântaro, alcarraza, moringue, bilha, botelha, botija, infusa, barnegal, balde, concha, igaçaba (bras.), tarro, tambatajá, cado, jarro, jarra, *decanter*, gomil, caldeira, pipo, pipa, pipote, borracha, ancoreta, cantil, conca, tigela, escudela, malga, cratera, picho, pichel, pichorra, *tazza*, taça, cápide (ant.), caneca, pincha = galheta, saleiro, salseiro, *épergne*, cabaça, cabaço, chiquel, cumbuca, ferrado, pote, talha, porrão, canjirão, boião, matraz, retorta, alambique, chaleira, copo, copázio, púcaro, acéter (ant.), cuia, xícara, chávena, licoreiro, panela, caçarola, caçoila, marmita, sertã = frigideira = caço, terrina, prato, travessa, pires, cadinho, crisol, bátega, bateia, bolinete, urinol, mijadeiro, mijarete, mictório, sumidouro, penico, cagarrão (chulo), cagatório (chulo), bispote, camareiro, comadre, vaso noturno, bacio, barrenhão.
V. captar, receber, receptar, coletar, pôr no seu bojo, angariar, ser o receptáculo de, servir de despejo, ter, conter, encerrar, guardar, abrigar, arrecadar, trazer.
Adj. receptacular, capsular, sacular, ventricular, saculiforme, utriforme, calciforme, vesicular, celular, locular, multilocular, coletador, receptor, ventral, abdominal, conchador, poligástrico.

Divisão II. DIMENSÕES

1º) Em geral

△ **192. Tamanho,** grandeza, enormidade, colossalidade, formato, magnitude, proporção, dimensão, extensão, volume, vulto, grossura, espessura, profundidade, largura, anchura, quantidade 31; espaço 180, amplidão, amplitude, vasteza, vastidão, estatura, corporatura, capacidade, porte, buco, tonelagem, arqueação, calibre, lotação, dilatação 194; corpulência, proceridade, corpanzil, fornimento, obesidade, enxúndia, gordura, nediez, papada, carnaça, carnosidade, ro-

193. Pequenez | 193. Pequenez

tundidade, robustez, robusteza, musculatura, musculosidade, monstruosidade, força 159;

gigante, titã, Anteu, Golias, Atlas, Gargântua, monstro, Ciclope, ogro, girafa, giratacachém, baleia, cachalote, cetáceo, golfinho, leviatã, elefante, mamute, hipopótamo, anta, tapir, touro, colosso, caravelão (burl.), mastodonte, Gog, garanjão (pop.), matulão, galalau, zangalho, zangalhão, zangaralhão, trangalhadanças, jangaz, machão, machacaz, trangola, grandalhão, granjola, granjolão, homenzarrão, granadeiro, façoila, bisarma, manipanço (*homem gordo*) 202; macho de liteira (chulo), brutamontes, tamanhão, filisteu, buzarate, buzaranho, besugo, homem de chapa, cara de abade, texugo, fradalhão;

matrona, mulherão, mulheraça, matronaça, virago, pandorga, pantufa, arganaz, latagão, montanha, muralha, monte, massa informe/mole;

Amazonas, Himalaia, oceano.

V. ser (grande & *adj.*); tornar-se grande (*dilatar-se*) 194; agigantar-se, avultar, engrandecer, crescer 35.

Adj. grande, grandíssimo, colossal, tamanho, alto, crescido, grandalhão, graúdo, gigante, ciclópico, imenso, titânico; volumoso, voluminoso, desproporcionado, disforme, vultoso, descomedido, mangaz, descomunal, bruto, considerável, monumental, monumentoso, mirabolante, macroscópico, de grande vulto, de enche-mão, luminoso, amplo, largo, espaçoso 180; ancho, poderoso, sobranceiro, grosso, harto, massudo, farto, nédio, nutrido, corpulento, végeto, sapudo, leitoado, anafado, robusto, atarracado, rechonchudo, redondo, bem comido, assoprado, cheio, forte 159; rolho, gordaço, gordanchudo, gordalhudo, roliço, obeso, rotundo, pesado, repolhudo, carirredondo, atoucinhado, pantafaçudo, reforçado, arredondado, socado, fornido de carnes, luzidio, bem-criado, enfornado, enxundioso, rijo, musculoso 159; carnoso, carnudo, membrudo, espadaúdo 159; tamanhão;

imenso, vasto, estupendo, maior da marca, descomunal 31; desmarcado, desmedido, monstruoso, enorme, agigantado, amazônico, astronômico, gigantesco, mastodôntico, sesquipedal, ciclópico, gargantuano, túmido 194.

Adv. grandemente & *adj.*; em grande, em ponto grande.

▽ **193. Pequenez,** pequenineza, baixeza, raquitismo, nanismo, intatibilidade, intangibilidade, acanhamento, brevidade, pouquidão 32; insignificância, parvidade, epítome, microcosmo, rudimento, estreiteza 203; tira, faixa, nesga, retalho, orla;

anão, burrão, pigmeu, pigmeia, coteto, cucufate, micrômegas, figurilha, caboré, cotó, pilrete, liliputiano, fantoche, manequim, homúnculo, marca de Judas, bilro, porrão, pitorra, sapudo, trolho, batoque, homenzinho, catatau, baixote, nanico, tarraco, pote (burl.), pipa, repolho, richarte, criança, garoto, duende, caçapo, parrudo, negalho, ferricoque, dorna, tarracho;

animálculo, mônadas, mônades, monera, ameba, micróbio, inseto, formiga, mosca, mosquito, melga, pulga, carrapato, verme, briozoários, protozoários, microzoários, radiolários, entozoários, infusórios, gusano, protista, tavão, borboleta, bactéria, crisálida, gorgulho, garrano, rato, pevide, caroço, semente, glóbulo, pitada (*pequena quantidade*) 32;

ponto, pingo, molécula, átomo, pisca, fragmento, grãozinho, estilha, resquício (*pedaço*) 51; pó 330;

ponto geométrico, mícron, botão, cabeça de alfinete (*coisa sem importância*) 643;

micrografia, micrologia, micrometria, microscopia, microscópio, micrômetro, vernier, nônio.

V. apequenar-se, ser (pequeno & *adj.*); miniaturar, minificar, minimizar, microminiaturizar;

caber numa casca de noz/na algibeira do colete, não caber na cova de um dente, não chegar à craveira;

tornar-se (pequeno & *adj.*); encolher, diminuir 36; contrair-se 195;

sofrer de nanismo/de nanocormia/de nanomelia; acocorar-se, agachar-se, achaparrar-se, desmedrar-se, enfezar-se, tornar (pequeno & *adj.*); ananicar, atrofiar.

Adj. pequeno, pequenino, ínfimo, tamanhinho, *mignon*, parvo, limitado, restrito (*pouco*) 32; maneiro, manual, portátil, miúdo, abonecado, diminuto = manino, tênue, diminutivo, pequeníssimo, minúsculo, microbiano, irrisório, apequenado, nanico, napeva, ananicado, aparrado, baixote, richarte,

de baixa estatura, arrepolhado, achaparrado, chichimeco, fraco, mesquinho, de ordem inferior (*não importante*) 643; mínimo, atrofiado, ressequido, mirrado, esmirrado, enfezado, entanguido, definhado, mangrado, raquítico, acanhado, liliputiano, de algibeira, agachado, acocorado, de cócoras, baixo, curto 201; semipedal, anãzado, inextenso; impalpável, intangível, intátil, imperceptível = indepreensível, invisível, inestendível, inapreciável, infinitesimal, homeopático, atômico, corpuscular, molecular, rudimentar, embrionário, embriônico, microscópico, miliar, perdidiço, milimétrico, estreito, minguado, magro 203; granular 330; contraído 195;
(*zinho*, sufixo designativo de pequenez).

△ **194. Dilatação,** dilatabilidade, expansibilidade, expansão, alargamento, alargação, alongamento, aumento, engrandecimento, incremento, crescimento, crescença, desenvolvimento, extensão, amplificação, ampliação, tumefação, inchação, inflação, pandiculação, medrança, magnificação, medra, pululância, germinação, inchamento, levedação, turgidez, turgescência, tumidez, intumescimento, obesidade;
hidropisia, ascite, edema, hipertrofia, diástole, cirrose, telangectasia, distensão, timpanite, meteorismo, timpanismo, aneurisma, tumor (*convexidade*) 250.
V. dilatar(-se), tornar-se mais (dilatado & *adj.*); alargar(-se), alastrar(-se), difundir(-se), espraiar(-se), expandir(-se), ampliar(-se), esticar(-se), estender(-se), distender(-se);
desenvolver(-se), gradar(-se), gradecer, aumentar, entroncar(-se), entronquecer(-se), disferir, engrossar, aumentar de volume, avolumar(-se), encorpar(-se), entouçar(-se), entouceirar(-se), afofar(-se), levantar(-se), levedar, inchar, tornar pando, entumescer, intumescer, tufar(-se), bojar, enfunar(-se), empandeirar(-se), empandinar(-se), entufar(-se), atufar(-se), arrepolhar(-se); tumefazer(-se), tumeficar(-se), inflar(-se), tumescer(-se), amontanhar(-se), crescer, engrandecer(-se), magnificar(-se), agigantar(-se), ensanchar(-se), excrescer, engordar, criar moleja, saginar, tomar carne, cevar(-se), criar corpulência, timpanzinar(-se), empanzinar(-se);
ganhar terreno, propagar-se, empanturrar(-se), desmesurar(-se), desencolher, empolar(-se), empantufar-se, turgescer(-se), hipertrofiar(-se), edemaciar(-se), abalofar(-se), empapuçar(-se), atulhar(-se), assoprar, rechear(-se).
Adj. dilatado & *v.*; cheio, inflado, avolumado, balofo, fofo, enfunado, pando, bojudo, inflado (*convexo*) 250; tufoso, fraldoso, grosso, tumoroso, inchado, intumescido, túmido, tumefacto, tumente, expansivo, repolhudo, sapudo, nédio = rebolado = rolho, intumescente, túrgido, turgescente, hipertrofiado, hidrópico, pançudo, barrigudo, edemático, edematoso, aneurismático (*convexo*) 250;
inflatório, magnificatório.
Adv. dilatadamente & *adj.*

▽ **195. Contração,** contratura, contraimento, retração, compactação, diminuição de volume, miniaturização, redução, arctação, coarctação, diminuição, decremento, decrescimento, encolhimento, retraimento, constrição, emaciação, emagrecimento, definhamento, consunção, detumescência, desinchação, desengrosso;
atrofia, sístole, condensação, estritura, compressão, compêndio 596; compacidade, densidade, contratilidade, compressibilidade, retratilidade, adstrição, adstringência, aperto.
V. tornar pequeno/mais pequeno & *adj.*; compactar, miniaturizar, desmedrar, desenfunar, diminuir, acanhar, atrofiar, enfezar, decrescer, atenuar, reduzir(-se), crispar, contrair, arctar, encurtar, estreitar, afinar, condensar, retrair, minimizar, engerir-se, murchar, enrugar-se, mirrar, esmirrar, estiolar, definhar, emurchecer-se, emagrecer, perder carnes, minguar, minorar, gastar, vazar (a maré), decair (*deteriorar*) 659;
adelgaçar, chanfrar, franzir, amarrotar, desinflamar, desengordar, desintumescer, desempapuçar, desengraçar, afinar, encolher-se, enconchar-se, constringir, apertar, coarctar, achatar, amolgar, prensar, cintar, espremer, aparar, comprimir, calcar, desgastar, raspar, rasar, rapar, limar, polir, desbastar, podar, falquear, barbear, tosquiar, pelar, desfolhar, debulhar.
Adj. contrátil, contrativo, condensado, compacto, constringente, constritivo, retrátil, retrativo, adstringente, adstritivo, adstringivo, apertador, hético, mirrado,

196. Distância | 198. Intervalo

murcho, magro, desinchado & *v.*; enfezado, achaparrado, estiolado, maciço, apertado, sistólico, sistolar.
Adv. contratilmente & *adj.*; apertado como sardinha em lata, à cunha.

△ **196. Distância,** extensão, espaço, afastamento, lonjura, desconvizinhança, elongação, afélio, digressão, apogeu, paralaxe, *ultima Thule, nec plus ultra*, légua da Póvoa, légua de beiço (bras.), estirão, faroeste;
extremo oriente, extremo ocidente, extremo norte, extremo sul;
confins, confins da terra; universo em expansão;
cabo, fim do mundo; calcanhar do mundo, cafundó, cafundó de Judas, calcanhar de Judas, caixa-pregos, onde o diabo perdeu as botas, sítio afastado = remonte = rincão.
V. distar, distanciar-se, estar distante, estar a muitas horas de;
sumir-se, azular no horizonte; estender-se até;
conservar-se afastado/a distância; estar fora do alcance de, estar no fim do mundo, estar em outro hemisfério;
afastar-se, desaproximar-se, ir-se alongando, apartar-se, ir-se perdendo de vista, desavistar-se, perder de vista.
Adj. distante, distanciado, longínquo, ábdito, apartado, remoto, afastado, perdido, sumido, semoto, remontado, retirado, desconvizinho, fugiente = que se vai perdendo de vista, alongado, alto, telescópico, vasto;
ultramontano, transmontano, transtagano, ultramarino, transoceânico, transfretano, transmarino, transatlântico, transcontinental, transamazônico, transplatino, hiperbóreo, antipodal, antipodiano, antipódico, inacesso (poét.), espacial, inacessível, inatingível, inalcançável, inabordável, inaproximável, invisível, nebuloso, nevoente, azulado, estranho, alheio a, paralático;
aquele, aqueloutro.
Adv. afastadamente e *adj.*; além, muito além, longe, lá mais adiante, desamão, a perder de vista, à légua, d'além-mar, de ultramar, acolá, lá fora, fora de mão, de largo, ao largo, longe de, a grande distância de, de longe, à parte, de polo a polo, de norte a sul 180; até.

▽ **197. Proximidade,** propinquidade, confinidade, mão-tenente, vizinhança, vizindário, adjacências, contiguidade 199, entorno; periélio, perigeu;
vizinhanças, redondezas, arredores, abas, porta, subúrbio, *environs*, *alentours*, circunvizinhança, fronteira, orla, cercania 227; logradouro, espectador, vizinho.
V. aproximar(-se), estar perto, estar às portas, aldravar à porta, bater à porta, circunvizinhar-se, convizinhar-se, abeirar-se, estar/ficar a poucos passos de, ficar de grito (bras.), estar ao alcance de, abordar, já sentir o cheiro de;
já ouvir, já pisar o calcanhar de;
trazer para perto 286; convergir 290; colocar/pôr/estar nas proximidades de.
Adj. próximo, achegado rente = cerção, vizinho, propínquo, pervinco, contíguo 199; adjacente, avistável, lindeiro, pegado, chegado, circunjacente;
cisalpino, cisplatino, cismontano, cispadano, cisgangético, cisamazônico.
Adv. proximamente & *adj.*; perto, junto a, a pouca distância de, ao pé, ao sopé, de perto, ao perto, à mão de semear, a par de, ao lado de, à mão, ao alcance de, ao rés de, rés-rés com, à queima-roupa, à queima-bucha, a poucos passos de, à mão-tenente, à mão--tente, à beira de, ao redor de, arredor, não longe de, a talho de, à parte de, a poucos passos de, lado a lado, tête-à-tête, de cara a cara (presença) 186;
em redondo, em circuito, em torno, em volta, em toda a área adjacente, ao redor, em redor, de redor, ao longo de, rente com, rente, rente a, na ponta da língua, aos pés de, no limiar de, cerca de, obra de, em companhia de, à volta de, pela volta de, aquém de, aqui, do lado de cá, para cá de.

△ **198. Intervalo,** trecho, interrupção, espaço, falha, vão, fenda, entremeio, descontinuidade, solução de continuidade, cesura, corte, separação 44;
fendimento, forâmen, micrópila, abertura 260; comissura, metátomo, metamomo, orifício, célula, racha, gretadura, *crevasse*, greta, fisga = fenda, rasgão, fresta, frincha, fissura, brecha, rachadura, resquício, rima, rombo, lucanário, aberta, lacuna, espaçamento, hiato, entrada, ádito, passe, vácuo, nicho, entresseio, abismo, precipício, báratro, pego, pélago, voragem,

199. Contiguidade | 200. Comprimento

sorvedouro, despenhadeiro, desfiladeiro = portela;
entrepausa, pausa, interregno, interlúdio, interstício, interlúnio, diáfise, malha, recorte, entrecoberta, goela, colada, colo = desfiladeiro, garganta, comba, apertada, passo, passagem, fosso, golfo, enseada 343; estreito 343; sulco 259; parêntese (*interjacência*) 228; deficiência 53; entrecana, desvão.
V. intervalar, interromper, abrir de par em par, espaçar, entrelinhar, entremear, entreabrir, escancarar, romper-se, bocejar, oscitar, abrir de lés a lés, espacejar, afastar, recortar, falhar, abrir de meio a meio, talhar, rasgar, ranchar, fender, gretar 260; fendilhar, separar.
Adj. intervalado, interrupto, hiante, escancarado & *v.*; abissal, abismal, enfrestado, gretado, aberto 260; rimoso, lacunar, lacunoso, entreaberto, fendido = hiulco (poét.), espaçado.
Adv. intervaladamente & *adj.*; (*descontinuamente*) 70; de longe em longe, de distância em distância, a espaços, aqui e acolá.

▽ **199. Contiguidade,** contato, confinidade, beira, proximidade, vizinhança, vicinalidade, vizindário, justaposição, imediação, propinquidade, entorno, toque, raia, fronteira, limite 233; contérmino, aposição, preposição, sobreposição;
osculação, beijo, ósculo, lambedela, lambedura, encontro, *rencontre*, choque, embate, recontro, chegança, chegamento, aconchego, conjunção, primeira sizígia, coincidência, coabitação, coexistência, aderência 46; limitação, confinação, circunvizinhança; confrontação, tangente, tangência, parede e meia, adjacência.
V. ser/estar contíguo & *adj.*; ser vizinho, vizinhar, avizinhar-se, ser vizinho parede e meia com, confrontar, confinar, limitar-se com, comarcar, entestar;
tocar, roçar, roçagar, raspar, tocar de raspão, lamber, banhar, rasar, tangenciar, oscular, beijar, encontrar-se com, morar ao pé da porta, morar porta com porta, coexistir, coabitar, aderir 46; marchar com, emparelhar-se com, acotovelar-se com, desflorar (gal.), perpassar, encostar-se, descansar, repousar em, coser-se com, confundir-se com, prolongar-se com;
tornar (contíguo & *adj.*); apor, prepor, justapor, superpor, pôr em contato, encravar.

Adj. contíguo, anexo = místico, vicinal, adjunto, junto, unido, agarrado, apegado, pegado, colado, grudado, aderente, pervinco, próximo, propínquo, tangente, limítrofe, lindeiro, comarcão (ant.), contérmino, finítimo = confinante, fronteiriço, convizinho, confim, (*vizinho*) 197;
adjacente, circum-adjacente, circunvizinho, circunraiano, circunjacente;
osculador, osculatório, rente, cérceo, acaroado, chegado cara a cara, posto em frente, posto em contato, que chega até, que toca em, que vai morrer em, apertado como sardinha em lata.
Adv. contiguamente & *adj.*; corpo a corpo, ombro a ombro, de mãos dadas, perto de 197, lado a lado.

2º) Lineal

△ **200. Comprimento,** compridão, compridez, vastidão, desenvolvimento, longueza (desus.), longura, longitude, dimensão longitudinal, extensão, distância, percurso, tamanho, sesquipedalidade;
linha, barra, régua, listra, lista, listão, raio, diâmetro, cota, ordenada, corda, corredor, ladra = gulosa = cambo, garavato, vara, pértiga, varapau;
alongamento, prolongamento, protraimento, tensão, extensão, estirão, estirada, esticada, lineamento, traço;
(medidas de comprimento): linha, polegada = úncia, palmo, braça, braçada, vara, jarda, milha, metro, centímetro, milímetro, mícron, quilômetro, passo, légua, pé, côvado, estádio (ant.);
(instrumentos para medir distâncias): telépodo, longípodo, dromômetro, hodômetro, taxímetro, celerímetro, estádia, escala (*medida*) 466, teodolito;
hodometria, longimetria.
V. ser (longo & *adj.*); ter muita extensão, alongar-se, espraiar-se, estender-se, desenrolar-se, desenvolver-se, encompridar-se, devolver-se, desenovelar-se, desenrodilhar-se, dar de si, desdobrar-se, rabejar, roçagar;
tornar (comprido & *adj.*); acompridar, encompridar, alongar, estender, descompassar, estirar, esticar, atesar, entesar, retesar, espichar, prolongar, dilatar, protrair, repuxar, puxar, desencolher, interjaçar.
Adj. longo, longueiro, comprido, extenso, longitudinal, compridaço, esguio, grande,

colossal, alongado & *v.*; teso, tenso, estendido, oblongo, oval, de beiço (légua); de palmo e meio, de língua e meia, sesquipedal 577;
interminável, intérmino, hirto, sem-fim, infindo, semipedal, teso e reteso, quilométrico;
prolixo, difuso, profuso 573.
Adv. longamente & *adj.*; no sentido do comprimento, no sentido longitudinal, ao comprido, de comprido, em comprido, em linha reta, tandem, em perspectiva, de ponta a ponta, de lés a lés, ao longo de, de norte a sul, por toda a extensão longitudinal, de longo a longo, de popa à proa, da cabeça aos pés, da coroa da cabeça à sola dos pés, do Amazonas ao Prata, de alto a baixo, do princípio ao fim.

▽ **201. Encurtamento,** curteza, brevidade, pequenez;
encurtamento, diminuição, corte, cesura, apara, poda, abreviação, abreviamento, abreviatura, resumo, escorço, tosquia, tosquiadela, cerceio, excisão, amputação, castração, mutilação, coarctação, cerceadura, contração 195; atalho;
elisão, síncope, aférese, apócope, sinalefa, crase, sinérese, ectlipse, elipse, concisão 572.
V. ser (curto & *adj.*); distinguir-se pela sua pequena dimensão;
tornar (curto & *adj.*); encurtar, minguar, diminuir, agorentar, atalhar, coangustar = restringir, limitar, estreitar, cortar, coarctar, cercear, reduzir, circunscrever, destroncar, estropiar, mutilar, decepar, podar, mochar, troncar, achatar;
resumir, abreviar, comprimir, *contrair* 195; epitomar, compendiar 596; somar, economizar, interromper, desmochar, desmembrar, excisar, amputar = esnocar, aparar, pelar, descascar, tosquiar, decotar, descaudar, desorelhar, deslinguar, desnarigar, descabeçar, derrabar, francear, desenramar, esgalhar, desgalhar, desbastar, desramar, cortar cerce, retanchar, desfilhar, podar, chapodar, ceifar, foiçar, roçar, segar, truncar, tronchar, barbear, omitir, suprimir, atrofiar, impedir o crescimento de, escorçar, fazer escorço, solinhar, sincopar, apocopar, elidir, castrar.
Adj. curto, rente, cérceo, escasso, minguado & *v.*; breve, abreviado, reduzido, restrito, compacto, compendioso, sucinto, maciço, basto, redondo;
derrabado, descaudado, descaudato, tourino, malcastrado, chato, agachado, raquítico, sincopado, interciso.

△ **202. Largura,** largueza, anchura, latitude, amplitude, envergadura, diâmetro, calibre, raio; extensão superficial, transversal; espessura, crassice, crassidão, crassidade, corpulência 192; corpanzil;
(homem gordo): richarte, sapo, saco, pesadão, manipanço, masseirão, pipa, pitorra, texugo, tortulho, sapudo, trambolho, urca.
V. alargar(-se), ser (largo & *adj.*), estender (-se).
Adj. largo, lato, grande, ancho, espaçoso, vasto, amplo, largueirão, desafogado, campeiro (pop.), imarginado, extenso, extensivo, latitudinário, frouxo, folgado, grosso, mangaz, largo como o estuário do Amazonas.
Adv. largamente & *adj.*

▽ **203. Estreiteza,** estreitura, aperto, apertura, tenuidade, exiguidade, angústia, pequenez, adelgaçamento, afinamento, atresia, estenose, delgadeza, linha, risca, veia, listra, tira, hastim (reg.);
coirela, corredor, garganta, desfiladeiro;
fineza, finura, pelhanca, badana, pelharancas, pelanga, muxiba, pelangana, debilidade, delicadeza de compleição, magreza, macilência, esqueleto, esqualidez, sombra, fantasma, magrizela, pelém (reg.), chochinha, choninha, alfenim, mirra, múmia, gafanhoto, madrigaz, pau de vassoura, varapau, palito, trinca-espinha, cadáver ambulante, carga de ossos (bras.), figo passado, carapau, verdizela, lagartixa, espinha, mananguera (bras.), carcaça, espinafre, trangola, caveira; sanco, pernil, contração 195; pescoço, cerviz, colo, cinta, cintura, petrina, istmo, estreito, canal, mancha, passo, funil, fosso 198;
angustura, afunilamento, gargalo, coarctação, aperto, estreitamento, afilamento 205.
V. estreitar(-se), ser (estreito & *adj.*); afinar-se, afunilar-se, adelgaçar-se, tomar a forma cônica;
tornar (estreito & *adj.*); estreitar, comprimir, apertar, premer, atarracar, acanhar, afilar, afusar, desengrossar, afunilar, engarrafar, estrangular, entalar, aflautar, mirrar,

Adj. estreito, fino, delgado, apertado, entrasgado, entalado, angusto, mimoso, tênue, afilado, grácil, capilar, esguio, assobiado (reg.), pontiagudo, filiforme, bicudo, cerviculado;
magro, estítico, chupado, amoxamado, franzino, esquelético, seco, chué, acrídio, falto de tecido adiposo, magrete, mananguera (bras.), delicado, sumido, magrote, mirrado, aflautado, subalimentado, malcomido, malcriado (p. us.), amumiado, encovado, descarnado, reduzido à última expressão, macilento, esquálido, desfeito, rabisseco, caveiroso, esgalgado, chacinado, esgaivotado, desnalgado, entrezilhado, vaporoso, faminto, esfomeado, esfaimado, macerado, emaciado, esburgado;
chuchado das carochas/das bruxas; esgrouviado, encolhido, tábido, de carnes escassas, de poucas carnes, escanifrado, escanelado, pernilongo, galgaz.
Adv. estreitamente & *adj.*

△ **204. Camada,** mão, demão, capa, crosta, revestimento, zona, estrato, *substratum*, substrato, andar;
tijolo, ladrilho, laje, lájea, placa, lata, chapa, epóxi, obreia, hóstia, folículo, lâmina, laminado, tabla, lamela, esquírola, tábua, talhão, pastilha, ripa, fasquia, sarrafo, boana, prancha, pranchão, mica, escama, folha, folheta;
lençol, toalha, floco, folheca, folheado, solho, solhado, soalho, assoalho, soalhado, casca, pele, película, insufilme, folhelho, membrana, lasca, retalho, apara, cepilhadura, invólucro 223; xisto, ardósia, estratificação, lamelação, laminação, laminagem, esfoliação, reboco 223;
V. estratificar, cortar em lâminas, laminar, tornar em lâminas, chapear, lamelar, revestir de chapa, folhear, folhetear, acamar, encamar, dispor em camadas, rebocar 223; soalhar, assoalhar, fasquiar.
Adj. estratificado, laminado & *v.*; laminoso, laminar, lamelar, lameloso, lameliforme, laminífero, micáceo, folheado, folheteado, folhento, folhoso, folhudo, escamado, escamoso, escamígero, escamento, tabular, xistoso.

▽ **205. Filamento,** filaça, febra/fevra/févera, fibra, tomento, fíbula, fibrilha, fibrinhas, febrazinhas, capilamento, cordão umbilical 45; veia, repas, cabelo, estame, estamínula, *cilium*, cílio, pestana, celha, sobrancelha, sobrecenho, gavinha, filandras, cairo;
arame, corda, hípata, cordão, trama, fio, fialho, linha, linhol, estambre, fiado, barbante, guita, fio de Escócia, fita, galão, passamanes, merlim, mialhar, torçal, fitilha, mastro, cadarço, barbilho, cairel, fiadilho, calabre, camelo, maroma, cânhamo, estopa, justa;
faixa, banda, tira, retalho, fasquia, pragana, astrágalo, filete, grelo.
V. estaminar, acordoar, fazer em tiras, estilhar, estilhaçar, fiar, lascar, desfiar, desfibrar, estambrar.
Adj. filamentoso, filamentar, filiforme, flageliforme, estopento, fibrino, fibrilífero, capilar, capiláceo, capiliforme, funífero, funiforme, tricoide, fibroso, fibroide, pestanudo, trilice.

△ **206. Altura,** alteza, altitude, alto, elevação, eminência, protuberância, supereminência, pujança, proceridade, proeminência, estatura, celsitude, magnitude, sublimidade, excelsitude;
desnível, colosso 192; planura, rechã, planalto, platô, araxá (bras.), meseta, espigão, espinhaço, serra, serrania, cordilheira, trono, coxilha (bras.), montanha, monte, contraforte, morro, colina, mamilo, outeiro, cerro, montículo, montijo, cole, tufo;
pedranceira, penela, corcovo, emposta de terra, salto, lomba, penha, mamelão, outeirinho, padrasto, cabo, promontório, farelhão, penhasco, barroco, barroca, barrocal, cabril, alcantil, alcantilada;
Himalaia, Andes, Alpes, Itatiaia, Pireneus, Pão de Açúcar, Corcovado, morraria, neves perpétuas, rochedo, fraga, pico, píncaro, topo, cume 210; escarpa, lombada, cadeia de rochedos, penhascal;
torre, albarrã, pilar, coluna, estátua, torso, obelisco, monumento, palmeira, arranha-céu, sobrado = tabuado, flecha, agulha, observatório, minarete, zigurate, almádena, *campanile*, campanário, belvedere, miradouro, miramar, mirador, mirante, torreão, torrinha, ameia, tombadilho, zimbório, coruchéu, cimalha, cornija, padieira, verga (de janela), cós (de vestido), varapau;

mastaréu, mastro, epídromo (ant.), mastro real, mastro grande, mastro real do traquete;
mastro real da gata ou da mezena, mastro do gurupés/composto/de cocanha = pau de sebo (bras.), gávea, vela-maria, poleiro, alcândora;
baobá = adansônia, jequitibá, carvalho, roble, homem alto 192; amurada = vibordo, entablamento, friso, arquitrave, maré cheia, preamar = esto, nascente, cabeceira; oreografia, orografia, orologia, orognosia, sistema orográfico, ponto culminante 210; tontura, vertigem.
V. altear(-se), ser (alto & *adj.*); ameaçar o céu, ir-se às nuvens, desafiar as nuvens, tocar o azul, beijar o céu;
torrear, torrejar, elevar-se, topetar, erguer--se, levantar-se, alcantilar-se, estar sobranceiro, sobrancear, dominar, tremular, voar muito alto, adejar, remar, esvoaçar, pairar, remontar o voo, sublimar, sobressair, suspender-se, pender sobre, estar eminente a, ficar a cavaleiro, sobrepujar, sobrelevar, ultrapassar (*superioridade*) 33;
subir, cavalgar, culminar, içar, alar, augir, erigir, hastear, destacar-se, dominar pela altura, assoberbar, sobrar, ficar mais alto que, estar proeminente, ascender 305; empoleirar-se, assomar-se, engrimpar-se, encarapitar-se, embarrar-se = encumear--se, alcandorar-se, encomoroçar-se; empinar, grimpar;
andar, estar nos bicos dos pés; sobrenadar, guindar, tornar mais alto, sobradar, ensobradar, assobradar, desnivelar, levantar.
Adj. alto, celso, excelso, preexcelso, sublime, augusto, sublimado, prócero, altívago, picoso, morrudo, enfesto, supino, etéreo, elevado 307; acroceráunio, sobrecabado (p. us.); sumo;
levantado, levantadiço, gigantesco, altaneiro, altívolo, patagão, patagônio, remontado, grandalhão, alto como um varapau, crescido, grande;
torreado, torreante, suspenso, pendente, soberbo, planáltico, septicole, montês, montesino, montesinho, montano, montanhês, montaraz, montanhesco, colinoso, acidentado, penhascoso, montanhoso, alpino, alpestre, nubívago, espigado (*gigantesco*) 192;
proeminente, eminente, acoruchado, intransponível, ingalgável, inatingível, inaborável, invencível, sobreposto, assobradado, supereminente, imponente, majestoso, altivo, caligante = vertiginoso, alteroso, esguio, cimeiro, sobrejacente, pujante, nevado, nevoento, nevoso, obeliscal, monumentoso, monumental, altícomo, alticolúnio, que se eleva acima do último remígio de asa;
oreográfico, orográfico, orológico, orogênico.
Adv. altamente & *adj.*; para cima, sobre, na parte superior, num nível elevado, em cima, em lugar superior, a cavaleiro, às cavaleiras, às cavalitas, às cavalinhas, a montante, acima, suso (desus.), sôbolo, sôbola (ant.), por cima de, arriba, de cima, do alto, do céu.

▽ **207. Baixeza,** baixeira, baixura, baixada, abatimento, prega = depressão 252; caldeira, horizontalidade 213; primeiro degrau, rebato, soleira, planta, sola, pavimento térreo, cava, *rez-de-chaussée*, rés do chão, porão, querena, pés, raiz, planta dos pés, soleta, palmilha, calcanhar, rodapisa, base 211; rodapé, pó, poeira, pé, talvegue = caneiro, peanho, nível do mar, nível oceânico, baixa-mar, vazante, refluxo minguante da maré, jusante, nadir.
V. ser (baixo & *adj.*); rastear, rastejar, estar estendido no chão, prostrar, prosternar, acachapar, agachar-se, abaixar-se, acocorar--se, açaçapar-se, alavercar-se, alapar-se, alapardar-se, ficar aos pés de, jazer, jazer sob, gemer sob o peso de, aguentar, suportar a pressão de, deprimir 308; baixar, arrastar--se, beijar os pés.
Adj. baixo, raso, rasteiro, rastejante, inferior, agachado, encolhido, alapado, acaçapado, acachapado, prostrado, térreo, terreiro, rente, cerce, cérceo, resvés (pop.), rasante com o chão, subjacente, horizontal 213; súcubo = que se põe por baixo.
Adv. rasteiramente & *adj.*; debaixo, abaixo de, sob, ao pé de, por baixo de, ao abrigo de, à sombra de, ao socairo de, infra, a jusante, rente, pela raiz, pelo pé, ao rés do chão.

△ **208. Profundidade,** profundas, profundez, profundeza, profundura, fundo, fundura, depressão 252; abisso, insondabilidade; voragem, mergulho, pego, pélago, perau, abismo 198; precipício, despenhadeiro, itambé, fosso, cova, buraco, fojo, cratera, poço, cisterna, algibe, entranhas da terra, oceano,

talvegue = caneiro, madre, leito, massame, sonda, sondagem.
V. aprofundar(-se), ser (profundo & *adj.*); ir fundo, ter muito fundo, perder pé, não ter pé, achar sonda de tantas braças, abismar, fundar, profundar, refundar, afundar, cavoucar, cavar, escavar, sondar, fazer sondagem, afundir, submergir 310; desfundar, calar (navio).
Adj. profundo, fundo, covo, cavo, sepultado, submerso, subaquático, submarino, subtérreo, subterrâneo, insondado, insondável, impenetrável, inatingível, inacessível, invadeável, abismal, abissal, hiante, hiulco, crateriforme, côncavo.
Adv. profundamente & *adj.*; bem dentro, no âmago de, nas entranhas de, no fundo, nas profundas de, interiormente 221.

▽ **209.** (Pouca profundidade) **Vau,** rasura, esguazo, parcel, banco de areia, baixio, vaus cegos, jacentes, arranhadura, arranhão, sulco, raspagem, raspança, raspadura, raspão, rasteiro.
V. vadear, tomar pé, dar pé, ter pé, ser raso, esguazar;
arranhar, escalavrar, agatanhar, arrebunhar, raspar, rasar, tangenciar, nivelar, escoriar, esfolar, escarvar, exulcerar.
Adj. raso, superficial, joelheiro, sondável, perscrutável, penetrável, vadeoso, vadeável, improfundo, endérmico.
Adv. rasamente & *adj.*; à flor-d'água, na epiderme, à flor da terra.

△ **210. Cume,** proeminência, preeminência, culminância, supereminência, sumidade, zingamocho, sumo grau, suprassumo, *supra-summum*, requinte, cúmulo, remate, auge, apogeu, acme;
nec plus ultra, galarim, fastígio, culminação, acume, zênite, zina, pino, pináculo, cimo, ápice, agulha, viso, assomada, vértice, coroa, meridiano, grimpa, teso, crista, picada, tope, topo, píncaro, coruta, coruto, picaroto, enfesta, alcantil, socalco, ponto culminante, extremidade superior, lombada, pico, picoto, último degrau;
espinhaço, linha de cumeada, cumeada, cumeeira, pau de fileira;
altura, elevação, máximo, ponta, bico, clímax, polo, ombros dos montes, extremidade, sumidade, mirante, frança, fim 67; leira, leiva, moleira, cabeça, cabeço, cocuruto, sincipúcio, carrapito, copa, anticlinal;
coruchéu = zimbório, cúpula, domo, abóbada, capitel, friso, frontão, zoóforo, cimácio, cimalha, sótão, água-furtada;
de água: lume, superfície, tona;
de árvore: cabeça, coma, copa, fronde, ramada, franças;
de bastão: castão;
de cruz: braços, trava, travessa;
de coluna: capitel;
de escada: patamar, alto;
de foguete: cabeça, capitel;
de garrafa: boca, bocal, gargalo;
de janela: padieira, verga;
de porta: padieira, verga;
de sino: cabeça, porca;
de saia ou calça: cós;
atalaia, coberta, convés, duneta, tope da gávea, vela-maria, vela do joanete.
V. culminar, colmar, topetar = tocar o ponto mais alto, grimpar = ir ao cume, encumear (altura) 206; coroar, toucar, rematar, encimar, assomar, embarrar-se, chegar ao meridiano, augir, empinar = levantar ao cume, sobrepujar 33; empicotar.
Adj. altíssimo, alto 206; apical, supereminente, súpero, superior 33; sobre-eminente, sumo, superno, supernal, culminante = cuminal, supremo, meridiano, zenital, principal, Apício, sincipital, capital, capitato.
Adv. altissimamente & *adj.*; a pino, no zênite, no meridiano.

▽ **211. Base,** alicerce, fundo, fundamento, pedra angular, lastro, apoio, assento, embasamento (*de coluna*), encaixe, plinto, mísula, soco, pedestal, represa = peanha, chapim, acropódio (*suporte*) 215;
substrutura, *substratum*, supedâneo, estrado = taburno, bocel, toro, chão, solo, piso = pavimento, berma, sapata, repisa, cabouco, tapete, rés do chão, tabulado, soalho, porão, nadir, pé, planta;
chanca, pata, sola, soleta, tornozelo, apófise, basificação, radícula, rodapisa, fralda, falda, aba, raiz, sobpé, sobcoxa, apófige, sopé, pedra fundamental.
V. basear, basificar, firmar, estabelecer as bases de, assentar, alicerçar, fundamentar, sopear, calcar, librar.
Adj. básico, basilar, nadiral, radicular, o mais baixo, ínfimo, essencial, fundamental; fundado, apoiado, estribado, alicerçado em.

Adv. ao socairo, no sopé.

△ **212. Verticalidade,** normalidade, ereção, eretilidade; aprumo, perpendicularidade, ângulo reto, normal, prumada, cateto, altura, azimute, mediatriz, parede, paredão, muralha, despenhadeiro, esbarrondadeiro, algar, falésia, estalagmite, esquadria, prumo, poste, tangão, fio de prumo = perpendículo, seno, catetômetro; eretismo, orgasmo, priapismo.
V. ser (vertical & *adj.*); empertigar-se, engravitar-se, engrilar-se, endireitar-se, engrelar-se, aprumar-se, perfilar-se; pôr-se a prumo; emparedar-se;
ficar ereto/direito; pôr-se de pé, erguer-se, levantar-se, alçar-se em pé, empinar-se; tornar vertical & *adj.*; verticalizar, perpendicularizar, pôr a prumo, perfilar, aprumar, desencostar, entesar, arrepiar, ouriçar, arvorejar, desinclinar, pôr a pino, escarpar; esquadrar, esquadrejar, esquadriar, quadrar, facear, facetar, falquear, falquejar.
Adj. vertical, assurgente, aprumado, direito, espigado, reto, ereto, erétil, empinado, escarpado, cortado a pique, íngreme, precípite, precipitoso, empertigado, teso, direito como um fuso, rampante;
perpendicular, normal, retangular, ortógono, ortogonal, ortoédrico.
Adv. perpendicularmente & *adj.*; a pique, ao alto, *ad perpendiculum* = a prumo, *à plomb*, em ângulo reto, a pino, sem pender nem para um nem para outro lado.

▽ **213. Horizontalidade,** planície, plano, plano horizontal, estrato 204; pronação, supinação, decúbito, ressupinação, prostração, círculo azimutal, horizonte, nível, jorrão, aterro, nivelação, planície 344; terraço, platô, estrado, mesa, toalha, tapete, terrapleno, terraplenagem, planura uniforme.
V. horizontalizar, ser (horizontal & *adj.*); ser de uma horizontalidade monótona, não ter altos e baixos; tornar (horizontal & *adj.*); desinclinar, alhanar, igualar, aflorar, aplanar, colocar num mesmo plano, enristar, alisar, respaldar, rasourar, assoalhar, terraplenar, aterrar;
medir o chão com o corpo, deitar-se; estirar-se, estender-se no chão; debruçar-se; ir, bater com o nariz no chão; estatelar as costelas no chão, estatelar-se, cair de chapa, dar com o corpo em terra; cair de cangalhas, de fio comprido; cair redondamente no chão, ir à terra, lamber a poeira, ir com a cara no chão;
beijar o chão, beijar a santa, escarrapachar-se, recumbir, procumbir, chapar, ir de ventas ao chão, afocinhar, esparralhar-se, coser-se com a terra; rodar, chapar-se o cavalo com alguém; prostrar, derribar, abater, deitar por terra.
Adj. horizontal, chato, prato, plano, liso, chaníssimo, que não conhece ondulações, de uma horizontalidade monótona, aluvial, aluviano, de aluvião, calmo como a superfície de um lago, como um espelho, sem relevo, sem desigualdade, sem ondulação, estendido, de bruços, deitado de costas/de bruços, supino, ressupino, estatelado no chão & *v.*; prostrado, estendido ao comprido, ressupinado, em decúbito, recumbente, procumbente, decumbente, jacente.
Adv. horizontalmente & *adj.*; sem a menor inclinação, papparriba; de barriga, de papo para o ar; de bruços, de costas, de borco, de catrâmbias.

△ **214. Pendura,** dependura, suspensão, apensão, apêndice, cauda, rabo, crista, penderica = penderico (pop.), pendericalho, penderucalho, penduricalho, pelancas, pelhancas, pelharancas, badana, barbela, pingente, pendente, brinco, lambrequins, estalactite, aba, fralda, barambaz, sanefa, bambolim, bambolina, bambinela, cortina, cortinado, beiço, beiça, beiçana, beiçada, beiçola, redouça, rede, trapézio, pêndulo, balanço, móbile, badalo, cabide, varal, aljorce, forca, cremalheira, gramalheira, colgadura, colgalho, trança, madeixa, lâmpada, berliques, berloque = quimbembeques, aldraba.
V. pendurar, estar (pendente, pendurado & *adj.*); apingentar, balançar, balancear, bambalear, oscilar, redouçar, tremular, agitar, roçagar, drapejar;
pôr a tiracolo, pôr na tipoia, aboldriar-se, debruçar-se, cair, rolar, suspender-se, ficar suspenso no espaço, dependurar, colgar (desus.), atar a 45; apensar, apender.
Adj. pendente, pendurado, colgado, pêndulo, inclinado para baixo, debruçado, seguro, suspenso, pênsil, pedunculado, apenso, caudato, candífero, estalactítico, estalactífero, trapezoide, trapeziforme, retiforme.

215. Suporte | 217. Obliquidade

▽ **215. Suporte,** sustentáculo, propugnáculo, apoio, descanso, amparo, arrimo, firmamento, fundamento, alicerce, baluarte, substrução, base 211; *terra firma,* terra firme, escora, forçura, pontalete, forção, estronca, forquilha, espeque = pontão = finca, fulcro, ponto de apoio = hipomóclio, aguentador, *locus standi,* finca-pé, substrato, *substratum,* palafita, fincão, amparamento, assento, repouso, coluna, pilar, pilarete, pé, pilastra, pegão, aticurga, cipó, hermeta = hermete, tirante, poste, esteio, estaca, palanca, cariátides, atlante, telamone, represa = mísula, quartela, peanha, pedestal, acrotério, supedâneo = taburno, soco, plinto, ábaco, coluneta, consola, arcobotante, pilastra de reforço = botaréu = repuxo, gigante, caçamba, estribo, eixo, axe, cachorro, encostes, contraforte, encosto;
tronco, cáudice, talo, caule, caulículo, haste, hastilha, hastil, colmo;
muletas = andas, andador, vareta = baqueta (*auxílio*) 707; bigorna = íncude, andor = charola, varal (de andor), descansadeiro = misericórdia (de andor), bandoleira, porta-espada, talabarte, tiracolo, talim, boldrié, tipoia (bras.), charpa, funda, tira-bragal, reste ou riste, suspensório;
andaime, cadafalso, andaimada, andaimaria, andapé, bailéu, guindola, chapuz, cavilha, escápula, gancho, dormente, bengala, badine (gal.), bastão, bordão, varapau, cajado, báculo, cacheira, pau, vara, *bâton,* umbral, umbreira, balaústre, balaustrada;
estiva, latada, erguida, empa, arjão (reg.), caniçada, corrimão = mainel, trave, madeiro, viga, vigamento, viga-mestra, barrote, larva, cepo, caramanchão, caramanchel, pedra angular, escalão, degrau, rebato, soleira (da porta), suportal, rodilha = estropajo, estropalho = rodouça = esfregão = molelha = malim = molidia = sogra = chinguiço;
sola, pé, perna, gâmbias, tíbia, fêmur, fibula, pernaça, pernil, espinha dorsal, coluna vertebral, vértebra, espinhaço, ráquis, arcabouço, esqueleto, armação, carcaça, ossada, ossatura;
estrado, tarima, tarimba, aparador, talhão, bandeja, tabuleiro, palangana, pelangana, prateleira, tripé, trípode, tripeça, assento, sede, trono, sólio, divã, odalisca, poial, escano, banco, talho, arquibancada, cadeira, silha (ant.), sofá, ripanço, canapé, camilha, cadeira de braço, poltrona, *fauteuil,* espreguiceiro, espreguiçadeira, escabelo, setial, tamborete, otomana, mesa, cama, maca, leito, catre, estrame, estramento, enxerga, enxergão, grabato, marquesa, rede, palanquim, colchão, *futon,* cúlcitra, coxim, travesseiro, plumaço, alpe, almadraque, almadraquexa, cabeceira, almofada, chumaço, acosto, respaldo, espalda, espaldar, espaldeta, reclinatório, braço;
liteira, maca, padiola, esquife, genuflexório, selim, sela, silhão, arreios, cangalha, albarda, albardão, albardura, albardilha, regaço, colo;
Atlas, Atlante, Hércules, Hércules celígero.
V. suportar, servir de suporte, repuxar, suster, sustentar, amparar, arrimar, apoiar, aguentar, impedir de cair, sopesar, carregar, carregar ao ombro; levar às costas/às cavalitas/às carranchinhas; segurar, trazer, sobraçar;
ser (suportado & *adj.*);
jazer, repousar, descansar, apoiar-se sobre; abordoar-se, arrimar-se, estribar-se, firmar-se, basear-se em; pousar o pé, alicerçar-se, cavalgar;
escorar, estear, vigar, travejar, barrotar, barrotear, empar, enrodrigar, arjoar, pôr espeques a, apeanhar, fincar.
Adj. fundamental, básico, basal, basilar, colunar, tibial, sustinente, trípode, alicerçado, peduncular, pedunculado, pedunculoso, onerário, monóptero, monópode.
Adv. fundamentalmente & *adj.*; às cavaleiras, às cavalitas, às cavalinhas, a escacha-pernas, a cavaleiro, ao colo.

△ **216. Paralelismo,** equidistância, coexistência, sincronismo, simultaneidade, concomitância, tautocronia.
V. ser paralelo, ladear, margear, marginar, costear, correr em paralelo, equidistar, não serem concorrentes, não se encontrarem.
Adj. paralelo, colateral, equidistante, marginal, costeiro, coextensivo, simultâneo, sincrônico.
Adv. paralelamente & *adj.*; ao longo de 236.

▽ **217. Obliquidade,** antiparalelismo, transversalidade, atravessamento, caimento, enviés, viés, inclinação, pronação, concorrência, reclinação, declive;
través, esguelha, soslaio, quebra, quebrada, encurvatura, tortuosidade, bisel, chan-

218. Inversão | 219. Cruzamento

fradura, destorção 243; desaprumo, curva 245;
plano inclinado, torre de Pisa, escorregadouro, aclividade, subida, descida, esconso, ladeira, ladeiro, carrabouçal, riba, alambor, talude, lingueta, tombador, clivo, aclive, declive, resvalo, resvaladouro, lombada; escarpa, costa, rampa, descambada, vertente, úmbria, encosta, soalheira, arrampadouro, rifa (ant.), vertedouro, recosto (ant.), repiquete, montanha-russa, *facilis descensus Averni*;
penhasco, precipício (*verticalidade*) 212, despenhadeiro; alcantil, alcandor, escarpamento.
(medida de inclinação): nível, angulação, clinômetro, eclímetro, seno, cosseno, diagonal, hipotenusa, ângulo, declinação, oblíqua.
V. ser (oblíquo & *adj.*); pender, preponderar, propender, inclinar-se, descair, descambar, declinar, ter declividade, angular(-se), encostar-se, reclinar-se, querenar, virar de querena, abater-se, aluir-se, desviar-se da vertical, desaprumar-se, ficar fora do prumo, dar vasqueiro e não em cheio = dar de esguelha, fazer ângulo agudo com o horizonte;
tornar (oblíquo & *adj.*); obliquar, inclinar, encostar, declivar, escarpar, alcantilar, taludar, empinar, esguelhar, enviesar, entortar, alamborar, atravessar.
Adj. oblíquo, ladeiro, transversal, sesgo, transverso, prono = inclinado, incombente, angulado, esconso, escorregadio, escorregadiço, resvaladiço, esguelhado, atravessado, penso (bras.), pendente, encostado, torto;
fatigante, ascendente, aclive, aclivoso, clivoso; ladeirento, enladeirado, agro, escabroso, alcantilado, alcantiloso, escarpado, árduo, trabalhoso, difícil, alamborado, penhascoso, enroscado, descendente, vertedouro, íngreme 212; costeiro, declivoso, abrupto, agreste, enfesto, precípite, precipitoso, de quebrar pescoço, semirreto, agudo, obtuso (ângulo), antiparalelo.
Adv. obliquamente & *adj.*; ao viés, em diagonal, a tiracolo, de revés, de lado, de banda, de lançante (bras.), em declive, de través, ao través, de esguelha, de soslaio, de revesilho, à banda.

218. Inversão, eversão, subversão, preposteração, reviravolta, reviramento, introversão, retroversão, contraposição 237; antítese 14; inverso, reverso, avesso, enviés, cambalhota, revulsão, arlequinada, salto, cabriola, pirueta, trambolhão, viravolta, emborco, ordem inversa = resmuda;
transposição, anástrofe, metátese, hipérbato, sínquise, tmese, diácope, antimetábole, antimetalipse, antimetátese, *hysteron, proteron*, palindromia, palíndromo.
V. inverter, estar (invertido & *adj.*); virar, revirar, preposterar, voltar de cima para baixo, piruetar, dar cabriolas, cabriolar, girar, virar de borco, emborcar, virar-se em sentido contrário, trambolhar, ficar de cabeça para baixo, plantar bananeira, ficar às avessas;
pôr de avesso, avessar, envessar, reversar, revessar, contraverter, transverter, subverter, interverter, retroverter, introverter, transtrocar, revolver, revolucionar;
turbar, perturbar, transtornar, dar cambalhota, transpor, alternar, deborcar, emborcar, entornar, arrepiar.
Adj. invertido & *v.*; avesso, avessado, torto, errado, prepóstero, revoluto, revolto, reverso (*contrário*) 14; aposto 237; eversor, eversivo, subversor, subversivo, reversal, reversível.
Adv. invertidamente & *adj.*; de dentro para fora, de cima para baixo, de pernas para cima, de cabeça para baixo, de ponta-cabeça, de chapuz, de borco, de revesilho, de revés, de arrepio, às avessas, pelo avesso, a pospelo, contra o correr do pelo, às canhas, a contrapelo, ao revés, *sans dessus dessous*; *in adversum* = em sentido contrário.

219. Cruzamento, interseção, secância, corte, entrecorte, reticulação, retículo, retícula, encruzamento, entrelaçamento, tecedura, urdidura, entretecedura, abocamento, trama, entralhação, anastomose, inosculação, emaranhamento, enlaçamento, enredo, implicação, contexto, contextura, tessitura;
xadrez, rede, *plexus*, plexo, teia, tela, tecido, malha, tralha, meada, filigrana, negalho, entremeio, renda, rendilha, crochê, lavor, esteira, esteirão, capacho, cadexo, madeixa, coifa, marrafa, alvitana = tarrafa = tremalho = tresmalho, rótula, caniçado, cipoal, labirinto, *grille*, grade, grelha, brocado, brocatel, cruz, cruzeta, entrepernas, trançado, trança, trancelim, cadeia, catênula, emara-

nhamento (*desordem*) 59; encruzilhada, bívio, ambívio, revessa, secante; xadrez, escaques, quincôncio, quincunce.
V. cruzar, cortar, secionar, encruzar, atravessar, entrecruzar-se, terçar, entrecortar, enclavinhar os dedos, entrepernar, entretecer, entrelaçar, enlear, enlaçar, ensarilhar, sobreter, entremear, entrançar, trançar = encanastrar, entecer, enroscar, ligar por anastomose, emalhetar, esteirar, feltrar; misturar, confundir, enredar, enredear, envincilhar, emalhar, embaraçar, desgrenhar, despentear, enovelar, dobrar, enrolar, desgadelhar, desguedelhar;
xadrezar, enxadrezar, entralhar, dispor em forma de xadrez, escaquear, escaqueirar (*emaranhar*) 61; filigranar, urdir, tramar.
Adj. cruzado & *v.*; jaglado = enxadrezado, intertexto, intexto = entremeado, reticular, reticulado, urdido, tramado, retiforme, listrado, têxtil, cruzetado, intersecional, secante, crucial, cruciforme, crucígero, transversal.
Adv. cruzadamente & *adj.*; em xadrez.

3º) **Central**

I. Em geral

△ **220. Exterioridade,** exterior, casquinha = boana, os foras, aparência, imagem, roupagem, indumentária, frontaria, fachada, frontispício, frente, superfície, aspecto externo, compleição, configuração, figura, figuração, pinta; tona, lume-d'água, sobreface, córtex, casca = trincha, verniz, zesto = camada externa, pele (*invólucro*) 223; *superstratum*, disco, face, cara, semblante, fisionomia (*frente*) 234; casca, cútis, epiderme, relevo, acidentes, circunjacência 227; excentricidade, forma.
V. exteriorizar, ser (externo & *adj.*); estar na parte de fora, jazer em roda 227; colocar exteriormente, colocar de fora, externar, expor, expressar.
Adj. exterior, externo, exposto, visível, palpável, extrínseco 6; extramural, extramuro, extraterritorial, excêntrico;
superficial, cutâneo, epidérmico, frontal, sobrefoliáceo, sobredental, saliente.
Adv. exteriormente & *adj.*; extraportas, extramuros, portas afora, fora, por fora, na parte exterior, ao ar livre, *sub-Jove*, *subdivo*, *subsole*, *à la belle étoile*, *al fresco*, ao relento, sob a luz das estrelas, à superfície, à tona, *ab extra*, do lado de fora, de fora de, no estrangeiro, no exterior.

▽ **221. Interioridade,** interior, os dentros, profundeza, intervalo, subsolo, *substratum*, substrato, santuário, *sanctum sanctorum*; conteúdo 190; substância, essência, seiva, medula = miolo, mesocarpo, durâmen = cerne, núcleo, caracu (bras.) = tutano; espinha dorsal, coração (*centro*) 222; gema, alma, peito, vísceras, miudezas, entranhas, debulho (de porco), miúdos, intestino, tripa, estômago, fressura, mondongo, bofe, baço, útero, madre, matriz, reboleira (do bosque), ventre, seio, regaço, recesso; segredo, mistério, âmago, penetrais, recôndito, escaninho, íntimo, intimidade, fundo, grêmio, reconditório, recâmara, recôncavo, retrete, ventrecha, enroladouro (*centro*) 222; entrecasca, samo, alburno, sertão.
V. interiorizar, ser (interno & *adj.*); não se manifestar, estar latente, internar, colocar dentro, centralizar 222; circunscrever 229; entranhar, embrenhar-se, incrustar 300.
Adj. interior, interno, íntimo, introspectivo, ensimesmado, imo, arraigado, central 222; intestino, civil, do interior, subcutâneo, intracraniano, intermediário 228; intrínseco 5; nacional, vernáculo, doméstico, familiar, intermural, intramedular, intraocular, intrapulmonar, intravascular, intramarginal, endêmico, celíaco = intestinal, alvino, entérico, medular, meduloso, cavadiço, visceral, visceroso.
Adv. interiormente & *adj.*; dentro, de dentro, em, *ab intra*, por dentro, do lado interior, no interior de, entreportas, intramuros, no lar, no remanso do lar, na intimidade do lar, no ambiente paterno, no ninho paterno, em família, camarariamente, de portas adentro, *januis clausis*, no mais entranhado de, no meio de; no coração; no âmago, no recesso de; na paz do lar, no frouxel do lar.

222. Centralidade, centro, homocentro, meio 68; âmago 5; metrópole, quartel-general, foco (*ponto de reunião*) 74; concentração, concentricidade;
coração, gema, seio, amêndoa, pevide, sêmen, semente, caroço, carolo, carunha (reg.), grão, grainha, endocarpo, núcleo,

eixo, polo, nave, umbigo, *umbilicus*, enrolododouro, bagocho;
coluna vertebral (*suporte*) 215; concentração, concorrência, convergência 290; centralização;
centro de gravidade, de pressão, de percussão, de oscilação; metacentro.
V. centralizar, centrar, ser (central & *adj.*); convergir 290;
tornar (central & *adj.*); centrificar, concentrar, encentrar, pôr em foco, focalizar, enfeixar nas mãos.
Adj. central, cêntrico, centralizado & *v.*; tricêntrico, homocêntrico, concêntrico, médio 68; polar, umbilical, pevidoso, centrípeto, centrífugo.
Adv. centralmente & *adj.*; no meio de.

△ **223. Cobertura,** revestimento, indumento, abafador, coberta, acitara, envoltura, dossel, capelo, pavilhão do leito = sobrecéu, cobricama, pálio, arquelha (ant.), pavilhão, velário, toldo, tolda, marquesinha, tenda, meaco, tentório, barraca, *tente d'abri*, tilha (de navio), para-água, guarda-chuva, guarda-sol, sombreiro, quita-sol, sombrinha, umbela, capota, véu (*sombra*) 424; escudo (*defesa*) 717; roupa 225;
telha-vã, telhado, telhado de valadio, de levadio; sanca, quincha (bras.), tacaniça, colmado, enramada, colmo, moliço, goteira, forro, estuque, tejadilho, lájea, leixão, ardósia, lousa, alpendre (*morada*) 189;
tampa, tapador, opérculo, atadura, ligadura, emplastro, cataplasma, papa, dedeira, coberta, colcha, cobertor, cobertor de papa, fronha, alifafe, lençol, couro, oleado, encerado, papel, droguete, xairel, manta, sendal, capa, peplo, poncho, sobrepeliz, paximina, xale, cachecol, capuz, capeirão, capirote, toalha, penteador;
tegumento, córion, pele, derma, indúvia, tez, epiderme, cútis = carão, cutícula, película = tona;
couro, couraça, lã de carneiro, velo, tosão, *chagrin*, pálpebra, capela, pelo, pelame, peles delicadas e preciosas = veiros, velocino, pelagem, pelanga, pelangana, crosta, côdea, cóscoro, casca, casqueira, córtex, córtice, corticite, cápsula, capulho, bainha, escabulho, casulo, concha = valva, élitro, envoltório, invólucro, envolvedor, empapelo, sobrecarta, envelope;

revestimento, emboço, reboço, escaiola, folheado, induto, mão, demão, calçamento, tessela, lajem, lajedo, laje, lajeamento, lajeado, ladrilho, ladrilhamento, azulejo, balastro, cascão, escama (*camada*) 204; pintura, charão, verniz, incrustação, superposição, obdução, esmalte, caiação, acafeladura, pomada (*unto*) 356; forro, serapilheira, tapiz, alcatifa, tapete, tapeçaria, alfombra;
dermatologia, dermologia, dermografia; concologia.
capa, encadernação, sobrecapa, capadura, capa flexível.
cobertura de bolo, creme, glace, glacê.
V. cobrir, toldar, revestir, retoucar, encapar, encapachar, envolver, capsular, embrulhar (*vestir*) 225; velar, enfaixar, enrolar, encrostar, superpor, abafar, atabafar, sobrepor; aplicar, estender sobre; apor, lutar = indutar, encaixar, encaixotar, empacotar, embaular, chapear, folhear, encourar, entalhar, embutir, imbricar, lajear, lastrar, calçar, calcetar, macadamizar, apedrar, empedrar; niquelar, dourar, sobredourar, pratear, sobrepratear, brear, embrear, cromar, laquear;
besuntar, untar, esfregar, acafelar, achaaroar, charoar, escaiolar, empezar, empezinhar, encerar, envernizar, empesgar, alcatroar, barrar, encascar, embocar, embarrar, betonar;
esmaltar, recamar, marchetar, matizar, emantar, branquear, alfombrar, caiar, guarnecer, blindar, capear, vidrar, envidraçar, zincar, encoiraçar, emplastrar, pesgar, ensaibrar, encascar, argamassar, juncar, alastrar, espargir, esparzir, atapetar, arrelvar, relvar, entapizar, tapeçar, tapizar, tapetar, relvejar, alcatifar, vestir 225;
forrar de, ladrilhar, balastrar, gessar, selar, arrear, ajaezar;
abetumar, abobadar, abroquelar, acobertar, agasalhar, almofadar, amortalhar, anatar, asfaltar, assoalhar, atoalhar, caramelar, emassar, empastar, emplumar, empoar, enatar, encamisar, encapotar, encapuzar, engessar, enroupar, entaipar, entintar, estanhar, florear, forrar, glaçar, nublar, panar, plastificar, sombrear, soterrar, tapar, zincar.
Adj. coberto & *v.*; cutâneo, dérmico, dermal, cuticular, tegumentar, peludo, costroso, crustáceo, peluginoso, imbricado, codeú-

do, corticento, cortical, corticoso, cascudo, casquento, chapeado, folheado, blindado, loricado, rebuçado, escamoso, escamento, escamado, escâmeo, escameado, escamígero, escamiforme, palpebrado, obducto, rebocado, acafelado, capsular, capsulífero, tilhado, emporético.

▽ **224. Forro,** enchido, enchimento, forra, forramento, acolchoado, chumaço, entreforro, estofa, saieta, entretela, estopa, panturrilha, recheio, crinoline; botox, silicone, turbinagem, preenchimento.
V. forrar, encher, rechear, enchumaçar, chumaçar, estofar, estopar, acolchoar, empalhar, empalheirar, entretelar; turbinar, preencher.
Adj. forrado & *v.*

△ **225. Indumentária,** indumento, vestuário, vestiaria, vestimenta, vestidura, vestes, enxoval, fatiota, véstia, vestido (*cobertura*) 223; roupa, roupagem, abafo, agasalho, fardagem, costume (gal.), adorno, toalete, garbo, galhardia (moda) 851; traje, traje domingueiro, libré, farda, uniforme; casa de modas, butique, sapataria, luvaria, camisaria;
vestido roçagante, luxo, requinte (*ornamento*) 847;
roupa de gala/de festa; grande uniforme, grande gala; traje a rigor, traje de passeio, traje esporte; guarnição, aviamento, enfeite 847;
fardamento, vestes sacerdotais 999;
máscara, mascarilha, meia-máscara, fantasia, traje leve, roupão, penhoar, robe, pijama, *négligé*, camisola, *baby-doll*, trajes menores, roupa de baixo, roupa íntima, roupa branca, calcinha, sutiã, porta-seios, corpete, cinta, tanga, anágua, combinação, espartilho, justilho, *corsage*, apertadouro, sunga, cueca(s), ceroula, camiseta; trajes caseiros, encacho, calimbé, lipa, farrapos, farandulagem, farrapagem, farrapada, molambo, trapo, andrajo, hacpólique, frangalho, trapalhice (nudez) 226;
túnica, burca, xador, alizaba, aljuba, diploide (ant.), chambre, bata, capote, capeirão, capirote, tabardo, mantô, alquicé, alquicel, alquicer, mantelete, gabão = garnacho (pop.), albornoz, *houppelande*, casacão, sobretudo, sobrevestes, *par-dessus*, *surtout*, impermeável, peplo, peplum (ant.), poncho,
pelerine, paximina, xale, cachecol, suéter, pulôver, cardigã, *cache-nez*, *pelisse*, xairel, fichu, boá, estola; gabardo, gabinardo, *gabardine*, capa, guarda-pó, mantão (ant.), rocló, jasezinho, maquintoche, jaqueta, jaquetão, jaleco, clâmide, cerome;
borjaca, camisa, gibão, aljuba, farragoulo, ferragoulo, braga, calções, calças, bermudas, pantalonas, *collant*, *legging*; guarda-mato, perneiras, grevas, calção; terno, fato, fraque, casaca, paletó, *blazer*, casaco, sobrecasaca, *smoking*, colete, redingote;
saia, saiote, mini, midi, maxi (ssaia), mantéu, enágua, guarda-pé, brial (ant.), vestido, terninho, conjunto, blusa, bustiê, segunda pele, bolero, crocota (ant.), saia-balão = merinaque, crinolina, *polonaise*, polonesa, indúsio, toral = cabeção de camisa, corpete, vasquim, vasquinha, garibáldi, avental, fraldilha;
casquette, chapéu, caqueiro, chapeirão, sombreiro, barrete, coca, capuz, barretina, capirote, camalha, capacete, gorro, gorra, boina, carapuça, chapelete, chapelina, chapelinha, chapelório, bicorne, tricórnio, cartola, bicancra, chapéu armado, castor, tromblom, umbráculo, véu, cendal, mantilha, velilho, anteface, sobrevirtude, coifa, amículo, trunfa, capelo, penteado, penteadura, toucado, *coiffure*, telônio, cabeleira, peruca, chinó, chorina, monho, turbante, fota, fez, morrião, capelina (*armadura*) 717; solidéu, capídulo (ant.), lenço, amictório (ant.), alcobaça, gravata, gravatinha, *plastron*, plastrão, punhos, colarinho, sambarca, cinto, cinturão 45, 247; meias, meia--calça, soquete, peúgas, embotadeira, meote, milhano;
calçado, sapato, sapatorra, sapata, sapateta, mocassim, tênis, chapins, alcorque, chispe, chispo, sambarco, passamaque, servilha = sapato de ourelo, bota, botim, botinha, botifarra (pop.), crépida, chinela, chinelo, pantufa, pantufo, babuche, babucha, cofo, espartenhas, escarpim, peal, alpercatas, alpargatas, cáliga, abarca, alparca, sandália, galocha, soco, tamanco, chanca, borzeguim, coturno, luva, confortante, manopla, mitene, punhete, regalo, manga, *puff*, cueiro, (*vestes infantis*) 127;
maiô, biquíni, fio-dental; (para animais): equipamento manta, enxalmo, gualdrapa, arreio, arnês, jaez, xairel, sela, selim, selagão, silhão, chabraque, caparação, coparazão, cangalha;

alfaiate, sastre, xastre (ant.), algibebe, algibeba, dubador (ant.), roupavelheiro, albardeiro, modista, costureira, *coutumier*; sapateiro, chumeco, chapineiro, alparcateiro, alparqueiro, chineleiro, tamanqueiro, cordovaneiro, remendeiro, remendão, chapeleiro, retroseiro;
guarda-roupa, vestiário (*receptáculo*) 191.
V. vestir, trazer, usar, estar com, ir-se, meter, trajar, meter a uso, enfiar, envergar, enrolar-se, arroupar-se, enroupar-se, enfarpelar-se, amanhar-se, encadernar-se, fantasiar-se, arrumar-se, aprontar-se, adornar-se, enfeitar-se, agasalhar-se, ataviar-se 847; acotiar;
levar, trazer a cotio; encasacar-se, calçar, preparar-se, revestir-se 223; aprestar-se, envolver-se, arranjar-se, abafar-se, acobertar-se, abaetar-se, embiocar-se, rebuçar-se, empapelar-se, embrulhar-se;
espartilhar-se, enluvar-se, engravatar-se, encapotar-se, empantufar-se, encarapuçar-se, encapuzar-se, abarretar-se, embarretar-se, ensamarrar-se, paramentar-se, abatinar-se, pôr-se à fresca 226; fardar-se, uniformizar-se, toucar, enfaixar;
cingir, envolver em faixas; pôr cueiros, equipar, ajaezar, enjaezar, arrear, selar, encilhar, encangalhar, encoleirar;
empenar, implumar, enfeitar-se de penas.
Adj. vestido & *v.*; esterlicado, encapotado, embuçado = osco, apolainado, roupido, pronto, *costumé*, calçado, *chaussé en grande ténue*, em grande gala 882; escameado, elegante, deselegante, produzido.
Adv. à zamparina, à paisana.

▽ **226. Despimento,** desnudamento, desvestimento, nudeza, nudismo, naturalismo, naturismo, nudação, nudez mitológica, nueza, nuidade, desnudez, decote, *striptease*;
trajos menores, tanga 225; falta de vestuário, trapalhice 225;
calva, careca, calvície, peladura, acomia, atriquia, mela, cabeça melada (bras.), alopecia, ofíase, repa, farripas, rusma, epilatório, depilatório, tanquia (ant.), decorticação, escoriação, pela, despela, despeladura, descasque, descascamento, descascadura, escamação, desquamação, desfolha, desfolhação, desfolhadura;
V. despir, desvelar, desvestir, desrevestir, descompor, tirar, desnudar, desnuar, descobrir, despojar alguém de suas roupas, desenfarpelar, desabafar da roupa, desembrulhar, desenroupar, andar em pernas (sem meias); estar (nu & *adj.*);
andar em pelote, em camisa, à vela; estar em pelo, pôr-se à fresca;
estar em roupas menores, em camisa, em fralda de camisa, em manga de camisa; pôr-se à vontade;
desencoifar, desenluvar, desencasacar, desencapotar, descalçar, desenvergar, desparamentar, desabatinar, desembuçar, descarapuçar, desamortalhar, desenfronhar, desengravatar, escarolar, desencamisar, desmantar, desenfaixar, decotar = despeitorar = esgorjar = esgargalar;
desbarbar, escodear, esburgar, descascar = estonar, despelar, depilar, descortiçar, desfolhar, descarolar, despolpar, escabulhar, desquamar, escamar, depenar, desplumar, espenicar, esfolhar, esfoliar, pelar, esfolar, escalavrar, escoriar;
deslanar, tosquiar, desquiar, desquilar, tonsar (ant.), tosar, rentear, pelechar = mudar o pelo, estar na muda, descorticar, descoscorar;
desencerar, desenvernizar, destelhar, destoldar, descolmar, escolmar, desempedrar, desentabular, desrelvar;
despratear, desniquelar, estornar, desladrilhar, deslajear;
calvejar, escarolar, encalvecer, escalvar, desembainhar;
desarrear, desselar;
entangar, tangar, encachar-se.
Adj. nu, desnudo, nudo, despido & *v.*; não (vestido & 225); nuelo, coiracho = couracho, escalvado, calvo, pelado, glabro, piroca, descalço, nudípede, implume, seminu, andrajoso, roto, esfarrapado, maltrapilho, maltrapido, malroupido, mal-entrajado, trapalhão;
exposto ao ar, à vista; decotado & *v.*; exuviável.
Adv. nuamente & *adj.*; em pelo, em pele, em pelote, em coiracho, em trajos de Adão, *in puris naturalibus*, *in naturalibus*, em completo estado de nudez, à vela, completamente despido, com as carnes à mostra, em carnes, a pesepelo = a pé e descalço = malvestido.

△ **227. Circunjacência,** circundação, ambiente, adjacência, entorno, roda, meio, at-

228. Interjacência | 229. Circunscrição

mosfera, círculo, fotosfera, halo, auréola, redoma;
fronteira, raia (*borda*) 231; cinto (*circunferência*) 236; limite, contorno, perímetro, circuito, periferia, proximidades, imediações, vizinhança, cercanias, circunvizinhança, arredores, beiradas, arrabaldes, alfoz, cantão, distrito, burgo, subúrbio, ourolo, redor, *boulevard*, confins, abas, *faubourg*, confrontações, *environs*, *entourage*, redondeza.
V. jazer em roda, circunstar, circundar, toucar, tornear, cingir, abraçar, abarcar, contornar, cercar, bordar, emoldurar, aureolar, enredomar, rodear, enclausurar, circunfluir, circunvizinhar, coroar, ensilvar, ensilveirar, fechar num círculo (*circunscrever*) 229; circuitar;
conter, encerrar, embrulhar, envolver, abranger, orlar, franjar, gizar, compreender, incluir.
Adj. circunjacente, circum-ambiente, circum-adjacente, circunvizinho, circunfluente, circunfuso, circumpolar, circunstante, circunferente, confinante, limítrofe, situado à volta de, ribeirinho, cerqueiro, lindeiro, que circunda, ambiente, suburbano, atmosférico, circular, circundante & *v.*
Adv. ao redor, em redor, derredor, em volta, perto de, junto de, de todos os lados.

▽ **228. Interjacência,** intercorrência, interposição, intervenção, interferência, penetração, insinuação, partimento, divisão, intercalação, interpolação, inserção, entrelinha, *interlinea*, entremeio, entrepano, divisória, embolismo, entretimento, cunha, entrecasca = samo;
intrusão, infiltração, invasão (*inserção*) 300; mesóclise, sínclise, tmese, sinclítica;
intermédio, intermediário, intervenideira, interventor, interposto, mediador, medianeiro;
entremetido, intrometido, intrometidiço, intruso, enxerido, intrujão, metediço, metido, tampão, parêntese, episódio, aparte, corpo estranho, diafragma, septo, mesolóbulo, mesocarpo, mesomeria, parede e meia, berma, releixo, camalhão, mesopotâmia.
V. jazer entre, nadar, surgir entre, interpor-se, intervir, mediar, interferir, introduzir-se, avançar por entre, colear, penetrar, insinuar-se, imiscuir-se, enxerir-se, caber entre,
infiltrar-se, atravessar, estar de permeio, permear;
meter-se em meio, de permeio; interromper, intrometer-se, enfiar o nariz em (*atividade*) 682; entremeter-se;
separar, dividir, intervalar, intermediar, intermeter, interpor, pôr entre, enxertar-se, inserir, implantar-se, interserir, intercalar, interpolar, entressachar, entremear, rajar, lardear, emalhetar, entrecortar, encaixar, malhetar, embutir, cunhar, entroncar.
Adj. entremédio, entremeio, intercorrente, interposto, intermediário, intercalar, intersticial, intercontinental, intermontano, interoceânico, bimar, entretrópico, intertropical, tropical, entremontano, interlinear, intercolunar, interocular, intermaxilar, intermuscular, interlobular, intercepto, interclavicular, sublinear, episódico, bimarginado, mediterrâneo, interior, interno, mesopotâmico, embolismal, embolísmico, bissexto, bissextil, interestadual, mesoclítico, sinclítico, apertado, comprimido 229; mesocárpico, mesocarpial.
Adv. entremeadamente & *adj.*; de permeio, entre, em meio de, *obiter dictum*.

229. Circunscrição, limitação, confinamento, delimitação, marcação, demarcação, cercadura, deslindamento, cerca, valado, aceiro, embalagem, encerramento 751; circunvalação 232; orladura, fronteira 230.
V. circunscrever, limitar, apertar, comprimir, confinar, lindar, delimitar, marcar, demarcar, apintalhar, separar, dividir, extremar, restringir, abalizar;
cravar, assentar marcos; cravar lindes, balizar, delinear, gizar, cintar, emarjar, traçar a extrema entre, fixar os limites de, extremar os confins de, fechar, deslindar a extrema de, rodear, emparedar, murar, circundar 227; cingir, precintar, aceirar, encintar, encarcerar 751; encaniçar;
cercar de grades, de balaústres, de sebes; balaustrar, valar, circunvalar, apalancar, envalar;
abraçar, estreitar, precingir, envolver, margear, marginar, cairelar, debruar, orlar, enastrar, tarjar, embainhar, guarnecer, acairelar, atorçalar, bordar, agaloar, espiguilhar, rendar, apassamanar, franjar, fimbrar, emoldar, emoldurar, encaixilhar, contornar,

enquadrar, guarnecer de (franja & 231); aureolar, nimbar.
Adj. circunscrito, circuncluso, circumurado;
sepultado em, imerso em, enterrado em; apertado, comprimido, enquistado, engaiolado 751; encluso, fechado, fechado num círculo de ferro, barrado, agironado, espeguilhado & v.

230. Contorno, dintorno, delineação, delineamento, circunferência, lineamento, perímetro, periferia, âmbito, roda, derredor, circuito, circunflexão, linhas, perfil, silhueta, torneio;
zona, limbo, cinta, faixa = zóster, listão, listrão, cinturão, orla, boldrié, zodíaco, cerca 232; círculo 247; moldura, arquivolta, meia-cana.
V. tornear, contornar, circundar, orlar, emoldurar
Adj. perimétrico, periférico, perimetral.

231. Borda, orladura, fímbria, ponta, orilha, orla, bordadura, barra, limbo, rebordo, beira, beiral, beirada, cairel, margem, ourela, ourelo, extremidade, bordo, tarja, tarjeta, entrada, fim, cabo, extremo, extrema, limite, fronteira, abertura, boca, fauce, goela, lábio, beiço, circunferência, perímetro, periferia;
limiar, soleira, ombreira, verga, porta, pórtico, entrada, átrio, adro, saguão, vestíbulo, portal (*abertura*) 260; costa, praia, marinha, beira-mar, litoral, ribeiras;
renda, guipura, espiguilha, pontilha, franja, cairel, debrum, patágio (ant.), cadilhos, alparavaz, sanefa, cercadura, girão, gualdrapa, abas, babado, bainha, friso, vivos, ribete, guarnição, guarda-pisa, grafila, grafilha (ou garfilha), serrilha, águas do telhado, sobeira, cachorros, filete;
caixilho, moldura, arquivolta, quadro, tróquilo, falbalá, adorno, enfeite 848.
Adj. marginal, fronteiro, fronteiriço, ribeirinho, litoral, costeiro, litóreo, litorâneo, labial, labelado, marginiforme, oriforme, serrátil, sérreo, involutoso, fimbrado, fimbriado, franjado & v. 229.

232. Cerca, cerrado, divisória, envoltório, cinto 230; precinta, alambrado;
capoeira, curral, aprisco, redil, tapada, estacada, estacaria, pasto, cercado;
parede, muro, muralha, quadrela, porpianho (reg.), caixilho, moldura, sebe, frontal, tabique, taipa, *espalier*, chousa, chousura, tapigo, vedro, tapume, tabuado, balsa, alcorcova, devesa, valado, valeta, valo, valeira, barda, bardo, azervado, azerve, grade, gradaria, caniça, sebe viva, balaústre, balaustrada, circunvalação, cerca de arame, *enceinte*, circuito;
barreira, barricada, entrincheiramento (*defesa*) 717; represa, comporta, dique, eclusa, barragem, açude, fosso;
guarda-mato, aceiro (bras.).
V. cercar, valar, circunvalar (*circunscrever*) 229, aramar, alambrar.

233. Limite, linda, linde, marca, linha, divisa, discrime, discrímen, confins, termo, *enclave*, fronteira, raia, arraia, fimento, afimento (ant.), contérmino, extrema, extremadela, extremidade, sesmo (ant.), terminação, barra, barreira, meta, risca, remate, término, órbita, baliza, marco, pinoco, cipo, colunelo, bões = marcos de pedra, fradépio, mogo, padrão, piqueta, malhão;
marco primordial, principal, terminal, condutor, testemunha;
linha divisória, divisora, demarcadora; circunvalação, linha de cumeada, talvegue; pilares, colunas de Hércules; Rubicão, barbeito = outeiro divisório.
V. limitar (*estar contíguo*) 199; demarcar 229, balizar, delimitar, divisar, estremar, lindar.
Adj. limitado, limítrofe, definido, contérmino, terminal, fronteiro, fronteiriço, confinante; raiano, arraiano, confinal, finítimo, limitativo, comarcão, comarcante, lindeiro.

II. Em especial

△ **234. Frente,** anterioridade, testa, face, semblante, rosto, cara, carão, caraça, verônica, fronte, testaça (pop.), presença, facha (burl.), focinho, lata (chulo), fuças, fisionomia;
boca, peito, titela = peituga, bico = rostro, tromba, focinho, probóscida, carantonha, carranca, frontispício, portada, testada, testeira;
frontaria, fachada, *façáde*, mostrador, quadrante, proscênio, *proscenium*, boca dianteira, anverso, cunho, obverso (de moeda); palma (da mão), frontal;

vanguarda, avançada, dianteira, guarda avançada, posto avançado; chefe de fila, líder, ponteiro, vanguardista; abre-alas, desbravador, batedor, guia;
(de carruagem): lança, temão, varais; (de tecido): direito, face; (de calçado): rosto; (de couro): flor; (de espelho): lume; (de moeda): cara;
proa, popa, vante, bujarrona, pioneiro 64; metoposcopia;
V. ficar/pôr-se/permanecer na frente; estar de volta para, olhar de cheio, fazer face a, fazer rosto a, responder, respeitar, confrontar, enfrentar, ficar de frente, frontear, fronteirar, resguardar, defrontear, entestar, estar na altura de;
tomar/levar alguém na garupa (*ir na frente*) 280; conduzir, guiar, liderar.
Adj. frontal, anterior, facial, dianteiro, genal, bifronte, quadrifronte.

▽ **235. Retaguarda,** costas, lombada, dorso, tergo, verso, avesso, costado, posterioridade, última fileira, contrafileira, lanterna, fundo, fundilho, *hinterland*;
occipício, occipúcio, região occipital, nuca, cogote, espinha dorsal (pop.), toutiço, gorja, cachaço, cerviz, espinhaço;
calcanhar, uropígio, garupa, atafal, anca, cadeiras, quadris, costaneira, lombo, nádegas, culatra, pousadeiro, pousadouro, bunda (chulo); bumbum, nalga, reiras (pop.), rabiosque = rabioste = rabiote, assento, traseira, sesso, pódice (poét.), ânus, cu (chulo), reto, ás de copas, posterioridade (pop.), rabadilha, rabada, cauda, rabo, cola (desus.), rabisteco, fundilho, alcatra, tarso, rabeira, rabicho, rabadela, coice, *dorsum*, rins, região lombar, rabiça, cerra-fila, ordenança (*indo atrás*) 281; (de couro): carnaz; (de espelho): aço; (de exército): cauda, fundo, retaguarda; (de mão): dorso, reverso; (de medalha): reverso; (de navio): bombordo, estibordo; (de tecido): avesso;
rasto, esteira, pegada, encalço, séquito, comitiva 281.
V. ficar atrás, ficar na retaguarda, ser o lanterna, curvar-se para trás, fechar a raia.
Adj. posterior, traseiro, último, caudal, caudato, urodelo, lombar, nucal, dorsal, cortical, posteroinferior, posterosuperior, posteroexterior, posterointerior; nadegudo, nadegueiro, alcatreiro, costal, retal, anal, sedal, uropigial, culatral, rabado, rabudo, raboso, opistógrafo.
Adv. posteriormente & *adj.*; na retaguarda, na cauda, para trás, de trás, por de trás.

△ **236. Lateralidade,** lado, deslado, parte, flanco, esguelhão, vazio, costa, ilhal, ilharga, costado, arca do navio, bombordo, estibordo, ala esquerda, ala direita, asas, perfil, fonte, têmpora, região temporal, parietais; costela, costaneira (ant.), lombo, rim, ísquio, costão, quadril, anca, cadeiras, hipocôndrio, silhão;
contrafosso, oitão, empena, sota-vento, barlavento, banda, borda, bordada; (pontos do horizonte): leste, sul, norte, oeste; direita, esquerda 239.
V. ladear, estar de banda, flanquear, marchar ao lado, escoltar, marchar paralelamente;
andar de lado, de esguelha; costear, perlongar, margear, marginar, ir ao longo de, fraldejar, contornar, prolongar.
Adj. lateral, travesso, latâneo (ant.), marginal, de revés, colateral, ilhargueiro, parietal, flanqueador, de flanco, costeiro, paralelo 216; póstero-inferior, de muitos lados, trilateral 244;
oriental, ocidental, norte, sul 278.
Adv. lateralmente & *adj.*; à banda, ao lado de, ao par, junto de, ombro a ombro, perto de 197; a sotavento, a barlavento, de lado, de ilharga, sobre o flanco, paralelamente.

▽ **237. Contraposição,** oposição, antítese, antinomia, síncrise, contraste, polaridade 179; lado oposto, reverso, inverso, antípodas, polo norte, polo sul, contravertente, contracosta, contracorrente, sul e norte; oriente e ocidente.

NOMES OPOSITIVOS
(do *Vocabulário Analógico*, de Firmino Costa)

água: lume, superfície, tona x fundo;
agulha: ponta x fundo;
alfinete: bico, ponta x cabeça;
árvore: cabeça, coma, copa, fronde, ramada x tronco, raiz;
bengala: castão x biqueira, ponteira;
cabelo: ponta x raiz;
cadeira: pés x costas, encosto, espalda, espaldar, respaldo;
caixote: fundo x tampa;

calçado: rosto x sola;
cama: cabeceira x pés;
campainha: cabo x boca;
carro de bois: cabeçalho x traseira;
casa: face, fachada 234 x fundo ou fundos;
castiçal: açucena, boca, bocal x base;
chave: anel, argola, aro x palhetão (cano da chave é a parte roliça entre o anel e o palhetão);
colher: cabo x concha;
coluna: capitel x base;
cometa: cabeça, cabeleira, coma x cauda;
corrente de relógio: mosquetão x travinca;
couro: flor x carnaz;
cruz: haste x braços, travessa;
dente: coroa x raiz;
discurso: exórdio x peroração;
dobradiça: macho x fêmea;
enxada: alvado, olho x corte, fio, gume;
espada: cabo (ant.), copos, empunhadura, guarda, punho x ponta, lâmina, fio;
espelho: lume x aço;
espingarda: coronha x cano;
exército: dianteira, frente, vanguarda x cauda, fundo, retaguarda;
faca: corte, fio, gume x releixo, costas, cota (reg.);
foguete: cabeça, capitel x cana;
folha de papel: frente x verso;
formão: corte, gume x alvado, espiga;
fósforo: cabeça x palito;
garrafa: boca, bocal, gargalo x fundo;
janela: padieira, verga x parapeito, peitoril;
jogo: mão x pé;
joia: pedra x engaste (rebarba é a parte do engaste que se dobra sobre a pedra para prendê-la);
lança: coto, fuste, haste, hastil x ferro, ponta;
mão: palma x dorso, costas, reverso;
martelo: dente, orelha, unha x boca, cabeça (praça do martelo é a superfície plana do martelo que assenta diretamente sobre o objeto martelado);
medalha: anverso, face, cunho, rosto x averso, reverso;
mesa: lado x cabeceira, topo, testeira;
monte: alcândor 210 , cume, pico x base 211, sopé;
nariz: lóbulo, ponta x raiz;
navio: popa x proa; bombordo x estibordo;
palco: boca, boca de cena, proscênio x fundo;
pé: colo, dorso, peito, tarso x planta, sola;
porta: padieira, verga x limiar, liminar, soleira;
prego: cabeça x ponta;
rio: nascente 66 x barra, boca, foz, embocadura;
sino: cabeça, porca x boca;
tecido: direito x avesso;
vestido: cós x fímbria, orla.
V. contrapor-se, ser (oposto & *adj.*); contraverter, contrapor, contraditar, fazer simetria, opor-se, responder, defrontar, frontear, formar ângulo de 180°, fronteirar, contrastar, pôr em contraste, fazer contravertente.
Adj. oposto, reverso, inverso, revesso, revezo, antagônico, contrário, antitético, antipodal, antipodiano, antipódico, conflitante, contraditório, subcontrário, fronteiro, diametralmente oposto, simétrico.
Adv. opostamente & *adj.*; de encontro a, em direção oposta à de, diante de, defronte de, em frente de, em face de, face a face, barba a barba, *vis à vis*, cara a cara, de chapa, peito a peito 234, em cheio.

△ **238. Destra,** mão direita, estibordo, ambidestrismo.
Adj. destro, ambidestro, direito, ambiesquerdo (dep.).
Adv. destramente.

▽ **239. Sinistra,** mão esquerda, canhota (pop.), canha, canhoto, bombordo, o lado de montar, o lado do coração, ambidestrismo, duas mãos esquerdas (inabilidade).
Adj. sinistro, canho, canhoto, esquerdo, sestro; ambiesquerdo (dep.).
Adv. às canhas, às avessas, a modo de canhoto.

Divisão III. FORMA

1º) Em geral

△ **240. Forma,** formato, formadura, feitio, feição, modalidade, feitura, talhe, porte, configuração, conformação, maneira, talhadura, talhamento, figura, esboço, formação, construção, compleição, disposição, organização, plástica, estampa;
tipo, chapa, padrão, paradigma, modelo, corpo, armação, corte, estrutura 329; imagem, molde, troquel, paleta, linguteira, matriz, rilheira, cimbre, cambota, aspecto, aparência, pinta, jeito, contornos 230;

lineamento, isomorfismo, traços gerais, posição, postura, atitude, fácies, pose;
(arte ou ciência da forma): plástica, morfologia;
(similaridade de forma): isomorfismo, figuralidade.
V. formar, formalizar, ajeitar, configurar, conformar, dar forma a, afeiçoar, afigurar, talhar, delinear, bosquejar, esboçar, entalhar, esculpir, cortar, fundir, desenhar, quadrar, esquadrejar, oitavar, aparelhar;
emoldar, amoldar, moldar, coagmentar (desus.) = modelar, enformar, plasmar, esculturar, estampar, construir 161; solinhar, desbastar, desmoitar, falquear, falquejar, esquinar, lapidar, facetar, galivar, simetrizar, compassar, tornear, escalonar, recompor, recortar, vazar, apichelar, achinelar, acastelar, abolar, arredondar.
Adj. formado & *v.*; formal;
(recebendo forma): plásmico, plasmador, plástico, formativo;
(similar na forma): isomorfo, isométrico, isônomo, isômero, isólogo;
oniforme, polimorfo 81.
Adv. formadamente & *adj.*; à feição, ao jeito, à semelhança;
ao feitio, à imagem de.

▽ **241.** (Ausência ou destruição de forma) **Amorfia,** amorfismo, informidade, deformidade 243; anamorfose, congérie, *rudis moles* = massa informe, substância informe, *rudis indigestaque moles*, desordem 59;
deformação, desfiguração, desfiguramento, desconfiguração, mutilação, amputação, truncamento, amolgadela, amolgadura, contorção.
V. desfigurar, desconfigurar, infunicar (pop.), fazer mossa em, morsegar, amolgar, achatar, abolar, machucar, amachucar, deformar, desajeitar, desairar, desafeiçoar, delaidar, mutilar, amputar, truncar = fanar (p. us.);
decepar, decapitar, descabeçar;
escorjar = dar posição forçada a, torcer, contorcer, retorcer, chapear, espalmar, desengonçar, desconjuntar = desarilhar (reg.), desarticular, descadeirar, alterar, transtornar, transformar em massa informe, improporcionar, desproporcionar, descompassar, cambar = entortar para um lado;

tronchar, cortar cerce, destroncar, desorelhar, desnarigar, deslinguar, desbeiçar, esborcelar, esborcinar, desborcinar, curvar, enjambrar, empenar, desmanchar, desfazer, desmantelar, desarmar, descornar, desdentar, encurtar 201; revirar, esborrachar (*destruir*) 162; desabar, desmoronar, escalavrar, corcovar, esmagar, esmigalhar, depredar.
Adj. informe, disforme, amorfo, amórfico, tosco, pesado = cepudo, áspero, rude, aplástico, bruto, gótico, bárbaro, troncho, tronco, truncado, defeituoso, manco, mútilo (poét.), deformado & *v.*; desproporcionado, improporcionado, desconforme, desgracioso, que não tem as formas devidas, em bruto, irregular na conformação 243; deforme, feio 846; agreste 676.
Adv. informemente & *adj.*

△ **242.** (Regularidade de forma) **Simetria,** conformidade, boa disposição, proporção harmoniosa, perfeição, beleza 845; proporcionalidade, euritmia, eutaxia;
regularidade, harmonia, acordo, ordem, correção, equilíbrio, uniformidade, paralelismo, êustilo;
simetria bilateral, trilateral, multilateral; centralidade 222; dendria, dendrite, arborescência, ramificação, bifurcação, forquilha, ramosidade, frondosidade.
Adj. simétrico, belo 845; benfeito, bem-proporcionado, bem-acabado, clássico, severo, casto, modelar, gentil, irrepreensível, correto (*perfeito*) 650; proporcional, compassado;
arborescente, arboriforme, ramoso, ramudo, ramado, ramalhudo, frondoso, frondente, copado, copudo, dendriforme. (Ver o verbete 82.)
Adv. simetricamente & *adj.*

▽ **243. Assimetria,** contorção, irregularidade de forma, deformação, deformidade, disformidade, flexuosidade, monstruosidade, torcedura, tortura, tortuosidade (*obliquidade*) 217; cote, desproporcionalidade, desengonço, fealdade 846; desproporção, descompasso, imperfeição, defeito, cambadela, entortadura, entortadela, torcilhão, anodontia, contorsão, almanjarra, monstro, estafermo;
cambaio, cambeta, cambado, manita, maneta, zarolho, vesgo 443; corcunda, marreca = burreca (ant.), marrana, marranica,

zangalho, zangalhão, zangaralhão, trangalhadanças (*feio*) 846;
manquitó, manquitola, manzorra, manopla, manápula (pop.), narigão, narigueta, penca;
trejeito, careta (*afetação*) 855;
(arte de corrigir as deformidades do corpo): ortopedia; ortopedista, cirurgia plástica, cirurgião plástico.
V. violar a simetria, deformar, contorcer, desproporcionar (*amorfia*) 241, desequilibrar.
Adj. contorcido, informe, irregular = caprichoso, monstruoso, desproporcional, assimétrico, desarmônico, desarmonioso, descompassado, defeituoso, disforme, deformado 241; torpe, anormal 81;
falto, desprovido de simetria; antigeométrico, desconfeito, desconjuntado, curvo, flexuoso, oblíquo, torto, malfeito, bronco, grosseiro, sesgo, inflexo, amorfo;
ventrudo, barrigudo, pançudo, pantafaçudo, abdominal, abdominoso, balofo, obeso, bojudo;
magrela, amumiado, cadavérico, chuchado, chupado, descarnado, desmedrado, desnalgado, emaciado, escanelado, escanifrado, escanzelado, escaveirado, esquálido, esquelético, macilento, xendengue;
verrucífero, verrugoso, verruguento, sexdigital, sexdigitário;
manicurto, mamalhudo, mãozudo, ventripotente, olhudo, maneta, coxo, perniquebrado, pernilongo, pernicurto, pernitorto, pernaberto, pernalta, pernegudo, pernudo, cambaio, cambado, zâimbo, zambro, beiçudo, belfo, belfudo, narigudo, nasal, pencudo, bochechudo, bolachudo, de cara de abade, de cara de bolacha, carirredondo; boquitorto;
mastodôntico, testudo, flexípede (poét.), geboso, corcunda, corcovado, azumbrado, alcachinado, papudo 250; rebarbativo, ramalhudo, pescoçudo, remelgado, supercilioso, testudaço, tetudo, baixo 201; magro 203; feio 846;
suro, descaudato, anodonte, desdentado = banguelo (bras.).

2º) Especial

244. Angularidade, ângulo, angulete, forma adunca, obliquidade, curva, curvatura, aduncidade, corno (da lua), cavidade, dobra 259; entalho 257; garfo, bifurcação, forquilha, junção, encontro, foz, cotovelo, anco, joelho, giolho, cunca do joelho, rótula, patela, articulação, portela, sovaco = axila, charneira, virilha, forcado, sifão, dente (de âncora), volta, trívio;
vértice, quina, esquina, aresta, pedra angular;
retangularidade, ângulo reto (*perpendicular*) 212;
ângulo agudo (obliquidade) 217; ângulo saliente, obtuso, reentrante, diedro, curvilíneo, misto;
aberração, azimute, trigonometria, goniometria, altimetria; altímetro, goniômetro, goniógrafo, angulário, esquadro, transferidor, acuta, salta-regra, corta-mão, suta, teodolito, trânsito, nível de Casela, taqueômetro, megâmetro, sextante, balestilha, radiômetro, holômetro, eclímetro;
bússola de inclinação/de agrimensor;
triângulo, trígono, retângulo, quadrilongo, losango, rombo, romboide, esconso, quadrângulo, quadrilátero, tetrágono, paralelogramo, quadratura, pentágono, hexágono, heptágono, octógono, eneágono, decágono, hendecágono, undecágono, pentadecágono, quindecágono, polígono, quiliógono, miriógono.
corpos platônicos; cubo, tetraedro, pentaedro, hexaedro, romboedro, heptaedro, octoedro, dodecaedro, trapezoedro, icosaedro, prisma, pirâmide, paralelepípedo, fuso esférico = lúnula, signo-samão ou sino-saimão;
V. angular, esquinar, curvar, esgalhar, bifurcar, forquilhar, serpear, ziguezaguear, sextavar, oitavar, enesgar = dar a forma triangular.
Adj. angular, anguloso, esquinado & *v.*; curvo, adunco, bicudo, cambudo, circunflexo, uncinado, unciforme, aquilino, de cavalete, dentado, serreado, denticulado, alcantilado, anzolado, arestoso, arestudo, serrátil, falcípede, falciforme, falcifoliado, bifurcado, arqueado, geniculado, deltóideo, deltoidal, sifonoide, oblíquo 217; uniangular, reto, semirreto, trapeziforme, fusiforme, cuneiforme, quadriforme, calcóideo, trirretângulo, trilátero, trilateral, trígono, triangular, tríquetro, quadrigúmeo, quadrangular, quadrilongo, quadrado, quadrático, quadrilateral, tetrágono, tetragonal, rômbico, romboi-

de, rombiforme, trapezoide, trapezoidal, sexangular, sexangulado, amblígono, dodecagonal, decangular, undecágono, quadrantal, octógono, octogonal, ortógono, ortogonal, multilátero, multilateral, poligonal, hexagonal, eneágono, heterógono, isógono, isogônico, decagonal, acutângulo, oxígono, acutangular, obtusângulo, obtusangular, obtusangulado, cúbico, cuboide, romboédrico, piramidal, tetraédrico, hexaédrico, heptaédrico, octaédrico, octaedriforme.
Adv. angulosamente & *adj.*

△ **245. Curvatura,** arco, volta, curva, curvidade, curvadura, rotundidade, flexão, inflexão, flexura, arqueamento, arqueadura, arqueação, arcuação, rebite, dobra, deflexão, declive, desvio, *détour*, sinuosidade 240;
gancho, garavato, fateixa, arcada, arcaria, virola, abóbada, semicúpula, concha, crescente, meia-lua, lúnula, ferradura, braço de âncora, ogiva, canelo, claraboia, pescoço de cisne, sobrancelha, sobrolho, hipérbole, ambigênia, parábola, desenvolvida, quadratiz, catenária, terciarão, funicular, concoide, cáustica, sarapanel, supercílio.
V. encurvar, recurvar, ser (curvo & *adj.*); não ser plano nem poliédrico, circundar, desviar-se 279; alcachinar-se, arredondar, tornear, dobrar, corcovar, curvar, vergar, envergar, acurvar, azumbrar = cimbrar, encouchar, enrolar, ondear, ondular, torcer, embuizar (ant.), enconcar, inclinar, rebater, arrebitar, revirar, infletir, abobadar, alcatruzar, abaular, alombar;
fazer a curva, contornar.
Adj. curvo, curvilíneo, encurvado, ganchoso, alcatruzado & *v.*; arqueado, arcado, abaulado, redondo, arredondado, coracóideo, coracoidal, coracoide, arciforme, recurvo, adunco, aquilino, de águia, de cavalete, enarcado, inflexo, em arco, corcovado, marreco, cumbado (ant.), torto, falciforme, falcado, semicircular, semilunar, luniforme, lunulado, crescente, demilunar, chanfrado, concheado, concoidal, reniforme, cordiforme, unciforme, lenticular, lentiforme, flexuoso, ogival, cambaio, selado (torto) 243; oblíquo 217; circular 247; hiperbólico, parabólico, flabelado, flabeliforme; curvador & *v.*; flexor.
Adv. arcadamente & *adj.*

▽ **246. Direitura,** direiteza, retidão, retitude, entesadura, direção, inflexibilidade 323; semigola, semirreta, segmento de reta, vetor;
perpendicularidade, ortogonalidade;
linha reta, direita; eixo, diâmetro, secante, tangente, bissetriz, altura, base, perpendicular, raio, corda, lado, alinhamento, endireitamento, galgação, subtendente, subtensa, horóptero, ortodromia, traço reto.
V. endireitar, ser reto, não ter curvas nem inflexões; seguir reto, aprumar para, dirigir-se para (direção) 278; retificar, graminhar, alinhar, bornear, galgar, perfilar, desencurvar, descurvar, desentortar, destorcer, desempenar = desengalapar, desdobrar, desencolher, entesar, esticar, desamolgar, subtender.
Adj. direito, reto, retiforme, retilíneo, retígrado, retificado & *v.*; direto, que não se desvia, que segue uma direção dada, subtenso, ortodrômico.
Adv. diretamente & *adj.*; em linha reta, sem torcer caminho, de flecha, na mesma direção, sem curvas nem inflexões.

△ **247.** (Circularidade simples) **Circunferência,** circularidade, redondeza, orbe, rotundidade 249;
círculo, aro, arco, virola, bambolê, resplendor, auréola, parasselene = halo = nimbo, área, fotosfera, estema = coroa, diadema, barrieira, argané, arganel, *annulus*, anel, anete, rodela, argola, disco, elo, anilha, manilha, armela (ant.), bracelete, sortela, sortelha = sortilha, pulseira;
leque, claraboia, óculo, roda, rodeta, ciclo, cicloide, órbita, zóster, zona, arelhana;
cinto, cinta, cinturão, cintilho, cós, banda, faixa, boldrié, rosário, grinalda, colar, afogador, laço, coleira, gargalheira, gargantilha, colarinho, solitário, rodopio, elipse, oval, elipsoide, epiciclo, epicicloide, meridiano, paralelo, trópicos;
equador, trópico de Câncer, trópico de Capricórnio, círculo polar ártico, antártico; semicírculo, oitante, quadrante, sextante, setor (*meia-lua*) 245; ciclômetro, compasso, cintel = cisel.
V. arredondar, redondar, redondear, tornar redondo & *adj.*; circular 227; descrever um círculo 311; envidilhar, aureolar, nimbar, circundar, toucar, alequear.
Adj. redondo, rotundo;

circular, ágono, rodado, rotulado, rotiforme, anular, orbicular, coronal, coronífero, oval, encíclico, elíptico, oblongo, oboval, obóveo, obovoide, areolado, areolar, aureolar, discoide, moniliforme, alequeado, esférico 249.
Adv. redondamente & *adj.*

▽ **248.** (Circularidade complexa) **Sinuosidade,** flexuosidade, tortuosidade, inextricabilidade, entresseio, enseio, recorte, convolução, involução, costadas (de rio), anfractuosidade, anfracto, quebrada, aneladura, onda, ondulação, enleio, acidentação, meandro, circuito, trança, viravolta, reviravolta, rodeio, ambages, labirinto, dédalo;
torção, torcedura, inosculação, reticulação (*cruzamento*) 219; espiral, rosca, filete, zigue-zague, caracol, cóclea, espira, hélice, helícula, circunvolução, parafuso, saca-rolhas, lemniscata, viburno, trepadeira, torcicolo, rolo, cacho, canudo, frisado, anel (de cabelos);
sifão, canotilho, cadenetilha, serpe, serpente, solenoide, voluta, gavinha, lambrequins, vermiculura, bicha, serpentina, saliências e depressões, altibaixos.
V. serpear, serpejar, serpentear, ondear, ondular, colear, ziguezaguear, colubrejar, voltear, girar, entrelaçar, enovelar, enrolar, entretecer 219; ser toda aos torcicolos (a estrada), enroscar, enlaçar-se, enlear-se, entrançar, arrolar, entortilhar, torcer, retorcer, enrugar, rodilhar, enrodilhar, caracolar, elar-se, espiralar, frisar, encrespar, encaracolar, riçar, encarapinhar, dentear, recortar, acidentar, raiar, estriar, contorcer-se em espiral.
Adj. convoluto, serpeante, serpejante, serpenteante, torcido = sesgo, sinuoso, tortuoso, flexuoso, oblíquo, torto, arrevesado, ondeado, onduloso, ondeante, ondulado, anelado, encaracolado = circinal, acidentado, irregular, montanhoso, desigual, circular 247;
serpentígeno, serpentiforme, serpentino, colubrino, colubreado, enguiforme, enguiliforme, salomônico, vermiforme, vermiculado, vermicular, vermiculoso, lombrical, lombricoide, sigmóideo; espiralado;
anfractuoso, sifônico, coclear, cocleado, cocleiforme, helicoide, helicoidal, turbinado, turbinoso, estriado em espiral;
intrincado, emaranhado, labiríntico, labirintiforme, complexo, peristáltico, meândrico, dedáleo.
Adv. convolutamente & *adj.*; em curvas coleadas, em loros, aos loros = em forma de fita flexuosa, em ondulações, em zigue-zague, em forma de caracol.

249. Esfericidade, arredondamento, rotundidade, cilindricidade, globosidade, cilindro, rolo, canudo, cilindroide, pipa, barril, tonel, tambor, *rouleau*, coluna, cone, conoide, funil, infundíbulo, esfera, esférula;
globo, orbe, terra, satélite, planeta, astro, sol, bola, glóbulo, ovo, óvulo, ovoide, pelota, pelotilha, conta, esferoide, melancia, abóbora, repolho, elipsoide de revolução, rotunda, poma, seio, mamoa, gota, camarinhas, bago, vesícula, bolha, balão, aeróstato, bugalho, ácino, uva, cebola, pela, novelo, pílula, botão, hemisfério, hemisferoide, semiesfera, meia-esfera, meia-laranja, calota.
V. ser, tornar (esférico & *adj.*); encanudar, redondar, arredondar, redondear, dar forma esférica, granular, bolear, bombear, abolar, arrebolar, acabaçar, arrepolhar, tornear.
Adj. esférico, redondo, rotundo, borrachudo, circular 247; ágono, fungiforme, cilíndrico, cilindroide, roliço, colunar, cônico, orbicular, globular, globoso, globuloso, pilular, esferal, esferoidal, hemisférico, arredondado, boleado, rebolado, mamoso, bagoado;
oval, ovado, óveo, ovular, ovuliforme, ovoide, vesicular, vesiculoso, campaniforme, campanulado, campanudo, bolboso, *teres atques rotundus*;
piriforme, hemisferoidal, oblongo, cepáceo, repolhudo.

3º) Superficial

△ **250. Convexidade,** alombamento, ressalto, proeminência, protuberância, prognatismo, extradorso, projeção, projetura, intumescimento, avançamento, alteamento, avoamento, duna, elevação, gibosidade, marreca, corcova, bojo, buco, saliência, alambor, releixo, bossagem, nodosidade, intumescência, turgidez, inturgescência, calosidade, tuberosidade, fungosidade, excrescência;
tumor, exostose, aneurisma, sarcoma, carbúnculo, antraz, furúnculo (*doença*) 655;

calombo, vesícula, empola, quisto, abscesso, lobinho, vergão, pápula, pústula, papo, papeira, trasorelho, bócio, broncocele, caxumba, terçogo, terçol = torçol, torçolho, verruga, arestim, dente, inchaço, inchação, anarca, anarco, apófise, côndilo, bolbo, nodo, nódulo, probóscida, tromba, bossa, mochila, giba, geba, corcunda, carcunda, galo, pão de açúcar 253; calo = tilose, tiloma, variz, bolha, borbulha, maléolo, pólipo, fungo, fungão;
bibo, teta, mama, peito, seio, glândula mamal, mamilo, poma, bochechas, belfas, nariz, beque, batata, bicanca, penca, focinho, lábio, beiço, beiçana, beiçada, barriga, abdome, ventre, bandulho, pança, panturra, cernelha, espádua, espalda, espaldeta;
escápula, botão, anquinhas, mamilho, munhão, sacada, balcão, cúpula, zimbório, arco, arcada, abóbada, refendimento, concameração, écfora, relevo, *cameo*, alto-relevo, entalhadura, cimbre;
outeiro 206; cabo, promontório, recife.
V. ser (proeminente & *adj.*); projetar-se, avançar, bojar, fazer bojo, relevar, apresentar saliência arredondada, ressair, sair, sobressair, avultar, realçar, destacar-se, salientar-se, ressaltar;
fazer barriga, saliência, ter avançamento, emergir, tomar espaço, arquear, entufar, dilatar 194; intumescer, bolhar, borbulhar, abaular, alombar, alamborar, alcatruzar, arredondar, copar, frondear, frondescer, frondejar.
Adj. convexo, alombado, extradorsado, alcatruzado & *v.*;
abaulado, cupulado, cupuliforme, proeminente, sobranceiro, esbugalhado, arqueado, papudo, protuberante, saltado, saliente, saído, nodoso, noduloso, caloso, avançado, que ressalta, corcovado, em relevo, ressaltado, tufado, relevado, claviforme, encrespado, *moutonné*, cheio de altos e baixos, croquento;
barrigudo 243; beiçudo 243; narigudo 243; corcunda 243; tumuroso, intumescido, túmido 194; túrgido, mamudo, mamífero, mamiloso, mamalhudo, mamilar, mastoide, mastóideo, vesical, bolboso, papuloso, lentiforme, lenticular, fungoso, labial, labelado, *repoussé*, enfunado 194; vesicular, vesiculoso, tuberoso, tuberculado, tubercular, aneurismático, cepáceo.

▽ **251. Planeza,** lisura 255; terraplenagem; lhanura, planura;
plano (*horizontalidade*) 213; chapa, lâmina, espelho, prato, mesa, lençol, planície 344; planalto, chapada, mesa, meseta, platô, tabuleiro; socalco, terrapleno.
V. tornar (plano & *adj.*); complanar, aplanar, respaldar, alisar 255; terraplenar, nivelar (*horizontal*) 213; planificar, aplainar, rasar, igualar, rasourar, achanar, achanzar, espalmar, aterrar.
Adj. plano, chão, liso, sem desigualdades, sem relevo, raso, discoide, horizontal, sem elevação nem depressão, replenado, terraplenado, desbarrigado, enodo.

▽ **252. Concavidade,** depressão, afundamento, curvatura, recuo, retraimento, entresseio, vácuo, cavidade, baixada, bolsão, cavado, reentrância, massa, seio, ângulo reentrante;
cova, covinha, fossa, chanfro, chanfradura, encavo, côncavo, nicho, recorte, recorte dentado, entalho, *intaglio*, talisca (*fenda*) 260; goivado, goivadura, cova = escavação, buraco, búrica, desaterro, mina, mineira, alvado, mossa, lacuna, tórax = arca do peito, sulco 252; escaravalho, caveto, alma do padeiro, cova do ladrão, croca, pelve, pélvis;
copo, xícara, chávena, bacia, cálice, escudela, cratera, poncheira, alvéolo (*receptáculo*) 191; funil, infundíbulo;
vale, convales, valeiro, valejo, bacia, clareira, subterrâneo, bocaina, cava, socava, enseada, anco, angra, baía, furna, gruta, lapa, caverna, antro, hipogeu, recôncavo, beco sem saída, *cul-de-sac*, solapa 198; nicho, arco 245; golfo 343; glifo, barroca, barranco.
V. ser (côncavo & *adj.*); afunilar-se, deprimir, abaixar, arquear, abobadar, chanfrar, escavar, ablaquear, ablaquecer, socavar, solapar, esgaivar, esburacar, esfuracar, furacar, ocar, cavoucar, concavar, minar, aprofundar, cavar, recavar, desaterrar, desbarrancar, abrir, encaldeirar, goivar, vazar, recortar, amolgar, alcantilar, amossegar, amorsegar, desentulhar, perfurar (*abrir*) 260; desfundar, enfunilar.
Adj. côncavo, deprimido & *v.*; que recua, oco, vazio, cavo, covo, cavernoso, esponjoso, poroso 260; celular, unilocular, olhento, alveolar, orbitário, pélvico, infundibular,

infundibuliforme, celuliforme, crateriforme, campaniforme, campanulado, abobadado, oculado, reentrante, escavado, chanfrado.

△ **253. Agudeza,** ácie (p. us.), acuidade, acume, acúmen, acuminação, amoladura, amolação, afiação, fio, gume, corte, releixo, perilo;
aguçamento, adelgaçamento, aculeamento & *v.*;
aguço, ponta, espiga, espigão, aresta = rebarba, lâmina, estria, sarça, espinho, cardo, silvado, abrolho, *espiculum*, silva, estrepe, pente, peina (ant.), agulha, alfinete, travessa, bico, choupa, ferrão, dardo, arpão, lança, acúleo, acicate, bandarilha, aguilhão, espora, estoque, roseta = cossouro, espeto, cúspide, tridente;
chifre, saramátulo (de veado), guampa (bras.), chavelho, ponta, corno, armas, saleiro, agulheta, espinha, farpa, farpão, chuço, azavã, pampilho, garrocha, pique, seta, flecha;
dente canino, do siso, molar, laniar, cabeiro; cartucheira (pop.), colmilho, presa, sobredente;
raio, pontilha, biqueira, ponteira, cume, cimeira, cone, conoide, quina, engra, pão de açúcar, cabucho, cabuchão, píncaro, alcantil;
agulha (de torre), *aiguille*, campanário;
chevaux de frise, porco-espinho, ouriço;
cunha, faca, cortadeira, caxerim, caxerenguengue, caxerenga, cotó, quicé, capadeira, facalhão, trinchante, trinchete, navalha, mastoquino, postemão, sevilhana, punhal, sica, lâmina, laminela; cutelo, cutela, cutelaria; escalpelo, bisturi, sarjador, lanceta, punceta, aposteimeiro;
charrua, arado, relha, alvião, machado, machadinho, secure, merlim, frâncica, cutelo, jugador, manchil, faca de jugar, talhador, balestilha, picareta, alferça = alferce, haissúaque, enxada, enxadão, cacumbu (dep.), enxó = trincha, goiva, podoa, podadeira, podão, roçadeira, rocadoura, foice, segadora, segão, sega do arado, setoura, ancinho, gadanha, arife (gír.), tesoura, fórfex, fórfice, florete, espada (*armas*) 727, punhal, adaga, canivete; puxavante = renete, furador 262; serra, serrão, serrote, amoladela, amoladura, amolada, molada, afiador, torna-fio, mó, pedra de afiar, cote,
aguçadeira, assentador, amolador, rebolo, couro, esmeril, reicua.
V. aguçar, ser (agudo & *adj.*); tornar (agudo & *adj.*);
apontar, afusar, afunilar, enfunilar, assovelar, adelgaçar, dar forma cônica a, anavalhar, acerar, azerar, acuminar, espicular, aculear, desembotar, embicar, eriçar, arriçar, denticular, farpar, farpear, desengrossar, desbastar, esmerilar, amolar, afiar, afilar, assentar o fio, passar na pedra, arrebolar, arrepiar 256; aparar.
Adj. agudo, bical, bicudo, pungente, sobrostrado, afiado, incisório, aguçado, fino, penetrante, cortante, amolado & *v.*;
acicular, aciculado, aculeado, aculeiforme, lanceolado, pontiagudo, pontudo, cônico, conoidal, piramidal, mucronado, fusiforme, dentiforme, securiforme, ensiforme, especiforme, dentudo, dentado, denticulado, adentado, bidentado, tridentado, quadridentado, bigúmeo = de dois gumes;
estrelado, estelífero, esteliforme, estelário, odontoide, tricorne, tricúspide, aguçado como a ponta de uma agulha, embicado, espadâneo, saliente, pectíneo, cuspidato, cornífero, corniforme, cavicórneo, espinhoso, colmilhoso, colmilhudo, cardoso, cheio de cardos, sarçoso, farpado, farpante, unicúspide, quadricúspide, quadrigúmeo, fragoso (*áspero*) 256; sagitado, bicorne, bicórneo, digitado, digitiforme, quinquedentado, sérreo, serrado, serrátil, eriçado, biaristado, ctenodonte, cornudo, cornígero, cornisolo, cornuto, unicorne, unicórneo, vulnífico.

▽ **254. Embotamento,** embotadura, obtusão, achatamento, amassamento, rebite.
V. embotar, ser tornar cego & *adj.*; obtundir, rebotar, botar, cegar, desafiar, engrossar o corte, rebitar, amossar, amossegar, amolgar, desdentar, despontar, adelgaçar (v. 253); desmouchar.
Adj. embotado & *v.*, rombo; desafiado, desamolado, boto, cego, obtuso, bronco, obtusado, grosso, grosseiro, chato, achatado, arredondado.

△ **255. Lisura,** desarrugamento, polidura, polimento, brunidura, brunimento, acetinação, macieza, acepilhadura, aplainamento, calandragem, penugem, frouxel, lanugem, carepa, pubescência, veludo, pelica, pelúcia, seda, cetim, resvaladura, res-

valadouro, escorregadouro, plaino (*horizontal*) 213; asfalto, lousa, espelho, soalho, mesa, lâmina, tabuleiro, chamalote; lima, cilindro compressor, torno, válgio (ant.), lixa, lixadeira, esmeril, brunidor, fresa, limatão, rufo, meio-rufo, lanceteira, calandra, plaina, garlopa, formão, goiva, rastilha, cepilho, fortaço (reg.), rabote, desenguiço (reg.), pente, mandril, maceta, escoda.
V. alisar, buir, açacalar, complanar, aplanar, espalmar, garnear, acepilhar, desenguiçar, limar, burnir, brunir, polir, lustrar, envernizar, plastificar, aluzir, aluziar, puir, lixar, escodar, acerejar, calandrar, fortaçar, mandrilar, pentear, rabotar, acetinar, gradar, nivelar, igualar, macadamizar, respaldar, desenrugar, desarrugar, desencanudar, desencaracolar, desencrespar, desencarapelar, desenriçar, desriçar, despenujar, cofiar (a barba), desencoscorar, desencorticar, engrenhar, desengrenhar, desencarquilhar, desamarfanhar 258; desempapar, engomar, gomar, desamarrotar, desfranzir, escanhoar, desgranar, tornar escorregadio (*lubrificar*) 332; esmerilar, esmerilhar, tornear, aveludar, amaciar 324.
Adj. liso, polido & *v.*; terso, plano, chão, raso, igual, enodo, uniforme, horizontal 213; luzidio, nédio, lustroso, lustrino, lustrilho, sedoso, seríceo, sérico, assedado, acetinado, pubescente, veludoso, cetinoso, penujoso (macio) 332; frouxelado, nu, escalvado, calvo 226; glabro, escorregadio, escorregável, lábil, resvaladiço, corrediço, vítreo, espelhento, oleoso, achamalotado, setífero, setígero, setiforme.
Adv. lisamente & *adj.*

▽ **256.** (Falta de lisura) **Aspereza,** crespidão, rigidez, deslisura, asperidade, asperidão, fragura, vilosidade, escabrosidade, fragosidade, rugosidade, granulosidade, arrepio, hispidez, agro, acerbidade, nodosidade, desigualdade, ondulação, quebrada, picada, rudeza, encrespamento, sequência de saliências e depressões, grânulo, garabulho, arrufo, arrugamento, arrugadura, cochedura;
lanosidade, escova, cabelo, catrabucha, trunfa, guedelha, gadelha, farripas, monete, caraminhola, carapinha, maranha, grenha, riço, gaforinha, encabeladura, cabeleira, trança, coma, madeixa, tufos, rolo, cadexo, topete, canudos, marrafa, buço, penugem, pelo, barba, bigode, melena, bucre ou bucle, penacho, martinete (dos grous), plumagem, plumacho, ouriço-cacheiro = erináceo, juba, crina, cerdas, copa (de árvore), megalho (de lã), bisso, velo, tabi, escarcha; barbaças, barbaçana, barbarrão.
V. ser, tornar (áspero & *adj.*); fazer tufo, calamistrar, eriçar, riçar, arrepiar, enouriçar, espinhar, ratinar, escarchar, enrufar, encristar, franzir, crispar, enrugar, arrugar, amarrotar 258; crespir, encoscorar, encrespar, alcachofrar, ondear, encaracolar; desgrenhar, desgadelhar, despentear, escabelar, desfrisar, esguedelhar, estopetar, emaranhar, maranhar, tabizar, marlotar, escarchar, encher de asperezas e escabrosidades, dar aparência rugosa a, enodar, escalavrar, achavascar, barbar, encabelar.
Adj. áspero, esquarroso, arisco, teso, despenhoso, desigual, azamboado, bronco, agro, confragoso, alpestre, alpéstrico, acidentado, escabroso = fragífero, agreste, serrano, fragoso, fragueiro, penhascoso, pedregoso, pedreguento, montanhoso, eriçado;
crespo, rugoso, espinhento, espinhoso, despolido, rofo, cascudo, escamoso, broquento, garabulhento, grosseiro, tosco, caloso, achavascado, rude, peluginoso, carapinho, crépido, crepidado, riço, crinisparso (poét.), hirsuto, hirto, intonso, veloso, viloso, rígido, inculto, híspido, ardentoso;
eriçado, arrepiado, pixaim, espetado, desgrenhado, guedelhudo, cabeludo, encabelado, peloso, sedeúdo, tufado, barbaçudo, barbado, barbato, barbudo, barbífero, crinito, crinífero, cerdoso, terciopeludo, riça (galinha), felpudo, lanífero, lanígero, lanoso, lanudo, lanzudo, lanuginoso, tomentoso, copado, folhento, folhudo, penado, penífero, penudo, plumoso; fulguricrinantes (tranças).

257. Encaixe, malhete, ranhura, chanfro, escavação, encavo, talho, entalhe, entalhadura, engaste, encarna, escarva, ganzepe, javre, rebarba, rebaixo, recrava, cortadura, incisão, mossa, corte, cova, recorte, dentel, dentículo, endentação, entrós, entrosagem, bombardeira, ameia, seteira, serra, serreta, crenas.
V. encaixar, entalhar, cravejar, ensamblar, embutir, amossegar, cortar, adentar, endentar, dentar, dentear, denticular, engranzar,

engonçar, engrenar, emalhetar, malhetar, encavar, embrechar, entrosar, engastar, incrustar. crenular, serrear, recortar, javrar, escarvar, escarificar.
Adj. encaixado & *v.*; entalhado, crenado, crenulado, denticulado, dentígero, serril, sérreo, serreado, serridênteo, dentado.

258. Dobra, dobradura, plicatura, duplicatura, plissê, rufa, rufo, prega, ruga, risco, sulco, vinco, pé de galinha, gelhas, cóscoro, amarrotamento, carquilha, engelhamento, enrugamento, corricas, refego, tomados, franzido, gorovinhas, apanhado, flexão, flexura, festo, junta, articulação, cotovelo, voltas, sinuosidade, corrugação, gola, ravina.
V. dobrar, machear, plicar = fazer (pregas & *subst.*); plissar, pregar, preguear, repolegar, franzir, enrugar, vincar, encrespar, refregar, rufar, fazer refegos, embainhar, arregaçar, regaçar, apanhar, encorrear, encoscorar, encarquilhar, avelar, amarfanhar, arrepanhar, engunhar (diz-se das uvas), engelhar, enverrugar, contrair, murchar, amarrotar, enxovalhar, manusear, marlotar, corrugar, enroscar.
Adj. dobrado, dobrável & *v.*; rugoso, rofo, rufo, rugífero, engorovinhado, froncil, setêmplice (poét.), boquifranzido; plissado, vincado, pregueado.

259. Sulco, carril, vestígio, rodeira, rego, regoadura; *sulcus*, canada, álveo, curso, incisão, estria, traço, fenda, racha, greta, corte, incisura, cesura, cortadura, rasgo, rasgão, rasgadura, canal, canalículo, relheira, goteira, vala, ravina, fosso, marra, calha, cale, sarjeta, valeta (*intervalo*) 198; acanaladura.
V. sulcar, estriar, raiar, arar, abrir regos, talar, ravinar, acanalar, arregoar, derregar, arregueirar, lavrar, arreganhar, gretar, fender, fendilhar, rasgar, arranhar, gravar, esculpir, incisar, frisar.
Adj. sulcado & *v.*; listrado, canaliculado, bissulcado, acanalado, bissulco, trissulco, quadrissulco, polissulco, ravinoso.

△ **260. Abertura,** franquia, franqueamento, rasgão, rasgadela, rasgadura, ruptura ou rotura, permeabilidade, rasgo, brecha, falha;
buraco, cavado, escavação, aberta, fresta, fenda, frincha, fisga, greta, rachadela, fieira, furo, forame, cova, rombo, arrombadela, perfuração = transfixão, rima, fissura, cissura, fundo (*de agulha*), encaixe, juntura, porosidade;
sorvedouro, fojo, pego, voragem, bocejo, boqueada, oscitação, deiscência, vão, buco, festão, janela, fenestral, postigo, guichê, luneta, claraboia, lumieira 421a; olho de boi, escotilhão, escotilha, gelosia, rótula, persiana;
entrada, portela, portelo, pórtico, portal, porta, portinhola = risbordo (de navio), ombreira, portaló, porta-cocheira, portão, respiro, respiradouro, chupeta, chupadouro, orifício, óculo, nascedouro, ostíolo, portuchos;
venta, boca, bocaça, bocarra, garganta, traqueia, tubeira, grameiras, goela, fauce, focinho, piloro, cóclea, portada, porteira, poterna, cancela, gargalo, alçapão, arcada, passagem, passadiço, caminho, vereda 627; serviço, serventia, servidão, travessa, beco, tubo, canudo, bocal, cano 350; chaminé 351; mina, canal, canalículo, broca, escatel, repuxo, torneira, funil, meato, ducto, infundíbulo, túnel, poço, cisterna, oviduto;
fístula, ferida, incisão, cirurgia, colostomia, traqueostomia, laparoscopia, bisturi; galeria, corredor, aleia, avenida, clareira, enseio;
calibre, ilhó, portucha, botoeira, poro, peneira, crivo, criva, ralo, joeira, malha, micrópilo, boquelha, hiato, penetração, trepanação, terebração, empalação, acupuntura, punção, trado (*instrumento perfurador*) 262.
V. abrir, estar (aberto & *adj.*); desabotoar, desabrochar, desacolchetar, escancarar, desimpedir, fenestrar, franquear, entreabrir, soabrir, tornar franco, rasgar, perfurar, esviscerar, descerrar, ventilar, arejar, desasselar, deslacrar, deschancelar, desfechar, descancelar, abrir caminho, desbravar, romper, arreganhar, bocejar, oscitar, boquejar;
furar, perfurar, cavar, escavar, escarvar, picar, penetrar, terebrar, empalar, transfixar, puncionar, punçar, espetar, trepanar, lancear, lancetar, apunhalar, esfaquear, escalpelar, escalpelizar, anavalhar, traspassar, atravessar, assovelar, sovelar, tradear, verrumar, enfiar, brocar, broquear, crivar, desenrolhar, desrolhar, desarrolhar, desta-

par, destampar, destoldar, descobrir 226; desabafar, afunilar, enfunilar, acanutar, encanudar, desbatocar, desentupir, desobstruir 705; minar 252; espichar, esgarçar, arrombar, abrir a passagem por, dar serventia, descercar, dessitiar, desbloquear, levantar o cerco.
Adj. aberto, escancarado & *v.*; aberto de par em par, invedável, invedado, ventilado, profundo, fenestrado, esburacado, hiulco, hiante, oriforme;
entreaberto, oscitante, patente, franqueado, multívio, pátulo, bipatente, dístomo, bucal, bucelário, tubular, canular, fistulado, enfistulado, fistuloso, fenestral, transitável, pérvio, desimpedido, acessível;
desabrigado, descampado, escampo, escampado, permeável, ilimitado, incircunscrito, fendido, roto, crivado, enfrestado, frestado, esburacado, milfurado, furaminoso, enfunilado, afunilado, infundibuliforme, vascular, esponjoso, poroso, clástico, folicular, cribiforme, faviforme, vesicular, vesiculoso.
Adv. abertamente & *adj.*
Interj. abre-te, Sésamo!.

▽ **261. Fechamento,** tapamento, encerramento, trancamento, obstrução, oclusão, vedação, entupimento (*embaraço*) 706, infarto, enfarte; bloqueio, cerco, sítio, atresia, imperfuração, impermeabilidade, copróstase ou coprostasia = constipação, intransitabilidade, beco sem saída, betesga, *cul-de-sac*, angiporto;
obturação, calafeto, calafetagem, chave, ferrolho, tranca, tranqueta, taramela, trinco, fechadura, cadeado; adiafania, adiatermia.
V. fechar, cerrar, encerrar, trancar, trancafiar, aferrolhar, vedar, barrar, cercar, (*circunscrever*) 229; obliterar (uma cavidade), rolhar, arrolhar, cicatrizar, atapulhar, tapulhar, batocar, embatocar, chinar, bloquear, isolar, entupir (*obstruir*) 706, enfartar, infartar; mechar, estuchar, aldravar; obtusar, sigilar, selar, lacrar, sufocar, lutar, obturar, chumbar, aurificar;
represar, açudar, estopar, sapar, calafetar, abetumar, tafulhar, atafulhar, sitiar, fechar num círculo, estreitar-se o cerco (*ataque*) 716; abotoar, afivelar, enclausurar.
Adj. fechado & *v.*; trancado, tampado, opercular, operculiforme, cerrado, impenetrável, indevassável, ínvio, impérvio, impraticável, imperfurado, inacessível, intransponível, difícil, intransitável, dévio, invadeável, desnavegável, inavegável, inventilado, hermeticamente fechado, evalve, indeiscente.

△ **262.** (Instrumentos perfurantes) **Perfurador,** furador, broca, picador, punção, gonete, trado, pua, bradal, verruma, verrumão, tira-fundo, saca-fundo, travoela, estilete, berbequim, sovela, sovelão, pica-ponto, almofrez, almofate, pinador, sovina, saca-rolhas, sacho, sachola, trocarte, trépano, trépano de coroa, tenta, sonda, agulha, lanceta (*instrumento cortante*) 253; britador, raio *laser*;
buril, escopro, cinzel, formão, badame, bedame, goiva, arco de pua, lança (*armas*) 727, seta, flecha, florete, espada, punhal, baioneta; espicho, espiche, térebra, abre-ilhós, ruptório, espéculo, lenticular, escarvador, esgaravatil.

▽ **263. Tapador,** tapadouro, sobrecopa, tampa, tampão, cavilha, testo, opérculo, epístoma, tapa, tapulho, bucha, rolha, estigota, bujão, carregonceira, batoque, urco, êmbolo, pistão, esquiça, espicho, espiche, soquete, lanada, torneira, chumaço, mecha, prancheta (de fios), luto, torniquete, coberta 223;
válvula, adufa, comporta, represa, açude, dique, doca, eclusa, presúria, mota, cravelho, cancela = portelo, taramela, barreira (*obstrução*) 706; própole, ostiário, pregoeiro, porteiro, atriense, guarda-portão, chaveiro, clavário, claviculário, claveiro, bedel, bastonário, s. Pedro, Cérbero, Jano, guarda-barreira, saltuário (ant.), arqueiro, enxota-cães, perreiro, vigia, vigiador, calafate, petintal.
Adj. valvular, valvulado.

Divisão IV. MOVIMENTO

1º) Movimento em geral

△ **264. Movimento,** movimentação, mobilidade, moção, animação, agitação, inquietação = saracote, desassossego, rabeadura; mexonada, travessura, traquinice, traquinada, rabinice, tropelia, mudança,

deslocamento, rolamento, deslizamento, escorregamento, ida, vinda, subida, ascensão, descida, descenso, corrente, curso, carreira, fluxo e refluxo, vaivém, evolução; cinesia, cinética, cinemática, estereodinâmica; passo, marcha, jornada, longada, andar, caminhada, passada, corrida, progressão, andadura, cadência, percurso, transição, trajeto, trajetória;
transporte, frete, carreto, velocidade 274, aceleração; locomobilidade, locomotividade, locomoção, viagem 267; trânsito 270; turismo 266; azáfama, lufa-lufa 682; inquietação (*mutabilidade*) 149; amobilidade, leis do movimento;
hiperatividade, traquina, tareco, trique-traz, menino da pá virada;
motor, força motriz, motriz, dromomania, automatismo, ambulatório.
V. movimentar(-se), estar em (movimento & *subst.*); deslocar-se, remexer-se, mexer-se, agitar-se, bulir, mobilizar(-se), dar sinal de vida, locomover-se, fraldear = caminhar, apressar-se, mover-se, abalar-se, andar 266; transitar, passar, fugir;
voar, esvoaçar, adejar, pairar, remar, escorregar, deslizar, resvalar, vanguejar, perpassar, vagar;
correr, andar Seca e Meca; vagabundear, propagar-se, deambular, divagar, andejar, peregrinar, vaguejar, circunvagar, correr a coxia, andar de déu em déu, não ter paragem = andar em bolandas, conservar-se em movimento, rabear = estar inquieto, ter bicho-carpinteiro, esgarabulhar, estar sempre com o pé no ar;
estar com a pulga, com a mosca; ser da pele do diabo, ter arestins, não criar mofo, não criar limo, não parar quieto, estar com bicho-carpinteiro, percorrer, medir, vencer, palmilhar, perlustrar, desfilar, impulsionar; dar, imprimir, comunicar movimento; acionar, impelir 276; propulsar 284; mobilizar.
Adj. movente & *v.*; movedor, móvel, movível, movido, movediço, levadiço, volante, móbil, motriz, motório, instável;
hiperativo, dinâmico, impaciente, pressuroso, solícito, nervoso, irrequieto, mudável, mutável 149; mercurial, semovente, andejo, andarejo, andeiro, andante, multívago, notívago, noturno, pervígil, orbícola, orbívago, errante, peripatético, giratório, circunvago, circunvagante, erradio, errático 279;
ligeiro, ágil, levantado, levantadiço, remexido, locomotor, locomóvel, locomotivo, buliçoso, mexediço, trêfego, inquieto, desinquieto, travesso, traquinas, peralta (bras.), folgazão, rabeador, desassossegado, insofrido, sôfrego, impaciente.
Adv. movediçamente & *adj.*; em marcha, a caminho.

▽ **265. Imobilidade,** repouso, inamovibilidade, calma, paro (ant.), quietação, quietude, sossego, pacacidade, pacatez, placidez, fleuma, pachorra, serenidade, tranquilidade, estagnação, inércia, apatia, abulia, impassibilidade, parada, paralisação, paralisia, imobilização, imobilismo, fixidez, fixidade, catalepsia, quietismo, sedentariedade, sedentarismo, descanso 687; paz, remanso, calmaria, bonança, silêncio 403; sono (*inatividade*) 683; acalmia, jazida; pausa, ponto (cessação) 142; embargo, suspensão, demora, lugar de repouso, pousada, bivaque, lar 189; travesseiro (*suporte*) 215; porto (*refúgio*) 266; meta (*chegada*) 292; poste, estaca, pilar, estátua, penedo, rochedo.
V. repousar, estar (quieto & *adj.*); descansar, jazer, dormir, adormecer, aquedar-se; ficar, permanecer/jazer imóvel; acarrar-se, imobilizar-se, emperrar, quedar, estacionar, parar, estacar, embicar, deter-se, demorar-se, esbarrar, tropeçar, criar limo, criar lodo, apodrecer, enferrujar-se, estagnar, *quieta non movere*; ficar só, ficar às moscas, aderir;
ficar imóvel como um poste/como uma estaca; não dar um passo, parecer estátua, não tugir nem mugir, não mover uma palha;
repousar nas amarras;
estar surto/fundeado;
lançar âncora/ferro, tomar pouso, estar sobre ferro;
estar à âncora/à capa; repousar sobre os seus louros;
acalmar, amainar, abrandar, aquietar, sossegar, parar, deter.
Adj. quieto, quedo, quiescente, intrêmulo, aquedado, tranquilo, sossegado, acalmado, calmo, sereno, plácido, impassível, desruidoso, bonançoso, inativo 683; remansoso, remansado, inerrante, imóvel, imoto, hirto, fixo, sem pestanejar, sedentário, estacionário, jacente, suspenso, irremovível, firme,

266. Locomoção | 267. Navegação

estático, inamovível, intransferível, intransportável, estagnado, parado, apático, abúlico, estatelado, morto, imudável, imutável 150; percluso, dormente, pousado, assentado, imóvel como uma estátua, firme e quedo como um rochedo;
surto, fundeado, ancorado.
Adv. quietamente & *adj.*; nem para a frente nem para trás; nem para cima nem para baixo, a pé firme, a pé quedo.
Interj. alto! para! basta!.

△ **266.** (Locomoção por terra) **Locomoção,** locomobilidade, transporte, viagem, ida, volta, jornada, tráfego, marcha, turnê, andada, andança, caminhada, tirão, estirão, estirada, tirada, excurso, excursão, expedição, travessia, passeio, passeata, perambulação, trajeto, percurso, giro, girata, giravolta, circuito, curso, peregrinação, romaria, romagem, procissão, círio, ambulação, carreira, vilegiatura, viajata (fam.), passo, passada, desfile, parada;
equitação, vectação, manejo, turismo;
sonambulismo, sonambulação, noctambulismo, noctambulação, onirodinia, sonâmbulo, noctâmbulo;
vagabundagem, vadiagem, saracoteio, nomadismo, pedestrianismo, emigração, migração, imigração, itinerário, guia, roteiro, derroteiro, derrota;
comitiva, séquito, caravana 268; viajante 268, mochileiro; veículo 272; *viagem por água ou ar* 267.
V. viajar, viandar;
ver, correr mundo; respirar novos ares, correr as cinco partes do mundo, viajar de pelo a pelo, ir ao cabo do mundo, excursionar, passear, tomar ares, dar/fazer passeio, viajar terras, fazer turismo, dar um giro, dar passadas;
andar de terra em terra, de déu em déu;
transportar-se a outros céus, a outras plagas; ambular, caminhar, pisar, palmilhar, calcorrear, bosquerejar, retrilhar, perlustrar, discorrer por várias terras, marchar, mover-se, movimentar-se;
vencer/estreitar distâncias; perambular, jornardear, trilhar, ir e vir, trafegar, atravessar, cruzar;
levar vida nômade/de cigano/de judeu errante; mariposear, borboletear, circunvagar, vagabundear, vagamundear, vagar, vaguear, andejar, divagar, andar à malta, emigrar, arrancar de, imigrar, migrar, andarilhar;
andar no cavalo dos frades/de s. Francisco; andar a pé, andar à faca-sola, ir à pata, tamanquear;
encavalgar, cavalgar, montar, trotar, estrotejar, choutar (*vagareza*) 275; galopar (*rapidez*) 274;
dirigir-se para (*direção*) 278; ir ter com, embicar-se para; mandar-se para;
ir em procissão, desfilar.
Adj. viageiro, viajado, viajante, ambulante, ambulatório, ambulativo, migrante, migratório, imigrante, emigrante, emigratório, imigratório, itinerário, peripatético, pedestre, andante, andejo, andarejo, erradio, errante, vagabundo, multívago, corseiro, nômade, instável, inconstante, irrequieto 264; notívago, noturno, noturnal, noctâmbulo, andeiro, locomotor, locomotriz, locomóvel, caminheiro, caminhador, viandante, andador, andadeiro, transeunte, circunvago, circunvagante, encavalgado, ginetado, lucífugo.
Adv. a pé, *calcante pede*, à faca sola, a pospelo ou a pés e pelo, a passos largos, a unha de cavalo (*velocidade*) 274; a passos contados (*vagareza*) 275.

▽ **267.** (Locomoção por água ou ar) **Navegação,** náutica, nautografia, arte náutica, arte de navegação, histiodromia; navegabilidade, cabotagem, navio 273; remo, ginga, hélice, vela, propulsor; navegação aérea, aviação, aeronáutica, aerostação, aerostática, aeronave 273; aviônica;
mastro grande, real;
mastro da mezena, do traquete, do gurupés, da gata; marinharia, natação, nado, nadadura, remada, remadura;
asa, remígio, evolução, revoada, voo, surto, voejo, voadura, adejo, volitação, avoamento, viagem espacial, voo espacial, missão espacial; lançamento, reentrada;
viagem marítima, cruzeiro, derrota, travessia, corso, turnê, circum-navegação, rota, périplo, marcha, declinação da derrota; marinheiro 269, marujo, timoneiro.
V. navegar; arrotear, arar, correr, sulcar, cruzar, percorrer os mares; fazer-se ao(s) mar(es) (*partir*) 293, zarpar, aportar, atracar;
partir, sulcar, fender, cortar as ondas; singrar o oceano, tomar o alto = fazer-se ao mar, aguçar-se o navio de ló, bordejar, fazer

o cruzeiro de, navegar a todo o pano (*velocidade*) 274; correr com o vento em popa, barquear, barquejar, esteirar, bolinar, ir à bolina, barlaventear, barlaventejar, sotaventear, gingar, marear à bolina, navegar rota abatida, surdir, corsear, cruza, vagar à mercê das ondas, navegar terra a terra, fazer-se na volta do mar, distanciar-se da terra, costear, circum-navegar, viajar a vapor, cabotar, ir num bote;
ir rio acima/rio abaixo;
nadar, bracejar, flutuar, lutar contra as ondas, tranar, transnadar, atravessar a nado; roçar, rasar, tangenciar, tocar de leve a água; aflorar, emergir, vadear, passar a vau, esguazar;
voar; cortar, cruzar, sulcar, partir, fender, rasgar os ares/o espaço; ir num balão, revoar; tomar voo, avoejar, voejar, esvoaçar, volitar, girar nos ares, adejar, remar, pairar, librar, aeroplanar; decolar, levantar voo, pousar, aterrissar, amarar, amerissar.
Adj. navegante, navegador, náutico, marítimo, oceânico, naval, fluvial, fluviátil, aquático, flumíneo, flutuoso, natátil, flutuante, velívago, velívolo, undívago, naviforme, navígero, rêmige, volante, volitante, noctâmbulo, noctívolo;
altivolante, aeróbio, altívolo, aerícola, rabavento, nubívago, altívago, alado, alígero, aeronáutico, volatório.
Adv. de foz em fora, por mar, de navio, a vela, ao varrer dos remos, barra em fora, mar em fora, *velis et remis*; por via aérea, de avião.

△ **268. Viajante,** viageiro, viador, viajador, itinerante, caminhante, passageiro, compassageiro, andarilho, calcorreador, peão, andejo, caminhador, patamal, patamar, volantim, papa-léguas, manja-léguas, escoteiro, alvorário, turista, excursionista, vilegiaturista, alpinista, explorador, atalhador, mateiro, aventureiro, expedicionário, circum-navegador, embarcadiço, peregrino, peregrinador, palmeiro, palmeirim, romeiro, vagabundo, vagamundo;
prófugo, passeante, passeador, viandante, caminheiro, transeunte, ave de arribação (dep.), pedestre, infante;
nômade, árabe, cigano = gitano = zíngaro, saracoteador, Judeu Errante, Ulisses, cavaleiro, batissela, maturrango, maturrengo (dep.), cavaleira, amazona, arricaveiro (ant.), marialva, cavalgante, ginete, ginetário, andante, paladino, encavalgadura, bom-calção, peripatético, montanhês, sonâmbulo, noctâmbulo;
emigrante, emigrado, refugiado, retirante, imigrante, foragido, flagelado (bras.), expatriado, exilado; ET, extraterrestre, alienígena. forasteiro, desconhecido, ádvena, adventício, garimpeiro, correio, carteiro, mensageiro, Íris, Ariel, cometa (bras.) = caixeiro-viajante;
ciclista, carroceiro, carreiro, carreteiro, chofer, motorista, automedonte, auriga, aurigário, cocheiro, trintanário, maquinista, foguista, postilhão, sota, sota-cocheiro, troteiro, jóquei, boleeiro, estafeta, *condottiero*, cangalheiro, recoveiro, cornaca, muladeiro (bras.), motorneiro, motociclista, guia, xauter;
aeronauta, aviador, Ícaro;
comitiva, caravana, quibuca, cavalgada, cavalgata, préstito, procissão, séquito, cortejo, coluna, piquete.
Adj. escoteiro, quadrupedante, viagíssimo = que viajou muito.

▽ **269. Equipagem,** marinheiro, matalote, marujo, embarcadiço, navegante, mareante;
homem/lobo do mar; nauta, navegador, protonauta, argonauta, igaruana (bras.), gajeiro, barqueiro, catraieiro, rabeco (Douro), tripulante, bantineiro (asiático), remeiro, remador, piloto, vaga-avante, timoneiro, palinuro, jacumã (bras.), homem do leme, sota-piloto, prático, proeiro, arrais;
mestre, capitão do barco; soto-capitão, galeriano, imediato, contramestre, jangadeiro, gondoleiro, tingueiro, paqueboteiro, caraveleiro, surdista;
marinhagem, marinharia, guarnição, tripulação, maruja, marujada, companhia, gente de mareação, chusma, pessoal de bordo;
aeronauta, aviador, piloto, copiloto, navegador, comissário de bordo, aeromoça, aeromoço, tripulação;
astronauta, espaçonauta, cosmonauta.
V. tripular, equipar, pilotar, pilotear, varear, guarnecer, dirigir 693.
Adj. rêmige, remador.

270. Transferência, transplante, transplantação, transposição, desalojamento, remoção,

deslocamento, transporte, transportação, transvasamento, removimento, decantação, muda, mudança, relegação, deportação, condução, abdução, adução, expulsão, extradição, trasfego, trasfega, trasfegadura, contágio, contagião, contaminação, transmissão, passagem (*transferência de propriedade*) 783;
baldeação, trânsito, transição, trabordo, ondulação, vectação, transumância, transmigração, transposição 148; metátese, tmese, translação, traspasse, traspasso, trasladação, transfusão, tração 285; tráfego;
carreto, frete, porte.
V. transferir, remover, mudar de parada, afastar, amover, transmitir, transportar, transplantar, transvasar, elutriar, decantar, veicular, desalojar, deslocar 188; remeter, expedir, transpor, trasfegar, trasladar, transfundir, fazer a transfusão de, versar, escoar, mudar, baldear, passar das mãos de alguém para as de;
carguejar, carrear, carretear, carretar, carregar, recovar, almocrevar, levar, conduzir, portar, demover, enviar, passar às mãos de, trazer à presença de, transmigrar, repontar (bras.), transumar, contagiar, contaminar, propagar, extraditar, expulsar, banir, exilar, desligar, delegar, consignar, transpor (*permutar*) 148; arrastar 285;
ser (transferido & *adj.*); ir carregado;
ir ao colo de, ir às costas de, ir às cavalitas, ir às carranchinhas.
Adj. transferido & *v.*; movediço, mudadiço, mutável, amovível, removível, transferível & *v.*; sem estabilidade, portátil, leve 320; contagioso, contaminável, comunicável, transmissível & *v.*; gestatório.
Adv. movediçamente & *adj.*; de mão em mão, de Herodes para Pilatos, de déu em déu, de pai pra filho, em caminho, na estrada, em trânsito, *in transitu, en route*, em marcha, *chemin faisant, en passant*, de passagem.

271. Carregador, carrejão, moço de fretes, recoveiro, tropeiro (bras.), portador, estivador, almocreve, azemel, arrocheiro, tocador, cargueiro, condutor, guia, cornaca, guiador, mensageiro, aguadeiro, bájulo (ant.), machileiro;
(abreviaturas usadas nos vocábulos seguintes: v = velho, m = magro, f = fraco);

alazão, alfarás, Pégaso (mit.), corcel, ginete, palafrém, animal (bras.), badana (gír.), bagual, bicho, bucéfalo, campeão, campeador (bras.), catrapós, catrapus, catraio (gír.), cavalgadura, caxito, cavalo, changueiro (bras.), estrela, faca, facaneia ou hacaneia, flete (bras.), frisão, gaio, garanhão 373; guinilha, hemíono, montada, montaria, morzelo, nambi, parelheiro, pastor 372; pecherão, pingaço (bras.), pingo (bras.), piquete (bras.), poldro 130; puro-sangue, redomão, tranquito (bras.), trotão, urco;
(cavalos pequenos) andareque (dep.), canivete (m. f.), cavalicoque (dep.), garrano, mosquete (bras.), peceta (dep.), pequira = petiço, pica-pau (dep.), pileca (dep.), pônei, quartão, rocim, rocinante, pangaré;
(cavalos velhos) arenque, arrasto, azêmola, bagual, catrapão, grelha (m.), mancarrão (m.) = pilunga, matungo (dep.), pica-fumo (dep.), reiuno (f.), sendeiro;
égua, grani, horsa, biriba = beriba, brivana (bras.), candorça (m.), facaneia, forroia (v.), jumento, orelhudo, asno, burro, jerico, hechor, jegue (bras.), onagro, besta, bestiaga, burra, burranca, burrica, burreca, quadriga, tropa, muletada, muar, mula ou mua, guecha; (*cores e sinais de cavalos*) 440a.
rena, rangífer, camelo, dromedário, lhama, elefante, pombo-correio, arranca-pinheiro (pop.); hipomania.
Adj. equino, asinino, cavalar, muar, elefantino, elefântico, alfario; (*cores e sinais de cavalo*) 440a; trotador, troteiro.

△ **272.** (veículo terrestre) **Veículo,** viatura, viação, transporte, condução, carreto, vagoneta, carrejo, vagão, vagonete, comboio, caravana, carro, plaustro (poét.), galera, charrete, carroça, carroção, jorrão, zorra, trenó, carril, calhão, pontão, carro de mão, arímono (ant.), cadeirinha, árcera, léctica, lectícula, liteira, palanquim, tensa, serpentina, andas, andilhas, férculo, padiola, banguê, machila, maca;
monociclo, velocípede, bicicleta, motocicleta, motoneta, triciclo, tricicleta, tandem, quintupleta, carrossel, montanha-russa;
velocipedia, velocipedismo;
coche, carruagem, fáeton, sege, milorde, cabriolé, tílburi, landau, vitória, caleche, caleça, berlinda, pirange (Índia), *dormeuse*, séla, charabã, carruagem de posta, quadriga, churrião, trâmuei, bonde, diligên-

cia, armamoxa, calhambeque, carro de bois, chiola, mosteia, carriola, carripana, malaposta, carrete;
andor, charola, cadeira gestatória;
automóvel, auto, táxi, máquina (bras.), ônibus, micro-ônibus, camioneta, caminhonete, jipe, utilitário, picape, van, furgão, caminhão, carreta; limusine, ambulância; trem, expresso, rápido, litorina, metrô, monotrilho, trem-bala, TGV, locomotiva;
Adj. gargaleiro; rodoviário, ferroviário, automotriz, utilitário.

▽ **273.** (veículo marítimo/aéreo) **Nave,** navio, nau, vela, embarcação, chaveco (dep.), náutilo;
esquadra, esquadrilha, flotilha, armada, encouraçado, couraçado 726, destróier, cruzador, contratorpedeiro, lancha-torpedeira, submarino; batisfera, tênder; navio mercante, navio negreiro, navio-carvoeiro, navio costeiro, transatlântico, paquete, paquebote, vapor, baleeira, patacho, bergantim, fragata, brigue, escuna, chalupa, galera, lugre, caravela, corveta, bateira, batel, barca, barco, barinel, batelão, baixel, bote, balanco (asiát.); iate, veleiro, iole, canoa, lancha, *body-board*, *jet-ski*; balandra, balsa, barco a vela, prancha a vela, acabela, almadia, catamarã, tone, *chasse-marée*, caíque, carraca, chalavega (asiát.), caixamarim, chipante, chalinque, chata, escaler, esquife, fusta, falua, galeota, galeote, galé, galeaça, galeão, guiga, gôndola, gabarra, gabarote, goleta, *gafftop*, galveta, gúndia, gundra, igara, igarité, janga, junco (asiát.), jangada (bras.), saveiro, lanchão, lagão (asiát.), pelota, palega (asiát.), palhabote, monóxilo = piroga, polaca, parau (asiát.), lorcha, marroaz, pinaça, piriche (asiát.), pontão, sumaca, rebocador, traineira, servilha, setia (asiát.), seró (asiát.), sibar, sambuco, matalote;
pangajoa (asiát.), panoura (asiát.), paranone (asiát.), trirreme (ant.), trincadura, tarrada, tarranquém, tarranquim (asiát.), tartana, tartanha, tartada (asiát.), terrada, tabo (asiát.), tingueiro (Tejo), ubá (bras.), varina (asiát.), varinel (asiát.), varino (asiát.), vogue (asiát.);
balão, dirigível, aeróstato, aeroplano, aeronave, avião, avião a jato, hidroavião, zepelim, helicóptero, autogiro; ultraleve, teco-teco; passarola; planador;

hélice, jato, reator; espaçonave, cosmonave, estação espacial, módulo lunar; míssil, foguete;
monomotor, bimotor, quadrimotor; monoplano, biplano;
bombardeiro, caça, avião-tanque;
nautografia, nautógrafo.
Adj. naviforme, naviculário, navífrago, velívago, velífero, velívolo, veleiro, undívago, flutívago, remeiro; aeronáutico, aéreo, aviônico, volante, volatório.
Adv. a bordo.

2º) Graus de movimento

△ **274. Velocidade,** celeridade, ligeireza, ligeirice, presteza, rapidez, destreza, agilidade, desfilada, fugacidade, carreira vertiginosa, carreira louca, pernada, expedição (*atividade*) 682; aceleração (*pressa*) 684; precipitação;
movimento rápido;
voo, trote rasgado; corrida, galope, galopada, disparada, meio-galope, fuga, marcha forçada, marche-marche, vertigem;
asas, pensamento, relâmpago, raio, luz, eletricidade, vento, bala, foguete, míssil, jato, bólide, flecha, seta, dardo, mercúrio, azougue;
telégrafo, más notícias, torrente, tufão, ventania, águia, lince, guepardo, antílope, corcel, gazela, veado, galgo, lebre, corça, esquilo, expresso;
Mercúrio, Ariel, Camila, papa-léguas.
V. ser (veloz & *adj.*); mover-se rapidamente, correr, disparar, voar, arremeter, abalar-se, correr com o vento em popa, chispar, zunir, navegar a todo o pano, andar a passos largos;
correr como um doido/como um galgo; fazer uma corrida, correr até perder o fôlego;
atropelar, devorar chão, caminho; estender a perna, fugir, safar-se, saltar, pular, sorver terras, correr a bom correr, ir de batida, andar a vela, estrotejar, trotar, galopar, partir como uma bala, ganhar terreno, meter pernas ao cavalo, dar às canelas; ir/vir a catrapós; desembestar, correr a toda a brida, correr como uma xara, ir de escantilhão, adiantar-se, tomar o passo a alguém, dar grandes passadas, ferir lume, passar adiante;
forçar os mastros/a marcha;

alargar/avivar o passo; apertar o galope, levar grande velocidade, dar à perna, arrancar a trote, dobrar o passo, levar grande avanço a alguém, abrir grande vantagem; acelerar, animar a velocidade de; apressar, aligeirar, precipitar;
avivar/estugar o passo; esporear, fazer força de vela.
Adj. veloz, veloce, rápido, apressado & *v.*; prestes, precípite, arrebatado, apressurado, célere, ligeiro, desembaraçado, manipresto, apressado 684; remeiro, ágil, rapto (poét.), desabalado, impetuoso, violento; alígero, alífero, alipotente, aliveloz, velívolo, levípede, presto, correntio, andador, andadeiro, vivo, esperto, expedito, expresso, ativo 682; voador, volante, trotador, galopador, galopante, de pé leve, voante;
elétrico, telegráfico, rápido como uma (seta & *subst.*); fugaz, fugidio, fugitivo, vertiginoso, infernal, entontecedor, estonteante, desabrido, louco; *fulminis ocior alis* = mais veloz que o raio.
Adv. velozmente, rapidamente & *adj.*; à espora fita, a bom correr, à disparada, desembestadamente, depressa, *admisso equo* = a toda a brida, à rédea solta, à rédea larga, *ventre à terre*, de entuviada, à desfilada, a sete pés, a mata-cavalo, à unha de cavalo, a galope, a pés de cavalo, *more fluentis aquæ*, a todo vapor, a todo pano, *velis plenis*, de esfuziote, largo;
a passos largos/agigantados; *à pas de géant*, como um foguete, como um raio, à lufa-lufa, como doido, de corrida, num abrir e fechar de olhos, num piscar de olhos, de carreira, de foguete, com velocidade incomparável do raio, toste = depressa, a passo corrido, *velis et remis*, a toque de caixa, em corrida desenfreada, a marchas forçadas, de arrancada, de batida, de cavalo, de automóvel, de avião;
como um turbilhão; com a presteza vertiginosa dos expressos.

▽ **275. Vagareza,** lenteza, lentura, lentidão, lerdeza, lerdice, vagar, desaceleração, sossego, moleza, morosidade, pachorra, pachorrice, sonolência, modorra, ronçaria, roncice, pausa (*inatividade*) 683; retardamento, cera, frouxidão, lassidão, laxidão, demora (*retardamento*) 133; arrastamento, rastejo, rastejadura, preguiça, rojão, claudicação, coxeadura, manqueira;

mansidão, meio-trote, chouto, trote, chasqueiro;
passo curto/de boi/de cágado;
obras de sta. Engrácia; madraço (*preguiçoso*) 683; mandrião, mandriona, manquitó, manquitola, trambolhão, pé de chumbo, tartaruga, testudo, sapo concho, cágado, caracol, lesma, jabuti, caranguejo.
V. ser (vagaroso & *adj.*); mover-se vagarosamente, ir ladeira acima, andar de rojo, rojar-se, arrastar-se, andar de gatinhas, engatinhar, rastejar, demorar-se, atrasar-se, retardar-se 133; mandriar 683; fazer cera, arrastar;
caminhar com dificuldades, puxar de uma perna, coxear, copegar, claudicar, renguear (cavalo), emanquecer, manquecer, mancar, manquejar, arrastar os pés, andar a custo, dar passos incertos e pesados, fazer as coisas com todo o ripanço, andar ronceiramente, ir seu mole-mole, vacilar, ter bom passo, ir passo a passo, contar os passos, choutar, perder o terreno, recuar-se, ceder o passo a alguém, tornar (vagaroso & *adj.*);
amortecer, afrouxar, diminuir, moderar a velocidade; alentecer, compassar, aplicar o breque, pisar no freio, aparar as asas, refrear, sopear, reprimir (*moderar*) 174; puxar a rédea, rizar, enrizar, amainar as velas; laxar, diminuir/afrouxar o passo.
Adj. vagaroso, retardio, retardativo, retardão, lento, lerdo, ronceiro, demorado, moroso, demoroso, modorrento, manso, sereno, tardo, tardio, tardião, tardego, tardonho, tardinheiro, tardígrado, remisso, paulatino, frouxo, serôdio, malcorrente; pausado, compassado, descansado, executado a custo, desapressado, grave, circunspeto, sonolento, blandífluo, sonarento, dormente, letárgico, moderado, arrastado, pesado, preguiçoso, preguiceiro, indolente (*inativo*) 683; pachorrento, rasteiro, rastreiro, mansarrão;
gradual, insensível (*pequeno*) 32; imperceptível, lânguido, langoroso, trôpego, zoupeiro, claudicante, coxo, derreado, rengo, fraco das pernas, pateiro (diz-se das águas).
Adv. vagarosamente & *adj.*; a rasto, de rasto, *piano, adagio, largo, larghetto*;
a passos contados/descansados, lentos;
a passo de boi/de cágado/de ano/de sobremão; passo a passo, passo entre passo, palmo a palmo, lento lento = *presso pede*, quedo e

276. Impulso | 278. Direção

quedo, pé ante pé, a compasso, com descanso, de assento, de espaço, espaçadamente, intervaladamente, devagar, com vagar, pesadamente, em marcha sonolenta, gradualmente, gradativamente, aos poucos, intermitentemente, *gradatim*, por graus, de grau em grau, de grão em grão, pouco a pouco, *seriatim*, às avançadas = com intervalos, de rojões, a rojões, a rojo, de rojo, a prestações, tripetrepe.
PROVÉRBIOS: *Petit à petit l'oiseau fait son nid.* Devagar se vai ao longe. Roma não se fez em um dia. Quem espera sempre alcança.

3º) Movimento e força

△ **276. Impulso,** ação, impulsão, jacto/jato, supetão, molime, molímen, força, borbotão, impulsiva, ímpeto, impetuosidade, lanço, arranco, arrancada, tesão, tesura, jaculação, jáculo (ant.), jorro, esguicho, arremesso, lançamento, lançadura, projeção, explosão (*violência*) 173, disparo; sacão, tirão, socate, empurrão, empuxo, empuxão, puxão, repelão, arranque, rompante, sacadela, sacalão, safanão;
secussão, percussão, concussão, abalo, choque, encontro, encontrão, topo = embate, atração, colisão, abalroamento, recontro, umbigada, topada, tope, carambola, *élan*, carga (*ataque*) 716; murro, traspés, bofetão, golpe, golpada, palmada, pancada = zurbada = toque, bordoada, fubecada, porrada, piparote, chulipa, cambapé, alça-pé, pontapé, biqueirada, rasteira, banda, sancadilha, soco 972; direto, cruzado, *jab, upercut,* coice, cotovelada, *ruade*, rabanada, marrada, cornada, gaitada (pop.), bote, cutilada (*dor física*) 378; estocada, martelada, espadeirada, cajadada, calamocada;
malho, martelo, escoda, martelete, picadeira, marra, picão, mascoto, marrão, martinete, picareta, solinhadeira, camartelo, malho, malhote, mangual, maço, soquete, espadela, atacador, aríete, carneiro, bimbarra, macaco, bordão, cajado, cacheira, cacete, porrete, moca (pop.), clava, maça 727; machado 253; percussor, percutor; soqueira, soco-inglês, cassetete;
(ciência das forças mecânicas) dinâmica, dinamismo, alavanca, roldana, plano inclinado;
V. impulsionar, dar um (impulso & *subst.*); vibrar um (golpe & *subst.*); impelir, impulsar, pulsar, empurrar, fincar, jogar, lançar, arremessar, propelir, propulsar, desembestar, projetar, pinchar, sacudir, atirar, jacular, alijar, remessar, disparar, desenfrechar;
despedir, desfechar, vibrar, pespegar, chimpar, dar, desferir, aplicar, assentar, enfiar o braço, atingir, atropelar, cuspir, desmontar, abalroar, descavalgar, marrar, malhar, bater com o malho, chocar, embater, colidir, esbarrar, topar, ir de encontro, bater de encontro, encontrar-se com;
cascar, bater, triturar, percutir, pisar, ferir, lanhar, calcar, recalcar, esmurrar, sovar 972, arrebentar; soquetear, concutir, abalar, martelar, batucar (fam.), golpear 378; atassalhar, coicear, jogar de garupa, escoicear, escoicinhar, patear, respingar, rezingar, recalcitrar, dar bote, espadelar, estomentar, chicotear 972.
Adj. impulsor, impulsivo, impelente, percussor, percutor, percuciente, coiceiro, coiceador, martelador, malhador & *v.*; dinâmico, impelido & *v.*; maleiforme.

▽ **277. Recuo,** recuada, recuamento, marcha a ré, retirada, evacuação, volta, retorno, refluxo, refluência, retroação, retrocedimento, retrocessão, retrocesso, salto, ricochete, chapeleta, repercusso, repercussão, rebatimento, respingo, respincho (*elasticidade*) 325;
revérbero, reverberação, reflexão, reflexo, retroflexão, reação, eco 408; resistência, repulsa, força centrífuga, devolução 283; bustrofédon;
V. recuar, retroceder, evacuar, refluir, ricochetear, fazer ricochete, voltar, regressar, ser rejeitado, voltar à estaca zero;
reagir, repercutir, ressaltar, ressaltear, respinchar, repelir, respingar, refletir, refranger, reflexionar, rechaçar, propulsar, rebater, devolver, atrasar, retirar, recalcitrar, reenviar.
Adj. recuado & *v.*; reflexo, regressivo, reacionário, refluente, repercussivo, recalcitrante, retroativo 283; reativo, reagente.
Adv. recuadamente & *adj.*

4º) Movimento e direção

△ **278. Direção,** banda, sentido, rumo, vetor, marcação, tramontana = guia, rota, roteiro, via, endireito, diretriz, derrota,

baliza, orientação, bordada, inclinação (da agulha), declinação, polaridade, alvo, mira, objetivo, desígnio, finalidade, propósito, fito, intenção, tenção, intuito, colimação, pontaria, governo, governamento, anorteamento, governalho;
leme, bússola, agulha de marear, temão, calamita (ant.), retriz, remígio, flecha, estrela do norte, estrela polar = tramontana = cinosura, pontos do horizonte, pontos cardeais, pontos colaterais, pontos subcolaterais, arcturo, setentrião, levante, oriente, nascente, soão (ant.), sul, meio-dia, ábrego (ant.), poente, ocaso, ocidente, vésper, meias-partidas, linha de colimação, azimute, és-sueste (E.S.E.), norte (N.), nor-nordeste (N.N.E.), nor-noroeste (N.N.W. ou N.N.O.), noroeste (N.W. ou N.O.), sul (S.), sueste (S.E.), su-sueste (S.S.E.), su-sudoeste (S.S.W. ou S.S.O.), sota-vento (S.V.), sudoeste (S.W. ou S.O.), oés-noroeste (W.N.W. ou O.N.O.), oeste (W. ou O.), oés-sudoeste (W.S.W. ou O.S.O.), este (E.);
rumos da rosa de agulha, rumos da rosa dos ventos; náutica; farol, farolim, fanal, caminho, corrume (pop.), trajetória, órbita, curso, estrada, rota, alinhamento, meridiana, traita, endereço, sobrescrito.
V. dirigir-se, direcionar, aproar, ir a caminho de, ir direito a, ir direito como um fuso, ir de ponto em branco para;
carregar sobre a direita/sobre a esquerda, guiar-se, demandar, buscar, ir em procura de, tomar rumo para, rumar para, talhar derrota para, proar, proejar, abicar, bordejar, fazer o navio rasto para;
encaminhar-se, enveredar-se, seguir o norte, destinar-se;
tender, inclinar, pender, apontar, assestar para; colimar, visar, bornear = pôr em linha de pontaria, voltar as armas contra, fazer pontaria, alvejar, virar-se, estar voltado para, governar, manobrar, dirigir, rotear, marear, tripular, pilotar, pilotear, guiar, marinhar, sulaventear, barlaventear, sotaventear, nordestear, anordestear, nonoestar, nortear, anortear, suestar, sudoestar, conduzir para, inclinar a proa para, dirigir os passos para, orientar-se, reaviar-se, determinar o oriente, reconhecer a situação do lugar, fazer o navio cabeça, sobrescritar, endereçar; apontar para, mirar, objetivar.
Adj. dirigido (& *v.*) para; destinado a/para, diretivo; direcional, orientado, vetorial;

setentrional, norte, meridional, sul, oriental, evo (poét.), levantino, ocidental, ocíduo, hespérico;
Adv.* e *prep. para, a caminho de, em busca de, em demanda de, para a parte de, a barlavento, através de, com escala por, por meio de, por via de, em todas as direções, em todos os quadrantes, aos quatro ventos do horizonte, do lado do meio-dia, do norte & *subst.*; *quaquaversum* = de todos os lados, à veia-d'água, ao endireito de = na direção de.

▽ **279. Desvio,** desviação, transvio, afastamento, obliquidade, inclinação, difração, refração, refrangibilidade, flexão, deflexão, inflexão, curvatura, declinação, guinada, desnorteamento, desorientação, desgoverno;
diversão, digressão, aberração, divergência 291, distorção, círculo vicioso, labirinto, zigue-zague, linha quebrada, linha sinuosa, *détour*, *by-pass*, circuito 312; erro, extravio, descaminho, desencontro, ponto de inflexão.
V. desviar(-se), mudar de (*rumo* & *subst.*); declinar, bordejar, derivar-se, afastar-se para outra parte, retirar-se do caminho, alhear-se, apartar-se, encurvar-se 245; interverter, seguir nova trilha, infletir, quebrar, obliquar, inclinar-se para, abater;
perder a rota/a direção, digressoar, digressionar, variar, serpear, ziguezaguear, desencaminhar-se, demover-se, desaviar-se, descair, mudar de rumo, (*dirigir*) 278; derrotar-se;
quebrar, tomar à direita/à esquerda; guinar, voltar, voltear, contornar, dançar, rodar, girar, vaguear, bater mato, errar, perder-se;
ir à mercê dos ventos/das ondas;
ir a esmo, ir de déu em déu 264; vagabundear, vagamundear, ir-se à garra, garrar, desguaritar (bras.), transivar-se, desgarrar, esgarrar, descarregar, exorbitar, perder o leme, desmarear-se, desnortear-se, ficar desnorteado, voltar de vela, vacilar, oscilar 314; revelir (humor), esmadrigar, tresmalhar, extraviar, escabecear, refranger-se, refratar-se, difratar-se, quebrar-se, refletir, desorientar-se, perder a tramontana, ser reenviado, desencanar.
Adj. desviado, transviado, desnorteado, desorientado, desarvorado, desmastreado,

desmantelado, errante, sem bússola, perdido, extraviado & *v.*; indirigível, erradio, errático, tresmalhado & *v.*; apartado, amontado, vagabundo, vagamundo, esgarrão, desgarrão;
divagador, digressivo, vago, impreciso, indeterminado, indeciso, tortuoso, indireto, inconstante, oblíquo;
refrato, refrangível, refrangente, refrativo.
Adv. desarvoradamente & *adj.*; desorientadamente, à deriva, sem rei nem roque, sem rumo, por aí afora, à toa, a esmo, de déu em déu, sem norte.

△ **280.** (Marchando na frente) **Precessão,** direção, condução, liderança, anteposição, precedência 62, antecipação; prioridade 116; dianteira, avançada, mão, vanguarda *prima acies*, precursor 64; pioneiro, guia (ação de guiar), líder, abre-alas, xauter, descobridor, desbravador, batedor, inventor, choca, vaqueano, condutor, anteâmbulo, protomártir, cruciferário.
V. ir na frente, na vanguarda, na dianteira; ser o primeiro a romper a marcha;
estar, ir adiante; adiantar-se, antecipar-se, fazer-se seguir, levar atrás de si, ganhar a dianteira, guiar, puxar 285;
ter como séquito, como cortejo;
caminhar, romper na frente; antepor-se, levar grande avanço a alguém, precursar, precorrer, preceder, ser primeiro, deixar na retaguarda, abrir caminho, desbravar, fazer questão de beber água limpa (bras.), prepor-se (*tomar a precedência*) 62; comandar, chefiar, capitanear, conduzir, liderar, rebocar.
Adj. condutor, dianteiro, vanguardeiro, líder, guieiro, pioneiro, rebocador.
Adv. na frente, na vanguarda, à testa, adiante, peitavento.

▽ **281.** (Marchando atrás) **Sucessão,** sequela, sequência; continuação, prolongamento, persecução, perseguição 622; rastejo, rastejadura, posposição, cauda, rabeira, retaguarda, garupa, acompanhamento 88; escolta, sequaz, caudatário, satélite, cerra-fila, lanterna, cabeiro, sombra, séquito, cortejo, comitiva, ordenança, comboio, comboieiro, esteira, coice; sucessor 65; (*posterior*) 117.
V. seguir, acompanhar, não desacompanhar, ser precedido de, rastrear, rastear, rastejar, encalçar, perseguir 622; comboiar, escoltar, ficar atrás, rabear, cavaleirar (ant.), seguir a pista de;
ir atrás/na cola/na pista/na alheta/na pegada/na batida de/nas estribeiras de; ir ao socairo de, sorrabar, acalçar, sobre-estar, ir sobre, ir com a barba sobre, ir na trilha de, fazer parte do cortejo, correr no encalço de, acompanhar alguém como uma sombra;
caminhar na retaguarda, caminhar em seguimento de, seguir os passos de, pospor-se, andar à sirga, ser rebocado, tanger, tocar.
Adj. sequaz, seguidor, acompanhador, sequente, comboieiro, consequente, subsequente 63; precedido de.
Adv. atrás, após, na (*retaguarda* 235); no séquito de, na batida de.

△ **282.** (Movimento para frente) **Progressão,** progresso, marcha 266; progredimento, conquista de novos horizontes, avanço, avançada, avançamento; adiantamento, evolução;
impulso, marcha, surto, melhoria, melhoramento 658.
V. avançar, anteverter, progredir, evoluir; ganhar caminho/terreno/terra 280; arrancar, adiantar-se, ir por diante, ir avante, prosseguir = surdir = proceder;
andar, caminhar para frente; abrir caminho, não (retrogradar 283); não (ficar imóvel 265); marchar, distanciar-se, caminhar a passos largos, investir, deixar atrás = postergar = pospor, conquistar terreno, invadir, penetrar;
comer, devorar, salvar, vencer distância.
Adj. avançador, progressivo, evolutivo, profluente, avançado & *v.*; vitorioso, ovante, triunfante.
Adv. avançadamente & *adj.*; para a frente, em marcha para; em caminho, em demanda, em busca de; em trânsito 270.
Interj. avante!, para a frente!.
Frase: *Vestigia nulla retrorsum.*

▽ **283.** (Movimento para trás) **Regressão,** retrocesso, retrocedimento, retrogressão, retrogradação, retroação, retroatividade, retroflexão, retrospecção, volta, revinda, involução;
torna-viagem, ricochete, chapeleta, recuo, recua, recuada, recuamento, *reculade*, retirada, evacuação, debandada, contramarcha,

regresso, retorno, retornamento, retornança, andar de caranguejo, retraimento, retração, refluência, refluxo, ressalto, reflexão (*recuo*) 277; marcha a ré, baixa-mar, vazante; tergiversação, retrospecto.
V. recuar, acuar, retrosseguir, retroceder, retrogradar, retroagir, retrotrair, retroverter, desandar, tresandar, reverter, atrasar-se, contramarchar, renavegar;
voltar sobre si, sobre seus passos; desvelejar, destorcer caminho, virar de bordo, arrepiar carreira, voltar, volver, fazer/dar meia-volta, retornar, recolher-se, regressar, revir, revirar, ressaltar, ressaltear, ricochetear 277;
retirar-se, bater em retirada, evacuar, deixar o campo, não manter o terreno conquistado;
remigrar, repatriar, restituir à pátria, mover-se para trás, ciar, andar ao arrepio;
revirar o caminho, a carreira; retrair-se, encolher-se, ceder, refluir, rebaixar, fazer voltar para trás, repuxar, reenviar, repercutir, refletir, recambiar, devolver, rechaçar, rebater, reverberar.
Adj. retrocedente, retrógrado, retroativo, retroflexo, retrospectivo, retrocessivo, regressivo, réfluo, refluente, reflexo, reverberado & *v.*; retraído, reverso, reversivo, reversível, revertível.
Adv. retrocedentemente & *adj.*; para trás, *à reculons*, de recuo, de retirada, a contrapelo, às arrecuas, às recuadas, ao arrepio, a arrepia-cabelo, ao revés, arrevesadamente, às avessas.
Interj. para trás!, para o seu lugar!.
FRASES: *Revenons à nos moutons.* Voltando à vaca-fria/ao que vinha dizendo.

△ **284.** (Movimento comunicado a um objeto situado na frente) **Propulsão,** impulsão, projeção, *vis a tergo*, arrojão, arrojamento, empurrão (*impulso*) 276; varredela, vasculho, ejaculação, ejeção, dejeção 277; arremesso, arremessão, descarga, tiro, empuxo, empuxão, repelão, detonação, projetil, bala, chumbo, disco, martelo, peso, dardo, gorgaz, gorguz, flecha, xara (*armas*) 727; arrojeito, atirador, besteiro, artilheiro (*combatente*) 726, estilingada.
V. impelir 276, impulsionar; pulsar, propulsar, projetar, propelir, arremessar, alijar, jogar, atirar, arrojar, arrojeitar, lançar, enviar, empurrar, empuxar, disparar, soltar, desfrechar, ejacular, descarregar, catapultar, despedir, expedir, remeter, soprar, vibrar 276; coriscar, fulminar, dardejar, apedrar, apedrejar, desfechar, detonar, explodir, varrer, vasculhar, escovar, levar diante de si;
imprimir movimento, pôr em movimento, movimentar, pôr em andamento, dar impulso, levar de vencida, repelir.
Adj. impelido & *v.*; impulsor, impulsivo, propulsor, propulsivo, missivo, propelente, ejaculador, ejaculatório, arrojador, arrojadiço, balístico.

▽ **285.** (Movimento comunicado a um objeto situado atrás) **Tração,** retração, puxão, puxada, arrasto, arrastadura, arrastamento, arrancada, arranque, arrastão, reboque, sirga, atoagem, rebocadura, toa, sirgagem, trator, locomotiva, rebocador.
V. tracionar, puxar, tirar, repuxar, arrastar, levar à força, carrear, atrair, rojar, levar de rastos, movimentar, mover, repelar, arrepelar, rebocar, reboquear, atoar, conduzir a reboque, sirgar, puxar à sirga, levar a rojão, bolear.
Adj. trátil, tratório, puxante, puxativo, rebocador, bífugo, quadríjugo.

△ **286.** (Movimento para) **Aproximação,** abeiramento, afluência, confluência, convergência, concorrência, avizinhamento, acercamento, chegadela, achegamento, apropinquação, acessão, entrada, admissão, ádito, acesso, afluxão, advento (*aproximação do tempo*) 121; direção 278; perseguição 622.
V. aproximar-se, acercar-se, abeirar-se, avizinhar-se, dirigir-se, enveredar-se, achegar-se, chegar-se, acolher-se a, abordar, ir ao encontro de, acercar-se de, apropinquar-se, ir malhar com os olhos em, afluir, acorrer, ameaçar (*estar iminente*) 121; ir a caminho de, tender, locomover-se, aproar, gravitar, convergir, confluir, procurar, buscar, ir ao encalço de, refluir, impender, pisar os calcanhares de, talhar derrota para.
Adj. aproximativo, afluente, confluente, convergente, concorrente, impendente, iminente.
Interj. venha cá!, aproximem-se!, venham!.

287. (Movimento de) **Retirada,** fuga, deserção, evacuação, abandono, afastamento, re-

trocesso 283; regressão, partida 293; recuo 277; fuga (*esquivança*) 623; debandada 73.
V. retirar-se de, afastar-se, apartar-se, arredar-se, largar, separar-se, deixar, evitar, mudar-se, levantar voo, voltar as costas a, dar para trás, cair fora, deslocar-se, desamparar, fazer-se à vela, ir-se embora 293; dizer adeus, despedir-se, debandar, levantar o acampamento, fugir de, distanciar-se, pôr-se ao largo, abandonar, desferir voo, desterrar-se, escabrear-se, ausentar-se, desviar-se de.
Adj. retirante, fugitivo, arredio, afastado, lucífugo.

△ **288.** (Movimento para, ativamente) **Atração,** atratibilidade, solicitação, adução, adesão, magnetismo, fascinação, fascínio, gravidade, gravitação universal, lei de Newton, força centrípeta, aliciamento, ímã, calamita (ant.), pedra de cevar, magnete, magnetita, magnetômetro.
V. atrair, procurar, prender, chamar, solicitar, cooptar, aliciar, requestar, puxar, arrastar, aduzir, fascinar, magnetizar, convergir 290; monopolizar, captar.
Adj. atraente, atrativo, solicitante, adutor, adutivo, centrípeto = axípeto, magnético, cooptante, aliciante.

▽ **289.** (Movimento de, ativamente) **Repulsão,** repulsa, expulsão, rejeição, repelência, arremesso, rechaço, varredela, afastamento, abdução, força centrífuga, força repulsiva, diamagnetismo.
V. repelir, repulsar, pulsar, retundir, rebotar, rechaçar, enxotar, escorraçar, afugentar, expulsar, varrer de, limpar, rejeitar, sanear, rebater, ricochetear, atirar para longe, cuspir, abduzir, afastar, conservar afastado, expurgar, empurrar para longe, devolver, refugar, rejeitar.
Adj. repelente, repulsivo, centrífugo, abdutor, abduzente, diamagnético.

△ **290.** (Movimento convergente) **Convergência,** confluência, congregação, concorrência, união, unificação, concurso, confluxo, focalização, concentração, junção, encontro, corradiação, enfeixamento, congresso, Meca, sede, foco (*ponto de reunião*) 74; quartel-general.
V. convergir, confluir, afluir, unir, reunir, concentrar, concorrer, enfeixar, focalizar, centralizar, centrificar, encontrar, concorrerem, entroncarem-se, ser o receptáculo de.
Adj. convergente, contraconvergente, concorrente, confluente, centrípeto, assimptótico.

▽ **291.** (Movimento divergente) **Divergência,** ramificação, radiação, irradiação, efluência, expedição, emissão, difusão, dispersão, debandada 73; separação 44; desvio 279; aberração, difração, estouro da boiada.
V. divergir, radiar, irradiar, efluir, emitir, fagulhar, fuzilar, dardejar, espalhar, dispersar, espraiar, alastrar (*dispersar*) 73; subdividir-se, ramificar-se, esgalhar-se, bifurcar-se, dividir-se 44; desconcentrar, descentrar, descentralizar-se, apartar-se, desviar-se.
Adj. divergente, irradiante, radiante, efluente, disperso, centrífugo, axífugo, aberrante, difrativo, difringente, radiado.

△ **292.** (Movimento terminal) **Chegada,** chegamento, advento, vinda, regresso, volta, recepção, boas-vindas, *vin d'honneur*, entrevinda;
desembarque, saída em terra, descida, aportada, aportamento, arribada, arribação, atracação, casa, lar, destino, termo, meta, alvo, término, parada, paradeiro, paradouro, ponto final, aeroporto, terminal, pojo, posto, doca, cais, ancoradouro 666, pier; surgidouro, prancha, cuquiada.
V. chegar, vir, adergar (pop.), alcançar, haver à mão, atingir, parar, tocar, ganhar, desembarcar, pojar, arribar, aportar, fundear, poutar, aboiar o paquete;
lançar âncora/ferro; surgir, abordar, ancorar, pôr pé em terra, deitar âncora, aproar à barra, abicar à praia, pisar em terra, chegar ao quadro;
aferrar o navio; atracar, ir de arribada; ganhar, picar terra; arrimar-se à terra; tomar/ferrar o porto; sair em terra, surgir no porto, ir ter a, ir malhar com os ossos em, ir amanhecer em, apear-se, descer, desmontar, desapear-se, descavalgar-se; aterrar, aterrissar (gal.), amerissar (gal.), pousar, descer, chegar ao fim da viagem, achar-se entre nós, pernoitar, acampar, bivacar, demorar-se em, não prosseguir, sobrestar, parar, estacionar;

cair, morrer, estourar, rebentar, estalar, dar no alvo, topar com, encontrar-se com alguém, dar de cara com.
Adj. chegado & *v.*; recém-vindo, recém-chegado, adventício, chegadiço, vindiço, terminal.

▽ **293.** (Movimento inicial) **Partida,** retirada, ida, saída, decampamento, desocupação, leva, embarque, embarcamento, bota-fora, mudança, abandono, êxito, êxodo, egressão 295; fuga, hégira;
singradura, embicadura, despedida, abraços;
embarcadouro, gare, estação, porto 666; doca 292, pier; aeroporto, terminal.
V. partir, deixar, ir(-se) embora, ausentar-se, dizer adeus a, despedir-se, separar-se de, deixar os entes queridos, abalar-se, sair, marchar, meter pernas ao caminho, pôr o pé no estribo, afastar-se, iniciar a viagem, seguir viagem, arremessar o cavalo, retirar-se de, abandonar, desocupar, evacuar, quitar, desacampar; cair fora, dar o fora, escafeder-se, dar o pira;
levantar o acampamento/o arraial;
fazer uma viagem/uma jornada; sair em viagem; embarcar, tomar o trem, pisar as pranchas da barca, desferrar as velas, fazer-se ao mar, sair do porto, tocar à leva;
levantar ferro/âncora; ir para/subir a bordo, desancorar, zarpar, sarpar, desatracar, largar o porto, apartar-se de terra, emararar-se, amarar-se, singrar, fazer-se de ou a vela, desgarrar do porto, desaferrar, abalar-se para, arrancar, largar a toda a força de vela, velejar (*navegar*) 267;
lançar-se a nado;
voar, voejar, ir ao ar;
desprender, desferir voo, soltar voo, levantar voo, alçar voo; decolar (gal.), despedir-se, fazer suas despedidas, soluçar um adeus, dizer adeus, trocarem-se as últimas despedidas, despedir-se de amigos.
Adj. embarcado & *v.*
Adv. de pé no estribo, de malas feitas, de foz em fora, pela barra fora, pelo mar afora, mar em fora.
Interj. adeus!, *au revoir*!, boa viagem!, passe bem, passe muito bem!, saúde!, até sempre!, até mais ver!, até a vista! *Bye*!, *Ciao*!.

△ **294.** (Movimento para dentro) **Ingressão,** ingresso, entrada, introdução, intromissão, interferência, abordo, intrusão, invasão, incursão, influxo, influição, irrupção, penetração, interpenetração, infiltração, contrabando, inoculação, ilapso, inspiração, injeção, infusão, imigração, repatriação, repatriamento, admissão (*recepção*) 296; matrícula, insinuação (*interjacência*) 228; inserção (*entrada forçada*) 300; passagem, entrada, ádito, boca, porta, umbral, ombreira, limiar (*abertura*) 260; caminho 627; conduto 350; recipiendário, imigrante.
V. entrar, invadir, inundar, imergir, introduzir, ingressar, retransir, encher, ocupar, intrometer-se = ingerir-se, penetrar, perfurar, afundar-se, aprofundar-se, meter-se em, infiltrar-se = manir (reg.), entranhar-se, ingredir, dar entrada em, embrenhar-se, inocular-se, enxertar-se, internar-se, matricular-se, embolsar-se, mergulhar-se, esconder-se, refugiar-se, asilar-se, acoitar-se, arraigar-se, repatriar-se, restituir-se à pátria, imigrar, recolher-se, dar entrada (*receber*) 296; inserir (*entrada forçada*) 300; entrar em cena.
Adj. inoculável, invasivo, invasor, intrometido, metediço, infiltrado, inundante, entrante, penetrante, insinuante & *v.*; endosmótico.

▽ **295.** (Movimento para fora) **Egressão,** êxito, saída, prolapso, emersão, emergência, afluxão, erupção, manifestação, extroversão, afloração, emanação, miasmas, evaporação, secreção, exsudação, transudação, extravasação, extravasamento;
transpiração, ressudação, suor, salivação, sopro, sialismo, segregação, emissão, ejaculação, expulsão, extrusão, exaustão, ovulação, excreção 299; exosmose, exportação, reexportação, expatriação, remigração, emigração, êxodo (*partida*) 293; desova, parto;
emigrante, retirante, exilado, egresso;
respiro, respiradouro, bica, cânula, torneira, comporta, filtro, manga, escoadouro, boca, porta (*abertura*) 260; caminho 627; duto, conduto 350.
V. emergir, emanar, sair, prorromper, irromper, golfar, jorrar (*líquido em movimento*) 348; brotar, aflorar, surdir, surgir, porejar, exsudar, transudar, estilar, destilar, ressudar, suar, transpirar, transcoar, transcolar, segregar, margear, ressumbrar, ressumar

= rever, manifestar-se, gotear, gotejar, esgotar, filtrar-se, apontar, aparecer, rebentar, nascer, manar, extravasar, transbordar, borbulhar, salivar, perdigotar, expatriar-se, exilar-se, emigrar, foragir-se.
Adj. egresso, emergente, emanante, sudatório, sudorífero, sudorífico.

△ **296.** (Movimento para dentro, ativamente) **Recepção,** admissão, acolhida, acolhimento, introdução, agasalho, abrigo, importação, impregnação, imissão, ingestão, reabsorção, ressorção, absorção, assimilação, embebição, absorvência, chupão, chupadela, sumpção, ingurgitação, ingurgitamento, inalação, inspiração, aspiração, sorvedela, sorvedura, sorvo, hausto, mamadura, deglutição, *comida, bebida* 298; inserção 300; penetração 294; aquisição.
V. dar entrada a, admitir, receber, acolher, agasalhar, abrigar, asilar, acoitar, abrir a porta a, imitir; escancarar a porta, abrir a porta de par em par, introduzir, importar, inalar, tragar, absorver, reabsorver, fungar, cheirar, aspirar, haurir, sorver, puxar, sugar ou sucar, embeber, chupar, repassar, inspirar;
tomar, sorver uma pitada; pitadear, mamar 127; chuchar, abeberar, embeberar, impregnar-se, empapar-se, *comer, beber* 298; ressorver, engolir, deglutir.
Adj. admissível, admitido & *v.*; absorvível, absorvente, absorvedor, passento, tragador & *v.*; aspirante, bíbulo, chupão, chupador, voraz, pantagruélico, faminto, guloso.

△ **297.** (Movimento para fora, ativamente) **Expulsão,** emissão, efusão, ejeção, ejaculação, rejeição, repulsão, extrusão, eversão, descarga, evacuação, descomida, vomição, vômito, golfada = gorgolão, eructação, arroto, ventosidade, peido (pleb.), traque, flato dos intestinos; cuspidela, cuspidura, escarro;
sangria, flebotomia, paracentese, exania, prolapso, escoamento, esgoto, despejo, evisceração, deportação, banimento 972; relegação, extradição, desalojamento.
V. dar saída a, ejetar, exalar, evaporar, lançar fora, extravasar, esvaziar, dar vazão, limpar, sacudir, despejar, entornar, segregar, expelir, deitar fora, ejacular, excretar, emitir, dardejar, descarregar, abrir as comportas, rejeitar, desaceitar, refugar, desacolher, repelir, lançar de si, afugentar, efundir, esguichar, seringar, derramar, suar 295; soprar 338; golfar, golfejar;
fazer sair = eliciar, *chasser* 972;
mandar para os diabos, às favas, plantar batatas, bugiar; correr a toque de caixa, atirar longe, varrer de, eliminar, escovar, espanar, riscar de, desinçar, descarregar, desatacar, trancar a porta, livrar-se de, desonerar-se de, descarregar-se de, descartar-se de, libertar-se de, eximir-se de, sacudir de si, despir-se de;
expulsar, pôr na rua, fazer desocupar o beco, pôr fora de casa, despedir, trancar a matrícula, desencovar, desalojar, desembrenhar 185; despovoar, relegar, banir, deportar;
esvaziar, desencher, vazar, desaguar, drenar, expurgar, desentranhar, eviscerar, desenformar, desenfornar, desenterrar, desentesourar, desinternar, dessepultar, exumar, desencravar, desenvasar, desatolar, desatascar, desempegar, desarraigar, libertar de, parir 161; vomitar, desabafar o estômago, arrevessar ou arrevesar, bolsar;
ter náuseas, ânsias, engulhar, expectorar, escarrar, gosmar, consertar a garganta, assoar-se, moncar, cuspir, cuspinhar, cuspilhar, salivar, esputar, urinar, fazer uma necessidade, satisfazer a uma necessidade fisiológica, evacuar, defecar, fazer cocô (inf.), cagar (vulg.), desalagar, dar de corpo (pop.), descomer, bostar, obrar (bras.), dejetar, borrar;
desonerar, exonerar, limpar, aliviar o ventre, os intestinos; estrabar, vazar, zourar = ter diarreia, ir à privada = escagaçar-se, escarrinhar-se, dar de ventre;
desembaular, desemalar, desenfardar, desembalar, desensacar, desenvasilhar, desembarrilar, desencaixotar, desembrenhar, desempalhar, desempacotar, desalforjar, desembrulhar, ressumbrar 295; desencaixar, desenfrascar, desengarrafar.
Adj. emitente, emitido & *v.*; expulsor, expultriz, expulsório, ejetor.

△ **298. Comida,** manjuba (bras.), comer, pasto, cibo, *pabulum,* pábulo, alimento, alimentação, sustento, sustança, lastro, enga, argamassa, comes e bebes (pop.), bona-chira, cibato, cibalho, pão, passadio, deglutição, ingestão = sumpção, ingerência;

lambedela, lambedura, lambida, mastigação, manducação, papança, comilança, mânjua (pop. e ant.), ruminação, trituração, mericismo; hipofagia, ictiofagia & *elem. comp.*;
degustação, glutonaria 957; gula, apetite, avidez, boca, queixada, dentes, mandíbula, queixo, mento, maxila, goela, estômago, masseter;
tratado sobre regime alimentar: trofologia;
bebida, poto (poét.), poção, gole, trago, gorgolão, hausto, sorvo, beberes, bebes, beberete, beberagem, libação, festim 840; embriaguez 959;
boa nutrição = eutrofia, gastronomia, subsistência, alibilidade, mantimentos, provisões de boca, gêneros alimentícios, víveres, sustentação, penso;
mantenção, manutenção, provimentos, matalotagem (provisão) 637; ração, boia (bras.), rango, pitança;
ração ordinária, trivial = treina;
comestíveis, vitualhas, *ingesta*, trincadeira, farnel, viático, iguaria, comezaina, papazana, manjar, guloseima, gulodice, gulosice, paparicos, guisado, quitute, petisco, pitéu, petisqueira, ambrosia, manjar delicioso, acepipes, lambujem, bom passadio, mesa, mesa lauta, tira-jejum (bras.), parva, lastro, desjejua;
churrasco (bras.); desjejum, café da manhã, almoço, almoço-ajantarado, lanche, manja, refeição, repasto, colação, jantar = prândio (ant.), ceia, ceia dúbia, sobremesa, sobrepasto, *dessert*, pospasto, postre ou postres, almoço de garfo, *déjeuner à la fourchette*, consoada, merenda, comissariado 637;
(termos depreciativos de comidas): chanfana, massamorda, mistela;
prato de meio, prato de resistência, *pièce de resistance*, entrada, *entrée*, *entrement*, *hors d'œuvre*, *relevé*, salada, picado, recheio, *rechauffé*, estufado, olha, *ragout*, *ragu*, *fricassé*, sopa, potagem, *potage*, açorda, gaspacho, caldo, canja, caldaça, caldivana, caldouro, *consommé*, pureia, lacticínios, empada, pastel, pastelão, quiche, suflê, torta, *vol-au--vent*, pudim, omeleta, fritada, fritura, cozido, feijoada, macarronada, lasanha, risoto, massas, folhados, condimentos 393; doces 396; aletrias; fidéus, bolo, folar, fogaça; cardápio, lista, *bill of fare, menu, table d'hôte*;
molho, molhança, molhanga, maionese, *mayonnaise* ou meionese, licor, aperitivo, vinho, uísque, cachaça, batida, caipirinha, cerveja, saideira, refrigerante, suco, água mineral, falerno, genebra (*bebida intoxicante*) 959; coquetel, ponche, café, mate, chá, chocolate, jacuba (bras.), chimarrão, casa de pasto 189;
alfaia, pertences de mesa, salseira, mensório, saladeira, travessa, prato, pratalhaz, pratalhada, talher, talhador, trincho, colher (*receptáculo*) 191;
louça; trem, bateria de cozinha;
rancheiro, cozinheiro (*servo*) 746, cuca, *maître, chef.*
V. comer, gualdir, papar, rangar, dar aos dentes, anafar (animais), alimentar-se, devorar, lambear, chupar, manducar, desjejuar, engolir, deglutir, bocar, boiar, engargantar, ingerir, lamber, lambujar, desafaimar, engulipar (pop.), tomar, pastinhar, debicar, petiscar, lambiscar, tasquinhar, comiscar, enguloseimar, gulosar, rilhar (pop.), roer; encher-se, fartar-se, saciar-se, depenicar, paparicar, apaparicar, codear, engordar, ingurgitar (*ser glutão*) 957; mascar, munquir (reg.), mascotar, moer, mastigar, dar à trincadeira, triturar, trincar, remoer, esmoer, remascar, ruminar, remastigar, esmordicar, esmordaçar, morder, digerir;
matar a fome/a sede; repastar-se, saborear, degustar, provar, banquetear-se, regalar-se, dar uma dentada;
cravar, atolar os dentes, zampar = comer com avidez, ser bom garfo 957; lambarar, dar com tudo no bucho, embuchar, almoçar, quebrar o jejum, jantar, merendar, cear, lanchar, encher a mochila (pop.), churrasquear (bras.), viver de, passar a, nutrir-se de, alimentar-se de, absorver, consumir, jejuar pelas almas das canastras;
nutrir, tratar, alimentar, sustentar, renutrir, engordar, prover de sustento, manter, dar bom passadio, refazer, substanciar, aleitar, arraçoar, cevar, saginar, arranchar;
pastar, pastejar, pascer, ratar, roer, dentar, rilhar, beber, escorropichar, gramar, gargalaçar, chupar, sugar, sorver, tragar, amansar a sede, regar, beber a grandes tragos, emborcar, esvaziar o copo (*embriagar--se*) 959; saborear, libar, aspirar, haurir;
levar, pôr aos lábios; entornar, dessedentar; empinar, emborcar uma garrafa; regar com vinho, decilitrar, bebericar, pôr à boca, matear, amamentar, propinar, ministrar, dar de beber.

Adj. comestível, manducável, manducativo, comezinho, édulo, vesco (desus.), alibil, alimentar, alimentício, trófico, nutrício, nutritivo, nutriente, nutrimental, substantífico, altriz, cibário, substancial, substancioso, sustentador, sustentante;
gordo, pingue, rico, medulato, chorudo, sucoso, suculento, hemoplástico, comedouro, lauto, opíparo, farto, digerível, mensário, cenário, cenatório;
depascente;
potável, bíbulo;
onívoro, ossívoro, carnívoro, melívoro, crudívoro, merdívoro, frutívoro, herbívoro, frugívoro, aerívoro, granívoro, graminívoro, mucívoro, formicívoro, ratívoro, fitívoro, leguminívoro, insetívoro, orizívoro, piscívoro, vermívoro, lardívoro, ovívoro;
rabaceiro, vegetariano, gaipeiro, carniçal, carniceiro, creófago, filófago, fitófago, ictiófago, quelonófago, necrófago, acridófago, opiófago, orizófago, zeófago, homófago, eleófago, galactófago, ofiófago, lactífago, aerófago, antropófago, folífago, geófago, papa--gente, roaz.
Adv. comestivelmente & *adj.*; entremesa.
Interj. bom proveito lhe faça!, bom apetite! saúde! *benedicite*!.

▽ **299. Excreção,** descarga, emanação, exalação, exsudação, diaforese, expulsão, secreção, segregação, efusão, extravasamento, corrimento, supuração, aguaceira, salivação, esputagem, sialismo, evacuação, catérese, dejeção, resíduos da digestão, *foeces*, fezes, bosta (vulg.), merda (chulo), cocô, excremento, torcilhão (reg.), troço (bras.), muxinga (pleb.);
alva = *album groecum* = pós de jasmim (do cão), caganitas (de cabra/ovelha); bonicos (de cavalo/camelo); moleja (das aves), dejeções alvinas, jacto, lixo; castanha (de burro), frago (de animais silvestres), estrabo (de bestas e outros animais), bonico (de novilhos), buseira (de galinha), granita (de cabras e ovelhas), tolhedura (de ave de rapina), guano (de aves marinhas);
soltura, destempero, zoura, diarreia, piriri, aguadilha, fluxo de ventre, sanguechuva, dejeção sanguínea, disenteria, cagaeira (vulg.), saliva, cuspo, perdigoto, baba, babugem, gosma, escarro, gargalho, reuma, coriza, estilicídio, muco, monco, ranho, pingo, pituíta, humor branco e viscoso, catarro, defluxo, lava, exúvia (*impureza*) 653; hemorragia, hemoptise, metrorragia, menorragia, menorreia, mênstruo, menstruação, catamênio, fluxo mensal, visita, fluxo branco, leucorreia, flores-brancas, diaforese, transpiração; galactorreia.
V. excretar 297; supurar 295, defecar, evacuar, cagar (vulg.), fazer cocô; urinar, fazer xixi, mijar (vulg.).
Adj. excretor, segregatício, pituitário, salivoso, lavoso, loquial, menstrual, catamenial, leucorreico, galactóforo, supurativo, supuratório, excrementício, diarreico, disentérico, mucíparo, hemorrágico; bostal.

△ **300.** (Entrada forçada) **Inserção,** introdução, implante, implantação, internação, internamento, insinuação (*intervenção*) 228; insuflação, plantação, cravamento, fincamento;
injeção, inoculação, infusão, imersão, submersão, banho (água) 337; inumação 363; incrustação, embutidura, enxerto, garfo, estupro 961; estucha.
V. inserir, interserir, entroncar, incluir, introduzir, ingerir, impor, injetar, intercalar 228; infundir, instilar, inocular, insuflar, insinuar, incutir, imbuir, impregnar, embutir, embeber, cravar, fincar, refincar, enterrar, inumar, enxertar, implantar, emalhetar, cravejar, encravar, ensamblar, encasar, encaixar, calar, encavar, empurrar, atochar, meter à força, forçar a entrada, arrombar, violentar, estuchar, enfiar, meter, intrometer, invadir, encabar, furar 260; imergir, submergir, afundar, afogar, ensopar 337; mergulhar 310; sepultar 360; atufar, encher, entupir, socar, inserir-se, mergulhar *in media res*, comprimir.
Adj. inserido & *v.*; inserto, insinuativo, compressor.

▽ **301.** (Saída forçada) **Extração,** remoção, eliminação, desembaraçamento, extorsão, erradicação, extirpação, monda, mondadura, avulsão, evulsão, arranco, arranque, arrancão, sacão, safanão, puxão, exterminação, ejaculação, ejeção 297; exportação 295;
exenteração, arrepelação, exerese, histerotomia, embriotomia, metrotomia, operação cesariana, esplenotomia, apendicectomia, laringotomia, distocia, extrator,

saca-rolhas, saca-trapos, magujo, fórceps, embriótomo, ablator, pinça, tenaz, alçaprema, pelicano;
boticão, odontagogo, alfonsim, algália, descalçador, descalçadeira, saca-molas, saca-buxa, dentista, parteiro, exploratório.
V. extrair, safar, eduzir, arrancar, desencravar, descravar, desencavilhar, puxar, sacar, tirar, protrair, arrepelar, depenar, depenicar, extorquir;
destocar (bras.), desarraigar, desarrancar, pôr as raízes ao sol, despinçar, convelir, desplantar, erradicar, enuclear, arrancar pela raiz, descaroçar, desagarrar, extirpar;
assoar, moncar, esmoncar;
fazer sair, forçar a saída, desencravilhar, despregar;
desmedular, eviscerar, estripar, desmiolar, desossar, mondar, mungir, ordenhar, espremer, desleitar, desatolar, desenseiar, desensacar, desenvasar.
Adj. extraído & *v.*; avulso.

302. (Movimento através de) **Passagem,** trânsito, transmissão, atravessamento, cruzamento, infiltração, corte, secância, traspasse, trespasso, permeação, interpenetração, penetração, transudação, transfixão;
endosmose, exosmose, intercorrência, ingresso 294; egressão 295; vereda (*caminho*) 627; conduto 350; abertura 260;
viagem 266, 267; servidão, pedágio.
V. passar através de, repassar, perpassar, transitar, perfurar 260;
atravessar a nado, vadear, esguazar, tranar, transnadar, atravessar, cruzar, cortar, penetrar, permear, varar, enfiar, encadear, engranzar, flechar, furar de lado a lado, transfixar, espetar, traspassar, transpassar;
percorrer, propagar, rasgar, romper;
abrir caminho/picada/passagem; forçar a passagem, abrir fileiras, invadir, infiltrar-se.
Adj. atravessador & *v.*; atravessante & *v.*; secante, infiltrado.

△ **303.** (Movimento para além da meta) **Transcursão,** transcurso, transgressão, traspassação, traspassamento, traspasse, trespasse, usurpação, exorbitância, descomedimento, excesso, exacerbação, imperialismo, infração, violação, extravagação, transcendência, transbordo, sobrepujamento, excrescência (*redundância*) 641; ultrapassagem.
V. transgredir, transcorrer, transcursar, traspassar, transcender os limites, transmontar, vingar, sobressaltar, transpor, pular, saltar, galgar, despassar, ultrapassar, exacerbar;
passar as marcas/as raias; passar além, varar, descompassar, decomedir-se, exceder-se, ir fora das raias, infringir, ir de monte a monte, levar de vencida os diques, romper, arrombar, demasiar-se, desmedir-se, desmesurar-se, sair fora de, esbordar, transbordar, sair da madre, exorbitar, aborbitar, sobre-exceder, desmandar-se, cavalgar, superar, forçar, violentar;
saltar a meta/a barreira; ir de foz em foz, invadir, usurpar, passar o Rubicão.
Adj. transgressivo, transgressor & *v.*; transcendente, exorbitante, imperialista.

▽ **304.** (Movimento que não atinge a meta) **Falta,** escassez, insucesso 732; naufrágio, declinação da derrota, trabalho em vão, irrealização, incompletude;
deficiência 53; imperfeição 651; insuficiência 730, carência, déficit, lacuna; desvio 279; inconclusão 730; estacionamento, tresmalho.
V. não atingir a meta, parar na sua marcha, encalhar, soçobrar, ficar no papel, desaparecer, remar contra a maré, errar o alvo, extraviar-se, tresmalhar-se, sumir-se, perder-se, fracassar 732; atrasar-se, inatingir, empacar, ficar dentro de sua órbita, cingir-se, conformar-se, limitar-se, restringir-se, circunscrever-se, não sair de sua esfera, inexceder-se, desistir em meio do caminho, desencontrar, emperrar.
Adj. inatingido, inatingível & *v.*; inacessível, ingalgável, inabordável (*fechado*) 261, inalcançado, inalcançável; lacunar, deficitário, carente, insuficiente.

△ **305.** (Movimento para cima) **Subida,** ascenso, ascensão, ascendência, assunção, culminação, escalada, elevação, alçamento, crescimento, aclive 217; colina, escada, degraus, taburno, elevador, ascensor, machimbombo (*elevação*) 307; foguete, balão, aeroplano, trepadeira, pássaro, repuxo.
V. subir, poiar, sobrenadar, ir ao ar, elevar-se, topetar, ascender, remontar, remontar o voo, vencer uma ladeira, efetuar uma ascensão, alçar-se, elevar-se pelo voo, aventurar-se ao azul, arremessar-se ao espaço,

espiralar, subir em espiral, espiralar aos ares, sobrepujar, ressurtir ao ar, trepar, pinchar;
vingar, escalar, vingar uma altura, galgar, encabritar-se, empoleirar-se, engrimpar-se (*altura*) 206; marinhar, atingir um nível elevado, culminar, assaltar, torrear, adejar, remar, revolutear, esvoaçar, repuxar, vir à tona, boiar, emergir, desfundar, desafundar, amontar, cavalgar.
Adj. ascendente, ascensional, flutuante, volante, nadante, boiante, que sobrenada, insubmersível, flutívago, trepador, gajeiro.

306. (Movimento para baixo) **Descida,** descimento, descenso, descensão, queda, trambolhão, estatelamento, boléu, caída, caimento, descaída, tombo, cambalhota, baque, pancada, despenho, esboroo, esboroamento, desabe, desabamento, decadência, declinação, declive, cadência, precipitação, gotejamento, chuva, granizada, saraiva;
escorregadela, resvaladura, tropição, tropeção, procidência = prolapso, derrocada, avalanche, declividade (*plano inclinado*) 217;
nadegada, culapada, cuzapada, cuada, bate-cu.
V. descer, descender, cair, tombar, sucumbir; ir, vir de queda em queda; redescender, rolar, vir abaixo, despencar, malhar de um sítio abaixo, ir ladeira abaixo, culapar, cair de fio comprido 213; despenhar-se, precipitar-se, lançar-se por ladeira abaixo, trambolhar, estatelar-se, declinar, descair, caminhar para o ocaso;
gravitar, obedecer às leis da gravidade, depositar-se, submergir, afundar, sumir-se, chapuzar, afundir, naufragar, soçobrar, mergulhar 310;
desmoronar = trabucar, esbarroar, esboroar, desboroar, esbarrondar, esborralhar, ruir, destribar-se, atirar-se, resvalar, tropeçar, escorregar;
desmontar, descavalgar, apear-se, saltar, desempoleirar-se, destronar-se, destrepar, desengrimpar-se, desencarapitar-se, desencumear-se, desalcandorar-se, desencomoroçar-se, desfaiar-se;
abater-se, cair sobre a presa;
gotejar, pingar, baixar, vazar, descabeçar (a maré), abaixar-se 308.
Adj. descendente, descensional, caduco, cadente, cadivo, peristáltico, decíduo, descente, tombador.

Adv. descendentemente & *adj.*; de escantilhão, de tombo em tombo, ladeira abaixo, de cambalhota, de chapuz.
Interj. zumba!, cachapuz!, truz!.

△ **307. Elevação,** subida, ascensão, ascenso, ascendimento, escalada, ereção, eretibilidade, levantamento, levantadura, erguimento, alçamento, sublimidade, sublimação, exaltação, exaltamento, proeminência (*convexidade*) 252; hasteamento, soerguimento & *v.*;
alevadouro, alavanca 633; bimbarra, guindaste, garibalde, macaco, carlequim, moutão, cábrea, cabrilha, linga, manivela, eslinga, titã, alçaprema, sarilho, ferro de luva, austaga, grua, elevador, ascensor, escada rolante, máquina elevatória, escada, escadaria, escadote, degraus, funicular, teleférico, taburno, machimbombo.
V. erguer, elevar, alçar, levantar, soerguer, ascender, escalar, solevar, sublevar, sobrelevar, prelevar, solevantar, apanhar do chão, remontar, sobalçar, erigir, alcandorar, empoleirar (*altura*) 206; hastear, içar, arvorar, eslingar, sobre-erguer, guindar, exaltar, sublimar;
fazer boiar, trazer à tona, aspirar, colocar num pedestal;
atirar ao ar, para cima; mantear, altear, suspender, levantar-se, erguer-se, saltar da cama, pôr-se a pé, ficar de pé, aprumar-se, empinar-se, erguer-se nos pés, encristar-se, cabear.
Adj. erguido & *v.*; ereto, erétil, eretor, elevado, sublime, rampante.
Adv. de muletas; sobre as espáduas.

▽ **308. Depressão,** descida, abaixamento, descenso, agacho, agachamento, baixa, rebaixamento, concavidade 252; calca;
derrubada, derrubamento, abatimento, arraso, inversão, prostração, subversão, cortesia, vênia, inclinação de cabeça, genuflexão, prosternação, rapapés 933.
V. deprimir, rebaixar, abaixar, reduzir, abater, empurrar para baixo, calcar, comprimir, apertar;
derribar, derrubar, derruir, derrocar, prostrar, tombar, deitar ao chão, aterrar, descer, inverter, subverter, nivelar, demolir, arrasar, esboroar, desmoronar, ruir;
cortar cerce, pela raiz; rentear, rasar, cercear, roçar, ceifar, segar;

assentar-se, apoltronar-se, agachar-se, acochar-se, acaçapar-se, chapuzar-se, acocorar-se, ficar de cócoras, inclinar-se, debruçar-se, curvar-se, vergar-se, fazer reverência, desmanchar-se em rapapés (servilismo) 933; ajoelhar-se, dobrar os joelhos, deitar-se horizontalmente 213; prostrar-se, prosternar-se, arrear, descer.
Adj. deprimido & *v.*; abaixante.
Adv. de tombo em tombo.

△ **309. Salto,** saltada, salteada, pulo, pincho, pinote, galão, corcovo, curveta, upa, sacão, safanão, rabanada, *gambade*, gambado, cabriola, tranco, guinada, meia-volta, travessura, cambalhota, cambadela, solavanco, reviravolta, salsifré;
salto beduíno, salto-mortal; veado, canguru, onça, cabra, cabrito, rã, gafanhão, gafanhoto, pulga, saltador, salta-valados, saltão, pulantissátiros, saltadouro, pula-pula.
salto em altura, salto em distância, salto triplo, salto com vara; salto com queda livre; salto ornamental;
jeté, cabriole, balloné.
V. saltar, pular, esgarabulhar, subsultar (poét.), saltitar, piruetar, dar cabriolas, cabriolar, dar cambalhotas/cambotas, corcovear, caracolar, curvetear, saltaricar, saltarilhar, galgar de um pulo, dançar, dar à perna, cabritar-se, encabritar-se, pernear, espernear, caprissaltar.
Adj. saltitante, saltatriz, saltante, saltador, saltão, saltarelo, saltarilho, saltígrado, caprissaltante, pulante, pulador & *v.*
Adv. aos saltos, às upas, aos pinotes, de salto, aos pulos.

▽ **310. Mergulho,** imersão, banho, afundamento, cachafundo (reg.), cachapuço, batismo mergulhador, búzio, escafandro, ludião, submarino; mergulhão;
picada, precipitação, voo descendente, pique.
V. mergulhar, imergir, submergir, afogar, anegar, adernar, sumir-se, atufar-se, pôr de molho, demolhar, afundar, chapuzar-se, apegar, empegar, abismar-se, engolfar-se, sepultar-se, reprofundar, perder-se (o navio);
ir ao fundo, a pique; nadar como uma pedra, soçobrar, alagar-se, chafurdar-se, atolar-se, atascar-se, entranhar-se, sorver-se, encharcar-se, ficar coberto d'água, naufragar, empantanar.

picar, precipitar-se, jogar-se;
Adj. imerso, imersível, imergente, submarino, submerso, submersível, submergido & *v.*; subaquático.

311. (Movimento curvilíneo) **Circuição,** circulação, volta, curva, curveta, circum-navegação, circunfluência, circundação, circum-ambulação, circuito 629; rodeio, giro, regiro, ciclose, périplo, círculo, circunferência, órbita, ciclo, recorrência, *loop*; contornamento; retorno, trevo, rotatória; torcedura, evolução, rodopio, volteio, volteadura, voltejo, volteamento, ronda, borneio, rotação 312, translação;
V. rodar, rodear, curvejar, rolar, girar, regirar, recorrer, circular, circuitar 629, orbitar; mover-se homocentricamente, rebolear; circum-ambular, circum-navegar, circunfluir, circunvolver, circundar, circunfundir, circunvagar, tornear;
andar num rodopio/num corrupio; contornar, dobrar, rondar, rondear, encercar, cíclico, recorrente, voltear, volutear, tresvoltear, andar à volta de, voltejar, caracolar, caracolear;
enroscar, enrodilhar, serpear, serpentear, ondear, colubrejar, esvoaçar, adejar, dobar, ziguezaguear, fazer rodeios, descrever círculo.
Adj. rodeante & *v.*; circular, circulante, cheio de rodeios, curvilíneo, circunvago, circunvagante, sinuoso 248; rotativo, cíclico, recorrente, volteiro, circúnfluo, circunfluente, circunflexo, circuitoso, circunforâneo, turbinoso, voltívolo, serpentino, serpentiniforme; orbital, orbitante.
Adv. circularmente & *adj.*; à roda, em roda, ao rodopelo, em rodopio, ao redor de, em torno de, ao derredor de, derredor de; em órbita, orbitalmente.

△ **312. Rotação,** revolução, giro, circulação, volta, volteio, volteadura, regiro, roda, circunvolução, circungiração, volutação, circinação, turbinação, pirueta, reviravolta, corrupio, rodopio, rodopelo, convolução, peragração;
vorticidade, turbilhão, remoinho, vórtice, sorvedouro, voragem, ciclone, tornado, torvelinho, ciclose, *vertigo*;
Maelström, Caribdes, parafuso, hélice, turbina, mó, moinho, pião, pitorra, tufão, furacão, calandra, fuso, fuseira, áxis, eixo, bilro, pivô, diâmetro, quício, coiceira, ma-

cha-fêmea, missagra, dobradiça; carrossel, roda, volante, ventilador, ventoinha, cata-vento.
V. rolar, rodar, rotar, girar, rebolir; girar sobre seu eixo, sobre si mesmo; bolear, rebolar, voltear, voltejar, revoltear, revolutear, circunvolver, circunvoltear, circungirar, turbilhonar, torvelinhar, redemoinhar, turbinar, rodopiar, rebolear, mover-se homocentricamente, revolver (ant.).
Adj. rotante, rotativo, rotatório, girante & *v.*; circunferente, vertiginoso, voltívolo, vorticoso, remoinhoso, turbinoso, circunrotatório.

▽ **313. Evolução,** avanço, adiantamento, desdobramento, desenvolvimento, fomento, progressão, progredimento, progresso, medra, medrança.
V. evoluir, adiantar, progredir, desdobrar, medrar, desembrulhar, desenroscar, desenrolar, desferir = desfraldar, despregar, desanelar, desencaracolar, desparafusar, desaparafusar, desatarraxar, desentarraxar;
desandar, tresandar, destorcer, desemborcar, desarregaçar, desenfiar, desenovelar, desengrazar, desenrodilhar, desenlaçar, desenlear, desembaraçar, desenviesar, desmergulhar, descruzar, destrançar, desentrançar, desengatilhar, desarmar, destecer, desemaranhar, revirar, desvirar;
desempapelar, destramar, desmontar, desabotoar, desentrouxar, despendurar, reenviar, recambiar, devolver, reexpedir, ricochetear 297; contraverter, contramarchar.
Adj. destrançado & *v.*

314. (Movimento oscilatório) **Oscilação,** bambaleio, bamboleio, balancê, balanceio, pulsação, vibração, libração, cambaleio, tique-taque, ducto, balouço, balouçamento, nutação, ondulação, bamboleadura, saracoteio, rebolado, balanço, balanceamento, latejamento, latejo, pulso, alternação, inambulação, vaivém, ida e vinda, fluxo e refluxo, altos e baixos, gangorra, jiga-joga, jogo de empurra, flutuação, vacilação 605; cadência, ritmo, sístole, diástole;
onda, vibração, movimento vibratório, arfada, arfagem, abano, abanamento, agitação, dança, quadrilha, retouça, redouça, bambão, corda bamba, lançadeira, balanceiro, balancim, pêndulo, cadeira de balanço, rede.

V. oscilar, vibrar, librar, balançar, balancear, balouçar, enredouçar, retouçar, redouçar, embalar, banzear, nutar, alternar, ondear, ondular;
pulsar, latejar, palpitar;
rebater, later, compassar, menear, rebolear-se, caranguejolar, jogar, fremir, ir e vir, abalançar, boiar, modular, bailar, balhar, arfar, arquejar, cadenciar, tremer, retremer, curvetear, aluir, passar e repassar, encher e vazar, subir e descer; saracotear, requebrar, rebolar;
brandir, sacudir, sacolejar, vascolejar, manejar, cambalear, flutuar, vacilar 605; mover-se para uma e outra parte = incensar, sargentear (pop.), bambalear, bambolear.
Adj. oscilante, oscilatório, regular, compassado, inquieto, perturbativo, bamboleante ou bambaleante, ondulatório & *v.*; vibratório, vibrante, rítmico, arfante, arquejante, palpitante, pulsante; pendular, balanceado.
Adv. oscilantemente & *adj.*; daqui para ali = pendularmente, para diante e para trás, de um para outro lado, a dar e dar = em movimento de oscilação, bamboleando-se.

315. (Movimento irregular) **Agitação,** movimento irregular = euripo, reboliço, tremor, tremelique, movimento, rebolado, implacidez, agitação convulsiva, meneio, requebro, saracoteio, revolvimento, sacudida, sacudidela, sacudidura, chouto, encapeladura, encrespadura, encrespamento, fervura, ebulição;
solavanco, abalo, choque, trepidação, zigue-zague, chocalhada, estremecimento, frêmito, evecção;
perturbação, comoção, tumulto, desordem, sururu (bras.), confusão, mexonada, espalhafato, *subsultus*, salto, atetose, tremura, delírio, coreia, dança de s. Guido, clonismo, disbasia, emprostótono, espasmo, convulsão, contração dos nervos, eclampsia, ataxia, gota coral = epilepsia = hieranose = opilência, carfologia, agonia, estertores, pestanejo, arritmia;
perturbação da ordem 59; mutabilidade 149; inquietação;
fervedouro, efervescência, *cachotage*, tempestade, procela, tempo grosso, temporal, tormenta, tromba, onda gigante, turbilhão, arrebentação, sorvedouro, voragem, remoinho (vento) 349, turbulência.

316. Matéria | 317. Imaterialidade

V. agitar(-se), ser (agitado & *adj.*); choutar, sacudir, brandir, manejar, menear, tremer, estremecer, vibrar, tiritar, remexer, revolver, brincar;
estorcer-se, debater-se, pernear, espernear 719; espinotear, pinotear, estrebuchar, escabujar, barafustar, bracejar, esbracejar, chapejar, chapinhar, chapinar, contorcer-se 378; desembestar;
espojar-se, espolinhar-se, pestanejar, cambalear, requebrar-se, saracotear, piruetar, retouçar-se;
dançar, tripudiar, sapatear, ziguezaguear, doidejar, mariposear, borboletear, alear (desus.), bambalear-se, perturbar-se, entontecer, encrespar-se, encapelar-se, ser o joguete das ondas e dos ventos, vogar ao sabor da corrente;
fermentar, aborrascar-se, esfervilhar, efervescer, ferver, ebulir, escumar, borbulhar, escachoar, referver, ferventar, chocalhar, sacolejar, agitar, vascolejar, ferver em cachão, saltitar, subsultar;
convulsar, convulsionar, espasmar, bater com as asas, abalar, desnatar.
Adj. agitado & *v.*; trêmulo, ondulante, convulso, convulsivo, convulsionário, clônico, epiléptico, epileptiforme, espasmódico, carfológico, inquieto, fermentativo, fervente, incoordenado, desordenado, arrítmico, irregular, dessultório, atetósico.
Adv. agitadamente & *adj.*; *per saltum*, bruscamente, em convulsões, por acessos, *subsultum* = aos saltinhos, aos trambolhões, aos trancos e barrancos.

CLASSE III. MATÉRIA

Divisão I. MATÉRIA EM GERAL

△ **316. Matéria,** materialidade, materialização, materialismo, corporeidade, corporalidade, substancialidade, carne, corpo e sangue, *plenum*, condição física;
impermeabilidade, tangibilidade, visibilidade, palpabilidade, audibilidade;
tudo que tem corpo e forma, corpo, substância;
matéria bruta, matéria-prima; massa, molécula, átomo, próton, partícula, antipartícula, antimatéria, bóson, méson, quark, elétron, préon, píon, glúon, eta, léptron, múon, hádron, material, essência;
acelerador de partículas, cíclotron;
quintessência, elemento, princípios, parênquima, *substratum*, hilo, hilogenia, *corpus pabulum*, corporatura, organização, compleição;
(ciência da matéria): física, astrofísica, física nuclear, química, somática, somatologia, filosofia natural, filosofia experimental, ciências físicas, filosofia positiva, fisicismo, materialismo, substancialismo, darwinismo, transformismo, materialista, materialão (dep.), darwinista, físico, transformista;
objeto, artigo, coisa, algo, fazenda, cabedal 635.
V. ser (material & *adj.*); ter corpo e forma, ocupar lugar no espaço, materializar, substantificar, dar forma concreta a, concretizar, objetivar, palpabilizar, corporizar, corporificar, corporalizar, substancializar, encarnar, humanar, humanizar, transumanar, tornar carne, tornar forma humana.
Adj. material, concreto, corpóreo, corporal, físico, somático, somatoscópico, visível, extensível, ponderável, sensível, palpável, tangível, pesado, tátil, substancial, objetivo, inespiritual, assexo, assexual, assexuado, materialista, darwinista, materializador & *v.*; materializante & *v.*; mundano, mundanário, mundanal.
Adv. materialmente & *adj.*

▽ **317. Imaterialidade,** incorporeidade, espiritualidade, espiritualismo, psiquismo, subjetivismo, inextensão, imponderabilidade, personalidade, pessoa, sujeito, eu, ego, me, mim, migo, eu mesmo, eu em carne e osso;
pré-espírito, espírito (*alma*) 450; fantasma, espectro; imaterialismo, espiritista, espiritualista, imaterialista, inteligência, substância espiritual e abstrata, ectoplasma.
V. ser (imaterial & *adj.*); não ter corpo nem forma, ser entidade abstrata, não ocupar lugar no espaço, ter existência subjetiva.
imaterializar, desmaterializar, decorporificar, desencarnar-se, espiritualizar, subjetivar.

318. Universo | 319. Gravidade

Adj. imaterial, incorpóreo, monogramo = impalpável, etéreo, inextenso, sem extensão, irretratável, irrepresentável, abstrato, virtual, sutil, transcendental, desencarnado, extramundano; ectoplasmático, fantasmagórico, espectral;
sobre-humano, supersensível, extranatural, sobrenatural, fantástico, inventado, quimérico, ideal, sem nenhuma realidade, irreal, intangível, invisível, impessoal, neutro, intátil, fluídico, subjetivo, espiritual (*psíquico*) 450; imponderável, anímico, ilocável, inestendível, inextensível, místico, contemplador, contemplativo.
Adv. imaterialmente & *adj.*

318. Universo, o complexo, o conjunto das coisas criadas; cosmos, macrocosmo, criação, natura, natureza;
globo terráqueo, o nosso planeta, mundo sublunar, esfera, megacosmo, cósmico;
música/harmonia das esferas; uranograma (*representação*) 554; céu, ástrea abóbada, abóbada celeste, concha azulada, firmamento, páramo, amplidão azul, espaço sideral, empíreo, sólio estelífero, cariz do céu, éter, abóbada etérea, regiões do etéreo azul, o azul, arquitetura celeste, vasto campo etéreo, planície etérea, assento etéreo, amplidão do céu, infinito, espaço celestial;
Lua, nosso satélite, Diana, Délia; astro, rainha da noite; confidente dos enamorados, *soror Phebi*;
corpos celestes, estrelas, esferas de fogo, poeira de luz, coro sideral, esferas vermelhas;
fachos, luzeiros da noite; nebulosa, via láctea = caminho de Santiago = galáxia, o infinito;
Sol, astro-rei, astro do dia, astro-criador, a lâmpada febeia 423; Apolo, Febo, Apolo auricrinito, hélio; o carro do sol/do dia; Titão, o orbe do dia, a esfera de fogo;
astro, planeta, satélite, fotosfera, cromosfera, auréola, coroa, manchas solares, lúcula, protuberâncias, astro, luzeiro, luminar, lumieiro;
sistema planetário, solar, do mundo;
Vênus, estrela-d'alva, estrela matutina, papa-ceia, estrela boeira, do pastor, da alvorada, da tarde; Vésper, Lúcifer;
cometa, cometa barbado, crináureo, comato, auricomado, crinito, crinífero, crinisparso (*poét.*), descaudado, descomado; satélite, asteroide;
estrela cadente, cadiva, caduca;
constelação, asterismo, zodíaco, signos do zodíaco, Grande Ursa, Órion, Cruzeiro do Sul, Centauro, Sírio = Canícula, Cisne = Abíreo, Gêmeos = Triptólemo, Escorpião; hino a Apolo; peã, meteorito, meteorólito = aerólito, ceraunite, bólide, ceráunia, pedra de raio, sílex, neolítico, machado de pedra (pop.), corisco, meteoro; paralelo almicantarado, equador, coluro, meridiano, equinócio, solstício, eclíptica, cerco cristalino, órbita, ponto vernal;
(ciência dos corpos celestes): astronomia, mecânica celeste, uranografia, uranologia, uranoscopia, afrodisiografia, selenologia, selenografia, polografia, cosmologia, cosmografia, cometografia, cosmosofia, cosmogonia, astrostática, geodésia 466; uranometria, uranógrafo, astrônomo, Newton, Kepler, Galileu, Laplace, Leverrier, cosmogenista, cosmógrafo, cosmólogo; astrometria, astrologia, astromancia, meteorografia, meteoronomia, meteorologia.
V. brilhar & 420; estender-se ao infinito.
Adj. cósmico, galáctico, espacial, interg aláctico, interplanetário, interestelar, mundano, mundanal, terráqueo, terreno, térreo, terrenal, terrestre, telúrico, sublunar, subaéreo, subastral, geocêntrico, heliocêntrico, solar, febeu, lunar, selênico, esférico, equatorial, equinocial, estrelado, estelífero, estelante, estelar;
marchetado, recamado, pontilhado de estrelas; constelado = ástrico, asteroide, cometário, sidéreo, sideral, astral, ástreo, astrífero, astrígero, meteórico, planetário, vênero, etéreo.
Adv. cosmicamente & *adj.*; em toda a criação, na face do planeta, no espaço sideral, *sub sole*, *subdivo*, *subgove*, neste mundo transitório; debaixo do azul deste céu; sob um céu azul, sob a abóbada celeste.
FRASE: *Coeli enarrant gloriam Dei.*

△ **319. Gravidade,** gravitação, atração universal, quintalada, peso, pesadume, pesadumbre, carregação, carregamento, peso específico, peso absoluto, peso relativo, densidade, ponderabilidade, atratividade, pressão; lei de Newton;
massa, tara, arrecova, carga, ônus, fardo, fardete, bagagem, fardelagem, madeiro,

320. Leveza | 321. Densidade

trambolho, sobrecarga, sobrepeso, cruz, contrapeso, chumbo, lastro, lastração, pesagem;
ponderação, preponderação;
medidas de peso: tonelada, quintal, arroba, libra, quilo, arrátel, onça, marco, sêxtulo, oitava, escrópulo, grama, manjelim, quilate;
balança, pesadora, romana;
(ciência da gravidade): estática, barologia, barimetria.
V. gravitar, pesar, ser (pesado & *adj.*); estar sujeito à lei da gravidade, atrair, ser atraído, ir ao fundo, exercer pressão, puxar para baixo, descer, afundar, premer, preponderar, oprimir, comprimir, esmagar, achatar, prensar, imprensar, carregar, sopesar, tomar o peso de = pesar, arrobar, aquilatar, vergar-se, ajoujar, dobrar-se, gemer;
tornar pesado, onerar, apresentar-se, chumbar.
Adj. gravitacional, pesado & *v.*; grave, sujeito à lei da gravidade, grávido, carregado, onusto, sobrecarregado, pesado como chumbo, pesadão, esmagador, insuportável, intolerável, intransportável, importátil, preponderante, ponderoso, ponderável, incômodo, fatigante, exaustivo, extenuativo, extenuante, maciço, plúmbeo, premente, oneroso.

▽ **320. Leveza,** levidão, levidade, ligeireza, imponderabilidade, sutileza, flutuação, levitação, volatilidade, ausência de gravidade, gravidade zero;
pena, pluma, pó, poalha, argueiro, átomo, corpúsculo, floco ou froco, felpa, froixel ou frouxel, teia de aranha, filandras, palha, cortiça, quinta substância, quinta-essência, bolha, flutuador, ludião, boia, éter, ar, os imponderáveis, espuma, folha-seca.
V. ser (leve & *adj.*); flutuar, levitar, pairar, voar, ficar suspenso no ar, ter pouco peso, ser fácil de se transportar, librar-se, esvoaçar, sobrenadar, vir à tona, aflorar, boiar, vogar, subir aos ares; tornar (leve & *adj.*); alijar, desalijar, deslastrar, descarregar, desonerar, aligeirar, desencostalar, suavizar, diminuir o peso, minorar, aliviar;
Adj. leve, leveiro, ligeiro, imponderoso, sutil, fino, esponjoso, aéreo, que mal se sente, esvoaçante; flutuante & *v.*; levitante, breve, etéreo, incompressor, astático, volátil, natátil, nadante, flutuável, fácil de se manejar, manejável, maneiro, portátil, carregável, transportável, andejo, insubmersível, insubmergível, manual; leve como uma (pena & *subst.*); comportável.
Adv. levemente & *adj.*; leve e leve, de leve, ao de leve, em suspensão.

Divisão II. MATÉRIA INORGÂNICA

1º) Sólidos

△ **321. Densidade,** solidez, resistência, impenetrabilidade, impermeabilidade, incompressibilidade, encorpadura, aglutinação, compacidade, imporosibilidade, indissolubilidade, coesão 46; consistência, dureza, grossura, espessura, espessidão, crassície, crassidade, condensação, concreção, caseação, bastura, bastidão, bastida, solidificação, inspissação, coalhadura, coagulação, compactação, petrificação (*endurecimento*) 323; cristalização, precipitação, depósito, depositório, precipitado, magistério (quím.);
indivisibilidade, indestrutibilidade, indissolvabilidade, infusibilidade, infragibilidade, grumecência, corpo sólido, massa, bloco, alvenaria, macéria, concreto, conglomerado, bolo, pedra;
grumo, coalho, coalhada, coalheira, mingau, calombo (bras.), coágulo, grúmulo, osso, cartilagem, condro, caramelo.
V. adensar, ser (denso & *adj.*); tornar ou tornar-se (sólido & *adj.*); solidar, solidificar, consolidar, concretar, concretizar, espessar, condensar, inspissar, glomerar, conglomerar, aglutinar, compactar, coalhar, enqueijar, sorar, agrumular, coagular, encarapinhar, talhar, grumar, grumear, congelar, candilar, encandilar, cristalizar, sublimar, encaramelar, engrumar, engrumecer;
fazer presa, precipitar, aderir, pegar-se, petrificar (*endurecer*) 323; empolmar, separarem-se as partes coaguláveis das serosas, decompor-se, engrossar, encorpar, embastecer, unir, cerrar, comprimir, prensar, imprensar, premer, estreitar, soquetear, calcar, recalcar, concentrar, atulhar.
Adj. denso, crasso, grosso, grassento, espesso, basto, compacto, ramoso, ramudo, impenetrável, massudo, sólido, solidificado, concreto, coerente, firme, resistente, coesivo, coeso, maciço, cerrado, farto, substancial,

aglomerado, incompressível, impermeável, tapado, fechado 261; imporoso, encorpado & *v.*; concreto (*duro*) 323; cristalizante = isônomo;
cristalino, cristalizável, grumoso, granuloso, coalhado, opaco, coagulatório, coagulante, anojal, indissolúvel, insolúvel, ilíquido, indivisível, impartível, inséctil, infusível, infrangível.

▽ **322. Ralidade,** raleadura, raleza, raridade, delgadeza, fineza, tenuidade, sutileza, sutilidade, transparência, vaporosidade, diafanilidade, escassez, porosidade, esponjosidade, compressibilidade, rarefação, afinação, dilatação, inflação, sutilização, expansão, éter (gás) 334; tufo.
V. ser (ralo & *adj.*);
tornar (ralo & *adj.*); ralear, rarefazer, adelgaçar, desengrossar, rarear, enrarecer, diminuir a densidade, dilatar, desbastar, desbastecer, sutilizar, expandir, solinhar, afinar, desaglomerar, descongestionar, desacumular.
Adj. raro, ralo, tênue, pertênue, pouco denso, vaporoso, diáfano, delgado, exíguo em grossura, fino, adelgaçado, rarefato, rarefeito, poroso, transparente, translúcido, rarefativo, rarefaciente, rarefatível, frágil, frangível, partível, ligeiro, leve 320; fraco, sutil, compressivo, compressível.

△ **323. Rigidez,** dureza, rijeza, firmeza, renitência, vitrescibilidade, inflexibilidade, inductilidade, têmpera, calosidade, rigor, resistência;
endurecimento, induração, encruamento, enrijamento & *v.*; enrijecimento, eburnação, petrificação, lapidificação, vitrificação, solidificação, ossificação, calcificação, fossilização, tesão, tesura, tesidão, obduração, lapidescência, anquilose, ancilose, artrose, sinartrose, rigidez cadavérica, tensão;
pedra, ita (bras.), penha, penhasco, fraga, seixo, pedregulho, penela, rebo, matacão (bras.), globo, calhau, rebolo, fraguedo, mármore, rocha, rochedo, sienite, feldspato, cristal de rocha, sílica pura, quartzo cristalino, sílex, grés, granito, granitoide, cantaria, alvenaria, pedernal, pederneira, rocado, arrife, sáfara, penedo, penedia, pedreira, cristal, pórfiro, quartzo, quartzite, diamante, diamante senal, basalto, bronze, aço, cartilagem, osso, ferro, bloco, concreto, cimento, aroeira, cerne, pedregal, pedranceira.
V. enrijecer, tornar ou tornar-se duro; ser/não ser menos duro; endurar, endurecer, endurentar, apedrar, empedrar, empedernir, empedernecer, obdurar, empepinar, enrijar, enrilhar, encruar, fossilizar, petrificar, lapidificar, ossificar, calcificar, lenhificar, lignificar, marmorizar, entabuar, encruecer, cristalizar 321; temperar, enresinar, renitir, aferrenhar, acerar, tesar, entesar, retesar, inteiriçar, anquilosar, encorticar, cartonar, calejar, ser (duro & *adj.*); ter a dureza do (granito & *subst.*); ir a machado, opor resistência, não ceder facilmente à pressão, zombar dos mais rijos golpes.
Adj. rígido, rijo, duro, maciço, resistente, forte, aplástico, inflexível, inteiriço, acôndilo, teso, reteso, indútil, inquebrantável, infrangível;
de pedra e cal, firme, correento, inamolgável, imaleável, rocal, lapídeo, lapidescente, roqueiro, córneo;
êneo, brônzeo, éreo, eril, ósseo, ossuoso, ossífico, ossificado, cartilagíneo, cartilaginoso, basáltico, granítico, pétreo, adamantino, diamantino, aerolítico, megalítico, quartzoso, quartzífero, acrólito, granitoso, petrífico, petrificante, pedroso, lapidoso, litoide, sáxeo, marmóreo, pedral, pedregulhento, pedregoso, cristalizante = isônomo;
duraz, durázio, hirto, sem junta = agoníclito, impenetrável, invulnerável, indestrutível, inabalável, endurecido, enchapinado, inteiriçado, esticado, tenso, retesado, indurado, indirigível, indigesto.
Provérbio: Duro com duro não faz bom muro.

▽ **324. Flexibilidade,** ductilidade, maleabilidade, extensibilidade, plasticidade, flacidez, edema, molícita, molície, fofice, fofura, maciez, macieza, suavidade, elasticidade, frouxeza, frouxidão, molificação; resiliência;
caniço, vincilho, verga, tabica, junco, chibata, bambu, taquari, lítio, cipó, badine (gal.), vime, bário, virgulta, figulino, barro, argila, plastilina, plasticina, greda, cera, manteiga, pudim;
almofada, cochim, almadraque (ant.), travesseiro, cocedra (ant.) = colchão de penas,

chumaço, penugem, lanugem = tomento = frouxel, tripe, veludo, terciopelo, acolchoado, alcatifa, tapete.
V. flexibilizar, tornar (macio & *adj.*); amaciar, molificar, amolentar, amolecer, afofar, ductilizar, desempedernir, desendurecer, desenrijar, desenrijecer, des (encruar & *v.* 323);
bambar, bambear, desentesar, suxar, malaxar, garrotear (o couro), amoldar, amolgar, achatar, amassar, apolegar, espapaçar, sovar, entenrecer, almofadar, estofar, acolchoar, chumaçar, edemaciar, aveludar, relaxar, demular, aducir, devassar, curvar, vergar, comprimir, dobrar = azumbrar, abrandar; ser flexível, dar de si, ser fácil de manejar, curvar-se sem quebrar, variar de jeito, dobrar-se suavemente, ceder, não resistir à pressão, flexibilizar-se.
Adj. flexível, fléxil, maleável, dúctil, manejável, fofo, elástico, plástico, macio, mole, mole como manteiga, butiroso, butiráceo, ceráceo, vimíneo, viminoso, tenro;
tomentoso = lanuginoso, terciopeludo, afrouxelado, almofadado, sedeúdo, flácido, frouxelado, felpado, felpudo, esponjoso, polpudo, edematoso, opado, balofo, aveludado, veludoso, cetinoso, sedoso, veludíneo;
argiliforme, argiláceo, argilífero, argiloide, argiloso, figulino, mimoso, caído, flácido, bambo, lasso, suxo, amanteigado, meneável, brando, barroso, molificativo, molificante.

△ **325. Elasticidade,** dilatabilidade, tom, fofice, elastério, ductilidade, mola, ressalto, reflexo, pulo, movimento de restituição, reação;
borracha, caucho, elastômero, barba de baleia, elástico, goma-elástica, barbatana, bola de marfim.
V. elastificar, elastizar, elastecer, ser (elástico & *adj.*); ter a elasticidade da borracha, fazer saltar (a mola), recuar 277; esticar, espichar, retesar, retrair-se e dilatar-se.
Adj. elástico, extensível, dilatável, espichável, esticável, retesável, dúctil, fofo; elastomérico.

▽ **326. Falta de elasticidade,** ausência ou falta de elasticidade; anelasticidade, inelasticidade.
V. devassar, tornar lasso.

Adj. inelástico, rígido, inextensível, inflexível, indilatável, flácido, inerte, frouxo, bambo, lasso.

△ **327. Tenacidade,** resistência, resiliência, inquebrantabilidade, durabilidade, perdurabilidade, invariabilidade, dureza, firmeza, infrangibilidade, fortaleza, fortidão, solidez, fixidez, consistência, coesão 46; ductilidade, obstinação 606; couro, cartilagem.
V. ser (tenaz & *adj.*); resistir à ruptura, à fratura; desafiar a ruptura, a fratura.
Adj. tenaz, forte, duro, firme, fixo, consistente, coeso, dúctil, resistente, resiliente, fibroso, filamentoso, cartilaginoso = seláceo, duro como couro, coriáceo, correento, tenaz (*obstinado*) 606; durável, infrangível, infraturável, inquebradiço, inquebrável, inquebrantável, impartível, ilacerável, invariável, sólido, granítico, de pedra e cal.

▽ **328. Fragilidade,** frangibilidade, ruptibilidade, ruptilidade, gracilidade, fissilidade, irresistibilidade, irresistência, delicadeza, vulnerabilidade; castelo de cartas, castelo de areia, casa de vidro, caixa de fósforos, caranguejola, geringonça, caniço, buriti, vidro, argila, ferro acro.
V. fragilizar, ser (frágil & *adj.*); assemelhar-se ao vidro, estalar como vidro, quebrar, escadraçar, rebentar, arrebentar, despedaçar, espedaçar, rachar, fazer em pedaços, esborrachar, fragmentar, escaqueirar, espatifar, esfrangalhar, fazer em estilhaços, escavacar, pulverizar;
esbandalhar, esmigalhar, esmagar, esfacelar, esborraçar, estilhaçar, reduzir-se a pó, lacerar, dilacerar, triturar, fender, refender, desmanchar-se, lascar, cominuir, desconjuntar-se.
Adj. frágil, frangível, friável = esboroável, acro, lacerável, desmanchadiço, desmoronadiço, vulnerável, em lascas, quebrável, quebradiço = rúptil, físsil, vidroso, vidrino, vidrento, vítreo, pururuca (bras.), partível, tênue, pertênue, delicado, fino, débil, delgado, arrebentadiço, destrutível, extinguível, irresistente, fraco 160; inconservável, desconjuntável, desconjuntadiço.

329. Textura, contextura, tessitura, trama, urdidura, tecido, organismo, organização, traça, anatomia, temperamento, cimbre, ar-

mação, ossada, ossatura, ossamenta, esqueleto, arcabouço, roca, carcaça, molde, cambota, modelo, forma, fabrico, construção, emadeiramento, vigamento, travejamento, estrutura, cavername, colmeia, mecanismo, arquitetura, estratificação, enxamel, substância, matéria, elemento, *compages*, parênquima;
(ciência dos tecidos): histologia, histoneurologia, histonomia, textura, intertextura, contextura, tecido.
V. texturizar, emadeirar, vigar, estruturar, tramar, urdir, arcabouçar, armar.
Adj. estrutural, orgânico, anatômico, histológico, textural, têxtil;
de textura fina, grosseira; fino, delicado, delgado, sutil, filandroso, fibroso, membranoso.

330. Pulverização, pulverescência, pulverulência, eflorescência, friabilidade, granulosidade, furfuração, pó, polilha, amido, poalha, poeira, faúlha, areia, poeirada, polme, puré, voejo;
pedrinha, rípio, cimento, rebo, calhau, serradura, serragem, quirela, farelo, farelagem, sêmea, pedra britada, lasca, brita, cascalho, cascalheira, burgau, gorgulho (bras.), farinha, *farina*, carolo, *sable*, arenito, migalha, semente, saibro, saibreira, pevide, sêmen, semínula, grão, granito, grânulo, godilhão, grumo, grúmulo, partícula (*pequenez*) 32;
balastro, limadura, limalha, maravalha, raspa, raspadura, apara, resíduo, detrito, *debris*, entulho, escombro, *detritus*, destroço, escória, moinha, precipitado, caspa, carepa, poejo, o beijinho, a flor da farinha, pólvora, esmeril, *flocculi*, flóculo, floco, felpa, fubá, polvilho;
(redução a pó): pulverização, moedura, moagem, trituração, esmigalhamento, cominuição, granulação = granalha, levigação, contusão, raladura, pisa, pisadura, pisadela, repisa, fricção, atrito, detrição, limagem;
(instrumentos para pulverização): moinho, camba, atafona = azenha, grosa, molinheira, molilho, molinote, ralo, ralador, lima, pilão, almofariz, monjolo, morteiro, gral, engenho, moenda, moenga, dorneira, dentes, mó, borneira, mascoto, malhadeiro, pulverizador, triturador, arrastre.
V. pulverizar; transformar, converter em pó; reduzir a pó, porfirizar, triturar, esmagachar, granar, granular, molinhar, granitar, levigar, epistar, moer, esmoer, remoer, machucar, limar, grumar, desbastar, grosar, esmagar, rapar, raspar, rascar, desgastar, ralar, esbogalhar, esborrachar, esmiuçar, esmiudar, esmigalhar, esfacelar, migar, migalhar, cominuir;
quebrar, mascotar, trilhar, esfarelar, desfarelar, esmiolar, pisar, macerar, repisar, socalcar, contundir, desenterroar, esterroar, destorroar, esfanicar, britar, pilar, apiloar, esboroar, desboroar, engaçar;
farinar, polvilhar, esfarinhar, salpicar, empoar, empoeirar, empolvorizar, acanelar, encinzar, enxofrar.
Adj. pulveráceo, pulverizador, pulverulento, pulvéreo, pulveroso, polvorênteo, poento, cheio de poeira, poeirento, granuloso, granífero, graniforme, granulado, faroláceo, farelento, farináceo, furfuráceo, furfúreo, farinhento, farinhota, farinhudo, farinhoso, flocoso, empoeirado, areento, arenoso, arenáceo, areniforme, sabuloso, saibroso, grumoso, caspento, casposo, pulverizável, molar, friável, frágil, pulverizado & *v.*;
moente, moente e corrente (diz-se do moinho).

△ **331. Atrito,** atrição (p. us.), fricção, anatripsia, esfregação, esfregadura, esfrega, roedura, roçadura, limadura, limagem, arranhão, raspança, raspão, raspagem, arranhadura, rascadura, peladura, escoriação, escalavro, escalavradura, esfoladura, desgaste, maçagem, poideira, tribometria, tribômetro, esfregão, esfregalho.
V. esfregar, coçar, rafar, rapar, raspar, confricar, fomentar, friccionar, arranhar, escorchar, rascar, escovar, limpar, lixar, roçar, limar, arear, poir, polir, esmerilar, esmerilhar, brunir, gomar;
roer, rostir, tocar de leve, escalavrar, esfolar, sarrafar, sarrafaçar, buir, pelar, puir, consumir, desgastar, moer (*pulverizar*) 330; ranger, ringir, emperrar, prender, aferrenhar, ralar, rasar, escoriar, escardear, pegar, desengraixar.
Adj. esfregado & *v.*; buído, puído, fricativo, roçador.

▽ **332.** (Ausência de atrito) **Lubrificação,** lubricidade, suavidade, macieza 255; untuosidade 355; unção, untura, untadela,

333. Fluidez | 337. Água

azeitamento, engraxamento; rolamento, rolamento de esferas, rolimã;
óleo, glicerina (*óleo*) 356; lubrificante, vaselina, saliva, escuma de sabão, chumaceira, almotolia, graxeira, arreiteta, azeiteira, cantimplora, zarra.
V. lubricar, lubrificar, olear, azeitar, engraxar, lustrar, engordurar, ensebar, besuntar, iscar, untar com gordura, ensaboar, encerar, amaciar, parafinar, desemperrar, desentorpecer, desentravar.
Adj. lubrificado & *v.*, oleoso, viscoso; lúbrico, escorregadio, deslizante, escorregadiço, lábil (poét.), lustroso, luzidio, suave, macio, livre, desimpedido.

2º) Fluidos

I. Em geral

333. Fluidez, liquidez, gás 334; aquosidade, fluido, líquido, licor, linfa, humor, serosidade, caldo, suco, seiva, sumo, sangue, pituíta, reuma, ícor, sânie, pus, vurmo, chorume, soro, hidrônfalo;
(ciência dos líquidos): hidrologia, hidrostática, hidrodinâmica, hidrogenia.
V. ser (fluido & *adj.*); fluir (*líquido em movimento*) 348, jorrar, escorrer, pingar, borbotoar, esguichar, espirrar; fluidificar, dessorar, sorar, liquefazer 335; evaporar, congelar.
Adj. líquido, fluido, suculento, sucoso, sumoso, chorudo, chorumento, icoroso, sumarento, seivoso, seroso ou soroso, chorumento fluente (*líquido em movimento*) 348; aquoso, vurmoso, pituitoso, liquefeito, derretido, incongelado, incongelável, incoagulado, incoagulável, insolidificado, solúvel, soluto, venífluo, venoso.

334. Gás, ventosidade, flatuosidade, flatulência, meteorismo, peido, volatilidade, fluido, elástico, ar, vapor, éter, oxigênio, hidrogênio, azote, azoto, ácido, eflúvio, miasmas, emanações, fumaria, fumo, fumaçada, fumarola, fumaraça, fumarada, fumaceira, arroto = eructação, flato, acetileno, cianogênio, gasogênio, gasômetro, gaseificação; bujão, combustível, GLP; grisu, butano, propano, sarin;
(ciência dos fluidos elásticos): aerostática, aerodinâmica.
V. emitir vapor 336; gaseificar, oxigenar, hidrogenar, azotar, eterificar, arrotar, peidar.

Adj. gasoso, gasógeno, gaseiforme, gasólito, aeriforme, etéreo, vaporoso, volátil, evaporável, flatulento, flatuloso, aerodinâmico, aerostático, efluvioso, fumoso, fúmeo, azótico; lacrimogênio, hilariante.

△ **335. Liquefação,** liquidificação, condensação, liquescência, deliquescência, fluidificação, degelo, descoalho, derretimento, derramamento, derretedura, coliquação, descoagulação, fusão, dissolução, diluição, diluimento, umectação, dessoração, sanguificação, hematose, solução, apózema, lixívia, barrela, decoada, infusão, fluxo, soro.
V. liquefazer, liquidificar, liquescer, condensar, orvalhar, delir, derreter (*calor*) 384; solver, umectar, exsolver, dissolver, refundir, degelar, desgelar, descoalhar, descongelar, descoagular, sorar, dessorar, desengrumar.
Adj. liquefeito, diluto, liquescente, deliquescente, solúvel, coliquativo, fundente, fundível, fúsil, fusível, liquidificante, liquidificável, descoagulável, liquefativo.

▽ **336. Vaporização,** volatização, gasificação, aeragem, aeração, aerificação, aerização, aerossol, evaporação, coobação, sublimação, exalação, emanação, efluência, miasma, sublimado, volatilidade, vaporizador, alambique, retorta, sublimatório, fumigação, defumação.
V. tornar (gasoso & 334); vaporizar, gaseificar, gasificar, volatilizar, aerificar, aerizar, sublimar, coobar, evaporar, vaporar-se; destilar, alambicar;
enfumarar, fumear, fumar, fumarar, fumegar, fumizar, expor à influência do fumo, desinfetar, defumar.
Adj. volatilizado, volátil, vaporável, vaporífero, vaporizador, vaporizável, evaporizável, fumiflamante, fumívomo, fúmeo, fumoso 334; fumífero, gaseiforme, sublimatório.

II. Específico

△ **337. Água,** aquosidade, líquido elemento, líquido cristal;
linfa, aguadilha, soro, serosidade, reuma ou reima, água-doce = tamarma (ant.), infiltração, afusão, aspersão, irrigação, regadia, regadura, ducha, seringada, seringação, seringadela, rega, balneação, imersão,

molhadela 339; banho, inundação, dilúvio (*líquido em movimento*) 348;
natação, remo, regata, iatismo, triatlo, canoagem, saltos ornamentais, pesca submarina, maratona aquática, *ski* aquático, *jet-ski*;
cabeça-d'água, tromba-d'água, maré cheia, preamar; cachoeira, cascata, queda-d'água, catarata;
bafo, sedilúvio, capitilúvio, pedilúvio, manilúvio, lavabo, banho de assento = semicúpio, balneário, balneoterapia, hidroterapia, hidrotecnia, hidrocultura, hidropônica; hidroginástica, hidromassagem; apoditério, banheira;
aspergilo (ant.), hissope, aspersório, aspersor, regador, borrifador, cantimplora, irrigador, almarraxa (ant.), seringa, bisnaga, esguicho, mangueira, extintor de incêndio, nora, pulverizador, sifão, tomadouro.
V. ser (aquoso & *adj.*); regar, irrigar, aspergir, pulverizar, aguar, banhar, molhar, remolhar, ensopar, encharcar, converter em charco, inundar, submergir, empantanar, alagar, anegar, apaular, estagnar, rebalsar, represar, empoçar, atolar, atascar, umedecer 339; mergulhar, imergir, lançar n'água;
pôr de salmoura/de escabeche/de molho; demolhar, aspersar, hissopar, bisnagar, chapinhar, babar, sobreaguar, seringar, injetar, gargarejar, empapar, patinhar, nadar.
Adj. aquoso, áqueo, aquático, aquífero, aquícola, aquátil, úmido, linfático, aguacento, inundante, balnear, balneável, balneatório, irrigatório, seringatório, diluente, potável, submerso, alagado & *v.*;
molhado ou feito como uma sopa, encharcado, ensopado; aspergilário, aspergiliforme.

▽ **338. Ar,** ar atmosférico, atmosfera, ar livre, estratosfera, espaço, céu, latíbulo, vento, brisa, sopro, clima, azul, nuvem 353; oxigênio;
tempo; oscilações do barômetro;
(ciência do ar): aerologia, aeroscopia, aerografia, aerometria, meteorologia, climatologia, eudiômetro, barômetro, aerômetro, barógrafo, meteorógrafo, aeroscópio, anemômetro, anemógrafo, aneroide, simpiezômetro, meteoroscopia, barosânemo, baroscópio, manoscópio, zingamocho, cata-vento, bandeira, anemoscópio, grimpa;
ventilação, aerostação, aerofagia, aerofobia.

V. arejar, pôr ao ar, expor ao tempo, soprar, ventar, ventilar, abanar (*ar em movimento*) 349.
Adj. aeriforme, aerífero, aéreo, flatulento, efervescente; atmosférico, meteorológico, isobárico, isobarométrico; ventoso.
Adv. aeriferamente & *adj.*; ao ar livre, *al fresco*, pela fresca, *sub Jove, sub divo*, ao relento, ao sereno, a céu aberto, entre o céu e a terra, no espaço, ao relento.

△ **339. Umidade,** humor, lenteza, lentura, lentidão, umectação, umedecimento, irroração, madefação, aljôfar, relento, cacimba, orvalho, carujeira, rocio, sereno, zimbro, chuvisco, gotas, camarinho (de orvalho), molúria, rociada;
pérolas, lágrimas da aurora;
lágrimas matutinas; mangra, borrifos, salpicos, aguagem, aspergimento, rega, regadio, aspersão, hissopada, molhada, molhadura, molhadela, molha, vegetação, verdura, sombra, mofo, bolor;
higrometria, higrômetro, higroscópio.
V. umedecer, lentar, lentecer, lentejar, tornar (úmido & *adj.*); molhar, ensopar, abeberar, demolhar, aguar, sopetear, umectar, irrorar, rorejar, rociar, relentar, orvalhar, chuviscar, cair em forma de orvalho, apanhar sereno, salpicar, aspergir, aspersar, borrifar, hissopar, esparrinhar, espargir, esparzir, madeficar, embeber 337; refrescar, aljofrar, aljofarar, saturar, gotear, gotejar, regar, difundir, pulverizar, estar úmido, não conhecer a secura, transpirar 295.
Adj. úmido, umente, umectante, umectativo, úvido, aquoso 337; asperso, orvalhado, umedecido & *v.*; rorante, rorejante, rórido, rorífero, rócido, lentescente, mádido, lento, avelado, rorífluo, rocioso, orvalhoso, madefato, suculento, sumarento;
enlameado, salpicado, gotejante, lamacento, pantanoso 345; regado, regadio, uliginário.

▽ **340. Secura,** sequidão, ressicação, aridez, deserto, esterilidade, seca, estiagem, estio, exsicação, dessecação, dessecamento, drainagem ou drenagem, deflegmação; desaguadouro, esgoto, sequeiro, anidrose, secação, secante, empasma, sicativo, bartedouro, tupé (bras.), enxugo, xerografia, estendal, estendedouro, estendaria, coradouro, encerado, oleado, poncho.

V. secar, estar (seco & *adj.*); não conhecer a verdura, terem as terras sede, desertificar, aridificar, achicar, esventar, enxugar, ustular, detergir, despejar, moxamar, desaguar, estancar, esgotar, desempoçar;
exsicar, mirrar, ressequir, ressicar, ressecar, deflegmar, dessecar, tirar a umidade a; apressar, acelerar a evaporação; corar;
enxercar, crestar, enxambrar, soalhar;
desalagar, desencharcar, desensopar, drenar, dessangrar, sanjar, engunhar; estiar, deixar de chover, limpar o tempo, escampar, aclarar o céu, desinvernar, deixar de ser úmido, evaporar-se, deixar de correr, não manter o regime fluvial, não ser perene.
Adj. desprovido de água, seco, não regado, enxuto, estanque, anidro, anídrico, árido, desértico, inóspito, sequeiro, sequinhoso (*desus.*), estéril, donde desertou a verdura, ressequido, esmarrido, murcho, sequioso, resseco, ressecado, à prova d'água, desprovido de umidade, secativo, secante, enxugador;
xerófito, umidífobo.
Adv. secamente & *adj.*; a pé enxuto.

△ **341. Oceano,** elemento; salso reino, o ponto, a onda salgada;
campos equóreos, salgados, cerúleos, flutuantes; o império das vagas oceânicas, pélago, abismo, salso argento, pego, profundo;
Anfitrite, Netuno, Tétis, Portuno, Iemanjá, tridente, água salgada, hidrosfera, oceanografia, domínio dos mares = talassocracia, talassografia, ondas, rolo, rolão, vagalhão, carneiradas, escarcéu, marouço, serrania = ondas encapeladas, vagas, levadia, madria;
hidrografia, hidrógrafo, batometria, nereida, ninfa, oceânides, Tritão, sereia, golfinho, baleia, leviatã.
Adj. oceânico, aquático, equóreo, marinho, marino, marítimo = parálio, talássico, abissal, netúnio, netunino, netuniano, flutícola, undícola, flutígeno, flutívago, flutígero, flutíssono, flutissonante, undívago, undoso, hidrográfico, oceanográfico, submarino, hipotalássico, tridênteo, tridentífero = tridentígero, marinheiresco.

▽ **342. Terra,** solo, chão, a nossa mãe comum, Geia, Gaia, terreno, terra firme, continente, território, região, país, península, quersoneso, delta, cabo, farelhão, pontal, promontório, cabedelo, istmo, língua de terra, braço de terra, planalto, planura, chapada, chapadão 206 e 344;
litosfera, xerografia, orosfera = parte sólida da superfície terrestre, costa, fralda do mar, fralda marítima, borda, termo, praia;
abas (de um rio), ribada, margem, beira, beirada, lado, falésia, riba, ribanceira, ribeira, ribança, barranco;
marinha, ripa (ant.), mangue, borda de água, litoral, ribamar, leixão, beira-mar, dunas, terra de aluvião, mesopotâmia, panasqueira, oásis, clareira, subsolo;
gleba, lote, torrão, leiva, gupiara, margueira, leira, olga, barro, argila, greda, marga, marna, marno;
monte, montanha, cordilheira, colina, coxia, cerro, combro, morro, outeiro, serra, duna;
rocha, rosca, rocado, penedo, penedia, fraguedo, penha, penhasco, despenhadeiro, desfiladeiro, península, restinga, cabo, promontório; barroco, cascalho, gnaisse, massapé ou massapê, pedrouço, propriedade 780.
V. desembarcar, pôr o pé em terra, pisar terra firme.
Adj. terrestre, terráqueo, terrenal, terreno, térreo, terral, terreal, terrenho, telúrico, continental, sobreterrestre, subaéreo, litoral, litório = salgadiço;
marginal, ribeirinho, justafluvial, aluvial, aluviano, mundial 318; bímare, territorial, peninsular, ístmico, deltoide, margoso, marnoso, oasiano, apenedado, apenhascado, penhascoso, pedregoso, saxoso, sáxeo, pedregulhento, pedral, bimarginado, bojador.

△ **343. Golfo,** *lago,* lagoa, baía, ressaca, abra, ancoradouro, goleta, cala, golfão, caldeira, recôncavo, enseada, anco, lagamar, seio, calheta, quebrada, fiorde, estuário, foz, delta, braço de mar, camboa, ria, esteiro, caneiro, boca, barra, embocadura, porto, estreito, freto (poét.), euripo, mancha, passo, palude, laguna;
albufeira, charco, pântano, pantanal, remanso, perau, atoleiro, barreiro, lamaçal, tanque, alverca (ant.), poça, poço, chapinheiro;
cisterna, algibe, poço artesiano, lençol-d'água, língua-d'água, viveiro, fosso, fossa, vala, açude, acéquia, eclusa, dique, re-

presa, piscina, reservatório (*provisão*) 636; camboa.
Adj. lacustre, lacustral, sublacustre, aquático, subaquático, ribeirinho, portuoso.

▽ **344. Planície,** platô, mesa, planeza, rechã, chã, achada (ant.), plaino, planura, chapada, chapadão, nava, campo, campo raso, faxinal, almarge, eurreta, estepe, tundra, pampa, *lhanos*, campos gerais, charneca, savana, gândara, esplanada, páramo, chão, chaneza, veiga, varja = várzea, vargedo, campina, logradouro, terreno pantanoso, planalto 206; sertão, caatinga; campanha, prado, pradaria, pasto, pastio, pastagem, ameijoada, pascigo, clareira, furado (bras.), tapete de verdura, relva, leira, tabuleiro, bamburral, descampado, macegal (bras.).
V. arrelvar.
Adj. campestre, campesinho, campesino, rural, campino, arval, aluvial, aluviano, gandarês, varzino, pradoso, relvado.

△ **345. Pântano,** pantanal, paul, palude, abafeira, almargeal, terreno apauado, brejo, lagoa, charco, aguaçal, água represada, restagnação, estagnação, remanso, banhado (bras.);
lameiro, lameira, lameirão, lamaçal, lamarão, lama, lameiral, tijuco (bras.), tijucal (bras.), tijucupaua (bras.), tijucupava (bras.), borraçal, lagoeiro, juncal, marisma, lodo, lenteiro, mangue, sapal, atascadeiro, atasqueiro, alverca (ant.), ceno, cenagal, lodaçal, lodeiro, lutulência, fojo, marnel, enxurdeiro, chafurdo, chafurdeiro, chafurda, poça, chapinheiro, apicum (bras.), varga.
V. apaular, converter em (paul & *subst.*); estagnar, rebalsar, represar, empoçar, encharcar, empantanar, atascar, enlodar, ficarem as águas estagnadas.
Adj. pantanoso, atolandiço, alagadiço, alagado, apaulado, paludoso, palustre, paludial, lamacento, lamaroso, miasmático, brejoso, alagoso, encharcado, encharcadiço, rebalsado, lodoso, enlameado, lutulento, uliginoso, uliginário, estagnado, dormente.

▽ **346. Ilha,** ínsula (poét.), ilheta, mochão, ínsua, ilhota, ilhote, leixão, farelhão, ilhéu, recife, alfaque, arrife, escolho, baixio, vaus cegos, cachopo, arquipélago, rosário de ilhas, ilhoa, insulano.

V. insular, ilhar.
Adj. ilhéu, insular, insulano, islenho, insulado, aislado.
Adv. à flor-d'água.

III. Em movimento

347. Corrente (Fluido em movimento) corrente-d'água 348; corrente de ar 349.
V. correr & 348; fluir, jorrar; soprar 349.

△ **348.** (líquido em movimento) **Rio,** deflúvio, flume ou flúmen (poét.);
água corrente, viva, doce; borbotão, cachão, borbulhão, repuxo, escoamento, afusão, jorro, jorramento, esguicho, esguichadela, bica, zicho, jato, jacto, golfada, *jet d'eau*, gorgolão, gorgolhão, dimanação, difluência, descento da maré, *Gulf-stream*, subcorrente;
revessa = corrente marítima/submarina; mãe;
mão, tromba, manga-d'água; serpes de cristal, catadupa, assonjo (ant.), catarata, cascata, levada, salto, cachoeira, queda-d'água, itupava = itupeba = itupeva (bras.), ravina (gal.), corredeira, despenho, caudal;
Niágara, Iguaçu, Paulo Afonso, cataclismo, *débâcle*, cheia, enchente, undação, inundação, dilúvio, chuva, rega (pop.), garna (bras.), garoa, relento, sereno, orvalho, rocio, molhe-molhe, chuvisco, merugem, meruginha, chuvisqueiro, molinha, moinha, bruega, aguaceiro, borraceiro, estilicídio, *stillicidium*, gotejar, gota, pingos, borrifos, salpicos, peneira;
pancada, corda, pazada-d'água; chuvada, chuvarada, temporal, tempestade, salseiro, salsada, bátega-d'água, chuveiro, pirajá (bras.), cordoada, corrente, correnteza, lada, curso, influxo, fluxo, afluência, fluência, fluidez;
maré, ressaca, caudal, raudal (ant.), rolheiro, torrente, olheiro, olheirão;
ribeira, ribeirada, fonte, fontainha, olho-d'água, chafariz, arroio, ribeiro, ribete = regato, córrego, regueira, regueiro, ribeirinho, manancial, manadeira, manadeiro, matriz, riacho, braço, esteiro, ria, enxurro, regadeira, enxurrada, lava, lavada, rega, pena-d'água;
afluente, tributário, contribuinte, vassalo, súdito, aliado, irmão gêmeo, onda 341; encíclia, remoinho, sorvedouro, vórtice,

maremoto, absorvedouro, turbilhão, voragem, Maelström, vaga, vagalhão, carneiro, carneirada, mareta, levadia, marulhada, quebrança, enchia, fola, encapeladura, saca, marejada, maresia, fluxo e refluxo, rafa (ant.), maré cheia, preamar, esto, contramaré, baixa-mar, maré vazia, vazante, macaréu, pororoca;
chapeleta, aguagem, transbordamento, confluência, reunião, junção, barra, ligação, juntura, comporta; represa, eclusa; (ciência dos líquidos em movimento): hidrodinâmica, hidráulica, potamografia, hidromecânica, hidrometria; pluviometria; ombrômetro, pluviômetro, udômetro, irrigação 337; alagamento, bomba, tomadoura, nora, estanca-rios, cegonha, regador, aguador, aríete, carneiro, bombacho, chupela, chupadouro, seringa.
V. correr, difluir, fluir, passar, escoar-se, derivar, serpear, ondear, arroiar, gorgolhar, rebentar, zichar, refluir, sair em borbotões, precipitar-se em torrentes;
ir, deslizar, vazar, esguichar, espipar, sair de jato, jorrar, golfar = resfolegar, espirrar, repuxar, espadanar, chapinhar, fazer a água repuxo, sair em repuxo, esparrinhar, borbotar, sair, nascer, manar, brotar, escorrer;
gotejar, golfar, golfejar, gorgolar, gotear, pingar, porejar, destilar, filtrar, desbordar, espraiar, transbordar, derramar-se, regurgitar, desestagnar, abundar;
sair da madre, do leito, verter, correr em jorro, bofar, regar, encharcar, inundar, alagar, lançar, deitar, botar, entornar, despejar, sair 295; espargir, despargir, efundir, infundir, acachoar, cachoar, escachoar, formar cachão, marulhar, irrigar, sangrar, molhar 337;
fazerem as águas revessa, tempestear, tempestuar, chover;
chover azagaia/copiosamente/por uma pá velha/a cântaros/a canivetes; cair água a cântaros, diluviar, pingar, cair garoa, garnar (bras.), chuvinhar, chuviscar, peneirar, molinhar, chover molinha, merujar (pop.);
correr para, afluir para, lançar-se em, precipitar-se em, descarregar-se, despejar-se, dessangrar-se, perder-se, levar o tributo de suas águas a, fundir-se com, misturar suas águas com as de, descarregar suas águas em, descabeçar (a maré);
(fechar o jorro): estancar, estagnar, represar, açudar (fechar) 261; obstruir 706.
Adj. fluente, fluido, diluente, afluente, correntio, corrente, largífluo, trépido, blandífluo, serpejante;
fluminense, flumíneo, fluvial, fluviátil, chuvoso, nimbífero, nimboso, pluvial, pluvioso, pluviátil, molinhoso, ribeirinho, justafluvial, setênfluo (poét.), multifluente;
caudaloso, diluvioso, unduloso, grande, grosso, soberbo, nubígeno, flutuoso, fontal, fontanal, fontanário ou fontenário, desaguador, derramado & *v.*;
aparcelado, revolto, espadanado, vorticoso, caudal, torrentoso, turbinoso, undante, undoso = caudaloso, undífero, undíssono, undífluo, undíflavo, torrencial, cabedal, principal, marulhoso, tempestuoso, pateiro (reg.), piscoso, venoso, venífluo.
Adv. fluentemente & *adj.*; em bica, a cântaros, a torrentes, copiosamente, torrencialmente.

▽ **349.** (Ar em movimento) **Vento,** corrente de ar, ar, sopro, assopro, bafo, insuflação, baforada, monção, vento leve, zéfiro, frescor, galerno, bafagem, brisa, favônio, aragem, hálito, oressa, viração, aura, assopradela, flabelação, abano, bafejo;
pé de vento, lufada, borbotão de vento, tufão, tornado, rabanada, ventania, rajada, gregalada, lufa, ciclone, torvelinho de vento, furacão, vórtice, ecnefia, rabanada de vento, refrega de vento, bulcão, polvorinho (pop.), turbilhão, golpe de vento, refega, sobrevento, trabuzana (pop.), tempestade, grande temporal, pampeiro, vendaval, procela, tormenta, estrupada, euro, rolo, remoinho, redemoinho, eurônoto, borrasca, borriscada, borrisco, cansim, simum, samiel, siroco (*ventos quentes*) 382; bise, nordestia, lestada;
ventos gerais, colaterais; minuano (bras.), (*ventos frios*) 383; rexio (reg.), terrenhos, áfrico, aquilão, aguião (ant.);
ventos de repiquete, rachar; subsulano, tarasco (reg.), barbeiro, ventosidade, flatulência;
anemografia, aerodinâmica, barosânemo, anemologia, anemógrafo, anemômetro, anemopausa, cata-vento, anemoscopia, anemoscópio 338; grimpa, inflação, abanação, abanadela, ventilação, espirro, esternutação, soluço, resfôlego, respiração, recolho, ofego,

350. Conduto | 352. Meio líquido

bufido, bufo, alento, fôlego, dispneia = ortopneia;
Éolo, Bóreas, caverna de Éolo, bomba de ventilação, máquina pneumática, leves (de aves), pulmões, bofes (pop.), boches, fole, ventana, leque, flabela, ventarola, abano, chaminé, ventilador, vênula, assoprador.
V. ventar, soprar, assoprar, ressoprar, varrer, bafejar, aflar, arejar, ventilar, ventanear, ventanejar, refrescar, perpassar, agitar, fustigar, varejar, açoutar, lufar, varrer, encrespar, brincar, ondear, empolar, soluçar, gemer, sibilar, rugir, suspirar, uivar, assobiar, ulular, vassourar, desgrenhar, passar em febre;
suestar, descair para o S. O., sudoestar, respirar, alentar, tresfolegar, resfolegar, ofegar, arfar, arquejar, abanar, flabelar, insuflar, espirar, espirrar, tossir, pigarrear, baforar, bufar, inflar, ventilar (*sons de vento*) 402a.
Adj. ventoso, tarasquento (reg.), flatulento, ofegoso, ofegante, borrascoso, tempestuoso, proceloso, furioso (*violento*) 173; fervente, austrífero, agreste, marulheiro, mareiro, galerno, brando, sereno, bonançoso (*moderado*) 174; alisados, alísio, aquilonal, aquilonar, aquilônio, gregal, etésios, travessão; ventilado, arejado;
lavado de ares, dos ares; esternutatório, ventígeno, ventilativo, nubífero, nubífugo, vorticoso, imbrífero, imbrífugo, remoinhoso, nubícogo, eólio.
Adv. ventosamente & *adj.*; às lufadas, de vento em popa.

△ **350.** (Canal para passagem de líquido) **Conduto,** tubagem, tubulação, canal, ducto, duto, igarapé (bras.), meato, encanamento, aqueduto, acéquia, gárgula, bica, arrúgia, masseirão, calha, calhe, cale, cala, dala, manilha, sanja, sarjeta, goteira, fosso, valada, vala, sanga, valado, alcórcova, agueiro, escoadouro, sangradouro, cano, algeroz, marra, rego, alcorca, gaivagem, cloaca, valeta, alfobre, sifão, cantimplora, mangueira, canudo, tubo 260;
regueira, setia, cava, covão, covato, túnel (*passagem*) 627; bueiro, caleira, caleiro, emunctório, sumidouro, veia, artéria, arteríola, carótida, aorta, jugular, safena, vaso, poro, fontela, bico (de bule), desaguadeira, sangradouro, esgotadouro, escoadouro, esgoto, dessangradeiro, represa, comporta, adufa, funil, embude ou ambude, enchedeira, leito, madre, álveo, ureter, uretra, vagina.
V. veicular, captar, conduzir, transportar, sanjar, canalizar, manilhar, gaivar.
Adj. arterial, arterioso, venoso, venal, aórtico, venífluo, sifônico, sifonoide, emunctório, carotídeo, carotidiano, tubífero, tubiforme, tubulado, tubular, tubuloso, vaginal, vaginiforme, uretral.

▽ **351.** (Canal para passagem de ar) **Canal de respiração,** cano (de chaminé), chupão (pop.), chaminé, resfolegadouro, exaustor, espiráculo, respiro, respiradouro, venta, narícula, fossa nasal, pituitária, gorja, inglúvias;
garganta, laringe, fauces, goela = tragadeira (pop.), traqueia, brônquios, pulmões, boches, bofes, leves, brânquias, amígdala; ventilador, tiragem, óculo, fresta, veneziana, tudel, canudo (*tubo*) 260; alcaraviz, evaporatório, broque, vaporário.
V. derregar, exaurir, ventilar.
Adj. aerífero, laríngeo, bronquial, branquial, traqueal, traqueano.

3º) Fluidos imperfeitos

△ **352. Meio líquido,** crassície, pegamento, pegadura, limosidade, espessura, viscosidade, mucosidade, gomosidade, densidade, crassidão, crassidade, adesão (*coesão*) 46; condensação, encrassamento, espessidão, geleia, arrobe, mucilagem, mucogênio, muco, mucol, mucolito, cera, cerume, gelatina, grenetina, fleuma;
gosma, pigarro, gogo, pituíta, melaço, lava, albume ou albúmen, albumina, clara, glute ou glúten, glutina, grude, creme, almécega, almíscar, cola, nata, laço de leite, visgo, visco, emulsão, xarope, látex, sinóvia, sopa, creme, caldo;
barro, piranga, lama, lodo, fez, lima, vasa, coloide, umidade 339; pântano, magma, papas, sêmen, láctea, leite, colostro, leitras.
V. condensar, encorpar, inspissar, desnatar, empolmar, glutinar, conglutinar, emulsionar, emassar, empastar, ser semifluido & *adj.*
Adj. semifluido, semigelado, leitoso, leitente, lácteo, lactescente, lactífero, lamacento, barrento;
uliginoso, emulsivo, coalhado, coagulado, grumoso, cremoso, espesso, trapalhado,

crasso 321; sucoso, suculento, pegajoso, viscoso, glutinoso, coloidal, pegadiço, apegadiço, peganhento, guinhoso, guinhento; gelatinoso, gelatiniforme, albuminoso, albuminoide, albuminiforme, conglutinoso, gomoso, pastoso, visguento, lentescente, limoso, xaroposo = líquido, amiláceo, pituitoso, pituitário, mucilaginoso, mucoso, lento, resinoso, mucíparo, gosmento, lacticinoso, reimoso, lavoso, pigarrento, pigarroso; mucívoro.

▽ **353.** (Mistura de ar e água) **Bolha,** nuvem, borbulha, borbulhão, empola, espuma, escuma, carneirada, carneiro, fumo, fermento, massaroco, fermentação, fermentescibilidade, lêvedo, levedura, escumado, surriada, nevoaça, nevoeiro, carujeiro, bulcão, caligem, cerração, vapor, floco, bruma, névoa, neblina, nebulosidade, opacidade 426; nimbo, cúmulo, cirro, estrato; efervescência, fervura, ebulição, espumosidade.
V. bolhar, borbulhar, referver, ferver, esfervilhar, fervilhar, espumar, espumejar, escumar, cobrir de espuma, fumegar, fumear, empolar, efervescer, fermentar, refermentar, ebulir, levedar, nublar, bolorecer, gaseificar.
Adj. borbulhoso, bolhoso, escumoso, escumante, espúmeo, espumante, gaseificado, espumoso, espumífero, espumígero, *mousseux*, efervescente, gasoso, fermentáceo, fermentescente, fermentescível, fermentativo, fermentável;
fumante, nebuloso, nubiloso, nubloso, nubífero, nubígeno, nevoento, nevoado, nevoso, brumoso, caliginoso, nublado, sombrio, nuvioso, enevoado.

△ **354. Pasta,** carnosidade, massa, polpa, quimo, coalhada, papas, arrobe, geleia, pudim, artomel, cataplasma = malagma, grumo, coalho, cosmético.
Adj. pastoso, polposo, suculento, grumoso, carnoso, carnudo, polpudo, torroso, carniforme, musculoso, pultáceo.

▽ **355. Untuosidade,** oleosidade, lubricidade, untadela, untura, untadura (*óleo*) 356; unção, lubrificação 332.
Adj. untuoso, oleagíneo, oleaginoso, oleífero, oleígeno, oleoso, unguinoso, sebáceo, gordo, gorduroso, gordurento, graxo, lipoide, ceráceo, ceroso, céreo, butiráceo, butiroso, saponáceo, ceruminoso, pingue; escorregadio, manteigoso, manteiguento, grassento, adiposo, atoicinhado, oleificante, esteárico, petrolífero, unguentáceo, unguentário.

356. (Matéria gordurosa) **Óleo,** oleol, oleolado, oleolato, azeite, banha, gordura, ádipe, gordã, manteiga, margarina, creme, manteiguilha, sebo, unto, toicinho, toucinho, suarda, lardo, torresmo, cifa, *bacon*; glicerina, vaselina, estearina, maneios, oleíla, oleína, elaidina, benzina, sabão, cera, oleado, encerado, parafina, cetina, espermacete, pomada, petróleo, gasolina, querosene, óleo lubrificante; óleo mineral, vegetal; óleos fixos, essenciais; azeite doce, de oliveira; sirage; óleo de babaçu/de castanha/de mamona/de carrapato/de rícino/de linhaça/de colza; elaiura, cosmético, bazulaque, unguento, cerol, cérica, ceroto, cerato, linimento, ceromel, verniz, oleômetro.
V. olear 332; cifar.
Adj. v. 355.

356a. Resina, goma, laca, goma-arábica, pau-de-lacre; opopânace, opópanax ou opopônax; âmbar, alambre (ant.), azebre, pez, breu, alcatrão, coltar, goma-copal, jetaicica, alcatira, galipódio, galipote, anime, terebintina, ganja, aporretina, gema, caraná, adraganto ou adracanta, tragacanto, tacamaca;
almécega, lábdano, elemi, apinel, graxa, guta, guta-percha, mirra, incenso, olíbano, arnicina, gálbano, mastique, bdélio.
V. envernizar 332; alcatroar, untar, iscar, resinar.
Adj. resinoso, resinento, resinífero, ambárico, ambarino, gumífero, píceo.

Divisão III. MATÉRIA ORGÂNICA

1º) Vitalidade

I. Em geral

△ **357. Organização,** mundo organizado, força viva;
natureza viva, animada;

seres, organismos vivos; vivente, restos orgânicos, fósseis, idiomorfo, órgão;
(ciência dos seres vivos): biologia, zoobia, zoobiologia, história natural, química orgânica, anatomia, sindesmologia, fisiologia, sindesmografia, zoologia 368; botânica 369; naturalista.
Adj. organizado, orgânico.

▽ **358. Não organização,** reino mineral, matéria inorganizada, matéria inorgânica, matéria bruta;
(ciência do reino mineral): mineralogia, geologia, petrologia, gemologia, minerografia, geognosia, geoscopia, metalurgia, metalografia, litologia, litogenesia, siderurgia, siderotecnia, necrografia, montanística, mineralogista, litólogo.
V. converter-se em pó, erodir, mineralizar, metalizar, petrificar, salificar, salinar, cristalizar.
Adj. inorgânico, inorganizado, inânime, inanimado, bruto, azoico, geognóstico, geológico, metalográfico, metalúrgico, montanístico, minerográfico, sidérico, siderúrgico, siderotécnico, mineralúrgico.

△ **359. Vida,** existência, vitalismo, vitalidade, vitalização;
sopro, aura, fio vital; animação, conjunto das funções orgânicas, respiração, respiráculo, fôlego, bafo, hálito, resfôlego, recolho, vivificação, revivificação 163; vida futura (*destino*) 121;
Prometeu, Arqueu, *existência* 1;
luz, fio, teia, estame, estambre da vida; a peregrinação deste mundo;
livro da vida, dos viventes, nascedouro, nascença, ser, nascimento;
(ciência da vida): zoobia, biologia.
V. estar (vivo & *adj.*); espirar, não ter ainda os seus dias cheios, ter lume no olho, viver, respirar, subsistir (*existir*) 1; vegetar, palpitar, pulsar o coração, ter vida, estar com vida, nascer, vir ao mundo, sair à luz; abrir os olhos ao dia/à luz; começar a ter vida exterior, sair do ventre materno, dar à luz (*produzir*) 161; procriar;
dar a vida/a existência a alguém; animar, aviventar, vivificar, vitalizar.
Adj. vivo, vivente, palpitante, quente, respirante, animado, ativo 682; nado, natal, vital, vivífico, vivificante, vivificativo, prometeano.

Adv. em vida, vivamente & *adj.*

▽ **360. Morte,** fim, falecimento, mortório, defunção, trespasse, traspasse, fenecimento, falimento, passamento, dissolução, desenlace, desfecho, desaparecimento, termo fatal, ocaso, crepúsculo, part ida, óbito, repouso, perda, quitação peremptória, trânsito, finamento (*fim*) 67; cessação 142; extinção, fim da vida terrena; o instante decisivo, o desfecho fatal, sombra do túmulo, as sombras da morte, o eterno descanso, última jornada, derradeira pulsação da vida;
sentença, leito de morte;
o instante, o momento supremo; canto de cisne, *rigor mortis*, praia estigiana, o lago irremeável;
sono dos mortos/dos justos/do trespasse/ da morte/do esquecimento/do túmulo/do repouso;
último sono, eterno sono; trevas da morte eterna;
foice, gadanha, garras, sombra, leito da morte;
sábado eterno, outra vida, a morada eterna, eternidade;
morte aflitiva = cacotanasia;
Libitina, Parcas;
morte; eutanásia, distanásia, necrologia, necrológio, obituário, encomendação, momento, vigília (ant.), *de profundis*, necrolatria, necrodulia = culto dos mortos, ferais;
morte natural/prematura/trágica/violenta 361; coefora, vice-morte, véu da morte;
olhos envidraçados, vidrados; a crise formidável do derradeiro transe;
estado carótico/agonizante/comatoso; a última hora, crocidismo, agonia, cárus, paroxismo, estertor, carfologia, cascalheira, a vítrea palidez;
face cadavérica/hipocrática; visita da saúde, arquejo;
vascas, últimas ânsias da agonia; arranco, os últimos paroxismos, a hora suprema; os últimos arrancos, os últimos arquejos; moribundo, semicadáver, alma aflita e vasquejante.
V. morrer, expirar, perecer, morder a terra, sucumbir, acabar-se, atar as cardas, cessar de viver, encontrar a morte, falecer, exalar o derradeiro alento, finar-se, ir-se, fenecer, passar, desaparecer;

ir-se para o céu/para os anjinhos/para Deus; terminar os dias, perder a vida, perder-se;

descer ao túmulo, descer à sepultura, render o espírito a Deus, tombar sem vida, adormecer para sempre, alar-se para a mansão celeste;

subir ao céu, às regiões etéreas, à abóbada etérea, ao assento etéreo, descansar no regaço do Senhor, repousar à beira do sepulcro;

despedir a alma/a vida/o espírito; passar desta vida para a outra, pagar o censo comum, pagar o censo à morte, ser arrebatado do número dos vivos, baixar às regiões do sepulcro, bater a pacuera (pop.), dar os fios à teia, dar contas a Deus, desencarnar-se, quitar a vida terrena, cair sem sentido no seio frio da morte, dar o último arranco, estar em glória, ir *ad patres*, dormir o sono da noite sem horas, ir para a mansão dos justos, render o mortal corpo à morte, depor a vida, deixar a prisão de limo de seu desterro, fechar os olhos, ir para bom lugar, estar no tribunal divino, dar o último suspiro, cerrar os olhos à luz, dormir o sono do verdadeiro repouso, largar os ossos, ganhar a glória, ir-se puxando, dormir no gélido sudário, partir para o imenso Incognoscível, fugir do mundo, fazer a viagem do outro mundo, encher a sua idade;

deixar a vida/o mundo, deixar viúva e filhos, ser riscado do livro dos viventes, sentir a última dor, ser chamado ao tribunal de Deus, soar a hora fatal;

despir-se das prisões da carne/do invólucro mortal; dormir em Deus/no Senhor, arrancar, aniquilar-se, descansar em paz;

morrer sem dizer ai Jesus, morrer de morte natural;

soar a última/a derradeira/a extrema hora; arrevessar a alma, ir-se como um passarinho, ceifar a foice da morte a vida a alguém, surpreender a morte a alguém;

levar/chamar Deus para si; pagar o tributo à natureza;

dar a alma a Deus/ao diabo; deixar na orfandade, dar o sangue por alguém, sacrificar a existência, pagar com a vida, dar a ossada, cair morto;

tomar passaporte para o céu/para o inferno; espichar/esticar o pernil/as canelas; ir para as malvas, viajar sem chapéu (pop.), deixar órfãos, orfanar;

jazer, estar morto; não dar mais sinal de vida, estar agonizante, vasquejar, agonizar, esmorecer, baquear, arrancar (int.);

ficar a pedir confissão/a pedir o céu; ter a morte à cabeceira, estar ferido de morte, estar próximo a dar a alma a Deus, sentir as asas da morte roçarem-lhe frias pela fronte, debater-se nas vascas da morte;

estar nas ânsias da morte, estar com a candeia na mão, estrebuchar nos derradeiros estertores, contorcer-se, chegar a sua hora, estar a despedir, ter a sua hora chegada, estar com padre à cabeceira, projetar a agonia sua sombra sobre, soar a hora fatal a alguém, estar em artigo de morte, estar abarbado com a morte, serem chegados os fados de alguém, estar no cabo;

soltar-se, esvair-se em sangue; estar à porta da eternidade, envidraçarem-se os olhos a alguém;

estar nas últimas/por um fio a vida de alguém; estar entre a vida e a morte, ir-se concluindo, abeirar-se a morte ameaçadora e lúgubre;

estar prestes a habitar com os mortos/a dar à casca;

receber o Viático/os últimos sacramentos, fechar os olhos a alguém; estar prestes a comparecer perante o tribunal de Deus.

Adj. morto, esmorecido, frio, inerte, sem vida, que Deus tenha na sua glória, falecido, extinto, cuja memória nos é cara, finado, saudoso, ceifado na mais rútila existência, inânime, inanimado, gélido, hirto, exânime, enregelado, mortal, manio = que não deixa descendente;

abintestado, que não fez testamento;

que Deus tenha em glória, que Deus lhe dê a glória, abiótico, amortalhado, comoriente, moribundo, vascoso, desfalecido, semivivo, semimorto, morrediço, morrinhoso, morrento, semiânime, exânime, exanimado, entre vivo e morto, desenganado, pré-agônico.

Adv. *post obit*, *post-mortem*, *in articulo mortis*, em artigo de morte, *in extremis*, à hora da morte, à hora derradeira, *in actu moriendi*, com um pé na sepultura.

Frases: Os seus dias estão avaramente contados. Quando já lhe fogem os últimos lampejos da vida. A vida está por um fio. Que a terra lhe seja leve. *Requiescat in pace*. Descanse em paz. Que o Senhor se compadeça de sua alma. *Æternum vale!*. Deus lhe fale na alma. Deus tenha sua alma em glória. *Aequo pulsat pede. Sic itur ad astra.*

361. (Destruição da vida; morte violenta) **Homicídio,** occídio, occisão, sicariato, assassínio, assassinato, deicídio, regicídio, mulhericídio, fratricídio, matricídio, patricídio, avunculicídio, conjugicídio, infanticídio, uxoricídio, filicídio, gnaticídio, feticídio, parricídio, homizio (ant.), morticínio, extermínio, holocausto;
mastigada (pop.), cevadura, hecatombe, carnificina, varredoura, carniça, clade (poét.), tragédia, carniçaria, trucidação, sangueira, derramamento de sangue, efusão de sangue, carnagem, chacina, massacre, matadouro, restolhada de mortos, mortandade, rios de sangue, açougue, degoladouro, crueldade, letalidade, cruor, cruentação, caudal de sangue, degola, degolação, decapitação, asfixia, sufocação, afogamento, afogadura, estrangulação, espingardeamento, fuzilamento, arcabuzamento, garrote, execução (*castigo*) 972;
golpe ou tiro de misericórdia; fulminação, sideração, cena de sangue;
Charybdis sanguinis = sede de sangue/de assassínio; golpe de morte, *coup-de-grâce*, martírio, batismo de sangue, abolição do respeito à vida humana, espadas cevadas de sangue, *plurima mors imago*;
acidente fatal, desastre, sinistro, fatalidade, casualidade, morte prematura, suicídio, letomania, imolação, holocausto, morte premeditada;
carrasco, verdugo, carnífice, vitimário, executor, algoz, assassino, homicida, sega-vidas, abutre, fera humana;
Caim, tugue, Moloque, chacinador, matador, sicário, faquista, degolador, estrangulador, *sabreur*, antropófago, Barba-Azul, *bravo*;
regicida, deicida, mulhericida, avunculicida, fratricida, parricida, matricida, conjugicida, infanticida, gnaticida, filicida, feticida, uxoricida, homicida = homizieiro (ant.);
vítima, mártir;
emboscada, *guet-apens*, cilada, insídia, armadilha, traição;
(destruição de animais) matança, abatimento, caçada, pancarpo, pescaria;
animalcida, gaticida, suinicida, avicida, tauricida, serpenticida, inseticida, nuricida, entroviscada, pescador, caçador,

Nimrod, matadouro = cancha, *abattoir*, carniçaria, açougue, açouguite, degoladoura.
V. matar, despedir da vida, tirar a vida a alguém, mandar para outra vida, enterrar, rapar, causar a morte a, cortar a teia da vida, quebrar o fio da vida a alguém, banhar as mãos no sangue de, render vidas à morte, exercer os cruéis instintos de ferocidade, espalhar o luto e a dor, selar-se com o sangue da vítima, despachar para o outro mundo, mandar de presente ao inferno, ensanguinhar, eliminar, levar à sepultura, alastrar-se a carnificina, ensanguentar, correr o sangue de, cruentar, assassinar, varrer do cenário da vida, extinguir, exterminar, tosar de morte, tosar até matar, dar cabo de, transformar num açougue, massacrar, embeber a espada no sangue de, chacinar, ceifar, vitimar, levar, imolar, abater, prostrar, pôr termo a, despachar;
soar a última, a derradeira ou a extrema hora; mergulhar em sangue, tingir as mãos de sangue, orfanar, enviuvar;
lançar na viuvez, na orfandade; espingardear, carabinar, arcabuzar, pôr à espada, pôr à morte, fuzilar, enforcar, guilhotinar, esganar, ataganhar, estrangular, garrotar, jugular, decapitar (*executar*) 972;
asfixiar, afogar, dizimar, povoar de mortos, quintar, trucidar, apunhalar, escalpar, atirar;
coser a facadas ou a punhaladas; malferir, navalhar, esfaquear, passar a fio de espada, estripar, enviar para a eternidade, aviar alguém = dar a morte a alguém, vibrar o golpe de montante, passar pelas armas, efundir sangue, abrir uma esteira ensanguentada, desalmar, meter a ferro e fogo, riscar do número dos vivos, vibrar golpe mortal, espostejar, esquartejar, espetar, cortar pela raiz, assinar a sentença de morte de, mandar *ad patres*, mandar para a eternidade;
caçar, pescar, abater, jugar;
não dar quartel ao inimigo, levar (a epidemia) famílias inteiras, assolar, devastar, destruir 162; despovoar, ermar, tornar deserto, enlutar 363; estar/ser (morto & *adj.*);
ser (mortífero & *adj.*); cair exangue, morrer vestido, estirar-se morto = procumbir, sucumbir ao ferro de;

362. Cadáver | 363. Enterro

morrer de morte violenta/de macaca; morrer a ferro frio, morrer da mão de alguém; acabar os dias na forca/no hospital 360.
Adj. morto, assassinado & *v.*; morto pelas balas inimigas, abioto, mortal, matador, carniceiro, carnífice, sanguinário, sanguinoso, sanguinolento, sevo, cruel, desalmado, cruento, sedento de sangue, sanguissedento, encarniçado, chacinador, sangrento, tinto de sangue, manchado de sangue; assassino, ensanguentado, sanguino, sanguífero, sanguento, rubro, macabro, funesto, sinistro, trágico, fatídico, sega-vidas, insaciável de vida e de sangue, fatal, letal, léteo, letífero, fatífero, mortífero, fulminífero, exicial, occisivo (desus.), fratricida, mulhericida, conjugicida & *subst.*; muricida, animalicida, anguicida, exterminador & *v.*
Adv. mortiferamente & *adj.*; a ferro frio, a preço de sangue.

362. Cadáver, carcaça, natimorto, mortezinho (ant.), anjinho, mortinato, arcabouço, esqueleto, corpo, o corpo exânime, ossos, o morto, o falecido, *de cujus*, o finado, o defunto, o extinto, farrapos, os preciosos despojos;
despojos mortais, despojos da vida, relíquias, *reliquiœ*, relíquias sagradas, restos, restos respeitáveis, restos mortais, pó, cinzas, argila, cavername, ossada, ossamenta, ossaria, ossatura, corpo inânime, pasto dos vermes, *caro data vermis*, múmia, caveira, mortualha, necroscopia, necrografia, sombra, espírito, manes, as sombras dos mortos, restos orgânicos, fósseis, graveolência.
V. mumificar, embalsamar, cremar, cinerar, amortalhar, autopsiar, necropsiar.
Adj. cadaveroso, cadavérico, mortuoso, esquelético, cinerário, dessepulto, insepulto, rogal.

363. Enterro, enterramento, saimento, acompanhamento, mortório, enterro de corpo à terra, mortualha, mortulho, mortuório, funeral;
cortejo, pompa fúnebre; obséquias, exéquias, *ambitus funeris* = a pompa dos funerais, honras fúnebres, soterramento, préstito fúnebre, dobres a finados, marcha fúnebre, elegia, oração fúnebre, necrológio, câmara ardente, sufrágios da Igreja, ofício de corpo presente, missa de réquiem, missária, bens de alma, mortuárias, mortualhas, cipreste, lamentações (*expressões de dor*) 839; chata (ant.);
epitáfio, inscrição tumular, titculeiro;
mortalha, lençol-roupa defunteira, sudário, sudeiro, encerado, coche, carro fúnebre, caixão, féretro, ataúde, banguê (bras.), rabecão, coche fúnebre, gato-pingado, defunteiro, carpideira, esquife, padiola, tumba, sarcófago, barquinha, urna, calpa;
urna cinerária, fúnebre; catafalco, essa, monumento, catalefo, archete, cenotáfio, moimento, monumento sepulcral, mausoléu, cova, covão, campa, sepultura;
terra da verdade, fria; jazigo, *portus corporis* = túmulo, carneiro = salgadeira, modorra (ant.), sepulcro, leito de morte, catacumba, cova funerária, cripta, columbário, vala comum, covato;
Gólgota;
casa, mansão da morte; sagrado, cemitério, fossário, a lúgubre morada dos mortos, sepulcrário, necrópole, campo santo, hipogeu (ant.); o adro dos defuntos, a última morada;
cidade/região dos mortos; orco (poét.), ilha do sumiço, necrotério, morgue, almocábar = almocávar = almocave = almocóvar, busto (ant.), ossário, ossuário, galilé ou galileia, ustrina (ant.), coveiro, enterrador, sepultador, sepultureiro, tumbeiro, fossário (ant.), lápide, lájea, lousa;
pedra, lousa tumular; a lájea fria, cipo;
lousa, pedra sepulcral; *memento mori*, laje fria e muda dos sepulcros, mamunha (ant.), taburno, forno crematório, cremadeiro; exumação, desenterramento, necrópsia, autópsia, exame *post-mortem*, necroscopia, dia de finados, 2 de novembro.
V. enterrar, inumar, encaixotar (gír.), encriptar, soterrar, recolher os preciosos despojos de, dar à sepultura, dar um corpo à terra, sepultar, enlousar, tumular, consignar ao túmulo, lançar na vala comum, recolher em sepultura, fechar-se a laje sobre o túmulo, assentar a última pedra sobre o ataúde de, enterrar sob algumas leivas de argila, soterrar, cair a laje sobre a boca do túmulo, tocar a finados, dobrarem (os sinos);
estar sepultado, jazer, repousar, descansar;
sufragar, orar pela alma de;
incinerar, cremar, embalsamar, mumificar;

exumar, dessepultar, desenterrar 297; dessoterrar, desencovar, perturbar o repouso dos mortos.
Adj. sepultado, sepulto, exequial, fúnebre, funerário, funéreo, funeral, feral, mortuário, cinerário, sepulcral, tumular, tumbeiro, defunteiro (bras.), monumental, cemiterial, elegíaco, necroscópico, crematório, rogal.
Adv. in memoriam, post obit, post-mortem.
FRASES: *Hic jacet. Ci-gît.* Aqui jaz.

II. Especial

△ **364. Animalidade,** irracionalidade, animal, vida animal, animalismo, respiração, bufido, bufo;
carne e sangue, força 159; vozes de animais 412.
V. animalizar, brutificar.
Adj. carnal.

▽ **365. Vegetabilidade,** vida vegetal, vegetação.
V. vegetalizar.
Adj. fértil, verde-escuro.

△ **366. Animal,** animalejo, reino animal, fauna, irracionalidade, os irracionais, criação, semovente;
alimária, bruto, animália, besta, fera, solípede, quadrúpede, quadrúmano, bicho, pegulhal, rebanho (*reunião*) 72; grei;
animais domésticos, selvagens; caça, *feræ naturæ*, animais do campo, hóspedes da floresta;
animalão, animalaço, mamífero, invertebrado, vertebrado, paquiderme, réptil, reptante, bovídeo, bicharão, molusco, peixe, crustáceo, aracnídeo, marisco, verme, bicha, sanguessuga, lagartixa = sardanisca, sirgo = bicho-da-seda;
leão; rei dos animais, do deserto; girafa = camelo-pardal (ant.), mu, muar, cavalo 271; gorila, chimpanzé = pongo, orangotango, antropomorfo, bugio, mono, símio, macaco, pataz; gado, rês, touro, cornípede, vaca, bezerro (*animal novo*) 129; ovelha, carneiro, merino, cordeiro, chacim, cerdo, porco, suíno, marrão 373;
suídeo, rinoceronte, lince, lobo-cerval, abada, bode, cabrão, cabro, capro, chiba, chibarro, aguti = cutia, aí, preguiça, porquinho-da-índia, cobaia, coelho, láparo, lebre, lebracho, lebrão, caçapo, peixe, aquícola, ginoto elétrico = poraquê = treme-treme (*Goiás*), torpedo, carapó, enguia-elétrica, raposa, ginete, apereá, javali, gambá, sariguê, sarigueia, cervo, alce, veado, jiboia, cigarra, cega-rega, cascavel (animais malfazejos) 913;
jacaré, caimão, aligátor, cão, canzarrão, podengo = barbaças, cachorro, galgo, cuxiú (bras.), sabujo, alão, cusco, perdigueiro, umbro; cão de mostra/de levanto/de fila; buldogue, gozo, cão-d'água, rafeiro, rateiro, totó, cão-rasteiro, cão-de-guarda, perro, bigle, fraldeiro, fraldisqueiro, fraldiqueiro, lebréu, lebreiro, ventor, terra-nova, mastim, cães de manga, molosso, mabeco, jaguané, cinografia, gato, gatorro, gatarrão, vicente (pop.), miau, felino, felídeo, bichano, gato murador, marracho; boi, garrote, marruás, zebu, caracu, cabresto, mocambeiro;
ave, a gente emplumada, avejão, avezinha, avezita, avícula, palmípede, pássaro, criação, passarinho, passarola, passarada, passaredo, pássaros canoros (*músicos*) 416; galo = cantor matinal, andorinha = progne, salangana, taperá (bras.), colibri, guainumbi, beija-flor, vicilino, chupa-flor, pica-flor, chupa-mel, cotovia = popinha, pelicano, alcatraz, açor, açorenho, mutum, rato, calunga, camundongo, murganho, arbustramelo = pixuna, punaré, capote = galinha-d'angola = cocá (bras.), nambu = zabelê, anhuma, gralha.
V. quadrupedar, nidificar, berrar (*vozes de animais*) 412.
Adj. de *abelha*: apiário;
de *abutre*: vulturino;
de *águia*: aquilino;
de *alcíone*: alcíoneo, alciônico;
de *andorinha*: hirundino;
de *aranha*: araniano, aranhoso, aranhento;
de *asno*: asnal, asnático, asneiro, asinal, asinino, asinário;
de *aves*: aviário, aviculário;
de *aves de rapina*: acipitrino;
de *besouro*: besoural;
de *bode*: hircino;
de *boi*: bovino, vacum;
de *borboleta*: papilionáceo;
de *búfalo*: bufalino;
de *burro*: burrical;
de *cabra*: caprídeo, caprino, caprum;
de *cão*: canejo, canino, canzoal, cainho;

366. Animal | 366. Animal

de *carneiro*: carneirum, arietino, lanígero;
de *cavalo*: cavalar, equino, equídeo, hípico;
de *cobra*: colubrino, ofídio, ofídico, serpentino;
de *cordeiro*: anínio;
de *corvo*: corvino;
de *elefante*: elefântico, elefantino;
de *falcão*: falconídeo;
de *fera*: ferino, beluíno;
de *formiga*: formicário, formicular;
de *furão*: viverrídeo;
de *gado*: pecuário;
de *gafanhoto*: acrídio, acridiano, locustário;
de *galinha*: galináceo;
de *galo*: alectório;
de *ganso*: anserino;
de *gato*: gatesco, gatum, felino;
de *gorgulho*: corculionídeo;
de *inseto*: entômico;
de *jumento*: jumental;
de *leão*: leonino, leônico;
de *lebre*: leporino;
de *lesma*: lemacídeo;
de *lobo*: lobal, lobuno (ant.), lupino;
de *macaco*: macacal, macaqueiro, símio, simiano, simiesco;
de *morcego*: morcegal;
de *mula*: muar;
de *ostra*: ostráceo;
de *ovelha*: ovelhum, ovino, carneirum;
de *papagaio*: papagaial;
de *pato*: anserino;
de *peixe*: ictíaco, ictóideo, písceo;
de *pelicano*: pelicanídeo;
de *perdiz*: perdíceo;
de *peru*: perueiro;
de *pombo*: trocaz, columbano, columbino;
de *porco*: porcino, porqueiro, suíno;
de *rã*: batracoide;
de *raposa*: raposino, vulpino;
de *rato*: murino, murídeo, ratinheiro;
de *rola*: turturino;
de *tigre*: tigrino;
de *tordo*: turdídeo;
de *touro*: táureo, taurino, tauriforme, toureiro;
de *urso*: ursino, ursídeo;
de *vaca*: vacarino, vacaril, vacum, vaqueiro;
de *veado*: cerval, cervum, cervino, elafiano;
de *zebra*: zebral, zebroide, zebrário, zebrum;
de *zoófitos*: zoofitário, zoofítico;

aerícola, que vive no ar;
aquícola, que vive na água;
arborícola, que vive nas árvores;
aviário, relativo às aves;
fantil, de boa marca, de boa raça (diz-se também da égua que não trabalha e dá boas crias);
fissíparo, que se reproduz pela divisão do seu próprio corpo;
lepidóptero, diz-se dos insetos com as quatro asas membranosas revestidas de escamas e de aparelho bucal sugador;
lignívoro, que rói madeira = xilófago;
mamífero, que tem mamas;
meirinho, diz-se do gado que no verão pasta nas montanhas e no inverno nas planícies, e da lã desse gado;
merdívoro, diz-se dos insetos que se nutrem de excrementos;
merino, designativo de uma raça de carneiro de lã muito fina;
monozoico, designativo de animal que tem vida individual e insulada;
muscívoro, que se alimenta de moscas;
necrófago, que se alimenta de animais ou substâncias em decomposição;
noctívago, que vagueia à noite;
nubívago, que anda pelas nuvens;
orizófago, que se alimenta de arroz;
osteozário = *vertebrado*;
ovíparo, diz-se do animal que se reproduz por meio de ovos;
pneumobrânquio, diz-se dos peixes que respiram por brânquias e pulmões;
potamita, que vive nos rios;
pratícola, que vive nos prados;
quadrupedante, que anda sobre quatro pés ou patas;
quadrúpede, que tem quatro pés ou patas e as usa para andar;
radicívoro, que se sustenta de raízes;
rameiro, que anda de ramo em ramo preparando-se para voar;
rizófago, que come raízes;
ruante, diz-se do pavão quando ergue a cauda;
rupícola, que vive nas rochas;
saprófago, que se alimenta de coisas putrefatas;
saurófago, que come lagartos;
saxícola, *saxátil*, que vive entre pedras;
selvático, selvagíneo;
sericícola, relativo à produção da seda;
setígero, *setífero*, que produz seda;
sinagelástico, que vive em grupos ou bandos;

tenioide, semelhante à tênia;
undícola, que vive nas águas;
unípara, que pare um filho de cada vez;
vaseiro (veado pequeno);
volante, volitante, altaneiro, altivolante, altívolo, altívago, que voa.
xantóptero, que tem asas amarelas;
zeófago, que se alimenta de milho;
zoóbio, que vive dentro do corpo dos animais.
(Para as cores e sinais de animais e do homem, veja os verbetes 440c e 440d.)

▽ **367. Vegetal,** reino vegetal, vegetação, Flora (deusa), flora, verdura, sombra, arborização, planta, legume, árvore, arvoredo, arvoreta, chaparro, garrancho, arbusto, bambu, taboca, taquara, frútice, subarbusto, trepadeira, madressilva, ervagem, gramínea, cereal, macega, relvado, arvorescência, arborescência, reflorescência, reflorescimento, rebento, vergôntea, refilho, renovo;
floresta, selva, mato, mata, capoeira, balseira, bosque, souto, boscagem, balsa, moiteira, matagal, restinga, grenha, brenha, sarça, sarçal, bredo (bras.), robledo, sabugal, silvado, silveiral, caatinga, devesa, nemólito, alameda, seringal, sumagral, bambual, tojal, touceira = moita, ervaçal, mandiocal;
campina, macegal (*planície*) 344; aipim, mandioca, mandiocaba, araruta = salepo, cereais, messes, searas; tundra, estepe, pampa, pradaria, prado, várzea, savana, jardim, jardim botânico, parque;
pasto, pastagem, revezo, tapete de verdura, tapeçaria, alcatifa, alfombra, frumento, pascigo, trufeira, leira, céspede;
cizânia, joio = lólio, angiosperma, caniço, cogumelo, líquen, musgo, girassol = verrucária = toma-sol = heliotrópio = helianto; conferva, nenúfar, limo, bolor, videira, parreira, vide, sarmento, folhame, folhagem, folharia, fronde, frondescência, frondosidade, ramosidade, ramaria, ramos, ramada, ramalhada, ramagem, ramúsculo, galho, folha, flor, florescência, abotoação; árvore frondosa, árvore secular, árvore frutífera, groselheira, ribésia;
pujança, viço, herbário.
V. abrir, brotar, desabrochar, vicejar, ostentar, enfolhar-se, desfolhar-se, arvorescer, arvorejar, grelar, germinar, florear, flojar, floretear, florescer, florir, reflorir, enflorar, enflorescer, embandeirar-se, frondear, frondejar, reflorescer, copar, arborizar, refilhar, relvar, alfombrar, lançar botões, abotoar.
Adj. vegetal, vegetalino, herbáceo, herbático, herbóreo, herbífero, herbiforme, herbívoro, herboso ou ervoso, botânico, silvestre, silveiral, silvático, arbóreo, arborescente, frutescente, fruticoso, florestal, povoado ou sombreado de árvores, boscarejo, relvoso, nemoral, nemoroso, verdoso, verdejante, viridente, ridente, taurífero, virente, verde, perene, arbústeo, arbustáceo, arbustiforme, flóreo, floral, florejante, florido, flórido, vicejante, reflorescente, floreteado, frondejante, frondente, frondoso, frôndeo, frondescente, copado, espesso, galhudo, matagoso, brenhoso, umbroso, tronchuda (couve), muscoso, musgoso, lenho, lígneo, leguminário, leguminoso, abotoado, cerealífero, frumental, frumentáceo, rústico, rural, campesino, campestre;
acalicino ou *acálice*, sem cálice;
albicaule, de tronco branco;
albiflor, de flores brancas;
aspermo, que não dá semente;
atempado, designativo da vinha que vingou;
basinérveo, diz-se das folhas cujas nervuras partem da base;
bifloro, de duas flores/de grupos de duas flores;
bífero, que dá fruto duas vezes no ano;
bifoliado, de duas folhas;
biligulado, dividido em duas lígulas;
bipétalo, o mesmo que dipétalo;
caliciado, provido de cálice;
calicinal, relativo ao cálice das flores;
caliculado, de pequeno cálice;
caulescente, que tem caule;
caulífero, o mesmo que *caulescente*;
caulifloro, diz-se do vegetal de flores no caule;
cespitoso, diz-se do vegetal cuja raiz lança vários troncos;
conífero, cujo fruto é de forma cônica;
cordifoliado, que tem folhas em forma de coração;
decíduo, que cai depois de murcho (cálice das flores);
deiscente, diz-se do fruto que se abre espontaneamente para deixar cair a semente;
deltocarpo, de frutos triangulares;

dicotiledôneo, que tem dois cotilédones;
dídimo, designativo dos órgãos vegetais que têm duas partes simétricas;
dipétalo, de duas pétalas;
diplostêmone, diz-se da flor em que o número de estames é duplo do das pétalas;
entófito, que se desenvolve no próprio tecido de uma planta;
epicaule, diz-se do vegetal parasita que cresce no caule de outros vegetais;
epiclino, diz-se do órgão que está colocado sobre o receptáculo da flor;
epífito, diz-se dos vegetais que vivem fixados sobre outros, mas não parasitas;
evalve, que não se abre (fruto);
frondíparo, diz-se das flores que produzem folhas;
gimnanto, cujas flores são desprovidas de invólucro;
ginandro, cujos estames estão inseridos nos pistilos;
globífero, que dá frutos arredondados;
globifloro, que dá flores globosas;
heterocarpo, que produz flores ou frutos de diferente natureza;
heterofilo, diz-se das plantas cujas folhas são de forma e grandeza diversas;
heterógamo ou *heterogâmico*, que tem flores masculinas e femininas;
heteropétalo, de pétalas desiguais;
hipodérmico, que cresce sob a epiderme dos vegetais;
hipopétalo, de pétalas insertas no ovário;
hispéride, designativo de frutos carnosos como a laranja;
histeranto, diz-se das plantas cujas flores aparecem depois das folhas;
inconho, diz-se do fruto naturalmente unido a outro;
indeiscente, o mesmo que *evalve*;
laterifólio, que nasce ao lado das folhas;
leguminoso, que frutifica em vagem;
loculicida, diz-se da deiscência longitudinal, abrindo-se cada lóculo separadamente;
lomentáceo, cortado de espaço a espaço por articulações (fruto ou folha de leguminosas);
longilobado, dividido em lóbulos alongados;
longipétalo, de pétalas longas;
macrorrizo, de grandes raízes;
macrostilo, de estiletes compridos;
mascarino, diz-se das flores e corolas que têm o aspecto de máscara;
masculifloro, de flores masculinas;
melananto, de flores negras;
melanocarpo, de fruto negro;
micranto, de flores pequenas;
microfilo, de folhas pequenas;
micropétalo, de pétalas pequenas;
monadelfo, cujos estames estão reunidos num só fascículo;
monândrico ou *monandro*, de um só estame;
monanto, de uma só flor;
monocarpiano ou *monocárpico*, que dá fruto ou flor só uma vez;
monocarpo, que só tem um fruto;
monofilo, de uma só folha;
monófito, que abrange só uma espécie;
primípara, designativo da fêmea que tem o primeiro parto;
monógamo, diz-se do capítulo que contém somente flores unissexuais;
monógino, cujas flores só têm um pistilo;
monoico, diz-se das plantas que no mesmo pé têm separadas as flores masculinas e femininas;
monopétalo, de uma só pétala;
monospermo, que contém uma só semente;
monósporo, que tem um só corpo reprodutor;
monossépalo, de uma só sépala;
monostilo, diz-se do gineceu que só tem um estilete;
multiaxífero, de muitos eixos;
multicapsular, diz-se do fruto que tem muitas cápsulas;
multicaule, diz-se da planta de cuja raiz brotam muitos caules;
multifloro, de muitas flores;
multinérveo, de muitas nervuras (folhas);
nepáceo, diz-se da raiz que se parece com a cabeça de nabo;
nuculâneo, diz-se do fruto que tem muitas sementes distintas, como a nêspera;
obtusada, diz-se da folha arredondada na extremidade;
octandro, de oito estames livres (flor);
octófido, fendido em oito partes;
octofilo, de oito folhas;
octógino, de oito pistilos;
octopétalo, de oito pétalas;
octossépalo, de oito sépalas;
oleífero, *oleificante* ou *oleígeno*, que produz óleo;
oleifoleado, que tem folhas semelhantes às da oliveira;

paleáceo, que é da natureza da palha; diz-se de órgãos providos de palha;
palmatinérveo, que tem nervuras em forma de palha;
peciolado, que tem pecíolo;
pediculado, ligado por pedículo ou a pedículo;
pelicular, designativo do perispermo formado de uma lâmina delgada;
peninérveo ou *peninervado*, cuja nervura principal se ramifica em nervuras secundárias, dispostas como as barbas de uma pena;
pentapétalo, de cinco pétalas distintas (corola);
pentassépalo, diz-se do cálice de cinco sépalas;
peponídeo, diz-se do fruto de mesocarpo volumoso e carnudo e grande cavidade cheia de placentas com muitas sementes;
peripterado, diz-se do fruto ou do grão cercado por uma expansão membranosa, como asa;
perispérmico, que tem perispermo ou albume;
personada, diz-se da corola cujo aspecto lembra um focinho;
petalado, que tem pétalas;
poliacanto, de muitos espinhos;
poliadelfo, designativo dos estames soldados, pelos seus filetes, em mais de dois fascículos;
poliandro, de mais de doze estames, todos livres entre si;
polianto, que tem ou produz muitas flores;
policarpo, que tem ou produz muitos frutos;
policlado, que dá um número de ramos superior ao normal;
polifilo, formado de muitas folhas ou folíolos;
polífito, designativo de gênero que abrange muitas plantas;
polígino, que tem muitos pistilos em cada flor;
polínico ou *polinífero*, que contém pólen;
polinoso, coberto de pó amarelo semelhante a pólen;
polipétalo, de muitas pétalas (corola);
polipódio, de muitos pés;
polirrizo, de muitas raízes;
polispermo, de muitas sementes e grãos;
pomáceo, cujos frutos são pomos;
portulacáceo, relativo à beldroega;
quadernado, designativo das folhas ou flores, dispostas quatro a quatro na haste da planta;
quadricapsular, que tem quatro cápsulas;
quinquefoliado, de cinco folhas;
quinquevalvular, que tem cinco válvulas;
rabisseco, que não dá fruto; estéril;
racemado, que tem cachos/grãos dispostos em forma de cacho;
racicifloro, cujas flores brotam da raiz;
radiciforme, semelhante a uma raiz;
radicoso, que tem muitas raízes;
retinérveo, de nervuras reticulares;
rizanto, diz-se das plantas cujas flores ou pedúnculos nascem da raiz;
rizocárpico, diz-se dos vegetais de cuja raiz brotam anualmente novos caules herbáceos;
rizofilo, cujas folhas produzem raízes;
rizóforo, que tem raízes;
rupestre, que cresce sobre rochedos;
sacarífero, que produz açúcar;
saceliforme, com a forma de pequeno saco;
sanjoaneiro, que se colhe pelo s. João;
sarcospermo, de sementes carnudas;
sativo, que se semeia ou cultiva;
saxátil, que cresce entre pedras;
segetal, que cresce nas searas/relativo às searas;
seminífero, diz-se dos septos das válvulas quando os grãos aderem a eles; que tem ou produz sementes;
silicícola, diz-se das plantas que crescem nos terrenos silicosos;
sincotiledôneo, diz-se do vegetal cujos cotilédones estão reunidos num só corpo;
sobrefoliáceo, que está sobre as folhas ou aderente a elas;
taurífero, em que pascem os touros;
tenuifloro, de flores pequenas;
tenuifoliado, de folhas pequenas;
tetracárpico, que tem quatro frutos;
tetrapétalo, que tem quatro pétalas;
tetrassépalo, que tem quatro sépalas (cálice);
tetráptero, que tem quatro apêndices em forma de asa;
triândrio, *triândrico* ou *triandro*, de três estames livres entre si;
tricapsular, de três cápsulas;
tricelular, de três células;
trifloro, de três flores;
trifoliado, de três folhas;
trígino, de três carpelos;

trinervado ou *trinérveo*, de três nervos ou nervuras;
tripétalo, de três pétalas;
trispermo, de três sementes;
tristaminífero, de três estames;
umbelado ou *umbelífero*, com flores dispostas em umbela;
umbraculiforme, que tem forma de umbela;
umbrícola, que vive nas sombras;
unguiculado, que termina em forma de unha (pétala);
uninérveo ou *uninervado*, que só tem uma nervura sem ramificação (folha);
unipétalo, de uma só pétala;
unissexuado, de um só sexo;
univalve, diz-se do fruto que se abre de um só lado;
urnígero, que tem urna ou cápsula em forma de urna;
varuda, diz-se da árvore cujo tronco é direito e comprido;
vermiculado, diz-se de órgão que apresenta saliências em forma de vermes;
vernante, que floresce ou rebenta na primavera;
vinífero, que produz vinho;
vitífero, coberto de videira;
xantorrizo, de raízes amarelas;
xantospermo, de sementes amarelas;
xerófito, designativo dos vegetais próprios de lugares secos;
xilocarpo, diz-se das árvores de frutos duros ou lenhosos; fruto duro ou lenhoso;
xistocarpo, diz-se dos frutos que se abrem fendendo-se.

△ **368.** (Ciência dos animais) **Zoologia,** zoonomia, zoografia, zootecnia, zootomia, zootaxia, zooética, zoogenia, zoogeografia, morfologia, zoísmo, zoomorfismo, zoomorfose, zoomorfia, antropologia, mastologia, mastozoologia, ornitologia, saurologia, ictiologia, ofiologia, insetologia, entomologia, mericologia, malacologia, helmintologia, herpetologia, paleontologia, cetologia, ictiotomia, ictiografia, aracnologia, cetografia, taxidermia, quelonografia, zoologista, zoonomista, entomologista, insetologista, aracnólogo, zoógrafo, zoomania.
V. zoografar.
Adj. zoológico, zoonômico & *subst.*; ictiográfico, ictiológico & *subst.*; ictióideo.

▽ **369.** (Ciência das plantas) **Botânica,** herborização, fitografia, fitologia, dendrologia, micologia, micetologia, rodologia, pomologia, fungologia, algologia;
flora, flórula, Pomona, Ceres;
jardim botânico 371; horto, *siccus*, herbário, herbolário, herborista, herborizador, botânico, Lineu, pomólogo.
V. botanizar, herborizar.
Adj. botânico, herborizador.

△ **370.** (Economia ou tratamento dos animais) **Domesticação,** aclimação, estabulação, amansadela, amansadura, repasse, amansia, apascentamento, domesticidade, picadeira, picaria, estinha, veterinária, hipiatria, hipiátrica, hipologia, hipotomia, alveitaria, zoolatrologia, zoolatria = medicina veterinária, criação, pecuária, bovinocultura, equinocultura, ciprinicultura, ovinocultura, suinocultura, piscicultura, truticultura, avicultura, columbicultura, galinicultura, canicultura, felinicultura, cunicultura, ranicultura, enzootia, epizootia, apicultura, meliturgia = indústria das abelhas, mitilicultura;
ménagerie, piscina, jardim zoológico, arca de Noé, aviário, apiário, aquário, corte, invernada, invernadouro, animalicídio 361; colmeia, colmeal, cortiço, alveário, silha = série de cortiços, silhal; *pet*, bicho de estimação, animal doméstico;
zoomania, zoofobia;
criador, vaqueiro, boieiro, boiadeiro, pastor, campino, armentário, guardador de gado, campeiro, pegureiro, pegulhal (ant.), adueiro, domador, domesticador, beluário, amansador, curraleiro, apascoador (ant.), apascentador, pascentador, alfeireiro, almocouvar ou almoucávar, zagal, ganadeiro, rabadão (ant.), vigieiro = guarda campestre, peão, gaúcho, porqueiro, vezeireiro, porcarico, ovelheiro, cabreiro, chibarreiro, pateiro, zagalejo, sericícola, colmeeiro, avicultário, avicultor;
canil, gatil, jaula (*prisão*) 752; capoeira, gaiola, cevadouro, potril, cabril, viveiro, aquário, alverca, aprisco, ovil = ovário, ramada, bostal, touril, malhada, curral, estábulo, ameijoada, redil (*cerca*) 752; malhadal, encerra (bras.), baia, cocheira, estrebaria, cavalariça, peadouro, manjedoura, pesebre, presépio, seminário, choqueiro;

371. Agricultura | 371. Agricultura

alveitar, zootécnico, hipiatra, veterinário = zooiatra, apífilo.

V. amansar, desbravar, domar, tirar a braveza, desaçorar, desembravecer, domesticar, adestrar, treinar, deceinar, criar à mão, amaciar, desainar, aclimar, aclimatar, nacionalizar, criar, guardar, pascentar, apascentar, pastorear, apastorar, pascer, apascoar, apascoentar, fazer soltas de gado = dar-lhes larga para engordarem, amalhar, conduzir à malhada, ameijoar, arrebanhar, apriscar, meter no redil, encurralar, estabular, arraçar = cruzar, estinhar; alveitarar;
amestrar, exercitar, aligeirar.

Adj. pastoral, pastoril, pegural, bucólico, menálio, manso, doméstico, familiar, maneiro, domesticado & *v.*; domesticável = figulino, apícola, apicultural, serícola, sericultor, amansador, gregal, gregário (*animais*) 366;
(*cores e sinais de bois* 440b; de *cavalos* 440a; de *outros animais* 440c).

▽ **371.** (Economia ou tratamento dos vegetais) **Agricultura,** hortigranjeiro (tb. *adj.*), hortifrutigranjeiro (tb. *adj.*), ceres, lavoura, granjearia, amanho, cultivo, cultura, decrua, decruagem, lavra, lavrança, lavragem, lavrada, fabrico, limpa, alimpa, derrubada, arada, aração, adil, pousio, granjeio, aral, jardinagem;
silvicultura, horticultura, fruticultura, cerealicultura, triticultura, viticultura, vinicultura, orizicultura, rizicultura, cacauicultura, cafeicultura, citricultura, cotonicultura, fumicultura, oleicultura, olericultura, olivicultura, sojicultura, arboricultura, floricultura, praticultura, arvicultura; hidrocultura, hidropônica;
vinhataria, vindima, colheita, messe, safra, seara, esmonda, monda, mondagem, roteadura, mondadura, rotearia = arroteadura, barbeito, caldeira, surriba = desbravamento, achega, amontoa, queimada, cachada, sacha, sachadura, poda, espoldra, desbaste, semeadura, irrigação, sementeira, sega, segadura, ceifa, enxerto = oculação, ambulacro, arrebanho, alporque, mergulhia, mergulhão, tanchão, agronomia, agrologia, agronometria, geoponia, topiaria;
arado, aradouro, vessadouro, araveça, piscola, lavego, labrego, grade, gradagem,
gradador, pulverização, secatório, ancinho, garfo, forcado, podão, podoa, podadeira, marraco, rabela, rabiça, rabelho, segadeira, escardilho, foice 253; sacho, sachola, enxada, cacumbu (bras.), sega, segão, alvião, alferce, alferça, bidente (ant.), gadanho, gadanheira, roçadoura, charrua, trifólia, semeador, calibrador, rachadeira, torpilha, serpete; trator, colheitadeira,
campônio, campino, camponês, rústico, praticultor, silvicultor, arboricultor, agricultor, (ver tb. todas as ...culturas para obter os ...cultores), horticultor, olivicultor, viticultor, vitivinicultor, pomicultor, floricultor, vinicultor, lavrador, vinheiro, vinhateiro, vinhadeiro, seareiro, arroteador, segador, vindimador, vindimeiro, agrícola, vaicia (Índia), arvícola, fazendeiro, roceiro (bras.), cultivador, pomareiro, quinteiro, granjeiro, cavão, cavador, caipira (bras.), jeca, maltês, sementeiro, hortelão, legumista;
produtor, a classe produtora, colono, arborista, jardineiro = topiário, fruticultor, rachador, lenhador, lenheiro, viveirista, seringueiro, morador 188; campo, agro, semeadouro, prado, roça, belga = coirela, cortinha, parque = tapada, espojeiro (bras.), horta, veiga, várzea, vergel, pomar, viveiro de plantas, alfobre;
jardim, horto botânico; estufa, estufim, canteiro, cômoro, alegrete, *parterre*, avenida, *arboretum*, eira, quinta (*morada*) 189; (*propriedade*) 780; vinha, vinhedo, vinhadego, vinhal, vinhataria, parreiral, canavês, canaveira, canavial, laranjal, cafezal, jabuticabal, coqueiral, bananal, trigal, cerejal, ameixal, ameixial, olival, natio, ferrageal, adubo, moliço, morraça (reg.), nateiro, marga, estrume, seba, terriço.

V. agricultar, cultivar, granjear, restivar, rusticar, desmaninhar, amanhar, arrotear, rotear, arromper (ant.), fabricar, franquir, desbravar, barbechar, alqueivar, bouçar, laborar, semear, sementar, plantar, tanchar, empampanar, emparrar, emparreirar, vidar, alporcar, derraigar, derreigar, pulverizar, desbastar, irrigar, roçar, segar, ceifar, foiçar, escardear, escardilhar, decruar, surribar, cavar, redrar, arrendar;
sacholar, escavar, sachar, mondar, chapodar, podar, espoldrar, retanchar, desramar, esnocar, gadanhar, romper, arar, charruar, lavrar, vessar, deslavrar, gra-

dar, gradear, desloucar, ciscar, retalhar a terra com o arado, afofar, encaldeirar, animar de granjas as solidões, esmondar, capar, esladroar, escardilhar, esgraminhar, capinar (bras.), escalrachar, aricar (reg.);
forragear, forrejar, hortar, envidilhar, empar, fazer mergulhia de (videiras), ajardinar, encanteirar, desterroar, ancinhar (prov.), enxertar, abacelar, arrebanhar, aplanar os camalhões, vindimar, colher, eslagartar, estrumar, fertilizar, adubar, estercar, margar;
arborizar, florestar, povoar de árvores.
Adj. agricultor, rurícola, lavrador;
agrícola, orizícola, hortícola, hortigranjeiro (tb. *subst.*), hortifrutigranjeiro (tb. *subst.*), vinícola, sepícola, muscícola, cultor, lavradeiro, pastoral, campesino, campesinho, campestre, rural, varzino, arval, campeiro, campino, semental, sementeiro, semeador & *v.*, fertilizante;
almargeado, messório, vindimo, vindimal; arável, agriculturável, semeável, fértil, rústico, silvestre, agrário, fundiário, pomareiro.

372. Humanidade, os viventes; humanismo, solidariedade, convivência; tolerância, fraternidade;
a raça, a família, a espécie, a natureza humana; *audax Japeti genus*; *genus humanum*; *gens humana*;
os mortais, os vivos, os humanos, os racionais, os homens;
os seres pensantes, os bímanos, o gênero humano, gente, povo, etnia, massa, o vulgo, geração, mortalidade, carne, mundo, planeta, toda a gente, todo o mundo, tutilimúndi (fam.);
(ciência relativa ao homem): antropologia, antropografia, sociologia, etnologia, filoginia, etnografia, etnogenealogia, antropometria, cefalometria, antropodiceia, antropogênese, etopeia, etologia, etografia, etognosia, etogenia, humanista, etopeu, etólogo;
ser pensante, coletivo, inteligente, humano; homem, microcosmo, pessoa, vivente, personagem, indivíduo, sujeito, criatura, o animal que ri, animal racional, o próximo, sujeitório (dep.) 876; mortal, alguém, alma, mão, coração, cérebro, criatura terrestre, filho de Deus, cabeça, indivíduo; comportamento, linguagem, cultura, ética, relacionamento;
rei do mundo, do universo, da criação; *dramatis personæ*, meco, tipo, vulto, figura, personalidade, outrem, cavalheiro, *gentleman*, *lady*, dama, senhor;
fulano, fuão, zé dos anzóis, zé da véstia, beltrano, beltrão, sicrano, um tal *quidam*, um *quid*, patrazana, vulto;
povo, população, pessoas, casta, multidão, turba, público, sociedade, mundo, as nações, coletividade, comunidade em geral, comunidade, colônia, classe;
massa popular, anônima; nação, tribo, nacionalidade, república, corpo político; terráqueo, cosmopolita, cidadão, concidadão, compatriota, conterrâneo, os quirites.
V. humanar, humanizar; ser mortal, ser terra.
Adj. humano, humanal, humanitário, pessoal, individual, coletivo, universal, nacional, internacional, mundial, planetário, terráqueo, mundanal, mundano, mundável (ant.), civil, cívico, social, cosmopolita, orbícola, unissexuado, celícola, mortal, bípede, bímano; antropológico, sociológico, cultural.

△ **373. Macho,** machão, homem, homão, varão, cavalheiro, cidadão, cavaleiro; menino, rapaz, gato, moço, adulto, velho, idoso, macróbio, patriarca, patriarcado; macheza, machismo, varonia, virilidade (*adolescência*) 131, hombridade; masculinidade; ele, patrão, amo, namorado, noivo, marido 903; senhor, indivíduo, sujeito, barbadão, barbacena, barbaças, tipo; Adão = protoplasto, protoparente; calças, barba; (animal macho), galo, galispo, pato, garnizé, ganso, cão, porco, marrão, varrão, varrasco, veado, pai de égua, alotador, pastor, gamo, burro, cavalo, garanhão, cavalo de padreação, cavalo-pai, cavalo de lançamento, cavalo castiço, garrote (bras.), touro, marruá = cornúpeto = guadimá (bras.) = lapiga (dep.), gato, bode, carneiro, cachaço, capado = cevado, frango, perdigão, polhastro, reprodutor, marel = padreador, marouco, pardal.
V. ser do sexo masculino; machear, cobrir (animal a fêmea);
pertencer ao sexo feio, ao sexo barbado, ao sexo forte; vestir calças, masculinizar.
Adj. macho, másculo, masculino, varão, barbífero, barbado, barbudo, barbaçudo,

barbiteso, marel, padreador, reprodutor; termos depreciativos: efeminado, alfenado, amaricado, amulherado, amulherengado, melindroso, mulherengo, adamado.

▽ **374. Fêmea,** mulher, dama, donzela, cidadã, amazona, menina, adolescência 131, adolescente, moça, rapariga, adulta, velha, idosa, matriarca, matriarcado; ela, saia, filha de Eva, feminilidade, feminidade, feminismo; tipa;
sexo feminino/frágil/fraco/desbarbado; o belo sexo, a mais bela metade do gênero humano, madona, senhora, madama, dona, dômina, viúva, esposa 903; matrona, matronaça, mulheraça, mulherão, ninfa, beldade, gata, avião, sereia, rapariga 129; damaísmo, madamismo, mulherio, femeaço; ginecologia, filoginia (amor às mulheres); gineceu, partenão, harém, lupanar, anfitálamo;
galinha, polha, corça, porca, cadela, égua, laraita = porca = galdrapa, cabra, ovelha, asna, burra, vaca, leoa, gata, pardaleja, pardaloca.
V. ser do sexo feminino, feminizar, amulherar-se, amulherengar-se.
Adj. macha, prima, femeal, fêmeo, feminal, feminil, femíneo, feminino, muliebre, amaricado, mulheril, mulherial, matronal, unípara, bípara, multípara.

374a. (Ambivalência entre os sexos) **Hermafrodismo,** hermafroditismo, bissexualidade, androginia, ginandria, autogamia; homossexualidade, homossexualismo, transexualismo;
hermafrodito, macha-fêmea; GLS.
V. ser bissexual/homossexual/transexual/andrógino; entrar no armário, sair do armário; desmunhecar.
Adj. bissexual, homossexual, transexual, andrógino, hermafrodita, autógamo, dígamo, ambígeno, monoclino; sobrecomum, comum de dois, uniforme, promíscuo, epiceno; (pop. e chulo) veado, bicha, boiola, baitola, *gay*, paraíba, sapatão, gilete.

2º) Sensação

I. Geral

△ **375.** (Sensibilidade [tb. física]) **Sensibilidade,** hipersensibilidade, hiperalgia, hiperalgesia, sensação, receptabilidade, receptividade, perceptibilidade, acuidade, percebimento, sensibilidade moral 822; passibilidade, impressão, consciência (*conhecimento*) 490; sentido, os cinco sentidos, prurido, pruído, prurigem, uredo, comichão, cócegas, sensitiva, mimosa.
V. ser (sensível & *adj.*); sentir, experimentar, perceber, notar, perceber por qualquer dos cinco sentidos, ter estremecimento = titilar, tornar sensível, aguçar, sensibilizar, sensificar;
causar sensação, impressionar, abalar, chocar;
excitar, avivar, produzir impressão, provocar, espicaçar; comichar, coçar, picar, causar comichão, pruir, prurir.
Adj. sensível, sensitivo, sensivo, sensiente, estético, passível, receptivo, perceptível, percepto, perceptivo, sutil, sensório, sensal, coceguento, comichoso;
agudo, vivo, penetrante, chocante, impressionante, impressionável, impressivo, sensibilizador, sensibilizante, pruriginoso.

▽ **376.** (Insensibilidade [tb. física]) **Insensibilidade,** indolência, analgia ou analgesia, antalgia, obtusão, hebetação, paralisia, imobilidade, acinesia, anervia, anestesia, anquilose, astrobolismo, adormecimento, tolhimento, esquecimento, amortecimento, entorpecimento, dormência, aturdimento, atordoamento, torpor, letargia, cárus, hipoestesia, modorra, sonolência (*inatividade*) 683;
insensibilidade moral 823; hipoalgia, hipoalgesia, apatia, abulia, letargo, inconsciência, vice-morte, coma, abirritação, hibernação, sono, cataplexia, exanimação, catalepsia, cloroformização, narcotização, narcose, narcotismo, refrigeração, cocainização; estupefaciente, anestésico, barbitúrico, sonífero, hipnótico, cocaína, ópio, anfião, éter, coloroformio, pentotal, pentobarbital, benzodiazepina, napelina, narceína, sevoflurano, desflurano, isoflurano, halotano; narcotina, cloral, analgésico, entorpecente, narcótico, antipirina, dormitivo, morfina, morfinismo, embude 663; lidocaína, EMLA; faquir.
V. ser (insensível & *adj.*), insensibilizar, ter a pele grossa/de rinoceronte; ser anestesiado, dessentir, perder o uso dos sentidos, não dar acordo de si, estar sob a ação de poderoso anestésico, ter um esquecimento em,

perder a sensibilidade, ter a goela estanhada, tornar (insensível & *adj*.), insensificar; tirar/diminuir a sensibilidade; endurecer, encruar, adormecer, adormentar, embotar, entorpecer, embrutecer, abrutecer, obtundir, engrunhir, hebetar, paralisar, hibernar, cloroformizar, eterizar, opiar, morfinizar, cocainizar, embebedar, narcotizar, anestesiar;
emortecer, amortecer, amortificar (ant.), embarbascar, embudar, embotar, calejar, encalecer, abirritar, estupidificar, aturdir, azamboar, atontar, estontear, azoratar, atordoar, modorrar, sarapantar.
Adj. insensível, dormente, insensitivo, indolente, impassível, embotado & *v.*; apático, indiferente, ausente, catatônico, desligado; letárgico, comatoso, obtuso, boto, calejado, de pele espessa, paquidérmico, duro, endurecido, impenetrável, enregelado, gélido, tórpido, torpente, morto, esquecido, paralítico, leso, tolhido, tonto, desacordado, anestésico, anestesiante, antálgico, anódino, abirritante, abirritativo, azoratado; indolor.

△ **377.** (Prazer físico) **Fruição,** prazer; prazeres sensuais, materiais, dos sentidos; gozos sensuais;
deleite carnal, mundo, mundanalidade, mundanidade, mundanismo, o mundo;
sensação deleitosa, agradável; desfrute, desfruto, satisfação, gozo, curtição, delícia;
sensualidade, luxúria, lascívia, lubricidade, libidinagem, tesão, desejo, excitação, volúpia, orgasmo, volutabro, voluptuosidade, deleite, deleitação, dissipação, titilação, titilamento, carícia, felação, masturbação, sabor; *gusto*, gastronomia, degustação, conforto, conchego, aconchego, bem-estar, comodidade, suavidade, doçura, sorriso, incolumidade, concupiscência, desejo de bens e gozos materiais, materialismo, acúleos da carne, ardor fogoso e desordenado 961;
leito de rosas, o carinho e o frouxel do lar, céu aberto, sombra e água fresca, abadia de Telemo, delícias de Cápua, o jardim das delícias, veludo, taça de Circe (*intemperança*) 954; festim, banquete, regalório, regalo (*divertimento*) 840; encanto, sedução, néctar 394; *bonne bouche*;
fonte de prazer 829; felicidade 827; euforia, êxtase.

V. sentir, experimentar prazer; regalar-se, desfruir, desfrutar, gozar, fruir, curtir, saborear, apreciar;
apascentar os olhos, a vista; deleitar-se, deliciar-se, extasiar-se, comprazer-se, luxuriar, amar o belo;
entregar-se aos prazeres/ao mundo; passar bem, nadar na abundância, banquetear-se, encarar a vida pelo lado mais grato, contemplar com avidez; viver a vida que pediu a Deus;
viver vida regalada, confortavelmente, à regalona, na moleza, entre prazeres, num permanente maio, num eterno abril;
levar boa-vida, a vida direita; passar uma vida de prazeres, nadar em maré de rosas, estar na sua cancha, viver num leito de rosas, passar vida fortunosa, viver vida folgada, estar como o peixe n'água, voar em céu de brigadeiro;
levar vida de abade/fidalgo; estar cercado de grandezas e mimos, levar vida folgada, ter tudo que lhe é preciso, ter todos os matadores, não faltar nada a alguém, ser feliz 734;
amesendar-se, refestelar-se, repotrear-se; lamber, estalar os lábios de contente; repimpar-se, sorrir, pimpar, conchegar-se;
proporcionar prazer 829.
Adj. luxurioso, sensual, voluptuoso, voluptuário, amesendado, luxuriante, confortável, confortativo, conchegativo, quente, tépido, agasalhado, cômodo, conchegado, aconchegado;
fortunoso, regalado, próspero, principesco, nababesco, luxuoso, mira-olho, agradável 829; deleitoso, fruitivo, desfrutável, aprazível, delicioso, folgado, suave, cordial, genial, prazenteiro, prazeroso, festivo, gostoso 394; doce 396; fragrante 400; melodioso 413; desafogado, belo 845;
mundano, mundanário, mundanal, feliz 734; rico 803.
Adv. luxuriosamente & *adj.*; num leito de rosas, num mar de rosas, à grande, à regalona, regaladamente, à boa-vida = ociosamente.

▽ **378.** (Dor física) **Dor,** sofrimento, traspasso, padecimento;
sofrimento físico, corporal; terebração, aixe (infant.), dodói, guinada, fisgada, pontada, agulhada, alfinetada, cólica, dor de cabeça, cefaleia, cefalalgia, cefalia;

otodinia = dor de ouvidos/de dentes, odontagra, neuralgia, tique;
hiperalgia, neuralgia facial, algia, angialgia, artralgia, cervicalgia, cinesalgia, cistalgia, condralgia, coxalgia, dorsalgia, faringodinia, gastralgia, glossalgia, gnatalgia, gonalgia, hepatalgia, laringalgia, lombalgia, lombociatalgia, otalgia, mialgia, mastodinia, nefralgia, mielalgia, raquialgia, reumatalgia, cardialgia, odontalgia, oftalmagia, omalgia, ooforalgia, ostealgia, metralgia, esplenalgia, notalgia, orquialgia, pancreatalgia, pigalgia, pneumonalgia, prostatalgia, quiralgia, retalgia, epigastralgia, costalgia, tinalgia, ureteralgia, uretralgia, urodinia, proctalgia, talalgia, telalgia, tenalgia, histeralgia, reira;
dor viva/penetrante/cruciante/aguda/desabalada/violenta/funda; pleurodinia, reumatismo, espasmo, cãibra, breca, lumbago, tenesmo, pesadelo, dandão, íncubo, opressão, sobressalto, convulsão, mal-estar, desconforto;
dor de parto 378; de tortos; puxo, agonia, palpitação 315; angústia, fundura da dor, eslabão, golpe, vergão, contusão, lanho, chaga, ferida, *pressum vulnus* = ferida profunda, equimose, tolontro, mossa, úlcera, mal, estrepada, doença, pancada, lambada, paulada, bordoada, navalhada, esmechada, pazada;
estorcegão, cacheirada, calamocada, cajadada, coque, chulipa, carolo, morsegão, pontapé, murraça, murro, ferimento = rascadura, coroa do martírio;
trauma, traumatismo, tormento, tortura, belisco, beliscão, beliscadura, cruciato, tratos, suplício, cruciação, farpão, mortificação, crucificação, crucifixão, martírio, cilício, disciplinas, açoite, polé (*castigo*) 972; aguilhão, seta, xara, espetada, espinho, acúleo, ferrão, picada, urtiga, aziar, vivissecção;
punctura, queimadura, tomadura = pisadura (bras.), matadura, mazela, cutilada, ferroada, ferretoada, vergastada, zagunchada, lancetada, fusada, fustigo, picada, picela, picadura, unhada, bicada, marrada = topetada, mordedura, mordedela, mordicação, morso, levadente, gemido, contorsão, gritos lancinantes (*expressão de dor*) 828.
V. experimentar dor, sofrer uma dor; padecer com uma dor, ficar a pedir misericórdia, ver estrelas ao meio-dia, doer a alguém;

levar vida negra, má vida, vida de cão; sofrer maus-tratos, padecer, fugir a luz dos olhos, deitar-se sobre espinhos, contorcer--se, gemer, estorcer-se, retorcer-se, espojar--se 315; torcer-se em convulsões;
picar, sangrar, lancinar, macerar, magoar, retalhar, lancetar, traspassar, golpear = refender, amputar, decepar, cesurar, aferretoar, pungir, ferir, urtigar, chagar, chuçar, pisar, ferroar, ferretoar, setear, assetear, malhar, esmordaçar, morder, mordicar, morsegar, abocanhar, bandarilhar, seviciar, fustigar, queimar, grelhar, faretrar (poét.), dardejar, navalhar, terebrar, azagaiar, zagunchar;
rasgar, romper, lacerar a, dilacerar, macerar, perfurar a carne; machucar, esmigalhar;
assentar, pespegar, impingir um murro; calamocar, esfolar, penetrar, torcer, arrancar, puxar;
maltratar, obtundir, contundir, luxar o pé, molestar, afligir, atormentar, infligir dor, sugilar = produzir equimose em, esmechar, crucificar, cruciar, excruciar, martirizar, chagar, algozar, torturar;
dar ou pôr a tratos de polé; açoitar, fazer alguém num Cristo, aguilhar, espetar, encher alguém de aguilhoadas;
crivar de golpes/de balas; lanhar, estiletear, estrepar, malferir, espicaçar, bicar, unhar, gatanhar = escarpelar, nicar, escarificar, pôr a tormentos, matar, aleijar, trilhar, pisar = magoar, dentar.
Adj. dorido, doloroso, dolente, cruciante, terebrante, lancinante, excruciante, dolorífico, dolorido, faretrado, magoado & *v.*;
contuso, contundente, obtundente, mordente, tormentoso, desumano, pungente, pungitivo, terrível, conquassivo = atormentador;
cruel, severo, agudo, penetrante, sevo, fundo, vivo, inquisitorial, traumático, agrilhoador, vulnífico;
odontálgico, otálgico, costálgico, cardiálgico, nefrálgico, cefalálgico, reumático, tenesmódico.
Adv. doridamente & *adj.*; *loco dolente*.

II. Especial

1º) Tato

379. Tato, tatura, tatilidade, apalpação, palpação, apalpadela, apalpão, apalpo, manipulação, digitação, sensibilidade tátil;

380. Comichão | 382. Calor

(órgãos do tato): mão, manzorra = ganchorra (gír.), dígito, dedo, gatázio, índex, pólex = polegar = mata-piolhos;
dedo anular, mínimo; mindinho, médio, indicador, fura-bolos, polegar, garra, antena, antênula.
V. tatear, apalpar, palpar, levar a mão a, atestar com a mão, certificar-se pelo tato; tocar com as mãos, com os dedos;
passar, correr os dedos sobre; manipular, manejar, menear, manusear, mexer, bulir, pesquisar com a mão, ter olhos na ponta do dedo, ter bom tato, apanhar, pegar, segurar, sentir.
Adj. tátil, tangível, palpável, maneiro, manual, halial.
Adv. às apalpadelas.

△ **380.** (Sensação do tato) **Comichão,** coceira, uredo, pruído, titilação, titilamento, cócegas, formigueiro, formigamento, prurido, prurigo, cnidose.
V. sentir comichões, sentir um formigueiro, estremecer, tremer de súbito, pressentir; sentir ferroadas/picadas, ser coceguento & *adj.*;
causar (comichões & *subst.*); formigar, comichar, arranhar, coçar, rafar, fazer cócegas, titilar, pruir, prurir, repruir, reprurir, picar, produzir comichão.
Adj. coceguento, cosquento, titiloso, titilante, pruriente, comichoso, sensível, sensivo, sensitivo.

▽ **381.** (Insensibilidade tátil) **Impalpabilidade,** intangibilidade, imperceptibilidade, adormecimento, entorpecimento (*insensibilidade física*) 376; tato obtuso, intatibilidade.
V. estar privado da sensibilidade tátil.
Adj. insensível, insensitivo, intangível, intátil, impalpável, imperceptível, que escapa ao tato.

2º) Calor

△ **382. Calor,** calorão, calmaria, malacia, calma, canícula, frágua, calórico, temperatura elevada, tempérie, soalheira, atermasia, quentura, agasalho, abafo, tepor, tepidez, mornidão, incandescência, ardência, forno, fornalha, abrasamento, afogueamento, ardor, fervor, febre, intermação, insolação, queimadura, candência, fogacho, estuação, brasido, fogo, vulcano (poét.), queimor, ignição, torreira do sol;
brasa, áscua, cintila, centelha, faísca, fagulha, chispa, faúlha, línguas de fogo, chama, flama, labareda, flamância, flogisto ou flogístico;
pirotecnia, pirobologia; fogos de artifício/ de Bengala; fogo grego, fogos, foguete, rojão, valverde, incêndio, fogueira, pira, fogo, elemento devorador, luzerna, fogacho, fogaréu, lume, candeio, lava, pirofilácio;
dias caniculares, tempo abafadiço, saturno, sesta;
calor abrasador, intenso, causticante, senegalesco, tropical; verão;
zina, rigor, plenitude, coração do estio; auge do calor, siroco, xaroco, bochorno, harmatão, suão, campsim, simum, sol 423; seca, estiagem, mormaço, quentura (*aquecimento*) 384; murra, céu de bronze;
(ciência do calor) termologia, termometria, termodinâmica, pirologia, pirometria, calorimetria, caloria, diatermia, eletrotermia, pirogênese, termomagnetismo, termoquímica, termomecânica, termoeletricidade, entropia, calorímetro, termômetro 389; linhas isotérmicas, isóteras, isotéricas; pirotécnico, pirobologista, trópico, regiões tropicais, equador.
V. estar (quente & *adj.*); fazer (calor & *subst.*); estar uma fornalha, estuar, abafar, arder, queimar, suar, aquecer 384; requentar, encalmar, fumegar, cozer a fogo lento, ferver, grelhar, moquear, chamejar, incender, inflamar, acender, atear, incendiar, degelar;
suar, estar em um lago d'água, tressuar, estar muito suado, nadar em suor;
suar por todos os poros, em bagas; transpirar, revelir, estar curtido do sol, ensoar.
Adj. quente, caloroso, tórrido, ardente, estuante, estuoso, abochornado, bochornal, mormacento, termal, térmico, calorífero, calórico, pírico, calmoso, calmo, queimoso, fervente, fervescente, soturno, abafante, abafadiço, intolerável, opressivo, sufocante, asfixiante, tropical, férvido, encalmadiço, abrasador, calcinante 384;
fogueado, queimante, causticante, urente, adurente, adustivo, estivo, estival, canicular, de fogo, afogado, afogadiço, abafado, abafador, abafadiço, candente, rubro-claro, em brasa, incandescente, ensoado, fumegante, incendiário, em chamas;

383. Frio | 384. Aquecimento

flamante, flamígero, flamífero, flamívomo, flamispirante, flamifervente, fulminívomo, cálido, soalheiro, homotermal, subcinerício, flamado, flagrante, refervente, candente como pontas de fogo, tépido, morno, amornado, vulcânico, plutônico, senegalesco, ígneo, ignescente, ignífero, ignígero, ignívomo, isotérmico, flogístico, sudorífero, suadouro, sudatório.
Adv. quentemente & *adj.*; no pino, no coração, no rigor do verão; na gema, na plenitude do verão; ao pino do meio-dia, na zina do calor.

▽ **383. Frio,** baixa temperatura, ausência de calor, frigidez, frieza, friúra, friagem, frialdade, inclemência, aspereza, algidez, gelidez, navalha;
congelamento, enregelamento, esfriamento;
frio de rachar/de rapar/rigoroso; xaréu (prov.), severidade, destemperança, destempero, estação das neves, inverno desabrido, inverno, inverna, inverneira, invernada;
zina, coração, plenitude, pino do inverno; rigor, auge do frio;
Sibéria, Nova Zembla, Ártico, Antártida, Groenlândia, Lapônia; o cinto frio, a zona fria;
vento frio, barbeiro, minuano, bóreas, setentrião, rexio, chiasco, *brise*, arilho, vento do norte, taró (gír.), tarasco, xaroco (Port.), vento espanhol, gelo, caramelo, geada, gelada, saraiva, pedrisco, pedraça, granizo, chuva de pedra, folipo, folipa, folheca, flocos de neve, neve, escarcha, folhepo, geleira, glaciar, *nevée*, *glacier*, nevão, nevada, nevasca, sincelo, sincelada, carambano, carambina;
(sensação do frio) calafrio, escalafrio, arrepio, arrepiamento, tremor, tremura, horripilação, tiritar de queixos, bater de dentes, frendor, cieiro.
V. ser frio, invernar, invernar com frios excessivos, nevar, neviscar, saraivar, cair neve, granizar;
retalhar a carne, cortar como navalha, navalhar, penetrar até a medula dos ossos, estalar de frio, tremer, tiritar, tremelear, tremelicar, bater o queixo, badalejar, entanguecer, encarangar-se, inteiriçar-se, engerir-se, encolher-se, engoiar-se, atrecer-se, entanguecer-se, enregelar-se, arrepiar-se, engrunhir-se, engadanhar-se, não poder fazer gadanha, enganir (ant.), ter as mãos hirtas.
Adj. frio, gélido, frígido, gelado, regelado, enregelado, congelado, frigidíssimo, de neve, álgido, regelante, penetrante, cortante, algente, glacial, siberiano, agreste, áspero, ríspido, severo, aspérrimo, desabrido, destemperado, desagradável, friacho;
frio como a terra/como o mármore/como o gelo/como o sorvete/como a pedra;
enganido, tolhido, inteiriçado, engadanhado, encolhido, engoiado, retransido, engerido, engorgido, engrunhido, engaravitado, engaranhido, engaranhado, entanguido, entanguitado, transido de frio; tremelicoso, trêmulo, tremuloso, tiritante, assobiado (reg.) = descorado pelo frio, friorento, frigífico, escalafriado;
invernoso, invernal, brumoso, brumal, nevoento, nevoso, geoso, niveal, hiberno, hibernal, atermal, hiemal, boreal, ártico, hiperbóreo, glaciário, frio de neve.
Adv. friamente & *adj.*; no pino do inverno, de rachar, *geler à pierre fendre*, na gema, na plenitude do inverno; atérmano.

▽ **383a. Frescura,** frescor, fresco, aragem fresca, temperatura moderada, mornidão, tepidez, tepor;
primavera, outono, brisa 349.
V. refrescar(-se), estar fresco, correr um fresco regelado, soprar aragem fresca, desafoguear, arrefentar, afrescar, baixar a temperatura, abrandar o calor, flabelar, desencalmar.
Adj. fresco, suave, doce, galerno, brando, agradável, ameno, tenro, delicioso, benigno, moderado, refrigerativo, refrescante, temperado, fresco como pepino.

△ **384. Aquecimento,** calefação, calentura, abrasamento, esbraseamento, liquação, elevação de temperatura, torrefação, torragem, fusão, fundição, liquefação 335; incandescência, escandescência, ardência, temperatura rubra, rescaldo, cauterização, ambustão, ignificação, soborralho, incêndio, deflagração;
fogo, queima, queimação, inflamação, conflagração, calda, cremação, queimada, queimamento, queimadura, cresta, crestadura, tisna, tisnadura, adurência, causticidade, cautério, cáustico, vesicatório, vesicante,

ustão, ustulação, caldeação, calcinação, carbonização, incineração, cineração, fervor, fervura, fervença, fervedura, fervedouro, tostadura;
decocção, cocção, ebulição, chamusco, chamuscadela, chamuscadura = sapeca (bras.), esturro, fumo (pop.), bispo, murra, vesícula, bolha, borbulha, empola;
colcha, cobertor, manta, edredom, flanela, pele, baeta, baetilha, acolchoado (*forro*) 224; abafo, regalo;
suéter, pulôver, cardigã, casaco, cachecol, parca, sobretudo;
soalheira, insolação, *coup de soleil*, fósforo (*combustível*) 382;
incendiário, petroleiro;
cinza, favila, borralho, larada, carusma, carvão, coque;
lareira, aquecedor, forno, fornalha 386, fogão, calefator, radiador, fogueira, resistência elétrica, coletor solar;
inflamabilidade, combustibilidade, fusibilidade, pirogênese;
cerâmica, olaria, louça, porcelana, terracota, tijolo;
(transmissão de calor): diatermia, transcalência, dilatação.
V. aquecer, aquentar;
acalorar, dar caloria, esquentar, requentar, reparar contra o frio, tornar (quente & 382); caldear, elevar a temperatura, estar à lareira, aquecer-se, incandescer, pôr em brasa, escandecer, incendiar, cremar, deitar fogo a, deitar ao fogo, ativar o fogo, fazer lume, acender, atear, fumegar, deflagrar, ignizar, lançar combustível ao fogo;
atiçar, atear o lume; fazer uma fogueira de, abrasar, enfogar, aplicar o archote a, ferir lume, petiscar, derreter, fundir, refundir, desnevar, degelar, desgelar, desenregelar, descongelar, liquefazer 335;
arder, cauterizar, causticar, queimar, assoleimar, requeimar, entregar ao fogo, adurir, ustular, tisnar, crestar, carbonizar, vulcanizar, encarvoar, encarvoiçar, recrestar, incinerar, cinerar, chamuscar, sapecar (pop.), tostar, estorricar, morder, torrar, torrificar;
afoguear, esbrasear, ferretear, ferrar, calcinar, sobrasar, engrolar, soborralhar, cozer, recoitar, elixar, grelhar, assar, moquear, fritar, fritir, frigir, recozer, enegrecer, reduzir a cinzas, consignar às chamas, vesicar, atiçoar, enfornar, levar ao forno, forjar, enforjar, fraguar, escaldar, escalfar, ensoar, ferver, referver, ebulir, fervilhar, esfervilhar, rescaldar, entrar em ebulição;
pegar fogo, incendiar-se, inflamar-se, arder, deflagrar, reduzir-se a cinzas, comunicar-se o fogo a, transformar-se numa fogueira, ensoar-se;
estar (queimado & *adj.*); cheirar a bispo, estar torrado, ensoar, insolar-se, dessombrar.
Adj. aquecido & *v.*; aceso, *rechauffé*, escandecido, tórrido, torrefato, tiçonado = chamuscado, queimante & *v.*; ardente, adurente, adustivo, ustório, urente, comburente, diatérmico, diatérmano, vesicante, termântico, comburente, incandescente, calefaciente, tisnado, decocto, combusto, adusto, semiusto, elixado, recoito, erosivo, corrosivo, fumiflamante;
inflamável, piróforo, acendível, combustível, incendioso, incendiável, carbonizável, reverberante, reverberatório, pirômaco, pirótico;
sudorífico, sudatório, sudorífero, suador.

▽ **385. Resfriamento,** refrigeração, refrescamento, refrescata, refrescada, refresco, refrigerante, arrefecimento, esfriamento, abaixamento de temperatura, regelo, enregelamento, congelamento, congelação, gelo 383; solidificação 321; cantimplora, limonada, sorvete, picolé, raspadinha, carapinhada, *extincteur*, extintor, bombeiro;
abano, leque, ventilador, ar-refrigerado, ar-condicionado, circulador de ar, refrigerador, *freezer*, geladeira; asbesto, amianto, chaguer ou chaquer.
V. refrescar, esfriar, resfriar, refrigerar, desafoguear, arrefecer, desencalmar, abanar, ventilar, climatizar;
apagar, afogar o fogo; desaquecer, gear, enregelar, gelar, congelar, regelar, granizar, encaramelar, nevar, petrificar, temperar o dardejar do sol, enfriar, abrigar do calor, sestear, destemperar;
tomar o fresco/a refrescata, desabafar-se; veranear, rusticar, vilegiaturar.
Adj. refrescado & *v.*; fresco, aprazível, frigorífero, frigorífico, refrigerativo, refrigeratório, refrigerante, refrescativo;
ápiro, incombusto, incombustível, ininflamável, inacendível, incarbonizável, refratário ao fogo, à prova de fogo, aflogístico, atérmico, atermal, atérmano; antipirético, antitérmico.

△ **386. Fornalha,** fornaça, forno, fornilho, frágua, forja, fogão, fogalha, calorífero, fogareiro, braseiro, brasido, foco de calor, atanor, hipocausto, pira, pirofilácio = lago de fogo, fogueira, vulcão, *tuyère*, borralho; esquentador, calefator, escalfeta, rescaldo, rescaldeiro, estufa, estufadeira, invernadouro, caldeira, caldeirão, chaleira, retorta, cadinho, alambique, destilador, salamandra, salamantiga (pop.), comadre (fam.); esterilizador, autoclave;
águas termais, termas, caldas, *geyser*, *Gulf-stream*, termiatria, chaminé, grelha, moquém, lareira, atiçador, espevitador, espevitadeira, tenazes, pá, fogaleira, trempe, tripeça, frigideira, caçarola, cafeteira, torradeira, tostadeira, micro-ondas, forninho; suadouro, sudorífero;
banho russo/quente/de vapor; banho turco, sauna, escalda-pé, pedilúvio, pontas de fogo.
Adj. pírico, reverberatório, reverberante, térmico.

▽ **387. Refrigerador,** resfriadouro, esfriadouro, *frigidiarum*, geleira, geladeira, frigorífero, frigorífico, crióforo, *freezer*; sorvete, gelado, picolé, sacolé, raspadinha, refresco, limonada, orchata, sangria, refrigerante.

388. Combustível, água-rás, petróleo, gasolina, álcool, gás, metanol, querosene, carvão, carvão de pedra, hulha, nafta, antracite, coque, maravalha, linhito ou lignito, turfa; biocombustível, biomassa, combustível fóssil, combustível nuclear, urânio, plutônio;
chamiço, gravato, graveto, faxina, lenha, acapna, babul, acha, trasfogueiro, cinza (*produto da combustão*) 384;
mecha, morraça, torcida, pavio, morrão, isca, rastilho = salsicha, enxofre, incenso, tição, brandão, facho, tocha, archote, carqueja, acendalha, acendalho, acendedalha, folhas secas, aparas de madeira, isqueiro, binga (bras.), pederneira, sílex, congreve, espoleta, estopim, palitos fosfóricos, fósforos, algodão-pólvora, lumes prontos, bota-fogo, vela (*luminária*) 423; azeite (*óleo*) 356; cavaco, tarolo, chamada.
Adj. carbônico, carbonífero, antracitoso, sulfúreo, sulfuroso, combustivo, enxofrento, fosfóreo, fosfórico.

389. Termômetro, termomultiplicador, termoscopia, termoscópio, termomanômetro, termobarômetro, termossifão, piroscópio, pirômetro, calorímetro, baratômetro;
termógrafo, termometrógrafo.

3º) Gosto

△ **390. Gosto,** sabor, *gusto*, saibo, ressaibo, travo, prova, provança, provadura, gustação, degustação, delibamento, percepção do sabor; papila gustativa;
paladar, palato, céu da boca, língua, dente.
V. provar, petiscar, gostar, chincar, levar à boca, morder, degustar, pregustar, libar, assaborar, saborear 394; dar dentadas, cravar os dentes, prelibar, lamber os beiços;
saber, ter o sabor de, ressaber, deixar um sabor.
Adj. sápido, saboroso, saporífico, saporífero, gustativo; palatal, palatino, palatinal.
FRASE: Gosto não se discute.

▽ **391. Insipidez,** sensaboria, enxabimento, desenxabimento, dessabor; ageusia ou ageustia.
V. estar sem sabor, ser (insípido & *adj.*); tornar (insípido & *adj.*); aguar, dessaborar, dessaborear, destemperar, azamboar, dessalar, dessalgar, desenxabir, insossar, dessazonar, espapaçar.
Adj. insípido, sensabor, sensaborão, desengraçado, frio, frieirão, chilro, azamboado, insosso, insulso, desconsolado, deslavado, sem graça, xacoco, enxacoco, aguado, desenxabido, inxabido, enxarondo, escalrichado, vápido (poét.), enxebre, frescal, brando, dessalgado, dessaboroso, desinteressante, dessaborido, falto de sabor;
pífio, reles, chué.

392. Picante, estimulante, perrexil, estimulação;
pique, mordacidade, pico, sabor ácido, ardência, gosto forte, *haut goût*, queimo, queimor, ardor, mordicação, requeime;
acrimônia, acidez 397; mau gosto 395;
sal = cloreto de sódio, nitro, salitre, nitrato de potássio, mostarda, caviar, vatapá, salmoura, salmoeira, escabeche; pimenta, raiz-forte, alho;
bebida alcoólica, cordial;

tabagismo, nicociana, amostrinha (bras.), nicotina, picadinho, tabaco = peto, esturrinho, vinagrinho, simonte, meio-grosso, rapé, cigarrilha, cigarro, clarineta, quebra-queixo, trabuco, charuto, havana, cravo, fumaça, cachimbada, cachimbo, catimbau ou catimbó, pito, narguilé, boquilha, piteira, fumadeira, tabaquista, fungão, fumista, cigarrista, fumante, fumador, filante, patife = tabaqueira, lenço-tabaqueiro, lenço de alcobaça.
V. ser (picante & *adj.*); arder, picar, mordicar, queimar, requeimar, pungir, estimular, tornar (picante & *adj.*);
temperar, sazonar, adubar, condir, condimentar, salpresar, salpisar, apimentar, salpimentar, salgar, salmourar, salpicar, pôr de salmoura, sinapizar;
fumar, cigarrar, cachimbar, pitar, mascar, tomar rapé; fungar uma, sorver uma pitada; pitadear, tabaquear.
Adj. picante, queimoso, puxante, acre, áspero, ativo, quente, saboroso, bem temperado, ácido, salgado, amostardado, apimentado & *v.*; condimentoso, condimentício;
desenjoativo, mordente, mordaz, mordicante, mordicativo, ardente, quente como pimenta, velicativo, pungente, escarótico, salso, salgado, salpreso, salpicado, acrimonioso, forte, espirituoso, amargo, azedo 397; salino, salobro, salgado como salmoura, enjoativo 395; sinápico, desenfastiadiço 394;
fumador, fumante, fumívomo, aperiente, aperitivo, ecfrático, irritante, ptármico (rapé), tabacino;
Ver tb. *droga, estimulante, tóxico, vício,* em desvirtude 945.

393. Tempero, lardo, condimento, adubo, estrugido, sal, mostarda, pimenta, molho, salpimenta, maionese, refogado, *sauce piquante,* escalda, especiaria, butargas, hortaliças, porro = alho, cebola, coentro, coentrada, salsa, colorau, conserva, mão de sal, azeite, macumã (bras.), tomate, tomatada.
V. temperar 392; azeitar, esparregar, guisar, refogar.

△ **394. Sabor,** apetibilidade, gosto, saborosidade, bom paladar, boa boca, regalo, iguaria delicada, gulodice, gulosice, gulosina, acepipe, paparicos, guisado, quitute, petisco, pitéu, especialidade, néctar, manjar, ambrosia, bebida dos deuses, maná, *bonne bouche,* sericaia (Malaca), aperitivo, antepasto.
V. ser saboroso, saber bem;
aguçar, lisonjear o paladar/o apetite; deleitar, desenfastiar, apetitar, apetecer;
lamber, estalar os beiços, estar com água na boca, tornar gostoso;
apreciar, gostar de, ser apreciador de, gulosar, gulosinar, regalar-se, delibar, sopetear, saborear, ser devoto de, deliciar-se com, engulosinar, abocanhar.
Adj. saboroso, saborido, sápido, de lamber os dedos, grato ao paladar, bom, gostável, gostoso, excelente, de truz, supimpa, de arromba, de espavento, esplêndido, opíparo, lauto, magnífico, papa-fina, delicioso, delicado, mimoso, bom de se levar, deleitoso, regalado, mira-olho, apetecível, apetitivo, apetitoso, esquisito, rico, suculento, tentador, desenjoativo, ecfrástico, desenfastidioso, desenfastiadiço, aperiente, saporífero, saporífico, ambrosíaco, ambrosiano, tenro, agradável 829.

▽ **395.** (Sabor desagradável) **Amargura,** agror, amargor, amargo, amaritude, amaritúdine, amarujem, amaridão, insuavidade do gosto, acrimônia, acritude, acridez, azedume 397; acerbidade, acidez, ranço, cica, rascância, austeridade, travor, travo, ressaibo, saibo, impressão desagradável, enfaro;
fel, lapatina, arruda, quássia, quassina, quassite, aloés, azebre, babosa, verdete, losna, absinto, absintina, absintite, sene, potreia, teriaga, aurantina, aurantínea, juglandina, maticina, jiló, guariroba;
náusea, sentimento de repulsão, seresma, repugnância, nojo, enjoo, ânsia, engulho, adipsia.
V. ser desagradável ao paladar, amarujar, amargar, não haver paladar que suporte, ter travor como fel, deixar travo na garganta, embrulhar o estômago, fazer o estômago vir à boca, fazer mau estômago, ressaibar, enjoar, aborrecer, nausear, causar náuseas, ansiar, repugnar, enojar, engulhar, enfaroar, agoniar, causar repulsão, desagradar;
ter mau paladar/má boca; tornar (amargoso & *adj.*); absintiar.

Adj. desagradável ao paladar, amargo, amargado (ant.), amarulento, amargoso, amaro (ant.), amaríssimo, azedo, rançoso, acerbo, estomacal, féleo, aloético, teriacal, travoso, travento, absintado, amarescente, acre, amarujento, repulsivo, nojento, engulhoso, enjoativo, nauseabundo, nauseativo, nauseoso;
intolerável, insuportável, desagradável 830; rascante, carrascão, salobro, impotável, adstringente, austero, apocrústico.
Adv. desagradavelmente, amaramente & *adj.*

△ **396. Doçura,** dulcidão, dulçura, dulçor, melifluidade, edulcoração, melificação, adoçamento, dulcificação;
açúcar, adoçante, edulcorante, dulcificante, levulose, sacarose, pilé, rapadura, sacarina, ciclamato de sódio, aspartame, estévia, rodomel, sacarol, xarope, mel rosado, arrôbe, calda, retame, alféloa, melado, melaço, eletuário, mel, acapno, favo de mel, alveário, maná, doce, viba = cana-de-açúcar = acetomel, geleia, julepo, tabaxir, açúcar cândi, alfênico, alfenim, alcaçuz = regoliz, marmelada, ameixa, bala, drope, caramelo, bombom (gal.), confeito, néctar, hidromel, mulsa, mulso, água-mel, hidrossácaro, garapa, capilé, licor, leite virginal, lambedor, docinho, bolo, torta, pavê, pudim, melito, melindre, demulcente.
V. adoçar, ser (doce & *adj.*); ter a doçura de, ser de sabor açucarado, açucarar, dulcificar, confeitar, edulcorar, demulcir, arrobar, escarchar, adocicar, tornar (doce & *adj.*); melar, emelar, melificar, encandilar, candilar, deitar açúcar em, sacarificar, amelaçar, tirar o amargor.
Adj. doce, dulcíssimo, açucarado & *v.*; adoçado, doce como açúcar/como mel/como a ambrosia dos deuses; dulçoroso, açucareiro, sacarino, sacarífero, sacaroso, xaroposo, melífluo, melífero, méleo (poét.), nectáreo, ambrosino, ambrosíaco, dulcífico, dulcífluo, dulçuroso, adocicado, melado, agridoce, demulcente, acapno, sacarívoro.

▽ **397. Azedume,** acidação, acetosidade, azedia, agro, aziúme, agror, acidez, acidade, requeime, adstringência, cica, esticticidade; amargor, amargura;
acidificação, acescência; vinagre, acetol, agraço, alúmen, tanino, limão, vinagreta, azeda, azedinha, acetábulo, acidimetria, acetímetro, acetômetro.
V. estar (azedo & *adj.*); estar um pouco acescente, botarem-se os dentes, ter os dentes botos, acidar, acidular, acidificar, azedar, aziumar, causar azedume a, acetificar, acetar, acerbar, vinagrar, avinagrar, envinagrar, botar-se (o vinho); amargar, amargurar.
Adj. azedo, acidífero, acidulado, acídulo, acidulante, acetoso, acético, vinagrento, vinagrado, acescente, subácido, taninoso, adstringente, estíptico, áspero, acerbo, acro, acre, agro, agre, aspérrimo, acidável, acidificante, ácido, avinagrado, cítrico; amargo, amaro, amargoso;
aluminar, alumínifero, aluminioso.

4º) Odor

△ **398. Odor,** cheiro, aroma, olor (poét.), eflúvio, fragrância, emanação, exalação, vapor, essência, extrato, trescalo;
quinta-essência, substância; nidor, bafio, redolência, graveolência, olfato, hiperosmia, pituitária, narícula, narigueta, narina, beque, nariz, olfação, impressão olfática, faro, farejo, vibrissas;
(ciência dos aromas) osmologia.
V. odorar, ter odor, cheirar a, trescalar, ter o perfume de, exalar odor, ter cheiro muito ativo/muito brando;
cheirar, inalar, aspirar = olfatar, sorver, haurir, respirar, farejar, fariscar, ter bom nariz, bom faro.
Adj. odoroso, odorífero, odorante, odorífico, odoro, olente, cheiroso, redolente; olfativo, olfatório, aromático, balsâmico, fragrante;
graveolento, nidoroso, pungente.
Adv. odorosamente & *adj.*
(concernente ao sentido do cheiro) olfativo, ardido no faro, farejador.

▽ **399.** (Ausência de odor e olfato) **Anosmia,** disosmia, ausência ou falta de odor/de olfato.
V. ser inodoro, não ter cheiro.
Adj. inodoro, inolento, imperfumado, irredolente.

△ **400. Fragrância,** aromaticidade, aroma, arômata (ant.), odor, olor (poét.), cheiro, perfume, eflúvio, emanação, re-

cendência, buquê, recendor, trescalo, ramilhete, raminho, ramo, olíbano = incenso = timiama, baunilha, almíscar, algália, mirra, sândalo, sandaraca, murici (bras.), alfavaca, alfazema, lavanda, heliotrópio, bergamota, cachudé, nardo, rosmano, rosmaninho, pivete, estoraque, bálsamo, *pot-pourri*, patchuli, amarílis, megálio ou megalino;
essência, *sachet*, *vinaigrette*, vetiver (Índia), verbena, jasmim, rosa, balsameia, água-de-colônia, aromato, flores, arômatas, súsino; perfumaria, perfumismo;
(arte de fabricar perfumes): timiatecnia; manteiguilha, aromatização, perfumadura, turificação;
perfumador, aromatóforo, piveteiro, caçoila, unguentário = perfumista, acerra.
V. ser (fragrante, perfumado & *adj.*); ter odor 398; cheirar, perfumar, olorar, encher de perfume, embalsamar, balsamar, balsamizar, aromar, aromatizar, almiscarar, recender um aroma de, ensandalar, ambrear, ambrar, exalar suaves eflúvios, evolar-se, exalar-se, trescalar, espalhar perfumes, deitar um cheiro agradável.
Adj. fragrante, aromático, moscado, odorífero, odorifumante, odoro, odoroso, odorante, odorífico, perfumado, perfumoso, perfumador, trescalante, redolente, oloroso, olente, cheiroso, balsâmeo, balsâmico, balsamado & *v.*;
ambrosíaco, ambarino, mirrino, mírreo, sandalino, nardino, ambreado, fragrante como uma rosa, turífero, turino;
aromatizante & *v.*
Adv. fragrantemente & *adj.*

▽ **401. Fedor,** fartum, fetidez, fétido, malina (pop.), fedorentina, fedentina, graveolência, podridão, mau cheiro, miasma, cheirum, cheirume, cc, cê-cê, cheiro de corpo, aca, bufa, cheirete, peste, acém, bolor, mofo, bafio, bafum (reg.), fartum, fortum, flatulência, peido, pum, traque, ventosidade, ranço, rancidez, raposinho, catinga, exsudação malcheirosa, hircismo, bodum, cabrum, morrinha; halitose, bafo de onça; putrefação, putrescência (*impureza*) 653; infustamento, empireuma, maresia, infecção, jaratataca ou maritacaca (bras.), inhaca (bras.), fuinha, doninha, raposa, gambá, capivara, percevejo, cloaca, merda, assa-fétida, chulé (pop.), ozena, alho, cebola, ícor, pus, carniça, ovos podres, sovaquinho, axilose; ambiente mefítico.
V. feder, ter mau cheiro, cheirar mal, ser (fétido & *adj.*); tresandar (a) mau cheiro, ofender a pituitária, catingar, exalar emanações pútridas, putrefazer, putrificar, rançar, rancescer, infetar.
Adj. fedorento, fétido, podre, pútrido 653; fedegoso, cacóstomo, infeto, infecto, malcheiroso, malcheirante, fedentinoso, catingoso, catinguento, catingueiro, hircoso, mefítico, nojento, repugnante, nauseabundo, olfertum, nauseento, nauseoso, viroso, sovaquinho, desagradável, sufocante, nidoroso, graveolento, rançoso, râncido, râncio, corruto, aliáceo, empireumático, fecaloide = que cheira a matérias fecais (*sujo*) 653.

5º) Som

a. Som em geral

△ **402. Som,** barulho, barulheira, bulha, burburinho, bulícia, poeirada, ruído, rumor, estalo, zumbo, sonido, soído, estalido, alento, voz, vozerio, vozeirada, acentuação, grito, soada, zoada, zoeira, algazarra, gritaria, balbúrdia, clamor, estardalhaço, tumulto; assentonação, módulo = entoação, modulação na voz, inflexão, vibração, preclusão, tom, cadência, sonoridade, ressonância 408; eco, audibilidade (voz) 580; timbre, metal de voz, órgão, fonação, fonema;
(ciência do som): acústica, fônica, fonética, fonologia, fonografia, diacústica, diafônica, harmonia, ecometria, catacústica.
V. soar, produzir/emitir som; toar, triscar, bater, dar, vibrar, espraiar, ressoar, bulhar.
Adj. soante, sônico, sonante, bulhento, barulhento, ruidoso, circunsonante, sonoro, sonoroso, ressoante, retumbante, estrondoso, audível, distinto, fônico, fonético.

402a. Som de coisas:
água: glu-glu, chape, marulho, marulhada, fola, gorgolhão ou gorgolão, gorgolejo; *V.* borborinhar, borbulhar, cachoar, escachoar, cantar, chofrar, gorgolar, gorgolejar, mugir, gorgolhar, chuchurrear, murmulhar, murmurar, murmurejar, retrincar, retumbar, roncar, rumorejar, sussurrar, trapejar, trepidar, zoar;

402a. Som de coisas | 402a. Som de coisas

alimentos ao fogo: rechino, chito, chiada, chiadeira; *V.* chiar, escachoar, grugrulhar, papujar, rebentar, rechiar, rechinar.

andar de animais: estrupido, estropeada, galope, trote, tropel, estrompido, estrépido, catrapós ou catrapus, rastejo; *V.* estropear, patejar, galopear, galopar, estrepitar, restolhar, tropear, trotear, trotar.

árvore: murmulho, murmúrio, cicio, sussurro, farfalho; *V.* ciciar, chuaiar, farfalhar, frondejar, murmulhar, murmurejar, ramalhar, sussurrar;

apito: trilo, assobio, assovio, apito. *V.* trilar, assobiar, assoviar, apitar;

automóvel: fon-fon, buzina, ronco; *V.* fonfonar, buzinar, roncar; cantar (pneus, ao derrapar);

asas: frêmito, ruflo, adejo, bater; *V.* flaflar, frufrulhar, rufar, ruflar, adejar, bater;

bala: assobiar, sibilar, silvar, zunir, esfuziar;

beijo: estalido, estalo; *V.* chuchurrear, estalar;

bomba: ribombo, estrondo. *V.* estalar, estourar, estralar, estralejar, estalejar, explodir, rebentar; ribombar, estrondear;

campainha: campainhada, telim, tlim; *V.* tanger, tintinar, tilintar, tiritir;

canhão: atroada, trom, trono, estrondo, ribombo, ribombar, troar; *V.* atroar, ecoar, retumbar, ribombar, soar, troar, tronar;

carro de bois: rodar, chiar, chio; *V.* cantar, chiar, guinchar, rinchar;

chicote: estalo, estalar; *V.* estalar, estalidar, estalejar;

copos: tinido; *V.* retinir, tilintar, tinir, triscar;

de coisas invisíveis: acusma, acusmata; *Adj.* acusmático;

dedos: estalo, estalar; *V.* estrincar, estalar;

dentes: frendor, bater, rangido; *V.* bater, ranger, craquejar, estarrincar, fender, tatalar, rilhar, estalar;

espingarda: chapejar, fazer chape;

esporas: retinim, tinido; *V.* guisalhar, tinir, retinir; *Adj.* retininte;

ferro: retinim, tinido, retintim, trape-zape; *V.* restrugir, retinir, tinir; *Adj.* retininte;

flecha: rechinir, sibilar, silvar, zenir, zunir;

fogo: estalo, estalar, crepitação; *V.* respingar, crepitar, decrepitar, espirrar, estalar, estralar, fremir, zoar;

foguete: foguetada, foguetório, foguetaria, rojão; *V.* esfuziar, espipocar, espocar, estalir, estourar, estralar, estralejar, estrugir, papocar, pipocar, popocar, restrugir, rechinar;

fole: arquejar, ofegar, resfolgar, resfolegar;

máquina de costura: ruidar, sussurrar, taralhar;

mar: marulho, marulhada; *V.* bramar, bramir, escachoar, estourar, estrepitar, fragorar, fremir, rouquejar, rugir, troar, soluçar; *Adj.* marulhoso;

moeda: tilim, tinido; *V.* tilintar, tinir, fazer tilim, trincolejar;

palmas: estalar, estrugir, ressoar, soar, vibrar, estrepitar;

pena de escrever: ranger, rangir;

porta: bater, chiar, ranger, rodar, tatalar;

relógio: tique-taque, pancada, batida; *V.* tiquetaquear, bater, dar, soar;

remo: tefe-tefe; *V.* trapejar;

respiração: rala, frieira, recolho, ronco, roncaria, ronca, roncada, roncura, ronqueira, rouquido, ronquido, cascalheira, estertor, ofego, arquejo, arfada, arfadura, arfagem, resfolgo, resfolego; *V.* roncar, ronquejar, ofegar, arquejar, arfar, resfolegar;

risada: casquinada, gargalhada; *V.* casquinar, cascalhar, cacarejar, gargalhar, esfuziar, estalar, estrugir, explodir;

roupa: fru-fru, frolo, ruge-ruge; *V.* aflar, farfalhar, ruflar, roçagar;

sapatos: sapatela, rangedeira; *V.* chiar, ranger, rinchar, ringir;

serra: esfuziar, ralhar, rascar, rechinar, zinir;

seta: rechinir, sibilar, silvar, zenir, zunir;

sino: bimbalhada, bimbalhar, badalar, repique, repinique, pancada, tão-babalão; *V.* badalar, badalejar, bimbalhar, carrilhonar, dobrar, repinicar, repicar, tangir, tanger, tocar, tintinabular, tintinar, zoar, tocar a finados;

som (equipamento, sistema): som, reprodução; *V.* tocar, soar, reproduzir; *Adj.* estereofônico, estéreo, quadrifônico, *surround*, de alta-fidelidade

tambor: rufo, repique, redobre, rufar, rataplã, rataplão, ratantã, tarapantão, floreio, alvorada; *V.* rufar;

tempestade: fragor, rugido, trovão; *V.* bramar, bramir, fremir, rebramar, rebramir, roncar, ronquejar, rouquejar, rugir, troar, trovoar, trovejar;

tiro: estampido, estrompido, detonação, disparo, descarga, canhonaço, tiroteio, fu-

zilada, fuzilaria, tum, bang-bang, metralha; *V.* detonar, explodir, disparar, pipocar, restrugir, ecoar, metralhar;
trombeta: clangor, toque, tirintintim, retintim, tarará; *V.* clangorar, clangorejar, ressoar, retinir, trombetear, fanfarrar;
trovão: rebombo, rimbombo; *V.* atroar, bramar, bramir, ecoar, estalar, estourar, estrondejar, rebramar, reboar, ressoar, retumbar, ribombar, rimbombar, rolar, roncar, ronquejar, toar, tonitroar, troar, tronar, trovoar, trovejar, troviscar 407;
velas, bandeiras: trapear, trapejar, drapejar;
vento: assobio, silvo, sussurro, uivo; *V.* aflar, assobiar, barulhar, borborinhar, bramar, bramir, bravejar, bravear, ciciar, escarcear, esfuziar, estrepitar, gemer, guaiar, mugir, murmurar, rebramar, rugir, rugitar, rumorejar, sibilar, siflar, silvar, suspirar, sussurrar, uivar, ulular, urrar, zimbrar, zoar, zunir;
trem: traque-traque, silvo, arquejo, resfolgo; *V.* apitar, arquejar, resfolegar, resfolgar, ruidar, silvar.

▽ **403. Silêncio,** cala, calada, remanso, sossego, quietação 265; quietude, quietismo, paz, tranquilidade, serenidade, placidez, mansidão, mudez, mutismo, afonia, calada da noite = quiriri = silêncio noturno;
silêncio mortal/absoluto/completo/gélido/sepulcral/terrível/amplo/solene/de túmulo fechado; insonoridade.
V. silenciar, estar/ficar silencioso & *adj.*; reinar silêncio, emudecer, parar, calar, guardar silêncio, ficar quieto, quietar(-se), gelar o som de, recolher-se aos bastidores, fazer silêncio, não tugir nem mugir, meter a viola no saco, trazer um cadeado na boca, tapar a boca, não dizer palavra, não dizer chuz nem buz.
Adj. silencioso, desruidoso, silente (poét.), calado, soturno, sutil, reduzido ao silêncio, sem bulha, tranquilo, sossegado, manso, quieto 265; mudo, inaudível, atônico, átono, afônico, sufocado, insonoro.
Adv. silenciosamente & *adj.*; na moita, à socapa, com pés de lã, pé ante pé, *sub silencio*, manso e manso, de manso, a medo, de mansinho, à surdina, a furta-passo, pela calada, às surdas, sem fazer tuz nem buz, à chucha calada.
Interj. silêncio!, caluda!, moita!, boca de siri!, chiton!, chitão!, basta!, nem mais um pio!, não mais!, leva rumor!, moita carrasco!, shh!, psiu!, pschiu!, tende ponto!, chuta!, nem fum nem fole de ferreiro!, bico calado!
Frases: Pela face da terra não suspirava uma aragem. Pode-se ouvir uma mosca voar. Pode-se ouvir uma pena cair. A brisa dorme queda. Nem chus nem bus. Nenhum som perturba os ares.

△ **404.** (Som alto) **Barulho,** barulheira, restolho, ruído, bulha, burburinho, motim, auê, estrépito, estrondo, atroada, estrompido, estrupido, estrupida, fragor 402a; arruído, clangor, fracasso, retumbo, estouro, ribombo, bramido, zoada, zoeira, zunido 407; frêmito, berreiro = ingresia, estampido, explosão, rugido, grito, vozeirão, vozerio, algazarra, alarido, reboliço, farfalha, alvoriço, alvoroço, vozearia, açougada, *fracas*; charivari, espalhafato, destampatório, toque de trombeta, trombetada, fanfarra, charanga, *tintamarre*, balbúrdia, retinim, marulhada, restolhada, estardalhaço, matinada, gritaria 411; vociferação, ressonância 408; escarcéu, canhonada, caldeiraria, atroamento, atroo, trom, trono, aturdimento, atordoamento, estentor, pulmão, garganta, goela;
artilharia, canhão, trovão.
V. ser (estrondoso, alto & *adj.*); repicar & 402a; marulhar, tinir, retinir, estridular, bradar, rugir, remugir, bramar, rebramar, trovoar, trovejar, tronar, troar, fulminar, despedir raios, referver, fremir, tumultuar, ribombar, rouquejar, ressoar 408; gritar 411; mugir 412; barulhar, estralejar, restolhar, estrondar, matinar, estrondear, tempestuar, estrugir, trombetear, fanfarrar, esbravear, esbravejar, esbravecer, estrugir mais forte que o trovão, atordoar os tímpanos, abuzinar, zoar, zunir, aturrear, guinchar, cortar os ares, berrar a valer, atordoar, atroar, aturdir, atordoar o ouvido;
estrugir os ouvidos/os ares; rebentar o tímpano do ouvido, zabumbar, ensurdecer, azoar, azoinar, *faire le diable à quatre*, acordar os ecos.
Adj. estrondoso, alto, altissonante, sonoroso, sonante, profundo, cheio, poderoso, forte, estentóreo, intenso, medonho, enérgico, infernal, capaz de rebentar os tímpanos, barulhento, retumbante, barulheiro, fragoroso, atroador, estouraz, ruidoso, ru-

405. Sussurro | 408a. Não ressonância

moroso, clangoroso, estrepitoso, potente, ramalhudo, ingente, terríssono, estridente, retininte, rijo, grosso, ensurdecedor, penetrante, atroante, trovoso, altitonante, trovejante, tonítruo, tonitroante, tonitruoso, tonante, troante, vibrante;
capaz de acordar os mortos/de acordar sete dorminhocos, rugidor, rugiente, flutíssono, flutissonante, agudo 410; vociferante 411; desesperado, estrídulo, que repercute de vale em vale, azoinado, tonto, estonteado.
Frase: Dir-se-ia que o mundo vinha abaixo.

▽ **405.** (Som fraco) **Sussurro,** falinha, cochicho, balbucio, mussitação, ruído, matinada, zuído, cicio, murmúrio, múrmur, murmulho 402a; fôlego, suspiro, respiração, arquejo, ofego, tonilho, zumbido, zoada, zum-zum, ruge-ruge, fru-fru, rumor, rumorejo, rosnadela, rosnadura, resfôlego, recolho, estalido, sopradela, assopro, gemido; eco, reverberação;
um fio de voz, mansidão de voz, ramalhada, microfonia, iscnofonia.
V. sussurrar, murmurar, murmurejar, murmulhar, zunzunar, rumorejar, bichanar, mussitar, cochichar, tugir, boquejar, enrouquecer, garrir, segredar, ciciar, chuaiar, regougar, resmungar, resmonear, rezar;
ciciar as palavras, suspirar, gemer, rosnar, zumbir, mastigar, arquejar, ofegar, mexer os beiços, tinir, tilintar, balbuciar 583; aflar, bafejar, frufrulhar, farfalhar, ruflar, flaflar, fazer ruge-ruge, gargolar, gargolejar.
Adj. inaudível, indistinto, vago, confuso, pouco audível, brando, baixo, fraco, débil, surdo, cavernoso, cavo, rouco, sufocado, abafado, apertado, quase imperceptível, sussurrante, suave, doce (*melodioso*) 413; sumido, desmaiado, murmulhante, murmurador, murmurante, múrmuro, murmuroso, cicioso, dulcíloquo, raucíssono.
Adv. inaudivelmente, sussuradamente & *adj.*, à surdina, sem motim, em cochicho, à socapa, a meia-voz, entre dentes.

b. *Sons especiais*

△ **406.** (Som súbito e violento) **Estalo,** estalejadura, crepitação, pancada, pancadinha, toque, baque, detonação, explosão, estrompido, estampido, tiro, arrebentação, estouro, estrondo, salva, descarga, disparo, fracasso, fragor, estrépito = traque.
V. estalar, estalejar, crepitar 402a; estralar, estralejar, rebentar, arrebentar, estourar, explodir, detonar, fulminar, descarregar, desfechar, disparar, desengatilhar, fazer explosão.
Adj. estalante & *v.*; crepitoso, explosível, estouraz.
Interj. Bumba!, pum!, bang!

▽ **407.** (Som repetido e prolongado) **Prolação,** rufo, zigue-zigue, repicagem, repinique, repique = repiquete, quebradela de sinos, bimbalhar, rataplã, zanzão, zum-zum, tique-tique, tique-taque, bum-bum, glon-glon, glu-glu 402a; rom-rom, ruge-ruge 402a; trilo, trinado, gorjeio, redobre, regorjeado, regorjeio, ramerrão, algazarra, cachoeira, charivari, retintim, tiroteiro, zuído, zuidouro, zumbido, zoada, zumbo, zunideira, zunido, borborismo, borborigmo, marulho, pulsação, besouro, cuco (*repetição*) 104; eco 408; matraca, realejo, bulício.
V. rufar, troviscar, tronar, tamborilar, trovejar, toar, rimbombar, atronar, retroar, ribombar, trovoar, retumbar, retinir, zunzunar, ronronar, repicar, carrilhonar, repinicar, badalar, bimbalhar, tocar, tanger, tagarelar, sapatear, dançar, gorjear, trilar, trinar, tremer, fazer tique-tique, zumbir, zuir, zunir, zumbar, tintinar; tilintar, tintinabular, murmurejar.
Adj. monótono, invariável, repetitivo 104; contínuo, prolongado, redobre, tamborileiro, tonante, troante, murmuroso.

△ **408. Ressonância,** retumbo, retumbância, retinim, eco, repercusso, (desus.), repercussão, rebombo, rimbombo, reflexão, reprodução, nota grave, baixo, basso, *profondo*, barítono, contralto, reverberação.
V. ecoar, ressoar, ressonar, soar, responder, retinir, retumbar, reboar, fazer eco, retroar, propagar-se ao longe, ribombar, rimbombar, restrugir, rebramir, rebramar, repercutir, reverberar, refletir, recambiar o som, reenviar, devolver, reproduzir, repetir.
Adj. ressoante & *v.*; ressonante, profundo, ecoável, retininte, cavo, cavernoso, polífono, longitroante, sepulcral, múltiplo.

▽ **408a. Não ressonância,** baque, som abafado/surdo, surdina; sino rachado, abafador, ronquidão, ronquice, pieira.

V. abafar, amortecer os sons, tocar em surdina.
Adj. abafado, surdo, morto, inaudível, imperceptível.

409. (Som sibilante) **Sibilação,** chirrio, sibilo, sibilância, sibilamento, apito, assobiada, assobio, silvo, atito, zumbido, esternutação, estridor 410; farfalha, farfalheira, farfalhada, farfalharia, espirro, ptarmia, ganso, serpente, *bala* 402a.
V. assobiar, sibilar, silvar, apitar, atitar, zunir, esfuziar, zumbir, zinir, fungar, chirriar, espirrar, chiar, ringir, rechinar.
Adj. sibilante & *v.*; ptármico, esternutatório.

410. (Som áspero ou desagradável) **Estridor,** estridência, estridulação, rechino, espigueto, rangido, rangedura, chiada, chiadeira, chio, pieira, ronco, ronqueira, regougo, guincho, ganido, grasnadela, atito, rechinado, dissonância 414; aspereza, agudeza; araponga, sirena, sirene, apito, *voce-ditesta*, voz de polichinelo, fífia, delgadeza da voz, cacofonia; rosnido, matraqueado, uivo.
V. chiar, rechiar, rechinar, rinchar, ringir 402a; falsetear, apitar, estridular, grasnar, guinchar, chilrear, atitar, regougar 412; ganir 412 (*som animal*), rosnar, matraquear, uivar; ronquejar, rouquejar, roufenhar, enrouquecer-se, zunir, tinir, gritar, zinguerrear, destemperar;
ferir, incomodar, irritar os ouvidos; doer nos ouvidos, atordoar 404; atiplar, falsetear.
Adj. chiador, chirriante, cortante, seco, áspero, aspérrimo, agudo, fino, fero, horríssono;
estrídulo, estridente, estriduloso, azucrinante, cavernoso, cavo, rechinante, malsoante, malsonante, alto, penetrante, desafinado 414; desabrido, despedrado, de falsete, atiplado, esganiçado, de cana rachada, assovelado, rouquenho, rouco, roufenho, raucíssono, cacofônico, rachado, tinidor, tininte.

411. Grito, alarido, alarida, celeuma, tourarias = grita, gritada, gritaria, berrata, berraria, berro, berratório, zanguizarra = algazarra, alrotaria, vozear, vozeio, vozeirão, vozearia, vozerio, vozaria, vozeamento, aulido, fala, falácia, falatória, falada, falario, grasnada, berreiro = ingranzéu = ingresia = ingrimanço, bulha, barulho, barulheira, barulhada, alarme, inferneira, matinada, gralhada, guinchada, grazinada, grulhada;
charivari, chinfrim, chinfrinada, clamor, conclamação, vociferação, pálrea, pocema (bras.), açougaria, burburinho, borborinho, auê, muvuca, tumulto, choldraboldra, chalreada, chalreadura, chalreio, zoada, zoeira, balbúrdia, escarcéu, zorra, queixa, estentor, brado, acusma = clamor, voz, anafonese.
V. gritar, prorromper em gritos, puxar pela voz, fazer uma gritaria dos diabos, apregoar, guinchar, buzinar, clamar, vozear, queixar, gargantear, algazarrar;
erguer, alçar a voz; grazinar, goelar, esgoelar, esbravejar, esganiçar-se, abrir as goelas, atroar, chinfrinar, vivar, apupar, fungar, roncar, ressonar, berrar, estrondear, exclamar, alrotar;
levantar, fazer um alarido infernal; gralhar, dar altos gritos, vociferar, bradar, bramir, erguer a voz, fazer ouvir a sua voz, soltar a voz;
ferir o céu, o ar com gritos.
Adj. gritante, clamante, esganiçado & *v.*; estentório 404; barulheiro, barulhento, clamoroso, alto 404.

412. Vozes de animais:
abelha e mosca: zum-zum, zunido, zumbido, zumbo; *V.* azoinar, sussurrar, zoar, zumbar, zumbir, zunzunar.
andorinhas: gazeio; chilreio, chilro; *V.* grifar, trincar, trinfar, gazear, trissar, chilrar.
araponga ou *guiraponga:* tinido; *V.* serrar, tinir, retinir, trinfar.
aves diversas: alvorada, canto, cantilena, cacarejo, cocorico, gorjeio, redobre, trinado, trino, trilo, pio, chilido, chio, crocito, harmonia, capela, berro, chilrada, chilreio, chirrio, grasnada, grasnido, chilro, apito, atito, grasnada, grasnido, estrídulo, arganteado, garganteio, regorjeado, regorjeio, guincho, grugulejo, quebro, requebro, ruflo, modulação, melodia, dobre, grigri, ululação, trisso; ornitofonia; *V.* apitar, assobiar, arensar, atitar, berrar, cantar, chalrear, chilrar, chilrear, chirriar, cacarejar, cocoricar, crocitar, corvejar, corruchiar, cucar, cucular, glotorar, dobrar, esgalrichar, estribilhar, galrar, galrear, galrejar, gargantear, gorjear; estridular, martelar (araponga); garrir,

garrular, gazear, gorjear, gralhar, gralhear, grasnar, grassitar, gracitar, grugulejar, gritar, gruir, guinchar, modular, papear, piar, picuinhar, pipiar, pipilar, pipitar, pissitar, ralhar, redobrar, regorjear, rouxinolear, ruflar, soar, suspirar, taralhar, trinar, trilar, trinfar; trissar, zinzinular (*andorinha*); ulular, vozear;
bode: berro; *V.* berrar, barregar, bodejar, gaguejar;
boi: mugido, berro; *V.* arruar, berrar, bramar, mugir;
burro e *jumento*: zurro, orneio, ornejo, zurraria, zurro; *V.* azurrar, ornear, ornejar, rebusnar, zornar, zurrar;
cabra: berro, berrego; *V.* berrar, barregar, berregar, bezoar;
camelo: blateração; *V.* blaterar;
cão: latido, ladrado, ladrido, ladradura, aboo, ululação, ganido, aulido, uivo, caim, voz triste e lamentosa do cão, rosnadela, rosnadura, canheza; *V.* acuar, cainhar, cuincar, esganiçar, ganir, ganizar, ladrar, laidrar, latir, roncar, rosnar, uivar, ulular;
carneiro: berro, berrego; *V.* berrar, berregar;
cavalo: rincho, relincho, nitrido, bufido, tropeada, tropel, piafé, ronquido; *V.* bufar, nitrir, rinchar, relinchar, rifar, trinir, tropear; *Adj.* nitridor, sonípede, hinidor;
cegonha: *V.* gloterar, glotorar;
cigarra: canto, chiado, cicio; *V.* cantar, chiar, chichiar, chirriar, ciciar, estridular, fretenir, garritar, rechiar, rechinar, retinir, zangarrear, zinir, ziziar;
cisne: arensar; *V.* arensar;
cobra: assobio, silvo, sibilo; *V.* assobiar, chocalhar, silvar, sibilar;
corvo: crás-crás, crocito, grasnido, grasnado, grasnadela, grasno; *V.* corvejar, crocitar, grasnar, grasnir;
crocodilo: bramido; *V.* bramir;
cuco: *V.* cucular, cucar;
elefante: barrido; *V.* barrir (trombejar = agitar a tromba);
estorninho: palrar, pissitar;
gafanhoto: zique-zique; *V.* chirriar.
galinha: cacarejo; *V.* cacarejar, carcarear, carcarejar;
galo: galicanto, galicínio, cucurucu, cocorocó, cocorico, quiquiriqui (frango); *V.* amiudar, cantar, clarinar, cocoricar, cucuritar;
garça: gazeio; *V.* gazear;

gato: miado, miau, miadela, miada, rom--rom, miadura; *V.* bufar, miar, rebusnar, roncar, ronronar;
gralha: grasnido; *V.* gralhar, grasnar;
grilo: cri-cri, tique-tique; *V.* chirriar, cricrilar, estridular, guizalhar, trilar;
grou: *V.* grugrulhar, grugrujar, gruir, grulhar;
insetos: *V.* trilar, zinir, ziziar, zoar, zumbir, zunir;
javali: grunhido; *V.* arruar, grunhir;
leão, tigre, onça e *urso*: bramido, urro; *V.* bramar, bramir, fremir, rugir, urrar;
leitão: coincho, grunhido; *V.* bacorejar, bacorinhar, coinchar, cuinhar, grunhir;
lobo: uivo; *V.* uivar, ulular;
ovelha: balido, balato (p. us.); *V.* badalar, balar, balir, barregar, berregar;
papagaio: *V.* chalrar, falar, grazinar, palrar, palrear, remedar, taramelar, taramelear, tartarear;
pato: grasnada, grasnadela, grasno, grasnido, grasnar; *V.* grasnar, grasnir, grassitar;
pavão: grasnada, grasnido; *V.* grasnar, pupilar;
peru: glu-glu, grugulejo; *V.* bufar, garrir, gorgolejar, grugulejar, grugulhar, grugrurejar;
pombo e *rôla*: arrulho, rulo, gemido; *V.* arrolar, arrulhar, gemer, rolar, turturejar, turturinar; *Adj.* rolador;
porco: coincho, grunhido, ronco, grunhidela; *V.* arruar, grunhir, roncar, ronquejar, cuinchar, cuinhar;
rã e *sapo*: clache-clache, rã-rã, coaxo, coaxação; *V.* coaxar, engrolar, gargarejar, grasnar, grasnir, malhar, ralar, relar, rouquejar, tintangalhar;
raposa: regougo; *V.* regougar, roncar;
rato: chio, guincho; *V.* chiar, chichiar, guinchar;
seriema: *V.* cacarejar;
tordo: *V.* trucilar;
touro: bramido, bufo, mugido; *V.* bramir, bufar, gaitear, mugir, urrar, arruar;
urubu: chem-chem;
veado: bramido, berro; *V.* bramar, berrar, rebramar;

c. *Sons musicais*

△ **413. Melodia,** harmonia, ritmo, andamento, sonância, maviosidade, orquestra, suavidade, concordância, concerto, con-

sonância, concento, sinfonia, compasso, medida, rima (*poesia*) 597; melifluidade, doçura, sonoridade, harpa-eólia, timbre, metal, acento, toada, entoação, entoamento, tonalidade, tom, semitom, conjuntivo, homofonia, enarmonia, eufonia, assonância, escala, gama, mensura, diapasão, lamiré; escala diatônica/cromática, escala maior, escala menor (harmônica e melódica), escala enarmônica, octacordo, chave, corda, batuta;
tônica, supertônica, mediante, subdominante, dominante, superdominante, sensível, modulação, som, acorde, clave (de sol/de fá/de dó), arpejo, trinado, número, temperamento, afinação, síncope, síncopa, preparação, suspensão;
pentagrama, pauta, espaço, intervalo, apótomo, tempo, segundo, divisão de compasso, pausa, fermata, apogiatura, apojatura, *appogiato*, *appogiatura*, semidítono, semidiapasão, nota musical, notação, mocha (ant.), sustenido, dobrado sustenido, bemol, dobrado bemol, bequadro;
figura, breve, semibreve, mínima, semínima, colcheia, semicolcheia, fusa, semifusa, tremifusa, contrassujeito, contrarresposta; pianíssimo, piano, forte, fortíssimo, *staccato*, ligado, *legato*; adágio, andante, presto, prestíssimo;
concórdia, harmonia, uníssono, unissonância;
(ciência da harmonia): harmonia, melografia, ritmopeia, contraponto, harmonômetro, metrônomo, sonômetro, tonômetro, música 415; melomania; compositor, harmonista, contrapontista, intérprete, virtuose, maestro, regente, concertista, solista, instrumentista.
V. ser harmonioso & soar bem no ouvido, arrebatar, comover, enlevar;
harmonizar, afinar, temblar, temperar, entoar, modular, afrautar, consonar, bemolar, abemolar, melodiar, desnasalar, desnasalizar, sustenizar.
Adj. melódico, harmônico, acroamático, cromático, diatônico, maior, menor, aumentado, diminuto, conceituoso, harmonioso, consono, consonante, uníssono, sinfônico, homófono, isófono, assoante, musicado, compassado, cadenciado, rítmico, cadencioso, monorrítmico, polirrítmico, cromático, enarmônico, subgrave; binário, ternário, quaternário;

melodioso, módulo, modal, numeroso, canoro, canoroso, formoso, mavioso, angélico, de anjo, musical, músico, afinado, temperado, acordado, bem-soante, doce, suave, meigo, terno, enternecedor, enamorado, sonoro, sonoroso, brando, melífluo, dulcífico, dulcíloquo, sonante, aflautado, abemolado;
ameno, encantador, belo, mago, torneado, delicioso (*causador de prazeres*) 829; delicado, mimoso, argentino, de prata, cristalino, mélico (poét.), privilegiado, desgarrado, dulcíssono, garganteado.

▽ **414. Dissonância,** absonância, desacordo, desarmonia de sons; inarmonia, disfônica, desafinação, desentoação, fabordão, falsa, discordância, insonoridade, imaviosidade, cacofonia, cacófato, hiato, agudeza de sons 410; fífia;
cantiga desentoada, sanfonina, toque desafinado, zanguizarra, charivari, cantarola, cantarejo, tamborilada, pandorca ou pandorga, chafalho, música reles 415.
V. destoar, ser (dissonante, desafinado & *adj.*); ferir os ouvidos, ser malsoante, sair do tom, incomodar (*causar desprazer*) 830; desafinar, arranhar, falsar, dar tom falso, discordar, desentoar, dissonar, destemperar, cantarolar, cantarejar, zangaralhar, importunar o ouvido, ladrar (fig.).
Adj. dissonante, absonante, desafinado & *v.*; importuno ao ouvido, malsoante, ábsono, dessoante, dessono, dessonoro, insonoro, imavioso, inarmônico, antimelódico, incanoro, desagradável 830; destemperado, rachado, sem compasso.

415. Música, a linguagem dos sons, a arte apolínea, sol e dó (pop.);
música vocal, *vocalismo*, canto, salmo, salmodia, ária, tono, cantiga, desafio (bras.), moda, modinha, descante, canto, cantoria, cântico, cantadela, canção, tonadilha, tonilho, madrigal, desgarrada, modilho, malaguenha (esp.), vocalizo, *vocalise*, monodia, solfejo; melopeia, aulodia; ópera, opereta, cantata, oratório, cantochão, canto gregoriano; *bravura*, recitativo, orfeão, coro, coral, *solfeggio*; baixo, barítono, tenor, alto, contralto, soprano;
música instrumental; recital, sarau musical; tom, toada, soada, acorde, arpejo, tocata, musicata, harmonia, toque, janeiras,

arromba, neuma, magana, cantilena, nana, arrulho, arrolo, serrana (Beira), *romanza*, romança, serranilha, rondó, *rondeau*, zangurriana (dep.), *pastorale*, pastoral, seguidilha, cavatina, rapsódia, trêmulo, grupeto, trilo, trinado;
garganteio, fantasia, variação, noturno, séptuor, sinfonia, concerto, concertino, concerto grosso, suíte, *ouverture*, abertura, música de balé, divertimento, prelúdio, mazurca, valsa, introdução, cadência, fuga, contrafuga, serenata, serenada, sonata, sonatina, quátuor, ditirambo, barcarola, epinício, composição, guitarrada, moteto, pancadaria, musiqueta (dep.), fungagá, banda, musicata (pop.), filarmônica, sinfônica, orquestra, orquestra de câmera, camerata, charanga, *jazz-band*, tocarola, *pot-pourri*, fanfarra, *capricio*, capricho, tarambote (pleb.), chimarrita, pandorga (dep.), hino, acroama, poema 597; cançoneta, balada, minueto, marcha fúnebre 839; música marcial, música de dança (*valsa, minueto, mazurca etc.*) 840;
música de câmera; solo, dueto, duo, trio, quarteto, quinteto, sexteto, septeto, séptuor, octeto, antífona, acompanhamento, partitura;
compositor, harmonista, arranjador, maestrino, maestro, regente, libretista, mensuralista, músico 416;
musicólogo, musicógrafo, musicômano, musicomania, melômano.
(gêneros musicais, eruditos sublinhados) abertura, ouverture, *acid jazz*, afoxé, *afrobeat*, arrocha, ars antiqua, *avant-garde metal*, alternativos (metal, rock), ambiente, anarcho-punk, axé, baião, baile funk, balada, balé, barroco, batucada, bebop, *bel canto*, *blue*, bolero, *boogie woogie*, bossa-nova, bumba meu boi, calipso, cantata, cantiga, canto livre (fado), canção napolitana, capoeira, carimbó, cavatina, chá-chá-chá, música de câmera, chamamé, charanga, chorinho, choro, clássica, concerto, concerto grosso, concreta, *country*, czarda, cueca, debka, disco, dixieland, electro, electropop, eletrônica, europop, experimental, fado, fandango, flamenco, folk, forró, frevo, fuga, funk, *gavotte*, go go, gospel, guarânia, habanera, *hard rock, heavy metal*, hip hop, hora, incidental, *jazz*, kabuki, *klezmer*, lambada, *lied*, lundu, *madrigal*, *magnificat*, mambo, maracatu, maxixe, mazurca, merengue, minueto, milonga, minimalista, modinha, *metalcore*, metal progressivo, MPB, nordestina, neofolk, *new wave*, noturno, *nu metal*, *nu soul*, ópera, opereta, oratório, pagode, partido-alto, poema sinfônico, polca, *polonaise*, pop, pop folk, pop punk, prelúdio, punk, *ragtime*, rap, rapsódia, *rave*, *reggae*, renascentista, requiém, *rockabilly*, *rock and roll*, roque, roque progressivo, rumba, salsa, samba, samba-canção, samba-reggae, *schottisch*, serial, sinfonia, sonata, *soul*, *spiritual*, suíte, *swing*, suíngue, tango, tarantela, techno, tocata, tuíste, *twist*, valsa, *vaudevillle*, zarzuela.

V. compor, executar & 416, tocar, interpretar, improvisar; afinar, instrumentar, orquestrar, preludiar, esmorzar.
Adj. musical, orfeico, instrumental, vocal, lírico, harmonioso 413; grave, sobgrave, monorrítmico, septívoco.
Adv. adagio, largo, largheto, andante, andantino, alla capella, maestoso, moderato, allegro, allegretto, spirituoso, vivace, veloce, presto, prestissimo, capriccioso, scherzo, scherzando, legato, staccato, crescendo, diminuendo, rallentando, affettuoso, obbligato, pizzicato, con brio, sfogato, pianinho, pianíssimo, muito brandamente, à surdina, pausadamente, *sforzando, smorzando*, à desgarrada.
FRASE: *Multos capit musica* = a música agrada a muitos.

416. Músico, tocador, instrumentalista, virtuose, solista, charangueiro, menestrel, cisne, bardo (*poeta*) 597; musiquim (dep.); organista, pianista, violinista, *spalla*, violoncelista, flautista, harpista, citarista, flauteiro, bandurrilha, charameleiro, citaredo, aulete, auletriz, aulétride, rabileiro;
cravista, rabequista, oboísta, guitarreiro, guitarrista, ocarinista, anafileiro, trombeiro, rufista, rufador, gaiteiro, corneta, corneteiro, trombeta, trombeteiro, adufeiro, timbaleiro, atabaleiro, pandeireiro, alcancareiro, pratilheiro, tambor, tamborileiro, sanfonineiro, rabeca, repentista, vocalista, melodista, melômano, musicômano, melógrafo, musicógrafo;
coro, corista, cantor, cantora, solista, cantochanista, solfista, rouxinol, canário, arauto da primavera, filomela, sabiá, tordo, sereia, Orfeu, Apolo, as musas, as nove

irmãs, Piérides, Erato, Euterpe, Terpsícore, Odeon;
execução, interpretação, toque, recital, concerto, gaitada, tiroliro, virtuosidade, expressão, inflexão.
V. tocar, ferir, pulsear, executar, interpretar, improvisar, arpejar, tanger, vibrar as cordas, desferir, dedilhar, arrancar sons; tirar sons, desferir sons; arrancar ao instrumento vozes fantásticas, soalhar, agitar as soalhas do pandeiro, tangir, zangarrear (dep.), castanholar, tamborilar, bandurrear, zabumbar, flautar, flautear, harpar, harpear, florear num instrumento, embocar, trombetear, buzinar, tanger a lira, adufar, guitarrear, musicar, musiquear, sanfoninar, rufar, chorar, baquetear, cantar, descantar, entoar, monodiar, trautear, boquejar, cantarolar, modular, vocalizar, gargantear, trinar, gorjear;
arrolar, acalentar, nanar uma criança; cantar ao som de, soltar a voz, solfejar, salmear, cantar com todos os ornamentos musicais, pôr uma ária em canto, fadejar, acompanhar, fazer segunda, fazer acompanhamento, salmodiar, salmodejar, instrumentar, orquestrar, arranjar, fazer arranjo, fazer compasso;
ter bom ouvido, boa garganta, boa orelha para; requebrar a voz.
Adj. musical, orfeico, monódico, musicante, chilreador, gárrulo, canoro, gorjeador, cantante, instrumentalista, virtuoso, piério, septívoco.
Adv. musicalmente & *adj.*; ao som de, com acompanhamento de.

417. Instrumentos musicais, instrumental;
banda, orquestra, pancadaria, fanfarra 415; música de capela;
(instrumentos de corda): alaúde, baixo, balalaica, bandola, bandolim, banjo, berimbau, cavaquinho, charango, cítara, clavicórdio — com teclado, contrabaixo, craviola, dobro, dulcimer — com baquetas, espineta, guitarra, guitarra elétrica, guitarra portuguesa, guitarréu, guitarrilha, gusla, harpa, kantele, koto, lira, *moodswinger*, pandora, piano — com teclado, rabeca, rebab, saltério, sangen, tiorba, ukelele ou guitarra havaiana, viola, viola caipira, viola de amor (*viola d'amore*), viola de 12 cordas, viola de gamba, violão, violão de 7 cordas, violino, violoncelo ou cello, whamola;
(instrumentos de sopro, de vento): acordeão, alboque, apito, aulo, avena, bandoneon, bombarda, bombardino, cálamo, charamela, clarim, clarinete, clarinete-baixo ou clarone, concertina, contrafagote, cornamusa, corne inglês ou corno inglês, corneta, fagote, figle, flageolet, flauta, flauta baixo, flauta de Pan, flauta doce, flautim ou piccolo, gaita ou harmônica, gaitas de fole, harmônio, melofone, murmuré ou muremuré (bras.), museta, oboé, oboé d'amore, ocarina, oficlide, órgão, pennywistle, piccolo, pífano, pífaro, quena, requinta, sacabuxa, sanfona, saxofone, saxotrompa, serpentão, shofar, tiroliro, trombeta, trombone, trompa, trompete, tuba, zampronha;
(instrumentos de percussão/de pancada/ de superfície vibrante): adufe, afoxé, agogô, atabaque, batá, bateria, berimbau, bloco, bombo, caixa, carrilhão, castanhola, caxixi, chimbal, choca, chocalho, címbalo, cincerro, cuíca, ganzá, garrida, guizo, marimba, nagar, pandeiro, pratos, reco-reco, repinique, sineta, sino, sistro, sonoro, surdo, tambor, tamboril, tamborilete, tamborim, tam-tam, timbale, tintinábulo, tom-tom, triângulo, trincalhos, tubulares, xequerê, zabumba;
(instrumentos com teclado): acordeão, celesta, clavicórdio, cravo, espineta, *glockenspiel*, órgão, piano, *sampler*, sintetizador, teclado, vibrafone, xilofone;
(barras vibrantes): ferrinhos, triângulo, choca, berimbau.
Adj. heptacordo, tetracórdio, octacordo, septicorde, septíssono.
V. fazer-se ouvir, tocar 416, executar, interpretar, solar, acompanhar, percutir, dedilhar, tanger, soprar.

d. *Percepção do som*

△ **418.** (Percepção dos sons) **Audição,** audito, audiência, auscultação, audibilidade; áudio;
percepção, faculdade/capacidade auditiva; ouvido sensível/agudo/fino/perceptível/de percevejo;
orelha, ouvido, pavilhão, concha auditiva, conca, aurícula, aurículo, órgãos acústicos, aparelho auditivo, canal auditivo, có-

clea, tímpano, martelo, bigorna, estribo, trágus, vestíbulo, labirinto; oitiva, porta--voz, telefone, fonógrafo, microfonógrafo, microfone, microacústico, corneta acústica, aparelho de audição, otoscópio; otologia, audiologia, audiólogo, audiograma, audiometria, audiômetro; fonoaudiologia, fonoaudiólogo;
ouvinte, escutador, ouvidor, auditório, público.
V. ouvir, pressentir, escutar, dar ouvidos a, pôr o ouvido à escuta, aplicar o ouvido, auscultar, entreouvir;
sentir, perceber, pressentir a voz de; prestar atenção, escutar com as duas orelhas, atender; ter as faculdades auditivas muito apuradas, ter ouvido delicado, ter bom ouvido, ter ouvido de percevejo, ter boa outiva, desensurdecer; ser todo ouvidos;
Adj. audível, audiente, ouvinte, aurito, inteligível, auditivo, auditório (desus.), auricular, auriculado, acústico, ótico, perceptível, dessurdo, pressentido.
Adv. arrectis auribus = com os ouvidos atentos; audivelmente & *adj.*
Interj. escuta!, ouve!, atenção!

▽ **419. Surdez,** ensurdecência, embotamento da audição, falta de audição, anaudia, mouquidão, mouquice, moucarice, inaudibilidade, imperceptibilidade, atordoamento; acúsmetro.
V. ensurdecer(-se), ser (surdo & *adj.*); não (ouvir & 418); ter as faculdades auditivas embotadas; ter os ouvidos a consertar ou no ferreiro; ser duro de ouvido, desperceber, ensumagrar-se, fazer-se de surdo, surdear, não prestar ouvidos, fazer-se desentendido, tapar os ouvidos, fazer ouvidos de mercador, entender mal, fazer-se Inês da horta, desentender, tornar-se (surdo & *adj.*); emouquecer, atordoar, aturdir.
Adj. surdo, mouco, duro de ouvido, moucarrão, surdo-mudo; ensurdecedor;
surdo como teiú/como uma pedra/como uma estátua/como um poste telegráfico; inaudível, imperceptível.

6º) Luz

a. *Luz em geral*

△ **420. Luz,** raio, clarão, claror, lampejo, relâmpago, claridade, esplendecência, res-plandecência, lucidez, esplendidez, luz viva, luzerna, claridade intensa, lume, luzeiro, fulgor, esplendor, deslumbramento, ofuscamento, luzimento, réstea de sol, feixe de luz, aurora;
dia, luz do dia, sol (*fontes de luz*) 423;
banho/pincel de luz, luar, brilho, reslumbre, vivacidade, coruscação, nictescência, fulguração, cintilação, radiação, irradiação, refulgência, perfulgência, rutilação, rutilância, esplendidez, fulgência, brilhantismo, iluminação & *v.*, nitidez, nitideza, efulgência, revérbero, lustre, fogo, faísca, *scintila, fácula*, centelha, fagulha, choina (reg.), faúlha, chispa, feila, faiscar;
jactos, golfadas de luz; fagulharia, luminosidade, incêndio, chama (*fogo*) 382; fogo-fátuo 423;
luz solar, natural;
águas, diamante, brilhante, ouropel, lentejoila, joias, ouro, latão, sol, fotografia, heliografia, fotômetro 445;
(ciência da luz): óptica, fotologia, fotometria, diótrica, catóptrica, catadiótrica, espectro, espectroscópio, espectrologia, especulária; *laser, blu-ray*;
halo, glória, auréola, nimbo, parélio, fotosfera 423; coroa luminosa, resplandor, resplendor;
reflexão, refração, reflexo, dispersão, luz irreflexa, nictação, tremulina.
V. alumiar, brilhar, aclarar, alvorar, alvorecer, alvorejar, arcoirisar, arder, arraiar, aurejar, aureolar, aureolizar, aurorar, aurorecer, campar, centelhar, chamear, chamejar, chamejar em fogos de diversas cores, chispar, claraboiar (ant.), clarear, clarejar, constelar, coriscar, coruscar, dardejar, esfuzilar, esplander, esplandecer, esplender, esplendecer;
espargir os seus raios, estrelar, estrelejar, fagulhar, faular, faiscar, faulhar, flamear, flamejar, fulgentear, fulgir, fulgurar, fulminar, fuzilar, iluminar, iriar, irisar, irradiar, lampadejar, lampejar, lucilar, luciluzir, luzir, patentear intensa luz, fosforear, fosforejar, fosforecer, pontear, prefulgir, preluzir, radiar, raiar;
rebrilhar, refulgir, refulgurar, relampear, relampejar, relampadejar, relampaguear, relumbrar, reluzir, resplandecer, resplendecer, resplender, reverberar, rutilar, centelhar, cintilar, sobredourar, transluzir, tremeluzir, tremulinar, vagalumear, deslumbrar;

420a. Abertura para passagem da luz | 422. Meia-luz

quebrar, ferir os olhos; espraiar raios, fazer-se a luz por todos os lados, reluzir de um fulgor vivíssimo;
lançar/emitir luz; dardejar faíscas, vibrar raios;
cegar, ofuscar, ferir a vista; espancar com o seu clarão, argentear, argentar, ter um reflexo argênteo, pratear, abrilhantar, andar pelo céu um luar esquivo, iriar, esbater as trevas, descobrir-se o sol, espelhar, refletir, polarizar-se, refranger, desentenebrecer, aclarar, desescurecer, dessombrar, desanuviar;
ser iluminado, receber estrias ou um cálido banho de luz.
Adj. brilhante, aluziado, luminoso, chamejante, flamante, flâmeo, coruscante, esplendente, resplendente, deslumbroso, refulgente, fulguroso, rútilo, rutilante, fúlgido, fulgente, ofuscante, encarnado, lucilante, fosforescente, aurifulgente, aurifúlgido, resplendoroso, dardejante, tremeluzente, fuzilante;
estrelante, cintilante, prelúcido, nictente, irizante, perfulgente, lúcido, vívido, nítido, iriante, auriluzente, auritrêmulo, brilhante como a prata, gemante = brilhante como as pedras preciosas, preclaro, claro, sem nuvens, micante (poét.), estelante, radioso, deslumbrante, lucífero (poét.), luzidor, luzidio, vivo, incendido, fulmíneo, fulminívomo, açacalado, clarífico, dilúcido, mais claro que a luz do sol;
congesto, resplendente de luz; argênteo, argentino, argentador, faulhento, lustroso, lustrino, fotogênico, fotográfico, heliográfico;
destoldado & fortemente, fartamente, fulguramente iluminado; claro, desanuviado; anaclástico, refrato, refrangente.
Adv. brilhantemente & *adj.*; em áureos reflexos, à claridade albente da lua.

△ **420a. Abertura para passagem da luz:** lumineiro, rótula = reixa = gelosia, fresta, lanternim, lanterna, luneta, lumidária (ant.), claraboia = lumieira, vigia, olho de boi, janela, postigo, portilha, seteira, capialço, fenestral, ventana = venta (ant.), trapeira, vitral, vidraças, sobrearco capialçado, clareira, lucarna.

▽ **421. Obscuridade,** desclaridade, tenebricosidade, obscuração, obscurecimento, obumbração, escuridão, negrume, negridão, negrura, negregura, negror, noite, sombra, caligem, cerração, bulcão, trevas, trevas cimérias, escureza, escuridade, o tétrico da escuridão, véu, manto, falta de luz, ciografia, eclipse, acumulação de nuvens, novilúnio, abicheiro (reg.).
V. estar (escuro & *adj.*); absorver a luz; assombrar, ensombrar, enturvar, sombrejar, sombrear, abrumar, obscurecer, escurecer, escurentar (ant.), velar, negrejar, entardecer (o dia), toldar, turvar, turvejar, eclipsar, obumbrar, anoitecer, enoitar, enoitecer, fazer sombra, entrevecer, entrenebrecer, enegrecer, denegrir, abacinar;
extinguir-se, apagar a luz; deluzir-se, emborrascar, encarrancar-se, entrenublar-se, encapotar-se, nevoar-se, nublar, enfuscar, entroviscar-se, enevoar, enublar, anuviar.
Adj. escuro, túrbido, falto de luz, lúgubre, tétrico, sombrio, soturno, assombradiço, obscuro, tenebricoso, negro, preto, tetro, negregoso, tenebroso, trevoso, envolto em reva, enevoado, noctígeno & *v.*; nublado 422; lôbrego, cerrado, espesso, fechado, desalumiado, caliginoso, nubloso, umbrátil, umbrático, lúrido (poét.), noturnal, nocticolor, noturno, lucífugo, notívago, sonâmbulo, escuro como breu, nevoento, nevoso, umbroso, umbrífero, opaco 426; apagado, assombrado & *v.*; novilunar, cimério (poét.), acampto, deslapidado.
Adv. escuramente & às escuras.

422. Meia-luz, claridade mediana, obscuridade, névoa, claridade frouxa, vislumbre, penumbra, embaciamento, desmaio, escuridão 421; palidez (*cor leve*) 429; empanamento, *demi-jour*, eclipse parcial;
luz baça/frouxa/bruxuleante/mortiça/duvidosa; nebulosidade, nuvem 353; meia-tinta, sombra 424;
aurora, alva, primeiro alvor da manhã, fusque-fusque, lusco-fusco, claro-escuro; crepúsculo da manhã/da tarde; o cair das trevas, anticrepúsculo, anoitecer, sonoite, boca da noite, hora duvidosa entre a claridade e as trevas, luar, fosforescência, clarão, raios da lua;
luz de vela/de candeia/das estrelas; luz coada através dos vidros de claraboia, bruxa (bras.); antolhos, helioscópio, pantalha, quebra-luz, lucivelo (bras.), abajur, sombra, guarda-vista, bandeira dos candeeiros, ve-

423. Corpos luminosos | 425. Transparência

neziana, persiana, empanada, sombreira, estore, tabuinhas.
V. ser (baço & *adj.*); alumiar frouxamente; desfalecer, bruxulear, vislumbrar, oscilar, tremular, lampadejar, tremer, tremulinar, lucitremer, tremeluzir, tremebrilhar, entreluzir, lucilar, pirilampear, fosforear, fosforejar, fosforescer, vagalumear 420; desbotar, amortecer, desmaiar, empalidecer, clarescurecer, descorar, agonizar, amortiçar-se, esmorecer, tornar *baço* & *adj.*, escurecer; obscurecer, empanar, obumbrar 421; embaçar, embaciar, marear, envidraçar, vidrar, pestanejar.
Adj. triste, sombrio, incerto, duvidoso, dúbio, baço, opaco, búzio (reg.), sem brilho, vítreo, vidrado, embaciado, penumbroso, morno, brusco, frouxo, tênue, débil, desmaiado & *v.*; vidroso, vidrento, descorado, pálido 429; fraco, agonizante, morrediço, trêmulo, tremulante, mortiço, semimorto, amortecido; tristonho, confuso, ferrugíneo, fosco, incolor, escuro 421; carregado, sombreado, brumal, nubloso, nublado, enevoado, soturno, plúmbeo, nimboso, brumoso (*opaco*) 426; obnubilado, anticrepuscular, crepuscular, desvidrado, irradioso, claro-escuro, fuscalvo, luarento, enluarado.

△ **423.** (Fonte de luz) **Corpos luminosos,** luminária, iluminação, luz 420; labareda, chama (*fogo*) 382; poder iluminante, faísca, fagulha, faúlha, chispa, cintila, centelha, tubel, brilho fugaz, fosforescência = candil = ardentia, fogueira, fogaréu, fogacho; (unidades de medida de luz) candela, lux, lúmen; Sol, astro-rei, astro, luminar, luzeiro, centro do sistema planetário, fonte de luz e de calor, Febo, Apolo, fotosfera, aurora, estrela, meteoro, Sírio, Aldebarã, Altair, constelação, galáxia = Via Láctea = *circulus lacteus*;
aurora boreal/austral/polar; luz zodiacal, estrela cadente, zelação = bólido = mãe de ouro (bras.), meteoros luminosos, relâmpago, serpentina de fogo = fuzil = fuzilada, lâmpado (ant.), luz sidérica, corisco, coriscada, *ignis fatuus*, fogo-fátuo, fogo de santelmo, protuberâncias, caipora (bras.), Castor e Pólux, *fata morgana*, lumieiro, noctiluz, vaga-lume, luze-luze, caga-lume, pirilampo = lumieira, salpa;
(luz artificial): holofote, gás, acetileno ou acetilene, luz elétrica, lâmpada/incandescente/halógena/*spot*/fluorescente/dicroica)/*led* (diodo emissor de luz), pendura (gír.), andone (Japão), lampadário, lucerna, candelabro, lustre, lanterna, lanterna de furta-fogo, vela, bugia, círio, lume, serpentina, candeeiro, tenebrário, carcel, brandão, tocha, verdizelos, lamparina = griseta, facha (desus.), coto, facho, teia (poét.), lampião, archote, luzeiro, candeia, candil, rolo, lumieira, arandela = dirandela, luminária, cirial, fogos de artifício, fogos de pirotecnia, girândola, sinal luminoso, semáforo (*sinal luminoso*), farol (*sinal luminoso*) 550; castiçal, roleira, palmatória, tocheira, tocheiro.
V. iluminar 420.
Adj. luminoso, fosfórico, fosforescente, tedífero, lucífero, radiante 420; pirilâmpico, faulhento, fotoelétrico.
Adv. como de dia, brilhantemente, luminosamente, *a giorno*.
Frase: *Cœli enarrant gloriam Dei.*

▽ **424. Sombra,** toldo (*cobertura*) 223; guarda-chuva, guarda-sol, sombreiro, sombrinha, cortina, árvore, abajur, guarda-vista, bandeira de candeeiro 422; cortinado, nuvem, névoa, nevoeiro; insufilme; óculos de sol; pala, para-sol, barraca;
sombra fresca, protetora; umbria.
V. sombrear, sombrejar, lançar sombra 421; cerrar cortina, cortinar, enuvear, encobrir, assombrear, assombrar, projetar sombra; estender-se, cair/colgar (a sombra); anuviar, nevoar, toldar, turvar, turbar, turvejar, enublar, obscurecer, enevoar, velar, embruscar, ensombrar, escurecer, nevoentar, empanar, embaciar, acidentar de fortes sombras.
Adj. sombrio, sombroso, umbroso, umbrático, umbrífero, umbrátil, enevoado, nevoento, nevoado, brumoso, brumal, nebuloso, anuviado, nuvioso, nubloso, nubiloso, nublado, umbrícola, copado, frondoso 365; turvo, túrbido.

△ **425. Transparência,** limpidez, nitidez, cristalinidade, diafaneidade, translucidez, lucidez, clareza, serenidade, pureza, claridade, isocromia, vidro, cristal, linfa, água, atmosfera, corniola, cornalina, hialoide, telésia, cristal hialino.
V. ser (transparente & *adj.*); vazar, deixar-se atravessar da luz, coar a luz, dar passagem à luz, reslumbrar, transluzir, transparecer;

tornar (transparente & *adj.*); transparentar, desenturvar, translucidar.
Adj. transparente, pelúcido, limpo, límpido, translúcido, vítreo, lúcido, diáfano, pérvio à luz, cristalino, hialino, claro, puro, sereno, sem nuvens, sem jaça, claro como cristal, aerófano, pirófano, vaporoso, aeriforme, isotrópico, desvelado, desnublado, desanuviado, especular, aclasto, da mais pura água.

▽ **426. Opacidade,** turvação, sujidade, obscuridade, espessura, intransparência, espessidão, hialito, lua, planeta, tábua, lousa, carvão, osso.
V. ser (opaco & *adj.*); não ser (transparente & *adj.*); impedir o passo à luz, foscar, espessar, turvar, turvejar.
Adj. opaco, acampto, adiáfano, impérvio à luz, falto de transparência, obscuro, fosco, embaciado, baço, floretado, sombrio 422; túrbido, turvo, escuro, espesso, lamacento, ofuscado, fuliginoso, nublado, enevoado, nubloso, bolorento, fúmeo, fúmido, fumífero, fumífico, sujo, nubífero.

427. Semitransparência, semidiafaneidade, translucidez, opalescência, lactescência, gaze, musselina, cassa, tule, filó, cornalina, pérola.
V. perlar, perolizar.
Adj. semitransparente, semidiáfano, semipelúcido, semiopaco, búzio, opalescente, opalino, perolino, lácteo, lacticinoso, lactescente, leitoso.

b. *Luz especial*

△ **428. Cor,** color, tinta, tintura, matiz, colorido, tom, tonalidade, meio-tom, entretom, nuança, coloração, gama, gradação, pintura, carnação, morte-cor, morte-luz; cores primitivas, complementares, sólidas; dispersão, cromatismo, irisação, degradê, cromático, cromismo, linguagem das cores, colorido sólido, força, viveza, vivacidade, frescor, brilho, cor local, perspectiva aérea, colorização, unicroísmo;
(ciência das cores): cromática, espectro, análise espectral, colorimetria, colorímetro, cromatismo, cromometria, cromoterapia, prisma, espectroscópio, espectrografia, esprectroscopia;
tinturaria, tintureiro;

pigmento, matéria corante, xantina, zooematina;
pintura, aguada, aguarela, aquarela, guache, pintura a têmpera, pintura acrílica, mordente, pintura a óleo 556;
monócromo.
V. colorir, atintar, colorar, colorear, corar, dar cores, pigmentar, colorizar, matizar, pintar, arrebolar, cambiar, vestir de, tingir, aguarelar, dar aguarelas, iluminar, mesclar, opalescer, assentar as tintas no quadro, ter força de colorido, avivar, desembaçar, desmarelecer.
Adj. colorido, matizado, iluminado, tinto, colorante, tinctório, tintor, tintorial, tingidor; cromático, prismático, monocromático, policromático, monócromo, concolor, unicolor, brilhante, alegre, garrido, expressivo, vivo, berrante, cru, vívido, intenso, forte, aparatoso, vistoso, suntuoso, carregado, cerrado, fixo, que não desbota, indesbotável, álacre, faustoso, faustuoso, florido, extravagante, ofuscante, cintilante, eucromo, calícromo = que tem bela cor.

▽ **429.** (Ausência de cor; desbotamento) **Acromatismo,** acromatização, descor, descoramento, descorante, desmerecimento, desbotamento, acinzamento, descoloração, esmaio, desmaio, deslavamento, frieza, murchidão, estiolamento, albinismo, cores cativas, palor, palidez, acromasia, sugilação, palidez cadavérica, lividez, livor, meia-tinta, cor de burro quando foge.
V. desbotar, descorar, deslavar, quebrar, esvaecer, esmaiar, esmaecer, acromatizar, desmaiar, destingir; perder a viveza, esbater a cor, adelgaçar a cor, descolorar, descolorir, amortecer as tintas, descolorizar, despintar, desenrubescer, desmerecer, perder seu preço, desenvermelhar, embaciar, desfalecer, murchar, murchecer, emurchecer, estiolar, fanar, amarelecer, morrer; desmudar-se, palidejar, empalidecer, acinzar, acinzentar, desvanecer-se, esgazear;
adoçar a cor, temperar.
Adj. incolor, ácromo, acromático, preto e branco, desbotado, desiriado & *v.*; térreo, terroso, terrento, terrulento, baço, embaçado, frio, inexpressivo, brando, de cores leves, pálido, céreo, ceráceo, lívido, clorótico, cadavérico, lúrido;

pálido como a morte/um fantasma/um cadáver/a cera de uma tocha funérea; clarete, amarelento, fulo, macilento, macerado, pouco fixo, cativo, ligeiro, tênue, esbatido, pouco carregado, desvanecido, apagado, plúmbeo, vidrado, descorado, descolorado, esgrouvinhado, embaciado, fosco, alvacento, deslavado, esbranquiçado, entrebranco, alvar, mate, exalviçado.

△ **430. Brancura,** alvura, alvor, candor, candura, candidez;
branqueio, branqueação, branqueamento, branqueadura, desalbação, prateadura, prateação, caiação, caiadura, caiadela, caio, albificação, alveamento;
neve, lis, lírio, garça, cisne, açucena = cecém (poét.), jasmim, papel, gesso, alfenim, leite, pérola, marfim, lítio, telésia, prata, argento (ant.), alabastro, alabastrite, pedra lioz, quernite, alvaiade, cal, leite de cal, cordeiro inocente, armelina, arminho, morim, mármore de Pafos.
V. branquear, ser (branco & *adj.*); ostentar a cor branca, cegar de brancura;
tornar (branco & *adj.*); embranquear, embranquejar, embranquecer, embrancar, engessar, branquejar, branquecer, alvejar, nevar, aclarar, desenegrecer, dealbar, alvaiadar, caiar, alvear (ant.), perolizar, pratear, platinar, sobrepratear, argentar, argentear, palhetar de prata, recenar.
Adj. branco, níveo, jáspeo, lácteo, lactíneo, lacticolor, leitar, nevado, de neve, de leite, alabastrino, gelado;
branco como/a cecém/como o lírio & *subst.*; liliáceo, cândido, prateado, alvo, alvar, elefantino, argênteo, argentino, argentífico, argentífero, argentado, lactescente, lactiforme, alvinitente, alvadio, exalviçado, leitento, branco como um cordeiro, imaculado, perolino, alvacento, esbranquiçado, ebóreo, ebúrneo, eborato, súsino, alvaiadado, cicnoide.

▽ **431. Pretidão,** fuliginosidade, negregura, negrura, negridão, negror, negrume, negraço, negrilho, negralhão, cor negra, cor da noite, trevas 421; lividez, *chiaroscuro*, lusco-fusco 420; escuridão, escuridade, escureza (ant.);
azeviche, gagata, ébano, carvão, tição, café, breu, piche, fuligem, corvo, urubu, vicente (gír.), melanina, pigmento, nanquim, melanita, atramento, negro, preto, homem de cor, afro-brasileiro, afrodescendente, mulato, etíope, hotentote, africano, melra (f.); África, Nigrícia, Melanésia;
tisna, nigela.
V. ser (preto & *adj.*); ter a cor do ébano; tornar (preto & *adj.*); pretejar, enegrecer, tisnar, negrejar, acafetar, denegrecer, denegrir, encarvoar, encarvoejar, calcinar, carbonizar, enfarruscar, enfelujar, azevichar, melanizar, escurecer, obscurecer 421; brear, sumagrar, ebanizar, esfuscar, engraixar, nigelar, esfumar, defumar, amulatar-se.
Adj. preto, da cor do ébano, negral, negro, afro, farrusco, azevichado, ebanáceo, de ébano, ebâneo, ebanino, nocticolor, atramentário, fuliginoso, breado, fusco, obscuro 421; etíope, hotentote, africano, retinto, nigérrimo, acafetado, lúrido, achumbado, atrigueirado, moreno, triguenho, torrado = trigueiro, brunete (desus.), carocho, amorenado, abaçanado, amulatado, zebruno, pardo, melanope, melanócomo, melanuro, melanócero, olhinegro, carinegro;
preto como azeviche/como carvão/como a meia-noite; noturno 421.

△ **432. Pardo,** cor parda, gris, burro, lobo, rato, ruço-cardão.
V. ruçar, acinzentar, arruçar, encanecer, agrisalhar, afulvar, plumbear, empardecer, encinzar.
Adj. pardo, pardacento, pardaço, pardusco, plúmbeo, grisisco, lívido, sombrio, triste, *gris-perle*, perolino, ruço, grisalho, prateado, terroso, cinéreo, acinzentado, tirante a cinzento, acinzado, acinzeirado, alvadio, gris, cinzento-azulado, griséu, arruçado, subcinerício, salpimenta, cendrado, da cor de rato; *chiaroscuro*, lusco-fusco, fuscalvo, velhori (cavalo), enevoado = encinzerado (céu).

▽ **433. Castanho,** bronze, marrom, havana, ferrugem, mogno, cor de pinhão, bistre, ocra, ocre, sépia, canela, avelã, charuto, chocolate.
V. bronzear, abronzear, acanelar, requeimar, crestar, acobrear.
Adj. castanho, acastanhado, tanado, brunete, mosqueado, acobreado, moreno, trigueiro, baço, acanelado, de amarelo tostado, fusco, da cor de chocolate, abaçanado, amulatado, bronzeado, brônzeo, adusto, crestado, caboclo, acaboclado, aleonado, fulvo, ocreoso, avelanado.

△ **434. Vermelhidão,** rubidez, rubefação, rubor, afogadura, afogueamento, sanguíneo, arrebol, rosicler, celagem, cor da aurora, hematosina, carmim, carmina, goles (heráld.), laca, carnação, cor-de-rosa, damasco, escarlate, escarlatina, rubi, alabandina, carbúnculo, piropo, piropina, rosa, coral, sangue;
garança, milgrada, milgranada, romã, tomate, cereja, groselha, balaústia, cochonilha, urucu (bras.), pimentão, fucsina, almagre, rubrica, lacre, zarcão, cinábrio = uzífuro ou uzífur, vermelhão, mínio, nácar, púrpura = múrice (poét.) = ostro, purpurina, zooematina, begônia, lacão, presunto, campeche.
V. ser (vermelho & *adj.*); ser da cor da romã, resplandecer de sangue, ser da cor de carne viva, corar, tauxiar, avermelhar, vermelhar, envermelhar, envermelhecer, enrubescer, afoguear, garançar, encarniçar, ruborizar, rosar, iluminar, esbrasear, abrasar, ignizar, rosar-se, inflamar, almagrar, lacrear, tingir de rósea cor, ensanguentar, carminar, nacarar, encarnar, sanguificar, rubificar, acerejar, atomatar, adamascar, purpurar, purpurear, purpurejar, purpurizar, arrebolar, congestionar.
Adj. vermelho, vermelhaço, vermelhusco, vermelhado & *v.*; avermelhado, ruivo, ruivacento, rufo, sanguinolento, tírio, sanguinoso, carmezim, sanguífero, sanguíneo, sanguinho, sanguino, sanguento, ígneo, erubescente, auriflamante, purpúreo, purpurino, ostrino, puníceo, rosa, rosáceo, rosete, róseo, rosado, encarnado;
incendido, encarniçado, corado, flagrante, afogueado, arrebolado, pudibundo, abrasado, esbraseado, acendido, congestionado, rubicundo, rubente, rubro, rúbido, rúbeo = rojo, auripurpúreo, alacoado, incandescente, encarnado, escarlate, nacarado, nacarino, coralino, assanhado em carmim, carmim, carmíneo, coccíneo, granadino, balaustino, cinabrino, de tauxia, groselha, amorado, acerejado, adamascado, atamarado, arruivado;
vermelho como brasa, como sangue, como escarlate, como rubi; sobrerrosado, hematoide, semelhante ao sangue, albirrosado, sandicino (desus.), rubefaciente, aurirrosado.

▽ **435. Verde,** verdor, verdura, cor de azeitona, verde-montanha, verde-bandeira, verde--água, verde-abacate, verde-cré, verde-esmeralda, verde-garrafa, verde-jade, verdacho; malaquita, berilo, azebre, verdete, oliva, azeitona, esmeralda, prásino, clorofila, cólquico.
V. ser (verde & *adj.*); ser da cor da esmeralda, ornar-se de verde, verdejar, verdear, verdecer, cobrir de verdura, enverdear, enverdejar, enverdecer, reverdecer, enfolhar, arrelvar; colorir, mesclar de verde; esverdear, esverdinhar, viridar.
Adj. verde, prásino, glauco, verdeal, verdacho, esverdeado, eruginoso, esverdinhado, garço, de garça, gázeo, tirante a verde, esmeraldino, verdejante, floreante, verde-escuro, verde-montanha, verde-mar, verde-gaio, verde-negro, verde-seco, verde-bandeira, verde-água, verde-abacate, verde-esmeralda, verde-garrafa, verde-jade, verdoso, verdoengo, azeitonado, olíveo, oliváceo, porráceo, viridente, virente, salso, fresco, fluticolor, auriverde.

△ **436. Amarelo,** lourejo, amarelidão, amarelidez, cor baça, cor de mel, açafroamento, almécega, goma, guta, creme, açafrão, açaflor = croco, limão, cádmio, enxofre, topázio, âmbar, cidra, alambre, carabé (ant.), jenolim, jalde, macicote, gema, ouro, *plaqué*, laranja, ocra, ocre, icterícia, hepatite, xantopsia, ocrósia, xantocromia, xanteloma, xantelasma, xantoma, xanto, xantose, xanteína, cor de doninha.
V. amarelar, amarelecer, amarelejar, enlourar, enlourecer, açafroar, almecegar, ambrear, flavescer, lourecer, lourejar, lourar, lourear, empalidecer, sobredourar, dourar, recenar, auriluzir, alaranjar, ictericiar, aurificar.
Adj. amarelo, amarelado, amarelento, esmarelido, lúrido, pálido, gualdo, dourado, fulvo, flavo, ourichuvo, louro, lauro, láureo, alourado, fúlvido, laranjado, alaranjado, palhete, clarete, áureo, aurífico, aurifrigiato, aurifrigiado, aurifulgente, aurifúlgido, aurilavrado, auricomado, aurirrosado, aurirróseo, auriginoso, auriluzente, aurígero, auripurpúreo, auritrêmulo, auridulce, alambreado, acitrinado, cítreo, citrino (poét.);
jalde, jaldinino, jalne, fulo, macilento, terroso, fouveiro, açafroado, almecegado, ambárico, ambarino, cróceo, crócino, ambreado, ocráceo; amarelo como cidra/ como açafrão/como gema de ovo = vite-

437. Roxo | 440a. Cores e sinais de cavalos

lino, alfenado, flavescente, gemado, vitelífero, esmarelido, ictericiado, ictérico, xântico.

▽ **437. Roxo,** cor oscilante entre o rubro e o violáceo, violete, violeta, púrpura, múrice (poét.), ametista, lilás, perpétua, cobalto; lividez, livor.
V. roxear, arroxear, enroxar-se, purpurar, purpurear, purpurejar, purpurizar, abacinar.
Adj. roxo, purpúreo, purpurino, roxeado, arroxeado, violáceo, iantino, violeta, violete (gal.), lilás, liláceo, pavonaço;
lúrido, lívido, azuloio, tirante a azul e loio, ametístico, apurpurado, arroxado, aviolado, cárdeo, cardeno, cardão, cobáltico.

△ **438. Azul,** azul da Prússia, anil, azulina, índigo, ciano, livor, lividez, blau, cianômetro; azulão;
céu, turquesa, turquina, safira, água-marinha, ultramar, lápis-lazúli, lazulite, azulejo, cianismo, cianose.
V. azular, azulejar, anilar;
(ser azul & *adj.*); ter a cor da flor do linho, refletir o azul do céu.
Adj. azul, azulino, azulado, loio, anilado, cérulo, cerúleo, azul-celeste, celestino, azulescente, de puro anil, azul-ferretoe, azul-ultramarino, azul-marinho, azul-piscina, azul-turquesa, azul-turqui, azul-claro, azul-violeta, turquesado, safírico, atmosférico, gredelém ou gridelim, lívido, cárdeo, cardeno, cardão, de um azul cobalto, límpido (céu), casto (céu), do mais puro anil; cianirrostro, cianocéfalo.

▽ **439. Alaranjado,** vermelho e amarelo, ouro, chama.
(pigmento): ocre, ocra, laranja, cádmio, jacinto, cobre; sardônica.
V. dourar, alaranjar, acobrear.
Adj. alaranjado, ocreoso, acobreado, jacintino, aêneo, dourado 436; ruivo;
flavo, alourado, fúlvido, fulvo, auricomado.

440. Variegação, matiz, gradação, matizamento, degradê, modulação, cambiante, nuança, visualidade, irisação, salpicadura, cromatismo, policromia, combinação, mescla, sortimento, malhas, pintas, estrias, listra, beta, opalescência, furta-cor, catassol, espectro solar, tulipa, íris;
arco-íris, arco-da-velha, arco-celeste, arco da chuva, arco de Deus, arco da Aliança, pavão, borboleta, camaleão, zebra, leopardo, madrepérola, irídio, mármore, jaspe, ônix, nácar, xadrez, remendo, colcha de retalhos, mosaico, calidoscópio, arlequim, cromática, tatuagem.
V. ser de diversas cores, fazer cambiantes, variegar, degradar, cambiar, dar diversas cores a, irisar, iriar, matizar, esmaltar, listar, listrar, betar, marchetar, recamar, remendar, tachonar, raiar, rajar, salpresar;
salpicar, polvilhar de tintas; sarapintar, apavonar, mosquear, pintar de várias cores, zebrar, quartear, jaspear, salpicar de manchas;
tingir, mesclar, sortir de diversas cores; pintalgar, pontilhar, macular, manchar, tatuar, espargir, bordar, constelar, crivar, entrançar, entretecer, pontoar, variar, graduar, acatassolar, colorir, borrifar.
Adj. variegado & *v.*; variado, vário, bicolor, tricolor, quadricolor, multicolor, onicolor, versicolor, dicromático, apicholado (ant.), policromo, policromático, quadrimosqueado, de muitas cores, de todas as cores do arco-íris, iriado, irisado, irisante, acatassolado, calidoscópico, repintalgado, salpicado, salmilhado, salpreso, chitado, malhado, carijó (bras.), sarapantão, cromático, melaxanto, cambiante, furta-cor, de cores vivas e variadas;
opalino, opalescente, prismático, nacarado, auricerúleo, aurimesclado, quadrilunulado, remendado, zebroide, zebrário, mosqueado = ocelado, atigrado, zonado, zebral, zebrado, mosaico, pampa, arraiado, raiado, rajado, riscado, apavonado, pedrado, listrado, quarteado, pontilhado, pontoado, polvilhado, mesclado & *v.*; picado, oculado, oculoso, sardento, venoso, tulipáceo.

440a. Cores e sinais de cavalos:
alazão, cor de canela;
amame, de duas cores, preta e branca;
argel, que tem brancos os pés traseiros;
arminado, que tem malha de cabelos, branca ou preta, perto do casco, contrastando com a cor do mesmo;
atavanado, preto ou castanho, com malhas brancas nos ilhais ou nas espáduas;
baio, cor de ouro desmaiado; castanho ou amarelo torrado;

calçado, que tem malhas nos pés;
cambraia, completamente branco;
camurça, diz-se de certa cor de pelo pardo-vermelho dos muares;
celheado, de sobrancelhas brancas;
chairelado, de mancha branca no selador;
crinalvo, que tem a crina mais clara que os outros pelos do corpo;
crinipreto, que tem crina preta e de outra cor os outros pelos;
descopado, que, visto de lado, é mal aprumado;
douradilho, de cor amarelada, com reflexos dourados quando exposto ao sol;
estrelado, que tem uma malha na testa;
estreleiro, que levanta muito a cabeça ao andar, à menor pressão do freio;
façalvo, que tem grande sinal branco no focinho;
ferreiro, que tem pelo cor de rato;
fouveiro, castanho-claro;
frontaberto, que tem malha branca de alto a baixo na testa;
frontino, que apresenta malha branca na testa;
gateado, de pelo amarelo-avermelhado;
isabel, de cor entre branco e amarelo;
lobuno, que tem o pelo escuro; acinzentado, cor de lobo;
lontra, baio bem sujo;
malhado, que possui malhas ou manchas;
manalvo, que tem manchas alvas nas mãos;
mascarado, de qualquer cor, mas com a cara branca;
melanócomo, que tem o pelo escuro;
melroado, que tem a cor escura do melro;
mil-flores, mesclado de branco e vermelho;
morzelo, da cor da amora;
mouro, preto salpicado de pintinhas brancas;
nevado ou *interpolado*, que tem pelos brancos entremeados com pelos escuros;
olhalvo ou *olhibranco*, de olhos cercados de malhas brancas, ou que, ao erguer a cabeça, põe os olhos em alvo;
olhizarco, que tem cada olho de uma cor;
pampa, de cara branca, ou malhado no corpo inteiro;
pangaré, diz-se do cavalo que tem a parte inferior do ventre e as regiões entre os membros, a garganta e o focinho, esbranquiçados, como que desbotados;

pedrado, salpicado de preto e branco;
pedrês, salpicado de preto e branco;
picarço ou *pigarço*, de cor grisalha;
pinhão, de cor vermelha, semelhante ao pinhão;
pombo, de pele preta, coberta de pelos brancos e com crinas de igual cor;
prateado, branco, mascarado, com pintas pelo corpo;
quatralvo, malhado de branco até os joelhos;
queimado, tordilho claro;
rabalvo, de rabo branco;
rabilongo, de cauda longa;
rabicurto = *rabão*, que tem a cauda curta ou cortada;
rabicão, que tem a cauda entremeada de fios brancos;
raudão ou *rosilho*, que tem o pelo avermelhado e branco, dando o aspecto de cor rosada;
rengo, manco de uma perna;
ruano ou *ruão*, de pelo branco e pardo ou de pelo branco com malhas escuras e redondas; de cor clara e crinas amarelas;
ruço, pardacento;
sabino, de pelo branco mesclado de vermelho e preto;
testicondo, cujos testículos estão recolhidos no ventre;
tordilho, o mesmo que ruço;
velhori, de cor acinzentada;
zaino, de pelo todo castanho-escuro;
zarco, que tem malha branca em volta de um ou ambos os olhos;
zebruno, de cor mais ou menos escura.

440b. Cores e sinais de bois:

abistelado, de estrelas ou manchas brancas;
albardado, não malhado, nem sardo, mas tendo no lombo mazela de cor diferente da do resto do pelo;
almarado, que tem em volta dos olhos uma circunferência de cor diversa da do resto da cabeça;
alvação, branco, sem manchas;
araçá (bras.), amarelo mascarado/matizado de preto;
barroso (bras.), de pelo branco-amarelado;
bisco, que tem uma haste mais baixa do que a outra;
bocalvo, com focinho branco em cabeça escura;

borralho, cor de cinza;
botineiro, cujo pelo das pernas difere do resto do corpo;
brasino, de pelo avermelhado com listas pretas ou muito escuras;
braúna (bras.) ou *caraúno* (bras.), muito preto;
broco, que tem um ou os chifres pequenos e cheios de rugas;
cabano, que tem os galhos inclinados para baixo;
caldeiro, de chifres um tanto baixos e menos unidos que os dos gaiolos;
cambraia (bras.), inteiramente branco;
camurça, pardo-vermelho;
capirote, de cabeça e pescoço da mesma cor e pintas diferentes no corpo;
capuchinho, que desde a fronte à parte superior do pescoço, tem cor diferente da do resto do corpo;
cardim, branco e preto;
chita, branco e vermelho;
chamurro, novilho castrado, que fica tendo a dupla aparência de boi e touro;
chumbado, branco, vermelho ou castanho, chumbado de preto;
churriado (bras.), que tem extensas listas brancas sobre o pelame preto ou vermelho;
colorado (bras.), vermelho;
cornalão, de chifres muito grandes;
corneta, que perdeu um dos chifres;
cornicurto, de cornos curtos;
cornífero ou *cornígero*, que tem cornos;
cornilargo, de pontas muito afastadas uma da outra;
cornudo, que tem cornos;
corombó, de chifres pequenos ou quebrados;
cubeto, que possui hastes muito caídas ou quase juntas das pontas;
cumbuco (bras.), de chifres curvos, com as pontas voltadas uma para a outra;
ensabanado, de pelo todo branco;
escardado, designativo dos chifres, quando se desfiam, batendo de encontro a objetos resistentes;
espácio, de chifres muito abertos;
estorninho, zaino, com pequenas manchas brancas;
fubá (bras.), de pelo branco puxando a azul;
fumaça (bras.), de pelo vermelho tirante a preto;
fusco, de pelo escuro, preto;

gaiolo, de chifres em forma de meia-lua, e muito próximos nas pontas;
gravito, que tem armas direitas e quase verticais;
hosco, de cor escura, com o lombo tostado;
jaguané (bras.), que tem branco o fio do lombo, preto ou vermelho o lado das costelas e de ordinário branca a barriga;
laranjo, de cor de laranja;
listão, que tem no dorso uma listra de cor diferente da do resto do corpo;
lobuno, de pelo escuro e um tanto acinzentado como o do lobo;
lombardo ou *lompardo*, negro, com o lombo acastanhado;
machacá (bras.), mal castrado;
malacara (bras.), de testa branca com listra branca do focinho ao alto da cabeça;
mal-armado, de chifres defeituosos;
malesso, que tem mau sangue;
malhado ou *lavrado*, listrado, betado de preto e branco/manchado ou raiado de castanho-claro e escuro;
mascarado, de cara branca, ou que tem uma grande malha na cara;
meano, que tem branco o pelo dos órgãos reprodutores;
meirinho, diz-se do gado que no verão pasta nas montanhas e, no inverno, nas planícies;
melanuro, que tem cauda preta;
mocho, sem chifres;
mogão, de chifres sem ponta;
moico (reg.), privado de um dos chifres ou de ambos;
moreno, menos avermelhado que retinto;
mouro, preto salpicado de pintinhas brancas;
nambiju (bras.), o que tem as orelhas fulvas ou amarelas;
nevado, que tem algumas manchas brancas;
nilo (bras.), com a cabeça ou metade dela branca e o resto do corpo de outra cor;
oveiro, de malhas no corpo;
pampa, de cara branca, ou malhado no corpo inteiro;
parrado, de orelhas caídas;
pinheiro, de chifres direitos;
pintarroxo, pintado de castanho-claro;
pombo, branco ou camurça, com os olhos brancos;
punaré (bras.), amarelado;
rabicho, sem pelo na extremidade da cauda;
retinto, que tem cor carregada ou pelo semelhante ao dos cavalos castanhos;

rosado, branco, mesclado de amarelo, vermelho ou preto;
rouxinol, da cor do pássaro de igual nome;
salino, com o corpo salpicado de pintas brancas, pretas ou vermelhas;
salmilhado (bras.), salpicado de branco e amarelo;
silveiro, com malha branca na testa, tendo escura a cabeça;
torrado, que tem o pelo negro do meio para baixo;
touruno, mal castrado e que ainda procura as vacas;
troncho, a que falta uma orelha;
vareiro, que tem o corpo mais comprido do que é vulgar;
vinagre, de pelo castanho-claro, tirante a rubro.

440c. Cores e sinais de diversos animais:
aduncirrostro, que tem bico adunco;
alado, que tem asas;
albicaude, de cauda branca;
albirrostro, de bico ou focinho branco;
alífero ou *alígero*, o mesmo que *alado*;
alinegro, de asas negras;
altiperno, de pernas altas;
alvitórax, que tem o tórax branco;
ambulípede, que tem os pés bem conformados para andar;
anficéfalo, que tem duas cabeças;
anosteozoário, diz-se do animal que não tem ossos;
anuro, diz-se dos anfíbios sem cauda;
aplacentário, diz-se do animal que, depois de gerado, se desloca do corpo materno e vem completar no exterior o seu desenvolvimento;
aplócero, que tem antenas simples;
ápode, sem pés;
arlequíneo, diz-se dos animais de cores variadas;
atanário, que ainda não mudou as penas do ano antecedente;
atelépode, a que falta o dedo polegar ou qualquer outro;
atricaude, de cauda negra;
atrípede, de pés negros;
aurigastro, de ventre amarelo;
auripene, de penas douradas;
barbirrostro, de pelos no bico;
barbirruivo, de penas ou barbas ruivas;
bicaudado, de duas caudas;
braquidáctilo, de dedos curtos;

braquiúro, de cauda curta;
brevipene, de asas curtas;
calçudo, diz-se da ave que tem as pernas cobertas de penas;
caprípede, de pés de cabra (monstro 83);
caudífero, que tem cauda;
cianípede, de patas azuis;
cianirrostro, de bico azul;
cianóptero, de asas ou barbatanas azuis;
cinosuro, de cauda semelhante à do cão;
cissíparo, cujo organismo se divide em duas partes na geração;
cornicurto, de cornos curtos;
cornilargo, que tem as pontas muito afastadas uma da outra;
cornípede, de patas córneas;
cornudo, *cornífero* ou *cornígero*, que tem cornos;
crinito, *crinífero* ou *crinígero*, que tem crina ou coma;
criocéfalo, de cabeça semelhante à do carneiro;
crucígeras ou *cruzeiras*, diz-se das raposas que têm uma cruz negra no dorso;
curvirrostro, de bico curvo;
descaudato, o mesmo que *suro*;
desdentado, sem dentes;
enchapinado, diz-se dos cascos defeituosos;
ensirrostro, de bico em forma de espada;
equinípede, que tem as patas revestidas de pelos ásperos;
equípede, que tem as patas de igual comprimento;
falcípede, de pés curvos em forma de foice;
fantil, de boa altura ou de boa raça (cavalo ou égua) (*animal* 366);
ferreiro, de pelo da cor do de rato;
fissíparo, que se reproduz pela divisão do próprio corpo;
fuscicórneo, que tem as antenas pardas;
fuscímano, que tem as patas anteriores escuras;
fuscipene ou *fuscipêneo*, que tem penas pardas;
fuscirrostro, de bico pardo;
gimnuro, que tem a cauda nua;
heterodáctilo, que tem o dedo externo reversível;
himenópode, que tem dedos meio ligados por membrana;
himenóptero, de quatro asas membranosas e nuas, como as das abelhas;
homínido, semelhante ao homem (falando dos mamíferos);

440c. Cores e sinais de... | 440c. Cores e sinais de...

inalado, sem asas;
isodáctilo, de dedos iguais;
isópode, de patas iguais ou semelhantes;
lamelípede, de pés achatados;
lamelirrostro, que tem o bico guarnecido de lâminas;
macróptero, de asas grandes ou membranas alares;
macrotársico, de tarsos compridos;
macruro, de cauda longa;
malacodermo, de pele mole;
mal-armado, que tem hastes defeituosas;
marsupial, que tem órgão em forma de bolsa, situada por baixo do ventre e onde as fêmeas trazem os filhos enquanto os amamentam;
melanócero, de cornos e antenas negras;
melanóptero, de asas ou élitros negros;
melanuro, de cauda negra;
merino, designativo de uma espécie de carneiro de lã muito fina;
micrócero, de antenas curtas;
microdáctilo, que tem os dedos pequenos;
microglosso, de língua curta;
micrógnato, de maxilas pequenas;
milípede, que tem muitos pés;
misocéfalo, de cabeça em forma de ventosa;
monócero, que só tem um corno;
monodáctilo, de um só dedo;
monodonte, de um só dente;
monoílo, cujo corpo forma uma só massa homogênea;
monolépide, que tem uma só escama;
momóptero, de uma só asa;
monozoico, diz-se do animal de vida individual e insulada;
multípede, de muitos pés;
multiungulado, de mais de dois cascos em cada pé;
náfego, diz-se do cavalo que tem um quadril maior que outro (ver 440a), ou do animal aleijado que coxeia;
nigrípede, que tem pés negros ou escuros;
octópede, de oito pés ou tentáculos;
ortodáctilo, de dedos direitos;
ortodonte, de dentes direitos;
osteozoário, o mesmo que vertebrado;
ovovíparo, diz-se do animal cujo ovo é incubado no interior do organismo materno, sem que se nutra à custa do mesmo;
parrado, de orelhas caídas;
patudo, de patas grandes;
perissodáctilo, que tem dedos em número ímpar;

perolífera, diz-se das ostras em que se formam pérolas;
perlífero, que produz pérolas;
plantígrado, que anda sobre a planta dos pés;
pneumobrânquio, diz-se dos peixes que respiram por brânquias e pulmões;
polidáctilo, de muitos dedos;
poligástrico, de muitos estômagos;
pressirrostro, de bico comprido;
primípara, diz-se da fêmea que tem o primeiro parto;
pterodáctilo, cujos dedos estão ligados por membranas;
quadrialado, de quatro asas;
quadridentado, de quatro dentes;
quadridigitado, de quatro dedos;
quadrímano, de quatro tarsos dilatados em forma de mão;
quadrimembre, de quatro membros;
quadripenado, o mesmo que *quadrialado*;
rabifurcado, de cauda bifurcada;
rabigo, que mexe muito com a cauda;
rameiro, que anda de ramo em ramo, preparando-se para voar;
rarípilo, de pelo muito ralo;
rododáctilo, diz-se dos insetos que têm asas digitais e cor-de-rosa;
roncolho, mal castrado/ou que só tem um testículo;
rostrado, que tem bico, focinho ou esporão;
rotundicolo, de pescoço redondo;
ruante, diz-se do pavão quando ergue a cauda;
sarcóstomo, de boca carnuda;
sarópode, de patas peludas;
sindáctilo, que tem os dedos soldados entre si;
solípede, que só tem um casco em cada pé;
suro, sem cauda;
tauricórneo, que tem cornos de touro;
tentaculado ou *tentaculífero*, que tem tentáculos;
tenuicórneo, de antenas ou cornos delgados;
tenuípede, de pés pequenos;
tenuipene, de penas pequenas;
tenuirrostro, de bico delgado e longo;
terciopeludo, de muito pelo;
testáceo, que tem concha;
tetrácero, que tem quatro antenas ou tentáculos;
tetradáctilo, que tem quatro dedos;
tetrápode, de quatro pés;

440d. Sinais característicos ... | 440e. Partes do corpo humano

tetráptero, o mesmo que *quadrialado*;
torcaz, diz-se do pombo que tem coleira de várias cores;
tetroftalmo, que tem quatro olhos;
tridáctilo, de três dedos;
trigonocéfalo, de cabeça triangular;
uncinado, que tem unha ou garra;
uncirrostro, de bico adunco, recurvo, em forma de unha;
unguicolado, que tem uma unha em cada dedo;
unialado, de uma só asa; monóptero;
uniarticulado, que só tem uma articulação;
unicorne, que só tem um corno ou ponta;
unípara, que pare um filho de cada vez;
urobrânquio, que tem as brânquias perto de cauda;
urodelo, que tem cauda muito visível;
varudo, diz-se do animal cujo corpo é direito, comprido e forte;
vertebrado, que tem vértebras; animal dotado de esqueleto ósseo ou cartilaginoso, composto de peças ligadas entre si e móveis umas sobre as outras;
zigócero, que tem tentáculos em número par;
zigodáctilo, de dedos em número par;
zoóbio, que vive dentro do corpo dos animais.

440d. Sinais característicos do homem:
aurícomo, de cabelos dourados;
auricrinante ou *auricrinito*, de trança dourada;
banguela ou *anodonte*, desdentado;
barbaçudo, que tem muita barba;
barbado, com barba;
barbifeito, de barba feita;
barbinegro, de barba negra;
barbipoente, a quem a barba aponta;
barbirruivo, que tem a barba ruiva;
belfo, que tem o beiço inferior pendente ou muito mais grosso que o superior;
beiçudo, de beiços grossos;
capribarbudo, que tem barbas como o bode;
carinegro, trigueiro;
carrancudo, *trombudo* ou *focinhudo*, de cara feia ou de rosto sombrio e carregado;
cianoftalmo, que tem olhos azuis;
coxo, que manqueja, que claudica, ou pessoa a que falta perna ou pé;
espadaúdo, encorpado, largo das espáduas;
geboso, corcovado, mal trajado;
guedelhudo ou *gadelhudo*, cabeludo/de cabelo desgrenhado e comprido 205;
lampinho, que não tem barba;
liposo, que tem remela;
louraça, pessoa que tem o cabelo de um louro deslavado;
mamalhudo, de mamas grandes;
mamudo, que tem grandes mamas;
maneta, pessoa a quem falta um braço/que tem uma das mãos cortada;
manicurto, das mãos curtas;
mãozudo, de mãos grandes;
melanócomo, de cabelo escuro;
melanope, de olhos negros;
olhinegro, de olhos negros;
olhizarco, ou *zarco*, de olhos azuis claros;
olhudo, de olhos grandes;
pencudo, de nariz grande;
pepolim (ant.), o mesmo que coxo;
perniaberto, de pernas abertas;
pernalto, *pernalteiro* ou *pernaltudo*, de pernas altas;
pernegudo, de pernas grandes;
pernicurto, de pernas curtas;
pernilongo, de pernas longas;
perniquebrado, de perna quebrada;
pernitorto, de pernas tortas;
pescoçudo, de pescoço grosso;
pestanudo, de grandes pestanas;
prógnato, que tem as maxilas alongadas e proeminentes;
pezudo, de pés grandes;
ramalhudo, de grandes pestanas;
rebarbativo, que parece ter duas barbas (queixo) por estar muito gordo;
remelgado, que tem o bordo da pálpebra revirado;
sexdigital ou *sexdigitário*, que tem seis dedos;
testudo, de testa grande;
ventrudo ou *ventripotente*, barrigudo (*feio*) 846;
verrucífero, *verrugoso* ou *verruguento*, que tem verrugas;
vesgo ou *estrábico*, zarolho (443);
zambro ou *cambaio*, de pernas tortas.

440e. Partes do corpo humano:
Microcosmologia, descrição do corpo humano; corpo, a forma do vestido; cabeça 450; *sinciput*, sincipúcio = o alto da cabeça; crânio, *pericrânio* = periósteo que reveste a superfície externa do crânio; *mesófrio*

= a parte do rosto entre as sobrancelhas; *olho* 441; testa, fronte; *ouvido, orelha* 418; face, cara, *rosto* 234; *boca* 260; *língua*, céu da boca = palato; úvula = campainha; *dentes* 253; lábio(s), beiço(s); *nariz* 250; gasnate, gasganete, gasnete = garganta, pescoço; cachaço = parte posterior do pescoço; nuca, queixo, mento; pomo de adão; encéfalo, cérebro, cerebelo, bulbo raquiano ou raquidiano, ponte, corpo caloso, tálamo, hipotálamo; bochecha = proeminência carnuda da face, gengiva = tecido fibro-muscular, colo de garça = pescoço alto e bem lançado; *goela* 351; *coração* 221, artéria, veia, vaso capilar, sangue, linfa, plasma; *tórax, petrina* = arca do corpo, arca do peito; *toracometria* = medida do tórax; torso = busto, fígado, vesícula biliar; rins, ureter, bexiga, uretra; pâncreas, baço; *abdome* 250; glândulas, gânglios; *seio, teta* 250; gaforina = cabeleira 256; *cordão umbilical* 45; umbigo, úraco, braço, antebraço, úmero = osso do braço, *rádio* = osso que forma o antebraço; *cúbito, ulna*: o mais comprido e grosso dos dois ossos do antebraço, sovaco = axila, cotovelo, articulação, charneira = gínglimo, mão = pesada, *dedos* 781; raia = linha da palma da mão, sabugo, parte do dedo, a que adere a unha, munheca = pulso = carpo, cintura; *nádegas* 235; barbela = mento = queixo, maxila, mandíbula, maçãs do rosto; útero, madre, matriz; faringe, golelha = esôfago, *estômago* 221; piloro = orifício que comunica o estômago com o intestino, intestino, canal intestinal = tripa (pop.), jejuno = parte do intestino delgado entre o duodeno e o íleo, lenço = peritônio, ceco, cólon, reto, *ânus* 235; região lombar 236; ilharga, quadril; partes pudendas; genitália, sistema reprodutor, órgãos genitais, vagina, pito = clitóris, vulva, monte de vênus, pênis, pipi (das crianças), períneo = espaço entre o ânus e os órgãos sexuais, testículo = ovo = glândula do escroto; gâmbia, *perna* 215; canícula, sanco = perna fina, perônio/fíbula = osso da perna que fica do lado da tíbia, fêmur = osso da coxa, *joelho*; panturrilha = barriga da perna, rótula = patela, pé = chanca = canastra = pesunho = prancha = patola = toesa (base) 211; metacarpo = palma da mão; falange = cada um dos ossos do dedo (falanges proximal, medial e distal), metatarso, artelho, tornozelo, maléolo = cada uma das saliências que constituem o tornozelo, *aorta* (artéria) 350; *pulmões* 349, vias nasais, traqueia, brônquios, alvéolos pulmonares; coluna vertebral 215;
(nomes opositivos): de *cabelo*: ponta-raiz; de *dente*, coroa-raiz; de *mão*: palma-costas, dorso, reverso; de *pé*: colo, peito, dorso, tarso-planta, sola; jarrete = região atrás do joelho; manzorra = mão grande; manopla = mão grande e mal feita = manápula;
(vocábulos depreciativos): de *cabeça*: bestunto, cabeçorra, cachola, sinagoga; de *cabelo*: arapuá, carapinha, cupim, falripas, farripas, gadelhas, gaforina/garofinha, guedelha, grenha, melena, repa, trunfa; de *cara*: caranchona, carantonha, carranca, focinho, fuças, lata; de *nariz*: batata, beque, bicanca, bitácula, nariganga, narigão, narigueta, penca, pimentão; de *pé*: chanca, pata, patola, patonha, pezunho, prancha, toesa.
Adj. perônio, peronial, peritonial; perineal; sacro, sacrofemoral; sacroilíaco, sacrolombar, sincipital, sincraniano, subclavicular, subconjuntival, subcostal, subcutâneo, submental, malar, submaxilar, subnasal; traqueliano = relativo à parte posterior do pescoço; torácico = relativo ao tórax; ósseo, muscular, dérmico, arterial, venal, adiposo, glandular, orgânico, sistêmico, nerval, neural, cerebral, cardíaco, pulmonar, estomacal, intestinal, hepático, renal, encefálico, pancreático, vesicular, fisiológico, anatômico, dermatológico, histológico, nervoso, respiratório, disgestório, urológico, genital, urogenital, ocular, visual, auditivo, gustativo, oral, olfativo, nasal, torácico, cranial, abdominal, dorsal, cervical, lombar, raquiano, raquidiano.

c. *Percepção da luz*

△ **441. Visão,** vista, visualidade, visiva, óptica;
olhar, mirada, um simples olhar;
relance, relance, lance-d'olhos; olhada, olhadela (pop.), olhadura, espiada, espiadela, vista-d'olhos, namoro, namoramento, espreitança, contemplação, exame, conspecção, conspecto, conspeito, inspeção, guarda, introversão, introspecção, intuspecção, reconhecimento, observação, espionagem;

campo de visão, teatro, tablado, palanque, anfiteatro, observatório, mirante, miramar, belver = belveder = belvedere, terraço, arena, meta, horizonte, vista do alto, periscópio; paisagem, perspectiva, panorama, cenário;
órgão, aparelho visual; visiva, viso (ant.); olho nu/desarmado; olhos, lumes (poét.), úvea, retina, pupila, menina do olho, íris, coroide, córnea, conjuntiva, esclerótica, nervo óptico, mácula, humor aquoso, corpo vítreo, cristalino, hialoide;
o branco/o bugalho/o globo do olho; coroidea, a alva, o alvo, albugínea, túnica albugínea, humor albugíneo, pestanas, cílios, celhas, supercílio, sobrancelha, sobrolho, vista curta 443; olhos aquilinos/de águia/de lince;
vista aguda/aquilina/penetrante/clara/esmerilhadora/arguta/escrutinadora; lume da vista, emetropia, optometria, opsiometria, faculdade de ver, discernimento, perspicácia, perspicuidade, águia, falcão, gato, onça, lince, Argo; hipermetropia, miopia, estigmatismo, estrabismo;
mau olhado, jetatura, jacaré, sucuri, basilisco;
oculística, oculista, oftalmologia, oftalmologista, oftalmografia, oftalmoscopia, visiometria.
V. ver, mirar, contemplar, olhar, observar, relancear, lobrigar, bispar, entressonhar, divisar, avistar, entrever, vislumbrar, descobrir, alcançar, descortinar, presenciar, assistir, remirar, reconhecer, encarar, fitar, olhar para alguém a fito, passar a vista em, passear o olhar, não desfitar a vista de, espreitar, irem-se os olhos a alguém nalguma coisa;
admirar, enxergar, discernir, perceber, notar, abranger com a vista, ver claro, distinguir, abarruntar, dar fé de, fitar os olhos em, afemençar (ant.), olhar para, medir com a vista, espiar, espionar, não levantar os olhos de, deitar os gázeos a alguém;
deitar, pregar, cravar os olhos em; pendurar os olhos em, namorar, pôr a vista em, lançar os olhos para;
passear, circunvagar o olhar; afagar com o olhar, mergulhar o olhar em, alongar a vista por, ver com ambos os olhos, ver por seus olhos, correr os olhos por, seguir com os olhos;

ser espectador/testemunha presencial/testemunha ocular/testemunha de ouvida, assistir a 186; testemunhar;
dar/ter/haver vista de; dar vista a, parar a vista em, pôr a vista em, perlustrar, manusear, dar uma vista de olhos, arrasar a vista, observar (*prestar atenção*) 457; velar (*ter cuidado*) 459;
esbugalhar, arregalar os olhos;
ter boa vista;
ter olhos de águia/de lince;
ter compasso no olho;
ter vista de lince, olhos de gato, olhos bugalhados; descegar.
Adj. vidente & *v.*; emetrope, visual, visório, ocular, oculiforme, oculado, óptico, oftálmico, visível 446; retiniano, albugíneo, albuginoso, cilífero, cilígero, cióptico.
Adv. visualmente, evidentemente & *adj.*; a olhos vistos, à primeira vista;
a um volver, a um relance-d'olhos; *prima facie*, a olho nu, a olho desarmado, com a vista apenas, à simples vista, com os olhos cravados.
Interj. Olhe!, Veja! (*atenção*) 457.
Frases: As escamas caíram-me dos olhos. Vi claramente visto. Vi com estes olhos que a terra há de comer.

▽ **442. Cegueira,** ceguidade, as sombras dos sem-luz, amaurose, gota serena, ablepsia, 443; caligem, catarata negra, tracoma, obscurecimento, escuridão, trevas;
falta, privação da vista, deficiência visual; venda, tiflografia, tiflologia, hemeralopia, hemeralgia, criptoftalmia.
V. ser (cego & *adj.*), ser deficiente visual; não (ver & 420); perder a vista;
ter catarata/névoas nos olhos; ter os olhos vendados, ter arestas nos olhos, tatear nas trevas, deixar de ver, fechar os olhos ao mundo, ter os olhos abotoados, apagar-se a luz dos olhos a alguém;
ter peneira/poeira nos olhos; tornar (cego & *adj.*); cegar, obcecar, ferir de cegueira, enceguecer, vendar os olhos, ofuscar, privar da vista, ir-se a alguém a luz dos olhos, tolher a vista, ocultar à vista 528; jogar poeira nos olhos, não olhar para, desapegar a vista de, desfitar;
fechar/desviar os olhos; desavistar.
Adj. cego, lusco, sem vista, deficiente visual, amaurótico, privado da vista, turvo da vista 443.

Adv. às cegas, cegamente & *adj.*; na escuridão, às apalpadelas.

443. Visão imperfeita, miopia, fraqueza de vista, hipermetropia, poliopia, disopia, cieropia, ambliopia;
vista curta/cansada; presbiopia ou presbitia, presbitismo, astigmatismo, hemiopia, perturbação visual, daltonismo, acromatopsia, paropsia, micropsia, macropia, monopsia, nictalopia, monoblepsia, midríase, miiodopsia = moscas volantes, escotomia, estrabismo, retinite, alocromatia, olhos grandes à flor do rosto, acória, névoa, albugo ou albugem, belida, estorvo à visão, fotofobia, pestanejo, nictação, oftalmia, oftalgia;
oculista, oftalmiatro, oftalmologista;
(Ilusão, efeitos de óptica): ilusão de óptica, artifício óptico, *deceptio visus*, engana-vista, *trompe l'oeil*, ilusão, prestigiação, prestidigitação, manigância, prestígio, passe-passe, ilusionismo, fotopsia, artes de berliques e berloques, anamorfose, palingenesia, imagem virtual, reflexo especular;
aparição, visão, *fata morgana*, miragem, sombra, espectro, fantasma, alma do outro mundo, medo (pop.), alma penada, visão fantasmagórica, buzaranho, sombrinhas, fogo-fátuo 423; espelho mágico, lanterna mágica 448; lente (*instrumento*) 445; mirolho, cegueta, tortelos, ambliope, míope, présbita, nictalope.
V. ser (curto de vista & *adj.*); ser vesgo = vesguear;
ter a vista embaciada/turbada; ter névoa nos olhos, precisar de quatro óculos, ter peneira nos olhos, ter argueiro na vista, ver através de um prisma, pôr os olhos furtados em, ver a olhos furtados;
olhar de esguelha/de soslaio, coar-se o olhar por entre as pálpebras semicerradas, entreabrir os olhos, envesgar os olhos, entrever, lobrigar, vislumbrar, entressombrar, pestanejar, piscar.
Adj. curto da vista, míope, malvisto (ant.), pitosga, peticego, catacego, torto, atravessado, vesgo, oblíquo, vesgueiro, vasqueiro, mirolho, lusco, zanaga, zarolho, tortelos, zanolho, monóculo, monopse, zerê (bras.), olhizaino, unóculo, torto da vista, zãibo, zambaio, présbita, estigmático, nictalópico, estrábico, peto, binoculado, albino, asso, assa, visionário, vidente, ramelloso.

444. Espectador, contemplador, espreitador, vigia, assistente, presenciador, observador, olheiro, mirão, mirone, admirador, astrônomo, Argos, testemunha, testigo (ant.); testemunha ocular/auricular/presencial/de vista/de ouvido; circunstante, viandante, transeunte, passageiro, vidente, testemunha jurada, padrinho, paraninfo, sentinela (*aviso*) 668; auditório, assistência, público, plateia, casa, telespectador.
V. testemunhar, contemplar 441; assistir a 186; ver de palanque, paraninfar; observar, espiar, espreitar, espionar, perscrutar, vigiar.

445. Instrumentos de óptica, lente, lentícula, lupa, menisco;
menisco convergente/divergente; monóculo, *pince-nez*, óculos, lentes de contato, olhos, nauscópio, periscópio, microscópio, polariscópio, estereoscópio, calidoscópio, verascópio, espéculo, polarímetro, binóculo, helioscópio, telescópio, selenóstato, sextante, teodolito, longamira, equatorial, luneta, campo de observação;
espelho, refletor, refletidor, o lume do espelho, prisma, objetiva, ocular, retícula, pínula, alidade;
câmara lúcida/obscura, êugrafo, lanterna mágica, fena, animatógrafo, microscopista.
Adj. lenticular, lentiforme, meniscoide, microscópico, telescópico, binocular, estereoscópico, calidoscópico, prismático; anastigmático, bicôncavo, biconvexo, bifocal, multifocal, divergente, convergente;

△ **446. Visibilidade,** visualidade, perceptibilidade, conspicuidade, cristalinidade, limpidez, nitidez, translucidez, transparência, distinção, aparecimento 448; exposição, manifestação 525;
prova, evidência, demonstração ocular; campo de observação, nascimento, levantamento, emergência, serenidade, pureza.
V. ser/tornar-se visível; aparecer, expor-se às vistas de, deparar-se a alguém;
cair sob as vistas/sob o olhar de alguém; mostrar-se, apresentar-se, manifestar-se, desencobrir-se, patentear-se, desenfronhar-se, descobrir-se, oferecer-se, revelar-se, trair-se, expor-se, atolhar-se aos olhos de, exibir-se, ressurtir, ressurgir;
repontar, levantar-se, erguer-se, apontar, nascer, estar sobre o horizonte, brotar, aflo-

447. Invisibilidade | 448. Aparecimento

rar, brilhar, iluminar, vir à luz, vir à luz do dia, irromper, surgir, surdir, emergir, pisar o palco, entrar em cena;
fazer seu aparecimento/sua estreia; destacar-se, andar de mão em mão, raiar, assomar, pintar-se aos olhos de alguém, romper as nuvens, deseclipsar-se, entremostrar-se, destoldar-se, desembruscar-se, desofuscar-se, desenfuscar-se, desnublar-se, desenublar-se, desassombrar-se, desanuviar-se;
entreabrir, desembaciar, desvelar, desempanar, limpar, desenevoar-se, desenfurnar-se, desenlapar-se, desenfarruscar-se, desenlutar-se, transluzir, reslumbrar, transparecer, alvejar, negrejar, florescer, erguer-se;
figurar, aparecer em cena;
oferecer-se à contemplação/à admiração, atrair atenção, reaparecer, renascer, não passar despercebido, destacar-se, avultar, sobressair, realçar, tornar(-se) (visível & *adj.*); dar realce/relevo a; pôr em evidência.
Adj. visível, visíbil (ant.), visivo, perceptível, perspícuo, aparecente, aparente, transparente, apreciável, sensível, exposto à vista, reconhecível, óbvio (*manifesto*) 52; claro, distinto, saliente, desanuviado & *v.*; distinguível, sem névoas, limpo, límpido, translúcido, puro, cristalino, sereno, evidente, palpável, que se vê a olhos desarmados, transvisto, lúcido, definido, nítido, pronunciado, bem assinalado, tangível, marcado, conspícuo, estereoscópico, periscópico, panorâmico.
Adv. visivelmente & *adj.*, diante dos olhos, à vista, *oculis subjecta fidelibus*, *veluti in speculum*.

▽ **447. Invisibilidade,** imperceptibilidade, indiscernibilidade, indistinção, mistério, segredo, ocultamento 528; desaparecimento, não (aparecimento 448); delitescência, latência 526; camuflagem, embuço; interlúnio, lua nova.
V. ser invisível, estar abaixo do horizonte, estar oculto 528; jazer oculto 528; escapar à observação, negar-se, não aparecer, eclipsar-se, apagar-se, passar despercebido; não dar fé;
tornar (invisível & *adj.*); ocultar 528; camuflar, encobrir, encerrar, tirar da vista, não ver (*ser cego*) 442; perder de vista, desavistar.
Adj. invisível, secreto, inobservado, desconhecido, indistinguível, imperceptível, impercebível, insensível, que os sentidos não revelam, indiscernível, indiscriminável, inaparente, *à perte de vue*, despercebido, telescópico;
atrás das cortinas/dos bastidores; inviso, coberto, entrenublado, latente 526; obscuro, encoberto, escondido, camuflado, clandestino, misterioso, promíscuo, confuso, indelineável, indistinto, incerto, impreciso, indefinido, mal determinado, vago, enevoado, sumido, nebuloso, sumidiço, opaco 426; oculto 528; interlunar, velado, eclipsado, abscôndito.
Adv. invisivelmente & *adj.*; abaixo do horizonte; *in occulto* = às escondidas.

△ **448. Aparecimento,** afloramento, surgimento, aparição, manifestação, advento; superfície, fenômeno, espetáculo, exibição, surto, vislumbre, viso, aparência, simulacro, catadura, continência (ant.);
cena, cenário, *coup d'œil*, golpe de vista, *look-out*, vista, prospecto, mostra, mostrança, panorama, perspectiva, quadro, paisagem, ostentação, exposição, feira, *mise-en-scène*, encenação;
afastamento da cortina/do velário; reaparecimento, fantasma (*ilusão de óptica*) 443; pompa, aparato, teatro ambulante, sombras chinesas, magia, mágica branca, lanterna mágica, fantascópio, fantasmatoscópio, fantasmagoria;
diorama, neorama, poliorama, cosmorama, uranorama, georama, tutilimúndi, jogo de cena, luxo (*ostentação*) 882;
insígnia (*indicação*) 550; aspecto, talhe, porte, conteúdo, *facies*, feição, face, configuração, feitio, forma 240; aparência, antojo, exterior, exterioridade, trajo, vestuário, cor, imagem, ar, compleição, matiz, presença, expressão, ponto de vista, prosopografia;
lineamento, traços gerais, *trait*, traço, linhas, esboço, perfil, contorno, cara, fisionomia, rosto, semblante, metoposcopia, postura, posição, atitude, pose.
V. aparecer; ser, tornar-se (visível & 446); parecer, sembrar (ant.), semelhar-se, ter ares de;
apresentar/ter/trazer/exibir/tomar/assumir aparência aspecto de; fazer uma figura, aparentar, configurar(-se), apresentar-se

aos olhos, mostrar-se 52; nascer, assomar, surgir, emergir, deseclipsar, reaparecer, entremostrar.
Adj. aparente, ostensivo, descoberto, escancarado, evidente, patente, visível, ostensório;
fantasmagórico.
Adv. aparentemente & *adj.*; como que/se, com todas as aparências, *prima facie*, na aparência, à primeira vista, ao primeiro lance ou golpe de vista, ao primeiro aspecto, sob este prisma, por esse lado, neste particular, aos olhos de, à vista do observador, de modo que (fam.), parece que.

▽ **449. Desaparecimento,** evanescência, sumiço, descaminho, eclipse, extravio, ocultação, solcris (ant.), desvanecimento, evaporação;
partida 293; êxito, saída, sumidura, sumidouro, absorvedouro, voragem, sorvedouro, ocaso, esconderijo 530.
V. desaparecer; evanescer; escapulir-se, eclipsar-se, ocultar-se à vista, à observação.

esvaecer-se, evaporar-se, evaporizar-se, dissolver-se, passar, ir-se, acabar, dissipar-se, derreter-se, sumir(-se), sochiar, retirar-se, dar o fora, dar o pira, pirar, escafeder-se, sepultar-se, velar-se, amortalhar-se, desassomar;
fundir-se, refundir-se, diluir-se, levar o diabo; subtrair-se à vista, ter sumiço, fugir, entapar-se, fazer vispere, desvanecer-se, encobrir-se, esconder-se, ocultar-se, transmontar-se 528; perder-se, morrer, amoitar-se, extraviar-se, desencaminhar-se, descarreirar;
não deixar rastos, vestígios; pôr-se longe das vistas, levar descaminho, ausentar-se (*partir*) 293; esvaecer-se, mergulhar-se, sofrer um eclipse, passar por um eclipse, desfazer-se como o sal na água, perder de vista, desavistar;
apagar 552.
Adj. desaparecido, sumido & *v.*; ido, partido; evanescente.
Interj. fora daqui!, suma-se!, some-te! 295; ápage!, arreda! rua!

CLASSE IV. ENTENDIMENTO

Divisão I. FORMAÇÃO DAS IDEIAS

1º) Operações intelectuais em geral

450. Intelecto, inteligência, entendimento, conceito, casco (fig.), intelecção, intelectualidade, espiritualismo, razão, psiquismo, mente, bom-senso, compreensão, espírito, luz que ilumina o espírito, raciocínio, cerebração, a luz da inteligência, faculdade de raciocinar, raciocinação, racionalidade, racionabilidade, capacidade do espírito, o sol do entendimento, capacidade intelectual;
faculdades intelectuais, cogitativas, inventivas; inventiva, consciência, perceptibilidade, faculdade noscitiva, observação, percepção, olho vivo, agudeza de espírito, conceptibilidade, cognoscência, percebimento, intuição, associação de ideias, instinto, sentido, concepção, ideia, julgamento, discernimento, juízo, tino, tento, talento, gênio, sabedoria 498, habilidade, 698;
alma, psique, espírito, ânimo, coração, peito, interior, *penetralia mentis, divina particula auræ*;

órgão, sede do pensamento/das sensações; *sensorium*, sensório, sensório comum, miolo, cérebro, cabeça, tinote (pop.), cachimônia, sinagoga, bestunto, cabeçorra (dep.), tonta (chulo), bola, tola (chulo), mioleira, testo (chulo), cachola, toutiço, caco, carola, casco, crânio, caveira, cerebelo, pericrânio;
encéfalo; massa encefálica, cefálica, cerebrina, mentalidade, estado psicológico; cerebralidade;
(ciência do espírito): metafísica, ciências psíquicas, psicometria, psicopatia, psicologia, psiquiatria, psicanálise, psicose, ideologia, ideogenia, filosofia mental, moral, do espírito; pneumatologia, frenologia, craniologia, cranioscopia, craniografia, cefalometria;
idealidade, idealismo, transcendentalismo, espiritualismo, imaterialidade 317; animismo, metafísico, psicólogo, psicologista, ideólogo, craniólogo, transcedentalista.
V. notar, observar, marcar, apreciar, discernir, lobrigar, pousar sua observação em, tomar conhecimento de, inteirar-se, ser sabedor de, ter consciência de, realizar, rumi-

451. Pensamento | 452. Incompreensão

nar (*pensar*) 451; fantasiar (*imaginar*) 515; raciocinar, razoar.
Adj. intelectual, intelectivo, intelectível, mental, racional, subjetivo, moral, metafísico, espiritual, psíquico, psicológico, cerebral, cerebrino, cefálico, encefálico, sensorial, craniano, cranioso, craniolar, anímico, cranista;
imaterial 317; dotado de raciocínio, cognoscitivo.
Adv. *in petto*, com a mente, no pensamento, no íntimo d'alma, moralmente, em consciência, espiritualmente, teoricamente.

△ **451. Pensamento,** exercício da inteligência, reflexão, idealização, ponderação, cogitação, consideração, raciocínio, estudo, lucubração, elucubração, especulação, deliberação, resolução;
trabalho cerebral/mental; mentalidade, cerebração, atividade intelectual, alta meditação, estudo acurado, aplicação (*atenção*) 457; contensão do espírito;
abstração, ideia abstrata, contemplação, cisma, inatenção 458; devaneio, platonismo, profundeza de pensamento, operações do espírito, pensamentos íntimos, introspecção, introversão = exame íntimo, intuspecção;
associação, sucessão, fluxo, série, corrente de ideias, de pensamentos;
reflexão tardia, pensamento maduro, reconsideração, intenções reservadas, segundas intenções, restropecção (*memória*) 505; excogitação (*exame*) 461; invenção (*imaginação*) 515.
V. pensar, pensamentear, entender, refletir, cogitar, cucar, sobrepensar, excogitar, idealizar, imaginar, deliberar, dar no miolo, reflexionar, ponderar, pesar, pôr o caso em si; aduzir, dispensar considerações; puxar da cachimônia, especular, contemplar, meditar, cismar, recolher-se, reconcentrar-se, absorver-se, mergulhar-se, engolfar-se, remastigar, sonhar, ruminar, remascar, matutar, parafusar na ideia, trazer no miolo a veneta de, roer em alguma ideia, remoer, cuidar e recuidar;
aplicar, orientar a atenção 457; digerir, ter concepção viva, discutir, martelar sobre, pesar, pensar maduramente, atentar, sobrepensar, apreciar, fantasiar (*imaginar*) 515; criar na mente, tomar em consideração, tomar o peso a, sopesar, medir, avaliar, tomar conselho 695; comungar com, sobrestar, atender a, olhar, reparar;
reunir/concatenar ideias; revolver na mente, remorder, dormir sobre, verrumar;
passear, circunvagar o pensamento por; consultar o travesseiro, recolher-se para pensar;
dar tratos à bola/à imaginação;
atormentar-se, fatigar o cérebro, pôr o cérebro em atividade, conceber a ideia;
alimentar/nutrir/acariciar/amimar/afagar um pensamento/uma ideia; possuir-se de uma ideia, compenetrar-se, perder-se em algum pensamento, ocorrer a alguém, meter-se na cabeça de alguém, vir à cachimônia;
dar na veneta/na carola a alguém; ter sempre em/na mente; dar no pensamento de;
vir à memória/ao pensamento; relampaguear no cérebro;
assaltar/povoar o espírito; apresentar-se, sugerir-se/entrar na cabeça;
passar/esvoaçar no cérebro;
impressionar/calar no espírito;
monopolizar/absorver/cativar/empolgar/preocupar o pensamento; entrar nas cogitações, passar pelo bestunto de.
Adj. pensado, pensador, pensativo, pensante, meditador, meditativo, meditável, inventivo, abismado em funda meditação, cismático, meditabundo, devaneador;
perdido, enlevado, embebido, engolfado, mergulhado, imerso em pensamento (*inatento*) 458; contemplativo, especulativo, estudioso, deliberativo, introspectivo, platônico, filosófico.
Adv. pensadamente & *adj.*; *in mente*, mentalmente, por pensamento.

▽ **452.** (Ausência ou falta de pensamento) **Incompreensão,** irreflexão, inatividade intelectual, branco, ausência, fatuidade 499; inatenção 458; abstração, paranoia, misologia.
V. não (pensar & 451); dar um branco; não compreender, boiar (gír.);
dissipar/varrer/afugentar/afastar/remover/tirar do espírito; não cuidar de, entregar-se ao devaneio 458;
dissipar o pensamento, tirar de alguma coisa a ideia;
relaxar/indisciplinar/distrair o espírito; não dar por isso, não se dar por entendido.
Adj. irrefletido, irreflexivo, inintelectual, inideal, desocupado, ocioso, omisso, ausen-

te, abstrato 458; irracional 499; de espírito acanhado 481; estúpido, bronco;
incogitado, impensado, imeditado, imemorado, inconsulto, inconsiderado, irreflexo, levantadiço, impensável, incogitável.

△ **453.** (Objeto do pensamento) **Ideia,** espírito, noção, concepção, formulação, conceito, pensamento, apreensão, visão, impressão, percepção, imagem, sentimento, reflexão, observação, consideração, opinião, julgamento, análise, ideia abstrata;
vista (*opinião*) 484; teoria 514; fantasia (*imaginação*) 515;
ponto de vista (*aspecto*) 484; campo de observação.

▽ **454. Tópico,** alimento, pão do espírito; pábulo mental, cevo;
assunto, pasto, matéria, progimnasma, tema, assunto, ponto, texto, objeto, sujeito, conteúdo, teor, termo, item, caso, alvo, intriga, enredo, entrecho, ação, nó, tese, anquilha (ant.), questão, secreta, argumento, sentido, noção, resolução, título, capítulo, proposição, teorema, objeto de discussão, problema 461;
campo, cavalo de batalha.
V. fundar, flutuar no espírito 461; constar, rezar, tratar, conter, versar.
Adj. considerado, dominante, *in petto.*
Adv. em consideração, em questão, em apreço, em estudo, sobre o tapete, na tela, *sub judice,* relativo a & 9.
FRASES: Trata-se de. Está em jogo.

2º) Condições e operações

△ **455.** (Desejo de saber) **Curiosidade,** interesse, empenho; ânsia, sede inexaurível de saber; aguilhão da curiosidade;
espírito investigativo/de crítica, reparo, reparação, busca, indagação, sondagem, pesquisa, investigação, sabatina, basculho, inculca, perquisição, perquirição, bisbilhotice, abelhudice, uma aspiração de verdade, ânsia de saber, sede-d'alma;
Adj. curioso, investigador, perguntão, espião, perguntador, bisbilhoteiro, fuinha, boateiro, gazeteiro, rato de biblioteca, abelhudo, tange-foles, falatório 532; reparadeira, rebusqueiro, perscrutador, fuçador.
V. ser curioso & tomar interesse em, quebrar a cabeça, apertar com perguntas, perguntar, interessar-se, reparar, seroar, lucubrar, fazer lucubrações, auscultar, parafusar, apoquentar com perguntas, expremer, escrutar, perscrutar, sindicar, pesquisar, indagar, rebuscar, investigar, sondar, bisbilhotar, fuçar, basculhar 461; devorar com os olhos;
fitar, levantar as orelhas, abrir uns olhos grandes, ficar intrigado, rebentar de curiosidade, seguir os vestígios de, meter-se onde não é chamado, picar-se de curiosidade, entremeter-se, meter-se até os cotovelos em alguma coisa, dar vomitório a alguém, confessar alguém, sabatinar.
Adj. curioso;
ardente, sequioso, ansioso de saber; sequioso de novidades, investigante, investigador 461; inquisitorial, metido, metediço, abelhudo, insaciável, indiscreto, boquiaberto 507.
FRASES: Que há? Que há de novo? *Quid novi?*

▽ **456.** (Ausência de curiosidade) **Incuriosidade,** descuriosidade, indiferença 866; desinteresse, menosprezo, desdém, displicência.
V. ser incurioso & não ter curiosidade; fazer-se de desentendido, ignorar, desconsiderar, não (prestar atenção 457); abstrair-se, não se interessar por 823 e 866, desinteressar-se; mudar de conversa, desconversar, cuidar unicamente dos seus negócios, não se importar.
Adj. incurioso, descurioso, indiferente, impassível 823 e 866.
FRASE: Entrar por um ouvido e sair por outro.

△ **457. Atenção,** sentido, cuidado, tento, guarda, vigilância, olho, aplicação aturada, aplicação cuidadosa do espírito/pensamento 451; concentração de espírito; compenetração, atentamento, sintonia;
advertência, reparo, observação, nota, reclamo;
análise, inspeção, fiscalização, revista, exame, estudo;
escrúpulo, consideração, carinho, apreço, respeito, tino, circunspecção (*cuidado*) 459; gentileza, favor;
escrutínio, investigação, pesquisa, introspecção, estudo ativo/diligente/exclusivo/minucioso/aturado/intenso/profundo/

meditado/prolongado; reflexão, ponderação, meditação, contensão, minuciosidade, particularidade, meticulosidade, atenção para os pormenores, absorção do espírito 457; ouvidos dependentes da boca de alguém;
indicação, chamada de atenção, sopontadura, compelativo, advertência, N. B., *nota bene*, asterisco, flecha 550.

V. atentar, estar atento, atender;
dar, prestar atenção; estar ligado, estar logado, tentear, observar, dar ouvidos, pôr o ouvido à escuta, aconchear a mão atrás da orelha, estar com a boca aberta, não tirar os olhos 441; estar antenado, estar de radar ligado;
arregalar/esbugalhar os olhos; aplicar os cinco sentidos;
ser todo ouvidos/todo olhos; ouvir, escutar, assuntar (bras.), aplicar o ouvido, lançar os olhos para, não levantar os olhos de;
esquecerem-se os olhos, os ouvidos em alguma coisa;
fitar, levantar as orelhas; não despregar os olhos de, ocupar-se com, contemplar (*meditar*) 451; apontar o ouvido para, meter-se até os cotovelos em alguma coisa, ter em mente;
levar/tomar em conta/em consideração; considerar, dar vista a alguma coisa, examinar, mirar, perlustrar, examinar muito atentamente, remirar, cravar os olhos em, recensear, escrutar, esmiuçar, sondar, investigar, fiscalizar, escrutinar, esquadrinhar, espreitar, vigiar, observar, seguir, fixar a atenção, relancear os olhos;
correr os olhos, passar os olhos; folhear, compulsar, manusear, perscrutar, não deixar cair no chão, percorrer, olhar de relance (*negligência*) 460; repartir-se, ponderar, pesar, refletir, reparar, tomar tento, atentar, considerar, pesar as palavras, reflexionar, olhar, volver as vistas para; resguardar;
examinar meticulosamente/detidamente/minuciosamente; não perder o menor gesto de alguém, rever, fazer reparo em, reparar bem, inspecionar, rondar, revistar, vasculhar, passar em revista;
lançar/fixar/consagrar a atenção; fitar o pensamento em, pausar sua observação em, ouvir até o fim, aquecer-se, interessar-se por; concentrar-se em, não desligar de;

escutar alguém, seguir alguém, dar audiência a alguém, velar (*esperar*) 507; tomar cuidado de 459;
ser alvo da atenção de;
estar exposto às atenções/aos comentários; provocar reparos, cair no gosto, dar na vista, desfazer a frieza dos indiferentes, despertar, desamodorrar, abalizar-se em 875; despertar/solicitar/reclamar/exigir/impor/excitar/monopolizar/cativar/prender/ocupar/ferir/incitar/absorver/gravar a atenção, a ideia, o pensamento, o espírito, as vistas; recomendar-se por; empolgar, absorver, dominar, enlevar, arrebatar, estar presente ao espírito, levar os olhos, ser o enlevo de todos os olhares, impor-se à atenção, apontar, indigitar, apontar com o dedo, chamar a atenção para, acenar, pôr uma marca sobre, acentuar, sopontar, sublinhar, frisar, focalizar, salientar, pôr em foco, pôr em relevo, realçar, fazer reclamo de, esbater.
Adj. atento, estudioso, aplicado, pendente, fito, sério, observador, cuidadoso, meticuloso, desvelado, atencioso, vígil, preocupado, concentrado, ligado, logado, antenado, sintonizado; que não dorme, absorvido, absorto, mergulhado, enlevado, extasiado, seduzido, vigilante 459; ativo 682; compelativo;
absorvente, empolgante, demorado, prolongado.
Adv. atentamente & *adj.*; sem respiro nem pestanejo; com muita atenção, escrupulosamente, sem perder de vista.
Interj. escuta!, olha!, veja!, psiu!, atenção!, sentido!, alerta!

▽ **458.** (Falta de atenção) **Desatenção,** desaplicação, invigilância, inconsideração, irreflexão, leviandade, leveza, descuido, displicência, abstração, distração, evagação, inadvertência, imprudência, desconcentração, desligamento, inobservância, descaso (*negligência*) 460; inatividade 683;
indiferença 866; desconsideração, perplexão, atarantação, estouvamento; confusão, desorientação, atrapalhação, alheamento do espírito, arroubamento, preocupação, apreensão, devaneio, absorção, contemplação, enlevo, enleio, aprosexia.
V. desatentar, não atentar, estar (inatento, desatento & *adj.*); não prestar atenção, estar pensativo, pensar na morte da bezerra, estar distraído;

andar no mundo da lua/nas nuvens/com a cabeça no ar/com a cabeça de levante/com a cabeça à razão de juros/com a cabeça ao léu; estar a cem léguas de, estar de levante;
passar por alto, desconsiderar, negligenciar 460; inobservar, fazer pouco em, desatender;
fechar/cerrar/tapar os olhos; não prestar advertência, desperceber;
expelir/varrer/dissipar/descarregar do pensamento; não pensar mais em;
pôr de parte/de lado; desviar a atenção, fazer-se de surdo, ensurdecer-se, voltar as costas, negar os ouvidos a alguém, fazer ouvidos de mercador, olhar para outro lado, fazer-se Inês da horta, fazer-se de novas, ter os olhos abotoados, estar na aldeia e não ver as casas;
abstrair-se, distrair-se, desalhear-se, alhear-se, desconcentrar-se, desligar(-se), desaplicar-se, arroubar-se, enlevar-se, sonhar, devanear, absorver-se em vagas meditações, borboletear, não merecer menção, escapar a qualquer reparo, passar despercebido, cair em saco roto, perpassar de vista, entrar por um ouvido e sair pelo outro, escapar à memória (*esquecimento*) 460; (*falta de importância*) 643;
afugentar/desviar/distrair/desencaminhar/alhear/roubar/perturbar a atenção/o pensamento; preocupar, absorver, confundir, desorientar, aturdir, atarantar, bestificar, bestializar, burrificar, estontear, fazer perder a presença de espírito, enlerdar, apatetar.
Adj. inatento, desatento, inadvertido, desadvertido, inobservante, desaplicado, esquecido, negligente 460; invigilante, deslembrado, levantadiço, falta de discernimento, imprudente, descuidado, descuidoso, displicente, indiferente 866;
cego, surdo, estabanado, inconsiderado, estouvado, inconsulto, precipitado, arrebatado, atabalhoado, imponderado, leviano, fácil, pasmado, boquiaberto;
desmiolado, aturdido, atordoado, paranoico, demente, desatinado, zaranza, doidivanos, perplexo, surpreso, suspenso, apatetado, inconstante, doido, travesso, estonteado, atrapalhado;
sonhador, abstrato, incurioso, distraído, desligado, desconcentrado, aéreo, alheio, alheado, preocupado;
perdido, engolfado, imerso, mergulhado em longas cismas, cismático, meditabundo, pensativo, devaneador, absorto (*atento*) 457; sonolento;
distrativo, perturbador, desorientador & *v.*
Adv. inatentamente, desatentamente & *adj.*; sem tino, *per incuriam*, por engano, *sub silencio*, por alto, de passagem, pela rama, atordoadamente, de levante, impensadamente.
FRASES: A atenção vagueia. *Age quod agis.*

△ **459. Cuidado,** solicitude, pensamento, zelo, desvelo, gelosia (ant.), atenção, tento, empenho, interesse, escrúpulo, conscienciosidade, timbre, esmero, capricho, apuro, primor, requinte, gosto, carinho, meticulosidade 457;
afã, guarda, vigilância, olho de Argos, observatório, observação, prevenção, mão-posta, vigia, polícia, o olhar do dono, atividade 682; atenção 457;
administração, tutela, prudência, circunspecção, cautela 864; previsão 510; sobreaviso, precaução (*preparação*) 673; resguardo, ordem 58; alinho, limpeza 652;
exatidão 494; minuciosidade, pormenorização, detalhe, minúcia, atenção voltada para as minúcias, vigília, pervigília.
V. cuidar, ser (cuidadoso & *adj.*); fazer caso de, gastar todos os seus desvelos, tomar cuidado (*ser cauteloso*) 864; prestar atenção, caprichar, timbrar, tomar/levar a sério, desvelar-se, aplicar-se, empenhar-se, esmerar-se, apurar-se, requintar-se, não perder o ponto, fazer questão de, incomodar-se, prover, resguardar, prevenir, acautelar, precatar-se, precaver-se, sangrar-se em saúde, ter olhos em si;
estar de olhos abertos, vigilante;
estar alerta/à la mira; ser todo olhos, vigiar = velar, zelar, ter os olhos sobre alguém; ter/pôr/tomar cuidado; ter/levar alguma coisa a peito, montar sentinela, cocar, estar à espreita, estar de sentinela, seguir, espreitar, trazer de vista, vigiar, guardar, estar de observatório, estar à coca de, não se deixar surpreender, passar as coisas pela fieira, pôr-se em defesa, olhar, cuidar de;
interessar-se por, ocupar-se de, velar, zelar por, zelar de, olhar com os próprios olhos, ter muito a ponto uma coisa, tomar sobre si; manter severa vigilância, arregalar os olhos, observar atentamente;

460. Negligência | 460. Negligência

obsidiar, desamodorrar-se, ficar acordado, policiar, rondar, sobrerrondar, sobrerroldar, mirar, não dormir, dormir com um olho aberto, estar de pé atrás com alguém, ter olhos de Argos, passar a noite sem dormir, ter o passo seguro, atentar por si, andar sempre alerta, estar à mira, resguardar;
não deixar fazer moeda falsa, não deixar pôr pé em ramo verde; trazer a barba sobre o ombro = pôr as barbas de molho, tomar precaução 673; proteger 664;
pôr-se/estar em guarda; estar preparado contra as eventualidades, estar de sobreaviso, atalaiar;
estar/ficar de atalaia;
ficar de observação/de sobreaviso; ficar antenado/ligado/atento; pôr as barbas de molho, esquadrinhar, andar de orelha à escuta, vigiar os passos de alguém, ser vigiado, andar a recado.
Adj. cuidadoso, séduto, meticuloso, timbroso, caprichoso, atento, solícito, zeloso, aplicado, vigilante, precavido, prevenido, de sobreaviso, prudente (*cauteloso*) 864; feito com grande cuidado e atenção, minucioso, pormenorizado, providente 673;
ativo 682; desvelado, cioso, escrupuloso 939; apercebido, acautelado, acordado, insone, velador, vígil, arguto, penetrante, inteligente 498;
metódico 58; *cavendo tutus* (*seguro*) 664; rigoroso (*exato*) 494.
Adv. cuidadosamente & *adj.*; com (zelo & *subst.*); à espreita, em observação, de sobrerronda, de sobrerrolda, de atalaia, de alcateia, de vigia, de prevenção, por cautela, de sentinela, à escuta, a fito.
Interj. alerta!, em guarda!, tate!, veja lá!, atenção!, cuidado!, olho vivo!, tento!
FRASE: *Quis custodiet istos custodes?*

▽ **460. Negligência,** ignávia, imprevidência, imprevisão, falta de cuidado, descuido, incuriosidade, desleixo, deleixo, deleixação, deleixamento, frialdade, descaso, imprecaução, falta, falha, preterição, paralipse, desídia, desmazelo, indiligência, invigilância, relaxação, relaxamento, acídia, preguiça, segnícia ou segnície, abandono;
inércia, apatia, assinergia, ócio, inação, descompostura, indiscrição, indolência, inatividade 683; ronçaria, roncice, relaxo, desatenção 458; *nonchalance* (*insensibilidade*) 823; *laissez-faire, laissez-aller, laissez-passer*;
lapso, imprudência, indiferença 866; desalinho (*desordem*) 59, relaxidão, desmazelo, sujidade 653; improvidência 674; inacabamento 730; inexatidão (*erro*) 495;
bagateleiro, rascão, rascoeiro, desmanchadão, atamancador, sarrafaçal, desmazelado, sebentão 701; zaranza, cabeça de vento.
V. ser/tornar-se (negligente & *adj.*); não tomar cuidado de, deszelar, negligenciar, deleixar-se, desleixar-se, tratar com negligência, deixar correr, deixar correr à revelia, deixar correr o marfim, desvigiar, descurar de, não tratar de, transcurar, esquecer-se de, desmazelar-se, desprecatar-se, desacautelar-se, descuidar-se de, descumprir, tornar-se negligente, não ter cuidado em;
apatizar-se, adormecer na ociosidade, fazer as coisas pela metade, deixar escapar, dormir no ponto, omitir-se, pôr de parte, perder de vista, desdenhar, suprimir, omitir, preterir, pular, desatender, postergar, soto-pôr, subpor, esquivar-se, eximir-se, evitar, roncear, desatentar;
não tomar em consideração/no devido apreço; fazer às cegas/às tontas; encolher os ombros, não prestar a devida atenção, dar por paus e por pedras; vacilar, tratar com desprezo 930; brincar, zombar de, passar ligeiramente sobre, tocar de leve a superfície, olhar de relance 458;
cair em falta, passar em claro, passar em silêncio, pretermitir, saltar por cima de, falhar, fechar os olhos, fazer ouvidos de mercador, ter os ouvidos abetumados, ler a saltar, saltar, não se incomodar com, deixar aos cuidados de alguém, esquecer 506; ter seus cochilões, dormir, ficar de braços cruzados, atabalhoar, atamancar, atacoar, fazer mal e com precipitação.
Adj. descuidoso, negligente, invigilante, apático, napeiro, descuidado, desaplicado, incurioso, descurioso, desleixado, desmazelado, esmalcado (chulo), desmedrado, remisso, ignávio, indolente, indiligente, vagaroso 275; malhadiço, irrefletido, irreflexo, incauto, falho, omisso, ralaço, relaxado, relaxo, relapso; inconsiderado, levantadiço, imponderado, bagateleiro, inconsulto, incircunspecto, imprevidente, imprudente, desacautelado, desapercebido, imprecatado, desprevenido; tardio, serôdio, inativo 683; inatento 458; *insouciant,* desapressado, indiferente 866;

desalinhado (*desordenado*) 59; sujo 653; inexato 495; imprevidente 674;
frouxo, tíbio, friacho, perfunctório, passageiro, superficial, atalhoado, negligenciado & *v.*; de banda.
Adv. negligentemente & *adj.*; nas coxas, de qualquer maneira, sem cuidado, sem reflexão; de caminho, abstração feita, por alto, de fugida, de leve, ao de leve, com (desleixo & *subst.*); *pro derelicto*, ao desbarato, desbaratadamente, à bambalhona = toscamente.

△ **461. Investigação,** busca, diligência, procura, pista, cata, rastejo, encalço, indagação, averiguação, inquirição, enquisa, enquesta, informe, inculca, esquadrinhadura, pesquisa, pesquisação, escavação, disquisição, assédio, arguição, perquisição, perquirição, perseguição 622;
exame, sabatina, vespérias, pedido 765; espírito crítico, sindicância, devassa, revisão, revista, observação, escrutínio, inspeção, rebusco, rebusca, perscrutação, meticulosidade, catequese, inquisição, exploração, rocega, sonda, sondagem, tenta, ventilação, peneiração, cálculo, zetética, análise, punção, dissecação, anatomia, resolução, indução, método baconiano, radioscopia;
busca rigorosa, severa, exaustiva, esmerilhadora; *scire facias*, *ad referendum*, prova, experiência, desrefolho, interrogação, interrogatório, compelação, interpelação, desafio, contrainterrogatório, catecismo, método socrático, dialética, filosofia zetética, subjeção, questão principal, discussão 476;
reconhecimento, espionagem, visita domiciliária, lanterna de Diógenes, estetoscópio, estomatoscópio, endoscópio, laringoscópio, escalpelo, escafandro, legra, porisma, sonda, sondareza, observatório, questão, quesito, problema, *desideratum*, questão a ser solucionada;
assunto/objeto de controvérsia; ponto em discussão, matéria em discussão;
o assunto em discussão/em estudo/em apreço/*sub judice*/em tela/em foco; pomo de discórdia 713, quebra-cabeça, quebradeira de cabeça (*enigma*) 533;
questão intrincada/aberta/complexa/irritante 704; *quodlibet*;
inquérito rigoroso/esmerilhador/honesto; vistoria, exame, ato, estudo (*consideração*) 451; metodologia;

investigador, inquisidor, sabatineiro, inquiridor, interpelador, interpelante, indagador, vistor (ant.), vistoriador, escabichador, escrutador, inspector, vedor, confessor, arguidor, arguente, examinador, observador, revisor, escarafunchador, varejador, escarnador, escavador, catequista, escrutinador, esmerilhador, esmiuçador, analista, analisador, escapelador ou escalpelizador, sindicante, criticista, vasculhador, anatomista, dissector, faiscador, garimpeiro, sindicador, zoilo (dep.), visitador, interrogador, síndico, bisbilhoteiro, perguntão, tange-foles, polícia-secreta, bufo, espião, echadiço, curioso 455.
V. investigar, informar-se, inteirar-se, tomar língua, colher informações, indagar, inquirir; lançar, deitar inculcas;
bombardear, apertar com perguntas; recensear, escrutar, perscrutar, escogitar, perquirir, fazer reconhecimento, destrinchar, explorar, fossar, radiografar, pesquisar, perlustrar, compulsar, penetrar, profundar ou aprofundar, devassar, sondar, revolver, rocegar, vasculhar, espionar, inspecionar, revistar, perguntar, preguntar, submeter a rigoroso interrogatório, basculhar, cheirar, conversar;
esmiuçar, destrinçar, desfibrar, miudar, esmiudear, dar-se a perros, esmiunçar, passar alguma coisa pelas mãos, granjear (ant.), meter a mão em, parafusar, esmerilar, esmerilhar, rebuscar, faixar;
pôr/tirar a limpo; liquidar, pôr os pingos nos is, esgaravatar, escarafunchar, escabichar, procurar saber, faiscar, garimpar, punçar, sabichar;
seguir a pista de, descobrir a caça, remexer, rastear, rastejar, rastrear, campear, desenterrar, exumar, não deixa uma pedra no lugar, buscar o fio, caçar, trilhar, seguir a trilha de, observar, seguir a pegada de, ir ao encalço de, farejar, fariscar, forragear, desrefolhar, varejar, escalpelar, escalpelizar;
esquadrinhar, tatear, escarnar, estudar, sindicar, fiscalizar;
abrir, iniciar, fazer, dirigir um inquérito/uma devassa; vistoriar, vistorizar, examinar, mastigar, ponderar, preexaminar, inspetar, escavar, analisar, volver, dar balanço (*discutir*) 476;
fazer a anatomia de, averiguar, apurar, espremer, agitar, deslindar, considerar, es-

462. Resposta | 463. Experiência

pecular, lançar na balança, pesar, apreciar, aquilatar, recorrer, manusear, mergulhar-se, pescar, certificar-se, apalpar, sondar até o fundo, algaliar, legrar, rocegar, tentear, passar miúda revista, anatomizar, dissecar, descarnar, peneirar, joeirar, debulhar, bater o campo;
encarar em todos os seus aspectos/em todas as suas fases; pôr na balança, questionar, assediar;
submeter, sujeitar a exame; pedir contas a alguém, pôr à prova (*experimentar*) 463; liquidar as contas, levar em consideração 451; aconselhar-se 695;
perguntar, procurar, propor um quesito, formular itens, demandar, interrogar, inquirir, interpelar, abrir a boca a alguém, arguir;
pôr/propor/suscitar/levantar/agitar/sugerir/enunciar/ventilar/abordar uma questão; entrar em uma questão; levantar a lebre; embaraçar, atrapalhar com perguntas; sabatinar;
catequizar; atirar/levantar a luva, apelar para a honra de, exigir uma resposta, tomar o pulso, afuroar, atarracar, querer aclarar, querer pôr em pratos limpos.
Adj. investigativo, investigador & *v.*; perscrutador, curioso 455; perguntador, indagador, radioscópico, esmiuçador, meticuloso, indiscreto, requisitório, inquisitorial, interrogativo, interrogatório, analítico, esquadrinhador, escrupuloso, atento, miúdo, compelativo, zetético, dialetal;
indeterminado, indecidido, inexperimentado, disputável, em discussão, *sub judice*, em tela, sujeito a investigação, duvidoso 475.
Adv. à procura de, em procura de, em cata de, em demanda de, em busca de, à cata de, no encalço de, no alcance de.
Interrog. quê? por quê? donde? de que lugar? de que motivo? que há? quando? quem? hein?, não é verdade? que diz? como? como assim? para onde? para quando? por que cargas-d'água? por que razão? qual a razão?

▽ **462. Resposta,** réplica, troco (fam.), replicação, redarguição, contradita, objeção, tréplica, obtemperação, contrarréplica, eco, retruque, desmentido, negação, denegação, aparte, desconformidade, dissenção, dissentimento, divergência, negativa, oposição, rejeição, restrição, coarctada, rescrito, rescrição, decisão, o sim, o não;
reação, contramedida, protesto, contestação, refutação;
descoberta 480a; soltura, solução 522; confirmação, aplauso, aceitação, aprovação, ovação, vaia, apupo, detonação, arraso demolição, desconstrução, emenda, admoestação, correção, censura;
causa 153; chave (*indicação*) 550; Édipo, oráculo 513; respondente, respondedor, replicador.
V. responder, solucionar, solver, resolver; tornar, retrucar, observar, replicar, reguingar, ponderar, retorquir, repontar, contravir, atalhar, objetar, obtemperar, contestar, refutar, protestar, redarguir, refilar, rebater, treplicar, rentar, remenicar, negar, denegar, apartear, contraditar, desmentir, dissentir, divergir, opor-se, rejeitar, recusar, censurar, corrigir, admoestar, emendar, desconstuir, demolir, arrasar, detonar, vaiar, apupar; acudir, ecoar, interromper, aceitar, aplaudir, aprovar, descobrir 480a; explicar 522; solucionar, decifrar 522; satisfazer, decidir.
Adj. responsivo, respondedor, respondente, replicador, redarguidor, conclusivo; reativo, contestador, refutador;
contestatório, refutatório, protestativo, replicante, contraditório, objetável, desconforme, divergente, opositivo, rejeitado, restritivo, censurado, censurável, corretivo, arrasador & *v.*
Adv. porque (*causa*) 153, contestatoriamente & *adj.*
Interj. Protesto!, Não apoiado!.

463. Experiência, experimento, experimenta, experimento e erro, ensaio, tentativa, tentame ou tentâmen, tentamento, tenteamento, aprendizagem, estágio, investida, análise (*investigação*) 461;
verificação, prova, teste, contraprova, *experimentum crucis*, critério, diagnóstico, método das tentativas, apalpamento, cadinho, crisol, pedra de toque, cotícula, reagente, reativo, ordálía, juízo de Deus, pira, monomaquia, balão de ensaio, palha para mostrar o vento, cala, caladura, cobaia, empirismo, docimasia;
especulação, tiro para o ar, salto nas trevas, chute, palpite, aposta, intuição;
analisador, analista, anatomista, tenteador, aventureiro, apalpador, apalpadeira, experimentador, experimentista, experimentalista, ensaiador de ouro e prata.

V. experimentar, pôr à prova, testar, indagar por experiências, tentar, procurar, ensaiar, tentear 675;
verificar por ensaios/por tentativas;
apalpar o vau/o caminho; examinar por provas e contraprovas, provar, tirar a prova, fazer experiência, sondar, tomar o pulso, apalpar/palpar/explorar o terreno, observar as condições de, submeter a prova, verificar, certificar-se, examinar, reconher; andar às apalpadelas, tatear, tentear o caminho, soltar balão de ensaio, ver de que lado sopra o vento, consultar o barômetro, lançar a rede, pescar, bater o campo, tentar fortuna, apostar, aventurar-se, arriscar-se; ir em busca de aventura 675; explorar 461.
Adj. experimental, probativo, probatório, probante, analítico, docimástico, empírico, tentativo.
Adv. à prova, em experiência.

464. Comparação, cotejo, cotejamento, homeose, relação, paralelo, semelhança = confronto, confrontação, acareação, meças, colação (ant.), conferência, conferição, equiparação, contraste, identidade, identificação, aferição, graduação, graduamento, equiparência, combinação, símile, similitude, similaridade, afinidade, analogia, alegoria 521;
dessemelhança, diferença, diversidade, paralelismo.
V. comparar, cotejar, igualar, confrontar, relacionar, contrapor, contrastar, colacionar (ant.), balançar, balancear, semelhar, colocar nos pratos da balança, estabelecer confronto, estabelecer comparação, *parva componere magnis*, fazer cotejo, aferir;
fazer um ou pôr em paralelo; equiparar, identificar, carear, acarear, concertar, contraprovar, conferir, opor, apodar, aquilatar, aferir por, pôr em face, apresentar em confronto.
Adj. comparativo, comparador, cotejador, alegórico, umbrátil, afim, análogo;
similar, idêntico, semelhante; diferente, diverso, dessemelhante.
Adv. comparativamente, & *adj.*, em comparação, a par de.

△ **465. Discriminação,** separação, distinção, seleção, diferenciação, abjunção, discrime, cirandagem, diagnose, percepção nítida, estimativa 466; melindre, requinte, gosto 850; crítica, julgamento, olfato, tato, paladar, discernimento 498; nuanças, alvarral, joeira, joeiro, sedeiro, peneira, capisteiro, crivo, ciranda, tamis, ventilador, coanho, desengaçadeira;
isolamento, segregação, preconceito.
V. discriminar, desengaçar, selecionar, distinguir, separar, traçar uma linha de separação, pôr em evidência, discernir, diferençar, diferenciar, tasquinhar = separar o tasco do linho;
separar o vil do precioso/o joio do trigo; escanganhar, apartar o grão da palha, fazer restrição, excetuar, extremar, espoar, demarcar, abalizar, sessar (bras.), peneirar, cirandar; desfarelar, outar = utar = joeirar, cernir;
passar pela joeira/pelo crivo; especificar, classificar; coanhar, estimar 466; mascavar, tamisar, depurar, copelar;
levar em conta, tomar em consideração, dar o devido apreço, dar a César o que é de César, não confundir a luz com as trevas, saber do achaque da vinha;
isolar, segregar.
Adj. discriminador, discriminativo, discriminatório, distintivo, separador, distinguidor;
distinto, nítido, destacado, inconfundível; isolado, segregado.
Frases: cada macaco no seu galho; cada qual com seu cada qual; água e azeite não se misturam.

▽ **465a. Indiscriminação,** indeterminação, indistinção, imprecisão, confusão, incerteza (*dúvida*) 475; embaralhamento, desordem 59; mistura 41; mixórdia, promiscuidade, babel, melê;
igualdade, igualitarismo, equanimidade, ausência de preconceito, tolerância; inclusão.
V. não (*discriminar* 465); negligenciar (460) uma distinção; confundir, embaralhar, esbaralhar, misturar, indeterminar, turvar as águas, cruzar;
mesclar, integrar, assimilar.
Adj. indiscriminado, indistinto, vago, impreciso, indeterminado, misturado, confuso, amontoado, indistinguível, imedido, indemarcado, indiviso, em comum, embaralhado, inexaminável, indivisível, indiscriminável; mesclado, assimilado, integrado.
Adv. indiscriminadamente & *adj.*, amatalotadamente, sem exame nem distinção, à carga cerrada, de um jato, a granel, em montão,

466. Medida | 467. Evidência

por atacado, à solta, a esmo; sem conta nem peso; a vulto, em globo, grosso modo.

466. Medida, medição, comensurabilidade, mensura (p. us.), comparação, meças, avaliação, avaliamento, louvação, apreciação, estimativa, cálculo, orçamento, cômputo, suputação, cordeação, numeração 85; arqueação, arqueamento, estatística, censo, recenseio, recenseamento, demografia, cadastro, cadastragem, quilometragem, cubagem, pesagem, afilamento, aferição, aferimento, aritmologia, estatmética = uso de pesos e medidas;
metrologia, metrografia, sistema métrico decimal, estereometria, pesos, medidas, escala, jarda, bitola, padrão, calibrador, arquétipo, craveira, estalão, darmadeira, escantilhão, petipé, régua, cadeia, decâmetro, vara, teiga, compasso, bússola, medidas de capacidade, estere;
padrão, unidade, metro, decímetro, centímetro cúbico; alqueire (bras.), canada, litro, almude, côngio (ant.), índice 550; medidas agrárias, hectare, adival, arpente (ant.), alqueire = aguilhada, saca, courela (ant.), geira;
escala, graduação, nônio, vernier, paquímetro, calibre, micrômetro (*pequenez*) 193; anemômetro, dinamômetro, termômetro, barômetro, gônio (244), pirômetro, estádia, párea;
marco divisório (*limite*) 233; balança (*peso*) 319;
coordenadas terrestres/celestes/equatoriais/ polares/geográficas/cartesianas; ordenada, abscissa, latitude, longitude, ascensão, declinação, altura, distância zenital, altitude, azimute;
geometria, estereometria, astrometria, hipsometria, gromática = agrimensura, agrimensão, geodésia, longimetria, ortometria, altimetria;
armila, esfera armilar, astrolábio;
agrimensor, geômetra, engenheiro topográfico, topógrafo, engenheiro, medidor, aquinhoador, abalizador, afilador, aferidor, aquilatador, avaliador, lotador, varador.
V. medir, mensurar, avaliar, fazer orçar, balizar, esmar, apodar, contar, cotar, dimensionar, reastrear, rasar, calcular, lotar;
computar pela estimativa/pelo grosso; quilometrar, suputar (ant.), coletar, taxar, agrimensar, cordear, alqueirar, apreciar, estimar;

avaliar a esmo/a olho; ateigar, comensurar, varejar = varear, pesar, arrobar, lançar na balança, arromanar, quilatar, aquilatar, aplicar o compasso, arquear, cubiçar, cubar, sondar, maquiar, almudar, calibrar, tomar a média 29; graduar, aferir, afilar, recensear, cadastrar, fazer o cadastro, parear.
Adj. métrico, mensurável, comensurável, geodésico, estimativo, apreciável, computável, medível, dimensível, agrimensório, topográfico, cadastral.
Adv. a granel, sem conta nem peso, a lota, por estimativa, a olho, a esmo, à orça; *mathematicis racionibus* = segundo os cálculos matemáticos; por cálculo aproximado, em número redondo, aproximadamente.

3º) Materiais de raciocínio

△ **467. Evidência** (de uma parte), fatos, a lógica dos fatos, premissas, dados, *data proecognita*, fundamentos, antepredicamentais, razão justificativa, considerando, indicação 550; critério, prova 463;
testemunho, testificação, atestação, depoimento 535, demonstração; exame, documentação, admissão 488; autoridade, garantia, abono, fiança, *del credere*, credencial, diploma, certificado, atestado, certidão, registro 551; documento, papel, peça justificativa, escritura, título, papéis, caução, papelada, penhor (*fiança*) 771; assinatura, selo (*identificação*) 550;
testemunha; testemunha juramentada; depoente, respondente, fiador;
prova oral/documental/plena/semiplena/ circunstancial/de outiva/de ouvido/extrínseca/intrínseca/cumulativa/*ex parte*/presuntiva; prova (*demonstração*) 478;
evidência secundária, confirmação, roboração, corroboração, asseveração, apoio, carta confirmatória, sobrecarta, ratificação 488; autenticação, reconhecimento de firma, compurgação, comprovação;
testemunha visual/de ouvido/auricular/presencial; citação, cita, referência, alusão.
V. evidenciar, ser evidente, mostrar, patentear, revelar, demonstrar, arrazoar, indicar, denotar 550; implicar, envolver, respirar;
ser de peso, falar/dizer por si, ser muito eloquente, falar bem alto, valer por volumes 525; esclarecer, elucidar, projetar luz, dirimir dúvidas, discorrer, depender de,

confiar em, contar com, repousar confiança em, dar testemunho;
produzir testemunho; testificar, depor, prestar declarações, testemunhar, atestar, certificar, garantir, abonar, reconhecer 488; selar, sigilar, sobrescrever, tornar válido, validar;
confirmar, robustecer, ratificar, roborar, roborizar, corroborar, fortalecer, instruir, firmar, alicerçar, fundamentar, basear, reforçar, substanciar, motivar, justificar, provar o alegado, endossar, dar por firme e valioso, confirmar = solidar, contra-assinar, apoiar, sustentar, defender;
produzir, trazer, aduzir, expor, exibir, apresentar, citar, oferecer, mencionar, avançar, trazer a campo, reportar-se a, trazer à baila, chamar a juízo, referir-se a, basear-se, aludir-se, pegar-se a, remeter-se, reportar-se, estribar-se, ater-se, fundamentar-se, apelar para, invocar o testemunho de, obtestar, pôr em cena, trazer para o plenário, alegar, pleitear; acarear, afrontar, confrontar testemunhas; coletar, amontoar, armazenar provas; documentar, estabelecer, autenticar, legalizar, legitimar, reconhecer a firma, verificar, citar artigos e parágrafos, lançar mão de, apegar-se a, utilizar-se de 677.
Adj. evidente, mostrador & *v.*; indicativo, indicatório, indicador, denotador, revelador, dedutivo 478;
estribado, fundado, baseado, alicerçado em; roborante, comprovativo, corroborativo, certificativo, roborativo, certificatório, confirmatório, comprobatório, elucidante, testemunhal, esclarecedor, conteste, substancioso, substantífico, que tem tomo.
Adv. evidentemente & *adj.*, por inferência, segundo o testemunho, no dizer de, no sentir de, no julgar de, mais uma razão, *a fortiori*, com maior soma de motivos, em corroboração, em fé do que, em confirmação de, *valeat quantum*, ao compasso de.

▽ **468.** (Evidência da parte adversa) **Réplica,** protesto, contraprova, contraprotesto, contraevidência, impugnação, resposta, desmentido, contestação, refutação 479; negação 536; contencioso, documentos contraditórios, contradita, contradição, objeção, retorsão, observação, redarguição, ponderação, obtemperação, coarctada, alegado 617; vindicação 937; contraposição, o reverso da medalha, contraindicação.

V. contrabalançar, contrapor, contraprovar, contradizer, objetar, redarguir, remenicar (*responder*) 462; contestar, desmentir, desfabular, desfazer a fábula de, obtemperar, retrucar, rebater, opor, refutar 479; ponderar = versar, aniquilar (*destruir*) 162, representar contra, reclamar, atenuar 469; infirmar, impugnar = refertar, contender, contraditar (*negar*) 536; opor formal desmentido, contar outra história, dar outra feição ao caso, encarar sob outro aspecto, provar uma negativa, mudar a face da questão, contraindicar, desconversar.
Adj. contraditório, contrabalançador, refutador, contraditor, contestador, contestatório, contendente, responsivo, inatestado, inautêntico, destituído de evidência.
Adv. per contra.

469. Atenuação, atenuante, adoçamento, limitação, restrição, modificação, colorimento, sainete, eufemismo, litotes, desculpa, pretexto, justificativa, condicional, circunstâncias atenuantes, paliativo, evasiva, dirimente, condição, cláusula condicional, exceção, desconto 813.
V. atenuar, incidir (ant.), reprimir, refrear, adoçar, abrandar, afrouxar, mitigar, quebrantar, condicionar, limitar, restringir, confinar, dar novo colorido a, suavizar, descolorir, descolorar, desbotar, desengravecer, minorar, paliar, fazer concessões, reconhecer atenuantes, introduzir novas condições, modificar, atender a, desculpar, justificar, pretextar, levar em conta, disfarçar, rebuçar, dar o devido desconto, amenizar, abrir exceções, admitir exceções, tomar em consideração, fazer exceção, não ser intransigente, transigir, contemporizar, relativizar.
Adj. atenuante, condicional, exce(p)cional 83; hipotético 514; contingente (*incerto*) 475, conciliatório.
Adv. contanto que, a menos que, com tal que, uma vez que, bem que, se bem que, se, se é que se pode dizer, dado que, dado o caso de, ainda quando, dado o caso que, caso que, no caso que, no caso de; nem tanto; admitindo-se, supondo-se que; na hipótese de 514; mesmo que, ainda que, embora, posto que, apesar de, apesar de que, não obstante, ainda assim, por tudo isso, sem querer exagerar o valor de, por mais que, por menos que, por muito que, por pouco que, em todo o caso, mesmo no caso de, com justificativa,

470. Possibilidade | 471. Impossibilidade

cum grano salis, exceptis excipiendis, salvo se, se o vento e a chuva o permitirem, se Deus for servido, se possível for 475; permita-se-me a expressão, valha a verdade, por assim dizer, salvo seja = salvo que tal lugar, *data venia*, não deitando para mau sentido, com o perdão da palavra, salvo o devido respeito, Deus me perdoe, salvo melhor juízo, fazendo o devido desconto, *si hoc fas est dictu* = se assim é permitido falar; *potest fieri ut fallar* = é possível que me engane.

Graus de evidência

△ **470. Possibilidade,** potencialidade, virtualidade, o que pode acontecer, o que é possível, conceptibilidade, compatibilidade (*acordo*) 23; praticabilidade, exequibilidade, viabilidade, contingência, acaso 156.
V. ser (possível & *adj.*); ter seu lugar, haver possibilidade, poder ser, estar em via de, ser suscetível de, admitir, comportar, ter viso de verdade, apresentar-se como possível, parecer;
não estar fora das leis naturais/humanas/divinas; nada ter de impossível;
tornar possível, possibilitar, viabilizar, pôr no caminho de, facilitar.
Adj. possível, factível, *in posse*, concebível, conceptível, admissível, crível, acreditável, compatível, que está nos limites do possível;
praticável, fazível, virtual, realizável, acabável, exequível, viável, executável, fidedigno perpetrável, contingível, acessível, transponível, explorável, navegável, superável, verificável, atingível, natural, contingente (*incerto*), discutível, permissível.
Adv. possivelmente & *adj.*; dentro dos limites do possível, talvez, quiçá, acaso, por ventura, é de crer, como se pode presumir, se Deus quiser, se Deus o permitir, se Deus for servido, se aprouver a Deus, se Deus não mandar o contrário, *Deo volente*, com a ajuda de Deus.
Frase: *Se non é vero, é bene trovato.*

▽ **471. Impossibilidade,** incredibilidade, irrealizabilidade, inexequibilidade, impraticabilidade, inviabilidade, inconceptibilidade, inimaginabilidade, incapacidade, utopia, inverossimilhança, esperanças vãs e loucas, coisa irrealizável, aspirações visionárias, áporo, quadratura dum círculo, sonho, sonho de poeta, sonho de louco, trabalho de Sísifo, pedra filosofal, voo de um boi, o irrealizável;
nó górdio, dia de s. Nunca, quadratura do círculo.
V. impossibilitar, tornar impossível, impedir, incapacitar, inibir, inviabilizar; ser (impossível & *adj.*); ser um áporo;
estar fora do alcance, do poder de alguém;
não há, não havia (seguido de infinito: *ex.:* não há perdoar-lhe);
não haver meios de, atingir os limites do fantástico, excluir a hipótese de, não haver possibilidade de espécie alguma;
tentar em vão, fitar o impossível; querer sol na eira e chuva no nabal, construir castelos na areia, incendiar o Amazonas, meter o Rocio na betesga, tirar leite de um bode na peneira, carregar água em peneira/num jacá, tirar água/leite de pedra, meter uma lança em África, dar murro em ponta de faca, esperar por sapato(s) de defunto, querer ter o dom da ubiquidade, assar qualquer coisa no bico do dedo, cavar na vinha e no bacelo, abarcar/abraçar o mundo/céu com as mãos, querer remediar o irremediável, passar o camelo pelo fundo de uma agulha, *vere numerare flores* = querer contar as flores da primavera, extinguir-se no planeta o calor central, acabar no céu a rotação dos astros.
Adj. impossível, absurdo, paradoxal, contrário à razão, atentatório do bom-senso, irracional, irracionável, desarrazoado 485; visionário;
inconcepto, inconcebível, inacreditável, implausível, improvável 473; prodigioso 870; inimaginável, inobservável, irrealizável, irremediável, sem remédio, inexecutável, infactível, inviável, insolúvel, impraticável, inexequível, irresolúvel, insuperável, inconquistável, invencível, inatingível, inacessível, inacesso (*poét.*), inabordável, desesperador 859;
incontornável, intransponível, ínvio, impérvio, inavegável, inexplorável, inextricável, intransitável, dévio, inverificável, inverossímil, incrível, inopinável, inopinado, que a nossa fantasia não pode conceber, fantástico, que a razão não pode admitir, impensável;
impossível ou irrealizável na prática, utópico, incriável, inconcessível, intratável, extravagante, *ultra crepidan, ultra vires,* inclassificável, fora dos limites da possi-

bilidade, sobre-humano, "mais do que prometia a força humana".
FRASES: As uvas estão verdesus. *Non possumus; non nostrum tantas componere lites.* É tarefa comparável à das Danaides, condenadas no Tártaro a encher um tonel furado. *Non potest* = é impossível.
PROVÉRBIO: *Ad impossibilia nemo tenetur.*

△ **472. Probabilidade,** possibilidade, admissibilidade, plausibilidade, aparência, perspectiva, indícios que deixam presumir a verdade, racionalidade, parecença;
viso, vislumbre, aparência, indício de verdade; presunção;
evidência presuntiva, circunstancial; credibilidade;
aparência boa/favorável/alvissareira/promissora/razoável; aspecto promissor, prospecto, esperanças bem fundadas, conjectura provável, alternativa 156; expectativa, probabilismo, cálculo das possibilidade/de probabilidades.
V. probabilizar, tornar (provável & *adj.*), ser (provável & *adj.*); ter seu lugar, dever, ter tudo para, estar com todo o jeito de, não haver razão para se perder a esperança, implicar 467; prometer bastante 176; levar jeito, ter toda probabilidade, parecer, ter boa perspectiva, ter expectativa de, aguardar 507; pressupor, contar com (*crer*) 484.
Adj. provável, probábil, verossímil, alvissareiro, opinável, opinativo, esperável, expectável, esperançoso, plausível, especioso, ostensível, ostensivo, bem fundado, bem figurado, *bene trovato*, razoável, racional, racionável, (p. us.), crível, presumível, presuntivo, aparente, natural.
Adv. provavelmente & *adj.*, com probabilidade, com toda a probabilidade, dez contra um, segundo as melhores aparências, *prima facie*, a todas as aparências 448.
FRASES: Tudo indica que...; As aparências são a favor de...; Há motivos para crer/para esperar...; Militam muitas possibilidades em favor de...; *Se non é vero é bene trovato.* Não há motivos para se descrer.

▽ **473. Improbabilidade,** inverossimilhança, inverissimilhança, condições desfavoráveis, incredibilidade 485; inverificabilidade; impossibilidade, fraca possibilidade.
V. ser improvável & ter pouca probabilidade.

Adj. improvável, contrário a toda e qualquer expectativa razoável, mais que duvidoso, raro (*infrequente*) 137; inaudito, mal figurado, inconcepto, inverossímil, inverissímil, desnaturado, inconcebível, inimaginável, imaginoso, incrível 485; inverificável.
FRASES: As probabilidades são contra. Isso não pega. É mais fácil um camelo passar pelo buraco da agulha.

△ **474. Certeza,** certidão, indiscutibilidade, peremptoriedade, indisputabilidade, irrefutabilidade, segurança, convicção, indubitabilidade, solidez, luz, garantia, firmeza, confiança, infalibilidade, insuspeição, positividade, certeza matemática, liquidez, indefectibilidade, inerrância;
coisa certa, indiscutível; malho (fam.), favas contadas, evangelho, dogma, artigo de fé, matemática, cálculo, lógica dos números, tribunal de última instância, *res judicata*, *ultimatum*, fato consumado, flagrante delito, decisão final e irrevogável, palavra muito autorizada, pessoa fidedigna, positivismo, dogmatismo, dogmatista, dogmatizador, fanático, oráculo, opinionista, *ipse dixit, magister dixit, Roma locuta est.*
V. ser/estar (certo & *adj.*); ser conforme à razão, ser questão líquida; não haver (vestígio de) dúvida, não precisar de prova, tomar uma feição peremptória, não admitir discussão, não padecer dúvida, estar na consciência de todos, fazer fé, existir de fato, inspirar confiança absoluta, tornar certo, segurar, assegurar, asseverar, garantir, afiançar, sustentar, certificar, atestar, firmar, precisar, indicar com exatidão, determinar, definir, edificar alguém na certeza, afastar qualquer resquício de incerteza, exatificar, evidenciar, esclarecer, falar *de visu*, passar em julgado;
absolver/dissipar/dirimir uma dúvida; não deixar o mais leve traço de hesitação, ter fé, dogmatizar, ensinar com autoridade, falar de cadeira/poleiro, falar *ex cathedra*, falar como um oráculo, ter por seguro, radicar-se no espírito de alguém a convicção de; convencer-se, compenetrar-se, estar que.
Adj. certo, seguro, convicto, sólido, bem fundado, absoluto, determinado, definido, definito, claro, inequívoco, exato, categórico, notório, explícito, taxativo, imperativo, decisivo, preciso, assente, decidido, terminante, irresistível, fatal, peremptório, formal;

verificado, verificado com a mais escrupulosa imparcialidade, indúbio, líquido, líquido e certo, público e notório, admitido, real, aceito, recebido, usual, correntio, inevitável, incontroverso, irremediável, irremissível, infalível, inerrante, indefectível, indeficiente, indispensável, impreterível, improrrogável, inadiável, invariável 150; fidedigno, de saltar aos olhos;
digno de fé, de confiança; de fonte limpa, irrefragável, perfeito, irremovível, inegável, inquestionável, indisputável, incontestável, incontestado, indubitável, indiscutível, incontrovertível, certíssimo, irrefutável (*provado*) 478; inelutável, irrespondível, certeiro, irreplicável, inconteste, sem sombra de dúvida, indisputado e indisputável, autorizado, de fonte segura, digno de todo o crédito, cuja certeza se antevê, autêntico, verdadeiro, oficial;
certo como a morte/como os impostos/como dois e dois são quatro; seguro e preciso, preponderante;
evidente, presente, intuitivo, axiomático, óbvio, agógico (ant.), claro como o dia, claro como o sol ao meio-dia, cuja certeza se antevê, que está a entrar pelos olhos a dentro.
Adv. certamente & *adj.*; com certeza, como um dez, ao certo, de certo, certo, à certa confita, fora de toda dúvida, digam o que disserem/bem/por todos os títulos;
sem uma sombra/resquício/laivos de dúvida = *dubio procut*; sem contestação, contradita; facilmente, sem agravo nem apelação, em flagrante delito, sem dúvida, obviamente, certamente, de vez, indubitavelmente, *à coup sûr*, aparentemente, na verdade 494; inviolavelmente;
sem falta, aconteça o que acontecer, custe o que custar, haja o que houver, *velim, nolim*, dê no que der, na pior das hipóteses, chova ou faça sol, ainda que chova azagaias, nem que chova canivetes, corram as coisas como correrem, sem falhar, infalivelmente, de veras.
Frases: Ça va sans dire. Isso não é preciso dizer. É questão de tempo. Não há a menor dúvida. São favas contadas. Não tem que ver. Não há que ver. Está claro, está visto.
Provérbios: Mais vale um toma que dois te darei. *Res judicata pro veritate habetur.* Mais vale um pássaro na mão do que dois voando.

▽ **475. Incerteza,** obscuridade, dúvida, imprecisão, hesitação, arrepsia, suspeita, suposição, conjetura, equívoco, engano, hipótese, barrunto, dubiedade ou dubiez, dubitação, suspensão, caramilho (ant.);
perplexão, perplexidade, insegurança; confusão, enleio, irresolução, um não sei quê, desconfiança, embaraço, dilema, as pontas aceradas de um dilema, balbúrdia, pandemônio, timidez 860; jiga-joga, vacilação 605;
indeterminação, indiscriminação, letargo, cerração, nevoeiro 353; bruma, névoa, neblina, noite, obscuridade (*trevas*) 421; ambiguidade 520; contingência, questão aberta 461; *onus probandi*, anfibologia, nabos em saco, agulha em palheiro, ponto a aclarar, rifa, loteria;
precariedade, discutibilidade, falibilidade, defectibilidade, errância, acatalepsia.
V. ser (incerto & *adj.*); ser uma questão a resolver, não cheirar bem, não ser peixe nem carne, desejar saber se;
perder a chave/o fio/o faro; não se ficar a saber..., não saber o que fazer 519; não saber que rumo tomar, não saber onde se há de meter, tatear, ver-se gago, dar voltas ao miolo, atalhar, ficar dando voltas, engadanhar-se, flutuar, debater-se num oceano de dúvidas, debater-se na incerteza, formular hipóteses, nutrir suspeitas, andar às apalpadelas, andar de Herodes para Pilatos, jogar a cabra-cega, *nihil certi habere* = não ter notícia certa, asfixiar-se numa atmosfera de incerteza, conjecturar, presumir, saber uma coisa *de auditu* (de oitiva), encalhar, embasbacar-se, engasgar, engasgalhar-se; abanar, coçar a cabeça; ficar engasgado (*irresolução*) 605; perder-se em conjeturas, fazer-se o entendimento em mil voltas, tornar incerto, atrapalhar, atarantar, confundir, esbofar, atomatar, intrigar, intricar, embaraçar, desorientar, desnortear, perturbar, asfixiar, excitar a curiosidade, enredar, enlear, agitar, atormentar, ralar, *ambiguas in vulgus spargere voces*, pairar como um pesadelo, pairarem no ar interrogações sobre; lançar em perplexidade, desarrazoar, confranger de incerteza, problematizar, dar que pensar, equivocar;
duvidar (*descrer*) 485; bailar a dúvida no espírito de alguém, levantar uma dúvida, duvidar, hesitar, supor, presumir, conjeturar, ter desconfiança, desconfiar, suspeitar, barruntar.

Adj. incerto, vário, ventureiro, casual (*sem intenção*) 621; variável 149; duvidoso, tremido (ant.), ancípite (poét.), suspeito, conjectural, dúbio, claudicante, indeciso, indecidido, ilíquido, indeterminado, qualquer, vago, ligeiro, indistinto, indiscriminado, indemarcado, leve;
vacilante, problemático, discutível, combatível, contencioso, controverso, controvertível, disputável, confutável, questionado, questionável, pugnável, opinativo, opinável, criticável, contestável, defectível, acataléptico;
confuso, impreciso, indefinido, inconstante, inconsistente, ambíguo, equívoco, anfibológico, dobre, indistinto 447; brumoso, nebuloso, místico, misterioso, oracular, intrincado, conturbativo, enleante;
perplexo, surpreso, suspenso, confundido, desarrazoado, enigmático, paradoxal, hipotético, dilemático, escorregável, lábil, debatidiço;
falível, precário, melindroso, instável, inseguro, contingente, aleatório, aneiro, dependente de, sujeito a, exposto a, ocasional, provisório;
inautêntico, avulso, inautorizado, inconformado, apócrifo, inaudito, ignorado 491;
receoso de dizer, tímido, desorientado & *v.*
Adv. incertamente, casualmente & *adj.*, *pendente lite, sub spe rati*, em balanço, de modo indeciso, a esmo, a granel, a monte, à faca, à toa, entre o lusco e o fusco, a montão, pelo sim pelo não, talvez, quiçá.
FRASES: Deus sabe como. *Chi lo sa?* Quem sabe? Quem pode dizer? Isto não está na cartilha. Na dúvida, abstém-te. Propendo a crer que... Nunca se sabe... Será?

4º) Raciocínio

△ **476. Raciocínio,** senso, critério, raciocinação, racionabilidade, racionalismo, intelecção, indução, dedução, generalização, arrazoação, arrazoamento, moral, afabulação, moralidade, questão, tese, comentário, análise, reflexão, ventilação, interrogação, inquirição 461; entendimento, compreensão, percepção;
argumentação, dialética, lógica, coerência, pendência, controvérsia, disceptação, discussão, polêmica, torneio, pegadilha, debate, certame, querela, altercação, contestação, disputa, contenção, contenda 720; parlenda, guerra de penas, debate oral, logomaquia, questiúncula;
(arte de raciocinar): lógica, dialética;
cadeia de raciocínios, síntese, análise, raciocínio suasório;
argumento, razão, alegação, prova, arrazoado, razoado, razoamento, encadeamento de argumentos, parouvela, discurso, exposição, sermão, conferência;
argumento de rachar/de escacha-peroba; tapa, coarctada, tira-teimas, tapa-boca, cidadela, lema, termos, premissas, premissa maior, premissa menor, assunção, postulado, dados, princípio, base, proposição, teorema, teoria, corolário, inferência (*julgamento*) 480; lanças, armas;
silogismo, entimema, epiquirema, sorites, cadeia silogística, prossilogismo, ergotismo, dilema;
argumento bicórneo, cornuto, *perilepsis, a priori, reductio ad absurdum*, apagogia, pontas aceradas dum dilema, *argumentum ad hominem*, analogismo;
raciocinador, racionalista, argumentador, lógico, dialeto, disputador, pensador, controversista, questionador, altercador, analogista, polemista, debatedor, casuísta, causídico, cientista, teórico, filósofo, moralista;
sequência lógica;
V. raciocinar, filosofar, argumentar, arguir, ir às causas, debater, tirar induções, analisar, induzir, intuir, deduzir, concluir, eludir, disputar, altercar, trocar documentos, arrazoar, razoar, discorrer;
exibir, aduzir argumentos, razões; silogizar, sintetizar, controverter (*negar*) 536; comentar, bordar comentários, moralizar, espiritualizar, considerar, ocupar-se de uma questão por diversas formas e pontos de vistas opostos, discutir, debater com igual denodo, digladiar, tratar, abrir discussão, certar, romper debate, apontar razões; trazer à baila ou à balha, trazer à tona, trazer à arena da discussão;
perceber, captar, entender, compreender, discernir;
agitar/ventilar/martelar uma questão; questionar, levantar a lebre, acirrarem-se os debates, apreciar, levar em linha de conta, indicar as várias faces sob as quais se possa encarar uma questão, encarar sob várias faces, ferir o ponto, ir direto ao alvo, experimentar conclusões, sustentar controvérsias, contender, batalhar, insistir, martelar, inferir 480; tirar

477. Irracionalidade | 477. Irracionalidade

conclusões 477; comparar os prós e os contras, pôr na balança.
Adj. raciocinativo, racional, racionalista, argumentador, arguitivo, debatidiço, controversial, argumentativo, dilemático, dialético, polêmico, discursivo, disputante, disputador, disputativo;
razoável, conforme à razão, lógico, de se lhe tirar o chapéu, producente, verdadeiro, plausível, procedente, são, válido, sólido, robusto, consequente, consistente, coerente, científico, concludente, conclusivo, decisivo, correto, irrepreensível, provado, de um vigor supremo de lógica, sem requinte de sofisma, roqueiro, de maravilhosa simplicidade, de grande poder eficiente, de lógica inderrocável, indestrutível;
positivo, inconcusso, incontestável, indiscutível, convincente = ponderoso, que deve calar, iniludível, a que se atribui excelente fundamento, a que se atribuem sólidos fundamentos;
irrespondível, fecundo, belo, luminoso, brilhante 420; insofismável, irretorquível 474; irrecusável, irreplicável, forte 159; vigoroso, fulminante, enérgico, potente, inteligente, à altura até de cérebros indoutos, que faz calar o adversário, importante 642.
Adv. racionalmente, raciocinativamente & *adj.*; porque, pois, logo, daí, donde, visto que, pelo que, em vista do que, portanto, eare = por isso, consequentemente, à vista disso, por esse motivo, assim sendo, em consequência, forçosamente, indisputavelmente, por maioria de razão, com mais forte motivo, *a fortiori*, por conseguinte; conseguintemente, finalmente, por ende (ant.), ora pois, em conclusão, em última análise, por conclusão, *ergo*, por despedida, por último remate, por cabo, enfim, por fim; afinal, por fim de contas; de arte que, de tal arte que, de modo que, de feição que, de maneira que, tanto quanto, de qualidade que, destarte, assim, conformemente, logicamente, por força, considerando que, em consideração, atendendo às circunstâncias de, entretanto, visto.

▽ **477.** (Ausência de raciocínio) **Irracionalidade**, intuição;
(raciocínio falso ou vicioso): sofisma, torcedura, distorção, intuição, sentimento, razão intuitiva, instinto, tino, acerto, juízo natural, pressentimento, palpite, adivinhação, inspiração;
ilogismo, perversão do raciocínio, casuística, dogmatismo, jesuitismo, equivocação, escapatória, evasiva, descarte, coarctada, meias-palavras, ambages, rodeio, circunlóquio, paliativo, subterfúgio = escaparate = efúgio, tergiversação, ardil, achadilha, chicana, trica, cavilação, astúcia, artimanha, artes de berliques e berloques, argúcia;
contrassenso, disparate, arrazoado sofístico, argumento vão, argumento capcioso, argumento aparatoso, *pour épater les bourgeois*, argumento de dois bicos, mistificação, círculo vicioso, desculpa, desrazão, sem-razão, meias-razões, especiosidade, absurdo 497; *quodlibet*, questões quodlibéticas, nugação;
raciocínio falso, vicioso; sofística, sofisticaria, sofisticação, inconsequência, ilação não contida nas premissas, discrepância, contradição, absurdo, apontoado, observações tendenciosas; entresseios, entressolhos, subterfúgios sofísticos, bizantinice, desculpas de mau pagador;
razões de cabo de esquadra/de quiquiriqui, petição de princípio, *petitio principii*; *ignoratio elenchi*; *post hoc ergo propter hoc*; *non sequitur*; *ignotum per ignotius*; espada de dois gumes, conclusão errônea 481;
má orientação 539; solecismo, paralogismo, jogo de palavras, triquestroques (pleb.), trocadilho, equívoco, falácia, rabulice, rabulária, charlatanice, charlatanaria, charlatanismo, empirismo, rotina, antilogia, antilogismo, bacharelice, bacharelada, palavreado, palanfrório, palhada, parlenda, parlenga;
linguagem/palavra retorcida; conclusão manca e forçada, arlequinada, palhaçada, inconsistência flagrante, contradição, incoerência, desconexão;
malhas, teias, sutilezas de sofisma; ponto fraco e vulnerável, vulnerabilidade, calcanhar de Aquiles, causa antipática, ironia maliciosa, misologia, misossofia, sofística.
V. julgar intuitivamente, julgar por intuição, aventurar uma proposição, palpitar, atinar/dar com a verdade, falar à toa, falar *ab hoc et ab hac, parler à tort et à travers*, disparatar, raciocinar mal (*julgamento errôneo*) 481; distorcer informação/notícia/fato/verdade;
perverter, sofisticar, sofismar, ladear, não tratar diretamente, não dizer sim nem não,

478. Demonstração | 478. Demonstração

chicanar, sutilizar, equivocar, mistificar, desvirtuar, desnaturar, cavilar, tergiversar, subterfugir, usar de subterfúgios, meter os dedos pelos olhos, meter os pés pelas mãos, torcer o caminho lógico, retorcer-se, torcer, buscar evasivas, inventar coarctadas;

iludir, lustrar, polir, envernizar, sobredourar = colorir com artifício, dourar, desorientar 539; induzir em erro 495; estar divorciado do bom-senso, perverter o raciocínio, algemar a lógica, renunciar ao raciocínio, retrincar, arguciar, raciocinar com sutilezas, peguilhar, desfigurar (mentir) 544;

encarar por um prisma absolutamente vulgar, rabular, dizer rabulices, *jurare in verba magistri*; sustentar um paradoxo, charlatanear, bacharelar, fazer uma petição de princípio, argumentar num círculo vicioso, girar como ventoinha;

querer provar que o preto é branco, e o quadrado, redondo; sustentar com igual fulgor o pró e o contra, soprar quente e frio, deitar para outro sentido, torcer o sentido, dar ao erro uma ficção de verdade, ser mais propício à mentira do que à verdade, dourar a pílula, armar sobre falso, não ter base sólida, trucar de falso, obscurecer a verdade, deitar para mal, só encarar uma face, assinar de cruz, ser ilógico, não poder prevalecer, aberrar de princípios consagrados.

Adj. irracional, intuitivo, instintivo, natural, espontâneo, gratuito, independente de raciocínio, desconexo, disparatado, sonâmbulo;

desarrazoado, despropositado, inoportuno, ilógico, inconsequente, antirracional, arbitrário, opinativo, irracionável, falso, avulso, inválido, inconcludente, ineficaz, ineficiente, imponderável, improcedente, incoerente, contraditório;

destrutível, discutível, contrariável, refutável, respondível, retorquível, ábsono = discordante, destoante, antigeométrico, indemonstrável, inepto, inverificável, absurdo 497; insustentável, torto, tortuoso, inconclusivo;

incorreto, falaz, aneiro, falível, infundado, de fazer riso, irrisório, destituído de fundamento, insubsistente, empírico, chocho, aéreo, vazio, oco, nulo, casso (desus.), frívolo, sutil e fútil, bizantino, pueril, inane, improvado;

enganoso, sofístico, enredoso, argucioso, ambagioso;

púnico, jesuítico, teocrático, talmúdico, indireto, ilusor, ilusivo, ilusório, caviloso, inaceitável, vão, capcioso, insidioso, vulnerável, casuístico, especioso, *de primo cartelo*, *ad captandum*, *pour épater les bourgeois*, evasivo, inaplicável 10; nugativo, nugatório; fraco, frágil, frouxo, injusto, pobre, disparatado 497; néscio 499; chicaneiro, sutil, vazio como argumento, nulo como concepção.

Adv. intuitivamente & *adj.*; com requintes de sofisma, por palpite, por intuição, sistematicamente, teocraticamente, *au bout de son latin*, por alto, à simples vista, na fé dos padrinhos.

FRASES: *Non constat*. A conclusão é arbitrária. *Sic volo. Sic jubeo.*

△ **478. Demonstração,** prova, provança, síntese, convicção, evidência, conclusão, constatação, confirmação, testemunho, comprovação;

prova evidente/farta/sensível/palpável/inconcussa/nítida/completa/insofismável; indício veemente, sinal seguro;

conclusão refletida, calma; provação, comprovação, experiência, revelação, manifestações positivas, prova dos noves, lógica dos fatos (evidência) 467; eloquência dos algarismos, *experimentum crucis* 463; argumento 476;

demonstração rigorosa/científica/matemática.

V. demonstrar, mostrar, patentear, desenfardelar, provar, provar por $a + b$, fazer ver, fazer prova de;

fazer/dar demonstração de; provar com raciocínio convincente, evidenciar 467; verificar, pôr em relevo, pôr à mostra, mostrar à evidência, provar demonstrativamente, provar à saciedade, comprovar, meter pelos olhos a dentro, patentear desnudadamente; ensinar com a eloquência fria dos algarismos, pôr uma coisa acima de toda a prova, tirar conclusão 480;

demonstrar de modo formal e esmagador/de maneira inconcussa; contribuir na afirmação de um princípio, convencer, catequizar.

Adj. demonstrativo, apodíctico, demonstrador, probante, probatório, comprobativo, comprobatório & *v.*; comprovador, comprovante, comprovativo;

irrespondível, irretorquível, irreplicável, irrefutável, categórico, fulminante, decisivo, concludente 476;

demonstrado, provado, irrefutado, de pé, irrespondido, evidente 474.
Adv. sem dúvida, portanto, logo 476.
FRASES: *Probatum est.* Nada mais tenho a dizer. *Quod erat demonstratum.* Q.E.D.; C.Q.D. = como se queria demonstrar.

▽ **479. Refutação,** confutação, impugnação, negação, contradição, contestação resposta esmagadora/completa/cabal; redarguição, invalidação, pulverização, profligação, *reductio ad absurdum*, apodiose, rechasso, desmentido, denegação, coarctada, prolepse;
argumento dinamite, clava de Hércules a tombar sobre.
V. refutar, confutar, ilidir, negar, denegar, rejeitar, desacolher, desaprovar;
mostrar a falácia/a fragilidade de; mostrar o calcanhar de Aquiles, rebater, objetar, replicar, contrariar, desmentir, treplicar, instar, dirimir, anular, infirmar, invalidar, desbaratar, britar, demolir (*destruir*) 162; derrocar, profligar, derribar, abater, subverter, não deixar de pé, não deixar pedra sobre pedra, arrasar, silenciar, atalhar, impor silêncio, reduzir ao silêncio, tapar a boca, desancar; vencer, derrotar numa controvérsia 731; cortar a saída, obrigar a meter a viola no saco; reduzir à expressão mais simples, enfiar pela terra adentro;
esmagar, triturar, pôr em posta, pulverizar, impugnar, embaçar, confundir, desmascarar, achatar, amolgar;
encravar, contraditar, contestar, rechaçar; dar quinze e fauta; dar-lhe nas maturrangas, tocar no ponto fraco, fazer embatucar alguém, pôr contra a parede, fazer meter a língua no saco;
fechar/cerrar/tapar a boca de; embuchar, pôr um nó na garganta de, fazer calar (o bivo); emudecer (alguém), mudar as setas (de alguém) em grelhas;
ser (refutado & *adj.*); não tugir nem mugir, recolher-se aos bastidores; ficar (engasgado & *adj.*); engasgar-se, engasgalhar-se, mostrar o seu ponto fraco, não ficar de pé, não suportar com garbo uma crítica;
ser obrigado a retratar-se/a cantar a palinódia/a confessar-se vencido; pedir arrego, dar a mão à palmatória.
Adj. refutatório, contraditório, contestatório, refutador & *v.*; contundente, infirmativo; refutável; replicativo;

desorientado, atordoado, engasgado, embatucado, perturbado, perplexo, confundido & *v.*
Interj. apanha este pião à unha!, nem fum nem fole de ferreiro!, nem mais um pio!
FRASES: O argumento cai por terra. *Cadit questio:* não procede a alegação. *Suo sibi gladio hunc jugulo*

5º) Resultado do raciocínio

△ **480. Julgamento,** judicatura, prolação, resultado, resulta, balanço, conclusão, indúcias, desfecho, epílogo 67; remate, solução, fim, indução, dedução, depreensão, inferência, ilação, ergotismo, corolário, aforismo, moral, afabulação, conceito, apreciação, opinião, ideia, juízo, qualificação, estimativa, avaliação, desempate, crítica, análise, censura, chega (ant.), judicação, ajudicação, arbitramento, arbitragem, ponderação, didascália, sentença, acórdão, decisão, resolução, laudo;
laudo arbitral, sentença arbitral, aresto, assento, juízo, opinião, voto, penada, parecer, despacho, veredicto, decreto, portaria, interlocutório, sentença interlocutória, interlocutória, *res judicata*;
plebiscito, voto, pronunciamento das urnas 609; opinião (*crença*) 484; bom-senso 465; juiz, prolator, sentenciador, condenador, julgador, o meritíssimo juiz, árbitro, arbitrador, álvidro (ant.), perito, avindor, avindeiro, louvado, magistrado 967; avaliador, jurado, compromissário, assessor, *referee*, padrinho (de duelo), censor, fiscal, repreensor, revedor, censurador, examinador, inspetor, crítico, Aristarco, zoilo (dep.), comentador 524; revisor, escrutinador.
V. julgar, judiciar, judicar, concluir, apurar, avaliar, fazer o balanço;
vir/chegar à conclusão; tirar uma conclusão, sentenciar, entender, manifestar-se, opinar, considerar;
ter/haver por bem; decidir, formar juízo acerca de, determinar, haurir conclusão; deduzir, deduzir a verdade, derivar, coligir, inferir, ver-se, proceder, depreender, induzir, ajuizar, colher, encarar, apreciar, levar em linha de conta, avaliar, estimar, numerar, criticar, glosar, empunhar a férula, emitir juízo, lançar na balança, quilatar, aquilatar, apressar, taxar, qualificar, classificar, reputar, reconhecer;

pronunciar seu julgamento, comentar; falar de cátedra/de cadeira/de poleiro; censurar, julgar acerca do mérito e do demérito de, julgar com pleno conhecimento de causa, estabelecer concludentemente a verdade, despachar, resolver, desempatar, escrutinar, solucionar, dar solução a = desenlaçar, pronunciar sentença, prolatar, pronunciar-se;
dar/proferir sentença; arbitrar, alvidrar, adjudicar, condenar, decretar, absolver, pronunciar, impronunciar, confirmar 488;
manifestar voto, votar, passar em revista (*examinar*) 457; investigar 461;
empunhar, ter a balança; presidir ao julgamento, exercer a judicatura, julgar com a imparcialidade de juiz.
Adj. julgador, sentenciador & *v.*; sentencioso, arbitral, judicial, judiciário, compromissário, judicioso 498; conclusivo, adjudicativo, adjudicatório, judicatório, judicativo, ilativo, qualificativo.

△ **480a.** (Resultado de investigação ou indagação) **Descoberta,** descobrimento, invenção, invento, criação, lampejo, achado, encontro, desenredo, solução, resolução de uma dificuldade, remédio, desvendamento, resposta, saída, resultado, revelação, desencanto, desencantação, decifração, soltura, raízes de uma equação, achadouro, desrefolho.
V. descobrir, achar, desnudar, encontrar, topar, deparar-se a alguém, enxergar 441; atinar, dar no alvo, acertar com, endireitar com, encarrilhar com, resolver, achar a solução de, perceber, conceber, desencantar, desencantoar, inventar, engenhar, destrinçar, deslindar, desenredar, matar, decifrar, conhecer, desentranhar, desenterrar, desentesourar, deseclipsar, arrancar, extrair, fazer sair, desencerrar, apurar, escatimar, liquidar, verificar;
destramar, destecer, arrotear, desbravar, desvendar, solucionar, lançar luz sobre, desurdir, achar um furo a, achar a chave de, solver, explicar, interpretar 522; revelar 529; descortinar, ver o fundo à canastra, dar com o busílis, dar na trilha, dar com a decifração da charada, dar talho a, resolver uma dificuldade, deitar a mão sobre, chegar à verdade, pôr a verdadeira sela no verdadeiro cavalo, dar na moca, desatar o nó górdio, dar com o trinho = dar no vinte; desvendar um segredo;

aproximar-se da verdade, farejar, fariscar, estar na batida de;
abrir os olhos a; enxergar;
ver claro/nas suas verdadeiras cores;
reconhecer, verificar, certificar-se, identificar.
Interj. heureca!

▽ **481.** (Julgamento errôneo) **Obliquidade de julgamento,** erro de apreciação/de cálculo, concepção errônea, conclusão precipitada, juízo temerário, pressuposição, intolerantismo, dogmatismo, mal-entendido, equívoco, erro de visão, crítica apaixonada = verrina, prejulgamento, prejudicação, desvirtuamento, distorção, conclusão antecipada, prevenção, preconceito, teias de aranha, prenoção, preconcepção, predileção = idiopatia, idiossincrasia, encasquetamento, presunção, pressentimento, palpite, ideia fixa, fixação, mania, obsessão, sectarismo, cavalo de batalha, *mentis gratissimus error*, obsecação 606; pertinácia no erro;
esprit de corps, corporativismo, espírito de classe, fisiologismo; rabo preso;
filosofia sectária, mercantil; mercantilismo, partidarismo, comprometimento, unilateralidade, política de campanário, politicagem, politiquice = regedoria, prestígio, medo, venalidade, paixão, respeito pessoal, interpretação restritiva, subserviência;
regionalismo, pendor, propensão, chicana, subterfúgio, capricho, parcialidade, suspeição, animadversão sistemática, infatuação, compadrio, compadrice, nepotismo, favoritismo, sutileza, astúcia, artimanha, desvario, extravagância, desatino, facciosismo, cegueira, fanatismo, precipitação, má-fé, ignorância, argueiro no olho, os olhos vesgos da má-fé, a lente de aumento das paixões, o rescaldo das paixões;
corrupção, suborno, tráfico de influência, Q.I. = quem indicou, mensalão, propinoduto;
vistas, ideias, concepções, noções, conceitos parciais/estreitos/superficiais/apertados/apoucados/acanhados/curtos/mesquinhos/comprometidos/vesgos/errados;
inferências opostas à verdade/à lógica dos fatos/à lei; conclusões precipitadas;
interesse particular, interesse subalterno, afeições do coração;
despeito, ódio, simpatia, inveja, hipercriticismo;

482. Exageração | 483. Depreciação

cainça, cainçada, cainçalha, Zoilo, partidário, energúmeno.
V. prejulgar, prejudiciar, prejudicar, pressupor = prefigurar, preconceber, dogmatizar, fazer juízo temerário, julgar a trouxe e mouxe, olhar somente um lado da questão; obedecer à rotina/às injunções do *magister dixit*; claudicar, revelar manifesta parcialidade, desvirtuar, prevaricar, ver com olhos apaixonados, precipitar-se, propender, inclinar-se, julgar através de pernicioso otimismo, cerrar os ouvidos ao bom--senso;
revelar espírito de parcialidade, ajoujar--se a conveniências subalternas, ter o rabo preso, *existimare unumquemque moribus suis* = julgar os outros por si = *ex natura sua ceteros fingere*, ter um véu diante dos olhos, julgar mal com parcialidade, errar 495; avaliar para mais 482; depreciar 483; condenar antecipadamente, não querer ver o verso da medalha, tirar conclusões precipitadas, ver por um prisma ilusório as coisas de meio perfil, ver num argueiro um cavaleiro, tomar a nuvem por Juno, olhar com os olhos de; ter/revelar manifesta predileção por; pender para, desvaliar.
Adj. liberal, intolerante, de vistas acanhadas, de horizontes estreitos, enfatuado, *entêté*, pirraceiro, pirracento, dogmático, presumido, vaidoso, opiniático, cego em preconceitos, opinioso, jungido a uma opinião, encasquetado, obcecado 606; caprichoso, voluntarioso, excêntrico, cabeçudo, energúmeno, desatinado, desvairado, desnorteado, destrambelhado, malcontentadiço, teimoso, ictérico, vesgo, míope, parcial, bandeiro, faccioso (injusto) 923; apaixonado; de espírito apoucado, estreito, acanhado; apanhado de coração, arbitrário, fanático, hipócrita, insidioso, temerário, precipitado, arrebatado, impulsivo, discricionário, maníaco, espalhafatoso, desarrazoado, sistemático, estúpido 499; crédulo 486; hipercrítico, unilateral.
Adv. iliberalmente & teocraticamente; *ex parte*, sistematicamente, por sistema, segundo uma ideia preestabelecida.
FRASES: A vontade e o arbítrio se arvoram em reguladores de. Corvos a corvos não tiram os olhos. De corsário a corsário não se perdem senão os barris. Lobo não come lobo = *canis caninam non est.*

△ **482. Exageração,** amplificação, encarecimento, hipérbole, auxese, sublimação, engrandecimento, exaltação, magnificação & *v.*; maximização, sobrestimação, supervalorização, sobre-exagero 549, espanholada; vaidade 880; otimismo, otimista, muita trovoada e pouca chuva, tempestade num copo d'água, *mons parturiens* = parto da montanha, belas palavras, cominheiro; conversa/história de pescador; bazófia, bravata, fanfarronice
V. exagerar 549, avaliar em mais; ligar demasiada importância a, fazer de um argueiro um cavaleiro, enaltecer, encarecer, exaltar, proclamar, exagerar o valor de, encomoroçar, dar valor excessivo, calcular excessivamente, sublimar, enobrecer, louvar exageradamente, diamantizar;
sobrestimar, maximizar, supervalorizar, sobrevalorizar, inflar, sobre-exaltar, exaltar, exalçar, fazer soar bem alto, realçar, dar mais brilho a, favorecer, avultar, levantar à altura de, sobalçar, alçar bem alto, divinizar, canonizar, endeusar, fazer de uma coisa bicho de sete cabeças, ver com bons olhos, ver tudo com um microscópio, estar atacado de marcopia, sofrer de poliopia, fazer grande cabedal de, emprestar demasiado valor a, subir de ponto alguma coisa, sobredourar, dourar, ter em grande conta; pôr nas estrelas/nos cornos da lua; remontar, levantar às estrelas;
exceder os melhores cálculos;
ter-se em grande conta 880; bazofiar, fanfarronar, bravatear; combater fantasmas, combater moinhos de vento, correr após o fantasma, fazer abalos por cantarejar de galos.
Adj. exagerado, sobrestimado, supervalorizado, maximizado, inflado; exaltado & *v.*; sensitivo 822.
Adv. exageradamente & *adj.*
FRASES: Todos os seus patos são cisnes. *Parturient montes.* Muita bulha e nada entre dois pratos.

▽ **483. Depreciação,** desestimação, denigrição, desvalorização, barateamento, desencarecimento, amesquinhamento, malbaratamento, apoucamento, desapreço, desdouro, desgabo, deslouvor, vitupério, desaplauso, menoscabo, desvalor, subestimação, subvalorização, minimização, modéstia 881; negligência 460; detração 934; pessimismo, menospreço, menosprezo, desvirtuamento.

V. depreciar, não dar apreço, ter em nada, estimar em nada, deprimir, viltar, aviltar, detratar 934; não fazer justiça, menosprezar, desprezar 930; subestimar, subvalorizar, subavaliar, ridicularizar 856; negligenciar 460; apoucar, apequenar, minimizar; denegrir, denigrir, denegrecer, renegar, deslouvar, enodoar, fazer perder em valor, passar por alto sobre, marear, embaçar, embaciar, desvirtuar, desdourar, deslustrar, desprimorar, desluzir, desencarecer, apear das estrelas, descrever com negras cores, desmaiar os encantos, afear, deformar, despintar, fazer descer a um nível de inferioridade, tomar as coisas por onde elas queimam, desengrandecer, desapreciar, abater;
amesquinhar, desconsiderar, falsetear, mutilar, ter em pouca conta, malbaratear, miniaturar, acanhar, baratar, baratear, abaratar, abaratear, ludibriar de, desnaturar, desfigurar, malsinar, infunicar, diminuir, acalcanhar;
atrofiar, ver tudo negro, regatear, lançar sombra sobre, diminuir o brilho, desengrandecer, desestimar, ofuscar, desprestigiar, ver com maus olhos, ver com os olhos da inveja, desendeusar, deslouvar, desgabar, vilipendiar, vituperar.
Adj. depreciado, depreciador, depreciativo & *v.*; subestimado, subavaliado, apequenado, apoucado, minimizado; pechoso, deprimente, aviltante, desvalioso, ludibrioso, pessimista, menosprezador, pejorativo, denigrativo & *v.*
Adv. depreciadamente & *adj.*

△ **484. Crença,** credibilidade, crédito, segurança, confiança, confiabilidade, fé, fidúcia, persuasão íntima, verdade, esperança 858; presunção, persuasão, convicção, convencimento, insuspeição, certeza 474; opinião, sentir, maneira de pensar, juízo, vista, conceito, concepção, pensar, parecer, tensão (jur.), impressão (*ideia*) 453; alvitre, conclusão (*julgamento*) 480;
doutrina firmada, base, dogma, lema, divisa, princípio consagrado, princípio recebido, modo de pensar, crença popular 488;
opinião, fé firme/implícita/arraigada/inabalável/calma/sóbria/imparcial/desapaixonada/bem fundada; *uberrima fides*;
fé sincera, fé antiga, fé ardente, fé profunda, fé brônzea, fé indestrutível;

sistema de opiniões, escola, seita, partido, teoria, artigos, concepção, interpretação, regras, cânones, bandeira;
declaração, profissão de fé; credo, *credenda*, *syllabus*, decálogo, quincálogo, heptálogo, catecismo;
Evangelhos, Santas Escrituras, Bíblia, Roma, Meca, Jerusalém, Alcorão 983a;
assentimento 488; propaganda 537; programa, plataforma, credibilidade (*probabilidade*) 472; (*possibilidade*) 470.
V. crer, ser adepto de, ter como verdadeiro, dar crédito, acreditar, passar como certidão;
dar/ter fé; ter confiança, crer piamente/a olhos fechados; ver, admitir, admitir como real, professar, considerar, outorgar foros de, tomar como verdadeiro, estimar, reputar, presumir, pensar;
contar com, confiar em; esperar em ou de; apoiar-se em, arrimar-se a, fundamentar-se, fiar-se em, construir sobre, repousar em, calcular sobre, estabelecer suas razões sobre, tranquilizar-se a respeito por esse lado, admitir como certo, aceitar como evangelho, ligar muito valor a, tomar como estabelecido;
saber com certeza, não nutrir dúvidas; estar seguro, dar por certo, dar por feita uma coisa;
confiar, estar às atenças de, ater-se, acreditar em, depositar confiança em, aceitar como um dogma, ter por seguro que, não suspeitar de alguma coisa, ser de opinião, garantir, querer, jurar;
ter, perfilhar, adotar, conceber, abraçar, arriscar, alimentar, nutrir, acariciar, esposar, professar uma opinião; estar ao lado;
compartilhar, comungar, participar de uma opinião; ser da feição de alguém;
ler/rezar pelo mesmo breviário que outrem;
aceitar uma teoria, atar-se a uma teoria; aceitar, olhar, classificar, registrar como verdadeiro; suspeitar 514;
meter-se, entrar na cabeça de; aninhar-se no cérebro, engolir (*credulidade*) 486; possuir-se, ser tido e havido como verdadeiro;
impor-se à confiança/ao consenso; convencer, satisfazer, instigar, possuir-se, convencer-se, imbuir-se, compenetrar-se, persuadir-se; mover, capacitar, gerar confiança; achar aceitação;

485. Descrença | 486. Credulidade

trazer, chamar à razão; ser recebido, ter lisonjeiro acolhimento;
conquistar/empolgar/captar/seduzir o espírito/o coração; induzir a crer, despertar simpatia, encontrar guarida, achar eco.
Adj. crível, creditável, certo, inequívoco, seguro, insofismável, positivo, fiel, confiante, inesitante, convicto, apanhado, convencido, confiado, capacitado, persuadido; imbuído, penetrado, compenetrado de; anticéptico;
dessuspeitoso, insuspeitoso, crédulo 486; descuidoso;
crido & *v.*; acreditado, putativo, insuspeito; digno, merecedor de crédito; aceitável, acreditável, fidedigno, estabelecido, recebido, consagrado, em que se pode confiar, satisfatório, provável 472; fiducial, fiduciário, persuasor, persuasivo, persuasório, forte, suasório, convincente, frisante, suasivo, ponderoso, que tem tomo, impressivo, impressível, impressionante, impressionável, doutrinal.
Adv. e Frases: creditavelmente & *adj.*; na opinião de, na boca de, no pensar de, no conceito de, no julgar de, no entender de, aos olhos de, no sentir de, *me judice*, a mim me parece, ouso dizer, não tenho dúvida, estou certo 474; conte com, fique tranquilo, garanto-lhe, a meu aviso, a mim se me afigura; *me vide!* = garanto!

▽ **485. Descrença,** descrédito, desconceito, falta de fé (*irreligião*) 989; dissentimento 489; versatilidade (mudança de opinião) 485; retratação 607;
dúvida (incerteza) 475; cepticismo, pirronismo, pessimismo, suspeição, suspeita, teiró, difidência, barrunto, desconfiança, conjetura, suspicácia, ciúme, zelo, escrúpulo, acatalepsia, negação, arrepsia, *onus probandi*, consulta;
incredulidade, incredibilidade; letargo da dúvida.
V. descrer, desacreditar, renegar, não admitir, inadmitir, não ter fé, não crer, ser como s. Tomé, negar, rejeitar, refutar, dissentir 489; custar a crer (*incredulidade*) 487; não confiar, desconfiar, duvidar, titubear, pôr em dúvida, estar em dúvida, não estar convencido da verdade, ser duvidoso (incerto) 475; pôr dúvidas, não acreditar, hesitar, ser céptico quanto a, suspeitar, barruntar (pop.), conjeturar;
ter/alimentar/nutrir suspeitas; pôr de quarentena, deter-se, vacilar, escrupulizar-se;
objetar, representar contra, não concordar com, contestar, revocar em dúvida, problematizar, contrastar, divergir;
atirar, lançar a luva; lançar a dúvida sobre; agitar, suscitar, debater uma questão; fazer uma consulta, trazer à balha ou à baila, questionar, discutir, desafiar, disputar;
causar/gerar/acordar/implantar uma dúvida; controverter, amortalhar;
abalar, golpear, ferir de morte a fé de alguém, tornar descrente;
pairar uma dúvida;
andar/estar desconfiado, com uma pedra no sapato, com a pulga atrás da orelha.
Adj. incrédulo, incréu, descrente 487, descreúdo (ant.), descrido, desconfiado, ressabiado, desconfiante, céptico, pirrônico, acataléptico, suspeitoso, aruá, difidente, suspicaz, equívoco, duvidoso (*incerto*) 475; disputável, disputativo;
carente, carecedor, imerecedor, indigno de crédito, sofismável, de confirmação; contrariável, discutível;
acessível à suspeita/à dúvida; difícil de se acreditar, inacreditável, incrível (*impossível*) 471; destituído de naturalidade, inconcebível, desnatural, inverossímil, que atinge os limites do fantástico, imaginoso, falível, questionado, questionável, problemático, controvertível, controverso, impugnável (*falso*) 495.
Adv. incredulamente & *adj.*; com as devidas reservas, pelo sim, pelo não, *cum grano salis*, sem certeza.
Frases: *Fronti nulla fidesus. Nimium ne crede colori. Timeo Danaos et dona ferentes. Credat Judeus Apella.* Acreditem os que quiserem. É muito gorda a arara. A outro perro esse osso. Ora, muito obrigado! Conta outra. Essa não!

△ **486. Credulidade,** extrema facilidade em crer, bonomia, simplicidade, boa-fé, ingenuidade, simpleza, candura, inexperiência, superstição, crendice, crendeirice, minhocas, fanatismo, adesão cega, robotização, enfatuação, teimosia 606; hiperortodoxia, julgamento errôneo 481; fé de carvoeiro;
pessoa crédula 547; misologia, misossofia.

487. Incredulidade | 488. Assentimento

V. ser crédulo & *jurare in verba magistri*, curvar-se submisso ao *magister dixit*, seguir cegamente;
acreditar em histórias da carochinha/em contos de velhas; engolir carapetões, esperar por sapatos de defunto, tomar como certo tudo que ouve, aceitar tudo como um evangelho, crer pelos ares, dar o ser a bagatelas e nonadas, crer numa coisa como se fosse um evangelho, ver as coisas com os olhos da fé; crer piamente, sem exame nem reflexão; jurar na fé dos padrinhos, assinar de cruz, não precisar de provas para crer, passar uma coisa sem selo, crer em bruxas, emprenhar-se pelos ouvidos, engolir patranhas, deixar-se levar, ir na onda, ser passado para trás, entrar no conto do vigário, abrir ouvidos fáceis a, curar-se por informação, ser ludibriado 545;
fazer juízo temerário/precipitado; atirar-se a conclusões, pensar que a lua é um bonito queijo;
tomar a sombra pela substância/a nuvem por Juno, possuir-se, compenetrar-se, persuadir-se, capacitar-se.
Adj. crédulo, enganadiço 545; simples, ingênuo, inexperiente, confiante, descuidoso, fácil, confioso, molar, compenetrado, parvo, pateta, tolo, idiota, panaca, atoleimado 499; enfatuado, supersticioso, infantil, inconsciente.
Adv. credulamente & *adj.*, piamente, com toda a fé.
Frases: *Credo quia impossibile. Credo quia absurdum.*

▽ **487. Incredulidade,** cepticismo, pirronismo, falta de fé (impiedade) 989; cegueira voluntária, má-fé, suspeita, desconfiança, pirronice, suspicácia, espírito desconfiado, descrença 485;
incrédulo, céptico, pirrônico, herege 984.
V. ser (incrédulo & *adj.*); abanar a cabeça, recusar a crer;
fechar sistematicamente os olhos/os ouvidos; não querer confiar no testemunho dos seus próprios olhos;
pôr tudo de quarentena/de molho; fazer ouvidos moucos, ter os ouvidos abetumados, fazer-se de cego, entrar uma coisa por um ouvido e sair pelo outro, cerrar os olhos à luz, não querer ver o sol, ignorar, não levar a sério, não fazer fé, pôr seus embargos, *nullis jurare in verba magistri*.
Adj. incrédulo, ácreo (ant.), céptico, pirrônico, desabusado, isento de preconceitos, inconvencível, inconvertível, solerte, ladino, perspicaz, inabalável, fechado a todos os argumentos, teimoso 606; suspeitoso, desconfiado, escrupuloso, de má-fé, cego.
Interj. qual!, qual lá!, qual história!, macacos me mordam ou um raio me parta se isso for verdade.
Frase: Confiar, desconfiando.

△ **488. Assentimento,** apoio, nução, adesão, assenso, consenso, concerto, consentimento, aquiescência, permissão, aprazimento, autorização, licença, acedência, solidariedade, acordo, prasme, beneplácito, plácito, *placet*, tolerância, admissão, inclinação de cabeça, acordança (ant.), acordação (ant.), acordamento 23; concórdia, concordança, coesão, harmonia;
unidade, harmonia de vistas; recognição, reconhecimento, confissão, neuma, unanimidade, frente única, unidade de comando, aclamação, conclamação, aplausos, unissonância, coro, elogio público, *vox populi*, o mundo, voz comum;
opiniãopública/popular/corrente/dominante/prevalecente; concorrência (*de causas*) 178; cooperação (*voluntária*) 709; ratificação, confirmação, referenda, corroboração, aprovação 931; anuência, aceitamento, aceitação, acessão, endossamento 535, endosso; consentimento 762; nagualismo;
correligionário, nagual, simpatizante, adepto, partidário, todos, amigos e inimigos = *œqui et iniqui;* gregos e troianos.
V. assentir, admitir, anuir, inclinar-se, estar pelos autos, concordar 23; convir; querer crer, afinar-se pelo mesmo diapasão;
dar anuência, condescender, aquiescer, transigir, ceder, remeter, estar de acordo em, solidarizar-se, receber, aceitar, topar, adotar, seguir, aceder, vir à razão, aderir, ajustar-se, convencer-se, acordar, combinar, concertar, resolver de comum acordo, fazer de concerto, subscrever, consentir, tolerar, concorrer, reciprocar, ir com, conformar-se, sustentar, fazer-se eco, votar, dar o voto, reconhecer, dizer sim/idem/amém/apoiado; não ir fora de, deferir, compartilhar, partilhar, associar-se a;

489. Dissentimento | 489. Dissentimento

ter/tomar parte em; participar de; confessar, admitir, conceder (*ceder*) 762; sustentar, permitir 760; tornar unânime & *adj.* = unanimar; estar coeso; chegar a um acordo/a um entendimento/a um arranjo; vir às boas; confirmar, afirmar, ratificar, aprovar 931; endossar, conclamar, acompanhar, prefaciar, rubricar, reborar, solidar, corroborar 467; seguir; acompanhar ou ir com a corrente, a onda; acompanhar a procissão; seguir o exemplo/a moda; conformar-se, fazer coro com, louvar-se em, fazer suas as palavras de, seguir o comum fio, ir pelo caminho do carro 82;

Adj. aquiescente, anuente, de mútuo acordo, contente, combinado, voluntário 600; concorde, conteste, conforme, concordante, solidário, coeso, incontrovertido, inquestionado, seguido, adotado, recebido, adscritício, estabelecido, unânime, constante, de concerto, feito por aclamação, aclamativo, afirmativo 535; aprobativo, aprobatório.

Adv. concordantemente & *adj.* asim, certo que sim, *pulchre, beni recte*, bem, muito bem, apoiado, verdadeiramente, sem dúvida, certamente, exatamente, tal qual, de certo, à fé, pois não, *ex concesso*, inquestionavelmente, seja assim, assim seja, amém, de boa vontade 602; afirmativamente, na afirmativa; unanimemente & *adj.*; por unanimidade, de concerto, *una voce*, de comum acordo, de mão comum, de mãos dadas, em peso, uníssono, em globo, em massa, em coro, como um só homem, numa comunhão de ideias, sem uma voz dissonante a quebrar a unanimidade, a frouxo, *nemine discrepante, nemine dissentiente, ad unum omnes* = todos absolutamente.

Interj. apoiado!, isto!, isto sim!, lá isso é!, olé!, olá!, passe!, estou de acordo!, seja!, convenho!, perfeitamente!, sempre ao seu lado!

FRASES: Está claro. Está visto.

▽ **489. Dissentimento,** discrepância, desentoação, desafinação, dissonância, discordância, desacordo 24; desencontro, implicação, implicância, desconsentimento, desconformidade, inconformidade, reclamo, reclamação, desavença, desarmonia, divergência, contenda, desinteligência, divergência religiosa 984; antagonismo, oposição, diferença, controvérsia, diversidade de opinião, atrito, conflito, litígio, pendenga, quizila, confronto, separatismo, protestantismo, cisma, dissidência, dissídio, cisão, descontentamento 832; movimento separatista, rompimento, secessão 44; independência, dissensão (*discórdia*) 713; abjuração, apelação, recurso; protesto, grito de revolta, vaia, apupo, contradição 536; rejeição 764; desaprovação 932; neuma; dissidente, descontente, opositor, concorrente, adversário, divergente, contendor, protestante, oposicionista, cismático, separatista, revoltado, insubmisso, anarquista, recorrente, apelante, emigrado, minoria, ovelha tresmalhada.

V. dissentir, desconsentir, conflitar, confrontar, ser nota dissonante, discordar 24; desacompanhar, objetar, destoar, implicar com, pôr em dúvida 485; apartar-se, desconvir, não se conformar, desconcordar, dissidiar, desconformar-se, desconcertar-se, partir-se, discrepar, divergir, quebrar a unanimidade, desunanimar, desconchavar, ir de encontro, estranhar, contraditar, contradizer, contestar, negar, dizer (não 536); ir/votar contra; romper com, desligar-se de, abandonar as fileiras; recusar aplausos/assentimento; protestar, obtestar, erguer a voz contra, repudiar, não reconhecer, não aceitar, desencontrar-se; diferir *toto cœlo*, diferir, ler por outra cartilha, não ir à missa de, revoltar-se, ser um revoltado contra, não ir com a corrente, ir contra a corrente, reclamar contra, encontrarem-se nas opiniões, revoltar-se ante a ideia de, não ir nada com alguém, desentoar, desafinar, destoar, abanar a cabeça, colear, sacudir os ombros, olhar de soslaio, separar-se, cindir-se, proclamar a sua emancipação política, libertar-se 750, recorrer, apelar.

Adj. dissidente, díscolo, desconcorde, desconcordante, desacorde, discorde, dissonante, divergente, uníloquo, díssono, dissoante, desentoante, destoante, contrário, desencontrado, vário, negativo 536; dissentâneo, desarmônico, recusador, recusante 764; descontente, protestante, inconvertível, inconvertido, vencido mas não conven-

cido, inconfessado, irreconhecido, fora de questão;
descontentado, incontentado 832; avesso a 603;
sectário, cismático, dissidente, divergente, separatista.
Adv. dissidentemente & *adj.*
Interj. não apoiado!, protesto!, lá isso não!, isso não!, fora! (*desaprovação*) 932.
FRASES: Tantas cabeças, tantas sentenças. *Quot homines tot setentiæ. Tant s'en faut, il s'en faut bien.*

△ **490. Conhecimento,** noção, notícia, ciência, informação, instrução, familiaridade, cognição, intimidade, trato íntimo, contato, compreensão, apreensão, percepção, depreensão, intuição, razão, preconição, apercepção, aperceptividade, cognoscibilidade, apreciação 480; luz, esclarecimento, iluminação, vislumbre, reflexo, brilho, lampejo, cheiro, suspeita, impressão (*ideia*) 453a; descoberta 480a;
sistema, soma, conjunto de conhecimentos; ciência, filosofia, pansofia, acrosofia, hipótese, teoria, teórica, concepção, etiologia, árvore do saber, classificação das ciências, pandecta, doutrina, corpo de doutrina, ciclopédia, enciclopédia, escola (*sistema de opiniões*) 484; esfera dos conhecimentos humanos, república das letras, Atenas (*linguagem*) 560; erudição, eruditismo;
fundura, profundeza de conhecimentos; cabedal científico, saber, sabença, ilustração, instrução variada, sabedoria, capacidade, sapiência, mestria, competência, primazia, preparo, conhecimentos sólidos e variados, sabença (pop.), polimatia, leitura, cultura, estudo, talento, literatura;
paixão pelas letras/pelos livros; bibliomania, soma de conhecimentos, habilitação, educação 537; proficiência, competência, perícia (*habilidade*) 698; educação liberal;
gnose, conhecimento profundo/imenso/sólido/variado/completo/esmerado/acroático/acroamático/enciclopédico; poliglotismo, poliglotia, veredicto = opinião abalizada, luzes;
bagagem literária/científica; cavalo de batalha, onisciência, diletantismo, rudimentos (*começo*) 66; dotes intelectuais, pantologia; progresso/avanço da ciência.
V. conhecer, ressaber, saber, ter noção de; saber de ciência própria, por dentro e por fora, escrutar, vir às mãos, ser sabedor de, trazer nas palmas da mão, ter consciência de, estar senhor de, estar a par de, ter/possuir, saber à légua;
saber ao claro/de cor e salteado/de ciência certa; saber pela raiz, ler de cadeira; petiscar alguma coisa de, saber *de auditu*, saber de oitiva;
capacitar-se, conceber, aprender, perceber, estudar, informar-se, fisgar, compreender, entender, pôr o dedo em cima, apreciar, sondar, devassar, penetrar, reconhecer, enfronhar-se em, discernir, apreender, depreender, senhorear, assenhorear, experimentar, inteirar-se de;
chegar/vir ao conhecimento de; familiarizar-se com, dominar, penetrar o íntimo segredo de;
estar ciente/farto de saber, estar ao fato de, andar ao corrente, descobrir 480a;
conhecer plenamente/de perto/como ninguém/como aos próprios dedos/muito de perto/intimamente; ter perfeito conhecimento de, acompadrar-se, *connaître le dessous des cartes*, nadar de braçada, ter visão clara, chegar ao seu conhecimento 527; falar de cátedra, pontificar, ilustrar-se, enriquecer seus conhecimentos intelectuais, ser (erudito & *adj.*);
ser um repertório de/um abismo de erudição/uma mina de saber/uma biblioteca viva; recomendar-se pela sua capacidade, ter capelo em, ser versado em, saber uma coisa *ad unguem*, ter suas provas feitas, ter um nome feito; revelar vasto cabedal/grande profundidade de conhecimentos; possuir uma vastidão de conhecimentos, ser muito inteligente em, ser um dos melhores conhecedores de, ser mestre; eruditar = mostrar erudição; ser o forte de, não ter segredos para, abalizar-se, ilustrar-se; filosofar.
Adj. conhecedor de, sabedor & *v.*; sagez (ant.), cognitivo, acromático, polimático, sabedor de, cônscio de, ciente de, informado de, familiarizado com, acompadrado com, versado em, *au fait, au courant*, não alheio a, inteirado de;
emérito, entendido, proficiente, *expert*, versado, enfronhado, diplomado, provecto, lido, forte em; familiar com, ressabido = erudito, sabido, douto, abalizado, sábio, sapiente, omnilíngue, poliglótico, ilustra-

do, doutíloquo, competente, de força/culto, instruído, habilitado, instruto, que pensa, multiciente, que estuda e que analisa, iluminado, iluminista;
de pulso, de muito fundo, multíscio, multisciente, perleúdo (dep.), eminente, preclaro 873; esclarecido, pensante, letrado, graduado, solidamente educado, centificamente preparado, escolástico, profundo, triglota, poliglota, bilíngue, trilíngue, bibliomaníaco, onisciente, polímato, polígrafo, perito (*hábil*) 578; sapiencial, algêmio, provado, demonstrado, sabido, verificado, cógnito, conhecido, notório, público, visível;
paladino, apurado, recebido, consagrado, patente, que todo estudante sabe, manifesto, vulgar, comum, conhecido, trilhado, usado, corrente, proverbial, familiar, sediço, banal, trivial, exotérico, corriqueiro, mais velho que o azeite e o vinagre, palmar, grande, determinado, noto, magistral, precógnito, cognoscível;
familiar como os dedos das mãos/os vocábulos de uso diário;
nocional, filomático.
Adv. sabedoramente, sabidamente, notoriamente & *adj.*; com erudição & *subst.*

▽ **491. Ignorância,** apedeutismo, dessabença, falta de instrução, ignotícia, agnosia, inscícia, insciência, insipiência, desconhecimento, desinformação, incultura, atraso, barbaria, indiferentismo pelas letras, aversão às letras, leiguice;
pobreza de faculdades e debilidades de espírito; *tabula rasa*, raquitismo, curteza, miopia, cegueira, escuridão, necedade, burrice, estupidez, simploriedade;
ignorância crassa/supina/palmar, inconsciência, desconsciência, incompetência, improficiência, imperícia 699; simplicidade, noite, sombra, trevas, ignorantismo, obscurantismo, tempos apagados; incógnitas, quantidades desconhecidas; x, y, z, livro fechado, *terra incognita*;
terra virgem/inexplorada/desconhecida/obscurantista; misologia, misossofia;
(conhecimentos superficiais): tintura, untura, vislumbre, enfarinhamento, leve tintura, lambujem, lambuzadela, besuntadela, saberete, sombra, laivos, verniz, pincelada;
conhecimentos gerais/rudimentares/deficientes/escassos/minguados/imperfeitos;
os primeiros rudimentos, prolegômenos, propedêutica, o abc de, o áxis de noções vagas, rudimentos, ensaboadela, prenoção, meia ciência, sabença de orelha, côdea, confusão (*incerteza*) 475; incapacidade, erudição chocha;
(afetação de conhecimentos): afetação, sofomania, pedantaria, pedantismo, empáfia, doutorice, magistralidade, charlatanismo, charlatanice, literatice, letradice, bacharelice, letradura, gramatiquice, latinório.
V. ignorar, ser (ignorante & *adj.*); não (saber 490); não saber nada de, ser jejuno em; não ter ideia/noção/concepção; não ter a mais remota ideia, não saber quantas pernas tem um *o*, ser acéfalo, não saber da missa metade, ser homem sem princípios, não enxergar um palmo adiante do nariz, dar coices, escoicear, escoicinhar;
jejuar a respeito de, não pescar de, não saber o que fazer de 519; ver através de vidro escuro, ter venda nos olhos, não pescar palavra de;
não entender palavra/patavina de/do riscado; não saber a cartilha, ler mal, estropear, deletrear, soletrar, ressentir-se da ferrugem de seu tempo, reconhecer sua falta de talento = confessar sua inópia;
ser leigo/profano em; não saber de que cor é uma coisa, não meter dente, ser falho em, balbuciar, tornar ignorante & *adj.*; obscurantizar, embrutecer, estupidificar, alarvajar;
mumificar, atrofiar, esterilizar a inteligência; pedantear; saber pela rama, ser hóspede em, enfarinhar-se, enlambuzar-se, ter umas lambuzadelas de, falar a lume de palhas, falar por alto, apanhar a dente, entreconhecer;
ter lume de/algumas luzes/cheiro de/umas ensaboadelas de; enganar em, arranhar, mascar latim de cozinha, estropear, ignorar, dessaber, permanecer na ignorância, desconhecer, incompreender, desentender, saber de oitiva, saber *de dictu*.
Adj. (ver tb. 493) ignorante, ignorantão, ignorantaço, ignaro, eigaço, bronco, desalumiado, apedeuta, acéfalo, cego, ineducado, curto, míope, sem luz, reboto, bordalengo, analfabeto, tapado, de vista curta, labrego, lorpa, panaca, rude, néscio, estúpido, iliterato, iletrado, imperito, desmiolado, descerebrado, manco;

de cabeça-oca, profano, profanete, camelino, leigo, desconhecedor, incapaz de compreender coisas elevadas, infamiliar, inconsciente, sáfaro, sáfio, desinformado, ininformado, de água-morna, incultivado, indouto, inculto, incompetente, ininstruído, semissábio = quadrupedante, iniciado;
pouco profundo, superficial, atrasado, pouco sólido, raso, verde, perfunctório, ligeiro, vazio, oco, manco, deficiente, escasso, minguado, imperfeito, apagado, de olhos vendados, *au bout de son latin*;
desconhecido, virgem, inusitado, ignoto, incógnito, inexplorado, inédito, inaudito, inobservado, inavegado, insulcado, indevassado, recôndito, que nunca pés humanos romperam, oculto 528; inexplicado, invisível, misterioso; impérvio nas trevas, tenebroso, trevoso, caliginoso, obscuro, tenebricoso, mergulhado nas trevas da ignorância, obscurantista.
Adv. ignorantemente & *adj.*; com insciência, às cegas, às escuras;
superficialmente, pela rama, ao de leve, incidentemente, de passagem, de oitiva, por alto, materialmente, em branco; eruditonamente.
Interj. santa ignorância!

△ **492. Douto,** erudito, sábio, entendido, ilustrado, intelectual, competente, sabedor, estudioso, sol, luzeiro, gênio, luminar;
astro ou estrela de primeira grandeza; notabilidade, grande marca, potência intelectual, engenho, letrado, mentalidade de escol, beneditino, espírito vasto, conhecedor, *connoisseur, savant,* pantólogo, cultor, escolástico, doutor, professor, graduado, disputador, acadêmico, licenciado, togado, magistrado, filósofo, cientista, polímato, sofista, pensador; *magni pretii homo* = homem de grande mérito;
triglota = trilíngue, bilíngue, poliglota, linguista, romanista, filólogo = romanólogo, filologista, humanista, helenista, lexicógrafo, sanscritista, dicionarista, glossógrafo, gramático, literato, homem de letras, diletante, curioso, amador;
Mecenas, Mezzofanti, iluminado;
rato de biblioteca, *helluo librorum,* bibliomaníaco, *bas bleu,* sábio tebano, biblioteca viva, repertório, *homo multarum literarum*;

homem de vasto saber/de sólida cultura/ de fina educação/de muita instrução; sumidade, capacidade;
poço de ciência/de saber/ de cultura; sociólogo, cientista, homem de grande esfera, especialista, ictiólogo, ictiógrafo, petrologista, biologista, patologista; frenologista, frenólogo, morfologista, minerógrafo, mineralogista, meteorologista, físico, químico, quinólogo;
psiquiatra, psicanalista, alienista, astrônomo, geólogo, agrônomo, hidrólogo, naturalista, botânico, geneticista, latinista, geógrafo, historiador, antropólogo, engenheiro, médico, antiquário, arqueólogo, arqueógrafo, assiriólogo, assiriologista, patólogo, patógrafo, armista, linhagista, genealogista, autor genealógico, matemático, analista, algebrista, geômetra, pantologista, aristocracia intelectual, classe pensante e douta, doutrinário, psicólogo, pedagogo, professor 540; advogado, juiz, jurisconsulto 967, 968.
Adj. sábio 490; filomático, poliglótico, sabichoso, emérito, insigne.

▽ **493. Ignorante,** (ver tb. *Adj.* de 491) ignorantão, apedeuta, misólogo, misóssofo, alarve, analfabeto, iletrado, néscio, homem de letras gordas, nulidade, pinho remisso, camelo, camelório, pigmeia, pigmeu, salsinha, tábua rasa, animalaço, malabruto, broma, burro, jumento, cafre, besta; cavalório, cavalgadura, besta quadrada;
doutor de secadal, mula ruça; animal, asno quadrado, azêmola, cepo, pobre de espírito, bolônio, loio, pateta das luminárias, toupeira, cabeça de burro, tatambá (bras.), botocudo, charlatão, rábula, boçal, jalofo, leigo, leigaço, noviço, aprendiz, praticante, inexperiente, palerma 547;
novato (*aluno*) 541; albardeiro 701; tolo 501; sabichão, sabichona, eruditão, mestrona, doutoraço, letrudo, sabedório, semissábio, hierofante, gramaticão, padre-mestre, sofomaníaco, fistor, pedante, sabão, sabichão de maço e mona, latiniparla (dep.), prosa, gabolas, fareleiro, sábio de quotiliquê, pomadista (bras.), sabichão de meia tigela, padre de *requiem,* bacharel *tibi quoque,* inteligência medíocre;
a plebe ignara, o vulgo profano, a classe impensante.

494. Exatidão | 495. Erro

Adj. ignorante, crasso, de chapa, chapado, dos quatro costados, de capa e espada, de meia cara, desentendido.

△ **494.** (Escopo do conhecimento) **Exatidão,** fato, luz, evidência, verdade, realidade (*existência*) 1; simples questão de fato, natureza (*princípio*) 5; veras, evangelho, ortodoxia 983a; oráculo, autenticidade, veracidade 543; as cores nítidas da realidade; rigidez, justeza, correção, exação, certeza, segurança, acuidade, precisão, delicadeza, miudeza, severidade, rigor, precisão matemática, pontualidade, sensibilidade, precisão de maquinismos, minudência, minuciosidade, regularidade 80; autografia, *ipsissima verba*, texto, as mesmíssimas palavras;
verdade singela/sóbria/verdadíssima/absoluta/nua/crua/pura/sincera/honesta/rigorosa/austera/intrínseca/incontestada/luminosa/inconcussa/limpa; *nuda veritas*; realismo, naturalismo.
V. ser (verdadeiro & *adj.*); ser verdade, ser a questão, resistir a toda prova, desafiar contestação, inspirar confiança, não temer contradita;
não admitir/comportar ilusões; fazer fé, ser (genuíno & *adj.*); ir com o compasso na mão, ter muita sensibilidade;
tornar/provar verdadeiro; tirar a prova dos noves, verificar com a maior minuciosidade, desfabular, exatificar, precisar, minuciar, substanciar 467; rebulir, retocar, corrigir, chegar à verdade (*descobrir*) 480a; obter resultado rigorosamente exato;
tornar exato, corrigir, dar quinau, retificar.
Adj. real, positivo, efetivo, vero, atual (*existente*) 1; verdadeiro, verídico, oracular, veraz, certo 474; seguro; substancialmente/categoricamente/matematicamente verdadeiro; fiel à letra, indiscutível, irrefragável 474; irrecusável, inequívoco, incontestável, veraz 543; iniludível, irrefutável, testemunhável, inideal, inimaginado;
exato, irrepreensível, inatacável, incensurável, rigoroso, definido, definito, preciso, categórico, cabal, terminante, frisante, justo, reto, correto, regular, estrito, aproximado (*semelhante*) 17; literal, servil, textual, conforme à letra, fielmente reproduzido, inexorável, inconcusso, próprio, rígido, puro, limpo, escrupuloso (*conscienciosio*) 939; estreme, severo, fiel, religiosamente exato, matemático, científico, geométrico, sabido, inerrante, infalível, indefectível, minucioso, fino, feito com todo o escrúpulo e atenção, genuíno, formal, legal, autêntico, lídimo, legítimo, da gema, garantido, insuspeito, inequívoco, ortodoxo, oficial, *ex officio*;
natural, são, provado, demonstrado, reconhecido, de prova experimentada, bem fundado, conhecido, sabido, inadulterado, fundado, sólido, substancial, substancioso, tangível, palpável, visível, válido, verificado com a mais escrupulosa imparcialidade, insofismável, acima de toda prova, que os fatos não contradizem, fidedigno, que mais de perto priva com a verdade, legítimo de Braga.
Adv. realmente & *adj.*; verdadeiramente, bofé (ant.), na realidade, em carne e osso, deveras, com todas as veras, com toda a verdade (*veracidade*) 543; certamente 474; atualmente, exatamente, ao justo, *ad amussim*, regularmente, perfeitamente, sem requinte de sofisma/de traço em traço, *verbatim, varbatim et litteratim*; *totidem verbis*; sic, à letra, ao pé da letra = *verbum pro verbo*, literalmente, *ipsimis verbis*; *ad unguem*, na íntegra, sem discrepar uma coma, *ad verbum* = sem mudar uma palavra, sem pospor ou antepor uma vírgula, com todos os ff e rr, tim-tim por tim-tim, ponto por ponto, pá-a-pá-santa-justa, miudamente, com todo o rigor, no seu justo valor, sem refolhos, com toda a exatidão, a compasso = com exatidão rigorosa, propriamente dito;
sem tirar nem pôr, em suas verdadeiras cores, sob todos os aspectos, sob qualquer prisma que se encare, em todo o caso, de qualquer maneira, à risca, à toda prova, rigorosamente falando, realmente, de fato, com efeito, a bem dizer, para bem dizer, por bem dizer; em boa, em sã consciência;
resvés, à média, à justa, na conta, a ouro e fio.
Frases: O fato é. O caso é. *Ita est* = assim é.

▽ **495. Erro,** engano, mancada (gír.), furo (gír.), asneira, delusão, equívoco, errada, falácia, falibilidade, errância, defectibilidade, imperfeição, falha, mal-entendido, desacerto, inexatidão, inexação, constru-

ção errônea (*má interpretação*) 523; conclusão manca 481; *non sequitur* 477; exposição viciosa, raia;
erro crasso/grassento/palmar/material/imperdoável/ injustificável/supino/grosseiro/arrevessado/de palmatória; solecismo;
falta, omissão, lacuna, senão, *quiproquo*, inadvertência, silabada, barbarismo, erro tipográfico, errata, ressalva, salva, *erratum, corrigendum*, corrigenda, observação, claudicação, error (desus.), escorregadela, cochilo, inexatidão, descuido, descaída, lapso, latinada, incorreção, patada, cinca, cincada, cincadilha, avesso, deslize, desatino, despautério 497; disparate, ato falho, *lapsus plumæ, lapsus calami, lapsus linguæ*, desastre (*insucesso*) 732; monstruosidade, enormidade, remendo (*inabilidade*) 699; erro clerical;
ilusão, desilusão, falsa impressão, falsa ideia, névoas do erro; triquestroques, heresia 984; alucinação 503; ilusão de ótica 443; sonho 515; miragem, fata morgana, delírio, fábula 546; vício, óbelo (ant.), ceráunio; bolo, palmatória.
V. estar errado, ser (errôneo & *adj.*); ser um (desacerto & *subst.*); carecer de fundamento; desencaminhar, desencarreirar, desnortear, desorientar, transviar aos mais ruinosos erros, extraviar;
levar/conduzir/induzir a erro; enganar, iludir;
dar falsa impressão/falsa ideia; falsificar, embair 545; mentir 544; não expor fielmente; errar, errar mui e crassamente, pecar contra a gramática 568; cometer erro, cochilar, trocar as bolas, cincar, estar em erro, estar enganado, ser ludibriado 547; receber falsa impressão, enganar-se, equivocar-se, estar mal informado (euf.), desacertar, laborar num engano;
enganar-se redondamente/de meio a meio; claudicar, vacilar 475; dar cincas;
cair, jazer em erro; tatear nas trevas e no erro, resvalar em erro, consultar mal os interesses de, falhar a memória, traírem a alguém as suas reminiscências, estar sujeito à falibilidade humana, não ter razão, tomar a sombra pelo corpo, trucar de falso, ouvir cantar o galo e não saber onde (pop.), falhar, fracassar 732;
gerir mal 699; frustrar-se o cálculo a alguém, escrever ou dizer cesta por balhesta, trocar alhos por bugalhos; tropeçar, escorregar, perder-se (*incerteza*) 475; desencaminhar-se, confundir, omitir, trocar, reconhecer o erro, dar a mão à palmatória, ficar desapontado 509; levar para seu tabaco, aceitar a corrigenda, apanhar grande lição; levar um quinau.
Adj. errôneo, inverídico, contrário à verdade, destituído de verdade, incorreto, desacertado, enganoso, torto, tortuoso, falaz, apócrifo, anacrônico, cuja autenticidade não está provada, achadiço, irreal, imaginário, infundado, desarrazoado, despropositado, injusto, improcedente, sem base, desmotivado, insubstancial, insubsistência, herético 984; ilógico 477; monstruoso, inaceitável, inexato, errado, indevido, impróprio, indefinido (*incerto*) 475; eivado/pontilhado/sujo de erros; incurso em erro; ilusor, ilusivo, ilusório, enganoso, falso, especioso, deluso, delusório, fantasmagórico, fingido, irrisório, vão, espúrio 545; enganador 544; pervertido, ideal (*imaginário*) 515; controvertível, questionado, questionável, criticável, censurável, atacável, combatível, ilegal, inautenticado, ilegítimo, ilídimo, indigno de confiança; condenado, refutado, pulverizado;
aberrante, gritante, despido de verdade, fora das raias da verdade.
Adv. erroneamente, em falso, mais ou menos, aproximadamente, sob um prisma falso.
FRASES: Nem tudo que reluz é ouro. As aparências enganam. Nem todo aquele mato é orégãos. *Quidquid delirant reges. Plectuntur Achivi. Quandoque bonus dormitat Homerus.*
Errare humanum est.

△ **496. Máxima,** aforismo, dizedela (fam.), sentença de moralistas, epodo, apotegma, plácitos, ditado, dito, sentença, conceito, axioma, rifão, refrém, anexim, refrão, adágio, evangelho pequenino, provérbio, brocardo, gnoma ou gnome, lema, prolóquio, mote ou moto, proposição, argumento, filactério, prótase, parêmia, teorema, escólio;
(coleção de provérbios): paremiologia; pensamento (ideia) 453; conclusão 480; preceito 697; princípios, *principia*, profissão de fé 484; mandamento, fórmula;
máxima sábia/recebida/consagrada/verdadeira/sediça/vulgar/reconhecida/universalmente aceita.

497. Absurdo | 498. Inteligência

Adj. aforístico, proverbial, axiomático, lemático, gnômico, sentencioso, adagial, brocárdico, apotegmático.
Adv. Proverbialmente & *adj.*

▽ **497. Absurdo,** absurdeza, absurdidade, alogia, louquice, loucura, destrambelho (pop.), despropósito, desconchavo, sendeira, sendeirada, disparate, irracionalidade, ilogismo, destampatório, destampice, destarelo, necedade, dislate, despautério, incoerência, desrazão, monstruosidade, desconchavo de marca maior, monstruosidade deste tamanho, desacerto, absurdo inaceitável, paradoxo, sofisma revoltante, inconsistência, borracheira, paradoxo temerário, estultícia, estultilóquio;
um acervo de heresias e incoerências disparatadas, uma coxia de desconchavos, parvoíce chapada, desconcerto, heresia, asnada, asnaria, asneira, contrassenso, tolice, sandice, tontice, tontaria, espanholada, asnice, asnidade, cavalada, bobagem, extravagância sem qualificativo, borrachice, camelice;
um amontoado de cacaborradas/de rodilhas; enormidade, descoco, destempero; asneira chapada/de marca maior; lenga-lenga, aranzel, inépcia, cacaborrada, sendeirice, anfigúri, engrimanço, babosise, baboseira, xaropada, chocarrice, bernardice, burricada, sofisma 477;
preposteração, desconexão, farsa, galimatias, mistura (*desordem*) 59; romance, trocadilho, calembur, jogo de palavras, charada, enigma, algaravia, estilo empolado (*falta de sentido*) 519; exagero 549; *boutade, escapade,* capricho, burla, pacholice, pachochada, quimera.
V. fazer-se de tolo 499; não ter pés nem cabeça;
descambar-se, sair-se com um enorme disparate; disparatar;
dizer/fazer/desenfronhar disparates; tontear, despropositar, trestampar, tresvariar, descambar com enorme disparate;
dizer asneiras/desconchavos; galimatizar, deitar cobras e lagartos pela boca, falar a torto e a direito, dar patadas, falar à toa, falar de oitiva, estar com a lua;
aferrolhar/amortalhar/afrontar o bom-senso; algemar a lógica, dar o ser a bagatelas e nonadas, peguilhar, disparatar, destemperar, destarelar, preposterar, desconcertar, desconchavar-se, descomedir-se, asnear, bobear, louquejar, necear, sandejar; cercear a inteligência, ser absurdo;
ir contra o bom-senso, ofender o bom-senso; encadear o raciocínio, matar a lógica, escrever o *hic jacet* do bom-senso; não ter pés nem cabeça, ser de cabo de esquadra, bancar o tolo 499.
Adj. absurdo, prepóstero, inverossímil, antirracional, irracional, alógico, ilógico, fora da razão, desarrazoado, extravagante, sem pé nem cabeça, cerebrino, estrambótico, estapafúrdio, despropositado, inconciliável, temerário, sofístico 477; desconexo, anfigúrico, anfigurítico, tolo, disparatado (*sem sentido*) 517;
sonâmbulo, inconsistente, ridículo, bestial, enrevesado, quimérico, fantástico, fútil, frívolo, vão, nugatório, nugativo, incoerente, que a razão não pode admitir.
Adv. absurdamente & *adj.*; a pospelo, contra toda a razão, sem tom nem som, sem jeito nem maneira, sem pé nem cabeça = *nec caput nec pedesus.*
FRASE: *Credat judeus Apella* 485.

Faculdades

△ **498. Inteligência,** bom-senso, juízo, ideia, habilidade, capacidade, compreensão, compreensiva, assimilação, propriação, compenetração, intelecto 450; entendimento, sagacidade, finura, vivacidade, *savoir-faire;*
talento, engenho, espírito, agudeza, perspicácia, acuidade, acuidade de visão, acume ou acúmen, delicadeza do engenho, sutileza, viveza de imaginação, inventividade, criatividade, penetração, lucidez, lógica, discernimento, argúcia, reflexão necessária, compreensão de, discriminação 465; esperteza 702; requinte (*gosto*) 850;
cérebro, cerebração, cerebração potente, mentalidade de escol, águia, olhos de lince, Argos, flama da inteligência, sabedoria, sapiência, bom-senso;
senso comum/reto; atilamento, tento, juízo, tino, siso, razoabilidade, razão, solidez, profundeza, calibre, vistas largas, espírito lúcido, inteligência privilegiada, excelência intelectual, perpétua juventude do espírito;
gênio, gênio assombroso/divinamente inspirado, águia;

499. Imbecilidade | 499. Imbecilidade

ave de Júpiter/de s. João, bafo, inspiração, inspiração rápida e brilhante, fogo do gênio, alma, talento (*aptidão*) 698; inteligência nativa, privilegiada, invulgar, robusta, exuberante, formosa, peregrina, talentaço, talentão;
(sabedoria em ação): método, prudência 864; vigilância 459; atenção, sensibilidade, tato 698; previsão 510; sobriedade 958; sisudez, sisudeza, gravidade, assento, serenidade, reflexão, compostura, decoro, ponderação, comedimento, moderação, chumbo (fam.), calma, presença de espírito, controle, discrição, seriedade, reserva, *aplomb*, aprumo, circunspeção, gravidade de porte, dignidade, probidade 939; virtude 944 e 960.
V. ser (inteligente & *adj.*); abundar em talento, compreender 518; não ser nada lerdaço, captar/apreender uma ideia, ter olhos de águia, ter agraz no olho;
pescar, avistar, captar, apanhar, perceber no ar; fisgar, penetrar, descortinar, discernir (*lobrigar*) 441; prever 510; ter os olhos abertos, ser águia, ter bom olho, discriminar 465; ser hábil 698;
ter vistas de lince/ olhos de Argos; ver/enxergar longe, não ter o entendimento boto, não ser coxo nem manco, penetrar o ânimo de alguém, ser dotado de inteligência privilegiada, ter um alto QI, dispor de recurso, observar as conveniências;
revelar juízo claro e seguro, guardar o decoro, ganhar juízo, tornar-se sério, ser homem de reflexão, discretear, refletir, regular, andar direito, governar, ter juízo, não errar, comedir-se, contar as próprias palavras (*prudência*) 864; ser homem de miolo, madurar, merecer ser pesado a ouro, voar = ter concepções sublimes, pesar as palavras, proceder com discrição, atremar.
Adj. (aplicado de preferência às pessoas): inteligente, sengo (ant.), de rápida apreensão, de apreensão fácil, sagaz, solerte, perspicaz, atilado, penetrador, de grande descortino, perscrutador, alinhado, vivo, sutil, fino, entrevisto, pronto, genial, avisado, arguto, de superior penetração, clarividente, penetrante;
de espírito lúcido, brilhante; ágil de raciocínio, imaginoso, criativo, inventivo, apto 698, idôneo; hábil 702; *pas si bête*, fecundo, ladino, astuto, que enxerga longe 510; sensível a (*conhecedor*) 490;
dotado de inteligência invejável, peregrina; ativo, esperto, sábio, sapiente, razoável, moderado, comedido, equitativo, sério, ajuizado (ant.), *abnormis sapiens*, criterioso, regrado, arrazoado, amigo da razão, reto, firme, composto, forte, judicioso, prudente, cordato, sensato, sabido = circunspecto, de peso;
metódico, grave, de espírito forte, de espírito são, são, sadio, imparcial, morígero, morigerado, cauteloso 864; sóbrio, vigilante 459; superior ao seu século;
um Einstein, sábio como Salomão/como Sólon; providente 673; discreto; "o primeiro na paz, o primeiro na guerra, o primeiro no coração dos seus concidadãos".
(aplicado de preferência às ações): *adj.* inteligente, brilhante, lúcido, formoso, fecundo, mesurado, equitativo, conveniente, sensato, curial, reto, refletido, ajuizado, certo, justo, imparcial, sóbrio.
Adv. inteligentemente & *adj.*; maduramente, de sisório, de siso = sensatamente, com ponderação, com peso e medida.

▽ **499. Imbecilidade,** insensatez, falta de inteligência 499; falta de intelecto 450; pobreza de faculdades, pobreza de espírito, embotamento das faculdades mentais;
inteligência acanhada/apoucada/nula; acanhamento, curteza das faculdades intelectuais; mesquinhez, inaptidão, burrada, incapacidade, insuficiência, bajoujice, parvoíce, parvoidade, parvoiçada, cacaborrada, toleima, tarouquice, bernardice, tacanhez, tacanhice, tarecada, tarequice, ineptidão, espírito embotado;
ablepsia = embotamento, perda das faculdades intelectuais; estupidez, estolidez, nescidade, burrice, estultice, estultícia, fatuidade, camelice, dessiso, patada, toledo, tolice, boçalidade;
estupidez legítima/completa; inépcia, sendeira, sendeirada, idiotia, idiotice, leiguice, idiotismo, necedade, obtusidade, hebetação, hebetismo, basbaquice, pasmaceira, pachouchada, miopia, parlapatice = parra, pacholice, incompetência (*inabilidade*) 699; parvoiçada, veleidade = leviandade, irreflexão, precipitação, levidão, insensatez, demência, insipiência, insânia, insanidade, ligeireza, pateguice, banalidade, meninice, frivolidade, futilidade, frioleira = pequice;

499. Imbecilidade | 499. Imbecilidade

rudeza, materialidade, criancice, criançada, infantilismo, infantilidade, tontice, maluquice, areia (fam.), basbaquice, ingenuidade, palurdice, simplicidade, paspalhice, pascacice, parvulez ou parvuleza, descaída, esperteza de rato, bestialidade, bestidade; cérebro tacanho/vazio; cabeça oca, cabeça de ovelha, quartos para alugar, percepção embotada;
extravagância, nugacidade, inconsistência, inconveniência, indiscrição, descambadela, vaidade, sofisma 477; estouvamento (*inatenção*) 458; excentricidade 503; despautério 497; desaviso, imprudência 863; inabilidade 699; desatino, focacho, parvalheira.
V. ser (imbecil & *adj.*); não ter miolos, não ter (senso 498); ter a concepção lenta, servir de risota 853; não ligar duas ideias, tresler, papaguear, dizer tolices & *subst.*; bufonear, bobear, asnear, pantear, trestampar, tolejar, tresvariar, atoleimar-se, atrofiar-se intelectualmente, dizer desconchavos 497;
cometer ou dizer inépcias: *plenus rimarum esse* = ser indiscreto, ser um cesto roto; andar com as mãos pelo chão, ter o juízo aboleimado, estar sempre com a tacha arreganhada, ser de cabeça-leve, ser leve da cabeça, ser duro da moleira, obrar sem discernimento, deitar cobras e lagartos pela boca, ter já a moleira dura, doidejar, disparatar, parvoejar, parvoeirar, *radoter*, delirar, tagarelar 582;
dizer uma das suas, toutear, cair em demência 503; ser oco da cabeça, não ver um palmo diante do nariz, não ter largueza de vistas, tacanhear, faltar a alguém a *altera pars Petri*, não ter critério, necessitar de tutela, ser de pouco alcance, ter Espírito Santo de orelha, falar *ab hoc et ab hac*, alanzoar, dizer inconveniências = descambar, não ter bom-senso, tornar (estúpido & *adj.*);
bestializar, embrutecer, bestificar, emburrar, estupidificar, burrificar, brutificar, abananar, materializar, aparvoar, apatetar, aboçalar, amatungar, sandejar, ensandecer; azoratar, aparvalhar, aboleimar, idiotizar, emparvecer, enrudecer, descerebrar, embrutar;
cretinizar, esterilizar, mumificar, obcecar, boçalizar, futilizar, ataroucar, nesciar, hebetar, abobar, abajoujar, desatremar, infantilizar.

Adj. (aplicado de preferência às pessoas): ininteligente, rústico, rude, inintelectual, irracional, desmiolado, louco, descuidado, negligente, esquecido de, desajuizado, desorientado, sem juízo; esconso de cervelo, de miolo; precipitado, irrefletido, imponderado, desponderado, dessisudo, catacego, desavisado, insensato, insipiente, ignaro, disparatado, disparateiro, destemperado, de espírito leve, descerebrado, cretino;
bestial, estúpido, estólido, asnático, estavanado, sandio, sandeu, mal sisudo, apagado, tarouco, adoidado, ataroucado, baboso, imbecil, inhenho = nenho, parvo = idiótico, alvar, peco, boçal, palúrdio, néscio, idiota, lorpa, palerma, grosseiro, pateta, charro, tacanho, bordalengo, toleirão, tanso, pacóvio, modorro, modorrento, de espírito tacanho, parrado, bronco, chavasco, obtuso, desadvertido, medíocre, tapado, maninelo, curto, manco, malhadiço, patola, rombo, boto, balordo, bacoco, lerdo, lerdaço, atoleimado & *v.*;
mentecapto, irresponsável, orelhudo, burro, burrical, asinino, asnal, azoinado = estonteado = zoina = zonzo, asneiro, estouvado, fútil = ventoso, reboto, obcecado, palerma, panaca, manema, manecoco, abestalhado, acamelado, morcão (pop.), apalermado, apataratado, apalhaçado, abasbacado, ajogralado, desmiolado, apanascado, atolambado, atolado, atoleimado, aburrado;
amatutado, acaipirado, menineiro, arrapazado, aparvalhado, atado, abobado, aboleimado, tonto, pretensioso, picaresco, burlesco, apancado, descocado, desbolado, raquítico, parvo, bolônio, parvoado, faulhento, simplório, desarvorado, louraça, faceiro, doidado, destabocado (bras.), bruto, brutal, nulo, inepto, semirracional, estólido, insano, estulto, ingênuo, simples, incapaz, inepto 699;
prosaico 843; indesejável 647; de espírito acanhado 481; desmoralizado, desacreditado, cabeçudo 606; maníaco 503; broma, indiscreto, paranoico 503; conselheiral, conselheirático, conselheiresco, frívolo 643; inútil 645;
(aplicado de preferência às ações): estúpido, precipitado, impensado, inconsulto, irrefletido, irreflexo, insensato, bestial, néscio, escurril, asnático, tolo, asnal, asneiro, asinino, imbecil, idiótico, alvar, boçal, bordalengo, alobrógico, asneiro, acaciano, burlesco,

500. Sábio | 502. Sanidade

pachecal, picaresco, estapafúrdio, pueril, infantil, fútil, impróprio, inconveniente, desastroso, rematada loucura, desarrazoado, ridículo, cerebrino, mesquinho, mal arquitetado, malsinado;
inconsistente, incoerente, insano, extravagante (*absurdo*) 497; inútil 645; banal, desmoralizado, desacreditado, trivial 643; indesejável 647; Ver: *Tolo* 501.
PROVÉRBIO: Vozes de burro não chegam ao céu..

△ **500. Sábio,** pensador, cabeça pensante, boa cabeça, arguto, atilado, atinado, douto, entendido, erudito, esclarecido, ilustrado, instruído, letrado, fetiche, oráculo, autoridade, luminar, luzeiro, águia, estrela de primeira grandeza, sabido, sagaz, homem de boa cabeça, protótipo, modelo, espírito forte, *magnus Appollo*, Minerva, Sólon, Salomão, Einstein, Washington, Nestor, Pedro II, José Bonifácio, pé de chumbo, homem de peso, *ad unguem factus homo* = homem completo, primata, primate, Atlante, mentor, super-homem, homem douto 492; perito 700; feiticeiro 994;
(ironicamente): sabichão, rato sábio, sabedório, fistor, padre-mestre, letrudo, pedante, eruditão.
Adj. venerável, venerado, emérito.

▽ **501. Tolo,** idiota, pedante, microcéfalo, panal de palha, lâmina, nabo, estúpido, imbecil, idiota, acéfalo, burro (fam.), marmanjo, piegas, jumento, azêmola, camelo, asno;
asneirão, abestalhado, abobado, abobalhado, aparvalhado, parvo, párvoa, parvoinho, parvoeirão, cretino, paspalho, paspalhão, paspalhona, panaca, paspalhajola, patarata, apatetado, apalermado, atoleimado, crendeiro, pachola, pataco, banazola, pancrácio, patau, zamboa, besta quadrada, tapado, alofo, cascavel, bruto, asno quadrado, zote, bardo, pobre de espírito, toleirão, pascácio, cepo, irresponsável, pacóvio, patego, bobo, boboca, pateta das luminárias, patavina (m.);
autor das luminárias/das lamparinas; coiçoeira, pedaço-d'asno, animal, animalejo;
cabeça de vento/de galo/de avelã, criançola, palonço, broma, bufão, palúrdio, madeiro, maninelo, mono, tanso, morcão, banana, babaca, babaquara, palerma, lorpa, mané, manecoco, mandu, manema, babanca, basbaque, beldoegras, cavalgadura, capadócio, cabeça de burro, estúpido, pantalão, vacão (reg.), seresma, panema, sandeu, sandia, mamota, patamaz, paspácio, paspalho, paspalhão, polichinelo, calino, papelão, papa-açorda;
maluco, brutamontes, javardo, enxalmo, semialma (f.), jagodes, *radoteur*, trejeitador, quadrúpede, *sôt à triple étage*, máquina, pedra, bacoco, escurra, estafermo = basbaque = batorelhas, louraça, beócio, papalvo, *tabua rasa*, labroste, labrosta, labrego, pelego, lapuz, lapúrdio, lapônio, lapão, alabrogo, cabeça leve, zaranza, fátuo, bestiaga, maturrão, cevado, néscio, bobório, truão, papa-moscas, taralhão, boca-aberta;
pato, patola, tareco, zé-cuecas, doidivanas, doidivanas varrido, maloio, charro, boleima, enxovedo, babão, salsinha, *bête à manger du foin*, simplório, bolônio, ingênuo, simples, bom-serás, faceira, chasqueta, velho tonto, Beócia, Parvolândia, Conselheiro Acácio, Pacheco.
Adj. (além dos substantivados acima) que não inventou a pólvora, que ainda não explicou para que veio ao mundo, escurril, próprio de bobo.
FRASES: Bem-aventurados os pobres de espírito, porque deles é o reino dos céus. *Asinus asinum fricat. Beati pauperes spiritu!*

△ **502. Sanidade,** racionalidade, sobriedade, equilíbrio, moderação, lucidez, intervalo lúcido, espírito são e equilibrado, cachimônia, sagacidade, crise de lucidez, perspicácia, percepção, discernimento e completa lucidez;
lume, tino, uso, luz da razão; *mens sana.*
V. ser (equilibrado & *adj.*); ter o juízo no lugar;
estar no seu juízo/na posse integral/em pleno uso de suas faculdades mentais; conjurar a loucura, melhorar o estado mental, julgar restituído o lume da razão a alguém;
recobrar a razão/o juízo; desenlouquecer, desensandecer, desendoidecer, desenfurecer.
Adj. são, racional, razoável, equilibrado, ajuizado, normal, arrazoado, criterioso, refletido, ponderado, sensato 498; sóbrio, comedido, contido, de espírito são, *compos mentis.*
Adv. razoavelmente, em seu juízo perfeito.

▽ **503. Loucura,** espírito desequilibrado, tarado, desorganizado, anormal, conturbado, prejudicado;
insânia, insanidade, doidice, demência, transtorno, perturbação mental, amência, louquice, acromania, monomania, insensatez, insipiência, mania, balda, obsessão, ideia fixa, maluquice, maluqueira, pancada na bola, desequilíbrio, alienação mental, acesso de loucura = veneta, vesânia, arvoamento, alucinação, loucura rematada, amok;
furor, fúria, furiosidade, frenesi, variedade, vareio, delírio, incoerência, desvaire, desvairo, desvairança, desvario, tresvario, desatino, veneta, licantropia, perturbação das faculdades mentais, monomania religiosa = zelotipia, zoantropia, ulofobia, vertigem, deslumbramento, atordoamento, insolação, *coup de soleil*;
neurose, psicopatia, psicose, esquizofrenia, bipolaridade, pmd (psicose maníaco-depressiva);
fanatismo, enfatuação, nervosismo, estúrdia, singularidade, excentricidade, originalidade, hidromania, demonomania, piromania, letomania, teomania, cleptomania, dipsomania, paranoia, abulia, hipocondria 837; histeria, histerismo, nosomania, nosofobia, loucura circular, espírito povoado de alucinações, imbecilidade 499; colete de força, derrama, raiva, hidrofobia, rábia, rebentina, rebentinha;
cão danado, hidrófobo, preado, raivoso, derramado.
V. enlouquecer; ser, estar (louco & *adj.*); viver numa bruma impenetrável de demência, ter aduela de menos, ter um parafuso a menos, ter pancada, ter pancada na mola, ter telha, ter lua, ser um pouco ferido na asa, debater-se nas trevas da demência, ter bolha, não dizer coisa com coisa, dar com a cabeça pelas paredes, fazer desatinos, padecer da cabeça, estar de cabeça virada, não regular bem da bola, ter macaquinhos no sótão, ter o juízo fora do lugar, sofrer desarranjo mental, estar fora de si, estar com o miolo mole;
visionar, sofrer das faculdades, malucar, adoidar, endoidecer, amentar (ant.);
perder o juízo/a cabeça/o uso da razão; desatremar, ourar, alucinar-se, alienar-se, louquejar, desassisar, ataroucar, desarranjar-se o cérebro a alguém, dar volta o juízo a alguém, dementar-se, dar em doido, sofrer da bola, tresvariar, desatinar-se, esturdiar, ter acesso de furor, enfurecer-se, sandejar, ensandecer, tresloucar, macavencar, esmaniar, ter acessos de mania;
transverter, transtornar, turvar o juízo; alhear a razão, deixar eclipsar-se no espírito a luz da razão, doidejar, destemperar, sair fora de si, praticar despropósito, descarrilar, obscurecer o juízo a alguém, variar, delirar, tornar louco & *adj.*; enlouquecer, mandar alguém para as palhas;
perturbar, alterar o juízo a alguém; mover o juízo a alguém, desmiolar, descerebrar, dementar, amentar, fazer perder o juízo a alguém, desvairar, desatinar, alucinar, desassisar, aturdir, estontear, dar voltas ao miolo a alguém, desorientar, desnortear, entontecer, danar, derramar-se, ficar hidrófobo.
Adj. louco, reloucado, demente, insipiente, doido, doido varrido, vesano, vesânico, amente (ant.), lunático, visionário, maluco, adoidado, zorate ou zorato, maníaco, monomaníaco, alienado, aluado, aveado = avenado, ataroucado, avariado do juízo;
mentecapto, *captus mente*, privado da razão, aloucado, alucinado, amalucado, lelo (reg.), telhudo, tenebricoso, esconso de miolo, varrido, rematado, desbolado, paranoico, nosomaníaco, insensato, desarvorado, desarrazoado, zoina, azoinado, zoantropo;
teomaníaco, licantropo, endemoninhado, possesso, seposo, ab-reptício, exaltado, demoníaco, obsesso, endiabrado, excêntrico, doidarrão, original, extravagante, deliroso, delirante, frenético, furibundo, tresvariado, enlouquecido & *v.*;
estonteado, desaurido, irresponsável, arvoado, tresloucado, destrambelhado, destabocado, desatinado, tonto, desvairado, matuto, cismático, sandeu, desapoderado, tarado, desequilibrado = desnorteado = desaustinado, desorientado, desatremado, larvado (fam.);
coribântico, ditirâmbico, macabro, rábido, raivoso, furioso, vertiginoso, apavorante, feroz, caprichoso, estúrdio, desesperado, desorientador (*incerto*) 475;
fanático, enfatuado, singular, apatetado, aparvalhado 499; hidrófobo, derramado, preado, rábico.
Adv. loucamente & *adj.*; como um possesso, *tête exaltée, tête montée.*

504. Louco | 505. Memória

FRASES: A moléstia avassalou-lhe o espírito. A bola não lhe regula bem.

▽ **504. Louco,** lunático, demente, maníaco, macavenco, maluco, monomaníaco, gira (pop.), mentecapto = *inops mentis*, matuto, orate, doido, doido de pedra, alienado, louco rematado, irresponsável, candidato ao hospício, paranoico, zorate, cascavel, doido varrido, tresloucado, dipsomaníaco, cleptomaníaco, obsesso, terolero, desequilibrado, desorientado, nosomaníaco, nosófobo, zoantropo, licantropo, teomaníaco, hipocondríaco, visionário 515; vidente, profeta, fanático, exaltado, estroina, extravagante, energúmeno, cavaleiro andante, D. Quixote, idiota 501;
psicopata, psicótico, neurótico, bipolar, esquizofrênico;
abilolado, adoidado, alienado, aloprado, aluado, alucinado, amalucado, baratinado; biruta, tantã, ruim da bola, virado da bola; desaurido, destrambelhado, desvairado, doidivanas, enlouquecido, insano, lelé, leso, lunático, pancada, pinel, tresvariado, zureta.

6º) Extensão do pensamento

I. Passado

△ **505. Memória,** notícia, cachimônia, canhenho, lembrança, memoração, monumento, recordo, recordação, evocação, retenção, retentiva, tenacidade, *veteris vestigia flammæ*, prontidão, presteza;
reminiscência, reflexo, reconhecimento, anamnese, anamnesia, renovação, remembrança, rememoração, ressuscitação, retrospecto, retrospecção, recapitulação, sumário, restabelecimento da memória, lampejo, alvitre, sugestão (*informação*) 527; raio de luz, estimulação, aviso, advertência, lembrete, memento, caderneta, relíquia, verbete, memorando, *memorandum*;
registro, livrinho de lembranças; álbum, sinal, canhenho, carteira, apontamento, nota, verba, cédula, memorial (*registro*) 551; consagração (*comemoração*) 883; carteira de lembranças, ementa, ementário, anamnésticos, fosfatos, coisas para serem lembradas, *memorabilia*;
memória artificial, técnica, mnemônica, mnemotécnica;

Mnemosina, mnemotecnia;
memorião, lembradiço, arquivo;
memória pronta/tenaz/feliz/retentiva/firme/fotográfica/obediente ao apelo/privilegiada/excelente/fiel/que não trai.
V. lembrar(-se), recordar-se, ter diante dos olhos, ter presente, ter na memória;
ter no pensamento/na memória/na mente/na ideia/na lembrança, conservar no pensamento/na memória/na mente/na ideia/na lembrança, reter no pensamento/na memória/na mente/na ideia/na lembrança, entesourar no pensamento/na memória/na mente/na idéia/na lembrança, armazenar no pensamento/na memória/na mente/na ideia/na lembrança, gravar no pensamento/na memória/na mente/na ideia/na lembrança, registrar no pensamento/na memória/na mente/na ideia/na lembrança, arquivar no pensamento/na memória/na mente/na ideia/na lembrança, meter no pensamento, na memória, na mente, na ideia/na lembrança; agasalhar uma ideia;
estar/viver/ficar/morar na memória, ocupar um lugar na memória; ficar na cabeça, ter memória fiel = *vigere memoria*, renovar na memória;
meter-se na ideia, não poder banir do pensamento, remembrar, relembrar, rememorar, surgir à mente, ficar sensivelmente impressionado, escrever no bronze, viver obcecado por uma ideia;
acudir à mente, vir à balha/à baila, passar pela memória, relampejar na memória;
ocorrer/sugerir/oferecer/vir à memória;
reconhecer, recorrer à memória, passar em revista, reunir ideias, concatenar reminiscências, surgir a memória do letargo;
evocar/trazer/chamar à memória; rever o passado, recolher-se, reconcentrar-se, concentrar-se em recordação, remontar, amentar, ementar, fazer exame de consciência;
despertar a memória, fazer apelo à memória, escarafunchar a memória, recapitular, recordar, evocar, fazer lembrar, falar de, memorar; esfregar, espevitar, avivar a memória; sugerir 516; alvitrar, insinuar, lembrar, trazer à memória, dar um alamiré, despertar recordações, dar rebate de, guardar no cérebro, confiar ao cérebro, abanar as cinzas, renovar, *infandum renovare dolorem*;
sobrecarregar/encher a memória; abusar da memória, decorar;

506. Esquecimento | 507. Expectativa

mandar/consignar/encomendar à memória; reter de memória; aprender/saber/guardar/repetir/enunciar de cor; apanhar a dente; saber na ponta dos dedos/na ponta da língua; fixar/burilar/gravar/imprimir/estampar/engarrafar/encaixotar/enrelicar/enredomar/embalsamar na memória; memorizar, encerebrar, escrever em caracteres rútilos de fogo;
salvar do olvido/do naufrágio; ressuscitar, *tangere ulcus* = mexer na ferida, reverdecer, comemorar 883; tomar nota de 551; sobrenadar ao naufrágio;
resgatar/salvar do esquecimento;
ter saudade de, levar no espírito recordações.
Adj. recordador, recordativo, recordatório, remêmoro, rememorativo, lembrador, evocador, evocativo, contemplativo, evocatório, anamnéstico, memorial, memorativo, memorando, lembradiço, alvitreiro, sugestivo, recognitivo, recente, fresco;
inesquecível, memoroso, inapagável, indestrutível, indelével, inolvidável, perene = eternífluo, duradouro, eterno, memorável; inextirpável/inextinguível da memória; inescurecível, mnemônico, mnemotécnico, lembrado & *v.*
Adv. recordativamente & *adj.*; de cor, de coração, de cor e salteado, sem livro, *memoriter*, de memória, em memória de, *in memoriam, ad perpetuam rei memoriam.*
Interj. tatá!
Frases: *Manet alta mente repostum; forsam et hœc olim meminisse juvabit.*

▽ **506. Esquecimento,** deslembrança, desmemória, olvido, oblívio, lapso, amnésia, obliteração 552;
descaso, insensibilidade, indiferença pelas coisas do passado; mortório;
memória fraca/claudicante/infeliz/traiçoeira/de galo/ingrata/falível/apagada;
fracasso/obliteração/abstração/alheamento/lapso da memória;
o rio do esquecimento, Letes, o desmemoriado de Colegno, cabeça de coco.
V. esquecer, olvidar, ser (esquecido & *adj.*); deslembrar, cair/mergulhar no esquecimento; ter (memória fraca & *subst.*); perder da memória, passar de memória, entrar por um ouvido e sair por outro, não saber já, estar remoto de, escrever na areia, não saber a quantas anda, cair da memória, estar morto na memória de/em mortório, pôr no rol do esquecimento;
deitar/pôr no esquecimento; desmemoriar; votar/dar ao esquecimento; varrer da mente, lançar um véu sobre, escurecer, passar uma coisa por alto, deitar uma coisa para trás das costas, estar na ponta da língua, delir da memória;
escapar/fugir/desaparecer/apagar-se/dissipar-se/escorregar/morrer da memória, deixar à sepultura o passado, apagar-se nas brumas da memória, diluir-se no sonho e no esquecimento, escapar;
consignar ao esquecimento/ao túmulo dos Capuletos, pôr no limbo, não cogitar mais de, desaprender, riscar 552 da memória, desaparecer no esquecimento, ficar no tinteiro, cair no olvido, ficar na penumbra, fazer esquecer, obliterar, amnesiar.
Adj. esquecido, olvidado; imêmore (poét.), imemorado, deslembrado, sepultado nas cinzas de longo esquecimento, passado, remoto, perdido na noite dos tempos, sepultado no olvido, descuidado, insensível 823 às coisas do passado, mergulhado no esquecimento, desmemoriado, esquecível, esquecediço, oblivioso, destrutível, extinguível, apagadiço, apagável, escurecível, olvidável, obliviscendo, delével, inevocável, leteano, amnéstico, oblivial = que produz esquecimento.
Frase: *Non mi recordo.*

II. Futuro

△ **507. Expectativa,** expectação, antecipação, conta, cálculo, antevisão, antevidência, previsão 510; expectantismo;
contemplação, prelibação, previdência, vigília, prospecto, perspectiva, horizonte, vista, destino 152;
suspensão, espera, aguardo, curiosidade 455;
expectativa ansiosa/ardente/premente/confiante, suspense; tormento de Tântalo, atença;
ilusão, esperança 858; confiança 484; auspício (*predição*) 511; esperadouro.
V. esperar, aguardar, dar tempo, expectar, procurar, buscar, aspirar a, candidatar-se a, esperar por, contar com; ter em perspectiva/em mira/em vista; estar na expectativa, contemplar, não se admirar;

jazer/ficar à espera/à espreita; estar de guarda, atalaiar, espreitar, tocaiar, vigiar, pôr de remolho, ficar de reserva, ficar com o ouvido atento, dar tempo ao tempo; aguardar os acontecimentos;
prever 510; antever, entrever, preparar-se para 673; antecipar 132; contar com 484; julgar provável 472; antegozar, antegostar, prelibar;
levar alguém a esperar (*predizer*) 511; prometer, reservar 152; ficar de orelha em pé, prender/suspender a respiração, não respirar, escutar atentamente, estar em oratório, retrair-se;
toldarem-se os ares;
estar/pairar/vagar nos ares;
ficar de tocaia, estar de sobreaviso.
Adj. expectante, em expectação, de guarda 459; de olhos abertos, impaciente, de orelha em pé, *aux aguets*, de espreita, pronto, curioso 455;
esperado, esperado de há muito, previsto, que não foi surpresa, em perspectiva, no horizonte.
Adv. de sentinela, de atalaia, à espreita, à espera, com a respiração suspensa, *arrectis auribus*, de orelha à escuta, em perspectiva, de quarentena.

▽ **508. Surpresa,** estuporação, decepção 509; erro de cálculo 481;
súbito, imprevisto, estouro, estampido, chofrada, pancada, choque, admiração 870; bomba, raio, sobrevença (ant.), sobrevento, incidente inesperado, irrupção, prorrompimento, entrevinda, saltada, ímpeto, assalto, rebate, impresciência, raio de luz;
susto, atordoamento, assombro, estupor, espanto, estupefação, choque, sobressalto, pânico, palidez.
V. surpreender(-se), não (esperar 507); ser apanhado de surpresa, assustar-se, empalidecer, combalear, errar no cálculo 481; deparar-se a alguém alguma coisa, ser inesperado & *adj.*; sobrevir, chegar repentinamente, sobrechegar;
vir sem aviso prévio, sem dizer água vai; pegar de surpresa, irromper, rebentar, arrebentar, explodir;
estourar, cair como uma bomba; chocar-se com;
cair/vir das nuvens/do céu; prorromper, relampejar, lampadejar, cair como um raio, vir perdida da baralha;

apanhar desapercebido/desprevenido/de surpresa;
pilhar, colher, banzar, surpreender, saltear; apanhar; apanhar descalço/em flagrante/delito/com a boca na botija; assustar, espantar, eletrizar, apanhar de rebate, chofrar, dar de chofre em, aturdir, atordoar, azoar, sobressaltar, sobressaltear, assaltar, burrificar, bestializar, bestificar 499;
estupefazer, atrapalhar, desorientar, desnortear, confundir, estupeficar, tirar alguém de seu compasso, deixar alguém engasgado, sarapantar, petrificar, deixar atordoado, encher de admiração 870.
Adj. surpreendente, espantoso, inesperado, inopinado, súbito, inopino (ant.), imprevisto, acidental, improviso, improvisado, impensado, inabitual, desacostumado, fortuito, intempestivo, prematuro, adventício, antecipado;
caído/vindo do céu/das nuvens; incogitado; fora de/além de/contra toda expectativa; inimaginado, com que não se contava, extraprograma, extraordinário, fora do habitual, inaudito 83; repentino (*instantâneo*) 113; abrupto, brusco, chofreiro, chofrudo (p. us.), despreparado, desprevenido, desguarnecido, desprovido, desarmado, desapercebido, descalço.
Adv. surpreendentemente, inesperadamente & *adj.*; de improviso, imprevistamente = de supetão, sem aviso prévio, sem dizer ai Jesus, vai senão quando, às duas por três, quebradamente, sem dizer água vai, sem tirte nem guarte, de surpresa, contra toda expectativa, quando mal se precatava, quando menos se esperava, à certa confita, eis senão quando, de relance, à queima-roupa, subitamente 113; de chofre, de golpe, *ab-abrupto*, de arrancada, como um ladrão à noite, como um raio, a folhas tantas, ao chegar a tal ponto, ao chegar a essas alturas.
Interj. Ah! Não diga! Que coisa! Inacreditável!
Frases: Mal pensava que. Ninguém adivinharia que. Ninguém suporia que. Quem diria que...? No melhor da festa. Debaixo do pé surgem desgraças. *Ubinam gentium!*

509. (Falta de expectativa) **Ceticismo,** descrença, desesperança, desapontamento, decepção, estranheza, surpresa, desengano, escarmento, escarmenta, malogro, de-

silusão, desenlevo, esperanças crestadas, frustração, golpe;
decepção amarga/triste/dolorosa/cruel; desaire, transtorno, revés da fortuna, contravento, realidade sinistra, incidente inesperado, lição dura da experiência, esperança vã e falsa ilusão, expectativa ilusória, cálculo errado 481; tempestade num copo d'água, parto da montanha, muita bulha e nada entre dois pratos;
riso forçado/contrafeito/amarelo (*insucesso*) 732.
V. ficar (desapontado & *adj.*); ficar com cara de bobo/boquiaberto 870; ter o riso amarelo, aprender à sua custa, escarmentar-se, levar uma lição à custa própria; ficar corrido/baço/embatucado com um desengano/com cara à banda/com a cara ao lado/de nariz torcido/a ver navios/com um palmo de cara/aquém da água/com cara de quem chupou limão/com nariz de palmo e meio/a chupar o dedo/às domingas; perder as estribeiras, cair das nuvens, safar-se com o rabo entre as pernas, morder os beiços, dar com as ventas num sendeiro;
ver por um canudo/por um óculo; pensar que se benze e quebrar o nariz, cair a alma de alguém aos pés, andar de orelhas caídas, ficar cheirando torcida;
ficar pintado/com a cara à banda;
ter/sofrer uma decepção 732;
desapontar, cortar o voo às esperanças, desesperançar, tirar a esperança de, desesperar, desenganar, desiludir, deixar com um palmo de nariz, desenlevar, frustrar, decepcionar, deixar às escuras, deixar às boas noites, causar desapontamento a, estalar a castanha na boca a alguém;
destruir, ceifar, desmentir, crestar, esboroar, derrotar as esperanças/a expectativa de alguém; desconcertar, desorientar;
mentir, não corresponder às esperanças de; falhar, desfazer em triste desilusão, esmagar sob o peso da realidade.
Adj. desesperançado, descrente, desapontado, vendido = desconcertado, contrafeito, malgradado, banzado, embatucado, passado, engasgado, perturbado, alterado, desorientado, desnorteado, destrambelhado, atordoado, assombrado, espantado, surpreso, rescaldado, escaldado, que apanhou escaldadela.
Adv. desapontadamente & *adj.*
Interj. surriada!

FRASES: A montanha pariu um rato. *Nascitur ridiculus mus. Parturient montes; Diis alitur visum. Stupor omnes difixit* = o espanto deixou todos imóveis. Lá se foi tudo quanto Marta fiou. Saiu-lhe a porca mal capada.

510. Previdência, antevidência, sagacidade 498; clarividência, antecipação, prenoção, adivinhação, providência 673; anteconhecimento, precaução, prudência 864; cautela, previsão, presciência, premeditação, prevenção, predeliberação, prejulgamento 480a; bacorejo, suspeita, desconfiança, longes, pressentimento, presságio, intuição, profecia, augúrio, agouro, prenúncio, correio, sentimento, presunção, vago pressentimento, palpite, rebate, prospecto 626; perspectiva 507; antegosto, antegozo, prelibação, barômetro, prognóstico, diagnóstico, núncio, núncia.
V. prever, ver longe, calcular, ver com antecipação, enxergar longe, entrever, antever, mergulhar o olhar no futuro, adivinhar a muitas léguas de distância, antever no seu amplo descortino, perceber em sua profunda argúcia, avistar o ponto negro da tempestade, prever de acordo com a lógica;
prenunciar, pressagiar, intuir, prometer, acenar com, fazer esperar, adivinhar, barruntar, antecipar 132; predizer 511; prevenir, prenotar, precaver, acautelar 668; conjecturar; dar a alguém o coração uma pancada, antessentir, pressentir, sentir, bacorejar, agourar, prognosticar, diagnosticar, ter os seus longes de, calcular, perceber-se e aperceber-se de, ver o futuro com muita antecipação, antever o porvir, desconfiar;
sentir as coisas, sentir o cheiro de longe; farejar = fariscar, pressupor, ver bem no futuro, descobrir ao longe, descortinar os arcanos do futuro, ver claro e pronto, prelibar, antegozar, antegostar, afofar, aventurar as pegas.
Adj. previdente & *v.*; presciente, clarividente, sagaz 498; expectante 507; longividente, barométrico, providente 673; pressentido, antevisto, precógnito, pressago, pressagioso, pressagiador, intuitivo, mensageiro, portador, que traz no seu bojo.
Adv. de antemão, previdentemente & *adj.*
FRASES: Sente-me/bacoreja-me/palpita-me o coração que... Dá-me n'alma que.

511. Predição

511. Predição, luz profética, prenúncio, prenunciação, anúncio, programa 626; premonição, aviso 668; prognose, *prognosis*, prognóstico, horoscópio, horóscopo, profecia, vaticínio, vaticinação, presságio, augúrio, prognosticação, auguração, previsão, agouro 512; auspício, tema celeste, predefinição, prefiguração, natividade, buena-dicha, divinação, adivinhação, intuição, necromancia 992; figuração, sibilismo, astrologia = uranoscopia; (adivinhação):
aeromancia, pelos sinais e observação do ar;
alectoromancia, por meio de um galo;
aleuromancia, pela farinha de trigo;
alfitomancia, o mesmo que *aleuromancia*;
antracomancia, pelo carvão incandescente;
antropomancia, pelas vísceras humanas;
antroposcopia, pelas manifestações exteriores, pelas aparências do homem;
apantomancia, pelas coisas que se apresentam subitamente;
ariolomancia, por meio de ídolos;
aritmancia ou *aritmomancia*, pelos números;
aruspício, pelas entranhas de animais;
auspício, vista, número ou voo das aves;
axinomancia, por um machado;
bactromancia, pelas varinhas;
belomancia, pelas setas;
bibliomancia, abrindo-se um livro ao acaso;
botanomancia, pelas ervas;
capnomancia, pelo fumo que se erguia do altar em que se queimavam as vítimas;
cartomancia, por meio de cartas;
catoptromancia, por meio de espelho;
cefalomancia, pela cabeça de um burro;
ceromancia, por meio de cera derretida lançada n'água gota a gota;
cleromancia, lançando dados/tirando sortes;
clidomancia, por uma chave presa a uma bíblia;
coscinomancia, pela agitação de uma peneira, de um crivo;
craniomancia, arte de adivinhar as disposições morais de uma pessoa pelo exame da sua cabeça ou crânio;
critomancia, por meio de cevada;
cristalomancia, por meio de um espelho/de qualquer objeto de cristal;
dactilomancia, pelos dedos/pelos anéis dos dedos;
enomancia, pela substância ou cor do vinho;
gastromancia, por meio do reflexo da luz de duas velas na água contida num vaso bojudo;
geloscopia, determinação do caráter pelo modo de rir;
genetliologia, pela observação dos astros no ato do nascimento;
geomancia, por meio de círculos, figuras feitas na terra/por meio de pó de terra lançado numa mesa;
giromancia, por meio de voltas rápidas num círculo até cair atordoado em cima de letras dispostas ao acaso, das quais se tiravam presságios;
halomancia, pelo sal;
hidromancia, pela água;
hieromancia ou *hieroscopia*, o mesmo que *aruspício*;
ictiomancia, pelas entranhas dos peixes;
ignispício, pelo fogo;
lampadomancia, pelas cores e movimentos de uma lâmpada;
litomancia, pelas pedras preciosas;
meteoromancia, pelos meteoros;
metoposcopia, pelas feições de uma pessoa;
miomancia, pelos ratos;
nefelemancia, pelas nuvens;
ofiomancia, pelas serpentes;
onicomancia, pelas unhas refletindo os raios solares;
oniromancia, pelos sonhos;
onomancia, nomancia ou *onomatomancia*, pelas letras do nome;
ornitomancia ou *ornitoscopia*, pelo voo ou canto das aves;
pegomancia, pelo movimento da água das fontes;
piromancia, pelo fogo;
psicomancia, pelos espíritos;
quiromancia, pelas linhas da palma da mão;
rabdomancia, por uma varinha;
sideromancia, pelo ferro em brasa, sobre o qual se lançava palha para se observar as figuras resultantes das faíscas ou das cinzas;
sortilégio, por meio de sortes;
teomancia, por suposta inspiração divina/pelo nome de Deus;
tiromancia, por meio do queijo;
arte de interpretar os sonhos: onirocricia, oniromancia, onirocrítica;
adivinhação pelo sol/lua/estrelas: astrologia, horoscopia, nairangia;
ciências dos arúspices: aruspicinia, aruspicação, aruspicismo, aruspicina;

(lugar de predição): ádito, auguratório, mantéu, trípode, trípoda, língula.
V. predizer, antedizer (ant.), prognosticar, augurar, fadar, esmar, oracular, profetar, profetizar, vaticinar, agourar, agourentar, ominar, futurar, adivinhar, dar no vinte, acertar, ler no futuro, penetrar, dizer a buena-dicha; acertar na mosca;
deitar sortes, deitar cartas, tomar o nascimento de alguém; fazer/tirar/tomar o horóscopo de alguém; levantar figuras, aconselhar, descortinar em, horoscopar, horoscopizar, prevenir 668; pressagiar, auspiciar, deitar-se a adivinhar, anunciar, preanunciar, prenunciar, prefigurar, predefinir, pressentir, prever, significar, introduzir;
servir de arauto/de introdutor; expor de antemão, ameaçar;
inocular/aumentar/despertar esperanças; prometer muito, ser o precursor 64; trazer no bojo.
Adj. profético, fatídico, divinatório, vatídico, vaticinador, prenunciativo, adivinhador, oracular, sibilino, fatícano, fatíloquo, fatiloquente, ominoso, sinistro, esquerdo;
de bom/de mau agouro, agoural, agoureiro, agourento, augural, impróspero, pressagioso, pressago, sintomático, vaticinante, prognosticador, profetizado & *v.*; previsto; onicrítico, nigromântico, apantomântico, cefalomântico, pitônico, aruspicino, genetlíaco, tiromântico, inspirado, iluminado, iluminista.

512. Agouro, presságio, vaticínio 511; augúrio, arrelia, auspício, oráculo, prognóstico (sinal) 550; precursor 64; juízo do ano, horoscópio;
(aves de mau agouro): acauã, coruja, mocho = ave de Minerva, estrige (poét.), suindara (bras.), nictícora, gralha, Cassandra;
(sinais do tempo): nuvens acumuladas, ameaças ou ameaços (*aviso*) 668; prefiguramento.
Adj. agourento, ameaçador, sinistro, esquerdo.

513. Oráculo, orago, profeta, nigromante, negromante, necromante, mágico, vidente, médium, áugure, agourador, auguratriz, auruspicina, áuspice, arúspice, piton ou pitão, divinatório, divinatriz, divinador, vaticinador, adivinhão, vate = adivinho, adivinhador, haríolo, eubage, bruxa, cigana, sortílego, quiromante, teomante, aeromante, capnomante, oniromante, cartomante, onirocrítico;
sibila, Pitonisa, Pítia, genetlíaco, oráculo de Delfos, Mafoma, Balaã;
profeta de manga (dep.), dodônidas, profetisa, monitor, Calcas, Esfinge, Tirésias, Cassandra, Ezequiel, Jeremias, feiticeiro 992; intérprete 524; astrólogo, cabalista, saga, bandarra, teoro, compreensor.
Adj. laurívoro.

7º) Pensamento criador

514. Suposição, cuido (ant.), assunção, postulação, condição, pressuposição, conjetura, hipótese, cogitação, esmo, suposto, pressuposto, postulado, prognóstico, *postulatum*, teoria, princípio, dados, elementos, proposição, premissa, expressão de um juízo, tese, teorema, prognose, proposta (*plano*) 626; secreta;
simples/mera/vaga suposição, vislumbre ou sugestão; suspeita, barrunto, inspiração, ideal, bafo, presunção (*crença*) 484; adivinhação, desconfiança, alusão, assomo, insinuação, palpite, pressentimento, pancada, sugestão, fantasia, previdência, associação de ideias, especulação.
V. supor, subentender, ter para si, achar, esmar, prever, assentar, desconfiar, julgar, suspeitar, conjecturar = barruntar, adivinhar, criar teorias, teorizar, admitir, conceder, palpitar, cuidar, imaginar, pensar, pressupor, prefigurar, presumir, conceder os foros de, cogitar, figurar, assumir, querer, fantasiar, planear na fantasia, fazer conjectura, estabelecer por hipótese, fazer de conta que, dar um palpite, especular, parafusar, crer, ousar dizer, tomar a liberdade de dizer, meter-se na cabeça de alguém, sentir na cabeça de alguém, admitir como certo, dar de barato, aventurar-se a conjecturas, tirar indução de indícios, inventar, fabular, fingir;
oferecer à consideração de alguém, lembrar, sugerir, propor, alvitrar, aventar, indigitar, levantar uma ideia, suscitar, imaginar, fantasiar, pintar na imaginação, lembrar-se, ocorrer ao espírito, despontar ao espírito uma sugestão, fazer proposta; emitir/aventurar uma sugestão; sugestionar;

515. Imaginação | 515. Imaginação

aludir, insinuar, incutir, meter na cabeça de alguém.
Adj. suposto, dado, pretenso, pressuposto, admitido, supositivo, supositício, gratuito, especulativo, teórico, teorético, conjetural, cefalomântico, hipotético, ideal, figurado, imaginável, ideável, presumível, presuntivo, putativo, a que a imaginação concede os foros de, sugestivo, alusivo.
Adv. supostamente & *adj*, teoricamente; abstraindo-se da prática, na hipótese de, pressuposto, no pressuposto de, na eventualidade de, por hipótese, *ex hypothese*, no figurado caso de, dado que assim seja, suposto que, partindo do princípio que, no caso de, quanto mais, dado o caso que, quando for caso que, contanto que, já que, uma vez que, talvez (*possibilidade*) 490.

515. Imaginação, originalidade, invenção, criação, inventiva, engenho, ideação, arquitetação, fantasia, mente, pensamento, inspiração, presunção, verve, onirismo;
imaginação ardente/ousada/fecunda/profícua/irrequieta/impressionável/viva/fértil/brilhante/exaltada/ativa/enérgica, escaldante/engenhosa/inventiva/impetuosa;
capricho, sonhada fantasia, afiguração, prefiguração, cisma, ilusão de alma, criação do espírito, ideologia, nefelibatismo;
frenesi, êxtase, romantismo, romancismo, romanticismo, utopia, sonho, idílio, doce sonho de poeta, alucinação, miragem, ideal, idealidade, idealismo, concepção, idealização, cogitação, excogitação, contensão do espírito, páramos dos sonhos, regiões dos devaneios;
asas/voos/surtos da fantasia;
voo/elevação do espírito; visão, quimera, nugacidade, devaneio, engano, capricho, ficção, mito, lenda, fantasmagoria, sombra, superstições, minhocas, fantasia imaginativa, fantasma, avejão, romance, extravagância, ente de razão, pesadelo, castelo no ar, arquitetura da imaginação, viagem à lua, *chateau en Espagne*, Atlante, milênio, país das fadas, romance de capa e espada, obra de ficção (*romance*) 594; ilusão (*erro*) 495; ilusão de óptica 443; fata morgana, mil e uma noites, *le pot au lait*, fogo-fátuo 423; vapores (*nuvem*) 353; esforço de imaginação, exagero 549; mateotecnia, mateologia, mitismo, mitografia;

idealista, teórico, teorista, romancista, fabulista, poeta, devaneador, visionário, sonhador, aerobata, nefelibata, utopista, ideólogo, nubívago, cismador, sonâmbulo, quimerista, fantasista, fantasiador.
V. imaginar, fantasiar, visionar, visualizar, arquitetar, bolar (pop.), ter imaginativa fecunda, pintar na imaginação, antolhar, antojar, conceber, formar no espírito, idear, idealizar, sonhar, figurar, entressonhar, dar a seres imaginários nome e habitação, fabular, poetizar, romanizar, romancear, ser engenhoso, ser fértil, criar, produzir, gerar, cunhar, quimerizar, inventar, fabricar, improvisar, criar qualquer coisa nova, engenhar, engendrar, construir castelos de dourada quimera, dar largas à imaginação;
parafusar, dar tratos à bola, excogitar, conjeturar, presumir, supor, revolver no pensamento, referver a cabeça em projetos, vagar, vaguejar, vaguear, cogitar, fazer profundas cogitações, ter boas ideias, dar rédeas à imaginação;
soltar a/dessoltar a imaginação; entregar-se ao devaneio, mergulhar-se no devaneio; estar/viajar nos espaços imaginários; embalar ilusões;
voar/adejar nas asas da fantasia;
encher/povoar a alma de ilusões, embeber-se em reflexões, invocar espírito, figurar-se, representar-se, imaginar-se, flutuar no espírito, nascer do cérebro, desenhar-se, sugerir 451;
maquinar, devanear, ver em espírito, encabeçar-se, encasquetar-se, cismar, borboletear, afagar a imaginação, pintar na imaginação, planear na fantasia, prefigurar, roubar-se à vida material.
Adj. imaginado & *v.*; imaginário, fantasioso, aéreo, *bene trovato*;
construído no ar/na areia; alheado, cismador, devaneador, cismático, imaginativo, original, inventivo, criativo, produtivo & *v.*; fértil, fecundo, engenhoso, de imaginação fecunda, imaginoso, fictício, cerebrino, umbrátil, comentício, fabuloso, romântico, vaporoso, romanesco, fantasioso, fantasista, fantasiador, idílico, mítico, mitológico;
caprichoso, antojadiço, extravagante, entusiástico, utópico, utopista, conjectural, quimérico, quixotesco, poético; figurado, ideológico;

516. Significação | 518. Inteligibilidade

ideal, etéreo, irreal, virtual, concebido pelo pensamento, vago, indefinido, indefinível, indefinito, insubstancial 4; ilusório 495; idealístico, fantasmagórico, visionário, fantástico.
Adv. imaginadamente & *adj.*; em imaginação, na fantasia, *in mente*, no pensamento, mentalmente, no íntimo da alma.

Divisão II. COMUNICAÇÃO DAS IDEIAS

1º) Natureza das ideias comunicadas

△ **516. Significação,** significado, sentido, definição, expressão, acepção, conotação, denotação, inteligência, a eloquência de, importância, vivacidade, luminosidade, alcance, espírito, força, colorido, doutrina, desígnio, intento, teor, alvo, escopo, semântica, semiologia, sematologia, matéria, assunto, tema, pasto, pábulo, argumento, conteúdo, exposição sumária, texto, substância, essência, letra, contexto, contextura, conceito, enredo 454; sínese;
significação ampla/geral/substancial/familiar/literal/singela/natural/rigorosa, verdadeira/honesta/luminosa/irrestrita/exata 494; *prima facie* 525; literalidade, representação, tradução, alusão 516; sugestão (*informação*) 527; sinônimo, figura de discurso 521; acepção (*interpretação*) 522; analogia.
V. significar, ter a significação de, querer dizer, exprimir, importar, traduzir, fazer supor, lembrar, representar, expressar, indicar, denotar, conotar, simbolizar, anunciar, equivaler, respirar, dizer, falar de, aludir, referir-se, trazer à ideia, envolver 526; declarar 535; exemplificar;
compreender (interpretar) 522; comportar acepção; sinonimizar, definir.
Adj. significativo, semântico, sematológico, significatório, significante, expressivo, vívido, sugestivo, ilustrativo, exemplificativo, forte, vigoroso, denotativo, alusivo, referente, incisivo;
declaratório 535; inteligível 518; literal; sinônimo, equivalente a 27; implícito 526; explícito 525; anacíclico (verso); análogo.
Adv. significativamente, expressivamente, isto é, por assim dizer, quer dizer, ou por outra, é o termo;
na mais rigorosa/ampla/científica/lata/restrita significação do vocábulo.

▽ **517. Sem significação,** inexpressão, som vazio, letra morta, *vox et praeterea nihil*, desconexão, incoerência, garabulha, garatuja, anfigúri, gregotins, embrulhada, confusão, lona (fam.), moxifinada, lenga-lenga, aranzel, cantilena, absurdo 497; redundância; algaravia, aravia, declamação, expressão bombástica, palhada, léria, engrimanço; palavras ocas = vanilóquio, vaniloquência, tirada decorativa, palavrório, palavreado, paleio, estilo empolado 573; linguagem afetada, loquacidade, loquela, frioleira, chochice, futilidade, frivolidade, banalidade, vulgaridade, trivialidade, ouropel;
lugar comum, nariz de cera, tagarelice, prolixidade, bacharelice, palanfrório, parola, farelório, *verbiage*, baboseira, blá-blá-blá, babosice; berça = palavreado oco = faramalha, faramalhice, verbiagem, verborreia, *bavardage, baragouin*, geringonça, filatérias, chateza, *niaiserie*, inanidade, vacuidade, rabolaria de palavras, palavrada, palavreado = enteléquia, fanfarronada, espanholada, eloquência cachoeiral, *nugæ canoræ* = bagatelas sonoras, entulho, lixo, bagaceira, burundanga, xaropada, borracheira (*incompreensibilidade*) 518; afirmação banal, palavras ocas, lance oratório, flor de retórica, disparate 497; rípio, enxacoco, expletivo, pleonasmo.
V. não (significar & 516); nada significar; ser vazio de significação, desprovido de sentido, não querer dizer nada; tagarelar, encher linguiça, rabular, algaraviar, garatujar, declamar, não traduzir o pensamento, fazer frase, frasear;
disputar sobre um cabelo/sobre a ponta de uma agulha, falar no ar.
Adj. insignificativo, sem nexo, sem sentido, desconexo, descosido, incoerente, anfigúrico, anfigurítico, frívolo, fútil, trivial, chocho, banal, vanílquo, vaniloquente, chato, oco, vazio, balofo, fraco, desbotado, incolor, pálido, descorado, corriqueiro, inexpressivo, faramalheiro, prolixo, palavroso, repetitivo; berrante, redundante, fumacento, fantasmagórico, insignificado, inexpresso, tácito 526; retórico;
inexpressível, inexprimível, indefinível, incomunicável, incomunicante, irrelevante.

△ **518. Inteligibilidade,** compreensibilidade, perceptibilidade, clareza, diafaneida-

de, transparência, simplicidade, singeleza, luminosidade, distinção, lucidez, perspicuidade, legibilidade, linguagem clara 525; precisão 494; certeza 474; meia-palavra para um sábio, elucidário, glossário, expositor, vocabulário, mateologia.
V. ser (inteligível & *adj.*); falar por si, dizer a sua própria história, jazer à superfície, dar nos olhos, ser de uma transparência cristalina, dizer tudo, entrar pelos olhos a dentro, perceber-se facilmente;
não deixar lugar/margem/brecha para dúvida; não oferecer dificuldades, estar ao alcance de, dispensar qualquer comentário, projetar seu clarão;
tornar (inteligível & *adj.*); pôr ao alcance de, evidenciar, popularizar, simplificar, assingelar, distinguir, classificar, clarificar, clarear, transparentar, aclarar, objetivar; ilustrar, explanar com exemplos; dilucidar, elucidar, esclarecer, exemplificar, enuclear, iluminar, alumiar;
dirimir/dissipar dúvidas; projetar luz sobre, entrar por, explicar 522; rasgar os véus que encobrem, desentenebrecer 446; levar um raio de luz a, desembrulhar, desenredar, desenrascar, destrinçar, pôr em pratos limpos, pôr os pingos nos is; pôr o preto no branco;
compreender, entender, sentir, cair na conta que, abranger, alcançar, apreender, fisgar, apanhar, assenhorear-se de, senhorear-se de, atingir a, penetrar, perceber, ver claro e pronto, discernir, abarcar com o pensamento, ter visão nítida de, apanhar no ar;
não precisar dizer, saltar logo aos olhos; ser óbvio que.
Adj. inteligível, compreensível, acessível, legível, comezinho, abarcável, interpretável, discernível, penetrável & *v.*; evidente, perceptível, concebível, atingível, fácil, claro;
claro como o dia/como a própria evidência; transparente como a gaze, lúcido, dilúcido, perspícuo, nítido, límpido, cristalino, límpido como cristal, chão, simples, caseiro, líquido, transparente, diáfano, luminoso, fácil de se compreender, palpável, inescurecível, manifesto, patente, aberto, à altura de cérebros indoutos, popularizado & *v.*;
singelo, natural, inquestionável, incomplexo, distinto, explícito, inequívoco, unívoco, definido (*preciso*) 494; corrente, enucleado;
gráfico, expressivo (*significativo*) 525; legível, reconhecível, óbvio 525; iniludível 525; ilustrativo (*explanatório*) 522.
Adv. inteligivelmente & *adj.*; em linguagem singela, à face da letra.
Frase: *Apparet id etiam cœco* = até um cego veria isto.

▽ **519. Ininteligibilidade,** inescrutabilidade, impenetrabilidade, insondabilidade, imperceptibilidade, incompreensibilidade, hermeticidade, profundidade, perplexidade, confusão 59, indefinição; obscuridade, tenebricosidade, profundeza, ambiguidade 520; inexplicabilidade & *adj.*; significação duvidosa, incerteza 475; *obscurum per obscurius,* mistificação 528; nebulosidade, intransparência, latência 526; transcendentalismo, complexidade, simbolismo;
névoa, nevoeiro, nevoaça, intricamento, dédalo, brenha, matagal, labirinto, burundanga = algaravia, geringonça, chirinola, mistério, segredo, esfinge, apocalipse, paradoxo, logoglifo, hieroglifo, anfigúri, problema, charada, grifo, aravia, enigma (*segredo*) 533; meandro, ponto de interrogação, segredo da natura, *dignus vindice nodus,* livro selado, esteganografia, *pons asinorum,* maçonaria, latim, grego, hebraico, páli, vasconço, mateologia, engrimanço, sínquise, hipérbato, anástrofe, Babel, Babilônia;
estilo de apocalipse, palheirão, enigmatista, charadista, simbolista.
V. ser (incompreensível & *adj.*); falar como o apocalipse, greguejar (fam.), algaraviar; exigir, reclamar, desafiar explicação; ser de telhas acima;
não ter solução; comportar significações múltiplas, escapar à compreensão, não entrar nos cascos a alguém, sobre-exceder à medida do espírito, ultrapassar o entendimento, ver tudo na escuridão, ser impotente para explicar;
ser grego;
tornar (ininteligível & *adj.*); intricar ou intrincar, complicar, confundir 61; embaralhar, escurecer, turvar, arrevezar; problematizar, enigmar, toldar, obscurecer 421; enlear, desorientar 475; embasbacar, embatucar, intrigar, ficar em branco, não compreender 519; não perceber nada, desentender, não captar, boiar (pop.);

ficar intrigado, ficar em jejum; ser jejuno em, falhar, errar, não saber o que fazer, coçar a cabeça, ver-se em palpos de aranha, não atinar com a solução, ver-se gago, não dar com o busílis, ter peneira nos olhos, ver através de vidro opaco (*ignorância*) 491; não encontrar a chave/a solução do enigma; não penetrar no mistério; ficar/estar *in albis*; obscurecer-se a razão a alguém.
Adj. ininteligível, imperceptível, intrincável, intricável, complicado & *v.*; inexplicável, vaporoso, incompreensível, matagoso, enredoso, brenhoso, grego, insolúvel, indecifrável, impenetrável, ininvestigável, superior à razão humana, cerrado, de difícil compreensão, inescrutável, imperscrutável, abstruso, paradoxal, problemático, encapuchado, enigmático, dedáleo, meândrico, labiríntico, embaraçoso, implexo, emaranhado, apocalíptico, confuso, sibilino = sibilítico, obscuro, intransparente, tenebroso, tenebricoso, inconcebível, impreciso, abstrato, escuro, sombrio, opaco, incerto, vago, indistinto, anfigúrico, anfigurítico, turvo, inexaminável, anfibológico 520; profundo, metafísico, transcendente, amortalhado em mistério, aéreo, indeterminado, indiscernível 447; nevoento (*opaco*) 426; oculto 526; latente 526; nevoso, enevoado, nebuloso, nublado, nubloso, umbrático, embrulhado, ilíquido;
indefinido (*indistinto*) 447; incôndito, confuso 59; ambíguo, dobre, indizível, místico, anagógico, transcendental, recôndito, áspero, que nem o demo pode decifrar, hieroglífico, ilegível, insoletrável, inconceptível, intraduzível, inabordável, inacessível a qualquer engenho, incognoscível, maçô-nico.
Adv. incompreensivelmente & *adj.*;
Frase: *Græcum est, non legitur. Non liquet.*

520. (Duplo sentido) **Equívoco,** um falar e dois entenderes, torcicolo, obliquidade, dimorfismo, ambiguidade, anfibologia, grifo, alegoria, triquestroques, trocado, trocadilho, calembur, enigma, paronomásia, diáfora = dialogia, anagrama, oráculo de Delfos, jogo de palavras, filosofia de lagartixa, adivinhação 533; jogo de palavras (*espírito*) 842; homonímia, homofonia, xará, tocaio, homônimo, homófono, homógrafo, restrição mental 528;

(intencional e agressivo) maícia, ironia, sarcasmo, cinismo.
V. ser (equívoco & *adj.*); ter dupla significação, comportar diversas interpretações, não ter sentido preciso, ter sentido pejorativo, ser peixe e carne, ser branco e preto, soprar frio e quente, equivocar-se 544; anagramatizar, alegorizar.
Adj. equívoco, esotérico, elástico, dobre, flexíloquo, dimorfo, ambíguo, oblíquo, melífluo, irônico, sarcástico, pejorativo, mentiroso 544; homônimo, figurado, metafórico, alegórico, simbólico.

521. Metáfora, figura de discurso/de conceito/de dição; *savoir dire*, maneira de falar, frase 566; tropo, tropologia, amplificação, metonímia, transnominação, sinédoque, enálage, silepse, zeugma, hipérbato, sínquise, inversão, datismo, antonomásia, antífrase, ironia, catacrese, eufemismo, anáfora, antanáclase, anacoluto, metalepse, anagogia, personificação, prosopopeia, anamnese, anadiplose, metagoge, hipálage, mimese, símploce, apólogo, alegoria, parábola, parêmia, fábula, alusão, insinuação, interrogação, apóstrofe, dialogismo, ab--rupção, paronomásia 520.
V. metaforizar, dar sentido metafórico; dar às palavras um sentido translato/analógico; alegorizar, adumbrar, simbolizar, figurar, apostrofar.
Adj. metafórico, tropológico, elíptico, anafórico, metonímico, anagógico, figurado, típico, translatício, translato/parabólico, alegórico, umbrátil, umbrático, alusivo, irônico, siléptico, anatonomástico.
Frase: *Mutato nomine de te fabula narratur.*

△ **522. Interpretação,** inteligência, interpretação simples e racional, definição, maneira, dedução, inferição, dilucidação, dilucidamento, decodificação, ilação, soltura, explanação, desenvolvimento, exposição, explicação, solução, significado, significação 516; enunciativa (ant.), prelucidação, deslinde, deslindamento, elucidação, conclusão, desembrulho, exegética, resposta, esclarecimento, aclaramento, destrinço, enarração (ant.), glosa, hermenêutica, cabala, observações, cotas;
versão, trasladação;
tradução livre/literal/servil; chave, cifra, contracifra, segredo, novelo, fio, rastilho

(*indicação*) 550; burro, pai velho; código, cifrante, exegese, metáfrase, paráfrase, exposição, comentário;
série de notas/de críticas/de explicações/de esclarecimentos; comento, inferência (*dedução*) 480; ilustração, desenvolvimento, exemplificação, anotação, nota, escólio, *scholium*, apostila, esclarecimento, chave do enigma;
sintomatologia, semiologia, mistagogia, metoposcopia, paleografia (*filologia*) 560; acepção, luz, leitura, construção;
equivalente, sentido equivalente 516; significado, sinônimo, analogia, aposição.
V. interpretar, dilucidar, elucidar, deduzir, concluir, inferir, explicar, enuclear, glosar, definir, subentender, dar a razão de, traduzir, parafrasear, transverter, dar saída;
trasladar, passar, verter para; comunicar o sentido de, apreciar uma coisa na sua aplicação e inteligência, apegar-se à letra de um texto, tomar num sentido, descobrir 480a; descobrir (o sentido de 516); ler, decifrar, destrinchar, deletrear, soletrar, desembrulhar, destoldar 446; desembuçar, esclarecer, levar um raio de luz ao recesso de, desempanar, solver, deslindar, destecer;
desenvincilhar, deslindar a meada;
dar/achar a chave de; destramar, destrinçar, desenredar, escarrapichar, desemaranhar, desenriçar, clarificar, desassombrar, solucionar, aplanar, desenlaçar, resolver, ler nas entrelinhas, dar no ponto, esmiuçar;
achar, dizer a causa 153;
derramar/projetar/lançar luz nova; levar luz, desanuviar, desenturvar, desaranhar, aclarar, rasgar o véu, descaroçar, dar no chiste, desempoeirar, desentenebrecer, desenevoar, desurdir, rolar, ilustrar, exemplificar, objetivar, desdobrar, desenrolar, precisar a causa, desenvolver, ampliar, amplificar, expor, comentar, glosar, bordar comentários, anotar, apostilar, popularizar (*tornar inteligível*) 518;
tomar, compreender, aceitar, receber, admitir num sentido particular; penetrar, ser dado a entender que.
Adj. explanatório, expositório, interpretativo, dedutivo, conclusivo, explanativo, ilustrativo, elucidativo, exemplificativo, exegético, explicativo, explicatório, hermenêutico, literal, parafrástico, metafrástico, significativo, sinônimo, equivalente.
Adv. explanatoriamente, isto é, por outra, por outras palavras, a saber, por exemplo, *verbi gratia*; *id est*; *videlicet*, queremos dizer, em outros termos, rigorosamente falando, em termos simples, em linguagem clara, em português claro, ou mais simplesmente, sem rodeios.

▽ **523. Interpretação errônea,** má interpretação, má apreensão, má compreensão, má aceitação, má aplicação, desfiguração, distorção, abuso, catacrese, perversão, contraversão, malícia, malignidade;
sentido arrastado, forçado; torcedela, torcedura, exagero 549; falso colorido, malsinação, abuso de termo, mal-entendido, carnaval, paródia, acirologia, adulteração (*mentira*) 495; forçamento;
interpretação maligna/tendenciosa; leito de Procusto, comentários malévolos, sofisma.
V. interpretar / apreender / entender / conceber / traduzir / construir mal; errar 495; perverter, distorcer, calabrear, contraverter, adulterar, maximizar, minimizar, escatimar, viciar, deturpar, estropear, lhanar, tresler = ler às avessas, sofismar, desfigurar = transtornar, alterar, subverter, arrastar, arrevessar, arrevezar, dar uma elasticidade incompreensível, retrincar;
forçar/torcer o sentido de; prevaricar, malsinar, desvirtuar, dar esfolagato a, desnaturar, *captare verba* = forçar o sentido; falsear;
forçar/torcer, escorjar, constranger o sentido/a significação; dar voltas ao texto, embrulhar, retorcer, fazer trocadilhos, ofuscar, desluzir, envenenar, violentar; deitar para mal/para mau sentido; *subjicere alicui verbo duas res* = dar dois sentidos à mesma palavra; deitar malícia em, maliciar, servir-se mal de 679; dar falso colorido.
Adj. torto, errado, desfigurado, ambíguo, retrincado & *v.*; mal compreendido, torcido, distorcido, deturpado, pervertido & *v.*; revessado, pejorativo; depreciativo, deslealmente, controvertido, malicioso, maligno, tendencioso.

524. Intérprete, farante, interpretante, interpretador, ator, expositor, exegeta, alcoranista, hermeneuta, metafrasta, mistagogo, língua (m.), escolástico, escoliastes, escoliasto, comentador, comentista, tradutor, traduzidor (dep.), parafrasta, topaz (malaca), turamão ou turgimão, turquimão, dragomano, orador, órgão, mestre, porta-voz, sarabatana, *valet de place*, xauter, cicerone, guia, Édipo, mentor, oráculo 513; paleógrafo.

2º) Maneiras de comunicação

△ **525. Manifestação,** franqueza, sinceridade, transparência, evidência, comunicabilidade, comunicação, linguagem franca, amostra, expressão, atestado, exposição, demonstração, desnudação, exibição, produção, apresentação, ostentação, aparato, abertura, assomos, rasgos, voos, surto, lampejo, sinal; indicação (*chamada de atenção*) 457; publicidade 531; revelação 529; veracidade 543; candura 703; expansão, efusão, desabafo, *epanchement*, desvendamento.

V. manifestar, tornar (manifesto & *adj.*); produzir, apresentar, aduzir, trazer;
pôr em cena/em evidência; aclarar, evidenciar, expor, revelar, abrir;
expor à vista/à contemplação; abrir os olhos a alguém, pôr ante os olhos de; proclamar;
pôr em foco/em acentuado relevo; focalizar, trazer à luz, mostrar à evidência, transverberar, transparentar, deixar transparente, testemunhar, não fazer mistério, trair, deixar transparecer, deixar a descoberto, dar em espetáculo, provar, demonstrar em circunstâncias muito concludentes, atestar, patentear, ressaltar, ostentar, exibir, meter à cara de alguém, tirar do bucho, desembuchar, falar bem alto, botar à luz, correr a cortina a alguma coisa oculta, manifestar-se, dar sinal, falar, fazer ver, mostrar, dar provada demonstração de, falar rasgado, desnudar, desenrolar, desfraldar uma bandeira, descerrar; ser manifesto, brotar à luz, mostrar-se, antolhar-se, prefigurar-se, afigurar-se; revelar-se de modo brilhante / com ostentação; dar nos olhos, resplandecer, irromper, assomar, manifestar-se com esplendor (*ser visível*) 446; desenhar-se, parecer, transparecer 529; levantar a cabeça;
dar sinal/indicação/indícios de; aflorar, ressumbrar, contar a sua própria história

518; indicar (*chamar a atenção*) 457; revelar 529; desencadear-se; ressaltar a todos os espíritos.

Adj. manifesto, exposto, aparente, evidente, patente, presente, óbvio, público, natural, saliente, onipatente, impressionante, demonstrativo, proeminente, notável, onipresente; flagrante, indubitável e indubitado, notório (*público*) 531; insigne, rematado, chapado, refinado, consumado, completo, requintado, redondo, pronunciado, acentuado, descarado, definido, definito, distinto, claro, luminoso, bem visível, discriminável à vista, conspícuo 446; vidente, inquestionável, intuitivo, da maior evidência, limpo, preciso, cabal, formal, iniludível, indisfarçável, palpável, nítido, tangível, não velado, compreensível 518;
claro como o dia/como a água/como o sol/como a própria evidência; pátulo (poét.);
ostensivo, convicto, confesso, ostentoso, expresso, explícito, nu, descoberto, literal, exotérico, indisfarçado, desrebuçado, desvelado, franco, aberto (*despido de artifício*) 703; singelo.

Adv. manifestamente & *adj.*; abertamente, à luz do dia, escancaradamente, de praça, à barba de, face a face 186; cara a cara, à vista, à mostra, cartas na mesa, jogo franco, em pleno dia, às claras, meridianamente, à vista de todos, diante de Deus e de todo o mundo, a peito descoberto, de coração aberto, à boca cheia, com desassombro, redondamente, pelo claro;
sem disfarce, sem eufemismo, sem rodeios, na lata, sem circunlóquios, sem rebuço, sem refolhos, sem reserva, à fiveleta, em toda a luz, *clara voce* = em voz alta, sem mais cá nem mais lá, em circunstâncias mui concludentes, rasgadamente, desassombradamente, às escâncaras, *coram populo*, paladinamente, a olhos vistos, em português claro, em bom romance, à letra, ao pé da letra, de portas abertas e janelas escancaradas.

Frases: Isto entra pelos olhos. Está na cara. É o óbvio ululante. Só não vê quem é cego. Não é preciso o Espírito Santo para mostrar. A significação está à tona. *Cela/ça va sans dire.* Sem comentários. *Res ipsa loquitur; apparet id etiam cœco* = um cego veria isso.

▽ **526. Latência,** inexpressão, sentido oculto, sentido velado, ocultação, sopitação, mistério, cabala, eufemismo, silêncio

(*taciturnidade*) 585; ocultamento 528; socapa, sorrelfa, dissímulo; oráculo de Delfos, fogo entre cinzas, crisálida, corrente submarina, subcorrente, vida intrauterina, entrelinha, sentido implícito, ilação mental, alusão 527; insinuação, implicação, adumbração, cobra na relva 667; segredo 533; trevas, invisibilidade, imperceptibilidade.
V. estar/latente/subentendido/recalcado/ debaixo de cinza & *adj.*; incubar, chocar, empolhar, ocultar-se, esconder-se, encerrar, estar de emboscada, emboscar-se, lavrar o fogo sob cinzas, fumegar, não dar sinal; escapar à observação/ao descobrimento; jazer, conservar-se (oculto 528); dormir, estar atrás da cortina, insinuar(-se), preparar-se, envolver, implicar, importar, trazer no seu bojo, compreender, aludir(-se) a, pairar no ar, espreitar, sentir os rumores surdos de, segredar 528; pisar um vulcão, ser o leão que dorme, sopitar, recalcar.
Adj. latente, oculto, secreto 528, virtual; adormecido, recalcado, incubado & *v.*; dormente, sopitado, sopito, subcinerício; inaparente, incógnito, desconhecido, ignorado, obscuro, dissimulado, furtivo, nunca visto 442; invisível 447; indescobrível, sopitável, intangível, intátil, escuro, impenetrável (*incompreensível*) 519; jamais suspeitado, não desvendado, ignoto, imperceptível aos sentidos, de que mal se ouvem os surdos rumores;
inaudito, inédito, indivulgado, irrevelado 528; inexpresso, tácito, apenas suspeitado, fumegante; que mal se adivinha;
inexplicado, intrilhado, ininventado;
indireto, mediato, remoto, implícito, incluído, alusivo, coberto, encoberto, embuçado, estenográfico, subentendido, oculto 528; delitescente, recolhido, subcutâneo, insidioso, subterrâneo, subaquático, sublacustre.
Adv. latentemente, às escondidas, *subsilentio*, atrás dos bastidores, secretamente 528; nas entrelinhas, *in petto*, no coração, na mente, interiormente; indiretamente & *adj.*

△ **527. Informação,** informe, esclarecimento, luz, inculca, conhecimento 490; cognição, sabença, sapiência, pesquisa, publicidade 531; comunicação, participação, intimação, intimativa, aviso, notícia, recado, participação verbal, notificação, anúncio, pregão, bando, edital, anunciada, anunciação, representação, exposição, narrativa, estendal, sudário, sicofantismo, denúncia, pressentimento, alusão, depreensão, juízo, conceito, referência, especificação, boato, conselho, admoestação, notícias 532; detalhes (gal.), pormenores, descrição 594; relação (*registro*) 551; afirmação 535;
menção, instruções, divulgação, intercomunicação, comunicabilidade;
informante, informador, declarante, arauto, inculcador, narrador, contador, relator, porta-voz, noticiarista, olheiro, repórter, enunciador, expositor, comunicador, preconizador, pregoeiro, órgão, intérprete, bisbilhoteiro, noveleiro, porta-novas, espião, denunciante = malsim, emissário, guia, xauter, echadiço, inculcadeiro, inculca;
imprensa, jornal, revista, noticiário, jornalismo, correspondente, agência de notícias, reportagem; cinema, cinejornal, documentário; televisão, telejornalismo, telenoticiário, cobertura ao vivo, *flash*; computador, internet, *on-line, site,* correio eletrônico, *e-mail, blog, post, twitter;* celular, torpedo, *download;* boateiro, alvissareiro, alvitreiro, cesto roto, mensageiro 534; *amicus curiæ,* polícia, os argos da polícia, Sherlock Holmes, mastim, delator, dedo-duro, sicofanta, propagador, *valet de place* = cicerone, piloto, guia, manual, ritual, cerimonial, prontuário, *vade-mecum,* mapa, planta, dicionário, enciclopédia, roteiro, itinerário 266; sugestão, alusão, insinuação, meia-palavra para um bom entendedor = *verbum sapienti,* gesto, mímica 550.
V. informar, dizer; pôr a par/ao corrente, comunicar, anunciar, noticiar, acusar, fazer saber, cientificar, levar ao conhecimento de, ensinar 537; fazer ciente, esclarecer, instruir, participar, prevenir, fazer presente de alguma coisa a alguém, confiar, avisar, falar de, boquejar, formular, expor, avançar, expor aos olhos de, apresentar, transmitir, mencionar, exprimir;
trazer a campo/à baila, representar a alguém, notificar, certificar, enumerar, capitular, resenhar, divulgar 531; significar, tornar público, intimar, inteirar, dar a entender, despeitorar-se, desembuchar-se, vomitar, desabafar-se;

dizer, trazer, comunicar as suas impressões; apontar, dizer redondamente, dar conhecimento de, expor, expender, chamar a esclarecida atenção de alguém para (*atenção*) 457; telegrafar, telefonar, oficiar, escrever, mandar recado, anunciar, noticiar, relatar, dar aviso de, detalhar, pormenorizar, particularizar, especificar, especializar, referir, expor detalhada e circunstanciadamente, resenhar, fazer resenha, apresentar relatório 594; descrever, malsinar, delatar, insimular, denunciar, confidenciar;

soprar, segredar ao ouvido de; fazer confidências a alguém, revelar 529; explicar (*interpretar*) 522; cochichar, murmurar, mussitar; conectar-se (a internet), logar-se, baixar (informação, programa, da rede para computador), postar, enviar *e-mail*; sugerir 516; lembrar, acordar, indigitar, alvitrar, inculcar, insinuar, meter na cabeça de alguém; fazer ver, mostrar;

desenganar, tirar as cataratas de alguém, desabusar, tirar alguém do erro em que labora, desiludir, dissuadir, desimaginar, corrigir o engano, abrir os olhos, ser informado & *adj*. 490; ter conhecimento, aprender 539; apanhar o cheiro, farejar, colher de, ficar alerta, ouvir, vir ao conhecimento de, depreender, compreender, estar senhor de; chegar, ressoar, vir/aos ouvidos/ao conhecimento de; cair sob os olhos de; não cair em saco roto/em terreno sáfaro.

Adj. informante & *v*.; informado & *v*.; informativo, publicado 531;
expressivo 516; substancioso, explícito 525, inequívoco; claro 518; honesto 703;
declaratório, nuncupatório, informacional, expositório, dedicatório, expositivo, enunciativo, enunciatório, ilustrativo, luminoso, esclarecedor, malsim, denunciante, noticioso.
Adv. informadamente, por/segundo informações recebidas; por ouvir dizer, de oitiva, pelo que ouviu dizer.
Frase: *Dictum sapient sat est:* para bom entendedor meia-palavra basta.

▽ **528. Desinformação,** ocultamento, submersão, esconderelo, escondedura, ocultação, sonegação, omissão, mistificação, camuflagem, mimetismo, incomunicabilidade;
insciência, ignorância, desconhecimento, insipiência, selo de segredo, velamento, véu 530; encobrimento, disfarce 530; máscara, bateria mascarada, esconderijo 530; criptografia, esteganografia, maçonaria, divodigno; mação ou maçom;
ob-reptício, sub-reptício, furto, furtadela, velhacaria 702;
reclusão 893; afastamento, retiro, retração, intimidade, solidão, isolamento, segredo, discrição, incógnita, recato;
reticência = aposiopese;
ilação, restrição mental, entrelinha, supressão, evasiva, descarte, mentira inofensiva, mutismo, negação, silêncio 585; abolição da verdade 544;
incubação 526; entredanha, tesouro oculto, moira encantada.

V. desinformar, escamotear informação, esconder, ocultar, encoquinar, encoquinhar, amocambar (bras.), abutamar (ant.), sonegar, sobnegar, pôr longe das vistas, sumir, recalcar, obstruir, sopitar, acobertar nas reticências, aferrolhar, fechar a chave, engarrafar, guardar muito fechado, recatar, guardar em segredo;
levar água no bico, emalar, embaular, cerrar, encobrir, cachar, tapar, homiziar, absconder, cobrir, embuçar, encapotar, amortalhar;
velar, ocultar à vista/à observação; camuflar, capear, disfarçar, acafelar, encerrar, deixar cair o velário, correr um véu sobre, cortinar, acortinar, caiar, entrecerrar, arquivar; subtrair ao conhecimento/à vista de; abafar, atafegar, atabafar, obumbrar, toldar, segredar da vista, refugiar-se;
encovar, reprimir, retrair, mergulhar, amoitar, sepultar, enterrar, ofuscar, solapar, encafuar, atrusar, enlocar, enfurnar, encafurnar, encavernar, encovilar, entocar, rebuçar, afundar, capear, acobertar, encobertar, negligenciar 460; mascarar, guardar segredo, ter em recato uma coisa, calar-se 585;
não dar sinal, não deixar ir mais adiante, trazer a boca fechadinha a sete chaves, ter em segredo; não deixar escapar uma sílaba/uma palavra; embuchar, pôr cadeado na boca, calar um segredo com todo o resguardo, segredar, assoprar, fechar-se com o segredo, usar de reticências;
conservar/deixar nas trevas da ignorância; vendar os olhos, mistificar, atarantar (*incerteza*) 475; enganar 545; disfarçar a marca de origem;

estar (escondido & *adj.*); later, sofrer um eclipse, eclipsar-se, não se entrever nitidamente, retirar-se da vista, emboscar-se, submergir, alapar-se, alapardar-se, encafuar-se, foragir, encafunar-se, anichar-se; agachar-se, abroquelar-se por detrás de; acobertar-se, rebuçar-se;
pôr-se de emboscada/de salto; furtar-se às vistas, segregar-se 893; brincar do jogo das escondidas.
Adj. oculto, secreto, clandestino = conventicular, rebuçado, escondido, arcano, encoberto, escuro, abscôndito, absconso (poét.), recôndito = abstruso, desviado do conhecimento público, auricular, acromotico, sumido, velado, místico, misterioso, morto (tratando-se dos astros), obscuro, cabalístico, críptico, particular, reservado, embuchado, íntimo, *in petto*, surdo, enfurnado, sepultado & *v.*; anichado, escondido & *v.*; atabafado;
desinformado, insciente, desconhecedor;
atrás da cortina, sob coberta, camuflado, em eclipse, de emboscada, sob disfarce, na nuvem, na cerração, na sombra, na penumbra, subtérreo, subterrâneo, aninhado entre espessas nuvens, perdido, imerso ec, segregado 893; capeado; irrevelado, inaudito 527; submerso, coberto (latente) 526; misterioso (*incompreensível*) 519;
irrevelável, imperscrutável, enigmático, ambíguo, equívoco, inviolável, indevassável, esotérico, maçônico, de que se não deve falar, inconfessável, indeclarável;
furtivo, solapado, dissimulado, obreptício, sorrateiro, felino, traiçoeiro, sub-reptício, confidencial, confidencioso, segredista, segredeiro, evasivo, encapotado, incofesso, incomunicativo, abotoado, fechado, fechado a sete chaves, ignoto, subterrado.
Adv. ocultamente & *adj.*; em segredo; em particular, na intimidade, nas trevas, na sombra, atrás da porta, à espreita;
de rebuço = secretamente, debaixo de capa = capeadamente, pela sonega, à sonega, sorrateiramente, abafadamente, em segredo, em secreto, enroladamente;
por baixo/debaixo de mão; à puridade, de sorrate, com a mão de gato, *januis clausis*, a portas fechadas, a furto, às furtadelas, subtilmente, furtivamente, à capucha, à chucha calada, sem testemunhas, às escondidas = *in occulto*, afogadamente, *à la derobée; sub rosa; en tapinois*, como um ladrão à meia-noite, ao cair das trevas;
atrás da cortina, atrás do reposteiro, à surdina, à sorrelfa, sub-repticiamente, surdamente, à francesa, à solapa; de/à socapa; à gagosa, à boca pequena, em confidência, à esconsa, em particular, mansamente, encobertadamente, sem rufo de tambores, sem toque de cornetas, capeadamente, tripetrepe, pé ante pé = *expenso gradu*, de mansinho 403; à surda, *intra muros*, baixinho, entre dentes, com pés de lã, em confiança, em estrita confiança, confidencialmente, à parte, de parte, entre nós; *in camera*, pela calada, no silêncio da noite, na calada da noite.

△ **529. Exposição,** desvendamento, divulgação, propalação, voga, declaração, denunciação, inconfidência, desvelamento, desenterramento, dessegredo, revelação, exumação; verdade completa/integral; informação, elucidação, boato (*notícias*) 532; desengano, franqueza, proclama, proclamação, bando, pregão, reconhecimento, confissão, confissão auricular;
estouro da bomba, desenlace, epílogo;
assoalhamento, chocalhice, bisbilhotice, pronunciamento.
V. revelar, descerrar, descobrir, desvelar, retransir;
levantar/afastar/sofraldar/rasgar a cortina/o véu; desvendar, desvendar à luz do dia, destapar ou destampar;
tirar/quebrar o selo; deseclipsar, correr o reposteiro, desentranhar, desencovar, desenterrar, exumar, desamortalhar, desarquivar, desencapoeirar, pôr a descoberto;
trazer à tona/à publicidade/à luz; desenrolar, expor, numerar, despir, exibir aos olhos de, passear, patentear, desencerrar, desencovar, desenfardelar, pôr soalhas a alguma coisa, dar-lhe nas maturrangas, desnudar, vulgar (p. us.), buzinar, divulgar, pôr em público, promulgar, devassar, inculcar, arruar, pregar, proclamar, revelar os segredos, trombetear, conclamar;
deitar um segredo à rua/ao mar; chocalhar, achocalhar, cometer inconfidência, abrir a boca, dar curso a;
quebrar, romper um segredo; tirar o rebuço, fazer reclamo de, propalar, semear, popularizar, propagar, disseminar, vulgarizar, trazer a público, pronunciar;

tagarelar, dar com a língua nos dentes, iniciar alguém num segredo, denunciar, delatar, dizer os seus particulares, assoalhar, deixar perceber, meter alguma coisa no bico de alguém, deixar escapar um segredo, franquear os segredos, atraiçoar, despir a pele a alguém, desmascarar, pôr a calva à mostra, tornar manifesto 525; espalhar aos quatro ventos;
dar/tocar aos foles; dar na ratada a alguém, descobrir os intuitos malévolos, descoser o fiado (p. us.);
reconhecer, confessar, conceder, admitir, permitir, externar, exteriorizar, desembuchar-se, abrir-se, desabafar-se, desentranhar-se;
descarregar a consciência/o coração; abrir o coração, despeitorar-se, vomitar, gosmar, pôr para fora;
tirar ou deitar abaixo a máscara; desmascarar-se, desatabafar-se, desafogar-se com alguém, confiar suas penas a alguém, desabotoar-se;
dizer sem reserva/sem reticência/sem eufemismo; pronunciar-se, falar a verdade, falar alto e bom som, falar sem rebuço, tirar as teias de aranha a alguém, abrir-se com alguém, franquear-se, mostrar as cartas, manifestar-se, desencapotar-se, expor-se, escancarar, desenganar, desiludir, desabusar, corrigir, abrir os olhos a, tirar as cataratas a alguém;
ser revelado, transpirar, apanhar ar; vir à luz/a furo; rebentar/romper as nuvens, romper o véu, surgir aos olhos de (*ser visível*) 446;
escapar, sair dos lábios; aflorar, vir à tona, descobrir-se, ressumbrar, ressumar, transparecer, brotar, pungir.
Adj. descerrado & *v.*; inconfidente, chocalheiro, expansivo.
Adv. pela boca de.
Frases: A luz já se vai fazendo. As escamas caíram dos olhos de.

▽ **530.** (Meios de ocultar) **Esconderijo**, socairo, entrefolho, esconderelo, esconso, escondedouro, escondedor, encoberta, segredo, latíbulo, reconditório, homízio, retrete, aposento secreto, recesso, cói ou coio, recâmara, recanto, ladroeira, valhacouto, cova, furna, loca, algar, caverna, fojo, cadoz, subterrâneo, socavão, covil, cama, gruta, socava, antro, toca, leoneira, rechego, lapa, desvão, madrigueira ou madrilheira, cafua, cafurna, receptáculo, buraco, cripta, biboca, quilombo, mocambo, moita, caminho desconhecido, guarida, refúgio, retiro 666; poterna, escaninho, recato; abrigo, guarita, tapagem, tapume, tapigo, sebe, cobertura, antolhos, biombo, alcova, véu flâmeo (ant.), sobrevirtude, anteface, cortina, mosquiteiro, rodapé, mosqueiro, arquelha (ant.), guarda-porta, guarda-vento, para-fogo, gelosia, reposteiro = somilher (casa real), veneziana, capote, embuço, manto, máscara, carantonha, caraça, carântulas, careta, viseira, disfarce, fantasia, dominó, pala, alçapão (*fonte de perigo*) 667.
V. esconder(-se), ficar de emboscada/de tocaia; pôr-se de salto/de alcateia; emboscar-se, tocaiar, atocaiar, armar cilada 545; disfarçar-se, rebuçar-se, embuçar-se, metamorfosear-se, transformar-se;
homiziar-se, foragir, enfurnar-se, enlapar-se.
Adj. grutesco.
Adv. à espreita.

531. Publicidade, divulgação, difusão, disseminação, *marketing*, propaganda, exposição, visibilidade, exibição, publicação, editoração, propagação, propalação, derrama, circulação, curso, promulgação, transmissão, edição, buzinação, trombeteamento, alardeamento, pronunciamento;
notoriedade, grito, barulho, *vox populi*, boato (*notícias*) 532; dessegredo;
imprensa, veículo, mídia, prelo, jornal, periódico, papelata (dep.), papelucho (dep.), pasquim (dep.), jornaleco (dep.), corsário, folícula (dep.), gazeta, folha, quinzenário, hebdomadário, semanário, matutino, vespertino, diário, mensário, papelejo (dep.), pastelão (dep.); revista, fôlder, pôster, encarte, folheto, panfleto, volante, rádio, televisão, videoclipe, internet, *banner*;
editor, publicador, publicitário, marqueteiro, jornalismo, periodismo, redação, redator, circular;
carta, ofício-circular; manifesto, anúncio, reclame, cartaz, *indoor*, *outdoor*, *display*, exibidor, boletim, encíclica, informação 527; gazetilha, local, suelto, editorial, tiragem; jornalista, colaborador;
depreciativos: foliculário, pasquineiro, periodiqueiro, plumitivo.

V. publicar, tornar (público & *adj.*); ir aos jornais, estampar, fazer conhecido (*informação*) 527; falar de, fazer praça de; dar/mandar à estampa; espalhar, devassar, divulgar, pôr na rampa, propalar, disseminar, semear, difundir, propagar, inocular, revelar, noticiar, comunicar, lançar aos quatro ventos, trazer a público, mandar imprimir, fazer gemer os prelos, pregoar, apregoar, proclamar, vulgarizar, publicar *urbi et orbi*, expor, expender, enunciar, emitir, editar, editorar, dar à luz, expedir; transmitir aos leitores, fazer almoeda, badalar sob fortes rubricas, arengar, servir de arauto, lançar bando, tocar trombeta, rufar tambores, anunciar, gritar à boca aberta, badalar (inf.) anunciar a toque de corneta, trombetear, zunzunar, levar um livro ao prelo, derramar, fazer pregão de alguma coisa;
fazer propaganda/reclame; afixar cartaz; pôr em público/em letras de forma; pôr notícias em circulação, soltar grito de alarma; fazer vogar, circular; pôr em evidência, trabalhar a imagem;
estar (publicado & *adj.*); sair, estampar-se, publicar, ser público e notório, sair à luz, vir a saber-se;
andar/correr/voar de boca em boca; circular, vogar, vir à luz da publicidade, sair a público;
andar na berra/nas bocas do mundo; ser de todo o ponto sabido;
andar de mão em mão/nas mãos de todos; ser fama/voz corrente/notório/do domínio público; propagar-se como incêndio 532.
Adj. publicado & *v.*; difundido, alardeado, badalado (inf.), corrente 532; em circulação, público, conhecido, onipatente, solene, manifesto, patente, noto, grande, flagrante, refinado (*manifesto*) 525; trombeteado, achocalhado, encíclico, comentado, rezado, exotérico;
anunciativo, anunciante, anunciador; editor, editoral, editorial.
Adv. publicamente & *adj.*; às sabidas, às claras, de portas abertas, à face do mundo, muito a descoberto, muito à vista, de rosto descoberto, à fiveleta 525; em público, em público e raso, sem rebuço, sem reserva, rotamente.

△ **532. Notícia,** nova, novidade, nota, informação 527; razão, referência, aviso, comunicado, punhado de notícias; noticiário, noticioso, informativo; *fait divers*; linguiça, tripa;
alvitre, conselho, mensagem, recado, cabograma, despacho, marconigrama, radiograma, telegrama, telefonema, carta, comunicação, reportagem, relato, boletim, local, crônica, noticiário, manchete, jornal, telejornal, rádio, radiojornalismo, telejornalismo, satélite;
versão = boato, soada, toada, cacha, falácia, fosquinha, conversa, falatório, parlatório, rumor, ruge-ruge, atoada, atoarda, a voz pública, fama, voz = zun-zum, a voz corrente do boato, grita, murmúrio, murmuração, local, sussurro, dizem, ouvi dizer, disse me disse, escândalo, palestra, chocalhice, fuxico, tagarelice, mexerico, fofoca, fofocagem, trica, onzenice, coscuvilhice, díxemes, dixe me-dixe me (pop.), mexericada, intriga, urdimaça, enredo, corrilhos;
o evangelho, o assunto/o prato do dia; o tema de todas as palestras, o assunto necessário ao comentário do dia, o herói do dia, más notícias, correio de Jó, pantim (bras.), pavorosa;
notícia sensacional/fresca/triste/pavorosa/ alvissareira/espaventosa/borborinhante; notícia fantasiosa, rebate falso, notícia falsa, balela, abafarete, *canard*, peixe, barriga, um lampejo de novidades, segredo de polichinelo;
divulgador, jornalista, repórter, narrador 594; comentarista, cesta-rota, saco-roto = boateiro, novidadeiro, porta-voz, noticiador, passador = noveleiro, porta-novas, noticiador, noticiarista, zizaneiro, gazeteiro, bisbilhoteiro, calhandreiro, coscuvilheiro, chocalheiro, chocalho, onzeneiro, tagarela, conversador, coscuvilheira, intriguista, novelista;
alvíçaras, evangélias.
V. noticiar, ser boateiro, propalar 531, divulgar, informar, comunicar, relatar, reportar; zizaniar, andar com chocalho, alviçarar, transpirar 529;
correr/voar de boca em boca; vogar, circular, vagar nos ares, cair no domínio público, espalhar-se, zunzunar, constar, rotejar-se (reg.), saber-se, soar/andar na boca do povo, ser o evangelho do dia, passar por certo, estar na ordem do dia, soar um rumor, divulgar-se, ser o assunto para o comentário da semana, soar uma nova aos ouvidos de, me-

xericar, intrigar, fofocar, intrigar, onzenar, onzenear, bisbilhotar, enredar, coscuvilhar, grassar a notícia, murmurar-se, rosnar-se, rumorejar-se, propalar-se, correr voz entre, correr voz de.
Adj. noticioso, informativo; linguaraz, linguareiro, linguarudo, loquaz, parlador, fofoqueiro, mexeriqueiro, palreiro, chocalheiro, bisbilhoteiro, palreiro, flutuante, corrente, dominante, em circulação, na boca de todos; que sacode/que preocupa/ que agita a cidade.

▽ **533. Segredo,** sigilo, reserva, puridade, silêncio, confidencialidade, mistério;
segredo profundo, impenetrável, tumular; segredo de abelha/de comédia/de polichinelo/de Estado/de maçonaria;
arcano, secreto, côndito, sombra, mistério asiático, ádito, confidências, manha;
enigma, quebra-cabeça, quebradeira, charada, logogrifo, hieroglifo, cifra, grifo, monograma = sigla, anagrama, esfinge, *crux criticorum*, labirinto, dédalo, meandro, floresta hirciniana, sombras do mistério, problema 461; paradoxo 704; ininteligibilidade 519; terra incógnita 491;
monogramista, segredeiro, segredista, charadista, cruzadista.
V. segredar, fazer confidência, confidenciar, recomendar segredo, cochichar, sussurrar, ciciar, soprar ao ouvido de alguém, reservar/guardar segredo, ser um túmulo, ser caixa, ser homem de segredo;
ser (secreto & *adj.*); não poder transpirar, dever morrer com alguém, calar um segredo com resguardo, não estar divulgado, não se dever dizer, dizer ao ouvido, apuridar-se (ant.).
Adj. secreto (*oculto*) 528; que se oculta, monogramático, confidencial, reservado, restrito, à puridade, cifrado.

534. Mensageiro, correio, anunciador, portador, postilhão, enviado, diplomata, embaixador 758; emissário, echadiço, legado, núncio, internúncio
porta-voz, sarabatana, buzina, órgão, oráculo, porta-novas, arauto, heraldo (ant.), proclamador, passavante, apregoador, pregoeiro, evangelizador, apóstolo, trombeta, missionário, parlamentar, parlamentário; cursor, próprio, positivo (bras.), estafeta, meirinho, contínuo, mandadeiro, recadista, Mercúrio, Íris, Ariel, fecial;
mala, correio, posta, telégrafo, telantógrafo, cabo submarino, telex, celular, torpedo (mensagem por celular), telescritor, telefone, telefote, *smartphone,* aeroposta, pombo-correio, telégrafo sem fio, rádio, repórter, representante da imprensa, correspondente especial, espião, explorador, bombeiro (bras.), batedor, *scout*, sinaleiro, informante 527;
internet, *e-mail, podcast, post, chat*, rede social virtual, *facebook, orkut, flickr, my space,* fórum de discussão.
Adj. postal, telegráfico.

△ **535. Afirmação,** afirmativa, intimativa, assertiva, asserto, palavra, asserção, alegação, asseveração, predicação, declaração, positivação, declaração peremptória, confirmação, reiteração;
adjuração, juramento, jura, depoimento, compromisso, promessa solene;
testemunho, segureza, seguridade, segurança, protesto, desígnio inabalável, profissão de fé, credo, manifestações, demonstrações, atestação, abonação, reconhecimento 488; voto;
nota, observação, ressalva, ressalva de entrelinha, dito, sentença, *ipse dixit, magister dixit*;
ênfase, dogmatismo, parrésia, certeza 474; assertor, dogmatista 537.
V. afirmar, assegurar, asseverar, dar por certo, apostar que, defender, gosmar, pregar, reafirmar, ratificar, confirmar, reiterar, confessar, declarar, consignar, avançar, adiantar, alegar, produzir, afiançar, garantir, proclamar, dar ao manifesto, protestar, prometer, redizer, segurar, dogmatizar, propor, enunciar, gemer, divulgar, expor, expender, publicar, patentear, manter, sustentar, pronunciar, pretender; mostrar em circunstâncias mui concludentes;
depor, certificar, professar, atestar;
dar, proferir, prestar juramento; jurar pelos Santos Evangelhos, empenhar a sua palavra, dar sua palavra de honra, jurar, rejurar, trejurar, invocar o céu por testemunho, invocar o testemunho do céu e do mar;
dizer (com arreganho, com desassombro & *adv.*); jurar por (*crer*) 484; insistir em, acentuar, sublinhar (*evidência*) 467; adjurar 768; falar de cadeira.
Adj. asseverante, asseverativo, asseverador, testemunhador, declaratório, declara-

tivo, predicativo, intimativo, afirmativo, assertivo, assertório, *soi-disant*, positivo, certo 474; expresso, explícito 525; determinativo, taxativo, definitivo, decisivo, absoluto, enfático, redondo, formal, cabal, peremptório, claro, inequívoco, insofismável, indubitável, franco, dogmático, doutoral, sentencioso, marcado, distinto, decidido, confiado, cortante, solene, categórico, irretratado, predicável.
Adv. afirmativamente & *adj.*;
de cadeira, de poleiro, *ex cathedra*, do alto de seus coturnos;
com conhecimento da matéria/de causa; realmente, redondamente, positivamente, com peremptória afirmação, sem receio de contradita, sem temor de contestação, sem a menor dúvida, com desassombro, com arreganho, doutoralmente, à boca cheia, como verdade inconcussa, a todos os respeitos, fora de toda dúvida, sem rebuço, sem dobrez, seriamente, deveras, sob juramento, de pés juntos, conscienciosamente; em boa/em sã consciência; sim, na verdade, perfeitamente, de toda a consciência, com a mão na consciência.
Interj. pela alma que Deus me deu!, sob minha palavra de honra!, à fé de quem sou!, por minha honra!, à fé de cavaleiro, por Deus!, lá isso é!, pudera!, pela minha garganta!
FRASES: Tomo a liberdade de dizer. Aposto a minha cabeça. Garanto-lhe que. Afianço-lhe que. Ouso dizer-lhe que. Peço permissão para afirmar que. Juro que. Rejuro que. Trejuro que. Deus me é testemunha. Digam o que disserem. Pode crer. Vai por mim.

▽ **536. Negação,** negativa, negamento, falta, nega, denegação, rejeição, desconfissão, renúncia, repúdio, abjuração, contestação, contradita, contradição, contravenção, implicação, impugnação, desmentido, coarctada, recusa, protesto, inconformidade (*dissentimento*) 489; negação formal e peremptória, contradizimento, retratação 607; refutação 479; proibição 761.
dissidência, desacordo, oposição.
V. negar, denegar, contradizer, impugnar, contrariar, contravir, contestar, contraditar, refertar, reclamar contra, atacar, arguir, refutar, contrastar, questionar, invalidar, dar-lhe nas maturangas, rejeitar, repelir a ideia de, mostrar o lado vulnerável, afastar a hipótese de, tornar pouco crível;
opor formal desmentido/formal contestação; desmentir, desconhecer, reivindicar os direitos da verdade, desaprovar, repudiar, abjurar 607; revogar 756; protestar contra, ser muito outra a verdade;
pôr de quarentena/de molho/de parte; ignorar 460; recusar 764; rebater 479; lançar dúvida sobre 485; ser a viva refutação de;
negar peremptoriamente/redondamente/absolutamente/*in limine*/de plano/a pés juntos; gesticular uma negação.
Adj. negador & *v.*;
negado & *v.*; contraditório, contestatório, vário, negativo, negatório, protestante (dissidente) 489; nenhum, ninguém.
dissidente, oponente.
Adv. negativamente & *adj.*
não, nem, de modo algum, de nenhum modo, absolutamente, nem por sombra, nem por hipótese, de forma alguma, nanja, nem por pensamento, nem por onde passe (loc. fam.), por nenhuma condição, por preço algum, nada, nem para lá vai, longe disso, nada disso, nenhumamente, nunca, jamais, em tempo algum, antes, pelo contrário, em contraposição, nem um sequer, não que eu saiba.
Interj. engano!, puro engano!, nem pensar! não apoiado!, qual... ou qual...!, que história!, tocarocha!, tocarocho!
FRASES: Tal não sucede porém. Nunca houve maior engano. *Non hœc in fœdera.*

△ **537. Ensino,** ensinança, ensinamento, instrução, orientação, edificação, educação, letramento, alfabetização, criação, luz, pão do espírito, hóstia do saber, tutela, tutoria, puericultura, direção, guia, governo, regra, didática, pedagogia, didatologia, pedologia, metodologia, matesiologia, ortofrenia, cinesia, preparo, preparação, treino, treinamento, treinagem, lapidação, disciplina, exercício, exercitação, prática;
persuasão, suasão, instilação, insinuação; implante, implantação, infiltração, inoculação, inculcação, disseminação, iniciação, evangelização, apostolização, transmissão, proselitismo, propaganda, catequese, missionarismo, apostolado, doutrinação, doutrinamento, lavagem cerebral;
magistério, mistagogia, explicação, lecionação, interpretação 522; lição, leitura,

preleção, conferência, prédica, predicação, pregação, encíclica, epístola, apólogo, parábola, discurso, didascália;
exercício, tarefa, pesquisa, dever, *curriculum*, curso, sabatina, gramática, cartilha, A. B. C. (início) 66; áxis, preparatórios, quadrívio, humanidades, disciplinas;
instrução primária/profissional/elementar/rudimentar/secundária/superior/técnica/religiosa/cívica; exemplos cívicos, propedêutica;
jardim de infância, escola, ginásio, colégio, ensino fundamental, ensino médio, faculdade, universidade, curso, pós-graduação, mestrado, doutorado, PhD;
educação física, ginástica, aprendizado, discipulado.
V. ensinar, erudir = instruir, nutrir, professar, edificar, guiar, educar, orientar, reaviar, fazer entrar no caminho, plasmar 240; formar, adestrar, amoldar, amestrar, iluminar (*esclarecer*) 527; arrotear, desbastar a ignorância, imbuir, impregnar, iniciar, preparar para exame, explicar, destrinçar, escarrapiçar, inculcar, doutrinar, instituir, inocular, imprimir na mente, gravar, incutir, inspirar, instilar, enfronhar, enxertar, infiltrar, fecundar, empapar, fecundar o espírito, ampliar os horizontes de, enriquecer o espírito, dilatar os horizontes do espírito, ministrar a hóstia do saber;
alumiar/iluminar/enriquecer/sustentar o espírito;
limar/polir o espírito; ilustrar as faculdades da inteligência, livrar da ignorância, desemburrar, desembrutecer, desmoitar, desbravar, desenferrujar, lapidar, polir = açacalar, desbastar, dissipar as trevas da ignorância, desbastar a rudeza dos ignorantes, encher de luz, encaminhar, expor (*interpretar*) 522; fazer conferências, lecionar, prelecionar, palestrar, reger, dar lição, tomar lição, pregar, predicar, doutrinar, catequisar, missionar, evangelizar, apostolar, apostolizar, discursar, discorrer, ensopar em boa doutrina, moralizar, civilizar, matinar, definir;
treinar, disciplinar, ensinar com prático ensinamento, ser o mestre de, exercitar, traquear, traquejar, habituar 613; familiarizar, matraquear, amansar, disseminar, desentesourar, dar novas ideias, semear, melhorar 658;

infundir, derramar, espalhar luz; puxar por, dirigir, paracletear, informar, reger uma cadeira, servir de guia, mentorizar, dirigir a atenção 457; impressionar o espírito de, empolgar, convencer 484; desenvolver, explanar.
Adj. educado, instruído & *v.*; instructo, escolástico, escolar, acadêmico, colegial, universitário, seminarístico, estudantal, ginasial, doutrinário, disciplinar, instrutivo, didascálico = didático, pedagógico, letivo, instruidor, instrutor, luminoso, perceptivo, ginástico, propedêutico, politécnico, neotérico; catequético.

△ **538. Estudo,** aquisição de conhecimentos 490; habilidade, perícia 698; dotes, talento, cultura, ciência, cognição, instrução, erudição, leitura, releição, investigação, ânsia de aprender, aprendizado, aprendizagem, discipulado, tirocínio, pupilagem, ensaio, postulado, estágio, noviciado, matrícula, admissão, estudante 541; contato, convívio com os livros; autodidaxia, docilidade 602; eumatia = facilidade de aprender, aptidão 698; progresso, adiantamento, aproveitamento, estudos proficientes, lição, sabatina.
V. aprender, estudar, embeber-se no estudo; educar-se, aprimorar-se, graduar-se, pós-graduar-se;
adquirir/colher/receber/beber/obter/respigar/armazenar conhecimentos/informações; encerebrar, enfronhar-se, instruir-se, entranhar-se, familiarizar-se com, acompadrar-se com, ensenhorear-se de, assimilar, digerir, aplicar as faculdades intelectuais ao estudo, triturar/devorar/queimar as pestanas;
ensaiar/aformosear/desenfezar o espírito; decorar, fixar na memória, aprender de cor, dedicar-se ao estudo de, internar-se no estudo, beber conhecimentos, repassar, ler, proceder à leitura de, folhear, silabar, deletrear, soletrar, estar em contato com os livros, passar os olhos por, compulsar/versar/percorrer as folhas;
debruçar-se/dormir sobre os livros; aprofundar-se, preparar-se para, exercitar-se, adestrar-se, ser estudioso & *adj.*; aplicar-se, embeberar-se em, impregnar-se, embeber-se, ensopar-se, cultivar com esperança e carinho, querer saber amanhã o que ignora hoje, estudar com muito escrúpulo e

competência, estudar de modo inexcedível (*investigar*) 461; perlustrar os caminhos de uma ciência, profundar uma questão, enfrascar-se no estudo de; fazer progresso, progredir, ilustrar-se, matricular-se; frequentar escola, andar na escola, andar em estudos, cursar aulas, estar no curso de, ser aluno de; formar-se, graduar-se, diplomar-se, pós-graduar-se. defender tese;
Adj. estudioso, atento, assíduo, aplicado 682; escolástico, dócil 602; apto 698; amigo do estudo, amigo dos livros.
Adv. in statu pupillari, estudiosamente & *adj.*

▽ **539. Desensino,** desensinamento, desserviço, má orientação, desorientação, carência de método; caminho errado/tortuoso/resvaladiço; ensino falho/defeituoso/ineficiente; informação capciosa/ilusória/tendenciosa; sofisma 495; colégio de Laputa, cego conduzindo outro cego, perversão, amoralização, desevangelização, contrapropaganda; espírito-santo de orelha.
V. desensinar, desinstruir, deseducar, desedificar, desadestrar, desservir, desincutir, embrutecer, povoar de trevas, espancar a luz, desevangelizar, dissolver os depósitos da educação, desletrar, perverter, infiltrar na alma preceitos condenáveis, mumificar, fazer contrapropaganda, empobrecer o espírito, descatequizar; dar uma noção ou uma definição errônea de; transviar aos mais ruinosos erros 495; *ambiguas in vulgum spargere voces*; infecundar, embaralhar, esterilizar o ensino; pregar aos peixes, pregar no deserto, ensinar o padre-nosso ao vigário, dogmatizar, enganar, desencarreirar, desencaminhar, desorientar, desnortear, enfarinhar = dar noções superficiais a, complicar, tornar ininteligível & 519; plantar a incerteza 475; mistificar (ocultar) 528; ensinar errado.
Adj. desinstruído & desinstrutivo, antipedagógico, antididático, desinstruidor, desserviçal.
FRASE: *Piscem natare doces.*

△ **540. Mestre,** ensinador, treinador, adestrador, amansador, domador, instrutor, tutor, protutor, diretor, mentor, paracleto, corifeu, ama-seca, repetidor, amo (ant.), aio, atabaque, governanta; açacalador de inteligências; professor, livre docente, catedrático, titular, preletor, educador, orientador, lecionista, lente, normalista, docente, prolocutor, *magister*, universitário, preceptor, educador, lecionista, autodidata, padre-mestre, pregador, amestrador, pastor 996; conductário, monitor, pedagogo, lente de prima, decano, humanista, institutário, ledor, leitor, expositor 524; guia, mistagogo (*conselheiro*) 695; congregante, pioneiro, iniciador, apóstolo, evangelizador, formador, semeador, catequista, catequizador, propagador, propagandista, apostolizador, doutrineiro, doutrinador, missionário, luminária, romeiro, exemplo (*modelo*) 22; professorado (*escola*) 542; magistério (*ensino*) 537; preparador, ginasta, regente, maestro; candidato a mestre: professorando, magistrando.
Adj. professoral, catedrático, magistral; discente.

▽ **541. Discípulo,** aluno, escolar, aulista, estudante, estudantaço, matriculado, cursista, colegial, aprendiz, tirão, principiante, novato, noviço, educando, ouvinte, pupilo, repetente, iniciado, iniciando, praticante, neófito, arara (bras.), calouro, academista, acadêmico, ginasial, preparatoriano = cascabulho (bras.), seminarista, recruta, galucho, cábula, formigão, interno, porcionista; semi-interno, externo, estreante, catecúmeno, decurião, bacharelando, doutorando, magistrando, primeiranista, segundanista etc.; sebenteiro, marçano, estudantão, estudantaço, urso, lecionando, lecionado, tirocinante, bicho (bras.), veterano, adepto, prosélito, apóstolo, epopta, doutrinado, estagiário, colega, condiscípulo, corpo discente, colegiado, calourada, classe.
Adj. semi-interno, noviciário, estudantino, discipular, discente, estudantil.
Adv. in statu pupillari.

542. Escola, primário, secundário, ginásio, colégio, curso fundamental, curso médio, curso vestibular, faculdade, academia, palestra, universidade, pós-graduação, mestrado, doutorado, *alma mater*, liceu, seminário, pritaneu, ateneu, casa de educação, educandário, instituto, estabelecimento

de ensino, instituto propedêutico, internato, internado, externato, escola normal, escola-modelo, escola politécnica, escola de minas, grupo escolar, curso complementar, maternal, jardim de infância, *Kindergarden*, conservatório, estudantaria, aula, classe, curso;
púlpito, ambom (ant.), cátedra; catedrilha, cadeira, cadeira professoral, anfiteatro, sugesto, tribuna, rostro, tablado, plataforma; professorado, magistério, regência, docência, livre docência;
congregação, corpo docente, corpo discente, mestrança.
V. academiar, encartar, diplomar.
Adj. escolar, universitário, acadêmico, academial, ginasial, colegial, escolástico, educacional, politécnico, liceal, anfiteatral, anfiteátrico.

△ **543. Veracidade**, sinceridade, veridicidade, autenticidade, fa(c)tualidade, confiança, franqueza, lisura, verdade, fidedignidade, candura, candidez, lhaneza, lhanura (desus.), honestidade 939; fidelidade, pureza, boa-fé, *bona fide*, amor à verdade, culto da verdade, simplicidade (*ausência de artifícios*) 703;
a verdade por princípio, a verdade por base, a verdade por fim; a verdade, toda a verdade e nada mais que a verdade; com a verdade, pela verdade e dentro da verdade;
o resplendor da verdade, o rochedo da verdade, a luz da verdade; verdade inconcussa 494; verdade verdadíssima (fam.), exatidão 494.
V. ser (verdadeiro & *adj.*); estar na consciência de;
falar/dizer/cultuar/prezar a verdade; mostrar/pintar nas suas verdadeiras cores; dar--lhe nas maturrangas, mostrar o lado vulnerável, fazer fé, reivindicar os direitos da verdade, dizer sempre a verdade; desconhecer o requinte da hipocrisia, não ter papas na língua, lançar fora o manto da hipocrisia, destecer um enredo, abrir os olhos a alguém;
elucidar, desmistificar, desmascarar, desvendar, desmentir;
falar alto/rasgado; falar pela porta dianteira, dizer alto e bom som, ser incapaz de mentir, odiar a mentira, deixar-se de reservas e reticências, falar português velho e relho, ser homem às veras, desmascarar-se, amar a sinceridade;
ter o coração na boca/no rosto; ser coração lavado, não mentirem os lábios, desenganar, desiludir, estar no coração, traduzir a verdade, pôr os pontos nos is, não (enganar 544); não *v.* 545.
Adj. verdadeiro, autêntico, certo, exato, cristalino, desmalicioso, desartificioso, inequívoco, incontestável, deveras, veraz, vero, verídico, lídimo, factual, real, de antes quebrar que torcer, veríssimo, honesto, às direitas, escrupuloso, leal, dedicado, probo 939; sério, seriíssimo, lhano, sincero, lavado, cândido, alvar, puro, de ouro, franco de lei, reto, límpido, pio, fidedigno, não disfarçado (real) 494; expansivo, amigo, consciencioso, de boa-fé, imáculo, imaculado, intemerato, ingênuo (*sem artifício*) 703; insuspeito, incorruptível, cujos lábios não mentem, de boa fonte, de autoridade, de boa mão, de consciência, de conta, de peso e medida, de honra, de luz e de candura, de peso, de preço, de marca G, que preza e cultua a verdade.
Adv. verdadeiramente & *adj.*; realmente & *adj.* 49; em linguagem sóbria 703; fiel à verdade;
fiel como o gnômon ao sol/como a agulha ao polo; na verdade, com candura, sem refolho, sem malícia ou artifício, planamente, sem requinte de hipocrisia, *bona fide*, do íntimo d'alma, de corpo e alma, de coração, *ex-corde*, entranhadamente, de todo o coração, com todas as veras do coração, desfingidamente, do peito, de veras, *ab imo pectore*, de ponto em branco, desassombradamente, rasgadamente, sem rebuço, sem lisonja, sem dobrez, sinceramente, sem temor de desmentido.
FRASES: *Amicus Plato, sed magis amica veritas. Veritas quamvis dura, tamen veritas est. Dura veritas sed veritas.* Valha a verdade. A verdade primeiro que tudo. *Id vero verius* = nada há mais verdadeiro 494.

▽ **544. Falsidade,** inautenticidade, falsia, falsídia (pop.), falsificação, falácia, compostura, falseamento, refalseamento, alteração, contrafação, decepção 545; inverdade 546; mentira (546), lícia, artimanha, desfiguração, astúcia 702; mendacidade, perjúrio, invenção, fabricação, enganação, sub-repção, colusão, conluio, cambalacho, conciliábulo;
falso colorido, ouropel, diamante artificial, pechisbeque, talco, exagero, prevaricação,

544. Falsidade | 544. Falsidade

equívoco, evasiva, evasão, subterfúgio, ilusão, fraude, fraudulência, barataria, embuste, embustaria, embromação, embustice, conto do vigário, aleivosia, comedela, charlatanismo, charlatanaria, engano, batota, peça, ciganice, ciganaria, ciganada, treta, garatusa, cacha, *suggestio falsi* (*mentira*) 546; mistificação (*ocultação*) 528;

burla, perfídia, deslealdade, traconismo, pretexto, cor, sofisma, brete, armadilha, cilada, simulacro, simulação, artifício, meandros da fraude, fingimento, ficção, rebuço, prestidigitação, manigância, escamoteação, burlaria, paliação, refolhamento, melúria;

vacuidade, exterioridade, aparências, duplicidade, insinceridade, tartufice, tartufismo, hipocrisia, jacobice, impostura, imposturia, imposturice = endrômina, hipocrisia refalseada, manto da hipocrisia, bioquice, jesuitismo, francesismo, farisaísmo, maquiavelismo, farsa, comédia, pantomima, sepulcro caiado, canto de sereia, belas palavras, boas palavras;

palavras açucaradas/adocicadas/melífluas; lágrimas de crocodilo/de mostarda, falaciloquência, aparência enganosa, redobre, doblez, velhacaria, velhacada, bigotismo, cantilena, estratégia, estratagema, tática, tricas, ardil, ardileza, enredo, adulação, carícias de gato, beijo de Judas, abraços de tamanduá (bras.), candongas, gualdipério, traição (*má-fé*) 940;

desonestidade 940; afirmação errônea 495; amigo de Peniche (fam. iron.), amigo-urso (enganador) 548.

V. ser (falso & *adj.*); ter dois corações, ser (mentiroso & 548); mentir 548; pretextar, impingir histórias, embrulhar, engrolar, engrupir, jurar falso, perjurar, tartuficar, levantar falso testemunho, imposturar, maquiavelizar, farsantear, citar de falso, refalsar, falsear, falsificar, contrafazer, perverter, distorcer, improvisar, forjar, desfigurar, adulterar, calabrear, alterar, fantasiar, deturpar, desconceituar, batizar (o vinho, a gasolina), iludir, desfigurar um fato, alterar a verdade, dar falsa interpretação 523; prevaricar, claudicar, equivocar, sofismar, blefar, embromar, empulhar, chicanar, fazer trocadilhos, *répondre en normand*, enfeitar, trapacear, tergiversar, usar de artifício, não agir com honestidade, tapear, mutilar a verdade, vir com rodeios, soprar quente e frio, morder e soprar, agir de má-fé, cavilar, maliciar, retrincar, deitar para mal, truncar;

envernizar, colorir, encapotar, disfarçar, mascarar, refolhar, lustrar, dissimular, cobrir uma coisa com a sombra de, estudar um jeito compungido, dar falso colorido, fazer vista baixa, dar cor à mentira, encobrir intentos, emprestar falso colorido a, emprestar rósea aparência a, vestir, bordar, exagerar 549; inventar, fabricar, forjar, forgicar, burlar, enganar, ludibriar, incubar, tramar, romancear 515; gritar: pega ladrão!; não ser dos pecos na arte de embair, atabafar, colorear, capear, fazer acobertar, acafelar mentiras, rebuçar plano sinistro, encobrir, fingir, fazer um falso jogo, fazer crer, fazer duplo jogo, fazer um papel, refolhar-se, representar uma farsa, esconder o jogo, fazer mostras de, afetar 855;

fazer-se passar por, encorujar-se, aparentar, aparentar integridade de Catão, fazer-se de Catão, simular, paliar, passar por, apresentar-se como, vender bulas, rebuçar-se, cobrir-se com o manto de, representar de, bancar, aparentar de virtuoso, rebuçar-se em, arrogar-se em, fantasiar-se de, fraudar, contrafazer-se, obliquar, pescar de agacho, falar com hipocrisia, ajesuitar-se, *faire des pattes de velours*;

tirar sardinha com a pata do gato/com a mão dos outros; encarnar a hipocrisia, envolver-se no manto da hipocrisia, chorar por um olho azeite e pelo outro vinagre, afivelar ao rosto a máscara da hipocrisia, dar o beijo na face com a espada escondida, embiocar-se, velejar sob bandeira falsa, hastear bandeira falsa, jogar a pedra e esconder a mão, *ambiguas in vulgum spargere voces*, andar por atalhos, trucar de falso, fazer o mal e a caramunha, meter das gordas a alguém, coonestar, honestar, salvar as aparências, desnaturar.

Adj. falso, inautêntico, enganoso, fajuto, enganador, falaz, falacioso, falace, vão, inverídico, fictício, refolhado, mendaz, falsífico, refalsado, refalseado, fraudoloso, fraudatório, fraudulento, doloso, pseudo, desonesto, infiel, caramboleiro, interesseiro, impostor, balofo, evasivo, vazio, insincero, estudado, *Parthis mendacior*, ordinário, perjuro, pérfido, traiçoeiro, desleal 940; fingido, aparente, ficto, fictício, suposto;

545. Fraude | 545. Fraude

ajesuitado, hipócrita, doble ou dobre, bilíngue, jesuítico, jacóbeo, refece, farisaico, recobre, tartufo, mistificador, maquiavélico, sorrelfo, retrincado = dissimulado, encapotado, disfarçado, pretenso, *soi-disant*, vulpino, felino, caviloso, de duas línguas, de duas faces, de duas opiniões, de dois corações, ancípite (poét.), Jano bifronte, tracônico, dúplice, bifronte, traiçoeiro, malicioso, afiado na malícia, ardiloso, rebuçado, colusório, colusivo, burlão, burlador, burloso, arteiro, estratégico, artificioso (*velhaco*) 702; espúrio 545; mentiroso 546; santarrão, silingórnio (vulg.), de olhar meigo, melífluo, de palavras açucaradas, dulcíloquo, versutíloquo = que fala com artifício, falaciloquente, falsificado & *v.*; sedutor, circeu (ant.).
Adv. falsamente & *adj.*, *à la Tartufe*, *vero procul* = com falsidade, por subrepção, a título de, com a cor de, sob a capa de, atrás da capa da hipocrisia, ao envés, de envés, com velhacaria 702; à socancra, pela sonsa, com dissimulação, só na aparência.

545. Fraude, falsidade 544; artificialidade, inverdade 546; papironga = logro, codilho, canudo (pop.), delusão, ouropel, falcatrua, embaçadela = pulha, ribaldia, ribaldaria, guilha, dolo, escatima, fraudulência, peça, traficância, alcavala, embuste, trampolinice, charlatanice, velhacaria 702; hipocrisia 544; embeleco, artifício, malícia, artimanha, carambolice;
batota, maroteira, blefe, caramilho, marosca, galezia, mofatra, maçada, manganilha, tranquibérnia, tranquibernice, trampa, garatusa, falácia, negaça, falcatrua, tolã (pop.), tolina (chulo), tratantada, maniversia, trama, cavilação, escamoteação, baldrocas, trocas e baldrocas, intrujice, impostura, ligeireza de mão, prestidigitação, esperteza, passe-passe, magia 992; conjuro, esconjuro, pantomima, pantomimice, pantomina, maquinação, enredo, enzona, intriga, cambalacho, pelotica, arte-mágica, pala;
passe, manobra, truque, lisonja, chicana, rabulice, *superchreie*, burla, dolo, trapaça, cambapé, alça-pé, rasteira, laço, armadilha, igrejinha, chirinola, tramoia, lógica, lábia, ardil, solércia, gambito, lamúria, cantilena, candonga, contos, treita, tratantice, embófia, patranha, furto 791;

armadilha = *flexuosœ fraudes*, trapa, tralha, esparrela, mutreta, ratoeira, apeiro de caçador, alçapão, arriosca, fojo, varredouro, engenhoca, chiqueiro (bras.), aranhol, armazelo, abarga, arapuca, socapa, sorrelfa, arataca (bras.), alares, rela, gambérria, aboiz ou boiz ou buiz, lucão, brete, lousão, alçaprema, guelricho, rede, xareta, chumbeira, tarrafa; alvitana, caneiro, endiche, jiqui, redenho, algerife, jarere ou jererê, meinhos;
rasca, saltadouro, singeleira, botirão, champil, bogueiro, acedares candombe, isca, cevo, aliciação, engodo, chamariz, reclamo, agude, agúdia, *guet-apens*, cilada, emboscada 530; teia de aranha, visgo, lambujem, lobo com pele de ovelha (548); disfarce, mascarado, penas emprestadas;
macaqueação (*imitação*) 19; cópia 21; contrafação, falsificação.
V. enganar, empandeirar, codilhar, lograr, iludir, iliçar, engranzar, engrazular;
ferrar o mono/um logro a alguém; enrolar, abusar de, mistificar, pintar, defraudar, escatimar, *subjicere alicui verbo duas res* = dar dois sentidos à mesma palavra, deitar poeira nos olhos de alguém, embaçar, dar palha, ir com escala pela ingenuidade de alguém, trincar a sedela a alguém, ludibriar, embalar com promessas, tartuficar, embrulhar, tolinar, deixar alguém em branco, pregar uma peça, meter à pala alguém, pregar palas a alguém, enfiar alguém pelo fundo de uma agulha, empepinar, engarapar, encravar, engazupar, tirar a lã a alguém;
chupar o sangue/os ossos a alguém; lesar, embair, engabelar (bras.), embair a boa-fé dos incautos, explorar a credulidade de alguém, bigodear, ilaquear, carambolar, ludibriar, enviscar, encandear = fascinar com falsas doutrinas, deludir, engodar, seduzir, apanhar, negacear, desencaminhar, desencarreirar, falcatruar, atrair, induzir, cevar;
intrujar, intrujir, defraudar, armar a forca a alguém; aldravar, batotear, baldrocar, trapacear, trastejar (bras.), meter agulhas por alfinetes;
dar/vender gato por lebre; abusar da credulidade de, palear, albardar, fazer troca dolosa, frustrar, charlatanear, carambolar, trampolinar, intrigar, escamotear, empalmar, tranquiberniar, marimbar, enredar alguém com perguntas hábeis, entrajar-se

546. Mentira | 546. Mentira

no manto de, lisonjear, embancar, embelecar, empulhar, embarrilar, caurinar, burlar, embrulhar, dourar a pílula, confeitar, encobrir, dissimular 544;

capear um engano com outro engano, artificiar, emburricar, pintar o grilo, armar arriosca, armar, pôr cilada, pôr isca ao anzol, cevar, armar a gambérria, engrampar, urdir armadilha, engendrar, tramoiar, iscar, fazer cair no laço, atabucar (ant.), colher alguém no brete, maquinar laços, armar/pregar uma peça;

pespegar/pregar/chimpar uma peça; passar o conto do vigário a alguém, atocaiar, socavar, solapar, minar;

ser (enganador 548); apanhar no laço, ter a arte de, ter a insídia da serpente, ter muita lábia, ser de presilha;

ultrapassar/exceder em astúcia;

mentir 546; perverter (*interpretação tendenciosa*) 539; desencaminhar (*errar*) 495.

Adj. fraudulento, inverídico, forjado; ardiloso, fraudador, charlatão, intrujão; vazio, destituído de fundamento; longe da verdade, mentido, vão, pérfido, fementido, falso como os juramentos de jogador, infundado, *bene trovato*, inventado, factício, supositício, supositivo, artificial, fictício, suposto, postiço, especioso, artefato, inautêntico, ilegítimo, apócrifo, bastardo, espúrio, dissimulatório, capcioso, pseudo, irrisório, aparente, mendaz, pretenso, pretendido, colorido, retrincado, dissimulado 544; *soi-disant* 565;

falaz, ilusor, ilusório, ilusivo, enganoso, enganador, circeu (ant.), tranquiberneiro, deluso, delusório, fraudulento, doloso, caramboleiro, negaceiro, leonino, fraudoloso, sonso, socancra, pisa-mansinho, manhoso, sotranção, candongueiro, caviloso, prestigioso, logractivo, tratante, embelecador, trapaceiro, cigano, defraudador = gramponau (ant.), embusteiro, tramposo, maranhoso, trampolineiro, enredador, solerte, intriguista, socarrão, salafrário, ardiloso 702; enganado, embaçado.

Adv. sob falsas aparências, detrás da capa de, sob o rótulo de, por artes de berliques e berloques, por modo de osga, com dissimulação, à sorrelfa, pela calada.

FRASES: O recado que trazem é de amigo. / Mas debaixo o veneno vem encoberto (Camões). Isto traz água pelo bico. Mete-lhe o dedo na boca. Queres conhecer o vilão? mete-lhe o bordão na mão. Aqui há coisa encoberta. Aqui há dente de coelho. *Quis vult decipi decipiatur* = quem quer ser enganado, que o seja.

546. Mentira, infidelidade, inexatidão, contestabilidade, discutibilidade, improcedência, falsidade, inverdade, lampana, balela, boato falso, arara, história, carapeta, carapetão (fam.), peta, petarola, moca, andrômina, roleta (fam.), galga (pop.), bula, pala, palão (chul.), patranha, batata, carochas, desistória (ant.), pulha, léria, aldravice, patarata, caraminhola, impostura, farsa, lorota, bafo, maranduba ou maranduva (bras.), comédia, lona, maranhão, abusão, desculpas de mau pagador, razão de cabo de esquadra, embuste;

mentira gorda/calva/grossa/branca/solene/inofensiva/descabelada/de rabo e cabeça/de grosso calibre/deste tamanho/de escacha/de arromba; mentirola, *suggestio falsi*, exagero 549; falta de exatidão, inverossimilhança, um aluvião de mentiras, falsificação, mendacidade, fabricação, invenção, peta, invencionice, perversão, imaginação, pomada (bras.), patranha;

ficção, fábula, fabulação, novela, romance, narrativa maravilhosa, legenda, lenda, mito, história da carochinha, conto de velha (*romance*) 515; *canard*, boato, o peso da mentira; *probabile mendacium* = mentira que tem viso de verdade;

ironia, fraude pia, reserva mental 528; pretexto, falsa (alegação 617); subterfúgio, evasiva, escapatória, achadilha, fuga, fugida, palavras ocas, hipocrisia, beijo de Judas 544; disfarce 530; o homem das botas; (lugar onde se inventam boatos): mentideiro.

V. mentir, ser (mentiroso & *adj.*); ser mais propício à mentira do que à verdade;

alterar/falsear a verdade; fabular, fabulizar, inventar, adulterar, deturpar, desfigurar, improvisar uma desculpa, fabricar, forjar, pataratear, petear, mentir pela gorja, aldravar; dizer/contar bulas;

desencaixar, pregar petas; levantar uma balela;

impingir/pespegar/passar/chimpar uma mentira; afastar-se da verdade, contar maranhões, desenfronhar mentiras, meter carochas na cabeça de alguém, romancear, contar coisas inverossímeis; *spirare mendacia* = vomitar mentiras; ser inverídico

547. Ingênuo | 548. Enganador

& *adj.*; carecer de confirmação, distanciar-se da verdade, não traduzir a verdade, ser *bene trovato*.
Adj. (aplicável de preferência a pessoas): mentiroso, patarateiro, patranheiro, patranhento, carapeteiro, mendaz, falsídico, inventador, invencioneiro, desacreditado, forjador, infiel, falseador da verdade, mentideiro;
(aplicável de preferência a fatos): inverídico, falso, inautêntico;
vazio de/desprovido de fundamento, sem fundamento, imaginário, irreal, oposto à verdade, comentício, fingido, infundado, que está longe da verdade, improcedente, fementido 545; inexato, inconfirmado, *bene trovato*, fabuloso, fabricado, forjado, manipulado adrede, inventado, de encomenda, legendário, mítico, fictício, factício, sonhado, sub-reptício, que está longe de traduzir a verdade, de que a verdade se distancia, que os fatos contradizem, pretenso, *soi-disant* (*denominação imprópria*) 565.
Adv. inveridicamente & *adj.*
FRASES: *Se non é vero, é bene trovato. Non cadit in virum bonum mentiri* = não fica bem ao homem honrado mentir.

△ **547. Ingênuo,** ingenuidade, simplicidade, simpleza, boa-fé, credulidade 486; candura; papalvo, ingênuo, lorpa, imbecil, boçal, tolo 501, bobo, *gobe-mouche*, simples, apanha-moscas, títere, mané-gostoso, autômato, jagodes, simplório, crendeiro (*caixa de gargalhadas*) 857;
Ciclope, instrumento dócil, matuto, caipira, boneco, boneco de engonço, vítima, paciente, otário, babaca, arigó, recruta, espoleta (bras.), gente do Evangelho.
V. ser enganado & *adj.* 545; enviscar-se, enlear-se/enredar-se nos laços de, cair no laço, ficar entalado, ficar com cara de asno, ilaquear (n.), ficar mamado em, tomar a nuvem por Juno, ser vítima de, engolir gato por lebre, morder a isca, cair em logração, não ser senhor do seu nariz, ser conduzido pelo nariz, não ver senão pelos olhos de alguém (*servilismo*) 886;
cair na rede/na corriola/no anzol/na cilada/na goela do lobo/no logro/na ratoeira 545/na simplicidade de/no conto do vigário/no embrulho/na armadilha/na esparrela; cair como um patinho, ser apanhado na malha urdida por;

comer/comprar gato por lebre; ser passado para trás, ser embrulhado, enfiar a cabeça na boca do leão, deixar-se apanhar às mãos, ter o ouvido fácil a;
pagar o patau/o pato/os paus; deixar-se embrulhar, ficar pelo pescoço, ficar a apitar, ser comido por uma perna, viver de caretas, deixar-se embalar pelo canto da sereia, ser crédulo (*credulidade*) 486; deixar-se (enganar 545); ficar (enganado 545); estalar a castanha na boca de alguém.
Adj. ingênuo, inocente, crédulo 486; inexperto, enganadiço, bonachão, boboca, otário, pacóvio, pateta, desmalicioso, inexperiente, envergonhado, simples, papalvo 499; errado 495; pábulo, simplório, tolaz, incapaz de reação e resistência, sem ação, sem vontade, inerte e impassível, entregue ao manejo de, entregue à exploração de, fácil de entusiasmo.
FRASE: *Qui vult decipi, decipiatur* = quem quer ser enganado, que o seja.

▽ **548. Enganador,** simulador, falsador, embaidor, embromador, trambiqueiro, negaceiro, negador, sotrancão, trampão, trampista, defraudador, fraudador, mofatrão, logrão, logrador, burlão, burlador, intrujão, farsante, presilheiro, especulador = coqueiro (pop.), dissimulador 545; impostor, hipócrita, *eruditus artificio simulationis* = hábil na arte de enganar, songa-monga, bigote, sofista, mistificador, estrategista, pisa-mansinho;
maquiavelista, fariseu, bonzo (pop.), jesuíta, cavilador, socancra, chupista, tartufo, Jano, *Janus anceps* = Jano bifronte, farsante, comediante, embusteiro, urdimaças, urdimalas, serpente, brasilisco, *anguis in herba*, machatim, intrujão de presilha, tolineiro (chulo), jacobeu, candongueiro, lobo vestido de ovelha, passador, sepulcro caiado;
santinho do pau carunchoso/do pau oco; silingórnio (burl.), pantomimeiro, sicofanta, lobo com pele de ovelha, unhas de gato e hábitos de beato, embusteiro, embaucador, embelecador, tanganhão, falsário, fabricador, patranheiro, aldravão, aldravona, mentiroso, amigo de Peniche, amigo-urso, albardeiro, batateiro, paroleiro, parolador, contador de histórias, bandoleiro, almocreve de petas, petarola, peteiro, fabulista, invencioneiro, caram-

549. Exagero | 550. Indicação

boleiro, pomadista (bras.), cara, capadócio-echacorvos;
perjuro, falsa testemunha, língua impura, improvisador, Cagliostro, Fernando Mendes Pinto, barão de Munchausen, impostor, tapeador (bras.), mosca morta, fingidor, sofista, galopim, politicão, politiqueiro, politiqueiro de aldeia, ator 599; aventureiro, explorador, maquiavelista, espia, dobre;
charlatão, curandeiro, mata-sanos, saltimbanco, medicastro, prestímano, prestidigitador, escamoteador, mágico, pandilha, pandilheira, conjurado, cigano, aliciador, alicantineiro, velhaco 941; trapaceiro, trampolineiro, vigarista (*ladrão*) 792; cabo eleitoral, cabalista.

549. Exagero, exageração, exorbitância, expansão 194; hipérbole, hiperbolismo = auxese = diasirmo, tensão, colorido, caricatura, extravagância (*absurdo*) 497; barão de Munchausen, franja, babado, enfeites, enxertos, bordados, acréscimos, tautometria, excesso, tempestade num copo d'água, muita trovoada e pouca chuva (*much ado about nothing*), 482, muito barulho por nada; espanholada, espalhafato, estardalhaço, extrapolação, abuso, jactância 884; linguagem afetada 577;
figura de discurso;
esforço da fantasia/da imaginação 515; falso colorido 544; agravação 835; cominheiro.
V. exagerar, exorbitar, magnificar, empilhar, amontoar, acrescentar, agravar, amplificar 194; atribuir proporções exageradas, engrandecer, sobredourar, avultar, exaltar 482; hiperbolizar, sobrecarregar, sobre-erguer, sobre-exaltar, sobremaravilhar, sobrepujar, sobrelouvar, sobredeprimir;
passar além dos limites/da marca; despassar, extrapolar, codilhar, fazer o máximo de, acentuar com exagero; levar as coisas muito longe/a ponto de;
prometer montes de ouro/mundos e fundos = fazer grandes gabões, fazer um cavalo de batalha, fazer de um argueiro um cavaleiro, espichar, encompridar, usar de microscópio, ocupar-se com o maravilhoso, exceder Herodes em crueldade, exceder s. Vicente na caridade, ser mais realista que o rei, ser mais papista que o papa, entregar-se de corpo e alma a, falar descomedidamente, prender-se com bagatelas, fazer grande espalhafato/estardalhaço; ser exagerado & *adj.*; sofrer de poliopia;
encarecer, inculcar, colorir, bordar, florear, mentir 546; enfeitar, acrescentar, alardear; ameaçar a terra/o mar/o mundo/o céu 884.
Adj. exagerado & afetado, franjado, bombástico 577; hiperbólico, de andas, fabuloso, maravilhoso, estapafúrdio, extravagante, estrambótico, espalhafatoso, apaixonado, desnorteado, energúmeno, excessivo, *outré*.
Adv. exageradamente & *adj.*; *à outrance*, fora dos limites.
Frases: São mais as vozes que as nozes. A fama excede a realidade. A montanha pariu um rato.

3º) Meios de comunicação das ideias

I. Meios naturais

550. Indicação, representação, denotação & *v.*; coindicação, referência, simbolização, ícone, iconografia, simbolismo, semiologia, semiótica, semiografia, linguagem, metáfora;
lineamento, feição, talhe, fisionomia, aspecto, linha, pinta, característica, sinais característicos, varinha adivinhatória, meios de reconhecimento, diagnose, diagnóstico, atributos, qualidades;
sinal, fístula, cicatriz, cicatrícula, símbolo, indício, pista, evidência, viso, índex, índice, indicador, divisa, indículo, lembrança, cunho, prova, assomo, amostra, vestígio, mossa, expoente, nota, sintoma, eussemia, sinais coincidantes, presságio, pródromo, repertório;
tipo, modelo, espécime(n), exemplar, algarismo, emblema, insígnia, distintivo, epígrafe, título, cabeçalho, rubrica, deixa, moto, mote, legenda, lema, iniciais, cifrão;
meneio, gesto, acionado, gesticulado, gesticulação, sinalização, tique, requebro; requebro de voz/de olhos; mímica, aceno, trejeito, gatimanhas, pestanejo, piscadela, piscar de olhos, olhar, momice, negaça, fosca, fosquinha, inclinação de cabeça, encolhimento de ombros, cotovelada, puxão, dactiologia, dactilonomia, sinais maçônicos, sinais telegráficos, telégrafo semafórico, quirologia, pantomima, pantomina, alusão, vaga insinuação, meia-palavra = *dictum sapienti*, advertência 527; sinal, se-

máforo, luz azul, foguete, torre de observação, almenara, fogueira, facho;
marca, resenha, linha, ferra, trema, cimalha, diérese, ápice, risco, raia, guarda, cetras, asterisco, estrelinha, antígrafo, itálico, grifo, sopontadura, anotação, chamada, rabisca, garatuja, penada, óbelo, pingo, ponto, acento, sinal diacrítico, letra vermelha, cedilha, acento circunflexo, impressão, vestígio, estampa, ceráunio;
(para identificação): sinal característico, contraprova, contramarca, contrassenha, contrassinal, tergo, duplicata, entalhe, cartel, etiqueta, bilhete, carta, letra, contador, téssera, santo e senha, cartão, testemunha, fiador, abonador, pegada, rasto, encalço, estampa, marca da fábrica, linha-d'água; assinatura, firma, cetras, chancela, endereço, sobrescrito, fecho, cartão de visita, credenciais 467; atestado, certificado, sinal manual, impressões digitais, sinalética, cifra, selo, sigilo (desus.), sinete, contrasselo, carimbo, mutra (ant.), escrita, autógrafo, original, visto, reconhecimento de firma, inscrição, endosso, cunho, logotipo, logomarca, signo, timbre, papel timbrado, passa-palavra (gal.), xibolete, *shibboleth*, abre-te sésamo;
bandeira, bandeirola, miqueletes, vexilo, pavilhão, *jack*, estandarte, águia, guião, flâmula, alferena, pluma, galhardete, lábaro, auriflama, balsão, balsa (ant.), flâmula sagrada, signa, sina, pendão das quinas, as águias romanas, as águias francesas, manípulo, quadra, tougue, crescente, torniquete, heráldica, brasão, cimeira, armas, escudo, cota de armas, broquel, chaveirão, armorial, libré, uniforme, penacho, cocar, roseta, laço de fita, divisas, tope, bordados, galão, banda, dragonas, *epaulette*, grinalda, capela, véu, hábito, sotaina, aliança, medalha, venera;
(de localidade): farol, fanal, facho, boia de luz, monte de pedras, cruz, marco, mastro, ponteiro, mão de relógio, seta, cata-vento 338; marco condutor, flecha, mão, pilares de Hércules, crista das montanhas, baliza, boia, estrela polar, estrela do norte, Pequena Ursa, bússola, guia, orientação, endereço, direção, denominação, latitude e longitude, coordenadas geográficas, tabuleta, placa, chapa;
do *futuro:* aviso 668; presságio 512; predição 511, profecia, previsão, antevisão;

do *passado:* vestígio, registro 551, arqueologia, paleontologia;
de *perigo:* aviso 668; alarma 669, sirene;
de *autoridade:* cetro 747;
de *distância:* marco, poste, marco quilométrico;
de *triunfo:* louro, troféu 733;
de *quantidade:* padrão 466;
de *desgraça:* ferrete, estigma, tarja;
de *descoberta:* boateiro, experimentação 463;
de *inocência* e *virgindade:* palmito, hímen, virgo, cabaço (bras.);
notificação (*informação*) 527; anúncio 531; patognômica;
voz de comando, chamada, toque de reunir, alarma, sino, grito;
exposição (*explicação*) 522; prova 463; modelo 22.
V. indicar; ser o sinal/o símbolo de; denotar, conotar, significar, mostrar, provar, dar indício de, exprimir, sinalizar, dizer, falar, definir, indiciar, encaminhar, designar, inculcar, indigitar, cotar;
representar, encarnar, aludir, personificar, simbolizar, ser a fotografia de, figurar, dar bem a medida de, tipificar, expressar, adumbrar, ser o expoente de, marcar, ferretear, gravar, carimbar, estampar, mutrar (Ásia), rotular, etiquetar, ferrar, pôr uma marca em, assinalar, sinalar, chapar, riscar, pingar, cedilhar, traçar, tracejar, acentuar, pontuar, aspar, virgular, selar, sigilar, contramarcar;
delinear, gizar, imprimir, estereotipar, abrir, lavrar, exarar, apontar; fazer um sinal, dar sinal a, acenar, gesticular, sacudir a cabeça, acotovelar, dar de olho a alguém, piscar a alguém o olho, trocar olhares com, piscar os olhos, falar à esconso, bracear, bracejar, acionar, pestanejar, sacudir os ombros;
agitar/içar/desenrolar/desfraldar/implantar/alvorar uma bandeira; agitar um lenço, capear, dar aviso (*informação*) 527; dar sinal de alarma, tocar a rebate, rufar o tambor;
soarem os clarins/as trombetas; soltar um grito de alarma;
assinar, selar, reconhecer a firma, atestar 467; sublinhar (*dar importância*) 642; chamar a atenção para 457; abular, referendar; chancelar, timbrar, tarjar.
Adj. indicador, indicatório, indicativo, designativo, simbólico, denotativo, conotati-

vo, diacrítico, característico, especificativo, representativo, típico, modelar, exemplar, figural, figurativo, pantomímico, patognômico, sintomático, demonstrativo, diagnóstico, exponencial, monumental, emblemático, lemático, armorial, individual; reconhecido, apontado, indigitado, assinalado por; reconhecível por; denotável, indelével, autográfico, quirológico, itálico.
Adv. em sinal de, com penhor de, simbolicamente & *adj.*
FRASES: *Ecce signum. Ex ungue leonem. Ex pede Herculem. Ex digito gigas:* pelo dedo se conhece o gigante. *Ab uno disce omnes.*

△ **551. Registro,** tombo, tombamento, traço, vestígio, reflexo, sinal, relíquia, restos, cicatriz, gilvaz, cicatrícula, pegada, peugada, treita, rasto, trauta (de caça), rastro, rabeiro, rabeira, marca, esteira; águas (de um navio), indício, pista, trilha;
monumento, escudo, armorial, corágico, laje, pedra, placa, chapa, troféu, óbelo, obelisco, agulha, pilar, coluna, monólito = estela, marco miliário, cipo, memorial, memória histórica, memento (*lembrança*) 505; testemunha, medalha, selo comemorativo, coluna histórica (*comemoração*) 883; termo, marco, pilastra;
registro, nota, apontamento, verbete, minuta, esboço, rascunho, rol (*lista*) 86; relação, agenda, almagesto, canhenho, díptico, catálogo, livro de ouro, códice, cadastro, entrada, inscrição, lançamento, assentamento, fé de ofício, memória, memorando, relatório, dossiê, enunciativa, (ant.), endosso, cópia, duplicata, rótulo, dístico, arquivo, letreiro, emblema, ramo (de taverna), titulerio, documento (*segurança*) 771;
depoimento, *proces verbal affidavit*, certificado 467; protocolo, ata, carteira, manual, formulário, pasta, coletânea, folclore, enxerto, analecto, extratos, seleta, cartalogia, catalecto, antologia, cartapácio, calhamaço, *casier*, papeleira, secretária, bulário, epistolário, epistoleiro, imprensa, gazeta, jornal, folha, revista, panfleto, *magazine*, almanaque, calendário, efeméride, roteiro, autobiografia, memórias, livro de derrota, livro de bordo, livro mestre, razão, diário, borrador, catálogo, arquivo, traça;
documento oficial; livro azul/róseo/amarelo/negro; estatística, recenseamento 86;
compte rendu, autos, processo, crônica, cronicação, mote, legenda, exergo (de uma moeda), convenção, história, biografia 594; monumentos escritos, necrológio, hagiografia, hagiomeno, martirológio, sanctoral, hinário, cartório, cartorário, cartulário, arrolamento, inventariação, inventário, bençoairo (ant.), averbamento, cártula, cartela, assinatura 550; registrador 553; sinalética; anotação, assento, cota, nota, marca, cédula, chicha, sebenta.
V. registrar, dar a registro, encabeçar, tombar, fazer o tombamento de, arrolar, tomar por termo, ir ao livro, assentar, fazer o lançamento de, lançar, escrever, exarar, lançar em registro, escriturar, averbar, titular, empadroar, gravar, lavrar, tomar nota de, inscrever, anotar, notar, marginar, chancelar, protocolar, abrir folha, transcrever, marcar 550; assinar (*atestar*) 467; aduanar;
dar entrada, inventariar, atombar, arquivar, emaçar, matricular, incluir, alistar, relacionar, autuar, arrolar, catalogar.
Adj. registrado & *v.*; figurado, arrolado, adscrito;
obeliscal, hagiológico.
Adv. sob registro.

▽ **552. Supressão** (ausência de registro), obliteração, deleção, emenda, rasura, canceladura, cancelamento, respançadura, respançamento, raspança, raspadura, raspagem, riscadura, apagamento, delimento, desarrisca, circundação, *tabula rasa*, litura, papel em branco, baixa, saída, descarga, anepigrafia, raspador, raspadeira, borracha.
V. suprimir, apagar, deletar, obliterar, safar, comer, omitir, varrer palavras, pular, saltar, delir, riscar, inutilizar com traços em cruz, despintar, cancelar, expungir, eliminar, limpar, desvanecer, desaverbar, derriscar, raspar, respançar, descarregar, desarquivar, dar baixa, dar saída, tornar sem efeito, arrancar, desnotar, desarrolar, sonegar, tornar ilegível, não deixar vestígio; declarar nulo e sem efeito, trancar, ficar em branco, desarriscar.
Adj. suprimido, deletado, obliterado & que não deixou vestígio, esgotado, intestado, ab-intestado, esparso, não registrado, irregistrado, dessinalado, anepigráfico.
Adv. obliteradamente & *adj.*; em branco.
Interj. **Dele!**

553. Registrador | 556. Pintura

553. Registrador, ou registador, arrolador, inventariante, notário, escrivão, tabelião, escrevente, escriturário, amanuense, oficial, secretário, protonotário, bulista, primeiro-ministro, chanceler, escriba, guarda-livros, *custos rotularum*, arquivista; analista, historiador, cronista, croniqueiro (dep.), historiógrafo, hagiógrafo, cronógrafo, biógrafo 594; jornalista, martirologista, antiquário 122; memorista, memorialista, folclorista, analector, colecionador, colecionista; digitador, da(c)tilógrafo, taquígrafo; gravador de voz, filmadora, câmera digital.

△ **554. Representação,** representamento, imitação 19; ilustração, delineação, delineamento, pintura 556; imagem, símbolo, retrato, efígie, camafeu, meio-busto, meio-corpo, lapisada, vera-efígie, iconografia, iconologia, desenho, arte, belas-artes, estatuária, escultura 557; gravura 558; fotografia, daguerreotipia, filme, videoteipe, DVD, *blu-ray*, radiografia, logotipo, logomarca, holograma, holografia, telefoto, personificação, corporalização, corporificação, encarnação, drama 599, cena, teatro, cinema; hierodrama, quadro, estampa, esboço, esquissa, esquisso, esquisseto, oleografia, oleogravura, grafito, risco, esboço, maquete, painel, retábulo, calco, cópia 19;
imagem; imagem viva/perfeita/acabada/fiel; ícone, semelhança, verdadeira imagem, *fac-simile*, reprodução, similaridade 17; figura, boneca, boneco, escorço, figurino, figurilha, forma, manequim, jagodes, monha, modelo, padrão, títere, polichinelo, marionete, *fantocini*, fantoche, mamulengo, figura de cera, busto = torso, estátua, estatueta;
glifo, hieroglifo, geroglifo, anaglifo, inscrições lapidares, lapidária, diagrama, ideograma, monograma, ideografia; símbolo, marca, signo;
geodésia, esfera terrestre = poma, cartografia, carta topográfica = estereorama, mapa, planta, carta, atlas, mapa-múndi, planisfério = analema, planiglobo, cósmico, uranorama, *croquis*, projeção, alçado, monteia, elevação, representação gráfica, gráfico, curva de nível, contorno, esquema, vista (*pintura*) 556; plástica, mareorama (neol.).-
V. representar, delinear, gizar, pintar, montear, riscar, traçar, tracejar, desenhar, bosquejar, esboçar, esquissar, bordar, lavrar, retratar, efigiar, fotografar, daguerreotipar, filmar, gravar, televisionar, estampar, figurar, radiografar, adumbrar, incorporar, corporalizar, ser a imagem de = traduzir, encarnar, materializar, corporificar, configurar, emblematizar, descrever 594; copiar, modelar, moldar, plasmar;
dar uma ideia animada/viva/exata/sensível/inteligente de;
adornar, ilustrar, simbolizar, definir, representar-se sob, aparecer sob a forma de, representar (*teatro*) 599; imitar 19.
Adj. representativo, representador & *v.*; representável, ilustrativo, imitativo, figurativo, à semelhança de 17; fac-similar, gráfico 594; hieroglífico, geroglífico, analemático, iconográfico, icônico, esquemático, lapidário, representado, pintado ao natural, escarrado (pop).

▽ **555.** (Representação defeituosa) **Arremedo,** arremedilho, simulacro, fingimento, farsa, paródia, imitação burlesca, desfiguramento, distorção, escarabocho, caricatura, garatuja, caramono, rabisca, projeto, exagero, borrão, borradela, arranhadela, fantasmagoria, anamorfose, emplastro, remendo, pintor reles, pintão, pintador, pinta-monos, borrador, caiador, troca-tintas, mamarracho.
V. desfigurar, infunicar, modificar o aspecto, exagerar, deturpar, distorcer, caricaturar, mascarar, pintar mal, caiar, borrar, garatujar, despintar, rabiscar, debuxar.
Adj. anamorfótico, imperfeito 651; deformado 243; distorcido, desfigurado & *v.*; falta de expressão/de vida/de relevo; frio; morto, caricatural.

556. Pintura, óleo, desenho, forma, perspectiva, escorço, *chiaroscuro* 420; pintura de regraxo; bico de pena,
quadro histórico, pinacoteca, ciografia, cenografia, escola, estilo, gênero, arte decorativa 847; monocromia, policromia, colorido, matiz, tintas, morte-cor, vagueza, tons quentes, sombreado, paleta, palheta, cavalete, tela, ponta-seca, pincel, brocha, espátula, lápis, carvão, esfuminho, colhedeira, plombagina *crayon*, giz, tabaxir, pastel, empastamento, colorido 428; aquarela, pintura a óleo, carnação, encarne, verniz 356; veladura ou velatura, aguada, guache, têmpera;

pintura a têmpera/a fresco; quadratura, esmalte, regraxo, encáustica, meliana, mosaico, tapeçaria, pintura pastosa, desenho a esfuminho, granido, iluminura, pintura de iluminação, pintura a pastel, enganavista, *trompe-l'oeil*, empaste;
fotografia, heliografia, fototipia, fototelegrafia, heliocromia, litocromia, heliogravura, esgrafito, retrato 554; corpo inteiro, meio-corpo, meio-busto, miniatura; gravura, xilogravura, litografia, quadro, painel, tela = barramaque, *tableau*, fresco, retábulo, estampa, obra-prima, cartão; gabinete, *atelier, studio*, galeria de pintura, calco;
esboço, debuxo, perfil, bosquejo, ponto de vista; meia-tinta, toque meduloso, campo, fundo, fugente, longe de quadro, sombra, silhueta, fotógrafo, heliógrafo, daguerreótipo;
paisagem, quadro de gênero, marinha, vista, cenário, panorama, diorama, massas; linha fundamental, base do quadro, linha de terra, artes plásticas, artes visuais;
V. pintar, debuxar, desenhar, estampar, esboçar, figurar, apaisar, rabiscar, miniaturar, bosquejar, manejar o pincel, delinear, esquissar, granir, sombrear, pôr sombras escuras, lavrar, perfilar, adumbrar, tracejar, pincelar, campir, panejar, lapijar, esgrafiar, escarvoar, riscar, empastar, colorir, envernizar, esmaltar, pintar a óleo, modelar, representar 554; regraxar, acidentar, produzir acidentes de luz, esbater, aquecer de tons amorosos, pintar com cores vivas, dar expressão animada, transmitir à tela, encarnar, escorçar, fotografar, fototipiar, daguerreotipar 554;
ser bom pincel, ser pincel amestrado.
Adj. pintado & *v.*; pintado a fresco, pitoresco, pinturesco, icástico, pictórico, gráfico, eludórico, monogramo.
Adv. a lápis & *subst.*
Frase: *Fecit delineavit.*

557. Escultura, inscultura, gravação, imaginária (desus.), estatuária, ceroplástica, chanfro, refendimento, cinzeladura, bisel, biselamento, corte, entalhe, entalho, alto-relevo, baixo-relevo, entretalhadura, entretalho, lavor, anaglifo, medalha, medalhão, camafeu; mármore, bronze, granito, cantaria, terracota, cerâmica, olaria, porcelana, faiança, gliptoteca, torêutica; estátua 554; estatueta, molde (*cópia*) 21, móbile, instalação.

V. esculpir, esculturar, gravar, entalhar, entretalhar, talhar, rusticar, cinzelar, lavrar, cortar, moldar, modelar, manejar o cinzel, burilar no mármore, arredondar, avultar, esbater um baixo-relevo, pôr em relevo, refender.
Adj. esculpido & *v.*; escultural, cerâmico, ceroplástico, anaglífico, marmóreo, granítico.

558. Gravura, calcografia, *mezzo-tinto*, granido, água-forte, aqua-tinta, xilografia, linografia, serigrafia, *silk screen*, cerografia, litografia, cromografia, gliptografia, fotolitografia, zincografia, toreumatografia, xiloglifia, gliptologia, estereotipia, litotipografia, siderografia, glíptica, torêutica, entalhadura, entalho;
prova, prova do artista, tiragem, impressão 591; gravadura, chapa, punctura, pedra, madeira, estereotipagem, estampagem, inscrição, refendimento, estereótipo, buril, escopro, onglete, cinzel, entalhador, gorjeta, estilete, punção, pinceta, maço, rompedeira, talhadeira, gradim, ilustração, iluminação, estampa, pirogravura, vinheta, *cul de lampe*, florão, ornato.
V. gravar, estampar, litografar, pirogravar, xilografar, zincografar, serigrafar, cromografar, estereotipar, imprensar, inscrever, granir, insculpir, esculpir, burilar, cinzelar, entalhar, estampar, imprimir, medalhar, nigelar.
Adj. gravado & *v.*; anastático, litográfico, xilográfico, cromográfico.

559. Artista, artista plástico, pintor, pintor de marinhas, colorista, desenhador, desenhista, *designer*, desenhista industrial, comunicador visual, quadraturista, paisista, paisagista, imaginador, ilustrador, arte-finalista, diagramador, produtor gráfico, capista, pincel, aguarelista ou aquarelista, maneirista, debuxador, vinhetista, restaurador, arquiteturista, debuxante, marinhista, pastelista, gravador, abridor, aquafortista, entalhador, escultor, miniaturista, entretalhador, cinzelador, litocromista, esmaltador, esmaltista, burilador, xilóglifo, litógrafo, xilógrafo, ciógrafo, arquiteto, maquetista, arquitetor, zincógrafo 558;
bustuário, lapidário, estatuário, imaginário, santeiro, modelador, *figuriste*, figurista, ceramista, animalista, iconista, gesseiro,

medalheiro, cenógrafo, retratista, fotógrafo, retratador, pincel meduloso, pintor reles 555; cineasta, ator, poeta, escritor, autor, dramaturgo, ourives, entalhador, coreógrafo, bailarino, dançarino, cantor, virtuose, instrumentista, diva, estilista, roteirista, compositor, carnavalesco, sambista, músico, maestro.

II. Meios convencionais

a. *Linguagem em geral*

560. Linguagem, locução, fala, expressão, palavra, frase, fraseologia 569; discurso 582; língua, idioma; língua-mãe/materna/nativa/vulgar/natural/original, vernáculo, calão, portuguesismo, lusitanismo, gíria, dialeto 563;
língua de Camões/de Shakespeare/de Racine/de Horácio/de Dante; confusão das línguas, Babel, pasigrafia, escrita universal, pantomima (*sinais*) 550; onomatopeia, mimologismo;
línguas mortas: latim, hebraico, sânscrito; signo, semântica, semiótica, símbolo, semantema, léxico, lexicografia, locução, expressão, código, sigla, sinal; dicionário, vocabulário, gramática;
gesto, semáfora, código morse, metáfora, eufemismo, figuras de linguagem, figuras de estilo, metonímia, catacrese, perífrase, sinestesia;
filologia, linguística, glossologia, glotologia, glótica, crestomatia, paleologia, paleografia, glossografia, gramática comparativa, literatura, letras, belas-letras, musas, quadrívio, humanidades, *literæ humaniores*, república das letras, Atenas, república literária, clássicos, quinhentistas, seiscentistas, erudição 490; poliglotismo, dom das línguas, linguista (*douto*) 492, poliglota; plebeísmo.
V. exprimir-se 566, falar a mesma língua.
Adj. lingual, linguístico, dialético, vernacular, poliglótico, poliglota, literário, glossológico, idiomático, pasigráfico, glótico; semântico, léxico;
trilíngue, bilíngue.

561. Letra, caráter, caractere, hieróglifo (*escrita*) 590; tipo 591;
letra capital/maiúscula/capitular/minúscula/medial; cabídola; versal, versalete, miçanga, itálico, grifa, grifo, corpo doze = augustinho, bastardo, bastardinho, letra garrafal, cursivo, cursivinho, iniciais, A B C, abecedário, bê-á-bá, alfabeto, alfabetário, cadmiano, consoante, fricativa, vogal, fonema, tônica, ditongo, semiditongo, diérese, sinizese, tritongo, trivogal, muda, líquida, labial, dental, nasal, gutural, sigma, caligrafia, cifra, monograma, anagrama, sigla, acróstico, estigmologia, fonografia, fonética, fonetismo;
ortografia, ortografia etimológica/fonética/simplificada; palíndromo, ambigrama, bustrofédon; neografismo; neógrafo, soletração.
V. soletrar, deletrear, silabar, acentuar, anagramatizar, alfabetar, ditongar.
Adj. literal, alfabético, abecedário, alfabetário, anagramático, monogramático, ortográfico, uncial, ditongal, lítero, sigmático, surdo, tabelioa, teutônico, gótico, versal, zoante, garrafal; estigmológico.

562. Sílaba, palavra, diagrama, termo, verbo = vocábulo, digrama, trigrama, tetragrama, hexagrama, nome 564; substantivo, adjetivo, frase 566; verbo, raiz, tema, afixo, prefixo, sufixo, soletração, deletreação, silabação, partes do discurso (*gramática*) 567; etimologia, etimografia;
ortografia fonética, etimológica, mista, eclética, simplificada, usual;
monossílabo, dissílabo, trissílabo, tetrassílabo, hexassílabo, pentassílabo, quadrissílabo, polissílabo, octossílabo;
tônico, átono;
tira-teimas (fam.), dicionário, léxicon, léxico, panléxico, vocabulário, calepino, índice, glossário, tesouro, repositório, *gradus, delectus*; glossografia, glossógrafo (*douto*) 492; terminologia, lexicografia, lexicologia.
Adj. verbal, vocabular, silábico, ortográfico, cognato, parônimo, onomatopeico, lexicológico, lexicográfico, lexical, temático, etimológico, glossográfico, monossilábico, dissilábico, pentassilábico, polissilábico, quadrissilábico, trissilábico, óxitono, paróxitono, proparoxítono; esdrúxulo, hipocorístico.
Adv. verbalmente, *verbum ad verbum* 494; *in nomine.*

563. Neologismo, neologia, vocábulo de origem recente, barbarolexia, arcaísmo, hibridismo, caracteres góticos, corruptela, expressão imprópria, antífrase, cenismo, macarronismo; nefelibatismo;

564. Nomenclatura | 565. Apelido

paronomásia, diáfora, dialogia, agnominação, trocadilho, jogo de palavras (*espírito*) 842; dupla significação (*ambiguidade*) 520; palíndromo, calembur;
abuso de termos/de linguagem;
vasconço, jargão, dialeto, gíria, calão, palavreado, geringonça, algaravia, burundanga, engrimanço, aravia, enteléquia, patoá, regionalismo, provincialismo, provincianismo, galicismo, francesismo, asiaticismo, germanismo, inglesismo, anglicismo, castelhanismo, hebraísmo, arabismo, portunhol, brasileirice, brasileirismo, espanholismo, americanismo, helenismo, grecismo, caçanje, peregrinismo, barbarismo, estrangeirismo;
latim macarrônico/bárbaro/de algibeira/de cozinha; latinório, galiciparlice, confusão de línguas, Babel;
coloquialismo 521; rifão, tecnologia, terminologia, *slang, argot*;
pseudônimo 565; neologista, neólogo, nefelibata;
fabricante, forjador de palavras; aeróbata, hibridista, galiciparla, galicista.
V. neologizar, criar vocábulos, remendar a língua = mesclar de estrangeirismos, aportuguesar, portuguesar, latinizar, afrancesar, arranhar uma língua, romancear, inglesar.
Adj. neológico, neólogo, arcaico, obsoleto, regional, provincial, aportuguesado, macarrônico, macarrôneo, chulo, popular, desusado, grosseiro, baixo, onomatopaico, onomatópico, bárbaro, híbrido, novo, africano, de origem tupi, gírio, incorporado à língua, dialetal; figurativo, depreciativo, metafórico, metonímico.

△ **564. Nomenclatura,** nomenclação, cognominação, nomeação, nominata, nomeadura; nuncupação, batismo, crisma, imposição de nome, onomatopeia, antonomásia, perífrase, nominação (ret.), aposto, continuado gramatical, nome, substantivo, designação, indicação, título, apelativo, intitulação, intitulamento, denominação, cabecel = cabeçalho, epígrafe, alcunha 565; epíteto, ferrete, rubrica;
nome, graça, nome próprio, nome da pia, substantivo próprio, agnome, cognome, sobrenome, prenome, antenome, patronímico, apelido, sobreapelido, antônimo, antonímia, homônimo, homonímia, parônimo, antropônimo, epônimo, paronímia, heterônimo, heteronímia, xará (bras.), tocaio, parceiro de nome; xarapim;
nome da pia/de batismo; topônimo, toponímia, geonímia; gentílico, patronímico; termo, expressão, termo técnico, calão, onomástico, onomasta, onomatologia.
V. nomear, chamar;
dar/impor o nome de; denominar, nomenclaturar, sobrenomear, prenominar, designar, apelidar, batismar, batizar, crismar, intitular, personalizar, particularizar, individualizar, personificar, cognominar, distinguir pelo nome de, especializar, especificar, titular, caracterizar, definir, qualificar, rotular 550; rotular com o nome de, alcunhar 565;
ser chamado & *adj.*;
ter o/trazer o/usar o nome de; acudir pelo nome de, ter nome, ter por nome, ser conhecido por, dar-se pelo nome de.
Adj. nomeado & *v.*; nuncupato (desus.), binômino, trinômine (poét.), poliônimo;
que se pode bem/propriamente/merecidamente/acertadamente chamar; compelativo, nomenclador, nominativo, apelativo, muncupatório, muncupativo, oral, verbal, nominal, uninominal, cognominal, epônimo, prenominal, homônimo, homofônico, homofonógrafo, homófono, homógrafo, titular, onomatópico, onomatopaico, onomatológico, perifrásico, onomástico, antonomástico, denominador, denominativo.
Adv. nomeadamente & *adj.*

▽ **565.** (Denominação imprópria) **Apelido,** cognome, cognominação, alcunha = titulatura = velacho (bras.), nomeada, sobrealcunha, sobreapelido, apodo, ferrete, labéu, epíteto, antonomásia, nome de guerra, *nom de plume*, pseudônimo, alônimo, criptônimo, nome falso, nome suposto, nome popular, heterônimo, *lucus a non lucendo* (*neologismo*) 563; pseudonímia = estigmônimo, metonomásia; perífrase;
(Depreciativos) estrangeiro = gringo; brasileiro = macaco; italiano = carcamano = macarrone; inglês = bife = John Bull; lisboense = alfacinha; mineiro = baeta; portuense = tripeiro; português = abacaxi = bicudo = carne-seca = emboaba = galego = novato = pé de chumbo = portuga.
V. apelidar, nomear, alcunhar, tachar, apodar, cognominar, intitular, ferretear, mudar de nome, sobrenomear, crismar, usar nome falso, substantivar; adotar um pseudônimo.
Adj. apelidado & *v.*;

impropriamente/desacertadamente/erroneamente/imerecidamente chamado; pretenso, pseudo, *soi-disant*, que se intitula de, o tal, a que se atribui o nome de, retorcido, arrevesado, epitético, anônimo, sem nome, desconhecido, inominado, pagão, imbatizado, alônimo, pseudônimo, criptônimo.
Adv. apelidadamente & *adj.*; sob um nome que lhe não pertence, para garantir-lhe o epíteto de, por antonomásia, vulgarmente conhecido por.

566. Frase, proposição, oração, sentença, cláusula, juízo, expressão, fala, dito, período, tetracólon, parágrafo, enunciado, locução, figura de discurso 521; idioma, ideograma, idiotismo; declaração, afirmação; feitio/brilho/perfeição/justeza da frase; fraseado, paráfrase 522; perífrase (*circunlocução*) 573; provérbio 496; fraseologia 569; frase memorável/empolgante.
V. expressar, exprimir, significar, explicar, enunciar, traduzir, enroupar em frases, fazer frase, frasear, periodizar.
Adj. frasal, frásico, expresso, idiomático, oracional, declaratório.

△ **567. Gramática,** gramática gerativa, gramática descritiva, gramática normativa, rudimentos, sintaxe, concordância, regência, partes do discurso, classe gramatical, inflexão, caso, declinação, flexão, conjugação, gênero, número, grau, pontuação, ortografia, fonética, fonologia, derivação, composição, discurso direto, discurso indireto, *jus et norma loquendi*, livros escolares, estilo correto, vernaculidade, casticidade, portuguesismo, correção de linguagem, gramaticalismo, filologia 560; funciologia; (figuras de sintaxe): elipse, zeugma, hipérbato, anástrofe, sínquíse, assíndeto, polissíndeto, anacoluto, silepse.
V. gramaticalizar, pontuar, aportuguesar, portuguesar, conjugar, declinar, virgular, adverbiar, adjetivar, substantivar, classificar as orações.
Adj. gramatical, sintático, gramático, clássico, correto, castiço, puro, escorreito, vernáculo, lídimo, castigado, terso, conjugável, conjugativo.

▽ **568. Solecismo,** barbarismo, *lapsus plumæ*, *lapsus linguæ*, *lapsus calami*, vícios de linguagem, incorreção, diplasiasmo, nunação, escorregadela, erro 495; disparate, asneira, linguagem mascavada, bundo, quimbundo, língua bunda;
gramática ruim/defeituosa/falsa/manca/mascavada;
latinada, silabada; erro crasso/palmar; escrito mal-alinhavado, erro contra as regras de sintaxe, pleonasmo vicioso, cacografia, solecista; cacófato, eco, colisão, hiato, ambiguidade, preciosismo, arcaísmo, plebeísmo, pleonasmo.
V. andar divorciado da gramática, desaportuguesar, cometer solecismo, mascar; ofender, deixar de cama, correr de vergonha, desrespeitar, calcar aos pés/golpear a gramática; assassinar a sintaxe, mascarrar, barbarizar; desrespeitar 929; desprezar 930 as regras gramaticais.
Adj. antigramatical, ingramatical, incorreto, cheio de senões, antietimológico; eivado de erros.

569. Estilo, gênero, dição, roupagem, indumento, indumentária, linguagem, elocução, fraseologia, redação, forma; maneira/modo de se exprimir; escolha de vocábulos, poder literário, pena adestrada, pena de ouro, pena de um escritor amestrado, palavra fácil 582; seiscentismo, quinhentismo, stilo, obras-primas do estilo; (figuras de estilo): aliteração, assonância, onomatopeia, anáfora, paralelismo, simetria, pleonasmo, quiasmo, antítese, paradoxo, apóstrofe, catacrese, invocação, comparação, eufemismo, disfemismo, gradação, hipálage, personificação, hipérbole, ironia, metáfora, sinédoque, sinestesia, rima, ritmo, métrica, alegoria, animismo, imagem, interrogação, metonímia, perífrase.

Qualidades do estilo

△ **570. Clareza** (inteligibilidade) 518; linguagem franca (manifestação) 525; exatidão 494, fluidez, simplicidade, inteligibilidade, lucidez, explicitude, acessibilidade, cristalinidade, descomplicação, evidência, inequivocidade, nitidez, transparência.
Adj. lúcido 518; explícito 525; exato 494; ático, simples, familiar, comezinho, acessível, cristalino, descomplicado, evidente, inequívoco, nítido, transparente.

▽ **571. Imprecisão,** obscuridade, incompreensibilidade 519; engrimanço, inciso, ambi-

guidade 520; incerteza 475; inexatidão 495; vagueza, complexidade, neologismo 563; ininteligibilidade, inacessibilidade, opacidade, complicação, equivocidade, embaçamento.
Adj. obscuro, confuso, nebuloso, apocalíptico, vago, ambíguo, complicado, ininteligível, inacessível, opaco, equívoco, embaçado.

△ **572. Concisão,** laconismo, brevidade, precisão, compreensibilidade, elipse, assíndeton, aférese, ablação, síncope, haplologia, apócope, substância, abreviação 201, síntese, resumo, condensação; compressão 195; epítome 596; bosquejo = sintomia, oticismo, monóstico, braquilogia, braquigrafia.
V. ser conciso & *adj.*;
poupar, economizar palavras; condensar 195; substanciar, encurtar 201; resumir 596, sintetizar;
falar sem rodeios/eufemismo/reticências; deixar de histórias, ir ao ponto principal, ir diretamente ao alvo, encurtar razões, andar pelas franças;
passar de largo/por alto sobre; tratar superficialmente, tratar de leve, passar por um assunto como gato por brasas, ir direito aos fatos 576.
Adj. conciso, breve, curto, sucinto, resumido, preciso, singelo, exato, modesto, comedido, simples, sóbrio, compacto, presso = lacônico, apanhado, forte, vigoroso, sumário, lapidar, lapidário, elíptico, compendioso 596; epigramático, fino, delicado, estreito, monóstico; incisivo, cortante, enérgico.
Adv. concisamente & *adj.*, em poucas palavras = *in tribus verbis*, em duas palhetadas, em pálido escorço, em breve resumo, em largos traços, enfim, por maior, de passagem, por alto, de fugida, em desenho desprimorado, em última análise, em resumo, em remate, de ponto em branco, para encurtar a história, para ser breve, *ad summam* = *in summa*, em suma, *uno verbo* = em uma palavra, enfim, *missis ambagibus* = sem rodeios; *ne plura dicam* = para abreviar.

▽ **573. Prolixidade,** macrologia, difusão, redundância, copiosidade, abundância, extensão, alongamento, largueza, latitude, amplificação, ampliação, loquacidade, eloquência cachoeiral, *verbiage*, psitacismo, verborreia, verbosidade, verborragia, *copia verborum*, rabolaria de palavras (*loquacidade*) 584; sobejidade de palavras, proluxidade, palavreado, palanfrório, palhada, palavrório, ladainha, folhado, enumeração longa e fastidiosa, lenga-lenga, palavreado desnecessário, minúcias, pormenores, detalhes, minudências; tautologia, batologia, perissologia, pleonasmo, polissíndeto, exuberância, superfluidade, história repetida, circunlóquio, deambulação, écbase = digressão, rodeio, preâmbulo, excursão, divagação, circunlocução, ambages, perífrase, perístase, episódio, expletivo, macrologia, *autem genuit*, ornamento (*de discurso*) 577; perissólogo.
V. ser (difuso & *adj.*); exceder-se, descomedir-se, alongar-se em considerações, ir longe, discorrer, discursar, espraiar-se, difundir-se, derramar-se, espalhar-se, alargar-se, estender-se, alongar-se, dilatar-se, expandir-se, desenvolver, dar toda a latitude a sua exposição, contar de modo enfadonho, afogar uma ideia em palavras, perifrasear, ampliar, não ir direto ao assunto, descaroçar, fazer uma ladainha de;
deambular, digressionar, digressoar, divagar, preambular, circunvagar, rodear, saltitar, encher linguiça (pop.), vir com rodeios, falar por engonços, deixar correr a pena, repisar, repetir 104; repetir-se, insistir, voltar à carga, prolongar, protrair, perorar, circunstanciar, sair do corro, pormenorizar, entrar em tediosas minúcias, detalhar, descer a minuciosidades, perder-se em divagações, destrinçar.
Adj. difuso, profuso, derramado, fraldoso, palavroso, verboso, verborrágico, farfalhento, argueireiro, nimiamente, minucioso, nimiamente pormenorizador, perissológico, prolixo, proluxo, palavreiro, copioso, exuberante, redundante, pleonástico, comprido, de légua e meia, de beiço extenso, asiático, largo, circunlocutório, perifrástico, rançoso, ambagioso, digressionador, digressivo, divagador, episódico, retórico, escumoso, de largo fôlego, minudente, minudencioso, particular, circunstancioso, circunstanciado, detalhado, miúdo, infindável.
Adv. difusamente & *adj.*; por extenso, *in extenso*, sem abreviaturas, com todas as letras, com todas as minúcias, por miúdo, ponto por ponto, tim-tim por tim-tim = com todos os pormenores, com todos os efes e erres, detidamente, ao largo, pelo largo; entre parênteses, sem fim.

△ **574. Vigor de expressão,** poder, vibratilidade, vitalidade, força, audácia, arrojo, ar-

575. Frouxidão | 577. Floreio

roubo, fogo, candência, ardor, fervor, ânimo, vida, pujança, dinamismo, impulso, elã, ímpeto, entusiasmo, pensamentos que vibram e palavras que queimam, *drive* (ingl.), adrenalina, linguagem vigorosa, causticidade, gravidade, exuberância, virulência, veemência, sentenciosidade, elevação, exortação, celsitude, sublimidade, majestade, nobreza, severidade, fidalguia, antítese, energia, hipotipose = descrição viva e animada.
V. acerar, arredondar o estilo; aparar a sua melhor pena.
Adj. vigoroso, ardente, candente, impetuoso, nervoso, vibrátil, incisivo, nobre, impressionante, eletrizante, instigante, sensacional, enérgico, cortante, caloroso;
vivo, animado, brilhante, cintilante, chispante, pitoresco, empolgante, atrevido, arrojado, acrimonioso, picante, mordaz, seivoso, antitético, acerado, sentencioso, conceituoso, grave, de pulso, de força;
elevado, grandioso, sublime, majestoso, celso, preexcelso, altivo, altaneiro, nobre, eloquente, rebuscado, opulento, loução, veemente, ágil, castiço, perfeito, harmonioso, apaixonado, arrebatador, poético.
Adv. vigorosamente & *adj.*; numa frase feliz; com ardorosa veemência.

▽ **575. Frouxidão,** lassidão, languidez, frieza, vaziez, vacuidade, tautofonia, tautometria, prosaísmo, monotonia, inexpressividade, insipidez, sensaboria, chochice, negligência & *adj.*; salmodia, pincelada infeliz, um apontoado de rodilhas; literatura aguada; banalidade, chove não molha; mesmice, ladainha.
V. salmear, salmodiar, chover no molhado.
Adj. frouxo, fraco, chato, anêmico, pálido, amortecido, desconsolado, incolor, magro, inexpressivo, desenxabido, insosso (Fig.), massudo, chocho, banal, desengraçado, insípido = relambório, fastidioso, sensaborão, antipoético, frio, glacial, minguante de vocábulos, pobre, lasso, inócuo, anódino, lânguido, pesado, prosaico, aguado, medíocre, rasteiro, vápido; vazio;
negligente, desleixado, desencantado, desencantador, pueril, infantil, inchado, enfático, divagador 573; desalinhado, mal alinhavado, tosco, não lapidado nem polido, sem brilho, sem colorido, de estribeira, desbotado, descorado, falho de contextura, cheio de lugares comuns, inchado de frases banais, comum, vulgar, reles; sem elevação, nem sublimidade, fruste.

△ **576. Sobriedade,** simplicidade, lhaneza, singeleza, objetividade, desatavio, comedimento, discrição, moderação, recato, circunspecção, despojamento, secura, rigidez, severidade, austeridade, rigor, seriedade, frugalidade, desafetação, naturalidade, nitidez, nitideza, clareza de vistas, severidade e correção de formas, sem rodeios.
V. ir direto à questão, deixar de divagações, dizer precisamente o necessário, não se perder em digressões, ir aos fatos, dizer com simplicidade e sem ênfase (*laconismo*) 572, restringir-se ao principal, não enfeitar.
Adj. sóbrio, singelo, severo, lapidar, seco, desadornado, despojado, discreto, casto, puro, culto, fluente, natural, desataviado desafetado, despido de atavios, nativo, desartificioso, sem galas, familiar, nascidiço, não estudado, chão, correntio, nítido, límpido, polido.

▽ **577. Floreio,** ornato = parergo, recamo, lavor, embelezamento, empolamento, turgidez, turgescência, magniloquência, altiloquência, declamação, firula, ornamento, períodos bem arredondados, períodos burilados, frases rendilhadas (*elegância*) 578; lirismo, periergia = excessivo apuro da linguagem;
ouropel = estilo pomposo, que encobre a carência de ideias;
inversão, anástrofe, sínquise, hipérbato, antítese, aliteração, paronomásia (*metáfora*) 521; abanicos; retórica, a arte da palavra, ênfase; flores de retórica/de eloquência; eufuísmo, eufemismo, palavras retumbantes, frases de efeito, opulência, louçania, macrologia = estilo difuso, prolixidade, *sesquipedalia verba*, apuro, exagero, galimatias;
belas/bonitas palavras; palavras bombásticas; frases sonoras, mas vazias de sentido; pompa/opulência de palavras; adjetivação copiosa, fulgor de frases, freciosismo, gongorismo, fraseologia, fraseador, fraseologista, eufuísta, eufemista, gongorista, culteranista.
V. ornar 847; colorir, florear, florejar, floretear, aformosear, embelezar 845; rebuscar, arrebicar = alindar com afetação, adornar com flores de retórica;
rebuscar a frase; burilar, rendilhar, ataviar com esmero, engalanar, recamar, burnir, dar lustre a;
rechear, entremear de termos bombásticos; matizar, empolar, turgescer, inturgescer, guindar = tornar (empolado & *adj.*); reto-

ricar, tentar efeitos oratórios, armar frases de efeito, adubar de imagens.
Adj. ornado & *v.*; embelezado, belo & 845; flóreo, florido, floreado, floreteado, condoreiro, empolado, amaneirado, gongórico, arrebicado, franjado, afetado, eufemístico, sonoro, farfalhudo = bombástico = campanudo = pomposo = ramalhudo, palavroso, prolixo, imaginoso, pitoresco, inchado, inflado, asiático, enfático, ostentoso, túrgido, turgescente, retumbante, epidítico = aparatoso, retórico, extravagante, cheio de imagens/de bombas, inflamado, animado, sentencioso, baroco, hiperbólico, coturnado, crespo, altíssono, altissonante, altiloquente, altíloquo, eloquente, magniloquente, escumoso, conceituoso, aliterativo, figurativo 521; artificial (*sem elegância*) 572.
Adv. enfaticamente & *adj.*; *ore rotundo*.

△ **578. Elegância,** pureza, limpidez, puridade, graça, nobreza, sublimidade, requinte, perfeição, esmero, primor, requinte, aticismo, casticismo, finura, beleza 845; delicadeza, gracilidade, graciosidade, mimosura, flexibilidade, torneio, vivacidade, correção, limpeza, vernaculismo, leveza, sobriedade, elegância de formas, expressividade, caliloga, ductibilidade, donaire, donairo, fluência, fluidez;
consonância = harmonia, cadência, suavidade, eufonia, casticidade, apuro, períodos bem arredondados, períodos torneados, justeza dos conceitos, linguagem castigada, rendilhado das frases, lavor, frases lapidares, linguagem pura e castiça, sal ático, purismo, classicismo, ciriologia, antorismo, purista, mestre da língua, zelador da boa linguagem, vernaculista, clássico burilador da língua, individualidade de escritor e de esteta, estilista.
V. tornear/arredondar um período, uma frase; alinhar o estilo, escrever apurado, apurar, esmerar-se no alinho das frases, exprimir-se com precisão, sublimar, latinizar, alatinar, limar, rebulir, retocar, embelecer, polir 578.
Adj. elegante, subido, polido, culto, áureo, clássico, castiço, nobre, sublime, sublimado, excelso, nítido, pitoresco, cintilante, ornado de imagens, delicado, castigado, terso, escorreito, puro, legítimo, lídimo, ático, donairoso, fino, ciceroniano, acadêmico, primoroso, doce, brando, ameno, torneado, suave, fluente, diserto, natural, límpido;

alevantado, alto, vibrátil, vibrante, envolvente, alatinado, latino, ladino (ant.), fidalgo, perfeito, limado, apurado, do mais fino quilate, feliz, melífluo, bem-acabado, bem elaborado, fluido, fluente, cadencioso, cadenciado, espontâneo, enfático, eufônico, rítmico, bem expresso, nitidamente expresso, dúctil.

▽ **579. Deselegância,** desprimor, desalinho, inductilidade, rigidez, tesura, dureza, emperramento, as cordas ásperas da prosa, artificialidade, imperfeição 651; barbarismo, vulgaridade, chularia, chulice, chulismo, gíria 563; solecismo 568;
maneirismo (*afetação*) 855; cataglotismo = emprego de palavras extravagantes, *sordida verba* = expressões triviais, culteranismo, gongorismo, eufemismo, preciosismo (*estilo floreado*) 577; cacofonia, hiato, cacolexia, cacologia léxica, cacologia sintática, plebeísmo, monotonia, ressonância, monofonia, tautofonia, monologia, batologia, tautometria = demasiada simetria, perissologia; univocalismo, rotacismo, sigmatismo, zetacismo, mutacismo, psitacismo, deltacismo, lambdacismo, pornografismo, sínquise, datismo = emprego exagerado de sinônimos, cacozelia;
sesquipedalia verba = palavras que quebram os dentes/que deslocam as mandíbulas.
V. ser (deselegante & *adj.*); desagradar ao ouvido, tornar (deselegante & *adj.*); desflorir, desflorecer, desflorar, desataviar, desalinhar o estilo, emperrar, desprimorar, desguedelhar, afear 846.
Adj. inelegante, desaprimorado, deselegante, sem graça, desenxabido 391; desguedelhado, desalinhado, descomposto, descuidado, duro, agreste, desgrenhado, desflorido, seco, emperrado, constrangido, forçado, artificial, inculto, bárbaro, grosseiro, massudo, pesado, manco, coxo, arrieirático, intolerável, malcozinhado, abrutado, chato, pernóstico, picaresco, grotesco, desabrido, chulo, incolor, injucundo, chocho, desprovido de ligeireza, que não conhece a vivacidade, antieufônico, túrgido, bombástico 577; gongórico, empolado, adubado de plebeísmos.

b. *Linguagem falada*

△ **580. Voz,** órgão, pulmões, foles, garganta, vocalidade;

581. Afonia | 582. Discurso

voz boa/delicada/forte 404/musical 413; entoação, entonação, inflexão, tom, timbre, som 402; fonação, vocalização, grito 411; prolação = pronunciação, loquela, fala, galra (pop.), exclamação, ejaculação, vociferação, enunciação, gesticulação, dearticulação, clareza, nitidez, pureza, dicção, empostação, metal de voz, eustomia, ortolexia = boa dicção = ortofonia, elocução, murmúrio, sussurro, cochicho;
baixo, barítono, tenor, alto, contralto, soprano; ária, dueto, coro, coral; camerata, cantata, oratório, ópera;
megafone, microfone, alto-falante, amplificador, gravador, rádio;
acento, acentuação, icto = acento tônico, acento predominante, sublinhamento, fraseado, ênfase;
acento demorado/carregado/nativo/estrangeiro; homonímia, homofonia, paronímia, gastriloquia, ventriloquia, loquismo, polifonia, polifonismo;
ortoépia prosódia, ortologia, eufonia 402; fonética, fonologia;
vozerio, vozeria, alarido, burburinho, gritaria, algazarra, babel, falatório.
V. vozear, proferir, largar, pronunciar, recitar, dizer, falar, enunciar, articular, emitir sons, dar à língua, gritar 411; solfejar, cantarolar, cantar, soltar, gemer, regougar, resmungar, balbuciar, praticar, soluçar, murmurar, sussurrar, dearticular = pronunciar com clareza, ter boa dicção, falar com boa prosódia, empostar, zurrar, berrar, sublinhar, aspirar, nasalizar, soprar aos ouvidos, esgoelar (dep.), expectorar, desembuchar, expor, discorrer, explanar, vocalizar, despregar a voz = sair do silêncio.
Adj. vocal, fônico, fonético, oral, ejaculado, ejaculatório, expresso de viva voz, verbal, articulado, distinto, orfeônico, estentóreo, estentórico, estentoroso, tonitroante, retumbante, longo, tônico, predominante, ortoépico, prosódico, ortológico, homófono, homógrafo, oxítono, paroxítono, proparoxítono, esdrúxulo.
Adv. oralmente & *adj.*

▽ **581. Afonia,** afasia, afrasia, mudez, mudeza, mutismo, afemia, aglossia, paralalia, mutismo voluntário, silêncio (*taciturnidade*) 585; rouquidão, rouquice, cerração da fala, rouquido;
voz áspera 410; desafinada 414; falsete, engasgo, alalia, pato mudo.

V. guardar silêncio 585; falar baixo, entre dentes; falar na cabeça (bras.), mexer os beiços, ter nó na garganta;
estar/ficar embatucado; ciciar as palavras, sumir-se a voz, enrouquecer, rouquejar, roufenhar, ficar como uma pedra, não tugir nem mugir;
extinguir-se/secar a voz; ficar em silêncio, silenciar, calar-se, emudecer, calar o bico, embuchar, emordaçar, amordaçar, açaimar, arrolhar, sufocar, abafar, afogar, calar a boca a/de alguém, extinguir as palavras nos lábios, não deixar escapar uma palavra, por a alguém um nó na garganta, calar, impor silêncio, tapar a boca, fazer calar, asfixiar, intercortar, deslinguar, ficar na garganta, não dizer chus nem bus.
Adj. áfono, mudo, aglosso = que não tem língua, afônico, álalo, surdo-mudo, calado, inaudível, inarticulado, imperceptível (*som baixo*) 405; taciturno 585; atalhado, embuchado & *v.*;
mudo como um poste/como uma pedra/como um sepulcro; rouco, rouquenho, roufenho, áspero, seco, cavernoso, cavo, sepulcral.
Adv. afonicamente & *adj.*; com a respiração suspensa, com o dedo nos lábios, *sotto voce*; em voz baixa/sumida/quase imperceptível; em tom baixo.
Frase: *Vox faucibus hæsit.*

△ **582. Discurso,** faculdade de falar, locução, peroração, palestra, aula, fala, falamento, comunicação verbal, articulação, prática, elóquio (p. us.), prolação, conversação, parola, tagarelice, efusão;
quironomia (arte de acomodar os gestos ao discurso); oração, alocução 586; palestra 588; conferência, monólogo, solilóquio 589; oratória = *facultas dicendi* = eloquência, parenética; eloquência concional, enargia, retórica, declamação, tribuna, púlpito, grandiloquência, multiloquência;
rasgo, rapto, rajada de eloquência; as cores da eloquência, facúndia, facundidade, torrente de palavras, *copia verborum*, verborreia, verborragia, logorreia = grande verbosidade, dom da palavra, dom de falar bem, dotes oratórios, faculdade de dominar, *usus loquendi*;
eloquência comunicativa/cachoeiral/fulgurante; lance oratório, retoricismo; exórdio, comoração;

orador, tribuno, quirônomo, língua de prata, cisne, raio de eloquência, Cícero, Demóstenes, águia do púlpito, águia da tribuna, arengador, arengueiro, intérprete, improvisador, crisóstomo, interlocutor, conferente, conferencista, palestrante, discursador = seminivérbio, discursista, retórico, retorição, órgão, pregador, predicante, mitingueiro (dep.).
V. discursar, falar, desfechar, pronunciar, soltar, emitir, enunciar, proferir, deixar escapar, gosmar, largar, dizer, pespegar, chimpar, articular, exprimir, soprar, ter nos lábios, ter na ponta da língua, berrar; quebrar, romper o silêncio; sair do silêncio; erguer, despregar a voz; agitar os lábios, abrir a boca, orar, desemudecer, desembuchar-se, dizer duas palavras, recitar, marmotear, botar discurso, improvisar, discorrer, declamar, arengar, perorar, falar com ênfase, exortar, prelecionar, retoricar, concionar (desus.), desenrolar o pendão da eloquência; arrebatar, empolgar o auditório, sermonizar, predicar, discorrer 573; fazer o panegírico de;
monologar 589; falar 586 e 588;
ser (eloquente & *adj.*); ser orador completo, ter o dom da palavra, ter boca de prata, ser (fluente & *adj.*); ter bom palavreado, exprimir-se com facilidade e clareza, ornar o discurso com retórica, fazer estendal de palavras retumbantes mas que nada significam 517;
florear/ornar o discurso 847; afiar a língua, ocupar a tribuna, subir à tribuna, falar primorosamente, traçar em memorável oração.
Adj. discursivo, falante & *v.*; falado, oral, verbal, lingual, fonético, não escrito, não confiado ao papel, eloquente, altiloquente, crisólogo, crisóstomo, verboso, loquaz, fluente, facundo, bem-falante, grandíloquo, magníloquo, diserto, oratório, retórico, declamatório, parlador 584; de inigualável eloquência, consagrado, de nome feito 873; tribunício, concional, concionatório, quironômico.

▽ **583.** (Locução imperfeita) **Gagueira,** mogilalismo ou mogislalismo = gaguice, tartamudez, gaguez = tatarez, inarticulação, paralalia, hesitação, titubeação & *v.*; ingresia, embaraço na fala, língua presa, aspiração, cochicho, sussurro, (*som fraco*) 405; asafia, vícios orgânicos, pevide (defeito na pronunciação do *r*), blesidade (substituição de uma consoante forte por outra fraca), blesismo, paragramatismo, iotacismo, parassigmatismo (troca do *s* por outra letra), pararrotacismo, paralogia, paralambdacismo, parafonia = voz desagradável;
zetacismo (pronúncia defeituosa do *s* ou *z*), dislogia, dislalia, dislexia, ecolalia, embolofrasia, iscnofonia, platiasmo (abertura demasiada da boca), tardiloquência, lambdacismo (pronúncia viciosa do *l*), gamacismo (pronúncia difícil das letras *g*, *k* e *x*), metacismo, balbúcie, balbuciação, tartareio, algaravia = burundanga, cicio, ceceio, fala arrastada, rosnadela, rosnadura, engasgo, acento nasal, tom nasal, nasalação, sotaque, rouquidão, provincianismo, falsete 581; engrimanço, hotentotismo;
língua de trapo, aldravão, tartamelo, tartaranho, tatibitate, gago, gaguejador, tartamudo, fanho, fanhosez, boca de fava, táturo, tatambá (bras.), histerólogo (ant.).
V. gaguear, gaguejar = bodejar, pegar-se a língua a alguém, tataranhar, tartamudear, tartamelear, titubear, gargarejar, galrar ou galrear, aldravar, palrar, engrolar, enrolar a língua, murmurar, resmungar, mastigar, mascar, embrulhar-se falando, rosnar, resmonear, regougar, estropear, trambolhar, não poder ligar duas palavras, ciciar;
falar por entre dentes/pelo nariz, fanhosear, nasalar, nasalizar, algaraviar, mascavar, babar, balbuciar, chalrear (criança) = tartarear, arrastar a voz, salmear, salmodiar, comer as palavras, pronunciar sem pausa nem entonação, travar a língua, entaramelar-se, guturalizar, aspirar, greguejar = falar grego, vasconcear.
Adj. tartamudo, táturo, travado, tatibitate, gago, balbo, balbuciente, balbuciante, trôpego da língua, pevidoso, embargado da fala, boquicheio, tártaro, tartamelo, baboso, fanhoso, fanho, nasal, esganiçado, morfenho, roufenho, bleso, ceceoso, aglosso, pastosa (voz), inarticulado, mal pronunciado, gutural, trêmulo.

△ **584. Loquacidade,** garrulice, garrulidade, loquela, tagarelice, trela, linguarice, farfalhada, farfalharia, parlenga, palra, palraria, pálrea, palrice, chalreada, chalreadura, chalreio, parolice, parolagem, multiloquência, fluência, volubilidade, leveza, leviandade, inconsideração, bacharelice, parlenda, falatório 588; farfalhão, falastrão, linguareiro, linguarudo, linguarão, charla,

lenga-lenga, aranzel, *copia verborum*; *cacoethes loquendi*; prurido de falar, torrente de palavras, rabularia, palanfrório, palavreado, palavrório, algaravia, arenga, verborreia, verbosidade 573; psitacismo, dom da palavra 582;
falador, tagarela, língua de trapo, boquirroto, boca-rota, saco-roto, cesto-roto, arengueiro, gárrulo, badajo (ant.), palavreiro, palavreador, conversador, prosa, prosista (bras.), lingueirão, golelheiro, energúmeno, pega, papagaio, maitaca, maracanã, louro, periquito, psitaco, psitáculo, tuim (bras.), gralha, paroleiro, patativa humana, parlador, farfalhão, farfalhador, vozeiro, taramela, cega-rega, pispirreta (f.), faladeira (f.), cavaqueador, francelho, tarela, grazina, grazinador, chocalheiro, cucurucu (ant.), palreiro, grulha, badaleiro, badaleira, espanta-lobos, charlador, bacharela, gralhador, badalão, metralha, metralhadora.
V. ser (loquaz & *adj.*); linguarejar, beldar (reg.), dar ao badalo, dar a vida por uma prosa, dar à língua, bacharelar, parouvelar, tagarelar, taramelar, taramelear, gralhar, palrar, charlar, chalrear, palavrear, papear, prosear, papaguear, galrar, galrear, galrejar, garrir = baladar, farfalhar, parolar, parolear, garrular, grazinar, chocalhar, grulhar, falazar, faladar, cacarejar, tirar a rolha da boca, desarrolhar a boca, dissertar 573; conversar 588;
azoinar, atordoar os ouvidos dos (*repetir*) 104, metralhar; estar rouco de tanto falar, não ter senão língua, ter o coração ao pé da boca, golelhar (fam.), desatar-se a língua a alguém; desmesurar-se, descomedir-se;
falar como um papagaio/uma maitaca/a torto e a direito/pelos cotovelos/à toa/com desembaraço/por falar/por vício/sem tom nem som/às estopinhas; meter tudo a saco, dar ao esfregão, tosar de morte, tosar até matar, ter cócegas na língua, abrir a torneira, soltar-se em palavras, dizer frases sem nexo 497; dar corda a alguém.
Adj. loquaz, badajo, palrado, palreiro, falador, falacioso, algarvio, palavroso, verboso, farfalhento, tagarela, falastrão, grulhento, solto de língua, boquirroto, indiscreto, leviano, papagaial, chocalheiro, conversador, paroleiro, palavreiro, gárrulo, palavreador, linguaraz, linguarudo, lingueireiro, galreador, galrejador, galreiro, garlão, destravado, alegre, expansivo 892; sôfrego de falar, declamatório 582; desacautelado e imprudente no falar, fluente, retórico, volúvel, cuja língua é de palmo e meio, prolixo 573; grazina, vozeiro.
Adv. loquazmente & *adj.*; corrente e moente.
Frases: Pela boca morre o peixe. As paredes têm ouvidos.

▽ **585. Taciturnidade,** mudez, silêncio, reserva, laconismo, calada, impenetrabilidade, insondabilidade, desconfiança, prudência, retração, discreção, retraimento, introversão, macambuzice, concentração, reconcentração, reticência (*ocultação*) 528; homem de poucas palavras, bonzo, mocho, misantropo.
V. ser (silencioso & *adj.*); guardar silêncio, conter a língua, não falar 581;
arrolhar/cerrar/fechar a boca; calar-se, emudecer-se, cair em silêncio, estar na muda; meter uma rolha/um cadeado na boca; andar com arcas encouradas, não tugir nem mugir, não deixar escapar uma palavra, ter muitos entressolhos = ser muito reservado, não dar sinal, guardar segredo, ter nó na garganta, ter beiços grudados (fam.), ter a fala gelada na garganta, fazer-se/fechar-se em copas, meter-se nas encolhas, ficar que nem uma pedra, recolher-se aos bastidores, remeter-se ao silêncio;
não abrir a boca/o bico; refrear a língua, falar por monossílabos, encerrar-se num mutismo, macambuziar, retrair-se, desconversar, mudar de assunto, não dizer fum nem fum, não dizer chus nem bus, enfiar a viola no saco.
Adj. taciturno, silencioso, calado, mudo, sorumbático, macambúzio, mocho;
mudo como uma pedra/como um túmulo/como um poste; parcimonioso nas palavras, lacônico, introvertido, discreto, reservado, retraído, fechado, impenetrável, insondável, concentrado, reconcentrado, desconfiado, suspeitoso, metido consigo, curto de palavras, reticente (*oculto*) 528; inconversável, desconversável, misantropo, insociável, ensimesmado.
Adv. silenciosamente & *adj.*; sem dizer palavra.
Frases: A palavra é prata; o silêncio, ouro. Guarda-te do homem que não fala e do cão que não ladra.

△ **586. Alocução,** fala, arenga, falada, discurso, pronunciamento, parênese, improviso, improvisata, verbo, micrologia, micró-

logo, loquela, arrazoado, tirada, parlanda, parlenda, preleção, palestra, conferência, saudação, oração, apóstrofe, interpelação, apelo, invocação = invitatório, exortação, espiche (fam.), sermão, homilia, prédica, sermoa (dep.), necrológio, oração fúnebre, sermonário, dialogismo, aparte, vocábulos depreciativos: bestialógico, engrimanço, aranzel, anfigúri, peroração, interlocução 588; elóquio, solilóquio 589, monólogo.
V. falar a, dirigir-se a, endereçar a palavra a, apostrofar, apelar para, invocar, saudar, fazer apelo a, pedir explicações, apartear, interpelar, perorar, discursar, discorrer.

▽ **587. Reação ao discurso** (*v. resposta*)
462, acudir ao apelo.

△ **588. Palestra,** colóquio, interlocução, departição, departamento, conversação, trato, trela, conversa, fala, cavaco, cavaqueira, parla, falario, falatório, paleio, prática, prosa, confabulação, aula, conferência, entrevista, comércio, convivência, relações, diálogo, trílogo, pastorela; dactilologia, arte de conversar por sinais feitos com os dedos, *causerie*, troca de ideias, parlatório, audiência, fórum, tête-à-tête, oaristo (entre marido e mulher), entretenimento íntimo, palavreado, parouvela, debate, painel, mesa-redonda, discussão, logomaquia, guerra de palavras, tagarelice 584; intriga, mexericos, enredo, bisbilhotice, fofoca, chocalhice, indiscrição, disse me disse, futrico, trica, voz do povo, boato, assunto dominante, lambança;
o prato/o evangelho do dia; o tema das palestras, escândalo, maledicência, falatório, falada, falácia, novidades;
conversador 584; palestrador, interlocutor, confabulador, bisbilhoteiro, mexeriqueiro, cavaqueador, palestrista, prosista (bras.).
V. conversar, falar com, palestrar, dialogar, parouvelar, ter uma fala com, papear, bater papo, avistar-se com alguém, travar conversação, pautear (bras.), trocar ideias, cavaquear, estar ao cavaco, dar dois dedos de prosa, palrar, parolar, palrear, confabular, conferir, conferenciar, tagarelar 584; praticar sobre vários assuntos;
trazer/vir à balha/à baila; tratar de, ocupar-se, discorrer sobre, rumar a palestra no sentido de, vir à prática, discretear, departir, discutir com, tabaquear o caso, bisbilhotar, entreter palestra, entabolar conversação,

conversar em particular, conversar tête-à-tête, entreolhar-se, entreter-se conversando.
Adj. conversador, interlocutório, conversável, dialogado, dialogal, expansivo 892; logomáquico, coloquial.

▽ **589. Monólogo,** solilóquio, apóstrofe, monodia, monodrama, monologia, soliloquista.
V. monologar, soliloquiar;
falar consigo mesmo/com seus botões; dizer de si para si, falar sozinho, entredizer, falar aos efésios, pregar aos peixes, pregar no deserto.
Adj. monódico, monológico.
Adv. à parte, com os seus botões, consigo mesmo.

c. *Linguagem escrita*

590. Escrita, quirografia, manejo da pena, gráfico, manuscrito, M.S. *literœ scriptœ*, penada, rabisco, rasgo, traço, traço de pena, pauta, régua, mata-borrão, *coup de plume*, linha, papiro, pena, tinta, atramento (ant.), letra 561; letra uncial; hieróglifo, ideograma, caractere, caracteres hieroglíficos, cuneiformes;
alfabeto;
sinais diacríticos, acento agudo, acento circunflexo, til, pontuação, vírgula = coma, ponto e vírgula; dois pontos = cólon etc.; trema, plica, cedilha, caligrafia;
tinteiro, atramentário, escrivaninha, ardósia; letra má, letra açangalhada, rabiosca, garabulha, garatujas, garavunha, letra de velho, gatafunhos, garafunhas, gregotins, rabiscos, cacografia, *griffonage*, bastardo, bastardinho;
caligrafia legível, cursiva, garrafal; cursivinho, papel, lápis, caneta, papiro, secretário, amanuense, calígrafo, escrevente, escrivão, notário, copista, escriba, rabiscador, escrevinhador, escrevinhadeiro, garatujador, garabulhador;
máquina de escrever, da(c)tilografia, da(c)tilógrafo;
estenografia, braquigrafia, taquigrafia;
computador, editor de texto, impressora, *scanner*, teclado, digitador, diagramador, DTP, CTP, impressão.
V. escrever, subscrever, lançar linhas no papel, autografar;
pôr/tirar/passar a limpo; copiar, tirar pública forma de, pôr em escritura, escriturar, reduzir à escritura pública, reprodu-

zir, fazer garatujas, garabulhar, rabiscar, escrevinhar, rascunhar, grafar, caligrafar, ortografar, dactilografar, estenografar, taquigrafar, digitar, escanear, digitalizar, pôr o preto no branco, penejar, confiar ao papel, manuscrever, lavrar documento, dar uma penada sobre, minutar;
mascarrar, borrar, algaraviar, açancanhar = esgaratujar, garatujar, lavrar, exarar, entrelinhar, compor, redigir, editar, editorar, preparar (um discurso), produzir, inscrever, firmar, assinar, rubricar, lançar no papel, formular, prologar, proemiar, prefaciar, secretariar, sobrescrever, sobrescritar, endereçar, dirigir, manejar a pena, molhar a pena na tinta, pegar na pena, tomar da pena;
traçar, regrar, riscar, pautar, alinhar, sublinhar, acentuar, plicar, virgular, pontuar, cedilhar, tremar, crasear.
Adj. escrito & cuneiforme, hieroglífico, rúnico, manuscrito, macróstico, feito à mão, hológrafo, taquigráfico, papíreo, pautado, uncial, autográfico, unilíngue, trilíngue; digitado, digitalizado, escaneado.
Adv. com a pena na mão, *currente calamo*, ao correr da pena, pelo punho de, pelo próprio punho de.

591. Impressão, tiragem, edição, estereotipagem, tipocromia, gravação 558; compaginação, imprensa (*publicação*) 531; prelo, *offset*, ofsete, rotogravura, máquina plana, rotativa, minerva, prensa, prensa tipográfica, linotipia, reimpressão, retiração, letra de forma, letra redonda, itálico, negrito, versal, versalete, palestina, pandecta, parangona, caracteres tipográficos, página, coluna, rebarba, granel, regreta, rama, medianiz, quadratim;
tipografia, estereotipia, eletrotipia, galvanotipia, tipometria, linotipo, eletrotipo; fotocomposição, digitação, editor de texto, corretor ortográfico, corretor gramatical, arquivo eletrônico, edição eletrônica, computação, escâner, escaneamento, paginação computadorizada, OCR, DTP, CTP;
cícero, elzevir, fólio (*livro*), exemplar, impressão, prova, revisão, copidesque, diagramação, fotolito, componedor;
impressor, imprimidor, compositor, digitador, produtor gráfico, diagramador, editor, redator, revisor, tipógrafo.
V. imprimir, tipografar, imprensar, reimprimir, compor, pôr em letra de forma, publicar 531; estereotipar, converter em clichê, assistir à folha, ler e corrigir as provas de granel, paginar, compaginar, fazer a revisão.
Adj. impresso, tipográfico, estereotípico, estereotipado & *v.*; calamídeo, macróstico.

592. Correspondência, respondência, correspondência epistolar, troca de cartas, epístola, missiva, favor, letras, cartapácio, carta-bilhete, tarjeta, cartão-postal, bilhete, cartão, regras, *post-scriptum*, *billetdoux*, carta de amores, balázio = carta insolente, escritinho, despacho, telegrama, telefonema, boletim; teletipo, telefoto;
carta encíclica, breve, encíclica, carta pastoral;
rescrito, circular, prancha (maçonaria), ofício, carta comendatória, carta de recomendação, mala 534; mala direta, *mail list*, folheto, peça publicitária, panfleto;
epistolário, epistolografia, missivista, correspondente, epistológrafo, remetente, comunicante, destinatário;
telefonia, telefonia móvel, *mobile*, celular;
e-mail, *chat*, correio eletrônico, torpedo, mensagem, anexo, *post*, internet, comunidade na internet, rede social, *skype*, SMS, *blog*;
V. corresponder-se com, ter inteligência com, estar em inteligência com, manter correspondência epistolar, manter relações epistolares, cartear-se;
expedir/escrever/enviar uma carta; oficiar, telegrafar, telefonar, telefonizar, telefonizar seus cumprimentos;
enviar *e-mail*, enviar torpedo, participar em grupo/comunidade de relacionamento;
Adj. epistolar, epistólico, missivo, encíclico, telegráfico, telefônico.

593. Livro, livrinho, escrito, manual = enquirídio, livrete, ripanço, texto, alfarrábio, livrório (dep.), bacamarte, calhamaço, cartapácio, libreto, livresco (dep.), obra, volume, tomo, cadeixo, opúsculo, compêndio, in-folio, tratado, brochura, capadura, tríptico, caderno, impresso, folheto, panfleto, monografia, memória, memorial, poligrafia, homiliário, textuário, prontuário, códex, códice, código, incunábulo;
parte, edição, tiragem, número, fascículo, caderneta, *livraison*, álbum, pasta, periódico, órgão, publicação periódica, *magazine*, composição lipogramática, revista, efemé-

594. Descrição | 594. Descrição

rides, anuário, hebdomadário, diário, semanário, quinzenário, livro de orações 998; decamerão;
papel, cartaz, anterrosto, folha, guarda, página, lauda, resma, mão, capítulo, título, subtítulo, seção, cabeçalho, artigo, parágrafo, cláusula, gazetilha, passagem, trecho, folhetim; sumário, apêndice, anexo, encarte, índice, glossário, notas;
fólio, quarto, oitavo, duodécimo, octodécimo, sextodécimo; caderno;
livro virtual, livro eletrônico, *e-book, e-reader*; enciclopédia, dicionário, léxico, compilação, livraria, imprensa (*publicação*) 531; caga-sebo, sebo, casa de alfarrabista, livralhada, livroxada (burl.);
antologia, coleção, acervo;
escritor, autor, publicista, intelectual, esteta, estilista, burilador da língua, colorista, literato, homem de letras, prosador, gazetilheiro, gazetilhista, gazetista, gazeteiro (dep.), pena, escrevinhador, produtor, pai; periodicista, jornalista, folhetinista, panfletista, foliculário, articulista, cerzidor (dep.), plumitivo (dep.), rabiscador, organizador, compilador, borrador;
periodiqueiro (dep.), gazeteiro, memorista, tratadista, homiliasta, testa de ferro, compositor, sumista, enciclopedista, genealogista, logógrafo, biógrafo, jurisconsulto, polígrafo, monógrafo, redator, colaborador, escrevinhador, correspondente, repórter;
pessoal, gente, representante da imprensa; romancista, contista, prosador, noveleiro, novelista, fabulista, estigmônimo, croniqueiro, editor, subeditor; editoração, revisão, copidesque;
dicionarista, vocabularista, vocabulista, lexicógrafo, editorador, revisor, diagramador, paginador, impressor, ilustrador;
editora, publicador, impressor, gráfica, encadernador, distribuidor, livreiro, bibliopola, bibliopolista, alfarrabista, bibliotecário, bibliotecônomo, bibliógrafo, bibliomaníaco, bibliófilo, bibliótafo;
bibliomania, bibliofilia, bibliografia, biblioteconomia;
bibliopeia, arte de fazer livros;
bibliátrica, arte de restaurar livros.
Adj. tabulário, livresco; editorial, gráfico.

594. Descrição, painel, quadro, pintura, retábulo, etopeia, etografia, relato, relatório, divulgação 529; retrato, fotografia, traçado, mapa, levantamento, topografia, GPS, especificação, particularidade, miudezas, pormenores, detalhes, sumário, suma, súmula 596; resenha, recapitulação, registro 551; *catalogue raisonné* (*lista*) 86; guia (*informação*) 527, roteiro; delineação (*representação*) 554; esboço, debuxo, borrão, monografia; hipotipose; descrição detalhada/minuciosa/particular/pormenorizada/fiel/completa/circunstanciada; minudências, minúcias, particulares, perfil, tração (ant.);
narração, narrativa, reportagem, narrado, notícia, local, relação, recitação, referimento, odisseia, périplo;
historiografia, cronografia, musa histórica, Clio, anais, história, histórico, decamerão, crônica, biografia, autobiografia, a vida histórica de, necrologia, obituário; estendal, sudário, ropografia;
dissertação, apresentação, exposição; história, raconto (ant.), conto, reconto, relatório, ata, memento, traçado (maçonaria), memória, memorial, anais (*crônica*) 551; tradição, saga = lenda, legenda, historieta, diário, vida, aventuras, fortunas, experiências, confissões, páginas de um diário, anedota, anedotário, vida anedótica, gênero narrativo;
obra de ficção, xácara, novela, romance, historiola, conto, conto de fada, conto da avozinha, historieta, fábula, parábola, apólogo;
filme, videoteipe, gravação, disco, CD, DVD, *blu-ray*;
narrador, descritor, romancista, historiador (*registrador*) 553; biógrafo, autobiógrafo, fabulista, novelista, prosador, *raconteur*, necrólogo, anedotista, repórter, jornalista, cineasta, documentarista, historiador.
V. descrever, representar, traçar (um quadro) por mão de mestre, debuxar com pincel de artista, debuxar, pintar, tracejar, estampar, retratar 554; perfilar, pintar ao vivo; transmitir à tela, o quadro de; fazer um quadro de, fazer uma (descrição & *subst.*); despregar a tela dos acontecimentos, iluminar o quadro; caracterizar, particularizar, especificar, narrar, contar, recontar, relatar, recitar, capitular, recapitular, reconstruir, fazer uma resenha de, resenhar, fazer uma narrativa, dizer, dar uma descrição, desfiar, historiar, fazer um relato, expor, romancear, relacionar, bosquejar, descrever a traços largos (*compendiar*) 596; referir, numerar, enumerar, detalhar, particularizar, descrever por miúdo/em detalhes, narrar minuciosamente, miniaturar,

miudear, descer a detalhes, pormenorizar, circunstanciar, circunstancionar; entrar em detalhes/em minudências; biografar, historiar, fazer a biografia de, documentar, anedotizar; gravar, filmar, reportar.
Adj. descritivo, gráfico, narrativo, épico, sugestivo, bem desenhado, histórico, biográfico, tradicional, legendário, necrológico, anedótico, descrito & *v.*; minucioso, circunstanciado, minudente, detalhado, descritível.
Adv. descritivamente & *adj.*; por miúdo, detalhadamente, fielmente 494; pormenorizadamente, com todos os pormenores.

595. Dissertação, tratado, esboço, resenha, ensaio, tópico, tese, anquilha (ant.), tema, secreta, discurso, arrazoado, memória, investigação, disquisição, conferência, palestra, homilia, pandecta (*tese*) 454; comentário = nótula, exame, análise, crítica, entrelinha, reflexão, ilustração, criticismo, racionalismo, artigo, artigo principal, artigalho, artiguelho (dep.), editorial, indagação 461; estudo 451; discussão 476; exposição 522; explanação, elucidário; comentador, dissertador, crítico panfletário, panfletista, tratadista.
V. dissertar, discorrer, escrever, discursar, discretear sobre um assunto; tratar, ocupar-se de um assunto; tocar/entrar em um assunto; ventilar/ferir/discutir/expor/abordar um assunto; resenhar, capitular, comentar, anotar, glosar, ir ao assunto, sincronizar; pôr/tirar a limpo; entrar no âmago do assunto, aprofundar, estudar a fundo, recair sobre, versar, descair para.
Adj. discursivo, expositório, dissertativo.

596. Compêndio, manual, resumo, síntese, breviário, conceito, generalidade, tópico, extrato, substância, ressunta, epítome, merologia, escorço, *multum in parvo*, *vade-mecum*, suma, sumário, súmula, análise; pandecta, digesto, suco e substância, epílogo, anacefaleose = recapitulação, abreviatura, breves, abreviamento, abreviação, *aperçu*, exposição, ementa, vista-d'olhos, bosquejo = sintomia, apanhado, recopilação, sinopse, esboço, esboceto, *conspectus*, *syllabus*, quadro sinóptico, cifra, conteúdo; álbum, livro de notas, memorando, *memorandum*, memorando, fragmento, trecho, excerto, seleta, florilégio, grinalda, parnaso, pancárpia, antologia, crestomatia, coletânea, miscelânea literária = silva, analectos, folclore, revista, cancioneiro, crase, contração, sinalefa, sinérese, encurtamento 201; receituário, preceituário, compressão 195; compactação, resumidor, fragmentista, antologista, sumista, compendiador.
V. abreviar, reduzir, compilar = respigar, resumir, precisar, condensar, concentrar, compactar, sintetizar, substanciar, epitomar, epitomizar, compendiar, sumariar, arrancar os babados, epilogar, bosquejar, dar uma substância de, fazer um resumo de, tracejar, extratar, apertar em breve escritura, recapitular, repetir na súmula, cifrar, escorçar, fazer sinopse de, recopilar, recompilar, somar, juntar extratos de; abreviar 201; condensar 195; amontoar 72; cifrar-se, resumir-se, consistir, resolver-se em duas palavras.
Adj. compendioso, breve, substanciado, resumido & *v.*; preciso, sintético, posto em síntese, sucinto, conciso 572; sumário, sinóptico, analético, abreviado & *v.*; coletâneo, compactado, sintetizado.
Adv. compendiosamente & *adj.*; em resumo, em substância, em poucas palavras, substancialmente, sem entrar nos pormenores, em ligeiro esforço, em duas palhetadas, sumamente, em suma, sumariamente, em breve, abreviadamente.

△ **597. Poesia,** a gaia ciência, a língua harmoniosa do espírito, tuba poética, Musas, camenas (poét.);
Calíope, Parnaso, Hélicon, Piérides, Egéria, fonte piéria, florais;
verisificação, rítmica, prosódia, ortometria, hinologia, rima, harmonia, assonia, assonância;
poemeto, poema, monômetro, monóstrofe, rapsódia, poema épico, poema heroico, epopeia, epítase, carne, ode;
ode pindárica, sagrada, moral, filosófica, sáfica; epinício, idílio, poesia lírica, invitatório, écloga, pastoral, pastorela, bucólica, ditirambo, anacreôntica, soneto, soneto com estrambote, sonetilho, rondó, *rondeau*, madrigal, cançoneta, recitativo, monódia, elegia, elegíada, hino, canção, balada, cântico, fados, modinhas, trova, quadrinha, lundu, seguidilha, redondilhas;

598. Prosa | 599. Drama

lamentação, epitáfio, copla, nênia, solau, epicédio, cantata, gênero pastoril, vilancete, vilancico, poesia anacreôntica, piscatória, esparsa, epitalâmio, canto genetlíaco, acróstico, silva, mote, glosa, improviso, improvisata, estrambote, quinteto, quintilha, sextina, sextilha, setilha, septena, nona, tetrástico, monóstrofe, centão, silo, sátira, antissátira, sirvente ou sirventesca, paródia, epigrama = monóstico, hemistíquio, estribilho, refrão, verso intercalar; *veros ad unguem*;
poesia dramática, lírica; ópera, zarzuela, antologia, *disjecti membra poetæ*, música 413a; invocação, invocatória, invitatória, versaria, versalhada;
verso leonino, errado, destemperado, manco, anódino, octonado, de pé quebrado, feito à candeia, feito ao sabor e no estilo das trovas populares; ceráunio;
versaria exótica, torcida, alambicada;
canto, dístico, verso, linha, quadra, terceto, quarteto, quinteto, quintilha, estrofe, estância, antiestrofe, rima soante, rima rica, cadência, ritmo, pé, medida, metro, métrica, rípio, acento, acentuação 580; antepasto, anapesto, dímetro, antibáquio, anfíbraco, anfímaco, dáctilo, espondeu, troqueu, coreu, jambo, molosso, falêucio ou falécio, hexâmetro, tetrâmetro, pentâmetro, heptâmetro, galiâmbico, coriambo, baquio, braquissílabo, pirríquio, alexandrino, verso de arte maior, verso menor, pé dáctilo, pé espondeu & tribreve, tríbraco, palimbaquio;
elegia; verso elegíaco, poesia (elegíaca & *adj.*);
poeta, laureado, filho das Musas, filho de Apolo, cantor, bardo, trovador, trovista, rapsodo, rapsodista, aedo (ant.), cíclico, menestrel, coplista, lírico, seresteiro, improvisador, repentista, rimador, cisne, favorito das Musas, versificador, sonetista, glosador, metrificador, silógrafo, hinista, hinólogo, hinógrafo, elegiógrafo, cancionista, epigramatista, ecloguista;
cultor das Musas, poetismo, Musas, as nove irmãs, Horácio, o venusino, Homero;
poetastro, poetaço, semipoeta, quase poeta, poeta de assobio, rimador sem estro, versejador, soneteiro, poeta de água-doce, poeta bordalengo, versista, metrômano, *genus irritabile vatum* = a raça irritadiça dos poetas;
licença, liberdade poética; mania metrificadora, metrorreia, metromania, lira, inspiração, entusiasmo poético;
estro, gênio poético; plectro, egéria, Odeon.

V. poetar, poetizar, versejar, versificar, versar; compor/escrever versos; epigramatizar, madrigalizar;
escandar, escandir versos; sonetar, sonetear, tercetar, fazer belas rimas, subir ao Parnaso, rimar, trovar, aconsoantar;
tanger/dedilhar a lira; coprar, coprejar, decantar, celebrar, cantar, glosar um mote, metrificar;
estar atacado de metromania, pindarizar, parodiar, rimar alhos com bugalhos, espojar-se pela poesia, rimar *invita Minerva*, fazer versos sem metrificação.
Adj. poético, lírico, melodioso, harmonioso, doce, ritmado, cadenciado, épico, ditirâmbico, aônio, cataléctico, elegíaco, jâmbico, espondaico, trocaico, trilongo, trímetro, anapéstico, amebeu, proceleusmático, sáfico, pindárico, versífico, tetrástico, dactílico, alcaico, adônico, anacíclico, glicônico, hínico, heptassílabo, hendecassílabo, asclepiadeu, falécio, falêucio, heroico, heroicômico, madrigalesco, metrômano, metroníaco, portalira, monométrico, monóstrofo, esdrúxulo, monóstico, monorrimo, monorrítmico, escoico, piério, homérico, camoniano.

▽ **598. Prosa,** prosaísmo; prosador, prosista.
V. prosar, aprosar, escrever em prosa, despoetizar, reduzir à prosa, ser prosador, ser prosista.
Adj. prosaico, antipoético, branco, solto, sem rima, irrimado, sem ritmo nem rima.

599. Drama, peça teatral, representação teatral, espetáculo, dramatologia, dramaturgia, arte histriônica, Melpômene, Tália, Tépsis;
peça, tragédia, coturno, comédia, ópera, grande ópera, ópera séria, opereta, zarzuela, cena cômica, cena lírica, revista, *vaudeville, comedietta*, autos (ant.), composição dramática, *soap opera, lever de rideau*, anteato, entreato, intermédio, entremez, embrechado; farsa, mimo (ant.), farsalhão, burleta, *divertissement*, divertimento, comédia bufa, ópera bufa, dramalhão, arlequinada, palhaçada, besteirol, cena muda, momo, pantomima, mourisca, mimodrama, baile, bailado, bailete, bailarico, fandango, melodrama, *comédie larmoyante*, tragicomédia, monodrama, monólogo, duólogo, trilogia, mistério (ant.), ato, cena, vista de teatro, filme, nove-

la, folhetim, épico, cenário, *tableau*, quadro, introdução, entrecho, epílogo, êxodo, prólogo, libreto; peça de espetáculo;

execução, representação, récita, desempenho, *mise-en-scène*, encenação, montagem, estreia, *jeu de theâtre*, jogo de cena, jogo, mímica 550; personificação 554; bufonaria; teatro, teatro de arena, cinema, cinerama, casa da ópera, politeama, anfiteatro, circo, hipódromo;

representação de títeres/de franca-tripa/de fantoches/de bonecos de engonço/de autômatos/de *fantocini*/de polichinelo/de mamulengos/de marionetes/de João Redondo e Maria das Flores;

salto mortal, auditório, público, claque, casa, cadeiras, poltronas, plateia, cávea (ant.), galeria, balcão, balcão nobre, varanda, camarotes, frisa, torrinha, galinheiro, bastidor, *coulisse*, camarim, episcênio (ant.), palanque, borlista;

vistas, pano de boca, telão, tablado, proscênio, palco, rampa, estrado, ribalta, gambiarra, tímele (ant.), chaspulho, *mezzanino*, orquestra, boca de cena, bambolina, maroma, trampolim, trapézio;

papel, *rôle*, caracterização, *dramatis personæ*, elenco, repertório, ator, atriz, artista, artista dramático, intérprete, personagem, protagonista, estrela, figura, trágico, trágica, cômico, galã, comediante, comedianta, apinário, pantomimeiro, pantomimo, pantomineiro, mimo, machatim, diteríade, titeriteiro, palhaço, *clown*, arlequim, bufo, bufão, histrião, jogral, chocarreiro, truão, farsante, farsola, farsista, *farceur*, cabotino, *grimacier*, columbina, polichinelo, boneco, mamulengos, *pulcinella*, bonifrate, títere, franca-tripa, androide, figurante, figuranta, comparsa, supranumerário, entremezista, comparsaria, prestigiador, mágico, ilusionista;

máscara, mascarado, fantasiado, dominó, saltimbanco;

commedia del'arte, arlequim, colombina, pierrô;

charlatão de circo, de feira, pelotiqueiro, acrobata, voador, barrista, anemobata = funâmbulo, barlantim, volteador, equilibrista, malabarista, argolista, ginasta, saltador, saltatriz, dançarino, dançatriz, bailador, bailarino, bailarina, bailarim, cantor, cantora, cantatriz, transformista, arara (bras.);

companhia, elenco, corpo de baile, primeiro trágico, prima-dona, herói, protagonista, personagem, *jeune premier*, debutante, estreante, galã, *amoroso*, ingênua, *jeune veuve*, pai nobre, ator, atriz, fornecedor, *costumier*, maquinista, ponto, apontador, gerente, contrarregra, *entrepreneur*, empresário, figurinista, maquiador, continuísta, diretor, cenógrafo, *camera man*, fotógrafo;

dramaturgo, autor dramático, comediógrafo, entremezista, mimógrafo;

cenografia; intrigas de bastidores; ensaios de apuro.

V. representar, fazer um papel, pisar o palco, exercer a arte cênica, possuir-se de seu papel; interpretar bem, representar bem o seu papel; calçar o coturno, farsantear, bufonear, estrear, personificar 554; gesticular 550; levar à cena, pôr em cena;

subir/ir à cena; meter em cena, encenar, dramatizar; ensaiar; voltear na maroma; titerear; pontar = servir de ponto.

Adj. dramático, melodramático, teatral, cênico, histriônico, acrobático, cômico, trágico, coturnado, tragicômico; *cult.*

Adv. dramaticamente & *adj.*; em cena, atrás dos bastidores.

CLASSE V. VONTADE

Divisão I. VONTADE INDIVIDUAL

1º) Vontade em geral

I. Atos de vontade

△ **600. Vontade,** voluntariosidade, espontaneidade, inclinação, querer, desejo, anseio, volição, gana, fantasia, critério, gosto, veleidade, livre arbítrio, alvedrio, arbítrio, líbito, alvitre, liberdade 748; discrição, opção (*escolha*) 609; voluntariedade, originalidade; prazer, bel-prazer, talante, sabor, capricho, assomo, ímpeto, agrado, aprazimento, consentimento, permissão, tolerância; nuto, nução, disposição de espírito (*inclinação*) 602; propósito, desígnio; intenção 620; ten-

ção, intuito, predeterminação 611; decisão, firmeza, resolução, resiliência, objetivo, mira, império sobre si mesmo, autocontrole, determinação (*resolução*) 604, força de vontade, livre alvedrio; insistência, perseverança, resistência.
V. querer, desejar, ter vontade, tencionar, almejar, objetivar, julgar conveniente, resolver-se, decidir, escolher, optar, determinar-se a (*resolver-se*) 604; estabelecer (*escolher*) 609; ter vontade própria, oferecer-se voluntariamente;
fazer o que lhe aprouver, ser senhor de seu nariz (*liberdade*) 748; agir sob a sua própria inspiração; perseverar, insistir, resisitir.
fazer/agir/obrar como julgar conveniente; assumir a responsabilidade, fazer sob sua autoridade, deixar ao critério de.
Adj. voluntário, volitivo, volível, voluntarioso, livre, opcional, discricionário, que emana da vontade, intencional, proposital, caprichoso, facultativo, permissível, espontâneo 602; propenso 611; tencionado 620; perseverante, insistente, determinado, resoluto; autocrático, autoritário 741; originário (*causal*) 153.
Adv. voluntariamente & *adj.*; à vontade, à rédea solta, à larga, sem aperto nem coação, a bem, livremente, desafogadamente, de vontade, por vontade, à discrição, a seu bel-prazer, à livre escolha, *al piacere*, sem cerimônia, por querer, a seu querer, por seu querer, *ad libitum*, *ad arbitrium*, *ad nutum*, à sua satisfação, a seu sabor, como entender, como lhe aprouver, ao seu talante, por sua própria vontade e gosto;
a/de/por *motu proprio*; de seu próprio movimento, *proprio motu*, *suo motu*, *ex mero motu*, por sua alta recreação, a seu prazer, à sua escolha 609; *sponte sua*, de sua própria autoridade, propositadamente 620; deliberadamente 611; intencionalmente, por livre e refletida escolha; a seu modo.
Frases: *Stet pro ratione voluntas. Sic volo sic jubeo.* Quero, posso e mando. Apraz-me.

▽ **601. Compulsoriedade** (inevitabilidade), involuntariedade, instinto, automatismo, movimento maquinal, precipitação, arrebatamento, ímpeto, pulsão;
impulso natural/cego/onipotente; disposição superior, inexorabilidade, irresistibilidade, inevitabilidade, obrigatoriedade, obrigação, compulsão 749, necessidade;
necessidade premente/imperiosa/inexorável/cruel/férrea/dura/adversa; o que tem de ser;
destino, força irresistível, fatalidade, fatalismo, sestro, fado, sorte, dita, fadário, bambúrrio da sorte, caprichos da fortuna, sina, vento, nacibo, eleição, predestinação, predeterminação, determinismo, fim, fortuna;
maktub ("estava escrito", dos maometanos), a predestinação de s. Paulo;
estrela, planeta, influência astral, céu, os decretos do Alto, fluxo e refluxo da sorte, a roda fatal, o livro do destino;
os decretos de Deus/da Providência; o dedo de Deus/da Providência; a ordem imutável dos acontecimentos;
Parcas, as três irmãs, vontade de Deus, vontade do Céu, movimento mecânico, último recurso, última saída, exigências 630; força maior, motivos supervenientes, fatalista, necessitário, ludíbrio, joguete, títere, mão morta, bamburrista, determinista.
V. jazer sob uma necessidade; estar fadado/destinado/condenado; não poder deixar de; não ter direito à escolha/à alternativa; estar à mercê de, rodar à mercê da corrente, só ter uma saída, não ter alternativa, ser um jogo da fortuna, ficar contra a parede, ficar encurralado, não ter querer, ser fado de alguém, ter de cumprir o seu fadário, não depender de vontade humana, não depender do alvedrio de ninguém, ser por Deus que;
passar, querer Deus/o céu/a sorte/destino que; ficar-se com Deus, demitir de si a vontade;
entregar-se, abandonar-se, submeter-se, curvar-se, resignar-se, obedecer à lei do destino; entregar-se nas mãos de Deus, não haver apelo nem agravo; deixar rolar, deixar correr o marfim;
destinar, fadar, sentenciar, condenar, predeterminar, predestinar, reservar, preparar, obrigar, arrastar, compulsar, compelir 744; tornar-se necessário, implicar, preordenar.
Adj. necessário, úrgico, urgente (*imperativo*) 630; indispensável, inescusável, indisponível;
compulsório, obrigatório 744; irremovível, sem remédio, infalível, inevitável, irresistível, forçoso, inapelável, invencível, forçado, imperioso, impreterível, intransferível, irrevogável, inelutável, inexorável, fatídico,

fatal, inexorado, implacável, incurável, improrrogável, inadiável, matemático, indeclinável, incontrastável, irreformável, irremediável, irremissível; líquido e certo, favas contadas, pule de dez;
involuntário, desintencionado, instintivo, natural, automático, inconsciente, maquinal, inconsulto, impensado, mecânico, cego, onipotente, superior, providencial, inintencional 621; impulsivo 612; de pés e mãos atados, constrangido pela necessidade, atado ao seu destino, predestinado & v.; marcado, ordenado, prescrito pelo destino; destinado, aparelhado.
Adv. necessariamente & *adj.*; por necessidade, *ex necessitate rei*, à força 744; à fina força, de bom ou mau grado, queira ou não = *nolens volens*, a todo transe, dê onde der, fatalmente, de qualquer maneira, sem redenção, a todo pulso, custe o que custar, de qualquer modo, a todo custo/preço, por qualquer preço, *velim, nolim* = por bem ou por mal, haja o que houver, quer queira quer não, de boa ou má vontade, incondicionalmente;
sem reserva/restrição; na falta de outro melhor, em todo o caso, apesar de tudo, *per fas et nefas*, a martelo, corram as coisas como correrem, seja qual for o resultado, como não há outro remédio, se necessário for que, por mal, por providência divina.
Interj. que remédio!
Frases: Não há remédio. *Alea jacta est*. A sorte está lançada. *Che sará, sará*. O que for, soará. Isto é dos livros. Está escrito. Os seus dias estão contados. *Fata obstant. Diis aliter visum*. Força é que. Permitiu Deus que. Se Deus quiser. Se Deus for servido. Sua sentença está lavrada. *Ita diis placuit*.
Provérbios: O homem põe e Deus dispõe. *Nil medium est*.

△ **602. Boa vontade,** voluntariedade, simpatia, abertura; disposição, receptividade, acessibilidade, inclinação, pendor 865; disposição de espírito, humor, modo, veia, tendência, predisposição, propensão 820; queda *penchant (desejo)* 865; aptidão 698; docilidade, doçura, obediência, submissão, mansidão, mansedume, mansuetude, tratabilidade, brandura, cordura, meiguice, persuasão, persuasibilidade, genialidade, bom humor, cordialidade, alacridade, doçura de ânimo, solicitude, prontidão, diligência,
ardor *(desejo)* 865; maleabilidade, flexibilidade 324; assentimento 488; complacência, condescendência, indulgência 762, tolerância; prazer *(vontade)* 600.
V. estar de boa vontade, inclinar-se, pender para, propender, tender, ser todo ouvidos, ouvir atentamente, ter grande desejo, fazer bom rosto, prestar ouvido, querer, acolher bem, ser (dócil & *adj.*); sujeitar-se, habituar-se, acomodar-se, ajeitar-se, amolgar-se, adaptar-se, conformar-se, moldar-se, condescender, dignar-se, comprazer-se, obedecer, ser de mel, dispor-se, aprestar-se, prestar-se a, amoldar-se, oferecer-se, prontificar-se, estar de veia, estar de maré, estar com disposição, ver com bons olhos;
ver/julgar/ter por bom/por próprio; predispor-se, dedicar-se, aquiescer 488; concordar, corresponder, ter propensão para, destinar-se, sosquinar-se;
ter queda ou gosto para;
morder/engolir a isca; não ter escrúpulos de, não ver ossos em, crer facilmente 486; caprichar, esmerar-se, timbrar, fazer timbre, estar por tudo, docilizar-se.
Adj. complacente, disposto a, atreito a, inclinado a, contente, satisfeito, favorável, indulgente, tolerante, conciliatório;
favoravelmente inclinado, propenso, disposto; propício, nada avesso a, de veia, de bom humor;
pronto, solícito, prestativo, pressuroso, atento, oficioso, libente, cuidadoso, decidido, ávido 865; predisposto, atreito;
dócil, dúctil, manso, submisso, brando, pacífico, amolgável; sujeito a, persuadível, fácil, obsequente, aberto a, fácil a, obediente, disciplinado, gentil, benigno, acessível, maneável, flexível, manejável, prazenteiro = genial, gracioso, cordial, franco, cordato, doce de freio (dep.), doce de boca (dep.), boquimole (dep.); voluntário, gratuito, espontâneo = ultrôneo (desus.), livre 748; não constrangido;
Adv. complacentemente & *adj.*; melhoradamente, gostosamente, de bom grado, com prazer;
de boa mente, de boa vontade, melhormente, de grado, muito de grado, libentissimamente, de braços abertos, com a melhor boa vontade, *ex animo, con amore*, sem relutância, de livre e espontânea vontade, *ad libitum*, graciosamente, com todas veras do coração, por gosto, de gosto, de melhor

mente, por sua alta recreação, da melhor vontade, com ambas as mãos, de corpo e alma, *à la bonne heure*, por todos os meios, a contento do coração de alguém.

▽ **603. Má vontade,** involuntariedade, desinclinação, revolta, aversão, repulsa, repulsão, rejeição, aborrecimento, implicância, teiró, antipatia 867; repugnância, nolição, enfado, gana, renitência, relutância, constrangimento, indiferença 866; lentidão, morosidade 275; falta de alacridade, indocilidade (*obstinação*) 606; embirração, imaleabilidade, pesadume, pesume; escrupulosidade, escrupularia (fam.), escrúpulo, remorso, inquietação de consciência, indecisão, susceptibilidade, receio, hesitação 605; tédio 868; idiossincrasia, aversão 867; dissentimento 489; recusa 764; desconfiança, suspicácia, operação padrão, operação tartaruga.

V. ter má vontade, ser (desinclinado & *adj.*); não querer, relutar, desquerer, não estar de vez para, desgostar 867; queixar-se de, deplorar, não ter estômago para, não desejar para o seu maior inimigo, renuir, desvoluntariar-se ao sabor de alguém, renunciar, rejeitar, repelir, repulsar, evitar, sentir desinclinação por, descomprazer, antipatizar com, forçar-se, constranger-se; forcejar-se, pôr-se de fora, mostrar pouca vontade;

fazer mofo/má cara a alguém; opor-se 708; dificultar 704; dissentir 489; discordar, refutar, regatear, recusar 764; implicar com, cingir-se a, limitar-se a.

Adj. indisposto, maldisposto, não de veia, pouco inclinado a, desinclinado, avesso, hostil = infesto, contrário, desfavorável, retardativo, relutante, refratário, remisso, ignavo, adverso (*oposto*) 708; lento, moroso, frouxo, tíbio, escrupuloso, enojoso (*fastidioso*) 868; repugnante 867; obstinado, hesitante, infenso, suspicaz, inimigo, indócil, desobediente, recusador 764; involuntário, contrafeito = malgradado = constrangido, contrariado.

Adv. desinclinadamente & *adj.*; a contra-gosto, com razão ou sem ela, com pesar, de mau grado, *invita Minerva*, com língua de palmo, de má mente, sobreposse = contra vontade, a arrepelão da vontade, *nolens volens* (*necessidade*) 601; à fina força 701; sob pretexto, a desgosto de, arrastadamente, de má vontade, avessamente, sem espontaneidade, a pesar (com um possessivo), a mal, não 536;
em último caso, em último recurso, em última instância.

Interj. longe vá!, longe de nós!, abrenúncio!, credo!

FRASE: Em que pese aos.

△ **604. Resolução,** tenção, deliberação, decisão, determinação, propósito, inexorabilidade;
vontade indomável/inquebrantável/própria; vontade de ferro;
força de espírito/de vontade; liberdade, intenção 620; ação, firmeza (*estabilidade*) 150; fortaleza, energia, vigor, aguerrimento, coragem, impavidez, audácia 861; ardor 880; segurança, solidez;
encarniçamento, açodamento;
resolução heroica; *ultimatum* = resolução final e irrevogável;
domínio/posse/governo/conquista de si mesmo, autocontrole; coragem moral, força moral, firmeza de ânimo, perseverança 604a; tenacidade 606; leão;
ânimo, espírito, fortaleza, coração de aço, *homo suæ spontis* = senhor de suas ações, homem de fígados.

V. ter (determinação & *subst.*); saber o que faz, responder *ad rem*, ser resoluto & *adj.*; ser de atitudes francas e desassombradas, decidir-se, assumir, animar-se a, resolver-se, arremangar-se, dispor-se a, determinar-se a, querer, resolver, decidir 480, optar;
formar/chegar a uma determinação/a uma resolução; desembarrancar, pronunciar-se, meter-se em brio, definir-se, concluir, fixar, selar, determinar uma vez por todas, ter palavra de rei, ter muito a ponto que, dar um passo decisivo, dar um golpe de mestre (*escolher*) 609; desenlear-se, ir até o fim, não trepidar, não recuar 607; aceitar a luta, não eximir-se da responsabilidade, abrir o peito ao vento, andar seu caminho, mergulhar de cabeça, manter-se firme na sua resolução; gostar de pôr os pingos nos ii, não gostar de dubiedade, governar-se pela própria bitola, fazer vingar a sua vontade, conservar-se inabalável, passar por cima de bagatelas, aplicar-se, dedicar-se, entregar-se, devotar-se, doar-se, empenhar-se em, ficar firme 150; ser bom de febras, ser de atitudes definidas, levar a sua fisgada, resistir *magna*

vi, fazer face a, assumir atitudes, assumir risco, não se deixar iludir pelo canto da sereia, seguir rigorosamente a linha que traçou, perseverar 604a;

preparar-se para a luta, desentibiar-se, meter ou pôr ombros a uma empresa, apostar-se a, insistir em, timbrar, fazer capricho em, fazer questão de, ter a pique, caprichar, esmerar-se, fazer timbre.

Adj. resolvido, resolto, resoluto, decidido, precípite e cego, assente, determinado & *v.*; valoroso, deliberado, afoito, corajoso, assentado, capaz de vencer os maiores obstáculos, testo (fam.), feito, definitivo, peremptório, formal, *tranchant*, decisivo, seguro, firme, férreo, enérgico, atirado, de um só parecer, de um só rosto, duma só fé, dantes quebrar que torcer, inteiro, íntegro, inexorado, inexorável, implacável; que se não deixa dominar, pontilhoso, que desconhece o desânimo, inconcusso, inabalável, *tenax propositi*, inflexível 323; obstinado 606; de vontade férrea, de ferro, brônzeo, indomável, invencível, inconquistável, irrecuável, firme até a medula;

ardoroso, refletido, ponderado, de peso; decidido a, disposto a, apostado em, resolvido a, determinado, empenhado em, interessado em, disposto a levar a cabo sua ação.

Adv. de ânimo deliberado, com pulso de ferro, com mão firme, de cerviz empinada, de viseira erguida, à mão-tente, a pé firme, sem mais preâmbulos, sem hesitar, com firmeza e força, sem pestanejar, sem mais razão, a qualquer preço, por qualquer custo, por qualquer sacrifício, a todo risco, lícita ou ilicitamente, legítima ou ilegitimamente, custe o que custar, sem atender a sacrifícios;

sem medir/sem regatear sacrifícios; sem hesitação e tibieza, *à tort et à travers*, sem medo, com razão ou sem ela, tudo ou nada, assim como assim, de qualquer modo, por fas ou por nefas;

ainda que chovam mós de moinhos, nem que chovam canivetes, que chovam azagaias, aconteça o que acontecer, seja como for, a todo o transe, à fina força, a ferro e fogo, a todo preço, chova ou faça sol, *per fas et nefas*, a torto ou a direito, a bem ou a mal, *velim, nolim*.

FRASES: Quero e quero. Quero porque quero. Eu é que sou o... Quem faz a política sou eu. *L'Etat c'est moi*. Cá me entendo. Bem sei as linhas com que me coso. Os dados estão lançados. Há homem no leme. Não há remédio. *Non possumus*. Meu lugar é aqui. *Spes sibi quisque*. Quem quer os fins, quer os meios. *Alea jacta est*.

PROVÉRBIO: Cada qual sabe as linhas com que se cose.

△ **604a. Perseverança,** afinco, insistência, persistência, constância, continuação 143; permanência 141; firmeza 150; afincamento, aturamento, tenacidade, constância, fortaleza, fidelidade, lealdade, fieldade (pop.);

apego, aferro, aguerrimento, dedicação, coragem, porfia, consistência, firmeza de ânimo, trabalho assíduo, ardor, aplicação frequente, assiduidade, paciência, paciência beneditina, atividade 682; pertinácia 606; iteração 104; infatigabilidade.

V. perseverar, ser (perseverante & *adj.*); persistir, ter na alma a resistência de granito, ter firmeza, aturar, afincar, insistir, ancorar, conservar-se firme e constante, ser perseverante & *adj.*; pegar-se, ficar na sua, não se desviar de, levar as coisas a fio, desunhar-se em, apegar-se a, ater-se, aderir, agarrar-se a, aferrar-se a, acarrapatar-se, continuar 143; prosseguir, não cessar de, conservar-se fiel a, trabalhar assiduamente 686; morrer equipado, morrer no seu posto.

Adj. perseverante, porfioso, tenaz, ardoroso, imudável, inconcusso, constante, firme, inabalável, indesviável, inamolgável, irremitente, indefesso, incansável, assíduo, incessante, inquebrantável, indestrutível, brônzeo, infatigável, rijo de ânimo, desvelado, invicto, trabalhador, industrioso 682;

sólido, robusto, acérrimo, pertinaz, persistente, nunca esmorecido, indomável, forte, acarraçado, teimoso, dedicado, invencível 159; esforçado 686; seguro, devotado, fiel a, fido (poét.), leal, inalterável, imutável 150; inconquistável (*forte*) 150; fiel até a morte, constante, aturado, insistente, estrênuo, contínuo.

Adv. perseverantemente & *adj.*; *per fas et nefas*, sem falta, com perseverança & *subst.*; permanentemente, sem desfalecimento, sem esmorecimento, sem descontinuar, sem parança, sem descanso, sem solução de continuidade, com afinco, noite e dia, com

605. Irresolução | 606. Obstinação

insistência, sem fraquejar, à pé firme 604; *vogue la galère*, tira que tira.
Frases: Nunca diga: desisti. *Vestigia nulla retrorsum. Aperietur vobis.*
Provérbios: Quem porfia, mata caça. Alcança quem não cansa. Porfia mata veado e não besteiro cansado.

▽ **605. Irresolução,** falta de resolução, dubiedade, hesitação, indecisão, insegurança, inação, indeterminação, perplexidade, vacilação, vacilo, nutação, atarantação, variabilidade 149; incerteza 475; dúvida, suspicácia, desconfiança, diaporese, enleio, embaraço, titubeação, flutuação, flutuosidade, jiga-joga, zigue-zague, arrepsia, desorientação, empate, inconsistência, ambivalência, alternativa, dilema (*oscilação*) 314; falta de energia e de vontade, assinergia, prostração, frouxeza, frouxidão, frouxidade; variedade, inconstância, instabilidade, leviandade, flexibilidade 324; fraqueza, timidez 860; covardia 862; pusilanimidade, escrupularia, vontade mudável, meias medidas, meias-resoluções, panos quentes, paliativos, avanços e recuos, tibieza de ânimo, política fabiana, contemporização;
espírito vacilante = *anceps animus*, alma de chicharro, burro entre dois feixes de capim, boneco máquina, robô, autômato, fantoche, mão morta, banana, manequim, foguete, títere, instrumento, peteca, ludíbrio, borboleta, polichinelo, sombra de homem, andróide, vencido, tataranho, tataranha; tatibitate, bonifrate, canguinhas, organismo de gelatina, caranguejo.
V. ser (irresoluto & *adj.*); estar (indeciso & *adj.*), estar entre ambas-las-águas, deixar *ad referendum*, não dizer se é peixe nem carne, não saber o que quer, não se determinar por coisa alguma, não saber em que pé há de dançar, não saber que partido há de tomar, ziguezaguear, tremular, ter seus momentos de vacilações, nutar, flutuar, vacilar, vanguejar, não se pronunciar de pronto, amolecer, não saber para que lado se há de voltar, *non dum in scirpo quærere* = buscar dificuldades onde não as há, fazer bicho de sete cabeças, não saber para onde se voltar, ficar (perplexo & *adj.*);
ir a esmo, saltitar = mostrar-se inconstante, trepidar, tropeçar, fraquejar, hesitar, vacilar, tergiversar, boiar, pejar, recear, ficar neutro, ficar entre as dez e as onze, não dizer sim nem não, titerear, enlear-se, embaraçar-se, prender-se em teias de aranha, *e rivo flumina magna facere* = de um córrego fazer um grande rio, afogar-se em um copo-d'água, ficar engasgado, pairar entre duas opiniões, trastejar, oscilar 149; balançar, balancear, balouçar, bambear, voltear, voltejar, ranguejar;
transigir, pactuar, prender-se com bagatelas, titubear, embasbacar, tataranhar, contemporizar, mover-se a todos os ventos, postergar, remeter tudo para o dia seguinte, ir com o tempo, navegar com todos os ventos, empurrar com a barriga, condescender, ficar com as mãos atadas, atalhar-se, atar-se, desorientar-se, desnortear-se, escrupular-se, escrupulejar-se, escrupulizar-se, entibiar-se, querer e não querer, avançar e recuar, mudar 140.
Adj. irresoluto, indeciso = *inops, consilii*, vagaroso, flutuante, vacilante = *nutante*, indeliberado, falto de resolução, atado, embaraçado, incolor, incerto, versátil, vário, inconstante, suspenso, leviano, engaranhado = perplexo 475; ancípite, duvidoso, boiante, voltívolo, volante, acanhado, inhenho (desus.), atadinho (fam.), desorientado, cambaleante, variável 149; instável, volteiro, mudável, inconstante, contemporizador, dúctil, ligeiro, frívolo, pouco firme, volúvel, inconsiderado, sem lastro, ceráceo, enleado, paleaço, caprichoso 608; combatido de vários pensamentos, hesitante, areu, dúbio, fraco, frágil, timorato, inaudaz, tímido 860;
apoucado, covarde 862; meneável, flexível 324; frouxo, pusilânime, babaca (chulo), panaca (pop.), tíbio, irresistente, mole, molenga, molancas, molanqueiro, molanqueirão, friacho, frígido, incapaz de dizer sim ou não, que se deixa levar facilmente; arrastadiço, sem ação e sem vontade, incapaz de reação e resistência, desfibrado, conformado, resignado, que não ata nem desata; que é feito de avanço e recuos, desconfiado, suspicaz.
Adv. irresolutamente & *adj.*

△ **606. Obstinação,** pirronice, pirronismo, intransigência, emperro, emperramento, constância, cenreira = teima, teimosia, teimice, teimosice, turra, turrice, casmurrice, pique, insistência, porfia, renitência, obduração, caturrice, cicatice, ratice, cas-

murrada, casmurrice = burrão, encarniçamento, perraria, perrice, rabinice, firmeza (*perseverança*) 604a;
birra, embirradela, burrice, jumentice, rebeldia, rebeldaria, apego, obcecação, persistência, contumácia, reincidência, relapsão, relapsia, pertinácia, dogmatismo, tineta, relutância, maldade, tenacidade, incorrigibilidade, tenacidade de aço, impenitência, porfia, batalhação, imutabilidade, inflexibilidade 323; velha escola, cristão velho; abencerragens;
pervicácia, indocilidade, indisciplinabilidade, irredutibilidade, intolerância, fanatismo, dedicação excessiva, ideia fixa, fixação, obsessão, cisma, preocupação, *delenda Carthago* (*prejulgamento*) 481; enfatuação, obumbração, cegueira, monomania;
jumento, fanático, caturra, cicateiro, marruaz ou marroaz, sebastianista, saudosista, retrógrado, dogmatista, zelote, entusiasta, energúmeno, alfarrabista, pechoso, homem duro dos fechos, casmurro, caixa-d'óculos, tençoeiro, turrista, túrrio, turrão (fam.).
V. ser (obstinado & *adj.*), obstinar-se; torrar, ser a obstinação em pessoa, pôr os pés à parede, nascer de ferro e pouco dobradiço, insistir em, recavar, estar firme, obfirmar;
aferrar-se, apegar-se, amarrar-se a uma ideia; resistir *magna vi* = não ceder uma linha, não voltar atrás, fincar pé, entesar, teimar aos pés juntos, ficar na sua opinião e daí não sair, encastelar-se no último reduto, embezerrar-se, emburrar em, não se deixar arrastar, levar de birra, ir barlaventeando de tudo, não fazer caso de oposições, não dar pelo leme, fazer fincapé, jogar a sua última carta;
renitir, restribar, fazer-se forte, embirrar, encanzinar-se, insistir, caturrar, aferrenhar-se, encarniçar-se, encanizar-se, não dar o braço a torcer, birrar para alguma coisa, não tirar da cabeça, encasquetar-se, mostrar-se caturra, estar teimoso em, emperrar-se, teimar, turrar, recalcitrar, renhir, persistir (*perseverar*) 604a; não voltar a cara atrás, relutar, perseverar em, porfiar em, apegar-se a alguma coisa, refilar, remenicar, martelar, encaprichar-se, cismar, marralhar, fazer questão de, fazer capricho em, não transigir 606;

tornar obstinado, obcecar, desvairar, empolgar, cegar, apaixonar, preocupar, absorver, tornar contumaz; encasquetar (uma ideia).
Adj. obstinado, aguerrido, endurado, encabruado, marruaz, tenaz, firme, obfirmado, aferrado & *v.*; testudo, testaço, cabeçudo, cabeça-dura, teimoso, cismado, porfiador, porfiado, porfioso, birrento, ferrenho, pertinaz, tepês (pop.), *entêté*, tencioneiro, tençoeiro, arraigado, inveterado, persistente, casmurro, duro de cabeça, contumaz, reincidente, reverso, revel, relutante, imodificável; resistente, inamolgável, inconquistável, férreo, imoto, irreduzível; irredutível, inflexível 323; acasmurrado, imaleável, capitoso, indúctil, imutável 150; inerte 172; inexorável, abarroado, resoluto 604, empolgado por uma ideia que se lhe apossou do cérebro, impenitente;
severo, pirrônico, teimoso como um jumento, incorrigível, indisciplinado, obdurado, opiniático, opinioso, birrento, rabujento, embirrante, embirrativo, embirrento, perrengo, perrengue, orelhudo, turrão, vezeiro, recalcitrante, irretratável, caprichoso, voluntarioso, pervicaz, insubmisso, insubordinado, rebelde, relapso, renhido, encarniçado, refratário, ingovernável, incircunciso no espírito, de ânimo intransigente, casmurral, esturrado, radical, arrimado à sua opinião, encanzinado, dogmático, autoritário, fanático, surdo aos conselhos, impérvio à razão, perro, rebelão, rijo de boca, boquiduro, queixudo (bras.).
Adv. obstinadamente & *adj.*; sobreteima, sem desfalecimento, com muita teimosia & *subst.*; cerradamente, tira que tira, aos pés, juntos, à carga cerrada, a pé firme, a pé quedo, sistematicamente.
FRASES: *Non possumus.* É tarde. O dito está dito.

▽ **607. Tergiversação,** funambulismo, sinuosidade, volteadura, entretenida; mudança de intenção/de intento/de projeto; novas ideias, oportunismo, dimorfismo; mimetismo, melifluidade, retratação, palinódia, renunciação, arrenegação, arrenego, apostasia, abjuração, escapatória, evasiva, escaparate, deserção perjúrio, traição, transigência, capitulação, defecção, abandono 624; desemperro, bandeamento, transfúgio, conversão, recuo, retirada;

revogação, anulação, mudança, reviravolta, reviramento, malabarismo, arrependimento 950; *redintegratio amoris*, evolução, vacilação 605; fluxo e refluxo, ressaca, flutuação, veleidade = volubilidade, versatilidade, ductilidade, maleabilidade, contemporização, arlequinada, equilíbrio, volteio, adesismo, adesionismo;
vira-casaca, adesista, cristão novo, perjuro, apóstata, abjurante, arrenegador, arrenegado, renegador, renegado, moslemita, elche, convertido, bandeirinha, troles-boles, troca-tintas, prosélito, fugitivo, desertor, tornadiço, trânsfuga, tornilheiro = soldado desertor, díscolo, catecúmeno, evolucionista; palinodista, prófugo, oportunista, anfíbio, homem elástico, pelotiqueiro, vivedor, áulico, palaciano, engrossador, paceiro, veleta, cata-vento, camaleão, ventoinha 149 e 349; ambidestro, funâmbulo = anemobata, voltejador, equilibrista, transformista, *janus anceps* = Jano bifronte, Frégoli, arlequim, malabarista, borboleta, homem de duas caras = *vir ambiguæ fidei*, inconfidente; caráter inconstante = *ambiçuum ingenitum*.
V. tergiversar, ser (versátil & *adj.*);
mudar de ideia/de intenção, cambiar, dobrar de resolução = tergiversar, ladear, obliquar, ter fases como a Lua, borboletar, flautear, trastejar, retratar, cantar a palinódia, abjurar, desdizer-se, perjurar, trair, apostatar, arrenegar, renegar, recantar, quebrar a fé, arrepiar caminho, arrepiar carreira, desertar, apartar-se de, transfugir;
ceder, pactuar, recuar, capitular, voltar atrás, espreitar as ocasiões = *insidiari temporibus*, estar por tudo, meter-se na encóspias, mudar-se com as circunstâncias, navegar com todos os ventos; ficar em cima do muro;
acomodar-se ao tempo/aos ares; evoluir, evolver, evolucionar, modificar-se, arrepender-se 950; reformar o seu juízo;
retirar a expressão/a sua palavra; ceder, transigir, pactuar com, capitular, voltar com a palavra atrás, vender a consciência (*improbidade*) 940; aderir;
mudar de partido/de casaca/de religião; virar casaca, desdizer-se de sua opinião, acender uma vela a Deus e outra ao Diabo, retrair a promessa, virar de bordo, ir para onde sopram as conveniências, ter o dom de adaptação e de mutação, inclinar-se ao favor contrário, defender o pró e o contra, renunciar à vida monacal, desligar-se de, bater em retirada, despir a pele, descer-se da burra, desamarrar-se de sua opinião, desmaiar de sua resolução, despersuadir-se, descapacitar-se, dar o dito por não dito, assentar praça nas fileiras adversas, filiar-se no partido adverso, passar com armas e bagagens para, jogar com pau de dois bicos, reconsiderar, equilibrar-se, voltear na maroma, sopesar-se (*neutralidade*) 609a; não ter direito nem avesso, fazer pirueta, fazer diferentes caras e figuras;
ser como uma folha de álamo/como grimpa; não ser nem peixe nem carne.
Adj. versátil, cambiante, dimorfo, bandeiro, vário, volúbil, volúvel, voltário, volante, flutuante (*irresoluto*) 605, traidor; acomodatício, oportunista, movediço, tergiversador, sinuoso, bandeador, dessultório, prófugo, desertor, tornadiço, díscolo, apóstata, apostático, abjurador, abjuratório, inconfidente, dúctil, maleável, mudável como ventoinha, andejo, ceráceo, bajulador 933; melífluo, ambidestro, revogatório, reacionário.
Frases: *Tempora mutantur.* Tanto anda quanto desanda.

608. Capricho, fantasia, veleidade, vontade, humor, sestro, sécia = balda = veneta, impulso, pancada, manha, esnobismo, ingremância (pop.), ratada, ratice, fantastiquice, esquisitice, extravagância, originalidade, excentricidade, singularidade, esdruxulez, esdruxulidade, esdruxularia, estrambotice, frivolidade, frenesi, impaciência, preconceito, histeria, histerismo, impertinência, rabugem, rabugice, rebugeira, tineta, mania, cisma, telha, telhice, telhado, pancada, *escapade*, repente, *boutade*, leviandade, escapadela, estroinice, estúrdia, esturdice, destempero, verduras, desasos, desvairamento, devaneio, gosto estragado, luada, homem cheio de equipações.
V. ser caprichoso;
ter sua lua/seus dias de lua; meter-se na cabeça de alguém, dar na cabeça a/de alguém, engasgar-se com mosquito e engolir leão, ter fantasias, dar o ser a bagatelas, dar na telha a/de alguém, dar na veneta, esturdiar, estroinar, esdruxulizar-se, singularizar-se, encaprichar-se.

Adj. caprichoso, ruvinhoso, errático, rato, ratão = excêntrico, abracadabrante, fantástico, histérico, cheio de (caprichos & *subst.*); macavenco (reg.), esquisito, estúrdio, original, extravagante, esquipático, estapafúrdio, estrambótico, lunático, inconsistente, imaginoso, imaginário, estranho, singular, esdrúxulo, original, exótico, extraordinário 83; anômalo, volúvel;
absurdo, estouvado, inconstante, frascário, doidivanas, inconsequente, rabugento, avoado, catacúmbio, manhoso, sestroso, passarinheiro (bras.).
Adv. caprichosamente & *adj.*; sem razão nem rima, sem mais nem menos, sem mais aquela, por dá cá aquela palha.

△ **609. Escolha,** seleção, procura, opção, alternativa, discrição (*volição*) 600, crivo, peneira, critério; defloração, designação, dilema, *embarras de choix*, as pontas aceradas de um dilema, adotação, cooptação, decisão (*julgamento*) 480; sincretismo, ecletismo, babismo, eleição, pleito, votação, reeleição, urna, atas eleitorais, voto, sufrágio, voz deliberativa, voto cumulativo, voto secreto, escrutínio, pelouro;
escrutínio nominal, por lista, plebiscito, quirotonia, a voz do povo, *vox populi*, a opinião pública, manifestação das urnas, votação, cabala eleitoral;
cabalista, galopim, diribitor, eleitor, eleitora, eleitorado, cabo eleitoral, eletriz, votante, sufragista, mesa eleitoral, diribitório, mesário, excertos, apuração, respiga, respigo, respigadura, meio-termo, pancárpia, extratos, recortes, cata, direito de escolha; preferência, pendor, prelação, anteposição, predileção, inclinação, queda, antelação (jur.), preponência, simpatia, tendência, distinção, afeição (*desejo*) 865; mil vezes... do que...
V. escolher, procurar, entrescolher, tomar, optar; fazer opção/escolha/eleição; apurar;
dar/manifestar preferência; perfilhar, sobrepor, priorizar, preferir, tomar outro, deflorar, antepor, deixar uma coisa por outra, apartar, reservar, prepor, designar, pender, distinguir com a sua preferência, pronunciar-se por, decidir-se por, abraçar, esposar, adotar, propender para, tomar o partido de, inclinar-se por, desempatar, ir pelo, ser por, manifestar-se a favor de, votar, opinar, eleger, fazer pelouros, sortear com pelouros; oferecer à escolha de alguém, pôr diante de; apresentar, oferecer, exibir a alternativa; pôr a votos, submeter à votação, consultar, escrutinar;
verificar, recolher, apurar os votos;
eleger, escolher em escrutínio; sufragar o nome de, mandar ao parlamento, inscrever o nome de alguém no rol dos representantes da nação, aclamar, reeleger, louvar-se em, ter voz em, nomear os seus representantes, nomear, designar, selecionar, seletar, apanhar, colher, respigar, forragear, separar, pôr de parte, escanganhar, peneirar, joeirar, separar o joio do trigo 465; traçar uma linha de separação, cirandar, passar pela ciranda, passar pelo crivo, mascar, esgaravatar, catar, espiolhar, discriminar, antepor, fazer-se forte em, mais querer, gostar mais de, querer antes, não trocar... por..., trocar por;
dar um passo decisivo, decidir-se;
passar, atravessar o Rubicão; achar melhor;
ser (eleito & *adj.*); ser consultado à pantana, ser distinguido com o mandato.
Adj. opcional, preferencial, discricionário 600; votante, opinante, eleitoral, eletivo, predileto, escolhido & *v.*; seleto, eclético, sincrético, plebiscitário.
Adv. preferencialmente & *adj.*; a vontade 600; ou... ou..., ou um ou outro, antes... do que..., à escolha, de preferência, uma vez por todas, sobretudo, principalmente, maximamente, mormente.
FRASES: Mal por mal, antes o menor. Dos males, o menor. Melhor fora que.

▽ **609a.** (Ausência de escolha) **Abstenção,** igualdade 27; qualquer;
neutralidade, indiferença, empate, indefinição, irresolução, indecisão (*irresolução*) 605; abstencionismo, abstencionista; omissão.
V. ser (neutro & *adj.*); guardar neutralidade, não ficar com Deus nem com o diabo, abster-se, deixar de votar, não comparecer às urnas, refrear-se, contemporizar, deitar-se de fora, ver de palanque, deixar correr o marfim, acender uma vela a Deus e outra ao Diabo, ser mero espectador, não se envolver em, equilibrar-se, empatar, sopear-se, suspender-se, cruzar os braços 866; navegar entre duas águas, não (se pronunciar por 609); entrescolher, meter-se nas encolhas,

comprar grado e mangrado, comprar nabos em saco, fazer da necessidade uma virtude.
Adj. inativo, neutro, neutral, incolor, adiáforo = indiferente, suspenso, empatado, qualquer, indeciso (*irresoluto*) 605, indefinido, indistinto.
Adv. a esmo, ao sabor das ondas, coletício, altamaia, alto e malo, a ouro e fio, grado e mangrado, ao acaso, à toa, indiscriminadamente, a granel 156; por atacado, a varrer (bras.).
Interj. Seja lá o que for.
PROVÉRBIO: Tanto faz assim como assado.

▽ **610. Rejeição,** rechaço, recusa, repulsa, repúdio, repulsão, exclusão, abominação, banimento, proscrição, eliminação; derrota nas urnas, menosprezo, opugnação; aversão, desprezo, execração, ojeriza, asco, nojo, quizila, repelência, repugnância.
V. rejeitar, pôr de lado, repulsar, repelir, repudiar, repugnar, abandonar, desacolher, fazer abstração de, excetuar, excluir, refugar 764; desamparar, desacompanhar; derrotar, enjeitar, menosprezar, desprezar 930; fazer pouco caso de, desdenhar, varrer, banir, proscrever;
atirar/arremessar/mandar/jogar aos ventos/aos cães; romper, recusar, negar 536; descartar-se de 277; pôr de parte, depurar, desapadrinhar, enjeitar.
Adj. rejeitado & *v.*; derrotado, de que se não deve cogitar mais, repulso, repulsor, fora de questão, fora de combate.
Adv. nem um nem outro, abstração feita de, não 536.
FRASE: *Non hoec in federa.*

△ **611. Predeterminação,** prevenção, premeditação, predefinição, predeliberação, conclusão antecipada, *parti pris*, preconceito, propendência, incubação, conchavo, cartas marcadas, cambalacho, conluio, marmelada (gír.), maquinação, trama, tramoia, intenção 620; projeto 626; predestinação, vocação.
V. predeterminar, predefinir, premeditar, prefixar, prefinir, preconceber, preordenar, predestinar, talhar, prevenir, resolver de antemão, preparar, chocar, incubar;
levar o fito/a mira em; tomar medidas, predispor, conchavar, conluiar, maquinar, tramar.
Adj. preconcebido, preconceituado, predeterminado & *v.*; predesignado, aconselhado, calculado, intencionado, deliberado, estudado, combinado, refletido, propositado,
bem-posto, bem planejado, bem concebido, maduramente arquitetado, sobrepensado.
Adv. com conhecimento de causa, cientemente, deliberadamente, de propósito, adrede, por querer, premeditadamente, de sangue--frio, com premeditação, de caso pensado, sistematicamente, de indústria, calculadamente, de tenção feita, conscientemente, propositalmente, intencionalmente 620, de carta marcada, de cambalacho.

▽ **612. Ímpeto,** tesura, impulso, repente, arranco, *drive*, arrebatamento, arroubo, precipitação, impulso repentino = veneta, elã, impulsão, pensamento súbito, rompante, assomo, acesso, crise, prurido, impremeditação, improvisação, inspiração, toque de Deus, raio de luz, jacto, lampejo, espasmo, privação dos sentidos;
improvisador;
homem de impressão/de primeira impressão; indivíduo impulsivo.
V. relampaguear no cérebro, ser coisa do momento, dizer o que vem à boca, improvisar, extemporizar, ter um acesso de, acometer; assomar, irromper.
Adj. impetuoso, extemporâneo, incogitado, impulsivo, indeliberado, impremeditado, natural, maquinal, instintivo 601; espontâneo 600; subitâneo, repentino, inesperado 508, espasmódico; imprevisto, arrebatado, irrefletido, precipitado, brusco, incondicional, que se operou num repente, impensado, inconsulto, repentino, epiléptico.
Adv. impetuosamente, extemporaneamente & *adj.*; de repente, de súbito, de improviso, *impromptu, à l'improviste*, na premência da ocasião, sem cogitação prévia, inconscientemente, sem pensar, sem prévia combinação, sem prévia reflexão, sem mais razão, de impensado; num acesso de cólera/de entusiasmo; num de seus repentes.

△ **613. Hábito,** costume, vezo, moda, uso, usança, prática, manhas, forma, voga, padrão, mesmice, prática constante e consagrada, sistema, toada, modo, maneira, praxe, precedentes, rotina, senda, enga, doito (ant.), soeiras, costumeiras, costumagem, tradição, tradicionalismo, provincianismo;
costume/hábito geral, velho, imemorial, natural, tradicional, inveterado, arraigado; trilha batida, caminho trilhado; chavão;

prescrição, observância, procedimento, tenência, convencionalismo, etiqueta 851; ordem permanente, conformidade 82; misoneísmo;
ramerrão, ramerrame, nhem-nhem-nhem; cantochão, ladainha, cantilena, caminho coimbrão, estrada coimbrã, velha escola, *veteris vestigia flammæ, laudator temporis acti*, esnobismo, esnobe, a maioria, sebastianista, geral, parrana, praxista, tradicionário, tradicionalista, saudosista, pé de boi, misoneísta, burocrata, regra, norma, treita medida, precedentes, toupeira, pragmática, burocracia, fórmulas burocráticas, formalidade, longo tirocínio, pegada, batida; cacoete, assiduidade;
treinamento (*educação*) 537; aclimatação, segunda natureza, radicação, ceva, cevo = treina; perícia 698; calejamento.
V. habituar(-se), acostumar(-se), adaptar(-se), estar (acostumado & *adj.*); não estranhar, achar muito natural;
adotar um costume 82;
pisar, seguir, palmilhar a vereda batida; *stare super antiquas vias*, imobilizar-se, anquilosar-se, não evoluir, recuar = ter ideias contrárias ao progresso, não sair da trilha, marcar passo, conservar os seus antigos hábitos, inveterar, afazer, dispor, avezar, amoldar, aguerrir, aguerrear, conformar, familiarizar, banalizar, aclimar, aclimatar, nacionalizar, ensinar, educar 537; impor-se (ant.), acompanhar, treinar, domesticar, amadrinhar (bras.), amansar, adestrar, afreguesar, criar à mão, engar, cevar, saginar, encarnar, encarniçar;
adquirir, contrair, tomar o costume; cair no costume, afeiçoar-se, aderir, ficar adito a, entregar-se a, adaptar-se a, ser habitual, vir à moda, tornar-se uso, generalizar-se, criar raízes, radicar-se, arraigar-se, enraigar-se, passar a costume, estar (curtido & *v.*); ir à enga.
Adj. habitual, normal, sacramental, sólito, indispensável, guisado (ant.), costumado, useiro e vezeiro, costumeiro, costumário, consueto, assíduo, prescritivo, consuetudinário, tradicional, cadimo = usual, da vida diária, pragmático, do estilo, de praxe, geral, miúdo, ordinário, comum, frequente, vulgar, ramerraneiro, rotineiro, banal, curial, trivial, sediço, usado, cotidiano, que se repete todos os dias, batido, repetitivo, diário, cotio, regular, recebido, estabelecido, aceito, consagrado, admitido, corrido, corriqueiro, corrente, dominante, bem palmilhado, bem conhecido, familiar, clássico, inveterado; conforme 82;
segundo o costume/a rotina/a praxe; em voga;
habituado, acostumado, avezado, afeito, atreito, adito, preso, dado, amoldado, dedicado, arrimado, o hábito de, retrógrado, misoneico, antiprogressista, conservador, reacionário, fixo, casado, arraigado & *v.*; enxertado, permanente, intrínseco.
Adv. habitualmente & sempre 16; geralmente, diariamente, de cote, como de costume, como é praxe, *ad usum*, a uso de, à moda de, *instar omnium* = como toda gente, à usança, de costume, por costume = *de more*; *in morem*, na maioria dos casos, por via de regra, de regra, muitas vezes, quase sempre, as mais das vezes, cada vez que, sempre que, sistematicamente, por sistema, por formalidade, de profissão;
segundo a regra/o costume/a lei de; *more suo, more solito*.
FRASES: *Cela s'entend*. Isto é de regra. O regular é fazer. O costume faz lei. *Quod fere fieri solet* = o que acontece geralmente.

▽ **614. Descostume,** desábito, dessuetude, desvezo, exceção, insolência, desuso, vida nova, ressurreição, falta de hábito, infrequência, anormalidade 83; inexperiência, bisonhice, bisonharia, novidade, novação, inovação, ablactação, desmame, desmama, minoria; infração (de costume), descumprimento; contestador, extraterrestre (Fig.), astronauta (Fig.), alienígena (Fig.), *outsider*.
V. estar (desacostumado, descaçado etc. & *adj.*); ser progressista;
desavezar, desacostumar, descostumar, desabituar, descaçar-se, desafazer;
tirar/perder a manha/o costume; desaclimar, desaclimatar, desnacionalizar, desarrancar, desarraigar;
violar, infringir, transgredir, abandonar, romper com, pôr de parte, calcar aos pés uma prática/um precedente/uma praxe; sair do ordinário/do sério; abandonar a rota trilhada, mudar de vida, arrepiar carreira, reptar a tradição, ferir o espírito da rotina, desmamar, ablactar, destetar, desaleitar, apartar, desquitar (pop.), cessar, desusar, estar fora de uso;
evoluir, progredir, melhorar 658.

Adj. desvezado, desacostumado & inábil 699; novador, invulgar, peregrino, inusitado, desusado, insolente, insólito, incrível, extraordinário, impraticado, desafeito, desabusado, novo, contestatório, insueto, bisonho, inexperiente, principiante, novato, novel, anômalo 83; anormal, infrequente, inopinado, inopino (poét.), fora do usual, pouco exemplar, excepcional, sem precedente; transgressor, descumpridor; progressista, inovador, revolucionário.

II. Causas

△ **615. Motivo,** motor, causa propulsora; razão, fundamento, base, princípio, mola real, *primum mobile*, móvel, alma, princípio vital, nervo, sangue, segredo, elemento vital, essência, condição essencial, o porquê e o portanto, a *causa causans*, o pneuma, o pró e o contra, a razão por quê, a cúpula, motivo secreto, *arrière pensée*, segunda tenção, intenção 620, motivação, causa; ambição, vontade, impulso, pulsão; convicção, convencimento;
indução, consideração, atração, atrativo, ímã, magneto, magnetismo, força magnética, reclamo, visco, engodo, chamariz, aliciação, tentação, cócegas, sedução, induzimento, provocação, instigação, sopro, acoroçoamento, careio, açulamento, sugestão, força, aguilhoamento, concitação, encanto, encantação, amuleto, feitiço 993; carícia, lisonjas, afago;
palavras melífluas/adocicadas; mão pendente, peita, suborno, corrupção, prato de lentilhas, canto de sereia, cevo, petinga, negaça, atrativos;
pomo, fruto proibido; maçã de ouro, bandeirolas, persuasibilidade, atraimento, aliciamento, cooptação, atratibilidade, força de atração, fascinação, fascínio, tantalização; impressionabilidade, suscetibilidade, brandura, meiguice;
influência, preponderância, hegemonia, ascendência, supremacia, ação, influxo, influxo moral, excitação, estímulo, incentivo, ditame, injunção, instância, impulso, impulsão, incitação, incitamento = rebate, solicitação, atiçamento, premência; assopro, inspiração, bafo, alento, persuasiva, persuasão, poder (persuasivo & *adj.*); insinuação, encorajamento, animação, exortação, conselho 695; suasão, súplica 765, esporas de fogo, acicate, látego, lategada, espora, esporada, acúleo, aguilhão, ferrão (bras.), azorrague, estimulante, aperitivo, beliscão, beliscadura, excitante afrodisíaco, perrexil, encarne, injeção de óleo canforado;
gorjeta, isca, anzol, chama, agude, sedutor, promotor, concitador, açulador, incentor, fomentista, instigador, atiçador, inventor, provocador, atiça (fam.), causador, persuasor, excitador 824; induzidor, indutor, agitador, bota-fogo, incendiário, ignívomo, acendedor, sereia, Circe, alma, cabeça, o cérebro e o braço, o impulsor e condutor de, o alimento de, agente, a alma danada, a figura principal, protagonista, autor, *alma mater.*
V. induzir, mover, excitar, inflamar 824; motivar, causar, propiciar, implicar, desencadear, fazer acontecer, forçar, arrastar, carear, empuxar, levar a, abalançar, fascinar, dar coca, atrair, captar, cooptar, aliciar, ganhar, suscitar, despertar, provocar, impulsar, impulsionar, dar impulso a, levar à afinação de, inspirar, sugestionar, sugerir, insistir, ditar; espertar, puxar, pungir, prurir;
reacender, alimentar, concitar, acoroçoar, acirrar, açular, alentar, insuflar, apressar, ser a linha de, beliscar, veliscar, meter em brios, reavivar, infundir coragem, afoitar, animar, atiçar, incitar, picar, assomar, inocular, abrasar, encandecer, aguilhoar, chuçar, mordicar, ferretoar, espicaçar, agarrochar, aguçar, estugar, atabular;
provocar, fomentar, semear, encorajar, levantar o ânimo, incutir coragem, entusiasmar, desentibiar, instigar, açodar, influenciar, infundir energia, pesar, exercer uma ascendência, fazer vibrar a corda de, preponderar, agir, atuar, exercer influência, merecer, influir, concorrer para, predispor, fazer pender a balança, capacitar, compenetrar, encasquetar, calar no espírito de, engodar, cevar, saginar (*enganar*) 545; virar a cabeça a, seduzir, atrelar, fazer alguém do seu partido, insinuar, magnetizar;
persuadir, instilar, convencer, imbuir, inculcar, ungir, vencer, falar alto, falar mais alto; ganhar, conquistar, ganhar terreno, procurar, alistar, recrutar, angariar, cativar, fascinar, prender o coração, subjugar, dominar, morder, estimular, sovelar, assovelar, assovinar, irritar, apimentar, dourar a pílula, colorir, subornar, peitar, corromper, render alguém com peitas;

untar as mãos/as rodas/as unhas; dar a alguém um osso a roer;
impelir 276; propulsar 284; chicotear, esporear, arrimar esporas ao cavalo, afilar, filar, acirrar, encarniçar, desentibiar, atear o fogo, aconselhar 695; pedir 765; dar o exemplo, estabelecer a moda, advogar;
ser (persuadido & *adj.*); ceder à sedução, deixar-se levar pelo canto da sereia, consentir 762; obedecer ao chamado; deixar-se subornar, corromper-se;
seguir os impulsos/os ditames/os conselhos; chegar ao relho.
Adj. motivador, motor, impulsor, motriz, acionador, propulsor, impulsivo, instigador, estimulante = hiperestésico, indutivo, indutor, suasivo, suasório, persuasivo, persuasório, insinuante, insinuativo, exortativo, convidativo, tentador, tentativo, sedutor, atrativo, fascinante (*agradável*) 829; provocativo, provocatório, provocante (*excitador*) 824; incitativo, incitante, incitador, excitante, excitativo, excitatório, excitador, alevantadeiro (ant.), mordicante, mordicativo, afrodisíaco, aperitivo, induzido (v. persuadível (*dócil*) 602); peiteiro;
encantado, movido, deslumbrado, inspirado, predisposto, inclinado, propenso, atraído, elícito.
Adv. impulsivamente & *adj.*; portanto, visto que, atento que, pelos olhos de, pelos belos olhos de, na qualidade de, por virtude de, em razão de, por efeito, *ex vi* de, em atenção a, por consideração a.
Interj. eia!, sus!, ora sus!, coragem!, ânimo!, avante!, à unha!

▽ **615a. Ausência de motivo,** capricho 606; acaso 621; motivos desconhecidos, causas ignoradas, inércia, automatização; gratuidade, improcedência.
V. não haver motivos, não haver razão, escrupulizar-se 603; não ver motivos.
Adj. maquinal, inerte, inercial, automático; gratuito, improcedente, infundado, injustificado.
Adv. sem rima, sem razão, sem causa justificada 621; por capricho; inercialmente, automaticamente.

▽ **616. Dissuasão,** despersuasão & *v.*, desencantamento & *v.*, reclamação, queixa, expostulação, advertência, desadmoestação, desengano, desanimação, desestímulo, desmotivação, esfriamento, esmorecimento, ducha d'água fria, desalento, desmorecimento; água na fervura.
coibição 751; freio 752; dique (*obstáculo*) 706; relutância 603; contraindicação.
V. dissuadir, desmotivar, apartar/tirar de um propósito, abalar alguém do seu propósito, despersuadir, desenganar, desencantar, descoroçoar, desacoroçoar, descorçoar, desimaginar, desinfluir, desaconselhar, desadmoestar, desaferrar, desafervorar, desemperrar, desarmar;
tirar da cabeça de, desencabeçar, desencasquetar, bradar contra, advertir, exprobrar, reclamar, queixar-se, contraindicar, contrapesar, desfazer, indispor, demover, abalar, intimidar, tirar o ânimo, desanimar, fazer frio a alguém, desalentar, desestimular, esfriar, entibiar, esmorecer, jogar um balde de água fria em, contrariar, arrear, desencorajar, resfriar, acalmar, aquietar, pacificar, fazer voltar a calma e a reflexão, desviar alguém de sua resolução, desengodar, desiludir, fazer cair os braços;
amortecer/arrefecer o entusiasmo de; rechassar, desviar de 279; refrear, servir de freio (*obstáculo*) 706.
Adj. dissuasivo, dissuasor (p. us.), dissuasório, obstinado 606; avesso 603; repugnante 867; expostulatório; impérvio às sugestões 606.
Interj. livra-te!

617. Alegação, pretexto, azo, apologia, razão especiosa, remendo, evitação, escusa, desculpa 937; justificação, justificativa, argumentação, argumento, alegado, salvatério, pressuposto, arrazoado, consideração, aparência, motivo fútil, falsa aparência, cor, disfarce, escapatória, escaparate, evasão, evasiva, encoberta, fuga, fugida, saída, subterfúgio 477; meios, recursos, oportunidade, motivo, *locus standi,* álibi;
poeira nos olhos, capa, capote, carantonha, caraça, máscara;
mero, estafado;
desculpa esfarrapada/de mau pagador, história mal contada; razão de cabo de esquadra, falsa alegação, coarctada, uvas verdes, sofisma, conversa-fiada, conversa para boi dormir, palavras melífluas 933; a mais inaceitável das hipóteses.
V. alegar, ponderar, escusar-se, desculpar-se, prelevar, expor, apologizar, colorir, re-

vestir, coonestar, justificar-se 937; dar como pretexto, dar por motivo, dar cor a mentira, subterfugir, pretender (*mentir*) 544; pretextar, tomar por pretexto/desculpa, alegar como escusa, alegar por desculpa, servir-se do pretexto, idear, mentir 546.
Adj. ostensivo (*manifesto*) 525; alegado, apologético, pretendido 544 e 545; pretenso.
Adv. ostensivamente & *adj.*; com a cor de; sob a cor/o color/o pretexto de; com o fim aparente de, sob a alegação de, a título de, sob o estafado pretexto de; alegadamente, supostamente.

III. Objetos

△ **618. Bem,** benefício, molagem, vantagem, melhoramento 650; interesse, serviço, favor, obséquio, mercê, proteção, colheita, messe, vindima, ceifa, utilidade, proveito, *sumum bonum*, o supremo bem, pepineira, pechincha, melgueira, bem-estar, conforto, interesse geral, bem-estar comum, ganho, lucro, ganhame, fruto, logro, regalia, dom 784; ótimo serviço, bênção, graça, recompensa, prêmio, favor do céu, ventura, consolo, bafejo da fortuna, megassena, loteria, sorte grande = taluda (pop.);
boa fortuna, boa estrela, boa sorte, achado, sacrário, tesouro, riqueza, virtude, sacerdócio, preciosidade, joia, mina, prosperidade 734; felicidade 827; trincho, bom êxito 731, sucesso;
(fonte de bem): bondade 648; utilidade 644; remédio 662; saúde, fonte de prazer 829.
Adj. louvável 931; útil 644, proveitoso; bom 648, afortunado, feliz.
Adv. bem, satisfatoriamente, no seu justo valor, às mil maravilhas, otimamente, a contento de todos, favoravelmente, para benefício de, em favor de, a bem de, prosperamente, de vento em popa, suavemente.

▽ **619. Mal,** dano, estropício, avaria, estrago, malfeitoria, malefício, malogro, fracasso, revés, prejuízo, desvantagem, nocividade, maquinação infernal, caixa de Pandora, túnica de Néssus, leito de Procusto, enfermidade, gangrena, estiômeno, detrimento, desproveito; sofrimento, vicissitude, angústia; golpe, arranhadura, contusão, machucação, ferida, flechada, cutilada, tagantada, golpe de montante;
golpe decisivo, tiro de misericórdia;
doença fatal/terminal, ferida mortal, *vulnus immedicabile, vulnus insanabile*, ferida incicatrizável, cancro, câncer, chaga, peste, úlcera, lepra, doença, cizânia, mau serviço, desserviço, perdição, descalabro, perda, lazeira, miséria, desgraça 735; ruína, estrago, pernície, desastre, acidente, casualidade, pontapé, sinistro, fel, erva daninha, mau negócio, pinoia;
coisas do demo, sacrilégio, uma dos diabos, infortúnio, calamidade, cratera, praga, flagelo, flagício, suplício, tortura, cataclismo, catástrofe, fogueira, derrocada, drama, tragédia; mala-aventura, desventura, adversidade 735; joio, inconveniente, gravame, percalço, transtorno, contrariedade; tormento, sofrimento moral 828; demônio 980; veneno 663; ruindade 649; infelicidade, padecimento 830; ente malfazejo 913;
ultraje, afronta, injúria, azar, expoliação 791.
Adj. mau, ruim 649; dos diabos, lesivo, de revés, maléfico, maligno, danoso, pernicioso, ruinoso, trágico, catastrófico, infeliz, desastroso, adverso, demoniaco, infernal, calamitoso.
Adv. mal, maleficamente & *adj.*, em mau caminho, não bem, de modo imperfeito, arrastadamente, dificultosamente, erradamente, perversamente, desfavoravelmente, com custo, contra a moral, em detrimento de, por mal de.

2º) Vontade em projeto

I. Conceito

△ **620. Intenção,** intento, vontade, tenção, desígnio, pressuposto, intencionalidade, mente, fim, finalidade, propósito, *quo animo*, fito, intuito, desiderato, desejo, volição, objetivo, programa, projeto 626; empresa 676; premeditação, predeterminação 611; ambição, contemplação, ânimo, vista, cláusula, proposta;
causa final, razão de ser, *cui bono, cui prodest*, objeto, escopo, alvo, a menina dos olhos de, a preocupação de, mira, fito, meta, empenho, sentido, para quê; tendência 176; presa, caça, destino, ofício, decisão, determinação, resolução, firme e decidido propósito, *ultimatum*, desejo 865; *arrière pensée*, segundo

sentido, reservado, segundas vistas, pensamento íntimo, ideia; estratégia, tática, método, plano;
(estudo das causas finais): teleologia.
V. pretender, tencionar, planejar; conceber (a intenção, o desígnio & *subst.*);
ter/levar em vista/em mira/em mente; visar (a), objetivar; ter como objetivo;
fazer tenção/desígnio de; ter propósito, ter a pique, meditar, planear, revelar o propósito de, querer, intentar, atentar, andar para; pôr/ter a mira em;
ser intuito de, levar em mente, ter alguma coisa nos lábios, ter cérebro, cogitar, tratar de; trabalhar por, empenhar-se em, apostar-se a, procurar, aspirar a, alvejar, apontar, dedicar-se a, ambicionar, pensar em;
levar a mira/o intento/o fito; sonhar com, incubar, premeditar 611; calcular, destinar, reservar, sobrepensar, tomar sobre si, projetar 626; ter vontade de 602; desejar 865/ perseguir 622 um fim determinado;
levar/ter um fim determinado.
Adj. intencionado & *v.*; intencional, proposital, expresso, determinado, predeterminado 611; destinado a, interessado em 604; em jogo, na bigorna, no tapete, em vista, em prospecto, *in petto.*
Adv. intencionalmente & *adj.*; de mamposta, de propósito, a sabendas (ant.), com conhecimento e notícia, refletidamente, sobrepensado, adrede, por querer, de caso pensado, de tenção feita, com intenção, deliberadamente, a sangue-frio, propositalmente, apostadamente, estudadamente, acintosamente, de indústria, de peito feito, à aposta, de aposta;
a fim de, no intuito de, para que, a fim de que, a fim que, com o intuito de, com o fim de, com o objetivo de, com intento de, com propósito de, a efeito de, com a intenção de, em consequência de, conforme, em virtude de, para todos os fins e intenções.

▽ **621.** (Ausência de desígnio na sucessão dos acontecimentos) **Casualidade,** obra do acaso 156; sorte, destino 601; felicidade, ventura 618; impremeditação 612; atecnia; fortuitidade, casualidade, fatalidade, aleatoriedade, inopino, serendipidade;
especulação, aventura, sucesso, imprevisto, jogo de azar, tiro cego, salto nas trevas, nabos em saco (*incerteza*) 475; surpresa, susto, coisa imprevista, lance de dados, jogo = batota, patota, trapaça, tribofe, maço, sortilégio, sorte, sorte grande, carambolim, azar, *sortes Virgilianae*, branco ou preto, armadilhas, coroa ou cabeça, trinta e um, aposta, roleta, dados, rifa, loteria, sorteio, tômbola, batoteiro, patinho, pato, patoteiro, peru, sapo, pexote, jogador, aventureiro.
V. acontecer 156; correr o risco (*possibilidade*) 470; lançar para cima;
deitar, apostar, tirar sortes, sortear, rifar, lotar, lançar sortes, tirar à sorte, deixar ao acaso, confiar no acaso, tentar fortuna, tentar a sorte, fiar-se, aventurar-se, malparar, arriscar(-se);
expor-se à sorte, à boa/má fortuna; jogar, pescar, arriscar temerariamente, especular, experimentar a fortuna, jogar na loteria;
andar às tontas/ao acaso; vagar, vaguear, vaguejar, proceder sobre bases incertas, comprar nabos em saco, expor à sorte, tombolar; caber, tocar.
Adj. fortuito & 156; casual, eventual, aleatório, randômico, ocasional, adventício, ventureiro, inopinado, sorteado & *v.*; acidental, impremeditado 612; imprevisto, imprevisível, aventureiro, entrelopo;
indiscriminado, promíscuo, sem desígnio, vagabundo, possível 470.
Adv. casualmente & *adj.* por engano; por acaso, por sorte, de surpresa; de inopino; *en passant*, a propósito, incidentemente, por erro, a esmo, a granel, a monte, a montão, ao acaso, à toa, à ventura, a Deus e à ventura, à sorte, sem escolha, sem destino, sem premeditação, sem preferência, ao Deus dará, à faca, às tontas, à procura de sensações.

△ **622.** (Desígnio em ação) **Perseguição,** acossa (pop.), acossamento, acosso, empresa 676; negócio 625; aventura 675; trilha, rasto, rastro, pista, pegadas, rabeira, busca 461; encalço, batida, luta por, esforço por, buzina e grito, cães 366; matilha, canzoada, cainçalha, cachorrada, caçada, caça, corrida, voaria, volataria, falcoaria, montaria, montearia, monteada, aucúpio, veação, *steeplechase*, carambola, arte venatória, cinegética, pesca, pescaria, piraquera, tinguijada, fisga, arpão, anzol, rede 545; caçadeira, armadilha 545; toural;
perdiz de chamada, encarne, pesquisa, faiscação, exploração, trauta (p. us.);
caçador profissional, Nimrod, monteiro, veador, monteador, matilheiro, pescador,

passarinheiro, faiscador, faisqueiro, polvorinho.
(Arte de pesca): haliêutica;
(arte de caça): cinegética, troviscada, tingui de peixe ou cupuim, timbó, tinguijada 663.
V. perseguir, tourear, tourejar, acossar, grudar em, não dar trégua a, correr atrás, traquejar, procurar, urgir, afadigar-se, ir após, ir sobre, dar caça, tratar de alcançar, seguir, correr na pista de, ir na alheta de, rastejar, rastrear, seguir a abalada das perdizes, campear, encalçar 281; redar, lançar a rede, pescar, caçar, fazer uma boa caçada, montear, caçar perdizes a corricão, levantar a caça, maticar, desencovar, desaninhar, desemboscar, desacoitar 185;
executar 680; empreender 676; pôr mãos à obra 66; tentar 676; pedir 765; procurar 461; alvejar 620; seguir a pegada 461; seguir/ir nos calcanhares de, apressar 684; correr a toda a brida 274;
atirar-se sobre, abater-se, precipitar-se sobre, cair sobre, falcoar, seguir uma pista, dirigir os passos para, cavalgar, bosquerejar; passarinhar, pescar, mariscar, tarrafar, tarrafear, tinguijar (bras.), embudar.
Adj. perseguidor, seguidor, rastreador, marisqueiro, monteiro, caçadeiro, haliêutico, piscatório, piscativo, písceo, venatório, persecutório, cinegético, rateiro.

▽ **623.** (Ausência de perseguição) **Transigência,** abstenção, esquivança, refreamento, inação 681; neutralidade 609a; *laisser faire*, condescendência, anuência, acomodação; inércia, omissão, mobilismo, indolência, frouxeza, tibieza;
fuga, fugida, fugimento, evasão, escapada, escapadela 671; fugacidade, debandada 287; retraimento (recuo) 277; partida 293; rejeição 610; retirada, estouro (de boiada), arranque, arrancada, arribada, disparo, disparada; parasita, vagabundo, desertor, fugitivo, fugião, fujão, quilombola, mocambeiro, calhambola, mocamau (bras.), refugiado, homiziado, emigrado, expatriado, foragido, perseguido.
V. abster-se, sobrestar, refrear-se, abnegar-se, subtrair-se, esquivar-se, eludir; transigir, acomodar-se, condescender, imobilizar-se, omitir-se;
evitar o trato, refugir, escabrear-se, abrir o pé, aforritar, fugir com o corpo, roubar-se, furtar-se, eximir-se, refugiar-se, homiziar-se, foragir-se, esconder-se, forrar-se, poupar-se, prevenir, poupar, quitar, conservar-se de parte, deixar só;
nada ter que ver com, não ter parte, não ter interferência, ser alheio a, arredar-se, fugir a, impedir, atalhar, fugir envergonhado, conservar-se arredio, conservar-se a respeitosa distância, conservar-se fora do caminho, arredar-se do caminho, retrair-se, descartar-se, livrar-se, afastar-se de, fazer víspere = vispar-se, recuar 277; sumir-se, retirar-se, abalar, estourar, moscar, desarvorar-se (fam.), fazer ablativo de viagem, ir de batida, virar de querena;
passar o pé/as palhetas; bater a plumagem, azular, desaparecer, escapulir(-se), descampar, raspar-se, pôr-se na pireza (pop.), pirar-se (pop.), evaporar(-se), ir-se rebolindo, pisgar-se, safar-se, mandar-se, bater as asas, despedir os passos de um lugar, escafeder-se (burl.); tingar-se, escapar, ir de fugida; bater/ir em retirada; debandar, dispersar-se, cair fora, dar o fora, dar o pira, dar no pé, bater asas, dar às asas, dar(-se) aos calcanhares, arrancar-se, desunhar-se, pôr-se ao fresco, ir de abalada, passar/pôr sebo nas canelas, virar as costas, fazer à vela, fazer de vela, ir em debandada, mostrar as costas ao inimigo, escapar pela malha, desertar, lançar-se a monte, meter a cara/o pé no mundo, lançar-se com o inimigo, departir-se, desbandar, escamalhoar-se, escamugir-se, desabelhar, escorcemelar-se, escucir-se, dar às de vila-diogo, tomar as de vila-diogo, dar às trancas, safar-se, esgueirar-se, pildar (chulo), largar-se, largar terra para favas, ir-se embora, ir-se puxando, levantar o voo, dar às pernas, ausentar-se, escamar-se (pop.), fazer-se à malta, pôr-se a andar, evadir-se, rodar sobre os calcanhares;
dar à canela, dar às gâmbias, sair furtivamente, despedir-se em latim, sair à francesa, sesmar, levantar acampamento, puxar a carroça; separar-se, descampar, escapar 671; ir(-se) embora 293; abandonar 624; rejeitar 610; mostrar as ferraduras, mostrar bonito par de calcanhares, fazer volta-cara.
Adj. fugitivo, fugaz, fugace, fugiente, fujão, fugidio, fuginte, fugidiço, tornilheiro, foragido, prófugo, emigrado, homiziado, fugente, indoméstico, indomesticável, tímido, ti-

morato, bravio, arisco, esquivo, refratário, arredio.
Adv. fugitivamente & *adj.*; com receio de que, em fuga; de ou em rota batida.
Interj. fuga!, salve-se quem puder!, arreda!, pernas, para que *te* quero?!, o diabo leve os que vêm atrás!
FRASE: *Après moi le déluge.*

624. Desamparo, repúdio, quitamento, abandono, desarrimo, orfandade, orfanato, derrelição, desproteção, deserção, defecção, evacuação, retirada, desistência, arrependimento, cessão, abdicação, renúncia, interrupção, suspensão, eclipse, variedade, mutação, inconstância, volubilidade, variabilidade 605; infidelidade, deslealdade, desapego, desinteresse, impersistência, inassiduidade, inatividade 681; indiferença, descaso, desleixo, desamor, desatenção, negligência, indiligência, displicência, incúria;
esmorecimento, desalento, desânimo; desmaio, desfalecimento, cansaço, entibiamento, abatimento; relaxamento, distração, apatia, desmazelo;
descontinuação 142; retratação 616; resignação 757; descostume 614; desuso 678.
V. abandonar, largar, largar de mão, relegar ao abandono, enjeitar, desseguir, abrir mão de, preterir, repudiar, deixar, dizer adeus a, despedir-se de, cortar por si, retirar-se de, largar por mão de;
lançar a monte/à margem/ao almargem; levantar mão de, renunciar (resignar) 757; desabrir, pôr de banda, desvaler, deixar à revelia;
deixar às trevas/às escuras/às boas noites; deixar barcos e redes, desprezar tudo, desacompanhar, atirar ao mundo, quitar, desaproveitar;
desauxiliar, desarrimar, desamparar, desproteger, dessocorrer, descuidar, desleixar, neglicenciar, pôr um paradeiro a (*cessar*) 142; tornar livre, desenlaçar, desenvencilhar-se de, lavar as mãos, mudar de assunto, não tratar de, desertar, *nolle prosequi*, deixar de acudir;
ser (abandonado & *adj.*); ficar para um canto, ficar para ali, andar à matroca, ficar ao Deus dará;
desistir, pôr de lado, cessar de, ser (inconstante & *adj.*); variar, não continuar, não prosseguir, abster-se de, renunciar, renuir, abdicar, reconsiderar, anular, revogar, ab-rogar 756; esmorecer, desanimar-se, perder o entusiasmo, entibiar-se, desalentar-se; afrouxar, relaxar, esvaecer-se a energia, abater-se, desentesar-se, desinteressar-se, desapegar-se.
Adj. abandonado & relegado ao abandono, votado ao abandono, perdido, esquecido, derrelito, desabitado, inabitado; negligenciado, descuidado, desleixado,
esmorecido, desalentado, desanimado, esvaecido, abatido & *v.*; desistente, imperseverante, inconstante, variado, variável, desleal, infiel, negligente, displicente, relapso, irresponsável; abalável, mudável, cansável, fraco, quebrantável, vencível, preguiçoso 681; domável, pouco esforçado, indiferente, apático, inerte, abúlico; conquistável, volúvel.
Adv. abandonadamente & *adj.*; ao abandono, à mercê, ao capricho de, ao arbítrio de.

625. Trabalho, coisa, cuidado, ocupação, negócio, trabalheira, ministério, posto, emprego, posição, múnus, afazeres, quefazer, faina, coisas a fazer, agenda, tarefa, operosidade, obra, comissão, missão, projeto, plano, plano de negócio, incumbência, encargo, encomenda, lugar, dever 926; mércia, obrigação, merceologia, mercadologia, *marketing*, vendas;
papel, *rôle*, função, atribuição, exercício, tirocínio, prática, divisão departamento, repartição, ramo, esfera, órbita, setor, província, campo;
profissão, ofício, mester, arte, mister, ocupação, função, posto, especialidade, sujeição 749; empresa 676; ônus, gravame, trabalho diário;
vocação, rumo de vida, modo de vida, carreira, ambição, projeto de vida, capacidade de trabalho;
trabalho 680; premência dos negócios 682; comércio 794, indústria, serviços, profissão liberal;
financiamento, custo, margem, rentabilidade, lucro, déficit, balanço, crédito, débito, operação, investimento, custeio;
otimização, reciclagem, informatização, automação, estruturação, logística, planejamento, estratégia, tática; aperfeiçoamento, especialização;
estímulo, incentivo, competitividade, participação, dinâmica, metodologia, organiza-

ção, organograma, cronograma, planilha, cronograma, orçamento.
V. negociar, empresar, empreender, interprender;
passar, empregar, despender, gastar, ocupar o tempo; empregar-se em, ocupar-se com, empreender 676;
abraçar, adotar, seguir uma carreira, entrar em carreira; especializar-se, reciclar-se, aperfeiçoar-se, realizar-se, realizar; aplicar-se, entregar-se, dedicar-se, empenhar-se, consagrar-se a; voltar as vistas para, sacrificar-se por, destinar-se a;
dirigir um negócio, gerenciar, administrar; conduzir/efetuar/fazer transações; enfeirar, estabelecer-se, envolver-se em, cuidar de, servir, dedicar-se à sua tarefa, trabalhar na sua profissão, exercer a profissão de, comerciar, sargentear, agenciar, funcionalizar-se, ferrejar, sinalizar, sochantrear, clinicar, exercer a clínica, advogar, quitandar, tratar de, ocupar-se com os seus negócios, professar, servir como, ser, trabalhar como;
desempenhar os deveres/o cargo/as funções de; fazer as vezes de, fazer o papel de; ocupar um emprego/um cargo/uma função; ter/possuir/desfrutar um emprego; ser o detentor de um cargo, gastar a vida em, estar de plantão; estar ocupado/atarefado; viver em grande azáfama, ter nas mãos, ter nos ombros, suportar o peso de, incumbir-se, encarregar-se, responsabilizar-se, demerger-se (ant.), assumir, avocar, chamar a si, tomar conta, passar um negócio pelas mãos de, empregar, dar ocupação a alguém; dar serventia/serviço/trabalho a.
Adj. profissional, oficial, funcional, ocupado (*trabalho ativo*) 682.
Adv. profissionalmente & *adj.*; em mãos, em execução, na bigorna, em andamento.

626. Plano, esquema, desenho, projeto, arquitetura, traçado, *design*, proposta, sugestão, resolução, opinião, alvitre, precaução 673; premeditação 611; tenção;
sistema 58; organização 68; germe (*causa*) 153; retroalimentação;
investigação, informação, coleta de dados, objetivação, esboço, traço, borrão, minuta, rascunho, esqueleto, arcabouço, carcaça, anteprojeto, bosquejo, compecilho, delineamento, cópia, prova, segunda prova, planilha, cronograma, fluxograma, revisão;

programa, plataforma, prognóstico, prospecto, protocolo, cartaz, placar, ordem do dia, cardápio 298;
papel, política (*linha de conduta*) 692; método, recurso, previsão, probabilítica, estatística;
invenção, incubação, elaboração, expediente, receita, fórmula, segredo, artifício, descoberta, estratégia, tática, dolos da guerra, ardil, estratagema 702; peça (*decepção*) 545; alternativa, escapatória, mudança (*substituição*) 147; trunfo, última cartada 601; medida, passo, golpe; acompanhamento, *feedback*, realimentação, adaptação;
golpe de audácia, golpe de mestre/dama/rei/valete, cavalo de batalha, artilharia pesada, golpe de estado, golpe feliz/ousado/certeiro, jogo acertado/atrevido, manobra bem inspirada, ideia luminosa;
intriga, teia, cabala, mexerico, milongas (bras.), maranha, baralha, enredo, malhoada, trapalhada, tramoia, armadilha, arapuca, malha, malhada, meada, atrapalhada, cambolhada de grelos, onzenice, enliço, envoltas;
trama, conciliábulo, conspiração, conluio, conchavo, conjura, conjuração, conspirata (fam.), urdidura, maquinação, urdume, entrecho, estratégico, estrategista, tracista, maquinador, planejador, projetador, projetista, arquiteto, arquitetor, empreiteiro, artista, promotor, organizador, conjurador, conspirante, conspirador, conjurado, mexeriqueiro, onzeneiro, intrigante 949.
V. planear, planejar, desenhar, bosquejar, detalhar (gal.), formar, compor, imaginar, idear, idealizar, excogitar, fazer o plano de, fantasiar, esboçar, arquitetar, fabricar, confingir, maquinar, fraguar, forjar, forgicar, cunhar, artificiar, inventar, fingir, preparar, projetar, chocar, atentar, delinear, gizar, traçar, tramar, preconceber, premeditar, conchavar, preestabelecer, predeterminar 611; manobrar, engenhar/engendrar/tecer/estabelecer um plano;
deitar/lançar suas linhas; sonhar, guisar, concertar, preparar 673/amadurecer um plano;
urdir, fiar, conjurar, minar, enliçar, enredar, mexericar, cabalar, conspirar, intrigar;
pôr um rastilho;
sistematizar, organizar, arranjar 60; dirigir, amadurecer, mancomunar-se com, combinar com, estar de inteligência com 7.

Adj. planejado & estratégico, planejador & *v.* tático.
Adv. em vias de preparação 673; em estudo, em apreço, *sub-jove*, na bigorna, no tapete, em incubação.

627. (Lugar, meio de passagem) **Passadouro,** forma, maneira, método, meio, modo, jeito, som, guisa, processo, sistema, norma, rumo, praxe, hábito, *modus operandi*, linha de conduta 692; via, viação, guia (ant.), trânsito, caminho, trilho, vereda, passagem, corte, desfiladeiro; servidão, arcobotante, carreiro, carreirão, atravessadouro, estrada, autopista, autoestrada, rodovia, atalho, senda, trilha, rota, trajeto, trajetória, órbita, pista, listão, lista, lustrão, esteira, carril, ândito, avenida, bulevar, rua, ruela, travessa, beco, viela, dromo (ant.), alameda, alea;
degraus, escada, escadaria, escadório; escada rolante, elevador, ascensor; rampa, corredor, galeria;
ponte, viaduto, elevado, pontão, ponte levadiça, minhoteira, prancha, coxia, ponte de barcas, ponte pênsil, ponte volante, pinguela, alpondras, pondras, poldras, passadeiras, desfiladeiro, vau, barca, túnel, canudo 260, ramal;
porta, portão, canal, estreito, passadiço, passagem, artéria, caleja, quelha, talinheira, congosta, calhe, azinhaga, rodeiro, carreiro, estrada real, estrada coimbrã, alfazar, estrada de rodagem, estrada de ferro, via férrea, ferrovia, berma, caminho batido, caminho trilhado, travessio, carreiro de formigas, passeio, calçada, trâmite, *trottoir*, variante, desvio = semideiro, atalho, picada, caminho vicinal;
caminho de cabras, de pé posto; carreteira, patinheiro, releixo, canal 350; rua 189.
Adj. multívio, vicinal.
Adv. como? de que maneira? por que modo? quão assim, desta maneira, segundo esta moda, de um ou outro modo 631; *via, in transitu* 270; de passagem, em trânsito, a caminho de.

△ **628.** (Meio do caminho) **Meação,** metade, meio & 29, *juste milieu, mezzo termine*, meio-termo, *aurea mediocritas*, mediana, equidistância, mediocridade, linha reta (*direção*) 278; atalho, loxodromismo; empate; neutralidade, meias medidas, compromisso, ecletismo.
V. ficar no meio, ficar no meio do caminho, equidistar, mear, ir diretamente 278; fazer pela metade, transigir.
Adj. direto 278; meão, meio, médio, mediano, intermediário, medíocre, sofrível, equidistante.
Adv. assim-assim, mais ou menos, nem tanto ao mar nem tanto à terra.

▽ **629. Circuito,** volta, giro, desvio, meandro, rodeio, volteio, sinuosidade, curva, linha quebrada, circunlóquio, ambages 573; tortuosidade 311; zigue-zague 279; ciclo; (fig.) evasiva, tergiversação, embromação.
V. fazer um circuito, dar voltas, rodear, voltear, quebrar esquina, fazer um desvio 279; circuitar, circundar, rodear caminhos;
Adj. circuitoso, indireto, mediato, travesso, oblíquo, quebrado, ziguezagueado 279, cíclico.
Adv. circuitosamente & *adj.*; por linhas travessas, indiretamente, de Herodes para Pilatos, de déu em déu.

630. Necessidade, imperiosidade, exigência, reclamação, requisito, mister, pressão, premência, força, carência, império, rigor; necessidade imperiosa/premente/inexorável/cruel/férrea/dura/adversa/absoluta; precisão, privação, falta, apuro, *sine qua non*, questão de vida ou morte, condição primária;
compulsoriedade, obrigatoriedade; essencialidade, indispensabilidade, urgência, imposição, o fundo, o essencial, o principal, a substância, o princípio, o meio e o fim; imprescindibilidade, a viva essência, a vida íntima, a medula, veio, requisição (*pedido*) 765; falta (*carência*) 641; apelo, reclamo, clamor, condição normal, injunção, desejo 865.
V. exigir, requisitar, clamar, reclamar, berrar por, chamar por, requerer, impor 741; carecer, precisar, demandar, levar, ter precisão, ter de/que, dever, não poder prescindir de, não poder dispensar, não poder passar sem; tornar (necessário & *adj.*); necessitar, criar uma necessidade para, ser necessário, ser uma necessidade, ser de mister, relevar, corresponder a uma necessidade, ser sua seiva, ser sua vida íntima, ser o princípio, ser o meio e o fim, ser a sua viva essência, absorver, tornar-se para alguém o próprio ar e o sopro vital, dar vida e

alento a, urgir, instar, não admitir demora, desejar 865; ter falta de 641.
Adj. necessário, útil, conveniente, determinado por, compulsório, obrigatório, essencial, precípuo, fundamental, básico, basilar, indispensável, imprescindível, que dá vida e alento, urgente, premente, insuprimível, insubstituível, inescusável, insuprível, impreenchível, que se exige de, exigente, imperioso, de absoluta necessidade, instante, veemente, impetuoso, absorvente, gritante, exigido & *v.*; úrgico.
Adv. necessariamente & *adj.*; na falta de, *ex necessitate rei* 601; por necessidade, por precisão.
Frases: É força que. O que cumpre fazer é. Quando seja mister que.
Provérbios: A necessidade carece de lei. A necessidade mete a velha a caminho.

II. Relação com o fim

a. *Utilidade presente*

631. Instrumentalidade, auxílio 707, meio, intermédio; subordinação, subserviência, mediação, intervenção, interposição, médium, intermediário, canal, veículo, órgão, porta-voz, sarabatana, mão, braço, instrumento, ferramenta, ferramental, aparelho, dispositivo, equipamento; agente, agenciador, institor, preposto, subordinado, agência 170; degrau, rastilho de pólvora, ministro, executor, criado, parteira, obstetriz, assecla, interventor, mediador, patas de gato, pessoa de levar e trazer, alcoviteiro, cabo eleitoral;
chave, gazua, pé de cabra, *passe-partout*, abre-te sésamo, passaporte, salvo-conduto; instrumento 633; expediente (plano) 626; meios 632.
V. instrumentalizar, servir de instrumento, contribuir para, mediar, servir de (interventor & *subst.*); ser instrumento dócil, ser um pau mandado, ser pau para toda obra.
Adj. instrumental, útil 644; ministerial, subserviente, interventor, intermédio, intermediário, interposto, interventivo, intervindo.
Adv. através de, por entre, pelo centro de, mediatamente, por intermédio de, por intervenção de, por interposta pessoa, com a ajuda de, da mão de, por mão de, por meio de 632; à força de, a poder de, à custa de, mediante, em atenção a, com intervenção de, *per fas et nefas*, por meios lícitos ou ilícitos, com razão ou sem ela, legal ou ilegalmente, por quaisquer meios, sem escolha de meios, de um modo e de outro, por esta ou qualquer outra via, direta ou indiretamente, por que, por meio do qual.

632. Meios, recursos, trâmites, salvatério, financiamento, venábulo, com que, refúgio, porta, remédio, panaceia, metralha, forças, posses, bens, capitais (*dinheiro*) 800; maneira, injectiva (pop.), expediente, saída, arbítrio, armas, cadinho, crisol, processo, artifício, passos, trincho, haveres, provisão 637; acessórios (*maquinismos*) 630; medidas 626; auxílio 707; instrumentos 631; aviamentos, avio, voadouros, meios extremos, ganha-pão, tangente, tábua de salvação 666; abre-te sésamo, palavras sacramentais, segredo, tentáculo, meio indireto = tablilha.
V. ter/possuir/achar/encontrar/dispor de meios;
ater-se a, apegar-se a, agarrar-se a, arrimar-se a, encostar-se, vir por tablilha.
Adj. instrumental 631; mecânico 633.
Adv. por meio de, com; por todos, ou por quaisquer meios; à custa de, com que, por isso; como (*de que maneira*) 627; por intermédio de 631; com auxílio de 707; por intervenção de & 170.

633. Instrumento, instrumental, maquinaria, maquinismo, aparelho, aparelhagem, mecanismo, engenho; dispositivo, implemento, aprestos, ferramenta, ferramental, rodagem, utensílio, equipagem, máquina, turbina, malacate, silenciosa, tesadeira, petrechos, material, apeira, apeiragem, levadeira, roldana, polé, cadernal, moitão, aparato, acessórios, trapiche (bras.), draga, cegonha, nora, estanca-rios;
arnês, arreios, albarda, adereços, equipamento, arreamento, reposte, móveis, contenças, traste, alfaia, copa, recâmara, mobília, aparelho de casa, metais, parafernais, tarambecos (pertences) 780; poder mecânico, zoncho, alavanca, arriel, barra, braço, pegadouro, cabo, pega, membro;
intermóvel, interpotente, interfixa, interresistente, panca, travão, pé de cabra, gazua, zontró, remo, manúbrio, manivela, alçaprema, bimbarra, prensa, guilherme, pedal, sarilho, cabrestante (*levantamento*) 307; roda (*rotação*)

312; plano inclinado, cunha, calço, parafuso, gatilho, mola, mola real, aziar, punho, asa, haste, lâmina, peia, cana do leme, leme, chave de parafuso, recortilha, carretilha;
martelo, martelete, martinete, marreta, corte, fio, gume (*instrumento cortante*) 253; perfurador 262; bate-estacas;
parafuso de pressão/de chamada; dentes 781; prego, corda (unir) 45; cavilha (*pendurar*) 214; suporte 215; colher (*veículo*) 272; armas 727; remo (*navegação*) 267;
instrumento óptico, instrumento cirúrgico, microscópio, telescópio;
instrumento musical, material de escritório, calculadora, computador, teclado, monitor, programa;
rádio, televisão, (aparelho de) som, estéreo, gravador;
máquina fotográfica, câmera digital, filmadora;
telefone, interfone, celular, *walkie-talkie*, ipod, *smartphone*, PDA, mp-3.
V. montar, armar, funcionar, desmontar.
Adj. instrumental 631; mecânico, maquinal, braçal, braquial; elétrico, eletrônico, óptico.

634. Sucedâneo, substituto 149; deputado 759; vice-, estepe, reserva, regra-três, clone, sósia, arremedo.

635. Material, cabedal, remonte, matéria-prima, matéria bruta, matéria, massa, tijolo = lingueta, mazarize, adobe, enrocamento, cimento, metal, pedra, borracha, plástico, polímeros, sintéticos, pozolana, argila, sosso, tepe, barro, louça 384; concreto, uralite, cal, areia, *sable* ou saibro, madeira, maxicote, alvenaria;
minério, mineral, derivados do petróleo, sola, borneira, pirogranito, argamassa 45; materiais, fornecimentos, víveres, munição, combustível, móveis e utensílios, *pábulo* (*alimento*) 298; munições (*armas*) 727; contingentes, muda, reforço, bagagem (*propriedade pessoal*) 780; meios 632.
Adj. cru, bruto (*não preparado*) 674; de madeira, mineral, vegetal, metálico, plástico, orgânico, inorgânico, laterício.

636. Depósito, repositório, jazigo, jazida, estoque, galpão, fundo, mineira, mineiro, mina, pepineira, veia, veio, filão, vieiro, beta, fonte, poço, vaca de leite, teta, manancial, lençol, faisqueira, mina de ouro, mante, turfeira, abastecimento, monte (*coleção*) 72; tesouro, reserva, fundo de reserva, endez, sobressalente, retém ou retenho, economias, *bonne bouche*; colheita, apanha, guilha, messe, vindima;
sortimento, sorteio, acumulação, armazenagem, provisão, almoxarifado, feixe, meda, lugar, lagariça, celeiro, silo, relego, tercena (ant.), granel, hórreo (desus.), colmatagem, espigueiro, comboio, armazém, cantina, trapiche, hangar, gudão ou godão, armazém de retém, entreposto, adega, armarinho, mercearia, pataia (ant.) = tulha = silo, ucha, ucharia, *depôt*, *cache*, pilheira, pilheiro, repertório, reportório, arquivo, arca, paiol, matriz, prontuário, copa, despensa, apoteca, tênder, contêiner, escrínio, estojo, clavaria, nubilar, nibilário, banco (*tesouro*) 802; arrecadação, arsenal, armaria, galeria, parque, museu, conservatório, potreiro, viveiro, aquário, piscina, seminário, aviário = passareira, cisterna, castelo-d'água, arca-d'água, cratera, almácega, tanque, cacimba, carcás, aljava, pasta, cofre (*receptáculo*) 191.
V. armazenar; recolher em armazém; depositar;
meter, pôr/guardar em depósito; acumular, atulhar, entulhar, entupir, enceleirar, aceleirar, encher, atestar, entesourar = apedourar, coacervar, acavaleirar, acavalar, amontoar, encastelar, acondicionar, abocetar, empilhar, guardar, aferrolhar, economizar, arrecadar, enfrascar, engarrafar, ensacar, encaixotar, encapoeirar, embaular, engavetar 72; enviveirar, autuar, capitalizar.
Adj. armazenado & *v.*; disponível, supranumerário = ascritivo; agareiro.
Adv. de sobressalente, supranumerário.

△ **637. Provisão,** fornimento, fornecimento, refresco, abastecimento, provimento, aprovisionamento, abasto, subvenção 707; matalotagem, anona (ant.), mantença, sustento, vitualha ou vitualhas, mantimento, provisões, reserva, frasca, víveres 298; *viaticum*, viático, recursos 632; reforço, comissariado, sortimento, montaria, remonta, reforma, posta, suprimento, aguada, recruta; entrega, frete;
fornecedor, abastecedor, subministrador, provisioneiro, anoneiro, assentista (ant.), despenseiro, uchão, chaveiro, comissário, quartel-mestre, almotacé-mor, celeireiro, ar-

mazenista, trapicheiro, arrecadador, municionário, vendeiro, chacal, pelicano, camelo, dromedário, cantineiro (*mercador*) 797.
V. prover, sortir, fornir, abastar, abastecer, abarrotar, refazer, provisionar, rechear, aprovisionar, fornecer, prover do necessário, subministrar, açalmar (ant.), guarnecer, povoar de, munir, armar, tripular, reabastecer, ministrar, supeditar, avitualhar, suprir, forragear, remediar, municionar, velear, recrutar, armazenar 636; fazer uma reforma de, prover-se para os dias de inverno 817;
entregar, fretar;
ter, meter de reserva, alfojar, mobilar = trastejar (bras.), encher as algibeiras;
fazer faxina, mochila, água; prover-se de mantimentos, refrescar, ter em depósito, encavalgar-se.
Adj. abastoso, fornido, fornecido, provido & *v.*; amatalotado, suprido.
Adv. em depósito, em reserva, em estoque.

▽ **638. Esbanjamento,** dissipação, sacrifício, largueza, desbaratamento, desbarate, desbarato, gastança, desperdício, esperdício, consumo, gasto, esgotamento, consumição, malbarato, dispersão 73; inutilização, malogro, escoamento 295; desproveito, evasão, perda 776; dilapidação, entornadura, prodigalidade, mau emprego 677, malversação; destroços (*inutilidade*) 645; manteiga em nariz de cão, anel de ouro em focinho de porco; esbanjador, desperdiçador, perdulário 818, degastador, dilapidador, dissipador, manirroto, mão-aberta.
V. esbanjar, gastar, usar, consumir, levar, engolir, engolir os haveres recebidos, exaurir, esgotar, devorar, derramar, empobrecer, drenar, entornar, esvaziar, despejar, desencher, dispersar 73; escoar-se, ir pelo ralo, desaparecer na voragem de;
desperdiçar, esperdiçar, desprezar, destroçar, malbaratar, desbaratar, sacrificar = esbrizar (ant.), malograr, larguear, dissipar, tresgastar, gualdir, gastar à doida, levar pelos ares, empandeirar (pop. chulo), esbalgir, desguardar, extravagenciar, jogar fora, jogar pelo ralo, arruinar-se, dilapidar, malversar, malgastar, desaproveitar, enforcar as rendas, deitar pérolas a porcos, gastar cera com maus defuntos, desgovernar;
desprover, desguarnecer;
escoar 295; diluir, secar.
Adj. esbanjado & *v.*; perdulário 818, extravagante, gastador, pródigo, desgorgomilado; desregrado.
FRASES: *Magno conatu magnas nugas.*

△ **639. Suficiência,** o bastante, o suficiente, o *quantum satis*, o *quantum suffícit*, o necessário, o preciso, o indispensável, satisfação, completamento;
mediocridade (*termo médio*) 29;
enchimento 52; plenitude, plenidão, abastança, bastança, multiplicidade, saciedade, copiosidade, influxo, força, fluxo, fonte, abundância = preamar pelas ervas, fluência, afluência, fartura, farteza, teta (p. us.), amplitude, opulência, mó, provisão, quantidade, número, cópia, fartadela, profusão, pujança, possança, prodigalidade, orgia, fertilidade;
exuberância 168; apojadura, riqueza 803, Utopia, Terra da Promissão, Nova Canaã, as Hespérides, corno de abundância, corno de Almateia, século de ouro, país de cocanha, cornucópia, mineira, mina 636; pomos de ouro, natureza fecunda, cascatas de leite e mel, transbordamento, cheia, enchente (*grande quantidade*) 31; preamar 348; repleção (*redundância*) 640; saciedade 869;
sortimento, recheio, soma, chuva, mata, ondas de, série, rosário, formidável rede de, ordem, mola, montão, mouroço ou moirouço, floresta, selva, torrente, enfiada, infinidade, fula, monturo, pilha, monte, roda, chuveiro, oceano, pélago, manancial, um apontoado de, um feixe de, um fervedouro de, um palco de, granizo de, rio, chuva de, saraivada, saraiva, mancheia, enxurrada, grande cópia, rima, ruma, viveiro, enxame, cabazada, uma efusão de, plêiade, manucodiata, constelação, galeria, abada, braçada, avalanche, alude, colar, encadeado.
V. ser (suficiente & *adj.*); bastar, bastar a, ser tanto quanto é necessário, satisfazer, ser apenas o necessário, corresponder ao que se deseja, abundar, ser mimoso de, descarecer, exuberar, formigar, enxamear, ferver, fervilhar, estar fervilhando de, regurgitar, trasbordar, correr a flux, ser o refúgio e a morada de, fartar, pulular, chover, sobrar, verter por muitas bicas, ter muito pano para mangas, ser um abismo de, possuir um grande fundo de, atestar, encher 52;
rolar, nadar em;

640. Redundância | 640. Redundância

tornar-se caudaloso, assanhar-se, opulentar-se.
Adj. suficiente, bastante, necessário e suficiente, que farte, indeficiente, razoável, aceitável, sofrível, acima do medíocre, tolerável, adequado, proporcionado, satisfatório, regular, tangível, sensível, medido, temperado, moderado 953;
cheio (completo) 52; amplo, abundante, abundoso, opimo, torrencial, multíplice, variado, pleno, grosso, diluvial, lauto, rico, largo, copioso, torrencioso, amazônico, opíparo, repleto, facultoso, pujante, inesgotável, inextinguível, inexausto, inexaurível, bem provido, bem abastecido, pejado, atravancado, abastoso, farto, liberal, dadivoso, generoso, grande, intenso, ilimitado, numeroso, inumerável, sobejo, inexterminável, fecundo 161; irrestrito, sem limites, sem termos, desmedido, imoderado, pródigo 639; luxuriante 168; opulento, não precisado, largífluo, multífluo, multifluente, infindo, regalado, pingue, gordo, chorudo, suculento, polposo, recamado, nada pobre, pesado, assoberbado, ilustrado, maciço, fecundo, repassado, impregnado, vibrante, prenhe, cravejado, opulentado, constelado, abarrotado, palpitante, transbordante, gafado, eivado, verminado, atestado, cheio de.
Adv. suficientemente & *adj.*; abastosamente, sobejamente; assaz, bastante, harto, muito, a dar com um pau, em barda = em grande quantidade, cem por cento, aos montes, com abundância, com mãos pródigas, a contento de todos, *ad libitum*, sem usura, à ufa, à beça (pop.), aos montões, aos borbotões, em abundância = a tute = a barrisco, a rodo, por grosso, por junto, por atacado, avonde (ant.);
à farta, à larga, a flux, a frouxo, às lufadas, em pinha, em caudais, às pastas, em alta escala, aos milhares, em alto grau, em força, de grande, em grande escala, aos molhos, sem conta nem peso, à regalona, às braçadas, até à saciedade, à regalada, à tripa forra, de sobejo 640.
Interj. basta!, não mais!, chega!.
Frase: Isto não me faz míngua.

△ **640. Redundância,** superabundância, superfluidade, supersaturação, sobrepujança, sobrepujamento, demasia, disponibilidade, nimiedade, superfetação, excrescência, excesso, luxo, mundos e fundos, montes e mares, transcedência, sobejidão, exuberância, orgia, bacanal, profusão 639; *bis in idem*; recheadura, repleção, bastante na consciência de todos, partilha do leão, pletora, hidropisia, ingurgitamento, empanturramento, empanzinamento, fartamento, congestão, apoplexia, abarrotamento, saciedade, turgescência (*dilatação*) 194; aluvião, cheia, transbordamento, extravasão, enchente, dilúvio, inundação 348; avalanche, atafego; acumulação 636; monte 72; atravancamento, multidão, carga, sobrecarga, sobrepeso; excesso, cogulo, sobra, sobejos, remanescente 40; semichas, vertedura, excedente, retém, restante 40; duplicata, triplicata, quadruplicata, expletivo;
luxúria, descomedimento, intemperança 954; prodigalidade 818; exorbitância, *embarras de richesse, embarras de choix*, hipertrofia, indigestão;
repetição, pleonasmo 573, hipérbole, tautologia; prolixidade, verborragia.
V. redundar = sobejar, superabundar, sobreabundar, sobre-exceder, extrapolar, não conhecer limites, recrescer, ressobrar, sobrar, restar = remanescer, ser de sobejo, formigar, eriçar de, regurgitar, exorbitar, demasiar-se, extravasar, desbordar, esbordar, trasbordar, excrescer, encontrar algo em cada esquina, entregar-se desenfreadamente a, sobrancear, exceder ao necessário, passar da conta, transcender, sobrecarregar;
gravar, fartar, cevar, congestionar, ingurgitar, empachar, empanzinar, empanturrar, excrescer, atabuar, cogular, acogular, acucular (ant.), atochar, atulhar, atafulhar, abarrotar, inundar, encharcar, alagar, submergir, atestar, acavalar, acumular, saturar, sobressaturar, impregnar, obstruir, pejar, saciar, locupletar, rechear, sufocar, asfixiar, abafar, atafegar, empilhar, carregar a mão, prodigalizar 818;
ensinar padre-nosso ao vigário = *piscem natare doces*, arrombar uma porta aberta, vender mel ao colmeiro, lançar água no mar, levar lenha para o mato, vender siso a Catão; levar fumo a Goiás/café a São Paulo/água ao Amazonas; atirar numa pulga com um canhão(esbanjamento 638); assassinar um defunto, chover no molhado, exagerar 549; rolar-se, espojar-se em, nadar em 639; rebentar de, afogar-se em.
Adj. redundante, pleonástico, hiperbólico, tautológico, demasiado, exuberante, pro-

641. Insuficiência | 642. Importância

lixo, verborreico, verborrágico, inúmero, abundante, superabundante, sobreabundante, copioso, profundo, intruso, excrescente, incomportável, excessivo, sobejo, nímio, apinhado, profuso, sobrado, pródigo 818; exorbitante, imódico, extravagante, estrambótico, impossível;
sobresselente, sobre-excedente, supersaturado, saciado, sobrecheio, transbordante, farto, cheio, atulhado, entulhado, replenado, pejado, ingurgitado, alambazado, hidrópico, obeso 194; túrgido, pletórico, prenhe, repleto, diluvial, diluviano, provido, recheado, atestado, congesto, congestionado, apoplético, sobérdio (ant.) = supérfluo, supervacâneo, supervácuo; ocioso, inútil;
imoderado, descomedido, desmedido, desmarcado, de mais da marca, de marca maior, desnecessário, escusado, em excesso, subsecivo, restante 40; suplementar, ascritivo, disponível, extranumerário, supranumerário 636; adicional 35; expletivo, extraordinário, transordinário.
Adv. redundantemente & *adj.*; demais a mais, em excesso, em demasia, demasiadamente, de foz em fora, sem conto, sem número, sem medida, de sobejo, de sobra, à saciedade, mar em fora;
além do necessário/do devido; atulhadamente, até não mais querer, até à saciedade, até fartar, até a medula, o mais que podia ser, menos as franjas, de sobresselente, de reserva, de sobejo, sobreposse, por demais, até os olhos, até as orelhas, a mais não poder ser, sobremaneira; *satis superque* = superabundantemente; *plus satis* = excessivamente.
FRASE: *In silvam non ligna feras insanius.*

▽ **641. Insuficiência,** inaptidão, incapacidade, incompetência, desprovimento, privação, ineficácia, deficiência 53; imperfeição 651; anemia, magreza, inferioridade, pouquidão, pouquidade, limite, exiguidade (*pequenez*) 32; inanidade, inópia, vacuidade, inanição; analose = depauperamento; escassez, falta, raleiro, raleira, carência, carestia, angústia, pobreza (*indigência*) 804; míngua, parcimônia, omissão, ausência, vaga, falecimento, penúria, precisão, mister, miséria, brecha, lacuna, buraco, nada, sede, exigência, necessidade, fome, chochice;
esmola, pitança, meia-ração;

esvaziamento, flacidez, vazante, míngua da maré, baixar-mar, insolvência 808; estreiteza.
V. ser (insuficiente & *adj.*); não (bastar 639); não alcançar a, estar longe de, restar, carecer, necessitar, precisar, faltar, falir, minguar, escassear, rarear, falecer, ignorar, não possuir, estar mal de;
tornar (insuficiente & *adj.*); apoucar, diminuir, anemiar, anemizar, empobrecer (*desperdiçar*) 638; restringir, encurtar, limitar, circunscrever, pôr a meia-ração, destituir, privar, orfanar, desabastecer, desaperceber, desatestar, desmobilar, desprover, desfalcar, ratinhar 819; bater de leve na cobra, fazer as coisas pela metade, demear.
Adj. insuficiente, inadequado;
menos, não (bastante 639); inapto, ineficaz, menor do que, inferior a, pobre em, incompetente (*impotente*) 158; perfunctório (*negligente*) 460; diminuto, deficitário, deficiente (*incompleto*) 53; precisado, escasso, minguado, falto, carecido, baldo, imperfeito 651;
mal provido/abastecido/suprido/servido; frouxo, vazio, inane, vago, impreenchido; desguarnecido, desprovido, privado, destituído, apurado, exausto, pobre, desapoderado, carente, nu, despido, falto, faminto, sequioso, sedento, ávido de;
magro, pobre, fino, anêmico, definhado, depauperado, esquálido, encolhido, acanhado, apoucado, pequeno, fraco, seco, enfezado, chocho, limitado; vasqueiro, escasso;
esfaimado, faminto, jejuno;
pouco 32, vil, avaro 819, sórdido, sem recursos 632; endividado 806.
Adv. insuficientemente & *adj.*; a/na/em/por falta de; à míngua de; na ausência de, em vez de, ao invés de, às polegadas, caso haja mister, em lugar de, em substituição a/de.

b. *Graus de utilidade*

△ **642. Importância,** seriedade, magnitude, vasteza, vastidão, consequência, consideração, ponderação, peso, estimação, apreço, cotação, monta, valor = valia, proporção, poder, momento, marca, valimento, qualidade, relevância, repercussão, porte, vulto, tomo;
coisa de entidade/de tomo;
alcance, significação, interesse, ênfase; grandeza 31; merecimento, superioridade 33; vulto, realce, corpo, relevo, notabilidade

642. Importância | 642. Importância

873; eminência, influência 175, preponderância; valor (*bondade*) 648; utilidade 644; ascendência, poderio, colosso; solenidade, gravidade, graveza, imponência, brilho, ostentação, premência, urgência; questão de vida e morte, de honra, coisa de pressa;
memorabilia, notabilia, maxime memorabilia omnium, grandes feitos, feriado;
ponto capital, o ponto, o essencial, o eixo, a substância 5; o principal, o rijo, a força, o grosso, o miolo, o forte;
o bonito, o mais engraçado de; o suco, a essência, o veio, o melhor da passagem, o grosso de, o melhor da história, o alfa e o ômega, o princípio e o fim, o sopro vital, coroa e chave, pedra fundamental, pedra angular, oitava maravilha;
parte essencial, importante, proeminente, principal; meia batalha, *sine qua non*, sal, coração, alma, pevide, caroço, núcleo, casca, nó, chave, matéria-prima, trunfo 626;
o ponto fundamental, essencial, mais interessante; o mais vital de seus órgãos, substância, medula, âmago, titela, *prima donna*, chefe, notabilidade, chefe da orquestra, personagem, *lord*, entidade luminar, luzeiro, chavão, homem de representação, figurão, *vip*, vulto, colosso, gigante, herói 873; ponto de mira, homem influente 175.
V. ser (importante & *adj.*); ser alguém, ser alguma coisa, fazer ruído, ser alvo dos olhares e da atenção geral;
merecer/atrair a atenção; ser digno de atenção, enlevar, empolgar, encantar, prender o espírito, fazer vista, levar os olhos, excitar a curiosidade, entrar em conta;
fazer sensação/estardalhaço; guiar os passos a alguém, ser de peso, ser de ver, avantajar-se, influenciar, não precisar de ser comentado, tocar de perto, sobrelevar de importância, preponderar, pesar na balança, dar nas vistas, ser de toda a atualidade, causar sensação, ocupar um lugar de decisivo relevo, interessar a, fazer ao caso, dar muito que falar, ter grande significação, repercutir, importar, significar, ressaltar, realçar, ressair, sobressair, campar, campear, brilhar, destacar-se, tomar colo, distinguir-se, avantajar-se em importância, primar, ter a primazia, relevar, fiar fino, avultar, merecer acolhimento, chamar a atenção 457;
dar/cair no goto; deixar no espírito boa impressão, vir à tona, tomar a dianteira, aquilatar, exercer decisiva influência 175; prender os olhos, refletir-se em; abalar, sacudir, deixar tudo mais na sombra; assumir gravidade;
atribuir, ligar, dar importância; apreçar, importar-se com, fazer caso de, ter consideração, dar o ser a, interessar-se por, tomar interesse por, empenhar-se, inquietar-se, preocupar-se, sublinhar, dar relevo a, esbater, grifar;
pôr em itálico/em versal/em letras garrafais/em letras de fogo; acentuar, assinalar, fazer cabedal de, (*indicar*) 550;
fazer estardalhaço em torno de, levantar grande celeuma, agitar a opinião, focalizar, tomar grandes proporções, tomar vulto, crescer de importância, abrilhantar, tornar saliente, cunhar.
Adj. importante, de (importância & *subst.*); severo, magno, relevante, grande, alto prócero, graúdo, poderoso, influente, prestigioso, grave, sério, ponderoso, que tem tomo, de porte, considerável, momentoso, material, que não se pode desprezar, meditável, indispensável, ruidoso, egrégio, longitroante, graduado;
conceituado, eminente, machucho, ilustre 873; cardeal = principal, de primeira plana, preeminente, saliente, impreenchível, inescurecível, insubstituível, largo, assinalado, inapreciável, memorável, inopinado, inopinável, incrível, solene, soado, que se presta a muitos comentários, de verdadeiro e positivo interesse, imponente, impressivo, impressível, impressionante, comovente, estupendo 870;
interessante, tudo, essencial, básico, basilar, radical, preponderante, vital, funcional, fundamental, primacial, primário, insuprimível, absorvente, empolgante, precípuo, máximo, palpitante, profundo, capital, extraordinário, de primeira ordem;
de grande valia, repercussão, monta, significação; de assento e sobremão, precioso, valioso, significativo, sugestivo, sensacional, invulgar, pouco comum, rumoroso, de circunstância, de respeito, memorial, de machucha, de peso, de pulso, de merecido destaque, de palpitante atualidade, de grande projeção, de largo fôlego, cotado, alto, dominante, sublime, de alto coturno, qualificado;

respeitado, respeitável, excepcional, de alto bordo, superior 33; considerável 31; polpudo, de importância vital, de suma importância, de verdadeiro e positivo interesse, inolvidável, supremo, ciclópico, grado, primordial, central, raro 137; nobre.
Adv. momentosamente & *adj.*; acima de tudo, por excelência, sobretudo, principalmente, jamais, mormente, maxime, maximamente, para coroar a obra, de capa e espada, para nunca mais ser esquecido.

▽ **643.** (Ausência de importância) **Insignificância,** mesquinhez, mesquinharia, pouquidão, pouquidade, nada, imaterialidade, vulgaridade, venialidade, modéstia, trivialidade, inanição, inanidade, sonho, frivolidade, banalidade, puerilidade, ridicularia, chinfrinada, frioleira, futilidade, migalhice, leveza, miséria, caganifância, pobreza, modicidade, pequenez 32; inutilidade 645; tudo-nada, és não és, objeto de indiferença & 866; coisa de pouca monta, figo passado, caju chupado, bananeira que já deu cacho; bico ou brinco de junco (fam.), ninharias, zarandalha, cifra, zero, ceitil, simples gracejo, pilhéria, *blague (ausência de sentido)* 517; brinquedo, berloques, miçanga, rocalha; questão de lana-caprina/de lã de cabra/de lã de cágado; questiúncula;
questão fútil/sem proveito; piolhice, bizantinice, pecadilho, ouropel, ouro falso, pechisbeque, bisalhos, doblete, refugo, resto, rebotalho, droga, bugiganga, chinesice, xurumbambos, cacaréus, bufarinha, moxinifada, burundangas, cangalhada, trastes velhos, badulaque, casculho, tareco, ferro velho, dixe sem valor, futrica, futricada, adarme, caliça, coisa de nonada, tuta e meia, coisas mínimas, babugem, escuma, bolha de sabão, panaceia, barro, malha, mealha, teia de aranha; piolheira (*sujidade*) 653; quantidade negativa, roupa de franceses, bens do evento, parvoíce, simples farsa, comédia, obra de fancaria; nebulosidade geográfica, organismo informe;
bilhestros, bagatela, inânias, miuçalhas, nica, nuga, faúlha, bugiaria, nonada, farelo, pacotilho, quiquiriqui, mesquinharia, maravalhas, avelórios, cacareno;
palha, argueiro, alfinete, figa, botão, pena, vintém, chavo, macuta, meia-tigela, pingo, pitada de rapé, valor dum alfinete, cascas de alho, *minutiæ,* minúcias, minudências, detalhes (gal.), pormenores, apêndice, acessórios, palhas na balança, alhas, gota d'água no oceano, mordedura de pulga, maravilha de sete dias, amontoado de parvoíces;
ridiculus mus, parto da montanha, tempestade num copo d'água, calmaria, *much ado about nothing (exagero)* 482, muito barulho por nada; caminheiro, migalheiro, micrólogo.
V. carecer, não ter importância & *subst.* 642; não fazer míngua, não (interessar a 642); ser dispensável, nada significar, viver numa perene inferioridade, não fazer pulsar o coração, não ter maiores consequências, não ter coisa alguma que leve os olhos, passar despercebido, escapar, provocar um desdenhoso dar de ombros, arrastar penosa existência, não valer uma pataca, fazer número apenas;
não valer o tempo/a tinta que com ele se gasta; valer menos do que, ser fraca roupa, fazer pouco em (*depreciar*) 483; menosprezar, desprezar;
perpassar, despegar-se da vista; engasgar com mosquitos, descer a ninharias, perder sua importância;
dar/sofrer quebra; passar à história;
combater fantasmas, moinhos de vento (*exagero*) 482; fazer abalos por cantarejar de galos.
Adj. sem importância, insignificante, irrelevante, insignificativo, de pouca monta 642; imaterial, não essencial, apendicular, adiáforo, dispensável, descartável, tolerado, venial, acessório, de abana-moscas, de cacaracá, inconsiderável;
segundeiro, comum, vulgar, secundário, anódino, subordinado (*inferior*) 34; diminuto, de fancaria, banal, corriqueiro, somenos, de meia-tigela, pífio, fruste, reles, pataqueiro, chué, escurril, ridículo, chinfrim, risível, medíocre, de cascas-d'alho, irrisório, desdenhável, cativo, sofrível, tolerável = perpassável, de meio relevo, de água-morna, de pouco valor, adiável, sediço, broma, trivial, desinteressante, ordinário, comum (*habitual*) 613;
da vida diária, correntio, superável, desatendível, pequeno, oco, chocho, batido, vulgar, superficial, frágil, inócuo, fraco 158; ocioso, removível, pueril (*tolo*) 499; inconsciente, fútil, leve, impotente 158; frívolo, bizantino, inane, insubsistente, taca-

nho, mesquinho, módico, pulha, de cordel, de meia cara, vazio, burlesco, pretensioso, grotesco, pobre, que inspira compaixão, que não merece as honras de um comentário, negligenciável, ignorável, desprezável, desprezível, despiciendo, abjeto 930; barato, modesto, ignóbil, ínfimo, mínimo, enfezado, esfarrapado, infeliz, avaro, imprestável, mirrado, pútrido, podre, indigente, perdoável, palharesco;
que não vale a pena, ou dez réis de mel coado;
que não merece menção, ou que se fale nele;
indigno de qualquer cogitação, de qualquer consideração;
que não vale a canseira/a tinta/o papel/o comentário/uma palha; que não merece reparos, cujo eco morre dentro de nossas fronteiras, de lana-caprina.
Adv. secundariamente & por dá cá aquela palha; *pro forma*, por casca de alho, por mera formalidade, para salvar as aparências, assim-assim, por desencargo de consciência.
Interj. bastante!, pouco importa!, não importa!, coisas da vida!
Frases: Isto não tira nem põe. Isso deixa muito a desejar.

△ **644. Utilidade,** usabilidade, eficácia, eficiência, necessidade, aptidão, proficiência, proficuidade, prestabilidade, prestança, prestância, preciosidade, serviço, instrumentalidade, favor, favorecimento, amizade, uso, lucro, proveito, préstimo, vantagem, apreço, benefício, bem, comodidade, fruto, serventia, auxílio 707; aplicação, conveniência, pro, interesse, emprego; adequabilidade; exequibilidade;
aplicabilidade, dependência (*instrumentalidade*) 631; função (*ocupação*) 625; valor, valia, valimento; produtividade 168; *cui bono* (*intenção*) 620; utilização (*uso*) 677; positivo, um passo na verdadeira rota;
bem-estar da coletividade, interesse comum, utilitário, utilitarismo, pendanga; livro de indicações úteis: prontuário.
V. ser (útil & *adj.*); ser o alimento de, prestar, aproveitar;
utilizar, empregar, fazer uso, dar/servir de proveito; ter bom resultado, fundir, fazer vantagem, frutificar, servir, reverter em benefício de, ser próprio a, convir, ter empregos diversos, servir aos intentos de, corresponder a uma necessidade pública, ter préstimo; servir de/para; luzir, dar proveito, vir a propósito, prestar serviços, quadrar, importar, conduzir a (*tender*) 176;
servir de instrumento 631; representar importante papel, servir de lição, favorecer (*ajudar*) 707; lucrar, fazer amizade em, tomar parte em (*ação*) 680; desempenhar uma função 625; produzir fruto 161/ resultado; beneficiar, alimentar, socorrer, auxiliar, remunerar, trazer água ao moinho, colher os benefícios 658; ajudar, sacar os frutos de; tornar útil & *adj.*; utilizar-se de 677.
Adj. útil, necessário, proveitoso, instrumental, precioso, inapreciável, frutuoso, prestável, fruticoso, frutífero, frutescente, frugífero, profícuo, proficiente, largo, cumpridouro (ant.), propício, beneficioso, frutuário, benéfico 648; lucrativo, cômodo, saudável, salutífero, aproveitável, rendoso, remuneroso, remuneratório, remunerador, remunerativo, policresto, valioso, válido, quantioso, prolífico 168;
prestimoso, prestadio, prestante, prestativo, serviçal, são, solícito, ganancioso, subordinado 631; tendente 176; auxiliar 707; adequado, compatível, eficiente, eficaz, vantajoso, obrante, operoso, efetivo, conveniente 646; aplicável, proveitável, pronto, maneiro, tangível, adaptável, para tudo.
Adv. utilmente & *adj.*; com utilidade, de utilidade para, prestadiamente.

▽ **645. Inutilidade,** imprestabilidade, impraticabilidade, desnecessidade, desuso, desvalia, desvalor, improdutividade, infrutuosidade, improdutibilidade, superfluidade, indiscutibilidade, ineficácia, incapacidade, ineficiência 158, inaptidão (*insuficiência*) 641; inabilidade 699; improficuidade, esterilidade 169; desserviço, luxo, trabalho perdido, trabalho em vão, trabalho de Sísifo, teia de Penélope, objeto de luxo, tautologia (*repetição*) 104;
superfetação, excrescência (*redundância*) 640; *vanitas vanitatum*, vaidade, fumo, pó, inanidade, nada, nulidade, invalidade, insignificância, caganifância, nugacidade, nuga, frivolidade, trivialidade (*sem importância*) 642; *caput mortuum*, rebotalho, letra morta, agulha sem fundo, sino sem badalo, confortos de enforcado, árvores sem seiva,

searas sem sol, ferramenta cega, carga ao mar, homem ao mar;
retalhos, socavado, trapo, trapada, trapagem, entulho, babugem, refugo, torna-viagem, farrapo, marroxo, cisco, ciscalhada, ciscagem, retraço, lixo, fezes (*sujidade*) 299; rabaçaria, pó, poeira, restolho, urtiga, bagaço = buruso, caliça;
caqueirada, cangalho, cacaréus, cacos, cacaria, cascabulho, sobejos, sobras, restos, badulaque, monturo, limbo, rudeza, *frugere consumere natus*, parasita, bola, cangalho, papa-jantares, falido, zeimão (reg.), estafermo, emplastro, lástima, mostrengo, pespego, trapalheco, seresma, borra-botas, caixa-d'óculos;
paspalho, paspalhão, zé cuecas, alfamista, funca 876; preguiçoso 683; zero à esquerda.
V. ser (inútil & *adj.*); ser uma lástima, ter maus dedos para organista, não servir de nada, não prestar para nada, dar bom burro ao dízimo, ser pesado a alguém, desvaler, não chegar à craveira, não valer dois caracóis, não valer um cornado, representar uma inutilidade, não ter atilho nem vincilho, não ter ponta por onde se lhe pegue;
ser objeto de luxo, não valer dois réis de cominhos, ter o efeito de cataplasma na cabeça de defunto, levantar tempestade num copo d'água = *excitare fluctus in simpulo*, falhar 732; não servir para Deus nem para o diabo, resolver-se em pó;
levar café para São Paulo/água para o oceano; arrombar uma porta aberta (*redundância*) 640; enxugar gelo, correr atrás do impossível, trabalhar em vão, rolar a pedra de Sísifo, pôr trancas à porta depois de roubado (*tarde demais*) 135; malhar em ferro frio = *verbare lapidem*, reforçar a luz do Sol com a de uma lamparina, tapar o Sol com peneira, tomar o céu com a mão, dar Deus nozes a quem não tem dentes, atirar pérolas aos porcos (*desperdício*) 638;
pregar aos ventos, aos peixes; pregar no deserto = *canere surdis auribus*;
falar a um surdo/a um poste/a uma parede; espirrar para o céu, semear em terreno sáfaro = *committere semen sitienti solo*; ficar no papel, desservir, perder-se, tornar (inútil & *adj.*); inutilizar, desaproveitar, invalidar, axorar = arruinar = desbaratar, anular, quebrar, desmanchar, tornar em fumo, gastar, malograr, desmantelar, desarvorar,

desatremar, desmastrear, desconsertar, desencordoar, estropiar (*maltratar*) 659; infertilizar, aparar as asas, cortar o voo, mandar para o limbo, frustrar, baldar, chapejar no charco, desperdiçar o tempo.
Adj. inútil, podrido, improfícuo, clusório, ineficaz, ineficiente, frívolo, fútil, nugatório, inaproveitável, nulo = vão, supervacâneo, baldo, baldado, infrutuoso, infrutífero, improdutivo, desvalioso, inoperante 158; inadequado (*insuficiente*) 641; inócuo, anódino, inepto, indiscutível, impotente 158; frustrâneo, baldio, sem-préstimo, imprestável, 645; inservível, inclassificável; frustrado (*insucesso*) 732; supérfluo, ocioso, demasiado, írrito, desnecessário, intruso, excrescente, incomportável, escusado, incompetente 158; dispensável, lançado às urtigas, jogado fora 638; abortivo, abortado (*não amadurecido*) 674; axorado, que não tem preço;
que não vale um caracol/uma palha; caro por qualquer preço, de pouco préstimo, apoucado, vazio, oco, chocho, inane, estéril 169; fora de combate, *hors de combat*, fóssil, obsoleto 124; que não presta para nada, deitado ao almargem, que não se sabe para que veio ao mundo, funca, que não vale a tinta e o papel, de que ninguém descobriu ainda o fim exato, indesejável, infértil, mealheiro, pífio, reles, soez, ordinário, chinfrim, lançadiço, batido.
Adv. inutilmente & *adj.*; em vão, debalde, em pura perda, perdidamente.

△ **646. Conveniência,** propriedade, congruência, desejabilidade & *adj.*; adaptação, consentaneidade, propiciedade, justeza, o devido, justa relação (acordo) 23; exatidão, acerto, naturalidade, oportunismo, oportunidade, utilidade 644; decoro;
cabimento, ocasião propícia 134, ensejo, azo; compatibilidade.
V. ser (conveniente & *adj.*); convir, não ser demais que, ser próprio, cair bem, calhar, adaptar-se, quadrar, condizer, corresponder, ficar a matar, assentar como uma luva, adaptar-se a, não aberrar de, estar talhado para, vir a talho de foice 23; conformar-se com.
Adj. conveniente, talhado de molde, convindo, desejável, grato, cômodo, aconselhável, consentâneo, cabido, cabível, correto, decente, decoroso, conforme, côngruo,

647. Inconveniência | 648. Bondade

congruente, talhado, adequado, próprio, propício, curial, destinado a, devido, acertado, avisado, favorável, vantajoso; providencial, natural, proveitoso, oportuno 134; apontado, indicado, apropriado 23; aplicável (*útil*) 644; medido, regular, competente, feliz, parlamentar; compatível.
Adv. no seu lugar, *in the right place*, convenientemente & *adj.*; bem a propósito, a calhar, a talho de foice, com propriedade, merecidamente, *ad hoc*, a caráter.

▽ **647. Inconveniência,** impropriedade, indesejabilidade, indecência, descambadela, inoportunidade & *adj.*, inadequabilidade; desaire, incompatibilidade, choque (*desacordo*) 24; inutilidade 645; inadmissão, inadmissibilidade, descomodidade.
V. ser (inconveniente & *adj.*); vir fora de propósito, descaber, aberrar de, não convir, desconvir (*desacordo*) 24; embaraçar 706, pagar caro uma fantasia, impropriar, ir mal, levar a mau caminho, dirigir-se para mau fim, meter-se como piolho por costura.
Adj. inconveniente, desairoso, incurial, impróprio, aberrante, aberrativo, inoportuno, incômodo, ineficaz, indevido, indigno, abusivo, incompatível discordante 24; chocante, inepto, inadmissível, desvantajoso, desconcertado, indesejável, desconselhável, mal propício, desassazonado, indecente, indelicado, descabido, desconveniente, desregrado, desacertado, mal engenhado, pouco satisfatório, inadequado, incongruente, incompatível, infeliz, desastrado, inútil 645; inoportuno 135; ocioso, inaproveitável, adiável, fora de lugar, em mau lugar;
desajeitado, canhoto, descômodo, desastroso, desconfortável, atravancado, pesado, imanejável 704; embaraçoso 706; desnecessário 641.
Adv. inconvenientemente & *adj.*; nada de, nada mais de.

△ **648.** (Capacidade para produzir o bem)
Bondade & *adj.*; excelência, mérito, nobreza, alteza, altruísmo, valor, valia, merecimento, bom-caratismo, beneficência, benevolência, benignidade, piedade, rasgo, virtude 944; preço, louça, primor, quilate; moralidade, inocuidade, inocência, caridade, filantropia, mecenato, superexcelência, supereminência, sobre-eminência, preexcelência, superioridade 33; formosura, elevação, grandiosidade, sublimidade, celsitude, perfeição 650; obra-prima, *chef-d'œuvre*, flor, creme, elite, suco, escol, o beijinho, creme do creme, nata, sal da terra, bênção, favor divino, oxigênio, alimento, cornucópia, evangelho, titela, manjar, gema, joia, diamante de primeira água, especialidade, pedraria, alfaia, pérola, relíquia, rubim, brilhante, tesouro, sacrário, riqueza, opulência, teta, mina de ouro; ouro ou prata de lei/do mais fino quilate; sacerdócio, *rara avis*, um dentre mil, fênix, ressurreição;
coisa de estalo/de arromba; melgueira, pechincha, pepineira, 906; homem bom 948; temperilha.
V. ser (bom & *adj.*); ter suas coisas boas; produzir, ou fazer bem 618; benfazer, aproveitar 644; reverter em benefício de, oxigenar, beneficiar, valorizar, superiorizar, dar proveito, avantajar, semear o bem, prodigalizar benefícios, ser de resultados benéficos, elevar, magnificar, nobilitar, engrandecer, dignificar, enobrecer, salubrificar, sanear, privilegiar, melhorar 658;
favorecer com, salvaguardar, proteger, não fazer mal, ser inofensivo & *adj.*; exceder 33; transceder, distinguir-se, ir além do ordinário, chegar a alto grau de superioridade, não ser para os beiços de, pleitear primazia;
resistir à prova, aguentar um exame, fazer testa a, desafiar comparação, competir, emular com, emparelhar-se com, rivalizar-se com, correr parelhas com;
pleitear, apostar primazia com; disputar, primar; prosperar, inspirar ao homem o sentimento da dignidade; modificar favoravelmente, dignificar, enaltecer, enriquecer, fazer um mundo de bens, modificar.
Adj. bom, bondoso, pio, piedoso, bom-caráter, altruísta, inofensivo, inóxio, desculpável, impunível, incastigável, tolerado, singelo, inócuo, anódino, inocente, que não causa dano, de água-morna, sofrível, tolerável = perpassável, isento de malícia, simples de ânimo, bem-intencionado, cândido, puro, magnânimo, benfazejo, benevolente, benigno, caridoso, filantropo, edificante, reconfortador, reconfortante, benéfico, salutar, sanativo, são, abençoado, proveitoso, inapreciável, de valor, prestadio, prestativo, serviçal (*útil*) 644; pro-

649. Ruindade | 649. Ruindade

vidente, providencial, seguro, eficaz, eficiente, vantajoso, profícuo, saudável 656; estupendo 870; virginal 960; benévolo 706; virtuoso 944; meigo, suave, terno, misericordioso, indulgente;

plausível, grandioso, bom, grande, famoso, especial, excelente, primo, sobre-excelente, magnífico = sobre-eminente, esplêndido, alto, invulgar, áureo, de mão-cheia, nobilitante, opimo, invejável papa-fina, de primeira plana, de arromba, de estalo, de chupeta, cobiçável, melhor, superior 33; de truz, acima do par, fortunoso, próspero, afortunado, de primeiríssima, belo, bonito, genuíno (*autêntico*) 494;

magistral, monumental, monumentoso, do mais fino quilate, de marca, de escol, de eleição, de marca G, de marca maior, extra-fino, precioso, que não tem preço, viridente, virente, propício, favorável, salutífero, brilhante, escolhido, seleto, peregrino, raro, prestante, sem preço, sem paralelo, sem rival (*superior*) 33; supramundano, supereminente, castiço, fino, superfino, irrecusável, impagável, suculento, rebom̂íssimo, incompensável, incomparável;

de primeira água, de primeira ordem, de primeira classe, de primeira grandeza, magnífico, exímio, limpo, galhardo, lustroso, diamantino, privilegiado, singular, esquisito, delicioso, agatoide, supremo, soberano, pindárico, mimoso, mirífico, capital, essencial, principal = cardeal, preexcelente, extraordinário, sublime, grandioso, preexcelso, celso, celeste, celestial, doce, sadio, suave = amavioso, repassado de amor e carinho, de eficácia incomparável, vitalizante, virilizante, tonificante, clássico (*perfeito*), inimitável, incriticável;

admirável, prezável, estimável, louvável (*aprovação*) 931; aplausível, agradável 829; róseo, dourado, aurirróseo, aurirrosado, modelar, principesco, precioso, invejável, de preço, custoso (*caro*) 814; inestimável, precioso como a menina dos olhos, digno de ser imitado, do mais fino quilate, tolerável, satisfatório, são (*perfeito*) 650; alviçareiro, elevado, predestinado.

Adv. otimamente & *adj.*; bem 618;

em boas/em vantajosas condições; em proveito de, sem prejuízo de, a favor de, em favor de, em pró de, em defesa de, em benefício de, para benefício de, a bem de, em honra de, ouro no azul.

▽ **649.** (Capacidade para produzir o mal) **Ruindade,** pravidade, maleficência, ofensa, vilania, impiedade, maldade, malquerer, nocividade & *adj.*; virulência, crueldade, irreparabilidade, malignidade, aversão, ódio, rancor, iniquidade, malefício, vingatividade, perversidade, canalhice, torpeza, raio, ciclone, furacão, terremoto, vandalismo, destruição 162; exício, perdição, ruína, morte, cratera, precipício; mancenilha, veneno 663;

rábia, hidrofobia, carcoma, má estrela, mau-caratismo, estrela fatídica, ventos adversos, insídia, *amari aliquid,* sinistro, mau-olhado, jetatura, quebranto, mau tratamento, vexame, tormento, repugnância, avania, molestamento, abuso, opressão, perseguição, ultraje, assalto, violência, seta, mau uso 679;

estenderete, injúria (*dano*) 659; defeito, vício, abominação (*sofrimento*) 830; diátese, verminose, pestilência (*doença*) 655; culpa 947; depravação 945; prejuízo, malfeitoria 907;

lama, lodo, vasa, lameirão, o pestilento lameirão de, fezes, flagício, fel, amargor, rigidez, gomeleira, túnica de Néssus, caixa de Pandora, quantidade de coisas ruins: sudário, monturo; as asperezas da vida.

V. ser (nocivo & *adj.*); causar/infligir dano 619, mortificar; danificar, maleficiar, prejudicar, lesar, estiolar, combalir, ferir, turbar, golpear, escalavrar, escarapelar, estragar, arruinar, transviar, roer (*deteriorar*) 659; envenenar até a última fibra, magoar 830; fazer mal a, infamar, ultrajar, deformar a pureza de suas linhas, desarvorar 645; agravar, perder, causar dissabor, devastar, assolar, oprimir, onerar, carregar, perseguir, preterir, calcar aos pés, atropelar, pisar, maltratar, torturar, vexar, clamar vingança, manchar as páginas da História, fechar a porta do céu, bradar aos céus, sobrecarregar, vitimar, esmagar, machucar, apestar, empestar, seviciar, molestar 830;

danar, abusar, ofender, espezinhar, amesquinhar, declinar, abater, rebaixar, peguinhar, corromper a seiva, pôr nódoa, macular 653; dar que fazer, esbofetear, espancar 972; violentar, esfaquear, apunhalar, dar mau agouro, trazer desgraça, desgraçar, acutilar, marfar = vulnerar, atagantar, agadanhar; esgadanhar; agatanhar, esgatanhar, escorchar, esgardunhar, arranhar,

destruir 162; roubar 791; assetear, flechar, faretrar 378;
retalhar, atassalhar, azagaiar, golpear de morte, atentar contra, entoxicar, envenenar, empeçonhar, fazer guerra a, infernar, infestar, apoquentar, esmoucar, irrogar, gangrenar, perverter, viciar, malignar, corromper, abalar, concutir, perpetrar, revoltar, repugnar, provocar conflitos, causar engulhos, dar frutos envenenados, gerar conflitos, causar asco, assanhar desgraças, manchar.

Adj. malévolo, cruel, perverso, ofensivo, nocivo, viroso, agravoso, venenoso, inoficioso, lamentável, nocente, prejudicial, molesto, molestoso, ruim, péssimo, mau, pravo, ruinoso, infesto, funesto = exicial, calamitoso, sinistro, fatal, amaldiçoado, maldito, injurioso, deletério, malfeitor, malfazejo, maléfico 907; íncubo, facinoroso, maligno, malignante, negregado, abominável = vitando, nefasto, reverso, danoso, daninho, danífico, pernicioso;

feio, inimigo, maldoso, desvantajoso, devastador, destruidor 162; infeliz, oneroso, gravoso, ofensor, fastidioso, intolerável, obnóxio, tabífico, desastroso, desastrado, tendencioso, corruptor 659; virulento, irremissível, irrespirável, venenoso 657; serpentífero, serpentígero, serpentígeno estiômeno = corrosivo = anabrótico, mortal 361;

insanável, inauspicioso 859; horrível, hórrido, horripilante, horrendo, horroroso, horrífico, tempestuoso, terrível, pavoroso, apavorante, tétrico, terrificante, medonho, acintoso, cruel, trágico, atroz, atro, tenebroso, inominável, pecaminoso, insano, criminoso, vergonhoso, repugnante, vexatório, lesivo, desproveitoso, vil, baixo, de carregação, ignóbil, monstruoso, miserável, mísero, nefando, desprezível, soez, abjeto, miserando, tirânico, infame, nefário, indigno de se nomear, mesquinho 643;

chocante, suspeitoso, comprometedor, deteriorado 659; podre, corrupto = tábido, defeituoso 651; empecível, empeço, mal-engendrado, deplorável, lacrimável, imperdoável, lamentável 830; feio 945; inclassificável, condenável, passível de censura, desbragado, inqualificável, indigno, punível, castigável, inconfessável, repreensível 932;

odioso, detestável, abominável, de marca anzol, infando, execrável, ominoso, ultrajante, ultrajoso, sombrio, perigoso, aziago, odiado = inviso, insidioso, ruim como o diabo, que não tem nome, inominável, infernal, mefistofélico, luciférico, demoníaco, diabólico (*malévolo*) 907;

inconveniente 647; indiscutível, inaproveitável, pesado, incômodo, molesto, chinfrim, reles, soez, pífio (*inútil*) 645; incompetente 699; irremediável 859; fatídico, trágico, sórdido, bruto, imundo, repelente 653; malignante, pejorativo, safado, incomodante, incomodativo.

Adv. em prejuízo, em detrimento de.

△ **650. Perfeição,** excelência, maturidade, plenitude, perfectibilidade, aperfeiçoamento, limpeza, pureza, acabamento, excelente acabamento, indefectibilidade, impecabilidade, infalibilidade, imaculabilidade, inerrância, irretocabilidade, irrepreensibilidade, inatacabilidade, incensurabilidade, perfeição típica, perfeição ideal, magistralidade, repica-ponto, modelo, exemplar, padrão, protótipo, paradigma, rebuçado, Deus, fênix;

a fina flor, o modelo da perfeição; arquétipo, ideal, primor, mimo, quilate, flor, nata, escol, suco, quintessência, auge, requinte, *supra-summum*, suprassumo, *state of the art*, estado da arte, refinamento, atilamento, correção, esmero, apuro, capricho, escamel, toque, expressão máxima da arte, lima, retoque, cereja do bolo;

cygne noir, pedra filosofal, crisólita, crisólito, diamante sem jaça, joia da coroa, prata sem liga, *kooh-i-nor*;

non plus ultra, *nec plus ultra*, *primus inter pares*, espelho, trunfo, o rei de..., obra-prima, pintura, superexcelência (*bondade*) 648; transcendência (*superioridade*) 33; limagem.

V. ser (perfeito & *adj.*); ser a última palavra; ser o máximo;
servir de regra/de espelho/de modelo/de paradigma; não ter par, não deixar nada a desejar, atingir um aperfeiçoamento, não ter jaça, estar uma limpeza;
servir de timbre/de quilate/de padrão; aperfeiçoar, acrisolar, sublimar, primar, aquilatar, melhorar, apurar, caprichar, esmerar, lapidar, burilar, cinzelar, amadurecer, madurar, sazonar, abluir de máculas e imperfeições, polir, limar, rebulir, retocar, limpar, desbastar, corrigir, pôr o remate

651. Imperfeição | 652. Limpeza

a, desemburrar (fam.), completar 729; preparar 675; dar a última mão a, escoimar, relimar, sacar de lustre, refinar, requintar, aprimorar, esmerar, exceler;
Adj. perfeito, perficiente, primo, indefectível, indeficiente, apurado, fino, esmerado, refinado, harmonioso, primoroso, de primor, limpo, puro, excelso, castiço, impecável, irrepreensível, de mão de mestre, inexcedível, de sobremão, sem mancha, imaculado, asseado, são, intato, casto, de um perfeito acabamento, acurado, isento de (imperfeição 651); neto, sem jaça, incorrutível, inconcusso, ileso, incólume, perfectivo, perfectível, são e escorreito, íntegro, pintado, limado & v.; *in seipso totus teres atque rotundus*, chapado, rematado, completo 52;
consumado, acabado 729; bem-acabado, inatacável, incensurável, incriticável, primoroso, de fina estética, executado com mestria, lapidar, feito por mão de mestre, magistral, do mais fino quilate, pindárico (*excelente*) 648; sem par, exemplar, modelar, acataléctico, inimitável, incomparável, sem paralelo (*superior*) 33; sublime, celso, celeste, celestial, sobre-humano, divino, acima de todo o louvor (*aprovação*) 931; de mão-cheia, *sans peur et sans reproche*, imáculo, exímio, de enche-mão, de arromba.
Adv. perfeitamente & *adj.*; *ad unguem*; de modo cabal/completo/acabado; de repica-ponto, a capricho, com esmero.

▽ **651. Imperfeição,** deficiência, defeito, defectividade, mediocridade & *adj.*; inaptidão (*deficiência*) 641; censurabilidade, defectibilidade, pecabilidade (*ruindade*) 649; imaturidade; precariedade, irregularidade,
falta, mas, senão, lacuna, quebra, perda, defeito = manqueira, buraco, escatima, fraqueza 160; balda, eiva, tara, tinha, tacha, manha, míngua, ponto fraco, calcanhar de Aquiles, parafuso frouxo, nódoa, labéu, pecha, jaça, mácula, erva, omissão, rasura, rachadura 70; brecha 198; torcedura 243; sombra, desprimor, vício, tropeço; não grande coisa.
V. ser (imperfeito & *adj.*); ter muitas falhas, ressentir-se, não estar muito católico, oferecer faltas e lacunas, rarear, ter uma sombra que o enturva, coxear, deixar (muito) a desejar, ter suas desvantagens, apresentar muitos senões, macular, deformar a pureza de suas linhas, sombrear, desprimorar, imperfeiçoar.
Adj. imperfeito, defectivo, coxo, manco, defeituoso, falho, lacunar, lacunoso, mal alinhado, antuviado (p. us.), faltoso, tosco, grosseiro, chavasco (p. us.), impuro, manchado, fendido, rachado, deforme, malfeito, tarado, torto 243; desprimorado, desprimoroso, deteriorado 659; pecaminoso (*ruim*) 649;
frágil 160; insuficiente 641; mal cozinhado, cru (*não preparado*) 674; incompleto 53; inferior 34; manicurto, manopla, mãozudo, pencudo, pernicurto, pernilongo, esgaivotado, abaixo do padrão;
ordinário, grosseiro, rudimentar, mal-acabado, mal-ajambrado, precário, medíocre, tal e quejando, somenos, modesto, mero, obscuro, tolerado, perpassável = tolerável, digno de indulgência, passável, secundário, menos perfeito, de segunda (classe), segundo, quase bom, regular, sofrível, imperfectível, eivado de.
Adv. imperfeitamente & mal; quase, um tanto, um quê de, proximamente, pouco menos, como se, dentro de determinados limites, apenas, regularmente, sofrivelmente, assim-assim; com pouco esmero, de empreitada.
Frases: *Surgit amari aliquid*. Todos têm o seu pé de pavão. Macaco, olha o seu rabo.

△ **652. Limpeza,** limpamento, alimpamento, higiene, assepsia, pureza, imaculabilidade, asseio, alinho, mundície, mundícia, purificação, depuração, fumigação, mundificação, defecação, evacuação, purgação, expurgação, lustração, lavação, lavadela, elutriação, detersão, abstersão, abstergência, detergência, refinadura, refinação, refinamento, refinaria;
Ensaboadura, ensaboamento, ensaboadela, lavadura, lavagem, ablução, limpadura, limpadela, coadura, desinfecção, sufumigação, sufumígio, diasóstica, dealbação, sublimação, esgoto, banho, varredura, varredela, faxina, peneiração;
lavatório, lavanderia, banheiro;
basculho, vasculho, ciranda, varredouro, ancinho, raspadeira, almofaça, escovalho, escovilhão, rasqueta, pá, peneira, crivo, filtro, coadouro, loção, detergente, catártico, purgante, purgativo, purga, desinfetante,

653. Sujidade | 653. Sujidade

purificador, coada, barrela, cenrada, lixívia, infundice ou infundiça, barrilha, lamoja, lixiviação, penteadela, penteadura, lavadeira, varredor, faxineiro, limpa-chaminés, limpa-calhas, limpador, limpa-botas, engraxador, engraxate;
lenço, mandil, avental, vassoura, espanador, escova, esponja, cartabuxa, pente, desinço, sabão = sabonete, ondulina, esgaravatador, palito.
V. ser/estar (limpo & *adj.*); estar um brinco/umas pratas/uma limpeza;
tornar (limpo & *adj.*); alimpar;
limpar, tirar sujidades; descasquejar, assear, higienizar, dessujar, acrisolar, mundificar, enxaguar, lavar, perlavar, abluir, ensaboar, escovar, raspar, cartabuxar, esfregar, lixiviar, absteger, abstergir, encendrar, purgar, expurgar, adoçar o ouro, purificar, sublimar, desmarear, clarear, clarificar, desborrar, depurar, despoluir, cendrar ou acendrar, escovilhar, almofaçar, apurar, elutriar; livrar de, desembaraçar de, defecar, mondar, edulcorar, lustrar, esborrar; filtrar = refinar, sedear, desempestar, desinfetar = sufumigar, desinfeccionar, fumigar, defumar, descontagiar, mechar, ventilar, arejar, caiar, basculhar, vasculhar, varrer, esfulinhar, vassourar, peneirar, joeirar, acirandar, palitar, capinar, pentear, desinçar, peinar-se, arear, desempoar, desempoeirar;
bandejar (o trigo), descascar, desencascar, desencardir, dealbar, escasquear, branquear, desborrar, desembaciar, desenlambuzar, desenlamear, desenxovalhar, esgaravatar, espanar, espanejar, destilar, restilar, decruar (a seda), descaliçar, destoldar, descaspar, espiolhar, deslendear, desenlodar, desenodoar, desensebar, desensaburrar, desaranhar, desengordurar.
Adj. limpo, asseado, desenxovalhado & *v.*; ensaboado, mundo, neto, nítido, puro, imaculado, refinado, mundificado & *v.*; sem mancha, absterso, abstergente, abstersivo, abluente, detergente, detersivo, lixivioso, alimpador & *v.*
Adv. limpamente & *adj.*

▽ **653. Sujidade,** porquidão, porquidade, porcaria, porqueira, merdice (pleb.), merda (chulo), bosta (chulo), espurcícia, desasseio, impureza, impuridade, asquerosidade, repelência, sordícia, sordidez, repugnância, imundície, imundícia, putrilagem, caca, esterqueira, sebentice, esqualidez, esqualor, impureza do espírito 961; podricalho, seresma, nodoamento, gafeira, contaminação, inquinação, emporcalhamento, poluição;
denigrição, turvação, enlambuzadela, farrusca, farrumpeu (chulo), mascarra, lambuça, lambuçadela, lambuzadela, mancha, nódoa, larada; deterioração, putrescência, putrefação, supuração, sânie, corrupção, decomposição, caspa, borrão, borradela, borradura; apodrecimento, podridão
bolor, acém, mofo, sito, mosto, molagem, muco, mucosidade, coriza, ranho, monco, recremento, remela, meleca (vulg.), laganha ou langanha, carranha, sebo, chocas, carda, cardina; homem porco, porco, porcalhão, pingão, taberneiro, latrineiro, cloacário, cloaqueiro, mondongo, mondongueiro, montureiro, surrão, besuntão, merdilheiro, besuntona, côdea, javardo, cochino, esterco, estercoreiro, sostra ou costra, garra, zoipeira, cabungueira, bodalhão, bodegão, bodegueiro, cabungo, lamaçal, pântano, atoleiro, tijuco, tijucal, lama, lodo, arro, (ant.), vasa, limo;
teia de aranha, fumo, fuligem, picumã (bras.), escória, borra, fezes, resíduo, morraça, sedimento, sarro, fécula, almártaga ou almártega, fundagem ou fundalha, polmo, detrito, escuma, babugem, rabeira, cinzas, assento, pus, vurmo, sordes, sânie, *caput mortuum*, tártaro = incrustação calcária, saburra, saburrinha, caçurro, lixo = varredura, cisco, lixão, ciscalhada 645;
tripalhada, vísceras, cadáver, excreta 299; burundanga, carnicão, humor, ícor, saburrosidade, escara, supuração, suarda, lienteria, diarreia, excremento 299, vômito, miasma; frago, estrume, esterco, fezes, materias fecais, carniça (bras.), podricalho, monte de estrumes, bispotada, penicada, podredouro, busilhão (chulo), calhandro, muradal, esterquilínio, esterqueiro, água-suja, paul, latrina, sentina, necessária, cloaca;
retrete, privada, reservada, secreta, comua, casinha, fossa higiênica, volutabro, monturo = muladar, estrumeira, mosqueiro, mureira, esterqueira, esterqueiro, alfurja, alfeire, cortelha, persigal, chiqueiro, chafurda, chafurdeiro, pocilga, pocilgo, chavascal, piolheira, camareiro, bidé, bacio,

penico, bispote, vaso noturno, cabungo, urinol, mictório, ceno, atascadeiro, tremedal, vazadouro, lameiro 345;
cuspidor, cuspideira, cuspidouro, escarradeira, estrebaria de Áugias, cisqueiro, cavalariça, cocheira, estrebaria, pulguedo, mosca, moscaria, varejeira, lendeaço, percevejo, chisme, carrapato, lêndea, piolho, chato = ladro, carango, lugar hediondo, ambiente impuro, curral, bodega.
V. ser/tornar (sujo & *adj.*); enlodar-se, encardir, sujar, desassear, esborratar, inquinar, infectar, infestar, enfumaçar, empocilgar, enodoar, manchar, enlaivar, macular, empoeirar, enfelujar, mascarrar, esborretear, borrar, lambuçar, lambuzar, labuzar, enlabruscar, enlambuzar, jorrar, besuntar, enegrecer, denegrir, enfarruscar, enxovalhar, enludrar, conspurcar, denegrecer, enlamear, embostar (chulo), embostear (chulo), embostelar (chulo), esmerdar (chulo), emboitar, poluir, ensujentar, encarvoar, encarvoiçar, encarvoejar, emboldriar-se, emboldregar-se, emborralhar, enfulijar, engordurar, enrabeirar, emporcalhar, contaminar, embodegar, embodalhar;
toldar, turvejar, turbar, turvar, enlamear, enlodar, atolar, atascar, empantanar, chafurdar, empoçar-se, encharcar, enxudar, encravar no lodo, rebolear-se na lama, babujar, impurificar, corromper, feder 401; envasar-se, putrefazer, apodrentar, purgar, putrificar, apodrecer 659; mofar;
remelar, babar, perdigotar, repugnar, causar repugnância;
fazer pé, criar fezes, empezar, empezinhar, empesgar, embaciar.
Adj. sujo, estrafalário, porco, espurco, lapuz, marrano, ludroso, cenagoso, imundo, tabernal, bodoso, cochino, latrinário, lixoso, moncoso, melequento, balordo, seboso, sebáceo, sebento, ascoso, ascoroso, desasseado, negligente, sórdido, hediondo, cenoso, esquálido, gafento, garrenta, garra, pustuloso, pustulento;
caspento, casposo, carepento, piolhento, piolhoso, lendeoso, sanioso, ranhoso, remeloso, remelento = liposo = laganhento, remelado, catarroso, nauseento, franchão, vurmoso, icoroso, surrento, turvo, lodoso, vasento, vasoso, borraceiro, enchamerdeado, tramposo (chulo), embostelado & *v.*;
pulgoso, pulguento, maculoso, choquento, relaxado, desgrenhado, esguedelhado, apo-
drido, pútrido, putrefeito, podre, putrefato (*fedorento*) 401; acaireladas (unhas), saprófilo, emporcalhado = caçurrento;
impuro, ofensivo, abominável, nefando, grosseiro, bestial, denigrativo, infetuoso, anti-higiênico;
bolorento, mofento, mofoso, barroso, barrento, ferrugento, râncido, rançoso, deteriorado, purulento, melequento (vulg.), faculento, faculoso, estercoral, excrementício, fimícola, estrumoso, ensanguentado, crapuloso 954; obsceno 961; não purificado, mascavado, turvo, túrbido, escuso, escabroso;
repelente, nauseabundo; repugnante, nojento, asqueroso, tinhoso = que mete nojo, viroso.
Adv. sujamente & *adj.*
Interj. cativa! eca!

△ **654. Saúde,** sanidade, salubridade, vigor, louçania;
saúde boa/rija/perfeita/invejável/excelente; força, robustez 159; tonicidade, inteireza de saúde, euforia, eucrasia, euemia, conservação das forças físicas, excelente disposição física, *mens sana in corpore sano*, euzoodinamia, catástase, higiene analéptica.
V. estar bem de saúde, estar bem, ir bem; gozar, lograr boa saúde; sentir-se bem, passar bem, ter bom estômago = trabalhar em diamante, rebentar de saúde, porejar saúde, estar são como um perro (fam.), ter boas pernas, recuperar 660 a saúde, convalescer; melhorar 658; sarar, curar 660, curar-se, restabelecer-se; começar vida nova, ir andando, passar regularmente, fortalecer 159; dar saúde, salvar, sanificar;
tratar, medicar, assistir, medicamentar, remediar, cuidar, enfermar.
Adj. são, sadio, saudável, escorreito, válido, galhardo, robusto, *potens corpori*, vigoroso, forte 159; belo, bem constituído, sarado, eucrástico, jovem, corado, florido, afeito às intempéries, fresco como uma alface, louçâo, bem disposto;
sanitário (*salubridade*) 662; hígido.
Adv. sadiamente & *adj.*; em bom ponto.

▽ **655. Doença,** valetudinarismo, mal, estado precário de saúde, enfermidade, moléstia, sintoma, síndrome, *morbus*, morbo; más ou precárias condições de saúde, remolho (fam.), padecimento, sofrimento, morbidez, morbideza, langor, definhamen-

to, languidez, analose, depauperamento, quebrantamento do corpo, mal-estar, incômodo, enxaqueca, achaque, achaquilho, achaqueira, camarço, camarçada, indisposição, morrinha, macacoa, manha, febre, estado febril, pirexia, pieira, ataque, acesso, frouxo, adoecimento, assalto de enfermidade, perda de saúde; hipocondria; iatrogenia;
lesão, invalidez, caquexia, clorose, atrofia, marasmo, hemialgia, hemeropatia, trabuzana = indigestão = afito, anemia, decadência 559; anquilose, ataque de ar, anervia, ramo de ar, paralisia, diplegia, prostração, coma, letargia, sonolência letárgica, infecção, septicemia, gota;
epidemia, andaço, flagelo, endemia, epizootia, peste, pestilência, sezonismo = impaludismo, vírus, sânie, nozilhão, tumor, neoplasia, hiperplasia, hematoma, lobinho, leicenço, flegmão, rebentão, furúnculo, doenças zimóticas, flores brancas = leucorreia, pirose = azia, soltura, fluxo de ventre, diarreia, lienteria, câmaras;
úlcera, úlceras quirônias;
chaga, ferida, fístula, abscesso, pústula, apostema, apóstase (*inflamação*) 250;
Doenças do metabolismo: acantose nigricans, acrocianose, anemia, artrite psoriática, artrose, câncer ou cancro, cirrose hepática, diabetes insipidus, diabetes mellitus, doença de Creutzfeldt-Jakob, enurese, esôfago de Barrett, hipertireodismo, leucemia, leucemia mieloide aguda, mal de Alzheimer.
Doenças genéticas: acalvaria, acondroplasia, acromatopsia, anemia falciforme, doença de Von Gierke, fenilcetonúria, fibrose cística, glaucoma, hemofioia, hiperparatireodismo, hipertensão arterial, mal de Parkinson, talassemia, síndrome de Alport.
Doenças imunológicas: alergias, artrite reumatoide, doença celíaca, esclerose múltipla, lúpus eritematoso sistêmico, pênfigo, síndrome de Sjörgen, vitiligo.
Doenças neurológicas: acalasia, catalepsia patológica, epilepsia.
Doenças nutricionais: anorexia nervosa, beribéri, bócio endêmico, bulimia, escorbuto, gota, hipercolesterolemia, hipotireodismo, osteoporose, raquitismo.
Doenças psicológicas: depressão, pica.
Doenças causadas por produtos químicos: argiria, asbestose, asma, pneumoultramicroscopicossilicovulcanoconiose, silicose.

Doenças causadas por vírus: virose, bronquiectasia, bronquite, dengue, diarreia, doença de inclusão citomegálica, ebola, eritema infeccioso, esofagite, febre aftosa, febre amarela, febre (encefalite) do Nilo ocidental, gripe, gripe aviária, gripe suína, hepatite, herpes, herpes zóster (cobrão, cobreiro), hipertensão pulmonar, leucemia/linfoma de células T do adulto, molusco contagioso, mononucleose infecciosa, parotidite infecciosa (papeira, caxumba), poliomielite, raiva (hidrofobia), resfriado, roséola (exantema súbito), rubéola, sarampo, sarcoma de Kaposi, SARS, síndrome de imunodeficiência adquirida (AIDS, SIDA), varicela (catapora), varíola, verruga genital, verruga plantar.
Doenças causadas por bactérias: abscesso, actinomicose, botulismo, bronquiectasia, bronquite, brucelose, cancro mole (úlcera mole venérea, cancroide), carbúnculo (carbúnculo hemático, antraz, antrax), cárie, cistite, clamídia, cólera, diarreia, disenteria bacteriana (shigelose), difteria (crupe), doença de Lyme, doença do legionário, erisipela (linfangite estreptocócica), escarlatina, faringite, febre maculosa (febre do carrapato), febre paratifoide, febre purpúrica brasileira, febre Q, febre tifoide, gangrena gasosa, gastrite, impetigo, gonorreia (blenorragia), lepra (hanseníase), leptospirose (mal de Weil), linfogranuloma venéreo, listeriose, melioidose, meningite, meningococcemia, mormo (lamparão), ornitose, pertússis (coqueluche), peste bubônica (peste negra), pneumonia, salmonelose, sífilis, síndrome do choque tóxico, sinusite, tétano, tifo, tracoma, tuberculose, tularemia.
Doenças causadas por protozoários: acantamoebíase, balantidiose, criptosporidíase, diarreia, disenteria amebiana (amebíase), doença (mal) de Chagas (chaguismo, tripanossomíase americana), doença do sono, eimeriose, giardiose (giardíase), isosporíase, leishmaniose (leishmaníase), malária (paludismo), naegleríase, toxoplasmose, tricomoníase.
Doenças causadas por fungos: aspergilose, blastomicose, bronquiectasia, candidíase, coccidioidomicose, criptococose, dermatite saborreica (seborrreia, caspa), dermatofitose (micose), esofagite, gomose, histoplasmose, mucormicose, paracocci-

dioidomicose, pitiríase versicolor, pneumocistose.
Doenças causadas por vermes: ancilostomíase (ancilostomose, amarelão), anisaquíase, ascaridíase, bicho geográfico, cisticercose, difilobotríase, dipilidiose, dirofilariose, enterobíase, equinococose, esquistossomose (bilharzíase), estrongiloidíase, fasciolíase, filaríase (elefantíase), himenolepíase, hipertensão portal, loa loa, necatoríase, oncocercose, pragonimíase, teníase, toxocaríase, tricuríase, triquinose.
Doenças causadas por artrópodes: acne, berne, escabiose (sarna), miíase, pediculose;
morfeia, mal de s. Lázaro, tênia = solitária, triquina, lombriga, escrófulas, alporca, erupções escabrosas, esparavão, hérnia, quebradura, escrotocele; hieranose, opilência;
ataque, acesso, ramo, horripilação, calafrio, apepsia, braquipneia = dispneia, huerfago, pieira, sinais prognósticos, expectoração, frouxos de tosse, tosse raivosa, tosse convulsiva, bailadeira;
doença terminal, doença fatal 859; grave, de cuidado; tuberculose, héctica;
tísica galopante, mesentérica, de laringe, laringite crônica, afecção dos gânglios mesentéricos;
epidemia, endemia, dispepsia, bradipepsia, melitúria, sezonismo = impaludismo, doença do espírito, idiotismo 499; loucura 503; furor uterino = andromania 961;
coxo, paralítico, doente, galinha choca (pop.), cliente.
V. estar (doente & *adj.*); adoecer, andar muito abanado, estar um podão, ir mal, estar de remolho, andar em mão do cirurgião, não estar bem de saúde, estar afetado, andar por arames, queixar-se de, ter cara de defunto, ser a morte em pé, ter a morte à cabeceira, estar doente de cuidado, estar com um pé na cova, estar em perigo de vida, estar/ser atacado de, estar condenado;
estar de molho/de resguardo; ficar de borco;
andar em tratamento/em mãos de médico; sentir-se (incomodado & *adj.*); ficar de cama, acamar, guardar o leito (gal.), encamar, achacar, adoentar, encarangar, enfermar, ter uns rebates de febre, sentir a saúde fugir pelos pulmões, tossir, contrair enfermidade, amorrinhar-se, emplasmar-se, sofrer, padecer, alanguidar-se, languescer, marasmar, perder as forças;
ganhar/apanhar/contrair uma enfermidade; gafar-se, contagiar-se, contaminar-se, encatarroar-se, endefluxar-se;
atacar, acometer, saltear, molestar, combalir, afetar os pulmões; afistular, apostemar, aporismar, de, inficionar, contaminar, transmitir, infetar, levar alguém à cama, arruinar.
Adj. doente, doentio, de saúde melindrosa, enfermiço, valetudinário, quebrantado de saúde, malato, malsentido, lecionado de sofrimentos, egro, achacado, achacadiço, salteado de padecimentos físicos, abanado, enfermo, adoentado, agroujado (reg.), ensoado, choquento, desenganado dos médicos, mórbido, morbífico, morboso, inválido, zopo, zoupeiro, combalido pelas enfermidades, dorado (ant.), preso de delírio e inanição;
achaquento, achacoso, cataplasmado, atacado de, requeimado pela febre, tuberculoso, febriculoso, curável, incurável, malsão, moído, indisposto, empapuçado, incomodado, mal-humorado; hipocondríaco;
atado/preso à cama, acamado, atacado de, depauperado, emplasmado, anêmico, clorótico, atrigado, contaminado, triquinado, triquinoso, infeto, inficionado, envenenado, héctico, tísico, tossegoso, marasmático, garro, gafento, gafeirento, gafeiroso, sarnoso, sarnento;
infeccioso, contagioso, iatrogênico, (diz-se de doença causada por medicamento), ulceroso, leproso, lazarento, morfético, elefantino, canceroso, dispéptico, camarento, *hors de combat*, sanívoro, leucorreico, morbífico 657; epidêmico, endêmico, morrinhento, morrinhoso, apostemático, apostemoso, zimótico, fraco 160; moribundo 360, agonizante; nas últimas, terminal;
fora de combate 859; em perigo, morbíparo.
FRASE: Sua vida pende de um fio.

△ **656. Salubridade,** incolumidade, benignidade, higiene, diasóstica, sanidade;
ar fino, oxigenado, puro, tonificante, livre, delicioso; clima de ouro, eudiômetro, oxigênio, porto limpo, regime sanitário; saneamento;
vilegiatura, spa, estância hidromineral, sanatório, estação de águas.
V. ser (salubre & *adj.*);

657. Insalubridade | 658. Melhoramento

tonificar/oxigenar/virilizar o organismo; dar tom às fibras, revigorar; arejar, drenar pântanos;
tornar salubre, sanificar, salubrificar, fazer brotar saúde e energia de um lugar insalubre, sanear, purificar, oxigenar, renovar o ar, desinfeccionar, desimpestar, dar-se bem com.
Adj. salubre, salubérrimo, saudável, ameno, aprazível 829; higiênico = diasóstico; favorável/propício à saúde; salutar, hígido, de ouro, abençoado, cheio de brisa e de sol, salutífero, são, batido pelos ventos, benéfico, excelente 648; sanitário, sadio, remoçado, fortificante, privilegiado, respirável, tonificante, oxigenado;
puro, tônico, revigorante, nutritivo, antimefítico, antipestilencial, incomparável 33; inócuo, inocente, inofensivo, brando, benigno, sanativo (*curativo*) 662; restaurador 660.

▽ **657. Insalubridade,** sezonismo, endemia, paludismo, malária, tifoemia, impaludismo 663; contágio, contaminação, morbidez, pestilência, podridão, putrefação, sezão, quartã, maleita, porto sujo, porto suspeito; ar mau, impuro, podre, empestado, viciado, envenenado; ar cheio de gases mefíticos, mefitismo;
exalações, emanações mefíticas/pútridas/infetas; ação violenta do clima, miasma, matadouro, matadeiro, morredouro, região da morte, sepulcro, sepulcrário, sepultura, cemitério, região inóspita, região de ar podre, região onde a morte anda errante em busca de vidas para ceifar.
V. ser (insalubre & *adj.*); matar, ceifar vidas, exalar emanações pútridas, envenenar, empestar, apestar, pestilenciar, pestiferar, contagiar, corromper, viciar, combalir o organismo, miasmar, infetar, inficionar, intoxicar, contaminar, apegar a doença a alguém, rebalsar-se; tornar insalubre & insalubrificar; reinar, grassar, lavrar, assolar, devastar, despovoar, ermar.
Adj. insalubre, doentio, prejudicial à saúde, malsão, insalubérrimo, insalutífero, pestífero, pútrido, contagioso, mortífero, mortal 360; mefítico, azótico, pestilento, pestilencial, pestilencioso, pestilente, pernicioso, nocivo 649;
nóxio, mórbido, morboso, morbífico, morbígeno, morbígero, morbíparo, ruim 649;

deletério, envenenado, envenenador, venéfico, venenífero, venenípero, venenoso, virulento, peçonhento, viroso, impróprio 24; irrespirável, intolerável, inabitável, podre, pestoso, corru(p)to, viciado, tóxico, áspero, rude, infeccionador, contaminador, epidêmico, endêmico;
doentio, acerbo, sezonático, maleitoso, assolado por epidemias, paludoso, miasmático, suspeito, abiótico, destruidor 162; de águas sediças, que veicula a morte, inóspito, amaldiçoado, maldito, tábido, tabífico.

△ **658. Melhoramento,** melhora, melhoria, diminuição do mal, diádose, bonificação, beneficiação, benefício, ascendimento, ascensão, medra, medrio, medrança, desenvolvimento, incremento, evolução, adiantamento, progresso, avanço (*progresso*) 282; conquista de novos horizontes, impulso para frente, aumento 35; valorização, subida 305; acesso, promoção, elevação 307;
enriquecimento, cultura, cultivação, civilização, polícia, reforma, transformação, remoçamento, rejuvenescimento, reorganização, remodelação, nova organização;
revisão, remonte, emenda, correção, *limæ labor*, limagem, limadura, aperfeiçoamento, aprimoramento, *upgrade*, erguimento, requinte, ápice, refinamento, sofisticação, evolução, apuro, elaboração, purificação, transformação radical, conserto, embonada, remendo, reparo (*restauração*) 660, convalescença 660;
nova edição, corrigida, aumentada e melhorada; regeneração, elevação, assunção.
V. melhorar, tornar melhor, bonificar, beneficiar, avantajar, incrementar, medrar, crescer, tomar caminho, endireitar, passar a condições prósperas, mudar para melhor; ir a melhor/para melhor; ir de bem a melhor, aquilatar, consertar, encabeçar, aguisar (ant.), regularizar;
tirar os defeitos a, normalizar, remediar, extirpar abusos, expurgar, avançar (*progredir*) 282; subir 305; subir um furo no conceito de, aumentar 35; frutificar, amadurecer, embelezar, maturar, retemperar, apurar, avigorar, apanhar, colher, tirar de dificuldades, soerguer 307; aperfeiçoar, aprimorar; valorizar;
vivificar 359; dar novo alento a, privilegiar, tomar rumo favorável, solfar = consertar as folhas de um livro;

desafogar, conquistar/rasgar novos horizontes; prosperar, arrancar do lodo e da miséria, educar, conscientizar, elevar o nível de, engordar, fortalecer 159; purgar o espírito de preconceitos, modificar beneficamente, remir, redimir, expurgar dos erros e dos defeitos, erguer, limar, polir, esmerilar, lapidar, retocar;
nobilitar, regenerar, fazer de alguém um homem, levantar a cabeça, elevar-se, fazer de uma pessoa outra, levantar alguém do pó, tirar o pé do lodo, tornar conceituado e enobrecido, dobrar o natural de alguém, enobrecer, valorizar, enriquecer, realçar, elevar o conceito de, joeirar, limpar, salubrificar, sanear, sanificar, cardar, desmaranhar;
lustrar, brunir, retificar, remendar, consertar, fazer correções, corrigir falhas, preencher lacunas, embonar, escoimar, emendar, reparar, rebulir, curar, acendrar, moralizar, morigerar, purificar 652; acrisolar, abluir, substituir formas antigas por formas novas, civilizar, desmoitar, policiar, desasselvajar, sanar, remediar;
atalhar, debelar um mal; reformar, refundir, remodelar, reorganizar, dar outro aspecto, regularizar, refazer, remontar, afiar, desenferrujar, desoxidar, desoxigenar, disciplinar, escovar, levantar (o tempo), infundir vida nova, recrutar, cicatrizar, casquejar; remediar abusos ou desordens;
ser (melhor & *adj.*); tirar partido, fazer bulha com, aproveitar-se de;
colher, auferir benefícios de, fazer bom uso de, apurar as intenções, melhorar em conhecimentos, mudar de vida, engalanar o espírito, aperfeiçoar-se, reverdecer, rejuvenescer, remoçar, sazonar, renovar, reflorescer, reflorir, benfeitorizar; retemperar (*fortalecer*) 159; diamantizar, pôr nos trilhos (*arrumar*) 60;
curar 662;
paliar, atenuar, mitigar, diminuir 36 um mal; promover, arvorar em, espedregar.
Adj. melhorador & *v.*; progressivo, melhorado, melhor, maduro; incrementado, aprimorado;
reformatório, corretivo, corretório, correto, reparatório 660; reparador 662; corrigível, melhorável.
Adv. melhormente, em melhores condições.

▽ **659. Pioramento,** piora, pioria, deterioração, avaria, estragos, aviltamento, desvalorização, rebaixamento, depreciação, declínio, sol posto, decadência, refluxo, recuo 287; retrocesso, retrocessão, retrogradação 283; decrescimento 36; agravamento; caída, caimento, recaída; *downgrade*;
bastardia = degeneração, abastardamento, degenerescência 945; degradação, degradamento, podridão, apodrecimento, decomposição orgânica, depravação, profligação, desmoralização, desacreditamento;
enfraquecimento, inquinação, dano, perda, detrimento, desproveito, dilaceração, injúria, ultraje, ferida, estrago, estragação, assolação, devastação, desolação, lesão, perversão, malignidade, prostituição, viciação, viciamento, desbotamento, oxidação, enferrujamento, poluição, enervação, enervamento, desvigoramento, envenenamento, fermentação, contaminação, corru(p)ção = diáfora, adulteração, desvirtuamento, erosão, mascabo;
minguante, murcha, murchidão, declinação, baixa, caducidade, decrepitude;
perecimento, desmoronamento 162; dilapidação, ação do tempo, alteração, vaivém, acidentes, corrosão, mofo, levedação, cárie, verme roedor, caruncho, broca, cupim, ferrugem, mela, marasmo, esgotamento, atrofia, colapso, desorganização, naufrágio, naufrágio total, soçobro, tapera, ruínas, *magni nominis umbra,* ruína do que foi.
V. piorar, ser/tornar-se (pior & *adj.*); deteriorar(-se), ficar deteriorado, agravar-se para pior, ir para pior, desandar, estragar-se, ter conhecido melhores dias, ir-se, degenerar-se, calabrear-se, mudar para pior, abastardar-se, amesquinhar-se, minguar (*diminuir*) 36; baixar, retrogradar 283; descer 306; ir ladeira abaixo, baquear, despencar, ir pelas vertentes, esbarricar-se, cair pelas tabelas, degringolar, tresandar, empiorar, estar em minguante, recrudescer (sinal de piora), recuar de muitos séculos, tirar-se da lama e cair no atoleiro, ser ruína do que foi, descer ao nível de, passar de porqueiro a porco, guardar-se da mosca e ser comido da aranha, saltar da frigideira para o fogo, saltar da sertã e cair nas brasas, passar de cavalo a burro, ir de mal a pior;
sair dos quícios/dos eixos/dos trilhos; não ter mais o fausto dantanho, ir de cabeça

abaixo, crescer como rabo de cavalo, correr para a ruína, ir de tombo em tombo, desmarear, consumir-se, derreter, rafar, falir, desmanchar-se, ser pior para, retroceder, sair a emenda pior que o soneto, desmoronar, desabar, mumificar-se = atrofiar-se intelectualmente;
fazer água, quebrar, rachar, fender, aluir, ameaçar ruína, descambar, decair, caducar, aproximar-se de seu fim, ir em decadência, degenerar, desmentir, enrugar-se (*contrair*) 195;
desbotar, desmerecer, mirrar, esmirrar-se, definhar, desverdecer, melar, apodrecer, arruinar-se, despenhar-se, inclinar-se para a sua ruína, enrudecer, avariar, bichar, cariar, carunchar, derrancar, cancerar, encancerar, declinar, enferrujar, oxidar, enruçar, fragmentar, vacilar;
perecer 162; morrer 360;
entornar-se o caldo;
abrir fendas, desconjuntar-se, combalir, estrompar, mascabar, arruinar, enfraquecer, minar = solapar, socar, estiomenar, corroer, macular, manchar, infeccionar, infetar, eivar, contaminar, gafar, apestar, empestar, pestiferar, empeçonhar, envenenar, carcomer, roer, onerar, sobrecarregar, corromper, abastardar, abastardear, adulterar;
ulcerar, desmelhorar, exulcerar, poluir, empanar, depravar, profligar, viciar, inquinar, safar, aviltar = vilificar, desclassificar, iscar, bastardear, desnaturalizar, prostituir, deflorar, esflorar, desvirginar, desvirtuar, desnaturar, perverter, desbriar, nodoar, degradar, indisciplinar, relaxar, acerbar, agravar, assanhar, sujar 653;
enfezar, danar, prejudicar, gastar pelo uso, desgastar, lamber, contagiar, achamboar, achavascar, desmoralizar, brutalizar, brutificar, burrificar, tornar vicioso 945; barbarizar, engafecer, enervar, desvigorar, avelhentar, ferir de frente, danificar, estropear, injuriar, desmedrar, devastar, desmochar, estragar, sorvar, dilacerar, lacerar, dilapidar, esfarrapar, servir de dano, assolar;
depopular, despovoar, depredar, desolar, ermar, roubar 791; apunhalar, esfaquear, acutilar, ferir, golpear, mutilar, amputar, desencarecer, desfigurar, deturpar, desconceituar, falsear;
enrançar, decompor, enguiçar, putrefazer, putrificar, alforrar, desflorir, desflorecer, desenflorar, desflorar, murchar, estiolar, fanar, desmedrar, abalar até os alicerces, pôr as raízes ao sol, desorganizar, desmantelar, desarvorar, desmastrear, desarranjar, desconsertar;
causar mal a 649; vibrar golpe, fazer o diabo a quatro, aplebear, rebaixar, restringir os horizontes de, arrepiar-se (o tempo).

Adj. piorado & *v.*; pejorativo, alterado para pior, imperfeito 651; de segunda mão, márcido, seco, depreciado, petisseco, mirrado, pútrido, putrefato, putrefativo, putrescente, putrefaciente, prostituído, gafado, gafento, gafo, gafeirento, gafeiroso, morrinhoso, morrinhento;
decadente, decaído, resvalante, confecto, gasto, corrido, safado, puído, safo, surrado, sediço, servidiço, choco, corrompido, corrupto, poluto, podre, putredinoso, carcomido, sorvado, faneco, chocho, meigengro, peco, fanado, murcho;
tábido, sanioso, combalido, ruvinhoso, irreformável, depravado (*vicioso*) 945; inutilizado 645; desvirtuado; vacilante (*perigoso*) 665; sem remédio (*desespero*) 859; exausto 688; retrógrado 283; deletério 649; em declínio, em decadência, degenerado, pior, desarranjado, desafinado, velho, coçado, roçado, passado, abalado, reduzido a um esqueleto, cadavérico, acabado, enferrujado, tabífico.

△ **660. Restauração,** devolução, reintegro, reintegração, reposição, redintegração, reabilitação, restabelecimento, reerguimento, reconstrução, reconstituição, reprodução 163; renovação, reparo, recuperação, revivescência, revivificação, restauração de forças, refocilamento (*repouso*) 681; ressurreição, ressurgimento, ressuscitação, reanimação, Fênix, reorganização.
renascimento, volta à mocidade, rejuvenescimento, renascença, regeneração, palingênese, palingenesia, reconversão;
reformação, reforma, convalescença, anactesia, analepse, analepsia, analéptica, anagênese, meloplastia, cicatrização, ressunção;
recorrência (*repetição*) 104; reaquecimento, resfriamento;
cura, retificação, recrutamento & *v.*; desinfecção, conserto, reação, redenção, resgate (*libertação*) 672; restituição, lenitivo 834;

reconquista, retomada; remendão, restaurador, reparador, *vix medicatrix* (*remédio*) 662.
V. restaurar, voltar ao estado primitivo, reanimar-se, revivescer, voltar a si, resistir à tempestade, voltar a ser o que era;
erguer-se das cinzas/do túmulo; sobreviver 110; ressurgir, reaparecer, voltar de novo à vida, reerguer-se, rejuvenescer, remoçar, reamanhecer;
readquirir/reaquistar/ganhar/ressarcir o tempo perdido; forrar-se, tornar à luz, cair em si, cobrar forças, convalescer, levantar-se de uma doença, arribar, restabelecer-se, curar-se, cicatrizar, casquejar, endireitar-se, ir ao Jordão;
restituir, refocilar, restituir ao estado primitivo, reformar os abusos, restabelecer, deseliminar, pôr no seu antigo esplendor, reconstituir, desconverter, reconstruir, devolver, recuperar, recobrar, reconquistar, reocupar, reganhar, retomar, desdar, reorganizar, reformar;
pôr/meter no são; desenfermar, reintegrar, repor, reinstalar, reembolsar, desmagnetizar, voltar ao estado neutro;
reedificar, recompor, reconverter, renovar, inovar, regenerar, amalhar, trazer ao bom caminho;
redimir, resgatar, libertar 672;
curar, debelar, guarir, guarecer, remediar, sanar, medicar, benzer;
ressuscitar, reviver, reanimar, aviventar, devolver à vida, chamar à vida, reproduzir 163; refocilar 689; voltar à vaca fria;
redintegrar, restabelecer na posse, reempossar, obter a reintegração, reconduzir, pôr em ordem (*normalizar*) 60; recrutar, preencher os claros, retificar, corrigir, emendar;
reparar, retocar, consertar, soldar, renovar, remendar, remontar, atacoar, atamancar, cerzir, estancar, calafetar, querenar (o navio), arrumar;
reabilitar, ilibar.
Adj. restaurado & restaurativo; analéptico, restaurador, redivivo, convalescente, recuperativo, recuperatório, restituitório, remoçador & *v.*; ressuscitado, reabilitado & *v.*; restaurável, recuperável, sanável, remediável, reversível.
Adv. restaurativamente & *adj.*; *in statu quo*.

▽ **661. Recaída,** relapsia, relapsão, queda para trás, retrogradação 283; deterioração 659.

(volta a um mau estado): apostasia, reincidência, contumácia, recidiva, recrudescência, agravamento.
V. recair, reincidir, recalcitrar, respingar, retratar-se, retrogradar 283; recrudescer, encruar, piorar 659, refluir.
Adj. relapso, reincidente, contumaz, recidivo.

△ **662. Remédio,** medicação, medicamento, infusão, mezinha, mezinhice (pop.), panaceia, triaga ou teriaga (dep.), preparado; produto químico/farmacêutico; socorro, curativo, assistência, analgésico, anti-inflamatório, antibiótico, antídoto, contrapeçonha, contraveneno, profilaxia, antisséptico, corretivo, leniente, lenitivo, lenimento, reconstituinte, tônico, analéptico, sedativo, calmante 834; vacina; soro;
paliativo, placebo, águas-mornas, peitoral, vermicida, vermífugo, antipirético, febrífugo, alterante, alterativo, específico, emético, Nepente, Mitrídates;
(arte de preparar medicamentos): iamologia, iamotecnia, farmacologia;
injeção, injeção intramuscular, injeção subcutânea, injeção intravenosa;
cura; cura radical/perfeita/infalível/completa;
remédio soberano/heroico; símplices, genérico, similar (tb. *adj.*), eletuário, droga, poção, beberagem, bebida, xarope, dose, pílula, comprimido, drágea, cápsula, tablete, lambedor, bochecho, pungarecos, tisana, mezinha = puçanga (bras.) = medicamento caseiro;
receita, récipe, prescrição, fórmula, catolicão, elixir, elixir de longa vida, *elixir vitæ*, pedra filosofal, diascórdio, cordial, alexitério, unguento, ceroto, diaquilão, ceromel, pomada, óleo, loção, cosmético, emplastro 324; cataplasma, epítema, embrocação, linimento, sinapismo, vulnerário, epispástico, inalação, clister, ajuda, purgante, minorativo, laxativo, laxante, pedilúvio, medicina operatória, cirurgia, operação cirúrgica; transplante;
compressa, fios, ligadura;
tratamento, medicamentação, cura, curativo, resguardo;
dieta; láctea, vegetal, seca;
regime alimentício, dietético; eutrofia, os socorros da medicina, *vis medicatrix naturæ*, medicina expectante, sangria 297; venessecção, flebotomia;

ventosa sarjada, seca; bicha, sanguessuga, dietética;
farmácia, botica, farmacopeia, farmacotécnica, terapêutica, matéria médica, posologia, homeopatia, alopatia, hidropatia, heteropatia; terapia, radioterapia, aeroterapia, aeroterapêutica, hidroterapia, hidroterapêutica, cromoterapia, cromoterapêutica, iatria, iátrica, iatralíptica, iatrologia, iatroquímica, leprologia, medicina, a arte de curar, odontotecnia, odontologia, obstetrícia;
hospital, santa casa de misericórdia, casa de saúde, clínica, policlínica, hospital de sangue, enfermaria, ambulatório, emergência, UPA, asilo, nosocômio, leprosaria, leprosório, leprosário, gafaria (ant.), lazareto, ambulância, dispensário, sanatório, estação de águas, hospício, manicômio, cruz vermelha; consultório, médico, terapeuta, clínico, doutor, físico, protomédico (ant.), diatritário, esculápio, especialista, arquíatro (ant.), iatralipta, iatrógrafo;
médico assistente, de partido; uróscopo, cirurgião, operador;
mezinheiro, mediqueiro, jalapeiro, charlata, charlatão, amezinhador, doutor da mula ruça, benzedor, bento, saludador, curandeiro, raizeiro, endireita, carimbamba (bras.), magarefe, simplicista, dentista, medicastro;
(Especialidades médicas) alergologia, anatomia patológica, andrologia, anestesiologia, angiologia, cancerologia, cardiologia, cirurgia bucomaxilofacial, cirurgia cardiovascular, cirurugia de cabeça e pescoço, cirurgia do aparelho digestivo, cirurgia pediátrica, cirurgia torácica, clínica médica, dermatologia, endocrinologia, epidemiologia, estomatologia, gastroenterologia, geriatria, ginecologia, hematologia, hepatologia, imunologia, infectologia, mastologia, medicina de emergêncina, medicina de família e comunidade, medicina de transplantes, medicina do trabalho, medicina do tráfego, medicina intensiva, medicina legal, medicina nuclear, nefrologia, neonatologia, neurocirurgia, neurologia, obstetrícia, oftalmologia, oncologia, ortopedia, otorrrinolaringologia, patologia clínica, pediatria, pneumologia, podologia, proctologia, psiquiatria, radiologia, reumatologia, traumatologia, urologia.

acupuntura médica, ecologia médica, ergometria, foniatria, genética médica, hansenologia, medicina da conservação, medicina da dor, medicina física e reabilitação, medicina ortomolecular, medicina preventiva e social, nutrologia, patologia clínica, psicoterapia, radiologia e diagnóstico por imagem, sexologia.
oculista, discípulo de Galeno, alopata, homeopata, alienista, auriculista, pedicuro, físico-mor, parteiro, parteira, comadre (pop.), obstetriz;
farmacêutico, químico, iatroquímico, boticário, farmacopola (burl.), dentista, saca-molas (dep.), tiradentes (burl.), droguista, enfermeiro, irmã de caridade. (V. verbete 701.)
(Exames médicos) antibiograma, anuscopia, aortografia, biópsia, broncoscopia, cardiotocografia, citometria de fluxo, colangiopancreatografia endoscópica retrógrada, colonoscopia, colposcopia, coprocultura, densitometria óssea, doppler transcraniano, eletroencefalografia, eletroencefalograma, eletronistagmografia, enteroscopia, esofagogastroduodenoscopia, exame físico, fetoscopia, flebotomia, glicosímetro, glicosúria, hemograma completo, laringoscopia, lipidograma, microscopia de RMN, mielografia, mielograma, nasofaringoscopia, PET-CT, punção lombar, ressonância magnética, retossigmoidoscopia, tempo de protrombina, testes (vários), tomografia, tomografia computadorizada, tomografia por emissão de positrões, ultrassonografia, uranálise, urografia.
V. aplicar, administrar/ministrar remédio; medicar, medicinar, tratar de, remediar uma doença, medicamentar, pensar, fazer curativos, curar, sobressarar, atalhar, sanar, mezinhar, amezinhar, tratar de, prover de remédio, enxaropar, xaropar, minorar com remédio, usar de paliativos 658; pensar feridas, cataplasmar, depurar, impedir 706; aliviar 834; restaurar 660; sinapizar, deitar bichas, emolir, molificar, adietar, socorrer, intervir, anestesiar, operar, fazer operações cirúrgicas, obsterger uma ferida, sangrar, sarjar, sarrafaçar, preparar um remédio, dosear os ingredientes; partejar, servir de parteiro.
Adj. reparador, restaurador, refectivo, refectório = tonificante = reconstituinte, fortificante, curativo, corretivo, sanativo,

paliativo, medicamentoso, medicatriz, policresto, medicinal, profilático, salutífero 656; médico, medical, terapêutico, clínico, cirúrgico, preventivo, paregórico, tônico, analéptico, cordial, eficaz contra, peitoral, corroborante, apospástico, ressuntivo;
balsâmico, balsâmeo, antiespasmódico, anódino, hipnótico, narcótico, soporífero, sedativo, calmante, leniente, lenitivo, emoliente, molificante, demulcente, anacatártico, purgativo, desistivo, revulsivo, catártico, catastáltico, anatríptico, laxativo, sinápico, depurativo, depurador, detersivo, detergente, péptico, estomacal, abstersivo, abstergente, desinfetante;
antisséptico, antipodágrico, antigotoso, antiartrítico, anticatarral, antipirético;
apodópnico, colagogo, febrífugo, antifebril; vermicida, vermífugo, antiverminoso, tenífugo, antelmíntico;
alterativo, alterante, traumático, vulneral, vulnerário, abortivo = ectrótico, dietético, alimentar, nutriente, nutritivo;
antialérgico, anti-inflamatório, antibiótico, anticoagulante, anti-histamínico, anti-héctico, antinefrítico, antiparalítico, antipestilencial, antifármaco, antiflogístico, antipneumônico, antipsórico, antipútrido, antipirético, antiescorbútico, antiescrufuloso, antitetânico, antivenéreo;
emenagogo, eupéptico, emético, alexifármaco, alexitério, remediável, diurético = mictório, curável, específico = nosocrático, alopático, genérico, homeopático, hospitalar, hospitalário, nosocomial, nosocômico, obstetrício, obstétrico, odontálgico, iamológico, manicomial, depilatório, ectilótico.

▽ **663. Veneno,** peçonha, tóxico, droga, envenenamento, apeçonhamento, intoxicação, toxemia, toxidade, peste, maldição, desgraça 619; ruindade 649; flagelo 975; tara, *damnosa hereditas*, venenosidade, sofrimento 830;
aguilhão, espinho, acúleo, dente, dardo, sarça, espinheiro, urtiga, mancenilha; toxina, vírus, arsênico, rosalgar;
ácido prússico, cianídrico;
bicloreto de mercúrio, solimão, antimônio, tártaro emético, nicotina, estramonina, estricnina, cianeto, bromo, água-tofana, bororé (bras.), miasma, azoto, nitrogênio, gás deletério, mefitismo, malária, impaludismo, sezonismo, gás asfixiante, peste, manipueira, cicuta, abioto, cegude, beladona, meimendro, acônito, euforbiáceas, apocalbase, coxo;
secreção, poção venenosa, ou letífera; uirari (bras.), ticuna, curare, trovisco, troviscada, embude, timbó (bras.), upa japicaí;
crack, cocaína, heroína, haxixe, ópio, LSD, *ecstasy*, maconha, *canabis sativa*, álcool; sarin, agente biológico, arma biológica, arma química;
(ciência dos venenos): toxicologia, teriacologia, toxicografia;
ofidismo; ferrugem, gusano, cupim, caruncho, alforra, cárie, podridão, cancro, torpedo, víbora (*ente malfazejo*) 913; demônio 980.
V. envenenar, empeçonhar, apeçonhentar, empeçonhentar, propinar veneno, toxicar, intoxicar, corroer, impaludar, minar, embudar, enviscar, ervar.
Adj. pernicioso 649, venenoso, venenífero, viroso, virulento, peçonhento 567; rosalgarino, estricnínico, mefítico, pestífero, tóxico.

c. Utilidade contingente

△ **664. Segurança,** segureza, seguridade, garantia, paládio, salvaguarda, firmeza, asilo, refúgio = efúgio, alfama, guarida, abrigo, resguardo, fieldade;
inexpugnabilidade, incolumidade, inconquistabilidade, invulnerabilidade, salvatério, recado = recato = condessilha, bafejo, defesa, ensombro = broquel = proteção, arrimo, âncora, manto, amparo, escora, conchego, encosto, encostes, seguro;
guarda, égide, escudo, fortaleza, muralha, sombra, vigilância, policiamento, fiscalização, protutela, tutela, tutoria, patronato, patrocínio, padroado, custódia, defensa, auspícios, preservação 670;
salvo-conduto, cartaz (ant.), escolta, comboio, escudo 717; carta de segurança;
anjo custódio, anjo da guarda, tutelar;
deus, nume, anjo, divindade tutelar; padroeiro, *genius loci*, anjo protetor, espírito familiar;
protetor, defensor, campeão, paladino, salvador, redentor, padrinho, patrono, paraninfo, guardador, guarda-costas, rafeiro, cão, guardião, *duenna, chaperon*, aio, tutor, tutriz, Cérbero, policial, sentinela, guarnição, vigia, surdista, guarda-noturno, guarda-freios, guarda-joias, guarda-avançada;
vigilante, batedor (*aviso*) 668;

(meios de segurança): polícia, âncora, precaução 673; cautela, prudência, previdência, prevenção, quarentena, cordão sanitário, lazareto, lugar seguro;
(sensação de segurança): sossego, euforia, tranquilidade, paz, confiança, bem-estar.
V. segurar, assegurar, garantir, estar (seguro & *adj.*); estar fora do jogo; estar em boas mãos, em foto (ant.); ver de palanque, dormir confiante na fé dos tratados, estar a embarcação em foto, tornar seguro & *adj.*; acautelar, pôr fora de perigo, prevenir, proteger, guardar, vigiar, tutelar, escudar, amparar, salvaguardar, ressalvar, preservar 670;
salvar, remir, redimir;
pôr em cobro/a bom recato/a salvo;
aconchegar, agasalhar, acolher, recolher, acoitar, homiziar, refugiar-se, abrigar, resguardar de, acobilhar, defender, livrar, dar resguardo a, guardar, custodiar, aceirar, murar (*circunscrever*) 229; pôr a coberto, acobertar, murar contra, anteparar (*defesa*) 717;
guardar as costas a alguém, pôr em lugar seguro, desengolfar, esconder, encobrir, encouraçar, cobrir, apadrinhar, flanquear, quarentenar, desinçar, escoltar, comboiar, guarnecer, vigiar;
montar guarda/sentinela; patrulhar, policiar, rondar, roldar (ant.), atalaiar, precatar-se 864; tomar precaução (*preparar-se para*) 673; procurar (refúgio & *subst.*); asilar-se, recatar-se, guardar-se de, não se expor a perigos, salvar-se em água de bacalhau, acoitar-se, broquelar-se, abroquelar-se, enconchar-se, fortificar-se, entrincheirar-se, solapar-se, buscar escape, buscar amparo, confugir a; reparar o golpe.
Adj. seguro, sossegado, protegido, tranquilo, sorridente, confiante, reparado, salvo, abrigado, escudado, blindado pela couraça de, sob a égide de, livre de perigos, invulnerável, inatacável, imperdível, intangível, inexpugnável, inconquistável, armado de ponto em branco (*defesa*) 717;
em segurança, protegido & *v.*; *cavendo tutus*, imolestado, "onde terá segura a curta vida", são e salvo, são e escorreito (*preservado*) 670; à prova de fogo, ileso (*perfeito*) 650; sem (perigo & 665); protetor, protetório, defensor, redentor, salvador, tutelar, custódio, preventivo, tuitivo, preservativo 670; digno de confiança 939; capnófugo, abrigoso, policial, quarentenário, protetoral.
Adv. seguramente & *adj.*; em/a bom recato, em seguro, sobre seguro, com esperança; livre de risco/de perigo; são e salvo, a seu salvo, a salvo, a salvamento, à cautela, para que não haja risco;
sob o broquel, sob o manto protetor de, sob as asas protetoras de, sob o dossel, à sombra de, a coberto de, fora das malhas de, em terreno seguro, sob a couraça de, em terreno firme, em boas mãos, em terra firme.

▽ **665. Perigo,** erre (na loc. *por um erre* = *por pouco*), escolho, risco, crime, ameaça, lance, aperto, agrura, tornilho, apuro-colisão, insegurança, inseguridade, ventura, fortuna, contratempo, enrascada, cilada, emboscada, armadilha, soçobro, precariedade, resvaladura, instabilidade 149;
indefensibilidade, periculosidade, desarrimo, desamparo, desabrigo, dia crítico, seteno, exposição 177; vulnerabilidade, lado fraco, calcanhar de Aquiles, espada de Dâmocles, hora de crise, época anormal, crise;
situação angustiosa/desesperadora 859; transe, gravidade, estreito, conjuntura difícil;
sequestro, assalto, terrorismo;
(corrida perigosa): salto nas trevas (*impetuosidade*) 863, salto no escuro; marcha para o desconhecido, *facilis descensus Averni*; salvamento milagroso;
motivo de alarma, fonte de perigo 677;
(aproximação do perigo): aves agoureiras, presságio, rugido do leão, nuvens negras no horizonte, aviso 668; alarma 669; ameaças de trovoadas;
(sensação do perigo): apreensão, receio, temor, mal-estar, intranquilidade, sobressalto, alvoroço, desassossego, inquietação, angústia, desconfiança, medo, tremura, tremor, palidez, frio (*sensação de frio*) 383, calafrio, arrepio; ilíade, odisseia.
V. estar em (perigo & *subst.*); estar à dependura, não comportar vacilações, pôr-se em ocasião de;
estar entre a cruz e a água-benta/entre a cruz e a caldeirinha, *inter sacrum et saxum stare* = estar entre a bigorna e o martelo, ver-se em terrível colisão, ver a morte de perto, pedir socorro, apitar, correr o risco de, apoiar-se em frágil caniço, sentir o ter-

reno fugir-lhe aos pés; *auribus lupum tenere* = segurar o lobo pelas orelhas, andar nos cornos do touro;
lançar-se, aventurar-se; achar-se em boa, estar em água até o pescoço, arder entre dois fogos, resvalar para um perigo, guardar-se da mosca e ser comido da aranha, arriscar-se, pôr-se em risco, expor-se, atrever-se, continuar desamparado, correr graves riscos, estar à beira de um precipício; pisar/dormir sobre um vulcão; estar o perigo à espreita, pôr a vida a preço, abalançar-se ao maior perigo, andar mouro na costa; brincar com pólvora/com fogo; estar por um fio, estar com a corda no pescoço, ir para o matadouro;
expor-se a perigo/a risco;
estar em perigo/em risco; perigar, periclitar, bulir com casa de marimbondos, sentar-se num barril de pólvora, ser a segurança palavra vã, trazer perigo no seu bojo, pôr em perigo, fiar-se alguém aos perigos de, arriscar, soçobrar, pôr em risco, adejar, ameaçar, pairar como ameaça, pôr em contingência, perturbar a tranquilidade, comprometer, acordar o cão que dorme, desagasalhar, desarmar, desguarnecer, desabrigar, desarrimar, desproteger, meter alguém em boa, pôr a perigo, acorrer;
provar fortuna, expor-se a, arriscar-se, atirar-se, abalançar-se, estar preso por um fio, erigir-se em ameaça, constituir uma ameaça, ameaçar 909, emboscar; angustiar, afligir, armar cilada a (*enganar*) 545.
Adj. perigoso, periculoso, em perigo, cheio de perigos, barrancoso, audacioso, arriscado, aventuroso, venturoso, arrojado, temerário, crítico, grave, periclitante, voraginoso, inseguro, sinistro, aparcelado, escampado, desabrigado, desacoitado, desamparado, abandonado, perdido;
desprotegido, acometível, desarmado, nu, indefeso, indefensível, indefensável, insustentável, inerme, desguarnecido, fraco 160; desprevenido, descalço, desapercebido 674; vulnerável, abordável, exposto a, expugnável, aberto a (sujeito a) 177; infortificável, assaltável, sem proteção;
penhascoso, precipite, precipitoso, despenhoso, recifoso, navífrago, naufragoso, ameaçador, minaz, minacíssimo, proceloso, tempestuoso, agitado, vorticoso, tredo, traiçoeiro, insidioso, falso, acidentado, precário, melindroso, malparado, apurado, angustioso, angustiador, angustiante, inquietador, supremo, amargurado, escorregadiço, escorregadio, escorregável, resvaladiço, lábil; preso por um fio, jogado aos dados; vacilante, instável, sem firmeza, abaladiço, que ameaça desabar 162; reduzido aos últimos extremos, malfadado, alarmante 860; explosivo, aventureiro 863; ousado 861; difícil 704.
Adv. perigosamente & *adj.*; com a corda no pescoço, entre a parede e a espada, entre o malho e a bigorna, entre Cila e Caribdes = *inter sacrum et saxum*, com o credo na boca, à borda do abismo, entre a cruz e a água-benta, entre a cruz e a caldeirinha, em último recurso, em recurso extremo, a pique, em campo aberto, em campo raso.
Interj. Deus me/te/nos livre!, Socorro! Valha-me Deus!
FRASES: *Incidit in Scyllam qui vult vitare Charybdim. Mami tua res agitur paries dum proximus ardet.* Pôr as barbas de molho. É assim que o diabo gosta.

△ **666.** (Meios de segurança) **Refúgio,** aufúgio (poét.), santuário, tugúrio, recolhimento, retiro, refúgio, valhacouto, esconderijo, couto, guarida, praça-forte, fortaleza, baluarte, cidadela, forte 717; casamata, trincheira; paládio, último reduto, chave, prisão 752; asilo, quartel de saúde, muxara, reconditório, condessilha, diversório, franquia, fortim, latíbulo (*esconderijo*) 530; *sanctum sanctorum* (reclusão) 893; madrilheira, madrigueira;
porto, anteporto, pouso, ancoradouro, surgidouro de livre tença, ancoragem, abrigada, abrigadouro, prégua, dique, mota, amota, molhe, marachão, maracha, cais, paredão, muralha, euripo, talha-mar, quebra-mar, socairo, recôncavo, cobertura, abrigo, guarda-fogo, guarda-quedas, paraquedas, para-vento, manica, manícula, biombo, antepara, anteparo, guarda-vista, antolhos, guarda-raios, para-raios, manto;
escolta, guarda-costas, proteção; égide, escudo, armadura, elmo; colete à prova de balas, blindagem;
guarda-chuva, guarda-sol, para-sol, adufa, broquel, escudo, pala, guarita = vedeta, vigilante, sentinela, vigia, patrulha, guarda-avançada, surdista, nômina, navio de conserva;

667. Recife | 668. Advertência

parede 232; pombeira; âncora de salvação/de montante/de misericórdia; âncora sagrada, ancoreta, galga, fateixa, suporte 215; obstáculo 706; lastro foguetão; espicho;
válvula, lâmpada de segurança; lâmpada de Davy; meio de fuga 67; salva-vidas, salvo-conduto, passaporte, seguro, salvaguarda (*proteção*) 664; tábua de salvação, polícia, guarnição, patrulha; morcego = vigilante noturno.
V. refugiar-se, homiziar-se, abrigar-se, asilar-se 664; enchoçar-se, enlapar-se, acolher-se ao quartel de saúde, acoitar-se, acolher-se, escudar-se, proteger-se, achegar-se, pôr-se a salvo, salvar-se, lançar-se nos braços de, andar a monte, acorrer, acudir.

▽ **667.** (Fontes de perigos) **Recife,** rochedo, bancos, vaus cegos, burgalhão, bancos de areia, sirtes, baixio, formiga, coral, alfaque, chapeirão;
terreno resvaladiço, resvaladio, resvaladouro, areia movediça, plano inclinado, escolho, cachopo, penhasco, baixos, baixios, vau, parcéis, euripo, restingas, cratera, algar, despenhadeiro, garganta, sorvedouro, vórtice, precipício, derribadouro, fojo, voragem, sumidouro, *maelström,* vaza-barris;
esbarrondadeiro, barranco, barrocal, cilada, antro, recôncavo, encame, covil, antro do leão, leoneira, vespeiro (*emboscada*) 530; armadilha 545; abismo, báratro, pego, tragadouro, cachoeira, corredeira, rebojo, torvelinho, fervedouro, maresia, marulhado, salto, mar proceloso, redemoinho, procela, borrasca, esparçal;
tempestade, temporal, furacão, tufão, ciclone, tornado, raios, dilúvio, enchente;
terremoto, erupção, maremoto, tsunâmi, tremor de terra;
tempestade no ar, turbulência, despressurização, falha mecânica, erro humano; imprudência, alcoolismo, desrespeito à sinalização, excesso de velocidade, imperícia, neblina, ofuscamento;
acidente caseiro, desatenção, manutenção deficiente, imprevidência;
violência urbana, criminalidade, tráfico, corrupção, vício, toxicomania, formação de quadrilha, miséria, educação/ensino precários, exploração, desemprego, crise social;

espada de Dâmocles (*incubação*) 526; rastilho de pólvora, ninho de vespas; o gigante, o cão que dorme; bota-fogo, geringonça, hidra, excetra, lobo à porta, cobra na relva, casa de marimbondo, mouro na costa.
Frases: *Latet anguis in herba. Proximus ardet Ucalegon.*

668. Advertência, aviso, alarma, prevenção, admoestação, reaviso, cautela, *careat,* notícia (*informação*) 527; predição 511; contraindicação, monitório, conselho, exortação, *alarma* 669; anúncio, prenúncio de males, lições da história, sintoma, prognóstico, terrorismo, ameaças, rebate, rumores, pródromos;
escritos na parede, *tekel upharsin*; bandeira amarela, luz amarela, voz amiga;
sinais do tempo, do céu; aves agoureiras, Cassandra, procelária, nuvens negras no horizonte, relógio da morte, vista da saúde, ponto negro; indícios de crise, tensão social, insatisfação, radicalização, extremismo, polarização;
torre de observação, fogueira, almenara, telégrafo, sinal semafórico, movimentos sísmicos, sismômetro, sismógrafo, barômetro, farol, fanal (*indicação*) 550;
sentinela, esculca, vigia, guarda, nau de espécie, patrulha, vedeta, adail, ronda, vigia, rolda (ant.), sobrerronda, sobrerrolda, piquete, guarda avançada, vanguarda, atalaia, espia, espião, explorador, batedor, bombeiro, atalhador, espia perdida, prontidão; prudência 864.
V. avisar, alarmar, alertar, dar aviso, monir, advertir, assinalar, prevenir, trocar olhares de inteligência, reavisar, premunir, exortar, pôr de sobreaviso, precaver, precatar, acautelar, cavidar (ant.), chamar a atenção para, informar 527; participar, aconselhar, lembrar, ameaçar 909; dar o alarma 669; pressagiar 511;
evitar, tomar cuidado, ficar vigilante 459; estar de atalaia.
Adj. avisador & premonitório, admonitório; precursor, preventivo, exortativo, exortatório, exortador, anunciativo, anunciante, anunciador; avisado, atento 459; cauteloso 864.
Adv. *in terrorem* (ameaça) 909; à cautela, como medida de prevenção.
Interj. cuidado!, olho vivo!, alerta!, atenção!, sentido!, vigilância!, sentinela!, anda!, anda lá!, às armas!, guar-te!

669. (Indicação de perigo) **Alarma,** sirene, rebate, cuquiada, repiquete, rufo de tambores, camaroeiro, clarinada, toque de clarim, toque de reunir;
brado de socorro/de alarma; grito da sentinela, rugido do leão, babaréu, almenara = caramanchão, fumada, campa, ramo (bras.), ramalho (para indicar atoleiros), grito de guerra, bandeira amarela, luz vermelha, sinal de perigo, S.O.S., *mayday*, caveira, linha sismal, nuvens pressagas, bulcão;
falso alarme, rebate falso, sacaria, fantasma, espantalho.
V. dar/soltar/soar alarma; dar/tocar a rebate; dar de campa, pôr em alarma, alarmar, tocar o sino a rebate, repicar em salvo, soarem as trombetas/as sirenes, rufar o tambor, avisar 668;
toldarem-se/turvarem-se os ares, os horizontes; ferir o céu com gritos.
Adj. alarmante & *v.*; preventivo, sintomático.
Interj. às armas!, arreda!, guarda de baixo!, Mane, thecel, farés!, tate!, cautela!, veja lá!, ó da guarda!, aqui del-rei!, socorro!, salve--se quem puder!, pernas, para que *te* quero?.

670. Preservação, conservação, imunidade, resguardo, defesa, incolumidade, mitridatismo, armazenagem 636; manutenção, manutença, manutenência, suporte, sustentação, custeio, *vis conservatrix*, força conservadora, indenidade, salvação (*fuga*) 672; conservantismo; proteção, salvaguarda;
(meios de preservação): profilaxia, higiene = diaóstica, preservador, preservativo, salmoura, álcool, cordão sanitário, quarentena, vacina, vacinação, mingacho, pissasfalto, embalsamento, desinfecção; seira, silo;
(meio supersticioso) benzedura 993.
V. preservar, manter, manter intato, sustentar, suportar, comportar, cultivar, conservar vivo, não deixar morrer, alimentar, nutrir, entreter, salvar, salvaguardar, agasalhar, pôr a salvo, resguardar, conservar salvo e intato, amparar, abrigar, guardar, manter em bom estado, cuidar, armar contra, proteger, imunizar, quarentenar, vacinar, defender 717; reservar, respeitar, poupar, tomar cuidado de, reter intato;
stare super antiquas vias, conservar as tradições, fossilizar-se;
estar de salmoura/em salmoeira; manter o terreno conquistado (*resistir*) 719; embalsamar, secar, curar, fazer conserva de, ensilar, salgar, ensalmourar, salmourar, encalir, temperar, olear, envernizar, engarrafar, enlatar, embarrilar, armazenar 636; enseirar.
Adj. preservativo, preservador, conservativo, conservante, conservador, profiláctico, são e salvo, inóxio, invulnerado, inviolado, ileso, ilacerado, indestruído, intato, incólume, escano, poupado, respeitado, incontaminado, imune, indene, inteiro, incorruto, íntegro, incombusto, ápiro, intangível, intatível, quarentenário, vacinal, vacínico.
FRASE: *Nolumus leges brasilienses mutari.*

671. Escapatória, escapula, salvatério, escape, escapada, escapadela, escaparate, fuga, fugida, evasão, saída, tangente, esquivamento 623; retirada, debandada, deserção, impunidade;
evasiva, subterfúgio, despistamento, ambages, rodeio, desconversa;
(meios de escapamento) brecha (*abertura*) 260; caminho 627; refúgio 666; respiradouro, batoque, válvula de segurança, ponte levadiça, escada de incêndio, saída de emergência, escada de segurança; *sursis* 672; libertação 750;
refugiado 623; salvado; sobrevivente.
V. escapar de, salvar-se, livrar-se, evadir-se, escapar dum perigo pela malha rota, tirar--se de, esquivar-se, sair de fininho, sair pela tangente, eximir-se, subtrair-se, evitar, ser preservado de, ficar impune, ficar a rir-se, não ser atacado por, sobreviver, não morrer, fugir, escapulir-se, safar-se, escafeder--se 623; ir-se embora 293; escapar de boa, escapar a unhas de cavalo, escapar por uma unha negra, salvar-se em água de bacalhau, livrar-se a custo, escapar por um triz, escapar ileso, recuperar a liberdade, sair de, livrar-se da prisão 750; encontrar onde abrigar-se, debandar, pôr-se em debandada, dispersar-se, sumir-se, moscar, tomar vento.
Adj. escapadiço, fugitivo, refugiado, impunido, impune, inexpiado, ileso 670, sobrevivente.
FRASE: O pássaro bateu a linda plumagem.

672. Desembaraçamento, desenvincilhamento, desenleio, *sursis,* libertação condicional, salvação, remição, trégua, libertação 750; redenção, resgate, via estreita, caminho estreito, o caminho da salvação, redentismo, livramento, delivramento, soltura.

V. desembaraçar, livrar, libertar, eximir, isentar, safar, tirar de dificuldades, liberar, desencalacrar, desenlaçar, desencravilhar, desentraipar, desapertar, desamarrar, desentalar, descercar, desenredar, desenliçar, desencravar, redimir, remir, resgatar, tirar das garras de, desinfestar, desengolfar, desencovilhar, arrancar às garras de, desinçar, salvar, vir em socorro de, restabelecer (*restaurar*) 660; estar fora de, empandeirar, desfazer-se de, descartar-se de, desembrenhar-se, soltar-se, desembaraçar-se, desenredar-se de, desencalhar, desenvencilhar-se, safar (o navio), desengasgar-se de, desatolar-se, desbloquear, desenlear-se de, desprender-se, desenrascar-se, despegar-se de, ver-se livre de.

Adj. salvo, redimido & *v.*, remido, liberado; safo, desencalhado, redimível, resgatável.

Interj. socorro! 668.

III. Precursores de um ato

△ **673. Preparação,** provimento, preparativo, apresto, apercebimento, armação, instrução, exercitação, provisão, diligência, providência, antecipação (*previsão*) 510; preparo, preparatório, esquipação, esquipamento, manobra, exercício, montagem, disposições preliminares, precaução, acautelamento, prevenção, previdência, previsão, planejamento 626; ensaio, mão de obra, habilitação;
arrumação 660; licença, adaptação 23; afinação, afinamento, equipamento, ajaezamento, municionamento, armamento, enxoval, ostentação de forças;
estratégia, tática, método, plano de negócio, cronograma, projeção, simulação, teste; prospecção, estudo de viabilidade, análise; madureza, maduração, amadurecimento, sazonamento, maturidade, evolução, elaboração, concocção, digestão, gestação, incubação, choco;
alicerce, primeira pedra, degrau, andaime (*suporte*) 215; escora, *échafaudage*;
(preparação de homens): treinamento, capacitação, habilitação, instrução, estágio, seleção, iniciação (educação) 537; habitualismo 613; aprendizado, tirocínio, noviciado;
de alimentos: cozimento, fritura, assamento, condimento, tempero, arte culinária;

do solo: ab-ruptela, cultura, amanho, decrua, aradura, derribada de mato e queima da roça, braçagem, arrancada, semeadura, cultivação, terraplenagem, nivelamento, colheita, irrigação, respiga, monda, gradeação, adubagem;
de peles: curtimento, curtimenta, colheita, irrigação, respiga, monda, gradeação, adubagem;
lugar onde se curtem peles: peliçaria, tanaria, curtidouro;
prontidão, *in promptu, fait à loisir*;
(preparador): treinador, técnico, pioneiro, dianteiro, precursor, batedor, sapador, protomártir, protonauta, arador, enfardador, encaixotador, peliceiro, curtidor, sumagreiro, peliqueiro; ensaiador; prógono.

V. preparar, aperceber, aprontar, aviar, fazer preparativos, aprestar, manobrar, prevenir, concertar, sanar, arrumar, improvisar, dispor com antecedência, predispor, preestabelecer, providenciar, tomar as necessárias providências, fazer os preparativos, tratar de, estabelecer os preliminares, arreglar, pôr em ordem 60; projetar 626; programar, planilhar, planejar;
rasgar/arar o terreno; decruar, cultivar o solo, dar o necessário amanho ao solo, barbechar;
arrotear, desmoitar terras maninhas; semear, sementear, desbravar, debouçar, limpar, gradar, adubar, fertilizar, estrumar, amanhar, limpar de mato, roçar, capinar, predispor, manipular, engatilhar, escorvar, encordoar;
lançar as bases/os alicerces/os fundamentos/a primeira pedra (*iniciar*) 66; formar uma corrente favorável, talhar, solinhar, desbastar, aparar, gastar, estradar, aplainar, alhanar, facear, facetar, facejar, lapidar, moldar 240; aparelhar, acepilhar, enforjar, andaimar, elaborar, estercar, maturar, amadurecer, madurecer, madurar, sazonar, sazoar, fomentar (*ajudar*) 707;
chocar, incubar, empolhar, enchacotar, cozinhar, digerir, aferventar, temperar, condir, confeccionar, guizar, charquear, equipar, chusmar, agrumetar, tripular, armar, emastrar, mastrear, aprestar, esquipar, guarnecer, prover do necessário, aguerrir, apetrechar, petrechar, municiar, municionar, artilhar, habilitar, escalonar, enristar, reparar, pôr em riste, prover, bornear, munir, amarinhar, enxarcear, acondicionar;

674. Despreparo | 674. Despreparo

lustrar, polir, escovar, lubrificar, afiar, adoçar o fio, aguçar as setas, amolar, afinar, dar corda, ajustar 27; encaibrar, ajaezar, montar, meter a peça em bateria, encoronhar, encordoar, heleborizar, curtir, sumagrar, ensumagrar, atanar, surrar, empelamar, empelicar, treinar 537; acostumar 613; habilitar, adestrar, matraquear, preparar para, ensaiar, fazer provisão para, mobilar, alfaiar, dar passos, tomar precauções, prover-se, armar batalhões, acerar as espadas, aguçar os dentes, abrir recrutamento, abrir a porta a (*facilitar*) 707;
pôr-se em ordem de combate, cerrar as fileiras, baralhar as cartas, espoletar; preparar-se, habilitar-se, dispor-se, servir de aprendiz (*aprender*) 537; afiar as garras, engrifar-se, dispor-se a, cingir os rins, vestir a armadura, acuar = *reculer pour mieux sauter*, arremangar-se, arregaçar as mangas, aprontar-se, prontificar-se, prevenir-se, precaver-se, fazer-se prestes, armar o bote; guardar, tornar seguro contra;
armar, prover, munir de antemão; preparar para os maus dias, nadar para a terra, nidificar, armazenar provisões 637; economizar, manter de pé, temperar, chulear, pespontar, coser, alinhavar;
estar preparado/pronto; estar com as esporas, ter as chilenas calçadas, ficar de prontidão, estar a ponto;
meter-se/pôr em guarda; ficar de expectativa 507; conservar a pólvora seca, antecipar 510; *principiis obsta, veniente occurrere morbo*; estar em preparativos, estar na forja/no prelo/na bigorna.
Adj. e **adv.** preparatório, preparando & *v.*; em preparação, em vias de preparação, em agitação, em embrião, nas mãos, em andamento, em vias de execução, em começo, na bigorna, na forja, em apreço (*plano*) 626; em incubação, em elaboração, em arrumação, no prelo, iminente, ameaçador, prestes a, de reserva;
cauteloso, acautelado, próvido, providente, preparativo, concoctivo, concoctor, incoativo, sob revisão, preliminar (*precedente*) 62;
preparado & *v.*; apercebido, pronto, preparado para, disposto a, completamente pronto, confeccionado, com todos os sacramentos, sob as mãos, na mesa, acabado, concluído; experimentado, maduro, amadurado, sazonado, cadivo, feito, prático (*hábil*) 698; elaborado, laborado, bem trabalhado, cheirando a azeite;
completamente emplumado, nas suas mais belas vestes, em armas, armado até os dentes, armado de ponto em branco, de lança em riste, armado cavaleiro, de botas e esporas, de pé no estribo, *in utrumque paratus, semper paratus*, vigilante 459; fabril, noviciário.
Adv. preparadamente & *adj*; precavido.

▽ **674. Despreparo,** ausência/falta de preparação; imprevidência, imprevisão, inadvertência, incultura, incúria, desleixo, negligência, inabilitação, displicência, inação, inconceição, virgindade, improvidência, indiligência, desprovimento;
imaturidade, imaturação, precariedade, crueza, bruteza, prematuridade, precocidade = madrugada, aborso, aborto, móvito, parto prematuro.
(ausência de arte): atecnia, natureza, naturalidade, singeleza, simplicidade, despojamento, primitivismo, espontaneidade, terra virgem, terra maninha, panasqueira (burl.), sesmaria, terra sertaneja, sertão, desarranjo, grenha, desorganização, rusticidade, selvatiqueza, terreno de pousio, arrampadouro, baldio, alqueive; negligência 460; desatavio, desalinho, rascunho 626; germe 156; matéria-prima 635; diamante bruto, diamante naife, improvisação 612; bisonhice, indisciplina, desapresto.
V. estar despreparado & *adj.*; carecer/precisar de preparo; ficar em pousio, *s'embarquer sans biscuits*, ser apanhado de surpresa, improvisar, arranjar à pressa; desafiar o esforço humano;
desmantelar (*tornar inútil*) 645; deixar em pousio, despir 226; achamboar, desaperceber, maninhar, extemporizar, abortar, ter móvito.
Adj. despreparado, impreparado, sem preparo prévio 673; imprevisto, incompleto, rudimentar, precário, embrionário, abortivo, imaturo, inadvertido, improvisado, nascituro, cru, verde, verdoengo, entremaduro, achavascado, grosseiro, áspero, acerbo; mal-esboçado, mal-alinhavado, malcozinhado; tosco, lapuz, bruto, mal-amanhado, rústico, brutesco, naife, informe, bisonho, novato, novel, precoce, prematuro, temporão, lampeiro, lampo, indigesto, impolido, arisco, fugidio, indômito, indomesticado, indoméstico, incivilizado, selvagem, selvático, selvagíneo,

xucro, bravio, bárbaro, rude, agreste, sáfaro, sáfio;
serrátil, montanhês, fero, inculto = gatenho, maninho, baldio, frustrâneo (*inútil*) 645; maninhado, montano, ínsito, bravo, feroz, silvestre, montaraz, rebordão, brejoso, natural, singelo, desataviado, espontâneo, inartificial, ázimo, asmo, nativo, nadível, nacional, nascidiço, selvoso;
desorganizado, desprovido, desmantelado, desmastreado, desconsertado, malcozido, engrolado, cru e recru;
imprevidente, improvidente, impróvido, desacautelado, desapercebido, apanhado de surpresa 508; impremeditado 612; extemporâneo 612; em rama, mascavado, sujo, despolido, rofo.
Adv. despreparadamente, amatalotadamente & *adj.*; a frio, sem ir ao fogo, a machamartilho, em bruto, antes do tempo, antessazão, antetempo, cedo.

675. Ensaio, procura, busca, tentativa, investida, prova, (primeira) experiência, (primeiro) experimento, tentame, intentona, tentação, apalpadela, jogo, especulação, sondagem, conato, ventura, aventura, aprendizagem, especulação, *début*, estreia, sondagem (*experiência*) 463; empirismo; teste; treino, preparo, apronto.
V. ensaiar, experimentar 463; tentar, intentar, provar, testar, matraquear, apalpar, tentar os mares, esforçar-se por, buscar, procurar, tratar de conseguir, fazer tentativa, empreender, aventurar-se, venturar-se, arriscar, jogar, pôr em ventura, especular, explorar, sondar, tentar fortuna/aventuras, propor-se a;
andar/ir às apalpadelas, tatear, procurar por tentativa;
apalpar o vau/o caminho; esforçar-se, fazer o possível 686; estrear-se, noviciar-se, iniciar-se.
Adj. ensaiador & *v.*; experimental 463; tentativo, empírico.
Adv. experimentalmente, por tentativa, tentativamente, às apalpadelas, às cegas, à aventura.

676. Empreendimento, interpresa, iniciativa, investida, empresa, cometimento, sucesso, lance, ação, feito, pacto 769; compromisso 768; peregrinação, negócio 625; agência, empreitada.
V. empreender, atentar, cometer, interprender, tomar/assumir iniciativa, empenhar-se em, envolver-se em, atirar-se a, abalançar-se a, meter-se em, resolver-se a praticar, deliberar-se a fazer, pôr-se a, intentar, tomar a si, comprometer-se, arrogar a si, pôr em execução, avocar, tomar sobre os ombros, chamar a si, dedicar-se a, votar-se a (*resolução*) 604; tentar uma empresa, abalançar-se a uma empresa, tomar conta de alguma coisa, tomar por empresa alguma coisa, procurar conseguir uma empresa com todo o esforço (*prometer*) 768; contratar 769; encarregar-se de;
meter/pôr sobre os ombros; tomar nas mãos, tomar, empunhar, meter-se/pôr-se a trabalhar, atirar-se a, estabelecer-se com casa de negócio;
pôr em andamento/em execução; levar para diante;
meter/pôr mãos à obra; pegar em, meter ombros a, entabular (*começar*) 66/atacar um serviço, encetar, ter em mãos (*ocupar*) 625, ocupar-se; estar com muitos ferros no fogo (*atividade*) 682; ser homem de iniciativas.
Adj. empreendedor & *v.*, empresário; na bigorna 625.

△ **677. Uso,** usança, emprego, prática, aplicação, manuseio, manipulação, meneio, praxe, rotina, empirismo, sistema, exercício, aplicabilidade, exercitação, manejo, maneio, consumo, agência 170; usufruto, utilidade, gozo, proveito, vantagem; hábito, costume, tradição;
utilização, serviço, serventia, moda, tirocínio, dedicação, consagração.
V. usar; pôr em uso/em prática; gastar, despender, fazer uso de, aplicar, manejar, versar, manusear, manipular, menear, exercer, servir-se de, empregar, pôr em movimento, utilizar-se, apelar para, despejar, lançar mão de, não passar sem, utilizar-se de, dispor de, socorrer-se de, valer-se de, prevalecer-se, abraçar-se, abordoar-se, estear-se, agarrar-se, apegar-se, ater-se, recorrer;
auferir, tirar vantagem ou proveito de; apoiar-se, alicerçar-se, escudar-se, aproveitar, aproveitar-se de, pôr as mãos em, entregar-se, deitar-se a, ficar-se a, largar-se a; estar em uso, usar-se, vigorar, viger, estar em voga = vogar;
trabalhar, praticar, empunhar, tratar, compulsar, executar, exercitar, pagar-se com, contentar-se com, experimentar, trazer, levar, tornar útil 644; utilizar, usufruir, gozar, pôr em jogo, evocar, pôr a serviço, dedicar,

consagrar, votar, tirar partido de, fazer bulha com;
usufrutar, desfrutar, feitorizar, pôr no trabalho.
Adj. em uso, usado & *v.*; útil, usável, fruível, aproveitável, disponível; comum, gasto, coçado, surrado, safo, poído, bem trilhado, batido, utente, utilizante, fungível; vigente.
FRASE: *Use mas não abuse.*

▽ **678. Desuso,** abstenção, abstinência, abandono 782; falta de hábito, desábito, descostume 614, infrequência; mortório, esquecimento, omissão, negligência, caducidade; arcaísmo, obsolescência, prescrição.
V. desusar, não usar, reter intato, passar sem, dispensar, dar de mão, não tocar, abster-se, privar-se de, abnegar, poupar, prescindir de, cessar de, não atender a, desprezar, pôr de lado, abandonar 782, desistir, abrir mão; ficar de reserva, reservar, arquivar, pôr de parte, desfazer-se de, despojar-se de, retirar do uso, descartar, suprimir, rejeitar 297; desaproveitar, preterir, proscrever, abolir, perder, despedir-se de, destruir 162;
atirar aos cães/ao vento, renunciar, descurar, desmastrear (*inutilizar*) 645; antiquar, envelhecer;
cair em desuso; obsoletar, sair da moda, tornar-se arcaico, deixar de estar no gosto do dia;
jazer, ficar inaproveitado; ficar em mortório.
Adj. desusado, impraticado, inusitado, fora de moda, *démodé*, desempregado; desaplicado, respeitado, virgem, não trilhado, não palmilhado, não tocado, não colhido, não explorado, não experimentado, que não disse ao que veio, pouco necessário, inútil 645; obsoleto (*antiquado*) 128.

679. Mau uso, mau emprego, desserviço, má aplicação, desacerto;
aplicação infeliz/errônea/desacertada/desastrada;
abuso, prática abusiva, exploração, deturpação, demasia, desatino, profanação, sacrilégio, prostituição, desidificação, escândalo, desperdício 638; tabagismo; tirania; manteiga em nariz de cão; anel em focinho de porco.
V. usar/empregar/aplicar mal; mal-usar, desservir, abusar de, fazer mau uso de, desacertar, servir-se mal de, explorar, profanar, prostituir, poluir, violar, desedificar, desconsagrar, corromper, profligar, malsinar, comprometer; deitar para o mal, deitar a perder, arrastar para a lama, passar as raias de, arruinar, sobrecarregar, esbanjar 818 e 638; desperdiçar 638; atirar pérolas aos porcos; estropiar, desvirtuar (*interpretação errônea*) 523; perverter, prevaricar, contraverter, deturpar, desfigurar, transtornar, adulterar, sofisticar, desnaturar, envenenar, avessar, retrincar, rebaixar, deprimir, aviltar, desprestigiar, lanhar, truncar, desfear, ofuscar, rafar, dar-se o pé a alguém, rolar todos os diques, descomedir-se, demasiar-se, exceder-se, desatinar-se, exorbitar, prevalecer-se de;
negociar o talento/a consciência (*improbidade*) 940; andar o mundo às avessas.
Adj. malfeito, mal-empregado, abusivo, remissivo, prostituidor & *v.*; escandaloso, escabroso.
FRASES: *Abusus non tollit usum* = um abuso não autoriza outro.

3º) Ação

I. Simples

△ **680. Ação,** execução, preenchimento, efetuação, desempenho, realização, prática, perpetração, laboração, exercício, exercitação, mudança, operação, obra, promoção, evolução, trabalho (*esforço*) 686; praxe, procedimento, diligência (*conduta*) 692, postura, atitude; atuação, trabalho manual, labutação, feitio, ocupação 625; agência 170; trabalho braçal, braçagem;
ato, feito, gesto, passo, empresa, rasgo, tirada, façanha, fazimento, proeza, heroísmo, começo de execução, transação, negócio, maneira de agir, lance, processos, medidas, providências, passos, golpe, pancada, golpe de mestre, *coup de main*, golpe de estado, *tour de force* 882; mão de obra, iniciativa, laboriosidade; golpe feliz (*plano*) 626; ator (*executor*) 690; *res nom verba*, parte ativa, movimentação, manobra.
V. fazer, executar, aviar, acabar (*completar*) 729; promover, pôr em obra, obrar, realizar, efetivar, praticar, pôr em prática, efetuar, proceder, processar, pôr em execução, desempenhar, preencher, levar a efeito, cumprir, dar execução, satisfazer, cometer, perpetrar, pôr-se a, deitar-se a, exercer,

681. Inação | 682. Atividade

exercitar, manobrar, prosseguir, levar por diante, funcionar, laborar, labutar, trafegar, exercer seu mister, proceder a, jogar, prodigalizar, agenciar, promover diligências, empregar-se, executar sua tarefa, servir como (*negócio*) 625; trabalhar 686; aplicar-se a, entrar de corpo e alma na campanha, entregar-se, dedicar-se a, votar-se, consagrar-se, cultivar, seguir sua trajetória, talhar sua conduta 692; aviar, mostrar-se, dar provas de, despachar;

agir, atuar, mover-se, mexer-se, agitar-se, mexer os pauzinhos, desadormecer, movimentar-se, sair da sua impassibilidade;

desferir/dar/vibrar um golpe; tomar sobre os ombros (*empreender*) 676; ocupar-se de, interessar-se por, cuidar de, colaborar, contribuir, destampar-se a, desmanchar-se em, desfazer-se em, levar a bom termo (*consumar*) 729;

ser homem de ação, esganar-se, ser (agente 690); tomar parte em, ter parte ativa, participar, representar notável papel em, compartilhar, ter que ver com, ser parte proeminente, ser *magna pars*, participar de, ter o seu quinhão, tomar parte ativa em, entrar em, ser participante, cooperar, envolver-se em 682.

Adj. operoso, laborioso, ativo, dinâmico, de iniciativa, operante, em operação 170; *in flagrante delicto*, em flagrante; empreendedor.

Interj. mãos à obra!

▽ **681. Inação,** inatividade 683; passividade, letargo, letargia, lassidão, enervação, inércia, ócio, ociosidade, tibieza, preguiça, estagnação, apatia, pasmaceira, indolência, abstenção, não interferência, retração, tática fabiana, contemporização, parada, condescendência, *laissez faire*, negligência 460; desânimo, repouso 687; quietação 265; desocupação, horas vagas, horas de lazer, *dolce far niente, otium cum dignitate*, conezia = pepineira = nicho = tribuneca = mamola = sinecura = licença, licença de favor, dispensa, refestelo, refestela, prebenda, mamata (bras.), reforma, jubilação, aposentadoria.

V. não fazer, não agir, nada tentar, ficar inativo, abster-se de fazer, retrair-se, não se mover, não se agitar, não levantar uma palha, não mover um pé, apodrecer, cruzar os braços, não ter voz ativa nem passiva, deixar as coisas tomarem seu rumo, *quieta non movere, stare super antiquas vias*, viver à sombra de alguém, esperar o manjar do céu, *laisser faire, laisser aller*, deixar correr o marfim, refrear-se (*abster-se*) 623; arrefecer os esforços, desistir de (*abandonar*) 624; não (perseverar 604a); ficar parado (*cessar*) 142; quedar, parar 265; aguardar a marcha dos acontecimentos, desaviar, achar o comer feito, andar às moscas, andar de mãos na algibeira/no bolso, estar com uma mão sobre a outra, estar com as mãos debaixo do braço, ficar de braços cruzados, refestelar-se, repimpar-se, amesendar-se, repoltrear-se, poltronear-se, levar vida de porco, limitar-se a;

não pôr/não meter prego sem estopa; adormecer na ociosidade, *nihil agere* = nada fazer, dormir sobre os louros, descansar nos outros, afrouxar o zelo, languir, languescer, esperar, aguardar, ficar de expectativa, contemporizar, atemperar, dar tempo ao tempo, esperar a sua vez, estar de mãos na ilharga, vacar, ficar inerte 683; perder tempo preciosíssimo, ir com a maré, feriar; passar o tempo/as horas de tédio;

encher/matar o tempo; falar mal do tempo, desperdiçar o tempo, fazer as horas, ficar na prateleira, não sair da rota trilhada, ficar imóvel, imobilizar-se, ocupar-se com bagatelas, dar o ser a nonadas, chicalhar, assobiar por falta de ideias, desfazer, destruir, esfacelar 162; aposentar-se, jubilar-se, reformar-se, passar para a reserva; ir para o estaleiro;

disputar sobre um cabelo/sobre a ponta de um alfinete.

Adj. passivo, desocupado, livre, aposentado, desempregado, inculto, *désœuvré*, ocioso, folgado, letárgico, inerte, inativo 683; esmorecido, jubilado.

Adv. em estagnação, de braços cruzados, com as mãos atrás, com as mãos nos bolsos, para matar o tempo antes que ele nos mate, de palanque, de longe.

Frases: *Cunctando restituit rem*. Deus dá nozes a quem não tem dentes.

△ **682. Atividade,** dinamismo, agência, atuosidade, inciativa, diligência, ralé, laboração, açodamento, afã, animação, agito, vida, vivacidade, viveza, espírito, impetuosidade, energia, intimativa;

atividade febril/elétrica/devorante/fecunda/estupenda/capaz de vencer os maiores

obstáculos para chegar ao fim desejado; agilidade, levidade, esperteza, destreza, desembaraço, prontidão, desenvoltura, travessura, traquinice, traquinada, presteza (*velocidade*) 274; alacridade, despacho, expedição, afobação, pressa 684; pontualidade 132;
exercício, zelo, ardor, fervor, frenesi, fogo, entusiasmo, arrebatamento, envolvimento, veemência, espírito muito dinâmico = *perfervidum ingenium*; *empressement*, desvelo, dedicação, empenho, solicitude, carinho, cuidado, iniciativa, calor, viva atenção, vigor (energia física) 171; esforço 686; indústria, assiduidade, constância, perseverança 604a;
assistência, operosidade, laboriosidade (*trabalho*) 686; vida febril, canseira, fadiga, infatigabilidade, vigilância 459; vigília, vela, lucubração, noitada, insônia, espertina, pervigília, *pervigilium, insomnium*, alegria ruidosa, ímpeto, movimento, tumulto, bulício, bole-bole, vaivém, agitação, barulho, inquietação, darandina = lufa-lufa, tráfego (pop.), trabalheira, polvorosa, lida, lide, azáfama, bolandas, dobadoura, sarilho, faina, nervosismo, insofrimento, sofreguice, sofreguidão, *fervet opus*;
âmbito, esfera de atividade; região, esfera, departamento, oficiosidade, intromissão, entremetimento, interferência, interposição, os bons ofícios de, intrigas, mexericos;
disposição, empreendedorismo, eficiência, produtividade;
premência dos negócios, lida incessante, fremente e agitada colmeia, tarefa sem repouso, luta sem fim, mercúrio, azougue;
dia ferial/fasto/útil;
dia de fazer/de trabalho/de semana;
dona de casa, *ménagère*, abelha, faúlha, furão, arranjista, fura-paredes, fura-vidas = videiro, esgarabulhão, safra, farragulha, arguilheiro, *workaholic*, caxias, homem de iniciativa, empresário, topa-tudo, faz-tudo, gênio iniciativo, zarelho = entremetido, zaranza, aspone (irôn.), ardeleão, mequetrefe, mexilhão, demonete, traquinas, travesso, fragata, fervilha, gata-borralheira, raio, coração de aço, mouro, lutador, agenciador.
V. ser/estar (ativo & *adj.*); ter (atividade & *subst.*); ferrejar, ocupar-se, agitar-se, mover-se, manobrar, apressar-se, furar paredes, alargar o seu voo, desentorpecer-se, levantar poeira, fazer progressos 282;

trabalhar 686; consagrar o melhor da sua atividade, esgarabulhar, revolver, persistir, perseverar 604a;
exacerbar, desdobrar ao infinito a sua atividade; agitar-se febrilmente, afobar-se, sair do letargo, desembotar, desamodorrar, dar razão de si, arregalar os olhos, agir com energias novas, não dormir, ficar vigilante 459; matar dois coelhos de uma cajadada, fazer de um caminho dois mandados = *de eadem fidelia duas pariete dealbare* = andar depressa 684;
fazer o possível, fazer prodígios, multiplicar-se, ter o dom da ubiquidade, estar atarefado, ter muito que fazer = não ter mãos a medir, estar sobrecarregado, andar na maromba, fazer diligências, não perder tempo, não ter uma hora de sua, não dispor de tempo, ter todas as horas tomadas, medir o tempo, entregar-se desenfreadamente a, não perder a oportunidade 680; não sobrar tempo a alguém, lidar, afanar-se, afadigar-se, barafustar, correr, labutar, suar, repartir-se, mal ter tempo de comer, não ter momento de descanso, não criar limo, deitar os bofes pela boca, fervilhar, ver uma bruxa;
andar num corrupio/num sarilho/numa roda-viva/numa fona/numa lufa-lufa/em palpos de aranha; garavotear = mostrar azáfama, estar sempre com o dedo no gatilho, não ter paz nem trégua, não ter trégua nem folga; invocar meios divinos e humanos;
fazer do trabalho um prazer/uma religião; ser *workaholic*; azougar-se, traquinar = trasguear, abelhar-se (desus.), dedicar-se afanosamente, fazer diligências;
não medir/não regatear sacrifícios; vencer incômodos;
acordar, despertar, espertar, espertinar, sacudir o sono, desadormecer, desadormentar, desamodorrar, matinar, amanhecer, madrugar, fazer serão, fazer da noite dia, fazer noitadas, tresnoitar, passar a noite em branco, não pregar o olho toda a noite, velar;
levar a noite de vela/de espertina; atarefar-se, azafamar-se, sobrecarregar-se de trabalho, lutar, insistir, recavar;
intrometer-se, zarelhar, entremeter-se, imiscuir-se, bedelhar = meter o bedelho, intervir, meter sua colherada ou as mãos na massa, meter o nariz em tudo, meter o focinho em, meter a foice em seara alheia, meter-se em debuxos, meter-se a taralhão,

fossar, ir aonde não foi chamado, ativar, desentorpecer, desengrunhir, desentolher, aguçar.
Adj. ativo, esperto, rabigo, solícito, aguçoso, diligente, agencioso, açodado, agenciador, negocioso, séduto, vivo, aplicado, assíduo, vivaz, afobado, suarento, canseiroso, afanoso, madrugador, fogoso, lutador, buliçoso, irrequieto, trêfego, dinâmico, multiface, acérrimo, apressado, impaciente, precipitado, urgente, desenvolto, desacanhado, cuja atividade chega ao auge, potente; atuoso = operoso, laborioso, videiro, trabalhador 686; ágil, ágil como uma onça, atuário = ligeiro, manipresto, destro, gajeiro, levípede (poét.), solícito, pronto, rápido, expedito, despachado, desembaraçado, lesto ou lestes, lépido, ágil de movimento, pronto e lesto, safo, veloz 274; insone (*que não dorme*) 459;
forte, esforçado = *acer in rebus agendis*, disposto, denodado, infatigável, incansável, valoroso, inesmorecível, perseverante 604a; estrênuo, porfiado, porfioso, zeloso, desvelado, ardente, febricitante, fervoroso, fervente, férvido, iniciativo, empreendedor (*resoluto*) 604; industrioso, assíduo, aturado, frequente, serviçal, indefesso, inquieto, irrequieto, desinquieto, tavanês buliçoso, saltitante, caprissaltante, agitado, fragueiro, febril, afanoso, que não dorme, azougado, fremente, impaciente, insofrido, sôfrego, conseiroso, metediço, chegadiço, ocupado, assoberbado, abarbado, atarefado, azafamado, cheio de azáfama, pressuroso, assafiado, entremetido, intrometido, abelhudo, adiantado, oficioso, fossão.
Adv. ativamente & *adj.*; *in medio rebus*.
Interj. olho vivo!, *age quod agis!*
FRASES: *Carpe diem* (*oportunidade*) 134. Uma. *Nulla dies sine linea. Nec mora nec requies*. Dito e feito 132. *Veni, vidi, vici. Fervet opus*. Melhor é fazer debalde do que estar debalde.

▽ **683. Inatividade**, inércia 172, inação, acídia, impassibilidade, estagnação, paralisação, marasmo, pasmaceira, calmaria (*cessação*) 141; quietude 265, enferrujamento, ociosidade, tuna, gandaia, ócio, matulagem, repouso, descanso, remanso, folga, rapioca, falta de trabalho, frouxidão; *dolce far niente*; preguiça, calaça, moquenquice, indolência, engonha, letargo, ignávia, mangona, mândria, mandriice, mandranice, fadistagem, boêmia, vida de porco, parasitismo, madracice, madraçaria, desídia, vadiice, vadiagem, remancho, pachorra, indiligência, pânria, calaceirice, calaçaria, gazeio, mangalaça, galhofaria, vagabundagem;
entorpecimento, langor, languidez, languor, morbidez, lentidão, apatia, socórdia (*morosidade*) 133; lenteza, lentura, segnície, segnícia, marralhice, segnilidade, lassidão, laxidão, torpor, adormecimento, tibieza, lomba, prostração, lombeira, estupor (*insensibilidade*) 823; moleza, molícia, molúria, quebranto, desfalecimento, procrastinação (*demora*) 133; cábula, sonolência, soneira, nistagmo, oscitação, bocejo, boqueada, pandiculação = espreguiçamento, hipnotismo, sono nervoso, letargia, hipnologia, sono, modorra, sesta, madorna, madorra;
sono cheio/férreo/de chumbo/da inocência, dormida, deitadela, coma, transe, sonho, sorna, soneca, ronco, ronca, pasmatório (lugar de reunião dos vadios); sedativo 174; nana, sopeiro = parasita, vencido, maleante, malandro, meliante, napeiro, pastel, regalona (f.), tanjão, podricalho, zopo, ocioso, preguiçoso, pandilha, pandilheiro, quebra-esquinas, madraceirão, vadio, burlequeador, vaganau, airado, ripanço, boleima, marralhão, molengão, molengueiro, andaeiro, gandaieiro, trapeiro, súcio, pangaio;
aspone, brejeiro, mangalaço, mandraço, madraço, moquenco, moquenqueiro, mandrana, capencolo, capigorrão, bandarra, mandrião, vagabundo, vadio, rascão, madraceiro, arruador, gazeador, pachola, *fainéant*, lesma, pulante, mata-cães, rascoeiro, badajo (ant.), mangão, mangaz, mangona, matulão, mansarrão, mostrengo, intrujão, sinecurista, zangão = explorador, caça-foice (bras.), paz-d'alma, *fruges consumere natus*, gandulo, gandula, calaceiro, saracotiador, arlotão, arlota, boêmio, vagabundo, vagamundo, homem de capa em colo, passeante, bútio, cepo, carro na lama (*vagaroso*) 275;
tunante, tunador, tuno, funca, parasita, desfrutador, carraça, carrapato, chupa--jantares, papa-jantares, gaudério, chupista, pechincheiro, dormidor, dormilão, dorminhoco, *lazzarone*, espantalho, papa-açorda, bucelário, carroça de lixo, preguiceiro, fa-

dista, faiante (chulo), garoto, gaiato, marialva, galopim, sorna, pata-choca, lostra, bacamarte, matulagem (*súcia de...*) 72.
V. estar (inativo & *adj.*); nada fazer 681; ter pintada nos olhos a indolência & *subst.*; ser pachorrento = sornar, arrastar-se vagarosamente 275; deitar-se à boa-vida, despegar do trabalho, vagar, flanar, vagabundear, vagamundear, deambular, passear sem destino, brejeirar, garotar, andar sem tom nem som, andar ao laré, pandegar, correr a coxia, larear, apanhar pés de burro, olhar para o céu = enfronhar as mãos, gazear, gazetear, fazer gazeta;
distrair-se, zanzar, zaranzar, perder o tempo, remanchar, divertir-se com coisas fúteis, arruar, ocupar-se com futilidades, borboletear, mangonar, mangonear, mandriar, mandrianar, engonhar, gaturar, brejeirar, fragatear, pandilhar, vadiar, gandular, suciar, remansear, andar na vida airada, comer à barba longa, madracear, gandaiar, garotar, zingarear, molengar, galopinar, andar à gandaia, fazer hora, vaguear;
estar de ripanço/de pânria; empreguiçar-se, levar vida ociosa = burlequear, calacear, cabular, tunar, tunantear;
papar/apanhar moscas; panrear, querer que lhe metam papas na boca, fazer cera, fazer as coisas com todo o ripanço, fazer avença com o tempo, aceitar as coisas como vêm, vegetar, não merecer o pão que come, estar de perna estendida, estar de perninha, estar de recovo;
viver da/pela graça de Deus (irôn.); viver à discrição, ficar inerte, desleixar-se, estar de casa e pucarinha, trabalhar para bispo, ser advogado de Pôncio Pilatos;
chupar/filar jantares; desfrutar, trabalhar como mouro no serviço de Deus, estar de mão na ilharga, não ter ralé para o trabalho, dormir a sono solto;
entregar-se/render-se ao sono; roncar, moinar (gír.), cair de sono, cabecear com sono, estar a pingar de sono, fazer uma soneca, sossegar, ressonar, dormir, adormecer, sopitar, ter vontade invencível de dormir, toscanejar = escabecear com sono, fazer boa dormida, pesar o sono sobre as pálpebras, marrucar (pop.), matar o sono, recolher-se à cama, aninhar-se (fig. fam.);
modorrar, amodorrar, madorrar, amadornar, manar, dormitar, quebrar com sono, bocejar, oscitar, boquear, boquejar, ficar meio adormecido, cochilar, fazer-se preguiçoso, deitar-se a dormir, criar moleja, enrolar a bandeira de combate, ensarilhar as armas, enlanguescer, alanguidar-se, tornar-se lânguido, anquilosar a vontade, diminuir de zelo e atividade, perder o vigor/a força/a energia, soporizar, apatizar, desanimar, arrefecer, paralisar, imobilizar, adormentar = sopitar, anquilosar as atividades.
Adj. inativo, imóvel 265; desocupado 681; indolente, molenga, ignavo, lerdo, apático, acomodado, vegetativo, végeto, preguiçoso, zoupeiro, asiático, vadio, abrejeirado, ronceiro, esmalmado, molangueirão, bambalhão, mandrião, moinante, tanjão, gazeador, gazeteiro, tunante, janeleiro, remisso;
falto de energia, descoroçoado, marralheiro, madraço, madraceiro, podricalho, valdeiro, preguiceiro, mocanco, mocanqueiro, moquenco, moquenqueiro, desidioso, segnício, tórpido, entorpecido, mórbido, morbífico, abatido, enfraquecido, combalido, debilitado, pesado, plúmbeo;
dilatório, lento, tardo, rasteiro, rastejante, sorneiro, tanso, vagaroso 275; enferrujado, aparvalhado, fútil, banal, irresoluto 605; pasmado = obstúpido, remanchão, dormente, sonarento, adormecido, sopito, sopitado, entredormido, sonolento, pachorrento, remansado, remansoso, assonorentado, mundeiro, estremunhado, dorminhoco, napeiro, soporoso, modorrento, modorral, modorroso, descansado; perrengue, zorreiro;
sonílquo, sonífero, sonial, opiófago, pesado de sono, aletargado, torpente, letárgico, nicotino, soporífico, soporativo, soporífero, hipnótico, caído em sonolência, balsâmico, sedativo 174.
Adv. inativamente & *adj.*; ao laré, à toa, sem rei nem roque, de pândega, de patuscada, paparriba, à boa vida, sem trabalhar, amodorramente, de mão na ilharga, de barriga para o ar, de palanque, de longe, nos braços de Morfeu.
FRASE: Fia-te na Virgem e não corras.

△ **684. Pressa,** apresso (ant.), urgência, freima, triga, trigança, açodamento, aguça (ant.);
premência, apertura, angústia de tempo; despacho, aceleração, ja(c)to, marcha forçada, marcha acelerada, marche-marche arremeso, impetuosidade (*velocidade*) 274;

precipitação, afogadilho, ímpeto, *brusquerie*, arrebatamento, apressuramento, celeridade, rapidez, violência, sofreguidão, impaciência, fula, nervosismo, afã, lufa, azáfama = darandina = lufa-lufa = trigança = triga = roda-viva, ânsia, afadigamento, bulício;
coisa de pressa, caso urgente.
V. apressar, atabular (bras.), afadigar, trigar-se, atrigar-se, avivar, açodar, dar pressa a, azafamar, andar em clarim = andar numa roda-viva, ativar, apressurar, acelerar, aguçar, correr depressa 274; aproximar, adiantar, precipitar, antecipar, arrojar-se (*violência*) 173; abreviar, aviar-se, dar-se pressa em, rebolir, despachar-se, estar com o pai na forca, agitar-se (*ser ativo*) 682; não perder tempo, ir de rota batida, ir com pressa, ir de escantilhão, forçar a marcha, andar em roda-viva, aforçurar-se, apressurar-se, aprontar-se, dar à perna, não ter tempo a perder, contar as horas, urgir, expedir, despachar, estar pelos cabelos, impacientar-se.
Adj. apressado, trigoso, aguçoso, lampeiro, lesto, impaciente, brusco, precipitado, apressurado, lépido, furioso, inquieto, arrebatado, desabalado, desapoderado, repentino, nervoso, febril, violento, sôfrego, insofrido, malsofrido, alvoroçado, esbaforido = afaluado (bras.), açodado, fulo de pressa, aldravado, desenfreado, infrene, pressuroso, árdego, impetuoso, fogoso, ligeiro, prestes, pronto, levípede, expedito, premido pelo tempo, urgente.
Adv. apressadamente & *adj.*; à pressa, depressa, logo logo, num pulo, a toda a pressa, sem perda de tempo; sem mais tardar; com grande/com toda a urgência; num abrir e fechar de olhos; de afogadilho, em marcha forçada, de entuviada, apressadamente, afogadamente, velozmente, imediatamente 113, aguçadamente, prestamente, em bolandas, nas horas de estalar, à última hora, com precipitação, de foguete;
com/em duas palhetadas; pelo telégrafo, em roda-viva, a unhas de cavalo, a bom correr de gangão, de enfiada, sem parar, de corrida, de escantilhão, de passagem, de caminho, de batida, aldravadamente, depressa, de pé para a mão, asinha, sem demora, com brevidade, quanto antes.
FRASES: Dito e feito. Mexa-se, homem! Tempo é dinheiro. *Admisso equo* = à toda a brida.

▽ **685. Ócio,** ocasião, lazer, vaga, sueto, descanso, repouso, folga, parança, sota, fuga, recreio, passatempo, vagar, tempo desocupado, *far-niente*, feriado; *otium cum dignitate*, descanso, lassidão, repouso, remancho, inação 681; preguiceira, leseira, espreguiçadeira;
horas de lazer/de ócio/de folga/de parança/de recreio;
horas vagas/desafogadas/subsecivas;
falta de pressa: lentidão, demora, morosidade, lerdeza, vagareza, pachorra, fleugma, delonga.
V. ter suas horas de ócio, folgar, mangonar; matar o tempo (*inação*) 681; ser (ocioso & *adj.*); desperdiçar o tempo em vagares, ser pachorrento, não medir o tempo, gozar o doce *far-niente*, furtar algumas horas ao trabalho, ter o seu tempo livre, dormir à sombra dos louros, repimpar-se, refestelar-se, repoltrear-se, repetenar-se, refocilar-se, descansar, repousar, veranear 687, preguiçar; dispor do seu tempo, recrear-se.
Adj. vagaroso 275; ocioso, quieto, calmo, imperturbado, tranquilo, remansoso, pachorrento, moroso, tardo, tardego, tardonho, leso, tardinheiro; amarasmado, desocupado, morrinha.
Adv. à vontade, descansadamente, à perna solta.

△ **686. Esforço,** sacrifício, força, forcejo, diligência, zelo, empenho, dedicação, finca-pé, ombro, seposição, porfia, tráfego, canseira, pertinácia, batalhação, contenção, laboriosidade, matação, matança, esforço obstinado, energia, molição, persistência 604a; ginástica, exercício, exercitação, fadigas, agitação;
esforços infrutíferos/inúteis/vãos;
trabalho penoso/difícil/exaustivo/rude: refega, refrega, lida, lide, afã, faina, azáfama 684; cansaço, pena, incômodo, canseira, trabalho aturado, opifício, estafa, luta, labuta, labutação, labor, operosidade, tarefa;
trabalho livre/servil/manual/mecânico/braçal, trabalhos forçados; serviço, trabalhão, trabalheira, meijoada = noitada = serão; pensão, resolução 604; energia 171.
V. esforçar-se, timbrar, pujar, esmerar-se, primar, caprichar em, buscar, diligenciar, promover, intentar, empregar todas as

forças e energias, não regatear esforços, furar muito para, fazer com que, forçar; levar em brio/em capricho; forcejar, fazer o impossível, empenhar-se, laborar, labutar, manobrar, lidar a vida, fazer fogo = fazer diligências, trabalhar com afã, sargentear, mourejar, propugnar, dar à unha, trabalhar, trabucar, lidar, trafegar, governar a vida, ganhar a vida, ocupar-se, dedicar-se, sacrificar-se por, exercer laboriosamente a sua atividade, desempenhar suas funções, suar, fatigar-se, meter ombros a uma empresa;

esmerar-se na feitura/na execução de; aplicar os cinco sentidos a, agitar-se (*ser ativo*) 682;

trabalhar como um cavalo/como escravo/condenado; dar o máximo contingente de seus esforços, trabalhar dia e noite, seroar, batalhar, redobrar esforços, porfiar, fazer força de vela, esbracejar, fatigar-se com trabalho, lavrar, pôr em obra, pôr em campo toda a sua atividade, fadigar, afanar-se, cortir-se com o trabalho, mortificar-se, amofinar-se, atormentar-se, levar as coisas às do cabo, tomar a peito, primar, ter a pique, ter a peito, propugnar, perseverar 604a; amiudar os esforços, envidar esforços, mexer os pauzinhos, estirar a barra, navegar a remo; dar o máximo de esforço, hipotecar a existência em, fazer o possível por, ajudar-se dos pés e das mãos para, deitar a livraria abaixo, não regatear esforços, meter a cara/os peitos, revelar empenho, despejar toda a sua ciência, meter cutelos e varredouras, fazer tudo ao seu alcance, assestar toda a sua artilharia, esbofar-se, não medir sacrifícios, tentar o possível;

levar em brio/em capricho; jogar as melhores cartas, meter agulhas por alfinetes, usar de todos os expedientes, fazer da fraqueza força, empregar esforço extremo, jogar com toda a baralha, não se poupar a alguma coisa, não poupar uma só circunstância para, envidar todo o pulso de ânimo em, deitar lenha no forno, empregar o último recurso, queimar o último cartucho, lutar com ingentes esforços, jogar a última cartada, puxar do peito, revolver céus e terra, fazer de si/de alguém mangas ao demo (fig. fam.), dar bateria a alguém;

carpintejar, carpinteirar, carvoejar, marmorear, minerar, serrar, serralhar, padejar, panificar, forjar, caldear, fornear ou fornejar, queijar, rotear = empalhar cadeira, tanoar.

Adj. trabalhador, lidador, batalhador, lutador, *experiens laborum* = afeito ao trabalho, *workaholic*, industrioso, laborioso, afanoso, operoso, esforçado, acérrimo, dinâmico, incansável, fragueiro, dedicado, forte, tenaz, porfiado, porfioso, ganhadeiro, agencioso, difícil, penoso, rude, indefesso, fatigante, fastidioso, hercúleo, formicular, titânico, formidável, ativo 682; empenhado em.

Adv. laboriosamente & *adj.*; até não mais poder, tira que tira, com tenacidade e energia, de corpo e alma, de alma e coração, na capacidade de suas posses e forças, com unhas e dentes, *omnibus ungulis* = com todas as suas forças, à porfia, à compita, sem desfalecimento (*perseverança*) 604a; à voga arrancada, com toda a força dos remos, até o último recurso, enquanto houver força, com pulso de ferro, com a fronte rorejante de suor, *suo Marte*; *totis viribus*; *vi et armis*; *manibus pedibusque*, celeremente 274.

FRASES: Não se pescam trutas a bragas enxutas. Mais pode Deus que o Diabo. Não ficou por mim o... Melhor é fazer debalde do que estar debalde.

▽ **687. Repouso,** remanso, resfôlego, sossego, quietude, paz, quietação, paz bucólica, desfadiga, descanso, sueto, assento, fôlego, folga, resfolgo, alívio, sota, folgança, sono 683; remancho, respiro, parada, interrupção, férias (*cessação*) 142; trégua, suspensão de trabalhos, domingo, dia do Senhor, dia defeso, feriado, dia santificado, dia de folga, licença, dispensa, ponto facultativo, férias maiores, brévia (ant.), ano jubilar; ócio, ociosidade, inação, vagar, lazer; recreação, pousada, albergaria, descansadeiro, pouso, solidão, recolhimento, retiro, pousio, recúbito, recovo, sesta, vilegiatura.

V. repousar, descansar, estanciar, remansear, desfadigar-se, relaxar, sossegar;
ter/dar folga; feriar, tomar férias, folgar, folgazar, quietar, aquietar, recrear;
pascer/refocilar o espírito; recompensar-se das fadigas, ter férias, estar em férias, tomar fôlego, resfolegar, afrouxar, desentesar, pausar, fazer uma pausa;
ir dormir 683; pousar, deitar-se, colocar-se em posição horizontal, recostar-se, recli-

nar-se, encostar-se, apoiar-se, repimpar-se 685; arraposar-se, enroscar-se para dormir, assentar-se;
estar de recovo/de recúbito; recumbir; tirar/obter licença; ficar inativo 681; respirar, veranear.
Adj. remansoso, remansado, repousado & *v.*; descansado, folgado, poupado, fresco, quiescente, recumbente, reclinatório.
Adv. remansosamente & *adj.*; em repouso.

△ **688. Fadiga,** cansaço, moedeira, lassidão, lassitude, laxação, trabalho, quebradeira, quebramento, quebreira (pop.), canseira, prostração, extenuação, abatimento, moleza, exaustão, estafa, pilota (pop.), esgotamento, afã, arquejar do peito, arfar das ilhargas, arquejo, anélito, anelação, tefe-tefe, arfar do peito, huérfago, respiração ofegante e precipitada, pulsar do coração, ofego, arfada, arfagem, arranco, enfado 841;
delíquio, colapso, vertigem, *deliquium, surmenage* = sobernal, desfalecimento = apsiquia, apopsiquia, lipotimia, aguamento (vet.), astenopia.
V. estar (cansado & *adj.*); ter o corpo castigado de trabalho, sentir-se dos excessos do trabalho, cobrir-se de suor, tressuar, apanhar grande pilota (pop.);
não poder mexer os pés/as pernas; não poder mais, ficar exausto;
cansar, afadigar-se, esbofar-se, esbaforir-se, ficar sem alento e anelante, estar com a respiração dificultosa e entrecortada, perder o fôlego, arquejar, ofegar, tresfolegar, anelar, arfar de fadiga, estafar-se, exaurir-se, rorejar o suor da face, fadigar-se, fatigar-se, derrear-se, derrengar-se, não resistir mais, languescer, abater-se, perder a energia, fracatear (bras.) = cansar na corrida, atrafegar-se, desmaiar, desfalecer, sentir fugir a luz dos olhos, sucumbir, afocinhar, assolear, não aguentar, aforçurar-se, sentir-se dos excessos, tornar (cansado & *adj.*); cansar, estafar, fatigar, desunhar, prostrar, extenuar, derrear com trabalho, render, enfraquecer, vencer de fadiga, matar, afrontar, esgotar, esfalfar, exaustar, exaurir, estazar, estropiar, arrear, não dar féria a;
abrir dos peitos, ficar estropiado.
Adj. afadigado, fadigado & *v.*; fatigado, aforçurado, fadigoso, afadigoso, cheio de canseiras, lasso, gasto, exausto, moído, anelante, arquejante, arfante, ofegoso, ofeguento;

afaluado = esbaforido, extenuado, estafado, quebrado, quebrantado, desalentado, arrasado, meiomorto, esfalfado, alquebrado de forças, derreado, derrengado, tressuado, mais morto do que vivo, aplastado (bras.), cansado de corpo e de espírito;
sobrecarregado, assoberbado de trabalhos; afogadiço, fadigoso, trabalhoso, exaustivo, fatigante, penoso, extenuante, extenuador.
Interj. puf!, ufa!

▽ **689.** (Recuperação de forças) **Revigoramento,** reanimação, tonificação, recuperação das forças 159; restabelecimento, refeição; recobramento, restauração, reconquista, recobro, refocilamento de forças; revivescência 660; refresco, refrigério, regalo, alívio 834.
V. fortalecer 159; revigorar-se, invalescer, retemperar-se, arejar, tomar novos ares, veranear;
recuperar/cobrar/recobrar/reconquistar/ refocilar as forças;
refazer/restaurar/restabelecer as forças; sentir-se fresco, ganhar forças, espairecer, refrescar-se, refazer-se das forças, voltar a si 660; melhorar, sentir-se outro, tomar fôlego 687; reanimar-se, respirar, resfolegar, alentar.
Adj. rejuvenescido, revigorado & descansado; refeito de forças, folgado, refocilante.

690. Agente, fazedor, profissão, prestador de serviços, ofício, ator, promotor, promovedor, executor, ministrante, ministrador, perpetrador, mandatário, praticador, praticante, operador, prático, acionador, atuador, obreiro, operário, fautor, feitor, abelha, formiga, a próvida formiga, a laboriosa abelha, safra, os braços úteis;
pau mandado; pau para toda colher/para toda obra; homem para tudo, faz-tudo, *fac totum; totum continens*, arbitrista, jornaleiro, diarista, fabricador, fabricante, fabro (poet.), braceiro, artista, profissional, empreiteiro, demiurgo, lenheiro, lenhador, aguadeiro, mercenário, capanga; mineiro; fator, artífice = opífice (desus.), mesteiral ou mesteirial (ant.), artesano, obrador, oficial, manufator, arquiteto, arquitetor;
barbeiro, (*termos depreciativos*): barbeirola, fígaro, esfola-caras, sarrafaçal, carpinteiro, rapa-tábuas;
construtor, edificador, maçon, mação, pedreiro, calceteiro, emboçador, tarefeiro, alvanel, alvanéu, alvanir, alvenel, alvener,

alveneiro, alvenéu, ladrilheiro, ladrilhador, ferreiro, caldeireiro, forjador, vulcano, alfageme, armeiro, ensamblador, aceiro, agulheiro, funileiro, bate-folhas;
joalheiro, ourives, aurífice, eborário, ganhadeiro, ganhão, ganha-pão, ganha-dinheiro, mariola, governadeira, trabalhadeira, agenciador, lapidário, armoreiro, marmorário, medalheiro ou medalhário, lampianista, limpa-candeeiro, limpa-chaminés, marcheteiro, embutidor, latoeiro, picheleiro, marceneiro, ebanista, tanoeiro, esteireiro, chapeleiro, relojoeiro, tecelão, passamaneiro, cutileiro, pirotécnico, pirobolista, moleiro, organeiro, rolheiro, serralheiro;
costureiro, alfaiate, costureira, sapateiro, acolchoadeiro, acaseadeiro, caseadeiro, abotoadeiro, marmoto, padeiro, pasteleiro, maquinista, mecânico, engenheiro, agrimensor, rendeiro, industrial, arqueador, pontoneiro, queijeiro, pareador, fogueiro, foguista, funileiro, lanterneiro, penteeiro, ministro 631; *criado* 746; representante 758; procurador, deputado 759;
cooperador, colaborador, auxiliar 711; cúmplice, participante, participador, partícipe, *particeps criminis; dramatis personæ.*
agricultor, agrônomo, administrador, analista de sistemas, programador, contador, economista, antropólogo, sociólogo, cientista político, comunicador social, desenhista industrial, designer, urbanista, paisagista, advogado, juiz, prestador de serviços, esportista, técnico, químico, eletricista, motorista, piloto, marinheiro, militar, biólogo, farmacêutico, enfermeiro, fisioterapeuta, fonoaudiólogo, historiador, escritor, jornalista, lexicógrafo, filólogo, editor, gráfico, músico, artista plástico, cineasta, médico, veterinário, publicitário, matemático, físico, estilista, nutricionista, dentista, psicólogo, psicanalista, pedagogo, professor, agente de viagens.
V. ser alfaiate, viver pelo giz e guarente, padejar, carvoejar 686; cumpliciar, participar de; agenciar, trabalhar, produzir, prestar serviços, ser profissional.
Adj. braçal, mecânico.
FRASE: *Quorum pars magna fui.*

691. Oficina, opifício, ovença, laboratório, manufatura, moinho, fábrica, frágua, forja, fundição, ferraria, tear, tenda, gabinete, ateliê, estúdio, *studio, bureau,* administração, matriz, colmeia, viveiro, foco, queijeira; relojoaria, alfaiataria, pentearia, ourivesaria, rendaria, passamanaria, mercenaria, sapataria, serralharia, serralheria, cutilaria, latoaria, pichelaria, refinaria, botoaria, lençaria, vidraria, funilaria, serraria, joalharia, joalheria, tanoaria, padaria, pastelaria, confeitaria, petrolaria, queijaria, lanifício, estaleiro, docas, arsenal, alambique, retorta, caldeira, caldeirão, *matrix.*
Adj. oficinal.

II. Complexa

692. Conduta, vida, existência, vivenda; sistema/modo de vida; gênero de vida, comportamento, procedimento (*ação*) 680; ocupação 625;
tática, processo, jogo, política, habilidade, estratagema, estratégia, plano 626; cuidados domésticos, gestão, gerência, superintendência, *liderança,* regência, administração, governança, secretariado, *ménage,* regime, economia, governo (*direção*) 693; execução, manipulação, tratamento, carreira, trajetória, órbita;
vida pública, privada;
preceder, norma, linha, diretriz, modos, princípios, regra de procedimento, porte, teor de conduta, ações, atos, antecedentes, precedentes, postura, presença, *maintien,* atuação, orientação, costume, tradição, cultura, etos, *éthos,* ética, atitude, propósito, modos de obrar;
linha de conduta/de ação; papel, prática, maneira de agir, método, vereda 627; regra, conduta, código.
V. conduzir-se, comportar-se; efetuar, executar, fazer realizar, agir, proceder, atuar, desempenhar, cumprir, levar a efeito, realizar, acabar, levar a bom termo;
pôr em execução/em prática; servir de 625; portar-se, haver-se, operar, obrar, regrar-se, desobrigar-se, andar bem, andar mal;
levar uma vida de, fazer um jogo;
escolher, adotar uma orientação; traçar uma norma, orientar os passos, proceder com, politicar, conduzir, dirigir 693.

692a. Artes, *pirotecnia,* ou *pirobologia,* tornearia, topiaria, torêutica;
cartografia — arte de compor cartas geográficas; *quirografia* — arte de conversar por meio de sinais feitos com os dedos; *crisopeia* — suposta arte de fazer ouro/de converter os metais em ouro; *criptografia* — arte de escre-

ver em cifra; *odometria* — arte de fabricar odômetros; *proplástica* — arte de modelar em barro; *arquitetura* — arte de edificar; *ourivesaria* — de ourives; *marchetaria* — de marchetar; *culinária* — de cozinhar; *hialotecnia*, de trabalhar em vidro; *hialurgia* — da fabricação de vidro; *hipodromia* — de corridas de cavalos; *horografia* — de construir quadrantes; *icnografia* — de traçar a planta de um edifício; *picaria* — de equitação; *plumbaria* — de trabalhar em chumbo; *ciografia* — arte de desenhar o corte longitudinal ou transversal de um edifício/de uma máquina, ou arte de conhecer as horas pela sombra projetada pelo sol ou pela lua; *siderotecnia* — arte de trabalhar em ferro ou arte de ferrador;
arquitetura, artes cênicas, arte digital, artes plásticas, artes visuais, *design*, desenho industrial, comunicação visual, história em quadrinhos, cinema, dança, escultura, fotografia, literatura, prosa, poesia, música, pintura, teatro;
(artes cênicas): teatro, ópera, pantomima, balé, circo, cenografia, iluminação, sonoplastia;
(dança): dança moderna, sapateado, dança folclórica, dança de roda, dança de salão, (samba, tango, forró, valsa, salsa, gafieira, bolero), dança de rua, *break dance*, hip hop, disco;
(artes plásticas): desenho, pintura, gravura, escultura, fotografia, colagem, computação gráfica;
(artes visuais): *design*, desenho, serigrafia, produção gráfica, vídeo, holografia, arte digital, sinalização, identidade visual, comunicação visual, Gestalt, moda;
(pintura): óleo, acrílico, aquarela, guache, colagem, quadro, mural, afresco, paisagem, retrato, natureza-morta, abstracionismo, minimalismo, tachismo, impressionismo, expressionismo, pontilhismo, fauvismo, cubismo, hiper-realismo
(cinema): roteiro, produção, direção, atuação, fotografia, direção de arte, figurino, som, efeitos especiais, computação gráfica; música incidental, trilha sonora, animação; drama, comédia, romance, ficção científica, épico, aventura, ação, policial, *western*, terror, suspense;
(teatro): tragédia, drama, comédia, musical, farsa, besteirol, dramaturgia, atuação, direção, maquiagem, figurino, cenografia, música, coreografia, marcação, ponto;
(literatura): prosa, poesia, ficção, não ficção, contos, novelas, romances, crônicas, ensaios, fábulas;
(música): música clássica (erudita), música popular, músico, composição, compositor, intérprete, arranjo, arranjador, contraponto, harmonia, melodia, ritmo, tom, compasso, solo, acompanhamento, vocal, instrumental, coro, orquestra, orquestra de câmera, conjunto, dueto, trio, quarteto, quinteto, sexteto (ver *gêneros musicais* e *instrumentos musicais* de 415 a 417);

693. Gestão, direção, gerência, comando, condução, feitoria, superintendência, domínio, diretoria, chefia, administração, manutenência, manutenção, rédea, habena (poét.), governo, guia, compasso, batuta, orientação, penacho, governação, governança, legislação, regulamento, regimento, sobregoverno, mando, piloteamento, regência;
leme, bússola, localização, GPS, satélite, agulha magnética, agulha de marear, estrela polar, estrela do norte, cinosura, luminária, vereação, liderança, hegemonia, presidência, reitoria, reitorado, provedoria, capitania, capatazia, bastão de comando, preeminência, supremacia, ordem de coisas;
supervisão, superintendência, controle, auditoria, *surveillance*, olho do dono, fiscalização, policiamento, manudução;
comando (*autoridade*) 737; presidente (*diretor*) 694; cabeça, gerente, gestor, auditor.
V. dirigir, gerir, conduzir, presidir, guiar, pastorear ou pastorizar, governar, regular, encaminhar, encarreirar, gerenciar, administrar, chefiar, capitanear, orientar, zelar, acaudilhar, caudilhar, reinar;
regular a marcha/o andamento de;
ter/manejar o leme na mão; direcionar, encaminhar, apontar a proa para, pilotar, pilotear, ter autoridade sobre, governichar (depr.), mostrar o caminho a, feitorar, feitorizar;
estar/ir à frente de; coordenar, comandar 737; ter a balança dos destinos de, legislar para, ter a seu cargo, competir a;
regular, mordomar, reger, ter pela mão, regentar, caudelar;
empunhar, segurar, ter as rédeas de (*comandar*) 737;
superintender, sobre-entender, fiscalizar, regrar, verear, entender, vigiar, dominar; estabelecer, ditar leis;

ter/tomar a direção; puxar os cordões, dar o alamiré, empunhar a batuta; ter/ocupar a pasta de; ser o detentor de; fazer bando por si; ocupar a presidência, estar na presidência, ter a balança dos destinos de, manejar os negócios de, comanditar, ser o árbitro de, ter autoridade sobre, bolear.
Adj. diretor, diretriz & *v.*; diretivo, gerencial, governamental, imperante, legislativo, legislador, nomotético, executivo; direcional, direcionável.

694. Diretor, dirigente, chefe, paredro, cabeça, condutor, líder, mandachuva, prócer, autoridade, vice-diretor, administrador, gerente, homem influente 175, VIP; instutor, gestor, intendente, superintendente, mentor, interventor, amo, patrão, governador, grão-mestre, venerável, reitor, presidente, comandante, coronel, capitão, cabo, fiscal, inspetor, vedor, prefeito, chefe de seção, chefe de turma, ministro, ministraço (dep.), provedor, mestre, contramestre 745;
arrais, feitor, olheiro = capataz, visitador, corregedor, manojeiro, edil, vereador, deputado, senador, monitor, decurião, superior, mandante, imediato, soto-capitão, sota-comitre, cabecilha, caudilho, arreeiro, muleteiro, arrocheiro, arquiatro, demagogo, corifeu, cacique, figurão, bamba, bambambã, maioral, principal, pontífice, antístite (poét.), regente, hechor, mestre de cerimônias, mestre de sala, atlóteta, asiarca, madrinha (bras.), feitor, abegão, abegoa;
governanta, dona, despenseiro = uchão, governadeira, mordomo, madre, abadessa, superiora, prelada, agorarca, agorânomo, curião;
arquimagiro, arquilevita, arquinotário, arquimimo, arquimago, arquipirata, arquimandrita, arquitriclino, arquiprofeta, arquiprior, názir (de mesquita), arquiteto, sobrestante, apontador, ecônomo, mesário, estrela polar 693; agonoteta, conselheiro 695; guia (*informação*) 527; piloto, timoneiro, palinuro, homem do leme, cocheiro, condutor, boleeiro 268; manudutor, o geral, superior (*maire*) 745; burocrata, empregado, funcionário; pastor 370; *croupier*, procurador, guarda-mor.
Adv. ex-officio.

695. Conselho (recomendação), parecer, assessoria, consulta, juízo, ensino, indicação, lembrança, aconselhamento, alerta, persuasória, persuasão 615; parênese, exortação, ideia, advertência, aviso 668; monitória, admoestação, reaviso, andadeiras, receita; incitamento, estímulo, instigação, recomendação, insinuação, determinação, solicitação, orientação (direção) 693; temperilha, instruções, injunção, consultação;
assessor, conselheiro, consultor, guia espiritual, admoestador, monitor, mentor, mistagogo, Nestor, *magnus Appollo*, mestre 540; espírito santo, paracleto, preconizador & *v.*; paredro, guia, manual, carta geográfica (*informação*) 525; médico, curandeiro, árbitro (*juiz*) 967; consulente, consultante, conferência, referência, *pourparler*.
V. aconselhar, predicar, guiar, indicar, receitar, aplicar/formular um conselho, advertir, apontar, instigar, persuadir, assessorar, dar conselho, paracletear, sugerir, imbuir, inspirar, alvitrar, lembrar, soprar, indigitar, insinuar, inculcar, recomendar, propor, reavisar, acautelar, prevenir, prescrever, advogar, exortar (*persuadir*) 615; monir, insistir, apoiar, instruir, encaminhar, invocar (*pedir*) 765; *dissuadir* 616; admoestar 668; preconizar, pregar, fazer reclamo, fazer propaganda de, doutrinar, apregoar;
meter na cabeça/na cachimônia de; induzir, abrir os olhos a alguém, conferir, consultar, conferenciar, interrogar;
tomar/pedir conselhos; conversar, aconselhar-se com, pedir parecer a alguém, consultar o travesseiro, assessorar-se.
Adj. recomendatório, exortativo (*persuasivo*) 615; preventivo, dissuasório 616; admonitório 668; conselheiro, parenético; predicável.

696. Conselho (corpo consultivo), consesso, comissão, comitê, subcomissão, fórum, tribunal, junta, gabinete, estado-maior, *senatus*, assembleia, concílio, parlamento, cortes, congresso, constituinte, convenção, dieta, estados gerais;
câmara alta/baixa;
corpo consultivo, legislativo, assembleia legislativa, municipalidade, câmara municipal, edilidade, governo provisório, divã, Porta Otomana, Sublime Porta, sinédrio, sanedrim, comício, conselho municipal, conselho anfictiônico, consistório, cabido, sínodo, sindicato, názir (na Pérsia), tribunal de justiça 966; diretório, mesa, decúria, cúria, conclave, corte papal;

conselho de ministros, congregação, bancada, conventículo, conciliábulo, corrilho, reunião, *meeting*, comício, sessão, *séance*, conferência, *pourparler*, casa, número, quórum; conselheiro, senador, membro do parlamento, representante do povo, conclavista, constituinte, anfitrião, mesário.
Adj. senatorial, senatório, curul, ministerial, sinodal, conciliar, concelhio, congressional, consistorial, curial, conferencial, conscrito, anfictiônio, concional, conciliário, cameral, parlamentar.

697. Preceito, diretriz, norma, princípio, ensinamento, lema, bandeira (fig.), moto, determinação, lição, divisa, legenda, regra, dito, instituto, ditame, guia, cânon, decisão, regulamento, regimento, prescrição, indicação, exemplo, doutrina, disposição, disposto, ordem, mandamento, cláusula, condição, récipe, receita, *máxima* 496;
sistema, processo, regime, lei, código, *corpus juris*, *lex scripta*, direção, ato, estatuto, compromisso, regulação, instrução, roteiro, forma, fórmula, formulário, receituário = preceituário;
técnica, ética profissional, ordem 744.
Adj. preceitual, melático, normal, doutrinal, doutrinário, regimental, regimentar, estatutário.

△ **698. Habilidade,** aptitude, aptidão, poder, suficiência, engenho, jeito, arte, tato, modo, destreza, indústria, maneira, astúcia, manha, esperteza, viveza de engenho, inventiva, proficiência, capacidade, competência, estratagema, peloticas, ardileza, facilidade, sagacidade, perspicácia 498, *expertise*; tino, atilamento, tática, acerto, artifício, sutileza, escamoteação, empalmação, mestria, perícia, bossa, excelência, ambidestreza, floreio, prestidigitação 545; maroma, malabarismo;
conhecimentos, especialização, capacitação; dotes, flexibilidade, predicados, tineta, talento, vocação, gênio, prenda, dom, condão, saber, ciência, tecnicismo, técnica, ética profissional, o dedo do artista, jeito, pendor, queda, veia, gosto, inclinação, tendência, mãos professas em;
sabedoria, *savoir-faire*, sagacidade 498; discrição (*cautela*) 864; finura, diplomacia, centelha, velhacaria 702; *conduta* 692; *ars celare artem*, habilitações, bulas, partes, faculdade, inteligência, idoneidade, mérito, merecimento, agudeza de espírito, perspicácia, atividade 682; invenção (*imaginação*) 515; *curiosa felicitas*, qualificação, habilitação, proficiência 700;
obra-prima, golpe de mestre, *tour de force*, golpe feliz 621.
V. ser (hábil & *adj.*); ser senhor de, ter pendor/inclinação/jeito para, ter dedo para, ter dedos de prata, ter olhos na ponta dos dedos, ter dedos de fada, ser um flecheiro para, ter o instinto de, ter talento/ser talentoso, ser mestre e remestre na arte de, fazer milagres, ser veterano em, ter boas mãos, saber seu papel, saber do seu ofício = entender de lagares de azeite, ser taful no seu ofício, ter tento, ter conta e juízo, ter/ser dotado de/usufruir de/estar ao seu alcance certa aptidão para, dar provas de/revelar certa aptidão para, ter bom olho, ter lume no olho, ter dedo, ajeitar-se, ter posses para, poder, estar no caso de, estar talhado para, não precisar de andadeiras, ser um azougue; ser boa tesoura (alfaiate) = talhar bem = ter bela tesoura;
saber o que dizer, saber ser homem, saber levar a barca a bom termo, dirigir sua barca com tento, *scire quid valeant humeri quid ferre recusent*, ver onde está o vento, navegar com todos os ventos, saber de que lado sopra o vento, ter tática da vida, andar com sapatos de feltro, não desandar no sentido oposto ao, ficar com o santo e a esmola, não ir contra o vento, encarar as coisas pelo lado positivo, não meter a cabeça na boca do leão, não comprar nabos em sacos, não malhar em ferro frio, segurar o golpe, vibrar golpe certeiro, encarrilhar um negócio, assentar a mão;
tirar/colher/usufruir vantagem/proveito; aproveitar-se de 679; acertar no alvo (*sucesso*) 731; fazer da necessidade uma virtude, carregar pedra enquanto descansa (*oportunidade*) 134; dar no vinte; *uno saltu duos apros capere* = de uma cajadada matar dois coelhos;
tornar hábil & *adj.*; traquejar, sazonar, traquear, matraquear, adestrar, amestrar, habilitar, aptar, aptificar, capacitar, azougar, exercitar, industriar, adequar, prendar.
Adj. hábil, habilidoso, destro, cadimo, ágil, jeitoso, safo, azado, maneiroso, industrioso, indústrio (ant.), próprio, ativo 682; engenhoso, pronto, vivo, qualificado, capacitado, grande, versado, proficiente, exímio, ressa-

bido, amestrado, adestrado, galopado, perito, professo, esperto, fino, gaio, atilado, de recursos, azougado, condecorado, premiado, laureado, refinado, chapado, mitrado (bras.); escanado, conhecido, experimentado, encanecido em, perito em = taful de, abalizado, provecto, de patente, traquejado, de circo, taful, suficiente, feito, prático, matriculado, matraqueado, exercitado, afeito a, competente, perfeito em, capaz, capacíssimo, eficiente, talhado para, que se recomenda pela sua capacidade, capaz de, fadado a grandes destinos, esperançoso, prometedor, promissor, que promete muito, treinado, digno da missão que lhe deram, aparelhado para, idôneo, conveniente, artificioso, dedáleo, talentoso, prendado, perfeito, inventivo 515; astuto 702; sutil, vivo, sagaz, penetrante 498; matreiro, de mão-cheia, de muito boas prendas, milagrento (pop.), de mãos de prata, ambidestro, seguro, desembaraçado;

técnico, artístico, profissional, científico, aprimorado, genial.

Adv. habilmente & *adj.*; bem 618; com habilidade, *secundum artem, suo Marte,* com mão de mestre, a toda a prova, à altura de.

FRASES: *Emisit ore caseum* = deixou cair o queijo.

▽ **699. Inabilidade,** falta de (habilidade 698); desaso, desastre, desastramento, inércia, inaptidão, ignorância, estabanamento, imperícia, nega, improficiência, incompetência, infelicidade, incapacidade, verdor = inexperiência, bisonhice, inconveniência, descambadela, acanho, acanhamento, inconsciência, insuficiência, inépcia, ineptidão, charlatanismo, negação, urucubaca (pop.), mão de finado, macaco em casa de louça, estroinice, estúrdia, loucura, estupidez 499; indiscrição (*temeridade*) 863; impolítica, irreflexão 450a; *negligência* 460; gerência/administração/governo/aplicação/direção infeliz; remendo, emenda pior que o soneto, desregramento, insucesso 732; cacaborrada, cacozelia, a panela de muitos cozinheiros, *gaucherie*, desatino, despropósito, incongruência, inconsideração, inconsequência, trapalhada, trapalhice, barbeiragem, desorientação, desnorteamento, desacerto, desserviço, desjeito, estouvamento, imprudência, albardeiro 701; tolo 499.

V. ser (inábil & *adj.*); ter nega para, não ver um palmo diante do nariz, andar às apalpadelas, tatear, jogar a cabra-cega, coxear 275; ser muito aprendiz em, não ter ombros para, ser nascido ontem, prestar um desserviço, desservir, atrapalhar-se, desorientar-se, não ser homem para grandes empresas, ter maus dedos para, ser a negação de, dar com a cabeça pelas paredes, perder as estribeiras, estultificar-se, atarantar-se, atabalhoar-se, emparvoecer, bestificar-se 499;

agir desastradamente, desatinar, confundir-se, começar pelo fim, fazer as coisas pelo meio, remendar, alinhavar, albardar, aldravar, afutricar, atamancar, achavascar, não completar 730; engolir leão e engasgar com mosquito, pôr o carro diante dos bois (*capricho*) 608; pôr cadeado depois de roubado (*demasiado tarde*) 135; sarrafaçar ou sarrafar, dar com o navio nos cachopos; tratar um negócio a contrapelo;

não saber o que quer, não saber a quantas anda; comprar gato por lebre;

ter peneira/poeira nos olhos; matar a galinha de ovos de ouro, tomar a nuvem por Juno, cair na goela do lobo, (*ser enganado*) 547; querer abarcar o mundo com as pernas (*imprudência*) 863; afogar-se em pouca água, não ter cruzes nem cunhos, atregulhar-se = meter os pés pelas mãos;

encravar-se, comprometer-se, espigar-se num negócio; tirar-se da lama e meter-se no atoleiro, colocar-se em mau campo, implicar-se, correr a foguetes, ir buscar lenha para se queimar;

dar com o nariz num sedeiro; errar desastradamente, não saber onde meter as mãos, pensar que se benze e quebrar o nariz, embaraçar-se, enlear-se, enredar-se, embetesgar-se, encalacrar-se, encravilhar-se, envolver-se, ser muito aprendiz em diplomacia; estar/meter-se em maus lençóis;

portar-se mal, dar o ser a bagatela, prender-se com bagatelas 549; despintar, enganar-se, tomar a sombra pelo corpo (*credulidade*) 486; ser malsucedido 732; apagar o fogo com azeite, comprar nabos em saco, fabricar a sua própria desgraça, cavar a sua ruína com as próprias mãos, preferir o incerto ao certo, dar a alguém lanças contra si mesmo, vacilar, hesitar 605.

Adj. inábil, inabilidoso, insciente, indigno, incapaz, canhestro, bisonho, malcorrente, imperito, inerte, mal-amanhado, desajeitado, desprendado, insuficiente, mal-azado,

700. Proficiente | 701. Improficiente

desjeitoso, ambiesquerdo, canhoto, *gauche*, *maladroit*, desastrado, estabanado, desazado, de vista curta, desengenhoso, inepto, novato, novel, galucho, improficiente, inexperto, inexperiente, noviço, calouro; *negligente* 460; relaxado, albardeiro, de borra, de fancaria, de mentira, ingênuo 547; sem trelho nem trabalho; das arábias, de água-morna, de arribação, de assobio, de baixa-esteira, de estofa, de cacaracá, de carregação, de cartapácio, das dúzias, de empreitada; de marca de anzol, de meia tigela, de obra grossa, de primeira viagem;
nulo, casso, estonteado, desmiolado, esmiolado, arvorado, desaustinado, desarvorado, desequilibrado, desatinado, inconsiderado, irrefletido, arrebatado, *detraqué* (*desalento*) 458; estouvado, trapalhão, troca-tintas, tavanês, estavanado, desassisado, estúpido 499; inativo 683; incompetente, de água doce, inqualificado, impróprio, inadequado, charlatanesco, quixotesco, empírico, cru, porco, acanhado, tímido 605; timorato, não treinado 537; irresoluto 605; ignorante 539; mal-orientado, malguiado, desorientado, desnorteado, desregido, antipolítico, impolítico, insensato (*caprichoso*) 608.
Adv. inabilmente & *adj.*; à fedoca, à trapalhice, às canhas = desajeitadamente.
Interj. outro ofício!
Frases: Até os dedos lhe parecem hóspedes. Guarda-se da mosca, mas é comido da aranha.

△ **700. Proficiente,** perito, técnico, versado, competente, eficiente, eficaz, homem de suposição, conhecedor, entendido 492; mestre, mestraço, mestre e remestre, autoridade, ás, bamba, apto, a flor da competência, mão de mestre, prima-dona, protagonista, *fac-totum*, faz-tudo, homem para tudo; gênio, homem escolhido; o homem dos sete instrumentos; *magni pretii homo* = homem de grande mérito;
veterano, tarimbado, experiente, velha carta de marear, automedonte, velho soldado, capitão de longo curso, velha raposa, homem de negócios, diplomatista;
mãos experimentadas/hábeis/certeiras/adestradas/práticas/treinadas/educadas; dedos de prata, mãos de fada, exímo atirador, equilibrista, homem de expediente, gênio, luminar, luzeiro, homem astuto 702; político, tático, estrategista.

▽ **701. Improficiente,** remendão, desmiolado, estouvado, imbecil, trapalhão, mangaz, argamandel (pop.), desastrado, estabanado, inexperto, aldeaga, lapão, lorpa, bruto, alarve, selvagem, brutamontes, grosseirão, alvanel, cabeça de vento, marinheiro de primeira viagem, duas mãos esquerdas, mão de finado, pinto calçudo (fam.), elefante em loja de louça, desajeitado, mosca atarantada, fedelho, podão, zaranza, doidivanas, homem de palha, homem para nada, molúria, jumento com pele de leão;
mofino, garraio, albardeiro, engrolador, emplastro, cavouqueiro, pexote, noviço, novato, praticante, principiante, aprendiz, recruta, bisonho, tabaréu, aldravão, sarrafaçal, trolha, tamanqueiro de obra grossa, borra-botas;
termos pejorativos:
de *advogado* — chicaneiro, chicanista, leguleio, legulejo, pegas, rábula, rabulista;
de *alfaiate* — albardeiro, remendão, remendeiro;
de *barbeiro* — barbeirola, fígaro, esfolacaras, sarrafaçal;
de *caixeiro* — marçano;
de *carpinteiro* — rapa-tábuas, sarrafaçal;
de *cavaleiro* — batissela, maturrango, maturrengo;
de *chofer* ou *motorista* — barbeiro;
de *cirurgião* — magarefe, carniceiro;
de *comediante* — cabotino, pataqueiro;
de *comerciante* — adelo, belchior, bufarinheiro, chatim, ferro-velho, merca-tudo, tarega, traficante, trapeiro, zangão, zângano;
de *crítico* — criticastro, critiqueiro, palmatória do mundo, tesoura, zoilo;
de *dentista* — tiradente, saca-molas;
de *escritor* — borrador, escrevedor, escrevinhador, folliculário, aretino, plagiário, rabiscador, plumitivo, escriba;
de *jogador* — batoteiro, patinho, pato, patoteiro, pexote, peru, sapo;
de *jornalista* — folliculário, periodiqueiro, plumitivo, pasquineiro;
de *livreiro* — alfarrabista, caca-sebo, caga-sebo, sebo;
de *médico* — bento, benzedeiro, benzedor, carimbamba, charlata, charlatão, curandeiro, doutor da mula ruça, jalapeiro, matassão, matassano, medicastro, mediquito, mezinheiro, raizeiro;
de *oficial mecânico* — albardeiro, aldravão, chamborreirão, sarrafaçal, verrumão;

de *pedreiro* — trolha;
de *farmacêutico* — boticário, farmacopola;
de *pintor* — borrador, borra-tintas, caiador, mamarracho, pinta-monos;
de *poeta* — poetastro 597;
de *político* — politicote, politicão, politiquete, politiqueiro;
de *sacristão* — chupa-galhetas 996;
de *sapateiro* — chumeco, remendão, remendeiro;
de *soldado* — bisonho, galucho, recruta, meganha;
de *veterinário* — alveitar.

△ **702. Astúcia,** picaria, velhacaria, velhacada, solapa, finura, tato, manganilha = artimanha, endrômina, engenhoca, obrepção, versúcia (desus.), gíria, cabe, trincafio = manha, raposia, esperteza, jogo, malícia, malignidade, arrebito, ronha = saberete, trampolina, arteirice, tropelia, lanço, redobre, ardil, ardileza, truque, cavilação, engenho, tática, treta, estratégia, estratagema, mutreta, esparrela, cachimanha, sagacidade, perspicácia, nariz, invenção, enrascadela; artifício, ciganice, sonsa, sonsice, destreza, desteridade, sutileza, arte, indústria, alicantina, engano, manobra, contemporização, intenção secreta, impostura, lábia, marralhice, tentativa, chicana, tramoia, trampolinagem, obra, ribaldaria, tratantada, empalhação, trapaça, armação, golpe, cambalacho, empalmação, escamotação, escamoteação, escamoteagem, esperteza saloia, solércia, traça, manha, socapa, habilidade de finório, matreirice, insídia, *ocultação* 528; dissimulação, duplicidade, má-fé, o olho vesgo da má-fé, trabalho de sapa, rodeios, evasiva, subterfúgios, entressolhos, política, politicalha, maquiavelice, maquiavelismo, aulicismo;
falas melífluas, maquinação, gambito, meneio, saca-trapos, trama (plano) 626; evasiva, embuste, embromação, logro, fraude 545; falcatrua, engodo, trambique, dobrez ou doblez 544; conto do vigário, dolos de guerra, diplomacia, *finesse*, mentira 546; *tour de force*, tricas, travessura, cadena (bras.), rede, armadilha 545; arapuca, cilada, enredo, mexerico, negócios de comadre, alcovitice, intrigas;
Ulisses, Maquiavel, raposa, zorra = raposa velha e muito sabida, raposo, golpelha (ant.), matuto, maquiavelista, merlim, finório, alambre, passarinho, astuto, rato pelado, cágado, cala, alicantineiro, treteiro, demo, pássaro bisnau, pássaro de bico amarelo, fistor, rosca, homem de muitos entressolhos, bichaço, meninó, abelha-mestra, socancra, socarrão, malho, embusteiro 548; diplomata, manobreiro, trambiqueiro, golpista, bilontra, cambalacheiro, escroque, falcatrueiro, trampolineiro, enredador, intrigante, envolvedor, agulha ferrugenta, miscrador, embrulhador, mexeriqueiro, onzeneiro, sorrelfa, sota, madre Celestina, olhos maganos, nau de espécie, politicão, politiqueiro, politicante.
V. ser (astuto & *adj.*); ser de estrela e beta, ser da breca, ser das pontinhas, ter arte, ter muitos entresseios, ter lábia, ter palavreado, manobrar, astuciar, raposinhar, alcovitar, enredar, mexericar, planear 623; contemporizar, adotar a tática fabiana; usar de rodeios/de manhas; dar o gambito, beber azeite, enganar 545; trambicar, chicanar, empalmar, escamotear, dar golpe, passar a perna, meter das gordas a alguém; tocar/meter os pauzinhos; dissimular, velhaquear, jogar com pau de dois bicos, saber mais do que as cobras, defender com igual denodo pró e contra, andar com pezinhos de lã; usar de treta, urdir a intriga, ter o talento solerte dos velhacos, maquiavelizar, fazer-se saloio, fazer as coisas pela calada, arraposar-se, envelhacar-se, fazer seu jogo, dançar de urso, trabalhar disfarçadamente, fazer jogo com alguém, encandear, colher de emboscada, surpreender 508; não deixar meter o dedo na boca, *ambiguas in vulgum spargere voces*, meter os cães na moita e assobiar-lhes de fora, ficar com o santo e a esmola, jogar lanças falsas contra alguém, minar, boicotar, solapar, socavar, politicar, intrigar, enredar, andar à orelha de alguém;
meter os cães à nora/na vinha, tirar sardinha com a mão do gato, saber de que pé coxeia, saber as linhas com que se cose.
Adj. astucioso, velhaco, velhacaz, velhacão, versuto, pícaro, macaco, fino, sorrateiro, velhaco escanado, redobre, astuto, sabido = finório, trincado de malícia, manhoso, gajo, farejador, gírio, enganador, trapaceiro, marralheiro, cacório (bras.), solerte, retrincado, maligno, malandro, malicioso, marreco, marraxo, falaz, fraudulento, traiçoeiro, sonso, sonsinho;

artificioso, engenhoso, hábil 698; sutil, raposino, raposeiro, felino, gatesco, gatesgo, vulpino, fingido, dissimulado, pilantra, ressabiado, ressabido, ataimado, taimado, matreiro = tricoso, mangoso, insidioso, socarrão, arteiro, mitrado (bras.), iniludível, maquiavélico, maquiavelista, azougado, *eruditus artificio simulationis* = perito em fingimento, trêfego, fino como coral, beliz, endiabrado, ladino, esperto, sagaz, enganoso, pisa-mansinho, mija--mansinho, sansadorninho;
estratégico, diplomático, político, ardiloso, vigarista, estratagemático, cadimo, caviloso, ob-reptício, lagarteiro (pop.), furtivo 528; enganador 545; farejador, capcioso, gaio, espertalhão, intrigante, mexeriqueiro, enredador, treitento, maranhoso.
Adv. velhacamente & *adj.*; sorrateiramente, com a mão de gato, à gatesga, de sorrate, com pés de lã, à sorrelfa, pela sonsa, à calada, com refinada sagacidade, com pezinhos de lã, debaixo de mão/dos panos, por tralhas-malhas = por tralhas ou malhas.
FRASES: Confiar, desconfiando. *Mettere la coda dove non va il capo.*

▽ **703. Candura,** simplicidade, simpleza, chaneza, naturalidade, espontaneidade, inexperiência, inocência, bonomia, bisonhice, desafetação, pureza, *naïveté*, ingenuidade, lhaneza, lhanura, candidez, sinceridade, falta de (malícia 702); singeleza, liberdade, compostura, credulidade, modéstia, honestidade 939; boa-fé, lisura, retidão, franqueza, confiança, lealdade, desassombro, expansão de sentimentos, direção de intenções, linguagem franca e rude, desabafo;
V. ser (sincero & *adj.*); ter caráter aberto, não usar de rodeios, falar com franqueza, falar sem rebuço, ser um coração aberto, trazer o coração no rosto, ter o coração na boca, andar de face (ant.), falar rasgado, falar rudemente a verdade, falar do coração, não conhecer o mundo, não ter prática do mundo;
fazer uma coisa na melhor das intenções, ser um cordeiro, mostrar as cartas, denotar candura, confiar; dizer pão, pão, queijo, queijo; aborrecer a hipocrisia, detestar a velhacaria & *subst.* 702.
Adj. cândido, sem arte, natural, nato, nado, nativo, nascidiço, espontâneo, fácil, pronto, sem malícia, despretensioso, desafetado, límpido;

não estudado, não contrafeito, não adquirido, não factício, desartificioso, inartificioso, nadivo, nadível, inartificial, incompto, singelo, modesto, puro, ingênuo, *naïf*, redondo, sincero, leal, confiável, franco, lhano, chão, aberto, escancarado, patente, honesto 939; inocente 946; chaníssimo, reto, arcadiano, bucólico, indissimulado, que não sabe enganar, sem rebuços, nem ideias reservadas; simples, inexperiente, bonachão, bonacheirão.
Adv. puramente & *adj.*; em português claro, com simplicidade, sem refolhos, sem armadilhas, sem malícia, sem artifício, sem veneno, planamente, lisamente, despretensiosamente, chamente, boamente, rasgadamente, desassombradamente.
Interj. bofé!

4º) Antagonismo

I. Condicional

△ **704. Dificuldade,** fragosidade, impraticabilidade, inexequibilidade, escabrosidade, onerosidade, laboriosidade (*impossibilidade*) 471; trabalho árduo, canseira;
tarefa ingente/hercúlea/augiana/sisifiana/pesada; auso (poét.), ossos do ofício, percalços, bicho de sete cabeças, bico de obra, desfiladeiro, dilema, aresta 253; senão, mas, porém, distrição, embaraço, resistência, algemas, contrariedade, agrura, atribulação, contratempo, transtorno, vicissitude, borrasca, embates da adversidade, embaraço, aperto, espinho, apertura, pedreira, atritos, cólicas, posição falsa, perplexão, perplexidade (*incerteza*) 475;
pesadelo, tormento, implicância, lance difícil, segredo, inibitória, complicação, assados, corda na garganta, embrulhada, atrapalhada, talas, alhada, carrapata, maranha, *imbroglio* 59, pedra no caminho, pedra no sapato, atrapalhação, complicador, engasgo, espinha, delicadeza, nó;
nó cego/górdio, cassiótico, busílis;
caminho escorregadiço/tortuoso/resvaladiço;
questão delicada/irritante/complicada/embaraçosa; *vexata questio*, maromba, tamanduá (bras.), bordão de nós, cachoeira, *dignus vindice nodus*, rede, malha, cipoal, dédalo, labirinto, agulha em palheiro, meada de difícil desenredo, espinha na garganta, osso duro

704. Dificuldade | 704. Dificuldade

de roer, *pons asinorum*, dente de coelho, quê, Rubicão, estreitezas, enleio, apuro; lance arriscado/apertado = tornilho; maranha, entaladela, rascada, enrascada, estreito, custo, trabalho, pena, conjuntura difícil, passo extremo, choque, situação crítica, crise, prova, provação, incômodo, transe, trabalho, pensão, emergência, água fervente, ninho de vespas, casa de marimbondo, atoleiro, *cul-de-sac*, beco sem saída = angiporto, betesga, problema de difícil solução, camisa de onze varas, entrave (*obstáculo*) 706; resistência, algemas, abrolhos, espinhos.

V. dificultar, ser (difícil & *adj.*); ter o seu quê, ter rugas na cara, dar que suar, dar águas pela barba a alguém, fazer suar, fazer suar o topete, fazer suar a bom suar, ver-se em calças pardas, ter suas coisas, haver canas e canetas, custar caro, ser da breca, custar os dentes da boca, custar os olhos da cara, custar ameixas de conserva, atormentar, fazer o pesadelo de;

cortar uma volta, tentar/desafiar a paciência, atrapalhar, obstar 706; ser impossível 471; apresentar sérias dificuldades, enfrentar dificuldades;

lutar, arcar, afrontar, arrostar com dificuldades; ficar perplexo 475; emaranhar-se, prender-se, eriçar-se, embaraçar-se, tropeçar, ter que ver, lutar com desvantagem contra, debater-se, esbracejar, entaliscar-se, andar às apalpadelas;

estar/ver-se à brocha;

ver-se em enleio/em apuros; não encontrar o trincho, estar com o baraço na garganta, nadar entre o rolo e a ressaca, lutar com marés contrárias e ventos ponteiros, dançar as tripecinhas; dar em duro/em seco;

nadar contra a corrente, remar contra a maré; crescer a onda, não achar um furo ao negócio; estar metido em boas/em boa carrapata (pop.);

meter-se em filistrias/fofas/camisa de onze varas/cavalarias altas, ter uma espinha atravessada na garganta, ver-se gago, estar no mato sem cachorro, pisar sobre ovos;

ver-se/andar em pancas, perder seu latim, encravar-se, encravilhar-se, atolar-se, ver-se grego, ver-se azul, turvarem-se os horizontes, não saber para onde ir (*incerteza*) 475; ver uma bruxa;

tornar (difícil & *adj.*); enodar, fazer delongas, complicar, encravilhar, entalar, agravar, comprometer, empeçar, eriçar de dificuldades, onerar, gravar, abrolhar, levantar dificuldades, pôr em carestia, promover obstáculos, obstaculizar, emaranhar, embaraçar, contrariar, assoberbar, atrapalhar, estorvar, apertar, meter alguém em boa, colocar em apuro, meter em danças, aviar.

Adj. difícil, dificultoso, forte, penoso, tormentoso, duro, rude, árduo, insano, improbo, molesto, molestoso, abrolhado, abrolhoso, árdego, laborioso, trabalhoso, enfadonho, tedioso, oneroso, perigoso, hercúleo, formidável, embaraçoso, intrincado ou intricado, dilemático, alto, transcendente, que não pode ser tratado com luvas de pelica, de fazer suar o topete, complicado, complexo; labiríntico, dedáleo, meandroso, fadigoso, de água arriba, de costa arriba, mais fácil de se dizer do que se fazer, pedregoso, espinhoso, espim, espíneo, poliacanto, sarçoso, arrevesso, duro de, impidoso (ant.), austero, moroso, bicudo, cheio de responsabilidade, grande, impossível 471; desajeitado, pesado, insuave, encruado, ingovernável, indócil, intratável, indomável, impraticável, inexequível, obstinado 606; inacessível, horrível, fatigante, esgotante, extenuante, titânico, ruim, mau, escabroso = fragífero, áspero, fragoso, fragueiro, exagitado, ingrato, nodoso, ínvio, não trilhado, nunca dantes navegado, íngreme, duvidoso, precário, enredoso, fosfóreo, fosfórico, implexo, complicado 59; desesperado 859; custoso, cansativo, exaustivo, capaz de extenuar o ânimo mais robusto; implicante, embaraçante (*incerto*) 475; delicado, melindroso; eriçado, emaranhado, cheio, ouriçado, crivado, pontilhado, assediado de dificuldades; malabárico, reduzido à última extremidade, engaranhado, embaraçado.

Adv. dificilmente & *adj.*; a custo, a trancos e barrancos, a más penas, às duras, arrastadamente, em apuro, mal, adur (ant.), *in extremo*; à custa de suor/fadiga; entre dois fogos, entre Cila e Caribdes 665; com dificuldade, mal, a martelo, contra a corrente, *invita Minerva*, em talas.

FRASES: *Primo avulso, non deficit alter* = as dificuldades vêm uma após outra. Agora é que são elas. Aqui é que a porca torce o rabo. Aí é que pega o arado. Aí bate o ponto. Aí é que é o diabo. Temos obra! Aí está *o tu autem*. Dá-lhe a água pela barba. Mais pode Deus que o Diabo.

▽ **705. Facilidade,** capacidade, praticabilidade 470, exequibilidade; flexibilidade 324; incomplexibilidade, agilidade, desembaraço, presteza, destreza, lisura 255; desencalhe;
campo livre, brinquedo de criança, moleza, barbada, céu de brigadeiro, ventos galernos; passeio triunfal;
desentulhamento, despojo, desobstrução, desemaranhamento, bombarato, permissão 760; bafejo carinhoso.
V. ser (fácil & *adj.*); não passar de um almoço, ter vento e maré = ter tudo a seu favor, correr suavemente, saber a mofo, não ser grande coisa, não ter espinha nem osso, obedecer ao leme, funcionar bem, ir de vento em popa, estar em seu elemento, nadar de braçada, nadar à vontade, ir tudo em maré de rosas, ir na corrente, fazer uma coisa à podoa, ver o fundo à canastra, dar com o busílis, tornar (fácil & *adj.*);
provocar, facilitar, ajudar, auxiliar, favorecer, fornecer os meios, aliviar o trabalho, facultar, libertar, resolver uma dificuldade, tirar uma espinha da garganta de alguém, desatrancar, desatravancar, desatravessar, desembaraçar, desemaranhar, destrançar, desobstruir, desafogar, desembrulhar, destecer, desmedar, desenliçar, desenlear, desatar, desenredar, cortar o nó, desembuchar, descarregar, desempachar, desempedernir, desencravar, desenlaçar, cortar dificuldades, libertar, emancipar, desopilar, favorecer (ajudar) 707;
lubrificar 332; quebrar as cachoeiras, descalçar a bota, fazer uma coisa com uma perna às costas, aliviar 834; destravar, desentravar, desenraiar, desengasgar, desentalar, desencravilhar, delir resistências, desestorvar, suprimir obstáculos, espedrejar, aplainar, aplanar, alhanar, desentralhar, desentulhar, desentupir, franquear, desimpedir, desempecer, desempecilhar, desencalhar, desimprensar, expedrar, desimplicar, despejar, desembaraçar de dificuldades, pôr ao abrigo de ônus e de embaraços, aparelhar o caminho;
vencer, franquear, contornar dificuldades; facultar, diminuir as penas;
dar rédeas/margem/expansão a;
abrir a porta/o caminho a; abrir as pernas, fazer corpo mole;
preparar/aplainar/desbravar o terreno; deixar franco o campo, calçar a estrada, fazer ponte, abrir as comportas, permitir 760; abrir de par em par as portas de, preparar.
Adj. fácil, refez, refece, mole, possível, factível, fazível, parável, contingível, praticável 470; simples, singelo, incomplexo, acessível, aberto a, correntio, escorregadiço, corrediço, liso, enodo, leve, agradável, suave, bom de levar, domável, governável, dócil, tratável, de água abaixo, exequível, já trilhado, já batido, já conhecido, já experimentado, certo, conhecido, barato, descarregado, livre 748, desimpedido, desassombrado, laxo, desobstruído & *v.*; invedável.
Adv. facilmente & *adj.*; de refece; com ou em duas ou três palhetadas, mole mole, habilmente, à primeira enxadada, à primeira vista, ao primeiro volver d'olhos, com pouco trabalho, com uma perna às costas, sem obstáculos, logo às primeiras diligências, às mãos lavadas, à gangosa, sem custo, de vento em popa, com pequeno embaraço, a mofo, de graça, de plano, à podoa, sem pau nem pedra.

△ **706. Estorvo,** empacho, embargo, ofendículo, enxeco, empecimento, impedimento, impedição; tolheita, tolhimento, obstrução, torva, atranco, atrancamento, fechamento, ingurgitação, ingurgitamento, enfarte, tapagem, tapamento, travadura, interrupção, intercepção, retardamento, retardação, retardadura, constrangimento, obstáculo, travança, inconveniente, peguilho, peça, resistência, rechasso, rêmora, inibição 761; bloqueio (*fechamento*) 261; barbicacho;
interferência, interposição, entupimento, incômodo, incomodidade;
empecilho, empeço, estorvilho, espeto, entulho, atalho, algemas, nó, recife, cachoeira, travessão, Rubicão, emposta, óbice, objeção, pespego, oposição, contratempo, *contretemps*, embaraço, carrapata, opilação, válvula, parafuso frouxo;
obstáculo insuperável, invencível; barra, barreira, barranco, biboca, tranca, trambolho, torniquete, travão, tranquia, tranqueira, rastrilho, barricada (*defesa*) 717; muralha, parede, paredão, quebra-mar, frontal, parapeito, bloco, tampão, obturador 263; barbilho, sobrerroda;
botalós, dique, barragem, itaipava (bras.), urmana (bras.), trancada;
entrave, ônus, gravame, encargo, obrigação, imposto;

707. Auxílio | 707. Auxílio

dificuldade 704; impossibilidade 471; vento contrário, ponteiro (*oposição*) 708; barbicacho, rédea 752; contrapeso, peso morto, pesadelo, sobressalto; intrujão, intruso, metediço, estorvador, pespego, estafermo, importuno, indesejável, obstrutor, desmancha-prazeres, opositor 710.

V. estorvar, impedir, quitar, impossibilitar, vedar, embaraçar, emaranhar, interpor tardança e embaraços, apegar, pear; causar/suscitar embaraço, tropeço; retardar, reter, agodelhar, atravancar, privar, obstar a, obviar a, não permitir, não consentir, proibir, entupir, atuir, atupir, opilar, defender, fechar, assorear, obstruir, atrancar, empancar, avolumar, pejar, encher, embrulhar, complicar, tolher, empatar, empacar, abafar, afogar, asfixiar, sufocar, reprimir, rodear de estorvos, contrariar, meter de permeio, enredar, ingurgitar, enfartar, encalhar, sustar, desviar, retrair de, acautelar, deter, represar, açudar, muralhar, refrear, embargar, impossibilitar 471; desfavorecer, desajudar, embarrar, tolher o passo a;
pôr um dique/um paradeiro a 471; atravessar, interceptar, constranger, entulhar, interromper, empatar, opor 708; abarrancar, empeçar, empecer, empachar, engalhar, engodilhar, frustrar, contraminar, evitar, baldar, entravar, pear, engrotar (o orifício da ampulheta), pôr um prego na roda, tiranizar = travar com peias, enfartar, atar as mãos a alguém, entorpecer, enfrear, enfrenar (bras.), onerar, emperrar, dar corte a alguém, minar, barrar, aferrolhar, barreirar, embarreirar, barricar, ensilvar, cegar um caminho, inibir (*proibir*) 751; interpor-se, intervir, intermeter, interferir, meter-se de permeio, enrabichar, intrometer-se, engastalhar-se, engasgar, servir de obstáculo, pôr-se davante;
cortar as asas/o voo a; desanimar (*dissuadir*) 616; derrotar 731;
surgir/semear tropeços no caminho de; manietar (*impotência*) 158);
esbarroar-se, tropeçar, deter-se diante de, engasgar, pegar, prender.

Adj. obstrutivo, recifoso, barrancoso, aparcelado, impedidor & *v.*; obstrutor, fragoso, impediente, impeditivo, impidoso, empachoso, obstante, opilante, opilativo, atravessadiço, remoroso, inibitivo, inibitório, profilá(c)tico 662; intercepto, entravado & *v.*; retido por ventos contrários;

desfavorável, oneroso, pesado, embaraçoso, onusto, incômodo, indesejável, desagradável, intransitável, dévio, só, isolado, desajudado, inauxiliado & *v.*; sozinho.

▽ **707. Auxílio,** ajuda, acheganças, achega, socorro, reforço, préstimo, adjutório, demão, acoroçoamento, apoio, encosto, concurso, coadjuvação (*cooperação*) 709; assistência, patrocínio, amparo, filantropia, mecenato, caridade, colaboração, contribuição, favor, serviço, assopro, esteio, arrimo, proteção, patronato, patronagem, benefício, obrigação, bafejo, alento, ajudadouro, sustentação, alimentação, nutrição, favorecimento, amamentação, maná (*alimento*) 209; sustento, fautoria, escora, bordão, ajudas, andadeiras, muletas, adminículo, fomento, remédio, recurso, subsídio, subvenção, mesada, contribuição, sustentáculo, suporte 215; braço direito; muxirão ou mutirão;
invocação, orago, padroado, auxílio sobrenatural, ajuda divina;
deus ex machina;
contingentes, reforços, recrutas, levas de soldados, aliado (*auxiliador*) 711, socorrista.

V. auxiliar, ajudar, dar ajuda, amparar, acolitar, dirigir, guisar, fautorizar, encaminhar, promover, impulsionar, pôr à disposição de, facilitar, tomar o panal a alguém, dar auxílios & *subst.*; socorrer, apoiar, vir em auxílio de, ir ao encontro de;
acorrer, acudir ao apelo de; contribuir, fintar-se, subscrever, quotizar-se, subvencionar, subsidiar, remediar, suprir, prestar ajuda, prestar mão forte, ter alguém de sua mão, emprestar asas a, assistir;
prestar, dar seu nome; molhar sua sopa; colaborar, contribuir, dar seu contingente;
levantar alguém do pó/da lama; favorecer, fadar, favonear, patronear, patrocinar, defender, proteger, apadrinhar, fazer costas a alguém, ser o braço direito de alguém, ser o descanso de, meter alguém avante, oferecer seus préstimos a alguém, salvar, reforçar, recrutar, apressar, adiantar, acoroçoar, animar, bafejar, alentar, tomar o partido de alguém, entrar na dança, sustentar, escorar, adubar, cultivar, nutrir, alimentar, amamentar, aleitar, lactar, afagar, acariciar;
dar/estender/oferecer a mão; dar uma força, dar uma mão(zinha), dispensar proteção, dar mangas, fornecer meios, pôr em bom caminho, entabular, servir, prestar

serviços, ser auxiliar precioso, administrar, subadministrar, cuidar de, tomar cuidados de 459;
consultar, procurar, adivinhar os desejos de; agradar, comprazer, alegrar, encorajar, solidarizar-se com, apaniguar, secundar, interessar-se por;
esposar, adotar/fazer sua a causa de; dar apoio moral e material a, socorrer, alistar-se sob a bandeira de, aderir a, emparelhar-se com (*cooperar*) 709; dar andamento a, partejar;
ser de utilidade a, servir a (*instrumento*) 631; beneficiar 648; ser de préstimo 644; conduzir (*tender*) 176.
Adj. auxiliar, adminicular, ajudante, adjuvante (teol.), ajudador, auxiliador & *v.*; opífero (poét.), partícipe, subsidiário, auxiliante, auxiliário, coadjuvante, coadjuvador 709; instrumental, dependente, ministrante, servente, serviçal, acessório, complacente, propício, favorável, presente, propenso, fovente (poét.), contribuinte, contributário, contributivo, contribuidor; solidário, participativo.
Adv. auxiliarmente & com a ajuda/o auxílio/a proteção de; a/em favor de; pro, por amor de, graças a, mercê de, por causa de, da parte de; solidariamente, participativamente.
Interj. socorro!, aqui del-rei!, ó da guarda! S.OS., *mayday*.

△ **708. Oposição,** insolidariedade, antagonismo, opugnação, impugnação, hostilidade, adversão, contravenção, insurreição, guerra, repulsa, repulsão, escarcéu, resistência 719; contra-ação 179; reação, contraemboscada, contramina, contragolpe, contrarrevolução, fogo cruzado, contrabateria, campanha, corrente submarina, contravento, vento ponteiro;
choque, atrito, embate, conflito, referta, colisão, rivalidade, emulação, páreo, competição, competência, oficiais do mesmo ofício, a classe desunida;
contradição, antinomia, antítese, discordância, discrepância, contradita, contraste, divergência, incompatibilidade, inconformidade, oblóquio, polarização;
antinomismo, carência de (auxílio 707); desfavor, restrição 751; obstrucionismo.
V. opor-se, militar contra, ir de encontro a, obviar, contrariar, discrepar, contestar,
refutar, resistir 719; reprimir 751; estorvar 706; agir em desacordo com, opugnar, sair de viseira erguida contra, fazer decidida e porfiada guerra, ir abertamente contra, contraverter, contrabater, contrapor, repulsar, escoucear contra, precipitar-se sobre, lançar-se contra, fazer frente a, litigar, obstar, enfrentar, abater-se sobre, rechaçar, repelir; clamar, bradar, protestar, votar contra; derrotar, erguer sua voz contra, deblaterar, trovejar, bradar, desfavorecer, desvaler, desajudar, chocar-se com, colidir-se com, ir/insurgir-se contra; renegar, repudiar, repugnar, empatar, ser espírito de contradição, operar contra, ir à mão a alguém, contraminar, dar contravapor, estar em oposição, ser oposicionista, desfazer, estar de mão armada contra, restribar-se = opor-se com firmeza, caminhar contra a maré, resistir à onda;
atacar, ferir frente a frente; afrontar, lutar, impugnar, refertar, suscitar, guerrear, hostilizar, combater contra, dar combate a, entrar em luta com, ir contra a corrente, ter-se teso com alguém, fazer finca-pé (*resistir*) 719; contender com 720; travar combate 722; adversar, atentar contra, ir ao contrário de, contrariar, reagir contra, levantar a grimpa, condenar;
deter, refrear, conter a corrente;
sofrer tenaz oposição, ter homem pela frente, ter alguém pela proa;
contradizer, contraditar, desmentir, bater-se contra, opor formal desmentido, objetar; emular-se com 720; rivalizar-se;
entrar em rivalidade/em competição.
Adj. opositor, oponente, adverso, adversário, contraditório, contestatório, antitético, contrário, hostil = infesto, oposto, inimigo, antagonista (*em desacordo*) 24; êmulo, rival, desfavorável, desafeto, implicante, avesso, reverso, invasivo, agressivo, infenso, avessado, mal-avindo, malpropício, resistente, impugnativo.
Adv. adversamente & *adj.*; contra, *versus*, em conflito com, em atitude hostil, em embate com, com repugnância, de arrepio, a contrapelo; contra a corrente/o vento/a maré, com ventos contrários, água arriba, água acima;
a despeito, de mau grado, apesar de, não obstante, em que pese a, mesmo que, sem embargo de, quando mesmo, com pesar seu, em desafio a, onde o sapato aperta,

em linha de batalha, a ferro e fogo, frente a frente, peito a peito;
em guerra aberta/acesa; belicosamente, de baioneta calada, em som de guerra, de lança em riste, de viseira erguida, à mão armada, hostilmente, *quand même, per contra*, ainda que 30; mesmo até.
FRASE: *Nito in adversum* = pelejo em sentido contrário.

▽ **709. Cooperação,** coadjuvação, concurso, apoio, colaboração, contribuição, parceria, ligação, união, sociedade, concerto, concorrência, associação, concomitância, solidariedade, cumplicidade, conivência, malhoada = conluio, contubérnio, cambalacho, participação, coparticipação, comparsaria, comparsa, concriação, envolvimento; conjugação, tramoia, *societas sceleris*, pandemônio, panelinha, combinação 48; coautoria, partidarismo, coleguismo, espírito de classe, campanário, confederação 712; mancomunação, fraternização, consórcio, simbiose = vida em comum, liga, aliança, pacto, companhia, conjura, conjuração, conspirata, conspiração, sindicato, coalizão, coligação, federação, assimilação, fusão, maçonaria, conchavo, trama, pandilha, cabala, disciplina, partidária; unanimidade (*assentimento*) 488; concórdia 714.
V. cooperar, coadjuvar, concorrer, contribuir, colaborar, conduzir a 178;
conjugar, combinar, reunir esforços; agir de concerto, concriar, formar de colaboração com, coligar-se, unir-se, ligar-se, reunir-se, arregimentar-se, fraternizar-se, compactuar, aliar-se, confederar, federalizar, aliançar, federar-se, fundirem-se forças, estar coligado com, dar as mãos, ombrear-se, concertar-se, acumpliciar-se, empandeirar-se, conluiar-se, apandilhar-se, pactuar, mancomunar-se, aparceirar-se, emparceirar-se, amatilhar-se, amatular-se;
fechar/cerrar/fortalecer, unir fileiras; congregar-se, associar-se, quotizar-se ou cotizar-se, identificar-se no mesmo escopo, solidarizar-se, bandear-se, aconfradar-se, agrupar-se, agregar-se, aglomerar-se, reunir-se, suciar, fazer panelinha com alguém, juntar-se, grudar-se, consorciar-se, agremiar-se;
organizar uma sociedade/companhia/quadrilha/comandita; estabelecer-se com uma sociedade, serem da mesma panelinha,
fazer causa com, ir com alguém, estar de parceria, estar conluiado com, andar de réstea com, engorrar-se, meter-se de gorra com;
fazer sociedade/rancho; coalizar-se, conchavar-se, velejar no mesmo bote, ir no mesmo carro com, esposar, entrar para, filiar-se, fazer uma mesma a causa de alguém e a sua, ter parte em, participar, compartir, compartilhar, partilhar, seguir as bandeiras de alguém, militar sob as ordens de;
estabelecer/firmar aliança; rodear-se, cercar-se de, tomar voz por alguém, fazer mutirão (bras.); barbearem-se mutuamente.
Adj. cooperativo, colaborativo, participativo, cooperador, coadjuvante, coadjutor, partícipe, participante, conivente, aliado, partidário, parceiro, partidarista, solidário, federal, irmanado & *v.*; unidos, coesos, compactos, sem discrepância de um só 488.
Adv. como um só homem (*unanimidade*) 488; ombro a ombro, em cooperação, em perfeita união de vistas, numa impenetrável solidariedade, de mão comum ou de mãos dadas, de braço dado.
FRASE: Uma mão lava a outra e, ambas, o rosto.

△ **710. Oponente,** opositor, contendor, competidor, antagonista, adverso, adversário, concorrente, parte adversa, impugnador, contestador, rival, êmulo, inimigo 891; contraditor, arguente; assaltante, atacante, combatente, cabrião;
oposicionista, obstrutor, obstrucionista, disputador, controversista, polemista, descontente, dissidente, jacobino, feniano, demagogo, derrotista, reacionário, comunista, escola adversa, partido contrário, fileiras inimigas.

▽ **711. Auxiliar,** assistente, companheiro, partidário, coadjutor, cooperário, cooperador, coadjuvante, assessor, ajudante, adjutor, adjunto, ajuda, fautor, braço direito, cireneu, sargente (desus.), servidor, secretário, acólito, basilicário, sacrifículo, ceroferário, cruciferário, colega, confrade, socorredor, padrinho, patrão, protetor, padroeiro, patrono, patrocinador, parteiro, confederado, federado, coligado, capatázio, amigo 890; coautor, confidente, *fidus Achates, alter ego*, contrapé, capitão ajudante, *aide de camp*, cúmplice, amanuense, criado 746; instrumento, satélite, *âme damnée*, alma danada, aderente, afim; missongo, janízaro, espoleta, jagunço, associado, fiel escudeiro, comparte, comparsa, consorte, conspirador, sectário, campeão, atleta, partidário, parcial, faccionário, correligionário, amouco, freguês, apaniguado, boneco de engonço 599; afilhado, instigador, inspirador, advogado, apóstolo, soldado, zelote, partidista, seguidor, adepto, prosélito, sequaz, catecúmeno, simpatizante, sacristão, contubernal, legionário, bloquista, societário, assecla, pandilha, batalhador, sindicateiro, guarda, gênio tutelar, estrela tutelar, intermediário, mediador, Íris, agente, canal, veículo, colaborador, parceiro, assísio, comanditário, conivente.

712. Partido, facção, dúnia, grupo, clã, fração, dissidência, parcialidade, seara, rancho, ranchel, bloco, bando, gente, sequela, banda, bandeira, claque, tropa, falange, legião, séquito, comitiva, súcia, clique, chusma 72; horda, turma, pandilha, malta, grei, matilha, grupelho, panelinha, soldadesca, patrulha, rebanho, igrejinha, comunidade, comunhão, corpo, associação, sociedade, agremiação, seio, regaço, confraria, aljama, arquiconfraria, sodalício, irmandade, conferência, corporação, grêmio, cenáculo, companhia;
estabelecimento, firma, casa, sindicato, *trust*, comandita, instituto, instituição, liga, união, aliança, pacto, coligação, federação, confederação, hansa, hexápole, cabala, conluio, camarilha, contubérnio, quadrilha, camorra, conspiração, maçonaria, espírito de classe (*cooperação*) 709;
dramatis personnæ, elenco.
V. unir-se, ligar-se, assentar praça nas fileiras de, aderir a, reunir-se, congregar-se (*cooperar*) 709; cerrar fileiras;
formar/organizar um partido; desfraldar uma bandeira, associar-se, suciar-se, arranchar-se, solidarizar-se, parcializar; incorporar(-se), agremiar(-se), sindicalizar(-se).
Adj. unido, solidário, ligado 43; faccionário, gremial, federal, federativo, hanseático, associado, mediatizado;
presos/ligados/unidos/atados por.
Adv. de mãos dadas, ombro a ombro, lado a lado, *en masse*, sob a mesma bandeira, da mesma panelinha, no mesmo time.

△ **713. Discórdia,** rivalidade, divergência 24; antagonismo, arranca-rabo, desarranjo, desacordo, cizânia, dissensão, dissentimento, zanga, desavença, incha (pop.), desconcerto, dissidência, desconcórdia, teiró, destom, desarmonia, azedume, agastamento, pontinha, briga = pendência, questão, malquerença, indisposição, dissonância, desconcordância, discordância, desafinação, porfia, discrepância, chaça, quizila = desinteligência, entrevero, inimizade 889; desaguisado, pega, rixa, bate-boca, retesia, contenda, confronto, enfrentamento, ochas, prevenção, implicância, colisão, conflito, atrito, choque, embate;
perturbação, resfriamento de relações sociais; diferenças, destêmpera, mal-avença, embrulhada, *mal entendu*, *misunderstanding*, mal-entendido, sensaboria, *quid pro quo*, equívoco, *brouillerie*, alfetena (ant.);
divisão, cisão, ru(p)tura, separação, desunião, fragmentação, esfacelamento, rompimento, quebra, cissura, cisma 489; rusga, litígio, debate, certame, ataque, testilha, arenga, discussão, contestação, trava-contas = altercação, dize tu direi eu, porfia, disputa, paliota, questão, rezinga, remoela, pirraça, perraria, desfeita, birra, *tracasserie*, aborrecimento, peleja, rebordosa, renhimento, discussão acalorada, logomaquia, controvérsia, peguilha, contenda = bate-barba, querela, pendenga, quizília, desabrimento, arrelia, palavras desabridas, turra, os dares e tomares, tiroteio, gambiarra, fundo dissentimento;
tumulto, alvoroço, rififi, altercação = baticum (bras.), escaramuça, referta, refrega, desordem, alarido, bulha, touraria, bulha suja, algazarra 411; chinfrinada, chinfrimeira, vozerias descompostas, más palavras, ralhos, gritaria 411;
motim, sedição, *brouhaha*, assuada, embrulhada, *imbroglio, fracas*, escândalo, desordem 59; trilar de apitos, comoção (*agitação*) 315;
pomo/facho de discórdia; cizânia, bordão de nós, rebatinha, muro de separação, campo de batalha, campo dos fatos, ponto controvertido, questão *sub judice* 461; *casus belli*, *vexata questio*, dias sombrios e amargurados, vida de cão com gato, malquerença, *inimizade* 889; animosidade, *ódio* 898; opositor 710.

V. estar em desacordo, discordar, desconcordar, dissidir, desconvir, chocar, embater, antepor(-se), antagonizar, contraditar, peguinhar, implicar, contrariar, contradizer, entrar em conflito, jogar as cristas, não se compreenderem, ter piques com alguém = estar de pique com, terem pontos de vista diversos, não se darem as mãos, viver como cão com gato, andar desavindo, divergir, *dissentir* 489;
lançar em rosto = refertar, dissidiar, ilidir, colidir, ter um malentendido com, retesiar, estar político com, ter dares e tomares com, andar de pontinha com, não fazerem boa farinha, viver mal com, andar atravessado com, disputar, chiscar (entre rapazes), atacar-se com, arengar;
altercar = triscar, renhir, litigar, rezingar, respingar, porfiar, contender, dearrezoar ou dearrazoar, estar num dize tu direi eu, debater tumultuariamente, andar às quebras com alguém, andar às ochas com alguém, ter espinha com alguém, questionar por, chocar-se com, pegar-se de palavras, pugnar, atabular, trocar palavras, pendenciar, invectivar, travar-se de razões, debater-se em lutas acesas, desavir-se, indispor-se, malquistar-se, estar a contas, estar em alteração, estar aos itens, peguilhar, testilhar, perturbar;
descompor, jogar as mitras; arreliar, mantear, andar de rixa, desirmanar-se, pegar-se com alguém, rixar, provocar, brigar 720; romper as hostilidades, armar pega com, declarar guerra, fazer cruz à porta de alguém, incompatibilizar-se com, não gostar de alguém, romper lanças, estar sempre com a espada desembainhada, estar a fogo e a sangue com alguém, bulhar;
desunir, separar, dividir;
semear, avivar, recordar, dissensões, cavar um abismo, *bellicum canere* = atear o facho da discórdia, atrair animosidade, desconcertar; lançar, sementar, semear cizânia; atear a desarmonia, desacordar, descompadrar, turvar os claros horizontes, lançar o pomo da discórdia, pescar em águas turvas, procurar sarna para se coçar, meter-se em água fervente; atrair para si a antipatia.
Adj. incompatibilizado, prevenido, discorde, discordante, mal-avindo, desavindo, indisposto, divergente, desafinado, dissidente, irreconciliado, irreconciliável, incombinável, desarmonioso, tençoeiro;
turbulento, retouçador, desaustinado, inquieto, rixoso, trêfego, buliçoso, insuportável, irrequieto;
arrelioso, arreliento, rixador, perigoso, briguento, bulhão, bulhento, desordeiro, porfioso, rezingueiro, gladiatório, polêmico, polemista, faccioso, litigioso, contencioso, chicaneiro, exagitado, perguilhento.
Adv. às mãos, a braços, de espada desembainhada, em desarmonia, em litígio, em desordem, em desavença, em guerra aberta, em guerra acesa, peito a peito, braço a braço, corpo a corpo.
FRASES: *Quot capita, tot sententiæ.* Palavra puxa palavra. *Non nostrum tantas componere lites.* Meu coração pouco a pouco se afastou do dele.

▽ **714. Concórdia,** conciliação, acordança, acordo 23, entendimento; coalho, avença, fraternidade, boa amizade, sinfonia, sintonia, harmonia, boa inteligência, unidade de vistas, consonância, afinação, afinidade, analogia, identidade, conformidade, identificação, ligação, simpatia, sinergia, liança, amor 897;
união, concerto, unidade, harmonia; conformidade de esforços/de pensamentos/de sentimentos; *paz* 721; unanimidade (*assentimento*) 488; liga 712; aproximação, acordamento, *rapprochement*, *amizade* 888; composição, comunhão, partilha, aliança, *entente cordiale*, recomposição, reunião, bom entendimento, adequação, ordação (ant.), conciliação, fraternização, *pacificação* 723.
V. concordar 23; acordar, acomodar, conciliar-se, liar-se, fraternizar-se, harmonizar-se, combinar, adequar-se, acompadrar-se, avir,(-se) estar de mãos dadas, concertar, compreenderem-se um ao outro, harmonizar-se, viver em boa inteligência, meter-se de gorra com alguém, insinuar-se no ânimo de; viverem intimamente um com o outro, viver em boa harmonia, confraternar, confraternizar, fazer farinha com alguém, reinar a mais perfeita concórdia, agir de comum acordo (*cooperar*) 709; cantar em coro, serem ótimas as relações, simpatizar com, ir à missa com, *assentir* 488;
compartilhar de, participar de, associar-se a; partilhar ideias/sentimentos; reciprocar, retribuir, regougar com as raposas, ir com a corrente, ser romano em Roma, conformar-se, ajustar-se, adaptar-se, amoldar-se,

conservar-se de bom humor, afinar, aconfradar, chegar a um entendimento, ir ao encontro, encontrar-se a meio do caminho, ficar em paz, conservar a paz.
Adj. concorde, acorde, congenial, acomodado, avindo, congruente, côngruo, consonante, harmônico, harmonioso, unido, coeso, compacto, cimentado, aliado, empandilhado 712; amigo, amistoso, amigável 888; fraterno, fraternal, conciliante, conciliatório, conciliativo, bucólico, tranquilo (*pacífico*) 721.
Adv. congenialmente & *adj.*, como um bloco único, em inteira harmonia de vistas, unanimemente, a frouxo 488; em paz, em águas tranquilas, às boas, numa boa.

715. Desafio, repto, reptação, reptamento, concitação, incitação, incitamento, instigação, provocação, colafizamento, enfrentamento, fosca, fosquinha, cartel, ameaça 909; grito de guerra, o som dos maracás.
V. desafiar, reptar, provocar, tourear, chamar à balha, afrontar, enfrentar, colafizar, instigar, incitar, concitar, chamar a duelo; atirar/lançar a luva a alguém; lançar o guante, emprazar alguém para;
chamar a desafio/a terreiro/a campo, oferecer combate, mandar suas testemunhas a alguém, bater as adargas a alguém;
medir/devorar com os olhos; *ameaçar* 909; olhar em sinal de provocação, encarar, acarar, arrostar, atrever-se;
exigir/pedir explicações; pedir meças, roncar 884; rentar, alardear forças, fazer-se pimpão com alguém, revirar os dentes, arremangar-se, peguilhar, demandar.
Adj. desafiador, desafiante, provocador, provocante, reptante, incitante, incitador, incitativo.
Adv. desafiadoramente & *adj.* provocadoramente, em desafio.
FRASES: Quero ver; Venha cá, se é capaz. Atreva-se, se é homem. *Noli me tangere. Nemo me impune lacessit.*

II. Ativo

△ **716. Ataque,** interpresa, atacadura, acometida, repelão, assalto, estrupada, arremesso, remesso, cometida, arremetida, remetida, venida, avançada, investida, surtida, algara, bateria, saltada, salteada, achegada, arremetedura, arremetimento, remetedura, remetimento, bote, aproches, marrada = topetada; ofensiva, *blitzkrieg*;
impugnação, agressão, atentado, ofensa, injúria, acometimento, cometimento, incursão, raide, fossado, incurso (ant.), invasão, irrupção, correria, infestação, tractos de polé, *estrapade*, coice, *ruade*, soco, murro, *coup de main, raid*, excursão, golpe, almogavaria, encamisada, rasteira, banda; assalto, assaltada, rebate, abordada, abordagem, abalroada, escalada, bloqueio, escalamento, pontaria, carga, bombardeio, sabotagem, terrorismo, cerco, sítio, assédio, canhoneio, fogo, surriada, tiro = jáculo = arremesso, descarga, esfuziada, saraivada, tiroteio = troada, fuzilaria, varejo, mosquetaria, arcabuzaria, metralhada, tiro de artilharia = jaculação, *fusilade*, balaço, balázio, coriscada de pelouros, canhonaço, canhonada;
fogo por filas/por pelotões, fogo de atiradores, tiro cego, chumbada;
carga de cavalaria/de infantaria; carga cerrada, *feu d'enfer*, troada, mosquetaço, morteirada, pancada, golpe, estocada, pranchada, verdascada, vergalhada, espadeirada, baionetada, adagada, lançada, cutilada, cornada, escornada, marrada, coice, murro, coque, espetadela, espetada, bardada, arrochada, paulada, cajadada, cacetada, punhalada, cacheirada, calamocada, marretada, esmechada, setada, *battue*, razia, gaziva, gazia, assolação, dragonada, matança, noite de s. Bartolomeu, vésperas sicilianas, devastação 162; expedição, campanha, gazua, cruzada, arrancada;
assaltante, atacante, agressor, invasor, assediador, cercador, sitiante, sitiador, escalador, salta-valados, ofensor;
(arte de ataque e defesa): areotectônica, poliorcética; míssil, artilharia, canhão, bombardeiro, tanque, carro de combate, torpedo, submarino, torpedeiro, bomba, arma nuclear, bomba atômica, armas químicas, armas biológicas.
V. atacar, interprender, atentar, saltear, assaltear, agredir, inquietar, apoquentar, ofender, carregar sobre, investir sobre/contra, cair sobre, impugnar, opugnar, acometer, arremessar-se sobre;
arremeter a/contra; atentar contra, cometer, dar combate, esforçar-se por dominar, empenhar-se contra, repontar;
despenhar-se, lançar-se sobre;
dar/fazer uma avançada; intentar uma interpresa sobre, abalroar, remeter desfrechar;

717. Defesa | 717. Defesa

picar a retirada do inimigo, assumir a ofensiva, desenvolver a ação ofensiva, atirar-se a alguém, pegar-se com alguém;
arrancar com/contra alguém; espaldear, vibrar o primeiro golpe, carregar sobre, atirar a primeira pedra;
brandir/desferir a espada;
travar/tirar da espada; desembainhar a espada, atracar-se com alguém;
avançar/marchar contra, romper as hostilidades, dar bateria a, invadir, sair a alguém, sair de encontro a, flanquear, ladear, acossar; bater, carmear, sovar, zurzir, zagunchar, espadeirar 972; abaionetar, alancear, lancear, golpear, esborcelar, esborcinar, medir as costelas a alguém, verdascar, chibatear, bater com verdasca, anavalhar, estoquear, acutilar, acuchilar, afrechar, frechar ou flechar, ferir, vibrar um golpe, retalhar, esmechar, esmurrar, esmurraçar, escacholar, espetar, esbofetear, alanhar, zupar = marrar, encornar, escornar, escoicear, escoicinhar, afocinhar, castigar 972;
vir às mãos, tomar-se de mão, brigar com, irem às vias de fato, pôr-se em contato com, travar luta corporal, empunhar uma arma, armar-se;
dirigir um golpe, arrojeitar, justar, entrar em justa, esgrimir, floretear, jogar as armas, jogar o florete, alvejar, setear, atirar, alvejar com tiro, fazer disparo, disparar uma arma, abrir fogo, despejar os canhões, bombardear, esbombardear, bombear, canhonear, acanhonear, mosquetear, crepitar a fuzilaria, espingardear, arcabuzar, dar descarga, metralhar, bloquear, estabelecer o bloqueio, torpedear, meter a pique, afundar, abordar, expugnar fortaleza, abrir brecha, encarar-se com o inimigo, varrer as ameias;
apedrar, apedrejar, lapidar, trabucar, atirar pedras, setear, faretrar, frechar ou flechar, sitiar, obsidiar;
pôr/apertar/obstringir o cerco; cercar, acurralar, encurralar, assediar, escalar trincheiras, minar, sabotar, sapar, arpar, arpoar, farpear, picar, bandarilhar, tourear, tourejar, assolar, devastar, ermar.
Adj. atacante, atacador, agressor, agressivo, invasor, rompente, assaltante, expugnador & *v.*; metralhador, obsidente, obsidional, sitiante, ofensivo, turrífrago; sabotador, terrorista.
Adv. na ofensiva, de lança em riste.
Interj. Avante! Ao ataque!

▽ **717. Defesa,** reparo, resguardo, defensa, defensão, proteção, abrigo, patrocínio; guarda, amparo, propugnação, preservação 670, vigilância, defensiva, remédio, rechasso, parada, presídio;
baluarte, escora, esteio, guarida, refúgio, respaldo, valhacouto;
salvaguarda (*segurança*) 664; guarda-fogo (*abrigo*) 666; ocultação 530; contra-ataque, contraemboscada, contraofensiva, trabalho de sapa, fortificação, afortalezamento, fortalecimento, blindagem, munição, municionamento, bateria, propugnáculo, fosso, antefosso, refossete, cárcava (ant.), *bunker*, entrincheiramento, reparo = trincheira, barricada, antestatura, quadrilátero, setor, dique, barreira, muralha, anteparo, caiçara (tupi), molhe, marachão, tenalha, tenalhão, contravalação, circunvalação, balaustrada, estacada, paliçada, bastida, cavalo de frisa, abatis, valo, ameia, antemural, espaldão, contramuralha, barbete, escarpa, contraescarpa, contra-aproche, contramuro;
contra-ataque, talude, rampa, capoeira, cárcova, troneira, bombardeira, casamata, contraforte, contraguarda, contrarreparo, albacar = barbacã, falsa braga, espeque (*suporte*) 215; parapeito, peitoril, *banquette*, banqueta, barrete, muro, antemuro, albarrada, bastião, palanca, silhão, redente, revelim, portilha, seteira, abocadura, frecheira, merlão, porta falsa, *blockhaus*, cubelo, balestreiro, fortificação;
praça forte/fortificada; praça de guerra, forte, fortim, baluarte, reduto, fortaleza, cidadela, acrópole, bastilha, alcáçar ou alcácer, alcáçova, castelo, torre de menagem, propugnáculo, hurdício, xareta; cimeira, elmo, capelina, capacete, gálea, celada, cervilheira, camal, morrião, manopla, rebraço, gorjal, grevas, brafoneira, avambraços, guarda-braço, guante, mangote, coixote, coira, couraça, plastrão, armadura, gibanete, arnês, loriga, lorigão, adarga, joelheira, escudo, ancil, broquel, égide, pavés;
couraça, saia, cota de malha; jorné ou jórnea, toneletes, cesto, panóplia, brigandina, jaco, jazerão, jazerina, camisote, viseira, máscara; espaldar, espaldeira, fraldilha, escarcela;
armas 727; míssil antimíssil, radar, sistema de vigilância por satélite, sistema antimíssel;

guarnição, guarnecimento, piquete, guarda, defensor, capa, protetor, padrinho, madrinha, campeão, atleta, campeador, cavaleiro andante, patrono, patrão, ilhargas; paladino, patrocinador, propugnador, D. Quixote, o cavaleiro da triste figura, magriço, guarda-costas, guardador, amouco, protetor, bucelário, armígero; soldado, pajem; mosqueteiro, mosquiteiro, aventai, perneira; armas, armação, armadura, chavelhos, chifre, pontas, garras, dentes, azerve.
V. defender, anteparar, proteger; servir de escudo/de muro; lutar em defesa de;
prestar socorro, auxílio; acudir, livrar, amparar, escudar, reparar-se com o escudo de, ser o propugnáculo de, resguardar, preservar, propugnar, cercar 229; estar na brecha, flanquear, pôr ao abrigo de, romper lança por, sair por, sair em defesa de, sair a campo, sair a terreiro, dar a vida por, morrer por;
terçar, dar as entranhas por; tomar as dores por alguém, sustentar o peso do inimigo, selar com o sangue, defender *unguibus et rostro*, abroquelar, couraçar, blindar, encouraçar, contramurar, intermurar, contravalar, sapar = fazer trabalho de sapa, palancar, entrincheirar, embarreirar, entranqueirar, atrancar, fortificar, arrochetar, fortalecer, fortalegar, fortalezar, desenfiar, barricar, embarricar, afortalezar, muralhar, valar, minar, atalhar com tranqueiras, entranqueirar, abaluartar, acastelar, encastelar, amear, torrear ou torrejar, aprochar, artilhar, reforçar, presidiar, atropar, enrodelar, adargar, murar, armar, envalar, circunvalar; arrodelar, arnesar, guardar-se de, pôr-se em guarda, resguardar-se;
reparar/parar, aparar golpe; contra-atacar, furtar o corpo ao golpe, furtar-se com o corpo a alguém, anteparar-se contra os golpes de, fazer sarilho com uma arma, rechassar, repelir, sustentar o cerco, resistir, contrastar com o inimigo; apadrinhar-se, furtar as voltas a alguém.
Adj. defensivo, defensável, defensível, defensório, armado até os dentes, de ponto em branco, entrincheirado, blindado, canhoneiro, couraçado & *v.*; armíssono (poét.), casamatado, lorigado, turrígero, blindado pela couraça de, encouraçado, armado de, faretrado, arcífero, arcipotente, embestado, tutelar, sagitário, ensífero, defensor, tuitivo, antipoliorcético.
Adv. defensivamente & *adj.*; na defensiva, na estacada, *pro aris et focis.*
Interj. em guarda!

△ **718. Retaliação,** represália, retruque, represadura, reciprocação, réplica, *revanche*, revide, contramedida, desafronta, contragolpe, desforra, desforço, contrabateria, contracorrente, contradita, contraemboscada, contraindicação, contramandado, contramarca, contramira, contraordem, contrapasso, contraprova, contrarresolução, contrasselo, contraprojeto, contrafeitiço, contravapor, apéquema, retribuição; pena/lei de Talião; *lex Talionis,* talionato; olho por olho, dente por dente; golpe por golpe, *quid pro quo*; vindita, vendeta; vingança; reconvenção, recriminação (*acusação*) 938; vindicta 919; *compensação* 30; reação 277.
V. retaliar, recachar, revidar, desafrontar, reenvidar, refilar, remenicar, retorquir, replicar, retrucar, retribuir, corresponder; responder à letra/ao pé da letra;
reenviar, recambiar, devolver o epíteto de; pagar na mesma moeda, dar o troco, representear (iron.), dar *quid pro quo, exire vim viribus* = repelir violência com violência, reagir à altura da ofensa, talionar, esmurrarem-se ou esmurraçarem-se, trocar tiros, reconvir;
rebater a violência/os agravos, devolver intato, quebrar o ímpeto, acudir à espora; ficar um por outro, estar quite, quitar;
Adj. retaliado & *v.*; retaliador & *v.*; castigado com a pena de Talião;
recíproco, mútuo.
Adv. em represália, *en revanche; caninem pellem rodere* = dente por dente.
Frases: Quem com ferro fere, com ferro será ferido. *Mutato nomine de te fabula narratur. Par pari refero. Tu quoque. Suo sibi gladio hunc jugulo.* Ódio com ódio se paga. Tu és aço e eu ferro que te maço. Faze-me a barba e far-te-ei o cabelo. Quem abrolhos semeia, espinhos colhe. Espera-lhe a pancada. Onde se dão, aí se levam. Para velhaco, velhaco e meio.

▽ **719. Renitência,** reação, contranitência, dificuldade, *oposição* 708; insubmissão, embate, resistência, resiliência; insurreição, rebeldia, rebeldaria, oposição implacável,

relutância, repugnância, antagonismo, repelência, rejeição, recalcitrância, rebelião, teimosia 606; arruaça; repulsa, repulsão, rechaço, recusa, *jus sperniandi*, desobediência 742; protesto, greve, parede, sessão permanente, levantamento, motim, *desordem* 59.
V. resistir, opor-se, pugnar, militar contra, opor resistência, relutar, embater-se, não ceder, não aceitar, não se deixar arrastar, não se dobrar, não (se submeter 725); protestar, refilar, engravitar-se = reagir, revirar-se contra, insurgir-se, entesar-se com = perfilar-se com, levantar a grimpa, repugnar, não dobrar a cerviz;
renitir, mostrar resistência, mostrar fibra, não se deixar imolar como um cordeiro, aguentar firme, suportar, aturar, persistir no desígnio, perseverar, fazer uma bela defesa, fincar pé, estar ao pairo com alguém, suster, porfiar em, bracear, bracejar, encontrar barba a barba, fazer frente a, abarbar com alguém, não virar as costas a, ver o rosto a alguém, aguentar, fazer face a, enfrentar, sustentar o peso do inimigo, não fugir, pôr os pés à parede, aceitar o repto; apanhar/erguer/levantar/aceitar a luva; vir à puxada = responder à provocação, fazer pé atrás, respingar, pôr-se nos bicos do pé, recalcitrar, defrontar, encarar, afrontar, arrostar, ir contra a corrente, contrastar com o inimigo, remar contra a maré, ser firme diante de, não se deixar cangar, mostrar denodo (*coragem*) 861; pinotear, esbracejar, estrebuchar, pernear, espernear, escabujar, debater-se, patejar, barafustar, erguer a mão contra (*atacar*) 716; recorrer às armas (*guerra*) 722; preferir a morte à desonra, pôr-se na frente, recarregar;
declarar-se em greve/em sessão permanente; fazer parede, revoltar-se 742; ter homem pela frente;
vender caro a vida, derramar seu sangue, repelir, repulsar, rebater, rechassar, varrer, conservar à distância, mostrar coragem 861.
Adj. resistente, renitente, refratário (*desobediente*) 742; recalcitrante, relutante, repulsivo, indisciplinado, disposto e ordenado para o combate, indomável 159; *obstinado* 606; inabalável, insubmisso, rebelde, *perseverante* 604a; altivo, brioso, reagente, corajoso 861.
Interj. firmes no seu posto!

△ **720. Contenda,** lide, contenção, certame, antagonismo, luta, pugna, prélio, campanha, batalha, peleja, arranca-rabo, rota, rivalidade, heteromaquia, beligerância, acrimônia, desavença, oposição, dissensão, divergência, controvérsia, desentendimento, disceptação, desinteligência, discussão acalorada = pega, diatribe, auê, cizânia, pegadilha, desaguisado, polêmica, logomaquia, debate (*discussão*) 476; inarmonia, rixa, galana, requesta, pendência, renzilha (pop.), pugnacidade, combatividade, litígio, demanda, pendenga, pleito, quizila, porfia, guerra no papel, palavrões, competição, emulação, questão, arrancada, concurso, *match*, corrida, páreo, *steeplechase*, *handicap*, regata, tourada, touromaquia, toureio, tourinha, desporto, pentatlo;
combate, confronto, feito d'armas, gentilezas, grandes feitos, pugilato, boxe, pugna, ação, campeonato, olimpíadas, ginástica, atletismo, esgrima, jogos 840; justa, torneio, duelo, combate singular = monomaquia, ludo, tiroteio, tenção (ant.), armistrondo, choque (*discórdia*) 713;
choque das armas, rusga, rezinga, retesia, desordem, façanha, arruaça, choldraboldra, tumulto, rolo, turra, efervescência, algazarra, arruído, barulho, bulha, destampatório, combate corpo a corpo, embate, guerra, escarapela, conflito, correria = azaria, estrupada, escaramuça, tropelia, luta intestina, guerrilha, recontro, encontro, reencontro, colisão, encamisada, refega, refrega, liça, combate naval = naumaquia, satisfação, reparação, caso de honra, digladiação, gladiatura, apelo às armas (*guerra*) 722; altercação 713; agonística;
luta encarniçada/de vida e de morte; pomo de discórdia 713; bota-fogo, raia;
contendor, atiçador, barulheiro, desordeiro, arreliento, arruaceiro, brigão, colhudo, bulhão, raio, pendenciador, dandão, caceteiro, navalhista, malhador, estoura-vergas, demo, púgil, pugilista, rufião, turuna, valentão, valentaço.
V. contender, refertar, militar, lidar, contestar, disputar, lutar, guerrear, debater, certar, combater, entrebater-se, esbracejar, pelejar (*guerra*) 722; ir às lãs com o inimigo, pugnar, gladiar, digladiar, refregar, adversariar, arrostar, enfrentar, terçar armas com, decertar, batalhar, encarniçar-se no combate;
lutar arco por arco, lutar peito a peito, escaramuçar, esgrimir, floretear, estar sem-

721. Paz | 722. Guerra

pre na brecha, bater-se por, dar combate a, punir por, medir armas com, sair a campo, sustentar luta, experimentar as suas forças, dar bateria a, contrabater, provar forças com, medir-se com, preparar-se para a luta; jogar na arena a sorte de;
travar-se braço a braço/corpo a corpo, com alguém; ter-se com, haver-se com, jogar as cristas com, rixar, escarapelar, competir, esmurrar, esmurraçar, socar, dar socos, sovar, esbofetear, entrechocarem-se, escaramuçar, fazer escaramuça, promover desordem = retesiar, andar às guerrilhas, brigar de mãos, agatanhar-se, arrepelar-se, disputar 713; travar luta corporal, engalispar-se, porfiar, engalfinhar-se, ir às vias de fato, andar às chaças com, atracar-se com, agarrar-se, encontrar-se com, comensurar-se com, provar forças com, cerrar com o inimigo, agarrar, insultar, opor-se 708; relutar, moer com pancadas 972; arranhar, unhar, agatanhar, dentar, morder;
bater-se em duelo com, quebrar uma lança com, bater-se com, provar lanças, entrar em peleja, fazer armas, justar, tornear, jogar a pancada, esgrimir, correr um par de lanças com, dar satisfação, ter a lança em riste, entrar em pelejas, recorrer às armas 722; sacar da espada;
competir, emular, rivalizar, arruaçar;
armar, provocar desordens; implicar-se, tourear ou tourejar.
Adj. dado a brigas, púgil, brigador, brigoso, brigante, briguento, esquentado, encrenqueiro, rixoso, de sangue na guelra, insofrido, colérico 901; turbulento, tavanês, trêfego, desordeiro, perigoso, barulhento, barulheiro, porfioso;
competidor, rival, adverso, inarmônico, antagonista, beligerante, combativo, combatente, belicoso, naumáquico, guerreiro, pugnaz, pugnace, mavórtico, dado a pugnas, guerreador, pelejador, batalhador, gladiatório, paléstrico, façanhudo, incorrigível, indisciplinado, insubordinado, inimigo, agonístico.
Adv. à porfia, às rebatinhas;
à/de aposta; à competência, de envite, à compita.
FRASES: *A verbis ad verbera* = da palavra para a luta. Uma palavra e um golpe.

▽ **721. Paz,** sossego, ordem, bonança, calma, remanso, quietude, *amizade* 888; harmonia (*concórdia*) 714; tranquilidade (*quietação*) 265, serenidade; malacia, trégua (*pacificação*) 723; pacatez, pacacidade, neutralidade, vida tranquila, Astreia.
V. apaziguar, pacificar, viver/estar em paz; conservar a paz, abonançar, guardar neutralidade, gozar as doçuras da paz (*concórdia*) 714; remansear, não ter inimigos a combater, serenar, fazer as pazes com (*pacificar*) 723; bonançar, aquietar, tranquilizar.
Adj. pacífico;
amigo da paz/da ordem, calmo, descansado, quieto, tranquilo, sereno, bonançoso, remansoso, incruento;
pacato, plácido, zen, ordeiro, conservador, neutral, inofensivo, manso, paciente, prudente, sossegado, bonachão, bonacheiro, bonacheirão, *benévolo* 906.

△ **722. Guerra,** combate, hostilidades, alfétena, conflito, embate, choque dos exércitos, armas, espada, gládio, instrumentos bélicos, máquinas de guerra, Marte, *bellica déa* = Belona, *horrida bella*, lutas sangrentas, contenda, lide, refrega, armistrondo, o facho da guerra;
apelo às armas/à espada/ao canhão; belicismo, combatividade, agressão, invasão, ocupação;
sentença dos canhões/os azares da guerra; juízo, sorte das armas; juízo de ferro, *ultima ratio regum*, decisão da espada; *anceps belli fortuna* = as vicissitudes da guerra; ordem de batalha, campanha, cruzada, expedição, mobilização, chamada aos quartéis, frumentação, estado de guerra, *bellator campus* = campo de batalha (*arena*) 728; o fogo dos combates; azares/ardores da guerra; arte de guerra;
traça, dolo, ardil de guerra; cacha, estratagema, arte militar, tática, ciência do ataque e da defesa = areotectônica, estratégia, castrametação, balística, pirobalística, poliocértica (ant.), braçaria, talento militar, evoluções militares, manobras;
vida andeja de soldado, carreira militar = tarimba, vida dos quartéis;
batalha, escaramuça, correria, azaria (*contenda*) 720; lutas sangrentas, ação, operação, raide, missão, bombardeio; serviço ativo, manejo, expedição militar, jornada, abarracamento, varejo, fogo de bilbode; fogo tamborilado/convergente/rolante/cruzado; fuzilaria intermitente;

clarim, trombeta, cornitromba, trombeta de guerra, corneta, colobreta (ant.), buzina, búzio, maracá, grito de guerra, cuquiada, toque de rebate, rufo de tambores, voz de comando, santo, senha, contrassenha; guerra de morte/de extermínio; guerra sem quartel, ofensiva; agiomaquia, combustão, conflagração, incêndio, armas fratricidas; imposto/tributo de sangue; vinteneiro, arauto da guerra, passavante, fibra guerreira, *bellatrix iracundia* = o furor dos guerreiros;
armamento, exército, infantaria, artilharia, cavalaria, infantaria motorizada, blindado, engenharia militar, aviação, marinha de guerra; radar, míssil, foguete, armas nucleares, míssil antitanque, míssil balístico; submarino, torpedo, antitorpedeiro, destróier, cruzador, couraçado, porta-aviões; helicóptero, caça, bombadeiro, *stealth*, tanque, lança-foguetes, jipe, satélite;
guerra nuclear, bomba atômica, armas de destruição em massa, armas biológicas, armas bacteriológicas, convenção de Genebra
V. guerrear, armar, incitar/provocar a guerra;
agredir, invadir, ocupar, subjugar, bombardear;
levantar/mobilizar forças; decretar a mobilização geral, recrutar, angariar, aliciar, engajar, arregimentar, militarizar, pôr em pé de guerra;
recorrer/chamar às armas, alistarem-se os exércitos, pegar em armas, jurar bandeira, ser soldado = tarimbar, engrifar-se;
estalar/arder/desencadear guerra; tocar a avançar = *bellicum canere*, afogar em sangue, conflagrar, desembainhar a espada;
asir/arrancar/travar espada; ferir-se a guerra, romper as hostilidades, fazer decidida e porfiada guerra a, batalhar, atacar, investir, pelejar, combater, empenhar-se no bom combate, travar combate, renhir, lidar com heroico esforço pela vitória, fazer decidida e porfiada guerra, pugnar, refregar, vender caro a vida (*resistência*) 719; canhonear, acanhonear, acanhoar (*atacar*) 716; levar ao combate, alistar-se, assoldadar-se, aguerrilhar-se, militarizar-se; seguir a carreira das armas; estar em armas, empunhar o fuzil, manejar a espada, assentar praça, arder a guerra, arderem em guerra os campos, cruentar o solo pátrio; afogar/banhar/nadar um país em sangue.

Adj. guerreiro, márcio (poét.), mavórcio, de ânimo aguerrido, aguerrido, bélico, belífero, belicoso, disciplinado, valoroso, poderoso, quente, ardoroso, curtido na guerra, de fibra guerreira, belipotente, belacíssimo, guerreador, combativo, combatente, belígero, beligerante, inimigo, militar, militante, miliciano, batalhador, militarizado, assoldadado, mercenário, coletício, tático, estratégico, embestado, armado até os dentes, armífero, armígero, castrense;
indomável, indômito, invencível, inconquistável, sangrento, mortífero;
invasor, conquistador, opressor, usurpador, genocida.
Adv. guerreiramente & *adj.*; *flagrante bello, in bello* = na guerra, no mais aceso da refrega, por entre o fogo dos combates, a fogo e ferro, em linha de batalha, em guerra com; ao troar dos canhões; sob uma saraivada de balas, à ponta de espada, com mão armada.
FRASES: *Bella matribus detestata. Væ victis!* = ai dos vencidos!

▽ **723. Pacificação,** conciliação, reconciliação, desarrufo, beijo de paz, apaziguamento, congraçamento, recomposição; restabelecimento/reatamento das relações, acomodação, arranjo, composição, ajuste, acordo, pacto, tratado, transigência, combinação, convenção, compromisso;
suspensão de hostilidades, deposição de armas; desarmamento, indúcias, trégua, cessar-fogo, armistício, bandeira branca, parlamentação; arco-íris, arco da aliança, pomba da paz, ramo de oliveira;
pax in bello, modus vivendi, arauto da paz, passavante.
V. pacificar, apaziguar, pazear, avir, congraçar, irmanar, germanar, aquietar, transigir, conciliar, consorciar, unir, compor, restituir a paz, apartar os contendores, desapartar, desengalfinhar, pôr em paz, sossegar, tranquilizar, acalmar 174;
acalentar, temperar, harmonizar, recompor, acamar, reconciliar, desagastar, amistar, benquistar, congraçar, recongraçar, desincompatibilizar, desarrufar, desembezerrar, acomodar, pôr termo às dissensões, apagar as dissensões, desarrenegar-se, vir às boas, apagar os vestígios das passadas dissensões, desamuar, desencolerizar, remediar as discórdias, concertar dissidências, fun-

dir antagonismos, desarmar malevolências, ajustar uma contenda;
propiciar, aplacar, abonançar, concertar, desamotinar, restaurar a harmonia, temperar desavindos, sanar malquerenças, harmonizar, reatar relações, desagastar-se, confraternar, confraternizar, compor-se com seus inimigos, lançar o bastão no meio dos contendores, cometer com paz, levar o ramo de oliveira, ser o anjo da paz, explicar-se, darem-se mútuas explicações, levantar o cerco, descercar, dessitiar, desbloquear, debloquear, embainhar a espada, enrolar as bandeiras, pôr as armas em sarilho, depor as armas, desarmar;
sarilhar/ensarilhar as armas; fechar o templo de Jano, desensanguentar, manter a concórdia 714; *tantas componere lites*, formar tréguas, atreguar;
licenciar/desmobilizar o exército, desmilitarizar.
Adj. conciliatório, conciliativo, conciliante, pacífico, pacificador & *v.*; apaziguador, reconciliatório.
FRASES: Maldição eterna para quem ousar recordar-se das nossas dissensões passadas! (Caxias)

724. Mediação, intervenção, intermediação, bons ofícios, influência, interposição, interferência, conferência, negociação, parlamentação, arbitramento, trégua 723; proposta conciliatória, proposta de paz, plataforma, diplomacia, mediador, negociador, medianeiro, interveniente, avindor, avindeiro, intervenideira, interventor, mediatório, canal, conciliador, apaziguador, pacificador, concertador, intercessor, negociador da paz, parlamentar, anjo da paz, intermediário, intermédio, alfaqueque, diplomata 758; moderador, juiz de paz, O.N.U.
V. mediar/intermediar, servir como medianeiro, interceder, mediar a paz entre;
ser/servir de mediador; parlamentar, negociar a paz, interpor-se, interferir, intervir, arbitrar, servir de árbitro, entrar em negociações, negociar, *magnas componere lites*, interpor sua autoridade, recorrer aos bons ofícios de.
Adj. mediador, medianeiro, mediatário, interventivo, interveniente.

725. Submissão, subjugação, capitulação, entrega, redução, rendição, subordinação, rendedura, resignação, conformidade, apatia, irresistência, acatamento, acato, jugo, sujeição;
obediência, homenagem, vassalagem, preito, genuflexão, prostração, humilhação, humildade, docilidade.
V. submeter-se, sucumbir, abater-se, não poder resistir, sujeitar-se, subordinar-se, atar-se ao jugo;
sucumbir às armas de/ao ferro de; pôr-se à disposição;
dobrar a cerviz, dobrar os joelhos; *procumbere humi* = cair por terra, beijar o pó, chegar ao relho, curvar a fronte, curvar a cabeça, entregar-se, vergar-se, vergar-se ao prestígio da força, dar com a carga em terra, dar parte de fraco, abaixar a cabeça, zumbrir-se, ser dominado; arriar a carga; render/depor/abater/arriar as armas; entregar a espada, dar a palma a alguém, pedir quartel;
arriar bandeira; render-se à discrição, *humilhar-se* 879; entregar-se à mercê de, bater em retirada, render-se, vassalar (p. us.), dar-se por cangado;
morder o pó/a poeira; dar-se a partida, declarar-se vencido, render-se à clemência dos vencedores, capitular diante da imposição, arvorar/hastear/brandir a bandeira branca, pôr-se à mercê de, entregar-se, capitular, levantar/erguer os braços, cair por terra vencido, apresentar as chaves, rojar a fronte no pó;
rojar-se, volver-se no pó; ficar debaixo, genufletir, curvar-se, preitear, prosternar-se, prostrar-se, cair de rojo, ficar sucumbido, afocinhar-se, patear, atrelar-se ao carro dos vencedores, preitegar, cair de joelhos, deitar-se aos pés, agachar-se, obedecer 743; amolecer, resignar-se, conformar-se 826; ir a Canossa, ajoujar-se aos destinos de, inclinar-se à vontade de, oferecer o colo ao jugo, mostrar o pescoço já inclinado ao jugo, alçar o braço, agitar a bandeira, passar pelas forcas caudinas, cair debaixo das lanças de; ficar/estar à mercê de; dar/oferecer a outra face, *avaler des couleuvres*;
sorver/engolir lágrimas/injúrias/a pílula/em seco;
engolir uma afronta; agradecer o insulto, passar recibo da ofensa, não responder ao insulto, ter sangue de barata, ter bom estômago, engolir cobras e lagartos, devorar a humilhação, não reagir.

Adj. submisso & *v.*; resignado, irresistente, prosternado, prostrado, rastejante, calcado aos pés, humilhado, oprimido, flexível 324; vencido, rendido, subjugado, subordinado, dominado, entregue, sujeito, amartelado, batido, ferido, derrotado, indefeso, empolgado por força inexorável;
insustentável, indefensável, humilde 879.
Adv. resignadamente & *adj.*; com a corda no pescoço; *genibus flexis*, de joelhos.

726. Combatente, lutador, valente, campeão, campeador, mantenedor, terçador, defensor, disputante, pugnador, controversista, polemista, litigante, competidor, antagonista, rival, contendor, anábata, desafiador, assaltador, assaltante, agressor, batalhante, batalhador, arremetedor, lidador, andábata, paladino, beluário, D. Quixote, salteador, bota-fogo, desordeiro, brigão, caceteiro, espadachim, fanfarrão, ferrabrás, valentão, mata-mouros, alardeador, impostor, duelista, esgrimidor, esgrimista, espadeiro, alfageme, velite (ant.), bate-pau (bras.);
toureiro, capeador, boxeador, púgil, pugilista, judoca, hoplômaco, gladiador, mirmilão, bestiário, fundibulário, bustuário, manipulário ou manipular, atleta, galo de briga, soldado, mílite (poét.), atirador, subalterno, subordinado;
sorteado, praça, inferior, sabreador, guerreiro, homem de armas, armífero, armígero, veterano, militar, mercenário, cruzado, mesnadeiro, jagunço (bras.), capanga, soldado de fortuna, capinha, bandarilheiro, toureador;
forças armadas, milícia, militança, merarquia, falange, legião, xenagia, gente de guerra, corpo de tropa, ordenança (ant.), soldadesca, sabaó, exército, peonagem;
forças militares/regulares/armadas; armas, tropas de linha, fileiras, hostes, beligerante;
brigada, centúria, divisão, cavalaria, infantaria, artilharia, corpo de exército, regimento, esquadrão, batalhão patriótico, guarda nacional, meganha = tarimbeiro, voluntário, reservista, recruta, galucho, praça, soldado, forças auxiliares, forças de reserva, tropas mercenárias, gente colétícia, mesnada, escolta;
janízaro, mirmidão, rumes, mamelucos, *bersaglieri*, palicário, cossacos, ulanos, zuavos, forças irregulares, franco-atirador, *bachibuzuk*, taifa (ant.), guerrilha, braço armado, bando armado, guerrilheiro, rebelde, resistência, revolucionário, *condottieri*; almogávar, almogavre ou almogaure; leva, magote, destacamento, contingente, troço de soldados, piquete, reforço, bandeira (bras.), manípulo, coorte, cadete, aspirante;
tropas, *landwehr*, *landsturm*, conscrito, soldado de leva; mosqueteiro, cavaleiro, couraceiro, granadeiro, *hussard*, hússar ou hussardo, artilheiro, metralhador, caçador, pedestre, arcabuzeiro, carabineiro, miquelete (espanhol), sipaio ou sipai, hastado, legionário, carango, miliciano, cavalo montado, *chair à canon*, escopeteiro, lanceiro, chuceiro, albardeiro, arqueiro, petardeiro, fuzileiro, besteiro, seteiro, frecheiro; escaramuçador; infante, tanquista, paraquedista, piloto, marinheiro, marujo;
acontista, fundeiro, fundibular, bombardeiro, sapador, engenheiro, caçador, ginetário, cavalaria, infantaria, artilharia, cavalaria ligeira, draconário, porta-estandarte, porta-bandeira, porta-vexilo, vexilário, aquilífero, coluna, ala, guarnição, gupo de combate, regimento, corpo, batalhão, esquadrão, companhia, bateria, pelotão, divisão, exército, armada, força aérea;
marinha, força naval, esquadra, frota, esquadrilha, flotilha, quadrilha; almirantado, couraçado, monitor, capitânea, soto-capitânea (ant.), fragata, corveta, guarda-costas, chalupa, bombarda, bombardeira, canhoneira, navio de guerra, navio mercante, cruzador, encouraçado, porta-aviões, torpedeiro, caça-torpedeiro, corsário, navio de corso, galeão, nau de guerra, galé (ant.), galera, terrada (Ásia), quadrirreme (ant.), submarino, lanchaca (ant.), brulote;
aeronave, balão livre, balão cativo, aeroplano, hidroplano, aeronave militar, aeronave civil, aeronave particular, aeróstato, dirigível, zepelim, avião, monoplano, biplano, helicóptero;
bombardeiro, caça, radar
aeródromo, território nacional, zona proibida.
Adj. miliciar, militante, bélico, heroico, combativo, estratégico, tático, guerreiro, ofensivo, defensivo, contendor.

727. Potencial de guerra, armas, armamento, material de guerra, o aço homicida,

727. Potencial de guerra | 727. Potencial de guerra

bagagem, armadura, panóplia, couraça (*defesa*) 717; depósito de armas (*arsenal*) 636; cunhete, munição, pólvora, chumbo; cartucho de guerra/de festim; cartucheira, cartuchame, bala, granada, granada de mão, granada de fuzil, obus, projétil, bomba, dundum, metralha, fumialgodão, algodão-pólvora, explosivo, brulote, dinamite, melinite, cordite, lidite, piroxila, pólvora sem fumaça, pólvora infumígena, vigorite, petardo, torpedo;

gás sufocante/lacrimogêneo/vesicante, esternutatório; acínace;

armas brancas, espada, espadim, espadão, espadagão, espata, língula (ant.), gládio, baioneta, refle, sabre, sabre-baioneta, faim (desus.), machete, montante (ant.), harpe (ant.), chanfalho, chafalho, chanfana, fisberta (ant. e chulo), durindana, farrusca, ferrugenta, tarasca, facalhão, chifarote, colubrina, alfanje, tajã, agomia, iatagã, cimitarra, terçado (ant.), gomia, bacamarte, catana, cutela, punhal, almarada, adaga, canivete, folha, lâmina, faca, aço, navalha, estoque, florete, alabarda, partazana, machado, machadinha, acha de armas, *tomahawk*, ferro frio, mangoal martelo de armas, bisarma, martelo de guerra, mouresca, machado de sapador, tridente, sabre de abordagem, estilete, lança, javelin, frâmea (ant.), futamono (Japão), mátere (dos celtas), hasta, pique, dardo = gorgaz;

máquina infernal, máquina endiabrada, clava, maça, maço, pau, porrete, borda (ant.), cacete, trocho, moca, tocho, bastão, tonfa, cacheira, cachamorra, cachaporra, chicote, chicote de armas, cassetete, arrocho, bordão, varapau, cajado, vara, varela, vareta, arma defensiva, chibata, verdasca, bengala, tacape (tupi), macaná (bras.);

armas de fogo, taquari, pica-pau, pistola, pistoleta, carabina, espingarda, garrucha, escopeta, mosquete, mosquetão, fuzil, fuzil automático, rifle, *comblain*, reiuna, mauser, trabuco, parabélum, catatau, bacamarte, salvagem (ant.), bronze, caronada, bateria, rouqueira (ant.), sacre (ant.), morteiro, morteirete, obuseiro, metralhadora, submetralhadora, pistola-metralhadora, camelete (ant.);

armas de fogo pesadas, artilharia, artilharia naval, artilharia antiaérea, canhão, canhão atômico, canhão eletromagnético, katiusha, canhão antiaéreo, metralhadora pesada;

bomba voadora, míssil, míssil terra-terra, míssil antiaéreo, míssil balístico, míssil balístico intercontinental;

artilharia de campanha; artilharia pesada/montada; canhão de marinha, basilisco (ant.), passa-muros (ant.), passa-volante, falconete (ant.), boca de fogo, fuzil-metralhadora, Hotchkiss, canhão Puteaux;

canhão Armstrong, Lancaster, Paixhan, Whitworth, Porrot, Krupp, Galling; metralhadora Madsen;

morteiro Stokes, Brandt;

armas de alcance, de precisão; escopeta, clavina, mosquetaria, bacamarte, arcabuz, Browning, Bess, pistola, revólver;

armas antitanque, minas antitanque, míssil antitanque, bazuca, canhão sem recuo, espingarda antitanque, míssil anticarro;

armas de destruição em massa, bomba atômica, bomba de hidrogênio, bomba de nêutrons, armas químicas, gás mostarda, cloro, ácido cianídrico, gás sarin, agente laranja, napalm, armas biológicas, bactérias, vírus, antraz;

armas aéreas, caça, caça-bombardeiro, bombardeiro, avião de observação, satélite, avião de abastecimento em voo, veiculo aéreo não tripulado, vant, avião sem piloto, canhão, bomba, míssil ar-terra, míssil ar-ar, radar, aviônica;

armas navais, submarino, torpedeiro, contratorpedeiro, torpedo, mina, carga de profundidade, canhão naval, corveta, destroier, cruzador, encouraçado, porta-aviões;

armas terrestres em movimento, tanque, veículo blindado, veículo anfíbio, canhão de autopropulsão;

Minié, Enfield, Estley Richards, Snider, Martini, Henry, Chassepot; os raios da guerra (poét.), piróbolo, trabuco;

armas de arremesso, armas missivas, arco e flecha, zarabatana, arrojadiças; térebra, manganela, arquitrovão, besta, balestra, argana (ant.), fundíbulo, arcobalista, manubalista, balista, trom, funda, catapulta, hárpaga, vínea, fimbo, arute (*impulso*) 284; bombarda, balística (*propulsão*) 276; bodoque, bomba-incendiária, balas encadeadas; congreve, *shrapnell*, lanterneta, carcaz, aljava; lança, borneio, alcanzia, ascuma, venábulo, arrojeito, zagaia ou azagaia = zaguncho, rastrilho, frágula, dardo, gorguz

ou gorgaz, seta, amento, flecha ou frecha, vira (ant.), uamiri (bras.), virote, virotão, anisociclo, xara, quadrelo, acôntio, áclide, espontão, chuço, ferrão, arpão, trágula, fisga, birrota, carreta;
armas não letais, gás lacrimogêneo, balas de borracha, gás "pimenta", canhão-d'água, pistola elétrica.
V. calibrar, armar, municiar.
Adj. turrífrago, vulnífico, ignívomo, mortífero, obuseiro.
FRASE: *Ultima ratio regum.*

728. Arena, estádio, parque aquático, piscina, ginásio, quadra, meta, campo, domínio, esfera, cenário, âmbito, setor, teatro, proscênio, palco 599; liça, picadeiro, teia, dromo, valo, paliçada, estacada, corro, redondel, tablado, Coliseu, anfiteatro, anfiteatro flaviano, tauródromo, velódromo, hipódromo, sambódromo, bumbódromo, pista, cancha, circo, cávea, corso, *turf, gymnasium, palœstra,* palestra, *ring, Campus Martium, Champs de Mars,* campo de Marte, campo raso, círculo, cerco, teia das justas, corredouro, teatro da guerra, campo de batalha, Aceldama, lugar de reunião 74.
V. passar-se a cena em, ser teatro de, desenrolar-se, ser testemunha de, jogar-se a sorte de alguém em.

5º) Resultados da ação

△ **729. Acabamento,** complemento, completamento, encerramento, execução, fecho, finalização, despacho, desfecho, consumação, ultimação, desenredo, culminação, fatura, feitura, conclusão, terminação, termo, arremate, remate (*fim*) 67; êxito, sucesso, perfazimento, término, limite (*chegada*) 292; preenchimento, liquidação, epílogo, desenlace, *denouément,* catástrofe, maturidade; resultado, final, golpe final; último retoque, última demão, coroamento, *coup de grâce,* selo, golpe/tiro de misericórdia, cúpula do edifício, chave da abóbada, fato consumado, *fait accompli,* gradinada, pá de cal, ponto final.
V. acabar, efetuar, efetivar, ir/levar a cabo, encerrar, realizar, finalizar, perfazer, cerrar, terminar, completar, fechar, inteirar, integrar, rematar, arrematar, concluir, coroar; dar/pôr o remate a; atilar, consumar, conseguir, levar a salvamento, dar por concluído, parar;
levar ao cabo/ao fim; pôr o selo a;
dar a última demão/os últimos retoques/a última pincelada/o último toque; acertar a última demão, pôr o ponto final, retocar, ultimar, fazer ponto, fechar, pôr fim, preencher, amadurar, amadurecer, sazonar;
trazer à maturidade/perfeição; aperfeiçoar, estampilhar, selar, sigilar, escanhoar, fazer, elaborar, executar, cumprir, aviar, satisfazer, levar a efeito, pôr em prática, despachar, polir, limar, gradinar, destocar, levar as coisas às do cabo = queimar os últimos cartuchos, culminar;
chegar ao zênite/ao seu termo/ao seu ocaso; morrer de velhice/de morte natural; percorrer toda a sua trajetória, completar sua revolução sideral;
atingir ao alvo/à sua meta 292;
cumprir sua missão/seu fadário; fechar o perímetro, chegar ao calvário.
Adj. complementar, complementário, completivo, conclusivo, integrante, final, finalizante, concluso, total, completo, perfeito, perficiente, acabado, consumado, cabal, íntegro, inteiro 52; de um perfeito acabado, pronto (*preparação*) 673.
Adv. complementarmente & *adj.*
FRASES: *Actum est. Finis coronat opus. Consumatum est. C'en est fait.* Fogo, viste linguiça. Dito e feito. Aqui se cerra a história. Tenho dito. Está encerrada a sessão. *Ite, missa est.*

▽ **730. Não acabamento,** não conclusão, incompletude, inconclusividade, incompletação, adiamento, inexecução, negligência 460; batalha indecisa, esboço, reticência, teias de Penélope, obras de sta. Engrácia, quadrela, trabalho de Sísifo.
V. não acabar, não (concluir 729); não completar, deixar (inacabado & *adj.*); deixar por fazer, negligenciar 460; engrolar, ficar em meio, deixar em meio, demear, fazer as coisas pelo meio, desistir em meio do caminho; interromper, descontinuar, descurar, ferir apenas a cobra, ser moroso em, paralisar, não concluir sua trajetória, adiar, procrastinar; pôr uma pedra em cima.
Adj. inacabado, *incompleto* 53; inconcluído, inconcluso, inexecutado, em aberto, capenga, entremaduro, esboçado, em agraço, paralisado, descontinuado, choco, verdoengo, imaturo, indeciso;

em andamento, que continua, em construção, na bigorna, no prelo.
FRASES: *Re infecta*. A missa ainda não vai a Santos. *Adhuc sub judice lis est*.

△ **731. Sucesso,** sucedenho (Beira), sucedimento, felicidade, fortuna, (bom) êxito, salvamento, dita, ventura, boa sorte, consecução, conseguimento, atingimento, adiantamento (*progresso*) 282; acontecimento feliz, bambúrrio, resultado favorável, milagre; bafejo da fortuna, trunfo, feliz acaso;
golpe feliz/acertado/estratégico/de mestre; *coup de maître*, fortúnio, pontaria certeira = rentura, xeque-mate, meia batalha, prêmio, proveito 775; uma sucessão de triunfos, triunfo venturoso, vitória, troféu, boa estrela (*prosperidade*) 734; tempo bem empregado, maré de rosas, porto de salvamento, prêmio de seus esforços, efeito positivo, ascendência, superioridade, mestria;
expugnação, conquista, vantagem, acerto, subjugação (*sujeição*) 749; triunfo (*exultação*) 884; palma, louros, proficiência 698; feitos gloriosos 873;
conquistador, vencedor, triunfador, árbitro da situação.
V. suceder, ser bem-sucedido;
ter bom resultado/bom êxito;
conseguir seu intento/seu objetivo; coroar de êxito, ter vento e maré, correr tudo muito bem;
atingir/alcançar o objetivo; campar, conseguir, lograr, fazer, haver, obter, chegar a, saber (seguido de um infinito), sair com, alcançar, fazer escola, sair-se bem;
atingir o fim colimado/a meta; realizar 729/ operar milagres, levar a sua avante, meter uma lança em África, benzer-se com alguma coisa, estar radiante de alegria, conquistar, vencer, forçar, impor-se a, ganhar;
cantar/alcançar vitória;
levar/ganhar a palma; fazer vingar a sua vontade, dominar o campo, ter estrondoso triunfo, abafar a revolta, desmanchar a igrejinha, fazer progresso 282; prosperar 734; lucrar 775;
colher os frutos/os louros/os aplausos; tirar proveito de; triunfar, forçar as linhas; ganhar a batalha/a partida = culatrar; sair triunfante, levar a melhor, lançar por terra, levar de vencida, vencer, amolgar, sair com vitória, sair vitorioso, render;
inclinar-se a vitória para, envolver o inimigo, subjugar, cangar, abrir brecha na muralha, descalçar a bota, conjurar o perigo, bater, derrotar = axorar, destroçar, senhorear, derribar, derruir, desfazer, contraminar, derrocar, profligar, superar, rechaçar, desbaratar, sobrelevar, sobrepujar, assenhorear-se de, domar, submeter, jugular, avassalar, ficar com a melhor, amartelar, remediar, debelar, sujeitar, frustrar, inutilizar, codilhar = desbancar, aniquilar, abater, romper, burlar, escalar, sopear, suplantar, conculcar, envolver, manobrar com habilidade;
pôr em fuga/em debandada; vencer na porfia, remir uma fortaleza;
pôr fora de combate/da arena; hastear a bandeira da vitória, lançar por terra o adversário, silenciar = fazer calar, dar um xeque-mate, furar, confundir, trunfar, obstruir 706; levar à parede, lançar nau ao mar, dirigir a sua barca com tento, ter a mão feliz, empregar todos os tiros no alvo;
atingir/alcançar/ferir o alvo; meter vira em barreira = acertar com a bala no alvo, atirar a barra mais longe que outro, forçar trincheiras;
soçobrar, meter a pique, afundar, torpedear, trabucar, fazer o inimigo morder o pó, vitimar, calcar aos pés, desbloquear, destramar;
superar, contornar, vencer uma dificuldade; passar por cima de todas as dificuldades, ir além das esperanças de, exceder à expectativa, chegar a bom termo, ir avante, tomar pé em, *s'en tirer d'affaires*, expedir-se perfeitamente, quebrar as arestas, arrancar o sim, entrar com o pé direito, apanhar um bom almoço, apanhar a sorte grande, ficar de melhor partido, sair a sorte em preto, pilhar-se servido, bater à boa porta;
responder ao fim/à opinião; pegar/dar bom resultado, aproveitar, frutificar, coroar de êxito, dar-se bem, ir bem, ser meio caminho andado, ir direito ao alvo, estar em bom pé, rebentarem logo os frutos de seus esforços, pegarem as bichas, ser bem recebido (*aprovação*) 931;
ser aprovado plenamente/com distinção; ter suas cartas limpas.
Adj. bem-sucedido, bem-logrado, exitoso, pujante, *próspero* 734; triunfante, prevalente, invicto, invencível, ovante, vítrice, vitorioso, debelativo;

coroado de rosas e pâmpanos/de magnífico êxito; predominante, imperdível, ditoso, cujo êxito é infalível, bem assombrado, feliz, escançado, certeiro, inerrante, bem-aproveitado, bem-utilizado, em franca prosperidade;
embalado, acoroçoado por contínuas vitórias.
Adv. prosperamente & *adj.*; em triunfo, de vento em popa, ventapopa, às mil maravilhas, habilmente, *à merveille*, a contento geral, acima de toda expectativa.
Interj. ainda bem!
FRASES: *Veni, vidi, vici. Omne tulit punctum.* A cada cavadela, minhoca. *Ad augusta per augusta. Nunc dimittis servum tuum, Domine.*

▽ **732. Insucesso,** falimento, falência, bancarrota, fiasco, naufrágio, frustração, burla, malogro, arruinamento, degringolada, *débâcle*, esborralhada, derrocada, desmoronamento, profligação, *brutum fulmen* 158, aborto, parto prematuro = móvito, perecimento (*inutilidade*) 645; ineficácia, ineficiência, falência, impotência; fubeca, fubecada;
esforços vãos/baldados/improfícuos/perdidos/estéreis; baldão, tiro avesso, tiro pela culatra; desastre, fracasso, decepção, dura realidade, desilusão, desengano, escarmento, transtorno, ruína, perdição, fiasco, erro, engano 490; falta, omissão, ilusão, escorregadela, tropeção, claudicação, passo em falso, *faux pas*, negócio furado, *bévue*, contrariedade, inabilidade 699; embaraço;
acidente, desfortuna, *infortúnio* 735, rachadura, colapso, desmoronamento, golpe; explosão, encalhe, encalhação;
golpe infeliz/desastrado/errado/antiestratégico/antipolítico;
repulsa, derrota, revés, desdita, desventura, vicissitude, vaivém, viravolta, desistência, sujeição, xeque-mate, baque, desastre; tropelias da sorte 735; queda;
sorte de Ícaro, trabalho/tormento de Sísifo, de Faetonte; naufrágio (*destruição*) 162; tiro de misericórdia, dobre a finados, pá de cal, insolvência 808; frustrador & *v.*
V. falir, malograr, mangrar, não vingar, não ter sorte, gorar, abortar, não passar de cepa torta, encalhar, rodar pela água abaixo, desconcertar;
ficar/dar em nada; morrer à nascença, ficar em água de bacalhau, faltar ao fim colimado, pecar, não passar de projeto, reduzir-se a pó, esbarrondar-se, baquear, cair, desmoronar, tombar, ruir por terra, serem improfícuos todos os esforços, ficar a chupar dedo, fracassar, atolar, desmanchar-se;
ficar a distância formidável, virar fumaça, evaporar-se, ir por água abaixo, dar com tudo em vaza-barris, descair da causa, falhar, mentir a, não corresponder a, estar acabado, explodir, sair uma coisa burlada; morrer à casca; ficar no papel, frustrar, soçobrar, ser mal-sucedido & *adj.*; ser infeliz, ter mau êxito, dar ao demo a cardada, ir abaixo; ficar a ver navios, ficar em seco, fazer esforços inutilmente;
trabalhar em vão, *ad gloriam*;
perder o trabalho/a cartada/o preço e feitio/o tempo e feitio/o seu latim; errar o lanço, não tirar proveito de, querer fazer do quadrado redondo (*impossibilidade*) 471;
sair torto, sair em vão, surtir mal, rolar a pedra de Sísifo (*inutilidade*) 645; fazer as coisas pela metade (incompleto) 730; perder terreno (*recuar*) 283; deslograr, malhar em ferro frio = *verbare lapidem*, errar o alvo, escorregar, tropeçar, cometer erros 495; ter entrada de leão e saída de sendeiro, levar na cuia, coxear, mancar, hesitar, titubear, perder o equilíbrio, destribar-se, errar o salto, perder as passadas, ensaboar o queixo do burro, fazer esforços para se erguer, fazer fiasco, encalhar;
forçar o tempo, remar contra a maré, meter-se em alhadas, conhecer dias difíceis (*adversidade*) 735, piorar; ser (derrotado 732); perder a batalha, sofrer sério revés, abandonar o campo, cair presa de, afocinhar, sucumbir 725; ficar barrado, ficar de pior partido, dar com o navio nos cachopos, ver por um óculo, ver os seus planos desfeitos, roer os ossos, ir buscar lã e sair tosquiado, saltar da sartã e cair nas brasas, passar de porqueiro a porco (*piorar*) 659; descambar no ridículo, perder a partida, bater a outra porta, encravar-se, semear ventos e colher tempestades (*imprevisão*) 699;
ficar sucumbido, patear, dar-se por vencido, arrear bandeira, espantar a caça; andar para trás, mudarem-se as setas em grelhas, entornar-se o caldo, entortar-se o negócio, rebentar na mão, não pegar a lábia, voltar-se o feitiço contra o feiticeiro, sair o tiro pela culatra, sair a emenda pior do que o soneto;
perder boa ocasião para ficar inativo/calado;

frustrar, baldar, inutilizar, empregar com mau resultado, fraudar, iludir, desarmar, desaviar, arruinar, desarranjar, tresandar = transtornar, furar, embaraçar, burlar, crestar as esperanças 509; falsar, contrariar, desfavorecer, desfazer, *destruir* 162; derrocar; desconcertar os planos de alguém;
ser reprovado, levar bomba, ficar chumbado, apanhar chumbo no exame, ser malsucedido no exame; abortar, malparir.
Adj. malsucedido, morto no nascedouro, frustrâneo, frustrante, infrutífero, vão, improfícuo, frustrado & *v.*; gorado, baldado, inútil 645; falho, infausto, infeliz 735; abortício, abortivo, naufragoso, choco, ineficaz, ineficiente (*impotente*) 158; manco, coxo, *décousu*, insuficiente 641; de águas-mornas, em agraço, malogrado, encruado, encalhado, soçobrado, naufragado, mangrado, metido a pique, axorado, derrotado 732; roto, vencido, desbaratado, amolgado;
acabadiço, acabado, perdido, desfeito, falho, arruinado, falido 808; morto, gualdido, ferido de morte, destruído 162;
frustrado, descarrilado, fora dos eixos, em deplorável condição, estultificado, bestificado, vitimado, fulminado, sacrificado, desalentado, desanimado, desiludido, desesperançado, malgradado = contrafeito;
desgarrado (*erro*) 495; fora dos cálculos de alguém 508; atirado fora 638; *incompleto* 730; de efeito contraproducente, contraproducente, que não corresponde à expectativa, mal-afortunado, malventuroso, mal-andante, malfadado, desafortunado, desastroso, desastrado, funesto, mofento, caliginoso.
Adv. infrutiferamente & *adj.*; em vão = *pro vano*, debalde, vãmente, em vão, em balde, *re infecta*, nada de novo, inutilmente, sem resultado, em pura perda, infelizmente, malpecado.
Interj. adeus minhas encomendas!
Frases: Tudo está perdido. Salve-se quem puder. *Parturient montes* (*decepção*) 509. Lá foi, ou lá vai tudo quanto Marta fiou. Isto tem mandinga. Isto tem caveira de burro. Os seus estratagemas voltam-se contra ele um a um. Só trouxe no bojo o cabedal de suas boas intenções. Não tugiu nem mugiu. Os seus esforços resolveram-se em pó. De boas intenções está ladrilhado o inferno.

733. Troféu = panóplia, hastapura, medalha, prêmio, *accessit*, louro, laurel, láurea, palma, coroa, grinalda, estema;
coroa cívica, rostral, triunfal, obsidional, mural, naval, oval, de louros, insígnia 550; lemnisco, penacho (*honra*) 873; condecoração 877; arco triunfal, coluna manubial, moimento, monumento, triunfo (*celebração*) 883; aparato 882; escalpo, despojos, presa, despojos opimos, *monumentum ære perennius*.

△ **734. Prosperidade,** bonança, medra, medranço, medrio, riqueza, bem-estar, contentamento, satisfação, bem-andança, ventura, antecéu, opulência 803; fartura, sucesso 731; avanço;
situação favorável/lisonjeira/próspera; dita, vida regalada, fortuna, felicidade, uberdade, bem-aventurança, boa estrela = astres; aragem/dons/risos/afagos/carícias da fortuna; bafejo;
boa fortuna, boa sorte, cornucópia, *candidi favonii* = os bons zéfiros;
ventos galernos/prósperos/bonançosos/propícios/mareiros/feitos/favoráveis;
ventos de feição/de servir;
maré/mar/leito de rosas; felicidade inesperada, bambúrrio;
dias prósperos/felizes/serenos/venturosos/isonhos/alciôneos;
horizontes largos/amplos/desafogados; céu azul etc.;
dias claros, róseos;
prosperidade econômica/financeira; *Saturnia regna* = período áureo, dias áureos, a idade de ouro, abasto, abastança, fartura, sal da terra, leite e mel, pães e peixes; apogeu, galarim, esplendor.
V. prosperar, medrar, progredir, avançar, desenvolver, ir avante, florescer, florir, florejar, ir por d'avante, dizer bem a dita a alguém; ser/tornar-se (feliz & *adj.*); estar de sorte, ir a melhor, ir de vento em popa, navegar com vento favorável, ter vento e maré, estar nas sete quintas, estar no sétimo céu, correr tudo bem a alguém, estar em veia de felicidade, ir bem/ir suavemente/ir às mil maravilhas; tirar a sorte grande, acertar na megassena; quebrar a banca;
estar exposto aos tiros da inveja, nadar em grande água, ir de foz em foz, ir tudo numa maré de rosas, passar a vida em bonança, caminhar com vento e maré favorável;

735. Adversidade | 735. Adversidade

estar no apogeu/no galarim da fortuna; ser bafejado pela fortuna, ser o mimo da fortuna, levar vida descansada;
ter nascido em boa hora/sob estrela propícia/com estrela na testa/debaixo de bom planeta, com uma colher de ouro na boca/empelicado/com o bumbum virado para a lua;
estar em/com sorte; *albo lapillo notare diem*, começar a aparecer, levantar-se, sair da cepa torta, engrandecer-se, subir em consideração, fazer negócio lucrativo, crescer, vivejar, correrem bem os negócios, banhar-se em água de rosas, fazer caminho, frutificar, viver com ostentação, levar boa vida, levar vida direita, viver vida folgada; tornar feliz, aditar, beatificar, glorificar, felicitar, bem-aventurar, enflorar, bem-afortunar, criar a alguém uma situação vantajosa.
Adj. próspero, virente, fasto, fausto, feliz, florente, florescente, abastado (*rico*) 803; afortunado, venturoso, bem-fadado, bem-parado, bem-afortunado, bem-nascido, bem-andante, empelicado; ditoso, fortunoso, venturoso;
que não conhece as procelas/as agruras da vida;
auspicioso, prometedor, promissor, propício, providente, providencial, risonho, sorridente, favorável, perene = eternífluo, notável, esplêndido, esplendoroso, bonançoso, bem-aventurado, agradável 829; áureo, de azul e ouro, aurirróseo, auricerúleo, aurifulgente, auridulce, róseo, cor-de-rosa, admirável de vitalidade, medrançoso.
Adv. prosperamente & *adj.*; ventapopa, de vento em popa, em tempos de figo, nas boas horas, na boa andança, além de todas as esperanças.
Frases: A sua estrela brilha com fulgor intenso. Tudo lhe corre à medida dos seus desejos. Chove-lhe em casa.

▽ **735. Adversidade,** frágoa, mal 619; infortúnio, desfortúnio, mal-estar, fracasso 732; tribulação, atribulação, cafife, aperto, apertura, pressa, dificuldades 704;
sorte má/adversa/madrasta; má andança, azar = apolitana (ant.), infelicidade, caiporice, enguiço, inhaca, tumbice (fam.), urucubaca (bras.), coita (ant.), caguira (bras.) = caiporismo (bras.), calistismo, desgraça = camarço, desventura, desdita, desfortuna, macaca, ouro da Tolosa;

infelicidade perseverante, mal-aventura, ruína, queda, série ininterrupta de acidentes funestos, desgostos, raivinha, contratempos = *angustia temporum*, baldão, trambolhão, triste fadário, sorte, raio = desgraça, má fortuna, descalabro, mofina, amofinação, mar revolto da vida, inferno sobre a terra, caixa de Pandora, transe, prova, provação, incômodos, asperezas, transtorno, peripécias, revés, viravolta, vicissitude, maldição, rajada, vendaval, tormenta, fardo, premência do tempo, desgraça dos tempos, dia aziago, *dies iræ*, noite caliginosa;
dias nefastos/ominosos/sombrios/difíceis/ ano hebdomático/bissexto/caliginoso; hora infortunada, horas minguadas;
vento marulheiro/ponteiro/repugnante/contrário; vento da desgraça, contravento, pé de vento, furacão, *aflição* 830; cuidados;
tropelias, capricho da sorte; revés da fortuna, mal-aventura, maus dias, infortuna, Jó;
acidente, desastre, sinistro, calamidade, fatalidade, catástrofe, casualidade, fatalismo 19; cruz;
queda, baque, ruína;
o empalidecer/o declinar/o desmaiar da estrela de alguém, desmoronamento, soçobro, destruição 162; vicissitudes humanas, hora amarga do ostracismo, linha sinistra, ostracismo, petalismo;
Ícaro, Faetonte, Sísifo, mofino, náufrago, calisto, panema, sacomão (ant.) = infeliz, vítima, mão de finado, tumba, sombra negra, asa negra.
V. estar mal, ser (desgraçado & *adj.*); encontrar dias sombrios, lutar contra as fatalidades do destino, andar aos baldões, viver dias calamitosos, não (prosperar 734); nadar em seco, remar contra a maré, ir pela ladeira abaixo, dar uma queda, decair;
estar/entrar em decadência 659; passar da opulência à desgraça, vergar-se ao peso da desgraça, declinar, baquear, encaiporar-se, ter conhecido dias melhores, andar com pouca sorte, ser de pouca sorte, correr mal a sorte a alguém, dizer mal a dita a alguém, não soprarem bons ventos a alguém, comer terra, desempoleirar-se, nascer em má hora, perder o valimento e a influência, ter caveira de burro, dar mau grado à fortuna = maldizer a sorte;

736. Mediocridade | 737. Autoridade

ter nascido com mau fado/sob estrela funesta; não passar da cepa torta, desmaiar a estrela a alguém, ser um dia de juízo; trocar-se o claro dia em noite escura, cair a maldição em casa de alguém, desandar, bater a adversidade à porta, mostrar-se adversa a fortuna, infortunar, desventurar, desgraçar, coitar, malfadar, vaticinar mau fado, mau destino, destinar para a desgraça, escapar da mosca e ser comido da aranha, dizer mal à sua vida, encaiporar, encalistar.
Adj. adverso, infortunado, desgraçado, funesto, prejudicial;
em cuja pele ninguém quer estar, desditoso, desditado, desremediado;
digno de melhor sorte/de melhor situação; desvalido, impróspero, desventurado, mal-afortunado, mal-andante, malditoso, malnascido, malventuroso, mal-aventurado, malfadado, astroso = que nasceu sob a influência de mau astro, infortunoso, desafortunado, caipora, infeliz, coitado, pobre 804; fadado à desventura, perseguido pela fortuna;
brumal, deplorável, miserando, ruinoso, calamitoso, malpropício, aziago, mofinento, nefasto, caliginoso, negregoso, negro, atro, desastroso, desastrado, cruel, infando, cheio de azar, azarento, desumano, danoso, sinistro, ominoso, obnóxio, infausto, mofento, atroz, angustioso, premente, tetro, sombrio, triste, proceloso, tempestuoso, amargo, trevoso, tenebroso.
Adv. adversamente & *adj.*, às más horas, de mal a pior, num amargo furor contra a sorte, na hora amarga do ostracismo.
FRASES: Sua estrela começa a empalidecer. Sua sorte está lavrada. Seus dias estão contados. *Sic transit gloria mundi.* Tantas vezes vai o cântaro à fonte que lá fica. (Lei de Murphy) Se algo pode dar errado, certamente dará. O pão sempre cai com a manteiga para baixo. Nuvem caliginosa empana o brilho de sua estrela.
PROVÉRBIOS: No aperto e no perigo se conhece o amigo. Nem preso nem cativo têm amigo. *Amicus certus in re incerta cernitur. Tempora si fuerint nubila solus eris.* Quanto maior a altura, maior a queda. Não quero estar na sua pele. Quem em mais alto nada, mais presto se afoga.

736. Mediocridade, circunstâncias intermediárias/moderadas;
banalidade, medianidade;
equidistância, equilíbrio, meio áureo 628; moderação 174.
V. ir mais ou menos; ir sem se comprometer; ir pacificamente, não descambar para os extremos.

Divisão II. VONTADE COM REFERÊNCIA À SOCIEDADE

1º) Geral

△ **737. Autoridade,** poder, força, mando, mão, pulso, braço, rédea, poderio, senhorio, jurisdição, influência, arbítrio, patronato, patronado, preeminência, preponderância, soberania, supremacia, hegemonia, governo, ordem de coisas, sobregoverno, favor, valimento, crédito, prestígio, prerrogativa, atribuição, competência, alçada, direito 924; política, elevada investidura;
nau, galera do Estado;
direito divino, prerrogativa de sangue;
direitos dinásticos/civis/incorpóreos/pessoais; autoritarismo, absolutismo, totalitarismo, *jus nocendi*, poder temporal, braço temporal, braço secular, abuso de autoridade;
ciência política;
comando, império, domínio, dominação, predomínio, predominação, predominância, ascendência, férula, reino, reinado, suserania, senhoria, chefado, chefatura, chefia, regência, trono supremo, capitania, governalho, governo (*direção*) 693; fiscalização, batuta, inspiração, proteção, garras, freio, bandeira, punho de ferro (*rigor*) 739; cetro 747; cargo, posto, posição, poleiro; pasta, bastão do mando (*insígnia*) 747;
ascensão, elevação, ascenso, subida, acesso ao trono/ao poder;
hierarquia, graduação, patente, regime, governo, dinastia, realeza, ditadura, tirania, protetorado, califado, arcontado, arciprestado, feudalismo, daimiato, sistema feudal, triarquia, tetrarquia, tetrafalangarquia, dinarquia, heptarquia, pentarquia, poliarquia, oligarquia, poligarquia, senescalia; consulado, proconsulado, duunvirato, duunvirado, triunvirato, quadrunvirato, quintunvirato, centunvirato, sextunvirato, trirregno, quinquevirato, quatuorvirato, decenvirato, quindecenvirato, regência trina, governo provisório, presidência, administração, pre-

feitura, magistratura, talassocracia, nababia;
império, monarquia, braço real, realismo; monarquia absoluta/constitucional/representativa/hereditária/parlamentar; unitarismo, federalismo;
república unitária/parlamentar/federativa; presidencialismo, parlamentarismo, republicanismo, monarquismo;
aristocracia, pornocracia, aristodemocracia, oclocracia, timocracia, etocracia, estratocracia, mesocracia, autocracia, pedantocracia, vulgocracia, democracia, dulocracia, teocracia, ginecocracia, tribunocracia, burocracia; social-democracia;
sacerdotalismo, cesarismo, clericalismo, governo de saia, capitalismo, militarismo, preponderância de elemento militar, demagogia;
socialismo, comunismo, sovietismo, bolchevismo, maximalismo, coletivismo, fascismo, nazismo, nazifascismo, integralismo;
(delegação de poderes): comissão 755; deputado 759; permissão, estado, reino, corpo político, *posse comitatus*;
autoridade 745; judicatura 965; gabinete 696; sede de governo, sede de autoridade, capital, quartel-general, metrópole, corte, capital federal;
(aquisição de autoridade): posse, compromisso, coroação, sagração, acessão, instalação 755; usurpação;
(ciência do governo dos povos): política.
V. autorizar (*permitir*) 760; haver por bem, resolver, garantir 924; ordenar 741; decretar, proferir;
ter/conservar/possuir/exercer autoridade; deliberar, despachar;
estar à frente de, pesar sobre os ombros de alguém a responsabilidade do cargo;
ocupar/preencher/desempenhar um cargo; ocupar um posto, estar posto na sela, andar na sela, ser presidente 745;
preencher os deveres/as funções/as obrigações inerentes a um cargo/a um emprego/a uma comissão; estar à testa de, exercer as funções de, exercer uma parcela de autoridade, exercer o governo, ter o supremo poder;
encarnar a autoridade/o poder; governar, mandar, imperar sobre, reinar, pastorear os povos, ter mando e mão, dominar, dirigir, apossar, predominar, comandar, administrar, guiar os destinos, reger, regentar, monarquiar;

empunhar/sustentar o cetro; tomar conta de, revestir-se de autoridade, ser guindado para um cargo, cingir a coroa, estar na sela, ter as rédeas na mão;
ter/apanhar o penacho; purpurar, entronizar-se, alcançar o poder, estabelecer o seu predomínio, dar-se ares de querer, presidir os destinos do Estado, ter a férula (*governar com rigor*) 739; ocupar a presidência, decretar, pronunciar, declarar com autoridade, ser árbitro da situação, mandar e desmandar, regrar, moderar, ganhar preponderância, exercer sua soberania sobre, ter a faca e o queijo na mão, ditar leis, legislar;
ser o detentor/o titular de; empunhar a batuta, ser servido, haver por bem, submeter à sua autoridade, estabelecer a moda, fazer bando por si, centralizar, enfeixar nas mãos os destinos de, enveredar, ter passaportes para, ter carta branca para;
ascender, subir ao trono/à curul presidencial;
tomar/assumir/empunhar as rédeas de; empoleirar-se, galgar, soberanizar, entronar, entronear, encadeirar, investir na suprema magistratura;
promover, arvorar, conferir a alguém funções importantes tanto na esfera do poder civil como na do eclesiástico, ter alguém fechado na mão, ter a rédea curta a alguém, fazer um boneco, titerear, encabrestar, levar pelo nariz;
trazer/levar alguém pelo beiço; magnetizar;
ser governado por, estar à obediência de, estar debaixo da obediência de;
(termos depreciativos): desgovernar, infelicitar, desservir, malgovernar.
Adj. autoritário, dominante, reinante, imperante, regente & dominador, administrador & *v.*; predominante, preponderante, influente, governante, governativo, imperioso, zeloso de suas prerrogativas, executivo, administrativo, oficial, oficioso, *ex-officio*, taxativo, peremptório, absoluto, supremo, arbitrário (*compulsório*) 744; severo, rigoroso;
real, realengo, régio, reguengo, regalengo, realista, reiuno (bras.), soberano, suserano, cetrígero, monárquico, imperial, imperatório, principesco, diademado, proconsular, consular, presidencial, oligárguico, pedantocrático, oclocrático, mesocrático, autocrático, democrático, protetoral, dinástico, federativo, unitário, representativo,

governamental, liberal, conservador, hierárquico, ditatorial, marxista, comunista, bolchevista, socialista, maximalista.
Adv. autoritariamente & *adj.*; por graça de Deus e unânime aclamação dos povos, em nome de/sob os auspícios de, oficialmente, em nome do governo, em caráter oficial, sob o império de, de juro e herdade;
a seu bel-prazer, a seu prazer, por um golpe de pena, com uma penada, de uma penada, *ex mero motu, ex cathedra, ex professo.*

▽ **738.** (Ausência de autoridade) **Anarquia,** acefalia, acefalismo, tolerância 740; liberdade 748; frouxidão, lassidão, anomia, remissão, falta de ânimo, moleza, tibieza, dubiedade, pusilanimidade;
acracia, anarquismo, demagogia, interregno, letra morta, *brutum fulmen*, desgoverno, desgovernação, licença, desregramento, descomedimento, insubordinação, indisciplina, licenciosidade, baderna, desobediência 742; insubordinação, rebeldia, regicismo, lei de Lynch (ilegalidade): 964; autonomia, descentralização;
(privação de autoridade): destronamento, destronização, deposição, usurpação, abdicação, renúncia, resignação, demissão, exoneração;
corpo sem alma, sombra de governo, rei de copas, babaquara (bras.).
V. ser (frouxo & *adj.*); *laisser faire, laisser aller*, abandonar as rédeas da administração, dar rédeas a, deixar à matroca;
ser sombra, não ter posição de autoridade; ter jurisdição apenas sobre o papel, tolerar, fechar os olhos a;
agir sem autoridade/sem instruções; agir sob sua hipotética responsabilidade, não ter alçada em, ser babaquara (bras.), arrogar-se a tarefa de, ir além de suas atribuições, descomedir-se, desenfrear-se, desgovernar, desencabrestar-se, desbridar-se, criar uma situação dissolvente da disciplina e do respeito; depor, apear, derrubar/ derribar do poder/trono; destronar, desentronizar, descoroar, desacaudilhar, desempoleirar, desalcandorar, dessubjugar, renunciar, resignar, abdicar, passar as rédeas do governo a, perder a sela, desenvestir-se, exonerar, demitir, desempregar, desencaixar, deslocar.
Adj. frouxo, lasso, relapso, laxo, remisso (negligente) 460; conivente, fraco, froixo, tímido, dúbio, pusilânime, mole, irresoluto 605; acéfalo, anárquico, demagógico, desacaudelado, desacaudilhado, desregrado no uso da liberdade, desenfreado, indisciplinado, espúrio, ilegítimo 925, desencabrestado, desbocado & *v.*; licencioso;
abdicável, abdicatório, inoficioso, intruso, usurpador, inautorizado 925; particular, extraoficial.
FRASES: Boi solto lambe-se todo. Ausente o gato, dançam os ratos. Todo poder é suspeito. Há governo?, sou contra!.

△ **739.** (Abuso ou demasia do poder) **Tirania,** severidade, opressão, albarda, rigidez, austeridade, incomplacência, intolerância, coação, rispidez, aspereza, inflexibilidade, restringimento, inexorabilidade, iliberalidade, inclemência (*crueldade*) 914a; arrogância, satrapismo, cesarismo, prepotência, avania, rigor, rigorismo, prema (ant.), rolha, perseguição, repressão, ditadura, arrocho, constrangimento, gargalheira 752; intransigência, algemas, virga férrea, mordaça;
punho/mão/guante/luva de ferro; garras, jugo de ferro, jugo férreo, despotismo, arbitrariedade, violência, preponderantismo, liberticídio, poder arbitrário, atropelo, usurpação, pressão, capricho;
mandonismo, catonismo, puritanismo, exclusivismo, intolerantismo, iliberalismo, autocracia, reação, proconsulado, terrorismo, inquisição, processos inquisitoriais, reinado do terror, estado de sítio, lei marcial, suspensão das garantias constitucionais, força bruta, medidas extremas;
lei infame/draconiana/liberticida; *amara lex* = lei rigorosa, lei das rolhas, tribunal veneziano, tirano, tiranete, liberticida, déspota, déspota esclarecido, autocrata, opressor, inquisidor, extorquidor, harpia, abutre, potentado = potestade, procônsul, senhor de baraço e cutelo, mando, mandachuva, paxá ou baxá, sátrapa, daimio ou daimió, terrorista, cesarista, soma, macota, soberano, cacique, dembe, dembo, soba, reizete, régulo, militarão, chefete, usurpador, mandarinete, mandarim, Draco, Catão, Frância, Rosas, Lopez, conde de Lipe, sultão, puritano (dep.), avassalador, reacionário, guarda pretoriana, esbirro, janízaro, missongo, carrasco, verdugo, asseclá, satélite.
V. abusar do poder, ser (severo & *adj.*); usurpar, violar, algemar, aferrolhar, garrotear, conspurcar as liberdades; tiranizar,

740. Tolerância | 741. Comando

satrapear, mandar com despótica (arrogância 885); infelicitar, albardar, flagelar, reprimir, aperrear, acabrunhar, avassalar, alçapremar, apremar, esmagar, vexar, premar, apertar a cravelha, pender para o arrocho, terrorizar, atropelar, acapelar, peguinhar, espezinhar, substituir a força do direito pelo direito da força, humilhar, prensar, sufocar;
calcar aos pés a lei/o direito/a justiça; acorrentar/agrilhoar o pensamento; comprimir as manifestações livres das liberdades, tripudiar sobre os destinos de um povo;
esmagar/por em posta a lei; violar as mais sagradas garantias da liberdade individual, comprimir as manifestações livres, tingir de sangue, cruentar;
oprimir, escravizar as consciências; constranger, atagantar, coagir, exercer pressão, cortar pela carne e pelo sangue, governar com mão de ferro, esmagar, amordaçar (752), infundir terror, exceder-se, descomedir-se, suplantar, suprimir, levar as coisas às do cabo, impor-se;
ser pouco inclinado à indulgência, perseguir, ter mão de ferro;
ser (oprimido & *adj.*); não poder piar, não esperar tolerância nem quartel, dobrar a cerviz à escravidão, submeter-se 725.
Adj. tirano, severo, ríspido, rigoroso, restrito, estrito, apertado, rígido, cruel = sevo, duro, acerbo, exigente, impertinente, austero, inexorável, inflexível, que não conhece lei nem tolerância, impenitente, intransigente, peremptório, formal, de antes quebrar do que torcer, de ferro e nada dobradiço, incontrariável, agro; rude; catoniano, draconiano, desabrido, compressor, drástico, de força e brutalidade, violento 173; exclusivo, tirânico, cesariano, despótico, incomplacente, inclemente, intolerante, implacável, atrabiliário, desabusado, agressivo, bárbaro, inquisitorial, férreo, ferrenho, sombrio, iliberal, antiliberal, terrífico, terrificante, imperatório, absoluto, reacionário, arbitrário, ilegal 964; antidemocrático, autocrático, absoluto, vexatório, liberticida, opressor, opressivo, que tem por norma a opressão, desapiedado 914a; perverso 907;
altivo, arrogante 885; puritano, tibérico, soviético, desordenado, descomedido; impopular, desestimado, imoderado, desastrado,
oprimido; asfixiado, humilhado, mergulhado no mais fero cativeiro 749.
Adv. tiranicamente abusivamente, severamente & *adj.*; à ponta de espada, com mão de ferro, à força, à viva força, à fina força, a arrepia-cabelo, teocraticamente.
Frases: *Delirant reges plectunctur Achivi. Oderint, dum metuant* (odeiem, mas temam).

▽ **740. Tolerância,** lenidade, leniência, suavidade, cordura, prudência, moderação, brandura, doçura, equanimidade, liberalidade, magnanimidade, benignidade, misericórdia, ultraliberalismo, liberalismo, epíquea, remissão, indulgência, mansuetude, complacência, condescendência, transigência, pluralismo, coexistência, abertura, bom acolhimento, graça, serenidade, quartel, favor, mercê, contemplação, clemência 914; tolerabilidade, suportabilidade;
misericórdia inexausta/inexaurível; benefício, obrigação, moderantismo, tolerantismo; antidespotismo, relaxista, pai da vida (fam.).
V. tolerar, ser (tolerante & *adj.*); moderar, ser poder moderador, ter ideias avançadas, praticar a tolerância, ser favorável à liberdade política e civil, ter nobreza de sentimentos, transigir, condescender; governar com tolerância e sabedoria, governar *ex bono et œquo*;
esquecer, indultar, perdoar, fechar os olhos, deixar passar, remitir o rigor, usar de epíquea, aliviar, desoprimir, desobrigar, fazer vista grossa, permitir, suportar, indulgenciar, relevar, dar quartel, dar trégua 914; reportar, moderar 174; relaxar, atenuar, desopressar, desoprimir, poupar, levar a sua condescendência ao ponto de, ver as coisas com os olhos da tolerância; comedir-se, refrear-se, não exorbitar.
Adj. tolerante, transigente, complacente, condescendente, indulgente, benigno, antidespótico, agatoide, obsequioso, clemente 914; magnânimo, generoso, liberal, ultraliberal, avançado, leniente, equânime, moderado 174; reto, imparcial, temperado, suave, brando, manso, doce, misericordioso, desopressor, monarcômaco, repúblico, republicano, legal 963.
Adv. tolerantemente & sem pau nem pedra, com largueza de vistas.

741. Comando, determinação, ordem, mando, mandamento, mandado, ordenação,

ordenança, ato, *fiat*, cumpra-se, diretiva, cominação, prescrição, dispositivo, injunção, reclamo, reclamação, revocação, revocamento, avocação, avocamento, chamado, orientação;
despacho, mensagem, recado, requisição, direção, instruções, convite (euf.), desejo (euf.), observação (euf.), recomendação (euf.), indicação, regimento, designação, exigência, imposição, imperativo, reivindicação, solicitação, arrecadação, cobrança, *ultimatum* 770, ultimato; *habeas-corpus*, intimativa, *pedido* 765;
ditame, sentença, império, *caveat*, edito, édito, decreto, pregão, bando, *senatus consultus*, mandato, preceito, ordem formal, portaria, provisão, rescrito, alvará, estatuto, bula, carta apostólica, edital, decretal, capitulares, letras do papa, mandato apostólico, pastoral, carta citatória, patente, *placet, ukase, firmã, warrant*, ucasse, passaporte, salvo-conduto, carta de prego, *mittimus, mandamus*, hei por bem, intimação, *nisi prius*, citação, interpelação;
voz de comando/de advertência/de execução; *mot d'ordre*, palavra de ordem, toque de reunir, retreta, rufo de tambor, toque de recolher, chamada geral, convocação, mobilização, ordem do dia, promulgação (*lei*) 963, lei, medida provisória; plebiscito (*escolha*) 609; rito.
V. ordenar, comandar, mandar, dar ordens, determinar;
ordenar como soberano/com soberania/com império/sem admitir reflexão; imperar, assinalar, prescrever;
formular/passar uma ordem; deixar recado para que, preceituar, estabelecer, estatuir, impor obrigações e encargos = oberar, abalizar, assinar, regular, providenciar, requerer, injungir, impor, ditar, cominar, encomendar, querer, haver por bem, comprazer-se;
exigir, intimar, citar, taxar, requisitar, encomendar, baixar uma ordem do dia, reclamar, pretender, reivindicar, solicitar, cobrar, arrecadar, apenar, chamar por edital, convocar, reunir, avocar, revocar, chamar; assinar, baixar, expedir decreto/portaria; promulgar uma lei, contramandar; ser mandado & *adj.*;
cumprir/receber ordens.
Adj. mandante & imperatório, imperativo, impositivo, taxativo, compulsório, obrigatório, injuntivo, imperioso, determinativo, determinador, determinante, decretório, decisivo, peremptório 737; avocatório, revocatório, preceptivo, intimativo, cominativo, cominatório.
Adv. imperiosamente & *adj.* em tom de comando, de/com uma penada, com um traço de pena, em tom imperioso, da parte de; por ordem, por mandado de; decretalmente, imperialmente, magistralmente, *ex cathedra*.
FRASES: Manda quem pode. Quero, posso e mando. *Sic volo sic jubeo. Le Roi le veut.* É a vontade do rei.

△ **742. Desobediência**, indocilidade, inobediência, inobservância 773; insubordinação, insurgência, recalcitrância, desrespeito, descumprimento, incoercibilidade, teima, contumácia, renitência, recusa, revelia, oposição, relutância, infração, insolência, transgressão, revolução, conflagração, rebeldia, rebeldaria, apostasia, movimentos populares, alvoroço, alvoroto, arruaça, insurreição, *émeute*, pronunciamento, subversão, revolta, levante, indisciplina, água revolta, perturbação, sarrafusca, rebelião, motim, amotinamento, tumulto, mazorca, turbulência, sedição, bandoria (ant.), fervedouro, bulício, conturbação, amotinação, motinação, sublevação, alvorotamento, bernarda, intentona, crime da lesa-majestade, felonia, infidelidade, inconfidência, traição, alta traição;
ofensa, violação da lei/da disciplina; defecção, assuada, desordem 59; baralha, levantadura, chinfrim, banzé, obstrução, parede, greve (*resistência*) 719; conflagração, insurgente, insubordinado, rebelde, revoltado, revoltoso, insurreto, revolucionário, pregador de ideias novas, amotinado, separatista, insurrecionado, *carbonaro*, inconfidente, agitador, *sans culottes*, feniano, *frondeur*, desertor, fugitivo, revel, espadachim, anarquista, libertário, demagogo, Espártaco, Masaniello, Zumbi, Robin Hood, levantador, amotinador, arruador, arruaceiro, mazorqueiro, grevista, incendiário, petroleiro, comunista, refratário, insubmisso, transgressor, contraventor, contraveniente, mofino, respingão = recalcitrante, rezingueiro, bota-fogo, desordeiro, brigão, caceteiro.
V. desobedecer, faltar à obediência, dar resposta, rezingar = recalcitrar = respingar, não se submeter, desafiar, violar, descum-

prir, infringir, transgredir, resistir 719; ir de encontro à ordem, desrespeitar, contestar, opor-se, pronunciar-se contra, não dar o barco pelo leme;
quebrar/sacudir o jugo; não dar pelo governo de, desprestigiar a autoridade, levantar o pendão da revolta, pegar em armas, insurgir-se contra, sublevar, amotinar, levantar a população contra, rebelar, agitar, alvoroçar, alvorotar, conturbar, indocilizar, alterar, atumultuar, subverter, revolucionar, alçar-se, levar à rebelião, seduzir, conflagrar, insubordinar, insurrecionar, indisciplinar, levar a indisciplina ao seio de, reduzir a autoridade a frangalhos, desautorar, desrespeitar (929) uma ordem; apostatar 607; exorbitar.
Adj. desobediente, inobediente, insurrecional, insubmisso, insubordinado, insubordinável, ingovernável, rebel, rebelde = revel, revoltoso, insurreto, malmandado, indisciplinável, indisciplinado, altivo, arrogante, levantadiço, irrequieto, trêfego, insuportável, refratário, contumaz, relapso, recalcitrante, indócil, indomável, resistente 719; revolucionário = vermelho, subversivo, tribunício = desafiante, contestador, oposicionista, sedicioso, tumultuoso, tumultuário, conturbativo, rebelado & v.; amotinado, turbulento, altanado, alterado, alvorotado, incendiário, demagógico; tornadiço; recusante, malcriado, mal-educado; desbocado, desenfreado, rijo de boca, rebelão.
Adv. desobedientemente & adj.; em assuada, amotinadamente.

▽ **743. Obediência,** cumprimento, acatamento, acato, respeito, subserviência, apoio, *submissão* 725; consentimento, obtemperação, aquiescência, condescendência, complacência, disciplina, sujeição 749; passividade, docilidade, resignação, obediência passiva; fidelidade, fieldade, lealdade, constância, preito, deferência, vassalagem, preito e homenagem, dedicação, adesão, submetimento, tributo, subordinação, ductilidade 324; obsequiosidade 886; jugo, preito de obediência, torre, menagem.
V. obedecer, ser obediente & *adj.*; obtemperar, sujeitar-se, aquiescer, anuir; respeitar, cumprir, acatar;
prestar/jurar/render obediência; obrigar-se a alguém, fazer boa cara, submeter-se 725; baixar a cabeça, servir fielmente, acolitar, curvar-se, humilhar-se, ir ao encontro da vontade de alguém;
receber/cumprir leis/ordens de; seguir à bandeira de, satisfazer às ordens de, estar à mercê de, obedecer à espora de, deixar-se levar pelo nariz (*servilismo*) 886;
aquiescer às ordens/às intenções de; executar as ordens de, apajear;
acudir ao apelo/ao leme de; atender às ordens de, obedecer à espora do cavaleiro, cumprir, dar execução, corresponder; ir ao beija-mão; render preito e homenagem, protestar respeito e vassalagem, tributar-se, tornar-se tributário;
cingir-se, limitar-se, seguir estritamente, desamotinar, depor as armas.
Adj. obediente, obedencial, sujeito, tributário, complacente, condescendente, fiel, fido, leal, devotado, dedicado, escravo de, dócil, docílimo, dócil aos acenos de, obsequente, bem--mandado, ordeiro, disciplinado, cumpridor; amigo/cultor da disciplina; pacato, restringível, resignado, *submisso* 725; subserviente, passivo, flexível, dúctil, cativo, sensível, doce de freio, governável, domável, domesticável, humilde, suportável.
Adv. obedientemente & *adj.*; à disposição de, às ordens de, sob o controle de, em obediência, em cumprimento.
FRASES: *jube domine. Perinde ac cadaver.*

744. Obrigatoriedade, compulsoriedade, irrecusabilidade, compulsão, coerção, coação, prema = pressão, premência, constrangimento, confrangimento, injunção, imposição, império, força, forçamento, conscrição, obrigação, obrigamento, curso forçado;
força, força bruta, força física, espada, faca ao peito, *ultima ratio*, a lei do canhão, *argumentum baculinum*, ultimato, razões de marmeleiro, *o direito da força*, leito de Procusto, lei marcial, crê ou morre, rigor, inclemência; império das circunstâncias;
restrição 751; necessidade 601; força maior.
V. obrigar, compelir, compulsar (desus.), render, vincular, necessitar, levar alguém a (seguido de um infinitivo), violentar, arrastar, forçar, constranger, escorjar, confranger, atarraxar, apertar, impor, obstringir, adstringir, fazer engolir à força, levar alguém ao talho, impingir, oprimir, premar, fazer questão de, fazer questão fechada, coagir, impelir, fazer coação, algemar, pôr a faca no peito de, insistir em;

fazer aceitar à força; chamar à ordem, não admitir réplicas, maniatar, arrastar alguém a, pôr alguém na necessidade de;
extorquir, arrancar de, sacar, meter saca-rolhas em, fazer desembuchar, confessar, ser de rigor, ser de etiqueta, ser obrigatório/compulsório/impositivo.
Adj. obrigatório, compelente & *v.*; coercivo, coercitivo, necessário, irrecusável, inexorável 739; compulsório, impositivo, compulsivo, compulsatório, injunctivo, sacramental, peremptório, formal, taxativo, premente, imperioso, forçável, que não se pode desprezar, irresistível 601, inelutável; compelido, obrigado a, premido pelas circunstâncias, obstrito, adstrito, recrutado, conscrito, constrangido & *v.*
Adv. obrigatoriamente, necessariamente, coercivamente & *adj.*; à força, à fina força, à boca-d'armas, *vi et armis*, à ponta de chicote/de baioneta/de malhão, com emprego de violência, às más, violentamente, *manu militari*, à cabralina, com braço forte; sob pretexto, com pesar, contra a vontade 603; *nolens volens* 601; sob o império das circunstâncias, sob a premência do momento, sob a pressão de, de rigor, a todo o pulso.

△ **745. Amo,** senhor, dominador, patrão, dono, superior, promulgador, referendário, mandante, sancionador, comandante, general, coronel, caudilho, chefe, caudel, cabeça, capitão, cabo, morubiba, morubixaba, cacique, pajé, aqueme (ant.), dembe, xeque, maioral, váli, decano, nomarca (Egito), governador, alvazil ou alvazir (ant.), alcaide, ditador, líder (*diretor*) 694; condestável, timoneiro; mandachuva, chefão, figurão, magnata, corifeu, chefia;
potentado, potestade, suserano, soberano, monarca, usurpador, tirano, autocrata, déspota, oligarca;
cabeça coroada, pontífice, imperador, imperante, rei, majestade, ungido do Senhor, dinasta, protetor, estatôlder, doge, governante; governador, presidente, césar, *kaiser*, autocrata, czar, fuehrer, duce, sultão ou soldão, califa, faraó (ant.), negus, xá, padixá, sofi ou cã, lama, micado, dairo, daimio, cubo, inca, jacatá; príncipe, duque (nobreza) 875; arquiduque, eleitor, landgrave, rajá, emir;
imperatriz, rainha, sultana, czarina, princesa, infanta, duquesa, margravina, dogaressa, landgravina;
regente, camerlengo, vice-rei, exarco, exarca, palatino, quediva, hospodar, paxá ou baxá, imã, bei, naire, xerife, guazil, tetrarca, heptarca, cônsul, procônsul, harmosta (ant.), senescal, centúnviro, duúnviro, triúnviro, quatuórviro, decênviro, sátrapa, etnarca, mandarim, grão-vizir, nababo, sabaio, sultão, marajá, burgrave, burgomestre, *laird* (*proprietário*) 779; regedor, vílico, castelão, tuxaúa, tubixaba (bras.), autoridade, poderes, governo, os órgãos da nação, poderes constituídos, estado-maior, autoridade em exercício, encarnação da autoridade, sol, regime, executivo;
(autoridades militares): oficialidade, generalíssimo, condestável, comandante-chefe, estratego (ant.), marechal, marechal de campo, general de divisão, general de brigada, naire (Índia), tenente-general, governador das armas, comandante da região, brigadeiro, coronel, quingentário (godos), tenente-coronel, major, capitão, anadel, centúrio, centurião, almocadém (ant.), primeiro-tenente, segundo-tenente, alferes, oficial, brigada, vago-mestre, intendente, primeiro-sargento, segundo-sargento, cadete, aspirante, furriel, cabo, anspeçada; ajudante de campo, fiscal, comandante, vinteneiro (ant.), corneta-mor, guarda-mor, adail, manipulário ou manipular; estado menor;
(autoridades civis): ministro, governador, presidente, secretário, chanceler, intendente, prefeito, governador da cidade, chefe de polícia, arconte, preboste, magistrado, síndico, alcaide, burgomestre, corregedor, sargento-mor, ouvidor, juiz de fora, senescal, mordomo, veador da casa régia, vereador, diretor, reitor, *maire*, condestável, oficial (*executivo*) 965;
(autoridades navais): talassiarca (ant.), almirante, capitão-mor dos mares, vice-almirante, comodoro, capitão de fragata, capitão de mar e guerra, capitão-tenente, comandante, tenente, sargento, oficialidade, guarda-marinha;
autoridades eclesiásticas 996.
Adj. triunviral, duunviral.

▽ **746. Servo,** fâmulo, sujeito, vassalo, feudatário, dependente, familiar, servidor, súdito, subordinado, sequaz, assecla, subalterno, inferior, estipendiário, mercenário, assalariado, subsidiado, homem, pajem, varlete, valete, rascão, avençal, sargente (ant.),

armígero, criado, preposto, encarregado, camarada, pessoa do serviço de alguém, veleiro (de frade), cliente, moço, doméstico, contínuo, bói, auxiliar de escritório, servente, lacaio, *groom*, paquete, serviçal, limpa-botas, empregado, funcionário, estagiário, soldadeiro, caudatário, colomim (bras.), curumim, moço de recados, copeiro, cozinheiro = vatel, bicho de cozinha, mirmidão, samurai (Japão), andador, basculho, comitiva, acompanhamento, séquito, estado-maior, casa militar, casa civil, corte, ministério, lacaiada, clientela, criadagem, escudeiro, aio, atabaque, donzel, garçom, garção, *valet de chambre*, moço da câmara, criado de quarto, viador (rainha), palafreneiro, estribeiro, estribeiro-mor, ordenança, satélite, estafeiro (ant.), cavalariço, cubiculário, guarnicioneiro, cuvilheira, mensageiro, mandadeiro, pegureiro, vaqueiro, guardador de gado, peão, caseiro, eunuco = semíviro;
conclavista, mordomo, castelão, senescal, vedor, camarista, camareiro, tesserário, secretário, assistente, amanuense, escriturário, auxiliar, agente 758; repostaria, criada, serva, ancila, paqueta, sopeira (fam.), servilheta, confidente, dama de honor, cuvilheira, ama nutriz, mucama, macuma, aia, retreta (da rainha), ráscoa, moça, ama de leite, criadeira, *bonne*, fregona, *cordon bleu*, açafate, cufaia, veleira (de freira), *femme de chambre*, Cinderela;
copeiro, escanção, cocheiro 690;
escravo, mancípio (ant.), cativo, ilota, anagnoste, cursor, servo da gleba = *adscriptus glebœ*, recativo, acontiado, tricliniário, meia-cara (bras.), orcino, odalisca, sultana, escrava, tangalheira, carptor, vilão, leigo, pensionário, pensionista, anteâmbulo, parasita 683 e 886; valido, protegido, pupila, menor, apaniguado, capanga, jagunço; libré, escravidão 752.
V. servir, prestar serviços;
estar à soldada/ao serviço de/às ordens de; depender de, comer o pão de, ser criado & *subst.*; cuidar de, tratar de, ter a seu cargo, apajear, escudeirar;
alugar, assalariar, assoldadar, avençar, ajustar, subsidiar, estipendiar, ajornalar, engajar, trazer a soldo, pôr a servir, fazer as contas com, ter a serviço.
Adj. servil, serviçal, servidor, servicial, servo, estipendiário, soldadeiro, mercenário, condutício, escudeirático.

Adv. servilmente & *adj.*; à soldada.

747. (Insígnia de autoridade) **Insígnia,** cetro, diadema, emblema de autoridade, distintivo, a real vara, regalia, manto, bastão de império, púrpura, vara, vara branca (dos juízes), vara vermelha (dos vereadores), bastão de comando, bandeira 550;
hábito, pasta, tridente, estandarte;
trono, sólio, curul, cátedra, divã, tiara, trirregno (do Vaticano), báculo, chapéu cardinalício, mitra = ínfula, tricórnio, baldaquino, dossel, cadeira, borla, capelo, barrete, trábea (ant.), toga, garnarcha, arminho, beca, veste talar, loba, farda, charlateira, galões, bordados, dragonas, banda, divisas, agulheta (de general), anel, coroa, anadema, barrieira (ant.), tage, grinalda, tirso (de Baco), caduceu, tridente, condecoração 877; comenda, medalha, sinete 550; selo, leme, rédeas, habena (poét.), *fasces*, gineta, armas, chave, penacho.
Adj. reitoral, tridêntio, tridentífero, diademado; purpural.

△ **748. Liberdade,** independência, autonomia, livre-arbítrio, licença (*permissão*) 760; franquia, incoerção, desobrigação, faculdade/condição de homem livre;
largueza, ensancha, larga, amplidão, caminho aberto, soltura, livre voo, intangibilidade, incoercibilidade, incondicionalidade;
regalia, privilégio, imunidade, prerrogativa, isenção, emancipação (*libertação*) 750; democracia, abertura, autogoverno, liberalismo, campo livre, desimpedimento, ideias avançadas, ideias livres, soberania popular, liberalidade;
liberdade de expressão/de associação/de comércio/de culto/de consciência depensamento/de imprensa;
liberdade civil/natural; cidadão, exercer a cidadania.
redenção, remissão.
V. livrar, ser livre & estar em liberdade; gozar da liberdade, estar no gozo de/exercer seus direitos, ter o poder de querer ou de não querer, poder dispor de si, andar de coleira larga, não depender de ninguém, ser rei de si mesmo, ser senhor de suas ações, estar à larga, andar às soltas, nadar sem bexiga;
não conhecer a tirania; viver à sombra da lei, tomar a liberdade de, usar da liberdade,

749. Sujeição | 750. Libertação

ter o campo livre, não conhecer entraves a, ser senhor de seu nariz; não ter de dar satisfações a ninguém.
Adj. livre, independente, autônomo, solto, soluto, desembaraçado, desobstruído, desimpedido, desobrigado, incontido, incoercível, fragueiro, que não conhece limites ou restrições, invicto, libérrimo, ilimitado, liberto, que não conhece algemas, livre como o ar/um pássaro, irrestrito, irreprimível, lato, largo, desconstrangido, inconquistado, desencadeado, desalgemado, dessubjugado, dessujeito, desafogado, indisciplinável, indisciplinado, irrefreado, irrefreável;
incondicional, absoluto, soberano, autocéfalo, democrático;
incondicionado, que não está sujeito a condições restritivas, facultativo, arbitrário, espontâneo, nascido de ventre livre;
isento; alodial, grátis 815, gratuito;
redimido, remido.
Adv. livremente & *adj.*; em liberdade, à solta, sem peias, à larga, desafogadamente, à rédea solta, *à vontade* 600; gratuitamente, graciosamente.

▽ **749. Sujeição,** obediência, respeito, acatamento, acato; retenção, atamento, jugo, dependência, contingenciamento, constrição, imposição, obrigação, submissão, subalternidade, subordinação, serventia, escravidão, acorrentamento, escravização, subjugação, cativeiro, cadeia, servidão, ilotismo, escravatura, feudalismo, tutela, tutelagem, vassalagem, preito, *contingência* 177; constrangimento 751; opressão 739; *submissão* 725; pau mandado; tráfico negreiro, senzala, tanganhão, páreas.
V. submeter(-se) *725*, estar sujeito & *adj.*; ser simples máquina, ser boneco de engonço, não ter vontade própria, estar à mercê de, estar nas mãos de, servir 746; *obedecer* 743; amansar, domar, reter, sujeitar, constranger, compulsar, compelir, forçar, injungir, oprimir, refrear, subjugar, cangar, jugular, avassalar, enfeudar, tutelar, senhorear-se, tutorar, tutorear, controlar, assenhorear-se de, conquistar 731; mancornar, vincular, vencer, obrigar, reduzir à escravidão, atrelar ao carro do vencedor, escravizar, acorrentar, subalternizar = subalternar, agrilhoar, reduzir à condição de escravo, mergulhar no cativeiro, cativar;
deitar/arrojar grilhões; reduzir à obediência, estender a sua influência, senhorear, coarctar a liberdade 751;
dominar 731; montar no cachaço de alguém, conduzir alguém pelo nariz;
ter alguém sob seu mando/de mangas; dobrar a cerviz à escravidão, dar o pé à braga, comer pela mão de alguém, andar à corda, estar à obediência de alguém = estar às suas sopas/às suas atenças; deixar-se levar pelo nariz, deixar-se levar/conduzir/oprimir, viver numa jiga-joga; morder o pó, curvar-se, ajoelhar-se.
Adj. sujeito, submisso, domado, escravizado & *v.*; dependente, encabeçado, subordinado, subalterno, feudal, feudatário, subfeudatário, adstrito, escravo, heril, cativo, recativo, constrangido 751, subserviente, babaca; calcado aos pés, pisado, sopeiro, encostadiço, parasítico, conduzido pelo nariz, escravo de, estipendiário.
Adv. submissamente & *adj.*; a ferros, sob as ordens/o comando de; em poder de, nas mãos de, nas garras de, aos pés de, sujeito a 177; à mercê de, ao arbítrio de, sob o azorrague de.

△ **750. Libertação,** excarceração, livrança, livramento, soltura, delivramento, restituição à liberdade, *sursis*, anistia, livramento condicional, alforria, emancipação, manumissão, abolição, abolimento, abolicionismo, tiranicídio; liberação, abertura; liberalização, flexibilização;
redenção, resgate, remissão, rendição, absolvição 970; escapula 671;
desobrigação, desoneração, desopressão;
13 de maio, Lei Áurea, *habeas corpus*, mandado de soltura, mandado de segurança, carta de alforria;
abolicionista, antiescravista, antiescravagista, negrófilo, manumissor, libertador, tiranicida, antidéspota, redentor, livrador, resgatador, alfaqueque, d. Isabel, a Redentora, desopressor, zadona (ant.).
V. libertar, desoprimir, desopressar, livrar, absolver;
dar/restituir à liberdade; pôr a salvo, tornar livre & *adj.*, aliviar os ferros, romper as algemas;
desatar/desaferrolhar cadeias/grilhões; excarcerar, desacorrentar, descravizar, desalgemar;
desatar, tirar as cadeias;

quebrar/sacudir grilhões; desprender das algemas, pôr em liberdade, redimir, remir, resgatar, alforriar, forrar, aforrar, dar alforria a, pôr na rua, manumitir, delivrar, dar rédea larga, dar rédeas soltas, desencarcerar, desenxovar, desencerrar, desengaiolar, desajoujar, desafogar, desenjaular, desencurralar, desencapoeirar, desentalar, desatrelar, desaferrolhar, desencadear, desencabrestar, desemparedar, desimpedir, desprender, largar, soltar, desenconchar, despear, soltar o freio a alguém, desbridar, descativar, dessubjugar, relaxar da prisão, despedaçar os laços, desenclaustrar, desenlear 705; desjungir, desaçaimar, desentaipar, desembaraçar, desemaranhar, libertar-se, sacudir o jugo, desfazer-se dos laços, alcançar a carta de alforria, obter *habeas corpus*, sair do cativeiro, livrar-se de;
recuperar/conquistar (a liberdade 748); resgatar-se, rebentar as algemas, arrançoar-se, fugir, escapulir 671;
liberalizar, liberar, flexibilizar, desobrigar, desvincular, descontingenciar, descondicionar.
Adj. libertado & *v.*; desafrontado, desoprimido, forro, liberto, orcino, libertador, libertário, libertivo, livrador, redentor, salvador, resgatador, remissor, remissório, desopressor, livre, solto 748, redimido, remido, liberado, desobrigado.
Interj. Independência ou morte!
FRASE: *Libertas quæ sera tamen* (melhor seria que se dissesse: *libertas quamvis sera*. O lema dos conjurados mineiros atenta contra a gramática e não tem sentido algum).

▽ **751. Restrição,** restringência, restringimento, obstrução, inibição, cerceamento, tolhimento, compressão, coerção (*compulsão*) 744; repressão, refreio, enfreamento, coibição, constrangimento, coação, paradeiro, disciplina, moderação, austeridade, controle, condicionamento, contingenciamento, protecionismo, aprisionamento, apresamento, mamposta, captura, engaiolamento, encarceramento, enjaulamento, reclusão, encerramento, internação, internamento, coarctação, sepultação, detenção, limbo, cativeiro, bloqueio, cerco, liberticídio; prisão, mandado de prisão; custódia, guarda, arrecadação, vigilância; protetorado;
bridão, freio 752; trava, embaraço, óbice, estorvo, empeço;
limitação, delimitação, proteção, monopólio, estanque, proibição 761; prisioneiro 754; senzala, anfitálamo.
V. restringir, constringir, retundir, limitar, delimitar, enquadrar, encurtar, amputar; marcar, impor restrições/condições, condicionar, contingenciar; conter, reter, refrear, tolher, bordar, embridar, senhorear, subjugar, coagir, coarctar, avassalar, controlar, sujeitar, constranger, cercear, aguarentar, inibir, comprimir, deter, impedir, circunscrever, cingir;
encerrar, conservar, fechar dentro dos limites; ter mão em, coibir, obstar à continuação de, sofrear, não permitir expansão de, pôr cobro a, reprimir, sopear, agrilhoar, encadear, suster, arrecadar, pegar, segurar, abafar, sufocar;
suspender a ação/o movimento; represar, açudar;
pôr/traçar limites; esmagar, prensar, entralhar, encadear, amarrar 43; algemar, ferropear, arroxear, entravar, açamar, açaimar, amordaçar, emordaçar, acorrentar, agrilhetar, atar/cortar as asas a, cortar os braços, maniatar, manietar, ajoujar, sujeitar, pôr barbicachos a, encabrestar, serrilhar, enfrear, enfrenar (bras.), forjar grilhões, aferrolhar, segurar, encaixotar, enfardar, enfrascar, enclausurar, encelar, arrolhar, embetesgar, encurralar, encortelhar, engarrafar, murar, emparedar, entaipar, engradar (*circunscrever*) 229; empocilgar, acorrilhar, recluir, reclusar, catrafilar, engazopar, engazofilar, agarrar à força, filar, agarrar pela gola = agazular, colher à mão, aprisionar, empresar, fisgar, encarcerar, segurar, prender, sequestrar, segregar, apriscar, aprisoar, presidiar, custodiar, cativar, trancafiar, trincafiar, trazer encarcerado & *adj.*;
meter/pôr a ferros/em custódia; recolher ao xadrez, enjaular, lançar ferros a alguém, pôr cobro a alguém, deitar mão a alguém, reter preso, capturar, arrestar, fazer prisioneiro, fazer cativo, asilar, internar, conceder a cidade por menagem;
ser preso & *adj.*; estar a ferros, estar em custódia, estar preso com homenagem, engasgalhar-se (pop.);
açambarcar, monopolizar, atravessar, atracar, enfeixar.
Adj. restrito, restringente, restritivo, constrangido, forçado, coacto, aprisionado & *v.*; encerrado, reteúdo e guardado, incomuni-

cável, preso, seguro, percluso, coibitivo, coactivo, inibitório, inibitivo, liberticida; condicional, contingencial, dependente.
Adv. restritamente & *adj.*; restringidamente, constrangidamente, debaixo de chave, bem guardado, a sete chaves, sob palavra, a recado, em recado, a bom recado, por menagem, à sombra.

752. (Meios de constrangimento) **Prisão,** cárcere, chifanga, ferros d'El-Rei, calabouço, jaça, aljube, masmorra, penitenciária, detenção, enxovia, xilindró, arrecadação, estufilha, presídio, presídio de segurança máxima, xadrez, xilindró (gír.) cana (gír.), cubículo, prisão domiciliar, estado-maior, solitária, surda, sala livre, casa de correção, casa de reclusão, estação, retenção, *oubliettes*, fortaleza, torre, bastilha, casinha, cadeia, vagarosa (gír.), a casa das três esquinas (Porto), a casa de pouca farinha (bras.), menagem, casamata, estabelecimento penal, ergástulo, estarim, presiganga, sagena, sejana, *in pace*, clausura, cela, catasta, Fernando Noronha, Limoeiro, cafua (*para estudantes*), gaiola, atundo, capoeira, aprisco, curral, encerra, redil, chousal, chouso, estrebaria, torçal (bras.), presépio, covil, leoneira, antro, jaula, cávea, harém, anfitálamo, senzala, ferros, manilha, algemas, corrente, gargalheira, grilhões, ferropeias, cadeias, tronco (bras.), anginhos, cepo, pelourinho, adobe, pega, grilheta, braga, toste (ant.); camisa, camisola, colete de força; betilho, jugo, canga, cofo, mordaça, açaimo, açamo = fiscela, focinheira, cabresto, cabrestão, cabrestilho, coleira, refreadouro, cabeção, barbicacho, brida, rédea, habena, barbilho, gamarra, liame, vínculo, peia, laço, muçurana, corda (*amarração*) 45; ferrolho, chave, cadeado, grade, muralha, parede 706; internação, reclusão, toque de recolher, estado de sítio, confinamento, gueto.
Adj. carcerário, presidiário, prisional.

△ **753. Carcereiro,** jauleiro, agente penitenciário, masmorreiro, aljubeiro, chaveiro, guarda, guardador, guarda-mor, vigiador, vigia, detentor, ergastulário (ant.), cão de fila, tronqueiro, sentinela, *concierge*, guarda-costa(s), comitre (ant.), depositário; escolta, guarda de pessoa;
protetor, governador, guardião, tutor, protutor, tutriz, governanta, aio, ama, nutriz, castelão, vigilante.

▽ **754. Preso,** prisioneiro, escravo, ilota, cativo, detento, detido, *detenu*, recluso, detruso, pássaro encarcerado, forçado de galés, condenado, penitenciário, presidiário, grilheta.
V. estar preso 751.
Adj. aprisionado & 751, algemado, acorrentado, agrilhoado, amarrado, encarcerado, enclausurado.

△ **755.** (Autoridade delegada) **Comissão,** encargo, encomenda, tarefa, incumbência; outorgação, delegação, sub-rogação, substabelecimento, transmissão de poderes; subdelegação, designação, assinação, nomeação, nomeadura, eleição, provimento, colação (ant.), procuração, mandato, autorização, legação, missão, enviatura, embaixada, deputação, agência, mandato apostólico, mandato imperativo;
recado, ônus, gravame, encargo, brevê, diploma, título, *exequatur*, carta branca, credencial, provisão, permissão 760; colação de grau, formatura, graduação universitária, licenciatura, ordenação, sagração, imposição das mãos, instalação, inauguração, investidura, ascensão, coroação, entronização, recondução, aclamação, proclamação, vice-regência, regência;
vice-rei, *delegado* 758; representante (*deputado*) 759, enviado; comissário, comissionista, constituinte, comitente, cometente, cliente, eleitor.
V. comissionar, encarregar de comissão, encarregar, distinguir com, expedir como comissário, deputar, delegar, transmitir por delegação, sub-rogar, consignar, designar, conferir o cargo de, escalar, nomear, escolher, incumbir, confiar, encomendar, cometer, meter o jogo nas mãos de alguém, dar plenos poderes;
revestir/armar de plenos poderes; confiar a alguém o manejo de um negócio, deputar todos os poderes em, mandar, dar por encargo, proclamar, aclamar, autorizar (*permitir*) 760; subdelegar, remeter, encarregar, enviar, despachar, acreditar, legar, instituir, ajuramentar, investir das funções, designar, prover alguém num cargo, prover um cargo, investir, dar posse, dar investidura, empossar, investir das funções de autoridade, coroar, ordenar, conferir ordens, conferir o sacramento da ordem, tonsurar, sagrar, impor o chapéu cardinalício, purpurar, fa-

zer imposição do pálio, ungir, colar o grau, conferir os graus universitários, licenciar, provisionar, colar, empregar, colocar, dar um osso a roer a alguém, passar procuração, substabelecer os poderes, vigorar, pôr em vigor;
ser comissionado & *adj.*; representar, exercer os poderes conferidos, desempenhar um mandato, ficar no lugar de, substituir, fazer as vezes de, ter por missão, ser encarregado de; receber a incumbência/o encargo; suprir a falta de, obter um buraco, assinar o expediente.
Adj. comissionado & *v.*; em comissão, em missão especial, graduado, sub-rogador, sub-rogatório, sub-rogante, provisional.
Adv. per procuratione, em nome de, por ordem de.

▽ **756. Revogação,** ab-rogação, anulação, anulamento, impugnação, ob-rogação, nulificação, revocação, canceladura, cancelamento, rescisão, rescindimento, desajuste, encampação, resiliação, revogamento, cassação, cassamento, desfazimento, circundução, perempção, prescrição, nulidade, invalidação, invalidade, retroatividade, demissão, dispensa, exoneração, remoção, despedida, *congé*, deposição, destronização, destituição, desconsagração;
suspensão de ordens/de exercício;
abolição, abolimento, supressão, dissolução, golpe de estado, proscrição, contraordem, contraedito, contraescritura, contravapor, contramandado, contramarca, contracédula, revogatória, repúdio, desaviso, contra-aviso, reconsideração, desconvite, retratação, palinódia 607; distrate, distrato, adenção.
V. ab-rogar, revocar, revogar;
tornar, declarar sem efeito, ob-rogar;
dar por iníqua/por ilegal uma decisão; anular, desfazer, reconsiderar, nulificar, trancar = declarar sem efeito, infirmar, invalidar, cancelar, *destruir* 162; suprimir, abolir, proscrever, prescrever, cassar, quebrar, rescindir, impugnar, rasgar, dissolver, derrubar, encampar, redibir, tirar a vigência de uma lei, derrogar, caducar, desvigorar, desvigorizar, suspender a execução, resilir, circundutar, descontratar, distratar, desentabular, desnegociar, contramarcar, contraferrar, contramandar, contraordenar, desmandar, desavisar, desencomendar, desconvidar, desaconselhar, atirar aos ventos, retroagir, desfazer um ato, desajustar, dessesmar;
demitir = remover alguém do cargo, dar o bilhete-azul, desencarregar, exonerar, dispensar, desencaixar, desonerar, licenciar, despejar, desempregar, tirar o pão a alguém, desencartar, desengajar, desinvestir, apear do poder, desapear de um cargo, depor, destituir, descoroar, arrebatar o cetro a, expulsar, enxotar, exautorar, destronar, desempoleirar, defenestrar, riscar da lista de, não reconduzir, não aproveitar, dar baixa, excluir das fileiras, varrer de, excluir de, tirar as insígnias, suspender de ordens, excomungar, fulminar excomunhão, derribar, repudiar, desquitar, renegar (*negar*) 536; despojar de, arrancar;
ser revogado & *adj.*;
receber sua dispensa, sua baixa do serviço; contramandar, contraordenar, contraindicar.
Adj. revogado & *v.*; *functus officio*, circundutor, ab-rogador, ab-rogativo, ab-rogatório, retroativo, rescisório, anulador, anulatório, anulante, anulativo, infirmativo, revocatório, revogatório, perempto, circunduto, irrito e nulo.

757. Resignação, retirada, abdicação, demissão, renúncia, renunciação, desistência, abandono, acomodação, conformidade, conformação, pacatez;
abjuração, perjúrio, retratação, abrenunciação, abstenção.
V. resignar, renunciar, abrir mão de, desistir de, não fazer questão de, abandonar, abdicar, abrenunciar;
resignar-se, acomodar-se, não reagir, aceitar, submeter-se;
oferecer/apresentar renúncia; despir a régia púrpura;
encostar o bastão/a vara; exonerar-se, demitir-se, pedir as contas, riscar-se, excluir-se, depor sua renúncia nas mãos de, abjurar, perjurar, retratar, lançar o hábito às urtigas, desfradar-se, desabatinar-se, despadrar-se, quebrar a fé, lançar sua exoneração aos pés de, desligar-se de seu compromisso, dar baixa, renegar (*negar*) 536; ab-rogar 756; desertar 607, 624; ver-se livre de 782.
Adj. abdicante, renunciante & *v.*; resignatário, resignante, abjurante, abjurador, abjuratário/abjuratório, abdicável, abdicatório, demissionário.

758. Consignatário, depositário, *bureau,* nomeado, delegado, agente, preposto, mandatário, procurador, representante, comissário, emissário, enviado, comissionado, *mensageiro* 534; deputação, diplomata, legado, corpo diplomático, embaixada, embaixador, ministro plenipotenciário, adido, *attaché,* encarregado de negócios, legado *a latere, chargé d'affaires,* cônsul, núncio, internúncio, pronúncio, agente consular, exarca;
vice-regente 759; pactuário, contratante; funcionário, curador, empregado, *tesoureiro* 801; bailio, caixeiro, secretário, institor, solicitador, gerente, corretor, intermediário, proxeneta, liquidatário, negociador, leiloeiro, *fac-totum,* faz-tudo (*diretor*) 694; criado 746; agenciador, medianeiro, interventor, caixeiro-viajante, *commis voyageur,* cometa (bras.), representante de casas comerciais, correspondente especial, fideicomissário, testamenteiro, executor, testamentário.

759. Deputado, mandatário, substituto, suplente, vice, procuração, delegação, delegado, representante, enviado, lugar-tenente, *locum tenens,* pai da pátria, legislador, constituinte, congressista, pato mudo (dep.), regente, vice-regente, vizir, quediva, ministro, titular, vigário, presidente do conselho (*diretor*) 694; chanceler, prefeito, decurião, guardião, comissário 758; cônsul, procônsul, vice-rei, plenipotenciário, *alter ego*; *team,* tripulação, clube, esquadra, campeão, time, equipe.
V. ser deputado & representar; desempenhar um mandato, responder por, ficar no lugar de, ser o porta-voz de, estar no lugar de;
deputar, acreditar;
nomear, escolher, eleger seu representante; constituir procurador, fazer-se representar.
Adj. vice, vice-real, proconsular, consular, prebostal.

2º) Especial

△ **760. Permissão,** autorização, faculdade, licença;
ver *consentimento* (762);
consentimento expresso/tácito; pedida (ant.), vênia, favor, graça, mercê, dignação, indulgência 740; liberdade, liberação, trela, obséquio, condescendência, tolerância, outorga, outorgamento, deferimento, aprovação, assentimento 488; beneplácito, *placet,* plácito, indulto, passaporte, conivência, cumplicidade, concessão, epítrope;
autorização escrita, *warrant,* brevê, patente, mandato, sanção, firmã, firmão, passe, passaporte, licença, salvo-conduto, carta branca.
V. permitir, autorizar, facultar, conceder, outorgar, dar liberdade/permissão/poderes, dar licença, admitir, suportar, comportar, tolerar, condescender em, dignar-se, *consentir* 762; reconhecer, concordar, anuir, convir, estar de acordo, favorecer, ter indulgência para com, tomar em consideração, não criar obstáculos a, fechar os olhos, fazer a vista grossa, transigir, ser conivente, não criar obstáculos;
conceder/deferir/armar de poderes, dar força a, privilegiar, conceder privilégios, licenciar, garantir, sancionar, ratificar, confiar (*comissão*) 755; satisfazer; não tolher; autorizar, eximir, não criar dificuldades;
dar carta branca, dar expansão a (*liberdade*) 748, deixar passar, deixar a porta aberta, deixar livre trânsito;
abrir as válvulas/a porta/os diques/livre curso a, soltar as rédeas, franquear a porta, soltar, absolver 970; pôr em liberdade, dispensar de, não observar, resgatar;
pedir/solicitar/exigir licença/permissão.
Adj. permitente & *v.*; permissivo, permissório, permissível, facultativo, concessivo, concessional, autorizado & *v.*; volúvel, indulgente 760, liberal; obsequioso, complacente, condescendente, tolerante, conivente, bonachão, longânime, bonacheirão, benevolente, permitido, lícito, *legal* 963; factível, não defeso, dado, concedido, invedado, justo, que está nos limites do permissível, invedável, que não tem obstáculos, livre, privilegiado, legítimo, incondicional.
Adv. autorizadamente & *adj.*; com licença, com a devida vênia, devidamente autorizado, por graça especial, *speciali gratia,* sob os auspícios de, *ad libitum* (livremente) 748; *à vontade* 600; sob o patrocínio de, por todos os meios 604; sim (*assentimento*) 488; *pace,* como requer, deferido.

▽ **761. Proibição,** defesa, inibição, impedimento, parada, vedação, *veto,* indeferimento, recusa, interdito, interdição, oposição, tolheita, suspensão, cassação, arresto, embargo, sequestro, empate, proscrição, *index expurgatorius,* índex expurgatório, ex-

comunhão, *restrição* 751; obstrução 706; coima, fruto proibido, tabu, xenelasia, medida repressiva, duro freio; cerceio, cerceamento; empecilho, estorvo.
V. proibir, entredizer, interdizer, inibir, tomar, vetar, lançar o seu veto sobre, negar, denegar, obstar a, vedar, parar, bloquear, estorvar 706; baldar, empecer, não (permitir 760); ter mãos em algo, privar de, proscrever, cercear, pôr no índex, amputar, excluir; trancar, aferrolhar, fechar a porta; vedar a entrada; coimar, multar;
conservar dentro dos limites, restringir 751; coibir, frustrar, coitar, pôr um paradeiro a, conter, refrear, estancar, pôr um dique a, limitar, circunscrever;
cortar as asas/o voo a; sustar, declarar tabu, interditar, lançar interdição sobre, interceptar, embargar, tolher, impedir 706, cassar; obstruir, reprovar 932; sequestrar, boicotar.
Adj. proibitivo, proibitório, inibitivo, inibitório, restritivo, exclusivo, prescriptivo, prescriptor, interditório;
proibido & *v.*; não (permitido 760); de contrabando, defeso, inconcesso, interdito, ilegal 964; inautorizado, de que se não deve cogitar; coimeiro.
Adv. de forma alguma; não 536; proibitivamente, nanja.
Interj. Deus nos livre! 766; alto lá!, para!
FRASE: É proibido proibir.

△ **762. Consentimento,** permissão, consenso, praz-me, nução, acedência, assentimento 488, assenso; aderência, adesão, aquiescência, concordância, anuência, beneplácito, obtemperação, *aprovação* 931; deferimento, licença, aprazimento, prazimento, comprazimento, agrado, complacência, aceitação, condescendência, acordo, concessão, cessão, transigência, tolerância, acessão, reconhecimento, agnição; estabelecimento, atendimento, ratificação, confirmação, corroboração, aprovação;
licença (*permissão*) 760; neuma, nuto, adnotação.
V. consentir, assentir 488; *aprovar* 931; ceder, não torcer o nariz, admitir, permitir, conceder, transigir, amolecer, estar pelos autos, dar consenso, concordar, acordar, aceitar, convir, tomar, aceitar com ambas as mãos, mostrar boa cara;
não fazer oposição/objeção; remeter-se, aquiescer, obtemperar, anuir, querer, condescender, comprazer, abraçar, aceder, levantar o veto, sancionar;
satisfazer, ir ao encontro dos desejos de, chegar a um acordo;
não (recusar 764); ser todo ouvidos 602; dignar-se, servir-se;
dar/arrancar um sim; *prometer* 768; deixar passar carros e carretas = não coibir abusos; atender, dar bom despacho, despachar, acolher favoravelmente, deferir.
Adj. complacente, condescendente, comprazedor, indulgente 760; longânime, receptivo, acolhedor, consenciente, exorável, incondicional, *aprobatório* 931.
Adv. sim (*assentimento*) 488; de qualquer modo 604; como quer, como requer 760; sem dúvida, certo, certamente, pois não, pois nana.
Interj. Vá!, está dito!, pois sim!, seja!

△ **763. Oferta,** ofertamento, promessa, oferecimento, brinde, apresentação, lanço, monta, sobrelanço, proposta, proposição, moção, envite, convite, presente, prenda, oblação, oblata, dádiva, donativo, oferenda 784, mimo, aceno, candidatura, ofertante.
V. oferecer, conceder, remeter, ofertar = render = oblatar, presentear, dar, brindar, mimosear, obsequiar, regalar, prendar, levar à presença de, propinar, devotar, dedicar, trazer, apresentar, estender, propor, propiciar, proporcionar, fazer abertura de, prometer, dar os primeiros passos, convidar, entabolar negociações, fazer propostas, pôr no caminho de alguém, atirar sobre o tapete, facultar, facilitar = pôr à disposição de, disponibilizar, pôr ao alcance de, pôr na mesa, oferecer à venda, oferecer em leilão 796; pôr aos pés de, pôr nas mãos de, procurar, lançar, licitar; oferecer-se, apresentar-se, comparecer, propor-se, candidatar-se, engajar-se como voluntário, ser candidato a, candidatar-se, subornar, peitar, oferecer seus préstimos a, dar, ministrar 784;
por à venda, anunciar.
Adj. adv. oferecido, oferente, ofertante, proponente, no mercado, a quem mais der, à venda, de aluguel, para alugar, em oferta, irrecusável.
FRASES: Está servido?

▽ **764. Recusa,** rejeição, refusação, recusação, repulsa, repulsão, repugno, rechaço,

devolução, repúdio, aversão, repelência, desconformidade, desconsentimento, desaprovação, negativa, nega (fam.), negação, denegação, não, indeferimento, desatendimento, insucesso 732; queda, neuma, resposta negativa, negaça, regateio;
recusa peremptória/formal;
acolhimento frio/glacial; esquivança, esquivez;
um não seco/raso/desenganador/liso/redondo, recusa gesticulada;
abnegação, protesto, renúncia, *dissentimento* 489; revogação 756.
V. recusar, vetar, ariscar, regatear, refusar, desconsentir, rejeitar = renuir, repelir, não aceitar, desaceitar; não querer, dar de mão, denegar, negar, refutar, apartar de si, rechaçar;
fechar a mão/a bolsa; ser moroso em, mostrar má vontade, mostrar cara feia, torcer o nariz;
menear/abanar a cabeça; cabecear, gesticular uma recusa, desacolher, desatender, abanar as orelhas, perpassar um peditório;
escusar/indeferir um requerimento; sacudir a cabeça em sinal negativo, não admitir, refugar, repugnar, repulsar, desconcordar com, desconvir, devolver, enjeitar, recambiar, reenviar, fazer voltar, fugir com o rabo à seringa, escusar-se a um pedido, fazer ouvidos moucos/ouvidos de mercador, ensurdecer-se, bancar o surdo;
ser/ficar surdo; não atender a, negar ouvidos a 419; desentender, fazer-se desentendido, desconversar, desperceber, desenvencilhar-se de (*repudiar*) 610;
opor-se, não se prestar a, objetar, fazer objeções, pôr dúvida, questionar, não ceder uma linha 606; resistir, obviar, rescindir (*revogar*) 756; protestar, preterir, dissentir 489; indeferir, não aprovar 932; descomprazer, não condescender, não satisfazer o desejo de; levar uma recusa, ver indeferida sua petição, levar com a porta na cara, encontrar a porta fechada (*insucesso*) 732, bater com a cara na porta; ficar decepcionado 509.
Adj. recusante, recusador & *v.*; recusável, descomprazente, recusado & *v.*; repulso, inaceitável.
Adv. não 536; de modo algum, por forma nenhuma, nanja, negativo, neres (de pitibiriba).
Frases: *Non possumus.* Seu humilde criado (ironicamente). Deus o favoreça! A outra porta, que esta não se abre! Tenha paciência! Sebo de grilo!

△ **765. Pedido,** instância, pedida (ant.), requisição, reclamação 741; empenho, interesse, petição, impetra, requerimento, memorial, requesta, solicitação, pretensão, abaixo-assinado, desejo, imploração, súplica, suplicação, suplicamento, exoração, clamor, apelo, convite (euf.), brado, intercessão, imprecação, conjuro, rogo, rogativa, rogação, precação, prece 990, oração; invocação, invocatória, rogatória, seposição (ant.), postulação, importunação, importunidade, impertinência, assalto, impetração, lamúria, choradeira, obsecração, obtestação, peditório, assédio, busca, deprecada, pedintaria, mendicância, mendigação, mendicidade, mendigaria; cabala, galopinagem; sacola, coleta, bando precatório, subscrição, tômbola.
V. pedir, solicitar, requestar, rogar, implorar, suplicar, obsecrar, exorar, apelidar, obtestar, instar com, postular, bater à porta de, demover com súplicas, interceder por, tomar a liberdade de pedir, empenhar-se com alguém, procurar, buscar, querer, requerer;
fazer/dirigir um requerimento; recorrer a alguém, dirigir-se a, invocar, recorrer, apelar, pleitear, demandar, requisitar, reclamar 741; fazer preces (*culto*) 990, sitiar com assiduidade a porta a alguém, atracar, agarrar-se às abas da casaca de, pedinchar, pechinchar, importunar, assediar, conjurar, adjurar, imprecar, frontar (ant.), exortar, evocar, impetrar, sitiar, urgir, clamar, chorar, bradar, vociferar, atordoar, gritar, buzinar os ouvidos de, montar-se no cachaço de alguém, reclamar com instância, matracar, lançar-se aos pés de alguém, implorar a graça de, dar um atracão a alguém, apegar-se com, pegar-se com, agarrar-se a, mexer os pauzinhos, serrazinar;
perseguir, apertar de dor de ilharga; quebrar cabeça a alguém, recorrer aos bons ofícios de, pedir esmolas, pirangar (pop.), esmolar, estender a sacola, lamuriar, mendigar, mendigar o pão negro da esmola, entregar-se à mendicância, exercer a mendicância, amoinar (gír.), estender a mão à caridade pública, andar à moina (gír.), pedir de porta em porta, alrotar, angariar, fazer coleta, coletar, colher, filar, cabalar, galopinar, candidatar-se a, pedir a mão de.

Adj. pedinte, peditório, pedinchão, precatório, conjuratório, imprecativo, imprecatório, rogativo, rogatório, invocatório, invocativo, suplicante, súplice, suplicatório, postulante, solicitante, pleiteante, impetrante, instante, requerente, implorante, implorador, importuno, importunador, clamoroso, necessitoso, pedintão, mendicante, lamurioso, lamuriento, lamuriador.
Adv. pedintoriamente & *adj.*; de joelhos = *genibus nixus*, de chapéu na mão, de mãos erguidas, com instância, instantemente, encarecidamente, com afinco, porfiadamente, com urgentes rogos, com todo o interesse, a rogo de, em tom lamuriante, choradamente, em fervorosa súplica.
Interj. pelo amor de Deus!, pela tua cabeça!, pela tua vida!, por favor!, *audi nos!* faça-me a graça/o favor de!, por quem és!, oxalá!, tomara! Deus queira!, se Deus quiser!
PROVÉRBIO: Quem muito pede, muito fede.

▽ **766.** (Pedido negativo) **Deprecação,** expostulação, conjuração, esconjuração, exorcismo, intercessão, mediação.
V. deprecar, protestar, expostular, desencomendar, mediatizar, abrenunciar.
Adj. deprecatório, expostulatório, intercessor, medianeiro, mediatário, deprecado & *v.*; insolicitado, ininvocatório; conjuratório, esconjuratório, esconjurativo.
Interj. abrenúncio!, ápage!, longe de mim!, Deus nos livre = *quod Deus avertat!*, fora!, longe vá!, arreda!, não seja o dia negro que...

767. Peticionário, pedinte, requerente, suplicante, reclamante, impetrante, intercessor, terceiro, implorante, implorador, solicitador, solicitante, pedincho (fam.), pedigonho, pedigolho, pidão, pedinchão, pedintão, serrazina, postulante, pretendente, pretensor, pedidor, candidato, aspirante, interessado, apelante, recorrente, arrestante, mediatário, invocador, deprecante; chorão, chorador, choramigas; cabalista, galopim, cabo eleitoral;
mendigo, esmolador, esmóler, mendicante, esmoleiro, necessitado (*pobre*) 804.

3º) Condicional

768. Promessa, proposta, palavra, fé; prometimento;
palavra de honra/de rei; juramento, jura, compromisso, promissão, protesto, voto (*afirmação*) 535; profissão, profissão de fé, protestação, asseveração, empenho, obrigação (*contrato*) 769; penhor, arras, segurança, garantia, plácito;
palavra dada/empenhada; obrigação contraída;
belas/boas palavras, policitação;
Acadina (mit.), promitente, vovente.
V. prometer;
afirmar verbalmente/por escrito; tomar o compromisso de, propor-se, comprometer-se, obrigar-se, garantir, asseverar, dar sua palavra (de honra), penhorar, dar esperanças de, prestar juramento;
assumir o compromisso/a responsabilidade/ encargo de;
empenhar/comprometer a palavra; obrigar-se por juramento;
obrigar à fé/sua fé; ajuramentar-se, protestar, fazer protestos de, professar, ficar responsável;
tomar sobre si/à sua conta/sob a sua responsabilidade; avocar-se;
montes auri polliceri = prometer mundos e fundos/mares e montes/montes de ouro; acenar com;
assegurar, afiançar, garantir, jurar, apalavrar, prometer em contrato 769; atestar (*dar testemunho*) 467;
adjurar, intimar em nome de Deus, receber um juramento;
ajuramentar, juramentar uma testemunha; esconjugar, fazer alguém jurar, deferir compromisso, contrair obrigação, ficar como fiador, prestar fiança 771; assinar como fiador, afiançar; fazer promessas falazes, cacarejar e não pôr ovos.
Adj. promitente & *v.*; promissor, promissório, reversal, votivo, afiançado, prometido, empenhado, penhorado;
sob selo/juramento;
prometido & *v.*; apalavrado, ajustado, combinado, comprometido.
Adv. sob palavra, sob juramento, à fé de quem sou, sob minha palavra de honra, por minha honra.
Interj. assim Deus me ajude!
FRASE: Palavra de rei não volta atrás.

769. Contrato, pacto, compacto, pautas (pop.), trato, ajuste, arranjo, convênio, transação, preito, concerto, conchavo, conluio, acordo, combinação, convença, convenção, barganha, promessa, obrigação, compro-

770. Condições | 772. Observância

misso, plácito, promessa jurídica, tratativa, preitesia, contrata (pop.), finco (ant.), escritura de contrato, firmidão;
censo reservativo/consignativo; estipulação, condição, cláusula, parágrafo, item, alínea, disposição, reserva, ressalva, artigo; protocolo, tratado, concordata, componenda, *Zollverein*, *Sounderbound*, carta, Magna Carta;
negociação 794; diplomacia 724; negociador 758;
alquilaria, anticrese, enfiteuse, subenfiteuse, subemprazamento, engajamento, seguro; ratificação, assinatura, firma, chancela, carimbo, selo, estampilha, sinete, alboroque.
V. contratar, transacionar, apenar, comprometer-se, reborar, concertar, acordar em, ajustar, conchavar, conluiar, convencionar, pactear, pactuar, acordar, combinar, assentar, capitular, estipular, negociar tratados, tratar, agenciar, barganhar 794; apalavrar, ajustar sob palavra, acertar, ajustar mediante certas condições;
concluir um ajuste/um contrato; assentar as bases de um contrato, aprazer-se para; estar sob palavra;
subemprazar, subenfiteuticar;
confirmar, assinar, endossar, ratificar, subscrever, firmar, selar, chancelar, bater o martelo, sigilar.
Adj. contratado & *v.*; convencional, pactário, pactuado & *v.*, contraente, contratual, contratante, transator; combinado = talhado, assente, resolvido, acorde, avindo, ajustado, apalavrado, convencionado, enfitêutico, censítico, subenfitêutico, anticrético, sinalagmático, unilateral, bilateral.
Frase: *Caveat emptor.*

770. Condições, termos, disposições, dispositivo;
cláusula, artigo, parágrafo, item, alínea, provisão, sanção (*qualificação*) 469; escusa, reserva, salva, ressalva, compromisso, obrigação, ultimato, *ultimatum*, *sine qua non*, *casus fœderis.*
V. condicionar, combinar, contratar 769; estabelecer condições, clausular, pôr condições, convencionar, condiçoar, estipular, fazer questão de, responsabilizar-se, comprometer-se, obrigar-se, sujeitar-se, prometer, pôr como condição, salvar, ressalvar.
Adj. condicional, provisório, *sub judice*, dependente.

Adv. condicionalmente 469; *pro re nata*, sob condição.

771. Fiança, fiadura, fiadoria, satisdação, abonação, abonamento, empenho, penhor, arras, segurança, garantia, aval, garantia de aval, obrigação, compromisso, debênture, hipoteca, sinal, seguro;
depósito, caução, gage (ant.), refém; promissória, crédito, ápoca;
letra de câmbio/da terra; palavra (*promessa*) 768;
aceite, endosso, abono, amortização;
fiador, responsável, garante, garantidor, abonador, respondente, avalista, caucionário, caucionante, segurador;
fiador bastante, idôneo;
autenticação, verificação, autorização, certificado, registro 551; cópia autenticada, estampilha;
recibo, quitação, resgate, liberação, ajuste de contas, amortizamento, liquidação, descarga;
título, documento, instrumento, escritura, ato, papel, pergaminho, testamento, cédula de testamento, testamento de mão comum, codicilo, última vontade, fideicomisso;
aluguel, arrendamento, aforamento, enfiteuse, anticrese.
V. prestar fiança, dar fiador, satisdar, fazer caução, segurar, caucionar, penhorar, apenhorar, empenhorar, dar em penhor, pendurar, empenhar, pôr no prego, hipotecar; obrigar sua palavra/seu crédito; segurar com fiança, embuticar;
deixar/depositar de seu penhor; servir de fiador, garantir, responder por, responsabilizar-se por, caucionar-se, fiar, penhorar, obrigar-se por;
afiançar, abonar, uma dívida, avalizar; endossar, aceitar, honrar;
alugar, alquilar (ant.), subarrendar, arrendar, enfiteuticar, sublocar;
tomar/dar em arrendamento; aforar, afretar, emprestar sobre penhores 787;
correr por conta de alguém.
Adj. caucionado & *v.*; pignoratício, codicilar, fidejussório, fideicomissório, reversal.

△ **772. Observância,** execução, implemento, adimplemento, comprazimento, *obediência* 743; prática, cumprimento, satisfação, perfazimento, desempenho, preenchimento, recoleição, cumprimento de dever 926; respeito 928; acatamento, acato; cuidado, atenção, adesão, reconhecimento, lealdade, fidelidade (probidade) 939; fidelidade (rigorosa & 494), docilidade, irresistência; rigor, precisão, pontualidade, zelo, escrúpulo, disciplina.

V. observar, aguardar, seguir, cumprir, adimplir = dar cumprimento à, guardar, satisfazer a, respeitar, acatar, atender, ater-se a, ficar, adstrito a, não se afastar uma linha, ter diante dos olhos, apegar-se, agarrar-se, aderir a, ser fiel a;
cumprir à letra/à risca; executar, levar a efeito, professar, cumprir com a palavra;
seguir os preceitos/as prescrições/os ditames; praticar, cultivar; obedecer, não se esquecer de;
desempenhar uma missão;
cumprir, preencher, desempenhar uma obrigação; desobrigar-se, desencarregar-se, desonerar-se, preencher/honrar sua palavra, cumprir com fidelidade os compromissos, fazer seu ofício, ser como um relógio, resgatar um penhor.
Adj. observante, seguidor, observador & *v.*; praticante, cumpridor, fiel, cultor, leal, fido; fiel como o quadrante ao sol/como a agulha ao polo; supersticioso, formalista, pontual, pontoso, honrado 939; escrupuloso, cumpridouro, consciencioso, religioso, rigoroso 494; intransigente, intimorato, exato, impertérrito, irredutível, vigilante, inviolável, intangível, sagrado, sacrossanto.
Adv. fielmente & *adj.*; à letra, ao pé da letra, à risca, sem refolhos, literalmente 494.

▽ **773. Inobservância,** inexecução, evasão, subterfúgio, pretermissão, omissão, descumprimento, letra morta, preterição, insucesso, negligência, relaxamento, impontualidade, inexatidão, inexação, rasgão, rasgadela, infração, violação, poluição, rutura, postergação, quebra, quebramento, quebrantamento, contravenção, transgressão, repúdio, divórcio, anulação, confiscação, conspurcação, protesto, ilegalidade, infidelidade, deslealdade, desobediência 742; má-fé 940; inadimplemento, falta de cumprimento de dever 927; descompromisso, desrespeito 929; desprezo 930;
contraventor, transgressor, contraveniente.
V. descumprir, faltar, deixar de, negligenciar, deixar cair no chão, pôr de parte, sobressaltar, perpassar = preterir, passar em claro, desprezar, omitir, pretermitir, abstrair de, fechar os olhos a, contravir, deludir, infringir, violar, profanar, abrir brecha, rasgar, traspassar = transgredir, açacanhar, apisoar, quebrantar, quebrar, desfazer, conculcar, postergar, menosprezar, anular, britar, desobedecer 742; pospor, sotopor, subpor, sobpor, atropelar, romper, descurar, atirar aos ventos, nulificar, declarar nulo, tripudiar sobre, passar por cima de, eludir, acalcanhar, calcar, pisar = suplantar; mandar às urtigas, deixar no tinteiro;
ficar letra morta, sucumbir, procumbir; retirar, faltar à sua palavra; tergiversar.
Adj. inobservante, descumpridor, transgressor, transgressivo, quebrador, quebrantador, profanador, infrator & *v.*; contraventor, ilusor, ilusivo, ilusório, comissório, roto, violado & *v.*; infiel, infido.

774. Compromisso, comprometimento, combinação, acordo, obrigação, ajuste, convenção, composição, dívida, responsabilidade; transigência, conciliação, concessões mútuas, solução conciliatória, meio-termo, *mezzo termine, compensação* 30; sincretismo, ecletismo, babismo, concessão mútuas, média, acomodação, cartas reversais;
V. comprometer-se, assumir compromisso/dívida/responsabilidade, compromissar, combinar, convir;
ajustar, compor, acomodar, transigir, fazer mútuas concessões, comutar, tomar a média, rachar a diferença, chegar a meio-termo, encontrar algo no meio do caminho, dar e tomar, chegar a acordo (*contratar*) 769, conciliar;
submeter-se a, basear-se em arbitramento; paliar, lançar uma ponte, arranjar, acomodar os litigantes, harmonizar, fazer da necessidade virtude, acordar (entrar em acordo), entrar em acordo.
Adj. compromissado, comprometido, assumido;
mediano, moderado, compromissário, compromissório; conciliatório, acomodado, compensatório.

4º) Relações referentes à posse

I. Propriedade em geral

△ **775. Aquisição,** adquirição, adquirimento, auferição, ganho, ganhança, ganhuça

(depreciat.), obtenção, captura, captação, coleta, apreensão, angariação, apropriação (789), cooptação, incorporação, logro, conquista, recebimento, consecução, arranjo, arranjamento, adição, compra, herança, herdança (desus.), dádiva 784; herdamento; recuperação, recobro, retomada, reconquista, reivindicação, presúria, evicção, redenção, reaquisição, reassunção, achado, *trouvaille*; gage, pro, rédito, provento, avanço, emolumento (*remuneração*) 973; coleta, prol = proveito, vantagem, pulso livre, biscate, agência, obvenção, lucro, granjearia, carne sem osso, mina de ouro, morgado, pechincha, butim, pilhagem, rapina, rapinagem, saque, tunga; marmelada, pepineira, pingadeira, melgueira, vantagens, mensalão, propinoduto, fatia, chuchadeira, garfada, barganha, ágio, percalço, ganância, interesse, encostadela, resultado, benefício, renda, receita 810; importância, safra, produto, ceifa, vindima, colheita, granjeio, messe, apanha, apanhadura, apanhamento, funda, prêmio, riqueza 803; *poule*;
(aquisição fraudulenta): sub-repção, emprego de meios sub-reptícios, furto 791; usurpação, extorsão, roubo, roubalheira, ladroagem, corrupção, chantagem, abigeato, abacto.
V. adquirir, obter, alcançar, ganhar, perceber, levar, percalçar, haver de, filar, conseguir, mercar, apanhar, apreender, granjear, apropriar, contrair, conquistar, cooptar, arranjar, mamar, chuchar, sugar, coletar, colher, auferir, captar, angariar, reunir 72; recrutar, respigar, recolher, receber 785; senhorear-se de, tomar, usucapir, tornar-se proprietário, achar, encontrar, deparar-se a alguém, topar com, cair sobre, ajuntar, amontoar, economizar, depositar, dar um benefício, ensacar, empilhar, trazer para casa, segurar, reter, derivar, pôr na tulha a colheita, ceifar; aproveitar;
tirar/fazer proveito; lucrar, vencer, auferir lucro, sacar, correr bem o negócio, fazer contos de réis ou milhares de cruzeiros, enriquecer-se;
pilhar, saquear, rapinar, tungar, locupletar, extorquir, roubar, furtar;
comer a dois cabos/a dois carrilhos; estar preso a duas amarras, tirar dois proveitos ao mesmo tempo;
comprar/obter por bom preço; colher os frutos de, lograr, vindimar, gozar, chinchar, abiscoitar, chupar, cobrar;

ter/levar rasca na assadura; trazer água para o moinho, cunhar moeda, levantar fundos, encher a algibeira/os bolsos (*riqueza*) 803; entesourar (armazenar) 636, acumular, amealhar, armazenar; tirar 789, levar, pegar; tombolar, lucrar, percalçar, desdar, recuperar, readquirir, reparar-se da perda de, recobrar, reganhar, reconquistar, reocupar, reivindicar, resgatar, reaquistar, reaver, herdar, trazer, vir, transmitir-se através dos tempos, entrar na posse de, tomar posse, arrecadar, dar em morgado, passar de pais a filhos;
ser rendoso & *adj.*; render, pingar, dar bastante 161; ser recebido 785.
Adj. adquirente, adquirido & *v.*; aquisito (ant.), aquisitivo, rendoso, vantajoso, lucrativo, remunerador, remunerativo, remuneroso, recompensador, recompensável, compensador, pingue, polpudo, opimo, belo, questuoso = vantajoso, proveitoso, produtivo, chorudo, mealheiro, remuneratório = antidoral, rendedouro, usucapto, recebido, percepto, colhido; conseguível & *v.*; sub-reptício, fraudulento, adquirido por meio de sub-repção.

▽ **776. Perda,** perdida, perdição, sumiço, desaparecimento, extravio, descaminho, privação, despojamento, espoliação, esbulho 789; desvantagem, prejuízo, pilota, quebra, malbarato 638; confisco, confiscação, comisso;
diminuição, aminguamento, apoucamento, decréscimo, desfalque, desfalcamento, encolhimento, míngua, redução, merma; subtração, espoliação, desvio, superfaturamento.
V. perder, quitar; dissipar, malbaratar; sofrer/incorrer em uma perda; deixar escapar, ficar sem 777a;
ficar orfanado/privado de;
ficar sem o domínio/sem a posse de; deixar extraviar, ir-se à garra de alguém alguma coisa, alienar, despir-se de, despojar-se de, pôr de parte, tosquiar, desperdiçar 638, ver-se livre de, chorar a falta de;
extraviar, desencaminhar, sumir-se, descarreirar.
Adj. perdido, privado, esbulhado, despojado, deserdado, alheio, desnudado, espoliado, desapossado, despido, livre, desprovido, desaparelhado de;
chamorro, chamorrado, raso, tosquiado, tosado, extraviado, matematicamente perdi-

777. Posse | 779. Possuidor

do (*desespero*) 859; perdidoso; desaparecido, inutilizado;
inarrecadável, incobrável, irremediável, irremissível, insanável, insuprível, irrecuperável, irreparável, insubstituível, irredimível, irreclamável, irrestaurável, perdível, amissível.
Frases: Bens de sacristão cantando vêm, cantando vão. O diabo o dá, o diabo leva.

777. Posse, possessão, propriedade 780; tenência, pertinência, tença; ocupação, dependência, feudalidade, posse exclusiva, secularização, socialização, retenção 781; açambarcamento, monopólio, estanque, privilégio, pertença, ocupação primitiva, usucapião, desfrutação, anteocupação; domínio, controle, disposição, disponibilização; aquisição, compra, obtenção, apropriação;
posse futura, herança, herdança, herdamento, reversão, senhorio; escritura, pássaro na mão, *uti possidetis*, posse secular, posse mansa e pacífica, usufruto, desfrute.
V. possuir, ter, haver, lograr, ter de seu, ter domínio sobre, ter a posse de, ter na unha, ter como propriedade, ter nas mãos, ter o domínio útil, estar de posse de, ocupar, anteocupar, desfrutar, usufruir, usufrutuar, ser dono de 780; dominar, ter domínio útil, dispor de, exercer a soberania, gozar, fruir, desfruir, estar na posse mansa e pacífica, adquirir 775; descarecer;
herdar;
receber/obter/ter/haver por herança;
açambarcar, monopolizar, atravessar;
apoderar-se, apossar-se, conquistar, apreender, usurpar, apropriar-se, arrebatar, confiscar, capturar, tirar, roubar, extorquir, pegar, levar;
pertencer, competir, ser propriedade de, corresponder, fazer parte do patrimônio de;
meter/investir na posse; empossar, constituir possuidor, encabeçar.
Adj. possuidor & *v.*; possessor, dono de, partícipe, participante, meu, teu, seu, nosso, vosso, minha, reminha, próprio, possessório, manutenível, senhorial;
carregado/dotado/cheio/pejado de; movido por, possuído, à mão, de reserva, em estoque, ao alcance da mão, à disposição de, disponível;
dominal.
Frase: *Beati possidentes!*

777a. (Falta de dono) **Desprovimento,** ausência 187; bens do evento, roupa de franceses.
V. não ter dono, ser sem dono.
Adj. isento de, livre de, desprovido de, abandonado de, despossuído, impossuído, inadquirido, devoluto, vago 187; inobtido, teatino (bras.), caducário, bravio.

778. (Posse em comum) **Participação,** coparticipação, copropriedade, comunhão, comunicação, comunidade de bens, partilhamento/partilha; comunismo, indivisão, cooperação 709; cooperativismo, socialismo, coempção; coolaboração, solidariedade;
condomínio, coerança, coparticipação, parceria, sociedade, comandita, coproprietário, quinhoeiro, cabecel = cabeça de casal = pessoeiro, sócio, condômino, parceiro, consócio, societário, comanditário, proprietários indivisos, comproprietário, compossessor, participante, compartícipe, codonatário, comparte, meeiro, acionário, acionista, jurista, assinante, coerdeiro, colegatário, comunista, socialista.
V. participar, coparticipar, partilhar, ter parte em, compartir, compartecipar, compartilhar, quinhoar, aparceirar-se, associar-se 709, colaborar, cooperar, solidarizar-se;
jazer a herança;
estar em comum/em indiviso.
Adj. indiviso, em comum, precípuo, participante, partícipe, partilhado & *v.*, comparte, comunial, comum.

779. Possuidor, possessor, dono, senhor, ocupante, titular, posseiro, usuário, usucapiente, quinhoeiro 778, quotista, coproprietário; sesmeiro, usufrutuário, proprietário, senhorio, morgado, detentor, meeiro, aforador, foreiro, locador, locandeiro, caseiro, granjeiro, quinteiro, feitor, rendeiro, afretador, fazendeiro, armador, estancieiro; beneficiário, feudatário, censatário, censionário, enfiteuta, subenfiteuta, desfrutador, cabedaleiro, cabedeleiro;
donatário, concessionário, sucessor de, alienatário, legatário, colegatário, fideicomissário;
depositário, credor, hipotecário;
(futuro possuidor): herdeiro, herdeiro aparente/presuntivo, coerdeiro; príncipe real, príncipe herdeiro, testamentário, tercenário, unciário, delfim, *kromprinz*;
promitente comprador.

780. Propriedade | 782. Abandono

Adj. proprietário; senhoril, senhorial, possuinte, armentoso, unciário.

780. Propriedade, posse, recursos, possessão, *suum cuique, meum et tuum,* senhorio, domínio 737; colônia, enfiteuse, *contrato* 769; direito, título, pertence, título precário; título de venda/de doação/de propriedade; propriedade perfeita/imperfeita;
arras, dote, apanágio, herança, legítima, monte, espólio, inventário, patrimônio, fideicomisso, legado 784;
ativo, bens, haveres, teres, bona (ant.), bens profetícios, massa falida, pertences, meios, recursos, riqueza 803; dinheiro 800;
morgado, feudo, bacálio;
bens de raiz, de alma;
bens imóveis, moventes, semoventes, alodiais, patrimoniais;
prédios rústicos, urbanos;
fazenda, hacienda, estância, sítio, latifúndio, gudinha, benfeitoria;
propriedade urbana/rural; herdade, quinta, almoinha, quintão, compáscuo, comunais, chácara, quinta de granjearia, granja, casal, casa, prédio, imóvel, gleba, regada;
bens mobiliários, imobiliários; mobiliário, mobiliária, baixela, alfaias, instrumento, impedimento, bagagem, bens de mão morta;
território, domínio, feudo, estado, reino, principado, arquiducado, capitania, sesmaria, paraganas;
prédio serviente/dominante; dependência, anexo;
propriedade pessoal, móveis, contenças, roupas, enxoval, joias, bens parafernais, equipamento 633; bens dotais;
acervo, cabedal, tesouro, fortuna, divícia pensão, montepio (*receita*) 810; *crédito* 805; *dívida* 806.
V. possuir 777, ter, ser senhor e possuidor de 779; ser dono de, ter como seu, receber, herdar, aforar, alugar, locar;
ser propriedade sua, pertencer a, ser de;
apropriar-se de, tomar posse de, apossar-se de, adquirir, comprar, entesourar, dispor de.
Adj. predial, urbano, rústico, rural, feudal, alodial, parafernal, mobiliário, imobiliário, patrimonial, fateusim, dado em aforamento, perpétuo, fideicomissório, dotal, dotalício.

△ **781. Retenção,** retência, preensão, guarda, vigilância, custódia, penhora, detenção, controle; tenacidade, mão firme, mão de ferro; bloqueio;
inalienabilidade, intransmissibilidade, incomunicabilidade, inalienação, indisponibilidade;
garras, armas, garras aduncas, gatázio, punho, tentáculo, unhas = úngula, mão, braços, gadanho, cingideiras, cornicho, antena, chavelho, dedos, bastos (pop.), amarra, vínculo; punho, pulso, canamão, dentes, galapos, presa, polegar, indicador, fura-bolos, dedo médio, maior de todos, dedo mínimo, mindinho, seu vizinho, mata-piolhos, dedo anular, fórceps, tenazes, pinça, buchela, alicate, torquês.
V. reter, retundir, segurar, embraçar, pegar, prear, brecar, prender, aferrar, enclausurar, emparedar, confinar, filar, fisgar, agarrar 43; tomar, segurar com pulso de ferro, sobraçar, conservar na gaiola, arrecadar, deter, empunhar, ser o detentor de, atenazar, asir (ant.), represar, apresar, arpoar, deitar os arpéus a, ocupar, deitar os gadanhos a, agadanhar, não deixar escapar, não largar de mão, conservar, empolgar, agatanhar, cativar, aprisionar;
obstruir, impedir acesso, bloquear;
armazenar 636; reservar, monopolizar 777;
amarrar, tornar inalienável;
(gírias) sentar em cima, embrulhar e levar para casa; (chulo) não trepar e não sair de cima.
Adj. retido & *v.*; retentor, monopolizador, retentivo, tenaz, detentor, uncinado, detensor, antenado, dinemo, digitado, incomunicável, inalienável, intransferível, intransmissível, invendível, indoável, de mão morta.
FRASE: *Uti possidetis.*

▽ **782.** (Abandono de propriedade) **Abandono,** renúncia, abdicação, expropriação, relinquição, cedimento, cedência, cessão, larga, quitação, descarte, desocupação, evacuação, *resignação* 757; alienação, tomada, entrega, enjeitamento.
V. abandonar, largar, desasir, ceder, relinquir, abrir mão, desistir, abdicar, enjeitar, deixar escapar, entregar, desempunhar, deixar, desempalmar, desempolgar, renunciar ao direito de propriedade, dispor de, privar-se de, pôr de parte, pôr no arquivo (desus.) 678; desapoderar-se, desapropriar-se, despossar-se, quitar, desocupar, deixar devoluto, desfazer-se de; relegar ao abandono; de-

783. Transmissão | 784. Doação

sabitar, retirar-se de, evacuar, livrar-se de, exonerar-se, desembaraçar-se de, aliviar-se de, descartar-se de, desagarrar, lavar as mãos de, deixar em terra; atirar fora/jogar fora/arremessar fora/ao mar/aos ventos; dar aos porcos/aos cães; abandonar a presa.
Adj. abandonado & *v.*, derelicto, derrelito; não colhido, sem dono, devoluto, inaproveitado.

II. Transferência de propriedade

783. Transmissão (de propriedade), transporte, alienação, legado, abalienação, transferência 270; lavramento de escrituras, pertence, enfeudação, doação, subenfiteuse, sublocação, sub-rogação, arrendamento, subarrendamento, repasse, traspasse, aforamento, venda, troca 148 e 794; substituição 147; sucessão, reversão.
V. transferir, passar para outrem, repassar, desalhear, alienar, abalienar, sublocar, subarrendar = traspassar, sub-rogar, transmitir, pôr nas mãos de;
passar a outras mãos/a mãos de terceiros; subenfiteuticar, subemprazar, negociar, doar 784; ceder, vender, arrendar, legar, enfiteuticar, aforar, andar de mão em mão, andar em morgado, herdar-se, passar de pais a filhos, vir às mãos de (*adquirir*) 775; deserdar, desapossar, substituir 147; destituir.
Adj. alienável, cedível, transferível, negociável, vendível, transferido & *v.*; sub-rogador, sub-rogatório.

△ **784. Doação,** dada, donativo, obladagem (ant.), dádiva, mercê, concessão, cessão, legação, outorga, outorgamento, transferência, entrega, dotação, dote, maritágio (ant.), assinação, subscrição, distribuição, consignação, patrocínio, subvenção, subsídio;
alvará de insinuação;
caridade, liberalidade, generosidade, filantropia, bizarria, bizarrice, rasgo de generosidade, obsequiosidade;
(coisa dada): presente, vedalhas (ant.), brinco, mimo, lembrança, brinde, dádiva, saguate (Ásia), miúdas, retorno, donadio, convite, obséquio, favor, obrigação, benefício, dom, prenda, benesse, sainete, oferenda, voto, oferta, oblação, oblata, obrada, dedicatória, legado, prelegado, sacrifício, imolação, graça, ato de graça, bônus, capilha, pensão, contribuição, subscrição, subvenção, subsídio, tributo, primícias;
vintena, deixa, herança, sucessão, manda (ant.), mandado, dotação, esmola, óbolo, espórtula, propina, piso, emolumentos, quibanda, pitança, mesada, medrugo, festas, gages, gratificação, luvas, *douceur*, alça, lambedela, molhadura, chavádego, diafa, xixica, gorjeta, caravela, janeiras, estreias, boas-festas, fogaça, barataria, ajuda de custo; peita, mão-pendente, suborno, isca, lambujem, engodo, prato de lentilha; sacrifício humano, propiciatório.
esmóler, esmoleiro, esmoleira, esmolador, doador, patrocinador, mantenedor, subscritor, presenteador, obsequiador, contribuidor, donatário, benemérito, mecenas; pitanceiro, alforje, bolsa, escarcela.
V. entregar, render, tributar, apresentar, remeter, passar às mãos, enviar, dar, dar e redar, devotar, oferecer, disponibilizar, dedicar, obradar (ant.), pôr nas mãos de, fazer chegar às mãos de, pôr algo em poder de, transmitir, contribuir, patrocinar, financiar, comunicar, transferir, confiar, presentear, dadivar, prendar, liberalizar, prodigalizar, despender, doar, fazer presente, representar, brindar, rechear, mimosear, obsequiar, regalar, erogar (desus.), largar, devolver, retribuir, distribuir, repartir, bizarrear, desentranhar-se, conceder, outorgar, despachar, esportular, esmolar, conferir, proporcionar, consagrar, sagrar, votar, dar de espórtula, gratificar, aquinhoar, remunerar, premiar, arraçoar, subscrever, subsidiar, pensionar, dotar, legar, mandar em testamento, testar, deixar em herança, herdar, deixar legado, ceder;
fornecer 637; supeditar, ministrar, subministrar, prestar, propinar, socorrer, dispensar, regatear;
pôr à disposição, facilitar, facultar;
depor/lançar aos pés de alguém;
peitar, subornar, comprar, untar as mãos a alguém, render com peitas, engodar, oferecer 763; impingir;
sacrificar, imolar.
Adj. entregue, doado & dadival;
doador, dador, concessor, caridoso, caritativo, esmolento, esmóler, esmolador, bizarro, cavalheiro, generoso, franco, filantrópico, dadivoso, daimoso, pensioneiro, raçoeiro,

contribuinte, contributário, grátis 815, gratuito; sacrificial, nuncupatório, profectício.
FRASE: *Bis dat qui cito dat* = dá duas vezes quem dá sem demora. A cavalo dado não se olham os dentes.

▽ **785. Recebimento,** percepção, percebimento, recepção (*aquisição*) 775; (*introdução*) 296; aceitação, aceite, acolhimento, admissão, embolso;
recebedor, delegado, mandatário, herdeiro, legatário, destinatário, donatário, concessionário, feudatário, rendatário, porcionário, beneficiado, depositário, recipiendiário; esportulário, estipendiário, beneficiário, pensionário, pensionista;
coletor, arrecadador, portageiro, siseiro, cobrador, exator, receptor;
pedinte, mendigo, esmóler,
V. receber, aceitar, tomar, obter, levar, haver, alcançar, conseguir;
obter como concessão/como favor; coletar, acolher, agasalhar, recolher, angariar, arrecadar, apanhar, admitir, servir de receptáculo, receptar, caber, embolsar; encofrar, cobrar, reembolsar; levantar um depósito, vencer/ganhar/perceber/ter de ordenado, dar em seu poder, colher de, aceitar com ambas as mãos, herdar, locupletar-se; ser (recebido & *v.*); estar em seu poder, cair nas mãos de;
caber/tocar a alguém, entrar para o rol, ser classificado no número de, dar entrada, aumentar.
Adj. recebedor & *v.*; recipiente, receptor; recebido & *v.*; dado 784; de segunda mão.

786. Partilha, partilhamento, aquinhoamento, divisão de bens, repartimento, compartimento, compartilhamento;
divisão geodésica/proporcional, divisão *pro rata*; rateio, acoirelamento, distribuição, coequação, repartição, divisão, dividendo, porção, parte, contingente, quota, rasca, quinhão = sesmo (ant.), data, lote, gleba, monte, *quantum*, parcela, *modicum*, ração, posta, adua;
folha, formal, carta de partilha/de pagamento; o seu a seu dono = *suum cuique*, agrimensor, repartidor, partidor, rateador, piloto, engenheiro, topógrafo.
V. partilhar, compartilhar, fazer partilha, dividir *pro rata*, fazer divisão geodésica, destrinçar, aparcelar, repartir, departir (ant.), parcelar, cotizar, retalhar, sesmar, distribuir, partir, talhar;
quinhoar, aquinhoar, fazer rateio, ratear, separar o meu do teu, discriminar as glebas componentes, compartir, comparticipar, acoirelar, aduar, amealhar;
caber em partilha (*ser recebido*) 785.
Adj. partilhador & *v.*; partilhado & *v.*
Adv. partilhadamente & *adj.*; em rateio, respectivamente, em partes proporcionais, *pro rata*; geodesicamente.

△ **787. Empréstimo,** mútuo, mutuação, adiantamento, suprimento, abono, avanço, hipoteca 771; emprego de capitais, usura, oneração, agiotagem, ágio, comodato, montepio; penhora, casa de penhores;
emprestador, prestamista, capitalista, usurário, agiota, credor, mutuante, mutuador, comodante; financiador, investidor.
V. emprestar;
fazer/dar de empréstimo, ceder temporariamente, adiantar, abonar;
emprestar a juros/sob hipoteca/sobre penhores; mutuar, agiotar, usurar, caucionar 771; estar no desembolso de, depositar, empregar, investir, pôr a juros, tornar firme um empréstimo, alugar, arrendar, aforar, sub-rogar;
dar ou pôr dinheiro a juro/a logro/a interesse.
Adj. emprestador & *v.*; mutuante, feneratício, mútuo.
Adv. por adiantamento, por empréstimo, sob hipoteca.

△ **788.** (Levantamento de empréstimo) **Empenhamento,** empenho, encostadela, penhor, fiança, garantia, mutuação, penas emprestadas, plágio, plagiato; desembargo, devedor, cabedaleiro, cabedeleiro, mutuário, mutuatário, facadista (bras.), arrendatário, comodatário, plagiário.
V. tomar emprestado, contrair empréstimo, responsabilizar-se pelo pagamento de;
levantar empréstimo/dinheiro; endividar-se 806, sangrar, dar uma facada, dar sangria a alguém; tomar; empenhar, penhorar, pôr no prego;
despir um santo para vestir outro, tomar emprestado de Pedro para pagar a Paulo, arrendar, morder (gír.).

△ **789. Apropriação,** apropriamento, desapropriação, expropriação, (estes dois como apropriação por parte de quem desapropria), tomada, tomadia, recepção 296; apreensão, captura, arresto, rapto, confiscação, confisco, ablação, *subtração* 38; abstração, adenção, deserdação, exerdação; desapossamento, privamento, privação, intrusão, sequestro, sequestração, incameração, embargo, penhora, evicção, adjudicação, cresta, represadura, rapacidade, rapina, rapinagem, extorso, extorsão, usurpação, comedela, sangria, concussão, avanço, exação violenta, vampirismo, pirataria, latrocínio, tosquia, tosquiadela, furto 791; retomada, recuperação 775;

agarramento, arrancamento, sugadouro, sanguessuga, retenção 781; apresamento, tomada à força; tomador, captor, apreensor, apreendedor, arrestante, injusto possuidor, ave de rapina, harpia, tosquiador, depenador, extorsor.

V. apropriar-se de, tomar, arrebatar, fisgar, agafanhar, agadanhar, agarrar, ensacar, embolsar, meter no bolso, aquinhoar-se, receber, aceitar, empalmar, reter, represar, pagar-se com as próprias mãos, colher, apanhar, obter 775; desnoivar, privar de, desaparelhar, arrogar, apossar-se de, fazer-se senhor de, arvorar-se dono de, arrogar-se o direito de, desaquinhoar, incamerar, senhorear-se de, apossuir-se de, assenhorear-se de, tomar para si, incorporar ao patrimônio de, expropriar, desapropriar, ocupar, deitar a mão a alguma coisa, sopresar = apresar, fazer mão baixa, rapar, depenar, fazer presa de, destituir, orfanar, não usar de cerimônias, interceptar, desaposentar, abjudicar, empolgar, apreender, desvalijar, desguarnecer, esbulhar, levar, carregar, fugir com, alçar-se com, raptar (*roubar*) 791; varrer, sequestrar; roubar, surrupiar, escamotear; cair, abater-se, atirar-se sobre;

tomar à força/de assalto; levar de assalto, arrefanhar;

tirar por força/por violência; tomar das mãos de, arrepanhar, arrebanhar, agarrar; fazer apreensão/tomadia; capturar, prender, rapinar, deitar as mãos sobre, segurar, reter com firmeza, não largar, segurar pelos calcanhares, fazer prisioneiro, não deixar escapar, aprisionar;

tirar de, *subtrair* 38; encurtar 201;

utilizar-se, servir-se de, lançar mão de, apoderar-se de, invadir, assaltar, saquear, tungar, limpar, estender o braço, extorquir, arrancar, sugar, usurpar, desapoderar, despojar, evencer, desapossar, esbulhar da posse de, deserdar, despir, espoliar, sequestrar, devorar, confiscar, encontar, depauperar, secar, exaurir, enfraquecer, *empobrecer* 804; absorver 296; esfolar, explorar;

chupar/tirar a alguém os olhos; dessangrar, rentear, tosquiar = tosar, levar couro e cabelo, tonsar, tonsurar, assestar, embargar, penhorar, fazer penhora, executar, excutir;

retomar, recuperar 775.

Adj. privativo, apreensível, predativo, predatório, rabaz, roubador, extorcionário, torcionário, rapace, rapinante, rapinador, vampírico, parasítico, privado 776; murador, usurpador.

Frase: Dê uma polegada e receba uma braça. (Joc.) O que é meu é meu, o que é seu é meu. (Joc.)

▽ **790. Restituição,** reversão, devolução, retorno, volta, entrega, restauração, reintegração, reinvestimento, recuperação, reabilitação 660; abjudicação, indenização, desembargo, redenção, repatriação, recobro, resgate, retomada 775.

V. restituir, retornar, entregar, tornar, devolver, reconduzir, fazer voltar às mãos de, render, repor, descomer (pop.), reenviar, reexportar, reexpedir, recambiar, restaurar, reembolsar, indenizar, restabelecer, reintegrar, resgatar, reabilitar, abjudicar, remeter, vomitar, retribuir, repatriar, redimir, recuperar 775; reaver, reapossar-se, reverter, desembargar, desencampar.

Adj. restituidor, restituitório, restituível & *v.*; recuperativo, recuperatório.

Frase: *Suum cuique.*

791. Furto, roubo, roubalheira, roubadia, saltada, assalto, subtração, defraudação, ratonice, afano, tunga, mosco, latrocínio, subrepção, empalmação, copiangagem (bras.), fajardice, apropriação, escamotagem (gal.), escamoteação, plágio, plagiato, depredação, *raid*, furacidade, devorismo, espoliação, esbulho, expilação, saque, saqueio, saco, sacomano (ant.), devastação, incursão, gaziva, razia, pilhagem, rapina, rapinagem, usurpação, cresta, limpa, *brigandage*, bandoleirismo, pirataria, piratagem, corso, gatunagem, gatunice, ladroíce, ladroeira, ladroagem, trambique, mamparra, ranfo, infidelidade; cleptomania;

mensalão, propina (ilegal), propinoduto, apropriação indébita, formação de quadrilha, improbidade administrativa, crime de colarinho branco, corrupção, quebra de decoro parlamentar, abuso de prerrogativas; descaminho, sumiço, desvio de dinheiro; desfalque, dilapidação, rombo, alcance, concussão, improbidade 940; estelionato, chantagem, encostadela, peculato, contrabando, fraude 545; malversação, candonga, conto do vigário, comedela, negociata, traficância, sisa, sede de roubo, contas aladroadas, bote, abacto, abigeato, rapto, levamento (ant.), carta de corso, gazua, pé de cabra, chave-mestra;
espelunca, valhacouto, homizio, covil de ladrões; falperra, centro de pilhagens, pinhal de Azambuja, caverna de Ali-Babá, cacaria.
V. furtar, roubar, saltear, safar;
tomar, tirar o alheio; ladroar, ladroeirar, ladripar, abafar, deitar a mão, afanar, fazer mão baixa, desviar, apropriar-se indevidamente de, latrocinar, rapar, bispar, subtrair, sorratear, arrebatar, desencaminhar dinheiro, rapinar, rapinhar, cardar, empandilhar, agadanhar, gadunhar, comer, gualdripar (fam.), tirar, bifar, sonegar, gatunar, gazofilar (pleb.), surripiar, surrupiar, usurpar, limpar, depenar, levar, mamar a alguém todo o seu cabedal;
limpar/apalpar as algibeiras a alguém; empalmar, maquiar, abiscoitar, escamotear, fazer pinto, fazer mão baixa, fazer um firme e quatro rodarem, abotoar-se com alguns contos de réis, desvalijar = roubar os alforjes, capiangar (bras.), afreguesar-se com alguém (fam.), traficar, larapiar, pegar-se alguma coisa à mão de alguém, encher a mochila, fazer passar como seu, expilar, raptar, fugir com, bater a carteira;
dilapidar, malversar, concussar, desfalcar, sizar, defraudar, fraudar 545; saquear, crestar, dar uma cresta, dar saco a, pilhar;
assaltar, pôr/meter a saque, meter/enfiar a mão; talar, assolar, forragear, devastar, piratear, depredar, fazer depredação, prear, escalar, andar ao salto, despojar, lesar, espoliar, escorchar, contrabandear, candongar, malandrar, esfolar, tosquiar, tonsurar, tosar, rentear, levar couro e cabelo (tomar) 789; ser (ladrão & 792); não fazer distinção entre o meu e o teu, arraposar-se, ter as manhas da raposa para furtar, conjugar o verbo ra-

pio em todos os seus tempos; receptar, encobrir furtos, ser capa de ladrões, agatunar, ter unha na palma da mão, ser roubado, ser presa de, ser vítima dos ladrões, cair no conto do vigário, levar uma bolada de.
Adj. depredatório & 789; ladravaz, ladro, gatuno, agatunado, despojador & *v.*; aladroado, malversador, dilapidador, desonesto 940; sub-reptício, pirático, roubado & *v.*; de contrabando = entrelopo.
Frase: *Sic vos non vobis.*

792. Ladrão, *homo trium literarum,* amigo do alheio, homem de sete ofícios, gatuno, camafonge, pichelingue, unhante, pandilheiro, larápio, lapim, cafunge, manata, meliante, pivete, trombadinha, rato, ratazana, ratoneiro, mioto, milhafre, milhano, leirão, rato de armário, capiango (bras.), pilho, vigarista, ladrão formigueiro, ladravaz, ladroaço, ladravão, ladravaço, ladrisco, malandro, malandrim, malandréu, malápio = perro; assaltante, ventanista; cleptomaníaco;
ladrão chapado/refinado; rabaz (ant.), corsário de toda a roupa, empalmador, abafador, escamoteador, furtador, rapinante, ave de rapina, harpia, agadanhador, estafador, olhapim, olharapo, cavalheiro de indústria, traficante, chatim, abactor, batedor de carteiras, carteirista, descuidista, punguista, gateador, puxador, explorador, despojador, espoliador, capoeira, saqueador, trabuqueiro, falsário, falperrista, salteador, quadrilheiro, bandido, facão, alfaneque, lascarino, pente-fino, vampiro, tosquiador, depenador, alvela, pilhante, sacomão (ant.), filhos da noite, apresador, beduíno, bandoleiro, pirata, captor, corsário, flibusteiro, contrabandista, fraudador, defraudador, tubarão, marraxo, embusteiro, miquelete, Luigi Vampa, forrageiro, forrageador, peculatário, estelionatário, concussionário, concussor, agiota = zângano, comedor, passador de notas falsas, moedeiro falso;
quadrilha de ladrões, alcateia, cacaria (bras.), malandragem, raptador, receptador, capa de ladrões;
mensaleiro, corrupto, escroque, corruptor, propinador, aliciante, chantagista, extorsor.
V. Ver em *furto* (791).
Adj. malandrino.

793. Presa, despojo, butim, boa presa, espólio, despojos opimos, *spolia opima,* muamba.

Adj. manubial.

III. Troca de propriedade

794. Permuta, câmbio, troca, cambo, escambo (ant.), intercâmbio, livre-câmbio, livre-cambismo; barataria;
quid pro quod, comutação;
comércio, veniaga, mercância, tráfico, negócio, oferta e procura, compra e venda, mercantilismo, comércio a retalho, comércio, atacado, varejo, feira, mercearia, trato mercantil, chatinaria, mércia (chulo), negociarrão; negocista (dep.);
transação, operação, negociação, negociamento, barganha, especulação, negociata, agiotagem;
empresa especulativa/comercial; corretagem, agência, espírito mercantil, balcão;
mercador, comerciante, comprador, vendedor, compra, venda;
merceologia.
V. permutar 148, trocar, baratar, comutar; escambar, cambiar, tratar, negociar, barganhar, ferrejar, girar, comerciar, feirar, transacionar, contratar 769; agenciar, mercanciar, regatar, traficar, veniagar, mercadejar, chatinar, mascatear, futricar, trafegar, trafeguear, fazer negócio, exercer o comércio, trastejar, estar estabelecido com casa de negócio, ganfar, comprar, vender, revender, efetuar transações, entregar-se à prática de transações comerciais, fechar um negócio;
fortunear = ser feliz em negócio;
especular, explorar, montar uma exploração em alta escala;
empregar/empatar capital; ter em giro.
Adj. comercial, negocioso, mercantil, mercatório, mercante, vendível, negociável, exploratório, contratável, disponível, de fácil colocação no mercado, permutável, mercável, especulativo, especulador cambial.
Adv. mercantilmente & por atacado, por grosso, em grosso, a retalho, em alta escala, a varejo.

△ **795. Compra,** coempção, aquisição, adquirição, adquirimento, consumo, suborno, preempção, procura, regateio, lançamento, arrematação, sub-hastação, lanço; procura (p.op. a *oferta*).
freguesia, clientela;
freguês, cliente, comprador, arrematador, adquirente, consumidor, usuário, importador, adquiridor, alienatório, lançador, licitante, rameiro, regatão.
V. comprar, adquirir, fazer aquisição, aquistar, mercar, feirar, regatar, pagar 807; dar por um objeto certa quantia, esbrizar (ant.), despender 809; importar, afreguesar-se, avezar-se, ser freguês de, consumir, aplicar o dinheiro em compra, regatear;
comprar a dinheiro/à vista/fiado/a giz/à rasa/a prazo/a prestação/de altamaia; lançar, rematar, arrematar, peitar, subornar, comprar, corromper, untar as mãos de alguém, licitar.
Adj. comprador & comprado & *v.*; comprável, de grande procura, emptício (jur.).
FRASE: *Caveat emptor.*

▽ **796. Venda,** vendição, redibição, vazão, saída, extração, fornecimento, exportação, alienação, alienabilidade, vendibilidade;
venda a retalho/por grosso/por atacado/a varejo; retrovendição;
leilão, praça, hasta pública; vendedor, exportador, alheador, alienador, mercador 797; pregoeiro, leiloeiro; *e-commerce,* venda pela internet;
oferta (p.op. a *procura*).
V. vender, pôr à venda, dispor de, alienar, alhear, impingir, reduzir a (dinheiro 800); converter em metal sonante, negociar 794; redibir; oferecer, ofertar;
comerciar, comercializar, disponibilizar, lançar, fornecer, colocar, distribuir;
dar, deixar por; levar ao mercado, colocar no mercado; exportar, efetuar a venda, regatar, mascatear, atavernar, arratelar, arrobar, revender, retrovender, vender à rasa;
pôr em leilão/em hasta pública; almoedar;
pôr a/em preço; fazer leilão, leiloar, deitar no leilão;
pôr/meter a laços; fazer veniaga de;
pôr/vender em praça; pracear, chiscar = picar o lanço, cobrir o lanço a alguém, levantar o lanço, entregar o ramo, sub-hastar, vender às rebatinhas, fiar.
Adj. vendível, vendável, exportável, mercável, negociável 794; alheável, disponível, alienável, de grande procura.
Adv. sob o martelo, ao correr do martelo, à venda, em hasta pública, em lanço, em leilão, a quem mais der;
a prazo, à vista, a dinheiro, a prestação, fiado, financiado, no cartão, parcelado.

797. Mercador | 800. Dinheiro

797. Mercador, homem de negócios, mercante, mercadeiro, negociante, atacadista, tanganhão, varejista, ferrageiro, ferragista, comerciante, feirante, retalheiro tascante, merceeiro, vendeiro, vendedor, revendedor, lojista, tendeiro, feitor, barateiro, negociador, intermediário, camelô, mascate, caixeiro-viajante, traficante, vendilhão, negocista (dep.), publicano (dep.), cabedaleiro, especulador, chatim, vendedor ambulante; regateiro, aviado (bras.), bufarinheiro, futriqueiro, mogarabil, merca-tudo, regatão, revendão, revendilhão, atravessador, monopolista, monopolizador, açambarcador, *colporteur*, trapeiro, chatinador, palheireiro, quitandeiro, adelo = zângano, mercador de sobrado, vendedor com bufarinha, tarega, ferro-velho, roupavilheiro, algibebe, jubeteiro, adelo, alfarrabista, aguardenteiro, trapista, alquilador, almocreve, azemel, potreiro, recoveiro, marchante, pombeiro, tasqueiro, taverneiro, vivandeira, *vivandière*, regateira;
corretor, proxeneta;
agente 758 de comissões/de câmbio/de fundos públicos; comissário, cambiador, cambista, capitalista, rebatedor, empreiteiro, empreitador, transator.
Adj. proxenético.

798. Mercadoria, mercancia, veniaga, merce, bens, cabedal, produtos, gêneros, objetos, artigos, partida, carga 190; estoque 636; fazenda, algo, alcaide (dep.), encravo (dep.), pinoia (dep.), mono (dep.), canudo, ferro-velho; provisão, abastecimento, sortimento.

799. Mercado, praça, telônio, praça de comércio, ágora, vendedouro, feira, núndinas (ant.), quermesse, bazar, chandeu (na China), bezesã (Síria), entreposto, núcleo, empório, interposto, centro comercial, ribeira, alfândega, aduana;
ponto de venda, armazém, armarinho, loja, mostruário, taceira, mostrador, vitrina, montra (gal.), papelaria, tabacaria, estanco, vidraçaria;
casa comercial/de negócio; mercearia, quiosque, taverna, baiuca, quitanda, bodega, locanda, chafarica, botequim, bar, tasca, esteiraria, malcozinhado, sebo (bras.), casa de alfarrabista, venda, vendola;
mercado virtual, internet, *e-commerce, mobile*;
mercado de ações/de títulos, investimento, investidor, derivativos, bolsa de valores, pregão, mercado futuro, *commodities*, fundo de investimento.
Adj. tabernal, tabernório, nundinário; comprador, oferecido; volátil, estável.
Adv. em alta, em baixa, estável.

IV. Relações monetárias

800. Dinheiro, finança, conta-corrente 811; fundos, tesouro, gazofilácio, capital, numerário, estoque, bens (*propriedade*) 780; riqueza 803; o nervo da guerra, o metal rico e reluzente, dinheiro metálico, numo; banco, instituição financeira;
moeda, níquel, moeda forte/fraca/corrente; inflação, deflação, pecúnia, guines (pop.);
o louro/o vil metal; meios, teca, recursos, cum-quíbus, china (pop.), patacos (pop.), aquilo com que se compram os melões, roço, maquia, bagalhoça, bagarote (bras.), caroço (pop.), chelpa, guinéu, parva, sustimento, sustinência, dinheiral, dinheirão, dinheirama, patacaria, bolada, dinheiro em metal sonante, placa (pleb.), coscos, vantagem pecuniária, soma, somatório, quantia, monta, montante, verba, importância, cifra, pecúlio, saldo, produto (*receita*) 810; quota;
(gíria, pop.): algum, bagulho, gaita, grana, erva, arame, bago, caramingüá, cobres, mangos, paus, pacotes, pratas;
soma redonda, total;
moeda corrente, contante; numisma, meio circulante, dinheiro de contado, *cash*, espécie, real, câmbio, dólar, euro, libra, marco, soberano (pop.), libra esterlina, loura (chulo), cavalinho (pop.), franco, lira, renmimbi, RMB, iuan, piastra, peso, rublo, peseta, tomão, florim, rial, bolívar, yen, coroa, dracma, rand, shekel, muzuna, ducado, tostão, centavo, shilling, penny, cent, pataca, cruzado, vintém, mil-réis, cruzeiro, patacão, escudo, moeda antiga;
cartão de crédito, cartão de débito, dinheiro de plástico, ficha, cheque ao portador;
metalismo, monometalismo, bimetalismo; braceagem = cunhagem de moeda;
metais preciosos; ouro, o rei dos metais, prata, platina, cobre, ouro em barra, pepita;
barra de ouro, de prata; arriel, carteira, moedeiro, bolsa, bolso, bolsinho, acica (pop.);
(ciência das moedas): numismática, numária, numismatografia, crisologia, crisopeia;

801. Tesoureiro | 803. Riqueza

papel-moeda, vale postal, letra ao portador, letra promissória, nota, cédula;
letra de câmbio/de terra; cheque, rescrição, vale, letra, ordem, saque, ressaque, ordem de pagamento, ted, doc, endosso, aval, *warrant*, cupom, cupão, *debênture*, *assignat*, apólice;
valor nominal/real/atual; senhoriagem, prestação (*pagamento*) 807; crédito 805; dívida 806; troco, operação, sacador, avalista, devedor, banqueiro, endossante, moedeiro, cambista; lastro, ouro, *commodity*, valor futuro; padrão monetário;
desvalorização, maxidesvalorização, moeda falsa/desvalorizada;
câmbio baixo/vil; aviltamento da moeda; descida/baixa/queda do câmbio;
câmbio alto, ao par;
subida/alta/ascensão do câmbio; valorização da moeda;
fixação do câmbio, quebra do padrão, estabilização, *argumentum ad crumenam*.
V. importar em, montar em, valer, perfazer, atingir a, elevar-se, endossar 771; emitir, fazer emissão, amoedar, monetizar;
lavrar, cunhar, fabricar moeda;
emitir, imprimir, fazer circular, circular, girar, correr, pôr em circulação;
decretar, ter curso forçado; ter curso, ter poder liberatório;
pejar a circulação de notas falsas;
subir o câmbio;
sanear, valorizar a moeda; aumentar o poder aquisitivo, cair o câmbio, desvalorizar a moeda, desmonetizar, sacar, ser sacador de letras.
Adj. monetário, pecuniário, financeiro, financial, fiduciário, capitalístico, suntuário, fiscal, numismal, numismático, numário, numular, numulário, esterlino, divisionário, aurilavrado, aurífero, aurifício, aurifulgente, corredio, valedio.
Adv. monetariamente & *adj.*
Provérbio: Negro é o carvoeiro, branco o seu dinheiro.

801. Tesoureiro, pagador, pagante, arcário (ant.), arqueiro (ant.), bolseiro, claviculário, questor, bolsa, mordomo, depositário, banqueiro, cambiador, caixa, guarda-livros, fiel, esmóler, esmoler-mor, cambista, juiz da festa, almoxarife; patão (bras.), marchante (bras.); diretor financeiro, financeiro, financista, economista;
ministro da Fazenda, das finanças; fazendário, diretor do Tesouro, orçamentólogo; cobrador, contador.

802. Tesouraria, pagadoria, tesouro, arca, casa dos contos, banco, erário, finanças, fisco, cofre do Estado, caixa-forte, burra, cofre (*receptáculo*) 191; gazofilácio, almoxarifado, caixa de depósitos, bolsaria, bolsa, fazenda pública, as garras do fisco, contadoria, recebedoria.
Adj. bancário.

△ **803. Riqueza,** *bona res*; fartura, abundância, superabundância, chorume, afluência de bens; pletora de dinheiro, opulência, uberdade, grandeza, abastança, independência, solvência, solvabilidade, afagos da riqueza, divícias, cabedal, bens;
riqueza principesca/nababesca, tesouro oculto = moura encantada, os bens do mundo, temporalidade, provisão, meios de vida, mantença, dote, arras, pensão, meios, recursos, posses, faculdades, possibilidades, propriedade 780; mina de ouro 637; ariel, renda 810; bagalhoça, capital (*dinheiro*) 800; El Dorado, Páctolo, Golconda, Potosi, Peru, dinheiro, Manoa, dinheirama brava, dinheiro a tute, caroço, fortuna (gal.); uma baba, uma carroça de dinheiro, uma bolada, uma exorbitância;
capitalista, nababo, plutocrata, milionário, ricaço, argentário, numulária, banqueiro, arquimilionário, multimilionário, miliardário, biliardário, *lord*, Creso, Midas, Pluto, Temon de Atenas, homem quantioso, bichaço, ricanho, boa firma, homem sobrado, sorte grande;
burra cheia, bolsa repleta, mouro faiscante; aristocracia do dinheiro = argirocracia, timocracia, plutocracia, elite, classe A, os graúdos, os detentores das riquezas, as fortunas colossais.
V. ser rico & *adj.*; nadar em dinheiro, rolar em riquezas; ter o seu arranjo, ter futuro, ter coleira larga, ter chorume, ter a bolsa bem redonda, ter a bolsa bem provida, ter meios, ter meios para viver folgadamente, ter muita teca, ter muito bago, ser um poço de dinheiro, ser homem de muitas posses, ser independente, ter dinheiro como bagaço, jorrar dinheiro pelo ladrão, dispor de meios, possuir grossos cabedais, estar em situação próspera, viver na opulência, girar com milhões;

804. Pobreza | 804. Pobreza

ir longe, ganhar mundos e fundos, lavar a égua, ganhar montes e mares, fazer fortuna; viver fidalgamente/à larga/em mar de rosas; nadar em grande água, avantajar-se em riquezas; cuspir sangue em bacia de ouro (rico, porém doente); tornar rico & *adj.*; ajuntar, enricar, enriquecer, enriquentar, rechear, apotentar, opulentar, cevar, locupletar(-se), ganhar dinheiro, prosperar, rechear-se bastante, entesourar, afazendar-se, amontoar tesouros (*adquirir*) 775; cevar-se, estar no caso de, ter posses para, adorar Mamon, adorar o bezerro de ouro, arranjar a vida, desempobrecer, encher as arcas do tesouro;
ter grande dote = avezar um dote imenso; estar bem de vida, estar bem, estar feito, estar realizado.
Adj. rico, ricaço, endinheirado, facultoso, independente, machucho, apotentado, abarrotado de dinheiro, amoedado, afazendado, abastado, afluente acreditado, podre de rico, abonado, acontioso (ant.), recamado, suntuoso, régio, quantioso, principesco, nababesco, capitalístico, próprio de um rei, magnífico, pecunioso;
rico como Creso, armentoso, bagulhoso (gír.), recamado de joias, circunfulgente de pedrarias, argentífero, de muitas riquezas naturais, de amplos horizontes econômicos, aurífero, aurífico, diamantífero, diamantífico, gemífero; opulento, opimo.
Provérbio: Onde fala o ouro, cala a razão.

▽ **804. Pobreza,** indigência, penúria, carência, inópia, escassez, precisão, míngua, aperto, apertura, paupérie, pauperismo, falta 641 de recursos, curteza de meios, desamparo, necessidade, pindaíba (bras.), piranga (pop.), apuro, dificuldades 704; extremidade, miséria, miserê, pulhice, transe, angústia, privação, pobreza franciscana, lazeira;
falta de dinheiro; (gír.) dureza, prontidão, sufoco, agrura; circunstâncias difíceis/embaraçosas/prementes/estreitas/angustiosas; recursos escassos;
modéstia, curteza de meios; *res angusta domi*, impecuniosidade, inclemência da miséria;
mendicância, rafa, mendigagem, mendicidade, mendigaria, insolvência 808; mendigação;
bolsa vazia/enxuta/fraca/leve/chata/limpa; limpeza de bolsa, algibeiras secas, vida de arrasto;
pobre, pobrete, pobretão, mendigo, indigente, miserável, desgraçado & *adj.*; joão-ninguém, piranga, necessitado, mendicante (pedinte) 767; pobre diabo, sacomão (ant.), cabaneiro, roto, esfarrapado, farrapeiro, farrapilha, joão-panão, fraca roupa, maltrapilho, pilão (reg.), pelitrapo, pelintra, pelintrão, fandinga, valdevinos, valdo (ant.), lazarone, pingão, pinga, pingante, tagarote 876; destituído, despossuído.
V. ser pobre, precisar, ter falta de, viver em apuros, passar necessidade, ter poucos recursos, ter escassos meios de subsistência, viver sob o constrangimento de tremendas aperturas, ter a bolsa chata, ter conhecido dias melhores (*adversidade*) 735;
viver na pindaíba, viver no sufoco, estar sempre no vermelho, viver abaixo da linha da pobreza, não ter real/onde cair morto/eira nem beira/nem ramo de figueira/nem cheta/panos para manga/soca/senão cotão na algibeira/meios de subsistência;
estar baldo ao naipe, estar à dependura, estar no bagaço, estar com a corda no pescoço, estar à paz de pirolo ou de parolim (pop.), estar sujeito a uma penhora, estar no espinhaço, estar na pindaíba (bras.), estar aos paus, estar na indigência; andar à onça, levar vida de cão, ir remediando-se com o pouco que tem;
viver da graça de Deus, viver das mãos de Deus/da sua indústria/como Deus é servido; ir remediando-se com o pouco que ganha; viver aos dias, viver de sua agência; andar arrastado/caindo de lazeira/à piranga/ao lambisco; remar o seu remo = levar vida difícil e laboriosa; riscar a cama no chão com giz, arruinar-se, falir, quebrar, ficar a zero, ficar a nenhum, ficar a pedir misericórdia, ser pesado a alguém;
comer-se de piolho/de miséria; estar reduzido à expressão mais simples, decair, cair em pobreza, ficar com as algibeiras despejadas, ver-se nas garras da miséria, pingar miséria, carecer de tudo, padecer de extrema inópia;
viver na lama/em continuadas privações; rarear o dinheiro na bolsa de alguém, minguar a alguém o pão;
ficar à ucha/a pedir chuva; viver às sopas da caridade, mendigar, passar fome, morrer de fome;
ficar pobre/limpo/fresco/à pá (pop.); estarem os tempos bicudos;

tornar pobre & *adj.*; empobrecer, tosquiar, tonsar (ant.), arruinar, depauperar, desenriquecer, despecuniar, desopulentar, comer as unhas de alguém, pôr alguém no estaleiro = reduzir à mendicidade;
reduzir à pobreza/à miséria; tirar a camisa a alguém, descamisar, desencamisar, afaimar, pelintrar.
Adj. pobre, rafado, depecuniado, depauperado, arruinado, falido, quebrado, necessitado, mesquinho, minguado, necessitoso, pronto, penurioso; pobre como um rato de igreja/como Jó; impecunioso, *qui n'a pas le sue*, andrajoso (*nu*) 226; falto de dinheiro, endividado 806; insolvente 808; sem eira nem beira, faminto, oprimido pelas necessidades, apelintrado, pobrete, pobretão, mísero, miserável, miserando, misérrimo, roto 226, modesto; coitado, desgraçado, desvalido, despossuído, desprotegido, infeliz, esquecido, desamparado, abandonado.
Adv. *in forma pauperis*, com uma mão atrás e outra na frente, em talas, pobremente & *adj.*; à míngua, a zero, a nenhum, em penúria extrema, de rastos, à divina, sem um centavo, em dolorosa situação econômica, na capacidade de suas posses e forças.
PROVÉRBIOS: Pobreza não é vileza. Rareia-lhe o dinheiro no bolso.

△ **805. Crédito,** confiança, fiança, fé, fieza, venda a crédito, empréstimo, financiamento, confiança na solvabilidade; fidúcia; abono, alma do comércio;
crédito público/comercial/agrícola/industrial;
carta de crédito, hipoteca, empenho, debênture, haver (p. op. a deve), capital flutuante; vale, duplicata, promissória, saldo, superávit;
cartão de crédito, cartão de débito;
caução, garantia, lastro, penhor;
credor, prestamista, arrendador, credor hipotecário, usurário;
banco, financeira, carteira, Serasa.
V. ter crédito, ser financiável, ter bom nome na praça;
abrir conta-corrente, abrir crédito, creditar, acreditar;
lançar no crédito, na conta do haver; pôr na conta de;
dar crédito, fiar, afiançar, parcelar, pendurar, debitar, creditar uma conta;
lançar um artigo no débito/no crédito, estar no desembolso de; ser credor de.

Adj. creditador, empenhado, dado a penhor, creditório, creditício.
Adv. a crédito, fiado, financiado, parcelado; a prestação, no cartão; por conta de.

▽ **806. Dívida,** obrigação, compromisso, responsabilidade, atraso, débito, o devido; deve (p. op. a haver);
adimplência, adimplemento; inadimplência, calote;
falta, demora de pagamentos; atrasados, tercedia, moratória, déficit, saldo devedor, insolvência 808; dívida ruim/malparada;
juros, interesses, usura, ganância, agiotagem, extorsão, sufoco; capital; dívida flutuante, capital flutuante; devedor, chega (ant.), amortizador, falido 808; encostador;
documento de dívida = síngrafo, crédito, ápoca; duplicata, promissória, papagaio, vale, pendura/pindura.
V. ter dívidas, dever, ser devedor, contrair/assumir dívidas;
oberar-se, carregar-se de dívidas; tomar emprestado 788; estar em dívida, endividar-se, encravelhar-se, estar endividado, dever os cabelos, dever até a alma, estar empenhado até as orelhas, encostar alguém com duas libras, ficar na pendura/pindura;
ficar atrasado, atrasar-se, inadimplir, ficar inadimplente, dar calote, calotear, restar, encalacrar-se, atalancar-se, onerar-se, sobrecarregar-se, aumentar os encargos;
ser fiador, responder por.
Adj. endividado, alcançado, encalacrado; adimplente, inadimplente; cheio de dívidas, oberado de dívidas, abismado de dívidas, carregado de dívidas, crivado de dívidas, onerado de dívidas; atalancado, responsável por;
em dívida, devedor; comprometido, em débito;
em circunstâncias difíceis/embaraçosas/precárias; sobrecarregado, onerado, apertado, mergulhado até as orelhas em compromissos, de pés e mãos atados, insolvente 808; em atraso;
vincendo.

△ **807. Pagamento,** solvência, remuneração, pago, paga, embolso, desembolso, reembolso, custeio, amortização, compensação;
solução, liberação de uma dívida; resgate, quitação, quitança, franquia, recibo, talão, liquidação, apuração, satisfação de compromissos,

808. Insolvência | 809. Despesa

ajuste, desobriga, desobrigação, aceite, aval, liberação, descarga, descarrego, dação, solvabilidade, retribuição 973, restituição;
prestação, cota, quota, parcela, remessa;
pagador, liquidador, liquidatário, quitador, pagante, paguilha, contribuinte, principal pagador, expromissor, aceitante, avalista.
V. pagar, desembolsar, custear, remunerar, fazer face a, fazer pagamento, satisfazer, persolver, solver, tornar quite, quitar, liberar;
pagar bem/de contado/à vista/em boa moeda/de seu bolso; puxar da, ou pela bolsa; amortizar, resgatar, remir, fazer face aos seus compromissos, satisfazer suas dívidas, quotizar, cotizar, subsidiar, alargar os cordões da bolsa;
remitir, resgatar uma dívida; embolsar o credor;
liquidar/ajustar/saldar contas; desencalacrar-se, desendividar-se, desempenhar, saldar, soldar, embolsar, reembolsar, retribuir, indenizar, pagar-se de suas próprias mãos; pagar às ou por pagelas; pôr em dia os seus pagamentos;
ficar quite, receber quitação, tornar-se quite;
honrar, aceitar uma letra; portear, franquear, selar;
fazer *compensação* 30.
Adj. pagante & pagador & *v.*; que nada deve, adimplente, solvente, desembaraçado, quite, quito, quitado, desobrigado, solvável, remuneroso, remunerativo, remunerador, remuneratório, anuitário, liberatório.
Adv. de contado, a dinheiro de contado, à vista, *cash*.

▽ **808.** (Falta de pagamento) **Insolvência,** inadimplência, inadimplemento, caloteirismo, calote, caurim, logro, borla (pop.), cão (fam.), não pagamento, falta de pagamento, prejuízo, déficit, desfalque, bancarrota, quebra, quebradeira, ruína, desonra, falência, quebra de compromisso, descumprimento; tramoia, trambique;
suspensão/cessação de pagamento;
convocação, chamada de credores, miséria, sonega, sonegação, alcance;
letra protestada, respiro, tercedia, moratória, concordata, compromisso, massa falida, CERASA, protesto, execução;
dívida insolúvel/malparada; finanças periclitantes, economias arruinadas, corrida aos bancos;
falido, devedor, bancarroteiro, caloteiro; velhaco, caurineiro, trambiqueiro, tramoeiro, trapaceiro, tratante.
V. calotear, inadimplir, não (pagar 807); falir, quebrar, não poder satisfazer seus compromissos;
suspender/cessar pagamentos; chamar credores, requerer concordata, declarar-se em estado de quebra, fazer ponto;
ir à glória, ir ao chão, ir à terra, ir de ventas ao chão (fig. pop.); arruinar-se, subverter-se;
ficar insolvente; não ter com que pagar, naufragar seu crédito, alcançar-se, sonegar, fazer-se à malta, repudiar a dívida, protestar, desonrar, desacreditar, calotear, lograr, fintar (bras.), encalamoucar, caurinar, pregar um cão a, dar/pregar calote, dar prejuízo a, ficar alcançado & *adj.*; fazer das suas;
pagar sob protesto, fechar a bolsa, repudiar as dívidas, falir fraudulentamente (roubar) 791; contracambiar, ficar no desembolso;
Adj. não pago, em aberto, não quitado, não saldado, protestado, em *dívida* 806; atrasado, em atraso, *pobre* 804;
insolvente, inadimplente, falido, alcançado, bancarroteiro, arruinado, quebrado, desonrado; desacreditado; caloteiro, assopeado; velhaco 940;
incobrável, insolvível, insolúvel, irredimível, malparado, irremunerado, irrecompensado.
livre, gratuito, grátis, desonerado;
Adv. grátis 815; gratuitamente, sem remuneração, fiado, para o bispo.

△ **809. Despesa,** dinheiro que sai, custo, custa, custas, custeio, manutenção, desembolso, dispêndio, gasto, expensa, consumo, importe, sumpto, sustento, mão de obra, circulação, *preço* 812; pingadeira;
saída, deve (p. op. a haver), débito;
(importância despendida): *pagamento* 807; paga (*remuneração*) 973; peita 973; salário, soldada, diária, honorário, subsídio, ajuda de custo, achega, estipêndio, joia, propina, carceragem, tributo, contingente, quota, coleta, contribuição, donativo 784; acheganças, ordenado, vencimentos, pagamento adiantado, antecipação, adiantamento, abono, arras, sinal, luvas, penhor, depósito, prestação, foro, ônus, encargo, gravame, mantença, anuidade, anualidade, mensali-

dade, ordinária, dízimo, primícias, emprego de capital, *compra* 795;
obrigação, taxa, tarifa, imposto, *overhead*.
V. gastar, gualdir, despender, esbrizar, sacrificar, empatar, aplicar, empregar, *pagar* 807; desembolsar, consumir, abrir a bolsa, abrir os cordões da bolsa, adiantar, sangrar, sofrer uma sangria, sumir-se o dinheiro na voragem de, dar cabo de, empandeirar, *remunerar* 973; manter, sustentar, subscrever (*dar*) 784; subsidiar, contribuir; investir, injetar recursos; custear, amortizar.
Adj. gastador & gasto & suntuário, suntuoso, caro, dispendioso 814.

▽ **810. Receita,** rendimento, crédito, faturamento, insumo, entrada, haver (p. op. a deve), quantia recebida, renda, censo, fruto, foro, margem, resultado, dividendo, lucro líquido, reembolso, benefício, produto, ganho 775; acheganças, achega, subsídio; percepção, cobrança;
aluguel, juros, pensão, censo, mesada, laudêmio, pitança, vencimentos, remuneração, soldo, salário, honorários, comissões, pró-labore, ordenados, sabidos, arras, montepio, meio-soldo, prêmio, dotação, alimentos, alfinetes, emolumento 973; tontina, cevadeira, pingadeira.
V. receber 785; arrecadar, levantar, fazer entrar em cofre, coletar, cobrar, perceber, auferir, ganhar, faturar;
tirar, arrancar, derivar de; adquirir 775; tomar 789;
render, produzir;
dar lucro, dar de rendimento; pingar;
trazer/fazer bom rendimento, aproveitar, fazer conta, lucrar, tirar lucros;
ter/levar rasca na assadura;
derivar de (*ser recebido*) 785.
Adj. lucrativo, rendoso, polpudo, pingue, rico, opimo, chorudo, proveitoso 775.

811. Contabilidade, contas, estatística 85, finanças, orçamento;
lei de meios, ânua, orçamentária; saldo de contas, ganhos e perdas, lançamento, escrituração;
previsão, planejamento, planilha, projeção, plano de negócio, viabilidade;
livros, borrador, diário, razão;
livro-caixa, mestre; deve-haver; há de haver, débito, crédito, conta-corrente, crédito de depósito em conta-corrente, balanço, balancete, encontro de contas, confrontação dos débitos e créditos, estorno;
escrituração;
partidas simples/singelas/dobradas; financista 801;
tribunal de contas, código de contabilidade; contabilista, guarda-livros, caixeiro, contador, orçamentólogo; tributarista.
V. escriturar, registrar o movimento das transações comerciais, fazer lançamento, debitar, creditar, inscrever como credor, lançar o débito e o crédito, balancear; abalançar, balançar contas; conhecer a diferença entre o ativo e o passivo;
lançar no débito/no crédito;
abrir/fechar uma conta; levar um artigo ao débito/ao crédito;
verificar uma conta, lançar suas contas; aumentar/corromper/falsificar/viciar uma conta; estornar.
Adj. contábil, financeiro, fiscal, monetário 800.

△ **812. Preço,** valor estimativo, valor pecuniário, valor intrínseco, preço sugerido; importe, custo, custa, feitio, pedido, aluguer, aluguel, porte, frete, carreto, recova, recovagem, salário (*remuneração*) 973; equivalente, avaliação, avaliamento, cotação, preçário, rasa;
sobrepreço, superfaturamento;
tabela, planilha, cotação, tarifário; imposto, direitos, taxa, tarifa, imposição, tributo, ônus, gravame, cota, quota, participação, encargo, contribuição voluntária;
imposto de consumo/de renda; novos e velhos direitos, *octroi*, finta, capitação, alvitre, derrama, direitos alfandegários, sisa, imposto indireto, imposto territorial, quinto, quarteirão, alcavala, finta, dízimo, décima, gabela, guiagem, fogal, portagem, direito de barreira, peagem (ant.), pedágio, resgate, pauta, direitos pautais, corretagem, comissão, frete, fretamento, maquia, foro, arrendamento;
reajuste, indexação, inflação, deflação; valor, avaliação, avaliamento, almotaçaria;
preço corrente, preço fixo, preço vil, preço justo, preço de mercado; pechincha, achado; almotacé.
V. apreçar, marcar preço, pôr preço, fixar preço; cotizar, taxar o valor de, avaliar em, cotar, almotaçar, cobrar, exigir, pedir, não deixar por menos de, encabeçar, levar, maquiar, penhorar;

assumir custo/despesa, arcar com; importar em, custar, subir a, descer a; comprar por, vender por; valer, equivaler, regular, montar em, montar a, atingir a, chegar, avaliar, reputar, estimar, calcular em, orçar em;
pechinchar, regatear, negociar, ratinhar; fintar, lançar a finta;
superfaturar, sobrecarregar (de impostos), espremer, escorchar, esfolar, extorquir;
sobrecarregar, gravar, onerar de tributos; coletar, tributar, impor tributos, cotizar ou quotizar.
Adj. caro, exorbitante, inacessível, escorchante, acessível, astronômico, regateado, apreçado & *v.*; mercenário, venal, consumível, vendível, *ad valorem*, líquido.
Adv. à razão de, ao preço de, quanto.
Frases: Festa acabada, músicos a pé. Quem não canta, dança.

▽ **813. Desconto,** abate, abatimento, rebaixa, rebate, rebatimento, redução, ágio, taxa, comissão, primagem, porcentagem, diminuição, dedução, merma, contracâmbio, meio por cento, um ou mais por cento, tara, depreciação, quebras, falhas; desvalorização, deságio;
liquidação, queima de estoque, ponta de estoque;
desconto racional, por dentro, por fora, comercial.
V. descontar, fazer desconto, abater, esquitar, reduzir, deduzir, rebater, taxar, tarar, trocar com desconto, reduzir comissões, tirar, desvalorizar, diminuir, aviltar, depreciar;
não levar, não meter em conta; baratear.
Adj. descontado & *v.*
Adv. com desconto, abaixo do par, à razão de.

△ **814. Carestia,** careza, alta, custo elevado, exorbitância, extravagância, extorsão, exploração, ganância, ambição, sangria, tosquia, tosquiadela, esfolamento, imodicidade dos preços;
inflação, descontrole, indexação;
preço alto/excessivo/exorbitante/escorchante; assalto à bolsa, encarecimento; depenador, tosquiador, explorador;
ano da fome, lei anonária, tendal.
V. encarecer, inflacionar; estar caro & *adj.*; cheirar a alho; custar caro;
custar os dentes da boca/os olhos da cara; custar sacrifícios, estar pela hora da morte, ter uma grande alta, subir de preço, sair mais cara a mecha do que o sebo, pagar demasiado, ser obrigado a despesas excessivas, ser vítima da ganância de, carregar o preço, encarentar;
altear/subir/elevar o preço; valorizar, pujar, sangrar, pelar, esfolar;
chupar, tirar a alguém os olhos da cara; enterrar a unha, extorquir, explorar, tosar, tonsurar = tonsar, depenar, tosquiar, rentear, cardar;
meter/enfiar a mão, levar muito caro, passar a perna, vender bem, vender por bom preço, apurar a mercadoria, puxar, ganhar meio por meio, vender por cima do alvo, salgar.
Adj. caro, alto, dispendioso, puxado, salgado, elevado, pesado a ouro, custoso, oneroso, de custo sobrelevado;
de custo elevado, descomedido, imódico; adquirido por alto preço, desrazoável, acima de qualquer preço, astronômico, extravagante, extorsivo, inadquirível, subido, exorbitante, despropositado, pecunioso, rico, suntuoso, suntuário, que obriga a grandes despesas, insuportável, impossível, inadmissível, carestioso, ganancioso, careiro, explorador, malcontentadiço.
Adv. caramente & *adj.*; a peso de ouro.

▽ **815. Barateza,** baixeza, modicidade nos preços;
achado, preço baixo/ínfimo/diminuto/convidativo; redução nos preços, baixa, baixura, barateio, barateamento, desvalorização, deságio, malbarato, depreciação, pechincha, bagatela, pepineira, queima, preço de amigo, melgueira, preço de arrematação;
desconto, liquidação, remarcação, xepa;
(ausência de pagamento): gratuidade, gratuitidade, graciosidade, honorificência, entrada franca, porto franco, isenção de; oferta, brinde, prêmio;
V. ser barato & *adj.*; custar pouco, cair de preço, comprar bem, desencarecer, baratar, baratear, abater a mercadoria, abaixar o preço, dar por diminuto preço;
vender por dez réis de mel coado, por preço arrastado; vender arrastado, enforcar, queimar, liquidar, torrar, malbaratar, baixar, pôr a barato, dar desconto, fazer abatimento, fazer uma grande redução nos preços, arrefeçar (ant.), pôr ao alcance de todas as bolsas;

comprar por um nada/por uma bagatela; vender/comprar por tuta e meia.
Adj. barato, acessível, ao alcance de todos os bolsos; barateiro, pechincheiro; de preço módico/razoável/moderado/comedido/modesto/atencioso; razoável no preço, bom e barato;
barateado & *v.*; depreciado, invendível, sem preço, dado, gracioso, honorífico, irremunerado, livre de, incobrável, que não exige sacrifício pecuniário, incondicional, desinteressado;
gratuito, *free*, isento, imune.
Adv. barato & grátis; gratuitamente & *adj.*; a giz, por nada, de beijado, de mão beijada, de borla, de graça, sem custar um vintém, de bóbus, a nicolau, de carona, de gagosa, de godés, sem retribuição, sem interesse, sem obrigação de recompensa, *gratis por Deo*, desinteressadamente, *ad honores*, de meia cara, às mãos lavadas, de mão lavada, por qualquer preço, a mofo, de mofo, de molagem, graciosamente, à custa alheia, à ufa, sem sacrifício, sem dispêndio próprio, ao desbarate, por preço muito baixo e com prejuízo;
por dez réis de mel coado, na bacia das almas, por uma tutameia.

△ **816. Liberalidade,** abertura, bizarria, bizarrice, galhardia, generosidade, longanimidade, brio, grandeza, magnificência, munificência, *prodigalidade* 818; magnanimidade, franqueza, dadivosidade, solidariedade, solicitude, bondade, gentileza, hospitalidade, cavalheirismo, caridade (*beneficência*) 906; largueza, profusão, nobreza de ânimo, rasgo, favores.
V. ser liberal & *adj.*; soltar-se em liberalidades, esportular;
alargar, abrir, franquear a bolsa; afrouxar os cordões da bolsa, outorgar, largar mão, bizarrear, desentranhar-se, não regatear favores, solidarizar-se, desembolsar-se 809; ter as mãos rotas, ter um grande coração, dar boa medida, dar com mão larga, favorecer, prodigalizar, liberalizar, despender, dadivar, presentear, mimosear, obsequiar, praticar ações rasgadas;
talhar pelo/ou ao largo = não olhar a despesas.
Adj. liberal, franco, largo, generoso, pródigo, bizarro, galhardo, cavalheiro, cavalheiroso, de mãos abertas, dadivoso, daimoso, presenteador, brioso, mimoseador (*dadivoso*) 784; obsequiador, munificente, magnânimo, magnífico, gentil, favorecedor; principesco, régio, nababesco; de generosidade sem igual = *munificentia effusissimus*.
Adv. prodigamente & *adj.*; com mãos largas/abertas; com muita largueza, à larga, *sine sordibus* = bizarramente.

▽ **817. Economia,** poupança, parcimônia, modicidade, avareza 819; frugalidade, estreiteza, pequenez; contenção; boa ordem no governo de uma casa, controle, gerenciamento, regra, restrição nas despesas, pecúlio, recheio, economias, mealheiro, cós, coscorrinho, pegulho, arranjo, coalho, reserva, bolsinho, bolsa, cofre, pé-de-meia, busilhão; formiga, governadeira, governanta.
V. ser econômico & *adj.*; andar com o prumo na mão, economizar, ratinhar, embornalar, guardar, reservar, poupar, amontoar, forrar, andar em dia, olhar o dia de amanhã, equilibrar a receita com a despesa, prover-se para os dias de inverno, ser previdente; adelgaçar, diminuir, sopesar, regrar, encurtar, refrear, apertar, restringir, comprimir, modicar, agorentar as despesas; conter, controlar, gerenciar, limitar-se;
apertar a bolsa/os cordões da bolsa; distribuir com parcimônia = tentear, coalhar dinheiro, ter seu pé-de-meia, amuar dinheiro, entesourar, aferrolhar, ajuntar, empatar, encofrar, regatear.
Adj. econômico, formicular, frugal, modesto, parco, arrecadado, arrecadador, poupado, acanhado, parcimonioso;
regrado, moderado, módico, comedido nos gastos; ratinho, rateiro, governado, providente, próvido, economizador & *v.*; previdente, comedido.
Adv. economicamente & *adj.*; *ne quid nimis*.

△ **818. Prodigalidade** (exagerada), dissipação, desbaratamento, devorismo, largueza injustificada, extravagância, malbarato, esbanjamento 638; alargamento, desgoverno, descomedimento, desperdício, desregramento, malversação, dilapidação, esbulho, fabulosas dissipações; propinoduto, corrupção, desvio, desfalque, apropriação indébita, superfaturamento;
gasto suntuoso/astronômico/largo; farra, imprevidência, estroinice, estúrdia, extravagância, desatino, frascaria, orgia de gas-

tar, despesas loucas = *sumptus effusi*; trem da alegria; ralo;
dispêndio, profusão, cresiana generosidade; esbanjador, devorista, dilapidador, aurívoro, gastador, estraga-albardas, perdulário, comedor, pródigo, dissipador, gafanhoto, imprevidente, largueador, mãos rotas, alagador, alagadeira, estroina, matulão, desperdiçador, valdevinos = valdo (ant.), gestão fraudulenta, sorvedeiro, sumidouro.
V. ser pródigo & *adj.*; gastar com largueza, dar dinheiro aos montes;
não olhar despesas/gastos; deitar o dinheiro pela janela, comprometer o futuro de; ser generoso com dinheiro alheio, malversar, desfalcar, subtrair, surrupiar, desviar, queimar, dilapidar, esbanjar, absorver, derreter, fundir uma fortuna (gal.); dar com tudo em polvorosa, esturdiar, botar fora, arder o dinheiro em dissipações, atirar com o dinheiro à rua;
gastar, cortar-largo; desfrutar dinheiro, verter dinheiro por muitas bicas, jogar dinheiro no ralo;
varrer/limpar/secar/anemiar/exaurir os cofres;
superfaturar, apropriar-se indebitamente, corromper, prodigar, prodigalizar, tresgastar, desgovernar, malbaratar, desbaratar, esperdiçar, desperdiçar, extenuar, queimar, esbanjar 638; dissipar, alagar, caminhar para a ruína, comprar pelos olhos da cara 814; quebrar as soltas, descomedir-se 954; derramar, perder o dó ao dinheiro.
Adj. pródigo, esbanjador & *subst.*; dadivoso, desgorgomilado, desaproveitado, perdulário, manirroto, malbaratado & *v.*; imprevidente, desgovernado, desregrado, descomedido, extravagante, estroina, frascário, alagador, impróvido, improvidente, roto de mãos, liberal 816; aurívoro, desequilibrado, insensato 499; desacautelado 863;
corrupto, malversador, desbaratador & *v.*; *penny wise and pound foolish.*
Adv. prodigamente & *adj.*; aos montes, sem peso nem medida, a rodo, com o dinheiro queimando-lhe a algibeira.
FRASES: A ordem é rica e os frades são pobres. O dinheiro pesa a alguém.

▽ **819. Sovinaria,** mesquinhez, mesquinharia, sordidez, estiticidade, somiticaria, iliberalidade, sovinice, danismo, tenacidade, avareza = *amo habendi*; mofina, cainheza, aperto, ridicularia, curteza, veniaga, usura, tacanhice, tacanharia, pequenez, estreiteza, economia sórdida, ambição, miséria, gana, esganação, avidez, ganância, ganhuça, ganhunça, cupidez, ambição desvairada, onzena, logro, anatocismo, ágio, vilania, vilanagem, aferro ao dinheiro, sede de ouro, auricídia, ânsia de enriquecer, *auri sacra fames*;
avarento, miserável, sovina, vinagre, bufo, mísero, unha de fome, danista (ant.), jurista, cúpido, onzenário, abutre, urubu, usurário, mofatra, mofatrão, mão de finado, fona, foca, agiota, arquipirata, harpia, vilão, sorrelfa, mirra, cafuinho, fuinha, forreta, fominha, mão-fechada, pão-duro, forrador, migalheiro, somítego, somítico, forragaitas (pleb.), socancra, catinga, ricanho, logrão, cara de fuinha, mesquinho, muquira, morrinha, muquirana, canguinhas, logreiro (ant.), zura, caçador de dote.
V. ser avarento & *adj.* = cainhar (bras.), esganar-se, não dar uma sede de água a alguém, não ter alma para dar cinco réis, ter a paixão de ajuntar dinheiro, fechar/encolher a mão, fiar delgado, contar os bocados que dá, deixar-se prender pelo interesse (*ser egoísta*) 943; morrer de fome, emprestar com usura, onzenar, onzenear, tirar a pele, assovinar-se, mesquinhar, amesquinhar-se, arrepanhar, agiotar, usurar, tacanhear, ratinhar;
amealhar = regatear mealha por mealha/real a real; mesquinhar, dar pela feira, abunhar = viver com parcimônia, catingar, pagar pela rasa = ser mesquinho, dar paga mesquinha, pegar a toda isca, afaimar.
Adj. avarento; miserável, guardanho, avaro, cainho, agarrado, questuário, ávido, mesquinho, iliberal, sovina, tenaz, somítico ou somítego, estítico, ambicioso, vilão, ganancioso, insaciável, pantagruélico, ganhoso, interesseiro, ignóbil, curto, sórdido, seguro, vilanaz, vilanesco, vilanaço, ricanho, usurário, usureiro, esganado por dinheiro, tacanho, mofino, mísero, sequioso de lucros, manicurto, unhas de fome, tenaz e parco de suas coisas, arrepanhado, onzenário, onzeneiro, ridículo, danístico.
PROVÉRBIOS: De longe te trouxe um figo, logo que te vi, comi-o. O escasso, do real, faz ceitil, e o liberal, do ceitil, faz real.

820. Qualidades | 821. Sentimento

CLASSE VI. AFEIÇÕES

Divisão I. AFEIÇÕES EM GERAL

820. Qualidades, valores, ética, retidão, integridade, partes, caráter, modos, maneiras, maneira de ser, alma, merecimentos, sentimentos, mérito, atributo, apanágio, dotes, partilha, prendas, arrecadas, longes, pertos, predicados, capacidade, idoneidade, talento;
disposição, propensão, jeito, gênio, índole, fígado, ânimo, feição, interior, tique = feitio, natureza, veia, fraco = tendência, inclinação, pronação, dom, privilégio, sentimento, natureza, espírito, têmpera, temperamento, quilate, diátese, modos característicos, estado mórbido, idiossincrasia, suscetibilidade, fogo latente;
disposição de espírito, de alma; preferência, predileção, idiopatia, queda, pendor, *penchant*, o pendor das inclinações naturais, predisposição, gosto, cadência, vocação, humor, astral, viés, simpatia 897;
alma, peito, coração, cérebro, vísceras, entranhas, consciência 926; *penetralia mentis*; fibras, cordas do coração; íntimo;
âmago, recesso da alma/do coração/da mente; seio do coração, paixão, ideia dominante;
paixão avassaladora/tirânica; gosto muito pronunciado, furor;
sede insaciável, insopitável; avidez, sofreguidão, fome, gana, anseio, ânsia, desejo insaciável, expansão da alma.
V. ter/possuir/reunir/ser dotado de qualidades; ser a essência de, ter todos os títulos para; primar por;
ter privilégio/dom de; ter predileção para, pender para, inclinar-se para, propender, acomodar-se, adaptar-se, amoldar-se, ser propenso & *adj.*; caracterizar-se, salientar-se, distinguir-se, diferençar-se, recomendar-se, sobressair, ter seu tanto de, respirar bondade, ódio etc.;
infundir no coração.
Adj. caracterizado, formado, moldado, vazado, disposto, predisposto, propenso, inclinado, prono;
imbuído, impregnado, saturado, cheio, repassado, penetrado, transido, possuído, dotado de; a quem a natureza concedeu o privilégio de, inato, íntimo, inseparável (inerente) 5; arraigado, inveterado, encarniçado, entranhado, mortal, figadal, genial, idiossincrásico.
Adv. caracterizadamente & *adj.*; de coração, de corpo e alma, de nascimento, por índole, por natureza.
Provérbio: O que dá o berço, a tumba leva.

821. Sentimento, sofrimento, tolerantismo, tolerância, suportação, experiência, prova, fieira, correspondência, simpatia 897; impressão, efeito patológico, abalo, mossa, tranco, inspiração, afeição, afetividade, emoção, chaça, sensação, conturbação, comoção, perturbação, patético, cenestesia;
ardor, fogo, zelo, calor, veemência, força, unção, fervor, fervença, cordialidade, animação, ímpeto, impulso incontido, arrebatamento, *empressement*, entrega, impetuosidade, entusiasmo, disposição, excitação, amor, arroubamento, vibração, verve, furor, fanatismo, partidarismo, sentimentalismo (*excitação de sentimentos*) 824; tesão, sinceridade de coração (*disposição*) 820; paixão (*estado de excitabilidade*) 825; enlevo, arroubo, êxtase (*prazer*) 827;
rubor, incendimento, pejo, vergonha, calafrio, *frisson*, estremeção, estremecimento, frêmito, trêmito (bras.), abalo, choque, sobressalto, agitação 315; o bater do coração, palpitação, tique-taque, baque, tremor, trepidez, ofego 688; arquejo, atrapalhação, confusão, perturbação, tremor violento, atarantação, vozearia, fermento, efervescência, palidez, suor frio, batimento de queixo 383; semblante, inflamado, frendor = rangido de dentes, tefe-tefe.
V. sentir, perceber, receber impressão, conhecer de perto, ter a consciência de, experimentar, gozar;
acariciar/alimentar/nutrir/agasalhar um sentimento; revestir-se, ter o seu tanto de, ser fértil em, armar-se, encher-se, fazer provisão, corresponder, vibrar, deixar-se contaminar;
sofrer, padecer, provar, suportar, arcar com, experimentar, libar, aguentar, tragar, tolerar, aturar, curtir, arrostar, conhecer por experiência, morrer de, suportar o assalto de, afrontar, desafiar, resistir a;
inflamar-se, abrasar-se, animar-se, encandecer, rosar-se, envergonhar-se, sensibili-

822. Interesse | 822. Interesse

zar-se, impressionar-se, corar, ruborizar-se, envermelhecer, mudar de cor, subir o rubor às faces, afoguear o pejo a face a alguém, transverberar a alguém pelo semblante (a dor), sentir a cara em brasa, ficar cor de pimentão, arder o pejo nas faces, enrubescer-se, tauxiar o rubor as faces de, embargar a voz, empalidecer, perder a cor, comover-se, hesitar, desconcertar-se, ficar/agitado 315/ chocado; ofegar, arquejar, arfar, fremir, palpitar, pulsar, tremer, faltar a voz a alguém, enfiar, entreturbar-se;
fazer-se/ficar pálido/desconcertado/vermelho/fulo; estremecer, sobressaltar-se;
pulsar, vibrar, tumultuar o coração; ficar engasgado, sufocar-se; bater o coração alvoroçado, atrapalhar-se, atarantar-se, perder as estribeiras, desnortear-se, estontear-se, transtornar, enraivecer-se;
remorder-se, ralar-se, atormentar-se, afligir-se de; consumir-se, frender = ranger os dentes; turbar-se, conturbar-se;
impressionar (*excitar*) 824; atravessar, quebrar o coração com, varar, trespassar, retransir.
Adj. sensível, sentiente, sensiente, sensório, sensorial, sensitivo, apegadiço, emotivo, emocional, receptivo; ardente, vivo, forte, intenso, veemente, passional, instante, afincado, patético, agudo, acerbo, penetrante 253; incisivo;
afiado como navalha/como os dentes de javali; cortante, pungente, picante, enérgico, ativo, cáustico, sincero, fácil de entusiasmo, ávido, desejoso, ansioso, ofegante, arfante, trêmulo, tremuloso, férvido, fervoroso, fervente, fremente, zeloso, caloroso, apaixonado, comovido até o fundo, cheio de zelo, cordial, entusiasta, entusiástico, ardente, fogoso, ardoroso, flamifervente, flamispirante, flamívomo, abrasado, flamante, estrênuo = denodado, devotado, extremoso, afetuoso, desvelado, fascinado pela visão de, tocado de admiração e amor; dominante, avassalador, empolgante, absorvente, rábido, raivoso, febril, fanático, histérico, impetuoso (*excitável*) 825; epiléptico;
impressionante, trágico, dramático, poético, impressivo, indelével, inapagável, indestrutível, eterno, que faz vibrar as cordas do coração, comovente, comovedor, de fazer chorar as pedras, que fala à alma, eletrizante, esfuziante, palpitante, arrebatador, enlevador, que acende êxtases;

impressionado, comovido, sensibilizado, abalado, tocado, eletrizado, empolgado, devorado, trabalhado, preso, sedento, minado por;
cevado, repassado, embebido, morto de; enlevado 829; arrebatado, tonto, extático, absorto, arroubado;
perdido, transido, radiante de.
Adv. sensivelmente & *adj.*; sentidamente, emocionadamente, emotivamente, do coração, do peito, do íntimo d'alma, do imo peito, *ab imo pectore*, com lágrimas de sangue, com amor, com o coração quebrado de, do fundo d'alma, afervoradamente; com os lábios trêmulos, com lágrimas nos olhos, com o coração palpitante e fremente de.

△ **822. Interesse**, sensibilidade, impressionabilidade, susce(p)tibilidade, receptividade, reatividade, vivacidade, afetibilidade, motilidade, mobilidade, possibilidade, receptibilidade, psiquismo = troficidade, ternura, mimosura, sentimentalidade, sentimentalismo, choradeira, lirismo, romancismo, exagero sentimental, consciência delicada, melindre, não me toques, pudor, (vulg.) frescura, pieguice, nica, *excitabilidade* 825;
sensibilidade moral/física 375;
ferida/lugar/corda sensível; o fraco, a balda, lado fraco;
ponto fraco; ponto nevrálgico/vulnerável; vulnerabilidade; onde o sapato aperta, calcanhar de aquiles; (plantas) sensitiva, vergonhosa (planta), malícia-de-mulher, dioneia; chorinca, chorão, choramigas, choramingas, manteiga, vidro, carga de ovos, alfenim.
V. ser sensível & *adj.*;
ter coração terno/sensível/mimoso; ser/estar uma pilha de nervos, ter nervos, ser de sensibilidade delicada, vibrar, ter o coração ao pé da boca, ser como uma cera, impressionar-se facilmente, ser muito suscetível, ressabiar, melindrar-se, escandalizar-se, picar-se, ressentir-se, queimar-se, emocionar-se até as lágrimas, choramingar, chorincar, dar exagerada importância às coisas, dar o ser a bagatelas, suscetibilizar-se, tomar/levar a sério, tomar as coisas em grosso, agastar-se;
alfeninar-se, romantizar-se; sensibilizar, tornar sensível & *adj.*;
dar nas mazelas no vivo; tocar na matadura, desatordoar, tocar ao coração 824.

823. Desinteresse | 824. Excitação

Adj. sensível, sensitivo, afetivo, afetuoso, abalável, vibrátil, emotivo, impressionável, desconfiado, receptivo, suscetível, piegas, delicado, (pej.) fresco, ressentido, melindroso, impidoso, excitável, arrufadiço, vidroso, vidrento, agastadiço, de coração de pomba, ceráceo, terno, sentimental, romanesco, romântico, devaneador, entusiasta, fogoso, ardente, vivaz, caloroso, apaixonado; emocionante, tocante, lacrimoso, (irôn.) lacrimogêneo, água com açúcar; melindrado, ressabiado; chorão, choramingador.
Adv. moralmente, em consciência, espiritualmente.

▽ **823. Desinteresse,** insensibilidade, inércia, *vis inertiæ*, tibieza, impassibilidade, inapetência, indiferentismo, apatia, ataraxia, marasmo, aridez, empedernido; indiferença, frieza, fleuma, frialdade, ânimo imperturbável, embotamento, hebetação, aparvalhamento, bestialização, obtusão;
sangue-frio, gelo, calma, sossego, frescura, pachorra, inalterabilidade, estoicidade, estoicismo, quietismo, imperturbabilidade 826; *nonchalance*, displicência, descaso, menosprezo, subestimação, desdém, inação, supinidade, desapego (*indiferença*) 866; lassidão, indolência, lassitude, calejamento, calosidade;
coração de pedra/de neve/de bronze/de mármore; cara de pau, coração impenetrável; mármore, diamante;
torpor, modorra, obstupefação, abatimento, acídia, morbidez, desfalecimento, frouxidão, ignávia, quebranto, lombeira, lomba, letargo, letargia, inconsciência, desconsciência, coma, transe de morte, sono 683; paralisia 376; langor, languor, languidez, prostração, entorpecimento, sonolência, soneira, amortecimento, narcose, narcotismo, anestesia; analgia, analgesia; analgésico, clorofórmio; neutralidade, quietismo, faquirismo.
V. ser insensível & *adj.*; brilhar pela insensibilidade, não se doer de sua dor, não sentir emoção, vegetar, ter couro de rinoceronte, ficar fresco, ter goela de pato;
ter coração de mármore/de gelo/de neve; revelar insensibilidade, fazer ofício de corpo presente, não se importar com, não fazer caso de, não se ralar, ficar como uma pedra, não estar nem aí, não dar a mínima, estar se lixando para, chorar por um olho só, *nil* (ou *nihil*) *admirari*, não ligar importância 643; apachorrar-se, *negligenciar* 460; fazer ouvidos moucos 458, despegar-se de, languir, languescer, desinteressar-se;
tornar insensível & *adj.*; insensibilizar, calejar, curtir, aguerrir, anestesiar, narcotizar, cloroformizar, embebedar, petrificar, ossificar, embotar, adormecer, embrutecer, apatizar, estupidificar, bestializar, brutalizar, brutificar, marasmar, hebetar, obtundir, entorpecer, entibiar, arrefecer, paralisar (*insensibilidade física*) 376; amortecer, amortizar, atordoar, gelar, obcecar, dessecar, habituar, familiarizar, acostumar, marmorizar, endurecer, endurentar, encourar, encouraçar, cauterizar, empedernir, empedernecer, desenternecer, encascar, encrostar, tornar-se insensível, obdurar-se, rebotar-se, estatuificar-se.
Adj. insensível, frio, glacial, gélido, morto, inconsciente, impassível, insusce(p)tível, imperturbável, estoico, inabalável, enxuto, marasmódico, cego, surdo, fechado, impérvio, inimpressionável, inexorável, inabalável, inflexível, pétreo, brônzeo, êneo, marmóreo;
apático, fleumático, leucofleumático, indiferente, vegetante, entorpecido, nevado, gelado, de sangue-frio, abatido, bestializado & *v.*; obtuso, inerte, indolente, vegetativo, inativo, pachorrento 683; lânguido, manso, comatoso, anestésico 376; paralítico, aletargado, árido, resfriado, seco, frouxo, tíbio, friacho, descoroçoado, desanimado;
imóvel, estático, negligente, desinteressado, desinteresseiro, inatento 450a; relaxado 460; desfervoroso, desapaixonado, desbriado, cínico 885;
caloso, calejado, cascadura, habituado, cascudo, paquiderme, paquidermático, fragueiro, endurecido, blindado, imperturbável 827; inambicioso.
Adv. insensivelmente & *adj.*; imperceptivelmente, *æquo animo*, de sangue-frio, desafogadamente, com o sorriso nos lábios, como se nada fosse com ele, sem pestanejar.
FRASES: Não estou nem aí. Pouco se nos dando que. Que monta quê? Tanto monta... como... Não importa. Não tem importância. Não está nas mãos de ninguém. Dá na mesma.

824. Excitação, inflamação, aquecimento, incendimento, excitamento, rebate, concitação, incitação, incitamento, acicate, estimulação, irritação 900; fomento, suscitamento, instigação, açulamento, galvanismo, provocação, inspiração, alento, infecção = contágio moral, intoxicação, animação, alvoroto, motinada, trêmito (bras.), frêmito, agitação, agito, efervescência, fervilhamento, perturbação, secussão, subjugação, arroubamento, enlevamento, arrebatamento, deslumbramento, álcool (*bebidas espirituosas*) 959; afrodisíaco, cantárida, ginseng, guaraná, catuaba; haxixe, êxtase, unção, impressionamento;

casus belli, paixão 825; estremecimento 821.

V. excitar, afervorar, acalorar, fervorar, assanhar, ouriçar, afetar, tocar, falar ao coração, comover, render, enternecer, sensibilizar, beliscar, retinir = causar viva impressão, impressionar, estarrecer, chocar, abalar, alentar, amolgar, causar impressão no ânimo de, ferir, despertar interesse, sacudir, reprluir, inspirar, apaixonar, incentivar, enfogar, eletrizar, galvanizar, abrasar, embriagar, alvoroçar, pôr em fogo, entreturbar, estimular;

aquecer, fazer ferver o sangue; despertar, soprar, instigar, espicaçar, encarniçar, açular, atiçar, acicatar, esporear, acoroçoar, concitar, acordar, estremunhar, encher de zelo e atividade, meter em brio, vulcanizar, despertar a emotividade, turbar, turvar, turvejar, acender, encalmar, incandecer, ativar; atear, soprar o fogo; inflamar, incendiar, alimentar, fomentar;

abanar o fogo/as chamas/as labaredas; lançar azeite ao fogo (*agravar*) 835; lançar combustível, aviventar, avivar, reavivar, suscitar, incitar = agarrochar, reanimar, instar, fluir, animar, encorajar, levantar do letargo;

levar/trazer/introduzir sangue novo; infundir vida nova, apressar, acelerar, aguçar, embravear, levantar o ânimo de, incitar o coração, apetitar, excitar o apetite, desenfastiar;

agitar, ferir os sentimentos de; vibrar uma corda, ir direto ao coração, bulir com o coração, tocar no ponto nevrálgico, aguilhoar, picar/ferretoar/impulsionar/revolver os ânimos, fundir o gelo de, virilizar as tibiezas, abanar/flabelar/solevantar os caracteres, absorver, tocar, empolgar, dramatizar; prender/fixar a atenção/o espírito; intoxicar, embriagar, fazer girar a cabeça, dar coca;

penetrar/invadir/avassalar o coração; acordar a sensibilidade adormecida, despertar do letargo;

fascinar, fanatizar, alucinar, arrebatar, enfeitiçar, enlevar, arroubar, extasiar (*dar prazer*) 829; agitar, deturbar, hipnotizar, perturbar, magnetizar, desnortear, turbar, tresnoitar, não deixar dormir, transtornar, tirar o sono, petrificar, abalar, lançar na estupefação, atrapalhar, assarapantar, sarapantar, desencadear, sublevar, espantar, alarmar, acordar o cão que está dormindo, alvorotar, irritar, esquentar, bater os acicates, avivar, acirrar, excitar ao desespero = levar à afinação de, atiçar, aguçar, provocar, acalorar, enfurecer 900; fazer mossa, pisar as esporas;

ser excitado & *adj.*; fuzilar, espumar, raivar, entregar-se a, pôr-se a/prorromper em/ desmanchar-se em, chamejar, faiscar, ruborizar-se, enrubescer-se, sair de si, sair fora de si, quebrar as soltas, inflamar-se, perder as estribeiras, ficar desvairado 825; estar em brasa, tomar fogo.

Adj. excitado & *v.*; trabalhado por, em pé de guerra, em estado febril, quente, em estado de excitação, abrasado, aceso, incendido, acalorado, férvido, com lábios trêmulos, com lágrimas nos olhos, com o coração palpitante, sôfrego, flamejante, chamejante, chispante, fervente, fremente, fervilhante, ebuliente, fumegante, espumante, espumoso, espúmeo, espumífero, espumígero, demoníaco, raivoso, frendente, beliscado em seu amor próprio, apaixonado, delirioso, delirante, febril, cego de, mordido de, cevado;

transportado, arrebatado, transido, desarvorado, sobressaltado, vibrante, tomado, austinado, eivado de; frenético, tresloucado, alucinado, louco, desvairado, fora de si;

prestes a estourar/a arrebentar; exaltado, desesperado, encarniçado, ferrenho, fero, feroz, sanhudo 171; inflamado, possuído de, febricitante, alvoroçado, altanado;

perdido, *éperdu*, batido pelas tempestades de, selvagem;

excitador, excitante, excitatório, estimulante, atiçador & *v.*; impressivo, férvido, quente, escaldante, capitoso, caloroso, enérgico, veemente, instante, imponente, "que o peito acende e a cor ao gesto muda"; sensacional, comovente, *importante* 642; inspirativo, irritativo, irritante, túrbido, turbativo, histérico;

825. Excitabilidade | 825. Excitabilidade

picante 392; apetitoso, provocante, provocador, provocativo, de Tântalo, esurino, aperitivo.
Adv. excitadamente & *adj.*; com as faces incendidas, em febre, acaloradamente, afervoradamente, com o rosto rosado de comoção.
FRASES: Gelar o sangue nas veias. Ferver o sangue nas veias. Bater o pulso violento e febril. Bater/pulsar o coração com intensidade.

△ **825.** (Excesso de sensibilidade) **Excitabilidade,** hipersensibilidade, intensidade, impetuosidade, veemência, ardência, virulência, ardor, gana, turbulência, impaciência, insofrimento, intolerância, eretismo, avidez, sofreguidão, sofreguice, assanhamento, irritabilidade (*irascibilidade*) 901, atrabílis; prurido, ânsia (*desejo*) 865; estremecimento, fúria, furiosidade, enfurecimento, frenesi, frêmito 821; implacidez, sobre-excitação, desassossego, inquietação, fervedouro, intranquilidade, ímpeto = saltada, excitação, superexcitação, vasca, agitação 315; trepidação, crise de nervos, perturbação, comoção, confusão, atarantação, atrapalhação, desorientação, embaraço, emoção, abalo, rebolição, assomo, repente, rebentina, rebentinha, facho, calor, lirismo, arrebatamento, tumulto, rompante, desordem, pandemônio, fermento, estado de excitação, vibração, transporte, exaltação, alucinação, desvairamento delirante, paixão, fervor, esto, fervedura, excitamento, flama, abrasamento, incendimento, animosidade, fermentação, fervência, efervescência, incandescência, fervedouro, fogueira, chama, fogo, labareda, escaldadura, ebulição, tufão, rajada, tempestade, borrasca, súbito acesso, rajada de, paroxismos, explosão, agonia, *violência* 173; ferocidade, raiva, delírio, tontura, vertigem, histerismo, nevrose, febre, epilepsia, intoxicação, ira 900; furor, loucura, desvario, piração, tresvario, desalinho, desvarios e paixões desordenadas, cegueira, o incêndio das paixões, o mar tempestuoso das paixões, a maré da indignação;
fascinação, obsessão, fixação, enfatuação, fanatismo, faccionismo, quixotismo, messianismo, partidarismo, intolerantismo, sectarismo, *tête montée*.
V. estar impaciente & *adj.*; estar em brasa, não poder (suportar 725); aguentar mal, estar em sérios embaraços, perder a paciência, arder em impaciência, impacientar-se, enfrenesiar-se, desesperar-se, delirar, desvairar, tresvariar; rugirem as paixões, bramirem as tempestades, ignizar-se, pungir a impaciência a alguém, esfervilhar, ferver em pulgas, não dormir, velar, não pregar olho, tresnoitar, passar as noites em claro, febricitar = estar febricitante, perder a calma 901; irritar-se, estourar, explodir, ter crise de nervos, raivar, enfurecer-se, esbravear, esbravejar, esbravecer, transbordar, ser exuberante em, ser um poço de, abrasar-se, incandescer-se, gritar, incender, chamejar, entregar-se desenfreadamente, descomedir-se, exceder-se, destemperar-se, praticar desatinos, desatinar;
perder a cabeça/a tramontana; ir fora das marcas, desmandar-se, descompor-se, extrapolar, passar das medidas, demasiar-se, atarantar-se, desnortear-se, turbar-se, vibrar, entusiasmar, subir ao maior grau, desregrar-se, quebrar as soltas, desvairar-se, desmiolar-se, soltar-se, meter a mão até, passar as raias, desentoar-se, descompassar-se, apaixonar-se, desconcertar-se, desmanchar-se, desenfrear-se, desencabrestar-se, desmoderar-se, desencadear-se, tomar o freio nos dentes, estrebuchar-se;
exaltar-se, alucinar, sobre-excitar-se;
afogar-se, ferver em pouca água; endemoninhar-se, fazer o diabo a quatro, desassossegar-se, estuar a febre de.
Adj. hipersensível, excitável, excitadiço, de pavio curto, em estado de excitação, irritável (irascível) 901; impaciente, malsofrido, insofrido, fermentável, fermentescente, fermentescível, febril, estuante, convulso, vascoso, febricitante, histérico, nervoso, trêmulo, tremuloso, nevropático, nevrótico, delirante, louco, desapoderado, violento, furioso, furente, furial, extravagante, lunático, desvairado, endiabrado, endemoninhado, inquieto, azougado, vivo, elétrico, galvânico, apressado, agitado, arrebatado, epiléptico, exagitado, barulhento, turbulento, espalhafatoso, bramante, ardente, sanguíneo, cálido, irrequieto, sôfrego, buliçoso, travesso, traquinas, esperto, apaixonadiço, árdego, passarinheiro (bras.), fogoso, férvido, ébrio de, louco de, fascinado, veemente, extremado, forte, intenso, renhido, encarniçado, feroz, impetuoso, ditirâmbico, incandescente, tomado de febre alucinante, desmiolado, zeloso,

fervoroso, entusiástico, guiado pelos arrojos insopitáveis de, imoderado, descomedido, apaixonado, arroubado, arrebatado, deslumbrado, assanhado, superexcitado, bruto, fanático, obcecado, fixado, faminto, ávido (865); incontrolável, ingovernável, incabrestável, irrefreável, indomável, irreprimível, inestancável, inextinguível, irresistível, fervente, vulcânico, indisciplinável, prestes a estourar, desabalado, desenfreado, desembestado, infrene, incontido, clamoroso, ruidoso, tumultuário, tumultuoso, proceloso, agitado, revolto, revolvido, sacudido, impulsivo, demagógico, excitado, excitador 824.
Adv. excitadamente & *adj.*
FRASE: *Noli me tangere.*

▽ **826.** (Ausência de excitabilidade) **Inexcitabilidade,** inalterabilidade, imperturbabilidade, incitabilidade, impassibilidade, abulia, apatia, ignávia, serenidade, despreocupação, espírito calmo, refletido e ponderado, gênio cordato, tolerância, paciência, eutimia, indiferença (866), desligamento, passividade (*inércia física*) 172; inação, embotamento, alienação, alheamento, marasmo, langor, languidez, lassidão; estupefação, pasmaceira, calma, pachorra, sossego, fleuma, fleima, zen, frescura, pacacidade, mansidão, índole pacífica, placidez, presença de espírito, mediocridade, mediania, circunspecção em evitar os extremos, sangue-frio, frieza, secura, prudência, sisudez, sisudeza, paz de espírito, quietude, pacatez, compostura, postura, quackerismo, estoicidade, estoicismo, platonismo, brandura, ataraxia, submissão 725; resignação, conformidade, sujeição, controle, ombridade, grandeza de ânimo, longanimidade, equanimidade, jazida, generosidade, nobreza de caráter, fidalguia, cavalheirismo;
paciência de Jó/de beneditino; moderação, refreamento das paixões, desafogo, calma dos charcos (dep.), tato, reserva, discrição, tranquilização 174; rosto desvelado, alma couraçada contra os reveses, paz-d'alma, espírito superior, estoico.
V. ser calmo & *adj.*; ter poder em si, saber controlar-se, não perder o controle de si mesmo, não ser fácil em excitar-se, *laisser-faire, laisser-aller, let it be,* aceitar as coisas como elas são, contemporizar, entregar nas mãos do Senhor, ter sangue de barata,

viver e deixar viver, ficar em cima do muro, saber conter seus ímpetos, não tugir nem mugir, œ*quam servare mentem,* ter império sobre si mesmo;
ser de mel, de boa índole;
ter bom natural, boa boca = estar para tudo; compactuar com a sorte; fazer bom rosto à fortuna, segurar a barra; aguentar o temporal;
suportar, arrostar, sofrer, aturar com paciência; ter paciência de um santo, munir-se de paciência;
conter a indignação, refrear a revolta; ranger os dentes;
não perder a serenidade; morrer às paixões, compor-se com sua mágoa;
suportar o pairo/o choque/o embate/a mecha (fam.); ter lombo para;
estivar, calejar, blindar a paciência; lançar o coração ao largo, fazer das tripas coração, não se ralar, moderar-se, comedir-se, subjugar-se, fugir de excessos e de exageros, coibir-se, conter-se, bridar-se, refrear-se, sofrear-se, dominar-se, reportar-se, suster-se, submeter-se, resignar-se, fazer da necessidade uma virtude, mergulhar-se no letargo, desimpressionar-se, conformar-se, reconciliar-se com, circunscrever-se, limitar-se, sopitar, adormentar, restringir-se, desencalmar, acalmar-se, tranquilizar-se, sopear, recalcar, socalcar, amainar, resfriar, restringir, retundir, conter, represar, reprimir, suster, moderar, reportar, segurar, serenar a irritação, tranquilizar, arrefecer, arrefentar (ant.), desenraivar, aquietar, desassustar, apaziguar 174; propiciar, restringir, *insensibilizar-se* 823; sufocar, debelar, aguentar, suportar, arcar com, fazer face a, afrontar, desprezar, vencer, sobrelevar, permitir, tolerar, sustentar, sossegar, desalterar-se, desfanatizar-se, aplacar-se, serenar, desapaixonar-se, desapoquentar-se, desagastar-se, desagoniar-se, desassanhar-se, despreocupar-se.
Adj. inexcitável, insensível, imperturbável, inabalável, seco, frio, indiferente, inalterável, inalterado, insusce(p)tível 823; de sangue-frio, forte, intrépido, inteiro, desapaixonado, impassível, descuidoso, estoico, conservador, platônico, filosófico, calmo, sereno, desafogado, sorridente, impávido, moderado 174; *submisso* 725; pacífico, bonançoso, plácido, tranquilo, prudencial, cordato, bonachão, bonacheirão, sobran-

ceiro, fleumático, pachorrento, fresco como pepino, de gelo, descansado, resfolegado, mediano, comedido & *v.*; pacato, circunspecto, composto, mesurado, grave, modesto, desfervoroso, sóbrio, contentadiço, isento de perturbações, resignado, conforme, curvado aos celestes desígnios, meigo, açucarado, dócil, de gênio nada irritável, complacente, indulgente, paciente, contente, *suaviter in modo*, equânime, longânime, magnânimo, tolerante, manso.
Adv. inexcitavelmente & *adj.*; a/de sangue-frio 823; com serenidade = *œquo animo*, à chucha calada, sem sobressalto, medidamente, com moderação, à perna solta, desencalmadamente.
Interj. Fica frio! Segura as pontas! Devagar com o andor!
Frase: *Dominus dedit, Dominus abstulit sit nomem Domini benedictum.*

Divisão II. AFEIÇÕES PESSOAIS

1º) Passivas

△ **827. Prazer,** gozo, refrigério, comprazimento, ação, satisfação, regalo, deleite, deleitação, deleitamento, maná, néctar, ambrosia, gosto, sabor, delícia (*prazer físico*) 377; contentamento 831; sedução, complacência, agrado, bem-estar = aninho = conforto, bem 618; comodidade, os cômodos da vida, conchego, aconchego, almofada 215; *sans souci*;
volúpia, orgasmo; lubricidade, erotismo, libidinosidade, lascívia, libidinagem, sensualidade, sensualismo, desejo, tesão, luxúria, epicurismo;
sadismo, masoquismo, fetichismo, hedonismo, *hobby*, vida cômoda/agradável/tranquila; alegria, alegrão, júbilo, rejúbilo, galhardia, vivacidade, gáudio, regozijo, pasto, filé mignon, bocado sem osso, ledice, aleluia, felicidade, ventura; dita, boa sorte, bênção, sorriso, beatitude, beatificação, bem-aventurança, encanto, transporte, êxtase, rapto dos sentidos, enlevo, alienação, arrebatamento, arroubo, arroubamento, *summum bonum*, paraíso, empíreo 981; éden, céu aberto, raio de sol, animação, entusiasmo; sétimo céu, céu de brigadeiro, dias ditosos (*prosperidade*) 734; lua de mel, festa rasgada, Agapemone, Arcádia, mar de rosas.
V. estar (contente & *adj.* 829);

sentir/experimentar/ter prazer; degustar, gozar, fruir, desfruir, desfrutar, lograr, passar, usufruir, sopetear, saborear, usufrutuar, sorver, prelibar, alegrar-se, folgar de, prazentear, pascer, deliciar-se, repastar, regalar-se, aprazer-se, comprazer-se em, rever-se, agradar-se, deleitar-se, ensoberbecer-se, envaidecer-se, enamorar-se de, extasiar-se, inebriar-se, enlevar-se, arroubar-se, render-se, transportar-se em êxtase, arrebatar-se, alienar-se, entusiasmar-se;
haurir/libar/sorver delícias; pastar, estar em maré de rosas, estar no sétimo céu, estar como peixe n'água, estar como pinto no lixo, estar com o ânimo desafogado, subjugar-se, ficar preso pelos beiços, devorar com os olhos (*expressões de afeto*) 902; saciar a vista, espairecer, deitar uma cã fora, fremir de alegria, folgar de, regozijar-se, ver o céu aberto, banhar-se em água de rosas;
nadar em delícias; sonhar sonhos encantados, ter o céu na terra, ter sensações agradáveis, jubilar, ter grande alegria, rejubilar-se, babar-se de gosto, estar em veia de felicidade 734; afortunar-se, viver num reino encantado, extasiar-se na contemplação de, tomar gosto por, ter pronunciado gosto por.
Adj. prazenteiro & 829; prazeroso, hedonístico; nada triste, satisfeito, feliz, ditoso, bendito, venturoso, bem-aventurado, beato, beatífico, abençoado, beatificado, fortunoso, afortunado, bem-afortunado, bem-nascido, *próspero* 734; três vezes feliz, *terque quaterque beatus*, gaudioso 836; alegre, folgazão, fausto, galhardo, em estado de bem-aventurança, em êxtase;
louco/arrebatado de alegria; radiante, risonho, exultante, esfuziante;
confortável (*prazer físico*) 377; à vontade, contente 831; *sans souci*, livre de inquietações, encantado, deslumbrado, extasiado, embebido, absorto, enlevado, acendido, entusiasmado, subjugado, vencido, fascinado, rendido, cativo, extático, arroubado, pasmado, de boca aberta, boquiaberto, indolor, puro, edênico, paradisíaco, desanuviado, sem nuvens, de rosas, róseo, cerúleo, de azul e de ouro;
voluptuoso, lúbrico, erótico, libidinoso, lascivo, sensual, passional, luxurioso; epicurista, hedonista, *bon vivant*.
Adv. felizmente & *adj.*; com prazer, voluntariamente 602; de muito alegre sombra, num êxtase, de gozo indefinível.

▽ **828. Sofrimento,** padecimento, martírio, dor, pena, escatima, mal, frágua, amargura, tormento (*dor física*) 378, sevícia, suplício; desgosto, dissabor, aflição, angústia, picada, cuitá (ant.), aborrecimento = zanga, as endoenças, desprazer, desprazimento, displicência, agro, náusea, dessatisfação, desconforto, desconsolo, contrariedade, consternação, aversamento, transtorno, pesar, pesadume, penosa impressão, mal--estar, *malaise*, apoquentação, inquietação, vexame, vexação, ralação, trabalhos, camarço, descontentamento 832; abatimento 837; enfado 841; horror, tortura, crueldade, cruciato, rigor, irritação, inflição, agrura, aperto, matação, consumição, mortificação, tribulação, atribulação, mau quarto de hora, cuidados, cadilhos, incerteza aflitiva, penas, ansiedade, aperto de coração, incômodos, apreensões, desassossego, fogo, formigueiro, ademonia, agitação extrema, desesperança, preocupação, prova, ordália, prova de fogo, picadela, flagelo, castigo, peste, pesadelo, íncubo, efialta, perseguição, afliação, agonia = congoxa = distrição, contristação, adversidade, provação, transe, momento aflitivo, conjuntura aflitiva, crise de angústias, choque, golpe, tristeza, lazeira, fardo, carga, sarcina, cruz, peso, via-sacra, calvário, Gólgota, abatimento, prostração, desgraça, amargura, angustura (ant.), suor frio, infelicidade, desdita, desventura, miséria, infortuna, infortúnio, desolação, tragédia, drama, nojo, luto, um painel de horrores, cargas da vida, desespero 837; extremidade, apuro, extremo, agonia, vasca, ânsia extrema 360; purgatório, inferno 982; cálice de amargura, inferno sobre a terra, reinado do terror, adversidade 735;
sofredor, padecente, padecedor, mártir, vítima, náufrago, presa, preia, desgraçado, infeliz, mesquinho, bode = emissário, bode expiatório, hazazel, malhadeiro.
V. sofrer, sentir, gemer, passar, padecer, experimentar;
suportar, aguentar, gramar, tolerar, amargar; resistir às dores, ver estrelas ao meio--dia (*dor física*) 378; sangrar, penar, ser vítima de, ser uma lerna de desventuras, ter o purgatório em vida, sofrer grandes danos; pagar caro; sorver o cálice da amargura, sentir-se tomado de amargura e sobressaltos, fazer penitência, enfrentar dias adversos (*adversidade*) 735; sangrar de dor, padecer seu quinhão de dor, esgotar o cálice da amargura, penetrar-se de dor, pagar tributo a, beber trabalhos e desgostos, comer o pão que o diabo amassou;
partir o coração a alguém; ter amargos de boca, passar pela fieira, passar mau quarto de hora, ter suores frios, passar maus bocados, beber desgostos, assentar-se sobre espinhos, andar em brasas, estar sobre espinhos e alfinetes, não estar num leito de rosas, trazer o inferno no coração, ter a morte no coração, recair na tristeza, infernar-se, chagar-se, afligir-se, agoniar-se, penalizar--se, incomodar-se, inquietar-se, consumir--se de cuidados;
estar em grelhas/sobre grelhas; estar preocupado, pedir a morte como um descanso, pagar o pato, pagar caro, arder o pelo a alguém, queixar-se, atormentar-se, entristecer-se, cortar o coração (*infligir sofrimento*) 830; ser martirizado.
Adj. sofredor, padecente;
alanceado/atravessado/transpassado de dores/de setas; lanceado de dor;
lavado/banhado em lágrimas; congoxoso, desconsoloso, choroso, ralado de amarguras, golpeado, acabrunhado & (*v.* 830); perturbado/alquebrado pela dor, oprimido, atormentado, acidentado, infortunoso, digno de dó, lastimoso, lacrimável, lastimável, atribulado, granizado pela desgraça, fraguado, quebrantado, vitimado, triste, desgostoso, dissaboroso, pesaroso, contristado, desgraçado, desventurado, desafortunado, mal-afortunado, mal-aventurado, belisário, desinfeliz, desditoso, malfadado, mal-andante, infeliz, inditoso, infausto, desolado, escalavrado pelo desespero, consternado, miserável, mísero, misérrimo, amofinado, argel (ant.), arrastado, aflito, murcho, abatido 837; sem graça, sem vida, sem animação, desconsolado, mofino, rasgado de acerba dor, desassossegado, intranquilo, ansioso, descontente, mal-humorado 901a; aborrecido 841; perdido, desesperado 859; horrorizado, vitimado por.
Adv. infelizmente & *adj.*; para cúmulo de desgraça, por mal de nossos pecados, em mal, por desgraça, mal pecado, por mal de meus pecados;
com o coração despedaçado, quebrado de dor, a sangrar de dor; ainda mal, na frágua do padecer.

829. Deleite | 830. Dolorimento

△ **829.** (Causa, fonte de prazer) **Deleite,** jocosidade, humor, deleitação, atratividade, suavidade, amenidade, amabilidade, delicadeza, urbanidade, aprazibilidade, benignidade, consideração, apreço, atenção, agrado, favor, generosidade, bondade;
divertimento 840; atração 615; atraimento, sedução, encanto, fascinação, fascínio, magia, feitiço, deslumbramento;
carinho, carícia, beijo, abraço, afeto, amor, amizade, solidariedade, fidelidade, lealdade, aconchego, conforto, paz, tranquilidade; sucesso, êxito, admiração, elogio, respeito; prosperidade, riqueza, segurança, seguridade, garantia, despreocupação;
fineza, obséquio, lisonja, palavras de mel, *beleza* 845; arte, doces, manjar 396; maná, alimento celeste, sustento do espírito, maviosidade, doçura, dulcidão, aprazimento, prazimento, regalo, regalório (*prazer físico*) 377; mimo 784; guloseima, gulodice, *sauce piquante*.
V. dar/causar/produzir/ministrar/proporcionar/gerar/infundir prazer 827; agradar, encantar, deliciar, deleitar, letificar, rejubilar, lisonjear, seduzir, contentar 836; cativar, encadear, apossar-se de, prender, empolgar, absorver, fascinar, prender com feitiços, ser um dos encantos da vida, dar coca, surpreender, enfeitiçar, apetitar, embeiçar, enlevar, encher os olhos, satisfazer, arroubar, transportar, arrebatar, extasiar, atrair de modo irresistível, alhear, entusiasmar, dar um verde a alguém, beatificar, letificar, glorificar, abençoar, abendiçoar, saciar, prazer, aprazer, amenizar, comprazer, adular, prazentear, desapoquentar, bem-aventurar, bem-afortunar, aguçar o paladar 394; regalar, ser um regalo para o espírito, prender o coração, satisfazer o espírito, desconfranger, fazer as delícias de, arrebatar os corações, impressionar bem, falar ao coração;
fazer gosto, dar gosto; fazer furor, subjugar, ser um gozo para o espírito, atrair a atenção, inebriar, embelezar, dar no goto, excitar a admiração;
prender/subjugar/cativar o coração; embevecer, refrescar, desassombrar, popularizar, desenfear, favorecer, suavizar, desenfastiar, desenevoar, colorir, desanuviar, alegrar, recrear, pascer, regozijar, levar sedução ao espírito de, contentar;
captar/ganhar/atrair/aliciar as simpatias; impressionar agradavelmente, alegrar o espírito, apagar a sede, induzir 615; interessar;
granjear afeto/simpatia; prevenir em favor de, formosear, adoçar, emelar, enflorar, ir ao encontro dos desejos de, fazer bem ao coração, estimular (*excitar*) 824; agradar, dourar a pílula, confeitar, tornar agradável.
Adj. prazenteiro, prazeroso, aprazerado, agradável, letífico, fruitivo, delicioso, cariciativo, saboroso, saborido, donairoso, inefável, insinuante, insinuativo, fagueiro, desenfadadiço, galante, deleitável, deleitoso, letificante, aprazente, favorito, gozoso, ameno, amorável, *alegre* 836; hilariante, hílare (poét.), grato, gostoso, formoso 845; belo, vistoso, inexprimível, atrativo, atraente, cobiçável, feiticeiro, interessante, suave, mavioso, encantador, de rosas, recreativo, confortável, conchegativo, aprazível, macio, mimoso, namorado, empíreo, paradisíaco, edênico, prazente, abençoado, cordial;
providencial, satisfatório, dulcíssimo, dulçoroso, açucarado, doce, dulcífico, dulcíssono, nectáreo 396; saboroso 394; engraçado, agridoce, voluptuoso, sensual 377, lúbrico, orgástico; absorvente, empolgante, sedutor, tentador, esurino, matador, conquistador, embriagador, inebriante, reanimador 836; fascinador, risonho, encantador, cheio de enlevos, lindo, deslumbrante, ditoso, surpreendente, mágico, cativante, irresistível, ladro, extasiante, arrebatante, que acende êxtase, adorável, seráfico, divino, celeste, celestial 981, paradisíaco, edênico; simpático, invejável, refrescante, refrigerante, terno, enternecedor, brando, delicado, melodioso, fino, suavizante, mitigante, provocante, provocativo, provocatório, antimelancólico.
Adv. prazenteiramente & *adj.*; ao gosto, ao sabor, ao contentamento, ao paladar de; a gosto, a contentamento, a aprazimento de; molemente; de chupeta
FRASE: *Decies repetita placebit.*

▽ **830.** (Causa, fonte de sofrimentos) **Dolorimento,** confrangimento, aflição, angústia, dor, incômodo, incomodidade, cuidados, prova, provação, agrura, atribulação, dissabor, inflição, golpe, punhalada, fardo, carga, ônus, gravame, peso, maldição, anátema, desprazer, injustiça, perseguição, abuso, incêndio, flagelo, peste, vexame (*malevolên-*

cia) 907; avania, vexação, judiaria, opressão, sobrecarga, albarda, acinte, pirraça, sainete, mortificação, severidade, acerbidade, aperreação, pesadelo, efialta, dandão, tormento, inquietação, ulceração, calamidade, catástrofe, tragédia, desgraça, cataclismo, hecatombe, *pogrom*, Holocausto; lazeira, mar de angústias, ralação, raladura, suplício, causticação, cheque, contrariedade, trauma, traumatismo, ferida, cutilada 716; solavanco, setada, infestação, flagelação, desfortuna, infortúnio, mal-aventura, ninho de vespas, casa de marimbondos, cancro, úlcera, chaga, acúleo, espinho, aguilhão, escorpião (*ente malfazejo*) 913; lepra, cautério, dardo, seta, punhal (*armas*) 727; tortura, sevícia, martírio, cruciato, ecúleo, açoite (*instrumento de punição*) 975; acidente, desastre, sinistro 735; *désagrément*, *esclandre*, escândalo, absinto; fonte de dissabores/de contrariedades/de desgostos; borrasca, quebra-cabeça, contratempo, molestação, malignidade 907; desmancha-prazeres, pirraceiro (*homem ruim*) 949.

V. causar/infligir/produzir/ocasionar/provocar dor; penar (causar dor), ferir, amachucar, machucar, contundir, apertar, aguilhoar (*dor física*) 378; traspassar, cravar o coração, golpear, lancear, lancinar, chagar, retalhar, torturar, seviciar, flagelar, chocar, condoer, afligir, amuar, acabrunhar, pungir, pôr albardas a alguém, atormentar, confranger, compungir, magoar = sovinar, amofinar, ralar, tratear, molestar, penalizar;
ferir, ofender, chocar, irritar o coração; desconjurar, lançar em profunda tristeza, confranger a alma, infernizar, melindrar, desconsolar;
despedaçar, lacerar, vulnerar, escalavrar, oprimir, ulcerar, rasgar/partir o coração; ser um dia de juízo, sangrar, arrancar lágrimas, chamar lágrimas aos olhos, desconfortar, desalentar;
causar dó/enternecimento/pesar, martirizar, atribular, setear, magoar, alancear, picar/triturar o coração, lancinar, pesar, tormentar, remorder, cruciar, escarificar, escarnificar, exulcerar, faretrar = ferir com flecha, sarjar, atenazar, calamocar, macerar, matar, pisar, dardejar; pisotear, espezinhar, esmagar;
cravar um punhal no coração de; apunhalar, navalhar 257; funestar = tornar infeliz, miserar, desconsolar, atristar 837; contristar, melancolizar, entristecer, consternar, enlutar, desgostar = afelear, aborrecer, implicar com, preocupar, importunar, perturbar, infortunar, infelicitar, aguar um prazer, desagradar, desprazer, inquietar, desinquietar, agoniar, desassossegar, roer, vexar = arpar = mortificar = lhanar, supliciar, judiar; (vulgar) sacanear, encher, encher o saco, azucrinar, aporrinhar, abespinhar, incomodar, atazanar, apoquentar, abufelar, aperrear, enfadar, ralar, maçar, empestar, infestar, perseguir, escorraçar, afugentar, devorar, angustiar, congoxar, amargurar, desventurar, enturvar, afetar, negrejar, nublar, convulsionar, roubar o sossego a alguém, sobrecarregar, gravar, onerar, retalhar, retraçar, arrasar a alguém os olhos de lágrimas, minar, moer, morder, irritar, provocar, afiar, exasperar, experimentar, pôr à prova a paciência de, frenesiar, enfrenesiar, escorraçar, enxovalhar, agravar, contrariar, marfar, ofender 900; cansar, fatigar, impressionar mal, encolerizar, meter o ferro a alguém = fazer pirraça, pôr o baraço na garganta de alguém, causticar, atribular;
tocar na ferida, na matadura, enoitecer, enlutar, oprimir 739; maltratar, atucanar (bras.), aferrar, assaltar, bater (*castigar*) 972; enjoar, causar náuseas, ansiar, enojar, revoltar, causar repulsa, feder, incorrer no rancor de, fazer mau estômago, enfastiar, produzir sentimento penoso, verminar, horrorizar, horripilar, arrepiar, amedrontar, gelar o sangue, eriçar os cabelos, desvelar = tirar o sono a, colocar mais um prego no caixão de, não fazer bom estômago a alguém.

Adj. doloroso, dolorido, atribulador, sensível, angustioso, atroz, dorido, dolorífico, fulminante, amofinador, que contende com os nervos, alanceador, traumático, aflitivo = congoxoso, pungente, pungitivo, excruciante, cruciante, sensitivo, compungitivo, lancinante, acerbo, consternador, injucundo, despeitoso, desagradável, desprazível, repugnante, amargo, amargoso, inconvidativo, assustador, agudo, penetrante, desinquietador, desinquietante, duro, incômodo, incomodativo, molesto, indesejável, mau, grande, ruim, obnóxio, perigoso, infortunado, funesto, deplorável, deplorando, miserando, miserável, nefasto, infausto, aterrador, brutal, inaceitável, inadmissí-

831. Contentamento | 832. Descontentamento

vel, impopular, dessatisfatório, desajeitado, infeliz, inconfortável, desanimador, depressor, aviltante, triste, aborrecido, glacial, inglório, ingrato, melancólico, merencório, meditativo, patético, falto de vida e de animação, acabrunhante, contristador, magoativo, irritante, opressor, porta-penas (poét.), remordaz, remordedor, opressivo, implacável, desolador, lamentável, lacrimável, desgraçado, roedor, tétrico, lúgubre, lôbrego, funestador, funesto, funéreo, funeral, funerário, macabro, calamitoso, atormentativo, flagelativo, molestoso, irritativo, fétido, vulnerante, vulnerativo, agravante, sério, grave, mortificante, chocante, adurente, amofinador, anabrótico = corrosivo, esfolador, acintoso, vexatório, oneroso, gravoso, fastidioso, enfadonho, displicente, tedioso, pestilencial, importuno, impertinente, aborrecível, insuave, tormentoso, incômodo, conquassivo, trabalhoso, onusto, danoso, prejudicial, nocivo, birrento, inaturável, intolerável, insuportável, incomportável, impossível, inaudito, feio, insofrível, que não se pode aturar & 826; dessaudoso, capaz de tentar um santo, suficiente para enlouquecer alguém, terrificante, monstruoso, metuendo (poét.), medonho, fero, terrífico, terrível, infernal, assustador, apavorante, pavoroso, espantoso, inominável, formidável, abominável, odioso, execrável, hórrido, horrífero, horrífico, horripilante, horroroso, horrendo, horrente, tremendo, infando, repulsivo, hediondo, repelente, enjoativo, detestável, ofensivo, nauseabundo, nojento, nojoso, abjeto, revoltante, engulhoso, asqueroso, vil (*ruim*) 649; feio 846; desanimador, aguado, desenxabido, insosso, enfastioso, penoso, fastidioso, rude, áspero, frio, ríspido, cortante, diro, cruel, crudelíssimo, atroz, desumano, severo, cáustico, causticante, dilacerante, envenenado, peçonhento, ruinoso, desastroso, fatal, negro, negregado, tenebroso, caliginoso, aziago, atro, ferrugíneo.
Adv. dolorosamente & *adj.*
Interj. hinc illœ lachrymœ!

△ **831. Contentamento,** prazer, felicidade, aprazimento, comprazimento, contento, deleite, regalo, complacência, satisfação, sensação agradável; enlevo, gozo, regozijo; inteira/grata satisfação; sentimento de bem-estar, euforia, serenidade de alma = ataraxia = tranquilidade 826; alegria, ledice, animação 836, júbilo; raio de conforto, refestelo, refestela, agrado, otimismo.
V. estar/ficar contente & *adj.*; pular o coração de alegria, ser todo contentamento, ficar satisfeito e reconhecido, babar-se de gosto, estar no sétimo céu, banhar-se em água de rosas, estar nas suas sete quintas, voar em céu de brigadeiro, nadar num mar de rosas, ficar como pinto no lixo;
saltar/pular de contente; não caber em si de contente;
estar como rato no queijo/como peixe na água;
andar/estar metido num sino; ser muita a satisfação de alguém, ser de bom contentamento, render graças a Deus, estar de maré, refestelar-se, repimpar-se, acomodar-se com, avir-se, tornar contente, apascentar, contentar, agradar, dar prazer, satisfazer, deleitar, lisonjear, aprazer, tranquilizar, gratificar, falar ao coração; propiciar, conciliar, reconciliar, desarmar, desamuar, fazer esquecer, aliviar, encher os olhos de alguém; entreter, satisfazer;
alisar a fronte de alguém.
Adj. contente, prazenteiro, alegre, feliz, recontente, satisfeito, animoso, com o espírito desafogado, bem-disposto, *sans souci*, livre de inquietações, conciliatório, que não se queixa da sorte, resignado (*paciente*) 826; *alegre* 836, ledo; inaflito, imolestado, sereno 826; no seu elemento, fagueiro, folgado, gozoso, gostoso, feliz, rico, gaiteiro, lépido, radiante, exultante, hílare, jovial, jubiloso, desamuado, sorridente, tolerável, sofrível, satisfatório, aceitável, razoável.
Adv. contentemente, prazenteiramente, alegremente & *adj.*; à sua satisfação, a seu bel-prazer, muito à sua vontade, a seu contento; muito bem, às mil maravilhas.
Interj. amém!, assim seja! (*assentimento*) 488; muito bem!, serve!, até que afinal!, tudo em cima!

▽ **832. Descontentamento,** displicência, aborrecimento, queixa, aflição, agrura, dessatisfação, arrelia, desgosto, amargura, desprazer, desconsolo, dissabor, mal-estar, contrariedade, pesadume, constrição, padecimento, sofrimento, pesadumbre, tristeza, enfado, acabrunhamento, desolação, desagrado, dissentimento 489; inquietação, rabinice, sisudez, carranca, cenho, mictérismo,

desapontamento, quizila, decepção, agravo, ofensa, despeito, enojo, arrufo, arrufamento, consternação, mortificação, chateação, aporrinhamento, saudade, murmuração, pesar, queixume 839; hipercriticismo, pessimismo, derrotismo, cara de vergalho, murmurador, despeitado, invejoso, descontente, pessimista, sebastianista, saudosista, derrotista, indignação, protesto;
riso forçado/contrafeito/amarelo; vaia, assuada, sobrecenho = semblante carrancudo.
V. estar descontente & *adj.*; queixar-se, não estar para festas, estar numa pior, fungar, encarrancar-se, encatramonar-se;
fazer tromba/careta, fazer má cara;
franzir o sobrolho/as sobrancelhas/a testa; estar de tromba, deixar cair a beiça, fazer beiça, torcer o focinho à vista de, morder os lábios a, ter saudades de, resmungar, vociferar, reclamar, bufar, espernear, resignar, grazinar, embirrar, embezerrar, zangar, entourar, embuchar, marfar-se, despeitar-se, amuar-se;
abespinhar, azucrinar, encher (vulgar), encher o saco, causar descontentamento/aborrecimento; apoquentar, aborrecer, aporrinhar, desgostar, arreliar, descontentar, atazanar, indispor, escandalizar, dessatisfazer, desapontar, irritar, enfadar, perturbar, mortificar (*causar contrariedade*) 830; melindrar, molestar, desconcertar, desanimar.
Adj. descontente, dessatisfeito, insatisfeito, malsatisfeito, dissidente, derrotista, oposicionista, impidoso, agastadiço, dissaboroso, desgostoso, despeitado, zangado, entourado, marfado, aborrecido, ressentido, queixoso, exigente, encrenqueiro, hipercrítico, amuado, malcorrente, carrancudo, nojoso, revoltado, cenhoso, trombudo, saudoso 833; mal-humorado, malcontentadiço, malcontente, supercilioso, resmungão, rezingueiro, implicante, grazina, contrafeito, malgradado.
Interj. com a breca!, tanto pior!, com a fortuna!, caramba!, esta só pela fortuna!, pode espernear à vontade!.
Frase: Quanto pior, melhor.

833. Saudade, lembrança, tristeza suave, pesar, mágoa, nuvem, soledade, lembrança suave e triste, reminiscência, evocação, suspiros, queixume, gemido, lamento 839; soluço, singulto, nostalgia, banzo, recordo, recordação, *laudator temporis acti (descontentamento)* 832.
V. lamentar, deplorar, chorar 839; recordar-se, ter um peso no coração, volver os olhos para o passado; ter/sentir saudades; deixar um vácuo impreenchível, dar rebates de saudades a alguém.
Adj. lamentador & *v.*; nostálgico, saudoso, suspiroso, que inspira saudades, magoado, terno, comovente; evocativo, reminiscente; fremente, torturado, morto, ralado de saudade; recordativo, recordatório.

△ **834. Alívio,** solaz, desafogo, desopressão, melhoria, bonança, confortação, diminuição de peso, descargo, descanso, repouso, desfadiga, refresco, refrigério, amaciamento, mitigação, fomento = lenitivo, frescor, oásis, recalmão, adoçamento, temperilha, atenuação, acalmação, paliação, reconforto, conforto, consolo, consolação, amparo, encorajamento, animação, postemeiro, restaurativo (*remédio*) 662; anódino, néctar, bálsamo, sainete, erva-cidreira = melifila = citronela, apiastro, melissa, água de flor de laranja, calmante, sedativo, parche, confortos de enforcado, esparadrapo.
V. aliviar, desaliviar (ant.), mitigar, amainar, melhorar, abrandar, bonançar, amansar, suavizar, adoçar, comedir, demulcir, diminuir, minorar, atenuar, sopitar, remitir, relevar, despenar, consolar, desopressar, desoprimir, desacerbar, acalentar, desengravecer, desopilar, aligeirar, desagastar, dessalterar (gal.), acalmar, sossegar, tranquilizar, desfadigar, reconfortar, lenificar, lenir, confortar, amortecer, moderar 174; temperar, refrigerar, paliar, amenizar, abemolar, quebrantar, fomentar;
aplicar fomentação/cataplasma; cataplasmar, laxar, desafogar, desafoguear, desapoquentar, desafrontar, aplacar, abonançar, desamagoar, adormecer, adormentar, ninar, fazer cafuné, enanar, fazer nina, fazer nana, desassustar, beber as lágrimas de alguém, desenfastiar;
encantar as penas/os cuidados; cicatrizar, enxalmar as feridas;
entreter/enganar a dor; entornar bálsamo na ferida, murmurar ao ouvido palavras consoladoras, moderar as palpitações do coração, verter doçura nos corações ulcerados, remover um pesadelo, tirar uma es-

pinha da garganta de alguém, desanuviar, tirar um peso de cima, estar remido de seus sofrimentos, desopilar o fígado, descarregar 705; tirar uma carga de cuidados, desassombrar o espírito; desafogar/descarregar o coração; sentir sensação de alívio, respirar mais desafogado, espairecer, desmortificar.
Adj. aliviado, aliviador, mitigativo, mitigatório, moderante, moderativo, confortante, confortatório, confortativo, confortoso, balsâmico, calmante, demulcente, balsâmeo, nectáreo, anódino 662; paliativo, anético, epulótico, vulneral, vulnerário, lenitivo, curativo 660; antiafrodítico, antiafrodisíaco, sedativo, refrigerativo, refrigeratório, reconfortante, reconfortativo, reconfortador, consolador, solaz, amigo, terno.
Adv. aliviadamente & *adj.*

▽ **835. Agravação,** piora, pioria, pioração, pioramento, agravamento, deterioração, exacerbação, intensificação, irritação, irritamento, exasperação, exagero 549; recrudescência, recrudescimento, complicação.
V. agravar, piorar, azedar, acerbar, exacerbar, envenenar, complicar, inflamar, empiorar, empeçonhar, comprometer, engravescer;
tornar mais grave/mais difícil; (figurado) jogar lenha na fogueira, pôr sal na ferida, lançar azeite no fogo;
avivar/abanar as chamas 824; despertar o cão que dorme, propagar o incêndio;
dar nas mazelas/no vivo;
tocar na matadura/no ponto nevrálgico; ir de mal a pior 659; saltar da sartã e cair nas brasas, renovar uma ferida = *refricare cicatricen.*
Adj. agravador, complicador, agravado, agravante, agravativo (ant.), irritante, irritativo.
FRASES: Escapar da mosca e ser devorado pela aranha. Cada vez pior. De mal a pior. De porqueiro a porco.

△ **836. Alegria,** alegramento, ledice, lustre, gozo, aprazimento, prazer moral, jubilação, júbilo, exultação, glória, gáudio, contentamento, regozijo, desfastio, bom humor, feição;
espírito ameno/desanuviado; alacridade, veia cômica, garrulice, vivacidade, animação, jucundidade, jovialidade, folgança,

jocosidade (*espírito*) 842; gaiatice, gaiatada, riso, hilaridade, (bom) humor, senso de humor, facécia, galhofa, diabrura, travessura, traquinagem, desenvoltura, gargalhada 838; diversão 840; galhofada, nepentes, Eufrosina, jocos, otimismo 858; cara de páscoa, brincalhão, festeiro.
V. alegrar, ser/estar alegre & *adj.*; estar de boa data, sorrir, banhar-se em água de rosas, ver tudo cor-de-rosa, sonhar sonhos de ouro, ver o lado brilhante do quadro, ver tudo através de um prisma róseo, alegrar-se, despedir de si a tristeza, exultar, sacudir a poeira, afogar a tristeza, afogar as mágoas, dar a volta por cima, jubilar-se, rejubilar-se, encher-se de júbilo, pôr-se de festas, mostrar-se prazenteiro, jovializar-se, ter boca de riso, estar bem-humorado, desagastar-se, desenjoar, desengulhar, desarrufar-se, desencarrancar-se, desamuar-se, alisar a fronte, desemburrar-se, desentristecer-se, desassombrar-se, desenfastiar-se, mostrar-se prazenteiro;
depor/despir o luto; desenlutar-se, desenevoar, desensombrar 420; desassombrar o espírito, desopilar o fígado, hilarizar, afugentar os cuidados, comprazer-se, deleitar-se, regozijar-se 838, folgar, correr alegre a vida a alguém; gracejar, brincar, galhofar, chalacear, dar vivacidade, dar viço e frescor a, pôr de bom humor, encher de orgulho e contentamento, animar, levantar o espírito, *deleitar* 829; desmortificar.
Adj. alegre, gazil, alegrete, folgado, feliz 827; livre de cuidados, sorridente, ledo, lépido, risonho, festivo, jucundo, brilhante, garrido, gaudioso, álacre, vivaz, hílare, hilariante, *debonnaire*, bonachão, banhado em riso e alegria, ridente, lesto ou lestes, ágil, jovial, trêfego, radioso, jubiloso, ovante, loução, folgazão, festeiro, louco, prazenteiro, genial, espirituoso, gaiato, gaio, desenjoativo, brincalhão, palhaço, brejeiro, moinante, lascivo, galhofeiro, gozador, farsista, amigo de riso, divertido, folião, gracejador, magano, jocoso, engraçado, pândego, patusco, gárrulo, otimista, expansivo, imortificado.
Adv. alegremente & *adj.*; ruidosamente.
Interj. eia!, abaixo a tristeza!.

▽ **837. Tristeza,** caimento, choquice = cacotimia, disposição viciosa do espírito, depressão, acabrunhamento, demissão do ânimo, prostração, abatimento, quebradeira, que-

breira, desconforto, desalento, desconsolo, descorçoamento, desânimo, atimia, quebramento, quebranto, cansaço moral, desconsolação, desconsoladeza, insatisfação, desolação, amargura, consternação, amuo, assombramento, inconsolabilidade, pesadume, enfado 841; tédio, marasmo, mazombice, aborrecimento, desgosto, travo de tristeza, nostalgia, saudade 833; malenconia, melancolia = trabuzana (pop.), macambuzice, *bilisatra*, lipemania, tristimania, atrabílis, bílis negra, cadilhos, tristura (ant.), nuvem, pena, pesar, sentimento, mágoa, desalegria, hipocondria, misantropia, neurastenia, *spleen*, enxaqueca = hemicrania, cefalalgia, pessimismo, derrotismo, meditação, cisma, congeminência, desespero 859; caverna de Trofônio, gravidade, graveza, circunspeção, seriedade;
fisionomia carrancuda/rebarbativa/rude; aspecto torvo, sombrio; cara de poucos amigos, focinheira, tromba, cenho, triste, vencido, *malade imaginaire*;
pessimista, hipocondríaco, misantropo;
(causa de abatimento): aflição 830; agrura, dissabor, *memento mori*, luto, ave agoureira, desilusão, tribulação, insucesso; bipolaridade.
V. entristecer-se, abater-se, estar abatido & *adj.*; lamentar 839; desconsolar-se, caírem os braços a alguém, chorar, angustiar-se, não estar para festas, parecer consumir-se de tristeza, estar de má data, murchar-se o riso, magicar = andar apreensivo, deprimir-se, ver tudo negro, cobrir-se o coração, saltear a tristeza a alguém, carregar o semblante, ter o rosto carregado, andar abatido & *adj.*; amarroar, ter negros pressentimentos, lastimar-se, sentir/envolver-se em desânimo, desanimar, marasmar-se, cismar, meditar, tornar-se grave, alcachinar-se, sucumbir, acabrunhar-se, abater-se, torvar-se, amofinar-se, enrugar a fronte, obscurecer-se rosto a alguém, franzir o sobrolho, carregar a celha, carregar/franzir o cenho, pender a cabeça ao peito, morder os lábios/beiços, pôr os olhos no chão, sentir depressão, reprimir o sorriso, tornar abatido & *adj.*; desalentar, desencorajar, melancolizar, nublar, quebrantar o ânimo, desolar, abater, combalir, emburrar, embosnar, amuar, deprimir, desconfortar, desprestigiar, funestar, extinguir as palavras nos lábios, enlutar, consternar, contristar, deixar na alma um sulco de tristeza, infundir tristeza, negrejar, desalegrar, resfriar, gelar, penalizar, entristecer, sombrear, toldar 421; crestar as esperanças de 859; desconsolar, apesarar, ensombrar, enturvar, enoitecer, enevoar, anuviar.
Adj. triste, abatido = alcachinado (pop.), desfalecido, infrato, caído, prostrado, aflito, macerado, assopeado, desolado, acabrunhado, melancólico, deprimido, sombrio, torvo, nebuloso, lipemaníaco, hipocondríaco, apagado, escuro, triste, desalegre, cismático, mesto, amargurado, arrasado, penalizado, apreensivo, pensativo, cogitabundo, murcho, sorumbático = mazombo, amarroado, cabisbaixo, macambúzio, embezerrado, amalancornado = metido consigo mesmo, atrabiliário, atrabilioso, neurastênico, marasmático, bilioso, atacado de atrabílis, saturnino, esplenético, sentimental, meditativo, imaginativo, carrancudo, encaramonado, desconsolado, inconsolável, irremediável, abandonado, inconfortado, desamparado, ferido no coração, desesperançado 859; perdido, vencido, desanimado, descorçoado, com o coração macerado, desolhado, macilento, mortificado (*sofrimento mental*) 828; dorido, magoado, lacrimoso, alicaído, ressabiado, pesaroso, sentido, apesarado, desalentado, misantrópico, consternado, tristonho, abetumado, oprimido, impressionável, cismático, soturno, desgostoso, despeitoso;
meditabundo, abatido de ânimo, rabugento, amuado, enfadonho 841; sério, grave, solene, circunspecto, severo, tétrico, tetro, fúnebre, funéreo, funerário, atro, negro, lutuoso, plangente, nubloso.
Adv. tristemente, abatidamente & *adj.*

△ **838.** (Manifestações de prazer) **Regozijo,** alacridade, gáudio, exultação, júbilo, festividade, fanfarra, triunfo, aclamação ruidosa, comemoração, champanhota, gala, divertimentos, parabéns, cumprimentos, emboras, festas, festejos 840; jubileu (*comemoração*) 883; aleluia, te-déum 990; parada militar, ação de graças, congratulação, hosana, ditirambo, declamação, passeata, carreata, vivas, vivório (dep.), frêmito, salva, girândola, fogos de artifício, rojão, tiros de roqueira = roqueirada, foguete, fogueira, foguetaria, foguetório, foguetada, es-

poucar de foguetes, luminária, iluminação pública, riso, sorriso, hilaridade, risada, chocalhada, rinchada (burl.), rinchavelhada (burl.);
fluxo, frouxo de riso; gargalhada estridente/gostosa/estrepitosa/homérica; cascalhada, gaiatice, gaiatada;
casquinadas, guinadas de riso; grita jovial, maracá, íris do céu, repique festivo dos sinos, salva, hasteamento de bandeira, epinícias, epinício, Momo, Demócrito, risibilidade;
cara de páscoa/de riso.
V. regozijar-se, alegrar-se; comemorar, festejar, celebrar;
agradecer, bendizer os fados/a sua estrela; render graças a Deus, levantar as mãos ao céu, congratular-se com, bater palmas, fazer diabruras, travessear 264; louquejar, dançar, brincar, saltar, estrinchar, saracotear, cantar, chilrear, saltitar, dar saltos, exultar de alegria;
celebrar o jubileu/o centenário (*comemoração*) 883; acender luminárias, embandeirar-se em arco;
deitar/soltar foguetes; desenlutar-se, desanojar-se, depor o luto, foguetear, cantar te--déum, rir, sorrir, desabotoar os lábios num sorriso, romper em riso, dar-se ares de riso; escangalhar-se de rir, morrer de rir, rir a bandeiras despregadas, rir à farta, rir até rebentarem as ilhargas, cascalhar;
gargalhar, rir às gargalhadas, rir-se às casquinadas/cachinadas, rir à socapa;
farrear, cair na gandaia, ir para a balada, cair na noite;
 arreganhar os dentes/as tachas, chocalhar, pular o coração a alguém, ter um ar alegre, galhofar, folgazar, fragalhotear, brincar, patuscar, pandegar, fragatear, lamber-se, gracejar, prazentear, folgar.
Adj. exultante, triunfante, ovante, laudatício, laudatório, laudativo, que exprime os doces gozos da alma, risonho, ridente, sorridente, risível 853; radiante, festivo.
Interj. hurra!, salve!, aleluia!, *gloria in excelsis!*, hosana!, isto é de morrer!, corra a dança!, ave!.

▽ **839.** (Manifestações de dor) **Lamentação,** lamento, querela, canto plangente, questa, queixa, queixume, querima ou querimônia, lástima, deploração, piedade, queixa entrecortada de lágrimas, brado lamentoso, aulido, melúria (pop.), imprecação dolorosa, ai, gemido, ulo (bras.), soluço = singulto (ant.), suspiro, som plangente, gemido lancinante, gritos atrozes, arrepelão, arrepelação, lamúria, caramunha;
brado ansioso/ardente/angustiado; clamor 411; grito de angústia, brado ansioso de socorro, exclamações lancinantes, grito de dor, carpido, carpidura, carpimento, franzimento d'olho, cenho, ferocenho, olhos rasos de lágrimas, olhos que o pranto umedece, olhos rociados de lágrimas, choro, pranto, guaia (ant.), lágrima, cristais, aljôfar, aljofre, lágrimas ardentes, pranto sentido, vagido, torrente de lágrimas, bagadas, lágrimas como punhos, as lágrimas que marejam os olhos, lacrimação, ranger de dentes = frendor, olhos pisados, languidez, definhamento, olheiras, rosto macilento, condolências 915; dó, fumo, nojo, traje de dó, luto, crepe, arbim, almáfega, capelo, funestação, tarja, negrilhos, mungil, mongil, cipreste, choradeiras, chorão = salgueiro, sinceiro, cipo, goivo, cipariso, dobre a finados, sinais, canto fúnebre, incelência, incelença, excelência, réquiem, elegia, necrológio, endecha, nênia, monódia, epicédio, treno, marcha fúnebre, canhoneio;
armas, bandeiras em funeral;
luto, luto aliviado, jeremiadas, soluços de Jó, trenos de Jeremias, saudade perpétua, suspiros dos jardins, *de profundis, liberame*, sermões de lágrimas, missa fúnebre, parental (ant.), choramigas, choringas, chorador, chora-doilos (p. us.), queixoso (*descontente*) 832; Niobe, Heráclito, Jeremias, endechador, prefica = carpideira, fúnera, lamentadeira, pranteador, pranteadeira (*consternação*) 837.
V. lamentar, deplorar, amesquinhar-se, chorar, choramingar, prantear, jeremiar, depenar-se, vagir, gemer, lamuriar, fazer lamúria, impar; lamentar-se, queixar-se;
soluçar, dizer o último adeus; clamar, deprecar, desesperar-se, carpir, gritar 411; gaiar ou guaiar, querelar-se, arrancar um brado de dentro do peito, soltar ais e lamentos, arrancar os cabelos, arrepelar-se, descabelar-se, desgrenhar-se, espernear, endechar, monodiar, carpir a cabeça, lacerar as faces, rolar no chão, bater no peito, carpir dolorosamente, estar aos ais, soltar gritos descompassados = ulular, fazer caramunhas, caramunhar, aqueixar-se, desgraciar-se, enlutar-se;

pôr/vestir/cobrir-se de burel; negrejar, cortar os ares, fazer má cara = fungar, soltar soluços, soluçar = singultar, clamar, fechar a cara, franzir o sobrolho, gemer, gemicar, suspirar;
cobrir-se, ficar, estar de luto; enlutar-se, trazer o dó por alguém, entristecer-se, anuviar-se a tristeza, nublar-se, *infandum jubes renovare dolorem* (*pesar*) 833; tarjar, acoitar = dizer palavras comiserativas, associar-se a uma dor 915; doer-se de sua dor, afligir-se 828; chorar, prantear, efundir lágrimas, choramingar, saltarem as lágrimas aos olhos de, lacrimejar, lagrimar, correrem as lágrimas a alguém às bagadas, chorar pitanga, prorromper em choro, inundarem-se as faces a alguém de lágrimas, estilar uma lágrima, verter lágrimas amaríssimas, chorar lágrimas de sangue, regar de lágrimas, romper em soluços, debulhar-se em lágrimas, assomarem as lágrimas aos olhos;
prorromper em pranto; brotarem lágrimas nos olhos, desafogar-se em lágrimas, resvalarem lágrimas nas faces, correrem lágrimas pelas faces de;
verter/derramar sentido pranto; desatar-se o pranto pela face;
chorar torrentes/rios de lágrimas; anuviar-se o rosto a alguém, anuviar a tristeza o semblante de alguém, pôr a bandeira a meio-pau;
dobrarem os sinos lugubremente/a finados; tocar a bambão, prestar as derradeiras homenagens.
Adj. lamentoso, quérulo, prantivo, plangente, lúgubre, dolente, tristonho, merencório (*infeliz*) 828; desafortunado, desalentado, lacrimoso, lacrimejante, repassado de mágoa ou de sentimento, choroso = flébil, lastimoso, gemedor, gemebundo, gemente, ululante, ululoso, lutíssono, lutífico, letal, soluçoso, singultoso, pranteador, querimonioso, lamuriento, clamatório, clamoroso, carpidor, cortado por misérrimos suspiros;
envolto/banhado em prantos; funéreo, fúnebre, funerário, lúgubre, tétrico, sombrio, melancólico, lutuoso, triste, monódico, nublado, nubloso, atro, negro, nojoso, enlutado, carpido, elegíaco.
Adv. *de profundis*; com lágrimas nos olhos, com os olhos nadando em lágrimas, em seu fadário de gemer e chorar; com os olhos encarniçados/vermelhos de chorar; com as mãos na cabeça.

Interj. ai!, triste de mim!, isto é de morrer!, sem ventura de mim!, infeliz de mim!, piedade!, pobre de...!, coitado de...!, guai de...!.

△ **840. Divertimento,** entretém (pop.), passatempo, diversão, recreação, entretimento, entretenimento, desenfado, solaz, espairecimento, encanto, feitiço, esporte, desporto, brinco, alegrias, alívio, distração, caçoada, graça, gracejo, troça, pilhéria, gargalhada 838; jocosidade, bufonaria, truanice, arlequinada, funambulismo, *espírito* 842; zombaria, chocarrice, chalaça, travessura, filistria = brincadeira, maganeira, maganice, rapaziada, estroinice, escapadela, gazeio, diabrura, traquinada, traquinice, loucura, farra, bandarra, farrancho, noitada, festarola, folia, recreio, folguedo, pândega, pangalhada, jogo, retouço, pepineira, patuscada, suciata, reinação, rapioca, franciscanada, funçanata, festa de arromba, folgança, manta (fam.), festa de comes e bebes, bangalé, rega-bofe, regalório, festim, função, bródio, comezaina, dicongo, banzé, bambochata; balada, naite, chopada, boemia, *happy hour*; beberronia, festa rija, axé, olodum, lambada, rasgada, luau; forrobodó, forró, pagode, gafieira, galhofaria, seresta, serão, sarau, *rap*, hip-hop, disco, *techno*, *funk*, *rave*, funque, serração da velha, trebelho, dança, *street-dance*, pastorela, bolero, regadinho, pavana, chico da ronda (bras.), fandango, benzinho-amor, tirana, tatu (bras.), serrana, lundum, dunfa, samba, partido-alto, cancã, sarambeque, salsifré (gír.), arrasta-pé, minueto, cateretê, valsa, polca, *fox-trot*, *one-step*, *cake-walk*, solo, galope, mazurca, gavota (ant.), jiga, saco de areia (bras.), pírrica (ant.), quadrilha, lanceiros, *schottisch,* tarraga (ant.), zambra (ant.), russiana, polaca, siciliana, saltarelo, tarantela, varsoviana, romaica, contradança, galharda (ant.), *cotillon*, mourisca, sueca, passa-pé (ant.), feliz meu bem, charamba (Açores), siva savoanos, maxixe, cachucha, sapateado, chula, baião, xaxado, terolero, sarabanda, *soirée*, baile, chacoina (ant.), reunião, tertúlia, chá-dançante, balha, bailarico = balancê, ciranda, cirandinha, seroada;
(dança de negros): batuque, xiba (bras.), caxambu, chica, cumbé, quimbetes, sarambeque, bendenguê, tanglomanglo etc.;
festival, convívio, festança, festa, folia, festa junina, festejo, solenidade (*sarau*) 892;

841. Enfado | 841. Enfado

bródio, gala, prândio (poét.) = banquete 298; cegada, carnaval, entrudo, micareta, amaríntias, agonais, atelanas, heráclias, saturnais, amburbiais, armilústrio, ateneias, ambarvais, circense, piquenique, *fête champêtre*, festa campestre, eleutérias, arraial, cavalhadas, férias, volta, *tour*, passeio, giro, turismo, excursão, acampamento, *camping*; cavalgata, alcanzia, argolinha, pampolinha, mamulengos (bras.), *regozijo* 838; jubileu, aniversário, centenário, bodas de prata/ouro/diamante (celebração) 883; fogueira, quadrilha, *feu de joie*, bilbode, fogo de alegria, levantamento de mastro, cocanha = pau de sebo, feriado;
dia de grande/pequena gala; dia santificado, dia festival, dias gordos;
lugar de diversão: teatro, cinema, arena, estádio, jardim, passeio público, logradouro, parque de diversões, parque, hipódromo, praia, montanha;
jogos circenses, desportos atléticos, atletismo, natação, ginástica, torneio, pugilismo 720; corrida, patinação, *críquete*, tênis, beisebol, peteca, futebol, vôlei, basquete, remo, iatismo, surfe, *windsurf*, triatlo, *body-board*, *kitesurf*, esqueite, motonáutica; ciclismo, motociclismo, canoagem, balonismo, montanhismo, rapel, hipismo; judô, jiu-jítsu, taekwondo; tiro, arco e flecha, pesca;
jogos olímpicos, jogos florais/juvenais/de prenda; olimpíada, rapa, barra, petisca, percha (para ginástica), cabra-cega, almolina (ant.), gato-sapato, arre-burrinho = jangada, maste (bras.), esconde-esconde, amarelinha, bola de gude, brincadeira de pegar, brincadeira de roda, teté, jogo dos cantinhos, saltinvão, tirolico-tico, raiola, papagaio = pandorga, pipa, bilhar, sinuca, partida, bilharda, palamalho, palamalhar, toque-emboque, cartas, bisca, lambida, *whist*, espenifre (ant.), bacará, ozórias, pacau, loto, besigue, bóston, assalto;
jogos de tabuleiro, dados, xadrez, ludo, damas, trique-traque, gamão, dominó, tocadilho; víspora, bingo; monopólio, banco imobiliário, go, voltarete, passa-dez; jogos de carta, pôquer, buraco, pontinho, pif-paf, *bridge*, paciência; jogo, jogata, marimbo, chincalhão, búzio, busca-três, chilindrão, cucarne, carnita, quinquilharia, brinquedos, pé-coxinho, dixes, aiaia, boneca, boneco, pião, piorra, pitorra, lanterna mágica,
gaita, figurarias, zigue-zigue, cega-rega, trincolhos, brincolhos, rebatinha, funçanista, funcionista, convidado, bailador, bailão, bailariqueiro, fandangueiro, folgazão, regalão, balhadeira, folião, conviva, estroina, comensal, anfitrião;
palavras cruzadas, cruzadismo, charada, charadismo, sudoku; internet, jogos *online*, *orkut*, *messenger*, *twitter*, *facebook*;
farrista, boêmio, brincalhão, *bon-vivant*, epicurista;
V. divertir, distrair-se, farrear, desenjoar, espairecer, desenfadar-se, desentediar, recrear-se, folgar, fazer arraial, entregar-se às distrações, curtir, aproveitar, tripudiar, entreter-se, alegrar-se, jardinar (pop.), passear, fazer avenida (gal.);
entreter, matar o tempo;
pascer, apascentar o pensamento; deleitar-se, afugentar os cuidados;
escorraçar/afugentar a tristeza; afogar as mágoas, *desipere in loco*, ir de charola, foliar, garrir, folgazar, trebelhar (desus.), pandegar, patuscar, esbaldar-se, flostriar, passar vida alegre e folgada = pimpar, bosquejar, cabrejar, levar vida de abade, brincar, traquinar, retouçar, saltar, jogar, estrinchar, empinar um papagaio, garotar, sair do sério, banquetear = repastar, jogar entrudo, entrudar, dançar, regambolear, baiar (bras.), dar à perna, mazurcar, sapatear, valsar, polcar, sarabandear, bailar, balhar, batucar, sambar;
pintar o sete/a manta; pintar e bordar.
Adj. divertido, divertidor, pitoresco, recreativo, desenfadadiço, agradável 829; pândego, rapioqueiro, patusco, bexigueiro, festeiro, brincalhão, moinante, gaiteiro, convival, convivial, lusório, gracioso, magano, fandangueiro, festival, festivo (poét.), estroina, reinadio, folgazão, jovial, jucundo, festejador, desenfadativo.
Adv. por tafularia, por divertimento.

▽ **841. Enfado,** seca, tédio, fastio, desprazer, enfaro, enjoo, enojamento, enfadamento, aborrecimento, chateação, importunação, (vulgar) pé no saco, importunidade, zanga, mecha, incômodo, maçada, desgosto, antojo, fadiga, enfastiamento, lassidão (*cansaço*) 688; moléstia, mona (fam.) = acesso de aborrecimento, displicência, quizília, ânsias, náusea, arcada, engulho, enojo, saciedade 869; *tedium vitæ* (*abatimento*) 837; entejo, entojo, insipidez 391; monotonia, pregação, cantilena, estopada, maçadoura, seringação, buchada, xaropada, espiga, salmódia, apoquentação, impertinência, chatice, frenesi, niquice, nica, aridez, chochice; caceteação, o da rabeca, mosca, serrazina, moedor, narcótico, matador, importuno, importunador, secante, repisador, carraça, pegamasso, embuchado, cabrião.

V. enfadar, marfar, enjoar, importunar, remoer, maçar, enfaroar, chatear, mantear, moer, produzir aborrecimento, abusar da paciência de alguém, entediar, entejar, enfadonhar, salmear, marear, salmodiar, seringar, apoquentar, narcotizar, martelar, serrazinar, cansar, enojar, feder, molestar, incomodar, amolar (bras.), aborrecer, (vulgar) encher o saco, encher, fartar, quizilar; moer os ossos/a paciência a alguém; entojar, enfastiar;

dar sono; adormecer, saciar 869; secar, nausear, dar arcadas vomitando, fazer perder a paciência a um santo, quebrar o bichinho do ouvido, quebrar os ouvidos a alguém, desgostar, soporizar, irritar, agastar, pespegar, chimpar, impingir, pregar uma estopada de algumas horas, sanfoninar, repisar, remorder, bater na mesma tecla, repetir, bocejar, boquear, boquejar, abrir a boca, oscitar, vibrar a mesma corda, enfastiar-se, aborrecer-se, enfarar, enfadar-se, magoar-se, ser uma pulga no ouvido;

estar cansado, estar farto de, estar cheio de; morrer de tédio, carregar a celha.

Adj. enfadoso, enfadonho, sacal, enfastioso, tedioso, maçante, molesto, molestoso, maçudo, aperreante, aporrinhante, mortal, maçador, sorna, indigesto, desinteressante, soporífero, soporífico, soporativo, enojador, enjoativo, enjoador, engulhoso, secante, fatigante, sonífero, incômodo, irritante, peto, mal-engraçado, desengraçado, monódico, monótono, árido, triste, seco, chocho, desagradável, prosaico, chato, vulgar, comum, trivial, insípido, morno, sensaborão, desenxabido, insosso, sem sal, morrinha, reles, pífio, chué, rude, crônico, niquento, modorral, insuportável, intolerável, da breca, nauseoso, nauseento, nauseabundo, estúpido 499; melancólico 837; rançoso, enojador, enfadado & *v.*; narcótico.

△ **842. Espírito,** caçurria, salero, eutrapelia, sagacidade, argúcia, espirituosidade, senso de humor, humorismo, comicidade, aticismo, elegância, donaire, chiste, agudeza de espírito, sal, ledice, sainete = graça, facécia, mote, asteísmo = expressão graciosa, dito cheio de graça, repente, saída, argúcias, humor, galanice, galantaria, agudeza, sutileza, finura, amabilidades, gaiatice, farsa, pantalonice, bufonaria, caturrice, bobice, farsolice, arlequinada, jogralice, chocarrice, palhaçada 599; jocosidade, facundidade, faceciosidade, pulha = graceta, gracejo, brinco, caçoada, pilhéria, brincadeira, malícia, joguete, motejo 853; dictério, chufa;

dichote = dito satírico, dito mordaz, dito espirituoso, dito jocoso; dito com equívocos, alfinetada, piada, ironia, alusão ferina, sarcasmo, chança, graçola, troça, *boutade, badinage,* réplica, *qui pro quo,* coarctada, resposta, ridículo 856; conceito, *concetto, plaisanterie, mot pour rire,* risota, galhofa, achincalhe, galhofaria, galhofada, *bon mot, jeu d'esprit,* brincadeira, epigrama, monóstico, o sal do epigrama, alusão, crítica e acerba, respostada, saída, *quodlibet,* revirete, motete, dito de zombaria;

dito burlesco/gracioso/picante = *gravius verbum*; jogos de palavra, *jeu de mots,* trocadilhos, trocados, calembur, *ambiguidade* 520; logogrifo, charada 533; anagrama, acróstico, palíndromo, *nugæ canoræ*.

V. brincar, joguetear, ironizar, caçoar, gracejar, chasquear, reinar (pop.), galantear, refranzear, fazer uma brincadeira, motejar, chacotear, pilheriar, galhofar, chalacear, chocarrear, facetar, chancear, zombetear, zombar, cotiar, farsantear, farsolar, adubar com bons ditos, donairear = falar com chiste; dizer graças/bufonerices/chocarrices, facécias; sair do sério, bufonear, fazer rir (*divertir*) 840; arguciar, replicar, mofar de 856; *ridentem dicere verum, ridendo castigat mores,* epigramatizar, epigramar, sair-se com uma resposta de espírito, aguçar um epigrama, sazonar de ditos engraçados, atirar remoques, despertar a hilaridade, remoquear, largar uma piada, ter boas saídas, fazer rir as pedras, ter graça às pilhas, ter pilhas de graças, ter muito espírito, ser muito espirituoso, ter bons repentes, dizer bons improvisos, ter muito sal na conversa, ter boa prosa, truanear.

Adj. espirituoso, chistoso = eutrapélico, ferino, humorístico, humorista, gaiato, conceituoso, ático, jocoso, patusco, trocista,

engraçado, donoso, venusto, facecioso, gracioso, gracejador, zombeteiro, chocarreiro, salgado, brincalhão, jovial, bexigueiro, arguzioso, folgazão, vivo, atilado, aprimorado, polido, culto, elegante, brilhante, faceto, donairoso, palíndromo, epigramático, dicaz, mordaz, irônico, sarcástico, satírico, quodlibetal, joco-sério, risível.
Adv. espirituosamente & *adj.*; por desfastio, por graça, *per jocum*, por chalaça = zomba zombando, com sal e finura, galantemente = com chiste, com graça.

▽ **843.** (Pobreza de espírito) **Chateza,** chatura, chatice, mesmice, trivialidade, banalidade, vulgaridade, estupidez 499;
falta de originalidade/de imaginação/de espírito, desaire, desgraciosidade; dessabor, sensaboria, desenxabidez, insipidez, salabórdia, aridez, prosaísmo, prosa, deselegância, desprimor, desencanto, graça pesada, graçola, arlequinada, lacaiada, palhaçada 842; chocarrice, chulismo, chulice, chularia, grosseria, grossura, lugar-comum, xaropada, lesma, rabaça;
sol de inverno; pé de chumbo; estilo deselegante 579.
V. ser insulso & *adj.*; rastejar, dizer sensaborias = cantar por fabordão, desenxabir, desengraçar, dessaborar, dessalgar, insossar, despoetizar, desamenizar, desinteressar.
Adj. chato, vulgar, corriqueiro, insípido, cediço, peco, delambido, entediante, enfadonho 841, enjoado, fastidioso, cacete, maçante, sacal; inimaginativo, desinteressante, rebarbativo, rançoso, insulso, insosso 395; xacoco, mal-engraçado, desconsolado, desenxabido 391; sensabor, sensaborão, grave, pesado, pesadão, monótono, monódico, prosaico, despoético, material, deselegante, seco, rasteiro, rastreiro, rastejante, desengraçado, dessalgado, antipoético, oco, vão, fútil, chocho, desgracioso, estúpido 499; pobre de espírito, melancólico 837, xaroposo, sonífero, sonolento.
Adv. chatamente & *adj.*; sem encanto poético, sem elevação, sem sentimento.

844. Humorista, espirituoso, repentista, cômico, comediante, histrião, improvisador, epigramatista, gracejador, *bel esprit*, galhofeiro, brincalhão, farsola, quebra (bras.), patusco, reinadio, chanceiro, chalaceador, farsante, pachola, chacoteador, trocista, chocarreiro, caçoador, caçoísta, zombeteiro, calemburista, charadista, piadista, polichinelo, bufão, bufo, gracioso, precioso, jogral, titeriteiro, palhaço, *clown*, momo, pepino (pop.), saltimbanco, arlequim, bobo, manínelo, truão = truanaz, histrião = goliardo, folião, entremezista, pelotiqueiro.

2º) Particulares

△ **845. Beleza,** boniteza, bonitura, venustidade, formosura, frescor, lindeza, beldade (p. us.), encanto, atrativo, primor, perfeição, mimo, louçania, elegância, galhardia, garridice, donaire, donairo, graça, airosidade, esbelteza, bizarria, bizarrice, pomposidade, um não sei quê, gentileza, pulcritude, nobreza de porte, garbo = apostura, guapice, guapeza, requinte, finura, gajé = elegância de ademanes, galantaria, vivacidade, aprumo, recacho, simetria 242; esplendor, realeza, fulgência, resplandecência, grandeza, pola, majestade, sublimidade, celsitude, imponência, suntuosidade, grandiosidade, luminosidade, elevação, nobreza, pompa; magnificência, apuro, delicadeza, brinco, bibelô, fausto, embelezamento, aformoseamento, embelezo (ant.), Vênus, Afrodite, Citéria, Hebe, as Graças, Valquírias, Peri, huri, Helena, Egéria, Cupido, Apolo, Hipérion, Adônis, Narciso, Aquiles grego, divindade, deusa, beleza, monstro de beleza, deidade, deia, diva, ninfa, fada, sílfide, aldeagante, serafim, arcanjo, querubim, anjo, imagem, loireira, astro, feiticeira, beleza romana, boa moça, pavão, beija-flor, rosa, lírio, flor, anêmona, jardim, *bijou*, estampa, pintura, princesa, joia 847; tentação, obra-prima, obra-d'arte, sedução 829; perfil grego, cena, cenário, paisagem, roseiral, Éden, Paraíso, estética, elegância de formas, torneios do corpo; euritmia, eutaxia;
(pop.) avião, peixão, pancadão, gata, gato, gatice, pedaço de mau caminho, filé, tchutchuca.
V. ser belo & *adj.*; ter um lindo palmo de cara, matar de inveja, ser de arrasar, ser de derreter corações;
prender/subjugar/cativar o coração; excitar a admiração, denotar primor, fazer bela figura, ser verdadeira obra de arte, ser de encher os olhos, ser a expressão da beleza, brilhar 420; galhardear, florescer, florejar, vicejar, primar pela formosura;

ostentar viço, ostentar beleza; deslumbrar, aliciar todos os olhares, pompear, encantar, cativar, enlevar, atrair, fascinar, seduzir, embelezar, embelecer, formosear, aformosear 847, alindar (*agradar*) 829; dar maior realce a (*ornar*) 847; chamar a atenção 457; causar admiração 870; ornar, ornamentar, enfeitar, adornar, ataviar, ajaezar, engalanar, paramentar, adereçar.
Adj. belo, preclaro, lindo, bonito, galante, venusto, formoso, angélico, matador, gracioso, sedutor, pulcro, pulquérrimo, elegante, rico, delicado, mimoso, adorável, aprazível, digno de se ver, escultural, chique, simpático, airoso, macota (bras.), de boa plástica, perfeito, bem-apessoado, bizarro, de estatura alta e esbelta, esbelto, abietino, gentil, benfeito de corpo = aposto, donoso, donairoso, senhoril, que tem donaire, grácil, galhardo, guapo, garboso, apolíneo, esbelto como a estipe da palmeira, bem favorecido, bem-dotado, bem-conformado, bem-posto, bem-parecido, (bem-)apessoado = de boa presença, mil-lindo, milgamenho, catita, loução, vistoso, loureira, de enche-mão, garrido, bem-proporcionado, desempenado, de formas suaves, torneado, de boa fachada, brilhante, esplêndido, resplendente, sorridente, preexcelso, luminoso, celso, sublime, sobre-excelente, magnífico, feérico, deslumbrante, deslumbrativo, espetaculoso, pomposo, soberbo, cheio de formas extraordinárias, radiante, doce, suave, mágico, suntuoso, magnificente, de perturbadora magia, poético, vaporoso, solene, extraordinário, excelso, majestoso, angustal, grato à vista, imponente, grandioso, inesquecível, esplendoroso, soberano, de magníficos efeitos, tentador, digno do pincel de um artista, resplêndido, faustuoso, de construção delicada, de conformações olímpicas, pitoresco, pinturesco, elevado, artístico, estético, *fait à peindre*, indescritível, inconcebível, inimaginável, peregrino, bucólico, feito a capricho, primoroso, de primor, bem-acabado, irresistível, encantador 829; atraente, cativante, feiticeiro, de truz, ornamental 847; indeformado, impoluto, imaculado, intacável, sem jaça, perfeito 650; irretocável, que assenta bem 23; digno da atenção dos amantes do belo, capaz de maravilhar os mais exigentes artistas, enriquecido de feéricas belezas; à altura de serem consignadas nas telas; pulcrícomo = de belos cabelos; calipígio = de formosas nádegas; calicromo = de belas cores = eucromo.
Adv. belamente & *adj.*; em todo o esplendor de sua formosura.

▽ **846. Fealdade,** feiume, feiura, deformidade, disformidade 243; desprimor, inelegância, deselegância, desfiguramento, falta de simetria 243; hediondez, horribilidade, asquerosidade, monstruosidade, porte desengraçado = desaire, desengonço, sobrecenho = catadura torva; antipatia; cara feia, cara de réu, cara de herege, cara de excomungado, cara de vergalho, cara de poucos amigos; careta, esgar, rantonha, carão, carranca, caranchona, malas-caras, caramono, aleijão, espectro, sapo, mico, monstro, monstrengo, mostrengo, ogro, Shrek, Calibã, Esopo, Quasímodo, Górgonas, jagodes, almanjarra, jangaz, trangalhadanças, chinchila, trangola (burl.), espantalho, estupor, bazulaque, figura de pano de arrás, enguiço, enxalmo, feanchão, dentuça, hipopótamo, madrigaz, macho de liteira, chichimeco, urso, macaco, chimpanzé, balandrau, bode, bicanca, mulher feia, camafeu, macaca, tartaruga, carcaça, canhão, toupeira, ratazana, ratona, seresma, serpe, serpente, bruxa, tarasca, urca, couraceiro, pega, calhamaço, jia, jiboia, coruja, cascata, cuca, Medusa, mona enfeitada, manopla, penca, batata.
V. ser feio & *adj.*; parecer desagradável; ofender a estética, chocar o gosto; impressionar mal, ser mal-encarado, ter mau focinho, não ter ar algum, não ter figura humana, desmaiar os encantos, ser repulsivo, deformar a pureza das linhas (*deformar*) 241; desfigurar, destronar a beleza, desfear, afear, enfear, macular (*sujar*) 653; desairar, abatatar.
Adj. feio, feanchão; feio como bode/como sapo, inelegante, deselegante, ingracioso, simiesco, disforme, macaco, desproporcionado, desengraçado, mal-assombrado, de má catadura, desfavorecido, desajeitado, desengonçado, semicarúnfio (pop.), desprimoroso, desairoso, flexípede, mal-encarado, de má sombra, façanhudo, contrafeito, pesado, desdentado, anodone, calvo, capribarbudo, beiçudo, carrancudo, trombudo, focinhudo, pesudo, narigudo, pencudo, pançudo, barrigudo, ventrudo, vatricoso, de fero aspecto, indigesto, desagradável, desinteressante, rebarbativo,

847. Ornamento | 847. Ornamento

encarantonhado, antipático, medúsio ou medúsico, achaparrado, alambazado, inartístico, inestético, desornado, desaprimorado, esquálido 653; feroz, selvagem, grosseiro, deforme, lúgubre, escuro, cadavérico, medonho, monstruoso, pantafaçudo, ridiculamente exótico, apavorante, tetérrimo, horripilante, horrível, horroroso, horrífero, horrífico, hórrido, horrendo, metuendo (poét.), feiíssimo, horrente (poét.), inatraente, repulsivo, repugnante, franchão, hediondo, asqueroso, chocante; nojento, odiento, odioso, sórdido.
Adv. feiamente & *adj.*

△ **847. Ornamento,** ornato, louçainha ou louçania, recamo, lavor, ornamentação, decoração, embelezamento, guarnecimento, garridice, arreio, arreamento, floreado, enfeite, quindim (pop.), adorno, adereço, adereçamento, trinado, apogiatura, acicatura, grupeto, mordente, aformoseamento, atavio, alinho, aparato, artifícios, compositores, abilhamento (ant.), arquitetura, polimento, envernizamento, guarnição, bordadura, embutidura, incrustação, esmalte, anielagem, arabesca, arabescos, grotescos, filigrana, florão, bocel, bocete, almofada, contas, *coquillage*, miçanga, flores artificiais, airão, *fleur de lis*, *anthemion*, astrágalo, mufla, óvalo, ovículo, acanto, rosetão, floreta, sofito, regulete, floreio, pilastra, percha (navio), serpes, lambrequins, platibanda, fastígio, agicrânio, artesão, laçaria, embrechado, apainelamento, cogoilo, fogaréu, apainelado, bordados, sobrepostos, escumilha, brocado, brocadilho, brocatelo, rendilha, sutache, renda, franja, pontilha, galão, canutilho, fitas, passamanes, enlaçadas, tapeçarias, colgadura, gobelin, arrás, arminho, adminículos, froco, frocado, frocadura, gorgueira, gorgeira, cosmético, postura, arrebique, galas, lentejoula, bambolim, bisalhos, vidrilhos, avelórios, caçoleta, grinalda, diadema, tiara, estema, pancárpia, capela, coroa, ramo, ramalhete, festão, festonadas, bandeirola, galhardete, bambinela, sanefa, embrechado, penacho, dragona, pluma, plumaço, plumacho, plumagem, garçota, plumilha, plumão, cocar, tope, laço, laçada, roseta, *aigrette*, serrilha (nas moedas), joia, alfaia, joalheria, ourivesaria, mensório, bijuteria, *bijou*, solitário, medalha, medalhão, mariposa, bracelete, pulseira, anzolos, argola, broche, armela (ant.), colar, rosicler, rocalha, rocal, cadeia, *chatelaine*, anel, arcoso (gír.), brinco, pingente, arrecada, gargantilha, axorcas, manilha, berloque = teixe, torçal, pedras preciosas, gema, barroco, pedraria, diamante senal, diamante, brilhante, esmeralda, êuclase, calcedônia, ágata, ônix = olho de gato, heliotrópio, corindon, girassol oriental = opala, camafeu, cárdice, sárdio, sardônica, malaquita, galatita, lápis-lazúli = lazulite, xanto (ant.), xantena, crisólita, safira, topázio, crisoberilo, turquesa, agafita, zircônia, jacinto, carbúnculo, piropo, rubi, almandina, alabandina, ametista, íris, margarita, pérola, coral, aspilota, litizonte, aljôfar, priceço, ceráunio, trêmulos, gliptografia, miçanga (coisa sem importância) 643; quinquilharia, bugigangas, berloques, ouropel, pechisbeque, alquime, ilustração, gravura, pinturas de iluminação, iluminura, vinheta, estampa, cercadura, *cul-de-lampe*, flores de retórica 577; obra de arte, topiaria, ornamentista, ornador, recamador, bordador, decorador, topiário, ourives.
V. ornar, arrear, adereçar, enfeitar, alfanar, engalanar, adornar, exornar, ornamentar, assear, historiar, guarnecer, alfenar, alinhar, galantear, aparatar (p. us.), florear, florejar, floretear, enflorar, esmaltar, matizar, laurear, ataviar = abilhar (ant.), aprimorar, adonisar, aformosear, aformosentar, alindar, embelecer, embelezar, honestar, esquipar, ajaezar, decorar, aparelhar, armar, brincar, incrustar, pratear, anielar, pintar, bordar de realce, debruar, passamanar, agaloar, rendar, rendilhar, franjar, apadezar, filigranar, encortinar, acortinar, festoar, festonar, empavesar, apavesar, ensanefar, enfitar, enflorar, manilhar, alfaiar, bordar, recamar, colgar, atapetar, apainelar, apavonar, embrechar, abrilhantar, engrinaldar, toucar = coroar, enramalhetar, enramilhetar, enjoiar, dar formas vistosas e belas, paramentar, iluminar, engalhardear, engalhardetar, embandeirar, arrendar = marcar, lavrar, artesoar, artesonar, enastrar, empenachar, aljofrar, perlar, emperlar, conchar, conchear, enriquecer, enriquentar, sobredourar, pompear, constelar, entapizar, envernizar, polir, dourar, caiar, enramar, galonar, moldurar, acairelar, atorçalar, latear, abesantar, ajardinar, alamedar, emparrar, louçainhar, louçanear, garrir, fulgentear, serrilhar.

Adj. ornamental, ornador & *v.*; decorativo, florido, flórido, flóreo, brilhante, esplêndido, alegre, magnífico, pomposo, suntuoso, ornado, rico, esquipado & *v.*; cogulhado, plúmeo, plumoso, coroado de parras = viticomado, de grande gala 852; brocado, domingueiro, garrido, louçainho, endomingado, vistoso, farfalhudo, que chama a atenção, aparatoso, admirável, soberbo, apropriado 23; perolino, dórico.

▽ **848. Mancha,** mácula, tacha, falha; salpicos, empanamento, embaciamento, ponto, deformação, deformidade, senão, um quê, eiva, defeito (*imperfeição*) 651; jaça, gilvaz, cicatriz 551; cicatrícula, dano (*deterioração*) 659; manchas solares, fácula, tisne, sardas = lentigem, efélides, manchas hepáticas, malha, olheiras, pano, selenose, lúnula, beta, nódoa, laivo, labéu, pecha, mascarra, bitafe, estigma, sinal, borrão, borradura, borbulha, empola, enquimose, excrescência, farrusca, farrumpeu (chulo), petéquias, bexiga, choca.
V. manchar, macular, enodoar, desfigurar 659; afear, enfear, desfear, sarapintar, enlaivar, borrar, empanar, mascarrar, eivar, salpicar, polvilhar, coinquinar, malhar, embaciar, embodegar, embostar, emboldriar, assinalar, marcar, ferretear, estigmatizar, cicatrizar, tisnar; comprometer, emporcalhar, sujar, aviltar, denegrir, conspurcar.
Adj. manchado & *v.*, assinalado, picado, bexigoso, sardento, sardoso, sardo, lentiginoso, sarapintado, maculoso, maculado, farrusco, empanado, *imperfeito* 651; danificado 659; malhado, bexiguento, lunular, lunulado, maculiforme, petequial.

▽ **849. Simplicidade,** descomplicação, simpleza, lhanura, lhaneza, singeleza, desadorno, desatavio, pureza, nudez, desnudez, limpeza, austeridade, severidade, desguarnecimento, decência, inartificialidade, frugalidade, modéstia, compostura, naturalidade, naturalismo, realidade, realismo, desalinho, desarranjo, desafetação, desdém, pobreza, sobriedade, humildade, moderação, parcimônia, sensatez.
V. simplificar, descomplicar, ser simples, não ter arrebiques, tornar simples & *adj.*; assingelar, desataviar, desembandeirar, desadornar, desornar, desengrinaldar, desemoldurar, desencaixar, desencaixilhar, desenquadrar, desagaloar, desfranjar, desenfeitar, desempavesar, destoucar, descoroar, despir, desarmar, desnudar, descortinar, desguarnecer, desflorar, desmanchar, desalinhar, desembelezar 848.
Adj. simples, descomplicado, natural, singelo, lhano, severo, seco, nu, desnudo, desguarnecido, desafetado, despretensioso, incompto, despojado, desornado & *v.*; puro, limpo, inartificial, inartificioso, raso, sem lavores, modesto, escolástico, humilde, sem aparatos, pobre, caseiro, decente, casto, sóbrio, liso.
Adv. sem mais aquela, à capucha, à moda dos franciscanos, singelamente & *adj.*

△ **850. Bom gosto,** estética, gosto, virtuosidade;
gosto apurado/educado/cultivado/requintado; tato, apuro, correção, esmero, recaixo, excelência, requinte, sofisticação, aristocratismo, distinção, sobriedade, garbo, bizarria, bizarrice, bom-tom, primor, galantaria, esmero artístico = toque, fineza, finura, *finesse*, gracilidade, delicadeza, suavidade, polimento, elegância, correção, equilíbrio, desgarre, graça, pureza, classicismo, casticidade, *virtu*, diletantismo, belas-artes, trinque = esmero, artes de adorno, obra limpa, cultura;
(ciência do gosto): estética, eufemismo; homem de gosto, entendido, *connoisseur*, *gourmand*, *gourmet*, juiz, crítico, mestre, glosador, censor, amador, curioso, *conoscente*, *virtuoso*, *diletante*, Petrônio, Aristarco, crítico esclarecido, árbitro da elegância = *arbiter elegantiarum*, estagirita, eufemista, o mundo elegante.
V. ter bom gosto, distinguir-se pela elegância, primar pelo apuro requintado, ganhar a todos na graça, reinar o bom gosto, apreciar, gostar, julgar, criticar; apurar, aprincesar-se, afidalgar-se, aristocratizar-se.
Adj. de bom gosto, fino, alinhado, desafetado, sóbrio, puro, casto, castiço, clássico, ático, mimoso, delicado, apurado, culto, cultivado, esmerado, requintado, sofisticado, afidalgado, educado, cavalheiresco, gentil, distinto, estético, artístico, neogótico, elegante 578; eufemístico, *comme il faut*, à guisa, não vulgar, limado, límpido, esmerado, cultivado, lapidar.
FRASE: *Nihil tetigit quod non ornavit* = tudo que lhe veio às mãos ficou ornado.

851. Moda | 852. Mau gosto

△ **851. Moda,** uso, vezo, maneira, estilo, tom, bom-tom; *fashion*; elite, escol, nata, *high-life*, corte, o grande mundo, o mundo aristocrático, o mundo elegante, alta sociedade, *high-society*; luxo (*ostentação*) 882; loja de modas, butique, maneiras, ademanes, educação, polidez 894; ar, porte 448; *savoir-faire, savoir-vivre,* urbanidade, ar distinto, distinção; polidez, elegância de maneiras; galhardia, garbo, aprumo, elegância, trinque, gentileza, nobreza de porte, airosidade, apuro, fidalguia, aristocracia 873; decoro, decência, conveniência, convencionalismo, convenções sociais, etiqueta, protocolo, formalismo, formalidade, rigorismo; observância rigorosa das leis da etiqueta/ da pragmática; costume, voga 613; modista, vestes 225; correção e esmero no trajar, figurino, trajos domingueiros; escravo da moda; árbitro da elegância 850; Petrônio, formalista, rigorista, janota 854; almofadinha, dândi, chibança, chibantismo, casquilho, peraltice, casquilhice, casquilharia, garridice, coquetismo, chiquismo, janotaria, janotice, janotismo, janotada, tafularia, peralvilhice, catitismo.

V. estar na moda/*fashion*/na beta/no gosto do dia/em voga/nos trinques; reinar, prevalecer, estar de ponto em branco, andar no requinte da moda, andar nas pontinhas, trajar com apuro, finfar; seguir/acompanhar/aceitar a moda; conformar-se com a moda; ir com a corrente 82; vestir-se com esmero/com primor/com elegância; pôr-se à moda/à última moda; desfilar, espenicar-se, enfeitar-se, exibir bons vestuários, adornar-se, fazer um figurão, servir de modelo, galhardear trajes vistosos, andar no trinquete; deitar moda, criar moda, pôr em moda, dar a moda, encasquilhar-se, puxar-se, esmerar-se, janotar, luxar, embonecar-se, aperaltar-se, fragatear, tafular, enfeitar-se, pimponar, pimponear, chibar, chibantear, casquilhar, peraltear, andar como um taful, galear, adonisar-se, aperalvilhar-se, arrebitar-se.

Adj. elegante, distinto, cheio de distinção, gentil, aprimorado, esmerado, airoso, repuxado, vestido com elegância = bizarro, esquipado, chafalheiro, garrido, apilarado, puxadinho, casquilho, chibante, puxado, arreitado, janota, gamenho, trinques = liró = catita, sécio, lampeiro, candeia (bras.), taful, pintalegrete, proluxo, gaiteiro, espanéfico, tirado das canelas (pop.), aperaltado & *v.*; requintado, loução, louçainho, formalista, *dégagé*, galante, alinhado, enfeitado 847; afidalgado, cavalheiresco, cortês; *up-to-date,* da última moda, de ponto em branco. *Adv.* elegantemente & *adj.*; no rigor da moda, na última moda, à moda, *en grande tenue* (*ornamento*) 847; a caráter, por amor à moda, *comme il faut,* à guisa.

▽ **852.** (Ausência de gosto) **Mau gosto,** vulgaridade, chateza, grosseria, trivialidade, deselegância, inelegância, frioleira, banalidade, barbarismo, vandalismo, goticismo, *gaucherie,* falta de jeito, desaire, maneiras burguesas, fantastiquice, desapostura, desapuro, desaprumo, desalinho, má-criação (*descortesia*) 895; atecnia, desprimor, rusticidade, rustiquez, indecoro, conduta irregular, modos asselvajados, mau-tom, alarvaria, tediosidade, brutalidade, obscenidade, calão 563, chulice, chulismo, chularia, caçoada inconveniente, *mauvaise plaisenterie,* graça pesada, chocarrice, garotada, garotice, filistria = brincadeira perigosa, lacaiada, arlequinada, selvajaria, galegada, jogralice; cacotecnia; (excesso de ornamentos): ostentação, rebolaria, rococó, ouropel, talco, alquime, pechisbeque, farfalhada, farfalheira, postura, ornatos ridículos, espalhafato, artifícios, cafonice, caretice, breguice, arrebiques, berloques, bugiaria, bugiganga, *clinquant,* bandalhice, cores berrantes; chamboíce, diamante bruto, palhaço (*pleb.*) 877; godo, vândalo, articida, remendão, cocheiro, carroceiro, pastrano, *parvenu,* besuntão 653; caipira, gebo = jarreta, javardo, trapalhão, panasqueiro, micrólogo, pelintra, pingalho, espantalho, malabruto, bigorrilhas, bandalho, brutamontes, almanjarra, faiança, fancaria, frangalhona, parrana, vegete.

V. ser vulgar & *adj.*; cheirar a sebo, garrir-se = vestir-se de cores brilhantes, espalhafatar, asselvajar-se, alambazar-se.

Adj. de mau gosto, vulgar, grosso, casca-grossa, usado, soez, trivial, banal, ordinário, irrequintado, grosseiro, mocorongo, informe, indecoroso, indecente, obsceno, alambazado, asselvajado, deselegante, chambão, inconveniente, *contra bonos mores,* estapafúrdio,

853. Ridicularia | 855. Afetação

extravagante, irregular, exagerado, espalhafatoso, careta, cafona, brega, insulso, desenxabido 395; antiartístico, *kitsch*, parrana, gebo, maltrajado, aparranado, negligente, sujo 653; andrajoso, mal-amanhado, mal-ajambrado, baixo 877; descortês, incivil 895; malcriado, indelicado, desaprimorado, insolente, abrutado, labrego, lapônio, rústico, alarve, galego, achavascado, pouco distinto, labrosta ou labroste, silvestre, desalinhado, intonso, hirsuto, arrepiado, desgrenhado, despenteado, lapuz, indomado, indômito, indomável, pesado, rude, inculto, chocante, desajeitado, alarvado, acaipirado, bronco, assaloiado, alabregado, avaqueirado, agreste, rebarbativo, indoméstico, indomesticável, bárbaro, tosco, fragueiro, gótico, vandálico, burguês, pastrano, provinciano, aldeão, amatutado, montês, montesino, selvagem, selvático, rococó, malhadeiro, charro, chulo, obsoleto (*antiquado*), *démodé*, ultrapassado, incompto, crasso, grassento, sem arte, sem distinção, sem gosto, mal-arranjado, malfeito, desengraçado, desairado, reles, pífio, chué, safado, exagerado 855; fora da moda, antigo, singular (*ridículo*) 853; cepudo, monstruoso, hórrido (*feio*) 846; chocante 830; de fancaria, de farta-velhaco, das Arábias.
Adv. vulgarmente & *adj.*; amatalotadamente.
PROVÉRBIOS: Por fora, corda de viola; por dentro, pão bolorento. Por fora, muita farofa; por dentro, mulambo só.

853. Ridicularia, ridículo, extravagância, bizarrice, gaiatice, ratice, ratada, excentricidade, esquisitice, estrambotice, pieguice, peripécia cômica, palhaçada = farsada, fantochada, cena burlesca, farsa, comédia, pantomima (*ridículo*) 856; bufonaria (*brinquedo*) 840; vestes ridículas, disparate 497; estilo bombástico 517; monstruosidade 83; coisas de eterna luminária, cofre de gargalhadas 857; iguaria, papel triste, pessoa ridícula, bobo alegre, papa-fina, petisco, fúfia (fam.), penetra, arre-burrinho = jangalamaste, pau de cabeleira, bandalho, piegas, totó, jarra, bandurrilha, malhadeiro, caricatura, vegete, ludíbrio, salta-pocinhas, trejeitador, bonifrate.
V. ser ridículo & *adj.*;
prestar-se ao ridículo/ao desfrute; ser a fábula de alguém, estar na berlinda, estar sempre em cena;
dar pábulo, enchente à risota; dar pratos; fazer papelinhos/figurinhas;
servir de risota, servir de espetáculo, passar por bobo, servir de pratinho a alguém, servir de pábulo, servir de cena; provocar gargalhadas, fazer de urso (fam. e pop.), prestar-se ao ridículo, descambar no ridículo; andar em rifão, ridicularizar-se, burlesquear, ser digno de zombaria, passar do sublime ao ridículo, fazer cenas;
levar um babaréu/uma surriada; ser digno de compaixão, ficar por barreira de zombarias.
Adj. ridículo, peripatético, lúdicro, risível, cômico, escarnecível, engraçado, pícaro, picaresco, impagável, desfrutável, *pour rire*, grotesco, farsesco, carnavalesco, gatesco, brutesco, bufo, excêntrico, presumido, rato, ratão, de eternas luminárias, burlesco, estrafalário, simiesco, indecente, irrisório, chulo, caricato, caricaturesco, cafona, careta, brega, escarnecível, piegas, papa-fina, tolo 499; pretensioso, afetado, divertido, estrambótico ou estrambólico, estapafúrdio, espalhafatoso, mirabolante, extravagante, cerebrino, heteróclito, *outré*, monstruoso, absurdo, prepóstero, bombástico, pândego, sério-cômico, tragicômico, desprezível (*sem importância*) 643; derrisório 856.

854. Janota, peralvilho, pantalão, manequim, frajola, casquilho, dândi, sécio, bandalho, peralta, taful, pimpão, petimetre, *petit-maître*, pelintra (bras.), bonifrate, faceiro, boneco, boneco de alcorça, empetecado, ingarilho, fragata, penetra, puxadinho, estouradinho (fam.), chibante, franchinote, gamenho, Adônis, Narciso, Petrônio, leão, pintalegrete, pintão, papelão (burl.), pisaverdes, engomado, catita, estarola, almofadinha, janotada; *coquette*, boneca, fúfia, jardineira, frança, leoa, maia, pimpona, pantufa, senhoraça.
V. tafular 852.

855. Afetação, denguice, pretexto (*hipocrisia*) 544; *ostentação* 882; *jactância* 884; apego obstinado a, charlatanismo, pedagogia, pedantismo, pedantice, pedantaria, insolência 885, soberba, arrogância; magistralidade, empostação, desnaturalidade, fatuidade, enfatuamento, dogmatismo, nefelibatismo, pretensão, ufania, prosápia, ares, espevitamento, vanglória, sobranceria, fumaça, purismo, eufuísmo, rigorismo, culteranismo, preciosismo, gongorismo, marinismo,

856. Ridicularização | 856. Ridicularização

futurismo, satanismo, formalismo, ritualismo, rigorismo pedantesco, gramatiquice, tautometria, teratologia (*altiloquência*) 577; francesismo, germanismo, amaneiramento, maneirismo, janotismo 852; rigidez, formalidade, escrupularia, atitude estudada, *pose*, puritanismo, catonismo, falsa modéstia, falsa vergonha, bioco, *minauderie*, pieguice, sentimentalismo, sofomania, megalomania, melomania, anglomania, americomania, ator, comediante, pedante, pedagogo, doutrinário, purista, eufuísta, maneirista, *grimacier*, gongorista, rigorista, formalista, cultista, culterano, culteranista, ritualista, galicista, francesista, galiciparla, anglomaníaco, anglômano, megalômano, megalomaníaco, musicômano, musicomaníaco, poetastro, charlatão 662; nefelibata, sofomaníaco, penetra, pisa-flores, pisa-verdes, salta-pocinhas, petisco, piegas, mogangueiro, delambido, dengue, hierofante, momice, visagem, careta, trejeito = gaifona, mogigangas, esgares, momo, monetas = macaquice, bugiaria, moganguice, visagens, mônada, moquenquice, monaria, requebros, derrengo, meneio, damice, quebro, quebro do corpo, recacho, inflexão lânguida do corpo e da voz, tom de proteção, tom doutoral, ares de proteção, gajé = donaire afetado, apuro, requinte, melindre.
V. afetar-se, alambicar-se, ser o *nec plus ultra* de, contrafazer-se, ter modos enigmáticos, requintar-se;
apurar-se, esmerar-se até o ridículo; romantizar-se, lamber, dar-se ares, ir ao extremo de; aparentar nos modos/nas falas; espevitar-se, amaneirar-se, fazer por dar na vista, inculcar-se;
fazer-se velho/bonito, assumir atitudes, gaifonar = trejeitar, fazer papel, pousar de, alardear 884; usar de afetação, delamber-se, contorcer-se, retorcer-se, flautar = falar com afetação, espevitar as palavras, menear, requebrar, derrengar, dandinar, bambolear-se, gingar, saracotear, recachar, abusar dos meneios do corpo, emplastar, masculinizar-se, europeizar-se, espanholizar-se, afidalgar-se.
Adj. afetado, amaneirado, barroco, espevitado, imodesto, pernóstico = perliquetete, requintado, enfatuado, estudado, exagerado, peripatético, doçar (ant.), apilarado, presumido, faceiro, delambido, pretensioso, pedante, presunçoso, pedantesco, metido, moquenco, nefelibata, moquenqueiro, teatral, *ad captandum*, *pour épater*, espalhafatoso, buscado, mirabolante, meandroso, dengoso, dengue, espanéfico, alambicado, proluxo, faceiro, invencioneiro, rígido, formalista, rigorista, puritano, gongorista, rebuscado, empolado, culterano & *subst.*; eufuístico, extravagante, gongórico 517; ultrarrealista, sentimental, sofômano, anglomaníaco, *tiré à quatre épingles*, misterioso = hieroglífico, cerimonioso, forçado, que não é natural, contranatural, cerimonial, preparado com artifício, modilho, gamenho 852.
Adv. afetadamente & *adj.*; pró-forma.

856. Ridicularização, ridiculização, derrisão, risota, riso sardônico, riso de sarcasmo, risota ou risote, irrisão, apupo (*desprezo*) 929; causticidade, achincalhe, achincalhamento, achincalhação, desporto, jogo, momo, escárnio, escarnecimento, escarninho, zombaria = micterismo, galhofa, chacota, matraca, judiaria, mofa, apodo, ditos zombeteiros, remoque = sainete, alfinetada, chança, sotaque, troça, chasco, desfrute, babaréu, gracejo, caçoada, mangação, gozação, gozada, brincadeira, *badinage*, moca, chocarrice, joguete, debique, zagunchada (fam.), chufa, motejo, dichote, investida, sarcasmo, crítica picante, seta, chalaça, laracha (chulo), dardo, piada, piadinha, mote, motete, anexim, mordedura, mordidela, mordacidade, malícia, bisca, picuinha, chá, alusão satírica, dito picante (*espírito*) 842; burla, sovinada = ironia pungente, riso mefistofélico, sátira, trovas, trovas burlescas, seguidilhas satíricas, silo, paródia, ópera burlesca, caricatura, farsa (*drama*) 529; pasquim, fantasia, enterro, *travesti*, silografia = poesia satírica, epigrama, o buril da sátira, jiga-joga, jogo de empurra, bufonaria 840.
V. ridicularizar, ludibriar, meter a ridículo, fazer escárnio, galhofar, desfrutar, joguetear, zombar, zombetear, gozar, malhar, mofar, judiar, tomar alguém por conta, gracejar, empulhar, chalacear, caricar = escarnecer, burlar, achincalhar, escarnicar, escarnir (pop.), apodar, pantear, escarnecer, zingrar, fazer riso de, fazer prato de, fazer burla de, matraquear;
debicar com/em alguém; chufar, troçar, tirar onda com, flechar de motejos, mangar com alguém;
meter à bulha/a riso; empulhar, chasquear, motejar, criticar, palhetear, dizer chascos;

debicar com, ou em; apepinar (burl.), chacotear, fazer bexiga, bexigar, chocarrear, troçar de, caçoar, sacanear, chalacear, remocar, remoquear, fustigar, fazer de alguém gato, fazer boneca a alguém;
fazer galhofa/troça de; arreganhar os dentes, meter a alguém os pés nas algibeiras, fazer de alguém gato e sapato, fazer jogo de alguém, fazer jiga-joga com alguém, rir-se de, rir à custa de, meter a riso, investir; rir na cara/nas bochechas de alguém; não levar a sério;
levar alguma coisa de mangação/de galhofa; satirizar, epigramatizar, parodiar, fantasiar; afiar uma sátira/um epigrama; fazer o enterro de alguém, envinagrar-se = tornar-se sarcástico.
Adj. derrisório, chalaceador, escarnecedor & *v.*; risote, sarcástico, mofador, lépido, gracejador, trocista, piadista, irônico, gozador, zombeirão, zombeteiro, mangão, mangador, ludibrioso, chafalhão, galhofeiro, espirituoso, escarnicador, irrisor, escarninho, sacana, picante, cáustico, mordente, graçola, chocarreiro, caçoante, chalaceiro, chacoteiro, bexiguento, ridicularizador & *v.*
Adv. derrisoriamente & *adj.*; zomba-zombando.

857. (Objeto ou causa de riso) **Anedota,** piada, 1º de abril, gracejo, besteirol, bexiga, pilhéria, tirada, *gag*, mogiganga, pantomima, espetáculo, chocarrice, palhaçada, gracinha, graçola, comédia, farsa, rabo-leva, bonecos de engonço, trejeito, esgares, careta, macaquice, bobice, truanice, bugiaria, bufão, marzoco, truão, catimbau, palhaço, totó, mascarado, xexé, figura de presepe, bobo alegre, bobo do rei, pessoa ridícula e desfrutável = petisco, piegas, ratazana, bugio, mono, macaco, carniça, chalaça (*espírito*) 842, arre-burrinho 853.

△ **858. Esperança,** desejo 865; risonha expectativa, confiança, crença, fidúcia, fé (*crença*) 484; segurança, convicção, promessa, perspectiva, bom presságio, bons augúrios, bom auspício, otimismo, promessa bem fundada, sólidas esperanças;
perspectiva brilhante/promissora; projeto, planejamento, céu azul, céu de brigadeiro, assunção, presunção, expectacão, antecipação (*expectação*) 705; conjetura provável, suposição fundada em probabilidades, eussemia, bons sintomas, utopia, entusiasmo, aspiração; otimista, fantasista, utopista;
castelos/obras/projetos no ar; planos feitos sem base, *chateaux en Espagne*, milênio, ilusão, devaneio, sequência de ideias vãs e incoerentes, fantasia, sonhos dourados, sonho de Alnaschar, esperanças aéreas, miragem 443;
esperanças vãs/falsas/em verde; castelos de dourada fantasia;
raio/fulgor/clarão/calor/sombra/alvoroço de esperança; alegria, luz de melhores dias, nesga de céu azul, alvarelha, estrela doce e perenemente acesa, arco-íris, âncora, âncora de salvação, âncora sagrada.
V. esperar, confiar em;
apoiar/fundar/depositar suas esperanças; confiar, crer, ter esperança, ter confiança em, ter fé, fiar-se, edificar suas esperanças sobre, contar com, sentir que dias mais felizes o aguardam, arder em esperanças (*desejar*) 865; ter em perspectiva, sobre-esperar, contar com a probabilidade de êxito, ter confiança em sua estrela;
bater/pulsar o coração a alguém;
sentir/alimentar/acarinhar/animar/nutrir/afagar/dar uma esperança; viver de uma esperança; estar esperançoso & *adj.*;
ver tudo cor-de-rosa, sonhar com, ver com bons olhos, embalar ilusões, sonhar;
fantasiar, voar/adejar nas asas da fantasia; encher a alma de ilusões 515; contar os pintos antes do nascimento, fundar torres no vento, alimentar-se de ar, edificar sobre areia, armar castelos, construir castelos na areia/no ar, granjear a esperança;
voltarem para alguém todos os olhares/ todas as esperanças; ser o depositário da esperança de;
prometer, ir longe, esperançar, alentar, reanimar, oferecer probabilidade de êxito; auspiciar, augurar bem; florir de promissoras esperanças;
prometer mundos e fundos/montes de ouro = *montes auri polliceri*; alimentar esperanças em = sopitar (fig.), ser de grande alcance, ser homem de alguém.
Adj. esperançoso, cheio de esperanças, esperançado, confiado, confiante, confioso, seguro (*certo*) 484, certo; concho, esperante (p. us.), exultante, animado, entusiasta, en-

tusiástico, alentado de esperanças, insuspeito, insuspicaz, intemente;
livre, isento de receio/de desconfiança/de temor/de apreensões; provável, a caminho de;
à vista de terra/da praia; prometedor, promissor, fadado a grandes empreendimentos, promissivo, promissório, promitente, lisonjeiro, fagueiro, risonho, futuroso (bras.), sorridente, de muitas possibilidades, de bom augúrio, auspicioso, tranquilizador, róseo, *couleur de rose*, florido, flóreo, florente, brilhante, prometedor de um céu menos sombrio, vincituro, remediável, superável, curável, medicável, sanável, removível, reparável, revogável, esperável.
Adv. esperançosamente & *adj.*
Interj. Oxalá! Tomara! Deus queira! Com certeza! Amém!.
Frases: *Nil desperandum.* Nunca diga — é impossível. *Dum spiro spero. Latet scintillula forsan.* Tanto melhor. *Spero meliora. Rusticus expectat dum defluat amnis.* A semente foi lançada em terreno fértil. Melhores dias virão.

▽ **859.** (Ausência, necessidade, perda de esperança) **Desesperança,** desespero, desalento, desânimo, frustração, abatimento 837; acídia, desesperação, pessimismo, derrotismo, angústia, agonia, confortos de enforcado, ave agoureira, ave de mau agouro 512; enguiço, pressentimentos lúgubres, irreparabilidade, insanabilidade, inevitabilidade & *adj.*; irrevogalidade, irremovibilidade; a ironia da esperança;
mau agouro, esperança morta/fanada/crestada/vã/ impossível, *decepção* 509; desengano, acabrunhamento, soçobro, alquebramento, depressão, dura realidade, esperanças aéreas 858; *nuvens* negras no horizonte.
V. desesperar, desesperançar, dar ao diabo a carda;
perder/abandonar/renunciar a toda esperança;
entregar-se, abater-se, acabrunhar-se, ceder ao desespero; ver tudo negro, ver com maus olhos, não ver um raio de luz na escuridão, ir ao extremo de, arrancar os cabelos 839; ficar abatido 837; sucumbir, trazer o inferno no coração, sentir soçobrar toda a sua alma, não (nutrir esperança 858); agourentar, agourar mal de, malsinar;
inspirar/levar ao desespero; entrar em depressão; deprimir-se, angustiar-se, agoniar-se; ver o jogo mal-parado;
não haver remédio/recurso; desconcertar, desiludir, desengodar, desenganar, desanimar-se, desalentar, meter em desesperação; aniquilar/esboroar/crestar/ceifar/cercear/derrocar/destruir/desmentir as esperanças de; esmagar sob o peso da realidade, cortar o voo às esperanças, trincar a sedela, não haver mais remédio, tentar remediar o irremediável, estar tudo perdido, passar em julgado, cerrarem-se todas as portas, enforcar as esperanças (*falta de êxito*) 732.
Adj. desesperado, desesperançoso, desesperançado, desesperador, infrato, marfado = frustrado em seus desígnios, impaciente, derribado da esperança, abandonado, irresignado, desvairado, aflito 837;
cheio de agonias/de enguiços = agoureiro; fora de questão/de combate/de cogitação, impraticável 471; em estado desesperador, sem cura, sem remissão, sem redenção, sem remédio, sem futuro, sem perspectiva; sem conserto; abandonado ao almargem, abandonado a monte 624; incurável, imedicável, irremediável, incorrigível, insanável, irreparável, irrealizável, irrecusável, inevitável, fatal, irreformável, irrefragável, irrefutável, irremível, irreprimível, inconsolável, irresignável, irresistível, inexorável, que tem de ser, irrevogável, irretratável, irremissível, imitigável, improrrogável, impreterível, inapelável, nefasto, inauspicioso, malfadado, malnascido, malparado, ameaçador, toldado de negras nuvens.
Adv. desesperançadamente & *adj.*; em último recurso, em recurso extremo, em desespero de causa, como tábua de salvação, sem outra solução, já agora.
Interj. babau! *kaput!* já era! acabou-se o que era doce! fim de linha! acabou!.
Frases: *Lasciate ogni speranza voi chè intrate.* Seus dias estão avaramente contados 360. Até o recurso de... lhe falece.

▽ **860. Medo,** pânico, pavor, terror, temor, receio; covardia, paúra, apavoramento, acovardamento; desprimor, apreensão, cagaço, timidez, curteza, irresolução, desconfiança, solicitude, ansiedade, hesitação (*irresolução*) 605; pusilanimidade, fobia, pirofobia, claustrofobia, nosofobia, quimofobia, agorafobia, astrofobia, topofobia, nictofobia, acrofobia, suspeita, escrúpulo, mal-estar, nervosidade, nervosismo, nervoso, intranquilidade, desassossego, tremor, tremeliques, estremeção, palpitação, maleita, arrepios, suores frios, calafrio, horripilação, tiritar de queixos (*frio*) 383; bater de dentes, frendor, sobressalto, alvoroto, alvoroço, inquietação, freima, desmaio, espanto, espavento, consternação, susto, assombramento, horror, intimidação, atemorizamento, terrorismo, reinado do pavor, alarma, gritaria (*indicação de perigo*) 669; ecfonema;

(objeto de medo): fantasma, trasgo, aparição, assombração, avantesma, abantesma, sombra, espectro, alma do outro mundo, espantalho, enxalmo, paspalho, visão fantasmagórica, visonha, duende (*demônio*) 980; alma, espírito, manes, alma penada, alma do outro mundo, macabra, pesadelo, íncubo, dandão, espectro de pesadelo, bicho de sete cabeças, manticora, mula sem cabeça, Górgonas, monstro, caipora (bras.), bicharoco (fam.), bruxa, saci-pererê, papa-gente, papão, bicho-papão, papa-meninos, tutu (bras.), zumbi, cara patibular, cuca, conde andeiro, pavorosa, topófago; ogro, vampiro, lobisomem, morto-vivo.

V. temer, ter medo & *subst.*; recear, inquietar-se, açorar-se, respeitar, desconfiar (*descrer*) 485; não se animar a, não se atrever, quebrar-se o coração a alguém; perturbar-se, pelar-se de medo, ter amor à pele, ficar perplexo diante do perigo, gelar, congelar-se de medo, tremelicar, tremelear, chumbar os pés ao chão, desmaiar, assustar(-se); não saber lutar, não ser homem de peleja, não ter a virtude do valor, atrigar-se, perturbar-se, gelar o sangue nas veias, arrepiarem-se os cabelos, ficar petrificado, cair o coração aos pés, ter a fala gelada na garganta, badalejar, empalidecer, mudar de cor, ficar sem um pingo de sangue, enfiar de susto, porem-se os cabelos em pé, tremer como varas verdes, trepidar, acovardar-se 862; desfalecer, provocar apreensões;

meter medo; pôr em alarma, alvorotar, alvoroçar, sobressaltar, sobressaltear, espaventar, assarapantar, torvar de susto/de medo, aterrar, aterrorizar(-se), consternar, açorar, atemorizar, intimidar = apoucar, terrificar, estarrecer, apavorar(-se), amedrontar, fazer tremer a barba a alguém, dirigir ameaças, fazer tremer os queixos a alguém, assombrar, espavorir, espavorecer, espavorizar, despavorir, abater o ânimo, causar terror, fazer barba medrosa, petrificar, arrepiar, horrorizar(-se), horripilar, ameaçar; tirar, quebrantar o ânimo; abater, desanimar, quebrar o coração de medo.

Adj. tímido, fraco, imbele, medroso, pávido, temeroso, timorato, pusilânime, covarde, meticuloso, solícito, receoso, nervoso, suspeitoso, prevenido, acanhado, levantadiço, convulso, trépido = trepidante = tremuloso, trêmulo, espantadiço, apreensivo, inquieto, arisco = tarasco, desconfiado, difidente, intranquilo, ressabiado, assustado, assustadiço, branco como um lençol, pálido como a morte;

retransido, transido, perdido, entorpecido de medo; horrorizado, contérrito, frio de espanto, petrificado & *v.*; apavorado, aterrorizado, estarrecido, aterrado, imóvel, tremelicoso, sobressaltado, tremebundo, arrebatado pelo terror, espavorido, alarmante, assustoso, assustador, inquietador, intranquilizador, desassossegador, formidável, formidoloso, formidando, tremendo, horrendo, torvo, sinistro, macabro, hediondo, lúgubre, sanhoso, sanhudo, lôbrego, arrepiante, temível, temerário, *perigoso* 665; terrível, terrífico, larval, soturno, inominável, inqualificável, indescritível, horrífero, horrífico, hórrido, horríssono, horripilante, horroroso, pavoroso, dantesco, medonho, tétrico, temeroso, terríssono, mortífero, negro, atro, trevoso, patibular, tetro, tenebroso, metuendo (poét.), apavorante, negregoso, subversivo, suspeito, terrificante, ameaçador.

Adv. *in terrorem*, timidamente, amedrontadamente, medrosamente & *adj.*, com o credo na boca, em sobressalto, com a voz presa que exprime o pavor supremo.

Interj. ânimo!, coragem!, sus!, eia!.

△ **861.** (Ausência de medo) **Coragem,** ânimo, braveza, bravura, bravosidade (p. us.), valor, destemor, destemidez, valentia, brio, intrepidez, arrojo, denodo = pundonor, auso (poét.), ousadia, ousio, ousamento, ardimento (ant.), ardideza, foiteza, afoiteza, galhardia, audácia, bizarria, macheza, desgarre, guapice, desacobardamento, desplante, atrevimento = fidúcia, impetuosidade 863; impavidez, desassombro, sangue-frio, calma, imperturbabilidade (*inexcitabilidade*) 826; frieza de ânimo, rijeza de têmpera, gentileza, heroicidade, heroísmo, heroísmo temerário, varonilidade, virilidade, ombridade, fortaleza, firmeza (*estabilidade*) 150; resolução 604; confiança, fibra, têmpera, energia, alma, arreganho militar, belicosidade, intrepidez, bravura indômita, coragem inexcedível, gênio intrépido, valentia imortal, ardor bélico, pugnacidade, proeza, façanha = gesta, feitos guerreiros, áfrica, feito heroico, arremetida, arremetimento, lances de valor, ação, cavalaria, rasgo de valor, leão, onça, touro, pantera, tigre, herói, semideus, indígete, coração de leão, coração valente, herói de romance; homem de fígado, homem de févera; paladino, turuna, valente.

V. ser corajoso & *adj.*; andar em foro de valente, destemer; fazer frente ao perigo; encarar, afrontar, enfrentar, requestar, arrostar, desafiar, desprezar o perigo; familiarizar-se com o perigo = *amoliri pericula*; afrontar a morte, dar provas de valor, contrastar com os perigos, não ser para graça, lançar-se em empresas arriscadas, provar-se homem, encarar de frente, afrontar sem pestanejar, oferecer-se aos maiores perigos, ter barbas para;

deitar os corninhos de fora/ao sol = adquirir ousadia;

ganhar ânimo/ousadia; cobrar-se de um medo, sobrepujar perigos, armar-se de coragem;

aviventar-se = cobrar ânimo/forças; fazer das tripas coração;

animar-se, atrever-se, afoitar-se, resolver-se, abalançar-se, aventurar-se, arremessar-se, expor-se, arrojar-se, determinar-se a; cometer sua ventura a Deus, arriscar-se, ousar, despicar-se = portar-se na altura, pelejar rijo, ser homem/mulher para, dar que fazer, ir ao extremo de, haver-se na luta com bizarria, bizarrear, bater-se com espartana bravura;

enfrentar o perigo com a serenidade dos bravos, perder a timidez, deixar bom sinal de sua coragem, desacanhar-se, amarrar o guizo no pescoço do gato, entrar no antro da fera;

infundir/inspirar ânimo, demonstrar valor; afoitar, meter em brios, desatemorizar, desapavorar, desaterrorizar, restabelecer a calma, desacobardar, infiltrar nos espíritos a ideia da luta, inocular brio, fortalegar, fortalecer, animar, reanimar, acoroçoar, fortificar, encorajar.

Adj. corajoso, bravo, valente, brioso, valentaço, bravoso, estrênuo, intrépido, desmedroso, inabalável, denodado, arrojado, animoso, pundonoroso, coraçudo, masculino, destemido, grande, topetudo (bras.), alentado, guapo, galhardo, desassombrado, bizarro; isento de temor/de preconceitos/de apreensões; desassustado, desapavorado & *v.*; desabusado, dessuspeitoso, desacanhado, impertérrito, afoito, atirado, arrojadiço, audaz, audacioso, venturoso, aventuroso, aventurado, aventureiro, atrevido, arrogante, inexpugnável, valoroso, cavaleiroso, generoso, pujante, intrêmulo, esforçado, afoitado, imperturbável, barbialçado = de fronte erguida, de sangue-frio, calmo, impávido, sereno, temerário (*impetuoso*) 863; intemente, intimorato, resoluto, confiado, arriscado, ardido, indômito, indomável, heroico, guerreiro 722; árdego, feroz, selvagem, pugnaz 720; *perseverante* 604a; varonil, viril, forte, firme, afiuzado, confiante, fogoso.

Adv. corajosamente & *adj.*; sem pestanejar, a peito descoberto = arca por arca = peito a peito, face a face, frente a frente, desabafadamente.

Interj. ânimo!, sus!, avante!.

▽ **862. Covardia,** acovardamento, ignávia, pusilanimidade, covardice, atamento, socórdia (desus.), efeminação, receio, poltronaria, tibieza, frouxidão, moleza, molúria, molícia, molície, baixeza, agachamento, avacalhamento, falta de fibra, desfibramento, aviltamento, desvalor, desbrio, fraqueza, medorreia, paúra, cagaço (vulg.), tremedeira, covarde, medroso, poltrão, poltranaz, pusilânime, açorda, papa-açorda, fracalhão, homem de palha, homem para nada, cagarolas (pleb.), medricas ou medrincas, maricas, caguinchas, cagão (vulg.), cagarola, cagarrão, fujão, moleirão, tremelica, desfibrado, maricas, maricão, alfenim, podricalho, malhadeiro.

V. ser covarde & *adj.*; amarelar, ter medo da própria sombra, morrer de medo, ter entradas de leão e paradas (ou saídas) de sendeiro, apoltronar-se, poltranear = dar mostras de poltrão, amaricar-se, agrimar-se, alfeninar-se, acocorar-se, agachar-se, acovardar-se, apavorar-se, tremer nas bases, apoltronear-se, desmanchar-se em, revelar-se poltrão, humilhar-se, fugir 623, desertar do seu posto, desistir, recuar, tergiversar 607; não ter senão estampa.

Adj. covarde, medroso, poltrão, ignavo, mole, molengo, moleirão, fracalhão, fra-

co, molancas, molanqueiro, molanqueirão, molengão, amaricado, melindroso, mimoso, que se deixa facilmente empolgar pelo medo, malhadiço, ignóbil, baixo, vil, desprezível, abjeto, indigno, despundonoroso.
Adv. covardemente & *adj.*
Frases: Quando trata de fugir, é sempre capitão. A quem se faz mel, moscas o comem.

△ **863. Temeridade,** impetuosidade, afoiteza, segurança, segureza, seguridade, imprudência, inconsideração, fogosidade, ardor, loucura, desatino, desaviso, irreflexão, insipiência, inadvertência, audácia, ousadia excessiva, arrojo, descautela, atrevimento, ímpeto, enfrentamento, afrontamento, desafio, arrostamento, arrancada, precipitação, ato impetuoso, aceleração, imprecaução, desassombramento (p. us.), (*coragem*) 861; intentona = intento louco = cometimento insano, negligência (*descaso*) 460; descuido 458; quixotada, quixotismo/ louco, desatinado, mata-mouros, ferrabrás, duelista, brigão, espancador, espadachim, *enfant perdu*, D. Quixote, o cavaleiro de triste figura, cavaleiro andante, bulhento, malhador;
espalha-canivetes, espirra-canivetes; mata-sete 887; Heitor, Ícaro, aventureiro, alvorário, espalha-brasas (bras.), mil-homens.
V. ser impetuoso & *adj.*; não medir consequências, desafiar a morte, meter-se em altas cavalarias, ter sangue nas veias, ter cabelo no coração, brincar com o fogo, não olhar a nada, ter o sangue quente, ter o sangue na guelra, abalançar-se ao maior perigo, despropositar-se, descomedir-se, lançar a cascavel ao gato, mexer/bulir em casa de marimbondos, levar o gato à água, disparatar, ousar, aventurar-se, expor-se, arriscar-se, atrever-se, afoitar-se, arrojar-se a, abalançar-se a, chegar ao extremo de, desacautelar-se, desguardar-se, desprecatar-se, descuidar-se, desprevenir-se, acordar o leão que dorme, amarrar o guizo no pescoço do gato, desmesurar-se, apoiar-se em um caniço, caminhar para a destruição.
Adj. impetuoso, fogoso, árdego, ardoroso, temerário = *prodigus animæ*, arremessado, ardente, insofrido, imprudente, desprecatado & *v.*; arrojado, arrojadiço, precipitoso, audacioso, insensato, incauto, descauteloso, improvidente, descuidado, caloroso, vivaz, precipitado, arrebatado, desatinado, impulsivo, desvairado, incontido, estabanado ou estavanado, desaconselhado, inadvertido, desadvertido, impaciente, estouvado 458; de sangue quente, de sangue na guelra, indiscreto, inconsiderado, insipiente, desassisado, imprecatado, desacautelado, desconcertado, imprecatório, imprecativo.
Adv. impetuosamente & *adj.*; *à corps perdu*, aosadas (ant.), com atrevimento, com ímpeto, arrancadamente, tolamente = sem prudência.
Frases: Aconteça o que acontecer. *Audaces fortuna juvat.* Seja o que Deus quiser. *Alea jacta est.*

▽ **864. Cautela,** segurança, segureza, seguridade, cuidado, vigia, precaução, precato (ant.), prevenção, prudência, atenção, previdência, recato, as armas da prudência, resguardo, circunspecção, consideração, gravidade, compostura, reserva, sobriedade, siso, sisório (pop.), sisudez, ponderação, equilíbrio, cálculo, tino, prumo, regra, cordura, previsão 510; vigilância 459; aviso 668; sobreaviso, calma, serenidade, presença de espírito, política fabiana, espírito bem equilibrado, homem de tino.
V. ser cauteloso & *adj.*; tomar cuidado, prestar atenção, medir as consequências, ficar vigilante 459; ficar de sobreaviso, trazer a barba sobre o ombro, pôr as barbas de molho, levar as precauções ao extremo, encomendar de antemão 132; fazer tudo com segurança, pensar duas vezes, medir a extensão do salto, olhar por si, examinar o reverso da medalha, olhar para o dia de amanhã, não pôr o pé em ramo verde, ter conta em si, cortar o casaco conforme o pano, quitar questões, armar-se de prudência, reparar;
tomar tento, ter cautela; reservar, usar de cautela, andar com o prumo na mão, jogar seguro, proceder ajuizadamente, tomar o pulso;
apalpar, sondar o terreno; acautelar-se, cavidar-se (ant.), atalaiar-se, caucionar-se, ponderar, refletir, sangrar-se em saúde, precaver-se, precatar-se, recatar-se, precaucionar-se, precautelar-se, premunir-se, acastelar-se, preparar-se, preservar-se, prevenir-se, segurar-se, armar-se, apetrechar-se, refrear a língua, comedir as palavras, retrair-se, abster-se de, não se comprometer, aguardar a marcha dos acontecimentos, sofrear, as-

sentar (a cabeça), reavisar-se, amadurar-se, apropositar-se, tomar propósito, resguardar-se, perceber-se, aperceber-se, prover, prevenir, remediar, suprir, comedir-se; considerar, pesar os prós e os contras, tornar-se prudente & *adj.*; maturar-se.

Adj. cauteloso, prudente, refletido, sensato, acautelado, vigilante, cavidoso (ant.), seguro, cauto = abispado, avisado, advertido, diplomático, atinado, mesurado, reavisado, percebido, apercebido, prevenido, recatado, prudencial, cordato, sisudo, comedido, precavido, precatado, cuidadoso, próvido, previdente, presciente, consciente, sóbrio, político, discreto, reservado, circunspecto, ponderado, maduro, amadurado, amadurecido, de boa avença, comedido, experiente, assisado, ajuizado, assentado, de conta, peso e medida, cuidadoso, hábil 698; calmo, fresco, sereno.

Adv. cautelosamente & *adj.*; à cautela, de previsto, atentamente, a furta-passo, com pés de lã, pisando em ovos.

Interj. cuidado!.

FRASES: *Timeo Danaos*. Antes que cases, vê o que fazes. O seguro morreu de velho.

△ **865. Desejo,** vontade, fantasia, capricho, veleidade, falta, mister, necessidade, exigência, inclinação, pendor, queda, cachaça, paixão predominante, preferência, simpatia, parcialidade, predileção, idiopatia, propensão 820; boa vontade 602; gosto, amor, agrado, aprazimento, contento, tenção, intenção, meta, fim, finalidade, anseio, ânsia, aspiração, pretensão, anelo, mira, fito, desígnio, objetivo, preocupação, ansiedade, cobiça, ambição, solicitude, zelo, empenho, ardor, *empressement*, curiosidade, fervor, febre, afã, inveja, filé, finca-pé, engulho, voto, fome, azia de queixos (pop.), apetite, apetência, antolho, antojo, galga, gana, fome de rabo, sede, devorante (pop.), prurido, comichão, freima, cacoete, cócegas;
polidipsia = sede ardente; cupidez, tentação, sensualidade, concupiscência, libidinosidade, lubricidade, avidez, sofreguidão, ganância, desejo insaciável, gula, rafa, rapacidade, edacidade, voracidade (*glutonaria*) 957; malacia, pica, apetite depravado, paixão, tesão, raiva por, furor, mania, optação (ret.), dipsomania, cleptomania;
(pessoa desejosa): amante, *amateur*, amador, admirador, aficionado, devoto, cultor, torcedor, aspirante, pretensor, pretendedor, pretendente, candidato, querente, concorrente, interessado, suplicante, solicitante, glutão 957;
(objeto de desejo): *desideratum*, desiderato; ardentemente desejado, sonho, ideal, atração, magneto, ímã, polo, gamação, fissura, sedução, provocação, fascinação, enlevo, alvo da ambição de alguém, ídolo, capricho, o fraco de alguém, suplício de Tântalo, pomo de ouro, rebatinha.

V. desejar, ter grande desejo = prurir, açorar-se, querer, pedir, *esperar* 858; ter vontade de, anelar, ambicionar, importar-se com, ansiar por, fazer caso de, gostar de, agarrar-se a, aferrar-se a, conceber predileção por, inclinar sua preferência para, preferir 609; apreciar, dar apreço a, dar o cavaco por, irem-se os olhos em alguma coisa, ter decidido gosto para, mirar, contemplar voluptuosamente, ver alguém com bons olhos, ter olho a, estar resolvido a, pôr a sua mira em, cobiçar, almejar, apetecer, pretender, rebentar por alguma coisa, dar a picholeta por, ter pretensões a, arder por, pelar-se muito por, suspirar por, raivar por, babar-se por, matar-se por, ter verdadeiro fanatismo por, estar morto por, ser fanático por, gamar por, fissurar, finar-se por, arder em desejos de, esgorjar = berrar por, estar a morrer por, ferver em desejos, antojar, antolhar, estar-se lambendo para alguma coisa, estar com cócegas de, pruir, prurir, invejar, pensar em, pôr a sua felicidade em, saborear-se com, ter todo empenho em, interessar-se por, namorar, paquerar, azarar, ficar com, cortejar 902; ser bom garfo, ter bom apetite, rebentar de fome, lazarar, padecer fome e sede;
estar faminto/sequioso; aguar; criar água/saliva na boca; aguçar o dente, solicitar, implorar, pedir, candidatar-se, entrar em concorrência com alguém para, concorrer;
inspirar/gerar/suscitar desejo, excitar, acender, provocar, trazer vontade, açorar, fazer sede, estimular o apetite, tentar, ser de botar água na boca, apetitar, esfaimar, provar, desafiar, dar fome a alguém de alguma coisa, fazer negaça = convidar, sorrir a alguém, atrair, agradar 829; ser desejado = fazer falta, ser o ideal de.

Adj. desejoso, inclinado para 600; optativo, anelante, querente, curioso, perplexo; cuidadoso, zeloso, ciumento de; faminto, famélico, famulento, esfaimado, cheio de

apetite, sequioso, cobiçoso, assedentado, setibundo, sedento, sedente (poét.), apetente, ávido, açorado, sôfrego, voraz, edaz, cupidinoso, poligástrico, ansioso, insaciável 868; pantagruélico, onívoro, invejoso, maníaco por, doido por, devorador, *alieni appetens*, insatisfeito, insaciado, impaciente (*impetuoso*) 825; comichoso, consumido pelo desejo de, devorado pela cobiça, desvairado pela ambição, ambicioso = multívolo, exigente, malcontentadiço 868; desejável, cobiçável, volível, apetitível, apetecível, apetitoso, matador, atraente, tentador, provocante, provocador, provocativo, excitante, esurino, desafiador, digno de se apetecer, fissurado, sedutor, pruriente, invejável, agradável, optativo, desejado & *v.*; suspiroso, saudoso; gamado, arrebatado, embeiçado, enamorado, vidrado, apaixonado, empolgado, encantado, de quatro (gír.).
Adv. desejosamente & *adj.*; com olhos longos, com estômago vazio.
Interj. esto perpetua!, oxalá!, praza aos céus, praza a Deus!, que Deus seja servido, Deus o permita!, assim seja!, amém!, Deus o queira, prouvera Deus, quem dera!.
Frases: Trinta cães a um osso. Quem muito abarca, pouco aperta.

▽ **866. Indiferença,** indiferentismo, neutralidade, gelo, frio, frieza, frialdade, frescura, descaso, desapego, desprendimento, incuriosidade, desinteresse, *insouciance*, *non chalance*, desambição, despretensão, displicência, desleixo, desafeição, olvido; falta de interesse/de ambição; despreocupação, inalterabilidade, fastio, anorexia, inapetência, mármore, adipsia, ataraxia, asicia ou asitia, apatia, atrambia, inação, inércia, *spleen, insensibilidade* 823; *inatividade* 683; desdém 930; impassibilidade, pasmaceira, marasmo, falta de atenção 458, paralisia.
V. ser indiferente & *adj.*; não dar a mínima, ficar neutro, guardar neutralidade, não querer ouvir falar de, não querer (nem) saber de, meter-se nas encolhas ou nas encóspias, deixar correr o marfim, encolher os ombros, não tomar interesse por, estar se lixando, desinteressar-se de (*insensibilidade*) 823; não dizer fum nem fum, não se importar com, estar nas tintas (fam.), não estar nem aí, cruzar os braços, lavar as mãos (fig.) retrair-se, enterrar a cabeça na areia (fig.), desacompanhar, aguardar os acontecimentos, não fazer frio nem calor a alguém, não se dar por entendido, não ligar importância 643; fazer ofício de corpo presente, fazer-se desentendido, fazer pouco em 483; desdenhar 930; não ter (desejo de 865); despegar-se, desprender-se, enfastiar-se, enfarar-se, enojar-se, aborrecer-se de, rebotar-se, desligar--se de, separar-se, alhear-se, desalhear-se.
Adj. indiferente, desinteressado, frio, frígido, gelado, glacial, apático, abúlico, sem ambição, sem aspiração, inerte, inativo, enfarado, desambicioso, despretensioso, impretendente, alheio à sorte de; alheio à marcha dos acontecimentos, neutro, neutral, desligado, desprendido, descuidoso, descuidado, *insouciant*, indesejoso, fresco como pepino, de braços cruzados, fleumático, inalterável, impassível, inatraente, inconvidativo, indesejado, indesejável, *insípido* 391; fútil, vão, inócuo, anódino.
Adv. indiferentemente & *adj.*; à desgaira, sem preferência.
Interj. melhor! dá no mesmo... Que importa. Me poupa!
Frases: Que monta quê? Que importa a? Pouco importa que. Pouco se me dá que. Tanto faz assim como assado. Mas que hei de fazer! Lá se avenham.

▽ **867. Aversão,** abominação, rejeição, desgosto, dissabor, desinclinação, desprazimento, desprazer, desfastio, relutância, antojo, antolho, repugnância (*má vontade*) 603; repulsão, desacolhimento, enjeitamento, repulsa, nega, horror, execração, tédio, nojo, enojo, engulho, enjoo, asco, asca, náusea, intolerância, implicância, incha (pop.), fastio, cacositia, embirra, quizila, quizília, pinimba, birra, ojeriza, raivinha, displicência, aborrecimento, aversia (ant.), cenreira; antipatia profunda, ódio, raiva, rancor, rabidez, horror, pavor, grima, detestação, fobia, animosidade 900; idiossincrasia, higrofobia, hidrofobia, ulofobia, aerofobia, malquerença, inimizade, zanga, animadversão, malevolência, mortificação, apuração, hesitação 605; asquerosidade 653; mau cheiro 401; dissonância 414; misopedia = aversão às crianças.
V. desgostar, não gostar de, desquerer, não se importar com;
ter/conceber/alimentar/votar/nutrir aversão; relutar;
rejeitar, repelir; preterir, recusar, refugar, repudiar, enjeitar, desprezar; sentir repugnân-

cia/fastio; não ter ralé para, não haver paladar para, não poder tolerar, não suportar, embirrar com, antipatizar com, acolher com repugnância, desenamorar-se de, odiar, abominar, detestar, malquerer, arrevessar do coração, execrar, aborrecer-se de, desacolher; voltar a cara, voltar a face, voltar as costas; torcer o nariz, torcer a cara; não ter estômago para, estar farto de 869; rebotar-se = enfastiar-se, desengraçar com, indignar-se com, franzir o sobrolho, olhar de esguelha, fazer caretas, caretear;
causar/provocar desgostos; afugentar, escorraçar, não fazer bom estômago a alguém, não fazer bom cabelo (desagradar) 832; aborrecer, fazer mau estômago, demorar-se no estômago, fazer vir o estômago à boca, feder, enojar, agoniar = causar náuseas, embrulhar o estômago;
causar tédio/nojo, inspirar pouca simpatia, chocar, causar repulsão, causar engulhos, repulsar, repugnar, entediar, enjoar, nausear, ansiar, enojar, engulhar.
Adj. avesso, contrário a; inimigo de, hostil, refratário, infenso a, adverso, desinclinado, desafeiçoado, enjoado, nauseento, nauseoso, nojoso, fastiento, malcontente, desgostoso, aborrecido, farto, esquivo, impopular, antipático, repulsivo, repugnante, indigesto, repelente, inviso, insuportável, inaturável, intragável, embirrativo, enjoativo, indigerível, aborrível, asqueroso, detestável, odiável, malsinado, abominável, abominoso, péssimo, execrável, intolerável, desagradável 832; de dar engulhos, engulhoso, nojento, nauseabundo, nauseativo, nauseante, fastidioso, apositico, displicente, molesto = aborrecível, ofensivo, enfastioso.
Adv. avessamente & *adj.*; *usque ad nauseam.*
Interj. arreda!, cebolório!, cachicha!, cativa!, catixa!, fu!, irra!, eca!.

868. (Dificuldade de contentar-se) **Exigência,** niquice, rabuge, rabugice, ranhetice, nica, impertinência pueril, pantagruelismo, vampirismo, hipercriticismo, fome canina 957; *friandise,* epicurismo, incontentabilidade, voracidade, *omnia suspendens naso,* epicuro, hipercrítico, homem de mau despacho, tubarão;
perfeccionismo, esmero, detalhismo, minúcia, minuciosidade, impecabilidade, rigorismo, rigor.

V. ser niquento, ter má boca, ser de mau contento, achar defeito em tudo, ser difícil de contentar-se, ver manchas no sol, rabujar; implicar, rezingar, não dar trégua.
Adj. fastiento, niquento, rabujento, exigente, niqueiro, malcontentadiço, severo, escrupuloso, delicado, irritadiço, enfadadiço, enjoadiço; rigorista, rigoroso, detalhista, perfeccionista, minucioso, cheio de efes e erres, ultraexigente, sensível, queixoso, lamuriento, chorão, birrento, incontentável, insaciável, multívolo, censório 932; pantagruélico, poligástrico, trifauce (poét.), voraz, ventripotente, hipercrítico, voraginoso.
FRASES: *Noli me tangere.* Querer sol na eira e chuva no nabal. Querer uma no papo e outra no saco.

869. Saciedade, fartura, fastio, satisfação, saturação, repleção, enchimento, enfarte, enfartamento, empanturramento, pejamento, empanzinamento, aborrecimento, *tédio* 841; mimalho, mimanço, *enfant gâté, toujours perdrix, crambe repetita.*
V. saciar, locupletar, fartar, enfartar, entupir, pejar, encher; jiboiar;
apagar, matar a sede; dessedentar, empanturrar, empanzinar, desafaimar, abarrotar, satisfazer, impregnar, saturar, estancar a sede que vai no coração.
Adj. saciado, aborrecido & *v.*; farto, repleto, empanturrado, empanzinado, cheio até a garganta, *blasé,* saciável, satisfeito.
Adv. saciadamente, até a saciedade, até mais não querer, até fartar.
Interj. bastante!, basta!, *eheu jam satis*; fó!.

4º) Em contemplação

△ **870. Admiração,** espanto, estranheza, alarme, surpresa 508; maravilha 872; atordoamento, estupefação, perplexidade, obstupefação, rapto dos sentidos, contemplação, embaçamento, estupor, sensação, pasmo, assombro, pasmaceira, pasmatório, fascinação, encantamento, embevecimento, arrebatamento, entusiasmo, transportamento, magia, deslumbramento, êxtase, enlevo, enleio, ponto de admiração, ecfonema, taumaturgia (*feitiçaria*) 992.
V. admirar, ajoviar (ant.), maravilhar-se, irem-se os olhos de alguém nalguma coisa; ficar boquiaberto/estupefato, ficar enleado, espantar-se, ficar tolo de ver, ficar a nadar; desmandibular-se de pasmo, estranhar;

arregalar/esbugalhar os olhos; abrir a boca, abrir uns grandes olhos, remirar, levantar-se de um salto, suspender a respiração, não respirar, olhar espantado, banzar, cair das nuvens, contemplar, embevecer-se, extasiar-se, enlevar-se, arrebatar-se, encher-se de admiração, quedar-se estático e imóvel, arroubar-se, esfregar os olhos, embebecer-se, deixar-se prender pelas seduções de, entusiasmar-se;
não crer no que vê/no que ouve/no que sente; não saber explicar (*ininteligível*) 519; surpreender, estuporar, estupeficar, estupefazer; surpresar, maravilhar, impressionar, impactar, sobremaravilhar, ser o gato de três cores, espantar; (fig.) cair duro, estatelar-se; mirificar = causar, encher de espanto; varar, infundir assombro, pasmar, fazer embasbacar, embaraçar, abismar, eletrizar, admirar, alienar, encantar, levar os olhos, estontear, atordoar, aturdir, azabumbar, deslumbrar, assombrar, acender êxtase, arrebatar;
prender os olhos, o coração; embeiçar, extasiar, arrancar expressões de pasmo, petrificar, ser de modo a causar admiração, fazer a admiração de, fascinar, encandear, assarapantar, esgazear, embasbacar, esbabacar, espasmar, sarapantar, atrapalhar, azoratar, emparvoecer, bestificar, bestializar, atingir os limites do fantástico.
Adj. surpreso, azabumbado, banzado, pasmado, atônito, espantado, estatelado, imóvel, assombrado, boquiaberto, estupefacto, (fig.) estuporado, estupidificado, perplexo, babão, embasbacado, aparvalhado, bestificado & *v.*; aturdido, estonteado, tonto, atordoado, extasiado, arrebatado, maravilhado, perdido de admiração, contérrito, obstúpido, obstupefato, embevecido, embebido, absorto, esbabacado, enlevado, atento, extático, arroubado, rendido, admirador & *v.*; quedo, mudo e quedo como um rochedo, de queixo caído, de boca aberta;
admirável, pasmoso, surpreendente, positivamente inaudito, simplesmente inacreditável, inenarrável, inarrável, incomparável, inimaginável, prodigioso, maravilhoso, inobservado, espantoso, assombroso, monumental, gigânteo, gigantesco, grandioso, majestoso, de que não há memória no Brasil, petrífico, imponente, extraordinário, fenomenal, anormal, estupendo, sublime, famoso; de arromba, de estouro, de estrondo; portentoso, de modo a causar assombro, inconcebível, impagável, monumentoso, do arco-da-velha, de tirar o fôlego, incompensável, indescritível, inexprimível, indizível, inexplicável, inefável, preternatural, sobrenatural, divino, milagroso, estupefativo, estupefaciente, miraculoso, fantástico, notável, expectável, romanesco, rocambolesco, façanhoso, fora do comum, impressionante, respeitável, singular, raro, peregrino 83; pouco comum, invulgar, insólito, quimérico, indeclarável, mágico, mirabolante, misterioso, indecifrável, belíssimo, que registra memória de homem, excepcional, único na história, ímpar, notável (*importante*) 642; largo, inesperado 508.
Adv. admiravelmente & *adj.*; de boca aberta, com um frêmito de admiração, de queixo caído, de olhos arregalados.
Interj. será possível?!, inacreditáve!, *ubinam gentium!*, quem diria?, como assim?, o que aqui vai!, já lá vamos!, é um louvar a Deus de queixo caído!, Santo breve da marca!, é de se tirar o chapéu!, olá!, olé!, pois quê!, cáspite!, pô!, caramba!, com a breca!, ufa!, ui!, com os diabos!, par dés!, tibi!, vot'a mares!, onde se viu semelhante coisa?, com mil demônios!, que tal?.

▽ **871.** (Ausência de admiração) **Expectação** 507; indiferença 866; apatia, desinteresse, impassibilidade, previsibilidade, decepção 509; frustração, mesmice, marasmo, maravilha de sete dias; rame-rame, rotina;
V. esperar 507; não ter surpresas, achar natural, não achar nada de extraordinário, *nil* (ou *nihil*) *admirari*, fazer pouco em, já ter previsto, contemplar com desdenhosa indiferença, ser natural,/previsível/rotineiro, seguir a ordem geral 82;
não ser surpresa, não ser novidade; estar na ordem das coisas naturais.
Adj. Insurpreendido, incontérrito, *blasé*, enfadonho 841; previsível, óbvio, de se esperar, já previsto, já esperado, com que já se contava, comum, natural, trivial, banal, ordinário, vulgar, costumado, medíocre, insignificante, frequente, corriqueiro, habitual 613; sem importância 643; que se vê a cada passo, que não tem nada de (extraordinário 870); *comme les autres*.
Adv. obviamente & *adj.*

872. Prodígio, curiosidade, raridade, portento, enlevo, maravilha, espetáculo, *alba avis*, fenômeno, coisa nunca vista, oitava

873. Fama | 873. Fama

maravilha do mundo, milagreira, assombro, aborto, abismo, milagre, miráculo, grandeza, sublimidade, leão;
sinal, monstro 83; odisseia, bomba, estouro de bomba, erupção vulcânica, meteoro, trovão, ribombar do trovão, corisco, raio, faísca elétrica, fogo do céu, as sete maravilhas do mundo, coisa do arco-da-velha, coisa de arromba, o que as palavras não descrevem, *annuns mirabilis; dignus vindice nodus.*
FRASE: *Stupete, gentes!.*

5º) Extrínsecas

△ **873. Fama,** reputação, distinção, renome, nome, celebridade, nomeada, brilho, brilhantismo, notoriedade, cartaz (pop.), conceito, nome, figura varonil, nota, voga, popularidade, estima geral, benemerência, aura popular = *aura popularis*, o louvor da posteridade, realce, aura, relevo, glória, resplendor, revérbero, aplausos populares (*aprovação*) 931; honras, crédito, prestígio, influência, estima, favor, apreço, brasão, galardão, lustre, fulguração (*luz*) 420; ruído, respeito, consideração, respeitabilidade, conspicuidade;
nome consagrado/venerado/belo/aureolado de respeito; culto, probidade 939;
pináculo, galarim, apogeu, fastígio, sumidade, assomada, fastos da glória; dignidade, solenidade, majestade, excelsitude, grandeza, imponência, sublimidade, esplendor, posto, lugar, posição, estado, posição na sociedade, ordem, grau, *locus standi*, precedência, primazia, condição, eminência, altura, píncaro 206; importância 642; preeminência, supereminência, poder, pojadura, topo da escada, elevação, subida, ascensão 305; exaltação, engrandecimento, dignificação, enobrecimento, dedicação, consagração, sagração, apoteose, entronização, canonização, divinização, glorificação, heroificação, trombeta da fama, herói, indígete, semideus, jequitibá, celebridade, varão ilustre, notabilidade, luminar, astro, estrela de primeira grandeza, relicário de virtudes cívicas, farol, fanal, sumidade, figura olímpica, leão, *avis rara*, campeão, meteoro, luzeiro, coluna, pilar, esteio 717; primata ou primate, colosso, figura homérica, super-homem, iluminado, redivivo, chefe 745; vulto histórico, benemérito, homem de prol, macota (bras.), uma das individualidades mais úteis, medalhão (dep.), figurão, mandachuva, jarrão (dep.), prócer, ícone, líder, condutor, exemplo, mentor, timoneiro, caudilho;
figura de grande projeção/de alto relevo; carvalho, roble, querco (poét.), varoa (fem.), cinosura, estrela polar, modelo, exemplo vivo;
encarnação perfeita e viva da honra/virtude; pérola, bússola, protótipo (*perfeição*) 650; sol (fig.), constelação (fig.), manucodiata = plêiade, via láctea, galáxia (*homem influente*) 175; ornamento, adorno 847; honra, halo, fotosfera, resplendor, auréola, lauréola, nimbo 247; zodíaco, aclamação, ovação, honras excepcionais, honrarias, homenagens, láurea, laurel, louros (*troféu*) 733; memória, glorificação póstuma, imortalização, nicho do eterno templo, templo da eterna glória, Capitólio, panteão da história, imortalidade subjetiva, imortalidade; nome imortal, imperecível, *magni nominis umbra*, vigorosa figura de lutador, láurea de doutor, a borla doutoral, bacharelado, bacalaureato, doutoramento, Ilíada, Odisseia, poema, epopeia, feitos estrondosos, épicas proezas (*coragem*) 861;
(descrição ou desenho de feitos grandiosos): megalografia; planície/fastos/pórticos/umbrais/anais da história; epopeia imensa de prodígios;
fama = a deusa das cem bocas, a tuba da epopeia.
V. ser célebre & *adj.*; ser uma das figuras mais belas da história, ser a figura culminante de, avultar como figura proeminente, conhecer de perto a glória, merecer altares, figurar, orgulhar-se de (*orgulho*) 878; exultar-se 884; envaidecer-se 880; pressentir os aplausos da posteridade, sentir o bafejo da aura popular, honrar, dar honras, ilustrar, dignificar;
ter na terra uma ilíade de triunfos, uma odisseia de glórias; ter seu nome consolidado, vestir a lena, iluminar, ornamentar, estrelar, diamantizar, opulentar de glórias, ser benemérito da pátria, brilhar 420; refulgir, reluzir, resplandecer, fulgurar, fazer brilhante figura, fazer um figurão, distinguir-se, exceler, esplender, galhardear, abalizar-se, destacar-se, ser de exceção, salientar-se, notabilizar-se, evidenciar-se, ressaltar, sobressair, sair bem na foto, realçar-se, engrimpar-se, destacar-se na planície azul da história, subir na estima

pública, *assequi immortalitatem* = conquistar a imortalidade, engrandecer-se, agigantar-se, elevar-se, sobre-exceder, extrapolar, ter um *quid* que o distingue do comum dos homens, levantar-se = deixar de si fama, dar dias de glórias ao seu país, ganhar o respeito e a veneração, granjear o séquito dos povos, cair em graça, celebrizar-se, viver, iluminar, florescer, florear, efundir luz sobre, libertar-se da lei da morte, ascender à imortalidade, agenciar-se uma invejável reputação, empunhar a batuta, conquistar honras, morrer no campo da honra, ter morte gloriosa, levar a palma;
ter a precedência/a primazia;
ir na frente/na vanguarda, liderar, conduzir; figurar num nível elevado, conquistar louros imarcescíveis, cobrir-se de glórias, ter o seu nome inscrito nos fastos da história, bem-merecer da pátria, passar à posteridade, fulgurar nos fastos da história, rivalizar-se, correr parelhas com, competir, emular-se, exceder, eclipsar, deixar na sombra, ser superior 33; bater o recorde, pisar o mais alto degrau da escada que conduz à imortalidade, fazer grande ruído, rutilar com luz própria, andar na berra, dar brado = criar fama retumbante, ter fama;
estar em evidência, estar em acentuado destaque, estar no galarim da fama; ser o leão do dia, ser apontado a dedo, tornar célebre & *adj.*; entronizar, glorificar, perpetuar, imortalizar, afamar, libertar da lei da morte, divinizar, endeusar, coroar, canonizar, santificar, sagrar, *canere de clarorum hominum virtutibus* = celebrar as virtudes dos varões ilustres, deificar, heroificar, privilegiar;
fazer a apoteose/a glorificação de; soberanizar, assinalar, celebrizar, notabilizar, popularizar, consagrar, dedicar, trombetear, laurear, cobrir de lauréis a fronte, cobrir de louros;
gravar/perpetuar/eternizar no bronze/ nos fastos da história; decantar, proclamar aos quatro ventos, tornar digno da estima pública, render fama;
dar crédito/nome; conferir honras, preitear, sublimar, magnificar, enobrecer, nobilitar, engrandecer, exaltar, altear, aureolar, constelar, nimbar, toucar, circundar a fronte com um nimbo refulgente, elevar ao pináculo da glória, levantar altares a alguém, levantar às alturas, elevar, qualificar, recomendar à estima pública, dignificar, abrilhantar, prestar honras, render homenagens, homenagear, ajoelhar-se ante o túmulo de, debruçar-se sobre a lousa, celebrar (*comemorar*) 883; comemorar, graduar-se, licenciar-se, tomar capelo, obter o grau de doutor, doutorar-se, colar o grau, bacharelar-se;
ganhar os galões de oficial, os bordados de general.

Adj. distinto, *distingué*, digno, notável, de grande projeção, singular, popular, conhecido, marcado;
bem reputado, acreditado, conceituado; de nomeada, de renome, invulgar, gabadinho, notado, qualificado, notório, marcante, memorável, célebre, afamado, famígero, famigerado, famoso, legendário, lendário, *dignus cantari* = digno de veneração;
de muita fama, nomeada & *subst.*; saudoso, conspícuo, ilustre, varonil, galhardo, ilustrado, alto, inconfundível, lustroso, preclaro, insigne, prestante, ínclito, de apreço, claro, celso, excelso, magnífico, egrégio, sobre-excelente, soberbo, sublime, supino, alipotente, assinalado, de primeira grandeza, heroico, semidivino, homérico, olímpico, grande, preexcelso, eminente, prestigioso e respeitável, graduado, fastigioso, benemérito, preeminente, proeminente, supereminente, nobilitador, nobilitante, dignificante, honroso, honesto, honorífico, honrado, brioso, probo 939; cercado do respeito e da admiração, pundonoroso, respeitável 928; venerável, venerando, imperdível, imperecível, imperituro, inesquecível 505; inolvidável, inescurecível, indelével, imortal, de saudosa memória, em quem não teve poder a morte, *œre perennius*, sacrossanto, iluminado, redivivo, nimboso, nimbado, glorioso, esplêndido, remontado, brilhante, saliente, luminoso, radiante, sem-par, sem jaça, de escol, de eleição, de primeira água, supremo, sublimado, *superior* 33; que vale um poema de glórias, laurífero, laurígero, láureo, laurino, nobre, sublime, divino, deífico, honroso, airoso, elevado, subido, ufano, majestoso, augusto, principesco, majestático, do mais fino quilate, de primeira grandeza, que brilha pelo que de fato vale, grandioso 870; épico, digno de epopeia, epopeico, odisseico, sublime, heroico, transcendente, sagrado, *sans peur et sans reproche*, imáculo, imaculado, emérito, de pulso, de nome feito

e consagrado, remêmoro, rememorável, privilegiado, de indiscutível mérito, meritíssimo;
anelante, sedento de glórias; que tanta honra faz, que tanto desvanecimento causa, opulentado de glórias, histórico, icônico.
Adv. distintamente & *adj.*; *honoris causa*, a título de honra, por título honorífico, na pojadura de suas glórias; no campo da honra, sob o peso de seus louros.
Frases: *Sic itur ad astra. Fama volat. Aut Cæsar aut nihil. Palam qui meruit ferat.* A história coroará o seu nome. Sua glória viverá *in æternum. Ad augusta per angusta.* Seu nome está vinculado indelevelmente a.
PROVÉRBIOS: Cria fama e deita-te na cama. Mais vale boa nomeada que cama dourada.

▽ **874. Infamação,** aviltamento, abaixamento, degradação, degeneração, agravo, conspurcação, poluição, gemônias, rebaixamento, subalternidade, subalternização, humilhação, denigrimento, *desaprovação* 932; desconsideração, ignobilidade, prostituição, inquinação, contaminação, envilecimento, profanação, descrédito, desconceito, desfavor, desdouro, mau nome, deslustre, lodo, vilta, viltança (ant.), vilipêndio, perdição, indecoro, abjeção, ignomínia, flagelo, baixeza, desonra, desar, desaire, vergonha, opróbrio, miséria, pulhice, chagas, escândalo, desabono, ação indecorosa, vilanagem, vileza, sordidez, indignidade, merdice (pleb.), torpeza (*improbidade*) 940; arestas desonrosas, lodaçal, atoleiro, mácula, nota, mancha, tisne, nódoa, borrão, rabos, nota infamante, mazela, labéu, estigma, ferrete, pedra de escândalo, infâmia, enxovalho, injúria, ofensa, afronta, desvalia, escárnio, oblóquio, desvalimento, ultraje, desacato, desfeita, vexame, insulto, impropério, vitupério, ignomínia, imputação, *escandalum magnatum*, estenderete, *argumentum ad verecundiam*, impopularidade, sentimento de vergonha 879.
V. ser inglório & *adj.*; cair no desagrado/no desfavor; perder o valimento;
ter/adquirir uma triste reputação; desgraçar-se, expor-se, ter a desgraça de, ficar implicado;
incorrer no desagrado/na excomunhão; envolver-se, enrascar-se, comprometer-se, incorrer nota de, ser indigno, encher-se de mazelas 945; dar triste cópia de si, ficar relegado a um plano inferior, perder a casta, ficar na penumbra, estar/viver na obscuridade; cair do seu pedestal, reconhecer a sua desgraça 879; fazer uma triste figura, fazer cenas, praticar escândalos, soçobrar no negro abismo da infâmia, sofrer um desaire, perder-se na opinião de alguém, decair da estima pública, ir num plano inclinado, ter sua crônica escandalosa, caminhar para a desonra, impopularizar-se, despopularizar-se, pecar contra a honra 940; abdicar da própria dignidade, deslustrar um passado, degradar (-se), deteriorar(-se), degenerar(-se), depravar(-se), rebaixar(-se), depreciar(-se), despreciar, desvidrar-se, aviltar-se, atolar-se;
perder o conceito/o crédito/a reputação; despersonalizar-se, dar-se por desonrado e infamado, desconcertar-se na vida, salpicar-se de lama, descer a infâmias, estar malvisto, desmerecer(-se), desprezar-se, rebaixar-se, subalternizar-se, fazer falada, dar que falar, fazer falar de si, cometer baixezas, incorrer na excomunhão, saltar a honra e o brio de alguém pela janela, deixar murchar os louros, ser uma ruína do que foi; desvergonhar-se, causar vergonha & *subst.*; achincalhar, desgraçar, desvirtuar, desonrar, amesquinhar, levar a desonra a, lançar a desonra sobre; manchar, enxovalhar, sevandijar, tisnar, macular, embaciar, cobrir de opróbrios, ignominiar, cobrir de luto eterno, desengrandecer, infamar = funestar, desdourar, comprometer, cobrir de vergonha, pôr alguém a calva à mostra = desmascarar, deixar de cama, deixar corrido de vergonha, desairar, mazelar, enodoar, sujar, emporcalhar, abastardar, perverter, profanar, enegrecer, obscurecer, desluzir, deslustrar = dedecorar = marejar, deprimir, espezinhar, avacalhar, aviltar, avilanar, corromper, conculcar, pejorar, denigrir; menosprezar, desendeusar, viltar, vilipendiar, apeçonhentar, empeçonhar, arrefecer, abandalhar, envilecer, avilonar, deslavar, poluir, conspurcar, ultrajar;
degradar da milícia do clericato (*punir*) 972; enlamear 653; desprestigiar, desautorar, desautorizar, desmoralizar, pôr tacha, desclassificar, desconceituar, pôr alguém de rasto, deitar um borrão, (fig.) arrancar a pele de alguém = marear, irrogar, imputar, abater a fama a alguém 934; desabonar, desacreditar, acoimar, abocanhar a reputação a alguém, apregoar como digno de desprezo;

impor tacha/defeito/labéu; ferretear, estigmatizar, fazer subir a cor ao rosto de alguém, condenar alguém às gemônias, despenhar em desvarios, arrastar alguém às gemônias, fazer-lhe os últimos ultrajes = expor à irrisão pública, acanalhar, humilhar, desafamar, desrespeitar 929; salpicar, difamar 934; acusar de ação infame, prostituir = contaminar, obscurecer, eclipsar, desenobrecer; salpicar/salpresar de lama.

Adj. desgraçado & *v.*; calcado aos pés, coberto de vergonha, sem reputação, sem imputabilidade, cuspido de opróbrio e de desonras, maculoso, poluto, despido de sua glória, desafamado, aferreteado, comprometido, incapaz de mostrar-se em público, impopular, na sombra, na penumbra, na obscuridade, desvalido, abandonado, demérito, inglório, inglorioso, desconhecido da fama, de baixa estofa, de baixa esteira, obscuro, ignorado, apagado, inglorificado, que brilha pelos falsos ouropéis de que se veste, miserável, acanalhado, safado, deslustroso, infame, desacreditado, desprezível = moncoso, trasvisto = malvisto, indigno, de má fama, vulgívago = que se avilta, asqueroso, repugnante, sórdido, *infra dignitatem*, sujo 653; tinto, indecoroso, escandaloso, vergonhoso, deprimente, refece, repreensível, feio, torpe, vil, soez, tenebroso, chocante, ignominioso, indecente, flagicioso, reles, de baixos sentimentos, pulha, desairoso, desonroso, infamante, chagado, oprobrioso, atentatório da dignidade, rastejante, afrontoso, ultrajante, ultrajoso, insultante, aviltante, humilhoso, humilhante, inqualificável, indesculpável, ínfimo, vituperável, vituperioso, injustificável, condenável, abjeto, rasteiro, refinado, baixo (*desonra*) 940; nojento, que não tem nome, inominável, ominoso, abominável, nefando, leproso (*sem virtudes*) 945.

Adv. desgraçadamente & *adj.*

Interj. que vergonha!, *proh pudor!*, *ó tempora, ó mores!*, *sic transit gloria mundi*.

PROVÉRBIO: Do Capitólio à rocha Tarpeia não há senão um passo.

△ **875. Nobreza,** patriciado, aristocracia, fidalguia, condição, grandeza, preeminência, distinção, dignidade, hierarquia, optimacia, nome, sangue, euemia, sangue azul, berço, estirpe, régia estirpe, grã-finagem, linhagem, qualidade, condição social, classe, nata, flor, elite, *high-life*, *high-society*, o grande mundo, alta-sociedade, soçaite, o mundo aristocrático, corte, classe dos nobres, mundo elegante 852;

alta/pequena nobreza; fidalgaria, limpeza de sangue, livro dos filhamentos, árvore genealógica, armorial, par, casa dos lordes, *noblesse*, fidalgo;

fidalgo de nobre/de alta linhagem; grande, fidalgarrão, fidalgote, nobre, aristocrata, patrício, *socialite*, socialaite, vip, os principais, otimates, primata, primate, magnata, graúdo, potentado, lorde, gentil-homem, alto personagem, fidalgo dos quatro costados, fidalgo de meia-tigela, filho do sol e neto da lua, filho de algo, bichaço, cuba (bras.), homem de representação, cavalheiro, rico homem, rica dona, escudeiro, abencerragem, *mylord*, senhor, senhor feudal, par, emir, margrave, alcaide, xerife, efêndi, cavalheirote, grande do império, rei 745; palatino, príncipe, infante, duque, marquês, conde, visconde, barão, cortesão;

homem do mundo, de quotiliquê (burl.); murzá (turco), princesa, begume, infanta, duquesa, grã-duquesa, marquesa, condessa, viscondessa, baronesa, nobiliarquia, nobiliário, nobiliarista, cortesã;

homem de posição/de condição/de destaque/de sangue/de prol, dárnua (Japão), titular, personalidade, medalhão, dunga, jarrão, figurão, *big shot*, mandachuva, caciz (África) (*homem influente*) 175a; baronia, baronato, baronado, marquesado, viscondado, condado;

(insígnias de nobreza): arminhos, brasão, escudo, pergaminho, coroa, diadema, cetro, púrpura, manto, palácio, régia, solar, castelo, mansão, alcácer, alcáçova.

V. ser nobre & *adj.*; ser gente, ser alguém, ter o foro de fidalgo da casa imperial;

ter valimento/sangue azul/foros e privilégios de nobreza; ser de nascimento ilustre, nobilizar, nobilitar, afidalgar-se, aristocratizar-se, aprincesar-se, gradecer = tornar-se grado, enobrecer-se, nobilitar-se, dar-se ares de fidalgo, armoriar.

Adj. nobre, patrício, fidalgo, fidalgueiro, fidalgal, de nobre linhagem, de nobre estirpe, *alte natus* = de nascimento ilustre, de qualidade, de sangue, de sangue azul, bem-nascido, dos quatro costados, arminhado, grado, gentil, importante, augusto, grande, distinto 873; palacego, palaciano, cor-

tesão, aristocrático, senhoril, de progênie, respeitável (*importante*) 642; majestoso, majestático, principesco, seleto, escolhido, de alto coturno, de alta-hierarquia, nobiliárquico, de gravata lavada, hierárquico, grão, grã, de generoso tronco, de boa raça, solarengo.
Adv. nobremente & *adj.*; do alto de sua grandeza, *comme il faut*, à guisa.

△ **876. Título,** honras, honrarias, distinção, mercê, posto, hierarquia, patente, dignidade, cargo, tratamento, decoração, grau, ordem militar (*nobreza*) 875; santidade, excelência, majestade, magnificência, sire, alteza, eminência, preeminência, graça, paternidade, maternidade, beatitude, grandeza, tio, senhoria, caridade, reverendíssima, senhor, tu, você, vossemecê, Exmo. Sr., *mister, missis, monsieur,* madame, doutor, monsenhor, visconde, viscondessa, conde, condessa, barão 875, baronesa, duque, duquesa, lorde, comendador; grã-cruz, ordem do mérito militar, legião de honra, jarreteira, tosão, grã-cruz da Ordem de Cristo, Sua Alteza Real, Sua Alteza Imperial, El-rei meu amo, frei, dom, reverendo, sóror, condecoração, comenda, placa (pop.), placar = venera, hábito, crachá, fita, bentinho (burl.), louro, grinalda, palma, galardão, estrela, coroa; xarife ou xerife;
cetro, coroa cívica, coroa triunfal, coroa obsidional, coroa de louros; cocar, pluma, roseta, libré, púrpura, sotaina, burel, beca (*insígnias*) 550; armas, escudo, brasão, recompensa 873.
Adj. colendo, colendíssimo, reverendo, venerando, beatíssimo, ilustríssimo, excelentíssimo, meritíssimo, sereníssimo, digníssimo, magnífico.

▽ **877. Plebeísmo,** plebeidade, democracia; (Muitos dos termos seguintes frequentemente têm conotação pejorativa, depreciativa ou ofensiva, o que desaconselha seu uso indiscriminado)
baixa esfera, camada, categoria, classe, condição; *hoc genus omne*, abunhadio, proletariado, os proletários, a multidão, *fruges consumere nati*, vulgo, plebe, patuleia, zé-povo, zé-povinho, povoléu, poviléu, enxurro, enxurrada, gentinha, o vulgacho, caiçarada; a plebe miúda, a plebe ignara; tropa fandanga, a rua (fig.), gentalha, gentaça, a escuma, o escumalho, a populaça, o populacho, gentiaga, ralé, escória, choldra, sarandalhas, os pequenos, os infelizes, os miseráveis, os sofredores, a última camada social, pedintaria, a pelintragem, a pelintraria, a mendigagem, as classes inferiores, os párias, *profanum vulgum, ignobile vulgum*, o vulgo profano, a alma ignara das multidões, a farândola, a farandolagem, vulgata (p. us.), sudra (Índia), sangue plebeu = almagre, classe média, burguesia, mediania, *épicier*, burguês, *grisette, demi-monde*, plebeu = ruão, camponês, campônio, maloio, labrego, aldeão, matuto, labrosta ou labroste, lapuz, lapônio, vilão, moleque, mestiço, escaroto, *lazzaroni*, gato-pingado, escarro, farricoco, melcatrefe, mequetrefe, homem sem avoengos, ganhão, ganhador, ganhadeiro; filho do ganha-dinheiro/do ganha-pão; bandarra, cafumango, ratinho, lixeiro, sebeiro, lacaio, latrineiro, pica-milho, fraca-gente, gamenho, calaceiro, chinchorro, pessoa de calcanhar rachado, maroto, haragano, lagalhé, meco, maltrapilho, farrapão, farroupilha, samango, fuão, gandaieiro, homenzinho, indivíduo, sujeito, tipo, barril do lixo (burl. e fig.), diamante bruto, mariola, sacripanta, madraço, madraceirão, bigorrilhas, bisbórria, sanfona (fam.), mangano, malandro, malandréu, malandrim, mandrião, mundeiro, sorna, vadio, valdevinos, falpárreas, inês-dorta, passanito, cafajeste, salafrário, sendeiro, saiaguês, rústico, pastrano;
homem roto, desgraçado, infeliz, mendigo, pedinte, mondongueiro, mateiro = cloaqueiro, fateiro, côdea, xéu, badameco, camafonje, pica-milho, pastel, um quidam, pessoa de pouco mais ou menos, medrincas, petreco, pingarelho, rodilha, um ninguém, ninguenzito, pulão, fraca-figura, homúnculo, pigmeu, pobre-diabo;
tartaranha, totó piruleta, joão-ninguém, zé-ninguém, chochinha, trolha, joão-fernandes, janeanes, ningres-ningres, zé-quitólis, zé-faz-formas, jagodes, pessoa de quolitiquê, sujeitório, chineleiro, borra-botas, zebedeu, zé-cuecas, zé da véstia, zé dos anzóis, zé-godes, zeimão (reg.), zé-prequeté (pessoa inútil) 645; gata borralheira, filho das ervas = fideputa (chulo), malandra, senhoraça; *parvenu*, novo rico, trapeiro, *upstart*, senhoraço, *profiteur*, Cinderela, democrata, plebeu, republicano;

democracia, vulgocracia, oclocracia.
V. ser plebeu & *adj.*; não ter berço, descender de humilde prósapia, catingar, ser fraca-roupa, ser de baixa condição, ser um ilustre desconhecido, não ter pai alcaide; estar/viver na obscuridade; gandaiar, andar à gandaia, aburguesar-se, agarotar-se, aplebear-se, acanalhar-se.
Adj. plebeu, rústico, vilão, ignóbil, desgraçado, mesquinho, baixo, vil, ananicado, soez, desprezível = moncoso, insignificante, desqualificado, zero à esquerda, refece = ordinário, reles, pirangueiro, apoucado, lançadiço, pequeno, catingueiro, que não tem valia, ínfimo, abaixo de zero, apagado, obscuro, humilde, desconhecido, ignorado, medíocre, parrana (*maltrajado*) 852;
pífio, chué, pulha, saiaguês, sáfio, saloio, incivilizado, fajuto, escroto (chulo), grosseiro, bárbaro, chambão, inculto, agarotado, de baixa estofa, de baixa esteira, rasteiro, rastreiro, rastejante, malnascido, malandrino, proletário, burguês;
de baixa origem, de baixo coturno, de baixa estirpe, aburguesado, oriundo da mais humilde camada social;
Interj. doloroso contraste de fortuna!.

△ **878. Orgulho,** dignidade, brio, autoridade moral, *mens sibi conscia recti*, amor-próprio, altivez, altaneria, hombridade, altanaria de coração, arreganho, balofice, proa, prosápia, bicácaro, recacho, vanglória, *vaidade* 880; arrogância 885; soberba, sobranceria, entono, aprumo, orgulho desmedido, empáfia, embófia, impostura, desdém, presunção, ufania, ostentação, imponência, imperiosidade, imodéstia, pretensão, pedantismo, jactância, filáucia, endeusamento; soberbão, orgulhoso, soberbete, soberbaço, impostor, pessoa de bico revolto.
V. ser (orgulhoso & *adj.*); olhar os outros por cima dos ombros, ser de nariz arrebitado, ter muitos fumos, levantar a fronte, criar bico, apontar-se em orgulho, tratar com soberba, trazer o rei na barriga, não caber no mundo, não condescender em, ter despeito por, não se dignar, não haver por bem, ter menosprezo por, encrespar-se com soberba, não se dignar descer de sua importância, ser cheio de vento;
sobreolhar = olhar sobranceiramente = olhar por cima dos ombros; desdenhar, orgulhar-se, orgulhecer-se, blasonar-se, bazofiar, vangloriar-se;
levantar a fronte/a grimpa; ensoberbecer-se, altanar-se, assoberbar-se, ufanar-se, timbrar;
encher-se de ufania/de orgulho; desvanecer-se, gloriar-se, tufar-se, responder com entono, emproar-se, endeusar-se, arrebicar-se, recachar-se, entufar-se, enfunar-se, enfumar-se, inchar, sobalçar-se, criar bico, enfatuar-se, apavonar-se, encrespar-se, enchouriçar-se, engrimponar-se, encristar-se, encristinar-se, engrimpar-se, desvanecer-se, prevalecer-se de; encher de orgulho, fazer o orgulho de, orgulhar.
Adj. orgulhoso, altivo, sobranceiro, brioso, endeusado, inquebrantável, fumoso, jactancioso, gabola, presunçoso, pretensioso, fachola, imodesto, vaidoso 880, encristado, ufano, ufanoso, desdenhoso, altaneiro, indômito, fátuo, entufado, besta, vanglorioso, dominioso, voluntarioso, arrogante 885; empáfio, insolente, empantufado, alambicado, empoado, empolado, emproado, prosa, impostor, filaucioso, intumescido, balofo, fofo, opado, inchado, enfatuado, arrebicado, imperioso, altanado, soberbo, soberbaço, soberbete, soberboso (pop.), repinchado, cabotino, jactante, pernóstico, inabordável, inacessível, intratável, dignificado, majestoso, doutoral, presumido, senhoril, senhorial.
Adv. en grand seigneur, em tom doutoral, com sobranceria, com arreganho, de cabeça erguida, de fronte erguida; do alto de seus coturnos/de seus tamancos; com ufania, com justificado orgulho; orgulhosamente & *adj.*; de modo orgulhoso.

▽ **879. Humildade,** pequenez, mansedume, mansuetude, comedimento, mansidão, moderação, compostura, submissão, servilismo, retraimento, meiguice, obscuridade, reserva, *modéstia* 881; despojamento, frugalidade, simplicidade, singeleza, contenção, sobriedade, suavidade, brandura, açúcar, resignação, recolhimento, recato, cordura, verecúndia, vergonha, rubor, afogueamento das faces, humilhação, vexame, mortificação, condescendência, améns, lhaneza, afabilidade 894; aviltamento, vergonhaça, prosternação, acocoramento, degradação, agacho, submissão 725; baixeza, baixura, ar compungido e suplicante, timidez, acanhamento.

V. ser (humilde & *adj.*); dignar-se, condescender em, não se dedignar = não ter menosprezo por, ter muita condescendência para com todos, ter a gentileza de, abrir dócil o coração a, beijar as mãos (*servilismo*) 886; açucarar-se = tornar-se meigo, gostar da obscuridade, confessar a própria fraqueza, deitar-se aos pés de alguém, resignar-se 725; ceder a palma, baixar a cabeça, zumbrir-se, submeter-se, humilhar-se, humildar-se, ir a Canossa, ajoelhar-se, inclinar-se, passar pelas forcas caudinas, prosternar-se, prestar homenagem, preitear;

rojar-se, volver-se no pó; estirar-se, desengrimpar-se, desensoberbecer-se, despir a estamenha do orgulho, desenfunar-se, desemproar-se;

pôr o rabo entre as pernas; meter-se nas encóspias;

castigar/macerar o corpo; meter-se na concha, rojar-se nas cinzas da penitência e humildade, dar-se, subir a cor ao rosto, corar, pejar-se, rosar-se, envergonhar-se, caírem as faces no chão, curvar-se, curvar a fronte, considerar-se um ente nulo, ir batendo a alheta = retirar-se corrido e envergonhado, ser corrido & *adj.*; envergonhar-se, humilhar, abater o orgulho, vergar, desentonar, declinar a prosápia a alguém, vexar, confundir, levar à parede;

esmagar/amansar/abaixar a soberba; quebrar os cornos a alguém, castigar o brio;

abater os fumos/as fumaças/a proa/a soberba; achincalhar, rebaixar, amesquinhar, desencristar, desenfatuar, desendeusar, espezinhar, suplantar, meter num chinelo, desemproar, desensoberbecer, mortificar = lhanar, esmagar, desentesar, arrasar, arrombar o ânimo, destopetear, apear, sopear = colocar debaixo dos pés.

Adj. humilde, húmil (poét.), humildoso, humílimo, manso, sensato, eportado, despojado, simples, comedido, reservado, moderado, singelo, meigo, modesto, despretensioso, obscuro, recatado, inofensivo, sem fel, dócil (*obediente*) 743, tímido; humilde de coração, submisso 725; *servil* 886;

benigno, amigável, condescendente, afável (*cortês*) 894; complacente, humilhado, corrido, abatido, resignado, envergonhado, pudico, confundido, confuso, alapado, agachado, encolhido, arrastado, humilhante, vexatório.

Adv. humildemente & com o rabo entre as pernas, rendidamente, de olhos baixos.

△ **880. Vaidade,** ânsia incontida de despertar a admiração, inanidade, amor-próprio, flato, jactância 884; panturra, tesura, tesidão, tesão, pavonada, ostentação 882; bazófia, prosápia, chieira (reg.), chança, inflação, convencimento, esunção, afetação, asnice, imodéstia, alarde, ufania, vanglória, inchaço, inchação, desvanecimento, gabolice, gabo, janotismo 852; ares, pretensão, presunção, enfatuamento, proa, fumaças, fumos, poeira, enfatuação, pacholice, fatuidade, fofice, elogios em boca própria, ânsia de reclame, megalomania, maneirismo, egoísmo, solipsismo, filáucia, esnobismo, orgulho 878; petulância 885; exibicionismo, gloríola, denguice, pedantismo, pedanteria, *vanitas vanitatum, vox et praeterea nihil, cheval de bataille,* peralvilho 854; pedante, peru, pavão = a ave de Juno, presumido, pão de ló (reg.), impostor, pomadista, vaidoso, parlapatão, sardanisca e sardonisca, sirigaita, exibicionista, micrólogo, sergeta (f.), Narciso.

V. ser (vaidoso & *adj.*); envaidecer(-se), presumir, namorar-se de si mesmo, não caber nas bainhas, enfatuar-se, ensoberbecer-se, trazer o rei na barriga, ter-se em grande conta, cobrir-se com penas de pavão, empavonar-se, formar grande opinião de si mesmo, asnear, atribuir-se ações que não praticou, apontar-se em vaidade, gabar-se, jactar-se, fazer praça de, alardear, pregar, picar-se, fazer gala, ter presunção, julgar-se estrela quando não passa de pirilampo, vangloriar-se, envaidar-se, envanecer, fazer soberba e vaidade de, gloriar-se, campar, enfunar-se, inchar-se, narcisar-se, desvanecer-se de si, presumir muito de si, encomoroçar-se;

impar, adoecer de vaidade; endeusar-se, reputar-se, considerar-se, empertigar-se = encher-se de vaidade, derreter-se, desenconchar-se, sair da concha, empolar-se, guindar-se, topetar-se, empanturrar-se, empantufar-se, empanzinar-se, engrampunhar-se, enfronhar-se em, fiar muito em si, julgar-se, considerar-se, ter-se em conta de, inculcar-se, presumir-se, aforar-se, arrogar-se, ter preocupações de, arrear-se, cortejar popularidade, tornar vaidoso & *adj.*; envaidar, enfunar, entufar, inflar = ensoberbecer, desvanecer, assoprar;

881. Modéstia | 882. Ostentação

explorar/titilar a vaidade de; lisonjear 933; embalar, elogiar 931; mirar-se, rever-se, espelhar-se, retratar-se, refletir-se.
Adj. vaidoso, empáfio, empafiado, afetado, delambido, convencido, enfatuado, arrebicado, fátuo, inchado, desvanecido, concho, fofo, opado, balofo, cabotino, prosa, ufano, pretensioso, presunçoso, besta, vão, pedante, presumido, jactancioso, vaníloquo, vanglorioso, *entête*, obstinado 481; opiniático, opinioso, soberbo, cheio de si, *rempli de soi-même*, ancho, intumescido de vaidade, estardalhante, megalomaníaco, exibicionista, assoprado, entufado & *v.*; façanheiro, peralta 851; sécio, lampeiro, impostor, filaucioso, empantufado, imodesto, espalhafatoso.
Adv. vaidosamente & *adj.*
Provérbios: Presunção e água benta, cada qual toma o que quer. Elogio em boca própria é vitupério. Fatal vaidade, em que misérias, em que desvarios não despenhas os míseros mortais! (Garrett). A vaidade é o orgulho dos outros (Sacha Guitry).

▽ **881. Modéstia,** simplicidade, simpleza, moderação, comedimento, desvaidade, *humildade* 879; timidez, despojamento, frugalidade, curteza, atamento, acanho, acanhamento, atrapalhação, esquivez, esquiveza, esquivança, bisonhice, bisonharia, verecúndia, vergonha, empacho, pejo, rubor, olhos baixos, insulamento da sociedade, ar humilde e modesto, singeleza, bonomia, democracia, reserva, retraimento, gravidade, despretensão, recolhimento, desambição, desafetação, contenção, parcimônia, gata borralheira, democrata, o bucolismo de uma vida simples, desprezo do luxo e da ostentação.
V. ser (modesto & *adj.*); meter-se na cama, encolher-se, retrair-se, encouchar-se, não saber onde meter as mãos, fazer com a mão direita sem que a esquerda veja, despojar-se da vaidade;
gostar de ficar na sombra; amar a obscuridade;
negar-se de sábio; aconchar-se, atarantar-se, atrapalhar-se, sentir o rosto em brasa, baixar os olhos, arder o pejo nas faces pudibundas, envergonhar-se, corar 821; erubescer-se, perturbar-se, rosar-se, ficar cor de pimentão, atomatar-se, cair com as faces no chão 879; desprezar a popularidade, obrar e não falar.

Adj. modesto, desvaidoso, desconfiado, humilde 879; tímido, pejoso, encolhido, comedido, contido, desambicioso, timorato, contrafeito, envergonhado, verecundo, acanhado, recatado, ensimesmado, enconchado, atado, bisonho, esquivo, esquivoso, singelo, lhano, retraído, chão, simples, sóbrio, empachoso, bucólico, pudibundo, pudico, grave, composto, desafetado, arisco, despretensioso, bonacheirão, inimigo de estardalhaço, desenfatuado, incerimonioso, democrático.
Adv. modestamente & *adj.*; sem-cerimônia, sem toque de trombeta, à capucha, sem mais aquela, particularmente, sem estudadas negaças, à ligeira, sem aparato, sem vaidades de língua.
Interj. retro!, bazófias!.

882. Ostentação, ostensão, parada, exibição, exibicionismo, amostra, demonstração, aparato, alarde, alardeamento, espalhafato, espavento, estardalhaço, solenidade, teatralidade, espetáculo, cortejo, mostra de gente, procissão, comitiva, festa, toque de trombetas 883; rufo de tambores, repiques de sino, gala, revista, passeio, fita cinematográfica, encenação, *mise-en-scène*, exposição; factoide, pura aparência, enganação, pirotecnia, maquiagem;
cerimonial, ritual, formalidade, cerimônia, etiqueta, protocolo, pragmática, pontifical, sacramentário, praxe, luxo, fausto, pompa, estadão, magnificência, suntuosidade, esplendor, louçania, glória, flamância, brilhantismo, louçainha, luzimento, solenidade;
luxo oriental, asiático; opulência, riqueza, imponência, majestade, ruído, arruído, grandeza, grandor (ant.), galarim, realeza, sublimidade, ritualismo, frigideira, ostentador, exibicionista, formalista, ritualista, praxista, mestre de cerimônias, introdutor diplomático.
V. ser (ostentador & *adj.*); procurar atrair a atenção a, mostrar-se, exibir-se, expor-se, fazer uma coisa *ad ostentationem*;
fazer exibição, ostentação; passear, campear, ostentar, trazer tudo na casa dianteira, blasonar, ostentar-se em público = frigir (int.), inculcar-se, armar ao efeito, fazer fitas (bras.), rufar os tambores, gabar-se, alardear = pracejar, fazer grande cabedal de, procurar sobressair, dar em espetáculo,

galhardear, pimpar, ostentar luxo = atirar--se, pompear, revestir de pompas, garrir, apavonear-se, apresentar-se com garbo = florear, luxar, tafular;
viver como um rei, como um cavaleiro; viver à cavaleira;
rugir, arrastar seda; sedar, botar cavalo, revestir de pompa, estadear, engalanar, pendurar ante os olhos, espaventar-se = exibir luxo, galear, deslumbrar;
receber com pálio/com grande cerimônia.
Adj. ostentador, ostensor, alardeador, espalhafatoso, escandaloso, espaventoso, ruidoso, vistoso, de encenação, farfante, aparatoso, espetacular, espetaculoso, epidítico, teatral, dramático, ostentoso = principesco, estardalhante, cerimonial, cerimoniático, ritual, solene, subjugante, imponente, que dá na vista, majestoso, arrogante, grandioso, augusto, augustal, de espavento, de arromba, de estouro, olímpico, asiano, asiático, opíparo, faustoso ou faustuoso, suntuoso, magnificente, custoso, lauto, suntuário, roçagante, endomingado, domingueiro, pomposo, pomparoso, louçainho, loução, garrido, luzido, luzidio, deslumbroso, deslumbrante, proluxo, magnífico, brilhante.
Adv. en grande tenue, principescamente & *adj.*; à grande, *ad captandum vulgus*, ricamente, ostentosamente, ostentadoramente, louçamente, *pour épater les bourgeois*, para assombrar os burgueses, para inglês ver, como um grande senhor, a toque de corneta, com toques de caixa, com rufos de tambores, processionalmente, à grande e à francesa, de levante, espalhafatosamente.

883. Celebração, celebridade, solenidade, cerimônia, solenização, comemoração, rememoração, jubileu, aniversário; festa, festividade, baile;
bodas de prata, bodas de ouro, bodas de diamante; data miliária, ovação, centenário, tricentenário, quadringentenário, arco de triunfo, festejos, iluminação, missa campal, desfile de forças armadas, lápide, placa, monumento comemorativo, obelisco, cipo, salva, fogueira, toque de clarim, alvorada, hasteamento de bandeira, polianteia, feriado, ponto facultativo, te-déum, estátua, pedestal, herma, troféu 733; guisa, inauguração, coroação.

V. celebrar, decantar, festejar, assinalar, honrar, homenagear, inscrever, memorar, solenizar, saudar, não deixar passar despercebido, relembrar, rememorar, renovar, santificar, feriar, levantar estátua, aniversariar, regozijar-se, matar o vitelo mais gordo, dedicar, consagrar, inaugurar, medalhar; ver passar o seu aniversário.
Adj. comemorativo, rememorativo, memorativo, recordativo, recordador, comemorável & *v.*; genetlíaco, natalício, falado, celebrado & *v.*
Adv. comemorativamente & *adj.*; em comemoração, em honra de; *ad perpetuam rei memoriam.*

884. Jactância, chibança, chibantaria, chibantice, gabolice, fantastiquice, balandronada (bras.), chança, bazófia, paparrotice, rabularia, fanfarronada, fanfarrice, fanfarronice, gabarrice, proa, bizarrice, bizarria, prosápia, rebolaria, fidalguice, palavrada, presepada, vaniloquio, faramalha, fanfúrria, espanholada, blasonaria, ronco, roncaria, bravata, barbata, abafa, quixotada, valentia, só de palavras, bufeira, prosa, conversa-fiada, conversa de pescador, bravaria (ant.), farelo, farelório, vanglória, ostentação, farfância, farfalhice, pavonada, pabulagem, parlapatice, parra, *bravado*, gasconada, gauchada;
palavras; quixotice, quixotismo, paparrotice, paparrotada, paparrotagem, patarata, pataratice, charlatanismo, cabotinismo, filáucia, ronca, ralho, impostura, presunção extrema, pimponice, baforeira, farronca, baforada, gabamento, gabadela;
ares, tom de proteção; galimatias, babel de palavras, chauvinismo, estardalhaço, espalhafato, alarde, espavento, exagero 549; vaidade 880; *vox et praeterea nihil*, parto da montanha, tempestade num copo d'água, *brutum fulmen*, exultação, glorificação, muito barulho por nada, toque de trombetas, triunfo 883; rabulão, parlapatão, paparrotão, fanfarrão, valentão, valentaço, gabolas, gabazola, gabarolas (chulo), ferrabrás, bravateador, faramalheiro, espalha-brasas (bras.), rebolão, bazófio, alardeador, *soi--disant*, pretensão, pseudo, cabotino, arrotador, *janota* 854; faceira, bufão, farsola, farfante, paxá, jactancioso, mil-homens, trombeteiro, pedante.
(Ver também *Adj.*)

V. jactanciar-se, jactar-se, blasonar, alabar (ant.), gabar-se de, chegar a ter garbo em, jactanciar-se de, apregoar-se de, vangloriar-se;
bufar de valente, de valentias; ter glória em; fazer glórias, fazer gala, fazer mostras, fazer penacho de = fazer luxo em alguma coisa; pataratar, pataratear, arrear-se, picar-se, encher a boca de, gargantear (bras.), fazer farronca, alabardear, estar glorioso de, pregoar-se, prezar-se de, abonar-se de, fanfarrear, bazofiar, fazer brio de uma coisa, ostentar bazófia, roncar, bufar, alardear, bravatear, barbatear, bizarrear, fazer barulho com, gargantear, alanzoar, arrotar, imposturar, rabular, ostentar distinção, frigir (fam.), gostar de dar na vista, pregar, inculcar-se, chegar a ter garbos em, atribuir-se merecimentos, *se faire valoir,* cantar de clérigo, fanfarronar = contar bravatas, enfronhar-se em, fazer barulho com alguém, bofar; falar com chança, contar bulas, prometer mundos e fundos, fazer terreiros de patacas.
Adj. jactancioso, bazófio, bazofiador, repetenado ou repetanado, vaidoso 880; impostor, alabancioso, ronquenho, roncador, paratateiro, farsante, farsudo, bravateiro, bravateador, blasonador, bizarro, bizarraço, rebolão, paparrotão, farronqueiro, fanfarrão, farrombeiro, chamborgas, chibante, pábulo, vaníloquo, vaniloquente, valentão, farfante, faroleiro, impostor, imodesto, gabola, gabarola, vanglorioso, filaucioso, quixotesco, espalhafatoso; deslumbrado, jubiloso, ufano, vitorioso, exultante, embalado pela vitória.
Adv. jactanciosamente & *adj.*
Frases: Muita parra e pouca uva. Cão que ladra não morde. A montanha pariu um rato. Come sardinha e arrota caviar.

△ **885. Insolência,** procacidade, sobranceria, imponência, altivez, grosseria, desprezo pelas convenções sociais, contumélia, dicacidade, soberba, desdém, desplante, desfaçatez, desfaçamento, arrebito, audácia, rompante, ousadia, afronta, cara (pop.), soltura, liberdade, atrevimento, arrogância, rópia, pesporrência (chulo), desaforo, caradurismo (pop.), sem-cerimônia, intimativa, cinismo, desenvoltura, descoco, topete, despejo, despudor, impudor, impudência, desvergonha, sem-vergonhice, descaro, descaramento, impertinência = rabinice, desvergonhamento, desbrio, protérvia, petulância, panache, empáfia, embófia, coragem, arrojo, deslavamento, desgarre = desembaraço, rompante, panturra = prosápia, impostura, cachaço (pop.), ares imponentes = recacho, ferocidade, desenfreamento, imperiosidade, soberania, infalibilidade, dogmatismo, má-criação, respostada, má resposta, resposta torta, assunção de; impostor, petulante, taralhão, atrevido, descarado, cara de pau, franchinote, penetra, insolente, soberbete, soberbaço, soberbão, orgulhoso, pessoa de bico revolto;
cara estanhada, deslavada; cínico, caradura.
V. ser (insolente & *adj.*); presumir (int.), pôr os pontos muito altos, arrogar-se, atrever-se, arrojar-se, sair-se, adiantar-se;
fazer de ou afetar ares de príncipe/de princesa; engrimponar-se, topetar-se, sobrancear, imposturar, ter cara para, tomar a mão a quem lhe dá o pé, trazer o rei na barriga, meter-se a taralhão ou tralhão, tomar confiança;
fazer-se fino/forte; chegar a, afrontar, insultar, tripudiar, espezinhar, desmerecer, desprezar, desdenhar, desacreditar, humilhar, menosprezar, pejorar, sevandijar, vilipendiar, fazer baixar os olhos, sobreolhar, olhar com sobranceria, olhar por cima dos ombros, dedignar-se;
assoberbar, dar sota e ás a alguém, tratar com insolência, recachar-se, respingar = levantar a grimpa, grimpar, não respeitar ninguém, entesar, responder com atrevimento, fanfarrear, tratar com soberba, arrebitar-se;
vir/responder com sete pedras na mão;
falar de papo ou com ares de importância; mostrar modos imperiosos, falar com rompantes, entonar-se, desaforar-se, fazer do sambenito gala, fazer carrancas, vir com as mãos à cara, engalispar-se, ensoberbecer-se, subir de pensamento, empinar-se, erguer a crista, despejar-se, desavergonhar-se, desfaçar-se, ter o despejo de, deslavar-se, impar de petulância, fazer sobranceria a alguém, pôr-se às maiores com alguém, descocar-se, descarar-se, desbriar-se, arrogar-se, arvorar-se, apropriar-se, tomar a liberdade de, alçar o colo, calcar aos pés, apisoar, atrever-se, prevalecer-se de.
Adj. insolente, repetenado, destemperado, destravado, altivo, soberbo, descocado, pe-

tulante, espevitado, desabusado, metido, saião, impostor, rompante, rompente, sobranceiro, arrogante, besta, cabotino, jactancioso, cachaçudo, imodesto, convencido, empafiado, soberbete, soberbão, soberbaço, prepotente, contumelioso, ventoso, desdenhoso, repimpado, intolerante, afrontoso, orgulhoso, confiado, atrevido, atrevidaço, atrevidete, atiradiço, protervo, dicaz, desbragado, descarado, impudente, desfaçado, despejado, relasso, malhadiço, desavergonhado, desbriado, desbrioso, cínico, desaforado, safado, intrometido, ousado, presumido, presunçoso, delicodoce, intratável, deslavado, ditatorial, discricionário, arbitrário, imperioso, impertinente, irreverente, malcriado, grosseiro, empinado.
Adv. insolentemente & *adj.*; regateiramente, com fumaças de gente, de mão na ilharga, *ex cathedra*, doutoralmente.
PROVÉRBIO: Queres conhecer o vilão? Mete-lhe o bordão na mão.

▽ **886. Servilismo,** pequenez, falta de dignidade, capachice, capachismo, sabujice, baixeza, indignidade, abjeção, sordidez, torpeza, humilhação, escravidão (*sujeição*) 749; subalternidade, obsequiosidade, submissão, obnoxiação, pusilanimidade, sordidez, incondicionalidade, incondicionalismo, amém, subserviência, injunções políticas, flexibilidade, ânimo servil, cortesanice, bajulação, puxa-saquismo, condescendência, abaixamento, prostração, ajoelhação, genuflexão, arrojamento aos pés de alguém, rebaixamento, rastejamento, aulicismo, sicofancia 933; humildade 879; mesura, mesurice, salamaleque, salame, rapapé, curvatura, zumbaia = gromenare, rastejo, ministerialismo; sicofanta, parasita, sapo, ordenança, amenista, cabresteiro, sendeiro, arre-burrinho, arrimadiço, papa-jantares, manequim = sevandija, limpa-botas, amouco, cão de fila, lacaio 746; sabujo, capacho, reptil = reptante, farejador, bajulador 935; pulhastro, cloaqueiro, latrinário, latrineiro, lambedor, *Grœculus escuriens*; *cavaliere servente*, caçador de posição, *âme damnée*, ministerialista, zumbaieiro, cortesão, áulico, caudatário, pau-mandado, missongo, carneiro, instrumento, rebanho; burgo podre.
V. ser (servil & *adj.*); prestar-se a, submeter-se a, rebaixar-se, apequenar-se, apoucar-se, andar de bruços, deixar-se oprimir, receber a senha, vergar-se, dar a garupa, deixar-se levar pelo nariz, estar por tudo, aceitar o cabresto, não ver senão pelos olhos de alguém, ser pau para toda colher, ser pau mandado, andar à corda de alguém, prestar-se a tudo, abaixar-se ignobilmente, rastear-se, rastejar(-se), subalternizar-se, zumbrir-se, fazer rapapés, desmanchar-se em salamaleques, subjugar-se = seguir alguém em todos os caprichos, deitar-se aos pés de alguém, lamber os pés, engraxar as botas de, bajular, puxar o saco, debruçar-se aos pés de alguém, amolgar-se;
ir com/acompanhar a corrente/a onda; ser arre-burrinho de alguém;
prevenir as ordens, as intenções de alguém; atoar-se a alguém, assinar de cruz, cortejar, ajoelhar-se 990; curvar-se, alcachinar-se, mesurar, rojar-se por terra, prostrar-se, cair de joelhos, acocorar-se, rastejar, agachar-se, chapuzar-se, alapardar-se, alavercar-se, colear, submeter-se, beijar a fímbria do manto de alguém, adorar o sol nascente, prostituir-se aos poderosos, apedrejar o sol no ocaso, farejar o toque de retirada, humilhar-se, abandalhar-se, avacalhar-se, aviltar-se, sevandijar-se, subalternizar-se, rebaixar-se, acarneirar-se, desfibrar-se, render-se;
prescindir dos seus direitos, das suas prerrogativas.
Adj. servil, adulador 935, puxa-saco, genuflexo, rasteiro, rastejante, capacho, xereta afocinhado no chão, abjeto, poltrão, invertebrado, babão, desfibrado, pusilânime, agachado, acachapado, submisso, lambe-botas, lambe-cu (chulo), subalterno, obsequioso, incondicional, rafeiro, cangueiro, cabresteiro, amolgável, obnóxio, disciplinado, sabujo, rastreiro, vil 874; desprezível, asqueroso, repugnante, torpe, indigno, nojento, leproso, vulgívago, ignóbil, baixo, gafo, despudorado, melífluo; dócil, docílimo, humilde, obediente 743; obsequente, untuoso, meloso, açucarado, flexível, doce de boca, maneável, manejável, sicofântico, parasítico, manso, mesureiro.
Adv. servilmente & *adj.*; à força de rapapés, às cegas, a rojo, de rojo, de rastos.

887. Fanfarrão, chamborgas, buzarate, rebolão, mata-mouros, mata-sete, espadachim 726; espalha-brasas (bras.), traga-mouros, *jactancioso* 884; mil-homens, desafiador, roncador, valentão, valentaço, pimpão, dunga, paxá, bazófio, impostor, brigão, arrotador, buzina, ferrabrás, ameaçador, goela, garganta, faroleiro, farrombeiro, farfante, farfantão, farofeiro, blasonador, farsola, farsudo, altercador, rezingão, rezingueiro, gabolas, gabarola, gabazola, gabarão, gabachista, varola, farroma, farromba, bravateiro, bravateador, bravatão, vaniloquente, vaníloquo, pabola, pábulo, chibante, respingão, parlapatão, paparrotão, respondão, espanta-ratos, soberbão, soberbaço, bota-fogo, desordeiro, espancador, dandão, caceteiro, estoura-vergas, malabruto, demo, alardeador, duelista, espadeiro, galo-de-briga, faquista, D. Quixote, fúria 173; cangaceiro (bras.), *janota* 854; come-brasa, impertinente, insolente, impudente, desabusado.

Divisão III. AFEIÇÕES SIMPÁTICAS

1º) Sociais

△ **888. Amizade,** aderência (ant.), afeições do coração, fraternidade, fraternização, irmandade, confraternidade, consonância (fig.), harmonia (*concórdia*) 714; *paz* 721; sodalício, contubérnio; comunhão espiritual; aliança;
amizade firme/funda/inquebrantável/cordial/sincera/duradoura/indissolúvel/eterna; cordialidade, camaradagem, companheirismo, compadrio, compaternidade, coleguismo, aproximação, confraternização, *entente cordiale* (*em referência à aliança ou bloco formado pela França e a Grã-Bretanha, na I Guerra Mundial*), convívio, convivência, dedicação, relações íntimas, caso de xifopagia (fig.), entranha, intimidade, relações, união, irmanação, liga, ligação, ligamento, laços de amizade, relações amigáveis, colacia = familiaridade, estreiteza (fig.), seio (fig.); estreitamento de relações, vinculação, comunicação, trato, acesso (fig.), intercurso, confiança, simpatia, afeto, afeição, inclinação, estima, apreço, cotação, consideração, amor, lealdade, fidelidade, respeito, identidade, igualdade de sentimentos; conhecimento, privança, relacionamento (fraterno), cabida, protestos de amizade, apresentação, amizade de barca/de pouca duração; encontro, aproximação, aceitação, afinidade, empatia, identificação, construção de um afeto/de uma convivência.
V. ser (amigo & *adj.* e 890); serem a corda e o caldeirão/a corda e a caçamba; ter amizade a, ter relações com, ser da intimidade de, ser visita de, gostar de, visitar-se com alguém (*sociabilidade*) 892; serem unha e carne, ter intimidade com, gozar da confidência/da confiança, privar, frequentar, estar em convivência com, rodear, estar muito pegado a, ter grande cabida com; ser chapa de (gír.); ter grande estima/afeição/carinho/a (ou por); ser o melhor amigo de alguém; ter afinidade com;
possuir as graças o coração de alguém;
ser de casa/do seio de alguém; puxar para alguém = dedicar simpatia a alguém, simpatizar com, comer na mesma gamela, entreconhecer-se, professar sincera amizade, privar da intimidade de, estar em graça para com alguém, ser livre com alguém, ser baú de alguém, *amar* 897; inclinar-se por alguém, resguardar como santas as leis da amizade;
ter valimento/graça/favor com alguém; estender a mão direita a, cultuar a amizade, professar a amizade a;
contrair/cobrar amizade/afeição; mergulhar-se na intimidade penetrável do lar de alguém, ganhar a amizade de, afeiçoar-se, benquistar-se, compadrar-se, acompadrar-se, acamaradar-se, estabelecer relações íntimas/fraternais/amigáveis;
apertar/estreitar as relações com, ganhar terra com alguém, acomadrar-se com, contubernar-se, conviver, tomar familiaridade com, fraternizar-se;
travar conhecimento/amizade/afeição; meter-se de gorra com alguém, relacionar-se, tomar alguém em seu deúdo (ant.), insinuar-se, granjear a simpatia de, cair em graça a, inspirar amizade, cativar o ânimo de, amistar, apreciar, estimar, ter em apreço, apreçar, considerar;
votar/consagrar estima; prezar, ter em muito, ter em grande consideração, confraternar, confraternizar, irmanar, receber de braços abertos, ser compatriota de = ter natureza com.
Adj. amigo, caroável, amigável, amistoso, que denota amizade, fraterno, fraternal, amorável, íntimo = interior, familiar, confidente, valido, bem-vindo;
que está ligado pelos laços de afeto/de confiança; confidente, xifópago (fig.), insepará-

vel, unido, confraternal, afetuoso, cordial, amicíssimo, amigaço, amigão, privado, de muita confiança, de muita amizade, confiável, benquisto, quisto, estimado, leal, fiel, que tem cabimento, cabido, devotado a, dedicado a, afeiçoado a, ligado a, amante de, hederoso (poét.).
Adv. amigavelmente & *adj.*; em amizade, de braços abertos, de braço dado, seu do coração, ombro a ombro, com familiaridade, em intimidade, mão por mão.
Provérbios: Na necessidade se prova a amizade. Amizade é como o vinho: quanto mais velha, melhor.
Frases: Na frágua do padecer é que se acrisola a amizade. São inseparáveis como a xícara e o pires.

▽ **889. Inimizade,** desestima, desamizade; antagonismo, rivalidade;
rotura ou ruptura; inimicícia (p. us.), *discórdia* 713; inconciliabilidade, incompatibilidade, hostilidade, fobia, desgosto 867; rompimento; animosidade 900; antipatia, quizília, renzilha, *malevolência* 907; cissura = quebra de amizade, desacolhimento, desinteligência, malquerença, indisposição, aborrecimento, desavença, rixa, arrefecimento de relações, relações tensas, má vontade, teiró, ressentimentos pessoais, desarmonia, cizânia, atrito, desconcerto; desencontro; estranhamento, indiferença, resistência, rejeição, repulsa, desamor, desafeição, desprezo, asco, ódio;
confronto, litígio, contenda, contrariedade, adevão, briga, agastamento, água-suja, bate-boca, altercação, arranca-rabo, arrelia, confusão, rolo, refrega, auê (pop.);
V. ser (inimigo & *adj.*); ter inimizade/malquerença, malquerer, rivalizar, ser como o cão com o gato, serem como cão e gato/ gato e rato, estar de candeias às avessas com alguém, andar nas pontinhas com alguém, não ir nada com alguém, ter alguém pela proa, estar às más com alguém; estar a ferro e fogo, ou de fogo e sangue contra; ter quizília a alguém, não estar compadre de, descompadrar-se, estar separado de alguém por motivos de ordem pessoal, não querer negócio com, não se ligarem duas pessoas, não fazerem boa farinha, desabrir-se com alguém, romper as hostilidades, hostilizar, incompatibilizar-se, desavir-se, aborrecer-se/desentender-se com, desabrir-se, cortar as relações, romper com alguém, malquistar-se, malsinar, inimizar, alienar o ânimo, retirar a confiança a alguém, interromper as relações com, romper (relações com); decair da/perder a graça de alguém; arrefecer a amizade, atravessar-se, provocar, inimistar, pôr-se mal com alguém, descoser a amizade, desestimar, desafeiçoar, desapegar(-se), indispor(-se), antipatizar, desamigar, desamistar; rejeitar; antagonista, inimigo, adversário, desafeto, rival.
Adj. hostil, contrário, oposto, antagônico, infenso, adverso, adversário, desafeiçoado, desafeto, inimicíssimo, ameaçador, agressivo, invasivo, acérrimo, figadal, irreconciliável, inconciliável, incompatível, incombinável, inconcordável, malquisto, malquistado, indisposto, malquerente.
Adv. hostilmente & *adj.*; em atitude provocadora/agressiva.
Frase: Para mim ele riscou. Para mim ele morreu.

△ **890. Amigo,** amigo íntimo/afim/do peito/da alma/de fé/de taça/de copo/de todas as horas/ de verdade; íntimo, companheiro, inseparável, irmão, conhecido, *alter ego*, *fidus Achates* (= *'amigo confiável'*), *amicus usque ad aras* confidente (= 'amigo ao extremo', 'totalmente confiável' [+-]), *fac-totum*, depositário, amigão ou amigona, amigalhão, amigalhaço, protetor, ilhargas, fautor, fautriz, patrono, conselheiro, colador, colator, Mecenas, anjo tutelar, boa estrela, advogado (fig.), partidário, correligionário, simpatizante, devoto, paniguado ou apaniguado, adepto, aliado (*auxiliar*) 711, achegado, admirador, compadre, comadre, comensal, conviva, amigalhote (dep.), vizinho, vizinhança, associado, sócio, consócio, parceiro, chapa (bras. pop.), *brother* (gír.), comparte, camarada, capeba (burl.), confrade, familiar, venerador, campatrício, colega, condiscípulo, patrício, coestaduano, conterrâneo, compatriota, matalote, *Arcades ambo*, Pilades e Orestes, Castor e Pólux, Dióscoros, Niso e Euríalo, Damon e Pítias, Dom Quixote e Sancho Pança, Athos, Porthos, Aramis e D'Artagnan, Sherlock Holmes e Watson; Mickey e Pateta, Fred e Barney; *par nobile fratrum* = *um nobre par de irmãos*, unha com/e carne, irmãos siameses, hóspede, anfitrião, albergueiro, hospedeiro = amo, aposentador, se-

melhante, próximo, visitante, visitador, protegido, valido, favorito, recomendado, pupilo.
V. acompadrar(-se), acamaradar(-se); relacionar-se com; associar-se, aliar-se, fazer amizade, estreitar vínculos.
Adj. afeiçoado, ardoroso, amistoso, fraternal, simpatizante, dedicado; favorável; fiel.
Adv. lealmente, fielmente, amigavelmente, amistosamente.
Frases: Contas de perto e amigos de longe. Nos trabalhos se veem os amigos. No aperto e no perigo se conhece o amigo. Nem preso, nem cativo têm amigo. Mais valem amigos na praça que dinheiro na caixa. Amigos, amigos, negócios à parte. Não há melhor parente que amigo fiel e prudente. Amigo é para essas coisas.
Amigo é coisa pra se guardar no lado esquerdo do peito (Fernando Brant e Mílton Nascimento — *Canção da América*).
Provérbios: Dize-me com quem andas e dir-te-ei as manhas que tens. Dize-me com quem andas e eu te direi quem és.

▽ **891. Inimigo,** inimigo encarniçado/declarado/mortal/jurado/manifesto/acérrimo/figadal/gratuito; adversário, adverso (sm.), *capitalis inimicus* = *inimigo capital*, êmulo, emulador, competidor, concorrente, contendedor ou contendor, oponente, rival, antagonista, opositor 710; chibalé (Port.), desafeto, perseguidor, apedrejador, inimigo comum, amigo falso = amigo de Peniche, aquele meu amigo (irôn.), cabeça de turco, bode expiatório 828; oficial do mesmo ofício.
Cão e gato; gato e rato; Tom e Jerry, Popeye e Brutus.
V. antagonizar, inimizar-se, hostilizar, indispor(-se), malquistar, desavir, descompadrar, inimistar, brigar, contender, rivalizar, discutir, lutar, aborrecer-se, disputar, concorrer; contrariar, desentender-se, zangar-se.
Adj. antagônico, hostil, avesso, adverso, desavindo, emulante, discordante, inconciliável, oposto; conflitante, desfavorável, contraditor, contrariador.
Adv. como cão e gato; deslealmente.
Provérbios: Pior que o inimigo é o mau amigo. Inimigo batido ainda não é vencido. Os inimigos declarados são os menos perigosos.

△ **892. Sociabilidade,** consociabilidade, camaradagem, espírito de classe, coleguismo, convívio, convivência, convivialidade, relação, tato, comunicação, jovialidade, intimidade, *savoir-vivre* = *a habilidade de saber conviver socialmente* (+ -), festança, bulício, folguedo 840; contato, hospitalidade, gasalhada, agasalho, acolhimento, hospedagem, hospedamento, cumprimentos = rendimentos, salema (ant.), mesura, vênia, saudação, salvação, aperto de mão = toque, brinde = toste, recomendações, saudades, lembranças, recados;
palavras afetuosas, recepção cordial, cordialidade, alegria, urbanidade, afabilidade, civilidade, cortesia; fraternidade, fraternização, bom trato, frequentação, roda familiar, o remanso do lar, círculo de relações sociais, círculo social, sociedade, ambiente;
regaço, seio, grêmio, reunião, assembleia, tertúlia, chá-dançante, vida noturna, serão, sarau, serenim, seroada, festival (*diversão*) 840; consoada, noitada, balada;
lugar de honra/de distinção; cabeceira, trato, respondência, intercurso, intercâmbio, prática do mundo, visita, entrevista 588; *rendez-vous*, brinde, ágape, escanção, clube (*associação*) 712; monofobia, antropolatria, recipiendário, hóspede de, convidado, conviva, anfitrião; agremiação, confraria, reunião social, festa, recepção.
V. ser (sociável & *adj.*); ser de livre/de fácil acesso; mostrar-se muito cortês 894; saber do mundo, receber, dar recepção, seroar, conviver, comunicar-se com, viver na intimidade, visitar, frequentar, rodear, ser frequentador de, receber em família, fazer as honras da casa, escançar = servir o vinho; dar as boas-vindas, fazer lama à porta de alguém = ter relações com, dar uma saltada em casa de alguém, ter mundo, sentar alguém a sua mesa, dar acolhimento a, recolher, acolher, albergar, dar guarida, aposentar, alojar, acolher com generosidade, hospedar, agasalhar, receber com galas;
fazer razão a uma saúde/a um brinde; comprazerem-se, presentear, obsequiar, tocarem-se os ossos, darem-se as mãos, saudar, salvar, cumprimentar, desbarretar, andar por corrilhos, entrar para a vida pública, renovar os conhecimentos com alguém; apresentar felicitações/recomendações/cumprimentos; abrir os seus salões, ter

boas salas, fazer sala a alguém, fazer uma surpresa a alguém, reunir, fazer as honras, receber de braços abertos, abrirem-se os braços com amor, desconcentrar-se, tornar (sociável & *adj.*); socializar, sociabilizar, internacionalizar, ser anfitrião, ser hospedado, mergulhar-se na intimidade penetrável do lar, encontrar carinhosa hospedagem.
Adj. sociável, conversável, acessível, convivente, expansivo, apresentável, comunicativo, *cortês* 894; folgazão, afável, cavalheiro, tratável, democrático, popular, desembaraçado, extrovertido, prosador, insinuante, jovial, hospitaleiro, acolhedor, gasalhoso, social, internacional, gregário, gremial; monófobo, monofóbico.
Adv. sociavelmente & *adj.*; no círculo da família, de braço dado, hospedavelmente, no seu círculo social, no seu meio.

▽ **893. Reclusão,** clausura, ermitania, cenobismo, cenobitismo, beguinaria = vida claustral, segregação, insociabilidade, emparedamento, encerramento, recolhimento, retraimento, esquivança, esquivez, insulamento, inospitabilidade, incomunicabilidade, dissociabilidade, misantropia, antropofobia, rusticação, isolamento, apartamento, penumbra, retiro, secesso (p. us.) = recesso, nicho = lugar afastado, *rus in urbe = campo na cidade*, ermo, soledade, desporto (ant.), retirada, retiramento, andurriais, solidão, encerro, exílio voluntário, Tebaida, cela, ermida, eremitério, eremitório, convento 1.000; *sanctum sanctorum* (= *santo dos santos*) = *um lugar totalmente inviolável*, intermúndio, refúgio, rincão, recanto, cenóbio, desterro, degredo, exclusão, excomunhão, banimento, petalismo, anacoretismo, ascetismo, ostracismo, proscrição, despovoamento, deserção, desolação, deserto 169, mosteiro;
vida eremítica/ concentrada; despego/ desprezo das coisas mundanas, desapego, desprendimento, eremita, eremícola, cirita, anacoreta, solitário, monge, ermitão, cenobita, Simão Estelita, troglodita, Timon de Atenas, recoleto, ruralista, bufo, discípulo de Zimerman, Diógenes, morcego (burl.), exilado, proscrito, pária, mágico, mocambo, bicho do mato, matuto, misantropo, antropófobo, taciturno, mocho (fig.), noitibó (fig.), urso (fig.), emigrado.
V. viver (segregado & *adj.*); viver vida retirada, sepultar-se em vida, cerrar-se a todo o trato, afastar-se do trato com, conservar-se na obscuridade, isolar-se, acantoar-se, encantoar-se, encerrar-se, encantonar-se, encovar-se, engaiolar-se, emparedar-se, enconchar-se, encorujar-se, meter-se na concha, amortalhar-se, renunciar ao mundo, fugir à convivência, retirar-se da sociedade, insular-se 87; retirar-se do trato social, sequestrar-se, reconcentrar-se;
esquecer, morrer para o mundo; evitar a convivência = arrincoar-se, furtar-se aos amigos, deixar o século, encelar-se, andar arredio, retraçar-se, recolher-se, fugir à vida mundana, recolher-se a bom viver, amochar-se, meter-se/pôr-se numa redoma, enredomar-se, retirar-se à vida privada; despregar-se, separar-se, desquitar-se da sociedade; retirar-se do mundo, tornar-se incomunicável, incomunicabilizar-se, retrair-se, segregar-se da comunhão humana, viver numa Tebaida, estar às moscas, ser pouco frequentador, roubar-se ao mundo, não querer negócio com os homens, aposentar-se, pregar-se em casa, viver como um corpo estranho, professar em mosteiro;
tomar o véu/o hábito; *abandonar* 624; sepultar-se num claustro, recolher-se a um convento, abraçar a vida monacal, encelar-se, enclausurar-se, enclaustrar-se, recusar-se (desus.), guardar clausura perpétua, excomungar, exilar, banir, proscrever, expatriar, desterrar, exular, foragir-se, despovoar, ermar, desabitar, devastar, despopular, desacolher.
Adj. recluso, sequestrado, anacorético, cenobítico, sozinho, apartado, afastado da convivência, solitário, arredio, esquivo, esquivoso, afastado, arisco, separado, sequestrado do mundo, recolhido, encantonado, incomunicável;
retraído, só, isolado, esgueiriço, insocial, insociável, esquecido dos homens, intratável, dissociável, inacessível, inabordável, fugitivo, inconversável, desconversável, tarasco, avesso à convivência, antissocial, borralheiro, eremítico, inospitaleiro, desagasalhoso, inóspito, capucho, misantropo, que vive retirado do trato, solífugo, notívago, abandonado, sem-lar;
infrequentado, despovoado, desabitado, inabitado, retirado, afastado, inabitável, ermo, banido, êxule, proscrito, derelito, degredado, foragido, forasteiro, segregatício.

Adv. reclusamente & *adj.*; à monsiura = à moda francesa.

Frases: *Noli me tangere* = não me toque (palavras de Jesus, para evitar que Maria Madalena o tocasse no encontro que tiveram após a ressurreição do nazareno); *I want to be alone* = eu quero ficar sozinha (frase que teria sido dita pela atriz Greta Garbo).

△ **894. Cortesia,** boas maneiras, (boa) educação, melindre, urbanidade, verniz (fig.), gentileza, obsequiosidade, cavalheirismo, polidez, fineza, política, delicadeza, cerimônia, civilidade, bom-tom, amenidade, bom humor, condescendência, dignação, complacência, benevolência, brandura de gênio, docilidade, mansuetude, morigeração, humildade, amabilidade, afabilidade, bondade, maneiras lhanas, distinção fidalga, lhaneza, lhanura, chaneza (ant.), facilidade, galantaria, galantice, galanteio, madrigal, cerimonial; palavras melífluas/mesuradas/de mel/doces; saudação, brinde = toste, recepção, acolhimento, agrado, respeito, atenção, obséquio, favor, serviço, recados, lembranças, recomendações, lisonjeiras frivolidades, reverência 928; mesura, vênia, cortesia, barretada, genuflexão 990; aperto de mão, toque, tocarola, abraço, beijo, ósculo, antefirma, guindamaina, pracista (bras.), cavalheiro, *gentleman, lady,* cumprimenteiro, beijoqueiro.

V. ser cortês & *adj.*; ser de feição/de bom humor/a essência da cortesia; ter maneiras, fazer-se amável, usar para com todos de muita política, trazer alguém nas palmas/nas palminhas da mão; tratar com alguém mão por mão = falar com alguém lhanamente, multiplicar-se em gentilezas, dar ar de sua graça, não esquecer um único item das regras da civilidade, ser perfeito cavalheiro, dignar-se, servir-se, não se dedignar, receber, fazer bom acolhimento, dar as boas-vindas; receber de braços abertos/com obsequiosa solicitude; apertar a mão = dar uma tocarola a alguém, saudar, ressaudar, salvar, dizer finezas, cumprimentar, apresentar os cumprimentos, entoar um ave, abraçar 902; beijar, beber à saúde de, agradar, cercar de atenções, brindar, estender a mão a alguém, descobrir-se, desbarretar-se, tirar o chapéu, apresentar armas, abater a espada, levantar-se, erguer-se, baixar a cabeça, abater a bandeira por guindamaina, fazer barretada, cortejar, desfazer-se em cumprimentos, mesurar, abordar, visitar, apresentar os seus respeitos, fazer visita (*sociabilidade*) 892; prestar homenagem a 928; agasalhar, fazer a honra de, levar saudades a alguém, obsequiar, dar as prolfaças de, recomendar-se a alguém, prostrar-se 990; tornar-se (polido & *adj.*); polir-se, civilizar-se, desemproar-se, alhanar-se, humanar-se, humanizar-se, amaciar a ferocidade dos costumes.

Adj. cortês, amável no trato, polido, delicado, civil, urbano, benigno, afável, dado, respeitoso, reverente, honesto, bem-educado, bem-criado, bem-ensinado, político, educado, cavalheiresco, fidalgo, civilizado, requintado (*gosto*) 855; gentil, solícito, pressuroso, atencioso, afetivo, lhano, desemproado, tratável, acessível, atingível, abordável, conversável, cheio de atenções, atento, insinuante, amável, insinuativo, hospedeiro, familiar, sincero, franco, agradável, lavado, chão, cerimonioso, oficioso, serviçal, servidor, obsequente, prestável, prestadio, comprazedor = obsequiador, comunicativo, desembaraçado, expressivo, extrovertido, simpático.

Adv. cortesmente & *adj.*; de braços abertos, com a boca cheia de risos, em tom familiar, em termos amistosos, por dever de cortesia e boa educação, por bem, com luvas de pelica, com boas maneiras = sem pau nem pedra.

Interj. salve!, bons olhos o vejam!, *pax vobiscum!*, seja bem aparecido!, nunca tua sombra seja menor!.

▽ **895. Descortesia,** mau ensino, impolítica, má-criação, maneiras abrutadas, impolidez, despolidez, deselegância, desprimor, indelicadeza, desatenção, insuavidade, alarvaria, rustiquez, rusticidade, falta de afabilidade, desafabilidade, desamabilidade, inurbanidade, incivilidade, desmesura, aspereza, rispidez, rispideza, rudez, rudeza, secura, frialdade, grossaria, grosseria, grossidão (ant.); rabuge, rabinice, serranice, despeito, desrespeito 929; procacidade, impudência, barbarismo, barbárie, brutalidade, galegada (pleb.), chavasquice, severidade, rigidez, austeridade, acerbidade, asperidade, malcriadez (pop.), desabrimento, acrimônia, fortidão, selvatiquez, selvajaria, intratabilidade, viru-

lência, mordacidade, respostada ou repostada, revirete;
resposta má/torta/grosseira/incivil; monossílabos, recusa, não;
palavras ásperas/agressivas; linguagem imparlamentar/áspera/rude/grosseira, arrieirada ou arreeirada, aspereza de palavras, insolência, impudência;
semblante carregado/severo; cenho cerrado, cara de poucos amigos;
aspecto carrancudo/torvo; carranca, testa enrugada, olhar severo/sisudo, focinheira (fig.), urso (fig.), broma, pastrano, bruto, brutamontes, troglodita (fig.), hipopótamo (fig.), animal, animalaço, leão (fig.), aldeão, chambão, matulão, arrepia-cabelo, mazorro, mazorral, beduíno, casca-grossa, cascão, antipático, grosseirão, estúpido;
homem de cascão grande/de mau cascão; carroceiro, bicho do mato, grosseiro, javardo, malas caras, malabruto, alarve, burguês, respondão, regateira (f.), resmungão, rezingão, quitandeira.
V. ser (rude & *adj.*); ser de casca grossa; tratar com descortesia, descortejar, não ter tomado chá em pequeno, não ter educação nem princípios; tomar liberdades, insultar 929; irreverenciar, mostrar a porta a, voltar as costas a, negar a mão a alguém, acoimar de apodos injuriosos, receber com cerimônia glacial, desabrir-se (*irritar-se*) 900; agalegar-se, revelar mau humor 901a;
fechar a cara, fazer carranca; cerrar a porta a alguém, dar a alguém com a janela na cara, ficar sério com alguém, secar-se com alguém, proceder mal, maltratar, tratar alguém a contrapelo, ofender, melindrar, receber mal, resmungar, rezingar, engrilar, resmonear, rosnar, respingar, levantar a grimpa = responder com modo altaneiro, grimpar, repontar, falar a alguém com sete pedras na mão, romper em excessos;
responder asperamente/acremente/com uma vênia seca e silenciosa; atabernar-se, asselvajar-se.
Adj. seco, rude = fragueiro, descortês, malgalante, inurbano, incivil, tarimbeiro, rústico; mal-educado, malcriado, malcomportado, malprocedido, mal-ensinado; saloio, saiaguês, impolido, indelicado, antipático, desamável, inculto, grosso, irreverente, irreverencioso, rezingueiro, agalegado, achavascado, chavasco, chavasqueiro, beluíno (fig.), brutal, desconversável, supercilioso, mazorral, descarinhoso, descaroável, incerimonioso, descerimonioso, bestial, ríspido, acerbo, áspero, atavernado, charro, de casca grossa, lanzudo, lapão, assaloiado, inamável; avaqueirado, desgracioso, bruto, safado, descarado, impudente, tarasco, desabrido, acrimonioso, intratável, grosseirão = sáfio, pastrano, desatencioso, mal-humorado, díscolo, incivilizado, incivilizável, selvagíneo, selvagem, selvático, sáfaro, secarrão, mordaz, contumelioso, pontudo, respondedor, respondão, labrego, lapuz, rugoso, agreste, bordalengo, estúpido 499; abrutado, brusco, arisco, extramontado, austero, inacessível, intratável, dessociável, inatingível, inabordável, rabugento, irritadiço 910; agressivo, brutal, injurioso, ofensivo, pesado, afrontoso, arrogante, acre, agro, arrieirático ou arreeirático, deselegante, inelegante, desaprimorado.
Adv. descortesmente & *adj.*; em termos irreverentes, de raspão, de repelão, à bruta, sem-cerimônia, de lança em riste, com (incivilidade & *subst.*); de porrete à esquina = com azedume.
Frase: *Rus merum hoc quidem est* = é a grosseria em pessoa.

896. Congratulação, gratulação, felicitação, parabéns, emboras, cumprimentos, rendimentos (ant.), saudação 894; condolência 915;
Natal; ano-bom = nauro; Ano-novo.
V. cumprimentar, felicitar, gratular, congratular-se com, dar parabéns/realegrar-se, desejar a alguém felicidades e venturas, fazer votos pela prosperidade de alguém; apresentar parabéns/emboras, desejar a alguém feliz Natal e boas entradas de ano, felicitar alguém *ab imo pectore*.
Adj. congratulatório, gratulatório, congratulante, congratulado.

△ **897. Amor,** carinho, idolatria, afeto, amoricos, amorosidade, amorio (ant.), inclinação (*desejo*) 865; dileção, predileção, preferência, simpatia, estremecimento, benquerença, afeição, dedicação, querença, admiração, apego, aferro, constância, idílio, derriço, derretimento, idiopatia, ternura, intimidade, conchego, *benevolência* 906; agarramento, entranha, aspiração, galanteio, galanice; namoro, namorico, namorisco, flerte, amizade-colorida, paixão, adoração, ardor, fer-

vor, chamas, calor, devoção, atração, êxtase, enlevamento, arroubamento, enlevo, feitiçaria, namoramento, xaveco (gír.);
chama inédita; chama de cintilações desconhecidas/de efeitos maravilhosos; amatividade, Cupido, Afrodite, Vênus, Eros, Ondim ou Ondina;
mirto, murta, setas do amor;
história/laços/caso/negócio de amor; dedo de Cupido (*namoro*) 902; olhar amoroso, transportes amorosos, filoginia, erotídeas;
amor inextinguível/verdadeiro/irremediável/inabalável/acendrado/sincero/ardente/profundo/indestrutível/imaculado/platônico/paterno/materno/filial/conjugal/incondicional/inabalável/sem-fim/infinito; piedade filial, favorito 899; popularidade, prestígio, influência; amante, proco (desus.), namorado, namorador, namoradeiro, pretensor, pretendente, admirador, vegete = amante velho, apaixonado, adorador, galanteador, cortejador, adorante, galã, amoroso, jacaré (pop.), marrancho (pop.), derriçador, quebra-esquinas, babão, Lotário, bandoleiro, conquistador, Don Juan (*libertino*) 962, Casanova;
chichisbéu, caro, esposo, bem, amigo, querido, derriço, predileto, cujo, zinho (bras.), frecheiro, beijocador, beijoqueiro, flerte, namorido (pop.), ficante (bras. gír.);
namorada, arrojada (ant.), cupida, apaixonada, querida, amorzinho, amada, Dulcineia, derriço, benzinho, predileta, anjo, querubim, serafim, ídolo, deusa, inclinação, objeto da simpatia, cotó, namoradeira, janeleira, frança, pau de cabeleira;
noivo, noiva, *fiancée*, pretendida, futura, nubente;
casal de pombinhos, morada de amor, ninho, dois corações num só, Romeu e Julieta, Pigmalião e Galateia, Abelardo e Heloísa;
tesão, sensualidade, amor carnal, lascívia, erotismo, luxúria, volúpia, voluptuosidade, transa, sexo, cópula, sexualidade, beijo, abraço, carícia, orgasmo, gozo.
V. amar, apaixonar-se por, estar apaixonado/enamorado por, estimar muito, benquerer, gostar de, ser devoto de, cultuar, ter em preço, querer a, dar a vida por, estremecer, simpatizar com, sentir ternura por, entranhar-se, estimar, ter amores, encher-se de afetos, pender para, agradar-se de, preferir, ter preferências, entranhar-se de amor, apegar-se a, aferrar-se a, antepor, afeiçoar-se;
ter/nutrir amor por ou a; adorar com imaculado amor, dar o seu coração a alguém, sentir bem de alguém, ser o beliz de alguém, concentrar todas as esperanças em, dedicar todo o afeto a;
adorar, idolatrar, amar como perdido, amar perdidamente;
amar deveras/idolatradamente/até a adoração/até o sacrifício/com furor/com exaltação/com todos os enternecimentos/com delírio/ como um louco; gostar de alguém a morrer;
querer a alguém como as meninas dos olhos/como os seus olhos; estar amartelado de amores por, estar a dar até a última gota de sangue por;
beber os ares/os ventos por; devotar a alguém o culto de verdadeira estima, alucinar-se, desvairar-se, arder por alguém, morrer por, babar-se por, querer comer alguém aos bocados, amoriscar-se, enamorar-se de, trazer nos olhos e no coração, ter no coração de alguém um altar, ser louco/doido por alguém, suspirar por, embeiçar com alguém, queimar-se nos olhos de, engar (fig.), possuir o coração de, reinar no coração de, ser fanático por alguém, ter por alguém verdadeiro fanatismo, trazer alguém nas palmas da mão, corresponder ao amor de alguém, entregar-se à vertigem do amor, abajoujar-se, ter coração de estalagem, despertar paixão, fazer conquista, tornar-se o mimoso de, seduzir, atrair, cativar, ganhar a simpatia de, encantar, deslumbrar, enfeitiçar, prender o coração, embeiçar, abrasar de amor, atrair de modo irresistível, inclinar, tornar afeiçoado, benquistar; insinuar-se, tornar-se simpático;
granjear/captar a simpatia; cair em graça, cair na graça de, serem dois corações num só, servir de pau de cabeleira, *desejar* 865; ser a tampa da panela de alguém (pop.);
transar, fazer amor, beijar, acariciar, abraçar, gamar, gozar, ter orgasmo.
Adj. amante & *v.*; lamecha, babadinho, amador, amativo, namorador, cupidíneo, cupidinoso, vênero, venéreo, apaixonado; apaixonante;
perdido/doido/louco de amor; bajoujo, louco, doido, namorado, enamorado, amoriscado, coamante, dedicado, afeiçoado = adicto, desvelado, benquerente, devotado, férvido, sapeca, namoradeiro, terno, meigo, faceiro, propenso, amorudo (burl.), amo-

roso, requebrado, lânguido, mimoso, suave, voluptuoso, fino, extremoso, constante, querençoso, afetuoso, maternal, paternal, fraternal, cordial, simpático, insinuativo, amorável, amigável;
impudico, amatório, derretido, erótico, velhaquesco;
encantador, apegadiço, bem-amado, rendido, amado, estremecido, querido, quisto, benquisto, bem-visto, dileto, estimado = preçado, prezado, predileto, favorito, caro, precioso, preferido, invejável, invejado, amável, caroável, adorável, adorando (ant.), sedutor, encantador, interessante, cativante, insinuante, fascinante, feiticeiro, querubínico, seráfico, angélico;
sensual, lúbrico, lascivo, luxurioso, orgásmico, sexual.
Adv. ternamente & *adj.*; com todo o ardor de uma paixão; apaixonadamente.
FRASE: Mas quem pode livrar-se porventura dos laços que o amor arma brandamente? (Camões).

▽ **898. Ódio,** odiosidade, iracúndia, as labaredas do ódio, desafeição, desamor, desadoração, desfavor, desestima, inimizade 889; animosidade 900; incha (ant.), chibança, ira, arrebatamento, cólera, virulência, rancor, sanha, fúria, irritação, rebentina, raiva, grima, ressentimento, rábia, fel, amargura, azedume, acrimônia, gana, malícia 907; implacabilidade (*vingança*) 919; espinha atravessada, repugnância 867; impopularidade, detestação, fobia, desagrado, antipatia; indignação; birra;
objeto de ódio/de execração; abominação, rangomela = aversão, *bête noire* = pessoa a quem se odeia de fato, inimigo 891; aversia, entojo, animadversão, malquerença, malquerer, aborrecimento, horror, desdém 837; sapeira;
ódio inextinguível/mortal/implacável/figadal/incontido/encarniçado/de morte/entranhado; *capitale odium* = ódio mortal, osga (fig.) = aversão entranhada, olhos de basilisco.
V. odiar (mortalmente), detestar, arrenegar, ter azar a alguém, abominar, esquivar-se de, revoltar-se contra, mostrar-se descortês 895; ter aversão a 867; antipatizar com = desengraçar com, aborrecer de morte, ser (odiento & *adj.*); guardar lembrança das ofensas, ter ódio figadal, nutrir veemente desejo de vingança, exsudar ódio;
ter rancor/fel no coração; guardar ódio até a morte, ter alguém atravessado na garganta; ter gana/osga aem alguém; ganhar a alguém entranhado ódio, sentir mal de alguém, conceber aversão, beber o sangue a alguém, falar *ab-irato* = num momento de raiva = num impulso de cólera; malquerer, ter entojo a alguém, desquerer, desamar, desenamorar-se, desestimar, desadorar, jurar pela pele de alguém, querer engolir alguém, ter birra com alguém, irar-se, fuzilarem os olhos de alguém, espumar de raiva 900;
excitar/atear/acender/semear ódio; semear dissensões (*malevolência*) 907.
Adj. odiento, rancoroso = virulento, cevado de ódio, *vingativo* 919; perseguidor, iracundo, sanhoso, sanhudo, iroso, acrimonioso 895; implacável, inamolgável, ferrenho, encarniçado, infenso, hostil, inexorável, nefário = odioso = exoso, detestável, detestando (poét.), execrável, infando, aborrecível, aborrível, que inspira aversão, raivoso;
impopular, trasvisto, malquisto, malvisto, mau, ruim, péssimo, abominoso, abominável, aborrecido 867; obnóxio, antipático, mal-afamado, repulsivo, ofensivo, atentatório, chocante, desagradável 832; serpentífero, serpentígero, serpentígeno, insultante, insultuoso, provocante, irritante, duro, amargo, injurioso, repugnante, repelente, asqueroso, nojento, gafo, gafeirento, gafeiroso, gafento, abandonado, de banda, rejeitado, desamparado, desprotegido, odiado, odiável, inimizado, perseguido, ultrajado, menoscabado, invejoso, ínvido, malicioso (*malévolo*) 907; despeitado, despeitoso.
Adv. odiosamente, *ab-irato*, desamoravelmente.
FRASES: Ódio com ódio se paga. *Creditur de odio* = o rancor torna crédulo.

899. Favorito, beliz, valido, protegido, predileto, preferido, dileto, eleito, privado, criatura, objeto amado, ídolo, joia, tudo, deus, coração, pupilo, pérola, Benjamim, enlevo, santatoninho, mais que tudo, síntese dos cuidados de alguém, símbolo dos amores de alguém, amado, menina dos olhos de alguém, moquenco, moquenqueiro, mimalho, mimanço, mimoso, piegas, *enfant gâté*, querido, queridinho, bem-amado, ai-jesus, sangue da alma de alguém, amor, bem, benzinho 902; zinho (bras.), namorado 897; *persona grata*, afilhado, nepote, fetiche, ilhargas, peixe (fig. pop.), peixinho (fig. pop.); paparicado.

900. Ressentimento, desprazer, animosidade, raiva, grima, zanga, cólera, ira, fúria, sanha, indignação, exasperação, sentimento, ressábio ou ressaibo, mágoa, descontentamento, enojo, despeito, agastamento, apuração, repulsão, furor, escândalo, borrasca, escandecência = irritação, quizila/quizília; arrufo, arrumaços, amuo, acesso de cólera, gesto de arrogância, mau humor, calundu (bras.), pesar, penosa impressão, acerbidade, implacabilidade, virulência, amargura, acrimônia, pedradas, azedume, ofensa, aspereza, fel (*ódio*) 898; bile, *irascibilidade* 901; *vingança* 919; incendimento, *excitação* 824; acendimento, escabreação, assomo; rajada/ímpeto de cólera; assomada, ebulição, encarniçamento, paixão, acesso, fermento, fermentação, explosão, estouro, paroxismo, tempestade, desespero, *violência* 173; arrebatamento, baforadas de ira, frendor = ranger de dentes, escuma;
olhos envinagrados/reluzentes de indignação/de basilisco/que chamejam ira; áscua; cara de réu/de poucos amigos/de vergalho; boca espumante, carranca, cenho, olhar ardente, Fúrias, Eumênides, pantera (fig.), fera (fig.), jararaca (fig.).
V. ressentir-se/magoar-se/apurar-se com alguém, mostrar-se ressentido com alguém, queixar-se de, resmungar, regougar, melindrar-se, não estar com os seus alfinetes, formalizar-se, escandalizar-se, perder a calma, embespinhar-se, abespinhar-se, encavacar; dar a casca/o cavaco; ir à serra, suscetibilizar-se, sentir-se, agastar-se, encolerizar-se, assomar-se, alterar-se, apostemar-se, irritar-se, escabrear, encatramonar-se, embezerrar-se, estourar, afinar-se;
indignar-se, marfar-se, escamar-se, estar como uma bicha, arrufar-se, emonar-se, encrespar-se, enfadar-se, morder os beiços, rebramar, enfurecer-se, fremir de indignação, tremer de raiva, embuchar, queimar-se, impacientar-se, fumar, ficar fulo de raiva, torvar = tornar-se carrancudo, ir às do cabo, espumar de raiva, encrudelecer-se, assanhar-se, encruar-se = exasperar-se = azedar-se, rebentar ou arrebentar de cólera, raivar,
raivecer, raivejar, arreliar-se, arreganhar os dentes, engrifar-se, arrenegar-se, quizilar-se, arder de impaciência;
fumegar, fumear a cólera no peito de alguém, escumar sangue e bile, remorder-se de raiva;
levar-se do diabo/da breca; estar ardendo em brasa, aquecer-se, ficar cor de pimentão, atomatar-se, subir a cólera ao rosto, entrar/ficar numa irritação tremenda, atirar com tudo pelos ares, destemperar-se, expectorar, prorromper, dar pulos, dar pulos de corça, dar por paus e por pedras;
perder a compostura/o controle de si mesmo; arrebatar-se, estomagar-se, desencadear-se, desenfrear-se, desenfrenar-se, espinotear, entrar em desesperação, sapatear, zangar-se, amuar-se = enfuniscar (reg.), quebrar a ira em alguém, falar *ab-irato*; deitar/dizer/falar cobras e lagartos, despeitar-se, desainar, deitar escuma pela boca; soltar ou estar soltando fogo/fumaça pelas ventas; estar cuspindo fogo; estar comendo marimbondo;
espinotear-se em espasmos de ira; enviperar-se, dar-se por agravado, dar-se a perros, bufar de raiva, deixar-se cegar pela cólera, transparecer a cólera no rosto, irar-se, atear-se, atiçar-se, acender-se em ira, descarregar vista flamejante sobre, ferir lume, chamejar, chispar, comer-se de raiva, franjar de espuma a boca a alguém, comer as mãos de raiva, dar cavaco, tomar aspecto sombrio, ter o rosto carregado, saírem os olhos das órbitas a alguém, rabear, fazer beicinho, carranquear, embirrar, embezerrar; carregar a celha/o sobrolho; arreminar-se (pop.);
sair de si/fora de si; perder as estribeiras, enfervecer-se a sanha de alguém contra; fazer boquinha, pôr-se de tromba, arreganhar os dentes, enfrenesiar-se, frenesiar-se = impacientar-se, ir tudo raso, perder a tramontana, desatinar-se, alucinar-se, praticar desatinos, afiar a espada contra alguém, bravear, bravejar, esbravejar, esbravecer, inflamar-se, chispar, chiar (fam.), subir o sangue à cabeça, causar raiva, afrontar, envenenar, chegar a mostarda ao nariz de alguém, enfuriar, enfurecer, provocar, assovelar = impacientar, arreliar, azoar, faltar a paciência, enjoar, avinagrar, azedar, despeitar, incender; perder as estribeiras;
atear/exigir/impor indignação; indignar, fazer a alguém fel e vinagre, fazer espirrar

901. Irascibilidade | 901a. Hipocondria

a alguém, fazer a alguém sangue de bugio, picar, agravar, exacerbar, trazer braçadas de gravetos para a fogueira;
deitar lenha/azeite/combustível no fogo; endemoninhar, endiabrar, acirrar, açular, provocar, escandalizar, enfezar, irritar, irar, aziumar, encalmar (*excitar*) 824.
Adj. zangado, queimado (bras.), queixoso, ressentido, afrontado, abespinhado, encavacado, colérico, raivoso, puto (chulo), puto da vida (chulo), raivento, sanhoso, sanhudo, ravinhoso (ant.), marfado, escabreado, enfezado, aceso, azedado, irado, agastado, iroso, renhido, encarniçado, animado pela ira, irritadiço (*irascível*) 901; rabugento 901a; impaciente, arrelioso, danado, enfuriado, rábido, roxo de raiva, semirroxo de ira, pálido de cólera, irritado, incitado, afiado contra alguém, furial, furente, enfurecido, furioso, furibundo, estramontado, iracundo, severo, acrimonioso (*descortês*) 895; engrilado, chispante, chamejante, violento 173; enviperado, indignado, possesso, *prolatus ab ira* = muito exasperado, louco, desvairado, endiabrado, endemoninhado, encapetado, cenhoso, carrancudo, trombudo, fero, fremente de indignação, frendente, louco de cólera, formalizado; fulo (fam.), escamado (pop.), afrontoso, injurioso, ignominioso, irritante, agravativo (ant.), irritativo, provocante.
Adv. zangadamente & *adj.*;
num lampejo, num assomo de cólera; azedamente, torvamente = com o sobrecenho carregado, com fero cenho, de má vontade, pelos cabelos, sombriamente & *adj.* 901 e 901a; a corpo perdido = furiosamente.
Interj. que diabo!, vá para o diabo!, com o diabo!, com trezentos mil diabos!, com seiscentos demônios!, *proh pudor!*, arrenego!, arrenego do diabo!, irra!.
Frases: A indignação lavra em vibrantes protestos. Deu-lhe, picou-lhe a mosca. *Ira furor brevis est* = a ira é uma loucura passageira.

901. Irascibilidade, irritabilidade, iracúndia, suscetibilidade, procacidade, petulância, aspereza, acerbidade, rixa 720; excitabilidade, irritação, azedume, calundu, atrabílis; gênio irritadiço/irascível/forte/mau; temperamento bilioso, fortidão, arrebatamento de gênio, mau humor; (mau) gênio 901a; bile ou bílis, fel, rispidez (*descortesia*) 895; faces/lágrimas ardentes; olhos avinagrados, carranca, cenho/semblante severo, cara feia, fogacho, assomo, repente, acesso de raiva/de fúria, transporte de ódio, arrebatamento, pessoa geniosa, tarasca (pop.), piranha (bras.), víbora, bicha, fera, cabra, cobra, jararaca, cascavel, pimenta, vespa, marimbondo ou maribondo, virago, marimacho, machão, Xantipo, regateirão, regatona, porco-espinho, espirra-canivetes, díscolo, demo, toira, fúria (*pessoa violenta*) 173; cachorro, cachorra, respondão, rezingão, dragão, chicória, pururuca (bras.), neurastênico (pop.).
V. ser (irascível & *adj.*); ter gênio irascível, ter repentes, ter ímpetos de mau gênio; ser irritável/irritadiço/explosivo; irritar-se com facilidade; ter pavio (muito) curto;
ter o sangue fogoso/quente; ter cabelinho/cabelo na venta, não ser para graça, ter ventas, ser áspero de gênio, irritar-se 900; ser de humor acre, ser de nariz arrebitado; ter seus dias, ter o diabo no corpo, ser propenso a repentes de cólera, ser azedo; mexer em casa de marimbondos, cutucar/catucar a onça com vara curta.
Adj. irascível, quente do miolo, torvo, iracundo, de mau gênio, impiedoso, abespinhadiço, anojadiço (fig.), bilioso, arrebatado, irritadiço, irritável, árdego, assomadiço, suscetível, desconfiado, assanhadiço, agastadiço, cavaquista, *excitável* 825; fosfóreo, fosfórico, ressabiado, melindroso 822; frenético, desabrido, acre, impaciente, quizilento, genioso, colérico, atrabiliário, cicateiro; azougado, neurastênico (pop.), zangado; de sangue quente, enfezado, fogoso; de sangue na guelra; ruvinhoso, mal-humorado, enfadadiço, tomadiço, de gênio, de cabelinho na venta, da pele do diabo, abafadiço, raivoso, ravinhoso (ant.), descontente, turbulento, insofrido, encolerizável, brigador, pugnaz 720; malcriado 895; ranheta, rabugento 901a; arrufadiço, zangadiço 900; respondão, rezingão, rezingueiro, resmoninhador, *vingativo* 919; incontrariável.
Adv. irascivelmente & *adj.*

901a. (Temperamento sombrio) **Hipocondria** (fig.)**,** esplim, nevrose, neurastenia, nevropatia, rabujaria, aspereza de modos (*descortesia*) 895; *irascibilidade* 901; arrebatamento, perversidade, obstinação 606; torvação, aspecto sombrio e carrancudo, rabugem, rabugice, irritação, maus modos, tristeza, melancolia, acessos de cólera, olhar torvo; abatimento, apoucamento, prostração, ma-

rasmo, misantropia (fig.), taciturnidade, soturnidade, soturnez; humor impertinente/rabugento/desagradável; impaciência, impertinência, implicância, rabinice, burrice, exigência, amuos, arrufos, arrumaços, embirração, derriço.
V. ser (intratável & *adj.*); ter (muitos) nervos; amuar-se, marfar, prender o burro, fechar a carranca, franzir o sobrolho, tornar-se sombrio, estar com o burro, embosnar-se, engrilar-se, encaramonar-se, embuziar-se, encavacar-se, escamonear-se, encarrancar-se, encrespar-se, estar na lua, estar com seus azeites, enfezar, arrabujar-se, implicar, rabujar, choramingar, dar com a porta na cara de alguém, ter gênio muito avesso.
Adj. mal-humorado, de cara amarrotada, indisposto, contrariado, birrento, rabugento, sombrio, tétrico, neurastênico, esplenético, nevropático, nervoso, hemorroidário, hipocondríaco, nevrótico; taciturno (fig.), melancólico, depressivo, deprimido; amargo, acabrunhado, amargurado, caído, banzeiro (bras.).

902. (Manifestações de afeto ou de amor) **Carícias,** carinho(s), faguice, careação, blandícia(s), bichinha-gata (pop.), arrulho, ternura, desvelo(s), brandura(s), amabilidade, amor, afago(s), cafuné, tagaté (fam.), nana, chamotim, atrativos, abafo, mimos, festas, festejos, paparicos, apaparicos, segredos, confidências, colóquios íntimos = oaristo, idílio, meiguice(s) = ilécebra(s), seduções, requebro, quindim, olhar ardente, provocação, devoção, quebro dos olhos, adoração, amplexo, abraço = chi-coração, aconchego, saudação, cumprimentos, vênia, tocarola (pop.), aperto de mão 894; beijo, beijoca, boquinha, bitoca, chocho, ósculo, xeta (bras.), chupão (pop.), olhar amoroso, sorrisos, colóquios namorados, dito de amor, palavras amigas, ditinho, fineza, gatimanhos = gestos de namorados, galantaria, palavras de mel, corte, galanice, galanteios, bichancros, amoricos, namoro 897; namorico, namoração, amasso, heroide, serenata, contemplação, filha, coraçãozinho, ioiô, iaiá, meus olhos, meu bem, meu amor, *zinho* (sufixo que denota afeto): benzinho, amorzinho etc.
V. acariciar, afagar, mimar, amimar, amimalhar, mimosear 784; afagar com os olhos, acarinhar, aconchegar, ameigar, alisar, anediar, cofiar ou acofiar, rafiar (ant.), agasalhar, apanicar, granjear, apaparicar, aparar, adular, sorrir, fazer a corte, empapelar = tratar com mimo, embalar, festejar, fazer festas, cercar de atenções;
remirar voluptuosamente, contemplar, acolher com agrado, cobrir de carícias;
pegar na mão de; segurar no braço de, dar o braço a; passar a mão por cima de, trazer alguém no regaço, acalentar, encolar, fazer cafuné, ninar, nanar, enanar, abraçar, apertar, dar um amasso, estreitar, cingir com os braços, recolher nos braços, estreitar ao seio, dar abraço; encostar a cabeça no ombro de; dar um tapinha (gentil) nas costas ou no ombro de; dar um selinho/uma bitoca, cumprimentar com um selinho/(forte) abraço;
abrir o coração a alguém, sobraçar-se com, beijar, beijocar, oscular, depor um beijo em; roubar um beijo;
requestar, lisonjear, bajoujar, cortejar, galantear, paquerar, facetear, rentear, fazer amor, requerer;
fazer a corte, fazer frente a alguém, confessar-se a; namorar 897; rolar, rascar a asa, arrastar a asa a alguém, conversar (pop.), torrear (bras.), fazer seu pé de alferes a uma dama, chichisbear, rentar, damejar, namoricar, namoriscar, tomar gargarejos, cevar os olhos em, derriçar = graxear, dizer doçuras de amor, noivar, requebrar, arrulhar = dizer requebros, xavecar (gír.);
cercar de atenções/de mimos;
tratar com carinho e desvelo, tratar como filho; sorrir-se para, segredar 405.
Adj. acariciador & *v.*; afagador, acariciativo, acariciador, blandicioso, caricioso, cariciativo, carinhoso, caloroso, terno, desvelado, melieiro, extremoso, atencioso, beijocador, beijoqueiro, conchegativo, animador, amoroso, afetuoso, meigo, delicado, cordial, meiguiceiro, paternal, fraternal, afável, sincero, enternecedor, doce, amável, mavioso, fagueiro, provocador, provocante, provocativo; solícito, obsequioso; lisonjeiro, lisonjeador.
Adv. acariciadoramente & *adj.*; agasalhadamente, em atenção a, por amor de, namoradamente, em brandos afagos.
Interj. chi, coração!.

△ **903. Casamento,** matrimônio, enlace (matrimonial), consórcio, himeneu, conúbio, recebimento, ligação, união, maridan-

ça, maridagem, laço conjugal, *vinculum matrimonii* = vínculo matrimonial/conjugal, boda, desposório, esposório, esponsais, ou esponsálias, núpcias, mistura, casório, o facho do himeneu, bênção nupcial; banho de igreja (pop.), conjúgio; tálamo(s) (fig.); beco sem saída = casamento (pop.);
corbelha, vedalhas, torna-boda, leito, coabitação, toro (nupcial), tambo ou tamo (ant.), tálamo = leito nupcial, câmara nupcial, débito conjugal, epigamia;
casamento morganático/desigual/desvantajoso/de mão esquerda; mastreação nova em barco velho, partidão (fam.), altar himeneal, *honeymoon* = lua de mel;
matrimônio clandestino/espiritual/consumado/putativo/rato/de consciência/de s. João das Vinhas/de razão; negócios do coração, casamento de inclinação;
cerimônia civil/religiosa/nupcial; concubinato legal (dep.), casamento misto, confarreação, consumação, epitalâmio; casamento de arranjo/arrumado; casamento na igreja/no civil/na igreja e no civil, casamento por interesse, golpe do baú;
amigação, contubérnio, mancebia, amasio, concubinato;
corretor de casamentos, casamenteiro, a prónuba Juno, s. Gonçalo do Amarante, sto. Antônio;
noivo, noiva, prometida, damas de honra ou honor (ant.), nubente, contraente, homem casado, esposo, marido, companheiro, consorte, cônjuge, neógamo, papel queimado = homem casado, madame, esposa, senhora, matrona, costela, cara-metade, companheira; gamologia, gamomania, casal, jovem par;
padrinho, madrinha = tambeira ou tameira, paraninfo, testemunha;
poliandria, poliandro, monogamia, unigamia, bigamia, digamia, deuterogamia, trigamia, poligamia, mormonismo, turco, barba-azul, monogamista, unígamo, bígamo, trígamo, polígamo, mórmon;
pregão, proclama, banhos, impedimento; anel prônubo;
separação, desquite, divórcio; separado, desquitado, divorciado, viúvo/a; separação de corpos.
V. casar, unir por casamento, amaridar-se, maridar(-se), prender, aliar, aliançar, matrimoniar, consorciar, receber, desposar, esposar;
contrair núpcias/esponsais/matrimônio; receber consorte, vincular-se por matrimônio, tomar por esposo, tomar por mulher, entroncar-se, enlaçar-se;
conduzir ao altar/ao altar himeneal;
tomar, mudar de estado; convolar para novas núpcias;
ser de alguém à face do altar/perante Deus e a sociedade;
contratar/ajustar casamento; noivar, estarem noivos;
oferecer seu nome/a mão de esposo; tomar a mulher em camisa, malcasar, correr o pregão, publicar os banhos/proclamas, apregoar os noivos, acasalar, casalar; pôr os papéis para correr (pop.);
desemparelhar-se = casar com pessoa de condição/ de fortuna desigual.
Adj. casado, unido, desposado, noivo, concertado, prometido, malcasado, casadouro, casadeiro, núbil, matrimonial, nupcial, conjugal, jugal, marital, conubial, uxorianto, antenupcial, prônubo, mafamético, nubente, casamenteiro, unígamo, monógamo, bígamo, polígamo; (casado) de papel passado (pop.);
descasado, desquitado, divorciado, separado.
Adv. matrimonialmente & *adj.*; com santos nós.
FRASES: Até que a morte os separe!. Esta é a segunda denunciação. Casarás e amansarás. Antes que cases, cata o que fazes.

▽ **904. Celibato,** celibatarismo, virgindade, donzelice, moço, solteiro, solteirão, célibe, celibatário, titia, virgem, sorte grande, donzelona, solteirona, gana.
misogamia, misoginia, misógino, ginofobia; misógamo, misoginista,
V. ser solteiro/a & *adj.*; não contrair núpcias, poder dispor de sua mão, ficar donzela, desnoivar, ficar para semente/para titia;
Adj. solteiro, celibatário, inupto, livre, casadeiro, casadouro, solteirão; misógino, misógamo.
Adv. solteiramente & *adj.*

▽ **905. Divórcio,** repúdio, quitamento, desquite, desquitação, desquitamento, separação, repudiação, dissolução do casamento, descasamento, desmaridação, separação judicial, rotura ou ruptura dos laços conjugais, apartamento;
separatio a mensa et thoro = separação da mesa e da cama (= separação de corpos), *se-*

906. Benevolência | 907. Malevolência

paratio a vinculo matrimonii = dissolução do vínculo do casamento, viuvez, viúvo/a, repudiado, divorciado.
V. viver (separado & *adj.*); dirimir o matrimônio, separar, desquitar, divorciar-se, dar sevícias (jur.);
anular/desfazer o casamento; descasar, desmaridar, desatar alguém do marido, desatrelar, desjungir, desunir, desapertar 44; descangar, repudiar, romper os laços conjugais, desquitar-se, quitar-se, apartar-se, rejeitar a esposa, desaliar-se, desassociar-se, obter a separação judicial; viuvar, enviuvar.
Adj. desquitado & *v.*; divorciado, separado, quite, quito (desus.), viúvo, vidual.

2º) Altruístas

△ **906. Benevolência,** bondade, benignidade, protímia, cordura, benquerença, caridade, caridade cristã, amor ao próximo, boa vontade, solicitude, obsequiosidade, oficiosidade, beneficência, altruísmo, *filantropia* 910, solidariedade; bonomia, bom coração, abnegação 942; humanidade, humanitarismo, espírito humanitário, séquito, simpatia, cavalheirismo, rasgo, ação exemplar;
boa disposição de espírito, condescendência, longanimidade, comprazimento, indulgência, complacência, tolerância, transigência, as excelências morais, feição, afabilidade, clemência, *amor* 897; fineza; obséquio;
grandeza d'alma, generosidade, magnanimidade, dadivosidade, largueza, benemerência, liberalidade, misericórdia 914; boas obras;
espírito caritativo/esmóler; prazer de fazer o bem, altruísmo, benfazer, interesse, proteção, ajuda, esmola, socorro, amparo, auxílio 707; bodo;
coração de ouro/bem formado/sempre pronto aos acenos do bem; homem bom 948; bom samaritano, passa-culpas, benfeitor, altruísta, humanitarista.
V. ser (benevolente & *adj.*); ter bons bofes/bom coração/coração de pomba/sentimentos humanos; ser de bofes lavados, verolhar com bons olhos, olhar com simpatia;
ver as coisas com os olhos da amizade/do coração; ser compreensivo/tolerante; tomar interesse por, simpatizar com, fraternizar-se com 888; levar a sua condescendência a ponto de, interessar-se por, desvelar-se por, sentir por alguém, dignar-se, participar dos sentimentos de outrem, tratar bem,

praticar o bem = quebrar um olho ao diabo, dispensar, beneficiar 648; ser de utilidade a alguém, auxiliar 707; poupar, respeitar, salvar, benfazer, fazer caridade, prestar serviço, tirar alguém da lama, distinguir, valer, socorrer, recolher, não regatear favor, recomendar, solicitar favor, ajudar, proteger, velar, defender, guiar, tratar com indulgência, indulgenciar, ser condescendente = comprazer, prontificar-se, comprazer-se em, exercer a caridade, acaridar-se dos que padecem, colmar alguém de favores, acobilhar, acaridar o pobre; esmolar.
Adj. benévolo, benevolente, bondoso, altruísta, humanitário, solidário, querençoso, gratífico, amável, prestadio, solícito, serviçal, indulgente, complacente, condescendente, clemente, tolerante, bem-humorado, bonachão, bonacheirão, benfazejo, benfeitor, sensível, suave, terno, beneficente, daimoso, afável, cortês, delicado, extremoso, protetor, caridoso, caritativo;
de coração grande/generoso, magnânimo, longânime ou longânimo, perdoador, obrigador, obrigante, de boa-feição, misericordioso 914; bizarro, humano, compassivo; hospital, hospitaleiro, fraterno, fraternal, paternal, maternal, amistoso, amigável, preveniente, afetivo, afetuoso, oficioso, obsequioso, benigno, bem-intencionado, cavalheiro, cavalheiresco, comprazedor, bom, protegedor, protetório, simpático, simpatizante, bem-visto, benquisto, prezável, estimável, querido, caro, popular, adorado, digno de todo o apreço.
FRASES: Quem a boa árvore se acolhe, boa sombra o cobre. Fazer o bem e não ver a quem. Tudo vale a pena se a alma não é pequena (Fernando Pessoa — "Mar português"). Hay que endurecerse pero sin perder la ternura jamás (Che Guevara).

▽ **907. Malevolência,** malignidade, nocividade, malefício, má intenção, venenosidade, maldade, nequícia, mau intento, breca, maleficência, malvadez ou malvadeza, *inimizade* 889; *ódio* 898; malquerença, malícia, maliciosidade, ruindade, avessia (ant.) = perversidade = imanidade = improbidade = iniquidade, pravidade, descaridade;
inumanidade, desumanidade, desamor, negrura = imisericórdia, algozaria, crueldade 914a; impiedade, mordacidade, causticida-

907. Malevolência | 907. Malevolência

de, fel, veneno, rancor, inveja, ressentimento 900;
sadismo, masoquismo;
ulceração, desalmamento, gangrena moral, intriga, enredo, mexidos, mexerico, consciência cauterizada, dureza de coração, intolerância, mesquinharia;
coração férreo/duro/de mármore/de pedra; intransigência, obduração, obcecação, empedernimento 323; inconsciência, fereza, crueza, rigor, atrocidade, ferocidade, brutalidade, barbárie, antropofobia, androfobia, truculência, ferócia (poét.), bruteza, brutidão, vandalismo, canibalismo, vampirismo, malfeitoria, selvajaria, banditismo, selvatiqueza, bandoleirismo;
diabruras, desatino;
intentos sinistros/nefandos; despropósitos, sevícias, vivissecção, afronta, ultraje, contumélia, vilipêndio, flagício, impropério, baldão, vexame, avania, abatimento, humilhação, mal, enxeco, guerra de morte, perseguição = obsessão, acinte, agressão, cachorrada = ação vil e malévola;
ataque, gravação, doestos = ironia pungente = sovinada, ofensa, molestamento, picardia, sainete, picuinha, pirraça, tropelia = bandoria (ant.), excesso, descomedimento, achincalhe, venefício, sede de sangue (*assassinato*) 361; malas-artes, manigância, calúnia 934; onzenice, urdidura, urdimaças (pop.), zum-zum;
ataque terrorista; dizimação, aniquilamento; corrupção; tráfico de drogas/de armas/de escravos; atentado, terrorismo; escravidão; estupro; pedofilia; covardia; bandido, malfeitor, carrasco, algoz, assassino, homicida, traficante, terrorista, policial/ político corrupto; pedófilo;
V. ser (malévolo & *adj*.);
ser um monstro de maldades/de má raça; ser o cão chupando manga (pop.), ser o diabo em forma de gente (pop.); ter o coração na sola do pé (pop.); ser um espírito de porco/um desalmado;
ter maus bofes/cabelos no coração/coração de víbora/má índole; ser da pele de Judas; ser homem dos diabos/ levado do diabo; suprimir o remorso, calejar-se no crime; cauterizar/amortalhar a consciência; nutrir más intenções, perpetrar barbaridades, não poupar sexo nem idade, não dar quartel, cair numa sede de fera sobre, tratar com todo o rigor das leis da guerra (*severidade*) 739; fazer o mal e a caramunha, ser fértil em intrigas & *subst.*; exsudar ódio, respirar vingança, apostar-se para fazer mal; fazer obra limpa e asseada (irôn. fam.)/ trinta por uma linha/o diabo a quatro, bandorias do diabo/coisas do arco-da-velha; dar gosto ao diabo;
pintar os tanecos/a manta/o sete;
desencadear/semear ódios; fazer coisas do diabo contra, dar uma estocada, descarregar a ira sobre, regozijar-se com o mal alheio, fazer inferno a alguém, levantar as mãos contra alguém, satisfazer os seus instintos, ser a sementeira de discórdias, mexericar, embelenar = intrigar, coscuvilhar, onzenar, semear cizânia, fazer guerra a, atirar a pedra e esconder a mão 544;
fazer mal a alguém = deitar agraço no olho a alguém, maleficiar, malfazer, alanhar alguém (pop.), ter sede a alguém, não dar uma sede de água a alguém = não ter piedade para com ele, descarregar sua cólera em alguém, pôr o pé no pescoço a alguém, pôr alguém em embaraço, não dar trégua 914a;
soltar-se em doestos, acariciar maldade, despir a natureza, fazer diabruras, afrontar, improperar, perseguir com baldões, trazer alguém em roda-viva, fradejar, implicar com, baldoar (ant.), machucar (*ferir*) 378; encalacrar, ultrajar, enxecar, molestar, picar, vexar, oprimir (capacidade para produzir o mal) 649; apedrejar, lapidar 972; derrear, atormentar, maltratar, desancar, malferir; perturbar, lesar, acaçapar = abater, apertar, acossar, desvaler, escatimar = doestar, causticar, aspar = mortificar, seviciar, martirizar, algozar, sacrificar, infernar; estuprar, violentar, violar, currar; passar o rodo (bras. gír.);
pôr no micro-ondas = pôr dentro de pneus de borracha e atear fogo (bras. gír. de criminosos);
desfeitear, amesquinhar, achincalhar, abater a roda a alguém = envergonhar, atormentar, desolar, devastar, *destruir* 162;
precipitar, torturar, atagantar, flagelar, arrombar, pisar, humilhar, desentonar, escandalizar, menoscabar, gravar, guerrear, escorraçar, atentar contra, tirar a camisa a alguém, encravar, comprometer, espezinhar, picuinhar, cuspir, cuspinhar, caluniar 934; enlamear, mergulhar a mão em sangue 361; dar a alguém uma roda de tolo/de ladrão; desanichar, maleficiar, desvairar-se, malig-

nar, desafiuzar, desvaler = faltar com a proteção a, desamparar, desarrimar, tornar-se (mau & *adj.*); endemoninhar-se, ficar com o diabo no corpo;
endurecer-se, empedernir-se, endurentar-se, desnaturar-se, desalmar-se, esviscerar-se;
Adj. malévolo, mau, cruel, malevolente, malquerente, malnascido, malignante, maldoso, maligno, malvado, mal-intencionado, pravo, iníquo, perverso = ímprobo, vipéreo, viperino, venenoso, réprobo, calamitoso, pícaro, arrufianado; desalmado;
sádico, masoquista;
escalfúrnio = bárbaro, atroz, barbárico, de fero aspecto, mal-encarado, sanhoso, renegado, encarantonhado, da pior espécie, desnaturado, endiabrado, endemoninhado, demoníaco, malicioso;
perigoso, ruim, de má intenção = atravessado, *pronus deterioribus* = propenso ao mal, despeitado, despeitoso, ferino, ferrenho = encarniçado, diro = cruel, canibalesco, desumano, inumano, imite, acerbo, imane, feroz, imisericordioso 914a; virulento, desamoroso; de alta periculosidade;
truculento, tendencioso, maléfico, malfazejo, incomplacente, incompassivo, impiedoso, danoso, prejudicial, descaridoso, desapiedado ou despiedado, despiedoso, duro, ríspido, intolerante, intransigível, desserviçal, reverso = de mau caráter, pernicioso, nocivo, insensível, indiferente aos males alheios;
obsessor, perseguidor, vexador, opressor, tirânico, ímpio, carniceiro, descarinhoso, descaroável, inexorável, inamolgável, implacável (*vingativo*) 919;
ingrato, pouco carinhoso, duro de coração, de coração de pedra, de má índole = treso, marmóreo, celerado, flagicioso, facínora, facinoroso, odiento, desamável, desamorável, bruto, selvagem; malevão (reg.), malevo (reg.);
tibérico, tirano, neroniano, draconiano, brutal, feroz como um tigre, bárbaro, bravo, fero, incendiário, sanguinário, sanguinolento, lobal, sanguissedento 361; atrocíssimo, daninho, tigrino, diabólico, satânico, mefistofélico, infernal, vandálico, atormentador, destruidor, roaz, infame 874; serpentífero, serpentígero, maldito (*ruim*) 649, odioso, injustificável.
Adv. malevolamente & em guerra aberta, por arte do diabo.

908. Maldição, anatematização, praga, jura, diras, imprecação, adjuração, execração, anátema, repreensão solene, reprovação enérgica, proscrição, excomungação, excomunhão, paulina, cominação;
raios da Igreja/do Vaticano; anatematismo; excomunhão maior/menor; *ameaça* 909; invectiva (*desaprovação*) 932.
V. amaldiçoar, maldizer, lançar maldições, anatematizar, fulminar com anátema, adjurar, esconjurar, imprecar, proferir imprecações, remugir, abominar;
apontar/votar à execração; condenar/encomendar alguém ao diabo, mandar ao diabo; mandar de presente ao inferno/ao diabo; detestar, renegar, arrenegar, praguejar contra, rogar praga, pragalhar, rezar a paulina a alguém, salgar o terreno para que fique maldito e estéril, excomungar, fulminar a excomunhão; benzer-se de, fazer figa a alguém;
trovejar contra, *ameaçar* 909; ser (amaldiçoado & *adj.*); incorrer em excomunhão, merecer o inferno, ter uma salmoura no inferno.
Adj. amaldiçoado, anátema, excomungado, maldito, marrano; praguejado, desgraçado, infeliz, desinfeliz, desgramado.
Interj. desgraçado de!, ai de!, pobre de!, infeliz de!, maldição eterna a!, *ruat cœlum!* = caia o céu, em nome do céu!, sê anátema!, *honni soit!* = *maldito seja!*, abrenúncio!, mal haja! cachorro de!, raça de!; raios te partam/te comam!; vai-te para as areias gordas!/para os mares amarelos!; longe vá!, longe de nós!, maldição sem termo sobre ti!, monstro!, t'arrenego!, some-te!, uxte!, arreda!, zurre!, que Deus acoime os teus crimes! Dane-se!.
FRASE: *Fiat justitia ruat caelum* = faça-se justiça.

909. Ameaça, intimidação, ameaçamento, arremesso, desafio 715; paresta (afric.), ronco, bravata 884; cominação, fulminação (*maldição*) 908; amago; nuvens densas e opacas no horizonte 668; gestos agressivos, bramido, rosnar, rosnadela, *truces oculi* = olhares ameaçadores.
V. ameaçar, cominar, intimidar, constituir perene ameaça, pairar, adejar, esvoaçar, trazer no bojo, rosnar, latir, ladrar, arreganhar os dentes, ameaçar com a excomunhão, arremangar, arreminar-se, pôr um punhal

ao peito de, desafiar 715; ir às do cabo, falar grosso, caretear, fazer caretas, dar por paus e por pedras, jurar pela pele a alguém; prometer palmada/pancada/porrada (chulo), jurar desforra; assustar, amedrontar, assombrar, atemorizar.
agitar/sacudir o pulso; trovejar, fulminar.
Adj. ameaçador, ameaçante, intimidante, intimidador, intimidativo, minacíssimo, minaz (poét.), trágico, sinistro, fatídico, abusivo, cominatório, cominativo, *in terrorem* (= em pânico) = para assustar, ominoso, desafiador 715.
Interj. væ victis! = ai dos vencidos! (teria sido dito pelo rei Breno dos gauleses ao vencer os romanos em Ália).
FRASES: Olha que te conto uma história!, Vê que estás à mão de semear!, Ele me pagará!, Você me paga!, Você/ele não perde por esperar!, Vai ter troco!.

△ **910. Filantropia,** altruísmo, fraternidade, amor universal, humanidade, humanitarismo, *amor et deliciæ humani generi* = (lit.) *amor e prazer da humanidade* (em referência à bondade e benevolência do imperador Tito Vespasiano para com os seus súditos*), benemerência, benevolência, solidariedade, cosmopolitismo, utilitarismo, ciência social, sociologia, bem-estar comum, salvação pública;
compaixão, piedade, clemência, indulgência, complacência, comprazimento, desprendimento; generosidade; ajuda, auxílio, socorro; adoção;
a causa/a coisa pública; o bem geral;
o bem/o interesse público;
socialismo, democracia, patriotismo, civismo, bairrismo, amor da pátria = *amor patriæ*, cavalaria, generosidade, antropolatria, xenomania;
caridade, justiça social, assistência social, ajuda mútua, assistencialismo; contribuição, esmola, doação, doador; mecenato, mecenas;
filantropo, antropólatra, altruísta, estoico, benemérito;
utilitarista, socialista, patriota, democrata, publícola, chauvinista, demagogo, jingo, jingoísta, patrioteiro;
 cidadão do mundo, *amicus humani generis* = *amigo da raça humana/do gênero humano/da humanidade*, Tito, cavaleiro andante, madre Teresa de Calcutá, Médicos Sem Fronteira;

conservatório, orfanato, asilo, creche, dispensário, cooperativa, hospital 662; tontina, falanstério, república.
V. praticar o bem/a caridade; ser pródigo/generoso/magnânimo; naturalizar, nacionalizar, fazer natural, socializar, ser homem de seu país, prover ao bem público, zelar pelos interesses da coletividade, patrizar, servir à Pátria, ser bom patriota, republicanizar.
Adj. filantrópico, humanitário, humanitarista, altruísta, cívico, utilitário, caridoso, cosmopolita, cosmopolítico, patriótico, abrasado do amor da Pátria, de coração bem formado 906; cavalheiresco, generoso (*magnânimo*) 942; público, xenófilo.
Adv. pro *bono publico* = *para o/pelo bem público* = *gratuitamente* (+ -), *pro aris et focis.*
FRASE: *Humani nihil a me alienum puto* = *nada do que é humano me é indiferente.*

▽ **911. Misantropia,** anticivismo, antropofobia, separatismo, individualismo, egoísmo 943; regionalismo, xenelasia, xenofobismo, xenofobia, anglofobia, francofobia, germanofobia, jacobinismo, derrotismo, pessimismo, antissemitismo, preconceito, racismo, fundamentalismo, fanatismo, extremismo, terrorismo, misantropo, germanófobo, anglófobo, lusófobo, brasileirófobo etc., egoísta, cínico, Temon, Diógenes, *inimicus humani generi* = *inimigo da raça humana/do gênero humano/da humanidade*, xenófobo, incendiário, extremista, anarquista, derrotista, antissemita, antimilitarista, anticlerical, misoginista.
Adj. racista, preconceituoso, antissemita, fundamentalista, fanático, extremista, misantropo, antissocial, desnacional, impatriótico, antinacional, antigermânico, egoístico, germanófobo, antibritânico, anglófobo, anticívico, antipatriótico, antissemítico, clerófobo, extremista, terrorista.

△ **912. Benfeitor,** Messias, Salvador, sacerdote, protetor, samaritano, valedor, apóstolo, boa estrela, amparador, protegedor, salvaguarda, redentor;
gênio, espírito, anjo tutelar; anjo da guarda, anjo custódio, bom samaritano, obregão (ant.), *pater patriæ* = *pai da pátria/da nação*, portugal velho, repúblico, sal da terra (*homem bom*) 948; protetor 711; padrinho, pai, mãe, patrão, patrono, altruísta,

fada; mecenas; benemérito (fig.); *amicus humani generis = amigo da raça humana/ do gênero humano = filantropo.*
Adj. caridoso, pródigo, generoso.
FRASE: Fazer o bem sem ver a quem.

▽ **913.** (Ente malfazejo) **Malfeitor,** opressor, indesejável, tirano, ditador, terrorista, incendiário, traficante, mafioso, sequestrador, estuprador, psicopata, pedófilo, dinamitista, anarquista, destruidor, vândalo, iconoclasta, selvagem, antropófago, bruto, rufião, cáften, bárbaro, semibárbaro, celerado, facínora, mata-mouros, desordeiro, jagunço, brigão, *ladrão* 792; homem perigoso; *inimicus humani generi = inimigo da raça humana/do gênero humano.*
(fig.) surucucu, basilisco, osga, áspide, escorpião, lacrau, licanço, mígala, vespa, marimbondo, tarântula, víbora, serpe, bicha, hidra, excetra, carapobeba, cobra, serpente, jararacuçu, cascavel, urutu (bras.), jararaca, cobra chocalheira, surucucu, naja, cuspideira, anaconda, broca, boa, caruncho, carcoma, locusta = gafanhoto, acrídio, cupim, estegômia, culicídeo, gafanhão, anguílula, onça, jaguar, milhafre, harpia, nígua, hiena = quimalanca (Angola), caimão, jacaré, aligátor, crocodilo, sucuri, barbeiro, veneno 663;
monstruosidade, canibal, antropófago, andrófago, vampiro, estrige, estria, monstro, abutre, falcão, gavião, altica, fera, animal feroz, tigre, chacal, pantera;
carrasco, verdugo 162; assassino 361; déspota, bandido, assaltante, algoz, perseguidor, cão, cão hidrófobo, Cérbero, homem de má sombra, feiticeira, bruxa, Jezebel, súcubo, demônio 980;
diabo em pessoa/em figura de gente; Fúrias, Eumênides, tribunal veneziano, Átila, flagelo da humanidade, Nero, Calígula, Hitler.

3º) Especiais

△ **914. Clemência,** piedade, dó, compaixão, pesar, condolência, comiseração, miseração, condoimento, simpatia, pena, lástima, humanidade, ternura, benignidade, benevolência, complacência, indulgência 740; caridade, sensibilidade, *argumentum ad misericordiam = apelo à misericórdia/piedade = súplica especial*, remissão, quartel, graça, compadecimento, condescendência, enternecimento, misericórdia inexausta e inexaurível;
miserere = tem piedade (= composição musical sobre o Salmo 51, que começa com esta palavra).
V. compadecer-se; apiedar-se, condoer-se, enternecer-se, comiserar-se;
ter/mostrar/sentir compaixão; acaridar-se, amercear-se, acomiserar-se, acoitadar, lastimar, sensibilizar-se, doer-se de, dizer palavras comiserativas, ir atrás do choro; associar-se aos ou participar dos sentimentos alheios;
compartilhar/fazer seus os sentimentos alheios; interessar-se por, olhar para, poupar, respeitar, tolerar, suportar, aliviar, consolar, confortar, dar quartel = poupar o inimigo, dar trégua a, enxugar as lágrimas, *parcere subjectis = poupar os vencidos*; dar o tiro de misericórdia;
despertar/excitar a compaixão;
mover à compaixão/à piedade; enternecer, apiedar, condoer, render = comover, impressionar;
tocar, enternecer, desempedernir, abrandar o coração; excitar à dor, penalizar, propiciar, desarmar, amolecer, amolentar;
atravessar o coração, bulir com o coração; chamar lágrimas aos olhos, embrandecer, humanizar;
bater no/ao coração;
pedir misericórdia/quartel/clemência; ajoelhar-se, deprecar; humilhar-se;
prostrar-se/prosternar-se/ajoelhar-se aos pés de.
Adj. piedoso, condoído, penalizado, dorido, sensível, compassivo, condolente, apiedador, comiserante, aberto à compaixão, bondoso, misericordioso, misericordiador, clemente, indulgente, magnânimo, cristão, católico, religioso, caridoso, pio, humano, longânime ou longânimo, altruísta, humanitário (*filantrópico*) 910; coração de pomba, enternecido & *v.*; lacrimoso, terno, meigo, exorável, complacente, tolerante, indulgente, benigno.
Interj. piedade!, misericórdia!, coitado!.

▽ **914a. Inclemência,** rigor, *severidade* 739; inexorabilidade, crueldade 907; atrocidade, descompaixão, inindulgência, inflexibilidade, despiedade, impiedade, sevícia, desumanidade, algozaria, incomplacência, inclemência, fereza, ferocidade, felonia, justiça de

mouro; intolerância, intransigência; alma de cântaro; algoz, carrasco.
coração de pedernal/de pederneira; insensibilidade, autopatia.
V. endurentar/endurar/endurecer o coração; não conhecer a misericórdia, ter cabelos no coração, desapiedar, desumanar, tornar desumano, não dar quartel, levar a fio de espada, não ceder a lágrimas, desapiedar-se ou despiedar-se, tornar-se insensível aos sofrimentos alheios, obdurar-se, ficar como uma pedra, ter bulas para tudo, não ter indulgência para com os outros; ser o algoz/o carrasco de alguém.
ter coração de pedra/de bronze; ter pedras no coração, ter o coração seco, desenternecer-se, empedernecer, empedernir, empedrar-se, encarniçar-se, encrudelecer-se, encruar-se, encruentar-se, encruecer-se, não deixar pôr pé em ramo verde = não dar trégua.
Adj. inclemente, desapiedado, despiedoso, despiedado, funesto, desumano, desalmado, sevo, pétreo, atroz, intratável, imisericordioso, bárbaro, cru, inindulgente, inamolgável, inexorável, ilacrimável, duro, ferino (*severo*) 739; rigoroso, cruel 907; rígido, insensível, seco, pouco inclinado à indulgência, impérvio à clemência, implacável 919; atrocíssimo, fero, feroz, imane, incomplacente, encarniçado, sanguinário, desnaturado, acerbo, falto de humanidade, diamantino, *audito crudelior* = de inaudita crueldade, brutal, monstruoso.
Adv. desapiedadamente & *adj.*; sem o mais leve saibo de remorso.

915. Condolência, condoimento, sentimentos, pêsames, mágoas, *lamentação* 839; simpatia, consolação, conforto moral; compadecimento, consternação, enternecimento, contristação;
visita/cartão de pêsames.
V. consolar, simpatizar, ministrar consolação, *lamentar* 839; dar alívio/pêsames/os sentimentos; apresentar suas mágoas a alguém; ficar de luto.
ter parte no luto/na dor de alguém; desanojar, deixar nestas linhas a expressão de seu profundo pesar, enviar sentidas condolências, enviar um triste abraço, partilhar, compartir, compartilhar, associar-se.
Adj. condolente, compassivo.
Interj. ai de! (*expressão de dor*) 839.
Frases: Meus sentimentos. Meus pêsames.

4º) Retrospectivas

△ **916. Gratidão,** reconhecimento, agradecimento, retribuição, dívida de gratidão, o mais justo dos sentimentos morais, graças, gratulação, bênção, te-déum, missa em ação de graça, mensagem, gratificação, favor, serviço, obrigação, obrigamento, louvor, recompensa 973.
V. ser (grato & *adj.*); agradecer, regraciar, dar graças, gratular;
mostrar/confessar gratidão; ser reconhecido, dar bom pago, reconhecer;
confessar-se, mostrar-se reconhecido/grato (& *adj.*);
agradecer/abençoar a sua estrela; agradecer de maneira toda especial, bendizer os fados, render graças, contrair dívida de gratidão, estar em dívida com, dever, endividar-se com alguém;
dever fineza/obrigações a alguém;
servir a mercê/o benefício feito; estar em obrigação para com alguém, dever atenções e finezas, responder com palavras agradecidas;
hipotecar o seu profundo reconhecimento/a sua eterna gratidão; não ter expressões para traduzir a gratidão que lhe vai na alma, não poder deixar de testemunhar os seus agradecimentos, ter em grande mercê, tornar (agradecido & *adj.*); penhorar, endividar, obrigar, confundir, sensibilizar, comover, prender, falar ao coração, cativar, honrar, distinguir, desvanecer, obsequiar, apontar ao reconhecimento de todos.
Adj. grato, reconhecido, agradecido, bem-agradecido, gratífico, obrigado, penhorado, rendido, preso, cativo, recativo, grátula, gratulatório, penetrado de amor e reconhecimento.
Adv. gratamente, em sinal de reconhecimento, cordialmente.
Interj. muito obrigado!, muito agradecido!, obrigar-me-ei muito disso!; bem haja!, graças!, eternamente grato!.
Frase: Aceite a expressão do mais profundo reconhecimento.

▽ **917. Ingratidão,** esquecimento dos benefícios recebidos, desconhecimento, desagradecimento;
ingratidão revoltante/hedionda; patada, coiceira, injustiça, ingrato, ingratão, ingratona; mal-agradecido, desagradecido.

V. ser (ingrato & *adj.*); ser muito mal-agradecido; esquecer os benefícios, incorrer nota de ingrato, ser um monstro de ingratidão, ser a ingratidão personificada, não se lembrar de, desagradecer, desconhecer, retribuir com ingratidão, dar mau pago, cuspir no prato que comeu, não merecer o ar que respira, dar com os pratos na cara, apanhar-se servido e não se importar com mais, levantar as mãos contra o seu benfeitor, levantar-se com o santo e com a esmola, por um abraço dar um baraço, ferir a alguém com a ingratidão, apreçar mal, contracambiar = corresponder mal a um favor, ser vítima da ingratidão, levar um coice de alguém, ter ruim paga pelos favores feitos, levar com a tábua no rabo, ser preterido, receber ingratidão, não ser contemplado como merecia.
Adj. ingrato, mau, ruim, desconhecido, desconhecedor, desagradecido, insensível aos benefícios, mal-agradecido;
ferido, maltratado pela ingratidão.
Adv. ingratamente & *adj.*
Interj. *Et tu, Brute!* = Até tu, Brutus! Quão mal apreçamos os serviços!
Frases: Já lhe pica a cevada na barriga. Cria o corvo, tirar-te-á o olho.

△ **918. Perdão,** condonação, remissão de culpas, graça, mercê, absolvição, resgate, quitação, anistia, indulto, o sono das leis, esquecimento, indulgência, venialidade, misericórdia, amã, rasoura, *amplitude animi* = grandeza d'alma, nobreza de coração, comutação, conciliação, reconciliação (*pacificação*) 723; propiciação, desculpa, escusa, justificação, indenidade, *bill* de indenidade, exculpação 970, relevamento; longanimidade, placabilidade, generosidade, magnanimidade, nímia indulgência, facilidade em esquecer, moleza, molícia, molúria, *amantium irœ amoris integratio est* = *brigas de namorados, amores renovados* (+ -), *locus penitentiae*, anistiado, perdoado, indultado, indultário, passa-culpas.
V. perdoar, remitir, condonar, esquecer, remir, pôr no rol do esquecimento, não pensar mais em, não guardar ressaibo da injúria, não guardar mágoa(s), entregar ao silêncio, correr uma esponja sobre, desculpar, prelevar, justificar, relevar, tolerar, indulgenciar, passar por alguma culpa a alguém, relaxar, atenuar, comutar; não ter ressentimentos; passar uma borracha sobre; deixar cair no esquecimento;
desexcomungar, descomungar, alçar a excomunhão, absolver, impronunciar, anistiar, indultar, deixar impune, dispensar, *negligenciar* 460; apertar a mão a, engolir a afronta, pedir perdão, conciliar-se, reconciliar-se (*pacificar*) 723; apagar os ódios, deixar a ferida cicatrizar; ser (indulgente & *adj.*); dar quebras.
Adj. perdoador & *v.*; remissivo, conciliador, conciliatório, indulgente, longânime, magnânimo, tolerante, equânime, placável, desculpável, perdoável, venial, conciliável, remissível, tolerável, esquecível, perdoado & *v.*; inulto, invingado, impune, reconciliativo.
Interj. Deus lhe perdoe!, não perderás por isso o casamento!
Frases: *Veniam petimusque damusque vicissim* = *Pedimos perdão e damos perdão* = *Pedimos perdão e perdoamos*. O que lá vai, lá vai. Águas passadas não movem moinho. Errar é humano, perdoar é divino. Deus, tenha piedade de nós! Ladrão que rouba ladrão tem cem anos de perdão. O que passou, passou.

▽ **919. Vingança,** revanche, represália 718; revide, vindita, revindita, castigo 972; desabafo, desagravo, retaliação, desafronta, desforra, desforço, retorsão, despique; sede/espírito de vingança; saldo = ajuste de contas, implacabilidade, inexorabilidade, incomplacência, malevolência 907; *dies irae* = *dia de ira*, inclemência 914a; ferida incicatrizável, vingador, ultor, Nêmesis, Eumênides, despicador, ultrice.
V. vingar, despicar, tomar despique, ser (vingativo & *adj.*); ter cabelos no coração, ser um monstro de rancor, desforçar-se, tomar satisfação de uma injúria; ter o coração na sola do pé;
tirar desforra/vingança de; acoimar morte (ant.), exercer atos de vingança, punir, repelir uma afronta, desafrontar-se, desenxovalhar-se, desenlamear 652; desagravar-se, desforrar-se; ajustar (as) contas; fazer ajuste de contas (com alguém);
saldar/liquidar/ajustar contas com; despicar-se das ofensas, desinjuriar, lavar uma injúria no sangue de, tomar desforço, desfazer agravo;
quebrar o ímpeto/os ímpetos; reenvidar, revidar, revingar, retaliar, fartar a sede de

vingança, desentaipar, tirar a sua a limpo, satisfazer um agravo, estar pago de ofensa recebida, fazer o catatau a alguém, satisfazer-se de alguém, fazer a cama a alguém, comprazer-se com a vingança;
nutrir/acariciar desejos de vingança; exercer vindita contra, jurar pela pele a alguém, ter uma ofensa na garganta, fuzilarem os olhos de alguém prometendo vingança; apanhar/erguer/levantar a luva; exsudar vingança, conjugar o verbo vingar em todos os seus tempos; fazer justiça com as próprias mãos; sujar as mãos de sangue, *lex talionis = lei de talião*.
Adj. vingativo, vingador, víndice, ultriz, ultrice (poét.), rancoroso, que não sabe perdoar, odiento, desapiedado 914a, ilacrimável = implacável, incomplacente, inexorável, inamolgável, de coração de pedra, apanhado de coração, nemésico, vingado & *v*.; pago *æternum servans sub pectore vulnus = guardando no fundo do coração sua eterna ferida*, imitigável, roedor, incicatrizável, imperdoável.
Adv. vingativamente, rancorosamente, implacavelmente.
Frases: *Manet cicatrix = a cicatriz fica. Manet alta mente repostum = permanece profundamente gravado/arraigado no coração*. Espera-lhe pela pancada, pela volta. Quem bate esquece, quem apanha nunca esquece. Dente por dente, olho por olho. Bateu, levou (pop.).

920. Ciúme, ciumagem, ciumeira, ciumaria, suspeita 485; suspicácia, desconfiança, zelotipia, dor de cotovelo(s), zelos, alfinetes, alfinetadas;
a serpente/a tarântula do ciúme; Juno.
V. ser (ciumento & *adj.*); zelar, ter (ciúmes & *subst.*); entregar-se à ciumaria, ciumar, pertencer à raça de Otelo, ter ciúmes de, rivalizar, ciar, picarem os alfinetes a alguém, mostrar ciúmes para com, amargar-se com ciúmes; ficar com dor de cotovelo; ficar enciumado; ficar desconfiado/paranoico (de tanto ciúme); raivar/ralar-se de ciúmes;
dar/ causar ciúmes a alguém; duvidar 485; desconfiar, suspeitar; (fazer) ficar com a pulga atrás da orelha (pop.).
Adj. ciumoso, ciumento, enciumado, zeloso, cioso;
louco/mordido/ralado/morto/comido/remordido/roído de ciúmes; enciumado (bras.), picado pelo ciúme, enroscado pela serpente do ciúme, infernado pela ideia do ciúme, desvairado pelo ciúme, suspicaz.

921. Inveja, invídia, desejo violento e pecaminoso, despeito, ciúme, zelotipia, emulação, rivalidade, antagonismo, luta, contenção, concorrência, cobiça, avidez/sede/fome/interesse/ganância (pelo que é alheio), misto de desgosto e ódio, oficiais do mesmo ofício, invejoso, desfazedor; olho-grande (pop.); ambição desenfreada.
V. ser (invejoso & *adj.*); morrer de inveja, invejar, revelar o sentimento da inveja, olhar com cobiça, cobiçar, apetecer, morder-se de despeito; ter olho grande/gordo em (pop.); ser despeitado;
ter/olhar/ver com os olhos de inveja; deixar enroscar-se pela serpente da inveja, picar a inveja alguém, raivar de inveja;
roer-se/morder-se/comer-se/arder de inveja; sentir-se empolgado pela inveja, causar inveja, despeitar, tirar o sono a alguém, ser o morgado das invejas.
Adj. invejoso, ínvido, invidioso; possuído/morto/remordido/comido de inveja;
picado/dominado pela inveja; despeitoso, cobiçoso, *alieni appetens = ávido do alheio*, rival, êmulo, contendor, invejável, invejando, apetecível, cobiçável, precioso, apreciável.
Frase: Tudo lhe faz sombra. A inveja mata.

Divisão IV. AFEIÇÕES MORAIS

1º) Obrigações

△ **922. Justiça;** o que deve, o que deveria ser; propriedade & *adj.*; *summum jus = supremo direito*, conformidade com o direito, conjunto de leis ou preceitos reguladores das relações sociais, equidade, razão, lógica, bom-senso;
imparcialidade, isenção, serenidade, equanimidade;
neutralidade, virtude primacial; apanágio de todo o direito, eternos e imutáveis princípios de justiça, distribuição da justiça, as noções do justo, isenção de ânimo, retidão, retitude, sabedoria, integridade, inteireza, atos de justiça, ditames da justiça, ponderado espírito de justiça; isonomia, juízo de Salomão, sentimento de retidão;
julgamento, processo, acusação, defesa, advogado, causídico, promotor, defensor, júri,

923. Injustiça | 923. Injustiça

testemunho, testemunha, veredito, condenação, absolvição;
justiça reta/imparcial/incorrutível ou incorruptível/segura/honrada/pronta/fundada mais no prudente arbítrio do que na letra da lei;
Astreia, Diké, Nêmesis, Têmis;
a deusa/o gládio da justiça; balança da justiça;
conchas/pratos da balança; *suum cuique = de quem (que não eu) = a cada um o que é seu*, espírito reto e equilibrado.
(local de justiça): fórum ou foro, tribunal 966, tribuna, circunscrição judiciária;
poder judiciário; Supremo Tribunal Federal; Superior Tribunal de Justiça; ministro, desembargador, juiz 967.
V. ser (justo & *adj.*); cultuar o direito, professar a justiça, cortar direito, dar o seu ao seu dono, dar a cada um o que lhe pertence, dar a César o que é de César, proceder com retidão, nortear-se pelos princípios austeros da justiça, inspirar confiança pela sua imparcialidade, inspirar-se nos elevados princípios de justiça, falar com isenção de ânimo, ter ponderado espírito de justiça e de equidade;
guardar a linha de imparcialidade, de alto discernimento e de avisada circunspecção; não permitir que sofra a inocência, *audire alteram partem = ouvir a parte contrária*, ouvir alguém de sua justiça;
julgar, acusar, defender, advogar, testemunhar, processar, condenar, absolver, penalizar;
fazer justiça; dar mostra de espírito justo, ser ato de justiça, ter razão de ser, ser bem que, parecer bem que, falar ao espírito de justiça de alguém, entrar na razão, fazer jus a 924; recompensar 973; segurar a balança, ser (virtuoso 944); ser (honrado 939); praticar seu *dever* 926.
Adj. justo, justiceiro, reto, probo, escrupuloso, imparcial, desinteressado, justo como a imagem da lei, judicioso, desapaixonado, desafeiçoado, insuspeito, consciencioso, nobre, decoroso;
íntegro, integérrimo, direito, incorrutível ou incorruptível, impecável, incensurável, razoável, razoado, impunível, incastigável, desprevenido, livre de preconceitos; democrático;
conforme à justiça/à equidade/ao direito/à razão/à retidão; receptível, atendível, admissível, cabível, justificável, aceitável, lícito, permitido, legítimo, lídimo, irrecusável, *legal* 963; permissível 760; merecido, cabido 924; de inteira justiça, equitativo, equidoso.
Adv. justamente & *adj.*; por equidade, sem distinção de gregos e troianos, com a balança na mão, sem considerações pessoais, sem atropelo, irmãmente, *sine ira et studio = sem ódio nem parcialidade = sem ódio nem preconceito = sem ódio nem prejulgamento*, no regaço da equidade, *ex œquo* = sem preferência, sem distinção de cor política, dentro dos eternos princípios de justiça, com a mão na consciência, *ex bono et œquo* = conforme a razão e a justiça; por justiça.
Frases: *Sol lucet omnibus* = *o sol brilha para todos*. A justiça deve começar por ser aplicada em casa. Adoro-te, direita balança, que a nenhum lado pendes! (fr. Tomé de Jesus). *Tunica proprior pallio est* = a caridade bem entendida começa por casa. Se queres ser bom juiz, ouve o que cada um diz. Ouça o rei o que ordena a lei. Não devemos fazer aos outros o que não queremos que nos façam. Justiça seja feita = digamos a verdade.

▽ **923. Injustiça,** sem-razão, desrazão, abesso (ant.), ingratidão 917; iniquidade, desigualdade, insolência, parcialidade, tendenciosidade, paixão, justiça de funil, atropelo, desaguisado, abuso, injunções políticas; compadrio, compadrice, negócio de compadres, nepotismo, afilhadagem, favoritismo 481, cartas marcadas; usurpação 925; justiça imolada às conveniências; corrupção ou corrupção;
espírito de classe/de partidarismo; corporativismo
justiça parcial/prevaricadora/desonesta/ruim/torta/vesga/subserviente às imposições de; o lobo e o cordeiro, lei de funil, dois pesos e duas medidas.
V. ser (injusto & *adj.*); ser todo injustiça, ter o espírito torto, confundir o justo com o injusto, fugir aos ditames da justiça, não guardar a serenidade que lhe impõe o cargo;
não ter uma sombra de justiça/um traço de humanidade/um resto de siso; imolar a justiça às conveniências, demitir de si a justiça; desrespeitar, calcar aos pés, violar direitos; praticar desatinos, desatinar, denegar a justiça, vesguear; fazer justiça pelas próprias mãos;

ser uma (iniquidade & *subst.*); não ter cabimento, descaber, não encontrar justificativa, inspirar desconfiança, não ter mínima justificativa, não ser bem que, destoar dos princípios adotados em todas as nações civilizadas, atentar contra os elementares princípios de justiça, bradar ao céu, não corresponder aos mais elevados sentimentos de justiça, vingar o empenho, triunfar o favoritismo, vencer a iniquidade; *aures habent et non audient* = ter ouvidos e não ouvir.

Adj. injusto, injustiçoso, injusticeiro, parcial, infundado, esconso, bandeiro, iníquo, suspeito, suspicaz, que não inspira confiança, desabusado, caprichoso, prevaricador, venal (*ímprobo*) 940;
malcontentadiço, inclinado ao favoritismo, tendencioso, maldoso, dócil e maleável aos empenhos, imerecido, imérito, injustificável, injustificado, inatendível, imoral 945; liberal e amplo para uns, restrito e apertado para outros; descabido, indecente, que não tem justificativa, clamoroso, faccioso, prevenido, desigual, censurável, irregular; odioso, afrontoso, coxo, manco, torto, vesgo, acanhado, desarrazoado, desarrazoável, improcedente, *ilegal* 964; absurdo 497; impróprio, escandaloso, inaceitável, malfeito.

Adv. injustamente & *adj.*; com afronta de toda a justiça, em detrimento da justiça.

FRASES: Papagaio come milho, periquito leva a fama. Uns comem figos, a outros arrebenta a boca. Todos os pássaros comem trigo e quem paga é o pardal. Preso por ter cão e preso por não ter. *Sic vos non vobis* = assim vós, não para vós (*palavras iniciais de quatro versos de poema escrito por Virgílio para reivindicar a autoria de alguns versos dos quais Batili havia se apropriado*).

△ **924. Direito,** juro = jus, privilégio, regalia, prerrogativa, imunidade, atribuição, pertença, competência, jurisdição, alçada; faculdade, poder;
título, pretensão, merecimento, o devido, legitimação, legitimidade, liberdade, franquia, foros, revalidação, sanção, autoridade, garantia 771; autorização 760;
constituição (*lei*) 963; patente, inviolabilidade, inalienabilidade, imprescritibilidade, inamissibilidade, incessibilidade, intransmissibilidade, jurisprudência, ciência do direito e das leis, romanismo;
reclamante, reivindicador, queixoso, querelante 938; apelante, recorrente, agravante, arrestante, embargante, inventariante.

V. ter direito, título a; caber a, tocar a, competir a, estar na lista para, ter feito jus a, ser inestendível a, merecer, ser digno de, estar talhado para, remerecer, ser merecedor de, assistir o direito a, ter carradas de direito, impor-se, ser de direito restrito, tornar-se digno de;
exigir, reclamar, recorrer (para), apelar (para), querelar, embargar, arrestar, confiscar, não transigir, não ceder uma linha, assumir, avocar, defender os seus direitos, fazer questão de, desafiar, vindicar;
reivindicar/fazer valer os seus direitos; pretender, pleitear, arrogar, arrogar-se com o direito de, substanciar, sustentar, responder com a dignidade de seus direitos;
dar/conferir direitos; qualificar, autorizar 760; santificar, legalizar, ordenar, canonizar, prescrever, repartir, privilegiar, *dar cuique suum* = dar o seu ao seu dono, fazer observar, pôr em vigor;
ter/estar em vigor; estar de pé, viger, vigorar, vigorizar, não estar prescrito, legitimar, desbastardar, revalidar, autenticar;
ter/usar de um direito/de suas atribuições; ser da sua alçada, pertencer a, cumprir a, impender a, incumbir a, caber a, ser credor de, estar a cargo de.

Adj. qualificado para, digno de, merecedor de, talhado para, privilegiado, permitido, sancionado, consagrado, garantido, autorizado, ordenado, prescrito, constitucional, conferido por lei, regulamentar, prescritível, presuntivo, putativo;
absoluto, inatacável, irrevogável, inalienável, intransmissível, inabdicável, imprescritível, inamissível, inviolável, sacrossanto, sagrado, intangível, inamovível, indestronável, incessível;
devido, justo, digno, condigno, (altamente) merecido, *permissível* 760; legal, lícito, não vedado, invedado, legítimo, verdadeiro, justo, exato, honesto, em regra, inexcepcional, equitativo 922; apropriado, plausível, correto, requerido, decoroso, conforme ao decoro, decente, nobre, nomotético.

Adv. devidamente & *adj.*; em forma, em devida forma, *ex-offıcio, de jure*, de juro e herdade = por direito de herança, *jure divino* = por direito divino, *Dei gratia*, por delegação popular, *jure et facto*, de direito, em

direito, em bom direito; segundo as regras do direito/da justiça/da equidade.
Frase: O estudo do direito seria inútil, se a justiça não pudesse ser reduzida a ato (Pereira e Sousa).

▽ **925.** (Ausência de direito) **Impropriedade,** ilegalidade 964; *malum prohibitum* = *errado por ser proibido* (*contra a lei*), demérito, opressão, perseguição, falta de garantias, falsidade & *adj.*;
ausência/carência/pobreza de títulos; incompetência, incapacidade, nulidade, invalidade, ilegitimidade, perda de direitos, prescrição, cassação de poderes, comisso, interdição, perda de direitos civis e políticos, desnacionalização, desnaturalização, desaforamento, usurpação, presúria (ant.), truculência;
crime, violação, o poder opressivo que a força dá, atropelo, infração, postergação, intrusão, invasão, lesão, preterição, pretermissão, imposição, arvoramento, partilha de leão, contrato leonino, o lobo e o cordeiro, testamento inoficioso, doação inoficiosa;
golpe de estado;
impunidade.
V. ser (indevido & *adj.*); não ser (devido 924); ser inestendível a, desmerecer, não parecer lícito nem de bom critério, fazer injustiça, não ser equitativo, favorecer, inclinar-se por, pender para, invadir, invadir a seara alheia; ser parcial;
não se prender com, despir um santo para vestir outro, exorbitar das atribuições, aborbitar, infringir, violar, postergar, passar por cima de, atropelar, extrapolar, alçar-se com alguma coisa, apossar-se de, locupletar-se, usurpar, esbulhar, praticar desatinos, preterir = pretermitir;
arrogar-se, arvorar-se, intitular-se, conquistar, desatinar, arrogar privilégios, sotopor, sobpor, desnaturalizar, desnacionalizar, despojar, interditar, destituir, evencer, desapossar;
não ter capacidade legal, ficar privado de certos direitos, despir-se das suas prerrogativas, ser preterido, ver seus direitos postergados, declarar-se incompetente = recusar-se, ser interditado, desaforar, invalidar, caducar, violar o direito de, lesar, privar alguém de reger sua pessoa e bens, interdizer, suspender as garantias constitucionais.
Adj. indevido, ilegal, impróprio, incesso, incessível 964; indébito, inconstitucional, discricionário, ilícito, inautorizado, incompetente, impermitido, desprivilegiado, não sancionado, injustificado, antirregulamentar;
sem títulos/direitos/privilégios; prescrito, ilegítimo, circunduto, bastardo, espúrio, falso, noto (ant.), ilídimo, inoficioso, intruso, usurpado, nocivo, prejudicial, obnóxio, imerecido, imérito, malfeito;
extorquido, arrancado, inválido, nulo, írrito, sem efeito, confiscado, privado dos direitos e privilégios de cidadãos, desnacionalizado, despojado de franquias e imunidades, interdito, interditado;
preterido, posposto, oprimido, perseguido 964; inadequado, inconveniente, indecoroso, indigno, indecente, *contra bonos mores* = contrário à boa moral/ao que deve ser; amoral, fora de questão, rejeitável, de que não se deve cogitar, absurdo, inatendível, injustificável, falso, incapaz, demeritório.
Adv. indevidamente & *adj.*; contra toda a razão, contra todo o direito e a justiça, à valentona, de malhão, mal, ilegalmente, de fato, de plano; inpunemente.
Frases: O que vale é a lei do mais forte. *Quia nominor leo* = *porque me chamo leão.* "Você sabe com quem está falando?".

△ **926. Dever,** o que se deve fazer, múnus, obrigação, encargo (moral), incumbência, tarefa, responsabilidade; compromisso, comprometimento;
dever imperioso/indeclinável/iniludível/moral; a mais imperiosa das virtudes;
chamado, cumprimento do dever; desobriga, obediência, fidelidade, lealdade, compromisso 768; função, moralidade, moral, decálogo, quincálogo, caso de consciência, conscienciosidade 939; probidade, consciência, luz moral, a voz da consciência;
o foro interior/íntimo;
o mundo interno/subjetivo; sentimento interno, consciência delicada/tranquila, escrúpulos;
sentimento; noção do dever;
(ciência dos deveres): deontologia;
observância, cumprimento, desempenho, satisfação, execução, prática, regularidade, observação, reato, disciplina, assiduidade, pontualidade, diligência, zelo, solicitude, dedicação, brilho, correção.
V. ser dever de, incumbir a, competir, tocar, pertencer a, caber a, ter a cargo, correr a obrigação a;

927. Transgressão | 927a. Isenção

ser preciso/indispensável que; convir, importar, relevar, tocar a, impender, pesar sobre os ombros de, ter obrigação de, tomar para si, tomar sobre si 768;
ter de ficar obrigado/responsável por; obrigar-se a, responsabilizar-se, comprometer-se a (*prometer*) 768; ficar na obrigação de, responder por; chamar a responsabilidade para si, assumir dever/obrigação/responsabilidade;
impor um (dever & *subst.*); ordenar com império, exigir, obrigar, constranger, forçar, compelir, pôr nas costas de, prescrever, assinar, fazer um dever de;
cumprir seu dever/suas obrigações; desempenhar suas obrigações, dar descargo de si, fazer o seu ofício, fazer bem a sua parte, desobrigar-se de, encher bem as suas obrigações, persolver, descarregar a consciência, ficar no seu posto, estar de sentinela, seguir os preceitos de, estar na ordem = não exorbitar, observar, cumprir 772;
albardar/amarrar o asno à vontade do dono, cingir-se aos preceitos que lhe são impostos; fazer da sua profissão um sacerdócio, desempenhar com perfeita correção, respeitar-se;
dar-se/impor-se ao respeito; ser como um relógio, ser o descanso de alguém, desempenhar bem os seus deveres, diligenciar-se 686; desarriscar-se.
Adj. obrigatório, compulsório, imperativo, imperioso, peremptório, taxativo, iniludível, rigoroso (*severo*) 739; inquestionável, indiscutível, imposto a, obrigado por, retido por, impedido por, sobrecarregado de, devido a, devedor de;
preso a, comprometido 768; de seu dever, sujeito, responsável, exato no cumprimento do dever, pontual, assíduo, zeloso, diligente, esforçado, ativo, regular, escrupuloso, observante, meticuloso, religioso, timbroso, timorato (fig.), capucho (fig.), rígido, caprichoso, rigoroso e austero no cumprimento de seus deveres, próprio 924;
moral, ético, casuístico, consciencioso, próprio, devido, respectivo.
Adv. com a consciência tranquila, com a consciência do dever cumprido, como é do dever de, sob sua exclusiva responsabilidade, com risco da própria vida, por sua conta e risco, (*sub*) *suo periculo* = (*por*) *seu próprio risco*, *in foro conscientiæ* = *no tribunal da consciência* (fig./jur.), religiosamente, por descargo ou desencargo de consciência, *salvo officio* = sem faltar ao seu dever.

▽ **927.** (Falta de cumprimento de dever) **Transgressão,** abandono do dever, falta 947; pecado 945; *inobservância* 773; inexecução, negligência, impontualidade, relaxo, desídia 460, descaso, incúria, indiligência, displicência; infração, desobediência, violação, quebrantamento, cábula, quebra, quebramento, contravenção, falha, letra morta = escrito ou preceito que perdeu o valor ou a validade; impunidade.
V. ser (relaxado & *adj.*); tornar-se frouxo no cumprimento de seus deveres, desviar-se do dever = esquerdar, abandonar o seu posto, relaxar-se, não levar a sério os seus deveres, violar, traspassar = transgredir, contravir, infringir, não cumprir (ordem, lei etc.), aplicar golpe, prevaricar 679; pôr de parte, sonegar, calcar aos pés, fazer pouco de, negligenciar 460; abandonar, repudiar, lavar as mãos, escapar, chamar às contas (*desaprovar*) 932; abandonar o barco (pop.), correr/ fugir da raia (pop.); deixar/ficar impune.
Adj. mau/contrário ao dever, transgressor, negligente, relaxado 460; desidioso, cabuloso, displicente, descuidado, desatento.

▽ **927a. Isenção,** imunidade, esquivança, irresponsabilidade, inviolabilidade, independência, licença, cessão, exoneração, dispensa, ressalva, absolvição, franquia, franqueza, renúncia, abandono, remissão, resgate, desobrigação, alívio, exculpação;
imunidade diplomática/ parlamentar.
V. estar/ser isento & *adj.*; eximir, isentar, dispensar, relevar, aliviar, deixar passar, relaxar, desliar, desligar, conceder isenção, resgatar, desencarregar, alijar da responsabilidade de, desresponsabilizar; passar a mão na cabeça de alguém (fig.);
descarregar, arrumar em outrem o panal; ressalvar, franquear, privilegiar, descoimar; eximir-se da/declinar a responsabilidade; fugir com o corpo, furtar o corpo a, livrar-se, descarregar-se, sonegar-se, furtar-se, esquivar-se, poupar-se, eximir-se, subtrair-se, lavar as mãos de, lavar sua testada, evitar comprometer-se, desobrigar-se, isentar-se da obrigação, desligar-se;
tirar o seu da reta; estar acima da lei.
Adj. isento, livre, em liberdade, franco de porte, imune, desobrigado, privilegiado, es-

928. Respeito | 929. Desrespeito

cápole, licenciado, solto, soluto, eximido, dispensado, irresponsável, desobrigatório, desimpedido, desembargado, exonerado.

2º) Sentimentos

△ **928. Respeito,** respeitabilidade, consideração, atenção, cortesia 894; deferência, acatamento, decoro, interesse, esguardo, resguardo, cautela, honra, estima, conceito, apreço, altar, veneração, fetichismo (fig.) = admiração incondicional, culto, admiração, dedicação, devoção, *aprovação* 931; contemplação, homenagem, fidelidade, lealdade, obediência, genuflexão, honras, incenso, preito, reverência, menagem, prostração, obsequiosidade 886;
cumprimento, mesura, vênia, salamaleque, inclinação, gromenar, saudação, beija-mão, beija-pé, barretada, apresentação de armas, continência, toque de corneta, desfile, hino nacional, recomendações, respeitos;
protestos de admiração e estima/de alto apreço e distinta consideração.
V. respeitar, prezar, acatar; admirar; reverenciar, cultuar;
tributar, guardar respeito; considerar, prestar homenagem, homenagear;
prestar/render preito/homenagem; ter em grande consideração, esguardar, estimar (*aprovar*) 931; prestar honras, dicar = tributar, glorificar, cercar de atenções, receber com pálio, prestigiar;
prestar tributo a, inclinar-se diante, curvar-se, não brincar com, mesurar, humilhar-se, inclinar-se, escarolar-se, descobrir-se, venerar, fazer continência, desbarretar-se; apresentar armas, prostrar-se, prosternar-se, guardar a respectiva distância, sentir a sua pequenez, guardar o devido decoro, contemplar, observar o cerimonial;
inspirar, infundir, impor, granjear, ganhar respeito; impor-se ao respeito, desagravar, desenxovalhar.
Adj. respeitoso, respectivo (desus.), decoroso, reverencioso, reverenciador, reverente, tocado de amor e admiração, submisso, honesto, humilde, húmil (poét.), obsequioso, cerimonioso, reverendo, cerimoniático, reverencial, de cabeça descoberta, de chapéu na mão, de joelhos, genuflexo, prostrado (*servil*) 886; mesureiro;
respeitado & venerando, venerável; devoto, almo, considerado, prestigioso, acatável, da mais alta respeitabilidade, venerabundo, bem-visto, benquisto, colendo, colendíssimo, estimado, apreciado, conceituado, graduado, eminente, augusto, grande, sacrossanto, sacro, sagrado, santo, respeitável, distinto, reverenciável, honorável.
Adv. respeitosamente & *adj.*; por deferência a, com o maior respeito, por amor de, com elevado apreço, *salva sit reverentia*, com submissão, com todo o acatamento, *pace tanti nominis*, em atenção a.
Interj. salve!, ave!, *esto perpetua!*, Deus te salve!.

▽ **929. Desrespeito,** desestima, deslouvor 932; detratação 934; xingamento, irreverência, sacrilégio, vandalismo, profanação, violação, descaso, negligência, *spretæ injuria formæ*, arrogância 930; pouco caso, desacato, desacatamento, desatenção, desautoração, exautoração, desprestígio, desconsideração, desconsagração, desveneração, vilipêndio, injúria, desfeita, partida, ultraje 930; seta, indignidade, pirraça, desaforo, acinte, afronta, avania, vexame, contumélia, vilta, desonra, lambada, insulto, convício, doesto = denosto, impropério, baldão, ataque, agressão, picuinha, provocação, descortesia 895, derrisão, gozação, mofa, ridículo, zombaria 856; sarcasmo;
desanda, descompostura = sabonetada, escalda-rabo (pop.), descalçadeira;
apupo, apupada, assobiada, surriada, remoela, assuada, latada, vaia, pateada, ruxoxó, babaréu, corrimaça = vaia contra alguém; brados de mofa/de troça/de arruaça; grito zombeteiro e insultante, riso escarninho, risada sarcástica, assobios, batatas/tomates/ovos podres, pedradas;
gesto obsceno, acanalhado; careta, banana (pop.), manguito, achincalhe, insolência, irrisão, chufa, alcunha, epíteto, apelido; palavrão;
bullying.
V. desrespeitar, desacatar, desaforar, desconjurar, desautorar, exautorar, desconsiderar, descortejar, irreverenciar, *desprezar* 930; desprestigiar, fazer pouco em/de, desvenerar, violar = profanar, desconsagrar, quebrar o respeito a alguém, não guardar o devido respeito, ser irreverente, mostrar-se desrespeitoso; perseguir; ser impertinente; maltratar, enxovalhar, desonrar, desatender, voltar as costas a alguém, tratar com

451

930. Desprezo |930. Desprezo

desrespeito, tratar mal, dar a alguém com a porta no nariz, rir nas bochechas de alguém, desdenhar, achincalhar, vilipendiar, afrontar, insultar, escatimar, soltar-se em doestos, doestar; (pop). mangar de, troçar de, zombar de; sacanear (gír.);
dizer/vomitar impropérios; improperar, arrasar, agredir, atacar, desfeitear, ultrajar, cuspir, cuspinhar, cuspilhar;
desfechar insultos/injúrias; viltar, aviltar, deblaterar contra, falar em termos pouco respeitosos, desgabar 932;
chamar nomes, xingar, alcunhar, apelidar; atirar ovos podres/batatas/tomates; arrastar pela lama, fazer alguém passar mau quarto de hora, personalizar, queimar em efígie, pôr a carapuça a alguém, talhar carapuças, fazer alusões injuriosas e ofensivas a alguém, rir de, fazer caretas, caretear com momos e trejeitos, trejeitear, escarnecer, escarniçar;
ridicularizar 856; mofar, passar piche na porta de alguém, injuriar, pichar, apodar, taxar de, averbar, baldoar, remocar, emporcalhar, salpicar de lama, bostear, apedrejar, apedrar, chufar, brincar com, dirigir vaias, vaiar, assuar, assunar (ant.), assobiar, patear, apupar, matraquear, matraquejar, desfeitear, prorromper em assuadas; agredir física ou verbalmente alguém;
não se descobrir diante de, ficar em atitude irreverente, fazer o enterro de alguém;
agir com preconceito; abusar da boa-fé de; furar fila, jogar lixo no chão, desrespeitar o horário de silêncio, fumar em ambiente fechado; estacionar em local proibido (esp. na calçada, em vaga para deficientes); avançar o sinal (lit. e fig.); invadir a privacidade de alguém; divulgar na internet foto/filme sem a devida permissão.
Adj. desrespeitoso, desatencioso, sacrílego, irreverente, irreverencioso, risote, desdenhoso 930; insultante 934; insultuoso, contumelioso, agressivo, descortês 895; remoqueador 856; rude, vilão, sarcástico, sarcásmico, desrespeitador, invectivo, injurioso, ofensivo, ultrajante, ultrajoso, injuriante, irrisor, afrontoso, incerimonioso, vandálico, desautorado, desrespeitado & *v.*; assobiado, corrido a assobios.
Adv. desrespeitosamente & em tom escarninho, entre gestos de deboche e gargalhadas de escárnio; sarcasticamente; sacanamente (gír.); abusadamente, rudemente,
ofensivamente, insultuosamente, afrontosamente.

930. Desprezo, reprovação, falta de apreço, desdém, desfavor, descaso, menosprezo, malbarato, depreciação, indiferentismo, menoscabo, pouco-caso ou nenhum caso, repulsa, preterição, ofensa, despego, desapego, desapreço, desinteresse, desconsideração, desestima, esquivança, desamor, descarinho, desafeição, (monstruosa) indiferença, frigidez, frieza, displicência, criminoso esquecimento, abandono, atropelo, postergação, objeto de riso e de mofa; escarninho, escárnio;
gestos escarninhos, acanalhados; sorriso de desprezo (*desrespeito*) 929.
V. desprezar, abasmar (ant.) = menosprezar, abandonar, renegar, desdenhar, menoscabar, atropelar, mascabar;
olhar/tratar com desprezo; escorraçar, escornar, escornear, escornichar;
fazer caso de alguma coisa como da lama da rua; não fazer caso se, transcurar, descurar, deszelar, esquecer-se de, não fazer caso nem cabedal de, espezinhar, conculcar, ter em pouca ou nenhuma conta, desadorar, não levar em conta, zingrar; tratar com indiferença/com frieza; não dar/não ligar importância;
olhar de lado/de soslaio; pisar com indiferença, engolir, sopear, calcar aos pés, acalcanhar, apisoar, depreciar, atropelar, mofar, renegar, sobpor, pospor, sotopor, perpassar = postergar, preterir, pretermitir, desatender;
pôr de banda/de lado/de parte; pôr para escanteio;
deixar cair no chão/no (*esquecimento* 506); votar ao desprezo/ao abandono; relegar ao plano das coisas inúteis, deixar rolar no resvaladouro da indiferença, tripudiar sobre, vilipendiar, passar por alguma coisa como sem importância, atirar ao limbo; levar ao/deixar no ostracismo;
tratar sem respeito nem consideração, repulsar, torcer o rosto/o nariz ; virar a cara para alguém
voltar/virar as costas; cortar pela honra, deprimir, passar por cima de (*negligenciar*) 460; dar de rosto a alguém, deitar para um canto, refugar, *depreciar* 483; descontar, prescindir de, sacrificar;
olhar alguém por cima dos ombros 885;

estimar/ter em nada; sacudir o pó do sapato ao pé de alguém, sacudir os ombros, rasgar, atirar aos ventos 610;
mandar à fava/à tábua; mandar bugiar/catar coquinho, não dar importância, fazer gato-sapato de, meter na roda, enjeitar;
ser (desprezado & *adj.*); ficar para um canto, pregar no deserto, baixar de importância, perder o valimento; cair no ostracismo (fig.).
Adj. desdenhador, menosprezador, despiciente, insultuoso, ofensivo, arrogante, orgulhoso, soberbo, cínico, derrisório, contumelioso 885; reles, muito ordinário, desprezável, desprezível, desimportante, insignificante, baixo, vilão, nojento, repugnante, despiciendo, digno de piedade, contemptível, não importante 643; calcado aos pés, inaceitável, não invejado, indesejável, asqueroso, engulhoso, *sujo* 653; abjeto 940; *pequeno* 32, imoral 961; desprezativo.
Adv. desdenhosamente & *adj.*
Interj. vá às favas!, vá bugiar!, vá à tábua!, uxte!, chiça!, fu!, cebolório!, irra!, passa fora!, xô!, vá catar coquinho!, vá à merda! (chulo), vá se ferrar!, dane-se!.

△ **931. Aprovação,** aprovamento, agasalho, aceitação, adoção, sanção, acolhimento, aquiescência, louvação, louvamento, placença (ant.), plácito, beneplácito, *placet = aprovação (numa votação)*, visto;
consagração, magnificação, apoteose, estima, estimação, gabadela, gabação, apreciação, bom conceito, conceitarrão, admiração, amor, apreço, estima, confiança, cuidado, popularidade, simpatia, crédito, renome, *fama* 873;
preconização, precônio = louvor, abono, encômio, expressões elogiosas, elogio, apologia, incenso, loas, hino, panegírico, louvaminha, homenagem, preito, honras, bênção, aplausos, palmas para, aura popular;
os aplausos da gratidão, salvas de palmas, aclamação, ovação, canto triunfal, hosana; chuva/coro/tempestade de aplausos; recepção.
V. aprovar; achar bom/correto/lógico; fazer bom conceito, haver por bem = firmar, dar razão a, estimar;
apreçar, apreciar, prezar bem; fazer justiça a, ter em alta consideração, honrar, admirar, gostar de 897; ter no mais subido/alto grau, mostrar boa cara, agasalhar, acolher com satisfação;

visar = apor o visto em, amparar com seu apoio, sustentar, subscrever, adotar, aderir, consagrar, prestigiar com a sua palavra, apoiar, fazer seu, aplaudir, sufragar, endossar, referendar, preconizar, sancionar, justificar, defender;
admitir, confirmar, corroborar, autorizar, alentar, nutrir, proteger, favorecer, bater palmas a/para, encorajar;
palmear, palmejar, aclamar, sobalçar, conclamar, vitoriar, ovar, apologizar, achar digno de louvores, elogiar, louvar, comentar com muita simpatia, pregoar, apregoar;
dar/queimar incenso; encomiar, panegiricar, fazer o panegírico, encarecer, engrandecer, enaltecer, celebrar, proclamar, exaltar, exalçar, alçar, sobre-exaltar, elevar às alturas da retórica, pôr nas nuvens, pregar, sublimar, pôr alguém nos carrapitos da lua, magnificar 482;
soberanizar, entronar, superiorizar, glorificar, laurear, endeusar, lisonjear 933; tecer elogios a;
fazer propaganda/reclamo de; prefaciar 590; abençoar, abendiçoar, bendizer, gabar, entoar louvor, explodir em elogios, distinguir com palavras amáveis, dizer pérolas de, emitir elogios, pregoar, trombetear 531;
pôr em relevo, em destaque; decantar;
desfazer-se em elogios; conferir gabos de excelência a, formular aplausos, ocupar-se em termos elogiosos, fazer boas ausências, levantar, dizer bem de;
escrever alguma coisa com, ou em letras de fogo, em letras de ouro; cantar louvores a, levantar às alturas, angelicar, beatificar, guindar à altura de, honrar, fazer honra a, atestar a competência profissional, merecer louvores, recomendar-se por si mesmo;
ser (elogiado & *adj.*); receber menção honrosa, ser digno de registro, estar no galarim da fama, obter o consenso geral, ganhar crédito, ficar afamado, encontrar agasalho em, impor-se aos aplausos de, *laudari a laudato viro = ser elogiado por homem elogiável*, achar aplausos calorosos;
adquirir mais conceito, ganhar a todos em, fazer as delícias de, achar repercussão e aplausos calorosos, ser aprovado plenamente, ter as suas cartas limpas;
ser aprovado simplesmente/com distinção.
Adj. aprovador, elogiador, canonizador & *v.*; comendatício, comendatório, comendativo, aleluítico, laudatório, laudatício, laudativo,

magnanificatório, bendizente, encomiástico, recomendatório, elogiativo, apologético, apológico, panegírico, elogíaco, predicatório, aclamativo, apoteótico, aprobatório, aprovativo;
pródigo de louvores, aprovado & *v*.; bendito, abençoado, incensurado, popular, em cheiro de santidade, em alta estima 928; em alto conceito;
credor/merecedor/digno de louvores; recomendável, laureável, laudável, louvável, meritório, impecável, aplausível, canonizável, merecedor de estima, *bom* 648; acima de todo elogio, apreciável, recompensável, perfeito 650.

Adv. bem 618; comendaticiamente, em prol de, em favor de; favoravelmente.
Interj. bravo!, apoiado!, muito bem!, bravíssimo!, famoso!, caspite!, euge!, *macte virtude!* = *macte animo!* = coragem!, tanto melhor!, isso sim!, isso mesmo!, *optime!, esto perpetua!*, viva!, hurra!, Deus o permita!, *encore!*, bis!, *valete et plaudite!*, amém!, assim seja! = *bene habeat*, avante!, mão à obra!, bem haja..., bom prol lhe faça!, santas páscoas!, *all right!*, *o.k.!*.
FRASES: Elogio em boca própria é vitupério. Palavras não enchem barriga.

▽ **932. Reprovação,** desaprovação, reprova, rejeição, desapoio, desestima, dissentimento, depreciação, aversão, desacolhimento, repulsão, repulsa, ódio, desgosto 867;
deslouvor, desgabo, censura, denigrimento, detração 934; denunciação, fulminação, condenação 971; ostracismo, desaplauso, ferretoada, animadversão, ponderação, observação, crítica, apreciação desfavorável, objeção, (um/o) mas, *oposição* 708, porém; criticismo;
riso amarelo/sardônico; gargalhada sarcástica, sarcasmo, acolhimento glacial, protesto, representação, celeuma, sátira, gargalhada (*desprezo*) 930; insulto (*desrespeito*) 929; cavilação, hipercriticismo 598; mordacidade, repreensão, reprimenda, bronca, chamada, ralhos, sarabanda, rabecada, lição, gaitada, anátema, advertência, aviso, mônita, censura, prasme, ou prasmo, dura, escovadela, escova, escovação; vaia;
chega, chegadela, dardo, escalda-rabo (pop.), zagunchada, exprobração, reproche, expostulação, queixa, impugnação, lembrete, lembrança, admonição, levadente (pop.), apóstrofe, ralho, ralhação, foguetada, foguetório, mercurial, invectiva, monitória, chá, objurgação, objurgatória, verberação, responso; verrina, glosa, contumélia, sabonete, sabão, ensaboadela, carranca, cenho, batibarba, bote, cara de vergalho, diatribe, jeremiada, tira, filípica, catilinária, catanada, clamor, vociferação, gritaria, assobio, sibilação, assobiada, vitupério, improperação, lançamento em rosto, chamada às contas, recriminação, reconvenção;
palavras amargas/ríspidas/duras/desagradáveis; sermão, descomponenda, esporada, descompostura = jiribanda = lambada = salmonete (pop.), *maldição* 908; increpação = récipe = batida, personalidade.

V. desaprovar, reprovar, abasmar, desgostar 867; desapadrinhar, desapoiar, *lamentar* 839; condenar, fulminar, não apadrinhar, desautorizar, desfavorecer, objetar, opor, fazer objeção, mandar bugiar, mandar às favas, escandalizar-se com, envergonhar-se de, fazer mau juízo de; vaiar; criticar; censurar;
encarar com prevenção/com maus olhos/com pessimismo; *nil* (ou *nihil*) *admirari* = *não se admirar de nada,* depreciar, proscrever, anatematizar, vergastar, combater, condenar, receber mal, desacolher, glosar, repelir, afugentar, escorraçar;
fechar carranca/a cara a (ou para); mostrar-se carrancudo, franzir o sobrolho, encaramonar-se, arrugar a fronte, abanar a cabeça, torcer o nariz (*desprezo*) 930; mostrar má cara;
olhar de esguelha/de soslaio, fazer mofa/troça a alguma coisa, mostrar pouca vontade;
fazer careta/tromba; torcer o focinho à vista de, deixar cair o beiço, morder os lábios, fazer caretas, caretear, virar o rosto para outro lado, fazer cara a, ter sorriso de mofa, conculcar, espezinhar;
deslouvar, desgabar, desaplaudir, desestimar, depreciar, deslustrar, enxovalhar, falar mal de, dizer de uma coisa ou de alguém, o que Mafoma não disse do toucinho;
insurgir-se contra, condenar 971;
desabrochar-se, desabrir-se com alguém; zagunchar (fam.), censurar, animadvertir, catanear, verberar, arrugir, irrogar censuras, prasmar (ant.), atirar a culpa sobre, culpar, arrazoar, tachar, reprochar, ensaboar, re-

preender = dar uma batibarba, acoimar, monir (ant.), advertir, admoestar, acapitular, estranhar, achar censurável, remocar, avisar, exprobrar, cantar um parolo a alguém; inculpar, incriminar, golpear com o facão da crítica, arguir, increpar, expostular, ralhar, invectivar, gritar, remoquear, lançar invectivas contra, xingar, injuriar, fazer a cama a alguém, fulminar censuras, dar uma fraterna, objurgar, escarrapachar, impugnar, afrontar;
chamar às contas/à ordem;
lançar em rosto/em face; enrostar, pregar sermão a, cantar a moliana a alguém, dar em rosto a alguém, assentar a espada em, descoser a orelha a alguém, fazer sentir a alguém, improperar, castigar, corrigir, satirizar;
desancar, sovar, bater, descompor, maltratar, lembrar a alguém o cumprimento do dever, expor à reprovação, ferretear, estigmatizar, funestar, recriminar, reconvir (fazer acusação) 938; indignar-se, revoltar-se, levantar um protesto, protestar, execrar 908; vituperar, vomitar brasas, declamar contra, apostrofar, chamar nomes, anatematizar, excomungar;
delirar, trovejar, fulminar, bradar contra; ficar indignado;
exclamar, protestar, desencadear-se, erguer a voz, gritar, clamar/vociferar contra; erguer-se fulminante de, deblaterar, expelir de sua presença, levantar clamor contra, sentir-se enojado de, assobiar, apupar, atirar ao ostracismo, romper-se com, desligar-se de;
espernear, escabujar, jeremiar, insultar (desrespeito) 929; detratar 934; rir-se de (desprezar) 930; descobrir falta em, descobrir a calva a alguém, pôr a calva de alguém à mostra, abanar as orelhas (recusar) 764; deitar um erre, inabilitar, carimbar, incorrer em censura, dar resina a alguém, tocar rabeca, incorrer a nota de, estar na berlinda;
escandalizar, chocar, dar maus exemplos, provocar escândalo, ser repreendido = apanhar um foguete, ser uma pedra de escândalo, ferir, adquirir/ ganhar triste (ou má) reputação, ficar por barreira de opróbrios, causar indignação, revoltar, repugnar, ser passível de censura, precisar de correção, ter que prestar conta de, ter uma fava preta, ser gaitado, ser reprovado no exame, ser malsucedido ter menoridade de votos, não ser bem-sucedido 732.

Adj. reprovador, desaprovador, exprobrador, vilipendiador & *v.*; escandalizador, escandalizante, injurioso, afrontoso, condenatório, fulminante, denunciatório, denunciativo, abusivo, exprobratório, exprobrativo, objurgatório, incriminatório 938; vilipendioso, vituperativo, difamatório 934;
repreensivo, satírico, sarcástico, sardônico, mordaz, picante, cáustico, causticante, verrinário (fig.), cínico, cortante, pungente, aguçado, severo, duro, áspero, censório, hipercrítico, fastidioso, reprovado & *v.*; com mau cheiro, censurável, criticável, abominável, condenável;
passível/merecedor de reprovação; odioso, repugnante, inaceitável, lastimável, repreensível, indigno, vergonhoso, escandaloso, inclassificável;
que não se compreende, não se justifica; inqualificável, sem qualificativo, inconfessável, em que não se deve pensar, ruim 649; vicioso 945; inconcepto, torpe, soez 874; nefando, execrável, contra o qual se erguem razões de toda ordem, não lamentado, não sentido, reprovado, gaitado, chumbado (pop. fig.).
Adv. injuriosamente & *adj.*; com cara de poucos amigos.
Interj. Deus nos livre!, *o tempora! o mores!*, Benza-te Deus!, caramba!, que vergonha!, *proh pudor!*, abaixo, morra!, rua!, rua com!, *vade retro!*, poh!, víspere!, soco! (bras.), não apoiado!, mau!, vá às favas!, outro ofício!, fora!, ápage!, some-te!, vá pentear macacos!, uxte!, cebo!, bolas!, cebolório!, catrâmbias!, ruda!, ponha-se na rua!, gire!, credo!, abrenúncio!, com a breca!, bom prol lhe faça!, à terra!.

△ **933. Lisonja,** adulação, louvaminho, engodo, bajulice, bajulação, bajoujice, incenso, prazenteiro, turificação, incensadela, incensação, engrossamento, blandícias, coquetismo, palacianismo, cortesania, cortesanice, lisonjaria, mesurice, servilismo, baixeza, rebaixamento 886;
candonga, candonguice, lábia, cumprimentos rasgados, rapapés, mesura, contumélia, puxa-saquice, rasgação de seda (gír.); gromenar, salamaleques, zumbaia, turíbulo, incensório, incensário, a sordidez da bajulação; *viscata munera* = presentes interesseiros.
bajulador, puxa-saco;

934. Difamação | 934. Difamação

V. adular, bajular, babujar, paparicar, mimar, chaleirar, dar ventos a alguém, incensar, pegar no bico da chaleira (bras.), puxar o saco de alguém, engrossar, dar incenso, cantar loas a alguém, zumbaiar, fazer zumbaias a alguém, não esquecer um único item da cortesania, turibular, festejar por lisonja e servilismo, buscar a escama atrás da orelha de alguém, dar manteiga a alguém, solicitar os corações dos grandes, louvaminhar, prazentear, apajear alguém, sorrabar = andar atrás de 281;
turificar, turiferar, queimar incenso a, enredar alguém com lisonja, bajoujar, rasgar seda (gír.), fazer antecâmara, cercar de atenções e amabilidades, cortejar, fazer a corte, arrastar a asa, zumbaiar o corpo, dizer galanteios, lamber os pés a alguém, meter das gordas a alguém (loc. elip.) = enredar alguém com lisonjas, mesurar, desfazer-se em zumbaias;
prestar-se a vilanias para conseguir alguma coisa, dar mel pelos beiços, agradar, fazer rapapés, cativar a benevolência dos potentados, adorar o sol nascente, fazer a boca doce a alguém, lisonjear os ouvidos de alguém, louvar, elogiar, amimar, rebaixar-se;
enlabiar, dourar a pílula, apalacianar-se, insinuar-se nas boas graças de, granjear, procurar atrair, *exagerar* 482; ser (adulado & *adj.*); aceitar as oblações, escutar o canto da sereia, deixar-se inebriar nos turbilhões de incenso, capitular, ceder, cair no laço, deixar cair o queijo da boca.
Adj. adulador, bajulador, lisonjeiro, lisonjeador, louvaminheiro, melieiro, capacho, méleo, melífluo, melífico, melífero, blandicioso, blandíloquo, dulcíloquo, açucarado, untuoso, engodativo, servil, áulico, cortesão, palaciano, palacego, palaciego, paceiro, incensador, bajoujo, turibulário, turificador, turícremo (poét.), turífero, candongueiro, mesureiro, brandiloquente.
Adv. *ad caotandum*; servilmente.

▽ **934. Difamação,** detração, detratação, infamação, apedrejamento, ultraje, vitupério, depreciação, denegrimento, aviltamento, enxovalho, rabecada, maldizer, maledicência, dicacidade = mordacidade, desdouro, menoscabo;
ladrado (fig.), latido (fig.), ladrido (fig.), grossaria, múrmur (p. us. fig.), murmuração (fig.), vilta, mordedura (fig.), mordedela, injúria, assacadilha, calúnia, aleivosia, insídia, aleive, pasquinada, desgabo, ferroadas traiçoeiras (fig.), agressividade, *scandalum magnatum* = *escândalo dos poderosos* (*texto difamatório*), sicofantismo;
a serpente/a(s) arma(s) da calúnia, infâmia; libelo, pasquim, panfleto infamante, carta anônima, mofina, verrina, anonimato, as bocas da maledicência, *chronique scandaleuse* = *crônica de escândalos*, pedra de escândalo;
campanha de ódio/de despeito/de descrédito; o mal que dizem de;
língua proterva/viperina/dos maldizentes/dos caluniadores/dos contumeliosos; soalheiro, *spretœ injuria formœ*, detrator 936; criticismo (*reprovação*) 932; tesourada.
V. ser (maldizente & *adj.*); ser tão maldizente que nem a si poupa, não ter senão língua, ser catana, ser uma língua afiada, detrair, detrair da honra alheia, demolir reputação, dizer mal de, desgabar, deslouvar; ser capaz de pôr alguém na cadeia e jogar a chave fora (pop.);
deprimir, vilipendiar, viltar, aviltar, ultrajar, vilificar, infamar, denegrir/denigrir, baratear, dedecorar, assombrar, zegoniar, enlamear, enegrecer, enodoar, enlodar, conspurcar, marear, enxovalhar, *sujar* 653; emboldriar (pop.), menoscabar, malsinar, beliscar a honra alheia, fradejar;
forjar/tecer as mais revoltantes mentiras, abater, amesquinhar, ananicar, ferretear, estigmatizar;
almagrar alguém por ladrão/por mentiroso etc.; prejudicar, caluniar, assisar, desacreditar, derrear, levantar falso testemunho, fantasiar calúnia, levar para a lama; malferir, desfazer, abocanhar, malfazer a reputação; catanear, assacar tudo contra; poluir, macular, desdourar, desluzir, deslustrar;
levantar/ladrar calúnias; assestar as armas da calúnia contra, cravar os dentes envenenados;
pôr por terra/por postas;
aluir o crédito/a reputação; imputar, morder na pele de, cortar a casaca, arrastar pela rua da amargura, vituperar, atassalhar, difamar, aguarentar, ofender a reputação de, desferir os mais rudes golpes contra a honra de, pôr a boca a, desmanchar-se em, desfazer-se em, fazer alguém em pedaços, denegrecer, pasquinar;

pôr alguém à ou pela rasa; morder, criticar com azedume, assacar aleives, assetear; dizer horrores/raios e coriscos de; não poupar ninguém;
impor infâmias/falso testemunho; dar pábulo à maledicência invejosa, tesourar, tosar, dizer de alguém o que Mafoma não disse do toucinho;
dizer cobras e lagartos/sapos e saramantigas de alguém; tocar rabeca, desconceituar, arrastar alguém pela lama, atar alguém ao pelourinho da maledicência;
pôr alguém raso/mais raso que a lama; atirar a alguém lama das sarjetas (*desrespeito*) 929; anatematizar 932; jogar a reputação de alguém na lama;
mergulhar a pena em fel/na lama; curtir a pele a alguém, afiar a língua para, dizer mal da vida alheia, insimular, falar em desabono de alguém, fazer má ausência de, murmurar, cuspir na honra de, atirar alguém às bocas da calúnia, pôr a resina no arco, pôr alguém de rastos, ser (caluniado & *adj.*); ser morgado da maledicência, dar resina a alguém, ser assaltado pela maledicência invejosa;
andar ou ficar na berlinda/na rua da amargura; servir de pábulo à maledicência, ser o prato do dia.
Adj. maldizente, deslinguado, malédico, detrator, falador, malfalante, assacador, deslustrador & *v.*; maledicente, calunioso, infamante, infamatório, invejoso, aleivoso, contumelioso, sabichoso, injurioso, injuriante, insultuoso, ofensivo, afrontoso, deprimente, depreciativo, vexaminoso, praguento, sarcástico, vilipendioso, mordente, verrinário, sardônico, que não poupa ninguém, satírico, mordaz = dicaz, picante, ultrajante, ultrajoso, cínico, pechoso, vipéreo, viperino, caluniado & *adj.*; asseteado pelas más-línguas.
Provérbios: Pela boca morre o peixe. Com a mão em teu seio, não dirás do fado alheio.

△ **935. Adulador,** elogiador, lisonjeador, lisonjeiro, eufemista, otimista, encomiasta, gabador, panegirista, canonizador, entusiasta, apologista, elogista, aclamador, propagandista, decantador, panegiriqueiro (dep.), *laudator*, laudatório, laudativo, louvador, louvaminheiro, encomiógrafo, admirador, conclamador, pregoeiro 534; engrossador, adulador, festejador, bajulador, capacho, incensador, incensário, incensório, candongueiro, marombeiro (bras.), turibulário, turificador, turiferário, reptil, parasita (*servil*) 886; batráquio, chaleireiro (bras.), cortesão, áulico, paceiro, palacego, palaciano; amigo 890; zumbaieiro, engraxate (bras.), bajoujo, lamecha, *prudens adulandi* = hábil adulador; melífluo, blandicioso, untuoso (fig.), engodativo (fig.), servil.

▽ **936. Difamador,** reprovador, detrator, pessimista, derrotista, acusador, libelista, censor, censurador, crítico, verrineiro, cavilador, cínico, sicofanta, altareiro, pregoeiro 534; difamador, infamador, maldizente, falador, malédico, maledicente, satirista, pasquineiro, panfletário, agressor, caluniador, tesoura, maldizedor, demolidor de reputações alheias, áspide;
zoilo, amigo-urso, amigo de Peniche, aquele meu amigo (irôn.) 891; vituperador, pessoa geniosa 901; ladrador, imputador de calúnia, caluniador, desluzidor, menoscabador, vilipendiador, infamador, assisadeira (f.), murmurador, aguarentador, desestimador, assacador de aleives, atassalhador, cavilador, mastim, rafeiro, vespa, desfazedor; fofoqueiro, mexeriqueiro;
língua viperina/danada/depravada/serpentina/de escorpião/dos maldizentes/dos caluniadores/dos contumeliosos; navalha, homem de má chasona, *laudator temporis acti* = encomiasta ou 'fã ardoroso' do passado (*em alusão ao defeito dos idosos, que Horácio ridiculariza*).

△ **937. Justificação,** defesa, defendimento, tuição (ant.), descarga, patrocínio, clientela, saída, exculpação, vindicação, coarctada, escusa, absolvição 970;
(fig.) égide, guarida, esteio, proteção, suporte, respaldo, refúgio;
exoneração, extenuação, atenuação, paliação, paliativo, abrandamento, mitigação, suavizamento, temperilha, réplica, redarguição, tréplica, recriminação 938; apologia, contrariedade do réu, articulado, verniz, alegação, arrazoado 617; escapatória, circunstância atenuante, *locus penitentiæ* = *local de penitência ou expiação*, antiparástase, apologista, patrono, defensor, patrocinador, protetor, advogado, assertor, desculpador, passa-culpas.
V. inocentar, testemunhar a favor; justificar, dar saída a, diminuir a gravidade, dar um colorido a, procurar uma saída, enver-

nizar, colorir, pintar de branco, autorizar, dar pretexto a, colorir com tintas apagadas, pôr patente, demonstrar, exonerar, diminuir, atenuar, enfraquecer;
remediar, paliar, abrandar, apologizar, mascarar, coonestar, dar um aspecto mais aceitável, vir com desculpas especiosas, sustentar, apoucar a importância de, *defender* 717; advogar, discutir, pleitear a causa de, propugnar, vindicar, vingar, falar por; isentar; preservar, proteger, resguardar, livrar, guardar;
procurar uma circunstância atenuante; exculpar, desculpar, escusar, *absolver* 970; desacoimar;
alijar a responsabilidade/a culpa; reabilitar, ilibar, aniquilar ponto por ponto os termos do libelo, responder por contrariedade aos articulados = contrariar = contraditar;
arrazoar, razoar uma causa; patronear, patrocinar;
alegar ignorância/privação de sentidos; apresentar um álibi; falar em favor de, demonstrar a inocência de, compurgar, descriminar = tirar a culpa a, descarregar da culpa, propugnar pela liberdade de seu constituinte;
fazer justiça a, dar a César o que é de César, provar a justiça de sua causa, lavrar-se de uma calúnia, acobertar-se com, ter alguém em seu favor, dar razão de si = justificar a sua conduta, varrer sua testada.
Adj. defensório, defensivo, vindicativo, atenuante, atenuativo, justificante, justificativo, desculpador, paliativo, exculpatório, escusador, escusatório, apologético, tuitivo (ant.), escusável, defensível, defensável, defendível, plausível, justificante, atenuável.
Adv. defensivamente & *adj.*; em prova de, em favor de.
FRASES: *Honni soit qui mal y pense.* Quem estiver isento de culpa, atire a primeira pedra.

▽ **938. Acusação,** compelação, carga, imputação, arguição, inculpação, exprobração, delação, denunciação, capítulo, recriminação, incriminação, criminação, redarguição, increpação, agressão, injúria, ataque, invectiva, antanagoge, denúncia, queixa, querela, parte, querima ou querimônia (ant.); acusamento.
censura, crítica; culpabilidade;

libelo, articulado, capitulado, cartelo, catilinária, filípica, verrina, processo 969; *condenação* 971; chamamento a juízo, *argumentum ad hominem* = argumento contra o homem (a pessoa), escândalo (difamação) 934; *scandalum magnatum*, acusador, capitulador (ant.), denunciante, promotor, libelista;
queixoso, querelante, querelador, queroloso, arguente, arguidor, increpador, recriminador, criminador, apelante, indiciador, acoimador, imputador, reivindicador;
autor, coautor, delator, criminoso, preso, indiciado, réu, culpado, respondente, cúmplice, acusado, coacusado, apelado, querelado, recorrido, delinquente, pronunciado;
bode expiatório = cabeça de turco = hazazel = vítima piacular.
V. acusar, insinuar, imputar, carregar um crime a alguém, criminar, incriminar, increpar, taxar, acoimar, timbrar, meter no rol de, inculpar, atribuir culpa, atirar a pecha de, formular acusação contra, deitar a culpa a, culpar, averbar de, arguir, tachar de, qualificar de, estigmatizar, inquinar;
lançar em rosto/em face, responsabilizar, lançar à responsabilidade de alguém, ser o primeiro a atirar a pedra, insinuar falta de;
envolver, enrascar, comprometer em processo; implicar, chamar às contas 932; queixar-se, apresentar queixa contra, fazer querela de alguém, inculpar alguém como responsável, informar contra, pintar com cores carregadas delatar, denunciar;
indiciar, capitular, querelar, dar querela contra, arrastar à barra do tribunal, formular tremendo libelo contra, esvurmar, propor uma ação contra;
atirar/lançar a luva; atirar a primeira pedra, reconvir, redarguir, refilar, romper-se com, reptar, pôr a calva de alguém à mostra (ant.), encalacrar, forjar acusação, comprometer; dar/prestar falso testemunho; comprar um veredito (pop.).
Adj. acusador & *v.*; acusatório, arguitivo, recriminatório, denunciador, denunciatório, denunciante, increpador, increpante, queroloso, querelante, acoimador, exprobratório, acusado, suspeito, sob vigilância;
em custódia, em prisão, no xadrez, na casa de detenção, preso, detido, sob as vistas da polícia;
indiciado, pronunciado, suspeito, acusável, imputável, indefensável, indefensível, inqualificável, imperdoável, irremissível, indescul-

939. Probidade | 939. Probidade

pável, inescusável, injustificável, *vicioso* 945; nefando, execrando.

3º) Condições

△ **939. Probidade,** honradez; integridade, inteireza moral; retidão, brio, pundonor, capacidade, correção, dignidade, honorabilidade, hombridade, honradez, honestidade, lisura, pontualidade, fé, honra, boa-fé = *bona fides*, rigor, seriedade, idoneidade, limpeza, incorrupção, intransigência no manejo dos dinheiros públicos, exatidão, justiça, justeza, equidade, imparcialidade, austeridade, têmpera, irrepreensibilidade, lhaneza, virtude, direitura, moralidade, moralismo;
caráter incontaminado/imaculado/inteiro/inconsútil/íntegro/incorruptível ou incorrutível/sem jaça; constância, fieldade, fidelidade, lealdade, imaleabilidade, incorruptibilidade ou incorrutibilidade, imaculabilidade, franqueza, sinceridade, grandeza, os sentimentos da honra e do dever, arminho (fig.), candor, candura, candidez, pureza d'alma/de coração, elevação moral, alteza, *veracidade* 543; rasgo = ação nobre ou heroica, consciência (*cumprimento do dever*) 926;
compostura, decência, decoro, seriedade, pejo, pudor, recato, reserva, delicadeza de sentimentos, barbas honradas, inteireza de caráter, consciência limpa, nobreza de coração, escrupulosidade, escrúpulos, temor, pontualidade, resguardo, delicadeza de consciência, coerência, congruência;
dignidade 873; altivez, sentimento do decoro, timbre, respeitabilidade, venerabilidade, invulnerabilidade, ponto de honra, zelo da reputação própria, tribunal de honra, *argumentum ad verecundiam* (= *apelo à autoridade* = falácia na qual se acredita que se X crê em algo, sendo X digno de crédito, aquilo em que ele acredita também deve ser entendido como tal);
generosidade, magnanimidade; gentileza, amabilidade; zelo, diligência;
homem de palavra/de honra/de caráter/de princípios/enche-mão/de boa capa/de boas contas/de boa laia/da mais alta respeitabilidade; *galantuomo* = *gentleman* = cavalheiro, barbas honradas, pé de chumbo, portugal velho, espírito firme, alma fácil a todos os sentimentos nobres;
homem às direitas/da estofa dos antigos, *homo antiqua fide* = homem de reconhecida probidade.
V. ser honrado/digno/idôneo/reto/correto, ser a essência da (honradez & *subst.*); ter boas referências, ter caráter, seguir os princípios morais, ser a encarnação viva e perfeita da honra;
proceder ou agir com honradez/com integridade com lisura/com decência/com consciência/dentro da razão; andar direito, estimar-se, respeitar-se, prezar-se, ter dignidade;
ter um nome/uma tradição a zelar; portar-se com honestidade, honestar-se, não ter nada em que se lhe pegue, ter bons sentimentos;
fazer capricho em/timbre de;
caprichar-se, timbrar em ser justo;
ser sempre seu timbre/sua divisa de honra; proceder nobre e cavalheirescamente, só conhecer a superfície plana, sem altos nem baixos; cumprir o seu dever 926; amar a virtude 944; cumprir os seus compromissos com fidelidade, mostrar-se ilibado = tirar a sua a limpo, *vitam impendere vero* = dedicar a vida à verdade, cultuar a verdade 543; ser homem de consciência, ter consciência, ser de alto coração, portar-se honradamente, ter poder em si;
manter uma grande seriedade de princípios/um espírito implacável de justiça 922; cumprir sua palavra, não faltar à fé jurada, manter o decoro de sua posição, afirmar princípios e contrariar interesses;
pagar por honra da firma.
Adj. honrado, digno, íntegro, de bem, correto, respeitável, liso, probo, idôneo, honesto, decente, *omnibus virtutibus politus* = ornado de todas as virtudes, veraz 543; *virtuoso* 944; justo, reto, imparcial, insuspeito, desinteresseiro, desinteressado, excelente, desapaixonado 922; equitativo, são = inteiro, impecável (fig.), intocável (fig.), invulnerável = *invictus ad vulnera*, integérrimo, escrupuloso, impoluto, virtuoso;
conciliado com a sã moral, conforme com os princípios da honra, capaz, fidedigno, sério, incorruto a promessas e lisonjas, limpo de mãos, incorruptível ou incorrutível, imarcescível, supramundano, austero, inflexível, decente;
inseduzível, por quem se pode pôr a mão no fogo, constante como a estrela polar, fiel

à sua bandeira, fiel como a agulha ao polo, inabalável, digno de confiança/de fé/de crédito/de respeito, em quem se pode confiar, fiel, leal, lealdoso, fidelíssimo, insubornável, inconquistável, inacessível a empenhos, imaleável;

franco, direto, lhano, verdadeiro, cândido, de coração bem formado, de ordem superior, sincero, formoso, perfeito, espartano, inteiriço, consciencioso, de consciência delicada, de espírito nobre, de princípios austeros, escrupuloso;

estimável, decoroso, pontual, atilado, pontoso, inquebrantável, timbroso, pundonoroso, altivo, respeitável, venerando, de correção impecável, coerente, congruente, criado no trabalho e na honestidade;

limpo, inocente 946; puro, sem mancha, irrepreensível, imaculado, ilibado, sem jaça, impoluto, intato, incontaminado, inatacável, de procedimento airoso, de conduta exemplar, intangível, *justus et tenax propositi* = justo e obstinado em seus propósitos, acatado;

bem-conceituado, acreditado, prezado, inteiro na vida, prezável, incapaz de qualquer deslize, cavalheiroso, andantesco, cavalheiresco, galhardo, brioso, galante, notável, cioso de sua honra, *integer vitæ scelerisque purus* = que é impoluto em vida e livre de culpa, bem-visto;

magnânimo, generoso; gentil, amável; zeloso, diligente, cuidadoso;

eminente, insigne, considerado, assinalado, distinto.

Adv. honradamente & *adj.*; *bona fide*, de boa-fé, com a consciência limpa, sem deslize, com honra, a serviço das mais lindas e fortes inspirações, com dignidade.

▽ **940. Desonestidade,** desonra, improbidade, desvio (de conduta), desencaminhamento, sordidez, torpeza, torpidade, vileza, infâmia 874; fraude 545; *falsidade* 544; má-fé, fé púnica, *mala punica, mala fides,* infidelidade, deslealdade, beijo de Judas, traição, perjúrio, fealdade, traconismo = perfídia, aleivosia, obliquidade, achadilha, falta de escrúpulo/de decência/de caráter/de hombridade, etc.; inescrupulosidade, trampolinice 545, inconfidência, fraudulência, alta traição, felonia, prodição, sicofantismo, maquinação;

quebra/violação da promessa; abuso de confiança, apostasia 607; inobservância;

amesquinhamento, degenerescência do caráter; baixeza, vilania, vilanagem, mesquinhez, pequenez, safadice requintada, vileza, mariolada, indignidade, trapaça, trapaçaria, trampolinagem, abjeção, descrédito, desvergonha, biltraria, veniaga = tranquibérnia = manivérsia, dilapidação, deslize, tortuosidade, desenvoltura, prevaricação;

bandalheira, bandalhice; vergalhada, pouca-vergonha, imoralidade, descaramento, desfaçatez, canalhice, canalhismo, cinismo, patifaria, maroteira, marotagem, granjolada, granjolice, furacidade, devorismo, estelionato, corrupção, peculato, concussão, traficância, *negociata*, dolo, tratantada, tratantice;

atraiçoamento, prodição, cilada, armadilha, conluio, emboscada, maquiavelice, maquiavelismo, duplicidade, dissimulação, fingimento, doblez;

injustiça, velhacaria, tramoia, conduta desleal, venalidade;

nepotismo, compadrio, compadrice = corrução ou corrupção, bilontragem, pouca-vergonha, sem-vergonhice, desbrio, despudor, despundonor, impudência, ribaldaria; transação vergonhosa, prática condenável, cambalacho (pop.), embuste, engodo, cálculos interesseiros e vistas individuais, adulação 933;

crime de lesa-majestade; crime de lesa-pátria/de leso-patriotismo;

barganha, bargantaria, biltraria, cafajestada, cachorrice, mofatra, pulhice; baixaria, sacanagem (chulo), sacanice (chulo);

negócio escuso/fraudulento/de bandeirola; mãos azinhavradas, homem safado 941; mau-caráter, pústula, patife, pilantra, cachorro, sem-vergonha, tratante, miserável, meliante, malandro, safardana, canalha, safado, crápula, corrupto, mensaleiro.

V. ser (desonesto & *adj.*); ter a consciência larga/elástica; não ter consciência; ser boa peça, ser boa bisca, não ter por onde se lhe pegue, estar malvisto, praticar falsidades revoltantes;

ser perjuro, ser de uma falsidade revoltante, faltar à promessa, mentir à fé jurada, quebrantar um juramento, dar quebra à palavra, roer a corda, deslealdar, atraiçoar = cachar, renegar a fé e a pátria, mentir 544 e 546; entregar, trair, usar de traição/de má-fé, chocar traição; chorar por um olho azeite e por outro vinagre, soprar quente e frio, praticar ações vis, ser grande a torpe-

za de suas palavras e ações; abusar da boa-fé de; ser patife & *subst.*;
voltar com a palavra atrás, falsear, usar de perfídias, refalsear, manejar torpes armas; prevaricar, sujar as mãos, levar-se do interesse, vender-se, fazer almoeda da honra, ganhar pela porta traseira, aceitar peitas/ bola/propina/suborno, corromper-se, pôr a consciência em leilão, faltar aos seus compromissos, iliçar, baratar a honra por dinheiro, vender a alma ao diabo;
quebrar a promessa/a palavra; não ter/ou vender a consciência;
iludir, ludibriar, embromar, empulhar, engrupir, engambelar, engodar; fazer intrigas; negociar a pena/o talento; empregar os meios mais vis para conseguir os seus fins, malversar, dilapidar, receptar, fazer negócios fraudulentos, calotear, lesar, mercadejar, trampear, traficar, meter mãos criminosas nas arcas do Tesouro (ant.), desgraçar-se, manchar-se, inquinar-se;
degenerar, perverter-se, avilanar-se, degradar-se, rebaixar-se, infamar-se, rastejar-se, aviltar-se, envilecer-se, dar-se ao desprezo, desavergonhar-se, desbriar-se, velhaquear, velhacar, bargantear, mariolar, pandilhar, abandalhar-se, atavernar-se, enlamear-se, enxovalhar-se, achincalhar-se, sevandijar-se, desautorar-se, desautorizar-se, obliquar = obrar com malícia, traficar = veniagar = tranquibernar, maganear;
corromper, subornar, peitar, insidiar, calabrear, adulterar (documento), untar as mãos a alguém, furtar uma assinatura, falhar ao que se comprometeu, perjurar, ficar abaixo do andar dos brutos, bandear-se para o inimigo, prejudicar, lesar, dar prejuízo, dar-se o pé a alguém e tomar ele a mão, sonegar = ocultar fraudulentamente, sair um grande velhaco; ser a ovelha negra; desonrar ou desvirtuar (alguém); sacanear (chulo), ferrar com alguém (chulo).
Adj. desonesto, mau-caráter, falso, insincero, pilantra, sem escrúpulos (morais), inconsciente, inconsciencioso, inescrupuloso, desenvolto, maquiavélico, industrioso, doloso, fraudulento 545;
velhaco, doble, safado, tratante, trampão, trampista, trampolineiro, tramposo, patife, biltre, salafrário, salafra (gír.), pícaro, maroto, birbante, velhaquesco, avelhacado, agarranado, brejeiro, ribaldo, trapaceiro, trapacento;
desbrioso, desbriado, despudorado, despundonoroso; sem brio, sem dignidade; desavergonhado, descarado, impudente, cínico, impudico, destabocado, prevaricador, venal, concussionário, corruto ou corrupto, corrutor ou corruptor, comprável, compradiço, de mãos azinhavradas, peiteiro;
pérfido, refalsado, refece, desleal, deslealdoso, fingido, infiel, infido, fedífrago, perjuro, púnico, inconfidente, traidor, tracônico, seitoso, proditório, de consciência larga, bifronte, ancípite, dúplice, elástico, fementido, aleivoso, leonino, traiçoeiro, intriguista, intrigante, torpe, asqueroso, infame 874;
inconveniente, indesejável, malconceituado, desacreditado, baixo, vil, inqualificável, impuro, mesquinho, ananicado (fig.), ignóbil, ignominioso, malvisto, pulha, afrontoso, acanhado, refinado, chapado, ínfimo, piranga, pirangueiro, desprezível, contemptível, indigno, abjeto, imundo, de baixa estofa, desqualificado, menosprezível;
repugnante, asqueroso, nojento, engulhoso, rasteiro, ordinário, ralão, rastejante, rabudo, raboso, vilão, vilanesco, vilanaz, de sentimentos baixos, maculável, sem qualificativo, *infra dignitatem* = *abaixo da dignidade*, que não tem nome, vulgívago, morto para a honra, donde desertou a moralidade; moleque, malandro, vadio, vagabundo.
Adv. desonestamente, *mala fide*, à falsa fé, à traição, de má-fé, falsamente, indignamente, traiçoeiramente, falsamente, deslealmente, desavergonhadamente, infielmente, ignobilmente, tortuosamente, por caminho resvaladiço e tortuoso = obliquamente.
Interj. O tempora! O mores! (ó tempos! ó costumes! = em que tempos vivemos? — Cícero).

941. Velhaco, velhacão, velhacaz, velhaquete, espertalhão, ardilão, má rês, biltre, bigorrilha, gabiru, bandalho, bilhostre, batoteiro, vendilhão, caurineiro, sansadorninho, pessoa de pouco mais ou menos = pessoa insignificante/ordinária; pilho (vulg.), traste, trastalhão, garrano, rolha (chulo), patife, mangalaço, brejeiro, malandro = meliante, maroto, birbante, cafajeste, malesso, lagalhé, borra-botas, salafrário, bragante ou bargante (*homem ruim*) 949; de agalhas (bras.), águia;
finório, alarife, aldagrante, bilontra, tranquiberneiro, padre-mestre, merlim, pulhastro, pulha, rês, caramboleiro, embusteiro,

embuçalador (fig.), enganador 548; tratante = traficante, trapola ou trapolas, mariola, valdevino, magano, maganão, vaganau = vadio = vagabundo, marau, cuiara (bras.), marmanjo, canalha = perro, masmarro, capadócio (bras.), cheringalho, trapaceiro = jirigote (pop.) = trapalhão;
sevandija, sabujo, fulheiro, gajo, pássaro, melro, malafaia, trampolineiro, piléu, socarrão, safardana, safado, sacripanta, ou sacripante, tranca, vilão chapado, macanjo, cachorro, sendeiro, bandurrilha, bisbórria, troca-tintas, súcio, pandilha, pandilheiro;
velhaco escamado/chapado/de primeira classe; caloteiro, *covarde* 862; capacho 886; vira-casaca 607; sicofanta, burlão, bonifrate, prevaricador, simoníaco, explorador, moina; baitarra (bras.), caborteiro (bras.), coleira (bras.); gangolino (bras.), garrano (fig.), estradeiro, jirigote;
peculador, peculatário, estelionatário, um sete um, ribaldo, concussionário, concussor, dilapidador, merca-honra, traidor, entregador;
Joaquim Silvério, Judas, Catilina, Coriolano, Sertório, Iago;
traiçoeiro, arapuqueiro (reg.), proditor, conspirador, crocodilo, delator, perjuro, inconfidente;
canzoada, bando de velhacos, parranda, velhacada.
V. acanalhar-se, envelhacar-se; trastejar, velhacar, velhaquear.

△ **942. Altruísmo,** desinteresse, desprendimento, desapego, despreocupação, despego, generosidade, desambição, despojamento, abnegação, despretensão, liberalidade 816; liberalismo, *benevolência* 906; *probidade* 939;
excelsitude, nobreza de caráter/de intentos; superioridade de vistas, grandeza moral, fidalguia;
grandeza de ânimo/de coração = *amplitude animi*; calma, magnanimidade, longanimidade, espírito cavalheiresco, munificência, rasgo de cavalheirismo, heroísmo, sublimidade, humanitarismo, estoicismo, renúncia; sacrifício, bizarria, bizarrice, domínio de si mesmo 604; esquecimento dos próprios interesses, martírio, dedicação, sacerdócio, apostolado, nobreza de coração, abnegação, renunciação, renunciamento; dadivosidade, prodigalidade.
madre Teresa de Calcutá, filantropo 910.

V. ser (abnegado & *adj.*); ser a essência da abnegação, sacrificar-se, imolar-se, abnegar-se, não visar a interesses, desapegar-se, despegar-se, desprender-se, renunciar a bens materiais, alimentar o máximo desprendimento, mostrar a mais completa abnegação, não pertencer mais a si mesmo, negar-se a si mesmo, negar-se a si por outrem, abnegar o amor próprio, trabalhar grátis *pro Deo* (= *por Deus* [+-]);
pôr os pontos muito altos, pôr o coração acima do estômago, fazer da profissão um sacerdócio, dar a vida por (*defender*) 717; desinteressar-se, nada pretender, despreocupar-se, nunca se assevandijar ao serviço de um interesse.
Adj. desinteressado, desinteresseiro, desapegado, despojado, oficioso, impretendente, abnegado, alheio de interesses mundanos, desambicioso, despreocupado, altruísta, altruístico, filantrópico, generoso, real, liberal, longânime, subido, nobre, elevado, alevantado, dignificante, estoico, magnânimo, grande, cavalheiroso, cavalheiresco, cavalheiro, brioso, bizarro, sublime, celso, preexcelso, heroico, belo, grandioso, bonito, munífico, munificente, gratuito, insubornável, incorrutível ou incorruptível, impeitável (*probo*) 939.
Adv. desinteressadamente & *adj.*; sem vislumbre de interesse material, oficiosamente, por favor.
FRASE: Sofre e abstém-te.

▽ **943. Egoísmo,** egolatria, autopatia, autolatria, egocentrismo, individualismo, solipsismo, idiolatria, adoração de si mesmo, filáucia, amor-próprio (*vaidade*) 880; egotismo, subjetivismo, redoma (fam.), nepotismo, ego, comodismo, iliberalidade, sordidez 819; interesse, mercantilismo, mercenarismo, ganância, avidez, sofreguidão, apego, cobiça, concupiscência, ambição (desmesurada), sordidez egoística, cupidez, espírito mercantil, apetite (fig.);
egoísta, individualista, idiólatra, solipsista, fura-vidas, galfarro (fig.), interesseiro, comodista, egotista, monopolista; dardanário, atracador, açambarcador, atravessador, intermediário; nepotista, abarcador, calculista, mercenário; oportunista.
V. ser (egoísta & *adj.*); consultar unicamente os seus interesses, não dar ponto sem nó, não pregar prego sem estopa, levar água para o seu moinho, meter-se numa redoma,

944. Virtude | 945. Desvirtude

voltar em seu proveito os males alheios, saber vender seu peixe (pop.), fazer valer sua mercadoria, autopromover-se, pôr a sua mira no lucro, chegar brasa a sua sardinha, sacrificar tudo aos ganhos pecuniários, dar bilha de leite por bilha de azeite, pôr o estômago acima de tudo, comer a dois carrilhos, visar somente aos seus interesses, cuidar unicamente de sua pessoa, sacrificar tudo ao proveito próprio, só conhecer o número um; cobiçar.
Adj. egoístico, egocêntrico, individualista, personalista, interesseiro, iliberal, mesquinho, desserviçal, mercenário, venal, usurário 819; assoldado, condutício, vivedor, geocêntrico, interessado, *alieni appetens sui profusus*, ganhoso, mercantil, ambicioso, ganancioso, cupidinoso, que o interesse conduz como boi pela soga, mundano, mundanário, mundanal, enfeudado aos interesses, sórdido, ignóbil.
Adv. egoisticamente & *adj.*; por motivos interesseiros.
FRASES: *Après moi le déluge*. Quem vier atrás, feche a porta. Mateus, primeiro os meus. Não serás amado, se de ti só tens cuidado. Primeiro eu, segundo eu, terceiro eu.

△ **944. Virtude,** moral, o bem, moralidade, retidão moral, integridade (*probidade*) 939; nobreza, grandeza d'alma; heroísmo, hombridade, consciência da própria dignidade, firmeza de ânimo, caráter sem jaça/mácula, inteireza de caráter, excelência moral, cavalheirismo;
solidariedade, caridade, boas ações, generosidade, bondade.
o cardume de virtudes nativas, sublimes e modestas; ética (*dever*) 926;
virtudes cardeais/teologais; mérito, valor, merecimento, crédito, domínio das paixões, força moral, benemerência, *temperança* 953; beneficência, gentileza = ação nobre e generosa;
conduta exemplar/ilibada/impecável; cumprimento (austero) do dever, vida austera consagrada ao bem, castidade, pudicícia (*inocência*) 960; obras meritórias, reformatório, a rigidez da virtude, a saúde d'alma, alma de ouro (*homem bom*) 948.
V. ser (virtuoso & *adj.*); ser um santo, saber aliar qualidades raras e de primeira ordem;
servir de modelo/de espelho/de chavão; ter um caráter augusto/exemplar, ter a consciência limpa, possuir sentimentos de virtude, praticar a virtude, morrer ao pecado, fazer da virtude o pão de cada dia, renovar-se nas virtudes, possuir um grande fundo de virtude;
palmilhar a vereda da perseverança/do bem; viver na lei divina, dar boa conta de si, cumprir o seu dever 926; proceder impecavelmente, ser compêndio de todas as virtudes, subir na virtude;
dominar/refrear as paixões (*inexcitabilidade*) 826; impor silêncio às paixões; dar bom exemplo, edificar, morigerar, instruir nos princípios de boa e sã moral, fortalecer com o exemplo, educar, trilhar a vereda da virtude, tornar-se um exemplar de virtude, reabilitar-se, lavar-se, ilibar-se, renascer, rejuvenescer, mudar de vida, desembrenhar-se dos vícios, tomar caminho, endireitar-se, pôr-se bem com Deus/com os homens, castificar-se, desatascar-se/libertar-se do vício.
Adj. virtuoso, afeito à virtude, dotado de caráter nobre, bom, santo, inteiro na vida, escorreito, exemplar, modelar, bom-caráter, puro, inocente 946; meritório, intemerato, impoluto, impunível, incastigável, digno de encômios, de bons costumes, morigerado, morígero (poét.), bem-comportado, bem-intencionado, acima de todo elogio, incorrutível ou incorruptível, austero, espartano, impecável, digno de prêmio, estimável, prezável, de vida austera = recoleto, correto, aplausível, intato, ilibado, imaculado, íntegro, inseduzível, venerável, sagrado, incontaminado, insuspeito, excelso, irrepreensível, honesto 939; preclaro, belo, acrisolado, nobre, generoso, cândido, benemérito, celígeno (fig.), angélico, angelical, seráfico, bem-aventurado, sem-par, divino, que estreleja nos corações, que fortifica e eleva os corações, salutar, moralizador, edificante, edificativo.
Adv. virtuosamente & *adj.*

▽ **945. Desvirtude,** vício, defeito, vezo, balda, pecha, podres, senões, sombras, desmaios, curvas, tortuosidades, desvio, matadura, pecadilho, pecado, pecadaço, desgarre, desgarro, irregularidade, mazela, rabo, falta, falha, queda, lapso, naufrágio, descaída, escorregadela, escorregadura, erro, imprudência, malfeitoria, façanha, pecados de primeira plana, inópia, proeza, borbulha,

945. Desvirtude | 945. Desvirtude

mancha ou mácula, demérito, escândalo; imperfeição moral, achaque, claudicação, fraqueza, deslize, manqueira, podre(s), tacha, senão;
vida escandalosa/desregrada; desedificação, jogatina, imoralidade, amoralidade, moral de funil, indecoro, indecência, raquitismo moral, relaxamento, depravação, abjeção de sentimentos inferiores, falta de compostura, flacidez, desregramento, indignidade, cabeçada, infâmia, falporrice, gentileza (iron.), torpeza = tremedal, sordidez, flagício; indisciplina (fig.), instintos de natureza depravada, desmoralização, degenerescência do caráter, viciosidade, poluição, desonra, abjeção, hediondez, dureza de coração, brutalidade (*malevolência*) 907; velhacaria 940; deboche, incontinência 954; atrocidade, canibalismo, gangrena (fig.), corru(p)ção (*aviltamento*) 659; ruína moral, enfermidade, achaquilho, deformidade, chaga, fragilidade, fraquezas, imperfeição, vileza, traspés, lado fraco, pecado dominante, altibaixos, altos e baixos, crime, borrão, negrura, criminalidade (*culpa*) 947; banda podre (pop.);
morte moral, morte d'alma; misérias, podridão do vício;
acanhamento, curteza, mesquinhez de sentimentos morais; lado dos instintos e dos vícios, o ceno do vício;
vida pecaminosa/desregrada;
homem ruim 949;
batota, jogo, pano verde, tábula (ant.), tabulagem, o vício do jogo, casa de tafularia, jogador de profissão = taful.
V. ser (viciado & *adj.*); ser escravo das suas paixões, praticar ações pouco dignas; comer/ser da banda podre (pop.); ser um anjo caído (fig.);
pagar tributo às contingências humanas/ à natureza; proceder mal, escandalizar, dar escândalo, faltar aos seus deveres, trilhar a vereda da desonra, não fazer carreira, dar-se a toda sorte de vícios, apartar-se da senda da virtude, criar-se no vício, ir por um plano inclinado, escorregar na ladeira do crime, estar incuravelmente caído no caminho do vício, corromper-se, desencaminhar-se, tripudiar, despersonalizar-se, ser boa pinga, ser má forma, estar cariado até a medula dos ossos, arredar-se das boas práticas, não respeitar as conveniências; ser boa bisca (pej.);
esquecer-se dos seus deveres, desviar-se da virtude, errar, dar falhas, claudicar, encher-se de mazelas, mazelar-se, desbriar-se, desvairar-se, desgarrar-se, escorregar, tomar um caminho tortuoso e resvaladiço, fechar a porta aos bons exemplos, desatremar, fazer do sambenito gala, descarrilar-se, transviar-se, desafogar as paixões, render-se aos apetites, descair no vício, vergar-se ao sopro pestilento do vício, meter a alma no inferno, tropeçar;
esquecer-se de si/de quem é = faltar à dignidade própria; resvalar em erro, resvalar o pé a alguém, desregrar-se, desgovernar-se 954; pecar, perder-se, profligar-se; renovar-se/afundar-se/perseverar/cevar-se/encharcar-se/atascar-se/ingurgitar-se/ atolar-se/enfrascar-se no vício;
apodrecer-se na miséria, despedir de si a virtude, engafecer-se, vilificar-se, gafar-se, infistular-se, capitular com a voz da consciência, desprezar escrúpulos justificados, degenerar dos seus antepassados = deserdar-se em vida, cair na tentação = ilaquear;
entregar-se ao jogo/ao vício; perder a dignidade, divorciar-se dos bons costumes, encanalhar-se, envilecer-se, enxovalhar-se, tornar (viciado & *adj.*); viciar, corromper, apestar, empestar;
inficionar/depravar/envenenar os costumes; perverter, transviar, esgarrar, brutalizar, brutificar, desmoralizar, rebalsar, desedificar.
Adj. (aplicável de preferência às pessoas): vicioso, viciado, podre, podre de vícios, imerso em vícios, corruto ou corrupto, pecador, perverso, imoral, amoral, injusto, criminoso, prevaricador, impuro, irregenerado, irreformável, useiro e vezeiro, tentadiço, pechoso, ruim, malcomportado, desbrioso, desbriado, corrompido;
sem princípios, sem lei, sem Deus, sem religião, dissoluto, safado, libertino, malversado = que vive com pouca morigeração, escandaloso, perdido, desavergonhado, profligado, devasso, degenerado, descarado, despudorado, depravado, *infame* 874; refece, desregrado, malvezado, incasto, impudico, desonesto, trânsfuga dos bons costumes, vulgívago = que se avilta;
desbocado, impudente, indigno, malvisto, pecável, pouco morigerado, amaldiçoado, desprezível, vil, celerado, abjeto, baixo, ignóbil, imundo, facínora, malvado, vilanaz, flagicioso, maldito;
(fig.) gafento, gafeiroso, gafeirento, gafado, gafo, pruriginoso, leproso, alazarado, afis-

tulado, lazarento, chagoso, chagado, chaguento, lazeirento, dartroso;
repugnante, sórdido, (fig.) pustulento, pustulado, borbulhoso, mazelento, escabroso; mefistofélico, satânico, diabólico, luciférico, infernal, endemoninhado, demoníaco, possesso, pior que o diabo;
de tendências viciosas, malnascido, desmoralizado & *v*.; malévolo, de sentimentos baixos, inconsciente, sem imputação, sem imputabilidade, irresponsável, divorciado da virtude, banido da sociedade, réprobo, trasvisto, precito, *culpado* 947; deixado da mão de Deus.
(aplicável de preferência às ações): demeritório, demérito, iníquo, *contra bonos mores = contrário aos bons princípios* (+ -), que choca com as leis da honra, vergonhoso, indecoroso, ignominioso, nefando, punível, castigável, repreensível, censurável, coimável, desonesto, pecaminoso, urodelo, reprovável;
passível de censura/de punição; penável, negregado, vil, negro, atro, negregoso, ominoso, hediondo, horrendo, deplorável, torpe, vitando = abominoso, abominando, abominável, nefário, ruim, condenável, lastimável, indecente, vituperoso, vituperável, ignóbil, baixo, soez, desonroso, odioso, atroz, castigável, clamoroso, que a consciência repele, detestável, execrável, flagelativo, que fecha as portas do céu, que grita vingança, que brada aos céus, imperdoável, que não admite expiação, inexpiável;
indesculpável, incomutável, indefensível, injustificável, irremessível, desmoralizador, pouco edificante, degradante, mais propício ao desenvolvimento dos maus do que dos bons instintos.
Adv. viciosamente & *adj.*; obliquamente, por caminhos tortuosos, por processos condenáveis.
Interj. O tempora! O mores! = Oh tempos! Oh costumes!
Frase: *Abyssus abyssum invocat = o abismo chama o abismo = o inferno chama pelo inferno.*

△ **946. Inocência,** irrepreensibilidade, impecabilidade, imaculabilidade, inculpabilidade, carência de culpa, santidade, pureza, puridade, incorrução ou incorrupção, inculpação, mãos limpas;
virginalidade, virgindade, castidade; candidez; ingenuidade.
consciência tranquila/honesta/desafogada; *mens sibi conscia recti = uma mente consciente de sua (própria) retidão*, inocente, cordeiro, pomba, a ave de Vênus, paloma (ant.), anjo, gazela, rola.
V. ser (inocente & *adj.*); estar livre de culpa, alijar as culpas, *absolver* 970; exculpar 937; inocentar, escoimar.
Adj. inocente, inculpado, inculposo, insonte, columbino, imaculado, imaculável, imáculo, limpo, imérito, puro, intato, perfeito, inerrante, santo, inacusável, escoimado, cândido, isento de mácula, inconcusso, inofensivo, inóxio, límpido, *rectus in curia = honesto na corte (em alusão a alguém que goza de todos os seus direitos [por esta isento de culpa])*, honesto 939; arcadiano 703; inculpável, incensurável, acima de qualquer/toda suspeita, impunível, irrepreensível, impecável, venial 937; incastigável, inofensivo como uma pomba;
inocente como um cordeiro/como um recém-nascido; virtuoso 944; de inocência paradisíaca.
Adv. inocentemente & *adj.*; com a consciência em paz, sem intenções maldosas.

▽ **947. Culpa,** culpabilidade, responsabilidade, criminalidade, desvio das boas normas (*improbidade*) 940; pecabilidade 945; conivência, cumplicidade, má conduta, mau procedimento, procedimento irregular, falta, transgressão, crime, erro, falha, delinquência, lapso, escorregadela 945;
prática de atos condenáveis, imprudência, fealdade, crime, piáculo, monstruosidade, enormidade, delito, abuso, pecado, pecadilho, argueiro, felonia, malversação, omissão, ofensa, ultraje, dano, malfeitoria, atentado, flagício, ação criminosa, pecado mortal, corpo de delito = *corpus delicti*, indícios veementes.
V. ser (culpado & *adj.*); ter culpa no cartório, estar comprometido, estar implicado em processo crime, incorrer, andar à malta, andar fugido à justiça, comprometer-se, ter contas a ajustar, pertencer ao Código Penal, estar às voltas com a justiça, cair nas malhas de um processo, resvalar em culpa, dar-se por culpado, atentar; estar devendo (gír.); praticar/cometer um crime; delinquir, comprometer-se, incidir na sanção do Código

Penal, culpar, inculpar, ser apanhado em flagrante, confessar o crime, confessar sua inópia, não poder atirar a primeira pedra, ter telhado de vidro; ter as mãos sujas de sangue; ter o sangue de inocente(s) nas mãos.

Adj. culpado, indefensável, culposo, responsável, pecável, em falta, faltoso, criminoso, delinquente, repreensível, censurável, incurso, comprometido, conivente, que não merece elogios, ilouvável, exprobrável, punível, castigável, impudente, confesso, decaído da estima pública, de cara patibular, atentatório.

Adv. *in flagrante delicto* = achado no delito, pego com a boca na botija.

FRASE: Quem deve a Deus, paga ao Diabo.

△ **948. Homem bom,** homem de boa ralé, modelo, paradigma, chavão, espelho, protótipo, exemplo (*perfeição*) 650; herói 873; semideus, indígete, sacerdote, apóstolo, serafim, anjo, cordeiro 946; capuchinho, santo 987; benfeitor, benemérito, valedor, homem de mancheia, caridoso, esmóler, filantropo 910; Catão, Aristóteles, homem de boa atença; coração/alma de ouro; justo, caráter sem jaça, boa fazenda, ouro em pó, pérola, prata sem liga, pomba sem fel, homem de boas entranhas, João de boa alma, bom-serás, samaritano, sal da terra, um dentre mil, coração bem formado, alma reta e digna, mulher boa, gata borralheira, pombinha sem fel, anjo, serafim; pedra noventa.

FRASES: *Si sic omnes!* = Se todos fossem assim!, *Pertransiit benefaciendo* = passou fazendo o bem.

▽ **949. Homem ruim,** malfeitor; monturo, autor de iniquidades; homem malfazejo 913; pecador, pecadoraço, desnaturado, perverso 945; desclassificado, elemento dissolvente, asa-negra, pústula, homem de sangue, carnífice, velhaco, vilão, velhacão, velhacaz 941; patife, churdo, maroto, canibal, celerado, calamitoso, sicário, facínora, facinoroso, malvado, miserável;
Caim, matante, reptil, verdugo, carrasco, algoz, víbora, serpente, cobra, tigre, lobo, pantera, fera, besta-fera, bicho-homem, mula, harpia, cascavel;
Herodes, Nero, tugue, abutre, monstro, cão, demônio 980; alma do diabo, homem de mau interior, veneno, réprobo, danado, precito, tição do inferno;
diabo em pessoa/em carne e osso, diabo encarnado, dragão, demônio em forma humana, Cérbero;
mulher ruim, mofina (f.), perra, sibila, jararaca, leoa, megera, madrasta, bruxa, tirana, mulherinha, mexeriqueira, comadre, croca;
bandido, libertino, mesquinho, indivíduo perigoso e mal-afamado, vagabundo, delinquente, criminoso, marginal, descarado, pilantra, indivíduo que se vendeu ao diabo, indivíduo muito conhecido da polícia, indivíduo que figura sempre nas crônicas policiais, alma danada, cachorro, cão hidrófobo, ovelha tresmalhada/negra, perjuro, concussionário, *pródigo* 818;
boa peça (irôn.), *capitalis homo* = capaz de tudo, rolha, má forma, estupor maligno, indivíduo diplomado em todas as faculdades da perversidade, homem-bicho, freguês, burro frontino, pechoso, rufião, fadista, fanfarrão, brigão, espancador, cangaceiro, desordeiro, incendiário, dinamitista, navalheiro, navalhista, ladrão 792; assassino 361; terrorista, traficante, mafioso, político corrupto, policial corrupto, sequestrador, pedófilo;
pirraceiro, perseguidor, culpado, réu, vândalo, condenado, forçado, grilheta, homem para tudo, homem pequeno de alma e coração, homem de maus fígados, histrião;
indivíduo sem lisura/de consciência cauterizada; proscrito, perigoso, alarve, capacho 886; jagodes, canalha, magano, mariola, biltre, bisca, desclassificado, cão leproso, brejeiro, escuma da terra, cafajeste, refugo da sociedade, malandrim, malandrino, energúmeno, fariseu, urdidor, tração (reg.), enredador, tecedor, intrigante, rodilhão = intriguista, mexedor, garabulha, aranha, onzenário, onzeneiro, mexeriqueiro, homem de trazer e levar, leva e traz, urdimaças, maranhoso, alcoviteiro, cáften, *Arcades ambo* = ambos arcadianos (em referência a quem tem dois senhores, dois gostos) = duas-caras, jogador, taful.

FRASES: *Homo homini lupus* = O homem é o lobo do homem. Erva ruim não a cresta a geada. Vaso ruim não quebra.

△ **950. Penitência,** contrição, pungimento, compunção, compungimento, resipiscência = arrependimento, atrição, remorso, mordimento, pesar 833; bicho da consciência, verme roedor, carcoma;

sombra de Nino/de Banquo;
acúleo, voz, grito, ditames, latidos, inquietação da consciência; reconhecimento da falta, clamor, substração (ant.), exomologese = confissão pública, reato, confissão 529; apologia 952; retratação 607; expiação 952; ladários/ladairos, sacramento da penitência, *locus penitentiæ = local de penitência ou expiação (jur. = "oportunidade para se arrepender")*, tribunal da penitência, confessionário;
penitente, Madalena, filho pródigo, sacófono.
V. arrepender-se, ter pesar de, clarificar-se, arrepelar-se (pop.), ficar arrependido, ser (penitente & *adj.*); chorar sua falta, lamentar 839;
reconhecer-se, confessar-se culpado; compungir-se, bradar *peccavi* (= *pequei*), dizer/fazer *mea culpa*, procurar a Deus, envergonhar-se, reconhecer o seu erro, retratar-se 607; confessar-se 529; acusar-se, condenar-se, humilhar-se, ir a Canossa; implorar (de joelhos) pelo perdão (de alguém);
pedir misericórdia/perdão; encomendar-se a Deus, penitenciar-se, castigar-se 952; sentir remorso, chorar seus pedaços, chorar lágrimas de sangue, pesar-se, escandir os seus pecados, bater no peito, escaldar-se, torcer a orelha, meter a mão na consciência;
roer/pesar na consciência; remorder a consciência, trazer o inferno no coração, alertar a consciência, fazer exame de consciência, ser uma consciência, aprender por experiência, excitar à compunção, emendar-se, reabilitar-se, morigerar-se 944.
Adj. penitente, compungido, repeso, arrependido, pesaroso, consternado, triste, compungitivo, recochilado, escaldado, escarmentado, penitencial, penitenciário;
Adv. mea culpa, compungidamente & *adj.*
Frases: *Peccavi, miserere mei, Deus = Pequei, Deus, tenha misericórdia de mim;* isto é uma consciência. Isto é caso para sentir remorso. O remorso punge-lhe a consciência.

▽ **951. Impenitência,** ausência/falta de arrependimento, recidiva, reincidência, recaída, renitência, pertinácia 606; obstinação, relapsão, relapsia, incorrigibilidade, indocilidade, indisciplinabilidade, endurecimento, empedernimento, persistência, induração, inexpiação, dureza de coração; contumácia; consciência embotada/cauterizada;
coração empedernido/de bronze/de lama, insensibilidade moral 823.

V. ser (impenitente & *adj.*); cancerar-se na culpa, requintar na impenitência; acerbar/endurecer/encouraçar o coração; escancarar a consciência, ficar enxuto, dormir o sono do pecado, encruar, recalcitrar, respingar, reincidir, recair, empedrar, empedernir, empedernecer.
Adj. impenitente, incontrito, vezeiro, reincidente, recaidiço, obstinado na culpa, indurado, recalcitrante, irredimível ou irremível, recidivo, inarrependido, agonícito = que não dobra os joelhos, relapso 606, recalcitrante; incorrigível, indisciplinável, surdo aos gritos da consciência, indócil, irregenerável, irregenerado, inemendável, irreformado, inexpiado; inexpiável; inconformável, desobediente.
Adv. impenitentemente & *adj.*; sem emenda, sem um sabor de remorso.
Frase: Deus endurece o coração dos pecadores.

952. Expiação, reparação, penitência, castigo, arranjo, *compensação* 30; quitação, redenção, resgate, quitança, remissão de uma dívida, contrição, metanoia; conciliação, reconciliação, composição, propiciação, expiações (m.), indenização, apologia, retratação, *amende honorable* = confissão pública do delito, exomologese, satisfação, propiciatório, piáculo;
sacrifício, expiatório, autoflagelação; holocausto, imolação, bode expiatório, vítima, cabeça de turco, hazazel, sacrifício, jejum, maceração, saco e cinzas, disciplina, confissão auricular, flagelação, mortificação, abstinência, lustração, purgação, purgatório, lugar de expiação, desagravo, cilício, purificação, água lustral, emundação = tímele, *expiatória*, dia de magro, piscina probática, sedenho, rodício, roseta, silva, sacrificador, vitimário, agone; martírio = tormento ou morte por adesão a uma causa, auto de fé.
V. expiar, purgar, reparar, purificar, lustrar, cingir o cilício, oferecer em holocausto, indenizar, compensar, remir, salvar, resgatar, penitenciar-se, flagelar-se, autoflagelar-se, ciliciar-se, castigar-se, mortificar-se, imolar-se, macerar-se, fazer penitência, jejuar, purificar-se na frágua do sofrer, fazer esquecer, apagar velhas contas, pagar a multa, pôr-se bem com Deus, procurar remir a culpa, regenerar-se 944; mortificar os sentidos, remir os pecados (com esmolas), infligir a si pró-

953. Temperança | 954. Intemperança

prio castigos corporais, expiar-se de toda a mácula, vestir-se de saco, rasgar a carne; pedir desculpas/perdão; cair de joelhos, fazer retratação solene, dar satisfação, reparar o mal, fazer uma reparação de, desagravar, propiciar, sacrificar, litar.
Adj. propiciatório, expiatório, desagravador, piacular (ant.), purgativo, purgatório, lustral, reparador, purificativo, purificatório, penitente, penitencial, piscinal.
Adv. propiciatoriamente & *adj.*

4º) Prática

△ **953. Temperança,** continência, moderação, comedimento, reportação, sobriedade, abstinência, abstenção, privação, assitia, abstemia, freio aos apetites, abnegação, esquecimento de si mesmo, renúncia de si próprio, morigeração, domínio de si mesmo, império sobre si mesmo (resolução) 604; frugalidade, vegetarismo, vegetarianismo, abstinência total; respeitabilidade, virtude, honra, castidade, virgindade;
sistema de Pitágoras/de Carnaro; pitagorismo, estoicismo, vegetariano, pitagoriano, faquir, gimnosofista, tasquinha, abstêmio 958.
V. ser (sóbrio & *adj.*); abster-se, refrear-se 826; conter-se, dominar-se, comedir-se, regrar-se, governar-se, controlar-se, reportar-se, usar de alguma coisa com moderação; lambiscar, debicar, pastinhar, papariscar, lambujar, tasquinhar, apeguilhar, guardar-se, resguardar-se, ficar dentro das marcas, ater-se à conveniência, pautar-se; manter-se casto/celibatário;
ter resguardo/dieta; desembriagar.
Adj. sóbrio, abstêmico, espartano, sério, frugal, parco, moderado, regrado, contido, parcimonioso, modesto, abstinente, continente, imaculado, incontaminado, intacto, abstêmio, impoluto, pejoso, pundonoroso, recatado, pudico, respeitável, santo, lambisqueiro, debiqueiro, lambujeiro, biqueiro, mesurado, comedido, regular, pautado, metódico, morigerado, prudente, morígero (poét.), refreado, reprimido, reportado (*suficiente*) 639; boquisseco, malcomido, pitagoriano, vegetariano, estoico; virginal, virtuoso, virgem;
Adv. sobriamente & *adj.*; com conta, peso e medida; prudentemente.

▽ **954. Intemperança,** acrasia, destemperança, incontinência, imoderação, desgoverno, descomedimento, desenfreamento, desregramento, desenvoltura, destempero, demasia, desmando, desmancho, sensualidade, sensualismo, animalismo, animalidade, hedonismo, carnalidade, prazer, volúpia, moleza, molícia, luxúria, regaço do prazer, inabstinência, insobriedade, voluptuosidade, vida regalada;
bona-chira, gula, mesa regalada, mesa de abade, deleite carnal, prazer dos sentidos, epicurismo, sibarismo, sibaritismo;
vida desregrada/animal; vida de sibarita, desejo imoderado de luxo e prazeres, dias de gordo, carnário, carnal, dissipação, licenciosidade, libertinagem, crápula, deboche (gal.), libidinosidade, devassidão, lascívia, lubricidade, libidinagem, cabritismo (bras.), desconcerto, divertimentos, gozos excessivos, festins, banquetes, rega-bofes, orgias, bambochatas, pândegas, patuscadas, excessos, desregramento de costumes; beberronia, boêmia, farra, folia, gandaia; carnaval;
saturnal, bacanal, dionisíaca, canção báquica, afrodísias, taça circiana.
V. ser (intemperante & *adj.*); exceder-se, entregar-se a, primar pelo desregramento, debochar-se, abusar, passar as raias, ir fora das marcas, dar largas a, desbragar-se, satrapear, desprender-se das conveniências, mergulhar-se na dissipação;
levar vida dissoluta e de deboche, levar vida de abade, despir-se da circunspeção, saciar a sede e o apetite, não ter outro Deus que a sua barriga, embriagar-se, comer desenfreadamente 957; banquetear, regalar-se com jantares opíparos, fazer do estômago sua divindade, guleimar, comer além do preciso, entornar; meter o pé na jaca (gír.) = beber além da conta; beber até cair (pop.); meter a mão até o cotovelo, descomedir-se = quebrar as soltas = destemperar-se, desmesurar-se, desmandar-se, desgovernar-se, desenfrear-se, descompassar-se, desconcertar-se, desmanchar-se, exceder-se, demasiar-se, soltar-se, desentoar-se, desmedir-se, desmoderar-se, desregrar-se, descompor-se, sensualizar-se;
vegetar a coorte dos sibaritas, dos que se inspiram nos preceitos de Epicuro.
Adj. intemperante, imorigerado, imorígero (poét.), inabstinente, sensual, desbragado, insóbrio, inabstêmio, ventrícola, sibarítico, libertino, licencioso, voluptuoso, voluptuá-

rio, sardanapalesco, luxurioso, crapuloso, desenvolto, bestial, materialão, debochado, porco, imundo, desregrado, imoderado & *v.*; infrene, epicúreo; devasso, degenerado, despudorado, desavergonhado, dissipado, fescenino; lúbrico; cúpido; criado/educado no seio da luxúria; mundano, mundanal, mundanário, orgíaco, báquico, bacanal, saturnal.
Adv. desregradamente & *adj.*; mal.
FRASES: Reina a maior licença e impudor. Não lhe corta a cepa.

954a. Sensualista, sibarita, sátrapa, voluptuário, voluptuoso, Sardanapalo, homem dos prazeres, epicurista, *gourmet, gourmand*, goliardo, porco;
discípulo/ adepto de Epicuro, Heliogábalo, gastrólatra (*glutonaria*) 957; *libertino* 962; baquista, hedonista, sentina.

955. Ascetismo, ascese, puritanismo, sabatarianismo, cinismo, austeridade, rigidez, abstinência, contemplação, vida contemplativa, meditação, reflexão, práticas ascéticas, cacositia = aversão a comida (+ -), mortificação, ciliação, maceração, disciplina, flagelação, flagelamento, autoflagelação, autoflagelamento, penitência 952; jejum 956; observância, rigor da vida claustral, ascetério, martírio;
asceta, anacoreta, nazireu 893; brâmane, ancilas de Deus, mártir, eremita 893; puritano, sabatariano, cínico, apotáctico.
V. mortificar-se, macerar-se 952; castificar-se, viver em observância, mortificar o fogo dos instintos, ciliciar-se, flagelar-se, autoflagelar-se, votar-se a uma pobreza voluntária; fazer voto de pobreza.
Adj. austero, severo, rígido, duro; ascético; espartano, comedido, contido, disciplinado.

△ **956. Jejum,** abstinência alimentar, xerofagia, inédia, dia de magro, jejum do traspasso, quaresma, quadragésima, o sagrado tempo penitencial, Ramadã, Iom Kipur;
dia de jejum/de preceito; dia de peixe, dia magro (antônimo = dia gordo); têmporas, consoada; xerófago.
V. jejuar, quaresmar, abster-se de comidas, alimentar-se de ar, estar em jejum, pôr ou ficar alguém a pão e água, matar à fome, esfaimar, afaimar, esfomear; (antônimo) desjejuar, quebrar o jejum.
Adj. quaresmal, quadragesimal, faminto 865; jejuno, famélico, esfomeado, subalimentado.

▽ **957. Gula,** glutonaria, gulodice, gastrolatria, lambarice, avidez, edacidade, voracidade, sofreguidão, sofreguice, insaciabilidade, insobriedade, alarvaria (fig.), alarvice (fig.), alarvidade (fig.), pantagruelismo, epicurismo (= desregramento, busca pelo prazer [no caso, de comer]), gulosice, gulosidade, gargantoíce, proezas gastronômicas, crápula (= desregramento em comer e beber), polifagia, incontinência gastronômica, gulapa (reg.);
fome canina/aplástica/devoradora/devorante/de lobo = aplestia = acoria = adefagia = bulimia (= aumento exagerado do apetite) = abdominia (desus.), rafa, aração (bras.), *intemperança* 954; alimento 298;
indigestão (= saturamento por excessos ao comer), empanzinamento, empachamento, empacho, empanturramento;
gastronomia; glutão, polífago, epicurista, regalão, gastrólatra, *gourmand*, abutre, papão, comilão, rapa, gargantão, comedor, alarve, lambão, gastrônomo, frieira, Apício, Pantagruel, viandeiro, galfarro, guleima (burl.), rapa-tacho(s), lambe-pratos, limpa-pratos, búzera (reg.), galdripanas (reg.), lambaceiro (reg.), lambeiro, lambujeiro, Gargântua, bernardo, moinho, guloso, pantófago, fossão, garganeiro, trabuzana; *bon-vivant*.
V. ser (glutão & *adj.*); devorar; ser (muito) bom garfo; ser (muito) boa boca;
comer com sofreguice/como um lobo/à tripa forra/até rebentar; (poder) comer um boi; desmandar-se no comer, fazer da barriga a divindade suprema, ser bestial no comer, comer desengaçadamente, desengaçar, ter bucho de ema, ter bom arnaz, dar com tudo no bucho, repimpar-se, encher-se, abarrotar-se, empanturrar-se; encher o bucho;
atabuar, empanturrar o estômago, empanzinar-se, atafulhar-se, ateigar-se, alambrazar-se, enlambujar, lambujar, lambarar, zampar, comiscar, ingurgitar-se;
comer até fartar-se/até saciar-se; satisfazer-se, embutir, impar, jejuar pelas almas das canastras.
Adj. glutão, guloso, alambazado, gargantão, comilaz, voraz ou vorace, sôfrego, glutônico, regalão, ávido, esfaimado, esganado, rafado, edaz ou edace, omnívoro ou onívoro,

ventripotente, gastronômico, poligástrico (fig.), pantagruélico, bem comido, devorante, trifauce (poét.), ventrícola, lambaz, lambão, lambareiro, lambujeiro, lambaraz, lambeiro, lambisqueiro, guloso como o imperador Vitélio, viandeiro, fominha, esfomeado, fossão, galfarro, trabuzana, garganeiro (reg.); abdomínico; ingluvioso, irreplegível, insaciável.

△ **958. Abstemia,** temperança, sobriedade, lei seca, lei de Volstead, enofobia, comedimento; alcoolofobia, hidrolatria; abstêmio, nazireu, enófobo, alcoolófobo, abstêmico, abstinente.
V. beber somente água, ficar a pão e água, desembebedar, desemborrachar, desembriagar, des (encachaçar 959).
Adj. sóbrio, enófobo, abstêmio, abstêmico, abstinente; lactífago; alcoolofóbico, alcoolófobo.

▽ **959. Embriaguez,** vinolência, ebriedade, intemperança, vinhaça, beberronia, bico (= leve ebriedade) = pilequinho, raposeira, taçada, bebedeira, trapizonda, bebedice, berzunda, canjica, porre, cachaceira, manguaça, bruega, ema (reg.), tertúlia (gír.), gateira, turca, tiorga (pop.), zangurriana, piela, perua, pifa, pifão, trabuzana (pop.), carraspana, carapanta ou carpanta (pop.), cardina (pop.), prego (pop.), marta (pop.), rasca (pop.), moafa, camoeca, piteira, cabeleira, pileque, fogo, beberricação, xumberga (reg.), lequéssia ou lequésia (reg.), temulência, borracheira, borrachice, aguardentia, tarraçada, alcoolismo, enomania dipsomania; *delirium tremens = delírio alcoólico*;
bacanal, orgia, farra, libação, olhos avinhados;
bebida branca/espirituosa/inebriante/de guerra; beberes, álcool, carrascão, vinho, *quod ore* (lat.) ou *quodore* (pop.), briol (pop.), aguardente, restilo, conhaque, vinhão, champanha ou champanhe, *prosecco*, espumante, pinga (bras.), parati, absinto, ponche, jeribita, minduba (bras.), cachaça (bras.) = abre-bondade = abre-coração = abrideira = abridora = ácido = água-benta = água-branca = água-bruta = água de briga = água de cana = água que passarinho não bebe = apaga-tristeza = amarelinha = aquela que matou o guarda = assovio de cobra = bagaceira = birinaite = birita = branca = branquinha = brande = briba = caiana = caianinha = cana = caninha = champanha da terra = cidrão = coco = coquinho = danada = danadinha = desmanchada = dona-branca = engasga-gato = esquenta-corpo = forra-peito = gaspa = gengibirra = goró = januária = jinjibirra = jura = jurupinga = lapinga = maçaranduba = malvada ou marvada = mamadeira = mangaba = mangabinha = maria-branca = meleira = minduba = pura = purinha = tafiá = uca, ratafia, caipirinha, caju-amigo, cajuína, jeropiga, calibrina, genebra, genebrada, marasquino, sícera, cidra, rum, uísque ou whisky, grogue, *bitter*, vermute, licor, licor báquico, coquetel, traçado, tari, marufo, vinhoca (dep.), água-pé, mata-ratos, cerveja 298; morraça, zurrapa, mijoca = bebida reles, vinhaça, sangria, poncheira, copo, garrafa;
bêbedo ou bêbado, sopão (chulo), beberrão, bebum, bebaço, bebedor, bebedor emérito, piteiro (pop.), biriteiro, cachaceiro, cachaça, caneado, ébrio, pinguço, pingueiro, sanguessuga, borracho, vinhote, esponja, funil, encarraspanado; etilista, alcoólatra, alcoólico, alcoolômano, alcoolomaníaco;
bacante, mênade (f.), devoto de Baco, baquista;
odre de vinho, decilitreiro, defunto de taverna, amigo da taça, goliardo, beberrico, beberrote, chupista, chupador, baiuqueiro; bar, botequim, bitaca, baiuca, bodega, taverna = locanda, chafarica, tasca, tendinha, tenda, boteco (pej. por vezes), venda, vendinha, birosca, aguardentaria, uisqueria, *pub*, libatório (ant.); copo, taça, enóforo (ant.), simpúvio (ant.).
V. estar (bêbedo & *adj.*); estar como um cacho/com a perua/com a pinga/de fogo/de pileque/de porre; tomar um porre/um pileque/umas e outras/umazinha/todas; estar no seu estado normal (irôn.); ser amigo da taça, ser uma esponja, não estar em estado de deliberar;
estar quente/alegre; estar pombinho (burl.)/ embriagado / pio (gír. ant.);
ter a língua grossa/a sua ponta de vinho/ dois grãos na asa;
estar entre as dez e as onze (pop.)/debaixo da mesa; embriagar-se, entornar, arrimar-se à parede, fazer bordos, bordejar, caminhar em zigue-zagues, estar pegando frangos, cambalear, ourar, andar à roda, beber, virar, libar, decilitrar, beberricar ou beberricar 298; afogar as penas em vinho, alcoo-

lizar-se, afogar-se em vinho, avinhar, embebedar, alcoolizar, encarrascar-se, molhar a palavra, demasiar-se em vinho, adegar; estontear, entontecer, fazer andar a cabeça à roda, assomar-se, xicarar-se, embebedar-se, inebriar-se, levar o seu grãozinho na asa, avinhar-se, emborrachar-se, encachaçar-se, encatrinar-se, dar em bêbedo; alegrar-se, subir o vinho ao cérebro/à cabeça, encharcar-se, encervejar-se, enchampanhar-se, enconhacar-se, envernizar-se, envinagrar-se, escorar-se, esquinar-se, toldar-se, bicar, chupar, roer, xumbergar, diluir-se em vinho;
desmandar-se/descomedir-se no beber; enfrascar-se em genebra, intoxicar-se.
Adj. bêbedo, embriagado, fumado, alto, tonto, encarraspanado, chumbado, chumbeado, melado, aguardentoso, aguardentado, aguardenteiro, onibebedor, canjicado (pop.), temulento, avinhado, chupista (port.), avinagrado, assombrado, pregado (reg.), tocado de pinga, ferido de asa, entrado de vinho; assomado, encachaçado, tocadete, tocado de vinho; ebrifestante, ebrissaltante, ebrifestivo, pingueiro, ébrio, vinolento, zarro, mal-avinhado, envernizado, sopão, beberraz, piteireiro, borracho, caneco, enófilo, xumbregado, ebrioso, dado a;
bêbedo como uma sopa/como um lorde/como Cloe; bêbado como um gambá; inebriante, capitoso, enântico, vinário, víneo, vináceo, vinháceo.
Adv. aos bordos, cambaleando ou caindo de bêbedo.
Frase: *Vini capacissimus est* = ninguém o vence na bebida.

△ **960. Pureza,** honestidade, angelitude, inocência, recato, candidez, candor (poét.), candura, castidade, virgindade, limpeza, limpidez, donzelice, virtude, decoro, decência, honra, resguardo, pudicícia, sentimento instintivo de recato, pudor, modéstia, simpleza, simplicidade, pudor virginal, celibato, celibatarismo, melindre, pejo, vergonha, coroa virginal, continência, recolhimento, singeleza, *pucelage*, platonismo; transparência, temperança, respeitabilidade;
vestal, nazarita, virgem, pucela, moça, donzela, menina, senhorita, imaculada, cabaçuda (bras., chulo), Virgem Maria, José (hebreu no Egito, não se deixou seduzir pela mulher de Putifar), Hipólito (filho do rei Teseu e da rainha das amazonas, Hipólita, cuja madrasta, rainha Fedra, tentou inutilmente seduzí-lo), Lucrécia (Bórgia = que ficou dois anos casada sem consumar o ato carnal; e sobre a qual, porém, pesaria mais tarde acusação de incesto), Diana (na mitologia romana [na grega Ártemis] a deusa da caça, bastante zelosa de sua virgindade); misoginia, palmito, hímen, *virgo*, cabaço (bras., chulo).
V. ser (inocente & *adj.*); manter-se imaculado, ser celibatário, mortificar os apetites, desconhecer os acúleos da carne.
Adj. donzel, puro, intato, cândido, casto, celibatário, recatado, pudendo, pudente, pudibundo, pudico, honesto, inocente, insonte, virginal, virgíneo, indesvirginado, vestal, decoroso, decente, digno, continente, virtuoso, honrado, platônico, columbino, angélico, angelical, infantil, branco, alvo, imaculado, inviolado, incontaminado, isento de malícia, límpido, *virginibus puerisque*, dessexuado ou assexuado, novato, simples, ingênuo, inexperiente, cabaçudo (bras., chulo).

▽ **961. Impureza,** [A inclusão de vários conceitos abaixo no âmbito de 'impureza' deve-se mais a certas tradições comportamentais, religiosas e éticas do que a critérios objetivos, contemporâneos, e pode ser considerada em muitos casos preconceituosa.] impuridade, imundície 653; impudicícia, indecoro, indecência, salacidade, obscenidade, cenosidade, pacholice, despudor, impudor, desonestidade, desenvoltura, carnalidade, lubricidade, sensualidade, sensualidade imoderada, lascívia, luxúria, carne, desejo, filoginia, voluptade, voluptuosidade, soltura, tripúdio; libertinagem, libidinagem, podridão, devassidão, torpeza, crápula, bilontragem, licenciosidade, frascaria, desregramento, dissolução de costumes, depravação, corrupção, pecado, pouca-vergonha, paixões carnais, *carnis desideria* = apetite venéreo, concupiscência, desejos impuros, ereção, priapismo, eretismo; *faux pas*, passo errado = mau passo, escorregão, amor incestuoso, incesto, fornicação, mércia, coito = afrodisianismo, cópula, ligação sexual, concúbito, ajuntamento carnal;
defloramento, desfloração, desflorecimento, vergonhaça, sedução, transvio, desonra, vergonha, desvirginamento; estupro; poluição, conspurcação, ultraje ao pudor, abuso, rapto, amor livre, prostituição, má

vida, a vida de amor livre, fado (pop.), vida de bordel, degradação, meretrício;
heterismo, amor entre iguais, fanchonismo = pederastia, sodomia, uranismo = homossexualidade, inversão sexual, tribadismo, onanismo, masoquismo, sadomasoquismo, esbórnia, suruba;
amor sáfico/lésbio/lésbico, pederasta, bicha (depr.), veado (depr.), boiola (depr.), *gay*, fanchona (depr.), lésbica, paraíba (depr.), cafetão, gigolô, caf(e)tina;
adultério, infidelidade conjugal, *ménage à trois*, corno, chavelho, chifre, concubinato, concubinagem, amigação, amiganço, contubérnio, amizade (colorida), mancebia, mangalaça, amancebamento, barreguice, amizade ilícita;
harém, bordel, covil 530; alcoceifa (ant.), farra (bras.);
covil, antro de sensualidade; alcoice, prostíbulo, lupanar, calógio, bramadeiro, lodaçal, sentina, pandemônio, *rendez-vous* (bras.), casa de passe, casa da tia, puteiro (chulo), serralho (fig.), pornografia, pornografismo;
obscenidade, ditos obscenos, fesceninas, bocagem, turpilóquio, pacholice, pachochada ou pachouchada, palavrão, palavrada;
asneira, asneirola, asnada;
dicélias (ant.), dança lasciva, fofa; quimbete (bras.), batuque, chica, xiba, cancã, sarabanda (ant.), maxixe; orgia, chegança (ant.), bacanal;
partes pudendas, órgãos genitais, regiões baixas, região púbica, encasamento;
cio, berra, brama, lua (pop.), aluamento (animais);
ninfomania, uteromania, furor uterino = erotomania = andromania = metromania = histeromania, satiríase, sadismo, lenocínio; alcovitaria, alcovitice, alcoviteirice, proxenetismo;
afrodisiografia: descrição dos prazeres do amor, kama sutra.
V. ser (devasso & *adj.*); praticar atos luxuriosos = *voluptatibus deditum esse*, luxuriar, meter a alma no inferno, pecar, pecaminar, praticar atos contrários à virtude, marafonear, arreitar (chulo), excitar apetites venéreos em, frangalhotear, dar um amasso, sarrar(-se), estimular sensualmente;
estar (desvirginada & *adj.*); ser oferecida à lubricidade de, debochar (gal.), devassar, prostituir, conspurcar, corromper, impurificar, deflorar, descabaçar (pop.), molestar, rouçar = violentar, desonestar, bolinar, fazer perder a candura, desvirgar, desvirginar, violar, estuprar, fandigar (reg.), aforciar (ant.), forçar;
ultrajar, atentar contra o pudor; abusar de, desflorar, desonrar, macular, seduzir, transviar, extraviar, desencaminhar, amarrar o pano (afric.), quebrar os pontos a uma donzela, poluir, salpicar de infâmia e de lama, manchar, incestar, amancebar-se, contubernar-se, amasiar-se, amigar-se, abarregar-se, ter comércio com, ter amante teúda e manteúda, ter seu arranjo (pop.) = viver em mancebia, ter cópula carnal com, ter relações ilícitas com, ter coito, ter dares e tomares com alguém, conhecer carnalmente uma mulher, quilhar, copular, fazer sexo/ amor, transar (gír.), comer (chulo), afogar o ganso (chulo), molhar o biscoito (chulo), trepar (chulo), bater palhada (bras./ant.), chupar, prostituir-se, lançar-se na devassidão, conhecer;
descomedir-se, desregrar-se 945; escancarar a honra, prevaricar, masturbar, pecaminar consigo mesmo, bater ou tocar punheta (chulo), prestar-se a vícios torpes contra a natureza, cometer adultério, levar a desonra ao lar de alguém, pôr os cornos a alguém, cornear, acornear, fazer os fusos tortos (burl.), minotaurizar, incestar, amariscar; amulherar-se, amulherengar-se, ter a perversão do (uranismo & *subst.*); ser (desbocado & *adj.*); não ter a língua limpa, profanar ouvidos castos, soltar a língua, desbocar-se, dizer obscenidades, falar palavrão, deslinguar-se, alcovar, alcovitar;
servir de alcofa/de alcoviteiro/de pau de cabeleira, inculcar para a prostituição, estimular sensualmente, andar com o cio, andar na berra, estar no (período do) cio (animais).
Adj. pornográfico, erótico, impuro, salaz, cenoso, imundo 653; desvergonhado ou desavergonhado, incasto, impudico, brejeiro, imodesto, desonesto, indecente, indecoroso, despudorado, irreverente, destabocado, desenvolto, deslinguado, desbocado, destravado, malsoante, grosseiro, livre, solto, equívoco, obsceno, vergonhoso, imoral, antimoral, malicioso, chulo;
pecaminoso, repelente, repulsivo, apimentado, amatório, cúpido, fescenino, improferível, provocante, afrodisíaco, picante = salgado, concupiscente, concupiscível, intemperante, dissoluto, frascário, azevieiro,

licencioso, lúbrico, libertino, marafoneiro, pático, vulgívago, bordeleiro, frangalhoteiro, femeeiro, atiradiço, libidinoso, sensual, heterista, incestuoso, crapuloso, fresco, venéreo, voluptuoso, safado, sem-vergonha, imorigerado, luxurioso, lascivo, molito, depravado, sórdido, torpe, venerário, cenagoso, devasso, degenerado, desgarrado, dissipado, bandalho, corrompido, pervertido, podre, hediondo, corruto ou corrupto;
de costumes lassos/livres; alcovitado = oferecido à prostituição;
descomedido, impudente, escandaloso, descarado, cínico, incontinente, bestial, debochado (gal.), amazelado, amazelento, asqueroso, porco, latrinário, prostibulário, sujo, perdido, reperdido, de virtude fácil, magano, seduzível, maculável, lasso, desordenado, relasso = duas vezes lasso, dissoluto, relaxado (fig.);
contrário à moral e aos bons costumes, mau, ignóbil (*ausência de virtude*) 945; adúltero, incestuoso, sodômico, pederasta, fanchone, reverso, aluado (referindo-se aos animais), da mais baixa espécie, femeeiro, atiradiço, efeminado, mulherengo, amulherado, amulherengado, alfenado; *proclivis ad libidinem* = dado à lascívia; *procax moribus* = de costumes libidinosos.

962. Libertino, pornógrafo, voluptuário, cevão (fig./pej.), prostibulário, putanheiro (pop.), azevieiro, debochado, dissoluto, sedutor, prostituidor, lodaçal = imoral, erotômano, sátiro, pecador, pecadoraço, luxurioso, libidinoso, devasso, impudico, sultão, maricas, marafoneiro, mulherigo, alcovista, femeeiro, frangalhoteiro, bilontra (bras.), meco (gír.); garanhão, ricardão (bras.), pachola, meliante, damo, zornão (injurioso), conquistador, sedutor, rufião, adúltero;
Lotário, D. João ou D. Juan, Barba-Azul, Casanova, barregão, barregueiro, amante, um libidinoso vulgar, um imoral, um sátiro da mais baixa espécie, macho, bordeleiro, fadista, maninelo, cornisolo, cuco (lus.) = corno, predestinado (burl.), cabrão (pop.), minotauro;
adúltera, prevaricadora, cortesã, cocote, traviata, prostituta, cabra, troquilheira, fêmea, mulher de rebuço, decaída, meretriz, meretrícula, biscate, biscateira, rameira, puta (chulo), quenga, perdida, bruaca, ambulatriz (ant.), ervoeira (ant.), mulherzinha, catraia, alcouceira, culatrona ou culatrão (Minho), desgraçada, bandarra, infeliz, zabaneira, cabaneira, bêbeda, mulher impudica, pinoia, magana, croia, cantoneira (ant.), coldre, tolerada, ráscoa, bagaxa, rascoeira, bacalhau, calhandreira, arruadeira, marafona, moça de fortuna, hetera, hierodula;
mulher corrida/rodada/corriqueira/da vida/da zona/de má nota/da rua/do mundo/pública/perdida/de vida fácil; cocote, samarrão, tipa, mulher de costumes fáceis, pega, tipoia, má vida, chula (Espanha), cabriola, manola, malandra, couro, marmita (gír.), perra, cadela, courão, canhão, bacante, mulher-dama, michela, mundana, mariposa (bras.), borboleta (Lisboa), galdéria (lus.), mulher do povo, amante, barregã, rapariga (bras. N.E.), amásia, comborça, manceba, concubina, concubinário, amante teúda e manteúda, dicteríade;
Jezabel, Messalina, Dalila, Taís, Frineia, Aspásia, gueixa (japonesa), louraça, adúltera, poliandra, femeaço (lus.);
meretrício, gente perdida, alcoviteiro, cabrestos (pl.), turgimão, lena (f.), proxeneta, adela, alcaitote, alcaiota, caftina ou cafetina (bras.), corretora de amores, cafetão (bras.) ou cáften, achegador, achegadeira, alcoveto, alcoveta, cuvilheira, alcagueta (bras.), alcoviteira, madame, inculcadeira, intervenideira;
masoquista, sadomasoquista, pederasta, fanchono (pop.), sodomista, sodomita, uranista, fressureira (chulo), tríbade.
Adj. alcoviteiro, proxenético.

5º) Instituições

△ **963. Legalidade,** legitimidade, constitucionalidade, avença com a lei, constitucionalismo, guarda e observância das leis, legislatura, código, *corpus juris*, constituição, pacto federal;
lei fundamental orgânica; pacto fundamental, a lei das leis, lei magna/maior/básica/fundamental, o texto e o espírito constitucional, *lex legum*, pandecta, carta, estatutos, as boas normas legais, instituições, decreto, decreto-lei, cânon, preceito 697; postura, ordenança, regulamento, regimento, portaria (*ordem*) 741; ordenação, plebiscito (*escolha*) 607; processo, forma processual, autos, justificação, habilitação, formalidade, rito, fórmula;

braço/espada da lei; *hábeas-corpus*, promulgação, referenda, legalização, matéria de receber;
(ciência do direito): jurisprudência, hermenêutica, nomologia, nomografia, romanismo, ciência das leis, legislação, codificação, orfanologia, constitucionalização, regulamentação, equidade; lei comum/natural/política, marcial/civil/criminal/militar/moral/da guerra; *lex scripta*, *lex non scripta*, lei das nações, direito internacional, lei das gentes = *fas gentium*, *jus gentium*; etnodiceia, direito natural, *jus civile*; direito civil/canônico/eclesiástico; *lex mercatoria*, vigência *fas et jura* = as leis divinas e humanas;
lei absoluta/substantiva/material/adjetiva/formal/processual/pessoal/administrativa/coativa;
lei orgânica; lei de meios/orçamentária;
lei do ventre livre/dos sexagenários/Áurea/Afonso Arinos/Maria da Penha/lei do inquilinato;
lei ordinária/complementar; lei de contravenções penais;
direito constitucional/penal/civil; ação/causa cível;
direito objetivo/adjetivo/substantivo/administrativo/aéreo/agrário/assistencial/previdenciário/cambial/cambiário/comercial/consuetudinário/costumeiro/do trabalho/econômico/espacial/positivo/predial/tributário/urbanístico;
direitos humanos/civis/conexos/políticos/a alimentos/adquirido/autoral/de greve/de imagem/de resposta/de sangue/intelectual/personalíssimo/público subjetivo/subjetivo; direito romano;
(Poder) Executivo, presidente; (Poder) Legislativo, Congresso, Senado, Câmara dos Deputados; legislador; (Poder) Judiciário; Supremo (Tribunal Federal), ministro do Supremo Tribunal Federal; desembargador, juiz, oficial de justiça;
contrato, acordo, regulamento, petição, requerimento, pré-contrato;
V. legislar; fazer/decretar/estabelecer leis; baixar, promulgar, fazer a promulgação de, constitucionalizar, codificar, reunir em código, fazer a codificação de, regulamentar, regularizar, asselar, validar, autenticar, referendar, rubricar, sancionar, selar, formular, legitimar, desbastardar, vigorar, viger, estar em execução, reger; ter vigor, estar em vigor, estar de pé, ter autoridade, desembargar, legalizar; fazer cumprir um contrato;
não estar prescrito/ab-rogado; ser legal, fundar-se no direito e na razão, não procurar outro broquel senão o que a lei oferece (ant.), viver à sombra da lei; *colegere leges* = observar as leis.
Adj. legal, legítimo, lídimo, devido, jurídico, conforme à ciência do direito, válido, justo, lícito, permitido, consentido, permissível, constitucional, articulado em texto expresso, regulamentar, regulamentário, legislativo, legislatório, legislável, nomotético, habilitado, autenticado, legalizado, legitimado, competente, vigente, orfanológico, que vige, que rege, cível.
Adv. legalmente & *adj.*; em direito, em bom direito, aos olhos da lei, perante a lei, *de jure*, em forma, em devida forma, em conformidade com a lei, curialmente, segundo as prescrições do direito.
FRASES: As leis não são boas porque se mandam, senão porque bem se guardam. Todos são iguais perante a lei.

▽ **964.** (Ausência ou violação da lei) **Ilegalidade;** violação/postergação da lei; *desprezo* 930; *desrespeito* 929; *desobediência* 742; desmando, *inobservância* 773; anormalidade, força bruta, a sublimidade prática da força, a arrogância da força, uma enormidade de ordem jurídica;
a conspurcação de princípios/de disposições legais; monstruosidade 83; arbitrariedade, prepotência, violência, pressão, despotismo, opressão 739; presúria;
lei marcial/do mais forte/de Lynch; atentado, golpe de estado, *argumentum baculinum* = *convencimento a pancada*, razões de marmelo, virga férrea, sacrifício das formas legais, imperfeições da técnica jurídica, ilegitimidade, contrabando, tráfico, sequestro, crime hediondo, latrocínio, homicídio, estupro, roubo, furto, estelionato, crime de colarinho-branco, corrupção, contravenção, fraude, mércia, simonia, coroça; acanonista.
V. ofender, violar, infringir, quebrantar, desrespeitar, desprezar, defraudar, calcar aos pés, tripudiar sobre a lei = *committere in legem*; contravir, fazer letra morta da lei, despir-se na rua de todas as leis, transgredir, desobedecer 742; *desrespeitar* 929; não observar 773; desmandar-se, exorbitar, aborbitar,

965. Jurisdição | 968. Advogado

exceder-se, passar das marcas, descomedir--se 954; abusar; rescindir;
praticar excessos/abusos; forçar a espada da justiça, satisfazer-se com as próprias mãos, arvorar-se, proclamar-se, exorbitar de sua competência, aberrar de sua esfera de ação, levar tudo a fio de espada, reincidir na transgressão, ser (ilegal & *adj.*); não ter as condições legais, contrabandear.
Adj. ilegal, extralegal, inconcessível, *proibido* 761; ilegítimo, ilídimo, disparatado, indevido, *absurdo* 497; ilícito = inconcesso, coimável, intruso, irregular, antirregulamentar, extrarregulamentar, extrajudicial, extrajudiciário, inconstitucional, anticonstitucional, atentatório da lei, contrário à lei, contraventor, contraveniente, quebrantador, abusivo, despótico, sumário, discricionário, arbitrário, caprichoso, nulo, sem efeito legal, casso, írrito, letra morta, inválido, perempto, circunduto, acanônico; fraudulento.
Adv. ilegalmente & *adj.*; *manu militari* = *por força das armas*, à cabralina, à ponta de espada, violentamente, com emprego de violência, com preterição das formalidades legais, à valentona, à força, à viva força, discricionariamente, sumariamente, de plano, de contrabando = entrelopo.
Frases: *Hoc volo, sic jubeo, sit pro ratione voluntas* = *quero-o, ordeno-o, que a minha vontade substitua a razão* (*Juvenal*).

965. Jurisdição, judicatura, administração da justiça, magistratura (*autoridade*) 737; poder de administrar a justiça, executivo, judiciário, comarca, polícia, foro, alcaidaria, castelaria, meirinhado, pretoria, julgado, catualia, oficial, *juiz* 967; *tribunal* 966; municipalidade, corporação, concelho, posta, bailiado, xerifado, intendente, catual, condestável, juiz de paz, bailio, alcaide, castelão, meirinho, sargente (ant.), oficial de justiça, citote (ant.), galfarro, beleguim, malsim, bufo, galopim, policial, rondador, esbirro, quadrilheiro, naique, alguazil, lictor, guarda-civil, maceiro, bedel, guarda--menor, guarda-mor, recrutador, cobrador de sisas, siseiro, arqueador, coletor 785; empregado do fisco, guarda aduaneiro/da alfândega, guarda-barreira, alfandegueiro;
edil, vereador, *posse comitatus*.
V. julgar, presidir um julgamento 480.
Adj. executivo, administrativo, municipal, causídico, forense, judicativo, judicatório, jurídico, inquisitório, inquisitorial.

966. Tribunal, tribuneca (dep.), judicatura, juízo, pretório;
santuário das leis/da justiça;
tribunal de justiça/da relação/do júri = plenário; casa da suplicação, corte de apelação, Suprema Corte, tribunal de contas, almotaçaria (ant.), barra do tribunal, foro/*fórum*, auditoria, dicastéria, divã, areópago, sanedrim/sinédrio, municipalidade, edilidade, chancelaria, vereação, tribunal marcial, conselho de guerra, santo ofício, inquisição = queima (pop.), penitenciária, cúria, rota, dataria, názer (Pérsia), tribunocracia, calcídica, tribunato.

967. Juiz, homem da lei, prolator de sentença, aplicador da lei, julgador, magistrado, ministro, ministraço (dep.), chanceler; sobrejuiz; juiz ordinário/eleito/da relação/ *ad quo*; árbitro, desembargador, ouvidor, louvado, jurado, perito, juiz de fato, assessor, assistente, arbitrador, *referee*, referendário, padrinho (de duelo), testemunha, censor (crítico) 480;
auditor, preboste, questor, pretor, burgomestre;
juiz pedâneo/da vintena/de paz = avindor (ant.); mandarim, conchalim, conchacil, corregedor de comarca, *shofet* (hebraico), revisor, podestade, ulemá(s), arconte, tribuno, epíscopo, síndico, éfeta, undecênviro, (cinco) éforo(s), cádi, tesmóteta = guardião da lei, areopagita, sufete (Cartago), bailio, edil, mufti, agorânomo, agorácrito, agorarca, corregedor.
V. decretar, decidir, adjudicar, julgar 480; relatar, processar uma causa, inspirar confiança de imparcialidade, administrar justiça, exercer a magistratura judicial, deprecar, sentenciar, estabelecer.
Adj. edilício, judicial 965; magistrático, togado.

968. Advogado, publicista, mestre eminente do direito, jurista, luminar da jurisprudência, jurisconsulto, doutor, reinícola, legista, legisperito, jurisperito, civilista, tratadista de direito civil, causídico, homem de leis, alfaqui, constitucionalista, conselheiro;
procurador-geral do Estado/da República; procurador, vozeiro (pop.), procurador fiscal;
patrono, patrocinador, defensor, protetor, intercessor, assertor, padroeiro, mediador, medianeiro, solicitador, rábula, rabulão, ra-

bulista, leguleio, legulejo, chicaneiro, chicanista, pegas (fam.), notário, escrivão, escriba (dep.);
tabelião, protonotário.
V. advogar, atuar como advogado, defender (uma causa, um réu), chicanar, procurar, solicitar, patrocinar, rabular, tabeliar.
Adj. judicial & 965; forense.

969. Demanda, upanda (Angola), litígio, questão forense, pleito, milando (África port.), controvérsia judicial, contenção, reconvenção, ação, causa, disputa 713; pendência, citação, agravo, recurso, apelação, aprazamento, contestação, notificação, compelação, interpelação, assinação de prazo, processo;
ação judicial, procedimento, intimação, chegança, chegamento (ant.), contrafé, autos, demandista, demandante, demandado, litigante 938; contendor, suplicante, contendente, suplicado, autor, exequente, executado, recorrente, recorrido.
V. demandar, pleitear, litigar; armar/mover uma demanda; reconvir; intentar/propor uma ação; vir a juízo com alguém, estar em juízo com alguém, demandar em juízo = justiçar, ser parte a alguém em juízo, acionar, ajuizar uma demanda, ter a sua demanda ajuizada, chamar à autoria, pleitar, contender;
aparecer/propor em juízo; citar, significar, intimar, interpelar, notificar, embargar, arrestar, pronunciar, indiciar, processar;
instaurar, intentar um processo; proceder contra, meter em processo, assistir num processo, ser (processado & *adj.*); cair nas mãos da justiça, cair nas malhas do processo.
Adj. litigioso, contencioso, demandista, contendor, inclinado aos pleitos, *coram judice, sub judice*, citatório, reconvindo; litigável, contestável em juízo;
processado, implicado em processo.
Adv. pendente lite, contenciosamente.
FRASE: *Adhuc sub judice lis est* = o acordo ainda não foi alcançado = a questão está sub judice.

△ **970. Absolvição,** absolvimento, exculpação, escusação, descargo, absolução (ant.), justificação, sentença absolvitória, baixa na culpa, reabilitação, resgate, impronúncia, despronúncia, bil de indenidade, relevamento ou perdão da culpa, trégua, perdão 918; mandado sobrestatório, impunidade, passa-culpas.

V. absolver, relevar da culpa imputada, descriminar, escusar, resgatar, remir, redimir, isentar;
levantar o labéu/a pecha; eliminar o nome de alguém do rol dos culpados, dar por provadas todas as circunstâncias atenuantes, impronunciar, despronunciar, justificar, lavar, escoimar, desligar, perdoar 918; desindiciar, reabilitar, desinfamar, desculpar, declarar livre de culpa, ser (absolvido & *adj.*); desonerar-se de culpa, ser posto em liberdade 750; livrar-se, provar sua inocência.
Adj. absolvido, inocentado, absolto, absolutório, sobrestatório, impune, impunido, inulto, *inocente* 946; incastigado, incondenado, incondenável.
FRASE: *Vade in pace* = *vai em paz (fig.).*

▽ **971. Condenação,** sentença condenatória, veredito, punição, fulminação, pena, prisão, reato (p. us.), culpa 947; réu, acusado, padecente, paciente, precito, condenado, criminoso, indiciado, culpado, vítima.
V. condenar, declarar culpado, declarar incurso em pena, sentenciar, lavrar a sentença condenatória, mandar incluir no rol dos culpados, indiciar, fulminar, *punir* 972; proscrever, sequestrar, confiscar, anovear, desaprovar 932; *acusar* 938.
Adj. condenado, condenatório, fulminatório (fig.), fulminífero (fig.), precito, culpado 947; incurso.
FRASE: *Mutato nomine de te fabula narratur* = com outro nome a fábula [anedota] fala de ti (Horácio; Sátiras)

972. Punição, castigo, ensino, ensinadela, correção, emenda, lição, lembrete, preço, escarmenta, escarmento, corretivo, (punição física/moral) chegadela, sova, surra, coça; (punição moral) repreenda, repreensão, admoestação, advertência, bronca, carraspana, chamada, dura, escovadela;
a justiça humana/divina; folia, flagelo, a ira do Senhor, os flagelos da ira celeste, o gládio do Senhor, disciplina, irrogação, inflição, processo, cominação, imposição de penas, penalidade 974; excomunhão; retribuição, desforra, raio;
Nemésio, justiça retributiva, cautério, açoite, cadafalso (*instrumento de punição*) 975; prisão 751, penitenciária; degredo, exílio, ablegação, banimento, desterro, desterramento, expulsão, demissão, exoneração, exonera-

ção a bem do serviço público, exautoração, desautoração, trabalhos forçados, galés 974; servidão penal, detrusão, exposição pública; flagelação, fustigação, manopla, estrapada, *bastinado, argumentum baculinum* = convencimento a pancada, palmada, coque, chapeleta, puxão de orelhas, biqueirada, pontapé, pontoada, bolacha, bolachada, latada, cachação, coscorrão, sopapo, pescoção, cascudo, bochechada, bochechão, bochecha, sundeque, tapa-olhos, tapa, tapa-boca, soquete, bofete, bofetão, tabefe, lostra (pop.), estampilha (pop.), estalo, data de bofetões; bordoada, asas de pau, relhada, azorragada, pancada, pranchada, sova, tunda, verdascada, lambada, lategada, muxinga, lançaço, espadeirada, pancadaria, calamocada, paulada, cachamorrada, mocada, cacheirada, golpada (pop.), sapatada, chinelada;
pancada de criar bichos, sova de pauladas, porretada, grossa pancadaria = pola, maçada, maçadura, trochada, carolo, cacholeta, moedela, surra, pisa, malha (pop.), coça, sapeca (bras.);
zurzidela, varada, varancada, tareia, tosa, sacudidela, chibatada, vergalhada, chicotada, azorragada, tagantada, cosqueadura, uma descarga de pau, murro, soco, soquete, punhada, palmatoada;
coup de grâce = *golpe de misericórdia*, tiro de misericórdia, golpe mortal;
demissão, suspensão, repreensão, remoção, multa, tortura, suplício, crurifrágio, tormento, acanaveadura, tornilho, dragonada; pena capital, saioria, linchamento, execução, forca, enforcamento, desmandibulação, decapitação, descabeçamento, degolação, garrote, crucificação, estrapada, empalação, martírio, auto de fé, afogamento, haraquiri, cadeira elétrica, câmara de gás, injeção letal, fuzilamento, execução militar, tormento do lagar, esburga-pernas; pôr no micro-ondas (gír. de bandido).
V. punir, castigar, justiçar, corrigir, exemplar = fazer exemplo em;
infligir/irrogar/impor castigo; ferir, dar uma lição, apenar, acoimar, fazer justiça, fulminar, perseguir, escarmentar, ensinar, bater 276, torturar; varejar, flagelar, vapular, lanhar, açoitar, verberar, atagantar, fustigar, pranchear, zurzir, azorragar, zupar, alombar, deslombar, zimbrar, estafar de pancadas, mover com pancadas, palmatoar, espadeirar, ou espaldeirar, soquear;

surrar, vergastar, afagar (irôn.), rebenquear, bater, cosquear, espancar, acajadar, avergoar, maçar, sovar, dar uma tunda, agredir, agredir a (chicotes & 975); rachar com açoites, ir aos foles a alguém, acabar com a raça, tosar, tarear, verdascar, vergalhar, chicotear, zagunchar, chibatar, tangantar, tangantear, carmear; alacranar a carne, apalpar as costelas, bater às desmortes = bater até/para matar, abordoar, derrear, esquadrilhar, desquadrilhar, desqueixar, descadeirar, desancar, passar a mão no pelo de, ir-lhe aos untos; ir à figura/ao pelo/ao físico de alguém; moer os ossos a alguém, pôr a alguém as costelas em molho, deixar alguém bem penteado, sacudir o pé a alguém, pôr as uvas em pisa a alguém, medir as costelas a alguém, pôr alguém em lençóis de vinho, assentar as costuras a alguém, chegar a alguém a roupa ao corpo;
ir ao galinheiro a alguém (fig. e chulo), tocar a pavana a alguém, ter a mão leve, ir às costas de alguém, rachar de pancadas, dar uma estafa de pancadas em alguém, regalar com pancadas, tirar o pelo a alguém, malhar, escalar com açoites, garotear o couro a alguém, desasar, fazer vergões, atiçar, coçar, aporrear, aporretar, debrear, cosquear, esmurrar, esbofetear, colafizar, soquetear; pespegar/impingir/aplicar um soco/um murro/uma bofetada; brindar alguém com uma estafa de chicotadas, dar um bofetão, apunhar, assentar/desandar com uma bofetada, pôr a alguém os cinco dedos na cara, saltar aos queixos de alguém, assentar a alguém na cara os cinco mandamentos, recompensar alguém da insolência com uma bofetada, encher a cara com bofetadas, amarrotar alguém os queixos a alguém; apedrejar, lapidar, apedrar, golpear;
supliciar, decimar, dezimar, exterminar, quintar, executar, levar ao cadafalso, empicotar, condenar à calceta 971; eletrocutar, gaseificar, aplicar a Solução Final, enforcar, colgar, laçar, guilhotinar, descabeçar, decapitar, degolar 361; esquartejar, espostejar, escarnificar, fuzilar, passar pelas armas, espingardear, arcabuzar, empalar, linchar, apuar, aspar, polear, sambenitar, ensambenitar, dar tratos de polé, melar, garrotar, encarochar, crucificar, dessagrar;
suspender de ordens, degradar das ordens sacras, exautorar, desautorar, fulminar excomunhão, acapitular, excomungar;

salgar o terreno (para que fique maldito e estéril); banir, pronunciar, condenar, encartar (ant.), exilar, desterrar, degradar ou degredar, ablegar, expatriar, proscrever, expulsar, expelir de sua face;
pôr no andar da rua/no ar; despedir, demitir, exonerar, despojar, multar 974; remoer, suspender, transferir, ser (castigado & *adj.*); sofrer castigo, vestir a alva dos condenados, subir ao patíbulo, ir à forca, estar no potro, estar a pão e laranja, levar sua conta, levar uma amoladela mestra, chuchar um murro;
cumprir pena, levar a pena/boa paga para o seu tabaco; pagar caro/as favas, expiar na prisão sua falta, apanhar grande lição, amolar-se com dez mil-réis de multa, apanhar muita castanha, levar nos bitáculos (ant. pop.).
Adj. punido & *v.*; punidor, punitivo, punitório, pingado (ant.) = supliciado, corretório, corretivo, correcional, penal, cominatório, cominativo, admonitório, punível, corrigível, passível de punição, peadouro (ant.).
Adv. em desforra de, para exemplo e escarmento.
Interj. apanha!, trape!, catatraz!, sirva-te isso de lição!, há de sair-lhe dos lombos!, nunca as mãos te doam!, tumba catumba! dane-se!.
Frases: *Pede pœna claudo. Cape premia facti = recebe castigo de teu crime.*

△ **973. Recompensa,** preço, juro, interesse, remuneração, retribuição, bolo, prêmio, galardão, dignação, concessão, mercê;
lucro, rendimento, dividendo;
paga, sobrepaga, salário, pagamento, indenização, indenidade, compensação, reparação, desagravo, reconhecimento, salvádego, gorjeta (*dádiva*) 784; peita; prato de lentilhas, resgate, carceragem, *solatium = compensação,* retorno, *quid pro quo = isto em vez disto,* safra;
soldo, soldada, féria, jorna (pop.), jornal, estipêndio 809; honorários, dotação, ordenados, vencimentos, subsídio, mineral, diária, emolumentos, sabidos, percalços, bônus, saionízio (ant.), custas, espórtula, pé de altar, benesse, caravela, luvas;
imposto, dízima, quinto, aluguel, comissão, tença, escote, gratificação, maquia;
coroa de louros, louro 877; *accessit = distinção escolar concedida àquele que mais se aproximou do nível exigido à conquista de um prêmio,* láurea, acesso, promoção, achádego (ant.), alvíssaras, louvor, elogio, menção honrosa, notas distintas, banco de honra, abelha de ouro.
V. recompensar, fazer mercê, dignar-se, galardoar, remunerar, engrinaldar, premiar, compensar, indenizar, gratificar, assalariar, estipendiar, assoldadar, reconhecer os serviços de alguém, pagar de contado, prendar, reparar, desagravar, ressarcir, retribuir, resgatar, laurear, conceder menção honrosa, honorificar, condecorar, agraciar, promover, conceder, *dar* 784; ser (recompensado & *adj.*); colher os frutos de, não ser esquecido, receber a recompensa, obter.
Adj. remunerador, remunerado & *v.*; remuneratório, remunerativo, compensador, compensativo, compensatório, galardoador, confortador, reparador, reparatório; lucrativo, rendoso.
Adv. remuneradoramente & *adj.*; em paga, em retribuição de.
Frases: Sua alma, sua palma. A um favor, mil favores. A um piparote, chicote.

▽ **974. Penalidade,** castigo 972; sanção, pena, *peine dure et forte,* penitência (*expiação*) 952; corregimento (ant.), multa, coima, emenda, testação (ant.), enxeco, confiscação, apreensão, sequestro, encouto, empate, confisco, multas menores, *premunire,* carceragem, comisso, fogo lento, suplícios eternos, galés, trabalhos forçados 972;
condenação, penalização, corretivo; tortura, martírio, flagelo, mortificação, sevícia, suplício, extermínio, Holocausto, genocídio, limpeza étnica;
carrasco, torturador, algoz, genocida.
V. multar, impor, infligir, irrogar, acoimar, encoimar, coimar, enxecar, encomissar, sequestrar, apreender, confiscar, encoutar, despremiar, ser (multado & *adj.*); pagar a multa; ser preso/encarcerado;
cair/incidir/incorrer em comisso; sofrer as consequências de.
penalizar, castigar, impor pena/castigo, supliciar, martirizar, torturar, seviciar, flagelar, exterminar, dizimar.
Adj. incurso, multado & *v.* penal.
Adv. sob pena de, incorrendo na pena.

975. (Instrumento de punição) **Azorrague** = zeribando, açoite, estafim (ant.), chambrié,

manopla, habena, látego, rabicho de um cabo, chabuco (ant.), chicote, tagante, rebenque, flagelo, taca, chiqueirá, verdasca, vergalho, vergasta, guasca, correia, rabo de tatu, vara, pau, pau de arara, chibata, casca de vaca, rodício, roseta, vergueiro, instrumento de suplício, rebém, arrebém, relho, zaguncho, cambau, manguá, pingalim, piraí, bacalhau (bras.), ligeira (bras.), cipó; escarpes, grelha, cruz, cruz de santo André, cúleo, escúleo, aspa, leito de Procusto, poste, pelourinho, picota, falaca, ferrete, garfo, aziar, catasta, caluete ou calvete, polé, garrucha, estrapado, carda (ant.), cavalete, torniquete, potro, estaca, dama de ferro, crucificação, empalamento, pau argentino, touro de bronze, tripalium, túnica molesta, cadafalso, patíbulo, forca, golilha, machado, segure (ant.), corda, baraço, guilhotina, luneta, cadeira elétrica, garrote, cárfia (entre os turcos), tronco, anjinhos, grilheta, suplício da roda;
casa de correção 752; tambo (ant.), gemônias (hist. ant.);
báratro, rocha Tarpeia, alva dos padecentes, carocha, saltimbarca, sambenito, camisa de onze varas, palmatória = tira-teimas = férula = santa Luzia, menina de cinco olhos, maria-vitória, santa-vitória;
undecênviro, carcereiro, executor, carrasco, ministro da morte, saião, sagião (ant.), algoz, executor de alta justiça, punidor, exemplador, castigador & *v.* 972; lictor, carnífice (ant.), verdugo, degolador, descabeçador, crucificador, zurzidor & *v.* 972; justiceiro = quem "faz justiça pelas próprias mãos";
justiçado, vítima, paciente, supliciado, forçado, calceta, galé, galeote, condenado às galés, letra exicial;
Gemônias, Gólgota, queimadouro;
pregão vitatório.
Adj. patibular.

Divisão V. AFEIÇÕES RELIGIOSAS

1º) Seres sobre-humanos e regiões

976. Divindade, onipotência, Providência, Potestade, Poder Supremo, Deus, Senhor, Onipotente, Ser Supremo = *Ens Entium,* Causa Primária; Autor/Senhor/Criador de todas as coisas; Alá; Jeová, o Criador, Supremo Arquiteto, Padre Eterno, o Supremo Bem, o Sumo Bem, Juiz Supremo do Universo, o Bem Absoluto, o Infinito Bem, o Infinito, o Eterno, Todo-Poderoso, Todo Misericordioso, a Suma Perfeição, a Bondade Infinita, a Razão Eterna, o Altíssimo, o Dador de todas as coisas, o Deus das Alturas, a Suprema Inteligência, a Suprema Sabedoria, o Ser dos Seres, Ser Absoluto, o Céu, o Olho da Providência, o Soberano Arquiteto do Universo, o Grande Arquiteto do Universo, Aquele que É, sempre Foi e sempre Será, o Início e o Fim, Padre ou Pai Eterno, o sol da justiça, a essência eterna; a divina/a suma essência;
(atributos e perfeições): sabedoria, sapiência, bondade, justiça, verdade, misericórdia infinita, carisma, premoção, acrosofia, perfeição, onipotência, onisciência, onissapiência, onipresença, onividência, ubiquidade, ubiquação, infinitude, sempiternidade, unidade, imutabilidade, santidade, glória, majestade, poder, grandeza, soberania, eternidade, presciência, ilapso, taumaturgia, a Trindade, a Santíssima Trindade, unidade trina, as três pessoas divinas, a trina essência, antropomorfismo = figura de estilo que atribui a Deus características e funções humanas (fig.); circuncisão (de Jesus);
(funções): criação, preservação; governo/ direção do Universo; desígnios da Providência, congruidade, predeterminação, preordenação, premoção, *Deus Filho,* Jesus Cristo, Homem-Deus, Messias, o Ungido, o Salvador, o Redentor, o Crucificado, o Mediador, o Intercessor, o Juiz, o Verbo Divino, o Verbo Encarnado, Filho de Deus, Filho do Homem, Filho de Davi, o Mártir do Calvário, o Mártir do Gólgota, o Rabino da Galileia, o Pão da vida, o Nazareno, Emanuel, o Rei dos reis, o Rei da glória, o Príncipe da paz, Bom-Pastor, o Carpinteiro de Nazaré, Filho de Deus humanado, pedra angular da Igreja, o Verbo incriado, teantropo, o Incriado, a Encarnação, a união hipostática;
(funções): salvação, redenção, expiação, propiciação, mediação, intercessão, julgamento. *Espírito Santo,* o Santo Espírito, Paracleto, o Confortador, o Espírito da Verdade, Espírito da Luz; inspiração, unção, regeneração, paracleteação, santificação, consolação, *Deus ex machina,* Avatar.
V. criar, sustentar, preservar, governar etc.; empregar os tesouros de sua bondade, predestinar, eleger, chamar, predeterminar, preordenar, abençoar, justificar, santificar,

977. Santo | 979. Entidades divinas

glorificar, julgar, punir, visitar, perdoar, expiar, remir, resgatar, propiciar, mandar, falar aos corações, lançar a égide de sua misericórdia, agraciar, fortalecer; revelar a sua cólera/a sua graça; ser trino e uno, ser um na natureza e trino nas pessoas, encarnar-se, humanizar-se, paracletear.
Adj. onipotente, onisciente, onipresente, onividente, todo-poderoso, sobredivino, poderosíssimo, grande, altipotente, excelso, sempiterno, santo, sagrado, sacrossanto, preexcelso, sacratíssimo, arquidivino, divino, almo, sobreceleste, sobrecelestial, celeste, celestial, superno, supernal, divinal, dominical, supremo, sobre-excelente, sapiente, de cima, celipotente, misericordioso, divo, célico, empíreo, ubíquo, sobre-humano, sobrenatural, conhecedor das coisas divinas e humanas, preternatural, supernatural, supranatural, hiperfísico, inumano, espiritual, incriado, imperecível, infinito, coigual, inascível, teândrico, deiviril = que é divino e humano, taumaturgo, invisível.
Adv. jure divino.
FRASE: Mais vale quem Deus ajuda que quem cedo madruga.

△ **977. Santo** (católico), Maria, Mãe, Madre de Deus/de Misericórdia; a Virgem Maria, a Estrela de Nazaré, Virgem Santíssima, Madona, Máter Dolorosa, deípara, cristípara, claustro da infinita Sabedoria, Senhora da Anunciada, rainha do céu, a virgem das virgens, a mãe das mães;
marianismo;
santo, mártir, confessor, intercessor, bem-aventurado, predestinado, eleito de Deus, padroeiro;
s. Paulo, o apóstolo; o apóstolo das nações/do gentio; o grande apóstolo; s. Pedro, o príncipe dos apóstolos; s. Diniz, o apóstolo das Gálias; santo Agostinho, o apóstolo da Inglaterra; s. Bonifácio, o apóstolo da Alemanha; s. Francisco Xavier, o apóstolo das Índias; s. Vicente de Paulo, o apóstolo da caridade; s. Estevão, o protomártir; s. João Boaventura, o doutor seráfico; santo Antônio, o taumaturgo; s. João Evangelista, a águia de Patmos; s. Francisco de Assis, o patrono dos animais; santa Rita de Cássia, a santa das causas impossíveis; s. Jorge, o santo guerreiro; santa Edwiges, a protetora dos pobres e endividados; santa Genoveva, a padroeira de Paris; s. José, o padroeiro dos trabalhadores e da família; *anjo*, espírito angélico, arcanjo, serafim, querubim, os eleitos do Senhor, milícia celeste;
angelolatria, hagiologia, *Flos Sanctorum*.
Adj. mariano, angélico, venerável, seráfico, imaculado, santo, bem-aventurado, querúbico, querubínico, invocável, beato, milagroso, milagreiro, milagrento (dep.), miraculoso, taumaturgo.

▽ **978. Demônio,** Satã, Satanás, o Diabo, Lúcifer, Arimã, Belial, Zamiel, Belzebu, príncipe das trevas, Pedro Botelho, Asmodeu, diabrete, diacho, taneco, o tentador, a serpente infernal, o dragão infernal, o príncipe do ar, o autor do mal, o espírito de sedução, anjo das trevas;
pai do mal/da mentira;
o espírito mau/imundo/maligno; o inimigo; espírito/gênio do mal; tinhoso, o grão-tinhoso (pop.), cão-tinhoso, carocho, demo, íncubo, súcubo, dragão infernal, mafarrico, manfarrico, o príncipe deste mundo, o gênio do mal, o coisa à toa, serpente maldita, o príncipe dos demônios, a velha Serpente, não sei que diga, monstro infernal, maligno, mofino, o anjo dos abismos insondáveis, o inimigo (comum), bruxo do inferno, o beiçudo, bode preto, capeta, o espírito maligno, o porco-sujo (pop.), o tentador, tição, rabudo, capiroto (bras.), careca, pé-cascudo, coxo, coisa-ruim, demonarca, demonázio, diabo, espírito imundo;
anjo rebelde/decaído/mau/das trevas; as potestades do Averno, as potências do inferno, fute (bras.), gadelha, os habitantes de Pandemônio, labrego, lobo infernal, a corte infernal;
diabolismo, satanismo, demonismo.
Adj. diabólico, satânico, infernal, avernal, luciférico, luciferino.

△ **979. Entidades divinas,** Júpiter, divo, deusa, deia, diva, Zeus, Tonante, Ferétrio & Panteão; Amida, Brahma, Vixenu, Oxalá, Tupã, Siva ou Shiva, Krishna; Buda ou Çáquia-Múni, o solitário dos Çáquias; Ísis, Osíris, Baal = Bel ou Belo, Astarté ou Astarote, Tor, Odin, Mumbo-Gumbo;
orixá, Exu, Ogum, Oxóssi, Xangô, Oxum, Iemanjá, Omulu, Iansã, Nanã;
penates, demiurgo, gênio do bem, nume;
gênio/divindade tutelar; Sibila, fada, sílfide, Silfo, Ariel, fotoques, peri, ninfa, ne-

reida, dríades, napeias, oceânides, oréades, valquírias, duríades, tágides, sereia, Apsará, Ormuzd, Mabe, hamadríadas, duende, Ondina, espectro; mitologia, teomitologia, teogonia, folclore.
Adj. demiúrgico.

▽ **980. Entidades demoníacas,** demonologia, demonografia, Satã 978, culto ao diabo, demonismo; manes, capeta, demonázio, demonete, Titã, Mefistófeles, Asmodeu, Belial, Arimã, fúrias, harpia, vampiro, lobisomem, *loup-garou*, estria, cobalos, sátiro, duende, gnomo, trasgo; anhangá, jeropari, curupira, caipora, anhanguera;
(aparição sobrenatural): assombração, visagem, visonha, avejão, abantesma ou avantesma, lêmur ou lêmure (Roma antiga), fantasma, espectro, ectoplasma, aparição, espírito, sombra, visão, medo (pop.), alma do outro mundo/penada, fauno, íncubo, súcubo.
V. assombrar, aterrorizar.
Adj. sobrenatural, preternatural, hiperfísico, versado em magia, mágico, do outro mundo, extranatural, espectral, demoníaco, assombrado.

△ **981. Céu,** reino/trono/presença de Deus; pátria celeste, mansão dos justos = *piorum sedes*, reino eterno, reino dos céus, empíreo, etérea mansão, bem-aventurança, mansão/morada dos justos, firmamento; glória celestial/eterna, mansão celeste, felicidade eterna, seio da glória, Jerusalém celeste, Hierosólima celeste; abóbada, mansão eterna; o seio incriado de Deus, páramo, Paraíso, Éden, morada dos eleitos/dos bem-aventurados;
(céu mitológico): Olimpo, Elísio ou os Campos Elísios, Arcádia, jardim das Hespérides, terceiro céu, *Valhala* (escandinavo), Nirvana (budismo), latíbulo, futurição, vida futura, morada eterna, assento etéreo, plano espiritual, ressureição, translação, transmigração, ressuscitação 660; apoteose, deificação, divinização, teose.
Adj. celeste, celestial, celestino, superno, supernal, do alto, de cima, paradisíaco, edênico, latibular, elísio, olímpico, arcadiano, celígeno; divinal, etéreo.

▽ **982. Inferno,** morada dos demônios, lugar destinado ao suplício das almas dos réprobos, báratro, lugar de tormento, fogo eterno, caldeira de Pedro Botelho, lago de fogo, fogo que nunca se extingue, verme que nunca morre, quintos, profundas, profundo, orco (poét.), abisso (poét.), areias gordas, Averno, geena, purgatório, limbo; (inferno mitológico): Tártaro, Averno, Estige, Hades, praias estigianas, Cocito, reino escuro de Sumano, Aqueronte, Aquerúsia, regiões infernais, Cérbero, reino de Plutão, pandemônio, Flegetonte (rio), Plutão, Dite, Radamanto, Érebo; barca de Caronte, rio Estige; *Di Yu* (chinês), *Helgardh* (mit. nórdica), Mundo dos mortos (mit. egípcia, entre outras), *Mag Mell* (mit. irlandesa), *Ne no Kumi* e *Yomi no Kumi* (mit. japonesa); *samsara* (budismo); estado de consciência (kardecistas).
Adj. infernal = ínfero = erébico, plutônico, tartáreo, tartárico, averno, avernal, avérneo, avernoso, estigial, estígio; dantesco (fig.).

2º) Doutrinas

983. Teologia, teologia natural/revelada/dogmática; teodiceia, teogonia, teosofia, divindade, hagiológio, hagiografia, hagiologia, teonimia ou teonímia, teomitia, patrística, *Flos Sanctorum*, hagiomaquia, martirológio, dogma, mistério caucasiano, monoteísmo, supranaturalismo, religião;
denominação, seita, escola religiosa, denominacionalismo; rito, credo 484; declaração/ato/profissão/artigos de fé; hierografia, hierologia, teocracia, teandria, teantropia; teólogo, religioso, sectário, adepto, canonista, teologastro (dep.).
V. teologizar, discorrer sobre teologia, teologar.
Adj. escolar, teológico, religioso, denominacional, sectário, hagiográfico, hierológico, hagiológico, monoteico, monoteísta, teocrático.

△ **983a. Ortodoxia,** dogmatismo religioso, verdadeira fé, verdade, fé divina; cristianismo, protestantismo, fundamentalismo religioso; fé/milícia cristã; o mundo cristão, cristandade, monoteísmo, catolicismo, catolicidade, moiseísmo, judaísmo, islamismo, muçulmanismo, maometismo, sufismo, bramanismo, budismo, hinduísmo, sivaísmo ou shivaísmo, hildebrandismo, igreja católica, o mundo católico;

984. Heterodoxia | 985. Revelação

Santa Madre Igreja, barca de s. Pedro, Igreja Latina, cânon 484; os cânones do concílio de Trento, sílabus; igreja de Roma/de Deus; heterodoxia 984; vaticanismo, papismo, ultramontanismo;
membros, discípulos, filhos de Deus; vinha do Senhor; regaço, seio da Igreja; crente 987; credo dos apóstolos/de Niceia/atanasiano, infalibilidade do papa, o persignar, sinal da cruz, catecismo, decálogo, quincálogo.
V. catequizar.
Adj. católico apostólico romano, cristão, ortodoxo, islâmico, fundamentalista, fiel, monoteístico, confucionista, judeu, gente de nação, moiseísta, hebreu, islamita, sunita, agareno, muçulmano, mosleme, moslemita, osmanli, vixnutista, xiita, brâmane, budista, judaico, maomético, maometano, mafamético, moslêmico, muçulmano, budista, protestante, evangélico (bras.), (concílio) tridentino; teísta.

▽ **984. Heterodoxia,** erro 495; falsa doutrina, impureza, impuridade, cisma, apostasia, conversão, assimilação, arrenegação, abjuração, ateísmo 989; heresia, anticristianismo, neocatolicismo, saduceísmo, fanatismo, sectarismo, iconoclasmo, sabatismo, bibliolatria, angelolatria, sabelianismo, zoomorfismo, puritanismo, secularismo, sincretismo, babismo, paganismo = gentilismo, etnicismo, ecletismo, seitas religiosas, teologismo; galicanismo, antipapismo;
Reforma, protestantismo, luteranismo, arianismo, erastianismo, calvinismo, huguenotismo, quaquerismo ou quacrismo, a Sociedade dos Amigos, metodismo, anabatismo, acefalismo, nestorianismo, sabeísmo, sabelianismo, ritualismo, originismo, deísmo, teísmo, materialismo, antropomorfismo, antropoteísmo, positivismo, monofisismo, espiritismo, latitudinarianismo;
judaísmo conservador/liberal/reformista; religião/igreja reformada;
alta/baixa igreja, anglo-catolicismo; igreja livre, anglicanismo, igreja grega cismática, infidelidade, puseyismo, mormonismo, zwinglianismo, wiclefismo ou wycliffista, hussitismo;
mitologia, diteísmo, triteísmo, politeísmo, dualismo, confucionismo, vixnutismo, zendicismo, nazaritismo, nanequismo, sabianismo, gnosticismo, hilozoísmo, xintó ou xintoísmo, zoolatria;

xintoísta, islamita, sufista, sectário, seguidor, herege, infiel, apóstata, renegado, arrenegado, díscolo, pagão, gentio, sabeísta, idólatra, andrólatra, anticristo, anticristão, severiano, antipapa, antipapista, politeísta, antropoteísta, panteísta, antropomorfista, espírita, espiritista, catabatista, heresiarca, alogiano, álogo, antitrinitário, angélico = angelita, ebionista, albigense, cristômaco, monofista, apolinarista, acefalita, triteísta, angelólatra, sabeliano, céptico 989; latitudinário, cismático, anticlerical;
dissidente, separatista, sacramentário, não conformista, huguenote, anglicano, protestante, reformado, agiômaco, biblista, congregacionalista, independente, episcopaliano, presbiteriano, luterano, calvinista, metodista, zwingliano, anabatista, batista, mormonista ou mórmon, wiclefista ou wycliffismo, hussita, puseísta ou puseysta, ritualista, sandemaniano, antinomiano, svedenborgiano, puritano, supralapsário, zoroastrista ou zoroastriano, abraamianos, abraamitas, abstinente, helvidiano, anomiano;
parce, mago, gimnosofista, guebro, adorador do fogo, fetichista, sabiano, gnóstico, saduceu, rosa-crucianista ou rosa-cruzista, antidicomarianita.
V. proferir ou dizer blasfêmias (= palavras que insultam o sagrado, ou contrariam aquilo que se entende por sagrado), blasfemar.
Adj. heterodoxo, herético, impuro, profano, inortodoxo, anticanônico, extracanônico, anticristão, antidogmático, antievangélico, anticatólico, antimonacal, antimonástico, cismático, dissidente, secular 997; ateu, agnóstico, pagão, étnico, gentílico, diteístico, triteístico, panteístico, politeístico, fanático 481 e 606; supersticioso 486; *idólatra* 991; visionário 515.

△ **985. Revelação** (por vezes, segundo o conceito religioso ocidental), revelantismo, inspiração/toque de Deus, Espírito Santo, *afflatus = inspiração (divina)*, intuição divina, teofania, teopsia, teopneustia, a palavra divina, apostolado, as Escrituras, o livro da lei, a lei de Deus, as letras divinas, as Santas Escrituras, cânon das Escrituras, a palavra de Deus, o Evangelho; profecia(s); Bíblia, Velho Testamento, Gênese, Septuaginta, Pentateuco, Octateuco, Êxodo; a lei judaica, a lei dos profetas, o livro de Moi-

sés, Levítico, Eclesiastes, o Cântico dos cânticos, o livro dos Cantares;
o livro dos Números/dos Reis/dos Paralipômenos; Deuteronômio, Torá, tradições = deuteroses, hierografia, hierática, Novo Testamento, a lei de Cristo, a lei da graça, os Santos Evangelhos, Passional, Passionário, a lei nova, a boa-nova, Atos, Epístolas, Apocalipse, Talmude, Corão, Alcorão, Xaria, Mishná, Guemará;
profeta (*vidente*) 513; evangelista, apóstolo, discípulo, santo, os padres apostólicos; inspirado, iluminado evangelizador, vaticinador, profetizador.
Adj. bíblico, sagrado, inspirado, profético, evangélico, apostólico, talmúdico, corânico, teopnêustico, protocanônico, canônico, hierático, oracular, vaticinante, fatiloquente, fatídico.

▽ **986. Pseudorrevelação** (em geral, segundo o conceito religioso ocidental), teopsia, teogonia, moçafo, Suna, Veda, Zende, Zendavesta, zendicismo, vedidade, purana, Vedas, Gautama, Mahabarata ou Maabárata, Ramaiana, livro de Mórmon, zoroastrismo, confucionismo;
(fundadores de religião): Jesus Cristo, Moisés, Buda, Zoroastro, Confúcio, Maomé, Augusto Comte (Religião da Humanidade, não teológica), Calvino, Lutero, Henrique VIII; (ídolos): bezerro de ouro 991; Baal, Moloque.
Adj. védico, zoroástrico, zoroastrista.

3º) Sentimentos

△ **987. Piedade** = religiosidade, religião, catecismo, teísmo, fé, sentimento religioso, santidade, santimônia (falsa piedade) 988; clericalismo (dep.), fervor religioso, devoção/prática religiosa, reverência 928; humildade, prostração (*culto*) 990; o archote da fé, graça, carisma, unção, santificação, edificação, consagração;
mística, vida contemplativa, misticismo, misticidade, vida espiritual, cheiro de santidade, carolice, teopatia, beatificação, regeneração, conversão, justificação = razão de ser, salvação, inspiração, verdades reveladas, sanções sobrenaturais;
monoteísta, romanista, infalibilista, vaticanista, azimita, crente, convertido, teísta, topaz (no Oriente), devoto, devocionista, religionário, eleito, santo, capucho, penitente, fiel, prosélito, peregrino, romeiro, carola, vicentino, beguino, deícola, deísta, fiéis, filhos de Deus, misseiro, santarrão 988a;
V. ser (piedoso & *adj.*); ter fé, receber os sacramentos, guardar a fé, cumprir os preceitos de Deus, viver na lei divina, santificar o nome de Deus; servir a Deus/os preceitos da religião, guardar dia santo; *observar* 772; obedecer 745; *respeitar* 928; ser virtuoso 944; crepitar a fé no coração, converter ao estado de inocência;
converter, atrair/reduzir à fé; catequizar; trazer ao grêmio da Igreja, livrar das penas do inferno, restituir à bem-aventurança, conduzir-se pelo caminho da bem-aventurança.
Adj. piedoso, religioso, devoto, santeiro, praticante, dedicado às coisas de Igreja, respeitador, rezador, santimonial, santimonioso, pio, fervoroso, puro, humilde, santo, espiritual, dado à contemplação das coisas divinas, dado à prática de exercícios religiosos, seráfico, fiel, sagrado, sacrossanto, crente, concepcionário, ultramontano, eleito, prodigioso, justificado, santificado, purificado, regenerado, inspirado, iluminado, alumbrado, bento, consagrado, converso, convertido, celeste, divino, divinal, divo, etéreo, que não pertence a este mundo, místico, beatífico, profitente, monoteísta, beato, confessional.

▽ **988. Impiedade**, irreligião 989; pecado 945; irreverência, blasfêmia, profanidade, profanação, crime de lesa-majestade divina, sacrilégio, ultraje à divindade, zombaria 856; ateísmo, agnosticismo, heresia, desedificação;
(falsa piedade): hipocrisia 545; beatice, beatério, santimonia, carolice, formalismo, farisaísmo, antipapismo, precisianismo, sabatismo, puritanismo, sabatarianismo, *odium theologicum* = *ódio teológico*, mundanalidade, fanatismo 606; preconceito 481; gnosticismo, endurecimento, apostasia, decadência, queda, perversão, perdição, transvio;
pecador 949; zombador, blasfemo, sacrílego, mundano, profano, puritano, pietista, hipócrita 548; fanático, energúmeno, santo (irôn.), fariseu, sabatariano, formalista, precisiano, gnóstico, religionário, antipatista, iconômaco, metodista, os maus, os injustos, anticlerical, antipapista, o(s) réprobo(s), o(s) precito(s); os filhos dos homens/de Belial/das trevas.

V. ser (ímpio & *adj.*); profanar, dessagrar, ridicularizar 856; desrespeitar 929; desprezar 930; infringir 773; negar a canonicidade dos livros hieráticos, lançar ou dizer ou proferir blasfêmias, dizer sacrilégios, blasfemar, cometer sacrilégios, desedificar, desertar do culto, renegar, apostatar 607; amaldiçoar a Deus, descrer, embiocar-se = fingir modéstia ou recato, desconsagrar, irreverenciar, desendeusar, temporalizar, secularizar, idolizar; sabadear, sabatizar; santigar-se, santiguar-se, abeatar-se.
Adj. ímpio, descrido, descrente, profano, profanador, secular, mundano, laico, secularizado, malsoante, blasfemo, blasfemador, ultrajante, zombador, irreverente, sacrílego, nefando, profanado, maculado, insantificado, irregenerado, endurecido, pervertido, réprobo, precito, maldito, condenado, hipócrita 548; fingido, santimonioso, farisaico, untuoso, amaldiçoado, excomungado, simoníaco; sob a marca/a capa/a forma/o disfarce da religião.
Adv. impiamente & *adj.*

988a. Carola;
(vocábulos depreciativos): beatorro, sacripanta, beato, beatão, beateiro, barata de sacristia, barata de igreja, patamaz, santão, santalhão, santanário, santilão, santarrão, altareiro, igrejeiro, rezador, rezadeira, sancarrão, fariseu, rato de sacristia, papista, catolicão, confessador, jejuadeiro, jejuador, capeiro, fradesco, fradeiro, freirático, misseiro, papa-santos, papa-missas, papa-hóstias, beguino, teófago, tartufo, hipócrita 548.
Adj. beguino, devoto, puritano, fariseu, beato, evangélico, crente, santarrão, santanário, santão, igrejeiro, misseiro, fradesco, fradeiro, fanático, santimonial & *subst.*; rezador, rezadeiro, ultramontano, hipermístico.

989. Irreligião, irreligiosidade, indevoção, agnosticismo, letargo da dúvida (*dúvida*) 485; cepticismo ou ceticismo, descrença, incredulidade, teofobia, pirronismo, teosofismo, falta de fé, profanidade, ateísmo, deísmo, teísmo, materialismo, positivismo, racionalismo, niilismo, bolchevismo, monismo, etnicismo, infidelidade, livre-pensamento, ultraliberalismo, mundanalidade, mundanidade
(p.ext. paganismo, panteísmo, gentilismo; teófobo, ateu, antideus, incrédulo, céptico, irreligioso, *ímpio* 988; pirronista, espírito superior, livre-pensador, latitudinário, positivista, racionalista, materialista, bolchevista, ultraliberal, darwinista, monista; panteísta, pagão, gentio, gentílico, gentílicio, infido, infiel, herege, espiritualista, espírita, profano, apóstata;
V. ser irreligioso & fazer gala de ateísmo, não dobrar os joelhos, renegar, descrer, negar, *duvidar* 485, apostatar; paganizar, gentilizar, temporalizar, secularizar.
Adj. irreligioso, antirreligioso, agoníclito, indevoto, ateu, materialista, positivista, agnóstico, céptico, descrente, incrédulo, terreal, mundano, mundanal, mundanário, profano, temporal, carnal, secular, leigo;
Adv. irreligiosamente & *adj.*

4º) Atos

990. Culto, teosébia, adoração, veneração, devoção, devotamento, dedicação, fervor, dulia, hiperdulia, latria, homenagem, serviço, cerimônia, solenidade, genuflexão, prosternação, persignação, simbolismo, rito, ritual; oração, reza, prece, rezada, rogações, ladainha, amenta, ementa, litania, ladairos ou ladários, jaculatória, oração jaculatória, sura, Kadish, bênção; breviário, devocionário, diurnal, formulário, rezaria; memento, responso, responsório, súplica, intercessão 765; coleta, lavabo, lausperene, angélica, vigília, têmpora, invocação, invocatória;
magarebe (persas), namaz (turcos), xilofória (hebreus), eufêmia, (lacedemônios);
ação de graça, louvor, graças, glorificação, doxologia, hosana, glória, aleluia, te-déum, *non nobis, Domine; nunc dimittis* = cântico de Simeão, *magnificat* = canção de Maria, *Regina coeli, angelus,* hino ambrosiano, hino em honra de, novena, tríduo, setenário, oitava, oitavário, trezena, salmo, hino, triságio, cantochão, canto, capucha, canto capucho, antífona, asperges, motete, sequência, bradado;
oblação, oblata, obladagem, sacrifício, incenso, ofertório, mirra, olíbano, serpentina, tenebrário;
disciplina, peregrinação, romaria, jejum, penitência, abstinência, retiro;
missa, matinas, matinada, vésperas, laudes, advento, dia santo (*rito*) 987; êxtases,

anagogia; arroubamento, arrebatamento (da fé) = festa dos tabernáculos;
velório, guardamento, quarto (reg.);
homilia, pregação, sermão;
adorador, comungante, peregrino, peregrinante, romeiro.
V. adorar/servir a Deus, reverenciar 928; prestar homenagem;
elevar-se, sublimar-se, remontar-se, alar-se à contemplação de Deus; humilhar-se, pousar os joelhos em terra, prosternar-se, procumbir, prostrar-se aos pés de, cair de joelhos, ajoelhar-se, genuflectir, curvar-se, estender-se;
orar, pedir, dirigir súplicas à divindade, invocar, pegar-se com, suplicar a proteção de, alçar os olhos para o céu; fazer orações, rezar;
fazer o sinal da cruz, persignar-se, benzer-se, santigar, santiguar; cruzar-se;
concentrar-se em oração/em meditação, meditar, prostar-se, vestir *talit*, pôr *tefilin*; encomendar-se a Deus, salmear, salmodiar, desfiar as contas do rosário, ouvir missa, missar, comungar, receber a comunhão, cumprir os preceitos da Igreja, quaresmar, jejuar;
santificar os dias/o nome de Deus; desobrigar-se, desarriscar-se, oblatar, render graças a, agradecer, louvar, bendizer, exaltar, glorificar, magnificar, subir à Torá;
cantar/entoar louvores; humiliar; engrandecer, extasiar-se 827; peregrinar;
responsar, sufragar com responsos os defuntos; propiciar (com sacrifício), oferecer sacrifício, sacrificar;
velar;
esmolar, dar esmola, confessar-se, comungar, receber os sacramentos, sabatizar, sabadear = guardar os sábados, sacramentar-se, ir à igreja, ouvir missa, ir para um retiro, lavar-se, reabilitar-se, dedicar;
(em cultos afro-brasileiros): bater cabeça, fazer (a) cabeça, fazer o santo.
Adj. adorador, cultor, reverente, puro, solene, férvido, ardente 821; anagógico, invocador, invocativo, invocatório, aleluítico, sabatino, sabático, demonífugo, cristífero.
Interj. aleluia!, hosana!, *gloria in excelsis Deo!*, *sursum corda!*, *Graças a Deus!*, Amém!

991. Idolatria, xilolatria, androlatria, pirolatria, artolatria, hidrolatria, iconolatria, hagiolatria, mariolatria, demolatria, zoolatria, dendrolatria, astrolatria, heliolatria, litolatria, zoroastrismo, monolatria, fetichismo, siderismo, gentilismo, paganismo, monarcolatria;
deificação, glorificação, divinização, canonização, teose, endeusamento, apoteose;
sacrifícios, hecatombe, holocausto, imolação, neomênio, lemúrias;
ídolo, bezerro de ouro, *avatar*, Baal & 986; candomblé, fetiche, manipanço, manitu, pagode, dabua, maniputo ou mueniputo, idólatra, iconólatra, xilólatra, parse ou guebro.
V. adorar ídolos, idolatrar, deificar, divinizar, endeusar, paganizar, prestar culto, gentilizar, oferecer vítimas, imolar, sacrificar.
Adj. idolátrico, étnico (ant.), idólatra, sáfaro do nome de Deus, imolador, imolando, zoroástrico.

992. Bruxaria, bagata = bruxedo, prestigiação, prestidigitação, passe-passe, prejuízos, superstição, astrosia, abusão, preconceitos, crendices, crendeirice;
artes/ciências ocultas; ocultismo, teosofia, teosofismo, artemages ou artes-mágicas, crisopeia, magia, cabala, arte negra, necromancia, necrolatria, nigromancia, ariolomancia, teurgia, taumaturgia, tiptologia, astrologia, lemúrias;
demonologia, demonografia, demonomancia, demonolatria, demonomania, diabrura, sibilismo, feitiçaria, feiticismo, gronga (bras.), feitiço = salgação, xamanismo (Ásia), vampirismo, esconjuro, conjuro, adjuração, demonifúgio = exorcismo, mesmerismo, magnetismo animal, passe, quebranto, coisa-feita, olhado, enguiço, ensalmo, benzedura;
clarividência, cleromancia, vidência, teosofia, sematologia ou semasiologia = comunicação de espíritos por meio de corpos ou objetos inanimados, espiritismo, mesa giratória, psicografia, sortilégio, ordália ou ordálio, juízo de Deus, *sortes Virgilianæ*, *sortes Homerica*, *sortes Sanctorum*, adivinhação 511; responso.
V. praticar (a feitiçaria & *subst.*); adjurar, conjurar, esconjurar, eliciar, exorcismar, desendemoninhar, encantar, fascinar, enfeitiçar, embruxar, emburricar, magnetizar, sugestionar 451; invocar espíritos, cabalar, responsar, rezar responso, amentar, mandingar, enguiçar, dar enguiço a, fazer traba-

lho para, pôr macumba em, pôr mau-olhado em;
deitar, dar quebranto a alguém; saludar, ensalmar, salgar, desenguiçar, desembruxar, desencantar, desenfeitiçar, dessalgar, esconjurar um mal; tomar passe(s).
Adj. mago, mágico, místico, feiticeiro, cabalístico, ensalmeiro, ensalmador, prestigioso, milagreiro, milagrento, taumaturgo, sortílego, talismânico, amulético, mesmeriano, nicromântico, conjurado, demonífugo, teosófico, esotérico.

993. Encantamento, magia, prestígio, benzedura, exorcismo, esconjuro, bagata, mágica diabólica, feitiço, venefício, mandinga, amavios, elixir, filtro, hipômanes, quebranto, astrobolismo, cabala, responso, nômina, tanglomanglo ou tangolomango, malefício, abracadabra, signo de salomão, signo-salomão, amuleto, figa, olhado, mau-olhado, contrafeitiço, carranca, caranchona (reg.), inárculo, alfridária, nosomântica, talismã, astróbolo, tambarane, astroíte (ant.), cornino, fetiche, varinha de condão/mágica, abascanto, filactério ou filactérias, vara, lâmpada de Aladim, caduceu, anaia, quimbembeque(s), mandraca.

994. Feiticeiro, artemágico, merlim, mandingueiro, bruxo, saludador, curandeiro, benzedor, mago, píton, mágico, taumaturgo, nigromante, necromante, desendemoninhador, exorcista, enxota-diabos, conjurador, esconjurador, abençoadeiro, benzilhão, benzedeiro, enguiçador, ensalmeiro, ensalmador, adivinho 513; profeta;
vidente, psicógrafo, áugure, astrólogo, previso, tiptólogo, médium, magnetizador, médium-vidente, xamã, pajé, babalaô, teósofo, ocultista, teurgo, teurgista, milagreiro, rezador, hierofante, demonógrafo, sortílego, mesmeriano, nagual, xamanista, cabalista, bagata;
Caterfelto, Cagliostro, Mesmer, bruxa, carocha(s), carocho, sereia, sibila, estrige, feiticeira, saga, maga, benzedeira, abençoadeira, bruxa auguratriz, Circe, herbolária.
V. ser feiticeiro, fazer feitiço, mandingar 992.
Adj. pitônico, feiticeiro, bruxo, macumbeiro.

5º) **Instituições**

995. Cargos da Igreja, ministério, ofício, dignidade, função, cargo apostolado, sacerdócio, clericato, hierarquia eclesiástica, carreira sacerdotal, clericalismo, sacerdotalismo, episcopalismo, ultramontanismo, teocracia, eclesiologia, governo espiritual; Roma, Vaticano, monaquismo, monacato, conventualidade, padroado;
(cargos, dignidades e divisões eclesiásticas): pontificado, papado, tiara, arcebispado, primado, primazia, cardinalato ou cardinalado, púrpura, arciprestado, monsenhorado, bispado, diocese, arquiepiscopado, patriarcado, arcediagado, generalato, superiorato, canonicato, conezia, deado, reitorado, priorado, reitoria, vigararia, vicariato, provisorado, diaconato, abadessado, provincialado ou provincialato, presbiterado, prelacia, preladia, prelazia, prelatura, capelania, arquidiocese, curato, freguesia, paróquia, abadia, abadiado;
rabinato/rabinado, rabino, *cohen*, aiatolá, ulemá, imã, sacerdote, padre, arcebispo, bispo, cardeal, pastor;
ordenação; ordens sacras/menores/maiores/de presbítero/de diácono/de subdiácono/de porteiro/de ostiário/de exorcista/de acólito; ostiarato, exorcistado, prima tonsura, acolitado, subdiaconato, cercilho, lectorato ou leitorado, leitor, chantrado, chantria, sacristania;
papado, dignidade pontifícia, tiara, trirregno, a cadeira de são Pedro, o Vaticano, a Santa Sé; a Sé, a Sede Apostólica; governo/sólio pontifício; sobregoverno eclesiástico, o poder das chaves, a corte papal, a cúria romana;
a aristocracia negra, bulário, bulista, concílio, conclave, sínodo, consistório, cabido, capítulo, definitório, tribunal eclesiástico/pontifício, penitenciária, sinedrim ou sinédrio (entre os hebreus), rota, indicção, prebenda.
V. ordenar, conferir ordens, tonsurar, cercilhar, purpurar (fig.), sagrar, consagrar, paroquiar, bispar, prelaciar, tomar ordens/véu, fazer-se padre, ordenar-se, abatinar-se, padrar-se, fradar-se, aclerizar-se, teocratizar, formar-se rabino;
Adj. eclesiástico, eclesiológico, papal, papalino, apostólico, apostolical, sacerdotal, prelacial, prelatício, arquidiocesano, pastoral, ministerial, capitular, teocrático, hierárquico, cardinalício, arquiepiscopal, episcopal, bispal, arcebispal, canônico, monacal, monastical, monástico, conventual,

abacial, diocesano, paroquial, paroquiano, pontifical, pontificial, vicarial, diaconal, monjal, ultramontano, abadado, abadengo, fradeiro, fradesco, freirático, freiral, sinodal, sinodático, consistorial, cabidual, rabínico.
Adv. clericalmente & *adj.*; à face de Deus/ da Igreja/do altar.

△ **996.** (Classe clerical) **Clerezia,** clero, a classe eclesiástica, ministério, ministério do altar, o santo ministério, ministrice (dep.), sacerdócio, o poder espiritual do clero, classe sacerdotal, presbitério; as altas dignidades, os dignitários da Igreja; alto/baixo clero;
príncipes da Igreja, clérigo, sacerdote, padre = preste (ant.), ministro de Deus, evangelizador, semeador, teólogo, eclesiástico, presbítero, reverendo, oficiante, celebrante, oficiador, pontificante;
ministro do altar/do Senhor/de Jesus/do Evangelho/da religião; os santos ministros, ungido do Senhor, oficial da alma, pastor, apascentador (fig.), sacrificador (fig.), abade, missionário, cônego, homiliasta, purpurado = cardeal, provincial, hierarca, antístite, confessor, patriarca = prelado superior, primaz, penitencieiro, metropolita, metropolitano, pontífice, alitarca (de Antioquia), imã, aiatolá;
arcebispo, coepíscopo, bispo, monsenhor, prelado, diocesano, aba, sufragâneo, arcipreste, arquidiácono, arcediago, deão, autocéfalo, subdeão, pároco, cura, provisor, prior, reitor, governador do bispado;
vigário apostólico/capitular/da vara/do Cristo/forâneo/geral, colado; basilicário, cura-d'almas ou cura de almas, adjutor, beneficiário, oficiante, capelão, diácono, diaconiza, celebrante, missa-cantante, levita, ordinado, ordinando, menorista, subdiácono;
pregador, predicante, predicador, clérigo de epístola, passa-culpas (fig. pej.), soto--ministro;
(termos depreciativos): coroado, formigão, ministraço, morcego, corvo, padreca, padreco, sotaina, tonsurado, fradépio, fradalhão, fradaço, reverendaço, fradalhão = masmarra, samarra, garnacha, roupeta, marrufo, masmarro, padre de réquiem, os samarras, padraria, padralhada, fradaria, fradalhada; frade, religioso, congregado, cenobital, conventual, prior, geral, cenobita; abade-geral/ mitrado; guardião, nono (ant.), monge, irmão, barbadinho, franciscano = observante, frade menor, recolecto ou recoleto, mínimo, capucho, capuchinho, trinitário, teatino, domínico, dominicano, religioso eliano = carmelita, agostinho, crúzio, cartuxo, beneditino, frade(s) preto(s)/negro(s), cisterciense, clarista, loio, trapista, (religioso) menor = franciscano, lazarista, jeronimita ou hieronimita, jesuíta = inaciano, confesso, celestino, assuncionista;
abadessa, corretriz, madre, prelada, priora, prioresa, hospitaleira, religiosa professa, beguina, freira, conceicionista ou concepcionista, irmã, sóror, nona (ant.), vigária, canonisa, recolecta ou recoleta, salesiana, postulante, agapeta(s), diaconisa, pregareta(s), mônica(s), ursulina, cerqueira;
chefe da Igreja Católica: — papa, Santo Padre, Pontífice, Sumo Pontífice, papa-rei; vigário de Roma/de Jesus Cristo, sucessor de s. Pedro, cabeça da Igreja; (dep.): papesa, papisa, antipapa;
Igreja Protestante: — presbítero, bispo, ancião, predicante, ministro, pastor;
Igreja Judaica: — profeta, levita, *cohen, rav*, sinédrio, rabi, rabino, grão-rabino, escriba, nazarita, xilóforo;
Igreja Muçulmana etc.: — miralmuminim, miramolim, califa, *mollah* = mulá, ulemá, muezim, almuadem, ábis, alime, imã, caciz, dervixe ou devis, daruês ou daroês, alfaqui, marabu ou marabuto ou morabito ou morabita, moádi;
faquir, talapão (bud.), bonzo, boto, zaco, raulim (Pegu), druida, protopapa, zazo (Japão), papaz (grego), setênviro ou septênviro, epulão, luperco, popa, flâmine, sálio, hieropeu, nínsia (japonês), autocéfalo, brâmane, dastur; vestal, deã, sacerdotisa, monja (bud.), druidesa, druidisa;
Religiões, cultos ou seitas afro-brasileiros: — babalorixá, iaô, pai de santo, mãe de santo, ialorixá, candomblezeiro, abaô, abaré, alufá, ogã, burro, cambono, delê, embanda, feito, filha de santo, filho de santo, iniciando, equende, iadogã.
Adj. reverendo, reverendíssimo, mitrado, sufragâneo, metropolitano, bispal, purpurado, cardinalício, papal, pontifical, pontificial, pontifício, prelatício, presbiteral, presbiterial, cenobítico, prioral, carmelitano, carmelita, cartusiano, monjal, freiral,

missado, congruado, congruário, monacal, professo; rabínico; (em cultos afro-brasileiros): umbandista, candomblecista.

▽ **997. Secular,** rebanho, ovelhas, os fiéis, grei, grêmio, irmãos, confraria, arquiconfraria, irmandade 712; sodalício, corporação, congregação, assembleia, congresso católico, aljama, corista, chantre, *chazan*, muezim; temporalidade, secularidade, secularização; barbato, masmarro, pateiro, leigo, laical, paroquiano, diocesano, oblato, confesso, donato, catecúmeno, echacorvos, conversa, credenciário, tesoureiro da igreja, fabricário, fabriqueiro, coreiro, ostiário, sacristão, altareiro, pata-choca, acólito, sacrifículo, escorropichagalhetas, ajudante, apocrisiário (ant.), cimeliarca, sineiro, carrilhanor, campanólogo, fâmulo, fiel, faquino, enxota-cães, perreiro, caudatário, ceroferário, almuadem, oferteira, obradeira, recolhida, sacristã, ermitoa.
V. secularizar, laicizar, leigar (desus.), abadar.
Adj. secular, leigo, leigal, laico, laical, civil, mundano, temporal, profano, sacrífero.

998. Rito, ritual, cerimônia, cerimonial, observância, prática, forma, formulário, prescrições, solenidade, gala, festividade, função, serviço, salmodia (*adoração*) 990; ministério, funções eclesiásticas, missão apostólica, evangelização, catequese, pregação, sermão, sermoa (fam.), prédica, homilia, pastoral, reverendas;
batismo, lavacro, crisma, confirmação, regeneração batismal; água lustral/batismal; pia batismal, imposição do pálio, sagração, ordenação 995;
confissão, excomunhão, censura(s), privação dos sacramentos, armas espirituais, eucaristia, banquete sagrado, hóstia, Jesus Sacramentado, fórmula sagrada, comunhão; pão celeste/angélico/ázimo/dos anjos/do céu/da alma/da vida; partícula consagrada, Pão, Santíssimo Sacramento, desarrisca, missa, binação, binágio;
bar-mitzvá, bat mitzvá, leitura da Torá, *sidur, machzor, Iom Kipur, kidush, kadish, chupá*;
ofício divino da missa, sacrifício incruento, o sacrifício do altar;
missa rezada/cantada/nova/chã/baixa/calada/breve/do dia/conventual/particular/ pedida/de esmola/seca/do galo/pontifical/ solene/d'alva/campal/das almas, sufrágios, missa de corpo presente/de *requiem*/ de defuntos/de sétimo dia, ofício dos defuntos 360; introito, ofertório, prefácio, asperges, sacra, consagração, consubstanciação, transubstanciação;
lavabo, ablução, intinção, sete sacramentos, extrema-unção, santos óleos, viático, Nosso Pai, invocação dos santos, visita aos enfermos;
canonização, transfiguração, confissão auricular, glorificação, sagração, indulgências, graças, maceração, flagelação, mortificação, penitência (*expiação*) 952; turificação, incenso = lágrima sabeia, turíbulo, incensório, água-benta, aspersão, asperges, símbolo, relíquia, Agnus-Dei;
sudário, rosário, decenário, terço, camáldula(s) ou camândula(s), contas, relicário; madeiro, cruz, lenho da cruz, santo lenho, cruzeiro, crucifixo, imagem, bentinho(s), escapulário(s), patuá, breve, verônica, osculatório = porta-paz, ritual, cânon, liturgia, rubrica; (afro-brasileiros): adjá, hinário, missal, eucológio, devocionário, processionário, matutinário, lecionário, livros religiosos, oraçoeiro (ant.), diurnal, legenda, legendário, coletário, sacramentário, breviário, hora(s) canônica(s), sermonário, evangeliári o, antifonário, vesperal, formulário;
martirológio, *Flos Sanctorum,* cânon dos santos, responso, salmos, capítula, hinário, gradual, ripanço, capituleiro, hagiológio, santoral, pontifical, racional, responsório, passioneiro, novenário, ritualismo, cerimonialismo, sabatismo 990;
festas imóveis/móveis/mundanas;
festa dúplice/semidúplice; circuncisão, dia de Reis, festa dos Reis, epifania, cristofania, teofania, teopsia, aparício (ant.); candelária, festa das candeias/da purificação de Nossa Senhora; setuagésima, sexagésima, quinquagésima, quadragésima, quaresma = quarentena, semana santa, parasceve, endoenças;
quinta/sexta-feira santa; lava-pés;
quinta/sexta-feira das endoenças, quinta-feira santa, sexta-feira santa/da paixão, sábado de aleluia, quarta-feira de trevas/ de cinzas, páscoa, domingo da ressurreição, páscoa florida, domingo de ramos, tríduo sacro ou pascal, Quasímodo, Espírito Santo, Pentecoste, páscoa do Espírito Santo, ascensão, domingo de rosas, natividade

de Nossa Senhora, advento, Corpus Christi, dia dos finados;
Natal, festa dos Tabernáculos = cenopégia, bairão, misraim;
excomunhão, paulina;
raios da Igreja/do Vaticano;
(festas ou cerimônias populares de caráter religioso [e folclórico]): Círio de Nazaré, Nosso Senhor do Bonfim, Nossa Senhora dos Navegantes, São João, autos, lapinhas, pastoris, reisados, guerreiros, bumba meu boi, marujada, carimbó;
(festas ou datas judaicas de caráter religioso): Rosh Hashaná, Iom Kipur, Sucot, Simchat Torá, Chanuká, Purim, Pessach = Páscoa, Dez de Tevet, Shavuot, Tishá beAv;
(festas ou cerimônias do Zen-budismo): Iluminação de Buda, Morte de Buda, Obon, O-higan, Origan, Joya Kane; (festas ou cerimônias do Budismo Tibetano): Chö Khor Dutchen, Chö Trul Dutchen, Losar, Hla Bab Dutchen, Saka Dawa;
(festas ou cerimônias do Hinduísmo): Diwali ou Deepavali = Festival das Luzes, Holi, Vesak, Shri Krishna Jayanti, Canesha Shaturthi;
(festas ou cerimônias do Islamismo): dia do sacrifício, Laylat al-Qadr, Eid ul-Fitr (no Ramadã ou Ramadão), Festa do Desjejum, Ramadã;
(festas ou cerimônias afro-brasileiras): Águas de Oxalá, (de caráter sincrético) Lavagem do Bonfim; Festa de Iemanjá, Festa de Obaluaiê; Dia de Ibeji, Dia de Xangô, Dia de Oxalá;
(festas ou cerimônias neopagãs [Wicca]): Samhain, Ostara, Beltane ou Beltaine, Litha, Lammas, Lughnasad, Mabon.
V. oficiar, celebrar o ofício divino, oferecer a missa, missar, dizer missa, imolar;
subir ao altar/ao púlpito; pontificar;
binar, praticar o binágio; batizar, borrifar (fig.), sopiar (fam.), crismar, circuncidar;
administrar o batismo/o (ou a) crisma/a extrema-unção; benzer, abendiçoar, bendizer, sagrar, ungir, sacramentar, consagrar, confessar, ouvir a alguém em confissão, sacramentar a hóstia, comungar, pascoar = celebrar a páscoa, proferir *brachá* (bênção);
agricultar as almas/a vinha do Senhor; devotar-se, dedicar-se ao serviço divino, celebrar o serviço divino, ajudar a bem morrer, pastorizar, pastorear, apascentar, bispar, paroquiar, instruir, evangelizar, apostolar,
apostolizar, missionar, fazer (larga) messe, semear a palavra divina, catequizar;
sacrificar; transubstanciar, consumir, aspergir, penitenciar;
pregar, predicar, homiliar, prelaciar, abençoar, responsar os defuntos, excomungar, absolver;
atacar/fulminar/lançar a excomunhão; descomungar ou desexcomungar, restituir à graça divina, reconciliar, sacramentar, desbatizar, canonizar, beatificar, glorificar, abrir as portas do céu (fig.), pôr ao martirológio, mitrar, impor o chapéu cardinalício, exorcizar, exorcismar.
Adj. ritual, ritualista, ritualístico, cerimonial, batismal, eucarístico, quaresmal, quadragesimal, litúrgico, consecratório, consagratório, consecrante, consecrativo, pascal, pascoal, crucial, cruciforme, bento, sagrado, sacro, sacramentado.

999. (Vestes canônicas ou litúrgicas) **Batina**, chimarra ou chamarra, abatina, fulda, cogula, roupeta, hábito talar, burel, samarra, samarro, sotaina, picote, paramentos, mongil, pontifical, capa, garnacha, loba, túnica = dalmática, colóbio, alva, tunicela, mantelete, amicto ou amito;
capa pluvial/de asperges; casula, planeta (é), murça, aljubeta (ant.), tersol (ant.), manípulo, manistérgio ou manutérgio, cíngulo, bálteo, estola = análabo, maniquete, mozeta, roquete, sobrepeliz, mantel, capelo, tiara, mitra = ínfula, barrete, camauro (ant.), píleo, solidéu, calota, báculo, cajado, espínula, urim e thumim (hebreus), acitara, superevangélia (ant.);
pala, véu, pálea do cálice; pátena, toalha, frontal, frontaleira, antemesa, escapulário, bentinho, balandrau, opa, opalanda, cruz, tau, véus, sobrevirtude (freira), sufíbulo (vestais), toalhinha, touca;
kipá, iarmulka, talit, tefilin, menorá, chanukiá, mezuzá.
V. vestir-se, paramentar-se, aparamentar-se, abatinar-se, engarnachar.
Adv. in pontificalibus.

1000. Templo, casa de Deus/de oração/do Senhor, catedral, sé, sé patriarcal, matriz, basílica, abadia, tetrastilo, ermida, capela, capela-mor, capela principal, agnistério, santuário, hipetro, sacelo, delubro, oratório, absidíola, prostilo, ajuda, orada, edícula, díptero, períptero, repositório, passo, deganho, tabernáculo, latíbulo, sinagoga = esnoga, mesquita, igreja, centro espírita/de mesa/de umbanda, terreiro (afro-brasileiro), caaba, pagode, teocal (México), anfiprostilo, igrejário, igrejório, igrejola;

Olimpo, Parnaso, ádito, *sancta sanctorum*, Santo dos Santos, dágaba (budismo), relicário = santuário, osculatório, hostiário, cibório, gazofilácio, arca santa, arca da aliança, arca sagrada, viril = âmbula, custódia = ostensório, redoma, empelota, píxide, encólpio, bisalho, sacrário, naveta, pavilhão = cortinado do sacrário, *parochet*, maquineta, corpo da igreja, nave, abside, entrecoro, ogiva, transepto, cruzeiro, sacristia, casa dos milagres ou sala dos milagres, cripta, adro, *bimá*, perfbolo, propileu, pronau, batistério, coro, rosaça, rosácea;

o lado da epístola/do evangelho; andor = charola, pálio, umbela, altar, guisamento, nicho, peanha, ara, pedra de ara, banqueta = respaldo, retábulo, sacra, baldaquim ou baldaquino, dossel;

Gólgota, Calvário, cálice, pátena, banco, setial, arquibanco, galo das trevas ou candeeiro das trevas, arcaz, arqueta, facistol, faldistório;

fonte, pia batismal, piscina, coxia, credência, genuflexório, púlpito, = cadeira evangélica/da verdade = ambom (ant.) = cátedra = tribuna sagrada, confessionário = tribunal da penitência, propiciatório, comungatório, mesa sagrada da comunhão, supedâneo, turíbulo = incensário ou incensório, galheta; alfaia = cimélio, caldeirinha, cadeira de são Pedro/pontifícia/gestatória/episcopal;

campanário, torre, almádena 206, minarete; sacristia;

cruz, imagem, estátua, quadro, estampa, Agnus-Dei, sudário, relíquias, abditório;

sino, carrilhão, campa, campainha, sineta, garrida;

convento, mosteiro, claustro, sobreclaustro, noviciário, casa religiosa.

segunda parte — Índice

A

1º de abril 857
2 de novembro 363
13 de maio 750
à abóbada etérea 360
à altura 23
à altura até de cérebros indoutos 476
à altura de 698
à altura de cérebros indoutos 518
à altura de serem consignadas nas telas 845
à aposta 620
a aprazimento de 829
a arrepelão da vontade 603
a arrepia-cabelo 283, 739
a barrisco 639
à beça (pop.) 639
à beira de 111, 197
a bem 600
a bem de 618, 648
a bem dizer 494
a bem ou a mal 24, 604
à boa ou má fortuna 621
à boa vida 377, 683
a boas horas 134
a boas horas! é tarde! 135
à boca cheia 525, 535
à boca da noite 126
à boca-d'armas 744
à boca pequena 528
a bom correr 274
a bom correr de gangão 684
a bom recado 751
à borda do abismo 665
à bordo 186, 273
a braços 713
a breve trecho 119, 132
a bruta 895
à cabralina 744, 964
A cada cavadela, minhoca 731
a cada hora 106
a cada momento 104
a cada passo 136, 180
a cada triquete 104, 136, 180
a cada um o que é seu 922
à calada 702
a calhar 134, 646
a caminho 264
a caminho da ruína 162
a caminho de 176, 278, 627, 858
a cântaros 348
a capite 52
a capricho 650
à capucha 528, 849, 881
à caráter 646, 851
à carga cerrada 465a, 606
à carreira 283
à cata de 461
à cautela 664, 668, 864
à cavaleiro 206, 215
A cavalo dado não se olham os dentes 784
à certa confita 134, 474, 508
à céu aberto 338
à chucha calada 403, 528, 826
à claridade albente da lua 420
a coberto de 664
a compasso 138, 275, 494
à competência 720
à compita 686, 720
a confessar-se vencido 479
a contar de 121
a contentamento 829
a contento de todos 618, 639

a contento do coração de alguém 602
a contento geral 731
a contragosto 603
a contrapelo 218, 283, 708
a corpo perdido 900
à corps perdu 863
a cote 136
a cotio 136
à coup sûr 474
a crédito 805
à cunha 102, 195
à custa alheia 815
à custa de 155, 157, 631, 632
à custa de suor/fadiga 704
a custo 704
a dar com um pau 639
a dar e dar 314
a datar de 117, 121
à deriva 279
a desejar 32
a desfilada 274
à desgaira 866
à desgarrada 415
a desgosto de 603
a desoras 133
a despeito 708
a despeito de 24, 30, 179
a Deus e à ventura 156, 621
a dinheiro 796
a dinheiro de contado 807
à direção de 278
à direita e à esquerda 180
à discrição 600
à disparada 274
à disposição de 743, 777
à divina 804
a efeito de 620
a eito 69
a escacha-pernas 215
à escolha 609
à esconsa 528
à escuta 459
a esmo 156, 279, 465a, 466, 475, 609a, 621
a espaços 198
à espera 507
à espora fita 274
à espreita 459, 507, 528, 530
a esse respeito 9
a esta hora 118
a estas horas 118
à exceção de 83
a exemplo de 17
à faca 156, 475, 621
à faca-sola 266
à face da letra 518
à face de Deus/da Igreja/do altar 995
à face do mundo 531
à falsa fé 940
à farta 639
a favor de 648, 707
à fé 488
à fé de cavaleiro 535
à fé de quem sou 535, 768
à fedoca 699
à feição 240
a ferro e fogo 604, 708
a ferro frio 361
a ferros 749
a fim de 620
a fim de que 620
a fim que 620
à fina força 159, 173, 601, 603, 604, 739, 744
a fio 69, 110
a fito 459
à fiveleta 23, 525, 531
à flor-d'água 209, 346
à flor da terra 209
a flux 639
a fogo brando 174

a fogo e ferro 722
a folhas tantas 508
à *fond* 52
à força 159, 173, 601, 739, 744, 964
à força bruta 157
à força de 155, 157, 631
à força de rapapés 886
à formiga 26, 69
a fortiori 467, 476
à francesa 528
à fratura 327
a fresco 556
a frio 674
a frouxo 488, 639, 714
à fula-fula 59
a fundo 52
a furta-passo 403, 864
a furto 528
à gagosa 528, 705
a galope 274
a gatesga 702
a giorno 423
a giz 815
a golpe de 157
a gosto 829
a grande 377, 882
a grande distância de 196
à grande e à francesa 882
a granel 465a, 466, 475, 609a, 621, 635
à guisa 17, 850, 851, 875
à guisa de 82
à hora da morte 360
à hora derradeira 360
à imagem 17
à imagem de 240
à imitação 17
a intervalos regulares 138
a jeito 23, 134
a jusante 807
à l'improviste 612
à la belle étoile 220
à la bonne heure 602
à la derobée 528
à la Tartufe 544
à laia 17
à laia de 82
à lápis & *subst* 556
à larga 600, 639, 748, 816,
à légua 196
à letra 494, 525, 772
à ligeira 881
à livre escolha 600
a longo intervalo 70
à lota 59, 466
à lufa-lufa 274
a lume de palha 113
à luz do dia 525
a machamartilho 674
a mais não poder ser 640
a mal 603
à maneira de 17, 82
à mão 152, 197, 777
à mão armada 708
à mão de semear 197
à mão-tenente 113, 197
à mão-tente 197, 604
a marchas forçadas 274
à margem 624
a martelo 601, 704
a más penas 704
a mata-cavalo 274
à matroca 59
à média 494
à medida que 9, 24, 120
a medo 403
a meia velocidade 174
a meia-voz 405
a menos que 8, 55, 469
à mercê de 177, 624, 749
à merveille 731
a meu aviso 484

a mim me parece 484
a mim se me afigura 484
à míngua 804
à míngua de 641
à mistura 120
à mistura com 88
à moda 17, 851
à moda de 613
à moda dos franciscanos 849
à moda francesa 893
à moderna 123
a modo de canhoto 239
a mofo 705, 815
à monsiura 893
à montante 206
à montão 475, 621
à monte 156, 475, 621
à morrer 31
à mostra 525
a motu proprio 600
a não (seguido de um verbo no infinito) 151
a não ser que 55
a nenhum 804
a nicolau 815
à observação 449
a olho 466
a olho desarmado 441
a olho nu 441
a olhos vistos 31, 441, 525
à orça 466
A ou B 78
a ouro e fio 494, 609a
à outrance 52, 549
a outras plagas 266
A outro perro esse osso 485
à paisana 225
a par 88
a par de 197, 464
à parte 10, 55, 83, 87, 196, 528, 589
à parte de 197
à partir de 117, 121
à pas de géant 274
a passo corrido 174
a passo de boi/ de cágado/de anão/de sobremão 275
a passos contados (*vagarosamente*) 266
a passos contados/descansados/lentos 275
a passos largos 266
a passos largos/agigantados 274
a pé 266
a pé e descalço 226
a pé enxuto 340
a pé firme 265, 604, 604a, 606
a pé quedo 265, 606
a pedir chuva 804
a peito descoberto 525, 861
a pelo 134
a pequeníssimos fragmentos 162
a perder de vista 196
à perna solta 685, 826
à perte de vue 447
a pés de cavalo 274
a pesar 603
a pesepelo 226
a peso de ouro 814
a pespelo ou a pés e pelo 266
a pino 210, 212
a pique 212, 665
a pique de 152
a pleno 52
à plomb 212
a poder de 155, 157, 631
a podoa 705
à ponta de baioneta 744
à ponta de chicote 744
à ponta de espada 173, 722, 739, 964

a ponto 134
a ponto dado 134
a ponto de 177
à porfia 686, 720
a portas fechadas 528
a pospelo 218, 497
a pouca distância de 197
a pouco e pouco 32
a poucos passos de 197
a prazo 796
a preceito 80
a preço de sangue 361
à pressa 684
a prestação 26, 796, 805
a prestações 70, 275
a pretexto de 617
à primeira enxadada 132, 705
à primeira vista 66, 441, 448, 705
a princípio 66
a priori 476
à procura de 461
à procura de sensações 621
a prónuba Juno 903
à proporção 9
à proporção que 9, 120
à propos 134
a propósito 9, 23, 134, 621
à própria hora 134
à prova 463
à prova d'água 340
à prova de 155
à prova de fogo 385, 664
a prumo 212
à puridade 528, 533
a qualquer preço 604
a que a imaginação concede os foros de 514
a que propósito? 155
a que se atribuem sólidos fundamentos 476
a que se atribui excelente fundamento 476
a que se atribui o nome de 565
à queima-bucha 113, 197
à queima-roupa 113, 197, 508
a quem a natureza concedeu o privilégio de 820
a quem mais der 763, 796
A quem se faz mel, moscas o comem 862
a rasto 275
à razão de 812, 813
à rebours 145
a recado 751
à reculons 283
à rédea larga 274
à rédea solta 274, 600, 748
à regalada 639
à regalona 377, 639
a respeito de 9
a retalho 51, 53, 794
à revelia 187
a revez 148
à revista 187
à risca 494, 772
a risco de 177
à roda 311
a rodo 639, 818
a rogo de 765
a rojo 275, 886
a rojões 275
a sabendas (ant.) 620
a saber 79, 522
à saciedade 640
a salvamento 664
a salvo 664
a sangrar de dor 828
a sangue-frio 620, 826
à semelhança 17, 240
à semelhança de 82, 554
a serviço das mais lindas e fortes inspirações 939

a sete chaves 751
a sete pés 274
a seu bel-prazer 600, 737, 831
a seu contento 831
a seu modo 600
a seu prazer 600, 737
a seu querer 600
a seu sabor 600
a seu salvo 664
à simples vista 441, 477
à socancra 544
à socapa 403, 405
à solapa 528
à soldada 746
à solta 465a, 748
à sombra 751
à sombra de 207, 664
à sonega 528
à sorrelfa 528, 545, 702
à sorte 156, 621
à sós 87
a sotavento 236
à sua escolha 600
à sua satisfação 600, 831
à superfície 220
à surda 528
à surdina 403, 405, 415, 528
à tal respeito 9
à talho 134
à talho de 197
à talho de foice 23, 134, 646
à tarde 126
a tempo 109, 132, 134, 152
à terra! 932
à testa 280
à tiracolo 217
à título de 544, 617
à título de honra 873
à toa 59, 156, 279, 475, 609a, 621,683
à toda a brida 274, 684
à toda a pressa 684
à toda prova 494, 698
à todas as aparências 472
à todo custo/preço 601
à todo instante 136
a todo momento 136
a todo o pulso 744
a todo o transe 604
a todo pano 274
a todo preço 604
a todo pulso 159, 601
a todo risco 604
a todo transe 601
a todo vapor 274
a todos os respeitos 535
à tona 220
a toque de caixa 274
a toque de corneta 882
à torrentes 348
à tort et à travers 59, 604
à torto e a direito 59
à torto ou a direito 604
à toute outrance 173
à traição 940
a trancos e barrancos 704
à trapalhice 699
à tripa forra 639
à trouxe-mouxe 59, 132
a tute 639
à ufa 639, 815
à última hora 684
A um favor, mil favores.973
A um piparote, chicote 973
a um relance-d'olhos 441
a um só tempo 120
a um volver 441
à uma 120
à unha(s) de cavalo 266, 274, 684
à unha! 615
à usança 613
a uso de 613
à valentona 925, 964

a varejo 51, 794
a varrer (bras.) 609a
à veia-d'água 278
à vela 226, 267
à venda 763, 796
à ventura 621
A verbis ad verbera 720
à vista 226, 446, 525, 796, 807
à vista de 155, 186
à vista de terra/da praia 858
à vista de todos 525
à vista disso 476
à vista do observador 448
à viva força 157, 739, 964
à volta de 197
à vontade 600, 609, 685, 748, 760, 827
à vue d'œil 132
a vulto 465a
à zamparina 225
a zero 804
A. B. C. 537
a.C. 106
a.D. 106
A.U.C. 106
a/com mão armada 173
à/de aposta 720
a/na/em/por falta de 641
ab abrupto 113
ab aeterno 112
ab condito oevo 112
ab extra 220
ab hoc et ab hac 59
ab imo pectore 543, 821
ab incunabilis 66
ab initio 66, 112
ab intra 221
ab ovo 66
ab ovo usque ad mala 52
Ab uno disce omnes 550
aba 39, 166, 211, 214, 996
ababelado 41, 59
ababelar 41, 59
abaçanado 431, 433
abacaxi (depr.) 565
abacelar 371
abacial 995
abacinar 421, 437
abacista 85
ábaco 85, 215
abacto 775, 791
abactor 792
abada (de flores) 72
abada 72, 191, 366, 639
abadado 995
abadar 997
abade 996
abade geral/mitrado 996
abadengo 995
abadessa 694, 996
abadessado 995
abadia 995, 1000
abadia de Telemo 377
abadiado 995
abaetar-se 225
abafa 884
abafadamente 528
abafadiço 382, 901
abafado 382, 405, 408a
abafador 223, 382, 408a, 792
abafante 382
abafar 174, 179, 223, 382, 408a, 528, 581, 640, 706, 751, 791
abafar a revolta 731
abafarete 532
abafar-se 225
abafeira 345
abafo 225, 382, 384, 902
abaionetar 716
abaixamento 36, 308, 874, 886
abaixamento de temperatura 385
abaixante 308

abaixar 36, 252, 308
abaixar a cabeça 725, 894
abaixar a cabeça a alguém 33
abaixar a soberba 879
abaixar o preço 815
abaixar-se 207, 306
abaixar-se ignobilmente 886
abaixo 932
abaixo a tristeza! 836
abaixo da dignidade 940
abaixo de 34, 207
abaixo de todos 525
abaixo de zero 877
abaixo do horizonte 447
abaixo do padrão 651
abaixo do par 32, 34, 813
abaixo-assinado 63, 765
abaixo-mencionado 63
abajoujar 499
abajoujar-se 897
abaju 41
abajur 422, 424
abalada 31
abaladiço 665
abalado 659, 821
abalançar 314, 615, 811
abalançar-se 665, 861
abalançar-se a 676, 863
abalançar-se a uma empresa 676
abalançar-se ao maior perigo 665, 863
abalar 160, 162, 276, 315, 375, 485, 616, 623, 642, 649, 824
abalar alguém do seu propósito 616
abalar até os alicerces 659
abalar nos seus fundamentos 162
abalar os alicerces 146
abalar-se 264, 274, 293
abalar-se para 293
abalável 149, 624, 822
abalienação 783
abalienar 783
abalizado 490, 698
abalizador 466
abalizar 229, 465, 741
abalizar-se 490, 873
abalizar-se em 457
abalo 173, 276, 315, 821, 825
abalofar(-se) 194
abalroada 716
abalroamento 276
abalroar 179, 276, 716
abaluartar 717
abanação 349
abanadela 349
abanado 655
abanamento 314
abananar 499
abanar 338, 349, 385, 475
abanar a cabeça 487, 489, 764, 932
abanar as chamas 835
abanar as cinzas 505
abanar as orelhas 764, 932
abanar o fogo/as chamas/as labaredas 173, 824
abanar os caracteres 824
abancar-se 184
abandalhar 874
abandalhar-se 886, 940
abandonadamente & adj. 624
abandonado 40, 87, 158, 169, 624, 665, 782, 804, 837, 859, 874, 893, 898
abandonado a monte 859
abandonado ao almargem 859
abandonado de 777a
abandonar 187, 287, 293, 610, 614, 623, 624, 678, 681, 757, 782, 893, 927, 930
abandonar a presa 782
abandonar a rota trilhada 614

abandonar as fileiras | abortivo

abandonar as fileiras 489
abandonar as rédeas da administração 738
abandonar o barco (pop.) 927
abandonar o campo 732
abandonar o seu posto 927
abandonar-se 601
abandonar toda esperança 859
abandono 87, 103, 287, 293, 460, 607, 624, 678, 757, 927a, 930
Abandono 782
abandono de propriedade 782
abandono do dever 927
abanicos 577
abano 314, 349, 385
abantesma 860
abantesma/avantesma 980
abaô 996
abaratar 483
abaratear 483
abarbado 682
abarbar com alguém 719
abarbelar 43
abarca 225
abarcador 943
abarcar 54, 76, 227
abarcar com o pensamento 518
abarcar/abraçar o mundo/céu com as mãos 471
abarcável 518
abaré 996
abarga 545
abarracamento 722
abarrancar 706
abarregar-se 961
abarretar-se 225
abarroado 606
abarrotado 52, 72, 639
abarrotado de dinheiro 803
abarrotamento 640
abarrotar 52, 72, 102, 637, 640, 869
abarrotar-se 957
abarruntar 441
abas (de um rio) 342
abas 197, 227, 231
abasbacado 499
abascanto 993
abasmar 930, 932
abastado 734, 803
abastança 52, 639, 734, 803
abastar 637
abastardamento 659
abastardar 659, 874
abastardar-se 659
abastardear 659
abastecedor 637
abastecer 637
abastecimento 636, 637, 798
abastenção 953
abasto 637, 734
abastosamente 639
abastoso 637, 639
abatatar 846
abate 813
abater 38, 158, 160, 162, 174, 213, 279, 308, 361, 479, 483, 649, 731, 813, 837, 860, 907, 934
abater a bandeira por guindamaina 894
abater a espada 894
abater a fama a alguém 874
abater a mercadoria 815
abater a roda a alguém 907
abater o ânimo 860
abater o orgulho 879
abater os fumos/as fumaças/a proa/a soberba 879
abater-se 217, 306, 622, 624, 688, 725, 789, 837, 859
abater-se sobre 708
abatidamente & adj 837
abatido 128, 160, 624, 683, 823, 828, 837, 879

abatido de ânimo 837
abatimento 36, 103, 158, 160, 207, 308, 361, 624, 688, 813, 823, 828, 837, 841, 859, 901a, 907
abatina 999
abatinar-se 225, 995, 999
abatis 717
abattoir 361
abaulado 245, 250
abaular 245, 250
abc de 491
abc primeiras noções 66
abcisão 44
abdicação 624, 738, 757, 782
abdicante 757
abdicar 624, 738, 757, 782
abdicar da própria dignidade 874
abdicatório 738, 757
abdicável 6, 738, 757
ábdito 196
abditório 1000
abdome 250, 440e
abdômen 191
abdominal 191, 243, 440e
abdominia (des.) 957
abdomínico 957
abdominoso 243
abdução 270, 289
abdutor 289
abduzente 289
abduzir 289
abeatar-se 988
abeberar 296, 339
abeção de camisa 225
abecedário 66, 561
abegão 694
abegoa 694
abeiramento 286
abeirar-se 152, 197, 286
abeirar-se a morte ameaçadora e lúgubre 360
abeirar-se de 17, 176
Abelardo e Heloísa 897
abelha 682, 690
abelha, adj. de 366
abelha de ouro 973
abelha-mestra 702
abelhar-se (desus.) 682
abelhudice 455
abelhudo 455, 682
abemolado 413
abemolar 413, 834
abencerragem 875
abencerragens 606
abençoadeira 994
abençoadeiro 994
abençoado 134, 168, 648, 656, 827, 829, 931,
abençoar 829, 931, 976, 998
abendiçoar 829, 931, 998
aberração 20a, 83, 244, 279, 291
aberrante 83, 291, 495, 647
aberrar das normas consagradas 83
aberrar de 24, 647
aberrar de princípios consagrados 477
aberrar de sua esfera de ação 964
aberrativo 647
aberta (cidade) 158
aberta 134, 198, 260
abertamente & adj 260
abertamente 525
aberto 198, 260, 518, 525, 703
aberto a 177, 602, 665, 705
aberto à compaixão 914
aberto de par em par 260
abertura 198, 231
Abertura 260
abertura 44, 66, 70, 294, 302, 415, 525, 602, 671, 740, 748, 750, 816

abertura demasiada da boca 583
Abertura para passagem da luz 420a
abesantar 847
abespinhadiço 901
abespinhado 900
abespinhar 830, 832
abespinhar-se 900
abesso (ant.) 923
abestalhado 499, 501
abetumado 837
abetumar 223, 261
abicar 278
abicar à praia 292
abicheiro (reg.) 421
abietino 845
abigeato 775, 791
abilhamento (ant.) 847
abilhar (ant.) 847
abilolado 504
abintestato 360
abintestado 552
abiótico 360, 657
abioto 361, 663
ab-irato 898
abirritação 174, 376
abirritante 376
abirritar 174, 376
abirritativo 174, 376
ábis 996
abiscoitar 775, 791
abismado de dívidas 806
abismado em funda meditação 451
abismal 198, 208
abismar 162, 208, 870
abismar-se 310
abismo 180, 198, 208, 341, 667, 872
Abismo chama o abismo 945
abispado 864
abissal 198, 208, 341
abisso (poét.) 982
abisso 208
abistelado 440b
abjeção 874, 886, 940, 945
abjeção de sentimentos inferiores 945
abjeto 643, 649, 830, 862, 874, 886, 930, 940, 945
abjudicação 790
abjudicar 789, 790
abjunção 44, 73, 465
abjuração 489, 536, 607, 757, 984
abjurador 607, 757
abjurante 607, 757
abjurar 536, 607, 757
abjuratário 757
abjuratório 607
ablação 38, 44, 572, 789
ablactação 127, 614
ablactar 127, 614
ablaquear 44, 252
ablaquecer 44, 252
ablator 301
ablegação 972
ablegar 972
ablepsia 442, 499
ablução 652, 998
abluente 652
abluir 652, 658
abluir de máculas e imperfeições 650
abnegação 764, 906, 942, 953
abnegado 942
abnegar 678
abnegar o amor próprio 942
abnegar-se 623, 942
abneto (3º neto) 167
abnormis sapiens 498
abnóxio 158
abóbada 210, 245, 250, 981

abóbada celeste 318
abóbada etérea 318
abobadado 252
abobadar 223, 245, 252
abobado 499, 501
abobalhado 501
abobar 499
abóbora 249
abocadura 717
aboçalar 499
abocamento 43, 219
abocanhar 378, 394, 934
abocanhar a reputação a alguém 874
abocar 67
abocetar 636
abochornado 382
aboiar 43
aboiar o paquete 292
aboiz ou boiz ou buiz 545
abolar 240, 241, 249
aboldriar-se 214
aboleimado 499
aboleimar 499
aboletar 184
abolição 162, 750, 756
abolição da verdade 528
abolição do respeito à vida humana 361
abolicionismo 750
abolicionista 750
abolimento 750, 756
abolir 678, 756
abolorecer 124
abomaso 191
abominação 610, 649, 867, 898
abominando 945
abominar 867, 898, 908
abominável 653, 649, 830, 867, 874, 898, 932, 945
abominoso 867, 898, 945
abonação 535, 771
abonado 803
abonador 550, 771
abonamento 771
abonançar 174, 721, 723, 834
abonar 467, 787
abonar uma dívida 771
abonar-se de 884
abonecado 193
abono 467, 771, 787, 805, 809, 931
aboo 412
aborbitar 303, 925, 926
abordada 716
abordagem 716
abordar 197, 286, 292, 716, 894
abordar um assunto 595
abordar uma questão 461
abordar-se trêmulo ao cajado 128
abordável 665, 894
abordo 294
abordoar 972
abordoar-se 215, 677
aborígene 66, 153, 188
aborrascar-se 315
aborrecer 395, 830, 832, 841, 867
aborrecer a hipocrisia 703
aborrecer de morte 898
aborrecer-se 841, 891
aborrecer-se de 866, 867
aborrecer-se/desentender-se com 889
aborrecido 828, 830, 832, 867, 869, 898
aborrecimento 603, 713, 828, 832, 837, 841, 867, 869, 889, 898
aborrecível 830, 867, 898
aborrível 867, 898
aborso 674
abortado 645
abortar 169, 674, 732
abortício 732
abortivo 645, 662, 674, 732

493

aborto | acabar com a raça

aborto 674, 732, 872
abotoação 367
abotoadeiro 690
abotoado 367, 528
abotoar 43, 161, 261, 367
abotoar-se com alguns contos de réis 791
abra 343
abraamianos 984
abraamitas 984
abracadabra 993
abracadabrante 31, 608
abraçadeira 45
abraçar 43, 46, 54, 76, 227, 229, 484, 609,625, 762, 894, 897, 902
abraçar a vida monacal 893
abraçar-se 677
abraço 829, 894, 897, 902
abraços 293
abraços de tamanduá (bras.) 544
abrandamento 174, 937
abrandar 36, 174, 265, 324, 469, 834, 937
abrandar o calor 383a
abrandar o coração 914
abrangência 180
abranger 54, 227, 518
abranger com a vista 441
abrangimento 54
abrasado 434, 821, 824
abrasado do amor da Pátria 910
abrasador 382
abrasamento 382, 384, 825
abrasar 384, 434, 615, 824
abrasar de amor 897
abrasar-se 821, 825
abre-alas 234, 280
abre-bondade (cachaça) 959
abre-coração (cachaça) 959
ábrego (ant.) 278
abre-ilhós 262
abrejeirado 683
abrenunciação 757
abrenunciar 757, 766
abrenúncio! 603, 766, 908, 932
ab-reptício 503
abre-te sésamo 550, 631, 632
abre-te Sésamo! 260
abreviação 201, 572, 596
abreviadamente 596
abreviado 201, 596
abreviamento 132, 201, 596
abreviar 36, 111, 132, 201, 596, 684
abreviatura 201, 596
abrideira (cachaça) 959
abridor 559
abridora (cachaça) 959
abrigada 666
abrigado 664
abrigadouro 666
abrigar 159, 184, 191, 296, 664, 670
abrigar do calor 385
abrigar-se 666
abrigo 184, 189, 296, 530, 664, 666, 717
abrigoso 664
abrilhantar 420, 642, 847, 873
abrindo-se cada lóculo separadamente 367
abrir crédito 805
abrir 44, 66, 252, 260, 367, 461, 525, 550, 816
abrir a boca 529, 582, 841, 870
abrir a boca a alguém 461
abrir a bolsa 809
abrir a cena 116
abrir a passagem por 260
abrir a porta a 66, 153, 177, 296, 673

abrir a porta de par em par 296
abrir a porta/o caminho a 705
abrir a torneira 584
abrir as comportas 297, 705
abrir as goelas 411
abrir as pernas 705
abrir as portas do céu (fig.) 998
abrir as válvulas/a porta/os diques/livre curso a 760
abrir brecha 716, 773
abrir brecha na muralha 731
abrir caminho 260, 280, 282
abrir caminho/picada/passagem 302
abrir claros 103
abrir conflito com 179
abrir conta-corrente 805
abrir de lés a lés 198
abrir de meio a meio 198
abrir de par em par 198
abrir de par em par as portas de 705
abrir discussão 476
abrir dócil o coração a 879
abrir dos peitos 688
abrir e fechar d'olhos 113
abrir exceções 469
abrir fendas 124, 659
abrir fileiras 302
abrir fogo 716
abrir folha 551
abrir grande vantagem 274
abrir mão 678, 782
abrir mão de 624, 757
abrir novos horizontes 146
abrir o caminho para a derivação da seiva 162
abrir o coração 529
abrir o coração a alguém 902
abrir o pé 623
abrir o peito ao vento 604
abrir os cordões da bolsa 809
abrir os olhos 527
abrir os olhos a 480a, 529
abrir os olhos a alguém 525, 543, 695
abrir os olhos à luz 66
abrir os olhos ao dia/à luz 359
abrir os seus salões 892
abrir ouvidos fáceis a 486
abrir praça 66
abrir recrutamento 673
abrir regos 259
abrir uma conta 811
abrir uma esteira ensanguentada 361
abrir uns grandes olhos 870
abrir uns olhos grandes 455
abrirem-se os braços com amor 892
abrir-se 529
abrir-se com alguém 529
abrita 129
abrochador 45
abrochar 43
ab-rogação 756
ab-rogador 756
ab-rogar 2, 624, 756, 757
ab-rogativo 756
ab-rogatório 756
abrolhado 704
abrolhar 153, 161, 704
abrolhar espinhos 169
abrolho 253
abrolhos 704
abrolhoso 704
abronzear 433
abroquelar 223, 717
abroquelar-se 664
abroquelar-se por detrás de 528
abrumar 421
ab-rupção 44, 521

ab-ruptela 673
abrupto 173, 217, 508
ab-rupto 113
abrutado 579, 852, 895
abrutecer 376
abscesso 250, 655
abscisão 38
abscissa 84, 466
absconder 528
abscôndito 447, 528
absconso (poét.) 528
absenteísmo 187
absentismo 187
abside 1000
absidíola 1000
absímile (ant.) 18
absintado 395
absintiar 395
absintina 395
absintite 395
absinto 395, 830, 959
absolto 970
absolução (ant.) 970
absolutamente 31, 32, 536
absolutamente nada 4
absolutismo 737
absoluto 1, 31, 33, 52, 105, 474, 535, 737, 739, 748, 924
absolutório 970
absolver 480, 75, 750, 960, 918, 922, 937, 946, 970, 998
absolver uma dúvida 474
Absolvição 970
absolvição 750, 918, 922, 927a, 937
absolvido 970
absolvimento 970
absonância 414
absonante 414
ábsono 24, 414, 477
absorção 48, 162, 296, 458
absorção do espírito 457
absorto 457, 458, 821, 827, 870
absorvedor 296
absorvedouro 348, 449
absorvência 48, 296
absorvente 296, 457, 630, 642, 821, 829
absorver 48, 296, 298, 457, 458, 606, 630, 789, 818, 824, 829
absorver a atenção/a ideia/o pensamento/o espírito/as vistas 457
absorver a luz 421
absorver o pensamento 451
absorver-se 451
absorver-se em vagas meditações 458
absorvido 457
absorvível 296
absteger 652
Abstemia 958
abstemia 953
abstêmico 953, 958
abstêmio 953, 958
Abstenção 609a
abstenção 623, 678, 681, 757
abstencionismo 609a
abstencionista 609a
abstergência 652
abstergente 652, 662
abstergir 652
abstersão 652
abster-se 609a, 623, 678, 681, 953
abster-se de 624, 864
abster-se de comidas 956
abster-se de fazer 681
abstersivo 652, 662
absterso 652
abstinência 678, 952, 953, 955, 990
abstinência alimentar 956
abstinência total 953

abstinente 953, 958, 984
abstração 38, 44, 451, 452, 458, 789
abstração da memória 506
abstração feita 460
abstração feita de 610
abstracionismo 692a
abstraindo-se da prática 514
abstraindo-se de 55
abstrair de 773
abstrair-se 456, 458
abstrair-se de 53, 55
abstrato 2, 78, 317, 452, 458, 519
abstruso 519, 528
absumir (ant.) 162
absunção (ant.) 162
absurdamente & adj. 497
absurdeza 497
absurdidade 497
Absurdo 497
absurdo 471, 477, 497, 499, 517, 549, 608, 853, 923, 925, 964
absurdo inaceitável 497
abuado 206
abufelar 830
abular 550
abulia 265, 376, 503, 826, 866
abúlico 265, 624, 866
abundança 136
abundância 25, 31, 52, 168, 573, 639, 803
abundanciar 35
abundante 31, 52, 102, 639, 640
abundante em 168
abundantemente 31
abundar 72, 168, 348, 639
abundar em talento 498
abundoso 639
abunhadio 877
abunhar 819
aburguesado 877
aburguesar-se 877
aburrado 499
abusadamente 929
abusão 546, 992
abusar 649, 954, 964
abusar da boa-fé de 929, 940
abusar da credulidade de 545
abusar da memória 505
abusar da paciência de alguém 841
abusar de 545, 679, 961
abusar do poder 739
abusar dos meneios do corpo 855
abusivamente 31, 739
abusivo 647, 679, 909, 932, 964
abuso 523, 549, 649, 679, 830, 923, 947, 961
abuso de autoridade 737, 739
abuso de confiança 940
abuso de prerrogativas 791
abuso de termo 521
abuso de termos/de linguagem 563
abuso ou demasia do poder 738
Abusus non tollit usum 679
abutamar (ant.) 528
abutre 361, 366, 739, 819, 913, 949, 957
abuzinar 404
Abyssus abyssum invocat 945
aca 72, 401
acalvaria 655
acabaçar 249
acabadiço 732
acabado 31, 650, 659, 673, 729, 732
acabado de fazer 123
Acabamento 729
acabamento 67,161, 650
acabar 67, 449, 680, 692, 729
acabar com a raça 972

acabar no céu a rotação dos astros | acesso de loucura

acabar no céu a rotação dos astros 471
acabar os dias na forca/no hospital 361
acabar-se 2, 123, 360
acabar-se com 162
acabável 470
acabela 273
acaboclado 433
acabou! 859
Acabou-se o que era doce! 859
acabramar 43, 45, 158
acabramo ou cabramo 45
acabrunhado 828, 837, 901a
acabrunhamento 832, 837, 859
acabrunhante 159, 830
acabrunhar 739, 830
acabrunhar-se 837, 859
açacalado 420
açacalador de inteligências 540
açacalar 537
açacanhar 773
açaçapado 207
açaçapar 907
açaçapar-se 207, 308
açachapado 207, 886
açachapar 207
acachoar 348
acaciano 499
academia 542
academial 542
academiar 542
acadêmico 492, 537, 541, 542, 578
academista 541
acadimento (ant.) 37
Acadina (mit.) 768
acaecer (desus.) 151
acaecimento (desus.) 151
açafate 191, 746
acafelado 223
acafeladura 223
acafelar 223, 528
acafelar mentiras 544
acafetado 431
acafetar 431
açaflor 436
açafrão 436
açafroado 436
açafroamento 436
açafroar 436
açaimar 158, 581, 751
açaimo 752
acaipirado 852
acaireladas (unhas) 653
acairelar 229, 847
acajadar 972
acalasia 655
acalcanhar 483, 773, 930
acalçar 281
acalentar 174, 416, 723, 834, 902
acalicino ou acálice 367
acalmação 819
acalmado 174, 265
acalmar 174, 265, 616, 723, 834
açalmar (ant.) 637
acalmar-se 826
acalmia 265
acaloradamente 173, 824
acalorado 173, 824
acalorar 384, 824
acamado 655
acamar 184, 204, 655, 723
açamar 158, 174, 751
acamaradar(-se) 890
acamaradar-se 888
acamato 159
açambarcador 797, 943
açambarcamento 777
açambarcar 751, 777
acamelado 499
açamo 752

acampamento 184, 189, 840
acampar 184, 292
acampto 421, 426
acanalado 259
acanaladura 259
acanalar 259
acanalhado 874, 929
acanalhados 930
acanalhar 874
acanalhar-se 877, 941
acanaveadura 972
açancanhar 590
acanelado 433
acanelar 330, 433
acanhado 193, 481, 605, 641, 699, 817, 860, 881, 923, 940
acanhamento 193, 499, 699, 879, 881, 945
acanhar 36, 195, 203, 483
acanho 699, 881
acanhoar 722
acanhonear 716, 722
acanônico 964
acanonista 964
acantamoebíase 655
acanto 847
acantoar-se 893
acantonamento 184, 189
acantonar 184
acantose nigricans 655
acanutar 260
Ação 680
ação 170, 175, 276, 454, 604, 615, 676, 692, 692a, 720, 722, 827, 861, 969
ação corrosiva dos séculos 122
ação criminosa 947
ação de graça 990
ação de graças 690
ação de graças 838
ação do tempo 122, 659
ação e reação 12
ação exemplar 906
ação indecorosa 874
ação judicial 969
ação nobre e generosa 944
ação nobre ou heroica 939
ação vil e malévola 907
ação violenta do clima 657
ação voluntária 170
ação/causa cível 963
acapelar 739
acapitular 932, 972
acapna 388
acapno 396, 396
açapo 129
acarar 715
acardumar-se 72
acareação 464
acarear 464, 467
acariciador 902
acariciadoramente & adj. 902
acariciar 174, 484, 707, 897, 902
acariciar desejos de vingança 919
acariciar maldade 907
acariciar um pensamento/ uma ideia 451
acariciar um sentimento 821
acariciativo 902
acaridar o pobre 906
acaridar-se 914
acaridar-se dos que padecem 906
acarinhar 902
acarinhar uma esperança 858
acarneirar-se 886
acaroado 199
acarraçado 604a
acarrapatar-se 604a
acarrar-se 265
acarrear 153
acarretar 153, 161
acasalar 43, 89, 168, 903

acaseadeiro 690
acasmurrado 606
Acaso 156
acaso 151, 470, 615a
acastanhado 433
acastelar 240, 717
acastelar-se 864
acatado 939
acataléctico 650
acatalepsia 475, 485
acataléptico 475, 485
acatamento 34, 725, 743, 749, 772, 928
acatar 743, 772, 928
acatassolado 440
acatassolar 440
acatástico (febre) 149
acatável 928
acato 725, 743, 749, 772
acauã 512
acaudilhar 693
acautelado 459, 673, 864
acautelamento 673
acautelar 459, 510, 664, 668, 695, 706
acautelar-se 864
acavalar 72, 636, 640
acavaleirar 636
accessit 733, 973
acedares 545
acedência 488, 762
aceder 488, 762
acefalia 738
acefalismo 738, 984
acefalita 984
acéfalo 491, 501, 738
aceirar 229, 664
aceiro 229, 232, 690
aceitação 462, 488, 762, 785, 888, 931
aceitamento 488
aceitante 807
aceitar 76, 462, 484, 488, 522, 757, 762, 771, 785, 789
aceitar a corrigenda 495
aceitar a luta 604
aceitar a moda 851
aceitar as coisas como elas são 826
aceitar as coisas como vêm 683
aceitar as oblações 933
aceitar com ambas as mãos 762, 785
aceitar como evangelho 484
aceitar como um dogma 484
aceitar o cabresto 851
aceitar o repto 719
aceitar peitas/bola/propina/ suborno 940
aceitar tudo como um evangelho 486
aceitar uma letra 807
aceitar uma teoria 484
aceitável 484, 639, 831, 922
aceite 771, 785, 807
Aceite a expressão do mais profundo reconhecimento 916
aceito 474, 613
Aceldama 728
aceleirar 636
aceleração 264, 274, 684, 863
acelerador de partículas 316
acelerar 111, 132, 170, 173, 274, 684, 824
acelerar a evaporação 340
acém 401, 653
acenar 457, 550
acenar com 510, 768
acendalha 388
acendalho 388
acendedalha 388

acendedor 615
acender 153, 173, 382, 384, 824, 865
acender êxtase 870
acender luminárias 838
acender ódio 898
acender uma vela a Deus e outra ao Diabo 607, 609a
acenderem-se as lâmpadas do firmamento 126
acender-se em ira 900
acendido 434, 827
acendimento 900
acendível 384
acendrar 658
aceno 550, 763
acento 413, 550, 580, 597
acento agudo 590
acento circunflexo 550, 590
acento demorado/carregado/ nativo/estrangeiro 580
acento nasal 583
acento predominante 580
acento tônico 580
acentuação 402, 580, 597
acentuado 124, 525
acentuar 457, 535, 550, 561, 590, 642
acentuar com exagero 549
acepção 516, 522
acepilhadura 255
acepilhar 255, 673
acepipe 394
acepipes 298
acéquia 343, 350
acer in rebus agendis 682
acerado 574
acerar (o ódio) 35
acerar 253, 323, 574
acerar as espadas 673
acerbar 397, 659,835
acerbar o coração 951
acerbidade 256, 395, 830, 895, 900, 901
acerbo 171, 395, 397, 657, 674, 739, 821, 830, 895, 907, 914a, 900, 901
acerca de (ant.) 32
acercamento 286
acercar-se 286
acercar-se de 286
acerejado 434
acerejar 255, 434
acerra 400
acérrimo 604a, 682, 686, 889
acertado 646
acertar 13, 23, 151, 511, 769
acertar a última demão 729
acertar casualmente 156
acertar com 480a
acertar com a bala no alvo 731
acertar com toda exatidão 23
acertar na megassena 734
acertar na mosca 511
acertar no alvo 698
acertar-se 23
acerto 134, 477, 464, 698, 731
acervo 31, 72, 593, 780
acescência 397
acescente 397
aceso 173, 384, 824, 900
acessão 35, 37, 286, 488, 737, 762
acessibilidade 570, 602
acessível 260, 470, 518, 570, 602, 705, 812, 815, 892, 894
acessível à suspeita/à dúvida 485
acesso 139, 173, 286, 612, 655, 658, 888, 900,973
acesso ao trono/ao poder 737
acesso de aborrecimento 841
acesso de cólera 900
acesso de fúria 173
acesso de loucura 503

495

acesso de raiva/de fúria | acontecimento

acesso de raiva/de fúria 901
acessório 39, 88, 643, 707
acessórios 632, 633, 643
acessos de cólera 901a
acetábulo 397
acetar 397
acéter (ant.) 191
acético 397
acetificar 397
acetileno 334
acetileno ou acetilene 423
acetímetro 397
acetinação 255
acetinado 255
acetinar 255
acetol 397
acetomel 396
acetômetro 397
acetosidade 397
acetoso 397
acha 388
acha de armas 727
achacadiço 655
achacado 655
achacar 655
achacoso 655
achada (ant.) 344
achádego (ant.) 973
achadiço 495
achadilha 477, 546, 940
achado 480a, 618, 775, 812, 815
achado no delito 947
achador 164
achadouro 480a
achamalotado 255
achamboar 659, 674
achanar 174, 251
achanzar 251
achaparrado 193, 195, 846
achaparrar-se 193
achaque 655, 945
achaqueira 655
achaquento 655
achaquilho 655, 945
achar 480a, 514, 522, 775
achar a chave de 480a, 522
achar a solução de 480a
achar aceitação 484
achar aplausos calorosos 931
achar bom/correto/lógico 931
achar censurável 932
achar defeito em tudo 868
achar digno de louvores 931
achar eco 484
achar melhor 609
achar muito natural 613
achar natural 871
achar o comer feito 681
achar repercussão e aplausos calorosos 931
achar sonda de tantas braças 208
achar um furo a 480a
acharoar 223
achar-se 186
achar-se em boa 665
achar-se em todo elogio 931, 944
achar-se em certa fase 71
achar-se entre nós 292
achar-se exposto a 177
achatado 254
achatamento 254
achatar 195, 201, 241, 319, 324, 479
achavascado 256, 674, 852, 895
achavascar 256, 659, 699
achega 39, 371, 707, 809, 810
achegada 716
achegadeira 962
achegado 890
achegado rente 197
achegador 962
achegamento 286
acheganças 707, 809, 810

achegar-se 286, 666
achicar 340
achincalhação 856
achincalhamento 856
achincalhar 856, 874, 879, 907, 929
achincalhar-se 940
achincalhe 842, 856, 907, 929
achinelar 240
achocalhado 531
achocalhar 529
achumbado 431
acica (pop.) 800
acicatar 824
acicate 253, 615, 824
acicatura 847
acícula 45
aciculado 253
acicular 253
acid jazz 412
acidação 397
acidade 397
acidar 397
acidável 397
acidência 156
acidentação 248
acidentado 16a, 151,206, 248, 256, 665, 828
acidental 6, 8, 151, 156, 177, 508, 621
acidentalmente & adj. 151
acidentar 248, 556
acidentar de fortes sombras 424
acidentário 6, 156
acidentar-se 16a
acidente 6, 16a, 135, 151, 156, 619, 732, 735, 830
acidente caseiro 667
acidente fatal 361
acidentes 220, 659
acidez 392, 395, 397
acidia 160, 460, 683, 823, 859
acidífero 397
acidificação 397
acidificante 397
acidificar 397
acidimetria 397
ácido (cachaça) 959
ácido 334, 392, 397
ácido cianídrico 727
ácido prússico 663
acidulante 397
acidular 397
acídulo 397
ácie (p. us.) 253
aciganado 185
acima 62, 206
acima citado 104
acima de 33
acima de qualquer preço 814
acima de qualquer/toda suspeita 946
acima de toda expectativa 731
acima de toda prova 494
acima de todo elogio 931, 944
acima de todo o louvor 650
acima de tudo 642
acima dito 104, 116
acima do medíocre 639
acima do par 31, 648
acima mencionado 62
acimo 72
acínace 727
acinesia 376
ácino 249
acinte 830, 907, 929
acintosamente 620
acintoso 649, 830
acinzado 432
acinzamento 429
acinzar 429
acinzeirado 432

acinzentado 432
acinzentar 429,0432
acionado 550
acionador 615, 690
acionar 170, 264, 550, 969
acionário 778
acionista 778
acipitrino 366
acirandar 652
acirologia 523
acirrar 153, 615, 824, 900
acirrarem-se os debates 476
acisia (de mulher) 169
acitara 223, 999
acitrinado 436
aclamação 488, 755, 873, 931
aclamação ruidosa 838
aclamador 935
aclamar 609, 755, 931
aclamativo 488, 931
aclaramento 522
aclarar 420, 430, 518, 522, 525
aclarar o céu 340
aclasto 425
aclerizar-se 995
áclide 727
aclimação 370
aclimar 370, 613
aclimatação 613
aclimatar 370, 613
aclimatar-se 23
aclive 217, 305
aclividade 217
aclivoso 217
acme 210
acne 655
aco 51, 727
aço (de espelho) 235
aço 159, 191, 323
aço homicida 727
acobertar 223, 528, 664
acobertar nas reticências 528
acobertar-se 225, 528
acobertar-se com 937
acobilhar 664, 906
acobreado 433, 439
acobrear 433, 439
acochar-se 308
acocorado 193
acocoramento 879
acocorar-se 193, 193, 207, 308, 862, 886
açodado 682
açodado 684
açodamento 132, 173, 604, 682, 684
açodar 132, 615, 684
ações 692
acogular 190, 640
acoimador 938
acoimar 874, 932, 938, 972, 974
acoimar de apodos injuriosos 895
acoimar morte (ant.) 919
acoirelamento 786
acoirelar 786
acoitadar 839, 914
acoitar 186, 296, 378, 664, 972
acoitar-se 294, 664, 666
açoite 378, 830, 972, 975
acolá 186, 196
acolchetar 43
acolchoadeiro 690
acolchoado (forro) 384
acolchoado 224, 324
acolchoar 190, 224, 324
acolhedor 762, 892
acolher 296, 664, 785, 892
acolher bem 602
acolher com agrado 902
acolher com generosidade 892
acolher com repugnância 867
acolher com satisfação 931

acolher favoravelmente 762
acolher-se 666
acolher-se a 286
acolher-se ao quartel de saúde 666
acolhida 296
acolhimento 184, 296, 785, 892, 894, 931
acolhimento frio/glacial 764
acolhimento glacial 932
acolitado 995
acolitar 707, 743
acólito 711, 997
acomadrar-se com 888
acometer 173, 612, 655, 716
acometida 716
acometimento 716
acometível 665
acomia 226
acomiserar-se 914
acomodação 23, 58, 184, 623, 723, 757, 774
acomodadamente & adj. 23
acomodado 23, 683, 714
acomodar 23, 184, 714, 723, 774
acomodar os litigantes 774
acomodar-se 23, 58, 82, 602, 623, 757, 820
acomodar-se ao tempo 82
acomodar-se ao tempo/aos ares 607
acomodar-se com 831
acomodatício 607
acompadrado com 490
acompadrar(-se) 190, 714, 888, 890
acompadrar-se com 88, 538
acompanhador 281
Acompanhamento 88
acompanhamento 37, 39, 65, 281, 363, 415, 626, 692a, 746
acompanhar (com instrumento musical) 417
acompanhar 88, 120, 178, 281, 416, 488, 613
acompanhar a corrente/a onda 488, 886
acompanhar a moda 851
acompanhar a onda 82
acompanhar a procissão 488
acompanhar alguém como a sombra acompanha o corpo 88
acompanhar alguém como uma sombra 281
acompanhar as pegadas de 117
acompridar 110, 200
aconchar-se 881
aconchear a mão atrás da orelha 457
aconchegado 377
aconchegar 664, 902
aconchego 199, 377, 827, 829, 902
acondicionado & v. 190
acondicionamento 60
acondicionar 72, 190, 636, 673
acôndilo 323
acondroplasia 655
aconfradar 714
aconfradar-se 709
acônito 663
aconselhado 611
aconselhamento 695
aconselhar 511, 615, 668, 695
aconselhar-se 461
aconselhar-se com 695
aconselhável 646
aconsoantar 597
aconteça o que acontecer 152, 474, 604, 863
acontecer 151, 156, 621
acontecer esporadicamente 137
acontecimento 151

acontecimento feliz 731
acontiado 746
acôntio 727
acontioso (ant.) 803
acontista 726
acoplamento 43
acoplar 43
açor 366
açorado 865
açorar 860, 865
açorar-se 860, 865
açorda 298, 862
acordação (ant.) 23, 488
acordado 413, 459
acordamento 488, 714
acordança 488, 714
acordante 23
acórdão 480
acordar 488, 527, 682, 714, 762, 769, 774, 824
acordar a sensibilidade adormecida 824
acordar em 769
acordar o cão que dorme 665
acordar o cão que está dormindo 824
acordar o leão que dorme 863
acordar os ecos 404
acordar uma dúvida 485
acordar-se 23
acorde 413, 415, 714, 769
acordeão 417
Acordo 23
acordo 82, 178, 242, 488, 646, 714, 723, 762, 769, 774, 963
Acordo ainda não foi alcançado 969
acordoar 205
açorenho 366
acória 443, 957
acornear 961
acoroçoado por contínuas vitórias.
acoroçoamento 615, 707
acoroçoar 615, 707, 824, 861
acorrentado 754
acorrentamento 749
acorrentar 43, 749, 751
acorrentar o pensamento 739
acorrer 286, 665, 666, 707
acorrilhar 751
acortinar 528, 847
acoruchado 206
acossa (pop.) 622
acossamento 622
acossar 622, 716, 907
acosso 622
acosto 215
acostumado 613
acostumar 673, 823
acostumar(-se) 613
acotiar 225
acotovelamento 102
acotovelar 550
acotovelar-se 72, 102
acotovelar-se com 76, 88, 199
açougada 404
açougaria 411
açougue 59, 361
açouguite 361
açoutar 349
acovardamento 860, 862
acovardar-se 860, 862
acracia 160, 738, 954
acrato 42
acre 392, 395, 397, 895, 901
acreditado 484, 803, 873, 939
acreditar 484, 755, 759, 805
acreditar em 484
acreditar em histórias da carochinha/em contos de velhas 486
acreditável 470, 484

Acreditem os que quiserem 485
ácreo (ant.) 487
acresce que 37
acrescentamento 35, 37
acrescentar 35, 37, 39, 549
acrescer 37
acréscimo 39
acréscimos 549
acridez 171, 395
acridiano 412
acrídio 203, 412, 913
acridófago 298
acrílico 692a
acrimônia 171, 392, 395, 720, 895, 898, 900
acrimonioso 392, 574, 895, 898, 900
acrisolado 944
acrisolar 42, 650, 652, 658
acritude 171, 395
acro 328, 397
acroama 415
acroamático 413
acrobacia 159
acrobata 599
acrobático 599
acroceráunio 206
acrocianose 655
acrofobia 860
acrólito 323
acromania 503
acromasia 429
acromático 413, 429, 490
Acromatismo 429
acromatização 429
acromatizar 429
acromatopsia 443, 655
ácromo 429
acromotico 528
acropódio 211
acrópole 717
acrosofia 490, 976
acróstico 561, 597, 842
acrotério 215
actinomicose 655
Actum est 729
acuar 283, 412, 673
açúcar 396, 879
açúcar cândi 396
açucarado 396, 826, 829, 886, 933
açucarar 396
açucarar-se 879
açucareiro 396
açucena 430
açucena, boca, bocal x base 237
acuchilar 716
acucular (ant.) 640
açudar 261, 348, 706, 751
açude 232, 263, 343
acudir 462, 666, 717
acudir à espora 718
acudir à mente 505
acudir ao apelo de 707
acudir ao apelo/ao leme de 743
acudir pelo nome de 564
acuidade 253, 375, 494, 498
acuidade de visão 498
açulador 615
açulamento 615, 824
açular 173, 615, 824, 900
aculeado 253
aculeamento & v. 253
acúleo 253, 378, 615, 663, 830, 950
acúleos da carne 377
acume 210, 253
acume/acúmen 498

acúmen 253
acuminação 253
acuminar 253
acumpliciar-se 709
acumulação 72, 636, 640
acumulação de nuvens 421
acumular 35, 72, 636, 640, 775
acúmulo 72
acupuntura 260
acupuntura médica 662
acurado 650
acurralar 716
acurvar 245
Acusação 938
acusação 922
acusado 938, 971
acusador 936, 938
acusamento 938
acusar 155, 527, 922, 938, 971
acusar de ação infame 874
acusar-se 950
acusatório 938
acusável 938
acusma 402a, 411
acusmata 402a
acusmático 402a
acúsmetro 419
acústica 402, 418
acuta 244
acutangular 244
acutângulo 244
acutilar 649, 659, 716
ad amussem 19
ad amussim 494
ad arbitrium 600
Ad augusta per augusta 731, 873
ad calcem 52
ad calendas graecas 107
ad captandum 477, 855, 933
ad captandum vulgus 882
ad eundem 27
ad hoc 23, 134, 646
ad hominem 79
ad honores 815
Ad impossibilia nemo tenetur 471
ad instar 82
ad interim 106
ad libitum 600, 602, 639, 760
ad nutum 600
ad perpendiculum 212
ad perpetuam rei memoriam 505, 883
ad referendum 461
ad rem 134
ad summam 572
ad unguem 19, 494, 650
ad unguem factus homo 500
ad unum omnes 488
ad usum 613
ad valorem 812
ad verbum 494
ad vitam eternam 112
adaga 253, 727
adagada 716
adagial 496
adagio 275, 413, 415, 496
adail 668, 745
adamado 373
adamantino 323
adamascado 434
adamascar 434
adansônia 206
Adão 373
adaptação 23, 82, 144, 626, 646, 673
adaptar 23
adaptar(-se) 82, 144, 602, 613, 464, 714, 820
adaptar-se a 613, 646
adaptável 644
adarga 717

adargar 717
adarme 643
addendum 39
adefagia 957
adega 636
adegar 959
adejar 152, 206, 264, 267, 305, 311, 402a, 665, 909
adejar nas asas da fantasia 515, 858
adejo 267, 402a
adela 962
adelgaçado 322
adelgaçamento 203, 253
adelgaçar 195, 253, 254, 322, 817
adelgaçar a cor 429
adelgaçar-se 36, 203
adelo 701, 797
ademais de 37
ademanes 851
ademonia 828
adenção 756, 789
adendo 39
adensar 321
adentado 253
adentar 257
adepto 488, 541, 711, 890, 983
adepto de Epicuro 954a
adequabilidade 644
adequação 48, 82, 714
adequado 23, 82, 134, 157, 639, 644, 646
adequar 9, 23, 27, 698
adequar(-se) 82, 714
adequável & v. 23
adereçamento 847
adereçar 845, 847
adereço 847
adereços 633
aderência 13, 46, 199, 762, 888
aderente 46, 199, 711
adergar (pop.) 292
adergar ou adregar 156
aderido & v. 46
aderir 46, 199, 265, 321, 488, 604a, 607, 613, 931
aderir a 707, 712
aderir como ostra ao rochedo 46
adermentar 376
adernar 310
adesão 46, 288, 352, 743, 762, 772
adesão cega 486
adesionismo 607
adesismo 607
adesista 607
adesivo 46
adeso 46
adestrado 698
adestrador 540
adestrar 370, 537, 613, 673, 698
adestrar-se 538
adeus minhas encomendas! 732
adeus! 293
adevão 889
Adhuc sub judice lis est 969, 730
adiafania 261
adiáfano 426
adiáforo 609a, 643
adiamantino 159
adiamento 133, 730
adiantado 682
adiantamento 132, 282, 313, 538, 658, 731, 787, 809
adiantar 111, 132, 313, 535, 684, 707, 787, 809
adiantar uma data 115
adiantar(-se) 116, 274, 280, 282, 885
adiantar-se em anos 128
adiante 121, 280

adiar | adscrição

adiar 133, 730
adiatermia 261
adiável 643, 647
Adição 37
adição 35, 85, 775
adicionação 37
adicional 35, 37, 39, 640
adicionamento 37
adicionar 37, 39
adicto 897
adido 37, 39, 758
adietar 662
adil 371
adimento 37
adimplemento 772, 806
adimplência 806
adimplente 806, 807
adimplir 772
adinamia 160
adinâmico 160
ádipe 356
adiposo 355, 440e
adipsia 395, 866
adir 37
aditamento 37, 39
aditar 37, 39, 734
aditício 37
aditivo 39
ádito 27, 37, 39, 66, 198, 286, 294, 511, 533, 613, 1000
adival 466
adivinhação 477, 510, 511, 514, 520, 992
adivinhação abrindo-se um livro ao acaso 511
adivinhação lançando dados, ou tirando sortes 511
adivinhação pela agitação de uma peneira, de um crivo 511
adivinhação pela água 511
adivinhação pela cabeça de um burro 511
adivinhação pela farinha de trigo 511
adivinhação pela observação dos astros no ato do nascimento 511
adivinhação pela substância ou cor do vinho 511
adivinhação pelas aparências do homem 511
adivinhação pelas coisas que se apresentam subitamente 511
adivinhação pelas cores e movimentos de uma lâmpada 511
adivinhação pelas entranhas de animais 511
adivinhação pelas entranhas dos peixes 511
adivinhação pelas ervas 511
adivinhação pelas feições de uma pessoa 511
adivinhação pelas letras do nome 511
adivinhação pelas linhas da palma da mão 511
adivinhação pelas manifestações exteriores 511
adivinhação pelas nuvens 511
adivinhação pelas pedras preciosas 511
adivinhação pelas serpentes 511
adivinhação pelas setas 511
adivinhação pelas unhas refletindo os raios solares 511
adivinhação pelas varinhas 511
adivinhação pelas vísceras humanas 511
adivinhação pelo carvão incandescente 511
adivinhação pelo ferro em brasa, sobre o qual se lançava palha para se observar as figuras resultantes das faíscas ou das cinzas 511
adivinhação pelo fogo 511
adivinhação pelo fumo que se erguia do altar em que se queimavam as vítimas 511
adivinhação pelo movimento da água das fontes 511
adivinhação pelo sal 511
adivinhação pelo sol/lua/estrelas 511
adivinhação pelo voo ou canto das aves 511
adivinhação pelos dedos, ou pelos anéis dos dedos 511
adivinhação pelos espíritos 511
adivinhação pelos meteoros 511
adivinhação pelos números 511
adivinhação pelos ratos 511
adivinhação pelos sinais e observação do ar 511
adivinhação pelos sonhos 511
adivinhação por meio de cartas 511
adivinhação por meio de cera derretida lançada n'água gota a gota 511
adivinhação por meio de cevada 511
adivinhação por meio de círculos, figuras feitas na areia, ou por meio de pó de terra lançado numa mesa 511
adivinhação por meio de espelho 511
adivinhação por meio de ídolos 511
adivinhação por meio de sortes 511
adivinhação por meio de um espelho, ou de qualquer objeto de cristal 511
adivinhação por meio de um galo 511
adivinhação por meio de voltas rápidas num círculo até cair atordoado em cima de letras dispostas ao acaso, das quais se tiravam presságios 511
adivinhação por meio do queijo 511
adivinhação por meio do reflexo da luz de duas velas na água contida num vaso bojudo 511
adivinhação por suposta inspiração divina, ou pelo nome de Deus 511
adivinhação por um machado 511
adivinhação por uma chave presa a uma bíblia 511
adivinhação por uma varinha 511
adivinhação por vista, número ou voo das aves 511
adivinhador 511, 513
adivinhão 513
adivinhar 510, 511, 514
adivinhar a muitas léguas de distância 510
adivinhar os desejos de 707
adivinho 513, 994
adjá 998
adjacência 199, 227
adjacências 197
adjacente 197, 199
adjetivação copiosa 577
adjetivar 567
adjetivo 37, 39, 562
adjetivos para animais 366, 440c
adjeto 39
adjudicação 789
adjudicar 480, 967
adjudicativo 480
adjudicatório 480
adjunção 88
Adjunto 39
adjunto 199, 711
adjuração 535, 908, 992
adjurar 535, 765, 768, 908, 992
adjutor 711, 996
adjutório 707
adjuvante (teol.) 707
adminicular 707
adminículo 707
adminículos 847
administração 170, 459, 691, 692, 693, 737
administração da justiça 965
administrador 690, 694, 737
administrar 625, 693, 707, 737
administrar batismo/crisma/extrema-unção 998
administrar justiça 967
administrar remédio 662
administrativo 737, 965
Admiração 870
admiração 508, 829, 897, 928, 931
admiração incondicional 928
admirador 444, 865, 870, 890, 897, 935
admirar 441, 870, 928, 931
admirar-se 1
admirar-se a beleza dos poentes 126
admirar-se em 183
admirável 83, 648, 847, 870
admirável de vitalidade 734
admiravelmente 31, 870
admissão 54, 76, 286, 294, 296, 467, 488, 538, 785
admissibilidade 23, 472
admissível 23, 296, 470, 922
admisso equo 274
Admisso equo 684
admitidamente & adj 76
admitido 76, 82, 296, 474, 514, 613
admitindo-se 469
admitir 23, 54, 76, 296, 470, 484, 488, 514, 529, 760, 762, 785, 931
admitir como certo 484, 514
admitir como real 484
admitir exceções 469
admitir num sentido particular 522
admoestação 462, 527, 668, 695, 972
admoestador 695
admoestar 462, 695, 932
admonição 932
admonitório 668, 695, 972
adnotação 762
adobe 635, 752
adoçado 396
adoçamento 396, 469, 834
adoçante 396
adoção 910, 931
adoçar 396, 469, 829, 834
adoçar a cor 429
adoçar o fio 673
adoçar o ouro 652
adocicado 396
adocicar 396
adoecer 655
adoecer de vaidade 880
adoecimento 655
adoentado 655
adoentar 655
adoidado 499, 503, 504
adoidar 503
Adolescência 131
adolescência 373, 374
adolescente 129, 131, 374
adolescer 131
adônico 597
Adônis 845, 854
adonisar 847
adonisar-se 851
adoração 897, 902, 990, 998
adoração de si mesmo 943
adorado 906
adorador 897, 990
adorador do fogo 984
adorando (ant.) 897
adorante 897
adorar 897
adorar com imaculado amor 897
adorar ídolos 991
adorar Mamon 803
adorar o bezerro de ouro 803
adorar o sol nascente 886, 933
adorar/servir a Deus 990
adorável 829, 845, 897
adormecer 174, 265, 376, 683, 823, 834, 841
adormecer na ociosidade 460, 681
adormecer para sempre 360
adormecido 526, 683
adormecimento 376, 381, 683
adormentar 174, 683, 826, 834
adornar 554, 845, 847
adornar com flores de retórica 577
adornar-se 225, 851
adorno 39, 225, 231, 847, 873
Adoro-te, direita balança, que a nenhum lado pendes! (Fr. Tomé de Jesus). 922
adotação 609
adotado 488
adotar 484, 488, 609, 625, 707, 931
adotar a tática fabiana 702
adotar outra pátria 184
adotar por modelo 19
adotar por norma 19
adotar por padrão 19
adotar um costume 613
adotar um pseudônimo 565
adotar uma orientação 692
adotivo 184
adquirente 775, 795
adquirição 775, 795
adquirido 6, 775
adquirido por alto preço 814
adquirido por meio de subrepção. 795
adquiridor 795
adquirimento 775, 795
adquirir 613, 775, 777, 780, 783, 795, 803, 810
adquirir conhecimentos/informações 538
adquirir grande extensão 35
adquirir mais conceito 931
adquirir o hábito de 82
adquirir ousadia 861
adquirir triste/má reputação 932
adquirir uma triste reputação 874
adquirir/cobrar forças 159
adragando ou adracanto 356a
adrede 546, 611, 620
adregar 151
adrenalina 574
adro 181, 231, 1000
adro dos defuntos 363
adscrição 39, 65

adscriptus glebæ | afiuzado

adscriptus glebæ 746
adscritício 488
adscrito 39, 551
adstrição 43, 195
adstringência 195, 397,
adstringente 171, 195, 395, 397
adstringir 171, 744
adstringivo 195
adstritivo 195
adstrito 744, 749
adstrito a 772
adua 786
aduana 799
aduanar 551
aduar 189, 786
adubado de plebeísmos 579
adubagem 673
adubar 41, 168, 371, 392, 673, 707
adubar com bons ditos 842
adubar de imagens 577
adubo 41, 371, 393
adução 270, 288
aducir 324
adueiro 370
adufa 263, 350, 666
adufar 416
adufe 417
adufeiro 416
adulação 544, 933, 940
Adulador 935
adulador 886, 933, 935
adular 829, 902, 933
adulta 374
adúltera 962
adulteração 41, 523, 659
adulterar (documento) 940
adulterar 41, 523, 544, 546, 659, 679
adulterino 167
adultério 961
adúltero 961, 962
adulto 131, 373
adumbração 526
adumbrar 521, 550, 554, 556
adunar 48, 50, 54
aduncidade 244
aduncirrostro 440c
adunco 244, 245
adur (ant.) 704
adurência 171, 384
adurente 382, 384, 830
adurir 384
adustivo 382, 384
adusto 384, 433
adutivo 288
adutor 288
aduzir 288, 451, 467, 525
aduzir argumentos 476
aduzir exemplos 82
ádvena 57, 188, 268
adventício 6, 51, 57, 156, 188, 268, 292, 508, 621
advento 66, 116, 151, 286, 292, 448, 990, 998
advento do tempo 121
adverbiar 567
adversamente & adj. 708, 735
adversão 708
adversar 708
adversariar 720
adversário 489, 708, 710, 889, 891
Adversidade 735
adversidade 619, 828
adverso 14, 179, 603, 619, 708, 710, 720, 735, 867, 889, 891
Advertência 668
advertência 64, 457, 505, 616, 695, 932, 972
advertido 864
advertir 616, 668, 695, 932
advir 37, 65, 154
Advogado 968

advogado (pejorativo para) 701
advogado 492, 690, 711, 890, 922, 937
advogar 615, 625, 695, 765, 922, 937, 968
aedo (ant.) 597
aêneo 439
œqui et iniqui 488
Aequo pulsat pede 360
aeração 336
aeragem 336
aéreo 273, 320, 338, 458, 477, 515, 519
aerícola 267, 366
aeriferamente & adj. 338
aerifero 338, 351
aerificação 336
aerificar 336
aeriforme 334, 338, 425
aerívoro 298
aerização 336
aerizar 336
aerobata 515
aeróbata 563
aeróbio 267
aerodinâmica 334, 349
aerodinâmico 334
aeródromo 726
aerofagia 338
aerófago 298
aerófano 425
aerofobia 338, 867
aerografia 338
aerolítico 323
aerólito 318
aerologia 338
aeromancia 511
aeromante 513
aerometria 338
aerômetro 338
aeromoça 269
aeromoço 269
aeronauta 268, 269
aeronáutica 267
aeronáutico 267, 273
aeronave 267, 273, 726
aeronave civil 726
aeronave militar 726
aeronave particular 726
aerópago 966
aeroplanar 267
aeroplano 273, 305, 726
aeroporto 292, 293
aeroposta 534
aeroscopia 338
aeroscópio 338
aerossol 336
aerostação 267, 338
aerostática 267, 334
aerostático 334
aeróstato 249, 273, 726
aeroterapêutica 662
aeroterapia 662
Æternum vale! Deus lhe fale na alma 360
afã 459, 682, 684, 686, 688, 865
afabilidade 879, 892, 894, 906
afabulação 154, 476, 480
afadigado 688
afadigamento 684
afadigar 684
afadigar-se 622, 682, 688
afadigoso 688
afagador 902
afagar 707, 792, 902
afagar a imaginação 515
afagar com o olhar 441
afagar com os olhos 902
afagar um pensamento/uma ideia 451
afagar uma esperança 858
afago(s) 615, 902
afagos da riqueza 803

afaimar 8043 819, 956
afaluado 684, 688
afamado 873
afamar 873
afanar 791
afanar-se 682, 686
afano 791
afanoso 682, 686
afasia 581
afastadamente e adj. 196
afastado 44, 122, 187, 196, 287, 893
afastado da convivência 893
afastamento 44, 73, 87, 187, 196, 279, 287, 289, 528
afastamento da cortina/do velário 448
afastar 44, 55, 185, 198, 270, 289
afastar a hipótese de 536
afastar do espírito 452
afastar qualquer resquício de incerteza 474
afastar-se 15, 187, 196, 287, 293
afastar-se da rota trilhada 20
afastar-se da verdade 546
afastar-se de 18, 623
afastar-se do trato com 893
afastar-se para outra parte 279
afatiar 51
afável 879, 892, 894, 902 ,906
afazendado 803
afazendar-se 803
afazer 613
afazeres 151, 625
afear 483, 579, 846, 848
afecção dos gânglios mesentéricos 655
afeição 609, 821, 888, 897
afeiçoado 890, 897
afeiçoado a 888
afeiçoar 240
afeiçoar-se 613, 888, 897
afeições do coração 481, 888
afeito 613
afeito a 698
afeito a todos os contratempos 159
afeito à virtude 944
afeito ao trabalho 686
afeito às intempéries 654
afelear 830
afélio 196
afemençar (ant.) 441
afemia 581
aférese 36, 201, 572,
aferição 464, 466
aferidor 466
aferimento 466
aferir 464, 466
aferir por 464
aferrado &v. 606
aferrar 43, 781, 830
aferrar o navio 292
aferrar-se 606
aferrar-se a 604a, 865, 897
aferrenhar 323, 331
aferrenhar-se 606
aferreteado 874
aferretoar 378
aferro 604a, 897
aferro ao dinheiro 819
aferrolhar 43, 261, 528, 636, 706, 739, 751, 761, 817
aferrolhar o bom-senso 497
aferventar 673
afervoradamente 821, 824
afervorar 824
Afetação 855
afetação 243, 491, 579, 880
afetação de conhecimentos 491
afetadamente & adj. 855
afetado 549, 577, 853, 855, 880
afetar 9, 544, 824, 830

afetar ares de príncipe/de princesa 885
afetar os pulmões 655
afetar-se 855
afetibilidade 822
afetividade 821
afetivo 822, 894, 906
afeto 829, 888, 897
afetuoso 821, 822, 888, 897, 902, 906
affettuoso 415
afflatus 985
afiação 253
afiado 171, 173, 253
afiado como navalha/como os dentes de javali 821
afiado contra alguém 900
afiado na malícia 544
afiador 253
afiançado 768
afiançar 474, 535, 768, 805
afiançar uma dívida 771
Afianço-lhe que... 535
afiar 253, 658, 673, 830
afiar a espada contra alguém 900
afiar a língua 582
afiar a língua para 934
afiar as garras 673
afiar uma sátira/um epigrama 856
aficionado 865
afidalgado 850, 851
afidalgar-se 850, 855, 875
afiguração 515
afigurar 240
afigurar-se 525
afilado 203
afilador 466
afilamento 203, 466
afilar 203, 253, 466, 615
afilhadagem 923
afilhadas 129
afilhado 129, 711, 899
afiliação 155
afiliar 72
afim 11, 464, 711
afimento (ant.) 233
afinação 322, 413, 673, 714
afinado 413
afinal 67, 133, 476
afinamento 203, 673
afinar (instrumento musical) 415
afinar 103, 195, 322, 413, 673, 714
afinarem-se pelo mesmo diapasão 27
afinar-se 203, 900
afinar-se com 23
afinar-se pelo mesmo diapasão 488
afincado 821
afincamento 604a
afincar 604a
afinco 604a
afinidade 11, 17, 48, 75, 464, 714, 888
Afirmação 535
afirmação 527, 566, 768
afirmação banal 517
afirmação errônea 544
afirmar 488, 535
afirmar princípios e contrariar interesses 939
afirmar verbalmente/por escrito 768
afirmativa 535
afirmativamente 488, 535
afirmativo 488, 535
afistulado 945
afistular 655
afito 655
afiuzado 861

499

afivelação | aglutinação

afivelação 43
afivelar 43, 261
afivelar ao rosto a máscara da hipocrisia 544
afixar 37, 39
afixar cartaz 531
afixar-se 150
afixo 39, 562
aflar 349, 402a, 405
aflautado 203, 413
aflautar 203
aflição 735, 828, 830, 832, 837
afligir 378, 665, 830
afligir-se 828, 839
afligir-se de 821
aflitivo 830
aflito 828, 837, 859
aflogístico 385
afloração 295
afloramento 448
aflorar 66, 213, 267, 295, 320, 446, 525, 529
afluência 72, 286, 348, 639
afluência de bens 803
afluente 286, 348, 803
afluir 286, 290
afluir para 348
afluxão 286, 295
afluxo 72
afobação 682
afobado 682
afobar-se 682
afocinhado no chão 886
afocinhar 213, 688, 716, 732
afocinhar-se 725
afofar 324, 371, 510
afofar(-se) 194
afogadamente 528, 684
afogadiço 382, 688
afogadilho 684
afogado 382
afogador 247
afogadura 361, 434
afogamento 361, 972
afogar 300, 310, 361, 581, 706
afogar a tristeza 458
afogar as mágoas 836, 840
afogar as penas em vinho 959
afogar em sangue 722
afogar na nascença 111
afogar o fogo 385
afogar o ganso (chulo) 961
afogar uma ideia em palavras 573
afogar/banhar/nadar um país em sangue 722
afogar-se 825
afogar-se em 640
afogar-se em pouca água 699
afogar-se em um copo-d'água 605
afogar-se em vinho 959
afogueado 434
afogueamento 382, 434
afogueamento das faces 879
afoguear 384, 434
afoguear o pejo a face a alguém 821
afoitado 861
afoitar 615, 861
afoitar-se 861, 863
afoiteza 132, 861, 863
afoito 132, 604, 861
Afonia 581
afonia 403
afonicamente & adj. 581
afônico 403, 581
áfono 581
afora 37, 38, 55
aforador 779
aforamento 771, 783
aforar 771, 780, 783, 787
aforar-se 880

aforciar (ant.) 961
aforçurado 688
aforçurar-se 684, 688
aforia 169
aforismo 480, 496
aforístico 496
aformoseamento 845, 847
aformosear 577, 845, 847
aformosear o espírito 538
aformosentar 847
aforquilhado 91
aforquilhar 91
aforrar 750
aforritar 623
afortalezamento 717
afortalezar 717
afortunado 23, 618, 648, 734, 827
afortunar-se 827
afoxé 415, 417
afracado 160
afracar 160
afrancesar 563
afrasia 581
afrautar 413
afrechar 716
afreguesar 613
afreguesar-se 795
afreguesar-se com alguém 791
afrescar 383a
afresco 692a
afretador 779
afretar 771
África 431
áfrica 861
africano 188, 431, 563
áfrico 349
afro 431
afrobeat 415
afro-brasileiras, religiões 998
afro-brasileiro 431
afrodescendente 431
afrodisia 168
afrodisíaco 161, 168, 171, 615, 824, 897, 961
afrodisianismo 961
afrodísias 954
afrodisiografia 318, 961
Afrodite 845, 897
afronta 619, 874, 885, 907, 929
afrontado 900
afrontamento 863
afrontar 141, 467, 688, 704, 708, 715, 719, 821, 826, 861, 885, 900, 907, 929, 932
afrontar a morte 861
afrontar a tempestade 150
afrontar o bom-senso 497
afrontar sem pestanejar 861
afrontosamente 929
afrontoso 874, 885, 895, 900, 923, 929, 932, 934, 940
afrouxamento 174
afrouxar 36, 44, 47, 160, 174, 275, 469, 624, 687
afrouxar o passo 275
afrouxar o zelo 681
afrouxar os cordões da bolsa 816
afrouxelado 324
afrutado 168
afugentar 289, 2970 830, 867, 932
afugentar a atenção/o pensamento 458
afugentar a tristeza 840
afugentar do espírito 452
afugentar os cuidados 836, 840
afulvar 432
afundamento 252, 310
afundar 146, 208, 300, 306, 310, 319, 528, 716, 731
afundar-se 294
afundar-se no vício 945

afundir 208, 306
afunilado 260
afunilamento 203
afunilar 203, 253, 260
afunilar-se 203, 252
afuroar 461
afusão 337, 348
afusar 203, 253
afutricar 699
agachado 193, 201, 207, 879, 886
agachamento 308, 862
agachar-se 193, 207, 308, 528, 725, 862, 886
agacho 308, 879
agadanhador 792
agadanhar 649, 781, 789, 791
agafanhar 789
agafita 847
agalegado 895
agalegar-se 895
agalhar 91
agaloar 229, 847
ágape 892
Agapemone 827
agapeta(s) 996
agareiro 636
agareno 983a
agarotado 877
agarotar-se 877
agarrado 46, 199, 819
agarrados uns aos outros 72
agarramento 789, 897
agarranado 940
agarrar 43, 720, 781, 789, agarrar à força 751
agarrar a ocasião pelas repas 134
agarrar a oportunidade pelo cabelo 134
agarrar pela gola 751
agarrar-se 677, 720, 772
agarrar-se a 604a, 632, 765, 865
agarrar-se às abas da casaca de 765
agarrochar 615, 824
agarruchar 43
agarrunchar 43
agasalhadamente 902
agasalhado 377
agasalhar 184, 223, 296, 664, 670, 785, 892, 894, 902, 931
agasalhar um sentimento 821
agasalhar uma ideia 505
agasalhar-se 225
agasalho 184, 189, 225, 296, 382, 892, 931
agastadiço 822, 832, 901
agastado 900
agastamento 713, 889, 900
agastar 841
agastar-se 822, 900
agasturas (reg.) 160
ágata 847
agatanhar 209, 649, 720, 781
agatanhar-se 720
agatoide 648, 740
agatunado 791
agatunar 791
agavelar 72
agazular 751
Age quod agis 458, 682
ageirar 42
Agência 170
agência 631, 676, 677, 680, 682, 755, 775, 794
agência de notícias 527
agenciador 631, 682, 690, 758
agenciar-se 625, 680, 690, 769, 794
agenciar-se uma invejável reputação 873
agencioso 682, 686
agenda 86, 551, 628

agenesia 158, 169
agenésico 158
Agente 690
agente 153, 615, 631, 711, 746, 758
agente biológico 663
agente consular 758
agente de comissões/de câmbio/de fundos públicos 797
agente de viagens 690
agente laranja 727
agente penitenciário 753
agerasia 171
ageusia ou ageustia 391
agicrânio 847
agigantado 159, 192
agigantar(-se) 194
agigantar-se 192, 873
ágil 132, 264, 274, 574, 682, 698, 836
ágil como uma onça 682
ágil de movimento 682
ágil de raciocínio 498
agilidade 132, 274, 682, 705
ágio 775, 787, 813, 819
agiológio 86
agiômaco 984
agiomaquia 722
agiota 787, 792, 819
agiotagem 787, 794, 806
agiotar 787, 819
agir 170, 600, 615, 680, 692
agir com energias novas 682
agir com honradez/com integridade/com lisura/com decência/com consciência/dentro da razão 939
agir com preconceito 929
agir de comum acordo 714
agir de concerto 709
agir de má-fé 544
agir desastradamente 699
agir em desacordo com 708
agir sem autoridade/sem instruções 738
agir sob a sua própria inspiração 600
agir sob sua hipotética responsabilidade 738
agironado 229
Agitação 315
agitação 59, 149, 171, 173 264, 314, 682, 686, 713, 821, 824, 825
agitação convulsiva 315
agitação extrema 828
agitadamente & adj. 315
agitado 149, 173, 315, 665, 682, 825
agitador 615, 742
agitar 41, 73, 214, 315, 349, 461, 475, 485, 742, 824
agitar a bandeira 725
agitar a opinião 642
agitar a tromba 412
agitar as soalhas do pandeiro 416
agitar o pulso 909
agitar os lábios 582
agitar um lenço 550
agitar uma bandeira 550
agitar uma questão 461, 476
agitar(-se) 315
agitar-se 264, 680, 682, 684, 686
agitar-se febrilmente 682
agito 682, 824
aglomeração 46
aglomerado 45, 46, 321
aglomerar 72
aglomerar(-se) 46
aglomerar-se 709
aglossia 581
aglosso 83, 581, 583
aglutinação 13, 37, 46, 48, 321

aglutinamento | ainda que chovam...

aglutinamento 46
aglutinante 46
aglutinar (misturar) 72
aglutinar 37, 46, 321
aglutinativo 46
agma 44
agnação 11
agnado 11
agnatia 11
agnato 11
agnição 762
agnistério 1000
agnome 564
agnominação 563
agnosia 491
agnosticismo 988, 899
agnóstico 984, 989
Agnus-Dei 998, 1000
agodelhar 706
agógico (ant.) 474
agogô 417
agomar 66
agomia 727
agonais 840
agone 952
agonia 67, 315, 360, 378, 825, 828, 859
agoniar 395, 830, 867
agoniar-se 828, 859
agoníclito 323, 951, 989
agonística 720
agonístico 720
agonizante 422, 655
agonizar 67, 360, 422
ágono 247, 249
agonoteta 694
agora 118
ágora 799
Agora é que são elas 704
agora mesmo 118
agora ou nunca 134
agorácrito 967
agorafobia 860
agorânomo 694, 967
agorarca 694, 697
agorentar 201
agorentar as despesas 817
agostinho 996
agote (de gente) 72
agourador 513
agoural 511
agourar 510, 511
agourar mal de 859
agoureiro 511, 859
agourentar 511, 859
agourento 511, 512
Agouro 512
agouro 510, 511
agraciar 973, 976
agraço 159, 397
agradar 707, 829, 831, 845, 865, 894, 933
agradar-se 827
agradar-se de 897
agradável 377, 383a, 394, 615, 648, 705, 734, 829, 840, 865, 894
agradecer 838, 916, 990
agradecer a 155
agradecer de maneira toda especial 916
agradecer o insulto 725
agradecer/abençoar a sua estrela 916
agradecido 916
agradecimento 916
agrado 600, 762, 827, 829, 831, 865, 894
agrário 371
agraudar 35
agravação 35, 549
Agravação 835
agravado 835
agravador 835

agravamento 35, 659, 661, 835
agravante 830, 835, 924
agravar 35, 173, 549, 649, 659, 704, 824, 830, 835, 900
agravar-se para pior 659
agravativo (ant.) 835, 900
agravo 832, 874, 969
agravoso 649
agre 397
agredir 173, 716, 722, 929, 972
agredir a chicotes 972
agredir física ou verbalmente alguém 929
agregação 46, 72
agregado (bras.) 188
agregado 39, 50, 72, 88
agregar 37, 43, 50, 72
agregar-se 709
agregativo 72
agremiação 712
agremiação 892
agremiar 72
agremiar(-se) 712
agremiar-se 709
agressão 716, 722, 907, 929, 938
agressivamente 31
agressividade 173, 934
agressivo 173, 708, 716, 739, 889, 895, 929
agressor 716, 726, 936
agreste (vento) 349
agreste 16a, 169, 217, 241, 256, 383, 579, 674, 852, 895
agrícola 371, 805
agricultar 371
agricultar as almas/a vinha do Senhor 998
agricultor 188 371, 690
Agricultura 371
agriculturável 371
agridoce 396, 829
agrilhetar 751
agrilhoado 754
agrilhoador 378
agrilhoar 43, 749, 751
agrilhoar o pensamento 739
agrimar-se 862
agrimensão 466
agrimensar 466
agrimensor 466, 690, 786
agrimensório 466
agrimensura 466
agripa 129
agrisalhar 124, 432
agrisalhar-se 128
agritar-se convulsivamente 173
agro 217, 256, 371, 397, 739, 828, 895
agrologia 371
agronometria 371
agronomia 371
agrônomo 492, 690
agror 395, 397
agroujado (reg.) 655
agrumento 72
agrumetar 673
agrumular 321
agrupado 72
agrupamento 48, 60, 72
agrupar 72
agrupar-se 709
agrura 665, 704, 804, 828, 830, 832, 837
Água 337
água 425, 637
água acima 708
água arriba 708
água-benta 959, 998
água-branca (cachaça) 959
água-bruta (cachaça) 959
água com açúcar 822
água corrente 348
água de briga (cachaça) 959

água de cana (cachaça) 959
água-de-colônia 400
água de flor de laranja 834
água-doce 337
água e azeite não se misturam 465
água fervente 704
água-forte 558
água-furtada 189, 210
água lustral 952
água lustral/batismal 998
água-marinha 438
água-mel 396
água mineral 298
água na fervura 616
água que passarinho não bebe (cachaça) 959
água-pé 959
águas-rás 388
água-régia 171
água represada 345
água revolta 742
água salgada 341
água-suja 653, 889
água-tofana 663
aguaçal 345
aguaceira 299
aguaceiro 348
aguacento 337
aguada 428, 556, 637
aguadeiro 271, 690
aguadilha 299, 337
aguado 391, 575, 830
aguador 348
aguagem 339, 348
aguamento 688
aguançar 41, 337, 339, 391, 865
aguar um prazer 830
aguardar 133, 472, 507, 681, 772
aguardar a marcha dos acontecimentos 681, 864
aguardar melhor oportunidade 133
aguardar os acontecimentos 507, 866
aguardentado 959
aguardentaria 959
aguardente 959
aguardenteiro 797, 959
aguardentia 959
aguardentoso 959
aguardo 507
aguarela 428
aguarelar 428
aguarelista ou aquarelista 559
aguarentador 936
aguarentar 751, 934
águas (de um navio) 551
águas 420
Águas de Oxalá 998
águas do telhado 231
águas-mornas 662
Águas passadas não movem moinho 918
águas termais 386
aguça (ant.) 684
açucadamente 684
açucadeira 253
açucado 171, 253, 932
açucado como a ponta de uma agulha 253
açucamento 253
açucar 173, 253, 375, 394, 615, 682, 684, 824
açucar as setas 673
açucar o dente 865
açucar o paladar 829
açucar os dentes 673
açucar um epigrama 842
açucar-se o navio de ló 267
açuço 253
açuçoso 682, 684
agude 545, 615

agúdia 545
Agudeza 253
agudeza 26, 31, 171, 410, 498, 842
agudeza de espírito 450, 698, 842
agudeza de sons 414
agudo 31, 171, 173, 217, 253, 375, 378, 404, 410, 821, 830
agueiro 350
aguentador 215
aguentar 141, 159, 207, 215, 719, 821, 826, 828
aguentar firme 719
aguentar mal 825
aguentar o temporal 826
aguentar um exame 648
aguerrear 613
aguerrido 606, 722
aguerrilhar-se 722
aguerrimento 604, 604a
aguerrir 613, 673, 823
águia 33, 274, 366, 441, 498, 500, 550, 941
águia da tribuna 582
águia de Patmos 977
águia do púlpito 582
aguião (ant.) 349
águias francesas 550
águias romanas 550
aguilhada 466
aguilhão 253, 378, 615, 663, 830
aguilhão da curiosidade 455
aguilhar 378
aguilhoada 378
aguilhoamento 615
aguilhoar 615, 824, 830
aguisar (ant.) 658
agulha (de torre) 253
agulha 206, 210, 253, 262, 551
agulha de marear 278, 693
agulha em palheiro 475, 704
agulha ferrugenta 702
agulha magnética 693
agulha sem fundo 645
agulhada 378
agulheiro 690
agulheta (de general) 747
agulheta 253
aguti 366
Ah! Não diga! 508
ai 186, 366
ai! 839
Aí bate o ponto 704
ai de! 908, 915
ai dos vencidos! 722, 909
Aí é que é o diabo 704
Aí é que pega o arado 704
Aí está *o tu autem* 704
aia 746
aiaia 127, 840
aiatolá 995, 996
aide de camp 711
AIDS 655
aigrette 847
aiguille 253
ai-jesus 899
ainda 30, 104
ainda agora 118
ainda assim 469
ainda bem!
ainda em cima 37
ainda estar por vir ao mundo 2
ainda há bocadinho 118
ainda mal 828
ainda não 32
ainda não devassado 20
ainda não encetado 123
ainda não trilhado 20
ainda quando 30, 469
ainda que 30, 469,708
ainda que chova azagaias 474
ainda que chovam mós de moinhos 604

aio 540, 664, 746, 753
aipim 367
airado 683
airão 847
airosidade 845, 851
airoso 845, 851, 873
aislado 346
aixe (infant.) 378
ajaezamento 673
ajaezar 223, 225, 673, 845, 847
ajardinar 371, 847
ajeitar 23, 240
ajeitar-se 602, 698
ajesuitado 544
ajesuitar-se 544
ajoelhação 886
ajoelhar-se 308, 749, 879, 886, 914, 990
ajoelhar-se ante o túmulo de 873
ajoelhar-se aos pés de 914
ajogralado 499
ajornalar 746
ajoujar 43, 89, 319, 751
ajoujar-se a conveniências subalternas 481
ajoujar-se aos destinos de 725
ajoujo 41, 45, 89
ajoviar (ant.) 870
ajuda 662, 707, 711, 906, 910, 1000
ajuda de custo 784, 809
ajuda divina 707
ajuda mútua 910
ajudador 707
ajudadouro 707
ajudante 707, 711, 997
ajudante de campo 745
ajudar 178, 644, 705, 707, 906
ajudar a bem morrer 998
ajudar-se dos pés e das mãos para 686
ajudas 707
ajudicação 480
ajuizado (ant.) 498
ajuizado 498, 502, 864
ajuizar 480
ajuizar uma demanda 969
ajuntado 37
ajuntamento 72
ajuntamento carnal 961
ajuntar 37, 39, 41, 72, 775, 803, 817
ajuramentar 755, 768
ajuramentar-se 768
ajustado 768, 769
ajustamento 23, 27, 82
ajustar (as) contas 919
ajustar 13, 23, 673, 746, 769, 774
ajustar casamento 903
ajustar contas 807
ajustar contas com 919
ajustar mediante certas condições 769
ajustar sob palavra 769
ajustar uma contenda 723
ajustar(-se) 23, 82, 488, 714
ajuste 233, 723, 769, 774, 807
ajuste de contas 771, 919
al fresco 220, 338
al piacere 600
ala 69, 726
Alá 976
ala direita 236
ala esquerda 236
alabancioso 884
alabandina 434, 847
alabar (ant.) 884
alabarda 727
alabardear 884
alabastrino 430
alabastrite 430

alabastro 430
alabregado 852
alabrogo 501
alácia 160
alacoado 434
alacranar a carne 972
álacre 428, 836
alacridade 602, 682, 836, 838
alado 267, 440c
aladroado 791
alagadeira 818
alagadiço 345
alagado 337, 345
alagador 818
alagamento 348
alagar 162, 337, 348, 640, 818
alagar-se 310
alagoso 345
alalia 581
álalo 581
alamar 45
alambazado 52, 640, 846, 852, 957
alambazar-se 852
alambicada 597
alambicado 855, 878
alambicar 42, 144, 336
alambicar-se 855
alambique 42, 144, 191, 336, 386, 691
alambor 217, 250
alamborado 217
alamborar 217, 250
alambrado 232
alambrar 232
alambrazar-se 957
alambre (ant.) 356a
alambre 436, 702
alambreado 436
alameda 189, 367, 627
alamedar 847
alamenta 72
alanceado de dores/de setas 828
alanceador 830
alancear 716, 830
alanguidar-se 655, 683
alanhar 716
alanhar alguém (pop.) 907
alanzoar 499, 884
alão 366
alapado 207, 879
alapardar-se 207, 528, 886
alapar-se 184, 207, 528
alar 69, 206
alaranjado 436
Alaranjado 439
alaranjar 436, 439
alardeado 531
alardeador 726, 882, 884, 887
alardeamento 531, 882
alardear 549, 855, 880, 882, 884
alardear forças 715
alares 545
alargação 194
alargamento 194, 818
alargar 44, 816
alargar/avivar o passo 274
alargar o seu voo 682
alargar os cordões da bolsa 807
alargar(-se) 194, 202
alargar-se 35, 573
alarida 411
alarido 59, 404, 411, 580, 713
alarife 941
alarma 68, 550, 665,668, 860
Alarma 669
alarmante 665, 669, 860
alarmar 668, 669, 824
alarme 411, 870
alar-se à contemplação de Deus 990

alar-se para a mansão celeste 360
alarvado 852
alarvajar 491
alarvaria (fig.) 957
alarvaria 852, 895
alarve 493, 701, 852, 895, 949, 957
alarvice (fig.) 957
alarvidade (fig.) 957
alassocracia 341
alastramento 73
alastrar 73, 161, 223, 291
alastrar(-se) 194
alastrar-se 35
alastrar-se a carnificina 361
alatinado 578
alatinar 578
alaúde 417
alavanca 153, 175, 276, 307, 633
alavercar-se 207, 886
aláxia 318
alazão 440a, 271
alazarado 945
alba 125
alba avis 872
albacar 717
albarda 215, 633, 739, 830
albardado 440b
albardão 215
albardar 545, 699, 739
albardar o asno à vontade do dono 926
albardeiro 225, 493, 548, 699, 701, 726
albardilha 215
albardura 215
albarrã 206
albarrada 717
albergar 184, 892
albergaria 189, 687
albergue 189
albergueiro 890
albicaude 440c
albicaule 367
albificação 430
albiflor 367
albigense 984
albinismo 429
albino 443
albirrosado 434
albirrostro 440c
albo lapillo notare diem 734
alboque 417
albor 125
albor/alvor 66
alborcar (ant.) 148
albornoz 225
alboroque 769
alborque 140, 148
albufeira 343
albugínea 441
albugíneo 441
albuginoso 441
albugo ou albugem 443
álbum 505, 593, 596
album groecum 299
albume ou albúmen 352
albumina 352
albuminiforme 352
albuminoide 352
albuminoso 352
alburno 221
alça 45, 784
alçácar ou alcácer 717
alcácer 189, 875
alcachinado (pop.) 837
alcachinado 243
alcachinar-se 245, 837, 886
alcachofar 256
alcáçova 189, 717, 875
alcaçuz 396
alçada 737, 924

alçado 554
alcagueta (bras.) 962
alcaico 597
alcaidaria 181, 965
alcaide (dep.) 798
alcaide 745, 875, 965
alcaiota 962
alcaitote 962
alçamento 305, 307
Alcança quem não cansa 604a
alcançado 806, 808
alcançar 292, 441, 518, 731, 775, 785
alcançar a carta de alforria 750
alcançar o alvo 731
alcançar o objetivo 731
alcançar o poder 737
alcancareiro 416
alcançarem-se uns aos outros 69
alcançar-se 808
alcance 26, 180, 516, 642, 791, 808
alcandor 217
alcândor, cume, pico x base, sopé 237
alcândora 206
alcandorado 184
alcandorar 307
alcandorar-se 184, 206
alcantil 206, 210, 217, 253
alcantilada 206
alcantilado 217, 244
alcantilar 217, 252
alcantilar-se 206
alcantiloso 217
alcanzia 727, 840
alçapão 260, 530, 545
alça-pé 276, 545
alçaprema 301, 307, 545, 633
alçapremar 739
alçar 307, 931
alçar a excomunhão 918
alçar a voz 411
alçar bem alto 482
alçar o braço 725
alçar o colo 33, 885
alçar os olhos para o céu 990
alçar voo 293
alcaraviz 351
alcarraza 191
alçar-se 305, 742
alçar-se com 789
alçar-se com alguma coisa 925
alçar-se em pé 212
alcateia (de lobos) 72
alcateia 792
alcatifa 223, 324, 367
alcatifar 223
alcatira 356a
alcatra 235
alcatrão 356a
alcatraz 366
alcatreiro 235
alcatroar 223, 356a
alcatruzado & *v.* 245, 250
alcatruzar 245, 250
alcavala 545, 812
alce 366
alcíone adj. de 366
alcíoneo 174, 412
alciônico 174, 366
alcobaça 225
alcoceifa (ant.) 961
alcofa 191
alcoice 961
álcool 388, 663, 670, 824, 959
alcoólatra 959
alcoólico 959
alcoolismo 667, 959
alcoolizar 959
alcoolizar-se 959
alcoolofobia 958

alcoolofóbico | alimentação

alcoolofóbico 958
alcoolófobo 958
alcoolomaníaco 959
alcoolômano 959
alcoranista 524
Alcorão 484, 985
alcorca 350
alcorcova 232
alcórcova 350
alcorque 225
alcouceira 962
alcova 191, 530
alcovar 961
alcoveta 962
alcoveto 962
alcovista 962
alcovitado 961
alcovitar 702, 961
alcovitaria 961
alcoviteira 962
alcoviteirice 961
alcoviteiro 631, 949, 962
alcovitice 702, 961
alcunha 564, 565, 929
alcunhar 564, 565, 929
aldagrante 941
aldeaga 701
aldeagante 845
aldeão 188, 852, 877, 895
aldear 184
Aldebarã 423
aldeia 189
aldraba 214
aldravadamente 684
aldravado 684
aldravão 548, 583, 701
aldravar 261, 545, 546, 583, 699
aldravar à porta 152, 197
aldravice 546
aldravona 548
álea 189
Alea jacta est 601, 604, 863
alear (desus.) 315
aleatoriedade 621
aleatório 121, 137, 139, 151, 156, 177, 475, 621
Alecto 173
alectório 366
alectoromancia 511
alectriofonema 125
Alegação 617
alegação 476, 535, 937
alegadamente 617
alegado 468, 617
alegar 467, 535, 617
alegar como escusa 617
alegar ignorância/privação de sentidos 937
alegoria 464, 520, 521, 569
alegórico 2, 464, 520, 521
alegorizar 520, 521
alegramento 836
alegrão 827
alegrar 707, 829, 8236
alegrar o espírito 829
alegrar-se 827, 836, 838, 840, 959
alegre 428, 584, 827, 829, 831, 836, 847
alegremente 31, 831, 836
alegrete 371, 836
Alegria 836
alegria 827, 831, 858, 892
alegria ruidosa 682
alegrias 840
aleia 69, 260, 627
aleijado 158
aleijão 846
aleijar 158, 160, 378
aleitar 298, 707
aleive 934
aleivosia 544, 934, 940
aleivoso 934, 940

aleluia 827, 838, 991
aleluia! 990
aleluítico 931, 990
além 196
além de
além de que 37
além de ser poeta 37
além de toda expectativa 508
além de todas as esperanças 734
além disso 37, 88
além do necessário/do devido 640
além dos mares 57
alenado 31
alentado 861
alentado de esperanças 858
alentar 159, 349, 615, 689, 707, 824, 858, 931
alentecer 275
alentejano 188
alento 349, 402, 615, 707, 824
alentours 197
aleonado 433
alequeado 247
alequear 247
alergias 655
alergologia 662
alerta 459, 668, 695
alertar 668
alertar a consciência 950
aletargado 683, 823
aletrias 298
aleuromancia 511
alevadouro 307
alevantadeiro (ant.) 615
alevantado 578, 942
alexandrino 597
alexifármaco 662
alexitério 662
alfa 66
alfa e o ômega 50, 164, 642
alfabetação 60
alfabetado 60
alfabetar 60, 561
alfabetário 561
alfabético 561
alfabetização 537
alfabeto 66, 561, 590
alfacinha (depr.) 565
alfageme 690, 726
alfaia 298, 633, 648, 847, 1000
alfaiar 673, 847
alfaias 780
alfaiataria 691
alfaiate 225, 690, 701
alfama 664
alfamista 645
alfanar 847
alfândega 799
alfandegueiro 965
alfaneque 792
alfanje 727
alfaque 346, 667
alfaqueque 724, 750
alfaqui 968, 996
alfarás 271
alfario 271
alfarrábio 593
alfarrabista 593, 606, 701, 797
alfavaca 400
alfazar 627
alfazema 400
alfeire 189, 653
alfeireiro 370
alféloa 396
alfenado 373, 436, 961
alfenar 160, 847
alfênico 396
alfenim 160, 203, 396, 430, 822, 862
alfeninar 160
alfeninar-se 822, 862

alferça 253, 371
alferce 253, 371
alferena 550
alferes 745
alfetena (ant.) 713
alfétena 722
alfim (p.u.s.) 133
alfinetada 378, 842, 856
alfinetadas 920
alfinete 45, 253, 643
alfinetes 810, 920
alfitomancia 511
alfobre 153, 350, 371
alfojar 637
alfombra 223, 367
alfombrar 223, 367
alfonsim 301
alforjar 52, 190
alforje 191, 784
alforra 663, 659
alforria 750
alforriar 750
alfoz 227
alfridária 175, 993
alfurja 653
algadiço 342
algália 301, 400
algaliar 461
algar 212, 530, 667
algara 716
algaravia 497, 517, 519, 563, 583, 584
algaraviar 517, 519, 583, 590
algarismo 84, 550
algarvio 584
algazarra 59, 173, 402, 404, 407, 411, 580, 713, 720
algazarrar 411
álgebra 85
algébrico 85
algebrista 85, 492
algemado 754
algemar 43, 739, 744, 751
algemar a lógica 477, 497
algemar a praxe 146
algemas 704, 706, 739, 752
algêmio 490
algente 383
algerife 545
algeroz 350
algia 378
algibe 208, 343
algibeba 225
algibebe 225, 797
algibeira 191
algibeiras secas 804
algidez 383
álgido 383
algo 3, 51, 316, 798
algo de novo 20a
algodão-pólvora 388, 727
algologia 369
algoritmia 85
algoritmo 85
algoz 361, 907, 913, 914a, 949, 974, 975
algozar 378, 907
algozaria 907, 914a
alguazil 965
alguém 3, 372
alguém em confissão 998
alguidar 191
algum 32, 800
alguma coisa 3, 32, 51, 103
algumas vezes 136
alguns 98, 100
algures 187
alhada 704
alhanar 27, 162, 213, 673, 705
alhanar-se 894
alhas 643
alheado 458, 515
alheador 796

Alheamento 57
alheamento 826
alheamento da memória 506
alheamento do espírito 458
alhear 796, 829
alhear a atenção/o pensamento 458
alhear a razão 503
alhear-se 279, 458, 866
alheável 796
alheio 6, 57, 458, 776
alheio a 14, 196
alheio à marcha dos acontecimentos 866
alheio a qualquer mistura
alheio à sorte de 866
alheio de interesses mundanos 942
alheta 191
alho 392, 393, 401
alhos e bugalhos 15, 41
alhures 180
aliáceo 401
aliado 9, 348, 707, 709, 714, 890
aliagem 41
aliança 9, 11, 17, 23, 43, 46, 178, 550, 709, 712, 714, 888
aliançar 709, 903
aliar 9, 43, 903
aliar-se 23, 709, 890
aliás 18
aliável 41
álibi 617
alibil 298
alibilidade 298
alicaído 837
alicantina 702
alicantineiro 548, 702
alicanto 125
alicate 781
alicerçado 215
alicerçado em 211, 467
alicerçar 159, 211, 467
alicerçar-se 215, 677
alicerce 150, 153, 211, 215, 673
alicerces 66
aliciação 545, 615
aliciador 548
aliciamento 288, 615
aliciante 288, 792
aliciar 288, 615, 722
aliciar simpatias 829
aliciar todos os olhares 845
alidade 445
alienabilidade 796
alienação 782, 783, 796, 826, 827
alienação mental 503
alienado 503, 504
alienador 796
alienar 776, 783, 796, 870
alienar o ânimo 889
alienar-se 503, 827
alienatário 779, 795
alienável 6, 783, 796
alieni appetens 865, 921
alieni appetens sui profusus 943
alienígena 57188, 268, 614
alienista 492, 662
alifafe 223
alifero 274
alifero ou alígero 440c
aligátor 366, 913
aligeirar 274, 320, 370, 834
alígero 267, 274
alijar 276, 284, 320
alijar a responsabilidade/a culpa 937
alijar as culpas 946
alijar da responsabilidade de 927a
alimária 366
alime 996
alimentação 298, 707

alimentar | altitude

alimentar 298, 484, 615, 644, 662, 670, 707, 824
alimentar aversão 867
alimentar esperanças em 858
alimentar o máximo desprendimento 942
alimentar suspeitas 485
alimentar um pensamento/uma ideia 451
alimentar um sentimento 821
alimentar uma esperança 858
alimentar-se 298
alimentar-se de 298
alimentar-se de ar 858, 956
alimentício 298
alimento 298, 454, 648, 707, 957
alimento celeste 829
alimento de 615
alimentos 810
alimpa 371
alimpadeiras 64
alimpador & v 652
alimpamento 652
alimpar 652
alindar 845, 847
alindar com afetação 577
alínea 769, 770
alinegro 440c
alingenesia 163
alinhado 498, 850, 851
alinhamento 58, 60, 69, 246, 278
alinhar 60, 69, 246, 590, 847
alinhar o estilo 578
alinhar-se 58
alinhavar 43, 673, 699
alinho 459, 652, 847
alipotente 274, 873
aliquanta 51, 84
alíquota 51, 84
alisados (ventos) 349
alisar 213, 251, 255, 902
alisar a fronte 836
alisar a fronte de alguém 831
alísio 349
alistado 76
alistamento 76
alistar 76, 86, 551, 615
alistarem-se os exércitos 722
alistar-se 76, 722
alistar-se sob a bandeira de 707
alitarca (de Antioquia) 996
aliteração 17, 104, 569, 577
aliterativo 577
aliveloz 274
aliviadamente & adj 834
aliviado 834
aliviador 834
aliviar 320, 662, 705, 740, 831, 834, 914, 927a
aliviar o trabalho 705
aliviar o ventre/os intestinos 297
aliviar os ferros 750
aliviar-se de 782
Alívio 834
alívio 174, 687, 689, 840, 927a
alizaba 225
aljama 189, 712, 997
aljava 636, 727
aljôfar 339, 839, 847
aljofarar 339
aljofrar 339, 847
aljofre 839
aljorce 214
aljuba 225
aljube 752
aljubeiro 753
aljubeta (ant.) 999
all right! 931
alla capella 415
allegretto 415
allegro 415

alma 5, 68, 164, 188, 221, 317, 372, 450, 498, 615, 642, 820, 860, 861
alma aflita e vasquejante 360
alma couraçada contra os reveses 826
alma danada 615, 711, 949
alma de cântaro 914a
alma de chicharro 160, 605
alma de ouro 944, 948
alma de sua alma 167
alma do comércio 805
alma do diabo 949
alma do outro mundo 443, 860
alma do outro mundo/penada 980
alma do padeiro 252
alma fácil a todos os sentimentos nobres 939
alma ignara das multidões 877
alma mater 542, 615
alma penada 443, 860
alma reta e digna 948
almácega 636
almádena 206, 1000
almadia 273
almadraque 215, 324
almadraquexa 215
almáfega 839
almafreixe 191
almagesto 551
almagrar 434
almagrar alguém por ladrão/por mentiroso 934
almagre 434, 877
almalho 129
almanaque 114, 551
almandina 847
almanjarra 243, 846, 852
almarada 727
almarado 440b
almarge 344
almargeado 371
almargeal 345
almarraxa (ant.) 337
almártaga ou almártega 653
almécega 352, 356a, 436
almecegado 436
almecegar 436
almedina 189
almejar 600, 865
almenara 550, 668, 669
almirantado 726
almirante 745
almíscar 352, 400
almiscarar 400
almo 174, 928, 976
almocábar 363
almocadém (ant.) 745
almoçar 298
almoçávar 363
almocave 363
almoço 298
almoço-ajantarado 298
almoço de garfo 298
almocouvar ou almoucávar 370
almocóvar 363
almocrevar 270
almocreve 271, 797
almocreve de petas 548
almoedar 796
almofaça 652
almofaçar 652
almofada 215, 324, 827, 847
almofadado 324
almofadar 223, 324
almofadinha 851, 854
almofariz 330
almofate 262
almofrez 262
almogávar 726
almogavaria 716
almogavre ou almogaure 726
almoinha 780

almolina (ant.) 840
almotaçar 812
almotaçaria 812, 966
almotacé 812
almotacé-mor 637
almotolia 332
almoxarifado 636, 802
almoxarife 801
almuadem 996, 997
almudar 466
almude 466
alo 247
alobrógico 499
alocromatia 443
alocução 582
Alocução 586
alodiais 780
alodial 748, 780
aloés 395
aloético 395
alofo 501
alogia 497
alogiano 984
alógico 497
álogo 984
alojação 184
alojamento 184
alojar 184, 892
alombado 250
alombamento 250
alombar 245, 250,972
alomorfia 140
alongado 196, 200
alongamento 133, 194, 200, 573
alongar 110, 200
alongar a vista por 441
alongar-se 69, 200, 573
alongar-se em considerações 573
alônimo 565
alopata 662
alopatia 662
alopático 662
alopecia 226
aloprado 173, 504
alotador 373
alotriologia 10
aloucado 503
alourado 436, 439
alparavaz 231
alparca 225
alparcateiro 225
alpargatas 225
alparqueiro 225
alpe 215
alpendrado 189
alpendre 189, 223
alpercatas 225
Alpes 206
alpestre 206, 256
alpéstrico 256
alpinista 268
alpino 206
alpondras 627
alporca 655
alporcar 371
alporque 371
alquebrado 128, 158, 160
alquebrado de forças 688
alquebrado pela dor 828
alquebramento 160, 859
alquebrar 160
alquebre 160
alqueirar 466
alqueire 31, 466
alqueivar 371
alqueive 674
alquicé 225
alquicel 225
alquicer 225
alquilador 797
alquilar (ant.) 771
alquilaria 769

alquime 847, 852
alquimia 144
alquitara 144
alrotar 411, 765
alrotaria 411
alta 35, 814
alta do câmbio 800
alta manhã 125
alta meditação 451
alta sociedade 851
alta traição 742, 940
alta/baixa igreja 984
alta/pequena nobreza 875
Altair 423
altamaia 41, 609a
altamente 31, 206
altanado 742, 824, 878
altanaria de coração 878
altanar-se 878
altaneiro 206, 366, 574, 878
altaneria 878
altar 928, 1000
altar himeneal 903
altareiro 936, 988a, 997
altas dignidades 996
alta-sociedade 875
alte natus 875
alteamento 250
altear 307, 873
altear o preço 814
altear(-se) 206
alter ego 13, 17, 27, 711, 759, 890
alteração 20a, 140, 544, 659
alteradamente & adj. 140
alterado 509, 742
alterado para pior 659
alterante 140, 662
alterar 20a, 61, 140, 241, 523, 544, 742
alterar a verdade 544, 546
alterar o juízo a alguém 503
alterar-se 144, 173, 900
alterativo 140, 662
altercação 24, 476, 713, 720, 889
altercador 476, 887
altercar 476, 713
alternação 70, 138, 145, 314,
alternado 12, 63, 148
alternância 147
alternância de poder 737
alternar 70, 149, 218, 314
alternar(-se) 148
alternar-se 138
alternativa 138, 147, 472, 605, 609, 626
alternativa de bens e de males, a 151
alternativamente 148
alternativo 148
alternável 149
alterno 148
alteroso 173, 206
alteza 206, 648, 876, 939
altibaixos 248, 645
altibaixos da vida/da fortuna 151
altica 913
alticolúnio 206
altícomo 206
altiloquência 577, 855
altiloquente 577, 582
altíloquo 577
altimetria 244, 466
altímetro 244
altiperno 440c
altipotente 976
altissimamente & adj. 210
altíssimo 210
Altíssimo 976
altissonante 404, 577
altíssono 577
altitonante 404
altitude 183, 206, 466

altívago | amatular-se

altívago 206, 267, 366
altivez 878, 885, 939
altivo 206, 574, 719, 739, 742, 878, 885, 939
altivolante 267, 366
altívolo 206, 267, 366
alto (diz-se das festas religiosas móveis) 133
alto (parte superior de escada) 210
alto 31, 71, 131, 192, 196, 206, 210, 404, 410, 411, 415, 578, 580, 642, 648, 704, 814, 873, 959
alto como um varapau 206
alto da cabeça 440e
alto dia 125
alto e malo 609a
alto lá! 142, 761
alto personagem 875
alto prócero 642
alto! 142
alto! para! basta! 265
alto/baixo clero 996
alto-falante 580
alto-relevo 250, 557
altos e baixos 151, 314, 945
altriz 298
Altruísmo 942
altruísmo 648, 906, 910
altruísta 648, 906, 910, 912, 914, 942
altruístico 942
Altura 206
altura 26, 71, 210, 212, 246, 466, 873
aluado 503, 504, 961
aluamento (animais) 961
alucinação 495, 503, 515, 825
alucinado 503, 504, 824
alucinar 503, 824, 825
alucinar-se 503, 897, 900
alude 639
aludido 62
aludir 9, 514, 516, 550
aludir(-se) a 526
aludir-se 467
alufá 996
alugar 746, 771, 780, 787
aluguel 771, 810, 812, 812, 973
aluir 149, 160, 314, 659
aluir o crédito/a reputação 934
aluir-se 217
alumbrado 987
alúmen 397
alumiar 420, 518
alumiar frouxamente 422
alumiar o espírito 537
aluminar 397
aluminífero 397
aluminioso 397
aluno 541
alusão 9, 467, 514, 516, 521, 526, 527, 550, 842
alusão ferina 842
alusão satírica 856
alusivo 9, 514, 516, 521, 523
aluvial 213, 342, 344
aluviano 213, 342, 344
aluvião 40, 640
aluziado 420
aluziar 255
aluzir 255
alva 125, 223, 299, 422, 441, 999
alva dos padecentes 975
alvação 440b
alvacento 429, 430
alvadio 430, 432
alvado 252
alvado, olho x corte, fio, gume 237
alvaiadado 430
alvaiadar 430

alvaiade 430
alvanel 690, 701
alvanéu 690
alvanir 690
alvar 429, 430, 499, 543
alvará 741
alvará de insinuação 784
alvarelha 858
alvarral 465
alvazil ou alvazir (ant.) 745
alveamento 430
alvear (ant.) 430
alveário 102, 370, 396
alvedrio 600
alveitar 370, 701
alveitarar 370
alveitaria 370
alvejar 1, 278, 430, 446, 620, 622, 716
alvejar com tiro 716
alvela 792
alvenaria 321, 323, 635
alveneiro 690
alvenel 690
alvener 690
alvenéu 690
álveo 259, 350
alveolar 252
alvéolo 252
alvéolos pulmonares 440e
alverca 343, 345, 370
alvião 253, 371
alviçarar 532
alviçaras 532
alviçareiro 648
alvidrar 480
álvidro (ant.) 480
alvinitente 430
alvino 221
alvíssaras 973
alvissareiro 472, 527
alvitana 219, 545
alvitórax 440c
alvitrar 505, 514, 527,695
alvitre 484, 505, 532, 600, 626, 812
alvitreiro 505, 527
alvo 278, 292, 430, 441, 454, 516, 620, 960
alvo da ambição de alguém 865
alvor 125, 430
alvorada 62, 66, 125, 131, 402a, 412, 883
alvorar 125, 420
alvorar uma bandeira 550
alvorário 268, 863
alvorecer 116, 125, 420
alvorejar 125, 420
alvoriço 404
alvoroçado 684, 824
alvoroçar 742, 824, 860
alvoroço 59, 404, 665, 713, 742, 860
alvoroço de esperança 858
alvorotado 742
alvorotamento 742
alvorotar 742, 824, 860
alvoroto 59, 742, 824, 860
alvura 420
ama 127, 753
amã 918
ama de leite 746
ama nutriz 746
amabilidade 829, 894, 902, 939
amabilidades 842
amachucar 241, 830
amaciamento 834
amaciar 174, 255, 324, 332, 370
amaciar a ferocidade dos costumes 894
amada 897
amada externa 220
amadeira 127

amado 897, 899,
amador 492, 850, 865, 897
amadornar 683
amadrinhar (bras.) 613
amadurado 673, 864
amadurar 729
amadurar-se 864
amadurecer 131, 626, 650, 658, 673, 729
amadurecer um plano 626
amadurecido 864
amadurecimento 673
âmago 5, 68, 221, 222, 642, 820, 909
amainar 36, 160, 174, 265, 826, 734
amainar as velas 275
amalancornado 837
amaldiçoado 649, 657, 908, 945, 988
amaldiçoar 908
amaldiçoar a Deus 988
amálgama 41, 48
amalgamação 48
amalgamado 41
amalgamamento 48
amalgamar 41, 48
amalhar 370, 660
amalhete 72
amalucado 503, 504
amame 440a
amamentação 707
amamentar 127, 298, 707
amancebamento 961
amancebar-se 961
amaneirado 577, 855
amaneiramento 855
amaneirar-se 855
amanhã 121, 133
amanhar 371, 673
amanhar-se 225
amanhecente 125
amanhecer 125, 682
amanhecido 124
amanho 371, 673
amaninhar 169
amansadela 370
amansador 370, 540
amansadura 370
amansar 370, 537, 613, 749, 834
amansar a sede 298
amansar a soberba 879
amansia 370
amante & *v*. 897
amante 45, 864, 897, 962
amante de 888
amante teúda e manteúda 962
amante velho 897
amanteigado 324
amantium iræ amoris integratio est 918
amanuense 19, 553, 590, 711, 746
amar 888, 897
amar a obscuridade 881
amar a sinceridade 543
amar a virtude 939
amar como perdido 897
amar deveras/idolatradamente/até a adoração/até o sacrifício/com furor/com exaltação/com todos os enternecimentos/com delírio/como um louco 897
amar o belo 377
amar perdidamente 897
amara lex 739
amaramente & adj 395
amarar 267
amarar-se 293
amarasmado 685
amarelado 436
amarelão 655

amarelar 436, 862
amarelecer 429, 436
amarelejar 436
amarelento 429, 436
amarelidão 436
amarelidez 436
amarelinha (cachaça) 959
amarelinha 840
Amarelo 436
amarelo como cidra 436
amarescente 395
amarfanhar 258
amargado (ant.) 395
amargamente 31
amargar 395, 397, 828
amargar-se com ciúmes 920
amargo 392, 395, 397, 735, 830, 898, 901a
amargor 395, 397, 649
amargoso 395, 397, 830
Amargura 395
amargura 397, 828, 832, 837, 898, 900
amargurado 665, 837, 901a
amargurar 397, 830
amari aliquid 649
amaricado 373, 374, 862
amaricar-se 862
amaridão 395
amaridar-se 903
amarilho (bras.) 45
amarílis 400
amarinhar 673
amaríntias 840
amariscar 961
amaríssimo 395
amaritude 395
amaritúdine 395
amarma (ant.) 337
amaro 395, 397
amarra 45, 781
amarração 43, 184
amarrado 754
amarrado/preso ao leito 160
amarrar 43, 184, 751, 781
amarrar o asno à vontade do dono 926
amarrar o guizo no pescoço do gato 158, 861, 863
amarrar o pano (afric.) 961
amarrar-se a uma ideia 606
amarreta 45
amarroado 160, 837
amarroar 160, 837
amarrotamento 258
amarrotar 195, 256, 258
amarrotar alguém os queixos a alguém 972
amartelado 725
amartelar 731
amarujar 395
amarujem 395
amarujento 395
amarulento 395
ama-seca 540
amásia 962
amasiar-se 961
amasio 903
amassadeira 191
amassamento 254
amassar 41, 324
amasso 902
amatalotadamente 59, 465a, 674, 852
amatalotado 637
amatalotar 43
amateur 865
amatilhar 43
amatilhar-se 709
amatividade 897
amativo 897
amatório 897, 961
amatular-se 709

505

amatungar | amordaçar

amatungar 499
amatutado 499, 852
amaurose 442
amaurótico 442
amável 894, 897, 902, 906, 939
amável no trato 894
amavios 993
amavioso 648
amazelado 961
amazelento 961
amazona 268, 374
Amazonas 192
amazônico 192, 639
ambage 629
ambages 248, 477, 573, 671
ambagioso 477, 573
âmbar 356a, 436
ambárico 356a, 436
ambarino 356a
ambarino 400, 436
ambarvais 840
ambição (desmesurada) 943
ambição 615, 620, 625, 814, 819, 865
ambição desenfreada 921
ambição desvairada 819
ambicionar 620, 825
ambicioso 819, 865, 943
ambiçuum ingenitum 607
ambidestreza 698
ambidestrismo 238, 239
ambidestro 238, 607, 698
ambientar-se 144
ambiente 180, 227, 892
ambiente impuro 653
ambiente mefítico 401
ambiesquerdo 238, 239, 699
ambigênia 41, 83, 245, 374a
ambigrama 89, 561
ambígua 41
ambiguas in vulgum spargere voces 39, 544, 702
ambiguas in vulgus spargere voces 475
ambiguidade 89, 475, 519, 520, 563, 568, 571, 842
ambíguo 475, 519, 520, 523, 528, 571
âmbito 26, 180, 230, 682, 728
ambitus funeris 363
ambivalência 605
ambivalência entre os sexos 374a
ambívio 219
amblígono 244
ambliope 443
ambliopia 443
ambo 200
ambom (ant.) 542, 1000
ambos 89
ambos arcadianos 949
ambos os dois 89
ambrar 400
ambreado 400, 436
ambrear 400, 436
ambrosia 298, 394, 827
ambrosíaco 394, 396, 400
ambrosiano 394
ambrosino 396
âmbula 191, 1000
ambulação 266
ambulacro 371
ambulância 272, 662
ambulante 149, 266
ambular 266
ambulativo 266
ambulatório 264, 266, 662
ambulatriz (ant.) 962
ambulípede 440c
amburbiais 840
ambustão 384
âme damnée 711, 886
ame qui vive 101

Ameaça 909
ameaça 177, 665, 715, 908
ameaçado 177
ameaçador 177, 512, 665, 673, 859, 860, 887, 889, 909
ameaçamento 909
ameaçante 909
ameaçar (estar iminente) 286
ameaçar 152, 511, 665, 668, 715, 860, 908, 909
ameaçar a terra 549
ameaçar com a excomunhão 909
ameaçar o céu 206
ameaçar ruína(s) 124, 659
ameaças 668
ameaças de trovoadas 665
ameaças/ameaços 512
amealhar 775, 786, 819
amear 717
ameba 193
amebeu 597
amebíase 655
amedrontadamente 860
amedrontar 830, 860, 909
ameia 206, 257, 717
ameigar 902
ameijoada 344, 370
ameijoar 370
ameixa 396
ameixal 371
ameixial 371
amelaçar 396
amém 488, 886
amém! 831, 865, 858, 931, 990
amência 503
amende honorable 952
amêndoa 222
amenidade 829, 894
ameninado 129
ameninar-se 145
amenista 886
amenizar 174, 469, 829, 834
ameno 383a, 413, 578, 656, 829
améns 879
amenta 990
amentar 503, 505, 992
amente (ant.) 503
amento 727
amercear-se 914
americanismo 563
americano 188
americomania 855
amerissar 292, 267
amesendado 377
amesendar-se 377, 681
amesquinhamento 483, 940
amesquinhar 483, 649, 874, 879, 907, 934
amesquinhar-se 659, 819, 839
amestrado 698
amestrador 540
amestrar 370, 537, 698
ametista 437, 847
ametístico 437
ametódico 59
amezinhador 662
amezinhar 662
ami(c)to 999
amianto 385
amicíssimo 888
amictório (ant.) 225
amículo 225
Amicus certus in re incerta cernitur 735
amicus curiæ 527
amicus humani generis 910, 912
Amicus Plato, sed magis amica veritas 543
amicus usque ad aras confidente 890
Amida 979
amido 330

amigação 903, 961
amigaço 888
amigalhaço 890
amigalhão 890
amigalhote (dep.) 890
amiganço 961
amigão 888
amigão/amigona 890
amigar-se 961
amigável 714, 879, 888, 897, 906
amigavelmente 888, 890
amígdala 351
Amigo 890
amigo 543, 711, 714, 743, 834, 888, 897, 935
amigo ao extremo 890
amigo da paz/da ordem 721
amigo da raça humana/do gênero humano 912
amigo da raça humana/do gênero humano/da humanidade 910
amigo da razão 498
amigo da taça 959
amigo de Peniche 544, 548, 891, 936
amigo de riso 836
amigo do alheio 792
amigo do estudo 538
amigo dos livros 538
Amigo é coisa pra se guardar no lado esquerdo do peito 890
Amigo é para essas coisas 890
amigo falso 891
amigo íntimo/afim/do peito/da alma/de fé/de taça/de copo/de todas as horas/de verdade 890
amigo-urso 544, 548, 936
amigos 88
amigos e inimigos 488
Amigos, amigos, negócios à parte 890
amiláceo 352
amimalhar 902
amimar 902, 933
amimar um pensamento/ma ideia 451
aminguamento 776
aminhar 264
amissível 776
amistar 723, 888
amistosamente 890
amistoso 714, 888, 890, 906
amiudado 104, 136
amiudar 35, 104, 136, 412
amiudar os esforços 686
amiúde 104, 136
amizade 644, 714, 721, 829
Amizade 888
amizade-colorida 897, 961
amizade de barca 111
amizade de barca/de pouca duração 888
Amizade é como o vinho: quanto mais velha, melhor 888
amizade firme/funda/inquebrantável/cordial/sincera/duradoura/indissolúvel/eterna 888
amizade ilícita 961
amnésia 506
amnesiar 506
amnéstico 506
Amo 745
amo 228, 373, 540, 890
amo habendi 819
amobilidade 264
amocambar (bras.) 528
amochar-se 893
amodorramente 683
amodorrar 683

amoedado 803
amoedar 161, 800
amofinação 735
amofinado 828
amofinador 830
amofinar 830
amofinar-se 686, 837
amoinar (gír.) 765
amoitar 528
amoitar-se 449
amojado 168
amojo 168
amok 503
amolação 253
amolada 253
amoladela 253
amolador & *v.* 253
amolador 253
amoladura 253
amolar (bras.) 841
amolar 253
amolar-se com dez mil-réis de multa 972
amoldado 613
amoldar 23, 240, 324, 537, 613
amoldar-se 602, 174, 820
amoldável 149
amolecer 160, 324, 605, 725, 762, 914
amolecimento 172
amolecimento cerebral 158
amolentar 160, 324, 914
amolgadela 241
amolgado 732
amolgadura 241
amolgar 195, 241, 252, 254, 324, 479, 731, 824
amolgar-se 602, 886
amolgável 602, 886
amoliri pericula 861
amontado 279
amontanhar(-se) 194
amontar 35, 305
amontoa 371
amontoado 31, 465a
amontoado de parvoíces 643
amontoar 50, 72, 190, 467, 549, 596, 636, 775, 817
amontoar tesouros 803
amonturar 72
Amor 897
amor 714, 821, 829, 865, 888, 899, 902, 906, 931
amor à verdade 543
amor ao próximo 906
amor carnal 897
amor da pátria 910
amor e prazer da humanidade 910
amor entre iguais 961
amor et deliciæ humani generi 910
amor incestuoso 961
amor inextinguível/verdadeiro/irremediável/inabalável/acendrado/sincero/ardente/profundo/indestrutível/imaculado/platônico 897
amor livre 961
amor paterno/materno/filial/conjugal/conjugal/incondicional/inabalável/sem-fim/infinito 897
amor patriæ 910
amor-próprio 880, 943
amor sáfico/lésbio/lésbico 961
amor universal 910
amorado 434
amoral 925, 945
amoralidade 945
amoralização 539
amorável 829, 888, 897
amordaçar 158, 581, 739, 851

amorenado | andar com chocalho

amorenado 431
amores renovados 918
Amorfia 241
amórfico 241
amorfismo 241
amorfo 83, 241, 243
amoricos 897, 902
amorio (ant.) 897
amoriscado 897
amoriscar-se 897
amornado 382
amorosidade 897
amoroso 599, 897, 902
amor-próprio 878
amorrinhar 160
amorrinhar-se 160, 655
amorsegar 252
amortalhado 360
amortalhado em mistério 519
amortalhar 223, 362, 485, 528
amortalhar o bom-senso 497
amortalhar-se 449, 893
amortecer 174, 275, 376, 422, 616, 823, 824
amortecer as tintas 429
amortecer os sons 408a
amortecido 422, 575
amortecimento 376, 823
amortiçar-se 422
amortificar (ant.) 376
amortização 771, 807
amortizador 806
amortizamento 771
amortizar 807, 809, 823
amorudo (burl.) 897
amorzinho 897, 902
amossar 254
amossegar 252, 254, 257
amostardado 392
amostra 22, 525, 550, 882
amostras 82
amostrinha (bras.) 392
amota 666
amotinação 742
amotinadamente 742
amotinado 742
amotinador 742
amotinamento 742
amotinar 742
amouco 711, 717, 886
amover 185, 270
amovível 111, 270
amoxamado 203
amparador 912
amparamento 215
amparar 215, 664, 670, 707, 717
amparar com seu apoio 931
amparo 175, 215, 664, 707, 717, 834, 906
amplamente 52
amplexo 902
ampliação 35, 194, 573
ampliar 35, 522, 573
ampliar os horizontes de 537
ampliar(-se) 194
ampliativo 35
amplidão 31, 105, 180, 192, 748
amplidão azul 318
amplidão do céu 318
amplificação 35,194, 482, 521, 573
amplificar 35, 522, 549
amplificável & v 35
amplitude 25, 26, 180, 192, 202, 639
amplitude animi 918, 942
amplo 31, 78, 116, 180, 192, 202, 639
ampulheta 114
amputação 36, 44, 201, 241
amputar 36, 38, 44, 201, 241, 378, 659, 751, 761
amuado 832, 837
amuar 830, 837

amuar dinheiro 817
amuar-se 832, 900, 901a
amulatado 431, 433
amulatar-se 431
amulético 992
amuleto 615, 993
amulherado 373, 961
amulherar-se 374, 961
amulherengado 373, 961
amulherengar-se 374, 961
amumiado 203, 243
amuo 837, 900
amuos 901a
amurada 206
aná 27
anábata 726
anabatismo 984
anabatista 984
anabolizante 159
anabrótico 171, 649, 830
anacatártico 662
anacefaleose 596
anacíclico 516, 597
anaclástico 420
anaco 129
anacolutia 70
anacoluto 70, 521, 567
anaconda 913
anacoreta 893, 955
anacorético 893
anacoretismo 893
anacreôntica 597
anacrônico 122, 135, 495
Anacronismo 115
anacronismo 119, 135
anacronizar 115
anactesia 660
anada (de vacas) 72
anadel 745
anadema 128, 747
anadiplose 521
anafado 192
anafar (animais) 298
anafileiro 416
anafonese 411
anáfora 521, 529
anafórico 521
anafrodisia 158
anafrodita 158
anagênese 660
anaglífico 557
anaglifo 554, 557
anagnoste 746
anagogia 521, 990
anagógico 519, 521, 990
anagrama 520, 533, 561, 842
anagramático 561
anagramatizar 520, 561
anágua 225
anaia 993
anais 114, 594
anais da História 873
anal 235
análabo 999
analecto 551
analector 553
analectos 41, 596
analema 554
analemático 554
analepse 660
analepsia 660
analéptica 660
analéptico 660, 662
analético 596
analfabeto 491, 493
analgesia 823
analgésico 376, 662, 823
analgia 823
analgia ou analgesia 376
analisador 461, 463
analisar 49, 461, 476
análise 49, 60, 85, 453, 457, 461, 463, 476, 480,595, 596, 673

análise espectral 428
análise racional 155
analista 114, 461, 463, 492, 553
analista de sistemas 690
analítico 49, 85, 461, 463
analogia 9, 17, 19, 80, 82, 464, 516, 522, 714
analogismo 476
analogista 476
análogo 17, 464,516
analose 160, 641, 655
anamnese 505, 521
anamnesia 505
anamnéstico 505
anamnésticos 505
anamorfose 241, 443, 555
anamorfótico 555
ananicado (fig.) ignóbil 940
ananicado 193, 877
ananicar 193, 934
ananicar-se 36
anão 193
anapéstico 597
anapesto 597
anar (p. us.) 241
anarca 250
anarcho-punk 415
anarco 250
anarquia 59
Anarquia 738
anárquico 59, 738
anarquismo 738
anarquista 165, 489, 742, 911, 913
anarquização 61
anarquizado 61
anarquizar 61
anastático 558
anastigmático 445
anastomose 43, 219
anástrofe 218, 519, 567, 577
anatar 223
anátema 830, 908, 932
anatematismo 908
anatematização 908
anatematizar 908, 932, 934
anatocismo 819
anatomia 44, 329, 357, 461
anatomia patológica 662
anatômico 329, 440e
anatomista 461, 463
anatomizar 44, 49, 461
anatonomástico 521
anatripsia 331
anatríptico 662
anaudia 419
anavalhar 253, 260
anavalhar 716
anazado 193
anca 235, 236
anceps animus 605
anceps belli fortuna 722
ancestrais 166
ancestral 122, 124, 128, 130, 166
ancestralidade 11
ancho 192, 202, 880
anchura 192, 202
anciania (ant.) 128
ancianidade 122, 124, 128
Ancião 130
ancião 124, 128, 996
ancil 717
ancila 746
ancilas de Deus 955
ancilose 323
ancilostomíase 655
ancilostomose 655
ancilotia 46
ancinhar (prov.) 371
ancinho 253, 371, 652
ancípite (poét.) 171, 475, 544, 605, 940
anco 244, 252, 343

âncora 664, 858
âncora de salvação 666, 858
âncora sagrada 666, 858
ancorado 265
ancoradouro 184, 292, 343, 666
ancoragem 666
ancorar 184, 292, 604a
ancoreta 191, 666
anda lá! 668
anda por muitos anos que 122
anda! 668
andábata 726
andaço 655
andada 266
andadeiras 695, 707
andadeiro 266, 274
andador 215, 266, 274, 746
andadura 264
andaeiro 683
andaimada 215
andaimar 673
andaimaria 215
andaime 215, 673
andaina 69
andamento 69, 413
andança 266
andante 118, 264, 266, 268, 413, 415
andantesco 939
andantino 415
andapé 215
andar 59, 109, 191, 204, 206, 264, 282
andar à corda 749
andar à corda de alguém 886
andar a custo 275
andar à faca-sola 266
andar à gandaia 683, 877
andar à malta 266, 947
andar à matroca 624
andar à moina (gír.) 765
andar à monte 666
andar à onça 804
andar à orelha de alguém 702
andar a passos largos 274
andar a pé 266
andar a recado 459
andar à roda 959
andar à sirga 281
andar à vela 274
andar à volta de 311
andar abatido & *adj.* 837
andar adiante de alguém 33
andar ao arrepio 283
andar ao corrente 490
andar ao laré 683
andar ao salto 791
andar aos baldões 735
andar apreensivo 837
andar arrastado/caindo de lazeira/à piranga/ao lambisco 804
andar arredio 893
andar às apalpadelas 463, 475, 675, 699, 704
andar às chaças com 720
andar às guerrilhas 720
andar às moscas 681
andar às ochas com alguém 713
andar às quebras com alguém 713
andar às soltas 748
andar às testilhas 24
andar às tontas/ao acaso 621
andar atrás de 933
andar atravessado com 713
andar bem 692
andar com arcas encouradas 585
andar com as mãos pelo chão 499
andar com chocalho 532

507

andar com o cio | animal (ave) que tem as pernas...

andar com o cio 961
andar com o prumo na mão 817, 864
andar com pezinhos de lã 702
andar com pouca sorte 735
andar com sapatos de feltro 698
andar com uma pedra no sapato/com a pulga atrás da orelha 485
andar como um taful 851
andar de boca em boca 531
andar de braço dado com alguém 88
andar de bruços 886
andar de caranguejo 283
andar de coleira larga 748
andar de déu em déu 264
andar de face (ant.) 703
andar de gatinhas 275
andar de Herodes para Pilatos 475
andar de lado 236
andar de mão em mão 446, 783
andar de mão em mão/nas mãos de todos 531
andar de mãos na algibeira/no bolso 681
andar de orelha à escuta 459
andar de orelhas caídas 509
andar de pontinha com 713
andar de réstea com 709
andar de rixa 713
andar de rojo 275
andar de terra em terra 266
andar depressa 682
andar desavindo 713
andar desconfiado 485
andar direito 498, 939
andar divorciado da gramática 568
andar em bolandas 264
andar em brasas 828
andar em clarim 684
andar em dia 817
andar em estudos 538
andar em foro de valente 861
andar em mão do cirurgião 655
andar em morgado 783
andar em pelote 226
andar em pernas (sem meias) 226
andar em rifão 853
andar em roda-viva 684
andar em súcia 72
andar em tratamento 655
andar fora do número 55
andar fugido à justiça 947
andar mal 692
andar mouro na costa 665
andar muito abanado 655
andar na berra 873, 961
andar na berra/nas bocas do mundo 531
andar na boca do povo 532
andar na escola 538
andar na maromba 682
andar na sela 737
andar na vida airada 683
andar nas pontinhas 851
andar nas pontinhas com alguém 889
andar no cavalo dos frades/de s. Francisco 266
andar no colo 127
andar no mundo da lua/nas nuvens/com a cabeça no ar/com a cabeça de levante/com a cabeça à razão de juros/com a cabeça ao léu 458
andar no requinte da moda 851
andar no trinquete 851

andar nos cornos do touro 665
andar num corrupio/num sarilho/numa roda-viva/numa fona/numa lufa-lufa/em palpos de aranha 682
andar num rodopio/num corropio 311
andar num sino 831
andar numa roda-viva 684
andar o mundo às avessas 679
andar ou ficar na berlinda/na rua da amargura 934
andar para 620
andar para trás 732
andar pelas franças 572
andar pelo céu um luar esquivo 420
andar por 27
andar por arames 160, 655
andar por atalhos 544
andar por corrilhos 892
andar ronceiramente 275
andar Seca e Meca 264
andar sem tom nem som 683
andar sempre alerta 459
andar seu caminho 604
andar térreo 189
andar/ir por muitos anos 122
andareco (dep.) 271
andarejo 264, 266
andarilhar 266
andarilho 268
andas 215, 272
andeiro 264, 266
andejar 264, 266
andejo 149, 264, 266, 268, 320, 607
Andes 206
andilhas 272
ândito 627
ando de vadios 72
andoar-se 72
andone (Japão) 423
andor 215, 272, 1000
andorinha 366
andrajo 225
andrajoso 226, 804, 852
andrófago 913
androfobia 907
androginia 374a
andrógino 83, 374a
androide 599, 605
andrólatra 984
androlatria 991
andrologia 662
andromania 655, 961
andrômina 546
andurriais 893
andurrial 189
anediar 902
anedota 594
Anedota 857
anedotário 594
anedótico 594
anedotista 594
anedotizar 594
anegar 310, 337
aneiro 111, 207, 208, 475, 477
anejo 129
anel (de cabelos) 248
anel 43, 247, 747, 847
anel de ouro em focinho de porco 638
anel em focinho de porco 679
anel prónubo 903
anel x palhetão 237
anelação 688
anelado 248
aneladura 248
anelante 688, 985, 873
anelar 685, 688
anelasticidade 326
anélito 688

anelo 865
anemia 158, 160, 641, 655
anemia falciforme 655
anemiar 160, 641
anemiar os cofres 818
anêmico 160, 575, 641, 655
anemizar 641
anemobata 599, 607
anemografia 349
anemógrafo 338, 349
anemologia 349
anemômetro 338, 349, 466
anêmona 845
anemopausa 349
anemoscopia 349
anemoscópio 338, 349
anencefalia 83
anencéfalo 83
anepigrafia 552
anepigráfico 552
aneroide 338
anervia 158, 160, 376, 655
anestesia 376, 823
anestesiante 376
anestesiar 376, 662, 823
anestésico 376, 823
anestesiologia 662
anete 247
anético 834
aneurisma 194, 250
aneurismático 194, 250
anexação 37, 43, 76
anexar 37, 39, 43
anexim 496, 856
anexo 37, 39, 43, 199, 592, 593, 780
anfião 376
anfíbio 83, 607
anfibologia 475, 520
anfibológico 475, 519
anfíbraco 696
anficéfalo 440c
anfictiônio 696
anfigúri 497, 517, 519, 586
anfigúrico 497, 517, 519
anfigurífico 497, 517, 519
anfimaco 597
anfiprostilo 1000
anfiscios 188
anfitálamo 374, 751,752
anfitálomo 189
anfiteatral 542
anfiteátrico 542
anfiteatro 441, 542, 599, 728
anfiteatro flaviano 728
anfitrião 696, 840, 890, 892
Anfitrite 341
ânfora 191
anfracto 248
anfractuosidade 248
anfractuoso 248
angariação 775
angariar 191, 615, 722, 765, 775, 785
angélia 125
angélica 990
angelical 944, 960
angelicar 931
angélico 413, 845, 897, 944, 960, 977, 984
angelita 984
angelitude 960
angelólatra 984
angelolatria 977, 984
Angelus 126
angelus 990
angialgia 378
anginhos 752
angiologia 662
angiosperma 367
angiporto 189, 261
angiporto 704
anglicanismo 984
anglicano 984

anglicismo 563
anglo-catolicismo 984
anglofobia 911
anglófobo 911
anglomania 19, 855
anglomaníaco 19, 855
anglômano 855
angra 252
angu 59
angu de caroço 59
anguelo (bras.) 243
anguicida 361
anguílula 913
anguis in herba 548
angulação 217
angulado 217
angular 244
angular(-se) 217
Angularidade 244
angulário 244
angulete 244
ângulo 217, 244
ângulo agudo 244
ângulo reentrante 252
ângulo reto 212, 244
ângulo saliente 244
angulosamente & adj 244
anguloso 244
angustal 845
angústia 32, 203, 378, 619, 641, 665, 804, 828, 830, 859
angústia de tempo 684
angustia temporum 735
angustiador 665
angustiante 665
angustiar 665, 830
angustiar-se 837, 859
angustioso 665, 735, 830
angusto 203
angustura 203, 828
anguzada 41
anhangá 980
anhanguera 980
anhante 129
anho 129
anhuma 366
anichado 528
anichar 184
anichar-se 528
anícula 318
anídrico 340
anidro 340
anidrose 340
anielagem 847
anielar 847
anil 128, 130, 438
anilado 438
anilar 438
anilha 247
animação 264, 359, 615, 682, 692a, 821, 824, 827, 831, 834, 836
animada 357
animado 359, 574, 577, 858
animado pela ira 900
animador 902
animadversão 867, 898, 932
animadversão sistemática 481
animadvertir 932
animais do campo 366
animais domésticos 366
animais, cores e sinais de diversos 440c
animais, vozes de 412
Animal 366
animal 271, 364, 493, 501, 895
animal (ave) de bico curvo 440c
animal (ave) de bico pardo 440c
animal (ave) que anda de ramo em ramo, preparando-se para voar 440c
animal (ave) que tem as pernas cobertas de penas 440c

animal (ave) que tem dedos... | anjo rebelde...

animal (ave) que tem dedos meio ligados por membrana 440c
animal (ave) que tem o dedo externo reversível 440c
animal (ave) que tem penas pardas 440c
animal (cavalo) que tem um quadril maior que outro, ou aleijado, que coxeia 440c
animal (diz-se de) cujo corpo é direito 440c
animal (diz-se de) que tem cornos de touro 440c
animal (inseto) de antenas curtas 440c
animal (inseto) de quatro asas 440c
animal (inseto) de quatro asas membranosas e nuas como as das abelhas 440c
animal (inseto) de uma só asa 440c
animal (inseto) que tem as antenas pardas 440c
animal (inseto) que tem asas digitais e cor-de-rosa 440c
animal (inseto) que tem muitos pés 440c
animal (molusco) que produz pérolas 440c
animal (peixe) que respira por brânquias e pulmões 440c
animal (pombo) que tem coleira de várias cores 440c
animal (touro) que tem hastes defeituosas 440c
animal a que falta o dedo polegar ou qualquer outro 440c
animal cujo corpo forma uma só massa homogênea 440c
animal cujo organismo se divide em duas partes na geração 440c
animal cujo ovo é incubado no interior do organismo materno sem que se nutra à custa do mesmo 440c
animal cujos cornos têm as pontas muito afastadas uma da outra 440c
animal cujos dedos estão ligados por membranas 440c
animal de antenas ou cornos delgados 440c
animal de asas curtas 440c
animal de asas grandes ou membranas alares 440c
animal de asas negras 440c
animal de asas ou barbatanas azuis 440c
animal de bico adunco, recurvo, em forma de unha 440c
animal de bico azul 440c
animal de bico comprido 440c
animal de bico delgado e longo 440c
animal de bico em forma de espada 440c
animal de bico ou focinho branco 440c
animal de boa altura ou de boa raça (cavalo ou égua) 440c
animal de boca carnuda 440c
animal de cabeça em forma de ventosa 440c
animal de cabeça semelhante à do carneiro 440c
animal de cabeça triangular 440c
animal de cauda bifurcada 440c
animal de cauda branca 440c
animal de cauda curta 440c

animal de cauda longa 440c
animal de cauda negra 440c
animal de cauda semelhante à do cão 440c
animal de cores variadas 440c
animal de cornos curtos 440c
animal de cornos e antenas negras 440c
animal de dedos curtos 440c
animal de dedos direitos 440c
animal de dedos em número par 440c
animal de dentes direitos 440c
animal de duas caudas 440c
animal de língua curta 440c
animal de mais de dois cascos em cada pé 440c
animal de maxilas pequenas 440c
animal de muito pelo 440c
animal de muitos dedos 440c
animal de muitos estômagos 440c
animal de muitos pés 440c
animal de oito pés ou tentáculos 440c
animal de orelhas caídas 440c
animal de patas azuis 440c
animal de patas córneas 440c
animal de patas grandes 440c
animal de patas iguais ou semelhantes 440c
animal de patas peludas 440c
animal de pele mole 440c
animal de pelo da cor do de rato 440c
animal de pelo muito ralo 440c
animal de pelo muito ralo 440c
animal de pelos no bico 440c
animal de penas douradas 440c
animal de penas ou barbas ruivas 440c
animal de penas pequenas 440c
animal de pernas altas 440c
animal de pés achatados 440c
animal de pés curvos em forma de foice 440c
animal de pés de cabra 440c
animal de pés negros 440c
animal de pés pequenos 440c
animal de pescoço redondo 440c
animal de quatro asas 440c
animal de quatro dedos 440c
animal de quatro dentes 440c
animal de quatro membros 440c
animal de quatro pés 440c
animal de quatro tarsos dilatados em forma de mão 440c
animal de tarsos compridos 440c
animal de três dedos 440c
animal de um só dedo 440c
animal de um só dente 440c
animal de uma só asa 440c
animal de ventre amarelo 440c
animal de vida individual e insulada 440c
animal doméstico 370
animal dotado de esqueleto ósseo ou cartilaginoso 440c
animal feroz 913
animal macho 373
animal mal castrado ou que só tem um testículo 440c
animal que ainda não mudou as penas do ano antecedente 440c
animal que anda sobre a planta dos pés 440c
animal que depois de gerado se desloca do corpo materno

e vem completar no exterior o seu desenvolvimento 440c
animal que mexe muito com a cauda 440c
animal que não tem cauda (anfíbio) 440c
animal que não tem ossos 440c
animal que pare um filho de cada vez 440c
animal que ri 372
animal que se reproduz pela divisão do próprio corpo 440c
animal que só tem um casco em cada pé 440c
animal que só tem um corno ou ponta 440c
animal que só tem uma articulação 440c
animal que tem a cauda nua 440c
animal que tem antenas simples 440c
animal que tem as brânquias perto de cauda 440c
animal que tem as patas anteriores escuras 440c
animal que tem as patas de igual comprimento 440c
animal que tem as patas revestidas de pelos ásperos 440c
animal que tem asas 440c
animal que tem bico adunco 440c
animal que tem bico, focinho ou esporão 440c
animal que tem cauda 440c
animal que tem cauda muito visível 440c
animal que tem concha 440c
animal que tem cornos 440c
animal que tem crina ou coma 440c
animal que tem dedos em número ímpar 440c
animal que tem dedos iguais 440c
animal que tem duas cabeças 440c
animal que tem o bico guarnecido de lâminas 440c
animal que tem o tórax branco 440c
animal que tem órgão em forma de bolsa onde as fêmeas trazem os filhos enquanto os amamentam 440c
animal que tem os dedos pequenos 440c
animal que tem os dedos soldados entre si 440c
animal que tem os pés bem conformados para andar 440c
animal que tem pés negros ou escuros 440c
animal que tem quatro antenas ou tentáculos 440c
animal que tem quatro dedos 440c
animal que tem quatro olhos 440c
animal que tem tentáculos 440c
animal que tem tentáculos em número par 440c
animal que tem uma só escama 440c
animal que tem uma unha em cada dedo 440c
animal que tem unha ou garra 440c
animal que tem vértebras 440c
animal que tem vértebras, dotado de esqueleto ósseo

animal racional 372
animal sem asas 440c
animal sem cauda 440c
animal sem dentes 440c
animal sem pés 440c
animal sem rabo
animal semelhante ao homem (falando dos mamíferos) 440c
animal zoológico 366
animal(inseto) de asas ou élitros negros 440c
animalaço 366, 493, 895
animalão 366
animalcida 361
animálculo 32, 193
animalejo 366, 501
animália 366
animalicida 361
animalicídio 370
Animalidade 364
animalidade 954
animalismo 364, 954
animalista 559
animalizar 364
animar 359, 615, 707, 824, 836, 861
animar a velocidade de 274
animar de granjas às solidões 371
animar uma esperança 858
animar-se 821, 861
animar-se a 604
animatógrafo 445
anime 356a
anímico 5, 7, 317, 450
animismo 450, 569
ânimo 450, 574, 604, 620, 820, 861
ânimo! 615, 860, 861
ânimo imperturbável 823
ânimo servil 886
animosidade 713, 825, 867, 889, 898, 900
animoso 831, 861
aninhado entre espessas nuvens 528
aninhar 184
aninhar-se 184, 186, 683
aninhar-se no cérebro 484
aninho 827
anínio 366
anino 193
aniquilação 162
aniquilação das forças 160
aniquilado 2
aniquilador 165
aniquilamento 2, 162, 907
aniquilar (destruir) 468
aniquilar 2, 4, 731
aniquilar as esperanças de 859
aniquilar ponto por ponto os termos do libelo 937
aniquilar-se 162, 360
anir (reg.) 294
anisaquíase 655
anisociclo 727
anistia 750, 918
anistiado 918
anistiar 918
aniversariar 883
aniversário 138, 840, 883
anjinho 129, 362
anjinhos 975
anjo 129, 664, 845, 897, 946, 948, 977
anjo custódio 664, 912
anjo da guarda 664, 912
anjo da paz 724
anjo das trevas 978
anjo dos abismos insondáveis 978
anjo protetor 664
anjo rebelde/decaído/mau/das trevas 978

anjo tutelar | antipoético

anjo tutelar 890, 912
anno ante Christum 106
anno Domini 106
anno regni 106
anno urbis canditae 106
annulus 247
annuns mirabilis 872
ano 106, 108
ano da fome 814
ano da graça de... 118
ano do mundo 106
ano hebdomático/bissexto/caliginoso 735
ano jubilar 687
ano santo 138
ano-bom 896
anódino 158, 174, 376, 575, 597, 643, 645, 648, 662, 834, 866
anodone 846
anodonte 128, 243
anodontia 243
anoitar 126
anoitecer 126, 421, 422
anojadiço (fig.) 901
anojal 321
anojo 129
anomalamente 31
anomalia 59, 79, 83
anomalia teratológica 83
anômalo 59, 83, 608, 614
anomatopaico 19
anomia 738
anomiano 984
anona (ant.) 637
anoneiro 637
anônima 372
anonimato 934
anônimo 565
Ano-novo 896
anordestear 278
anorexia 172, 866
anorexia nervosa 655
anormal 16a, 59, 83, 139, 243, 614, 870
anormalidade 16a, 83, 139, 614, 964
anormalmente 31
anorteamento 278
anortear 278
anos após anos 104
anos provectos 128
Anosmia 399
anoso 124, 128
anosteozoário 440c
anotação 522, 550, 551
anotar 522, 551, 595
anovear 971
anquilha (ant.) 454, 595
anquilosado 172
anquilosar 323
anquilosar a vontade 683
anquilosar as atividades 683
anquilosar-se 150, 613
anquilose 150, 323, 376, 655
anquinhas 250
ansa 134
anseio 600, 820, 865
anserino 366
ânsia 395, 455, 684, 820, 825, 865
ânsia de aprender 538
ânsia de enriquecer 819
ânsia de reclame 880
ânsia de saber 455
ânsia extrema 828
ânsia incontida de despertar a admiração 880
ansiar 395, 830, 867
ansiar por 865
ânsias 297, 841
ansiedade 828, 860, 865
ansioso 821, 828, 865
ansioso de saber 455
anspeçada 745

anta 124, 192
antagonicamente & *adj.* 179
antagônico 10, 14, 24,179, 237, 889, 891
antagonismo 14, 24, 489, 708, 713, 719, 720, 889, 921
antagonista 708, 710, 720, 889, 891
antagonizar 713, 891
antalgia 376
antálgico 172, 376
antanáclase 521
antanagoge 938
antanho 122
antártico 247
Antártida 383
ante 116, 186
ante diem 135
anteportão 66
anteâmbulo 64, 280, 746
anteato 599
anteaurora 125
antebraço 440e
antecâmara 191
antecanto 104
antecedência 62, 116
antecedente 62, 64, 116, 122
antecedentes 692
anteceder 116
antecessor 64
antecéu 734
antecipação 116, 132, 280, 507, 510, 673, 809, 858
antecipadamente 62, 116, 132
antecipado (ativo) 132
antecipado (cedo) 135
antecipado 116, 508
antecipar 62, 111, 115, 116, 121, 132, 507, 510, 673, 684
antecipar-se 280
antecipatório 64, 132
anteconhecimento 510
antecos 188
antecronismo 115
antedata 115
antedatado & anacrônico 115
antedatado 115
antedatar 115
antediluviano 124
antedizer (ant.) 511
anteface 225, 530
antefirma 64, 894
antefosso 717
antegostar 116, 507, 510
antegosto 116, 510
antegozar 116, 507, 510
antegozo 116, 510
anteguarda 64
ante-histórico 124
antelação (jur.) 609
antelmíntico 662
antelóquio 64
antelucano 125
antemanhã 125
antemeridiano 125
antemesa 999
antemural 717
antemuro 717
antena 379, 781
antenado 457, 781
antenome 64, 564
antênula 379
antenupcial 903
anteocupação 62, 64, 777
anteocupar 777
antepara 666
anteparar 664, 717
anteparar-se contra os golpes de 717
anteparo 666, 717
antepassado 64, 130
antepassados 166
antepassar 62, 116

antepasto 64, 394, 597
antepenúltimo 62, 67
antepor 39, 62, 609, 897
antepor prêmio a 62
antepor(-se) 116, 713
antepor-se 280
anteporta 64, 66
anteporto 666
anteposição 62, 280, 609
antepredicamentais 64, 467
anteprimeiro 62
anteprojeto 626
antequanto 111
anterior 62, 116, 122, 234
anterioridade 62, 116, 234
anterromano 124
anterrosto 593
antes 62, 116
antes de mais nada 62, 116
antes de qualquer 116
antes de tudo 62, 66
antes do tempo 674
antes pelo contrário 536
antes que 116
Antes que cases, cata o que fazes 903
Antes que cases, vê o que fazes 864
antes... do que... 609
antese 127
antessala 191
antessazão 135, 674
antessentir 510
antestatura 717
antetempo 135, 674
Anteu 159, 192
antever 507, 510
antever no seu amplo descortino 510
antever o porvir 510
anteverter 282
antevéspera 116
antevidência 507, 510
antevisão 507, 550
antevisto 510
anthemion 847
antiafrodisíaco 174, 834
antiafrodítico 174, 834
antialérgico 662
antiartístico 852
antiartrítico 662
antibáquio 597
antibiograma 662
antibiótico 662
antibritânico 911
anticanônico 984
anticatarral 662
anticatólico 984
anticéptico 484
anticívico 911
anticlerical 911, 984, 988
anticlinal 210
anticoagulante 662
anticomania 122, 124
anticômano 122
anticonstitucional 964
anticope 154
anticrepuscular 422
anticrepúsculo 422
anticrese 769, 771
anticrético 769
anticristão 984
anticristianismo 984
anticristo 984
antidemocrático 739
antidéspota 750
antidéspotico 740
antidespotismo 740
antideus 989
antidicomarianita 984
antididático 539
antidogmático 984
antidoral 775

antídoto 662
antiescorbútico 662
antiescravagista 750
antiescravista 750
antiescrufuloso 662
antiespasmódico 662
antiestrofe 597
antietimológico 568
antieufônico 579
antievangélico 984
antifármaco 662
antifebril 662
antiflogístico 662
antifona 415, 990
antifonário 998
antifonia 14
antífrase 14, 521, 563
antigalha 124
antigamente 122, 124, 128
antigeométrico 243, 477
antigermânico 911
antigo 124, 128, 852
antigório 124
antigos, os 166
antigotoso 662
antígrafo 21, 550
antigramatical 568
antiguidade 122, 124
anti-héctico 662
anti-higiênico 653
anti-histamínico 662
anti-inflamatório 662
antiliberal 739
antilogaritmo 84
antilogia 477
antilogismo 477
antílope 274
antimatéria 316
antimefítico 656
antimelancólico 829
antimelódico 414
antimetábole 140, 218
antimetalipse 218
antimetátese 218
antimilitarista 911
antimonacal 984
antimonástico 984
antimônio 663
antimoral 961
antinacional 911
antinefrítico 662
antinomia 24, 237, 708
antinomiano 984
antinomismo 708
antipapa 984, 996
antipapismo 984, 988
antipapista 984, 988
antiparalelismo 217
antiparalelo 217
antiparalítico 662
antiparástase 937
antipartícula 316
antipatia 603, 846, 889, 898
antipatia profunda 867
antipático 10, 846, 867, 895, 898
antipatista 988
antipatizar 889
antipatizar com 603, 867, 898
antipatriótico 911
antipedagógico 539
antipestilencial 656, 662
antipirético 385, 662
antipirina 376
antipneumônico 662
antípoda 14
antipodágrico 662
antipodal 14, 196
antipodal 237
antípodas 237
antipodiano 14, 196, 237
antipódico 14, 196, 237
antípodo 24
antipoético 575, 598, 843

antipoliorcético 717
antipolítico 699
antiprogressista 122, 613
antipsórico 662
antipútrido 662
antiquado 124, 852
antiquar 678
antiquário 122, 124, 492, 553
antiquíssimo 124
antirracional 477, 497
antirregulamentar 925, 964
antirreligioso 989
antiscios 188
antissátira 597
antissemítico 911
antissemitismo 911
antisséptico 662
antissocial 893, 911
antístite 694, 996
antitérmico 385
antítese 14, 56, 218, 237, 574, 577, 708
antitetânico 662
antitético 14, 237, 574, 708
antítipo 22
antitorpedeiro 722
antitrinitário 984
antivenéreo 662
antiverminoso 662
antojadiço 515
antojar 515, 865
antojo 448, 841, 865, 867, 898
antolhar 515, 865
antolhar-se 525
antolho 865, 867
antolhos 422, 530, 666
antologia 72, 551, 593, 596, 597
antologista 596
antonímia 14, 564
antônimo 14, 564
antonomásia 521, 564, 565
antonomástico 564
antontem 122
antoras (p.us.) 132
antorismo 578
antracite 388
antracitoso 388
antracomancia 511
antraz 250, 727
antraz/antrax 655
antrecambado 41
antrecambamento 41
antrecambar 41
antro 74, 189, 252, 530, 667, 752
antro de sensualidade 961
antro do leão 667
antropodiceia 372
antropófago 298, 361, 913
antropofobia 893, 907, 911
antropófobo 893
antropogênese 372
antropografia 372
antropólatra 910
antropolatria 892, 910
antropologia 368, 372
antropológico 372
antropólogo 492, 690
antropomancia 511
antropometria 372
antropomorfismo 976, 984
antropomorfista 984
antropomorfo 366
antroponímia 564
antropônimo 564
antroposcopia 511
antropoteísmo 984
antuviado (p. us.) 651
ânua 811
anual 108, 136, 138
anualidade 809
anuário 114, 593
anuência 488, 623, 762
anuente 488

anuginoso 324
anuidade 51, 809
anuir 488, 743, 760, 762
anuitário 807
anulação 607, 756, 773,
anulador 756
anulamento 756
anulante 756
anular 2, 30, 162, 247, 479, 624, 645, 756, 773
anular o casamento 905
anulativo 756
anulatório 756
anumeração 37
anumerar 37
anunciação 527
anunciada 527
anunciador 64, 531, 534, 668
anunciante 531, 668
anunciar 116, 511, 516, 527, 531, 763
anunciar a toque de corneta 531
anunciativo 531, 668
anúncio 511, 527, 531, 550, 668
anuro 440c
ânus 235, 440e
anuscopia 662
anuviado 424
anuviar 421, 424, 837
anuviar a tristeza o semblante de alguém 839
anuviar-se a tristeza 839
anuviar-se o rosto a alguém 839
anverso 234
anverso x averso, reverso 237
anzol 45, 615, 622
anzolado 244
anzolos 847
ao abandono 624
ao abrigo de 207
ao acaso 156, 609a, 621
ao alcance da mão 777
ao alcance de 197
ao alcance de todos os bolsos 815
ao almargem 624
ao alto 212
ao anoitecer 126
ao apagar das luzes 67
ao ar livre 220, 338
ao ar pardo 126
ao arbítrio de 177, 624, 749
ao arrepio 283
ao arrepio de 30
ao assento etéreo 360
Ao ataque! 716
ao atar das feridas 135
ao avesso 14
ao bel-prazer de 177
ao cabo/ao fim de 117
ao cair das trevas 126, 528
ao cantar do 125
ao capricho de 177, 624
ao caso 134
ao certo 474
ao chegar a essas alturas 508
ao chegar a tal ponto 508
ao colo 215
ao compasso de 23, 467
ao comprido 200
ao consenso 484
ao contentamento 829
ao corrente 527
ao correr da pena 590
ao correr do martelo 796
ao de leve 320, 460, 491
ao derredor de 311
ao desbarate 815
ao desbarato 59, 460
ao destempo 135
ao Deus dará 156, 621
ao diabo 162

ao endireito de 278
ao envés 544
ao estricote 59
ao feitio de 240
ao gosto 829
ao invés de 641
ao jeito 240
ao justo 494
ao lado de 178, 197, 236
ao lado um do outro 88
ao laré 683
ao largo 196, 573
ao léu 156
ao levantar do sol 125
ao longo de 197, 200, 216
ao lusco-fusco 126
ao menos 30, 32, 87
ao mesmo passo 120
ao mesmo tempo 88, 120
ao modo de 17
ao montão 156
ao mundo 377
ao norte e ao sul do equador 180
ao paladar de 829
ao par 236, 800
ao passo que 120
ao pé 197
ao pé da letra 19, 494, 525, 772
ao pé de 207
ao perto 197
ao pé da letra 19, 494, 525, 772
ao pino do meio-dia 382
ao pintar 134
ao pintar da faneca 134
ao pôr do sol 133
ao pôr/cair do sol 126
ao preço de 812
ao presente 118
ao primeiro aspecto 448
ao primeiro lance/golpe de vista 448
ao primeiro relancear d'olhos 132
ao primeiro volver díolhos 705
ao redor 197, 227
ao redor de 311
ao relento 220, 338
ao repontar da madrugada 125
ao rés de 197
ao rés do chão 207
ao revés 14, 218, 283
ao rodopelo 311
ao romper da manhã 125
ao sabor 829
ao sabor das ondas 609a
ao sabor de 177
ao sair/raiar/nascer do sol 125
ao sereno 338
ao seu talante 600
ao sexo barbado 373
ao sexo forte 373
ao socairo 211
ao socairo de 207
ao som de 416
ao sopé 197
ao tempo em que 120
ao tempo próprio 109
ao tempo que 120
ao través 217
ao troar dos canhões 722
ao varrer dos remos 267
ao vento 678
ao viés 217
aônio 597
aorístico 119
aoristo 109, 119
aorta (artéria) 440e
aorta 350
aórtico 350
aortografia 662
aos bocados 51
aos borbotões 639
aos bordos 959

aos cães 610
aos empurrões 51
aos gastos 818
aos loros 248
aos milhares 639
aos molhos 639
aos montes 639, 818
aos montões 639
aos olhos da lei 963
aos olhos de 448, 484
aos pedaços 26
aos peixes 645
aos pés 606
aos pés de 197, 749
aos pinotes 309
aos poucos 275
aos pouquinhos 26
aos primeiros assomos do amanhecer 125
aos pulos 309
aos quatro ventos 180
aos quatro ventos do horizonte 278
aos saltinhos 315
aos saltos 309
aos trambolhões 315
aos trancos e barrancos 315
aosadas (ant.) 863
apaçado 189
apachorrar-se 823
apadezar 847
apadrinhar 664, 707
apadrinhar-se 717
apagadiço 506
apagado 421, 429, 491, 499, 837, 874, 877
apagamento 162, 552
apagar 162, 385, 449, 552, 869
apagar a luz 421
apagar a sede 829
apagar as dissensões 723
apagar das luzes 67
apagar o fogo com azeite 699
apagar os ódios 675
apagar os vestígios das passadas dissensões 723
apagar velhas contas 952
apagar-se 447
apagar-se a luz dos olhos a alguém 442
apagar-se da memória 506
apagar-se nas brumas da memória 506
apagar-se o brilho do poente 126
apagar-se rapidamente como se apaga o fumo da locomotiva 4
apaga-tristeza (cachaça) 959
apagável 506
ápage! 449, 766, 932
apagogia 476
apainelado 847
apainelamento 847
apainelar 847
apaisar 556
apaixonada 897
apaixonadamente 897
apaixonado 481, 549, 574, 821, 822, 824, 825, 865, 897
apaixonante 897
apaixonar 606, 824
apaixonar-se 825
apaixonar-se por 897
apajear 743, 746
apajear alguém 933
apalacianar-se 933
apalancar 229
apalavrado 768, 769
apalavrar 768, 769
apalermado 499, 501
apalhaçado 499
apalpação 379
apalpadeira 463
apalpadela 379, 675

apalpador | apetitível

apalpador 463
apalpamento 463
apalpão 379
apalpar 379, 461, 675
apalpar as algibeiras a alguém 791
apalpar as costelas 972
apalpar o terreno 463, 864
apalpar o vau 463
apalpar o vau/o caminho 675
apalpo 379
apanágio 5, 157, 780, 820
apanágio de todo o direito 922
apanascado 499
apancado 499
apandilhar-se 709
apanha 636, 775
apanha este pião à unha! 479
apanha! 972
apanhado 258, 484, 572, 596
apanhado de coração 481, 919
apanhado de surpresa 674
apanhadura 775
apanhamento 775
apanha-moscas 547
apanhar 258, 379, 498, 508, 518, 545, 609, 658, 775, 785, 789
apanhar a dente 491, 505
apanhar a luva 919
apanhar a sorte grande 731
apanhar ar 529
apanhar chumbo no exame 732
apanhar de rebate 508
apanhar desapercebido/desprevenido/de surpresa 508
apanhar descalço/em flagrante delito/com a boca na botija 508
apanhar do chão 307
apanhar grande lição 495, 972
apanhar grande pilota (pop.) 688
apanhar moscas 683
apanhar muita castanha 972
apanhar no ar 518
apanhar no laço 545
apanhar o cheiro 527
apanhar pés de burro 683
apanhar sereno 339
apanhar um bom almoço 731
apanhar um foguete 932
apanhar/erguer/levantar/aceitar a luva 719
apanhar-se servido e não se importar com mais 917
apanicar 902
apaniguado 711, 746, 890, 899
apaniguar 707
apantomancia 511
apantomântico 511
apaparicar 298, 902
apaparicos 902
apara 51, 201, 204, 330
aparador 215
aparafusar 43
aparamentar-se 999
aparar 38, 195, 201, 253, 673, 902
aparar a sua melhor pena 574
aparar as asas 158, 275, 645
aparar golpe 717
aparas 32, 40
aparas de madeira 388
aparatar (p. us.) 847
aparato 69, 448, 525, 633, 733, 847, 882
aparatoso 428, 577, 847, 882
aparceirar-se 709, 778
aparcelado 173, 348, 665, 706
aparcelar 51, 786
aparecente 446
aparecer 1, 66, 125, 161, 295, 446, 448

aparecer de tempos em tempos 137
aparecer em cena 446
aparecer em juízo 969
aparecer sob a forma de 554
Aparecimento 448
aparecimento 66, 446
aparelhado 601
aparelhado para 698
aparelhagem 633
aparelhar 240, 673, 847
aparelhar o caminho 705
aparelho 631, 633
aparelho auditivo 418
aparelho de audição 418
aparelho de casa 633
aparelho de som 633
aparelho visual 441
aparência 6, 32, 220, 240, 448, 472, 617
aparência boa/favorável/alvissareira/promissora/razoável 472
aparência enganosa 544
aparências 544
aparentadamente & adj 11
aparentado 11
aparentar 9, 448, 544
aparentar de virtuoso 544
aparentar integridade de Catão 544
aparentar nos modos/nas falas 855
aparente 6, 446, 448, 472, 525, 544, 545
aparentemente 448, 474
aparição 443, 448, 860, 980
aparição sobrenatural 980
aparício (ant.) 998
aparitmese 85
aparoquianar 184
aparrado 193
aparranado 852
aparta (ant.) 44
apartação 44, 87
apartado 87, 196, 279, 893
apartamento 44, 73, 87, 189, 893, 905
apartar 44, 87, 609, 614
apartar de si 764
apartar de um propósito 616
apartar o grão da palha 465
apartar os contendores 723
apartar-se 196, 287, 291, 489, 905
apartar-se da senda da virtude 945
apartar-se de 180 607
apartar-se de terra 293
aparte 70, 228, 462, 586
apartear 70, 462, 586
aparvalhado 499, 501, 503, 683, 870
aparvalhamento 823
aparvalhar 499
aparvoar 499
apascentador (fig.) 996
apascentamento 370
apascentar 370, 831, 998
apascentar o pensamento 840
apascentar os olhos/a vista 377
apascoador (ant.) 370
apascoar 370
apascoentar 370
apassamanar 229
apastorar 370
apataratado 499
apatetado 158, 458, 501, 503
apatetar 458, 499

apatia 158, 160, 172, 265, 376, 460, 624, 681, 683, 725, 823, 826, 866, 871
apático 265, 376, 460, 624, 683, 823, 866
apatizar 683, 823
apatizar-se 460
apato de ourelo 225
apaulado 345
apaular 337, 345
apavesar 847
apavonado 440
apavonar 440, 847
apavonar-se 878
apavonear-se 882
apavorado 860
apavoramento 860
apavorante 503, 649, 830, 846, 860
apavorar(-se) 860
apavorar-se 862
apaziguador 174, 723, 724
apaziguamento 174, 723
apaziguar 174, 721, 723, 826
apê 189
apeanhar 215
apear 738, 879
apear das estrelas 483
apear do poder 756
apear-se 292, 306
apeçonhamento 663
apeçonhentar 663, 874
apedar (ant.) 43
apedeuta 491, 493
apedeutismo 491
apedourar 636
apedrar 223, 284, 323, 716, 929, 972
apedrejador 891
apedrejamento 934
apedrejar 284, 716, 907, 929, 972
apedrejar o sol no ocaso 886
apegadiço 352, 821, 897
apegado 199
apegar 310, 706
apegar a doença a alguém 657
apegar-se 606, 677, 772
apegar-se a 467, 604a, 632, 897
apegar-se a alguma coisa 606
apegar-se à letra de um texto 522
apegar-se com 765
apego 604a, 606, 897, 943
apego obstinado a 855
apeguilhar 953
apeira 633
apeiragem 633
apeirar 43
apeiro de caçador 545
apelação 489, 969
apelado 938
apelante 489, 767, 924, 938
apelar 489, 765
apelar para 467, 586, 677, 924
apelar para a honra de 461
apelativo 564
apelidadamente & adj. 565
apelidado & v. 565
apelidar 564, 565, 765, 929
Apelido 565
apelido 564, 929
apelintrado 804
apelo 586, 630, 765
apelo à autoridade 939
apelo à misericóridia/piedade 914
apelo às armas 720
apelo às armas/à espada/ao canhão 722
apenar 741, 769, 972
apenas 32, 120, 651
apenas suspeitado 526
apender 37, 39, 63, 214

apêndice 39, 65, 214, 593, 643
apendicectomia 301
apendiciado 39
apendiculado 39
apendicular 39, 643
apendículo 39
apenedado 342
apenhascado 342
apenhorar 771
apensão 214
apensar 37, 39, 63, 214
apenso 37, 39, 214
apepinar (burl.) 856
apepsia 655
apéquema 718
apequenado 193, 183
apequenar 483
apequenar-se 193, 886
aperaltado & v. 851
aperaltar-se 851
aperalvilhar-se 851
aperceber 673
aperceber-se 864
apercebido 459, 673, 864
apercebimento 673
apercepção 490
aperceptividade 490
aperçu 596
apereá 366
aperfeiçoamento 625, 650, 658
aperfeiçoar 650, 658, 729
aperfeiçoar-se 625, 658
aperiente 392, 392
Aperietur vobis 604a
aperitivo 64, 298, 392, 394, 615, 824
aperreação 830
aperreante 841
aperrear 739, 830
apertada 102, 198
apertado 72, 195, 203, 228, 299, 405, 739, 806
apertado como sardinha em lata 195, 199
apertador 195
apertadouro 127, 225
apertão 102
apertar 36, 43, 195, 203, 229, 308, 704, 744, 817, 830, 902, 907
apertar a bolsa/os cordões da bolsa 817
apertar a cravelha 739
apertar a mão 894
apertar a mão a 918
apertar cerco 716
apertar com perguntas 455, 461
apertar de dor de ilharga 765
apertar em breve escriutra 596
apertar o galope 274
apertar/estreitar as relações com 888
apertar-se 102
aperto 8, 26, 43, 102, 195, 203, 665, 704, 735, 804, 819, 828
aperto de coração 828
aperto de mão 892, 894, 902
apertura 203, 684, 704, 735, 804
apesar de 30, 469, 708
apesar de que 469
apesar de tudo 601
apesarado 837
apesarar 837
apestar 649, 657, 659, 945
apetecer 394, 865, 921
apetecível 394, 865, 921
apetência 865
apetente 865
apetibilidade 394
apetitar 394, 824, 829, 865
apetite 298, 865, 943
apetite depravado 865
apetite venéreo 961
apetitível 865

apetitivo | apresentar

apetitivo 394
apetitoso 394, 824, 865
apetrechar 159, 673
apetrechar-se 864
apiário 366, 370
apiastro 834
apical 210
ápice 26, 113, 210, 550, 658
apichelar 240
apicholado (ant.) 440
Apício 210, 957
apícola 370
apicultura 370
apicum (bras.) 345
apiedador 914
apiedar 914
apiedar-se 914
apífilo 370
apilarado 851, 855
apiloar 330
apimentado 392, 961
apimentar 171, 392, 615
apimpolhar-se 161
apinário 599
apinel 356a
apingentar 214
apinhado 72, 640
apinhar 52, 72, 102, 186
apinhoar 52
apintalhar 229
ápiro 385, 670
apisoar 773, 8850 930
apisteiro 127
apitar 402a, 409, 410, 412, 665
apito 402a, 409, 410, 412, 417
aplacar 174, 723, 834
aplacar-se 826
aplacável 174
aplacentário 440c
aplainamento 255
aplainar 16, 251, 673, 705
aplanar 174, 213, 251, 255, 522, 705
aplanar os camalhões 371
aplastado (bras.) 688
aplástico 241, 323
aplaudir 462, 931
aplausível 648, 931, 944
aplauso(s) 462, 488, 931
aplausos da gratidão 931
aplausos populares 873
aplebear 659
aplebear-se 877
aplestia 957
aplicabilidade 23, 644, 677
aplicação 451, 644, 677
aplicação aturada 457
aplicação cuidadosa do espírito/pensamento 457
aplicação de ligaduras 43
aplicação frequente 604a
aplicação infeliz/errônea/desacertada/desastrada 679
aplicado (de preferência às pessoas) 498
aplicado 457, 459, 538, 682
aplicador da lei 967
aplicar 223, 276, 451, 662, 677, 809
aplicar a Solução Final 972
aplicar as faculdades intelectuais ao estudo 538
aplicar fomentação/cataplasma 834
aplicar golpe 927
aplicar o archote a 384
aplicar o breque 275
aplicar o compasso 466
aplicar o dinheiro em compra 795
aplicar o ouvido 418, 457
aplicar os cinco sentidos 457
aplicar os cinco sentidos a 686
aplicar um conselho 695

aplicar-se 459, 538, 604, 625
aplicar-se a 9, 680
aplicável 23, 644, 646
aplócero 440c
aplomb 150, 498
ápoca 771, 806
apocalipse 519, 663, 985
apocalíptico 519, 571
apocopar 201
apócope 36, 201, 572
apócrifo 475, 495, 545
apocrisiário (ant.) 997
apocrústico 395
apodar 85, 464, 466, 565, 856, 929
ápode 440c
apoderar-se 777
apoderar-se das ideias de outrem para fazê-las suas 19
apoderar-se de 789
apodíctico 478
apodiose 479
apoditério 337
apodo 565, 856
apodópnico 662
apódose 52
apodrecer 124, 265, 653, 659, 681
apodrecer-se na miséria 945
apodrecimento 653, 659
apodrentar 653
apodrido 653
apófige 211
apófise 211, 250
apogeu 26, 196, 210, 734, 873
apogiatura 413, 847
apógrafo 21
apoiado 211, 488
apoiado! 488, 931
apoiar 215, 467, 695, 707, 931
apoiar/fundar/depositar suas esperanças 858
apoiar-se 677, 687
apoiar-se em 484
apoiar-se em frágil caniço 665
apoiar-se em um caniço 863
apoiar-se sobre 215
apoio 211, 215, 467, 488, 707, 709, 743
apojadura 639, 413
apolainado 225
apolegar 324
apólice 800
apolinarista 984
apolíneo 845
apolitana (ant.) 735
Apolo 318, 416, 423, 845
Apolo auricrinito 318
apologético 617, 931, 937
apologia 617, 931, 937, 950, 952
apológico 931
apologista 935, 937
apologizar 617, 931, 937
apólogo 521, 537, 594
apoltronar-se 308, 862
apoltronear-se 862
apômaco 160
apontado 550, 646
apontador 599, 694
apontamento 505, 551
apontar 253, 278, 295, 446, 457, 527, 550, 620, 695
apontar à execração 908
apontar a proa para 693
apontar ao reconhecimento de todos 916
apontar com o dedo 457
apontar individualmente 79
apontar o buço a alguém 131
apontar o ouvido para 457
apontar para 278
apontar razões 476
apontar-se em orgulho 878
apontar-se em vaidade 880

apontoado 43, 477
apoplético 640
apoplexia 158, 640
apopsiquia 688
apoquentação 828, 841
apoquentar 104, 649, 716, 830, 832, 841
apoquentar com perguntas 455
apor 37, 39, 199, 223
aporismar 655
áporo 471
aporrear 972
aporretar 972
aporretina 356a
aporrinhamento 832
aporrinhante 841
aporrinhar 830, 832
aportada 292
aportamento 292
aportar 267, 292
aportuguesado 563
aportuguesar 563, 567
após 281
aposcasia 44
aposentação 184
aposentado 128, 681
aposentador 890
aposentadoria 184, 681
aposentar 184, 892
aposentar-se 681, 893
aposento 191
aposento secreto 530
aposição 23, 199, 522
aposiopese 70, 528
apositício 867
apósito 23
apospasmo 44, 70
apospástico 662
apossar 737
apossar-se 777
apossar-se de 780, 789, 829, 925
apossuir-se de 789
aposta 156, 463, 621
apostadamente 58, 620
apostado em 604
apostar 27, 463, 621
apostar primazia com 648
apostar que 535
apostar-se a 604, 620
apostar-se para fazer mal 907
apóstase 655
apostasia 607, 661, 742, 940, 984, 988
apóstata 607, 987, 989
apostatar 607, 742, 988, 989
apostático 607
apostema 655
apostemar 655
apostemar-se 900
apostemático 655
apostemeiro 655
apostemoso 655
apostila 39, 65, 522
apostilar 39, 522
aposto 37, 39, 218, 564, 845
Aposto a minha cabeça 535
apostolado 537, 942, 985
apostolar 537, 998
apostolical 995
apostólico 537
apostolização 537
apostolizador 540
apostolizar 537, 998
apóstolo 534, 540, 541, 711, 912, 948, 985
apóstolo da Alemanha 977
apóstolo da caridade 977
apóstolo da Inglaterra 977
apóstolo das Gálias 977
apóstolo das Índias 977
apóstolo das nações/do gentio 977
apostrofar 521, 586, 932

apóstrofe 521, 569, 586, 589, 932
apostura 845
apotáctico 955
apoteca 636
apotegma 496
apotegmático 496
apotelesma (de uma doença) 67
apotências do inferno 978
apotentado 157, 803
apotentar 159, 803
apoteose 65, 67, 163, 873, 931, 981, 991
apoteótico 931
apotestades do Averno 978
apótomo 413
apoucado 32, 483, 605, 641, 645, 877
apoucamento 483, 776, 901a
apoucar 36, 103, 483, 641, 860
apoucar a importância de 937
apoucar-se 36, 886
apózema 335
Apparet id etiam cœco 518, 525
appoggiato 413
appoggiatura 413
aprazamento 133, 969
aprazar 114, 133
aprazente 829
aprazer 829, 831
aprazerado 829
aprazer-se 827
aprazer-se para 769
aprazibilidade 829
aprazimento 488, 600, 762, 829, 831, 836, 865
aprazível 385, 656, 829, 845
Apraz-me 600
apreçado & *v.* 812
apreçar 642, 812, 888, 931
apreçar mal 917
apreciação 466, 480, 490, 931
apreciação desfavorável 932
apreciado 928
apreciar 377, 394, 450, 451, 461, 466, 476, 480, 490, 850,865, 888, 931
apreciar uma coisa na sua aplicação e inteligência 522
apreciável 446, 921, 931
apreço 457, 642, 644, 829, 873, 888, 928, 931
apreendedor 789
apreender 490, 518, 775, 777, 789, 974
apreender uma ideia 498
apreensão 453, 458, 490, 665, 775, 789, 860, 974
apreensível 789
apreensivo 837, 860
apreensões 828
apreensor 789
apregoador 534
apregoar 411, 531, 695, 931
apregoar como digno de desprezo 874
apregoar os noivos 903
apregoar-se de 884
apremar 739
aprender 490, 527, 538, 673
aprender à sua custa 509
aprender de cor 505, 538
aprender por experiência 950
aprendiz 493, 541, 701
aprendizado 537, 538, 673
aprendizagem 463, 538, 675
Après moi le déluge 623, 943
apresador 792
apresamento 751, 789
apresar 781, 789
apresentação 525, 594, 763, 888
apresentação de armas 928
apresentar 467, 525, 527, 609, 763, 784

513

apresentar aparência/aspecto | arbitral

apresentar aparência/aspecto 448
apresentar armas 894, 928
apresentar as chaves 725
apresentar em confronto 464
apresentar felicitações/recomendações/cumprimentos 892
apresentar muitos senões 651
apresentar os cumprimentos 894
apresentar os seus respeitos 894
apresentar outro cenário 140
apresentar parabéns/emboras 896
apresentar queixa contra 938
apresentar relatório 527
apresentar saliência arredondada 250
apresentar sérias dificuldades 704
apresentar suas mágoas a alguém 915
apresentar um álibi 937
apresentar um produto genuíno 42
apresentar-se 121, 151, 186, 319, 446, 763
apresentar-se aos olhos 448
apresentar-se com garbo 882
apresentar-se como 544
apresentar-se como possível 470
apresentar-se na cabeça 451
apresentar-se sem ser chamado 24
apresentar-se sob a forma de um leque 99
apresentar-se sob aspectos vários 16a
apresentável 892
apresilhar 43
apressadamente 684
apressado 111, 274, 682, 684, 825
apressamento 132
apressar 111, 132, 170, 274, 340, 480, 615, 622, 684, 707, 824
apressar-se 264, 682
apresso (ant.) 684
apressurado 274, 684
apressuramento 684
apressurar 684
apressurar-se 684
aprestar 673
aprestar-se 225, 602
apresto(s) 633, 673
aprico 128
aprimorado 658, 698, 842, 851
aprimoramento 658
aprimorar 650, 658, 847
aprimorar-se 33, 538
aprincesar-se 850, 875
apriscar 370, 751
aprisco 74, 189, 232, 370, 752
aprisionado 751, 754
aprisionamento 751
aprisionar 751, 781, 789
aprisoar 751
aproar 278, 286
aproar à barra 292
aprobativo 488
aprobatório 488, 762, 931
aprochar 717
aproches 716
aprofundar 35, 252, 595
aprofundar(-se) 124, 208, 294, 538
aprontar 54, 67, 673
aprontar-se 225, 673, 684
apronto 675
apropinquação 286
apropinquar-se 286

apropositado 23
apropositar 134
apropositar-se 864
apropriação 775, 777, 791
Apropriação 789
apropriação indébita 791, 818
apropriado 23, 646, 847, 924
apropriamento 789
apropriar 23, 775
apropriar-se 777, 885
apropriar-se de 780, 789
apropriar-se indebitamente 818
apropriar-se indevidamente de 791
aprosar 598
aprosexia 458
aprosopia 83
aprosopo 83
aprovação 462, 488, 760, 762, 873, 928, 931
Aprovação 931
aprovado & v. 931
aprovador 931
aprovamento 931
aprovar 462, 488, 762, 928, 931
aprovativo 931
aproveitabilidade 176
aproveitamento 538
aproveitar 644, 648, 677, 731, 775, 810, 840
aproveitar a oportunidade 106
aproveitar o momento psicológico 134
aproveitar-se da ocasião 134
aproveitar-se de 658, 677, 698
aproveitável 644, 677
aprovisionamento 637
aprovisionar 637
Aproximação 286
aproximação 9, 17, 714, 858
aproximação do perigo 665
aproximação do tempo 286
aproximadamente 25, 32, 466, 495
aproximado 17, 494
aproximar 684
aproximar-se 17, 121, 197, 286
aproximar-se da verdade 480a
aproximar-se de 176
aproximar-se de seu fim 659
aproximar-se do seu fim 124
aproximativo 286
aproximem-se! 286
aprumado 212
aprumar 212
aprumar para 246
aprumar-se 212, 307
aprumo 212, 498, 845, 851, 878
Apsará 979
apsiquia 688
aptar 23, 698
aptidão 23, 176, 538, 602, 644, 698
aptificar 698
aptitude 698
apto 498, 538, 700
apto para 177
apuar 972
apunhalar 260, 361, 649, 659, 830
apunhar 972
apupada 929
apupar 411, 462, 929, 932
apupo 462, 489, 856, 929
apuração 609, 807, 867, 900
apurado 490, 578, 641, 650, 665, 850
apurar 35, 85, 461, 480, 480a, 578, 609, 650, 652, 658, 850
apurar a mercadoria 814
apurar as intenções 658
apurar os votos 609
apurar-se 459, 855

apurar-se com alguém 900
apuridar-se (ant.) 533
apuro 459, 577, 578, 630, 650, 658, 704, 804, 828, 845, 850, 851, 855
apuro-colisão 665
apurpurado 437
aquadrilhar 72
aquafortista 559
aquarela 428, 556, 692a
aquário 168, 370, 636
aquartelar 184
aquartelar-se 184
aquático 267, 337, 341, 343
aquátil 337
aqua-tinta 558
aquecedor 384
aquecer 382, 384, 824
aquecer de tons amorosos 556
aquecer-se 384, 457, 900
aquecido & v. 384
Aquecimento 384
aquecimento 384, 824
aquedado 265
aquedar-se 265
aqueduto 350
aqueixar-se 839
aquela que matou o guarda (cachaça) 959
aquele 79, 196
aquele meu amigo (irôn.) 891, 936
Aquele que É sempre Foi e sempre Será 976
aqueloutro 196
aquém de 197
aqueme (ant.) 745
aquentar 384
áqueo 337
Aqueronte 982
Aquerúsia 982
aqui 186, 197
aqui del-rei! 669, 707
aqui e acolá 198
aqui e ali 103
Aqui é que a porca torce o rabo 704
Aqui há coisa encoberta 545
Aqui jaz 363
Aqui se cerra a história 729
Aqui tem dente de coelho 545
aquícola 337, 366
aquiescência 488, 743, 762, 931
aquiescente 488
aquiescer 488, 602, 743, 762
aquiescer às ordens/às intenções de 743
aquietar 174, 265, 616, 687, 721, 723, 826
aquífero 337
aquilão 349
aquilatador 466
aquilatar 319, 461, 464, 466, 480, 642, 650, 658
Aquiles grego 845
aquilífero 726
aquilino 244, 245, 366
aquilo com que se compram os melões 800
aquilonal 349
aquilonar 349
aquilônio 349
aquinhoador 466
aquinhoamento 786
aquinhoar 784, 786
aquinhoar-se 789
aquisição 296
Aquisição 775
aquisição 296, 777, 785, 795
aquisição de autoridade 737
aquisição de conhecimentos 538
aquisição fraudulenta 775

aquisitivo 775
aquisito (ant.) 775
aquistar 795
aquosidade 333, 337
aquoso 333, 337, 339
ar 320, 334, 349, 448, 851
Ar 338
ar atmosférico 338
ar cheio de gases mefíticos 657
ar compungido e suplicante 879
ar de esguelha 217
ar distinto 851
ar em movimento 349
ar fino 656
ar humilde e modesto 881
ar livre 338
ar mau 657
ar origem 153
ar posição forçada a 241
ara 1000
árabe 268
arabesca 847
arabescos 847
arábico 84
arabismo 563
arabulha 59
araçá (bras.) 440b
aração 371, 957
aracnídeo 366
aracnologia 368
aracnólogo 368
aracote 264
arada 371
arado 253, 371
arador 673
aradouro 371
aradura 673
aragem 349
aragem fresca 383a
aragem/dons/risos/afagos/carícias da fortuna 734
aral 371
aralha 129
arálio 341
aramá! 135
aramar 232
arame 205, 800
arandela 423
aranha 366, 949
aranhento 366
aranhiço 160
aranhol 545
aranhoso 412
araniano 412
aranzel 497, 517, 586
arão 223
araponga 410
araponga ou guiraponga 412
arapuá 440e
arapuca 545, 626, 702
arapuqueiro (reg.) 941
arar 259, 267, 371
arar o terreno 673
arara 541, 546, 599
araruama (bras.) 188
araruta 367
arataca (bras.) 545
araunê! (bras.) 141
arauto 64, 527, 534
arauto da guerra 722
arauto da paz 723
arauto da primavera 416
araveça 371
arável 371
aravia 517, 519, 563
araxá (bras.) 206
arbim 839
arbipoente 131
arbiter elegantiarum 850
arbitrador 480, 967
arbitragem 480
arbitral 480

arbitramento | armador

arbitramento 480, 724
arbitrar 480, 724
arbitrariedade 83, 739, 964
arbitrário 10, 83, 477, 481, 737, 739*, 748, 885, 964
arbítrio 600, 632, 737
arbitrista 690
árbitro 175, 480, 695, 697
árbitro da elegância 850, 851
árbitro da situação 731
arbóreo 367
arborescência 242, 367
arborescente 242, 367
arboretum 371
arborícola 366
arboricultor 371
arboricultura 371
arboriforme 242
arborista 371
arborização 367
arborizar 367, 371
arbustáceo 367
arbústeo 367
arbustiforme 367
arbusto 367
arbustramelo 366
arca 189, 252, 636, 802
arca da aliança 45, 1000
arca de Noé 41, 370
arca do corpo 440e
arca do navio 236
arca do peito 252, 440e
arca por arca 861
arca sagrada 1000
arca santa 1000
arcabouçar 329
arcabouço 50, 215, 329, 362,626
arcabuz 727
arcabuzamento 361
arcabuzar 361, 716, 972
arcabuzaria 716
arcabuzeiro 726
arca-d'água 191, 636
arcada 245, 250, 260, 841
arcadamente & adj 245
Arcades ambo 17, 890, 949
Arcádia 827, 981
arcadiano 703, 946, 981
arcado 245
arcaico 122, 124, 563
arcaísmo 122, 124, 563, 568, 678
arcanjo 845, 977
arcano 528, 533
arcar 704
arcar com 812, 821, 826
arcaria 245
arcário (ant.) 801
arcaz 1000
arcebispado 181, 995
arcebispal 995
arcebispo 995, 996
arcediagado 995
arcediago 996
árcera 272
archete 363
archote 388, 423
archote da fé 987
arcífero 717
arciforme 245
arcipotente 717
arciprestado 737, 995
arcipreste 996
arco 245, 247, 250, 252
arco-celeste 440
arco da Aliança 440, 723
arco da chuva 440
arco de Deus 440
arco de pua 262
arco de triunfo 883
arco e flecha 727, 840
arco triunfal 733
arcobalista 727
arcobotante 215, 627

arco-da-velha 440
arco-íris 440, 723, 858
arcoirisar 420
ar-condicionado 385
arcontado 737
arconte 745, 967
arcos de pedra 233
arcoso (gír.) 847
arctação 195
arctar 195
arcturo 278
arcuação 245
árdego 173, 684, 704, 825, 861, 863, 901
ardeleão 682
ardência 382, 384, 392, 825
ardente 382, 384, 392, 455, 574, 682, 821, 822, 825, 863, 900
ardentemente desejado 865
ardentia 423
ardentoso 171, 256
arder 171, 382, 384, 392, 420
arder a guerra 722
arder de impaciência 900
arder de inveja 921
arder em desejos de 865
arder em esperanças 858
arder em impaciência 825
arder entre dois fogos 665
arder guerra 722
arder o dinheiro em dissipações 818
arder o pejo nas faces 821
arder o pejo nas faces pudibundas 881
arder o pelo a alguém 828
arder por 865
arder por alguém 897
arderem em guerra os campos 722
ardideza 861
ardido 861
ardido no faro 398
ardil 477, 544, 545, 626, 702
ardil de guerra 722
ardilão 941
ardileza 544, 698, 702
ardiloso 544, 545, 702
ardimento (ant.) 861
ardo extremus 128
ardor 171, 382, 392, 574, 602, 604, 604a, 682, 821, 825, 863, 865, 897
ardor bélico 861
ardor fogoso e desordenado 377
ardoroso 604, 604a, 722, 821, 863, 890
ardósia 204, 223, 590
ardume (de peixes) 72
árduo 217, 704
área 180, 181, 247
areal 169, 331, 652
areeiro 169
areento 169, 330
areia 330, 499, 635
areia movediça 144, 149, 667
areias gordas 982
areísca 45
arejado 349
arejar 260, 338, 349, 652, 656, 689
arelhana 247
Arena 728
arena 181, 441, 722, 840
arenáceo 330
arenário 169
arenata 169
arenga 584, 586, 713
arengador 582
arengar 531, 582, 713
arengueiro 582, 584
areniforme 330

arenito 330
arenoso 169, 330
arenque 271
arensar 412
areolado 247
areolar 247
areopagita 967
areotectônica 716, 722
ares 855, 880, 884
ares de proteção 855
ares imponentes 885
aresta 244, 253, 704
arestas desonrosas 874
arestim 250
aresto 480
arestoso 244
arestudo 244
aretino 701
areu 605
arfada 314, 402a, 688
arfadura 402a
arfagem 314, 402a, 688
arfante 314, 688, 821
arfar 314, 349, 402a, 821
arfar das ilhargas 688
arfar de fadiga 688
arfar do peito 688
argamandel (pop.) 701
argamassa 298, 635
argamassa gorda 45
argamassar 43, 45, 159, 223
argana (ant.) 727
arganaz 192
argané 247
arganel 247
arganteado 412
argel 172, 440a, 828
argentado 430
argentador 420
argentar 126, 420, 430
argentário 803
argentear 420, 430
argênteo 420, 430
argentífero 430, 803
argentífico 430, 413, 420, 430
argento (ant.) 430
argento vivo 171
argila 324, 328, 342, 362, 635
argiláceo 324
argilífero 324
argiliforme 324
argiloide 324
argiloso 324
argiria 655
argirocracia 803
Argo 441
argola 247, 847
argola x palhetão 237
argolinha 840
argolista 599
argonauta 269
Argos 444, 498
argos da polícia 527
argot 563
argúcia 477, 498, 842
argúcias 842
arguciar 477, 842
arguciso 477, 842
argueireiro 573
argueiro 320, 643, 947
argueiro no olho 481
arguente 461, 710, 938
arguição 461, 938
arguidor 461, 938
arguilheiro 682
arguir 461, 476, 536, 932, 938
arguitivo 476, 938
argumentação 476, 617
argumentador 476
argumentar 476
argumentar num círculo vicioso 477
argumentativo 476

argumento 454, 476, 478, 496, 516, 617
argumento aparatoso 477
argumento bicórneo 476
argumento capcioso 477
argumento contra o homem (a pessoa) 938
argumento de dois bicos 477
argumento de rachar 476
argumento dinamite 479
argumento vão 477
argumentum ad crumenam 800
argumentum ad hominem 476, 938
argumentum ad misericordiam 914
argumentum ad verecundiam 874, 939
argumentum baculinum 744, 964, 972
arguto 459, 498, 500
ária 415, 580
arianismo 984
aricar (reg.) 371
aridez 169, 340, 823, 841, 843
aridificar 340
árido 169, 340, 823, 841
Ariel 268, 274, 534, 979
ariete 276, 348
arietino 412
arife (gír.) 253
arigó 547
arilho 383
Arimã 978, 980
arímono (ant.) 272
ariolomancia 511, 992
ariscar 764
arisco 149, 256, 623, 674, 860, 881, 893, 895
Aristarco 480, 850
aristocracia 737, 851, 875
aristocracia do dinheiro 803
aristocracia intelectual 492
aristocracia negra 995
aristocrata 875
aristocrático 875
aristocratismo 850
aristocratizar-se 850, 875
aristodemocracia 737
Aristóteles 948
aritmancia ou aritmomancia 511
aritmética 85
aritmético 85
aritmografia 85
aritmógrafo de Galley 85
aritmologia 85, 466
aritmômetro de Thomas 85
arjão (reg.) 215
arjoar 215
arlequim 149, 440, 599, 607, 844
arlequinada 218, 477, 599, 607, 840, 842, 843, 852
arlequíneo 440c
arlota 683
arlotão 683
arma biológica 663
arma defensiva 727
arma nuclear 716
arma química 663
arma(s) da calúnia 934
armação 50, 215, 240, 329, 673, 702, 717
armada 72, 273, 726
armadilha(s) 361, 544, 545, 621, 622, 626, 665, 667, 702, 940
armado até os dentes 673, 717, 722
armado cavaleiro 673
armado de 717
armado de ponto em branco 664, 673
armador 779

515

armadura | arrebanho

armadura 225, 666, 717, 727
armamento 673, 722, 727
armamoxa 272
armar 157, 159, 329, 633, 637, 673, 717, 720, 722, 727, 847
armar a forca a alguém 545
armar a gambérria 545
armar ao efeito 882
armar arriosca 545
armar batalhões 673
armar castelos 858
armar cilada 530, 545
armar cilada a 665
armar contra 670
armar de plenos poderes 755
armar de poderes 760
armar frases de efeito 577
armar o bote 673
armar pega com 713
armar sobre falso 477
armar sua tenda 184
armar uma demanda 969
armar uma equação 9
armar uma peça 545
armaria 636
armarinho 636, 799
armário 191
armar-se 716, 821, 864
armar-se de coragem 861
armar-se de prudência 864
armas 253, 476, 550, 632, 633, 717, 722, 726, 727, 747, 781, 839, 876
armas aéreas 727
armas antitanque 727
armas bacteriológicas 722
armas biológicas 716, 722, 727
armas brancas 727
armas da prudência 864
armas de alcance 727
armas de arremesso 727
armas de destruição em massa 722, 727
armas de fogo 727
armas de fogo pesadas 727
armas espirituais 998
armas fratricidas 722
armas missivas 727
armas não letais 727
armas navais 727
armas nucleares 722
armas químicas 716, 722, 727
armas terrestres em movimento 727
armazelo 545
armazém 636, 799
armazém de retém 636
armazenado & v. 636
armazenagem 636, 670
armazenar 636, 637, 670, 755, 781
armazenar conhecimentos/informações 538
armazenar no pensamento/na memória/na mente/na ideia/na lembrança 505
armazenar provas 467
armazenar provisões 673
armazenista 637
armeiro 690
armela (ant.) 247, 847
armelina 430
armentado 72
armentário 370
armentio (de bois) 72
armento 72
armentoso 779, 803
armífero 722, 726, 717, 722, 726, 746
armila 114, 466
armilústrio 840
arminado 440a
arminhado 875
arminho(s) 430, 747, 847, 875, 939
armíssono (poét.) 717
armista 492
armistício 142, 723
armistrondo 720, 722
armoreiro 690
armorial 550, 551, 875
arnacho (pop.) 225
arnado 169
arnedo 169
arneiro 169
arnela 40
arnês 225, 633, 717
arnesar 717
arnicina 356a
arnizé 129
arnoso 169
aro 247
aro x palhetão 237
aroeira 159, 323
aroma 154, 398, 400
aroma 398, 400
aromar 400
arômata (ant.) 400
arômatas 400
aromaticidade 400
aromático 398, 400
aromatização 400
aromatizante & v 400
aromatizar 400
aromato 400
aromatóforo 400
arpão 45, 253, 622,727
arpar 716, 830
arpejar 416
arpejo 413, 415
arpente (ant.) 466
arpéu 45
arpoar 43, 716, 781
arqueação 192, 245, 466
arqueado 244, 245, 250
arqueador 690, 965
arqueadura 245
arqueamento 245, 466
arquear 250, 252, 466
arquebiose 161
arquegênese 161
arqueiro 263, 726, 801
arquejante 314, 688
arquejar 314, 349, 402a, 405, 688, 821
arquejar do peito 688
arquejo 360, 402a, 405, 688, 821
arquelha (ant.) 223, 530
arqueografia 122
arqueógrafo 122, 492
arqueologia 122, 550
arqueólogo 492
arqueta 1000
arquetípico 22
arquétipo 22, 466, 650
Arqueu 359
arquiatro 662, 694
arquibancada 215
arquibanco 1000
arquiconfraria 712, 997
arquidiácono 996
arquidiocesano 995
arquidiocese 995
arquidivino 976
arquiducado 780
arquiduque 745
arquiepiscopado 995
arquiepiscopal 995
arquilevita 694
arquimagiro 694
arquimago 694
arquimandrita 694
arquimilionário 803
arquimimo 694
arquinotário 694
arquipélago 72, 346
arquipirata 694, 819
arquiprior 694
arquiprofeta 694
arquitetação 515
arquitetar 515, 626
arquiteto 164, 559, 626, 690, 694
arquitetônica 161
arquitetônico 161
arquitetor 559, 626, 690
arquitetura 161, 329, 626, 692a, 847
arquitetura celeste 318
arquitetura da imaginação 515
arquitetural 161
arquiteturista 559
arquitrave 206
arquitriclino 694
arquitrovão 727
arquivar 528, 551, 678
arquivar no pensamento/na memória/na mente/na ideia/na lembrança 505
arquivista 553
arquivo 505, 551, 636
arquivo eletrônico 591
arquivolta 230, 231
arrabaldes 227
arrabujar-se 901a
arraçar 41, 370
arraçoar 298, 784
arrafa 219
arraia 233
arraiada 125
arraiado 440
arraial 184, 189, 840
arraiano 233
arraiar 125, 420
arraigado 5, 110, 124, 150, 221, 606, 613
arraigado inveterado 820
arraigar 110, 184
arraigar-se 124, 150, 294, 613
arraigar-se a 141
arrais 269, 694
arramar 73
arrampadouro 217, 674
arrancada 276, 285, 623, 673, 716, 720, 863
arrancadamente 863
arrancado 925
arrancamento 789
arrancão 301
arranca-pinheiro (pop.) 271
arrancar 162, 282, 293, 301, 360, 378, 480a, 552, 756, 789, 810
arrancar a pele de alguém 874
arrancar a trote 274
arrancar ao instrumento vozes fantásticas 416
arrancar às garras de 672
arrancar com/contra alguém 716
arrancar de 266, 744
arrancar do lodo e da miséria 658
arrancar expressões de pasmo 870
arrancar lágrimas 830
arrancar o sim 731
arrancar os babados 596
arrancar os cabelos 839, 859
arrancar pela raiz 301
arrancar sons 416
arrancar um brado de dentro do peito 839
arrancar um sim 762
arranca-rabo 713, 720, 889
arrancar-se 623
arranchar 184, 298
arranchar-se 712
arranco 173, 276, 301, 360, 612, 688
arrançoar-se 750
arranha-céu 189, 206
arranhadela 555
arranhadura 209, 331, 619
arranhão 209, 331
arranhar 209, 259, 331, 380, 414, 491, 649, 720
arranhar uma língua 563
arranjado 60
arranjador 415, 692a
arranjamento 60, 775
arranjar 23, 60, 416, 626, 774, 775
arranjar à pressa 674
arranjar a vida 803
arranjar um lugar para 184
arranjar-se 225
arranjista 682
Arranjo 60
arranjo 58, 84, 692a, 723, 769, 775, 817, 952
arranque 276, 285, 301, 623
arrapazado 499
arraposar-se 687, 702, 791
arrarar 137
arras 768, 771, 780, 803, 809, 810
arrás 847
arrasado 688, 837
arrasador 165
arrasadura 162
arrasamento 162
arrasar 162, 308, 462, 479, 879, 929
arrasar a alguém os olhos de lágrimas 830
arrasar a vista 441
arraso 308, 462
arrastadamente 603, 619, 704
arrastadiço 605
arrastado 133, 275, 828, 879
arrastadura 285
arrastamento 275, 285
arrastamento dos pés 128
arrastão 285
arrasta-pé 840
arrastar 270, 275, 285, 288, 523, 601, 615, 744
arrastar a asa 933
arrastar a asa a alguém 902
arrastar à barra do tribunal 938
arrastar a voz 583
arrastar alguém a 744
arrastar alguém às gemônias 874
arrastar alguém pela lama 934
arrastar os pés 128, 275
arrastar para a lama 679
arrastar pela lama 929
arrastar pela rua da amargura 934
arrastar penosa existência 643
arrastar seda 882
arrastar-se 109, 133, 207, 275
arrastar-se vagarosamente 683
arrasto 271, 285, 330
arrátel 319
arratelar 796
arrazoação 476
arrazoado 29, ,746, 498, 502, 586, 595, 617, 937
arrazoado sofístico 477
arrazoamento 476
arrazoar 467, 476, 932, 937
arreamento 633, 847
arrear 223, 225, 308, 616, 688, 847
arrear bandeira 732
arrear-se 880, 884
arreata 45
arreatadura 43
arreatar 43
arrebanhar 72, 370, 371, 789
arrebanho 371

arrebatado 173, 274, 458, 481, 612, 684, 699, 821, 824, 825, 863, 865, 870, 901
arrebatado pelo terror 860
arrebatador 574, 821
arrebatamento (da fé) 990
arrebatamento 173, 601, 612, 682, 684, 821, 824, 825, 827, 870, 898, 900, 901, 901a
arrebatamento de gênio 901
arrebatante 829
arrebatar 175, 413, 457, 777, 789, 791, 824, 829, 870
arrebatar o auditório 582
arrebatar o cetro a 756
arrebatar os corações 829
arrebatar-se 827, 870, 900
arrebém 975
arrebentação 173, 315, 406
arrebentadiço 173, 328
arrebentar 44, 73, 276, 328, 406, 508
arrebentar a boca do balão (pop.) 33
arrebentar de cólera 900
arrebicado 577, 878, 880
arrebicar 577
arrebicar-se 878
arrebique(s) 847, 852
arrebitar 245
arrebitar-se 851, 885
arrebite 129
arrebito 702, 885
arrebol 125, 126, 434
arrebolado 434
arrebolar 249, 253, 428, 434
arrebunhar 209
arreburrinho 840, 853, 857, 886
arrecada 847
arrecadação 636, 741, 751, 752
arrecadado 817
arrecadador 637, 785, 817
arrecadar 191, 636, 741, 751, 775, 781, 785, 810
arrecadas 820
arrecova 190, 319
arrectis auribus 418, 507
arreda! 623, 669, 766, 867, 908
arreda! rua! 449
arredamento 44
arredar 44, 185
arredar-se 287, 623
arredar-se das boas práticas 945
arredar-se do caminho 623
arredio 287, 623, 893
arredondado 192, 245, 249, 254
arredondamento 181, 249
arredondar 50, 240, 245, 247, 249, 250, 557
arredondar o estilo 574
arredondar um período/uma frase 578
arredor 197
arredores 189, 197, 227
arreeiro 694
arrefanhar 789
arrefeçar (ant.) 815
arrefecer 36, 174, 385, 683, 823, 826, 874
arrefecer a amizade 889
arrefecer o entusiasmo de 616
arrefecer os esforços 681
arrefecimento 385
arrefecimento de relações 889
arrefentar 383a, 826
ar-refrigerado 391
arregaçar 258
arregaçar as mangas 673
arregalar os olhos 441, 457, 459, 682
arregalar/esbugalhar os olhos 870

arreganhar 259, 260
arreganhar os dentes 856, 900, 909
arreganhar os dentes/as tachas 838
arreganho 878
arreganho militar 861
arregimentar 60, 72, 722
arregimentar-se 58, 709
arreglar 673
arregoar 259
arregueirar 259
arreio(s) 215, 225, 633, 847
arreitado 851
arreitar (chulo) 961
arreiteta 332
arrelia 512, 713, 832, 889
arreliar 713, 832, 900
arreliar-se 900
arreliento 713, 720
arrelioso 713, 900
arrelvar 223, 344, 435
arremangar 909
arremangar-se 604, 673, 715
arrematação 795
arrematador 795
arrematar (o cabelo) 43
arrematar 670 729, 795
arremate 67, 729
arremedador 19
arremedar 17, 19
arremedilho 19, 555
arremedo 2, 17, 19, 634
Arremedo 555
arremeso 684
arremessado 863
arremessão 284
arremessar 276, 284, 610
arremessar fora/ao mar/aos ventos 782
arremessar o cavalo 293
arremessar-se 861
arremessar-se ao espaço 305
arremessar-se impetuosamente 173
arremessar-se sobre 716
arremesso 276, 284, 289, 716, 909
arremetedor 726
arremetedura 716
arremeter 274
arremeter a/contra 716
arremetida 716, 861
arremetimento 716, 861
arreminar-se 900, 909
arrendador 805
arrendamento 771, 783, 812
arrendar 371, 771, 783, 787, 788, 847
arrendatário 188, 788
arrenegação 607, 984
arrenegado 607, 984
arrenegador 607
arrenegar 607, 898, 908
arrenegar-se 900
arrenego 607
arrenego do diabo! 900
arrenego! 900
arrepanhado 819
arrepanhar 258, 789, 819
arrepelação 301, 839
arrepelão 839
arrepelar 285, 301
arrepelar-se 720, 839, 950
arrepender-se 607, 950
arrependido 950
arrependimento 607, 624, 950
arrepia-cabelo 895
arrepiado 256, 852
arrepiamento 383
arrepiante 860
arrepiar 212, 218, 253, 256, 830, 860

arrepiar caminho 607
arrepiar carreira 283, 607, 614
arrepiarem-se os cabelos 860
arrepiar-se (o tempo) 659
arrepiar-se 383
arrepio(s) 256, 383, 665, 860
arrepolhado 193
arrepolhar 249
arrepolhar(-se) 194
arrepsia 475, 485, 605
arrestante 767, 789, 924
arrestar 751, 924, 969
arresto 761, 789
arrevesadamente 283
arrevesado 565
arrevessar 173, 523
arrevessar a alma 360
arrevessar do coração 867
arrevessar ou arrevezar 297
arrevesso 704
arrevezado 248
arrevezar 519, 523
arriar a carga 725
arriar a vela 174
arriar bandeira 725
arriba 206
arribação 292
arribada 292, 623
arribadiço 57
arribana 189
arribar 292, 660
arriçar 253
arricaveiro (ant.) 268
arrieirada ou arreeirada 895
arrieirático/arreeirático 579, 895
arriel 633, 800, 803
arrière pensée 65, 615, 620
arrife 323, 346
arrimadiço 886
arrimado 613
arrimado à sua opinião 606
arrimar 215
arrimar esporas ao cavalo 615
arrimar-se 215
arrimar-se a 484, 632
arrimar-se à parede 959
arrimar-se à terra 292
arrimo 215, 664, 707
arrincoar-se 893
arriosca 545
arriscado 177, 665
arriscado 861
arriscar 156, 484, 665, 675
arriscar temerariamente 621
arriscar(-se a) 177
arriscar-se 177, 463, 621, 665, 861, 863
arritmia 139, 315
arrítmico 139, 315
arritmo 139
arro 191, 653
arroba 31, 319
arrobar 319, 396, 466, 796
arrobe 352, 354, 396
arrocha 415
arrochada 716
arrochar 43
arrocheiro 271, 694
arrochetar 717
arrocho 727, 739
arrodelar 717
arrogância 739, 855, 878, 885, 929
arrogância da força 964
arrogante 173, 739, 742, 861, 878, 882, 885, 895, 930
arrogar 789, 924
arrogar a si 679
arrogar privilégios 925
arrogar-se 880, 885, 925
arrogar-se a tarefa de 738
arrogar-se com o direito de 924

arrogar-se em 544
arrogar-se o direito de 789
arroiar 348
arroio 348
arrojada (ant.) 897
arrojadiças 727
arrojadiço 284, 861, 863
arrojado 574, 665, 861, 863
arrojador 284
arrojamento 284
arrojamento aos pés de alguém 886
arrojão 284
arrojar 284
arrojar-se 684, 861, 885
arrojar-se a 863
arrojeitar 284, 716
arrojeito 284, 727
arrojo 574, 861, 863, 885
arrolado 86, 551, 553
arrolamento 86, 551
arrolar 76, 86, 248, 412, 416, 551
arrolhar 261, 581, 751
arrolhar a boca 585
arrolo 174, 415
arromanar 466
arromba 415
arrombadela 260
arrombar 173, 260, 300, 303, 907
arrombar o ânimo 879
arrombar uma porta aberta 135, 640, 645
arromper (ant.) 371
arrondissement 181
arrostamento 863
arrostar 715, 719, 720, 821, 826, 861
arrostar com dificuldades 704
arrotador 884, 887
arrotar 334, 884
arroteador 371
arroteadura 371
arrotear 267, 371, 480a, 537, 673
arroto 297, 334
arroubado 821, 825, 827, 870
arroubamento 458, 821, 824, 827, 897, 990
arroubar 824, 829
arroubar-se 458, 827, 870
arroubo 574, 612, 821, 827
arroupar-se 225
arroxado 437
arroxeado 437
arroxear 437, 751
arruaça 59, 719, 720, 742
arruaçar 720
arruaceiro 720, 742
arruadeira 962
arruador 683, 742
arruamento 69, 189
arruar 69, 412, 529, 683
arruçado 432
arruda 395
arrufadiço 822, 901
arrufamento 832
arrufar-se 900
arrufianado 907
arrufo 256, 832, 900, 901a
arrugadura 256
arrugamento 256
arrugar 256
arrugar a fronte 932
arrúgia 350
arrugir 932
arruído 404, 720, 882
arruinado 732, 804, 808
arruinamento 162, 732
arruinar 162, 645, 649, 655, 659, 679, 732, 804
arruinar-se 638, 659, 804, 808
arruivado 434
arrulhar 412, 902

arrulho | asneiro

arrulho 412, 415, 902
arrumação 54, 60, 184, 673
arrumaços 900, 901a
arrumar 58, 184, 658, 660, 673
arrumar em outrem o panal 927a
arrumar-se 225
ars antiqua 412
ars celare artem 698
arsenal 636, 691, 727
arsênico 663
arte (supostamente) de fazer ouro 692a
arte 554, 625, 698, 702, 829
arte apolínea 415
arte culinária 673
arte da fabricação de vidro 692a
arte da forma 240
arte da palavra 577
arte de adivinhar as disposições morais de uma pessoa pelo exame da sua cabeça ou crânio 511
arte de ataque e defesa 716
arte de caça 622
arte de compor cartas geográficas 692a
arte de conhecer as horas pela sombra projetada pelo sol ou pela lua 692a
arte de construir quadrantes 692a
arte de conversar por meio de sinais feitos com os dedos 692a
arte de conversar por sinais feitos com os dedos 588
arte de converter (supostamente) os metais em ouro 692a
arte de corridas de cavalos 692a
arte de cozinhar 692a
arte de curar 662
arte de desenhar o corte longitudinal ou transversal de um edifício/uma máquina 692a
arte de edificar 692a
arte de equitação 692a
arte de escrever em cifra 692a
arte de fabricar odômetros 692a
arte de fabricar perfumes 400
arte de fazer livros 593
arte de guerra 722
arte de interpretar os sonhos 511
arte de marchetar 692a
arte de modelar em barro 692a
arte de navegação 267
arte de ourives 692a
arte de pesca 622
arte de preparar medicamentos 662
arte de raciocinar 476
arte de restaurar livros 593
arte de trabalhar em chumbo 692a
arte de trabalhar em ferro ou arte de ferrador
arte de trabalhar em vidro 692a
arte de traçar a planta de um edifício 692a
arte decorativa 556
arte digital 692a
arte-finalista 559
arte histriônica 599
arte-mágica 545
arte militar 722
arte náutica 267
arte negra 992
arte sólida da superfície terrestre 342
arte venatória 622
artefato 161, 545
arteirice 702

arteiro 544, 702
artelar 104
artelho 440e
artemages 992
artemágico 994
artéria 189, 350, 440e, 627
arterial 350, 440e
arteríola 350
arterioso 350
Artes 692a
artes cênicas 692a
artes de adorno 850
artes de berliques e berloques 443, 477
artes-mágicas 992
artes ocultas 992
artes plásticas 556, 692a
artes visuais 556,3 692a
artesano 690
artesão 847
artesoar 847
artesonar 847
articida 852
Ártico 383
ártico 383
articulação 43, 45, 51, 244, 258, 440e, 582
articulado 580, 937, 938
articulado em texto expresso 963
articular 43, 580, 582
articulista 593
artífice 164, 690
artificial 6, 545, 577, 579
artificialidade 545, 579
artificiar 545, 626
artificio(s) 161, 544, 545, 626, 632, 698, 702, 847, 852
artifício óptico 443
artificioso 544, 698, 702
artigalho 595
artigo(s) 3, 51, 316, 484, 593, 595, 769, 770, 798
artigo de fé 474
artigo principal 595
artiguelho (dep.) 595
artilhar 673, 717
artilharia 404, 716, 722, 726, 727
artilharia antiaérea 727
artilharia de campanha 727
artilharia naval 727
artilharia pesada 626
artilharia pesada/montada 727
artilheiro 284, 726
artimanha 477, 481, 544, 545, 702
artir em bandos como enxames de abelhas 73
Artista 559
artista 599, 626, 690
artista dramático 599
artista plástico 559, 690
artístico 698, 845, 850
artóforo 191
artolatria 991
artomel 354
artralgia 378
artrite psoriática 655
artrite reumatoide 655
artrose 323, 655
aruá 485
arundinoso 168
aruspicação 511
arúspice 513
aruspicina 511
aruspicinia 511
aruspicino 511
aruspício 511
aruspicismo 511
arute 727
arval 344, 371
arvícola 371
arvicultura 371

arvoado 503
arvoamento 503
arvorado 699
arvoramento 925
arvorar 307, 737
arvorar em 658
arvorar/hastear/brandir a bandeira branca 725
arvorar-se 885, 925, 964
arvorar-se dono de 789
árvore 166, 367, 424
árvore de costados 166
árvore de geração 166
árvore do saber 490
árvore frondosa 367
árvore frutífera 367
árvore genealógica 166, 875
árvore secular 367
arvoredo 367
arvorejar 212, 367
árvores sem seiva 645
arvorescência 367
arvorescer 367
arvoreta 367
árzea 344
ás 700
às abas 186
às apalpadelas 379, 442, 675
As aparências enganam 495
As aparências são a favor de... 472
às armas! 668, 669
às arrecuas 283
às avançadas 26, 275
às avessas 14, 218, 239, 283
às avessas de 30
às bandadas 72
às boas 714
às boas noites 624
às braçadas 31, 639
às canhas 218, 239, 699
às cavaleiras 206, 215
às cavalinhas 206, 215
às cavalitas 206, 215
às cegas 156, 442, 491, 675, 886
às claras 525, 531
às colheradas 51
ás de 33
ás de copas 235
às direitas 543
às duas por três 113, 132, 508
às duras 704
As escamas caíram-me dos olhos 441
às escâncaras 525
às escondidas 447, 526, 528
às escuras 491, 624
às favas 297
às furtadelas 528
às horas do silêncio 126
às lufadas 349, 639
às mantilhas 66
às mãos 713
às mãos ambas 173
às mãos lavadas 705, 815
às más 744
às más horas 735
às migalhas 32, 53
às mil maravilhas 618, 731, 831
às ordens de 743
às panderetas 26, 28
às pastas 639
às pinguinhas 26, 51
às polegadas 641
As probabilidades são contra 473
às rebatinhas 720
às recuadas 283
às regiões etéreas 360
às sabidas 531
às singelas 87
às soltas 59
às surdas 403

às tontas 156, 621
às três pancadas 59
às upas 309
As uvas estão verdes 471
às veras 543
às vezes 70, 137
asa(s) 236, 267, 274, 633
asa-negra 735, 949
asafia 583
asas da fantasia 515
asas de pau 972
asbesto 385
asbestose 655
asca 867
ascaridíase 655
ascendência 11, 153, 157, 166, 175, 305, 615, 642, 731, 737
Ascendência 166
ascendente 64, 157, 166, 217, 305
ascender 206, 305, 307, 737
ascender à imortalidade 873
ascendimento 307, 658
ascensão 35, 264, 305, 307, 466, 658, 737, 755, 873, 998
ascensão do câmbio 800
ascensional 305
ascenso 305, 307, 737
ascensor 305, 307, 627
ascese 955
asceta 955
ascetério 955
ascético 955
ascetismo 893
Ascetismo 955
áscios 188
ascite 194
asclepiadeu 597
asco 610, 867, 889
ascoroso 653
ascoso 653
ascritivo 39, 636, 640
áscua 382, 900
ascuma 727
aserpente infernal 978
asfaltar 223
asfalto 255
asfixia 361
asfixiado 739
asfixiante 382
asfixiar 361, 475, 581, 640, 706
asfixiar-se numa atmosfera de incerteza 475
asiano 882
asiarca 694
asiaticismo 563
asiático 188, 573, 577, 683, 882
asicia ou asitia 866
asilar 296, 751
asilar-se 294, 664, 666
asilo 662, 664, 666, 910
asinal 412
asinário 366
asinha 684
asinino 271, 412, 499
Asinus asinum fricat 501
asir (ant.) 781
asir/arrancar/travar espada 722
asma 655
asmo 674
Asmodeu 978, 980
asna 374
asnada 72, 497, 961
asnal 412, 499
asnaria 72, 497
asnático 412, 499,
asnear 497, 499, 880
asneira 495, 497, 568, 961
asneira chapada/de marca maior 497
asneirão 501
asneiro 412, 499

asneirola | assombroso

asneirola 961
asnice 497, 880
asnidade 497
asno 271, 366, 501
Asno morto cevada ao rabo 135
asno quadrado 493, 501
aspa 975
aspar 550, 907, 972
aspartame 396
aspas 19
Aspásia 962
aspecto 5, 7, 240, 448, 550, 851
aspecto carrancudo/torvo 895
aspecto externo 220
aspecto físico 183
aspecto promissor 472
aspecto sombrio e carrancudo 901a
aspecto torvo 837
aspecto varonil 159
Aspereza 256
aspereza de modos 901a
aspereza de palavras 895
asperezas 735
asperezas da vida 649
asperges 990, 998
aspergilário 337
aspergiliforme 337
aspergilo (ant.) 337
aspergilose 655
aspergimento 339
aspergir 41, 337, 339, 998
asperidade 256, 895
asperidão 256
aspermo 367
áspero 16a, 171, 173, 241, 253, 256, 383, 392, 397, 410, 519, 581, 657, 674, 704, 830, 895, 932
aspérrimo 383, 397, 410
aspersão 337, 339, 998
aspersar 337, 339
asperso 339
aspersor 337
aspersório 337
áspide 913, 936
aspilota 847
aspiração 296, 583, 858, 865, 897
aspirações visionárias 471
aspirante 296, 726, 745, 767, 865
aspirar 296, 298, 307, 398, 580, 583
aspirar a 507, 620
aspone 682, 683
asquerosidade 653, 846, 867
asqueroso 653, 830, 846, 867, 874, 886, 898, 930, 840, 961
assa 443
assa informe 241
assaborar 390
assacadilha 934
assacador 934
assacador de aleives 936
assacar aleives 934
assacar tudo contra 934
assados 704
assa-fétida 401
assafiado 682
assalariado 746
assalariar 746, 973
assaloiado 852, 895
assaltada 716
assaltador 726
assaltante 710, 716, 726, 792, 913
assaltar 173, 305, 508, 789, 791, 830
assaltar o espírito 451
assaltável 665
assaltear 716
assalto 508, 649, 665, 716, 765, 791, 840
assalto à bolsa 814

assalto de enfermidade 655
assamento 673
assanhadiço 173, 901
assanhado 173, 825
assanhado em carmim 434
assanhamento 173, 825
assanhar 35, 659, 824
assanhar desgraças 649
assanhar-se 639, 900
assar 384
assar qualquer coisa no bico do dedo 471
assarapantar 61, 824, 860, 870
assassinado & v. 361
assassinar 361
assassinar a sintaxe 568
assassinar um defunto 640
assassinato 361, 907
assassínio 361
assassino 165, 361, 907, 913, 949
assaz 639
asseado 650, 652
assear 652, 847
assecla 631, 711, 739, 746
assedado 255
assedentado 865
assediado de dificuldades 704
assediador 716
assediar 461, 716, 765
assédio 461, 716, 765
assegurar 474, 535, 664, 768
asseio 652
asselar 963
asselvajado 852
asselvajar-se 852, 895
assembleia 72, 696, 892, 997
assembleia legislativa 696
assemelhar-se 17
assemelhar-se ao vidro 328
assenhorear 490
assenhorear-se de 175, 518, 731, 749, 789
assenso 488, 762
assentado 265, 604
assentado de conta, peso e medida 864
assentador 253
assentamento 551
assentar (a cabeça) 864
assentar 23, 184, 211, 276, 378, 514, 551, 769
assentar a alguém na cara os cinco mandamentos 972
assentar a espada em 932
assentar a mão 698
assentar a tenda 150
assentar a última pedra sobre o ataúde de 363
assentar as bases de um contrato 769
assentar as costuras a alguém 972
assentar as tintas no quadro 428
assentar bem 23
assentar como uma luva 23, 646
assentar o fio 253
assentar praça 66, 722
assentar praça nas fileiras adversas 607
assentar praça nas fileiras de 712
assentar/desandar com uma bofetada 972
assentar-marcos 229
assentar-se 183, 184, 308, 687
assentar-se em bases sólidas 150
assentar-se sobre espinhos 828
assente 150, 184, 474, 604, 769
assentimento 23, 178, 484, 489, 602, 709, 714, 760, 762
Assentimento 488

assentir 488, 714, 762
assentista (ant.) 637
assento 183, 189, 211, 215, 235, 480, 498, 551, 653, 687
assento etéreo 318, 981
assentonação 402
assepsia 652
assequi immortalitatem 873
asserção 535
assertiva 535
assertivo 535
asserto 535
assertor 535, 937, 968
assertório 535
assessor 480, 695, 711, 967
assessorar 695
assessorar-se 695
assessoria 695
assestar 789
assestar as armas da calúnia contra 934
assestar para 278
assestar toda a sua artilharia 686
asseteado pelas más línguas 934
assetear 378, 649, 934
asseveração 467, 535, 768
asseverador 535
asseverante 535
asseverar 474, 535, 768
asseverativo 535
assexo 316
assexuado 83, 316
assexual 316
assiduamente 138, 786
assiduidade 110, 136, 138, 186, 604a, 613, 682, 926
assíduo 110, 136, 186, 538, 604a, 613, 682, 926
assignat 800
assim 8, 476
assim-assim 29, 32, 628, 643, 651
assim como 17, 37
assim como assim 604
assim considerando 8
assim dessa maneira 17
assim Deus me ajude! 768
assim é 494
assim mesmo 30
assim que 120
assim seja 488
assim seja! 831, 865, 931
assim sendo 8, 476
assim vós 923
Assimetria 243
assimetria 28, 59
assimétrico 243
assimétrico 19, 23, 28, 59, 83, 144, 296, 498, 709, 984
assimilação 709
assimilado 465a
assimilar 16, 14, 465a, 538
assimptótico 290
assinação 133, 755, 784
assinação de prazo 969
assinaladamente 31
assinalado 31, 642, 848, 873, 939
assinalado por 550
assinalar 79, 133, 155, 50, 462, 668, 741, 848, 873, 883
assinante 778
assinar 114, 550, 551, 590, 741, 769, 926
assinar a sentença de morte de 361
assinar como causa 155
assinar como fiador 768
assinar de cruz 477, 486, 886
assinar o expediente 755
assinatura 65, 467, 550, 551, 769
assincronismo 119

assíndeto 567
assíndeton 572
assinergia 172, 460, 605
assingelar 60, 518, 849
assiriologista 492
assiriólogo 492
assisadeira (f.) 936
assisado 864
assisar 934
assisio 711
assistência 444, 662, 682, 707
assistencialismo 910
assistente 444, 711, 746, 967
assistir 186, 441, 654, 707
assistir a 441, 444
assistir à folha 591
assistir em 186
assistir num processo 969
assistir o direito a 924
assitência social 910
assitia 953
asso 443
assoalhamento 529
assoalhar 204, 213, 223, 529
assoalho 204
assoante 413
assoar 301
assoar-se 297
assoberbado 639, 682
assoberbado de trabalhos 688
assoberbar 206, 704, 885
assoberbar-se 173, 878
assobiada 409, 929, 932
assobiado 203, 383, 929
assobiar 349, 402a, 409, 412, 929, 932
assobiar por falta de ideias 681
assobio(s) 402a, 409, 412, 929, 932
assobradado 206
assobradar 206
associação 9, 43, 88, 451, 709, 712, 892
associação de ideias 450
associação de ideias 514
associado 9, 88, 711, 712, 890
associar 9, 41, 43, 72
associar-se 709, 712, 778, 890, 915
associar-se a 88, 488, 714
associar-se a uma dor 839
associar-se aos sentimentos alheios 914
associativo 9
associável 41, 48
assolação 162, 659, 716
assolado por epidemias 657
assolar 361, 649, 657, 659, 716, 791
assoldadado 722
assoldadar 746, 973
assoldadar-se 722
assoldado 943
assolear 688
assoleimar 384
assomada 210, 873, 900
assomadiço 901
assomado 959
assomar 66, 210, 446, 448, 525, 612, 615
assomar no horizonte 66
assomarem as lágrimas aos olhos 839
assomar-se 206, 900, 959
assombração 860, 980
assombradiço 421
assombrado 421, 509, 870, 980
assombramento 837, 860
assombrar 421, 424, 860, 870, 909, 934, 980
assombrear 424
assombro 508, 870, 872
assombroso 870

assomo | atento que

assomo 514, 550, 600, 612, 825, 900, 901
assomos 525
assonância 413, 569, 597
assonia 597
assonjo (ant.) 348
assonorentado 683
assopeado 808, 837
assopradela 349
assoprado 192, 880
assoprador 349
assoprar 194, 349, 528, 880
assopro 349, 405, 615, 707
assorear 706
assovelado 410
assovelar 253, 260, 615, 900
assoviar 402a
assovinar 615
assovinar-se 819
assovio 402a
assovio de cobra (cachaça) 959
assuada 713, 742, 832, 929
assuar 929
assumido 774
assumir 514, 604, 625, 924
assumir a ofensiva 716
assumir a responsabilidade 600
assumir aparência/aspecto 448
assumir as rédeas de 737
assumir atitudes 604, 855
assumir compromisso/dívida/ responsabilidade 774
assumir custo/despesa 812
assumir dever/obrgação/responsabilidade 926
assumir dívidas 806
assumir gravidade 642
assumir o aspecto/a forma de 144
assumir o compromisso/a responsabilidade/o encargo de 768
assumir risco 604
assunar (ant.) 929
assunção 144, 305, 476, 514, 658, 858
assunção de 885
assuncionista 996
assuntar (bras.) 457
assunto 454, 516
assunto de controvérsia 461
assunto do dia 532
assunto dominante 588
assunto em discussão/em estudo/em apreço/sub judice/em tela/em foco 461
assunto necessário ao comentário do dia 532
assurgente 212
assustadiço 860
assustado 860
assustador 830, 860
assustar 508, 860, 909
assustar(-se) 508, 860
assustoso 860
astanho 45
Astarté/Astarote 979
astático 320
asteísmo 842
astenia 160
astênico 160
astenopia 688
asterisco 457, 500
asterismo 318
asteroide 318
astigmatismo 443
astrágalo 205, 847
astral 318, 820
ástrea abóbada 318
Astreia 721, 922
ástreo 318
astres 734
ástrico 318

astrífero 318
astrígero 318
astro 249, 318, 423, 845, 873
astro do dia 318
astro ou estrela de primeira grandeza 492
astrobolismo 376, 993
astróbolo 993
astro-criador 318
astrofísica 316
astrofobia 860
astroíte (ant.) 993
astrolábio 466
astrolatria 991
astrologia 318, 511, 992
astrólogo 513, 994
astromancia 318
astrometria 318, 466
astronauta 269, 614
astronomia 318
astronômico 192, 812, 814
astrônomo 318, 444, 492
astro-rei 318, 423
astrosia 992
astroso 735
astrostática 318
astúcia 477, 477, 544, 698
Astúcia 702
astuciar 702
astucioso 702
astuto 498, 698, 702
ata 551, 594
atabafado 528
atabafar 223, 528, 544
atabaleiro 416
atabalhoadamente 59
atabalhoado 59, 458
atabalhoar 460
atabalhoar-se 699
atabaque 417, 540, 746
atabernar-se 895
atabuar 640, 957
atabular 170, 545, 615, 684, 713
ataca 45
atacadista 797
atacado 794
atacado de 655
atacado de atrabílis 837
atacador 45, 276, 716
atacadura 716
atacante 710, 716
atacar 43, 536, 655, 708, 716, 722, 929
atacar um serviço 676
atacar/fulminar/lançar a excomunhão 998
atacar-se com 713
atacável 495
atacoar 460, 660
atadinho (fam.) 605
atado 9, 43, 72, 499, 605, 881
atado ao seu destino 601
atado/preso à cama 655
atados por 712
atadouro 45
atadura 43, 45, 223
atafal 235
atafegar 528, 640
atafego 640
atafona 330
atafulhar 261, 640
atafulhar-se 957
ataganhar 361
atagantar 649, 739, 907, 972
ataimado 702
atalaia 210, 668
atalaiar 459, 507, 664
atalaiar-se 864
atalancado 806
atalancar-se 806
atalhado 581
atalhador 268, 668

atalhar 36, 70, 162, 201, 462, 475, 479, 623, 658, 662
atalhar com tranqueiras 717
atalhar-se 605
atalho 201, 627, 628, 706
atalhoado 460
atamancado 34
atamancador 460
atamancar 460, 660, 699
atamarado 434
atamento 749, 862, 881
atanar 673
atanário 440c
atanor 386
atapetar 223, 847
atapulhar 261
ataque 276, 655, 713, 907, 929, 938
Ataque 716
ataque de ar 655
ataque terrorista 907
atar 150
atar a 214
atar alguém ao pelourinho da maledicência 934
atar as asas a 751
atar as cardas 360
atar as mãos a alguém 706
atarantação 59, 458, 605, 821, 825
atarantar 61, 458, 475, 528
atarantar-se 699, 821, 825, 881
ataraxia 823, 826, 831, 866
atardar 133
atarefado 682
atarefar-se 682
ataroucado 499, 503
ataroucar 499, 503
atarracado 192
atarracar 203, 461
atarraxar 744
atar-se 605
atar-se a uma teoria 484
atar-se ao jugo 725
atas eleitorais 609
atascadeiro 345, 653
atascar 337, 345, 653
atascar-se 310
atascar-se no vício 945
atasqueiro 345
atassalhador 936
atassalhar 44, 162, 276, 649, 934
ataúde 363
atavanado 440a, 895
atavernar 796
atavernar-se 940
ataviar 845, 847
ataviar com esmero 577
ataviar-se 225
atávico 5
atavio 847
atavismo 5
ataxia 315
atazanar 830, 832
até 106, 196
até a consumação dos séculos/dos tempos 112
até a medula 640
até a medula dos ossos 31, 52
até a ponta dos cabelos 31
até a ressureição da carne 112
até a saciedade 639, 640, 869
até à vista! Bye! 293
até agora 122
até aqui 122
até as orelhas 31, 52, 640
até certo ponto 26
até fartar 640, 869
até mais não 31
até mais não poder 31
até mais não querer 869
até mais ver! 293
até não mais poder 686
até não mais querer 640

até o acabamento do mundo 112
até o dia do juízo final 112
até o fim da linha 52
até o presente 118
Até o recurso de... lhe falece 859
até ú último recurso 686
até os cotovelos 52
Até os dedos lhe parecem hóspedes 699
até os olhos 31, 52, 640
Até que a morte os separe! 903
até que afinal! 831
até sempre! 293
Até tu, Brutus! 917
Até um cego veria isto 518
atear 35, 153, 171, 382, 384, 824
atear a desarmonia 713
atear o facho da discórdia 713
atear o facho de 153
atear o fogo 615
atear o lume 384
atear ódio 898
atear/exigir/impor indignação 900
atear-se 900
atecnia 621, 674, 852
ateigar 466
ateigar-se 957
ateísmo 984, 988, 989
atelanas 840
atelépode 440c
ateliê 691
atelier 556
atemorizamento 860
atemorizar 860, 909
atempado 367
atempar 133
atemperar 133, 174, 681
Atenas (linguagem) 490
Atenas 560
atenazar 781, 830
atença 507
Atenção 457
atenção 80, 418, 498, 772, 829, 864, 894, 928
atenção para os pormenores 457
atenção vagueia, A 458
atenção voltada para as minúcias 459
atenção! 457, 459, 668
atencioso 457, 894, 902
atendar 184
atendendo a 155
atendendo às circunstâncias de 476
atender 418, 457, 762, 772
atender a 451, 469
atender às ordens de 743
atendimento 762
atendível 922
ateneias 840
ateneu 542
atentadamente 864
atentado 716, 907, 947, 964
atentamente & *adj*. 457
atentamento 457
atentar 451, 457, 620, 626, 676, 716, 947
atentar contra 649, 708, 716, 907
atentar contra o pudor 961
atentar contra os mais elementares princípios de justiça 923
atentar por si 459
atentatório 898, 947
atentatório da dignidade 874
atentatório da lei 964
atentatório do bom senso 471
atento 457, 459, 461, 538, 602, 668, 870, 894
atento que 615

Atenuação | atribuir proporções exageradas

Atenuação 469
atenuação 36, 160, 834, 937
atenuante 469, 937
atenuar 36, 160, 174, 195, 468, 469, 658, 740, 834, 918, 937
atenuativo 937
atenuável 937
atermal 383, 385
atérmano 383, 385
atermar 133
atermasia 382
atérmico 385
aterrado 860
aterrador 830
aterrar 213, 251, 292, 308, 860
aterrissar 267, 292
aterro 213
aterrorizado 860
aterrorizar 980
aterrorizar(-se) 860
ater-se 467, 484, 604a, 677, 632, 772
ater-se à conveniência 953
atesar 200
atestação 467, 535
atestado 52, 467, 525, 550, 639, 640
atestar 52, 72, 190, 467, 474, 525, 535, 550, 551, 636, 639, 640, 768
atestar a competência profissional 931
atestar com a mão 379
atetose 315
atetósico 315
ateu 984, 989
Athos, Porthos, Aramis e D'Artagnan 890
atibiar 160
atiça (fam.) 615
atiçador 386, 615, 720, 824
atiçamento 615
atiçar 173, 384, 615, 824, 912
atiçar-se 900
aticismo 578, 842
ático 570, 578, 842, 850
atiçoar 384
aticurga 215
atigrado 440
Átila 913
atilado 498, 500, 698, 842, 939
atilamento 498, 650, 698
atilar 729
atilho 45, 72
atimia 837
átimo 32, 106, 111, 113
atinado 500, 864
atinar 480a
atinar/dar com a verdade 477
atinente 9, 12
atingimento 731
atingir 276, 292
atingir a 518, 800, 812
atingir a maioridade 131
atingir a virilidade 215
atingir ao alvo/à sua meta 729
atingir elevadas cifras 35
atingir o alvo 731
atingir o fim colimado/a meta 731
atingir o objetivo 731
atingir os limites do fantástico 471, 870
atingir quase 17
atingir um aperfeiçoamento 650
atingir um nível elevado 305
atingível 470, 518, 894
atintar 428
atipicidade 78
atípico 78
atiplado 410
atiplar 410
atiradiço 885, 961

atirado 604, 861
atirado fora 732
atirador 284, 726
atirar 276, 284, 361, 485, 610, 715, 716
atirar a alguém lama das sarjetas 934
atirar a barra mais longe que outro 731
atirar a culpa sobre 155, 932
atirar a luva 461, 938
atirar a pecha de 938
atirar a pedra e esconder a mão 907
atirar a primeira pedra 716, 938
atirar alguém às bocas da calúnia 934
atirar ao ar 307
atirar ao limbo 930
atirar ao mundo 624
atirar ao ostracismo 932
atirar aos cães 162, 678
atirar aos ventos 73, 756, 773, 930
atirar com o dinheiro à rua 818
atirar com tudo pelos ares 900
atirar fora 135
atirar fora/ao mar/aos ventos 782
atirar longe 297
atirar numa pulga com um canhão 640
atirar ovos podres/batatas/tomates 929
atirar para longe 289
atirar pedras 716
atirar pérolas aos porcos 645, 679
atirar remoques 842
atirar sobre o tapete 763
atirar-se 306, 665, 882
atirar-se a 676
atirar-se a alguém 716
atirar-se a conclusões 486
atirar-se sobre 622, 789
atitar 409, 410, 412
atito 409, 410, 412
atitude 8, 183, 240, 448, 680, 692
atitude estudada 855
ativamente & *adj.* 682
ativante 171
ativar 132, 170 ,171, 682, 684, 824
ativar o fogo 384
atividade 132, 170, 171, 274, 459, 604a, 698
Atividade 682
atividade febril/elétrica/devorante/fecunda/estupenda/capaz de vencer os maiores obstáculos para chegar ao fim desejado 682
atividade intelectual 451
ativo 1, 157, 171, 274, 359, 392, 457, 459, 498, 680, 682, 686, 698, 780, 821, 926
Atlante 159, 215, 500, 515
atlantiano 159
Atlas 159, 192, 215, 554
Atlas 192
atleta 159, 711, 717, 726
atlética 159
atlético 159
atletismo 159, 720, 840
atlóteta 694
atmosfera 227, 338, 425
atmosférico 227, 338, 438
ato 461, 599, 680, 697, 741, 771
ato contínuo 113, 117, 132
ato de graça 784
ato falho 495
ato impetuoso 863
atoada 532

atoagem 285
atoalhar 223
atoar 285
atoarda 532
atoar-se a alguém 886
atocaiar 530, 545
atochar 43, 300, 640
atocia 169
atoicinhado 355
atoladiço 345
atolado 499
atolambado 499
atolar 337, 653, 732
atolar os dentes 298
atolar-se 310, 704, 874
atolar-se no vício 945
atoleimado 486, 499, 501
atoleimar-se 499
atoleiro 343, 653, 704, 874
atolhar-se aos olhos de 446
atomatar 434, 475
atomatar-se 881, 900
atombar 551
atômico 193
átomo 56, 180a, 193, 346, 320
atonia 160, 172
atônico 160, 403, 870
átono 403, 562
atontar 376
ator 524, 548, 559, 680, 690, 855
atorçalar 229, 847
atordoadamente 458
atordoado 458, 479, 509, 870
atordoamento 376, 404, 419, 503, 508, 870
atordoar 376, 404, 410, 419, 508, 765, 823, 870
atordoar o ouvido 404
atordoar os ouvidos 584
atordoar os tímpanos 404
atormentado 828
atormentador 378, 907
atormentar 378, 475, 704, 830, 907
atormentar-se 451, 686, 821, 828, 830
atos 692
Atos 985
atos de justiça 922
atoucinhado 192
atrabiliário 739, 837, 901
atrabilioso 837
atrabílis 825, 837, 901
atracação 292
atracador 943
Atração 288
atração 175, 276, 615, 829, 865, 897
atração universal 319
atração universal/terrestre 157
atracar 43, 184, 267, 292, 751, 765
atracar-se com 720
atracar-se com alguém 716
atraente 288, 829, 845, 765
atrafegar-se 688
atraiçoamento 940
atraiçoar 529, 940
atraído 615
atraimento 615, 829
atrair 285, 288, 319, 545, 615, 845, 865, 897
atrair a atenção 642, 829
atrair animosidade 713
atrair atenção 446
atrair de modo irresistível 829, 897
atrair para si a antipatia 713
atrair simpatias 829
atrair sobre si 177
atrair/reduzir à fé 987
atrambia 866
atramentário 431, 590

atramente 31
atramento 431, 590
atrancamento 706
atrancar 706, 717
atranco 706
atrapalhação 458, 704, 821, 825, 881
atrapalhada 626, 704
atrapalhadamente 59
atrapalhado 458
atrapalhar 61, 475, 508, 704, 824, 870
atrapalhar 508
atrapalhar com perguntas 461
atrapalhar-se 699, 821, 881
atrás 122, 281
atrás da capa da hipocrisia 544
atrás da cortina 528
atrás da porta 528
atrás das cortinas/dos bastidores 447
atrás do reposteiro 528
atrás dos bastidores 526, 599
atrasado 491, 808
atrasados 806
atrasamento 133
atrasar 110, 133, 277
atrasar uma data 115
atrasar-se 275, 283, 304, 806
atraso 133, 491, 806
atratibilidade 288, 615
atratividade 319, 829
atrativo 288, 615, 829, 845
atrativos 615, 902
atravancado 639, 647
atravancamento 640
atravancar 706
através da interminável sucessão dos séculos 112
através de 278, 632
atravessadiço 14, 706
atravessado 217, 443, 907
atravessado de dores/de setas 828
atravessador 302, 797, 943
atravessadouro 627
atravessamento 217, 302
atravessante & *v*. 302
atravessar 70, 217, 219, 228, 260, 266, 302, 706, 751, 777, 821
atravessar a nado 267, 302
atravessar o coração 914
atravessar o Rubicão 609
atravessar-se 889
atrecer-se 383
atreguar 723
atregular-se 699
atreito 602, 613
atreito a 176, 602
atrelar 43, 615
atrelar ao carro do vencedor 749
atrelar-se ao carro dos vencedores 725
atremar 498
atrenado (ant.) 93
atresia 203, 261
Atreva-se e é homem 715
atrever-se 665, 715, 861, 863, 885,
atrevidaço 885
atrevidete 885
atrevido 574, 861, 885
atrevimento 861, 863, 885
Atribuição 155
atribuição 625, 737, 924
atribuído falsamente a 2
atribuir 155, 642
atribuir a autoria 155
atribuir a paternidade a 155
atribuir culpa 938
atribuir proporções exageradas 549

atribuir-se ações que não praticou | autógamo

atribuir-se ações que não praticou 880
atribuir-se merecimentos 884
atribuível 155
atribulação 704, 735, 828, 830
atribulado 828
atribulador 830
atribular 830
atributivo 155
atributo(s) 5, 157, 820, 550
atributos e perfeições (divinas) 976
atrição 331, 950
atricaude 440c
atriense 263
atrigado 655
atrigar-se 684, 860
atrigueirado 431
átrio 66, 181, 231
atrípede 440c
atriquia 226
atristar 830
Atrito 331
atrito(s) 14, 179, 330, 489, 708, 713, 704, 889
atriz 599, 649, 735, 830, 837, 839, 860, 945
atroada 402a, 404
atroador 404
atroamento 404
atroante 404
atroar 402a, 404, 411
atrocidade 907, 914a, 945
atrocíssimo 907, 914a
atrofia 160, 195, 655, 659
atrofiado 193
atrofiar 160, 179, 193, 195, 201, 483, 491
atrofiar-se intelectualmente 499, 659
atrófico 160
atronar 407
atroo 404
atropar 72, 717
atropelado 59, 274, 276, 649, 739, 773, 925, 930
atropelar-se 102
atropelo 739, 923, 925, 930
atropilhar 72
atroz 649, 735, 830, 907, 914a, 945
atrusar 43, 528
attaché 758
atuação 175, 680, 692, 692a
atuador 690
atual 118, 194
atualidade 1, 118
atualizar 118, 123
atualmente 494
atuante 170
atuar 170, 171, 615, 680, 692
atuar como advogado 968
atuar sobre 175
atuário 682
atucanar (bras.) 830
atufar 52, 190, 300
atufar(-se) 194, 310
atuir 190, 706
atulhadamente 640
atulhado 640
atulhar 52, 190, 321, 636, 640
atulhar(-se) 194
atumultuar 742
atundo 752
atuosidade 682
atuoso 682
atupir 706
aturado 110, 604a, 682
aturadouro 110
aturamento 604a
aturar 110, 604a, 719, 821
aturar com paciência 826
aturdido 458, 870

aturdimento 376, 404
aturdir 376, 404, 419, 458, 503, 508, 870
aturrear 404
au bout de son latin 477, 491
au courant 490
au fait 490
au revoir! 293
aucúpio 622
aud cunctanter 132
Audaces fortuna juvat 863
audácia 574, 604, 861, 863, 885
audacioso 665, 861, 863
audaloso 348
audax Japeti genus 372
audaz 861
audi nos! 765
audibilidade 316, 402, 418
Audição 418
audiência 418, 588
audiente 418
áudio 418
audiograma 418
audiologia 418
audiólogo 418
audiometria 418
audiômetro 418
audire alteram partem 922
auditivo 418, 440e
audito 418
audito crudelior 914a
auditor 693, 967
auditoria 693, 966
auditório 418, 444, 599
audível 402, 418
audivelmente & adj 418
auê 59, 404, 411, 720, 889
auferição 775
auferir 677, 775, 810
auferir benefícios de 658
auferir lucro 775
aufúgio (poét.) 666
auge 25, 26, 210, 650
auge do calor 382
augir 206, 210
auguração 511
augural 511
augurar 121, 511
augurar bem 858
auguratório 511
auguratriz 513
áugure 513, 994
augúrio 121, 510, 511, 512
augustal 882
augustinho 561
augusto 206, 873, 875, 882, 928
Augusto Comte 986
aula 542, 582, 588
aulete 416
aulétride 416
auletriz 416
aulicismo 702, 886
áulico 607, 886, 933, 935
aulido 411, 412, 839
aulista 541
aulo 417
aulodia 415
aumentação 35
aumentadamente 35
aumentado 35, 413
aumentar 31, 33, 35, 194, 658, 785
aumentar a lista 76
aumentar de volume 194
aumentar esperanças 511
aumentar o poder aquisitivo 800
aumentar os encargos 806
aumentar uma conta 811
aumentativo 35
aumentatório & v 35
aumentável 35
Aumento 35
aumento 39, 194, 658

aumento exagerado do apetite 957
aunar (ant.) 50
aura 349, 359, 873
aura popular 873, 931
aura popularis 873
aurantina 395
aurantínea 395
aurea mediocritas 628
aurejar 420
áureo 436, 578, 648, 734
auréola 227, 247, 318, 420, 873
aureolar 227, 229, 247, 420, 873
aureolizar 420
aures habent et non audient 923
auri sacra fames 819
auribus lupum tenere 665
auricerúleo 440, 734
auricídia 914a
auricomado 318, 436, 439
auricomo 440d
auricrinante ou auricrinito 440d
aurícula 418
auriculado 418
auricular 418, 528
auriculista 662
aurículo 418
auridulce 436, 734
aurífero 800, 803
aurificar 261, 436
aurífice 690
aurifício 800
aurífico 436, 803
auriflama 550
auriflamante 434
aurifrigiado 436
aurifrigiato 436
aurifulgente 420, 436, 734, 800
aurifúlgido 420, 436
auriga 268
aurigário 268
aurigastro 440c
aurígero 436
auriginoso 436
aurilavrado 436, 800
auriluzente 420, 436
auriluzir 436
aurimesclado 440
auripene 440c
auripurpúreo 434, 436
aurirrosado 434, 436, 648
aurirróseo 436, 648, 734
aurito 418
auritrêmulo 420, 436
auriverde 435
aurívoro 818
aurora 66, 125, 420, 422, 423
aurora austral 423
aurora boreal 423
aurora da vida 127
aurora polar 423
auroral 125
aurorar 66, 420
auroreal 125
aurorecer 420
auruspicina 513
auscultação 418
auscultar 418, 455
Ausência 187
ausência 2, 101, 452, 641, 77a
ausência de acidentes 16
ausência de admiração 871
ausência de arrependimento 951
ausência de arte 674
ausência de artifícios 543
ausência de atrito 332
ausência de autoridade 73338
ausência de calor 383
Ausência de causa assinalável 156
ausência de cor 429

ausência de curiosidade 456
ausência de desígnio 621
ausência de direito 925
ausência de elasticidade 326
ausência de escolha 609a
ausência de esperança 859
ausência de excitabilidade 826
ausência de gosto 852
ausência de gravidade 320
ausência de importância 643
ausência de influência 175a
ausência de medo 861
ausência de método 59
Ausência de motivo 615a
ausência de mudança 141
ausência de odor e olfato 399
ausência de pagamento 815
ausência de perseguição 623
ausência de preconceito 465a
ausência de raciocínio 477
ausência de registro 552
ausência de sentido 643
ausência de títulos 925
ausência ou destruição de forma 241
ausência ou falta de odor/de olfato 399
ausência ou violação da lei 964
ausência/falta de pensamento 452
ausência/falta de preparação 674
Ausências causam esquecimento 187
ausentar-se (partir) 449
ausentar-se 187, 287, 293, 623
ausente 187, 376, 452
Ausente o gato, dançam os ratos 738
auso (poét.) 704, 861
áuspice 513
auspiciar 511, 858
auspício 511
auspício(s) 175, 507, 511, 512, 664
auspicioso 134, 734, 858
austaga 307
austeridade 174, 395, 576, 739, 751, 849, 895, 939, 955
austero 174, 395, 704, 739, 895, 939, 944, 955
austinado 824
austrífero(vento) 349
Aut Cæsar aut nihil 873
autem genuit 573
autenticação 467, 771
autenticado 963
autenticar 467, 924, 963
autenticidade 42, 494
autenticidade 543
autêntico 19, 42, 474, 494, 543, 648
auto 272
auto de fé 952, 972
autobiografia 551, 594
autobiógrafo 594
autocéfalo 748, 996
autoclave 386
autocontrole 600, 604
autocracia 737, 797
autocrata 739, 745
autocrático 600, 737, 739
autóctone 66, 188
autodidata 540
autodidaxia 538
autoestrada 627
autoflagelação 952, 955
autoflagelamento 955
autoflagelar-se 952, 955
autofonia 141
autogamia 374a
autógamo 374a

autogiro | áxis

autogiro 273
autogoverno 748
autografar 19, 590
autografia 19, 21, 494
autográfico 550, 590
autógrafo 22, 550
autolatria 943
automação 625
automaticamente 615a
automático 601, 615a
automatismo 264, 601
automatização 615a
autômato 547, 599, 605
automedonte 268, 700
automotriz 272
automóvel 272
autonomia 738, 748
autônomo 748
autopatia 914a, 943
autopista 627
autopromover-se 943
autópsia 44, 363
autopsiar 362
autor 153, 164, 559, 593, 615, 938, 969
autor das luminárias 501
autor de iniquidades 949
autor do mal, o 978
autor dos dias de alguém 166
autor dramático 599
autor genealógico 492
Autor/Senhor/Criador de todas as coisas 976
autoria 161, 166
Autoridade 737
autoridade 157, 175, 467, 500, 693, 694, 700, 737, 745, 924, 965
autoridade delegada 755
autoridade em exercício 745
autoridade moral 878
autoridades civis 745
autoridades eclesiásticas 745
autoridades militares 745
autoridades navais 745
autoritariamente & *adj.* 737
autoritário 600, 606, 737
autoritarismo 737
autorização 157, 488, 755, 760, 771, 924
autorização escrita 760
autorizadamente & *adj.* 760
autorizado 474, 760, 924
autorizar 737, 755, 760, 924, 931, 937
autos 86, 551, 599, 963, 969, 998
autósito 83
autuar 551, 636
aux aguets 507
auxese 482, 549
auxiliador 707
auxiliante 707
Auxiliar 711
auxiliar 644, 690, 705, 707, 746, 906
auxiliar de escritório 746
auxiliário 707
auxiliarmente 707
Auxílio 707
auxílio 644, 690, 705, 707, 717, 906, 910
auxílio sobrenatural 707
avacalhamento 862
avacalhar 874
avacalhar-se 886
aval 771, 800, 807
avalanche 102, 306, 639, 640
avaler des couleuvres 725
avaliação 466, 480, 812
avaliado 466, 480
avaliamento 466, 812
avaliar 85, 451, 466, 480, 812
avaliar a esmo/a olho 466
avaliar em 812

avaliar em mais 482
avaliar para mais 481
avalista 771, 800, 807
avalizar 771
avambraços 717
avançada 234, 280, 282, 716
avançadamente & *adj.* 282
avançado 128, 250, 282, 740
avançador 282
avançamento 250, 282
avançar 35, 109, 250, 282, 467, 527, 535, 658, 716, 734
avançar e recuar 605
avançar o sinal (lit. e fig.) 929
avançar por entre 228
avanço 33, 282, 313, 658, 734, 775, 787, 789
avanço da ciência 490
avanços e recuos 605
avania 649, 739, 830, 907, 929
avantajar 648, 658
avantajar-se 33, 642
avantajar-se em importância 642
avantajar-se em riquezas 803
avante de 33
avante! 143, 282, 615, 716, 861, 931
avantesma 860
avant-garde metal 415
avaqueirado 852, 895
avarento 819
avareza 817, 819
avaria 619, 659
avariado do juízo 503
avariar 659
avaro 641, 643, 819
avassalador 739, 821
avassalamento 33, 157
avassalar 175, 731, 739, 749, 751
avassalar o coração 824
avatar 140, 976, 991
ave 366
ave agoureira 837, 859
ave de arribação 57, 268
ave de Juno 880
ave de Júpiter/de s. João 498
ave de mau agouro 859
ave de Minerva 512
ave de rapina 789, 792
ave de Vênus 946
ave! 838, 928
aveado 503
avejão 366, 515, 980
avelã 433
avelado 339
avelanado 433
avelar 258
avelhacado 940
avelhado 124
avelhantado 124, 128
avelhentar 124, 659
avelhentar-se 128
avelórios 643, 847
aveludado 324
aveludar 255, 324
ave-maria 126
avena 417
avenado 503
avença 23, 714
avença com a lei 963
avençal 746
avençar 746
avenida 69, 189, 260, 371
avental 225, 652, 717
aventar 514
aventura 151, 621, 622, 675, 692a
aventurado 861
aventurar 156
aventurar as pegas 510
aventurar uma proposição 477
aventurar uma sugestão 514
aventurar-se 177, 463, 621, 665, 675, 861, 863

aventurar-se a conjecturas 514
aventurar-se ao azul 305
aventuras 594
aventureiro 268, 463, 548, 621, 665, 861, 863
aventuroso 665, 881
averbamento 551
averbar 551, 929
averbar de 938
avergoar 972
averiguação 461
averiguar 461
avermelhado 434
avermelhar 434
avernal 978, 982
avérneo 982
Averno 982
avernoso 982
aversamento 828
Aversão 867
aversão 603, 610, 649, 764, 898, 932
aversão a comida 955
aversão às crianças 867
aversão às letras 491
aversão entranhada 898
aversia 867, 898
aves adj. de 366
aves agoureiras 665, 668
aves de mau agouro 512
aves de rapina adj. de 366
aves diversas, vozes de 412
avessado 218, 708
avessamente 603, 867
avessar 218, 679
avessia (ant.) 907
avesso (de tecido) 235
avesso 14, 214, 218, 235, 495, 603, 616, 708, 867, 891
avesso, o 14
avesso a 489
avesso à convivência 893
avezado 613
avezar 613
avezar um dote imenso 803
avezar-se 795
avezinha 366
avezita 366
aviação 267, 722
aviado (bras.) 797
aviador 268, 269
aviamento(s) 225, 632
avião (mulher bonita) 845
avião 273, 374, 726
avião a jato 273
avião de abastecimento em voo 727
avião de observação 727
avião sem piloto 727
avião-tanque 273
aviar 54, 161, 673, 680, 704, 729
aviar alguém 361
aviário 366, 370, 412, 636
aviar-se 684
avicida 361
avícula 366
avicultário 366, 370
avicultário 370
avicultor 370
avicultura 370
avidez (pelo que é alheio) 921
avidez 298, 819, 820, 825, 865, 943, 957
ávido 602, 819, 821, 825, 865, 957
ávido de 641
ávido do alheio 921
avigorar 159, 658
avilanar 874
avilanar-se 940
avilonar 874
aviltamento 659, 862, 874, 879, 934, 945
aviltamento da moeda 800

aviltante 483, 830, 874
aviltar 483, 659, 679, 813, 848, 874, 929, 934
aviltar-se 874, 886, 940
avinagrado 397, 959
avinagrar 397, 900
avindeiro 480, 724
avindo 151, 714, 769
avindor 480, 724, 967
avinhado 959
avinhar 959
avinhar-se 959
avio 632
aviolado 437
aviônica 267, 727
aviônico 273
avir 714, 723
avir(-se) 714, 831
avis rara 83, 137, 873
avisado 498, 646, 668, 864
avisador & premonitório 668
avisar 527, 668, 669, 932
aviso 505, 511, 512, 527, 532, 550, 664, 665, 668, 695, 864, 932
aviso ao leitor 64
avistar 441, 498
avistar o ponto negro da tempestade 510
avistar-se com alguém 588
avistável 197
avito 122, 124, 166
avitualhar 637
avivar 19, 35, 173, 375, 428, 684, 713, 824
avivar a memória 505
avivar as chamas 835
avivar o passo 274
aviventar 159, 163, 359, 660, 824
aviventar-se 861
avizinhamento 286
avizinhar-se 17, 121, 152, 199, 286
avizinhar-se de 176
avô 130, 166
avô e avó paternos e maternos 11
avoado 608
avoamento 250, 267
avocação 741
avocamento 741
avocar 625, 676, 741, 924
avocar-se 768
avocatório 741
avoejar 267
avoengado 166
avoengo(s) 122, 124, 166
avoengueiro 122, 124, 166
avoengueiro 124
avolumado 194
avolumar 706
avolumar(-se) 35, 194
avonda! (ant.) 142
avonde (ant.) 639
avulsão 301
avulso 10, 44, 73, 87, 301, 475, 477
avultado 31, 102
avultar 31, 35, 192, 250, 446, 482, 549, 557, 642
avultar como figura proeminente 873
avuncular 11
avunculicida 361
avunculicídio 361
axe 91, 215
axé 415, 840
axífugo 291
axila 244
axila 440e
axilose 401
axinomancia 511
axioma 80, 496
axiomático 474, 496
axípeto 288
áxis 312, 537

áxis de noções vagas | balança da justiça

áxis de noções vagas 491
axorado 645, 732
axorar 645, 731
axorcas 847
azabumbado 870
azabumbar 870
azado 134, 698
azáfama 59, 264, 682, 684, 686
azafamado 682
azafamar 684
azafamar-se 682
azagaiar 378, 649
azamboado 256, 391
azamboar 376, 391
azar 153, 156, 619, 621, 735
azarar 865
azarento 735
azares/ardores da guerra 722
azaria 720, 722
azar-se 134
azavã 253
azebre 356a, 395, 435
azeda 397
azedado 900
azedamente 900
azedar 397, 835, 900
azedar-se 900
azedia 397
azedinha 397
azedo 392, 395, 397
Azedume 397
azedume 395, 713, 898, 900, 901
azeitamento 332
azeitar 332, 393
azeite 356, 388, 393
azeite doce 356
azeiteira 332
azeitona 435
azeitonado 435
azemel 271, 797
azêmola 271, 493, 501
azenha 330
azer pregas & *subst.* 258
azerar 253
azervado 232
azerve 232, 717
azevichado 431
azevichar 431
azeviche 431
azevieiro 961, 962
azia 655
azia de queixos (pop.) 865
aziado 830
aziago 649, 735
aziar 378, 633, 975
azimita 987
ázimo 674
azimute 212, 244, 278, 466
azinhaga 627
aziumar 397, 900
aziúme 397
azo 134, 617, 646
azoar 404, 508, 900
azoico 358
azoinado 404, 499, 503
azoinar 404, 412, 584
azoratado 376
azoratar 376, 499, 870
azorragada 972
azorragar 972
azorrague 615
Azorrague 975
azotar 334
azote 334
azótico 334, 657
azoto 334, 663
azougado 682, 698, 702, 825, 901
azougar 698
azougar-se 682
azougue 171, 274, 682
azucrinante 410
azucrinar 830, 832
Azul 438

azul 338, 438
azul da Prússia 438
azul, o 318
azulado 196, 438
azulão 438
azular 438, 623
azular no horizonte 196
azul-celeste 438
azul-claro 438
azulejar 438
azulejo 223, 438
azulescente 438
azul-ferrete 438
azulina 438
azulino 438
azul-marinho 438
azuloio 437
azul-piscina 438
azul-turquesa 438
azul-turqui 438
azul-ultramarino 438
azul-violeta 438
azumbrado 243
azumbrar 245, 324
azurrar 412

B

Baal 979, 986, 991
baba 299
baba, uma 803
babaca (chulo) 605
babaca 501, 547, 749
babadinho 897
babado 39, 231, 549
babador 127
babalaô 994
babalorixá 996
babanca 501
babão 501, 870, 886, 897
babaquara (bras.) 738
babaquara 188, 501
babar 337, 583, 653
babaréu 669, 856, 929
babar-se de gosto 827, 831
babar-se por 865, 897
babau! 859
babeiro 127
Babel 41, 59, 465a, 519, 560, 563, 580
babel de palavras 884
babélico 41, 59
Babilônia 59, 519
babilônico 59
babismo 609, 774, 984
babosa 395
baboseira 497, 517
babosice 497, 517
baboso 499, 583
babucha 225
babuche 225
babugem 299, 643, 645, 653
babujar 653, 933
babul 388
baby-doll 225
bacalaureato 873
bacalhau (bras.) 975
bacalhau 962
bacálio 780
bacamarte 593, 683, 727
bacanal 640, 954, 959, 961
bacante 959, 962
bacará 840
bacharel tibi quoque 493
bacharela 584
bacharelada 477
bacharelado 873
bacharelando 541
bacharelar 477, 584
bacharelar-se 873
bacharelice 477, 491, 517, 584
bachibuzuk 726
bacia 191, 252
baciada 190

bacio 191, 653
baço 127, 221, 422, 426, 429, 433, 440e
bacoco 499, 501
bacon 356
Bacoreja-me o coração que... 510
bacorejar 412, 510
bacorejo 510
bacorinhar 412
bácoro 129
bactéria 193
bactérias 727
bactromancia 511
báculo 215, 747, 999
badajo (ant.) 584, 683
badajo 584
badalado (inf.) 531
badalão 584
badalar (inf.) 531
badalar 402a, 407, 412
badalar sob fortes rubricas 531
badaleira 584
badaleiro 584
badalejar 383, 402a, 860
badalo 214
badame 262
badameco 129, 877
badana (gír.) 271
badana 203, 214
badanal 59
baderna 738
badinage 842, 856
badine (gal.) 215, 324
badulaque 643, 645
baeta (depr.) 565
baeta 384
baetilha 384
bafafá 59
bafagem 349
bafejar 349, 405, 707
bafejo 349, 664, 707, 734
bafejo carinhoso 705
bafejo da fortuna 156, 618, 731
bafio 398, 401
bafo 337, 349, 359, 498, 514, 546, 615
bafo de onça 401
baforada 349, 884
baforadas de ira 900
baforar 349
baforeira 884
bafum (reg.) 401
baga 32
bagaceira (cachaça) 959
bagaceira 517
bagaço 645
bagadas 839
bagagem 319, 635, 727, 780
bagagem literária/científica 490
bagalhoça 800, 803
bagarote (bras.) 800
bagata 992, 993, 994
bagatela 4, 32, 643, 815
bagatelas sonoras 517
bagateleiro 460
bagaxa 962
bago (gír.) 800
bago 32, 249
bagoado 249
bagocho 222
bagual 271
bagulho (gír.) 800
bagulhoso (gír.) 803
bagunça 59, 61
bagunçado 59, 61
bagunçar 59, 61
baía 252, 343, 370
baião 415, 840
baiar (bras.) 840
bailadeira 655
bailado 599
bailador 599, 840

bailão 840
bailar 314, 840
bailar a dúvida no espírito de alguém 475
bailarico 599, 840
bailarim 599
bailarina 599
bailarino 559, 599
bailariqueiro 840
baile 599, 840, 883
baile funk 415
bailete 599
bailéu 215
bailiado 965
bailio 758, 965, 967
bainha 191, 223, 231
baio 440a
baioneta 262, 727
baionetada 716
bairão 998
bairrismo 79, 910
bairro 181, 189
baitarra (bras.) 941
baitola 374a
baiuca 799, 959
baiuqueiro 959
baixa 36, 308, 552, 659, 815
baixa do câmbio 800
baixa esfera 877
baixa na culpa 970
baixa temperatura 383
baixada 207, 252
baixa-mar 36, 207, 283, 348
baixar 36, 207, 306, 659, 741, 815, 963
baixar a cabeça 743, 879
baixar a temperatura 383a
baixar às regiões do sepulcro 360
baixar de importância 930
baixar informação/programa da rede para computador 527
baixar os olhos 881
baixar uma ordem do dia 741
baixaria 940
baixar-mar 641
baixeira 207
baixel 273
baixela 72, 780
Baixeza 207
baixeza 34, 193, 815, 862, 874, 879, 886, 933, 940
baixinho 528
baixio 209, 346, 667
baixios 667
baixo (diz-se das festas móveis) 132
baixo 32, 193, 207, 243, 405, 408, 415, 417, 563, 580, 649, 852, 862, 874, 877, 886, 930, 940, 945
baixo-relevo 557
baixos 667
baixote 193
baixura 207, 815, 879
bajoujar 902, 933
bajoujice 499, 933
bajoujo 897, 933, 935
bajulação 886, 933
bajulador 607, 886, 933, 935
bajular 886, 933
bajulice 933
bájulo (ant.) 271
bala 274, 284, 396, 409, 727
Balaã 513
balaço 716
balada 415, 597, 840, 892
baladar 584
balaio 191
balaio e a tampa 89
balalaica 417
balança (peso) 466
balança 319
balança da justiça 922

balançar | barbárie

balançar 27, 214, 314, 464, 605
balançar contas 811
balancé 19
balancê 314, 840
balanceado 314
balanceamento 314
balancear 27, 85, 214, 314, 464, 605, 811
balanceio 314
balanceiro 314
balancete 811
balancim 314
balanco (asiát.) 273
balanço 214, 314, 480, 625, 811
balandra 273
balandrau 846, 999
balandronada (bras.) 884
balantidiose 655
balão 249, 273, 305
balão cativo 726
balão de ensaio 463
balão livre 726
balar 412
balas de borracha 727
balas encadeadas 727
balastrar 223
balastro 223, 330
balato (p. us.) 412
balaústia 434
balaustino 434
balaustrada 215, 232, 717
balaustrar 229
balaústre 215, 232
balázio 592, 716
balbo 583
balbuciação 583
balbuciante 129, 583
balbúcie 583
balbuciente 583
balbucio 405
balbúrdia 59, 402, 404, 411, 475
balbúrdia de mil demônios 59
balburdiar 61
balcão 189, 250, 599, 794
balcão nobre 599
balda 503, 608, 651, 822, 945
baldada 190
baldado 645, 732
baldão 732, 735, 907, 929
baldaquim ou baldaquino 1000
baldaquino 747
baldar 645, 706, 732, 761
balde 191
baldeação 270
baldear 270
baldio 169, 645, 674
baldo 641, 645
baldoar (ant.) 907
baldoar 929
baldrocar 545
baldrocas 545
balé 415, 692a
baleeira 273
baleia 192, 341
balela 532, 546
balestilha 244, 253
balestra 727
balestreiro 717
balha 840
balhadeira 840
balhar 314, 840
balido 412
balir 412
balista 727
balística 722, 727
balístico 284
baliza 67, 233, 278, 550
balizar 229, 233, 466
balloné 309
balmaz 45
balmázio 45
balneação 337
balnear 337

balneário 337
balneatório 337
balneável 337
balneoterapia 337
balofice 878
balofo 194, 243, 324, 517, 544, 878, 880
balonismo 840
balordo 499, 653
balouçamento 314
balouçar 314, 605
balouço 314
balsa (ant.) 550
balsa 232, 273, 367
balsamado & *v.* 400
balsamar 400
balsameia 400
balsâmeo 400, 662, 834
balsâmico 398, 400, 662, 683, 834
balsamizar 400
bálsamo 174, 400, 834
balsão 550
balseira 367
bálteo 999
baluarte 215, 666, 717
bambá (bras.) 59
bamba 694, 700
bambalear 214, 314
bambalear-se 315
bambaleio 314
bambalhão 683
bambambá 694
bambão 314
bambar 44, 324
bambear 44, 324, 605
bambinela 214, 847
bambino 129
bambo 44, 47, 324, 326
bambochata 840
bambochatas 954
bambolê 247
bamboleadura 314
bamboleando-se 314
bamboleante ou bambaleante 314
bambolear 314
bambolear-se 855
bamboleio 314
bambolim 214, 847
bambolina 214, 599
bambu 324, 367
bambual 367
bamburral 344
bambúrrio 156, 731, 734
bambúrrio da sorte 601
bamburrista 601
banal 80, 490, 499, 517, 575, 613, 643, 683, 852, 871
banalidade 499, 517, 575, 643, 736, 843, 852
banalizar 613
banana (pop.) 929
banana 501, 605
bananal 371
bananeira que já deu cacho 643
banazola 501
bancada 696
bancar 544
bancar o surdo 764
bancar o tolo 497
bancário 802
bancarrota 732, 808
bancarroteiro 808
banco 215, 636, 800, 802, 805, 1000
banco de areia 209
banco de honra 973
banco imobiliário 840
bancos 667
bancos de areia 667
banda 45, 205, 236, 247, 276, 278, 415, 417, 550, 712, 716, 747
banda de música 64

banda podre (pop.) 945
bandalheira 940
bandalhice 852, 940
bandalho 852, 853, 854, 941, 961
bandarilha 253
bandarilhar 378, 716
bandarilheiro 726
bandarra 513, 683, 840, 877, 962
bandeador 607
bandeamento 607
bandear-se 709
bandear-se para o inimigo 940
bandeira (bras.) 726
bandeira (fig.) 697
Bandeira 338, 484, 550, 712, 737, 747
bandeira amarela 668, 669
bandeira branca 723
bandeira de candeeiro 424
bandeira dos candeeiros 422
bandeirante 64
bandeiras 402a
bandeiras em funeral 839
bandeirinha 607
bandeiro 481, 607, 923
bandeirola 550, 847
bandeirolas 615
bandeja 191, 215
bandejar (o trigo) 652
bandel 181, 189
bandido 792, 907, 913, 949
banditismo 907
bando 72, 75, 102, 527, 529, 712, 741
bando armado 726
bando de vadios 72
bando de velhacos 941
bando precatório 765
bandola 417
bandoleira 215
bandoleirismo 791, 907
bandoleiro 548, 792, 897
bandolim 417
bandoneon 417
bandoria (ant.) 742, 907
bandorias do diabo/coisas do arco-da-velha 907
bandulho (pop.) 191
bandulho 250
bandurrear 416
bandurrilha 416, 853, 941
bang! 406
bangalé 840
bangalô 189
bang-bang 402a
banguê (bras.) 363
banguê 272
banguela ou anodonte 440d
banguelo (bras.) 243
banha 356
banhado (bras.) 345
banhado em prantos 839
banhado em riso e alegria 836
banhar 199, 337
banhar as mãos no sangue de 361
banhar-se em água de rosas 734, 827, 831, 836
banheira 337
banheiro 652
banho 300, 310, 337, 652
banho de assento 337
banho de igreja (pop.) 903
banho de luz 420
banho de vapor 386
banho quente 386
banho russo 386
banho turco 386
banhos 903
banido 893
banido da sociedade 945
banimento 55, 185, 297, 610, 893, 972

banir 55, 162, 270, 297, 610, 893, 972
banjo 417
banner 531
banqueiro 800, 801, 803
banqueta 717, 1000
banquete 377, 840
banquete sagrado 998
banquetear 840, 954
banquetear-se 298, 377
banquetes 954
banquette 717
Bânquo 88
bantineiro (asiático) 269
banzado 509, 870
banzar 508, 870
banzé 59, 742, 840
banzear 314
banzeiro (bras.) 901a
banzeiro 174
banzo 833
baobá 206
baque 306, 406, 408a, 732, 735, 821
baquear 360, 659, 732, 735
baqueta 215
baquetear 416
báquico 954
baquio 597
baquista 954a, 959
bar 189, 799, 959
bar-mitzvá 998
baraço 45, 975
barafunda 59, 72
barafustar 315, 682, 719
baragouin 517
baralha 59, 626, 742
baralhada 41
baralhado 59
baralhar 41, 61
baralhar as cartas 673
barambaz 214
barão 875, 876
barão de Munchausen 548, 549
barata de igreja (depr.) 988a
barata de sacristia (depr.) 988a
baratar (ant.) 162
baratar 483, 794, 815
baratar a honra por dinheiro 940
barataria 148, 544, 784, 794
barateado & *v.* 815
barateamento 483, 815
baratear 34, 483, 813, 815, 934
barateio 815
barateiro 797, 815
barateza 34
Barateza 815
baratinado 504
barato 34, 643, 705, 815
baratômetro 389
bárato 198, 667, 975, 982
barba 131, 256, 373
barba a barba 237
barba de baleia 325
barba-azul 361, 903, 962
barbacã 717
barbaçana 256
barbaças 130, 256, 366, 373
barbacena 373
barba comprida/quadrada/em ponta 131
barbaçudo 131, 256, 373, 440d
barbada 705
barbadão 373
barbadinho 996
barbado 131, 256, 373, 440d
barbalhoste 160
barbante 45, 205
barbar 131, 256
barbaria 491
barbárico 907
barbárie 895, 907

barbarismo | batráquio

barbarismo 57, 495, 563, 568, 579, 852, 895
barbarizar 568, 659
bárbaro 241, 563, 579, 674, 739, 852, 877, 907, 913, 914a
barbarolexia 563
barbarrão 256
barbas honradas 939
barbata 884
barbatana 325
barbatear 884
barbato 256, 997
barbeado 131
barbear 195, 201
barbearem-se mutuamente 709
barbechar 371, 673
barbeiragem 699
barbeiro (pejorativo para) 701
barbeiro 349, 383, 690, 701, 913
barbeirola (depr.) 690
barbeirola 701
barbeito 233, 371
barbela 214, 440e
barbete 717
barbialçado 861
barbicacho 706, 752
barbicano (poét.) 128
barbifeito 440d
barbífero 131, 256, 373
barbilho 205, 706
barbilimpo 131
barbiloiro 131
barbilongo 131
barbinegro 131, 440d
barbinha 131
barbipoente 440d
barbirrostro 440c
barbirruivo 131, 440c, 440d
barbiteso 131, 373
barbitúrico 376
barbudo 131, 256, 373
barca 273, 627
barca de Caronte 982
barca de S. Pedro 983a
barcada 190
barcagem 190
barcarola 415
barco 273
barco à vela 273
barda 232
bardada 716
bardo (poeta) 416
bardo 232, 501, 597
barga 189
barganha 148, 769, 775, 794, 940
barganha recíproca 12
barganhar 12, 148, 769, 794
bargantaria 940
bargantear 940
barimetria 319
barinel 273
bário 324
barítono 408, 415, 580
barjuleta 191
barlantim 599
barlaventear 267, 278
barlaventejar 267
barlavento 236
barnegal 191
baroco 577
barógrafo 338
barologia 319
barométrico 510
barômetro 338, 466, 510, 668
baronado 875
baronato 875
baronesa 875, 876
baronia 875
barosânemo 338, 349
baroscópio 338
barquear 267
barqueiro 269
barquejar 267

barquinha 363
barra (fam.) 159
barra 40, 67, 200, 231, 233, 343, 348, 633, 706, 840
barra de ouro 800
barra do tribunal 966
barra em fora 267
barraca 189, 223, 424
barracão 189
barraco 189
barrado 229
barragem 232, 706
barramaque 556
barranco 252, 342, 667, 706
barrancoso 665, 706
barrar 55, 223, 261, 706
barregã 962
barregão 962
barregar 412
barregueiro 962
barreguice 961
barreira 232, 233, 263, 706, 717
barreirar 706
barreiro 343
barrela 335, 652
barrenhão 191
barrento 352, 653
barretada 894, 928
barrete 225, 717, 747, 999
barretina 225
barricada 232, 706, 717
barricar 706, 717
barrido 412
barrieira (ant.) 747
barrieira 247
barriga 191, 250, 532
barriga da perna 440e
barrigudo 194, 243, 250,846
barril 249
barril do lixo (burl. e fig.) 877
barrilada 59, 190
barrilete 45
barrilha 652
barrir 412
barrista 599
barro 45, 324, 342, 352, 635, 643
barroca 206, 252
barrocal 206, 667
barroco 206, 342, 847, 855
barroso 324, 440b, 653
barrotar 215
barrote 215
barrotear 215
barruntar 475, 485, 510, 514
barrunto 475, 485, 514
bartedouro 340
barulhada 411
barulhar 61, 402a, 404
barulheira 402, 404, 411
barulheiro 404, 411, 720
barulhento 402, 404, 411, 720, 825
barulho 402, 411, 531, 682, 720
Barulho 404
bas bleu 492
basal 215
basáltico 323
basalto 323
basbaque 501
basbaquice 499
basculhar 455, 461, 652
basculho 455, 652, 746
base 56, 84, 153, 207, 215, 246, 476, 484, 615
Base 211
base do quadro 556
baseado 467
basear 211, 467
basear-se 467
basear-se em 215
basear-se em arbitramento 774
básico 5, 211, 215, 630, 642
basificação 211

basificar 211
basilar 211, 215, 630, 642
basílica 1000
basilicário 711, 996
basilisco 83, 441, 727, 913
basinérveo 367
basquete 840
basso 408
basta! 142, 403, 639, 869
bastança 639
bastante 31, 639
bastante na consciência de todos 640
bastante! 643, 869
bastão 215, 727
bastão de comando 693, 747
bastão de império 747
bastão do mando 737
bastar 639
bastar a 639
bastardear 659
bastardia 659
bastardinho 561, 590
bastardo 167, 545, 561, 590, 925
bastião 717
bastida 102, 321, 717
bastidão 102, 321
bastidor 599
bastilha 717, 752
bastinado 972
bastir 161
basto 102, 201
basto 3, 321
bastonário 263
bastos (pop.) 781
bastura 321
bat mitzvá 998
bata 225
batá 417
batalha 720, 722
batalha indecisa 27, 730
batalhação 606, 686
batalhador 686, 711, 720, 722, 726
batalhante 726
batalhão 102, 726
batalhão patriótico 726
batalhar 476, 686, 720, 722
batata 250, 440e, 546, 846
batatas podres 929
batateiro 548
bateada 190
bate-barba 713
bate-boca 713, 889
batecu 306
batedor 64, 234, 664, 280, 534, 668, 673
batedor de carteiras 792
bate-estacas 633
bate-folhas 690
bátega 191
bátega-d'água 348
bateia 191
bateira 273
batel 273
batelada (de arroz) 72
batelada 190
batelão 273
batente 66
bate-pau (bras.) 726
bater 41, 114, 276, 402, 402a, 716, 731, 830, 932, 972
bater a adversidade à porta 735
bater à boa porta 731
bater a carteira 791
bater a outra porta 732
bater a pacuera (pop.) 360
bater a plumagem 623
bater à porta 121, 152, 197
bater à porta de 765
bater as adargas a alguém 715
bater as asas 623
bater às desmortes 972

bater asas 623
bater até/para matar 972
bater cabeça (em cultos afro--brasileiros) 990
bater com a cara na porta 764
bater com a vara na cabeça da cobra 134
bater com as asas 315
bater com o malho 276
bater com o nariz no chão 213
bater com verdasca 716
bater de dentes 383, 860
bater de encontro 276
bater de leve na cobra 641
bater do coração 821
bater em retirada 283, 607, 725
bater mato 279
bater na mesma tecla 104, 841
bater no peito 839, 950
bater no/ao coração 914
bater o campo 461, 463
bater o coração a alguém 858
bater o coração alvoroçado 821
bater o coração com intensidade 824
bater o martelo 769
Bater o pulso violento e febril 824
bater o queixo 383
bater o recorde 33, 873
bater os acicates 824
bater ou tocar punheta (chulo) 961
bater palhada (bras./ant.) 961
bater palmas 838
bater palmas a/para 931
bater papo 588
bater/ir em retirada 623
bateria (de peças de artilharia) 72
bateria 417, 716, 717, 726, 727
bateria de cozinha 298
bateria mascarada 528
bater-se com 720
bater-se com espartana bravura 861
bater-se contra 708
bater-se em duelo com 720
bater-se por 720
Bateu, levou (pop.) 919
batibarba 932
baticum (bras.) 713
batida 298, 402a, 613, 622, 932
batido 82, 104, 124, 613, 643, 645, 677, 725
batido pelas tempestades de 824
batido pelos ventos 656
batimento de queixo 821
Batina 999
batisfera 273
batismal 998
batismo 564, 998
batismo de sangue 361
batismo mergulhador 310
batissela 268, 701
batista 984
batistério 1000
batizar (vinho/galosina) 41, 544
batizar 564, 998
batocar 261
batologia 104, 573, 579
batologizar 104
batometria 341
bâton 215
batoque 193, 263, 671
batorelhas 501
batota 544, 545, 621, 945
batotear 545
batoteiro 621, 701, 941
batracoi 366
batráquio 935

battre le fer sur l'enclume 134
battue 716
batucada 415
batucar 104, 276, 840
batuque 840, 961
batuta 80, 413, 693, 737
baú 191
baunilha 400
bavardage 517
bazar 799
bazófia 482, 880, 884
bazofiador 884
bazofiar 482, 878, 884
bazófias! 881
bazófio 884, 887
bazuca 727
bazulaque 356, 846
bdélio 356a
bê-a-bá 66, 561
beatão (depr.) 988a
beateiro (depr.) 988a
beatério 988
Beati pauperes spiritu! 501
Beati possidentes! 777
beatice 988
beatificação 827
beatificado 827
beatificar 734, 829, 931, 998
beatífico 827, 987
beatíssimo 876
beatitude 827, 876
beato (depr.) 988a
beato 827, 977, 987
beatorro (depr.) 988a
bebaço 959
bêbado como um gambá 959
bebê 129
bêbeba 962
bebedeira 959
bebedice 959
bêbedo 959
bêbedo como uma sopa/como um lorde/como Cloe 959
bêbedo ou bêbado 959
bebedor 959
bebedor emérito 959
bebedouro 74
beber 296, 298, 959
beber a grandes tragos 298
beber à saúde de 894
beber além da conta 954
beber as lágrimas de alguém 834
beber até cair (pop.) 954
beber azeite 702
beber conhecimentos /informações 538
beber desgostos 828
beber o sangue a alguém 898
beber os ares/os ventos por 897
beber somente água 958
beber trabalhos e desgostos 828
beberagem 298, 662
beberes 298, 959
beberete 298
bebericar/beberricar 298, 959
beberrão 959
beberraz 959
beberricação 959
beberrico 959
beberronia 840, 954, 959
beberrote 959
bebes 298
bebida 296, 298, 662
bebida alcoólica 392
bebida branca/espirituosa/inebriante/de guerra 959
bebida dos deuses 394
bebida reles 959
bebidas espirituosas 824
bebop 415
bebum 959

beca 747, 876
bécher 191
beco 189, 260, 627
beco sem saída (joc.) 903
beco sem saída 252, 261, 704
bedame 262
bedel 263, 965
bedelhar 682
bedelho 45, 129
beduíno 792, 895,
beetria 59
begônia 434
beguina 996
beguinaria 893
beguino (depr.) 988a
beguino 987
begume 875
bei 745
beiça 214
beiçada 214, 250
beiçana 214, 350
beiço(s) 214, 231, 250, 440e
beiçola 214
beiçudo 243, 250, 440d, 846, 978
beija-flor 366, 845
beija-mão 928
beija-pé 928
beijar 199, 894, 897, 902
beijar a fimbria do manto de alguém 886
beijar a santa 213
beijar as mãos 879
beijar o céu 206
beijar o chão 213
beijar o pó 725
beijar os pés 207
beijinho 330, 648
beijo 199, 829, 894, 897, 902
beijo de Judas 544, 546, 940
beijo de paz 723
beijoca 902
beijocador 897, 902
beijocar 902
beijoqueiro 894, 89, 902
beilicado 181
beira 199, 231, 342
beirada 66, 231, 342
beiradas 227
beiral 231
beira-mar 231, 342
beirar 121
beisebol 840
bel canto 415
bel esprit 844
Bel/Belo 979
belacíssimo 722
beladona 663
belamente & *adj.* 845
belas-letras 560
belas palavras 482, 544
belas, bonitas palavras 577
belas/boas palavras 768
belas-artes 554, 850
belchior 701
beldade 374, 845
beldar (reg.) 584
beldoegras 501
beleguim 965
beleza 242, 578, 829, 845
Beleza 845
beleza romana 845
belfas 250
belfo 243, 440d
belfudo 243
belga 371
belial 978, 980
beliche 191
belicismo 722
bélico 722, 726
belicosamente 708
belicosidade 861
belicoso 720, 722
belida 443

belífero 722
beligerância 720
beligerante 722, 726
beligero 722
belipotente 722
belisário 828
beliscado em seu amor próprio 824
beliscadura 378, 615
beliscão 378, 615, 824
beliscar a honra alheia 934
belisco 378
belíssimo 870
beliz 702, 899
Bella matribus detestata 722
bellator campus 722
bellatrix iracundia 722
bellica déa 722
bellicum canere 713, 722
bello domique 112
belo 242, 377, 413, 476, 577, 648, 654, 775, 829, 845, 942, 944
belo sexo 374
belomancia 511
Belona 722
bel-prazer 600
Beltane/Beltaine 998
beltrano 78, 372
beltrão 372
beluário 370, 726
beluíno 366, 895
belveder 441
belvedere 206, 441
belver 441
Belzebu 978
bem 474, 488, 618, 644, 648, 698, 827, 897, 899, 931
Bem 618
bem a propósito 646
bem abastecido 639
Bem Absoluto 976
bem assentado 23
bem assim 37
bem assinalado 446
bem assombrado 731
bem comido 192
bem como 17, 37
bem compleicionado 159
bem concebido 611
bem conhecido 613
bem conservado 131, 141
bem constituído 654
bem dentro 208
bem desenhado 594
bem disposto 58, 654
bem elaborado 578
bem expresso 578
bem favorecido 845
bem figurado 472
bem fundado 472, 474, 494
bem geral 910
bem guardado 751
bem haja! 916
bem haja... 931
bem logrado 731
bem palmilhado 613
bem planejado 155, 611
bem poucas vezes 137
bem provido 639
bem público 910
bem que 30, 469
bem regrado 82
bem regulado 58
bem reputado 873
Bem sei as linhas com que me coso 604
bem temperado 392
bem trabalhado 673
bem trilhado 677
bem visível 525
bem, o 944
bem-acabado 52, 242, 578, 650, 845

bem-acondiçoado 168
bem-afortunado 734, 827
bem-afortunar 734, 829
bem-agradecido 916
bem-amado 897, 899
bem-andança 734
bem-andante 734
bem-apessoado 845
bem-aproveitado 731
bem-assombrado 731
bem-aventurado 734, 827, 944, 977
Bem-aventurados os pobres de espírito, porque deles é o reino dos céus 501
bem-aventurança 734, 827, 981
bem-aventurar 734, 829
bem-comido 957
bem-comportado 944
bem-conceituado 939
bem-conformado 845
bem-criado 192, 894
bem-disposto 831
bem-dotado 845
bem-educado 894
bem-ensinado 894
bem-estar 377
bem-estar 618, 664, 734, 827
bem-estar comum 618, 910
bem-estar da coletividade 644
bem-fadado 734
bem-falante 582
bem-fazer 906
bem-humorado 906
bem-intencionado 648, 906, 944
bem-mandado 743
bem-merecedor da pátria 873
bem-nascido 23, 734, 827, 875
bemol 413
bemolar 413
bem-parado 734
bem-parecido 845
bem-posto 611, 845
bem-proporcionado 242, 845
bem-soante 413
bem-sucedido 731
bem-utilizado 731
bem-vindo 134, 888
bem-visto 897, 906, 928, 939
bênção 618, 648, 827, 916, 931, 990
bênção nupcial 903
bençoairo (ant.) 551
bendenguê 840
bendito 827, 931
bendizente 931
bendizer 931, 990, 998
bendizer os fados 916
bendizer os fados/a sua estrela 838
bene habeat 931
bene trovato 472, 515, 545, 546
benedicite! 298
beneditino 492, 996
beneficência 648, 816, 906, 944
beneficente 906
beneficiação 658
beneficiado 785
beneficiar 644, 648, 658, 707, 906
beneficiário 779, 785
benefício 618, 644, 658, 707, 740, 775, 784, 810
beneficioso 644
benéfico 644, 648, 656
benemerência 873, 906, 910, 944
benemérito 784, 873, 910, 912, 944, 948
beneplácito 488, 760, 762, 931
benesse 784, 973
benevolência 648, 894, 897, 910, 914, 942

Benevolência | bíparo

Benevolência 906
benevolente 648, 760, 906
benévolo 648, 906
benfazejo 648, 906
benfazer 648, 906
benfeito 242
benfeito de corpo 845
benfeitor 906, 948
Benfeitor 912
benfeitoria 780
benfeitorizar 658
bengala 215, 727
beni recte 488
benignidade 174, 648, 656, 740, 829, 906, 914
benigno 174, 383a, 602, 648, 656, 740, 879, 894, 906, 914
Benjamim 123, 899
benquerença 897, 906
benquerente 897
benquerer 897
benquistar 723, 897
benquistar-se 888
benquisto 888, 897, 906, 928
bens 632, 780, 798, 800, 803
bens de alma 363
bens de mão morta 780
bens de raiz 780
Bens de sacristão cantando vêm, cantando vão 776
bens do evento 643, 777a
bens do mundo 803
bens dotais 780
bens imóveis 780
bens mobiliários 780
bens parafernais 780
bens profetícios 780
bentinho(s) 876, 998, 999
bento 662, 701, 987, 998
Benza-te Deus! 932
benzedeira 994
benzedeiro 701, 994
benzedor 662, 701, 994
benzedura 670, 992, 993
benzer 660, 998
benzer-se 990
benzer-se com alguma coisa 731
benzer-se de 908
benzilhão 994
benzina 356
benzinho 897, 899, 902
benzinho-amor 840
benzodiazepina 376
Beócia 501
beócio 501
bequadro 413
beque 250, 398, 440e
berbequim 262
berça 517
berço 66, 127, 153, 189, 875
bergamota 400
bergantim 273
beriba 271
beribéri 655
berilo 435
berimbau 417
berlinda 272
berliques 214
berloque(s) 643, 847, 852
berma 211, 228, 627
bermudas 225
bernarda 742
bernardice 497, 499
bernardo 957
berne 655
berra 961
berrante 14, 428, 517
berrão 129
berrar (voz de animal) 366
berrar 411, 412, 580, 582
berrar a valer 404
berrar por 630, 865

berraria 411
berrata 411
berratório 411
berregar 412
berrego 412
berreiro 404, 411
berro 411, 412
bersaglieri 726
berzunda 959
besigue 840
besoural 366
besouro 366, 407
Bess 727
besta 271, 366, 493, 727, 878, 880, 885
besta quadrada 493, 501
besta-fera 949
besteiro 284, 726
besteirol 599, 692a, 857
bestiaga 271, 501
bestial 497, 499, 653, 895, 954, 961
bestialidade 499
bestialização 823
bestializado & *v.* 823
bestializar 458, 499, 508, 823, 870
bestialógico 586
bestiário 726
bestidade 499
bestificado 158, 732, 870
bestificar 458, 499, 508, 870
bestificar-se 699
bestunto 440e, 450
besugo 192
besuntadela 491
besuntão 653, 852
besuntar 223, 332, 653
besuntona 653
beta 440, 636, 848
betão 45
betar 440
bête à manger du foin 501
bête noire 898
betesga 261, 704
betilho 752
beton 45
betonar 223
betonilha 45
betumar 43, 45
betume 45
bévue 732
bexiga 191, 440e, 848, 857
bexigar 856
bexigoso 848
bexigueiro 840, 842
bexiguento 848, 856
bezerro 366
bezerro de ouro 986, 991
bezesã (Síria) 799
bezoar 412
biaristado 253
bibe 127
bibelô 845
biberão 127
biberon 127
bíblia 484, 985
bibliátrica 593
bíblico 985
bibliofilia 593
bibliófilo 593
bibliografia 593
bibliógrafo 593
bibliolatria 984
bibliomancia 511
bibliomania 490, 593
bibliomaníaco 490, 492, 593
bibliopeia 593
bibliopola 593
bibliopolista 593
bibliótafo 593
biblioteca viva 492
bibliotecário 593

biblioteconomia 593
bibliotecônomo 593
biblista 984
bibo 250
biboca 530, 706
bíbulo 296, 298
bica 295, 348, 350
bicácaro 878
bicada (de uma mata) 66
bicada 378
bical 253
bicampeão 89
bicanca 250, 440e, 846
bicancra 225
bicar 378, 959
bicaudado 440c
bicéfalo 83
bicha 248, 366, 374a, 662, 901, 913, 961
bichaço 702, 803, 875
bichado (bras.) 124
bichanar 405
bichancros 902
bichano 366
bichar 124, 659
bicharão 366
bicharoco (fam.) 860
bichinha-gata (pop.) 902
bicho 271, 366, 541
bicho da consciência 950
bicho de cozinha 746
bicho de estimação 370
bicho de sete cabeças 704
bicho de sete cabeças 860
bicho do mato 893, 895
bicho geográfico 655
bicho-carpinteiro 165
bicho-da-seda 366
bicho-homem 949
bicho-papão 860
bichoso (deteriorado) 124
bicicleta 272
bicípite 83
bicloreto de mercúrio 663
bico (de bule) 350
bico 210, 234, 253, 959
bico calado! 403
bico de obra 704
bico de pena 556
bico ou brinco de junco (fam.) 643
bico, ponta x cabeça 237
bicolor 440
bicôncavo 445
biconjugado 91
biconvexo 445
bicorne 253
bicórneo 253
bicórnio 225
bicudo 203, 244, 253, 565, 704
bicúspide 91
bidê 653
bidentado 253
bidente (ant.) 371
bíduo 108
bienal 138
biênio 108
bifar 791
bife (depr) 565
bifendido 91
bífero 367
bífido 91
bifloro 367
bifocal 445
bifoliado 367
biforme 20a, 81
biformidade 89
bifronte 83, 234, 544, 940
bífugo 285
bifurcação 91, 242, 244
bifurcado 91, 244
bifurcar 91, 244
bifurcar-se 291

big shot 875
bigamia 903
bígamo 903
bigêmeo 89
bigênito 89
bigle 366
bigode 131, 256
bigodear 545
bigorna 215, 418
bigorrilha(s) 852, 877, 941
bigote 548
bigotismo 544
bigúmeo 253
bijou 845, 847
bijuteria 847
bilateral 12, 769
bilbode 840
bile 900
bile ou bílis 901
bilha 191
bilhão 98
bilhar 840
bilharda 840
bilharzíase 655
bilhestros 643
bilhete 184, 550, 592
bilhostre 57, 941
biliardário 803
biligulado 367
bilíngue 490, 492, 544, 560
bilionésimo 99
bilioso 837, 901
bílis negra 837
bilisatra 837
bill de indenidade 918, 970
bill of fare 298
billetdoux 592
bilontra 702, 941, 962
bilontragem 940, 961
bilro 193, 312
biltraria 940
biltre 940, 941, 949
bimá 1000
bímano(s) 372
bimar 228
bímare 342
bimarginado 228, 342
bimbalhada 402a
bimbalhar 402a, 407
bimbarra 276, 307, 633
bimensal 138
bimetalismo 800
bimo 123
bimorfo 81
bimotor 273
binação 998
binágio 998
binar 998
binário 89, 413
binga (bras.) 388
bingo 840
binoculado 443
binocular 445
binóculo 445
binômino 564
binômio 89
binômio de Newton 85
bioco 855
biocombustível 388
biogênese 161
biografar 594
biografia 551, 594
biográfico 594
biógrafo 553, 593,594
biologia 357, 359
biologista 492
biólogo 690
biomassa 388
biombo 530, 666
biópsia 662
bioquice 544
bípara 161, 168, 374
bíparo 89

bipartição | boi de cor de laranja

bipartição 91
bipartido 91
bipartir 91
bipatente 260
bípede 372
bipétalo 367
biplano 273, 726
bipolar 504
bipolaridade 503, 837
biquadrado 96
biquadrar 96
biquadrático 96
biqueira 253
biqueirada 276, 972
biqueiro 953
biquíni 225
birbante 940, 941
bíreo 318
biriba 271
birinaite (cachaça) 959
birita 959
biriteiro 959
biró 51
birosca 959
birra 606, 713, 867, 898
birrar para alguma coisa 606
birrento 606, 830, 868, 901a
birrota 727
biruta 504
bis 90, 104
Bis dat qui cito dat 784
bis in idem 640
bis! 931
bisagra 43, 45
bisalho(s) 643, 847, 1000
bisanual 138
bisar 90, 104
bisarma 192, 727
bisavó 130, 166
bisavô e bisavó 11
bisbilhotar 455, 532, 588
bisbilhoteiro 455, 461, 527, 532, 588
bisbilhotice 455, 529, 588
bisbórria 877, 941
bisca 840, 856, 949
biscate 775, 962
biscateira 962
biscatos 40
bisco 440b
bisdono 166
bise 349
bisel 217, 557
biselamento 557
bisnaga 337
bisnagar 337
bisneto 167
bisneto e bisneta 11
bisonharia 614, 881
bisonhice 614, 674, 699, 703, 881
bisonho 614, 674, 699, 701, 881
bispado 995
bispal 995, 996
bispar 441, 791, 995, 998
bispo 384, 995, 996
bispotada 653
bispote 191, 653
Bisseção 91
bisseção 68
bissecular 124
bissegmentação 91
bissegmentar 91
bissemanal 138
bissetriz 68, 91, 246
bissextil 228
bissexto 228
bissexual 374a
bissexualidade 374a
bisso 256
bissulcado 259
bissulco 259
bistre 433
bisturi 253, 260

bitaca 959
bitácula 440e
bitafe 848
bitoca 902
bitola 26, 80, 466
bitter 959
Bivacar 184, 292
bivaque 184, 189, 265
bívio 91, 219
bizantinice 477, 643, 477, 643
bizarraço 884
bizarramente 816
bizarrear 784, 816, 861, 884
bizarria 784, 816, 845, 850, 861, 884, 942
bizarrice 784, 816, 845, 850, 853, 884, 942
bizarro 784, 816, 845, 851, 861, 884, 906, 942
blá-blá-blá 517
blague 643
blandícia(s) 902, 933
blandicioso 902, 933, 935
blandífluo 275, 348
blandíloquo 933
blaquear 44
blasé 869, 871
blasfemador 988
blasfemar 988
blasfêmia 988
blasfemo 988
blasonador 884, 887
blasonar 882, 884
blasonaria 884
blasonar-se 878
blastomicose 655
blateração 412
blaterar 412
blau 438
blazer 225
blefar 544
blefe 545
blenorragia 655
blesidade 583
blesismo 583
bleso 583
blindado 223, 717, 722, 823
blindado pela couraça de 664, 717
blindagem 666, 717
blindar 223, 717
blindar a paciência 826
blitzkrieg 716
blockhaus 717
bloco 321, 323, 417, 706, 712
blog 527, 592
bloquear 87, 261, 716, 761, 781
bloqueio 87, 261, 706, 716, 751, 781
bloquista 711
blue 415
blu-ray 419, 420, 554
blusa 225
boá 225
boa 913
boa amizade 714
boa boca 394, 826
boa cabeça 500
boa dicção 580
boa disposição 58, 242
boa disposição de espírito 906
boa e a má andança, a 151
boa estrela 618, 731, 734, 890, 912
boa fazenda 948
boa-fé 486, 543, 547, 703, 939
boa firma 803
boa fortuna 618, 734
boa garganta 416
boa inteligência 714
boa moça 845
boa nutrição 298
boa ordem no governo de uma casa 817

boa orelha para 416
boa peça (irôn.) 949
boa presa 793
boa sombra o cobre 906
boa sorte 618, 731, 734, 827
boa viagem! 293
Boa vontade 602
boa vontade 865, 906
boamente 703
boana 72, 204, 220
boa-nova 985
boas ações 944
boas maneiras 894
boas normas legais 963
boas obras 906
boas palavras 544
boas-festas 784
boas-vindas 292
boateiro 455, 527, 532, 550
boato 527, 529, 531, 532, 546, 588
boato falso 546
bobagem 497
bobear 135, 497, 499
bobice 842, 857
bobo 501, 547, 844
bobo alegre 853, 857
boboca 501, 547
bobório 501
boca (da noite) 66
boca (parte superior de garrafa) 210
boca 231, 234, 260, 294, 295, 298, 343, 440e
boca da noite 126, 422
boca de cena 599
boca de fava 583
boca de fogo 727
boca de siri! 403
boca dianteira 234
boca, boca de cena, proscênio x fundo 237
boca, bocal, gargalo x fundo 237
boca-aberta 501
bocaça 260
bocado 25, 32, 51
bocado sem osso 827
boca-espumante 900
bocagem 961
bocaina 252
bocal (parte superior de garrafa) 210
bocal 260
boçal 493, 499, 547
boçalidade 499
boçalizar 499
bocalvo 440b
bocar 298
boca-rota 584
bocarra 260
bocas da maledicência 934
bocejar 198, 260, 683, 841
bocejo 260, 683
bocel 211, 847
bocete 847
bochecha 440e, 972
bochechada 972
bochechão 972
bochechas 250
bochecho 662
bochechudo 243
boches 349, 351
bochincho 59
bochornal 382
bochorno 382
bócio 250
bócio endêmico 655
boda 903
bodalhão 653
bodas de diamante 883
bodas de ouro 883
bodas de prata 883

bodas de prata/ouro/diamante 840
bode 366, 373, 412, 828, 846
bode emissário 147, 828, 891, 938, 952
bode preto 978
bodega 653, 799, 959
bodegão 653
bodegueiro 653
bodejar 412, 583
bodo 906
bodoque 727
bodoso 653
bodum 401
body board 273
body boarding 840
boêmia 683, 954, 683, 840
boemia 840
bões 233
bofar 348, 884
bofe(s) 221, 349, 351
bofé 494, 703
bofetão 276, 972
bofete 972
bogueiro 545
boi 366, 412
bói 746
boi a que falta uma orelha 440b
boi amarelado 440b
boi amarelo mascarado ou matizado de preto 440b
boi branco e preto 440b
boi branco e vermelho 440b
boi branco mesclado de amarelo, vermelho ou preto 440b
boi branco ou camurça com os olhos brancos 440b
boi branco sem manchas 440b
boi branco, vermelho ou castanho chumbado de preto 440b
boi com a cabeça ou metade dela branca e o resto do corpo de outra cor 440b
boi com focinho branco em cabeça escura 440b
boi com malha branca na testa tendo escura a cabeça 440b
boi com o corpo salpicado de pintas brancas, pretas ou vermelhas 440b
boi cor de cinza 440b
boi cujo pelo das pernas difere do do resto do corpo 440b
boi da cor do pássaro de igual nome 440b
boi de cabeça e pescoço da mesma cor e pintas diferentes no corpo 440b
boi de cara branca ou malhado no corpo inteiro 440b
boi de cara branca ou que tem uma grande malha na cara 440b
boi de chifres curvos com as pontas voltadas uma para a outra 440b
boi de chifres defeituosos 440b
boi de chifres direitos 440b
boi de chifres em forma de meia-lua e muito próximos nas pontas 440b
boi de chifres muito abertos 440b
boi de chifres muito grandes 440b
boi de chifres pequenos ou quebrados 440b
boi de chifres sem ponta 440b
boi de chifres um tanto baixos e menos unidos que os dos gaiolos 440b
boi de cor de laranja 440b

529

boi de cor escura com o lombo tostado 440b
boi de cornos curtos 440b
boi de estrelas ou manchas brancas 440b
boi de malhas no corpo 440b
boi de orelhas caídas 440b
boi de pelo avermelhado com listas pretas ou muito escuras 440b
boi de pelo branco puxando a azul 440b
boi de pelo branco-amarelado 440b
boi de pelo castanho-claro tirante a rubro 440b
boi de pelo escuro e um tanto acinzentado como o do lobo 440b
boi de pelo escuro ou preto 440b
boi de pelo todo branco 440b
boi de pelo vermelho tirante a preto 440b
boi de pontas muito afastadas uma da outra 440b
boi de testa branca com listra branca do focinho ao alto da cabeça 440b
boi listrado betado de preto e branco ou manchado ou raiado de castanho-claro e escuro 440b
boi mal castrado 440b
boi mal castrado e que ainda procura as vacas 440b
boi menos avermelhado que retinto 440b
boi muito preto 440b
boi não malhado nem sardo mas tendo no lombo mazela de cor diferente da do resto do pelo 440b
boi negro com o lombo acastanhado 440b
boi nteiramente branco 440b
boi pardo-vermelho 440b
boi pintado de castanho-claro 440b
boi preto salpicado de pintinhas brancas 440b
boi privado de um dos chifres ou de ambos 440b
boi que desde a fronte à parte superior do pescoço tem cor diferente da do resto do corpo 440b
boi que perdeu um dos chifres 440b
boi que possui hastes muito caídas ou quase juntas das pontas 440b
boi que tem algumas manchas brancas 440b
boi que tem armas direitas e quase verticais 440b
boi que tem as orelhas fulvas ou amarelas 440b
boi que tem branco o fio do lombo preto ou vermelho o lado das costelas e de ordinário branca a barriga 440b
boi que tem branco o pelo dos órgãos reprodutores 440b
boi que tem cauda preta 440b
boi que tem cor carregada ou pelo semelhante ao dos cavalos castanhos 440b
boi que tem cornos 440b
boi que tem em volta dos olhos uma circunferência de cor diversa da do resto da cabeça 440b

boi que tem extensas listras brancas sobre o pelame preto ou vermelho 440b
boi que tem mau sangue 440b
boi que tem no dorso uma listra de cor diferente da do resto do corpo 440b
boi que tem o corpo mais comprido do que é vulgar 440b
boi que tem o pelo negro do meio para baixo 440b
boi que tem os galhos inclinados para baixo 440b
boi que tem um ou os dois chifres pequenos e cheios de rugas 440b
boi que tem uma haste mais baixa do que a outra 440b
boi salpicado de branco e amarelo 440b
boi sem chifres 440b
boi sem pelo na extremidade da cauda 440b
Boi solto lambe-se todo 738
boi vermelho 440b
boi zaino com pequenas manchas brancas 440b
boi, cores e sinais de 440b
boi, vozes de 412
boia 298, 320, 550
boia de luz 550
boiadeiro 370
boiante 305, 605
boião 191
boiar 298, 305, 314, 320, 452, 519, 605, 702
boicotar 702, 761
boieiro 370
boina 225
boiola (depr.) 897, 961
boiola 374a
bojador 402
bojar 194, 250
bojo 191, 250
bojudo 194, 243
bola 249, 450, 645
bola de gude 840
bola de marfim 325
bola não lhe regula bem, A 503
bolacha 972
bolachada 972
bolachudo 243
bolada 800
bolandas 682
bolar (pop) 515
bolas! 932
bolbo 250
bolboso 249, 250
bolchevismo 737, 989
bolchevista 737, 989
boldrié 215, 230, 247
boleado 249
bolear 249, 285, 312, 693
bole-bole 682
boleeiro 268, 694
boleima 501, 683
bolero 225, 415, 840, 692a
boletim 531, 532, 592
boleto 184
boléu 306
bolha 249, 250, 320, 384
Bolha 353
bolha-d'água 4
bolha de sabão 111, 643
bolhar 250, 353
bolhoso 353
bólide 274, 318
bólido 423
bolinar 267, 961
bolinete 191
bolívar 800
bolo 50, 298, 321, 396, 495, 973
bolônio 493, 499, 501

bolor 124, 339, 367, 401, 653
bolorecer 124, 353
bolorento 124, 426, 653
bolsa 784, 800, 801, 802, 817
bolsa de valores 799
bolsa repleta 803
bolsa vazia/enxuta/fraca/leve/chata/limpa 804
bolsão 252
bolsar 297
bolsaria 802
bolseiro 801
bolsinho 800, 817
bolso 191, 800
bom 52, 157, 168, 394, 618, 648, 906, 931, 944
bom acolhimento 740
bom apetite! 298
bom auspício 858
bom-calção 268
bom caráter 648, 944
bom caratismo 648
bom conceito 931
bom coração 906
bom de levar 705
bom de se levar 394
bom e barato 815
bom entendimento 714
bom êxito 618, 731
Bom gosto 850
bom humor 602, 836, 894
bom paladar 394
bom passadio 298
Bom-Pastor 976
bom presságio 858
bom prol lhe faça! 931, 932
bom proveito lhe faça! 298
bom samaritano 906, 912
bom-senso 450, 480, 498, 922
bom trato 892
bomba 348, 508, 716, 727, 872
bomba atômica 716, 722, 727
bomba de hidrogênio 727
bomba de incêndio 337
bomba de nêutrons 727
bomba de ventilação 349
bomba voadora 727
bombacho 348
bombadeiro 722
bomba-incendiária 727
bombarato 705
bombarda 417, 726, 727
bombardear 461, 716, 722
bombardeio 716, 722
bombardeira 257, 717, 726
bombardeiro 273, 716, 726, 727
bombardino 417
bombástico 549, 577, 579, 853
bombear 249, 716
bombeiro 385, 534, 668
bombo 417
bombom (gal.) 396
bombordo 235, 236, 239
bombordo x estibordo 237
bom-serás 501, 948
bom-tom 850, 851, 894
bon mot 842
bon vivant 827, 957
bona (ant.) 780
bona fide(s) 543, 939
bona res 803
bonachão 547, 703, 721, 760, 826, 836, 906
bonacheirão 703, 721, 760826, 881, 906
bonacheiro 721
bona-chira 298, 954
bonança 174, 265, 721, 734, 834, 721, 834
bonançoso (moderado) (vento) 349
bonançoso 174, 265, 721, 734, 826

Bondade 648
bondade 618, 642, 650, 816, 829, 894, 906, 944, 976
Bondade Infinita, a 976
bonde 272
bondoso 648, 906, 914
boneca 554, 840, 854
boneco 547, 554, 599, 840, 854
boneco de alcorça 854
boneco de engonço 547, 711
boneco máquina 605
bonecos de engonço 599, 857
bonico (de novilhos) 299
bonicos (de cavalo/camelo) 299
bonificação 658
bonificar 658
bonifrate 599, 605, 853, 854, 941
boniteza 845
bonito 642, 648, 845, 942
bonitura 845
bonne 746
bonne bouche 67, 377, 394, 636
bonomia 486, 703, 881, 906
bons augúrios 858
bons ofícios 724
bons ofícios de 682
bons olhos o vejam! 894
bons sintomas 858
bons zéfiros 734
bônus 784, 973
bon-vivant 840
bonzo 548, 585, 996
boogie woogie 415
boqueada 260, 683
boquear 683, 841
boqueirão 189
boquejar 260, 405, 416, 527, 683, 841
boquelha 260
boquiaberto 455, 458, 827, 870
boquicheio 583
boquiduro 606
boquifranzido 258
boquilha 392
boquimole (dep.) 602
boquinha 902
boquirroto 584
boquisseco 953
boquitorto 243
borboleta (Lisboa) 962
borboleta 193, 412, 440, 605, 607
borboletar 607
borboletear 266, 315, 458, 515, 683
borborigmo 407
borborinhar 402a
borborinho 411
borborismo 407
borbotão 276, 348
borbotão de vento 349
borbotar 348
borbotoar 333
borbulha 250, 353, 384, 848, 945
borbulhão 348, 353
borbulhar 250, 295, 315, 353, 402a
borbulhoso 353, 945
Borda 231
borda 66, 67, 227, 236, 342, 727
borda de água 342
bordada 236, 278
bordado 39
bordador 847
bordados 549, 550, 747, 847
bordadura 231, 847
bordalengo 491, 499, 895
bordão 104, 215, 276, 707, 727
bordão de nós 704, 713
bordar 39, 227, 229, 440, 544, 549, 554, 751, 847
bordar arabescos de prata (a lua) 126
bordar comentários 476, 522

bordar de realce | brinquedos

bordar de realce 847
bordejar 140, 267, 278, 279, 959
bordel 72, 189, 961
bordeleiro 961, 962
bordo 231
bordoada 276, 378, 972
boreal 383
bóreas 349, 383
borjaca 225
borla 747, 808
borla doutoral 873
borlista 599
bornal 191
bornear 246, 278, 673
borneio 311, 727
borneira 330, 635
bororé (bras.) 663
borra 653
borra-botas 645, 701, 877, 941
borraçal 345
borraceiro 348, 653
borracha 191, 325, 552, 635
borracheira 497, 517, 959
borrachice 497, 959
borracho 129, 959
borrachudo 249
borradela 555, 653
borrador 86, 551, 555, 593, 701, 811
borradura 653, 848
borralheiro 893
borralho 384, 386, 440b
borrão 555, 594, 626, 653, 848, 874, 945
borrar 297, 555, 590, 653, 848
borrasca 173, 349, 667, 704, 825, 830, 900
borrascoso (vento) 349
borrascoso 173
borra-tintas 701
borrega 129
borrego 129
borrifador 337
borrifar (fig.) 998
borrifar 41, 73, 339, 440
borrifos 339, 348
borriscada 349
borrisco 349
borro 129
borzeguim 225
boscagem 367
boscarejo 367
bóson 316
bosque 367
bosquejar 240, 554, 556, 594, 596, 626, 840
bosquejo 556, 572, 596, 626
bosquerejar 266, 622
bossa 5, 176, 250, 698
bossa-nova 415
bossagem 250
bosta 299, 653
bostal 299, 370
bostar 297
bostear 929
bóston 840
bota 191, 225
bota-fogo 388, 615, 667, 720 726, 742, 887
bota-fora 293
botalós 706
botânica 357
Botânica 369
botânico 367, 369, 492
botanizar 369
botanomancia 511
botão 45, 66, 153, 193, 249, 250, 643
botar 254, 348
botar à luz 525
botar cavalo 882
botar discurso 582
botar fora 818

botarem-se os dentes 397
botaréu 215
botar-se (o vinho) 397
bote 273, 276, 716, 791, 932
boteco (pej. por vezes) 959
botelha 191
botequim 189, 799, 959
botica 662
boticão 301
boticário 662, 701
botifarra (pop.) 225
botija 191
botim 225
botineiro 440b
botinha 225
botirão 545
botoaria 691
botocudo 493
botoeira 260
botox 224
botulismo 655
bouçar 371
boulevard 69, 227
bouleversement 146, 162
boutade 497, 608, 842
bovídeo 366
bovino 412
bovinocultura 370
boxe 720
boxeador 726
braça 200
braçada 25, 72, 200, 639
braçadeira 43
braçagem 673, 680
braçal 633, 690
braçaria 722
braceagem 800
bracear 550, 719
braceiro 159, 690
bracejar 267, 315, 550, 719
bracelete 247, 847
braço 51, 157, 159, 215, 348, 440e, 631, 633, 737
braço a braço 186, 713, 726
braço da lei 963
braço de âncora 245
braço de mar 343
braço de terra 342
braço direito 707, 711
braço real 737
braço secular 737
braço temporal 737
braços (parte superior de cruz) 210
braços 781
braços úteis 690
braçudo 159
bradado 990
bradal 262
bradar 173, 404, 411, 708, 765
bradar ao céu 923
bradar aos céus 649
bradar contra 616, 932
bradar peccavi (= pequei) 950
bradipepsia 655
brado 411, 765
brado ansioso de socorro 839
brado ansioso/ardente/angustiado 839
brado de socorro/de alarma 669
brado lamentoso 839
brados de mofa/de troça/de arruaça 929
brafoneira 717
braga 225, 752
bragante/bargante 941
bragueiro 127
Brahma 979
brama 961
bramadeiro 961
brâmane 955, 983a, 996
bramanismo 983

bramante 825
bramar 173, 402a, 404, 412
bramido 404, 412, 909
bramir 173, 402a, 411, 412
bramirem as tempestades 825
branca (cachaça) 959
brancarana (bras.) 41
brancas 128
branco 430, 452, 598, 960
branco como a cecém/como o lírio & subst 430
branco como um cordeiro 430
branco como um lençol 860
branco do olho 441
branco ou preto 621
Brancura 430
brandão 388, 423
brande (cachaça) 959
brandeza 174
brandíloquente 933
brandir 314, 315
brandir a espada 716
brando (vento) 349
brando 172, 174, 324, 383a, 391, 405, 413, 429, 578, 602, 656, 740, 829
Brandt 727
brandura(s) 174, 602, 615, 740, 826, 879, 902
brandura de gênio 894
branqueação 430
branqueadura 430
branqueamento 430
branquear 223, 430, 652
branquecer 430
branqueio 430
branquejar 430
branquial 351
brânquias 351
branquinha (cachaça) 959
braquial 633
braquidáctilo 440c
braquigrafia 572, 590
braquilogia 572
braquipneia 655
braquissílabo 597
braquiúro 440c
brasa 382
brasão 550, 873, 875, 876
braseiro 386
brasido 382, 386
brasileirice 563
brasileirismo 563
brasileirófobo 911
brasilisco 548
brasino 440b
braúna (bras.) 440b
bravado 884
bravaria (ant.) 884
bravata 482, 884, 909
bravatão 887
bravateador 884, 887
bravatear 482, 884
bravateiro 884, 887
bravear 173, 402a, 900
bravejar 173, 402a, 900
braveza 173, 861
bravio 173, 623, 674, 777x
bravíssimo! 931
bravo 173, 361, 674, 861, 907
bravo! 931
bravosidade (p. us.) 861
bravoso 861
bravura 412, 861
bravura indômita 861
breado 431
break dance 692a
brear 223, 431
breca 378, 907
brecar 781
brecha 134, 198, 260, 641, 651, 671
bredo (bras.) 367

brega 852, 853
breguice 852
brejeirar 683
brejeiro 683, 836, 940, 941, 949, 961
brejo 345
brejoso 345, 674
brenha 367, 519
brenhoso 367, 519
brete 544, 545
breu 356a, 431
breve 132, 201, 320, 413, 572, 592, 596, 998
brevê 755, 760
breves 596
brevet 755, 760
brévia (ant.) 687
breviário 596, 990, 998
brevidade 111, 132, 193, 201, 572
brevipene 440c
brial (ant.) 225
briba (cachaça) 959
brida 752
bridão 751
bridar-se 826
bridge 840
briga 713, 889
brigada 102, 726, 745
brigadeiro 745
brigador 720, 901
brigandage 791
brigandina 717
brigante 720
brigão 720, 726, 742, 863, 887, 913, 949
brigar 713, 891
brigar com 716
brigar de mãos 720
brigas de namorados 918
brigoso 720
brigue 273
briguento 713, 720
brilhante 420, 428, 476, 498, 574, 648, 836, 842, 845, 847, 858, 873, 882
brilhante como a prata 420
brilhante como as pedras preciosas 420
brilhantemente 420, 423
brilhantismo 420, 873, 882
brilhar 125, 318, 420, 446, 642, 845, 873
brilhar pela ausência 2
brilhar pela insensibilidade 823
brilhar/primar pela ausência 187
brilho 159, 420, 428, 490, 642, 873, 926
brilho da frase 566
brilho fugaz 423
brincadeira 840, 842, 856
brincadeira de pegar 840
brincadeira de roda 840
brincadeira perigosa 852
brincalhão 836, 840, 842, 844
brincar 315, 349, 460, 836, 838, 840, 842, 847
brincar com 929
brincar com o fogo 863
brincar com pólvora/com fogo 665
brincar do jogo das escondidas 528
brinco 214, 784, 840, 842, 845, 847
brincolhos 840
brindar 763, 784, 894
brindar alguém com uma estafa de chicotadas 972
brinde 784, 815, 892, 894
brinquedo 643
brinquedo de criança 705
brinquedos 840

531

brio | cabeça de turco

brio 816, 861, 878, 939
briol (pop.) 959
brioso 719, 816, 861, 873, 878, 939, 942
briozoários 193
brisa 338, 49, 383a
brisa dorme queda, A 403
brise 383
brita 330
britador 262
britar 162, 330, 479, 773
brivana (bras.) 271
broca 162, 165, 260, 262, 659, 913
brocadilho 847
brocado 219, 847
brocar 260
brocárdico 496
brocardo 496
brocatel 219
brocatelo 847
brocha 556
brochar 43, 160
broche 45, 847
brochura 593
broco 440b
bródio 840
broma 493, 499, 501, 643, 895
bromo 663
bronca 932, 972
bronco 243, 254, 256, 452, 491, 499, 852
broncocele 250
broncoscopia 662
bronquial 351
bronquiectasia 655
brônquios 351, 440e, 655
bronze 323, 433, 557, 727
bronzeado 433
bronzear 433
bronzeo 43, 323, 433, 604, 604a, 823
broque 351
broquear 260
broquel 550, 664, 666, 717
broquelar-se 664
broquento 256
brotar 66, 151, 153, 154, 161, 295, 348, 367, 446, 529
brotar à luz 525
brotarem lágrimas nos olhos 839
brother (gír.) 890
broto 153
brouhaha 713
brouillerie 713
Browning 727
bruaca 130, 962
bruaqueiro 188
brucelose 655
bruega 348, 959
brulote 726, 727
bruma 353, 475
brumal 383, 422, 424, 735
brumas 121
brumoso (opaco) 422
brumoso 121, 353, 383, 424, 475
brunete 431, 433
brunidor 255
brunidura 255
brunimento 255
brunir 255, 331, 658
bruscamente 315
brusco 113, 173, 422, 508, 612, 684, 895
brusquerie 684
brutal 499, 830, 895, 907, 914a
brutalidade 173, 852, 895, 907, 945
brutalizar 659, 823, 945
brutamontes 192, 501, 701, 852, 895
brutesco 674, 853
bruteza 173, 674, 907

brutidão 907
brutificar 364, 499, 659, 823, 945
bruto 52, 192, 241, 358, 366, 499, 501, 635, 649, 674, 701, 825, 895, 907, 913
brutum fulmen 732, 738, 884
bruxa (bras.) 422
bruxa 422, 513, 846, 860, 913, 949, 994
bruxa auguratriz 994
Bruxaria 992
bruxedo 992
bruxo 994
bruxo do inferno 978
bruxulear 422
bucal 260
bucéfalo 271
bucelário 260, 683, 717
bucha 263
buchada 841
buchela 781
bucho 191
buchuda (bras.) 161
buco 192, 250, 260
buço 131, 192, 256
bucólica 597
bucólico 370, 597, 703, 714, 845, 881
bucolismo de uma vida simples 881
bucre ou bucle 256
Buda 979, 986
budismo 983a
budista 983a
bueiro 350
buena-dicha 511
bufa 401
bufalino 366
búfalo 412
bufão 501, 599, 844, 857, 884
bufar 349, 412, 832, 884
bufar de raiva 900
bufar de valente/de valentias 884
bufarinha 643
bufarinheiro 701, 797
bufeira 884
buffet 189
bufido 349, 364, 412
bufo 349, 364, 412, 461, 599, 819, 844, 853, 893, 965
bufonaria 19, 599, 840, 842, 853, 856
bufonear 499, 599, 842
bugalho 249
bugalho do olho 441
bugia 423
bugiar 297
bugiaria 643, 852, 855, 857
bugiganga(s) 643, 847, 852
bugio 19, 366, 857
buído 331
buir 255, 331
bujamé 41
bujão 263, 334
bujarrona 234
bula 546, 741
bulário 551, 995
bulas 698
bulbo raquiano/raquidiano 440e
bulcão 349, 353, 421,669
buldogue 366
bulevar 69, 189, 627
bulha 402, 404, 411, 713, 720
bulha suja 713
bulhão 713, 720
bulhar 402, 713
bulhento 402, 713, 863
bulícia 807
bulício 407, 682, 684, 742, 892
buliçoso 264, 682, 713, 825
bulimia 655, 957

bulir 264, 379
bulir com casa de marimbondos 665
bulir com o coração 824, 914
bulir em casa de maribondos 863
bulista 553, 995
bullying 929
bumba meu boi 415, 998
Bumba! 406
bumbódromo 728
bumbum 235
bum-bum 407
bunda (chulo) 235
bundo 568
bunker 717
buquê 400
buraco 53, 189, 208, 252, 260, 530, 641, 651, 840
burburinho 402, 404, 411, 580
burca 225
bureau 691, 758
burel 876, 999
burgalhão 667
burgau 330
burgo 227
burgo podre 886
burgomestre 745, 967
burgrave 745
burguês 188, 852, 877, 895
burguesia 877
búrica 252
buril 262, 558
buril da sátira 856
burilador 559
burilador da língua 593
burilar 558, 577, 650
burilar na memória 505
burilar no mármore 557
buriti 160, 328
burla 2, 497, 544, 545, 732, 856
burlador 544, 548
burlão 544, 548, 941
burlar 544, 545, 731, 732, 856
burlaria 544
burlequeador 683
burlequear 683
burlesco 499, 643, 853
burlesquear 853
burleta 599
burloso 544
burnir 255, 577
burocracia 613, 737
burocrata 613, 694
burra 191, 271, 374, 802
burra cheia 803
burrada 499
burranca 271
burrão 193, 606
burreca 243, 271
burrica 271
burricada 497
burrical 366, 499
burrice 491, 499, 606, 901a
burrificar 458, 499, 508, 659
burro (fam.) 501
burro 271, 373, 412, 432, 493, 499, 501, 522, 996
burro e jumento, vozes de 412
burro entre dois feixes de capim 605
burro frontino 949
burundanga(s) 517, 519, 563, 583, 643, 653
buruso 645
busca 455, 461, 622, 675, 765
busca rigorosa 461
buscado 855
buscar 278, 286, 507, 675, 686, 765
buscar a causa em 155
buscar a escama atrás da orelha de alguém 933
buscar amparo 664

buscar dificuldades onde não as há 605
buscar escape 664
buscar evasivas 477
buscar o fio 461
busca-três 840
busilhão 653, 817
busílis 704
bússola 184, 278, 466, 550, 693, 873
bússola de agrimensor 244
bússola de inclinação 244
bustiê 225
busto 363, 440e, 553
bustrofédon 277, 561
bustuário 559, 726
butano 334
butargas 393
butim 775, 793
bútio 683
butique 225, 851
butiráceo 324, 355
butiroso 324, 355
buxar um bofetão 972
buzaranho 192, 443
buzarate 192, 887
buzeira (de galinha) 299
búzera (reg.) 957
buzina 402a, 534, 722, 887
buzina e grito 622
buzinação 531
buzinar 402a, 411, 416, 529
buzinar aos ouvidos de 104
buzinar os ouvidos de 765
búzio (reg.) 422
búzio 310, 427, 722, 840
by-pass 279

C

C.Q.D. = como se queria demonstrar 478
cá 186
Ça dépend 8
Cá me entendo 604
Ça va sans dire 474
caaba 1000
caatinga (bras.) 169, 344, 367
cabaça 191
cabaçada 190
cabaço (bras. chulo) 550, 960
cabaço 191
cabaçudo/o (bras. chulo) 960
cabal 52, 494, 525, 535, 729
cabala 522, 526, 626, 709, 712, 765, 992, 993
cabala eleitoral 609
cabalar 626, 765, 992
cabaletto 104
cabalista 513
cabalista 548, 609, 767, 994
cabalístico 528, 992
cabalmente 52
cabana 189
cabaneira 962
cabaneiro 188, 191, 804
cabano 440b
cabaz 191
cabazada 31, 190, 639
cabear 307
cabeça (parte superior de foguete) 210
cabeça (parte superior de sino) 210
cabeça 64, 183, 210, 372, 440e, 450, 615, 693, 694, 745
cabeça coroada 745
cabeça d'água 337
cabeça da Igreja 996
cabeça de alfinete 193
cabeça de burro 493, 501
cabeça de coco 506
cabeça de ovelha 499
cabeça de turco 147, 891, 938, 952

cabeça de vento | cafundó

cabeça de vento 460, 501, 701
cabeça-leve 501
cabeça melada (bras.) 226
cabeça-oca 499
cabeça pensante 500
cabeça x palito 237
cabeça x ponta 237
cabeça, cabeleira, coma x cauda 237
cabeça, capitel x cana 237
cabeça, coma, copa, fronde, ramada x tronco, raiz 237
cabeça, porca x boca 237
cabeçada 45, 945
cabeça-dura 606
cabeçalho 64, 66, 550, 564, 593,
cabeçalho x traseira 237
cabeção 752
cabeção de camisa 225
cabecear 764
cabecear com sono 683
cabeceira 66, 153, 206, 215, 892
cabeceira x pés 237
cabecel 564, 778
cabecilha 694
cabeço 210
cabeçorra (dep.) 440e, 450
cabeçudo 481, 499, 606
cabedal 316, 348, 635, 780, 798, 803
cabedal científico 490
cabedaleiro 779, 788, 797
cabedelo 342
cabeiro (dente) 67
cabeiro 281, 253
cabeleira 256, 440e, 959
cabelo 32, 205, 256
cabelos brancos/nevados 128
cabeludo 256
caber 23, 157, 621, 785
caber a 924, 926
caber a alguém 156, 785
caber em partilha 786
caber entre 228
caber na algibeira do colete 193
caber numa casca de noz 32, 193
cabida 888
cabide 191, 214
cabidela 41, 59
cabido 72, 646, 696, 888, 922, 995
cabídola 561
cabidual 995
cabila 75
cabilda 75, 166
cabimento 134, 646
cabisbaixo 837
cabível 646, 922
cabo (ant.), copos, empunhadura, guarda, punho x ponta, lâmina, fio 237
cabo 45, 67,196, 206, 231, 250, 342, 633, 694, 745
cabo eleitoral 548, 609, 631, 767
cabo submarino 534
cabo x boca 237
cabo x concha 237
caboclo 41, 433
cabograma 532
caboré 41,188, 193
caborteiro (bras.) 941
cabotagem 267
cabotar 267
cabotinismo 884
cabotino 599, 701, 878, 880, 884, 885
cabouco 211
cabra 41, 309, 374, 412, 901, 962
cabra, vozes de 412
cabra-cega 840
cabrão (pop.) 129, 366, 962
cábrea 307
cabreiro 370

cabrejar 840
cabrestante 633
cabrestão 752
cabresteiro 886
cabrestilho 752
cabresto 45, 366, 752
cabrestos (pl.) 962
cabrião 710, 841
cabril 206, 370
cabrilha 307
cabriola 218, 309, 962
cabriolar 218, 309
cabriolé 272
cabriole 309
cabrita 129
cabritar-se 309
cabritismo (bras.) 954
cabrito 129, 309
cabro 366
cabrum 401
cabuchão 253
cabucho 253
cábula 541, 683, 927
cabuloso 927
cabungo 653
cabungueira 653
caça 273, 366, 620, 622, 653, 722, 726, 727
caça-bombardeiro 727
cacaborrada 497, 499, 699
caçada 361, 622
caçadeira 622
caçadeiro 622
caçador 361, 726
caçador de dote 819
caçador de posição 886
caçador profissional 622
caça-foice (bras.) 683
caçamba 215
caçanje 563
caçapo 129, 193, 366
caçar 361, 461, 622
caçar perdizes a corrição 622
cacarejar 402a, 412, 584,
cacarejar 584
cacarejar e não pôr ovos 768
cacarejo 412
cacareno 643
cacaréus 643, 645
cacaria (bras.) 645, 791, 792
caçarola 191, 386
caca-sebo 701
caça-torpedeiro 726
cacauicultura 371
cacetada 716
cacete 276, 727, 843
caceteação 841
caceteiro 720, 726, 742
cacha 532, 544, 722
cachaça (muitos nomes de) (bras.) 959
cachaça 298, 865
cachação 972
cachaceira 959
cachaceiro 959
cachaço (pop.) 235, 373, 440e, 885
cachaçudo 885
cachada 371
cachafundo (reg.) 310
cachalote 192
cachamorra 727
cachamorrada 972
cachão 348
cachaporra 727
cachapuço 310
cachapuz! 306
cachar 528, 940
cachecol 223, 225, 384
cacheira 215, 276, 727
cacheirada 378, 716, 972
cache-nez 225
cachicha! 867

cachimanha 702
cachimbada 392
cachimbar 392
cachimbo 392
cachimônia 450, 502, 502
cacho 72, 248
cachoar 348, 402a
cachoeira 337, 348, 407, 667, 704, 706
cachola 440e, 450
cacholeta 972
cachopa 129
cachopo 129, 346, 667
cachorra 901
cachorrada 622, 907
cachorrice 940
cachorro (de leão, lobo ou tigre) 129
cachorro 215, 366, 901, 940, 941, 949
cachorro de! 908
cachorros 231
cachotage 315
cachucha 840
cachudé 400
cacifo 191
cacifro 191
cacimba 339, 636
cacique 175, 694, 739, 745
caciz (África) 875, 996
caco 450
caçoada 840, 842, 856
caçoada inconveniente 852
caçoador 844
caçoante 856
caçoar 842, 856
cacoete 613, 865
cacoethes loquendi 584
cacófato 414, 568
cacofonia 410, 414, 579
cacofônico 410
cacografia 568, 590
caçoila 191, 400
caçoísta 844
caçoleta 847
cacolexia 579
cacologia léxica 579
cacologia sintática 579
cacório (bras.) 702
cacos 645
cacositia 867, 955
cacóstomo 401
cacotanasia 360
cacotecnia 852
cacotimia 837
cacozelia 579, 699
caçula 117, 129
cacumbu (bras.) 371
cacumbu (dep.) 253
caçurrento 653
caçurria 842
caçurro 653
cada 78, 79
cada macaco no seu galho 465
cada ovelha com sua parelha 17
cada qual 78
cada qual com seu cada qual 465
cada qual sabe as linhas com que se cose 604
cada qual toma o que quer 880
cada um 78, 79
cada um por sua vez 148
cada vez mais 35
cada vez pior 835
cada vez que 119, 120, 613
cadafalso 215, 972, 975
cadarço 205
cadastragem 85, 466
cadastral 86, 466
cadastrar 466
cadastro 85, 86, 466, 551
cadáver 158, 653

Cadáver 362
cadáver ambulante 203
cadavérico 243, 362, 429, 659, 846
cadaveroso 362
cadeado 45, 261, 752
cadeia 9, 45, 69, 219, 466, 749, 752, 847
cadeia de raciocínios 476
cadeia de rochedos 206
cadeia ênea 45
cadeia silogística 476
cadeias 752
cadeira 215, 542, 747
cadeira de balanço 314
cadeira de braço 215
cadeira de São Pedro 995
cadeira de São Pedro/pontifícia/gestatória/episcopal 1000
cadeira elétrica 972, 975
cadeira evangélica/da verdade 1000
cadeira gestatória 272
cadeira professoral 542
cadeiras 235, 236, 599
cadeirinha 272
cadeixo 593
cadela 374, 962
cadena (bras.) 702
cadência 58,138, 264, 306, 314, 402, 415, 578, 597, 820
cadenciado 138, 413, 578, 597
cadenciar 138, 314
cadencioso 413, 578
cadenetilha 248
cadente 306
cadernal 633
caderneta 505, 593
caderno 97, 98, 593
cadete 129, 726, 745
cadexo 219, 256
cádi 967
cadilhos 231, 828, 837
cadimo 613, 698, 702
cadinho 42, 144, 191, 386, 463, 632
Cadit questio 479
cadiva 318
cadivo (que cai de maduro) 124, 128, 306, 673
cadmiano 561
cádmio 436, 439
cado 191
cadoz 189, 530
caduca 318
caducar 128, 659, 756, 925
caducário 777a
caduceu 747, 993
caducidade 124, 128, 659, 678
caduco 128, 306
caduquez 128
caduquice 128
cães 622
cães de manga 366
caf(e)tina (bras.) 961, 962
cafajestada 940
cafajeste 877, 941, 949
café 298, 431
café da manhã 298
cafeicultura 371
cafetão (bras.)/cáften 961, 962
cafeteira 386
cafezal 371
cafife 735
cáfila (de camelos) 72
cafofo 189
cafona 852, 853
cafonice 852
cafre 493
cáften 913, 949
cafua 189, 530, 752
cafuinho 819
cafumango 877
cafundó 196

533

cafundó de Judas | calhamaço

cafundó de Judas 196
cafuné 174, 902
cafunge 792
cafurna 189, 530
cafuz 41
cafuza 41
cagaço (vulg.) 860, 862
cágado 133, 275, 702
caga-lume 423
caganeira (vulgar) 299
caganifância 643
caganitas (de cabra/ovelha) 299
cagão (vulg.) 862
cagar (vulg.) 297, 299
cagarola 862
cagarolas (vulg./pleb.) 862
cagarrão (vulg.) 191, 862
caga-sebo 593, 701
cagatório (vulg./chulo) 191
Cagliostro 548, 994
caguinchas 862
caguira (bras.) 735
caia o céu 908
caiação 223, 430
caiadela 430
caiador 555, 701
caiadura 430
caiana (cachaça) 959
caianinha (cachaça) 959
caiar 223, 430, 528, 555, 652, 847
cãibra 378
caiçara (tupi) 130, 188, 717
caiçarada 877
caída 306, 659
caído 324, 837, 901a
caído do céu/das nuvens 508
caído em sonolência 683
caídos 40
Caim 361, 412, 949
caimão 366, 913
caimento 124, 217, 306, 659, 837
cainça 481
cainçada 481
cainçalha 481, 622
caindo de bêbedo 959
cainhar (bras.) 412, 819
cainheza 819
cainho 366, 819
caio 430
caipira (bras.) 371, 547, 852
caipirinha 298, 959
caipora (bras.) 423, 735, 860, 980
caiporice 735
caiporismo (bras.) 735
caíque 273
cair (a sombra) 424
cair 156, 160, 214, 292, 306, 495, 732m 789
cair a alma de alguém aos pés 509
cair a laje sobre a boca do túmulo 363
cair a maldição em casa de alguém 735
cair a noite 126
cair a sopa no mel 23,134
cair água a cântaros 348
cair bem 646
cair bem sobre 23
cair com as faces no chão 881
cair como um patinho 547
cair como um raio 508
cair como uma bomba 508
cair da memória 506
cair da noite 126
cair das nuvens 509, 870
cair das nuvens/do céu 508
cair das trevas 422
cair de cangalhas 213
cair de chapa 213
cair de fio comprido 306
cair de joelho 725, 886, 952, 990

cair de maduro 124
cair de preço 815
cair de rojo 725
cair de sono 683
cair debaixo das lanças de 725
cair do seu pedestal 874
cair duro (fig.) 870
cair em comisso 974
cair em demência 499
cair em desuso 124, 678
cair em falta 460
cair em forma de orvalho 339
cair em graça 873, 897
cair em graça a 888
cair em logração 547
cair em pobreza 804
cair em saco roto 458
cair em si 174, 660
cair em silêncio 585
cair exangue 361
cair fora 287, 293, 623
cair garna 348
cair morto 360
cair na conta que 518
cair na gandaia 838
cair na goela do lobo 699
cair na graça de 897
cair na noite 838
cair na rede/na corriola/no anzol/na cilada/na goela do lobo/no logro/na ratoeira/na simplicidade de/no conto do vigário/no embrulho/na armadilha/na esparrela 547
cair na tentação 945
cair nas malhas de um/do processo 947, 969
cair nas mãos da justiça 969
cair nas mãos de 785
cair neve 383
cair no conto do vigário 791
cair no costume 613
cair no desagrado/no desfavor 874
cair no domínio público 532
cair no esquecimento 506
cair no gosto 457
cair no goto 642
cair no laço 547, 933
cair no olvido 506
cair no ostracismo (fig.) 930
cair numa sede de fera sobre 907
cair o câmbio 800
cair o coração aos pés 860
cair para trás (fig.) 156
cair pelas tabelas 659
cair por terra (vencido) 725
cair presa de 732
cair redondamente no chão 213
cair sem sentido no seio frio da morte 360
cair sob as vistas 446
cair sob o peso de 175
cair sob os olhos de 527
cair sobre 622, 716, 775
cair sobre a presa 306
cairel 205, 231
cairelar 229
caírem as faces no chão 879
caírem os braços a alguém 837
cairo 205
cais 292, 666
caixa 191, 417, 801
caixa-d'óculos 606, 645
caixa de depósitos 802
caixa de fósforos 328
caixa de gargalhadas 547
caixa de Pandora 619, 649, 735
caixa-forte 802
caixamarim 273
caixão 191, 363
caixa-pregos 196

caixeiro (pejorativo para) 701
caixeiro 758, 811
caixeiro-viajante 268, 758, 797
caixeta 191
caixilho 231, 232
caixote 191
cajadada 276, 378, 716
cajado 215, 276, 727, 999
caju chupado 643
caju-amigo 959
cajuína 959
cake-walk 840
cal 430, 635
cala 343, 350, 403, 463, 702
calabouço 752
calabre 45, 205
calabrear 41, 523, 544, 940
calabrear-se 659
calabrote 45
calaça 683
calaçaria 683
calacear 683
calaceirice 683
calaceiro 683, 877
calada 403, 585
calada da noite 403
calado 403, 581, 585
caladura 463
calafate 263
calafetagem 261
calafetar 261, 660
calafeto 261
calafrio 383, 655, 665, 821, 860
calamidade 619, 735, 830
calamideo 591
calamistrar 256
calamita (ant.) 278, 288
calamitoso 619, 649, 735, 830, 907, 949
cálamo 417
calamocada 276, 378, 716, 972
calamocar 378, 830
calandra 255, 312
calandragem 255
calandrar 255
calão 560, 563, 564, 852
calar (navio) 208
calar 300, 403, 581
calar a boca 581
calar no espírito 451
calar no espírito de 615
calar o bico 581
calar um segredo com resguardo 533
calar um segredo com todo o resguardo 528
calar-se 528, 581, 585
calca 308
calçada 627
calcado aos pés 725, 749, 874, 930
calçamento 223
calcanhar 207, 235
calcanhar de Aquiles 477, 651, 665, 822
calcanhar de Judas 196
calcanhar do mundo 196
calcante pede 266
calção 225
calcar 195, 211, 223, 225, 276, 308, 321, 773
calcar a estrada 705
calcar aos pés 162, 649, 731, 885, 923, 927, 930, 964
calcar aos pés a gramática 568
calcar aos pés a lei/o direito/a justiça 739
calcar aos pés a rotina 146
calcar aos pés uma prática/um precedente/uma praxe 614
calçar o coturno 599
calçar pela mesma forma 27

calçar pelo mesmo pé 27
calças 225, 373
Calcas 513
calcedônia 847
calceta 975
calcetar 223
calceteiro 690
calcídica 966
calcificação 323
calcificar 323
calciforme 191
calcinação 384
calcinante 382
calcinar 384, 431
calcinha 225
calco 22, 43, 554, 556, 633
calções 225
calcografia 558
calcoideo 244
calcorreador 268
calcorrear 266
calçudo 440c
calculadamente 611
calculado 155, 611
calculador 85
calculadora 85, 633
calcular 85, 466, 510, 620
calcular em 812
calcular excessivamente 482
calcular sobre 484
calculista 85, 943
cálculo 85, 461, 466, 474, 507, 864
cálculo das funções 85
cálculo das possibilidades/de probabilidades 156, 472
cálculo diferencial 84
cálculo dos valores 85
cálculo errado 509
cálculos interesseiros e vistas individuais 940
calda 384, 396
caldaça 298
caldas 386
caldeação 384
caldear 41, 384, 686
caldeira 191, 207, 343, 371, 386, 691
caldeira de Pedro Botelho 982
caldeirada 59, 190
caldeirão 41,144, 386, 691
caldeiraria 404
caldeireiro 690
caldeirinha 1000
caldeiro 440b
caldivana 298
caldo 298, 333, 352
caldouro 298
cale 259, 350
caleça 272
caleche 272
calefação 384
calefaciente 384
calefator 384, 386
caleira 350
caleiro 350
caleja 189, 627
calejado 376, 823
calejamento 613, 823
calejar 323, 376, 823, 826
calejar-se no crime 907
calembur 17, 497, 520, 563, 842
calemburista 844
calendário 86, 114, 551
calendário ateniense 114
calendário gregoriano 114
calendário israelita 114
calendário juliano 114
calendas gregas 107
calentura 384
calepino 562
calha 259, 350
calhamaço 130, 551, 593, 846

534

calhambeque | canção

calhambeque 272
calhambola 623
calhandreira 962
calhandreiro 532
calhandro 653
calhão 272
calhar 151, 646
calhau 323, 330
calhe 350, 627
calheta 343
Calibã 846
calibrador 26, 80, 371, 466
calibrar 466, 727
calibre 26, 75, 192, 202, 260, 466, 498
calibrina 959
caliça 643, 645
cálice 191, 252, 1000
cálice de amargura 828
caliciado 367
calicinal 367
calicromo 428, 845
caliculado 367
cálido 382, 825
calidoscópico 440, 445
califa 745, 996
califado 737
cáliga 225
caligante 206
caligem 353, 421, 442
caliginoso 353, 421, 491, 735, 830
caligrafar 590
caligrafia 561, 590
caligrafia legível/cursiva/garrafal 590
calígrafo 590
Calígula 913
calilogia 578
calimbé 225
calino 501
Calíope 597
calipedia 161, 168
calipígio 845
calipso 415
calistismo 735
calisto 735
calma 141, 141, 174, 265, 382, 478, 498, 721, 823, 826, 861, 864, 942
calma dos charcos (dep.) 826
calmante 142, 174, 662, 834
calmaria 141, 265, 382, 643, 683
calmaria anterior à tempestade 145
calmo 174, 265, 382, 721, 826, 861, 864
calmo como a superfície de um lago 213
calmoso 382
calo 250
calógio 961
calombo (bras.) 321, 250
calor 175, 682, 821, 825, 897
Calor 382
calor abrasador 382
calor de esperança 858
calorão 382
caloria 382
calórico 382
calorífero 382, 386
calorimetria 382
calorímetro 382, 389
caloroso 382, 574, 821, 822, 824, 863, 902
calosidade 250, 323, 823
caloso 250, 256, 823
calota 51, 249, 999
calote 806, 808
calotear 806, 808, 940
caloteirismo 808
caloteiro 808, 941
calourada 541
calouro 129, 541, 699

calpa 363
cálpar (ant.) 191
caluda! 403
caluete ou calvete 975
calundu (bras.) 900, 901
calunga 366
calúnia 907, 934
caluniado & *adj.* 934
caluniador 936
caluniar 907, 934
calunioso 934
calva 226
calvário 67, 828,1000
calvejar 226
calvície 226
calvinismo 984
calvinista 984
Calvino 986
calvo 226, 255, 846
cama 215, 530
Camada 204
camada 51, 223, 877
camada externa 220
camafeu 130, 554, 557, 846, 847
camafonge 792, 877
camal 717
camáldula(s)/camândula(s) 998
camaleão 81, 149, 440, 607
camaleônico 81, 149
camalha 225
camalhão 228
câmara 189, 191
câmara alta/baixa 696
câmara ardente 363
câmara de gás 972
Câmara dos Deputados 963
câmara lúcida/obscura 445
câmara municipal 696
câmara nupcial 903
camarada 746,890
camaradagem 888, 892
camarariamente 221
câmaras 655
camarçada 655
camarção 169
camarço 655, 735, 828
camareiro 653, 746
camarento 655
camarilha 712
camarim 191, 599
camarinha 191
camarinhas 249
camarinho (de orvalho) 339
camarista 746
camaroeiro 669
camarote 191
camarotes 599
camartelo 165, 276
camauro (ant.) 999
camba 330
cambada (de peixes) 72
cambadela 146, 243, 309
cambado 243
cambaio 243, 245, 440d
cambalacheiro 702
cambalacho (pop.) 148, 544, 545, 611, 702, 709, 940
cambaleando de bêbedo 959
cambaleante 605
cambalear 160, 314, 315, 959
cambaleio 314
cambalhota 146, 218, 306, 309
cambão 45
cambapé 276, 545
cambar 148, 241
cambau 975
cambeta 243
cambiador 797, 801
cambiante 440, 607
cambiar 16a,148, 428, 440, 607, 794
câmbio 148, 794

câmbio alto 800
câmbio baixo/vil 800
cambista 797, 800, 801
cambo 72, 794
camboa 343
cambolhada de grelos 626
cambono 996
cambota 240, 329
cambraia (bras.) 440a, 440b
cambudo 244
camelete (ant.) 727
camelice 497, 499
camelino 491
camelo 45, 205, 271, 493, 501, 637
camelô 797
camelo, vozes de 412
camelo-pardal (ant.) 366
camelório 493
camenas (poét.) 597
cameo 250
câmera digital 553, 633
camera man 599
cameral 696
camerata 415
camerata 580
camerlengo 745
Camila 274
camilha 215
caminhada 264, 266
caminhador 266, 268
caminhante 268
caminhão 272
caminhar 264, 266, 280
caminhar a passos largos 282
caminhar com dificuldades 275
caminhar com vento e maré favorável 734
caminhar contra a maré 708
caminhar em seguimento de 281
caminhar em zigue-zagues 959
caminhar na retaguarda 281
caminhar para 121
caminhar para a desonra 874
caminhar para a destruição 863
caminhar para a ruína 818
caminhar para frente 282
caminhar para o ocaso 126, 306
caminhar rapidamente para o seu ocaso 124
caminheiro 266, 268, 643
caminho 260, 274, 278, 294, 295, 463, 627, 671
caminho aberto 748
caminho batido 627
caminho coimbrão 613
caminho da salvação 672
caminho de cabras 627
caminho de s. Tiago 318
caminho desconhecido 530
caminho errado/tortuoso/resvaladiço 530
caminho escorregadiço/tortuoso/resvaladiço 704
caminho estreito 672
caminho trilhado 613, 627
caminho vicinal 627
caminhonete 272
camioneta 272
camisa 225, 752
camisa de onze varas 704, 975
camisaria
camiseta 225
camisola 225, 752
camisote 717
camoeca 959
camoniano 597
camorra 712
campa 363, 669, 1000
campainha 440e, 1000
campainhada 402a

campanário 206, 253, 709, 1000
campanha 180, 344, 708, 716, 720, 722
campanha de ódio/de despeito/de descrédito 934
campaniforme 249, 252
campanile 206
campanólogo 997
campanudo 249, 577
campanulado 249, 252
campar 420, 642, 731, 880
campatrício 890
campeador 271, 717, 726
campeão 175, 271, 664, 711, 717, 726, 759, 873
campear 461, 622, 642, 882
campeche 434
campeiro (pop.) 202, 370, 371
campeonato 720
campesinho 344, 371
campesino 344, 367, 371
campestre 344, 367, 371
campina 344, 367
camping 840
campino 344, 370, 371
campir 556
campo 180, 189, 344, 371, 454, 556, 625, 728
campo de batalha 713, 728
campo de Marte 728
campo de observação 445, 446, 453
campo de visão 441
campo dos fatos 713
campo livre 134, 705, 748
campo na cidade 893
campo raso 344, 728
campo santo 363
camponês 188, 371, 877
campônio 188, 371, 877
Campos Elísios 981
campos equóreos/salgados/cerúleos/flutuantes 341
campos gerais 180, 344
campsia 150
campsim 382
Campus Martium 728
camuflado 447, 528
camuflagem 447, 528
camuflar 447, 528
camundongo 366
camurça 440a, 440b
cana (cachaça) 959
cana (gír.) 752
cana do leme 633
canabis sativa 663
canada 259, 466
cana-de-açúcar 396
Canal (de respiração) 351
canal 203, 259, 266, 350, 627, 631, 711, 724
canal auditivo 418
canal intestinal 440e
canal para passagem de ar 351
canal para passagem de líquido 350
canalha 72, 940, 941,949
canalhice 649, 940
canalhismo 940
canaliculado 259
canalículo 259, 260
canalizar 350
canamão 781
canapé 215
canard 532, 546
canário 416
canastra 191, 440e
canastrel 191
canaveira 371
canavês 371
canavial 371
cancã 840, 961
canção 415, 597

535

canção báquica 954
canção de Maria 990
canção napolitana 415
cancela 260, 263
canceladura 552, 756
cancelamento 552, 756
cancelar (destruir) 2
cancelar 53, 552, 756
câncer 619, 655
cancerar 659
cancerar-se na culpa 951
cancerologia 662
canceroso 655
cancha 361, 728
cancioneiro 596
cancionista 597
cançoneta 415, 597
cancro 619, 655, 663, 830
cancro mole 655
cancroide 655
candeeiro 423
candeia (bras.) 423, 851
candeio 382
candela 423
candelabro 423
candelária 998
candência 382, 574
candente 171, 382, 574
candente como pontas de fogo 382
candidatar-se 763, 865
candidatar-se a 507, 765
candidato 767, 865
candidato a mestre 540
candidato ao hospício 504
candidatura 763
candidez 430, 543, 702, 939, 946, 960
candidi favonii 734
candidíase 655
cândido 430, 543, 648, 703, 939, 944, 946, 960
candífero 214
candil 423
candilar 321, 396
candombe 545
candomblé 991
candomblecista 996
candomblezeiro 996
candonga 545, 791, 933
candongar 791
candongas 544
candongueiro 545, 548, 933, 935
candonguice 933
candor (poét.) 430, 939, 960
candorça 271
candura 430, 486, 525, 543, 547, 939, 960
Candura 703
caneado 959
caneca 191
caneco 959
caneiro 343, 545
canejo 412
canela 433
canelo 245
canere de clarorum hominum virtutibus 873
canere surdis auribus 645
Canesha Shaturthí 998
caneta 590
canga 45, 752
cangaceiro (bras.) 792, 887, 949
cangalha 215, 225
cangalhada 643
cangalheiro 268
cangalho 130, 645
cangar 731, 749
canguçu 188
cangueiro 886
canguinhas 605, 819
canguru 309
canha 239

cânhamo 205
canhão 130, 404, 716, 727, 846, 962
canhão antiaéreo 727
canhão Armstrong 727
canhão atômico 727
canhão-d'água 727
canhão de autopropulsão 727
canhão de marinha 727
canhão eletromagnético 727
canhão naval 727
canhão Puteaux 727
canhão sem recuo 727
canhenho 505, 551
canhestro 699
canheza 412
canho 239
canhonaço 402a, 716
canhonada 404, 716
canhonear 716, 722
canhoneio 716, 839
canhoneira 726
canhoneiro 717
canhota (pop.) 239
canhoto 239, 647, 699
canibal 913, 949
canibalesco 907
canibalismo 907, 945
caniça 232
caniçada 215
caniçado 219
canície 128
caniço 324, 328, 367
canícula 382, 440e
canicular 382
canicultura 370
canil 189, 370
caninem pellem rodere 718
caninha (cachaça) 959
canino 412
Canis caninam non est 481
canivete 271, 253, 727
canja 298
canjica 959
canjicado (pop.) 959
canjirão 191
cano (de chaminé) 351
cano 260, 350
canoa 273
canoagem 337, 840
cânon 697, 963, 983a, 998
cânon das Escrituras 985
cânon dos Santos 998
cânones 484
cânones do concílio de Trento 983a
canonicato 995
canônico 82, 985, 995
canonisa 996
canonista 983
canonização 873, 991, 998
canonizador & *v.* 931, 935
canonizar 482, 873, 924, 998
canonizável 931
canoro 413, 416
canoroso 413
canotilho 248
canoura 191
cansaço 624, 686, 688, 841
cansaço moral 837
cansado 160, 169
cansado de corpo e de espírito 688
cansar 688, 830, 841
cansar na corrida 688
cansativo 704
cansável 624
canseira 682, 686, 688, 704
canseiroso 682
cansim 349
cantadela 415
cantante 416
cantão 181, 227

cantar (pneus ao derrapar) 402a
cantar 402a, 412, 416, 580, 597, 838
cantar a moliana a alguém 932
cantar a palinódia 607
cantar ao som de 416
cantar com todos os ornamentos musicais 416
cantar de clérigo 884
cantar de outro galo 15
cantar em coro 714
cantar loas a alguém 933
cantar louvores a 931
cantar por fabordão 843
cantar sempre a mesma cantiga 104
cantar te-déum 838
cantar um parolo a alguém 932
cantar/alcançar vitória 731
cantar/entoar louvores 990
cantare ad surdas aures 158
cantarejar 414
cantarejo 414
cantaria 323, 557
cantárida 171, 824
cântaro 191
cantarola 414
cantarolar 414, 416, 580
cantata 415, 580, 597
cantatriz 599
canteiro 371
cântico 415, 597
cântico de Simeão 990
Cântico dos cânticos 985
cantiga 415
cantiga desentoada 414
cantil 191
cantilena 104, 412, 415, 517, 544, 545, 613, 841
cantimplora 332, 337, 350, 385
cantina 189, 636
cantineiro 637
canto 51, 412, 415, 597, 990
canto capucho 990
canto de cisne 360
canto de sereia 544, 615
canto fúnebre 839
canto genetlíaco 597
canto gregoriano 415
canto livre (fado) 415
canto plangente 839
canto triunfal 931
cantochanista 416
cantochão 415, 613, 990
cantonal 181
cantoneira (ant.) 962
cantor 416, 559, 597, 599
cantor matinal 366
cantora 416, 599
cantoria 415
canudo 248,249, 260, 350, 351, 545, 627, 798
canudos 256
cânula 295
canular 260
canutilho 847
canzarrão 366
canzoada 622, 941
canzoal 412
cão 366, 373, 412, 664, 808, 913, 949
cão danado 503
cão de fila 753, 886
cão-de-guarda 366
cão de mostra/de levanto/de fila 366
cão e gato 891
cão hidrófobo 913, 949
cão leproso 949
cão que dorme 667
Cão que ladra não morde 884
cão, vozes de 412

cão-d'água 366
cão-rasteiro 366
caos 59
caótico 59, 61
cão-tinhoso 978
cap à pied 52
capa 204, 223, 225, 617, 717, 999
capa de ladrões 792
capadura 223, 593
capa flexível 223
capa pluvial/de asperges 999
capacete 225, 717
capachice 886
capachismo 886
capacho 219, 886, 933, 935, 941, 949
capacidade 5, 23, 157, 159, 175, 180, 192, 490, 492, 498, 698, 705, 820, 939
capacidade de trabalho 625
capacidade do espírito 450
capacidade intelectual 450
capacidade para produzir o bem 648
capacidade para produzir o mal 649
capacíssimo 698
capacitação 673, 698
capacitado 484, 698
capacitar 157, 484, 615, 698
capacitar-se 486, 490
capadeira 253
capado 373
capadócio (bras.) 501, 941
capadócio-echacorvos 548
capanga 690, 726, 746
capar 158, 371
caparação 225
capataz 694
capatazia 693
capatázio 711
capaz 157, 698, 939
capaz de 176, 177, 698
capaz de acordar os mortos/sete dorminhocos 404
capaz de extenuar o ânimo mais robusto 704
capaz de maravilhar os mais exigentes artistas 845
capaz de rebentar os tímpanos 404
capaz de tentar um santo 830
capaz de tudo 698
capaz de vencer os maiores obstáculos 604
capcioso 477, 545, 702
Cape premia facti 972
capeadamente 528
capeado 528
capeador 726
capear 223, 528, 544, 550
capear um engano com outro engano 545
capeba (burl.) 890
capeirão 223, 225
capeiro (depr.) 988a
capeiro 191
capela 223, 412, 550, 847, 1000
capela principal 1000
capela-mor 1000
capelania 995
capelão 996
capelina 225, 717
capelo 223, 225, 747, 839, 999
capencolo 683
capenga 730
capeta 978, 980
capialço 420a
capiangar (bras.) 791
capiango (bras.) 792
capiau 188
cápide (ant.) 191
capídulo (ant.) 225

capigorrão 683
capiláceo 205
capilamento 205
capilar 203, 205
capilé 396
capilha 784
capiliforme 205
capinar 53, 33, 371, 652, 673
capinha 726
capirote 223, 225, 440b
capiroto (bras.) 978
capista 559
capisteiro 465
capitação 85, 812
capitais 632
capital 73, 189, 210, 642, 648, 737, 800, 803, 806
capital federal 189, 737
capital flutuante 805, 806
capitale odium 898
capitalis homo 949
capitalis inimicus 891
capitalismo 737
capitalista 787, 797, 803
capitalístico 800, 803
capitalizar 636
capitânea 726
capitanear 62, 280, 693
capitania 181, 693, 737, 780
capitão 694, 745
capitão ajudante 711
capitão de fragata 745
capitão de longo curso 700
capitão de mar e guerra 745
capitão do barco 269
capitão-mor dos mares 745
capitão-tenente 745
capitato 210
capitel 210
capitel x base 237
capitilúvio 337
Capitólio 873
capitoso 171, 606, 824, 959
capítula 998
capitulação 607, 725
capitulado 938
capitulador (ant.) 938
capitular 60, 527, 594, 595, 607, 725, 769, 933, 938, 995
capitular com a voz da consciência 945
capitular diante da imposição 725
capitulares 741
capituleiro 998
capítulo (de frades) 72
capítulo 51, 72, 454, 593, 938, 995
capivara 401
capnófugo 664
capnomancia 511
capnomante 513
capoeira 367, 370, 415, 717, 752, 792
capoeirão 130
capota 223
capote 225, 355, 530, 617
capribarbudo 440d, 846
capriccioso 415
caprichar 459, 602, 604, 650
caprichar em 686
caprichar-se 939
capricho 415, 459, 481, 497, 515, 600, 615a, 650, 739, 865
Capricho 608
capricho da natureza 83
capricho da sorte 735
caprichos 156
caprichos da fortuna 601
caprichosamente 31, 608
caprichoso 70, 83,137, 129, 149, 243, 459, 481, 503, 515, 600, 605, 606, 608, 923, 926, 964

caprício 415
caprídeo 412
caprino 412
caprípede 440c
caprissaltante 309, 682
caprissaltar 309
capro 366
caprum 366
cápsula 223, 662
capsular 191, 223
capsulífero 223
captação 775
captador 191
captar 191, 288, 350, 476, 498, 615, 775,
captar a simpatia 897
captar o espírito/o coração 484
captar simpatias 829
captare verba 523
captor 789, 792
captura 751, 775, 789
capturar 751, 777, 789
captus mente 503
capuava 188
capucha 990
capuchinho 440b, 948, 996
capucho 893, 926, 987, 996
capueira 232
capulho 223
caput mortuum 645, 653
capuz 223, 225
caqueirada 645
caqueiro 225
caquético 128
caquexia 160, 655
Cáquia-Múni 979
caquilharia 851
cara (de moeda) 234
cara (pop.) 885
cara 220, 234, 440e, 448, 548
cara a cara 186, 237, 525
cara de abade 192
cara de excomungado 846
cara de fuinha 819
cara de herege 846
cara de jenipapo maduro (pop.) 128
cara de páscoa 846
cara de páscoa/de riso 838
cara de pau 823, 885
cara de pergaminho 128
cara de poucos amigos 837, 846, 895
cara de réu 846
cara de réu/de poucos amigos/de vergalho 900
cara de um focinho do outro (pop.) 17
cara de vergalho 832, 846, 932
cara estanhada 885
cara feia 846, 901
cara-metade 903
cara patibular 860
carabé (ant.) 436
carabina 727
carabinar 361
carabineiro 726
caraça 234, 530, 617
caracol 248, 275
caracolar 248, 309, 311
caracolear 311
caractere 561, 590
caracteres cuneiformes 590
caracteres góticos 563
caracteres hieroglíficos 590
caracteres tipográficos 591
característica 79, 550
característico 5, 79, 550
caracterização 79, 599
caracterizadamente & adj. 820
caracterizado 820
caracterizar 79, 564, 594
caracterizar-se 820

caracu (bras.) 221, 355
caradura 885
caradurismo 885
caramanchão 215, 669
caramanchel 215
caramba! 832, 870, 932
carambano 383
carambina 383
carambola 276, 622
carambolar 545
caramboleiro 544, 545, 548, 941
carambolice 545
carambolim 621
caramelar 223
caramelo 321, 383, 396
caramente & adj. 814
caramilho (ant.) 475, 545
caraminguá (gír.) 800
caraminhola 256, 546
caramono 555, 846
caramunha 839
caramunhar 839
caraná 356a
caranchona 440e, 846, 993
carango 653, 726
caranguejo 275, 605
caranguejola 328
caranguejolar 314
carantonha 234, 440e, 530, 617
carântulas 530
carão 223, 234, 846
carapanta ou carpanta (pop.) 959
carapau 203
carapeta 546
carapetal 191
carapetão (fam.) 546
carapeteiro 546
carapinha 256, 440e
carapinhada 385
carapinho 256
carapó 366
carapobeba 913
carapuça 225
caráter 5, 7, 75, 176, 561, 820
caráter inconstante 607
caráter incontaminado/imaculado/inteiro/inconsútil/íntegro/incorru(p)tível/sem jaça 939
caráter sem jaça 948
caráter sem jaça/mácula 944
caraúno (bras.) 440b
caravana 69, 72, 88, 266, 268, 272
caravansará 189
caravansaraí 189
caravela 273, 784, 973
caravelão (burl.) 192
caraveleiro 269
carbonaro 742
carbônico 388
carbonífero 388
carbonização 384
carbonizar 162, 384, 431
carbonizável 384
carbúnculo 250, 434, 655, 847
carbúnculo hemático 655
carcaça 130, 203, 215, 329, 362, 6626, 846
carcamano (depr.) 565
carcarear 412
carcás 636
cárcava (ant.) 717
carcaz 727
carcel 423
carceragem 809, 973, 974
carcerário 752
cárcere 189, 752
Carcereiro 753
carcereiro 975
carcoma 165, 649, 913, 950
carcomer 124, 162, 171, 659
carcomido 124, 659

cárcova 717
carcunda 250
carda (ant.) 653, 975
cardal 169
cardão 437, 438
cardápio 86, 298, 626
cardar 60, 658, 791, 814
cardeal 642, 648, 995, 996
cardeno 437, 438
cárdeo 437, 438
cardíaco 440e
cardialgia 378
cardiálgico 378
cárdice 847
cardigã 225, 384
cardim 440b
cardina (pop.) 653, 959
cardinalato ou cardinalado 995
cardinalício 995, 996
cardiologia 662
cardiotocografia 662
cardo 253
cardo extremus 128
cardoso 253
cardume 72, 102
cardume de virtudes nativas 944
careação 902
carear 464, 615
careat 668
careca 226, 978
carecedor 485
carecer 32, 53, 630, 641, 643
carecer 643
carecer de confirmação 546
carecer de fundamento 495
carecer de importância 34
carecer de tudo 804
carecer/precisar de preparo 674
carecido 641
careio 615
careiro 814
carência 2, 32, 53, 103, 304, 630, 641, 804
carência de auxílio 708
carência de culpa 946
carência de método 539
carência de títulos 925
carente 304, 485, 641
carepa 255, 330
carepento 653
carestia 641
Carestia 814
carestioso 814
caret 53
careta 243, 530, 846, 852, 853, 855, 857, 929
caretear 867, 909, 932
caretear com momos e trejeitos 929
caretice 124, 852
careza 814
cárfia (entre os turcos) 975
carfologia 315, 360
carfológico 315
carga 190, 276, 319, 640, 716, 798, 828, 830, 939
carga ao mar 645
carga cerrada 716
carga de cavalaria/de infantaria 716
carga de ossos (bras.) 203
carga de ovos 822
carga de profundidade 727
cargas da vida 828
cargo 170, 737, 876
cargo apostolado 995
Cargos da Igreja 995
cargos, dignidades e divisões eclesiásticas 995
cargueiro 271
carguejar 270
cariar 659

cariátides | casa militar

cariátides 215
Caribdes 312
caricar 856
caricato 853
caricatura 21, 549, 555, 853, 856
caricatural 555
caricaturar 555
caricaturesco 853
carícia 377, 615, 829, 897
Carícias 902
carícias de gato 544
cariciativo 829, 902
caricioso 902
caridade 648, 707, 784, 816, 876, 906, 910, 914, 944
caridade bem entendida começa por casa, A 922
caridade cristã 906
caridoso 648, 784, 906, 910, 912, 948
cárie 162, 165, 655, 659, 663
carifranzido 128
carijó (bras.) 440
carimbamba (bras.) 662, 701
carimbar 550, 932
carimbó 415, 998
carimbo 550, 769
carinegro 431, 440d
carinho 457, 459, 682, 829, 897
carinho e o frouxel do lar 377
carinho(s) 902
carinhoso 902
cariocinese 90
carirredondo 192, 243
carisma 976, 987
caritativo 784, 906
cariz do céu 318
carlequim 307
carmear 60, 716, 972
carmelita 996
carmelitano 996
carmezim 434
carmim 434
carmina 434
carminar 434
carmíneo 434
carmona 45
carnaça 192
carnação 428, 434, 556
carnagem 361
carnal 11, 364, 954, 989
carnalidade 954, 961
carnário 954
carnaval 59, 523, 840, 954
carnavalesco 559, 853
carnaz (de couro) 235
carne 11, 316, 372, 597, 961
carne e osso 3
carne e sangue 364
carne sem osso 775
carneirada 348, 353
carneiradas 341
carneiro (espécie) de lã muito fina 440c
carneiro 276, 348, 353, 363, 366, 373, 412, 886
carneiro, vozes de 412
carneirum 366, 412
carne-seca (depr.) 565
carniça 361, 401, 653, 857
carniçal 298
carnicão 653
carniçaria 361
carniceiro 298, 361, 701, 907
carnífice (ant.) 361, 949, 975
carnificina 361
carniforme 354
carnis desideria 961
carnis lege 11
carnita 840
carnívoro 298
carnosidade 192, 354
carnoso 159, 192, 354

carnudo 159, 192, 354
caro 648, 735, 809, 812, 814, 897, 906
caro data vermis 362
caro por qualquer preço 645
caroável 888, 897
carocha 975
caróchas(s) 546, 994
carocho 431, 978, 994
caroço (pop.) 800
caroço 193, 222, 642, 803
Carola (depr.) 988a
carola 450, 987
carolice 987, 988
carolo 222, 330, 378, 972
caronada 727
carótida 350
carotídeo 350
carotidiano 350
Carpe diem 134, 682
carpideira 363, 839
carpido 839
carpidor 839
carpidura 839
carpimento 839
carpinteirar 686
carpinteiro (pejorativo para) 701
carpinteiro 690
Carpinteiro de Nazaré 976
carpintejar 686
carpir 839
carpir a cabeça 839
carpir dolorosamente 839
carpo 440e
carptor 746
carqueja 388
carquilha 258
carrabouçal 217
carraca 273
carraça 88, 683, 841
carrada (de razões) 72
carrada 190
carrada de 31
carranca 234, 440e, 832, 846, 895, 900, 901, 932, 933
carrancudo 440d, 832, 837, 846, 900
carranha 653
carranquear 900
carrapata 704, 706
carrapato 88, 193, 653, 683
carrapito 210
carrascal 169
carrasco 361, 739, 907, 913, 914a, 949, 974, 975
carraspana 959, 972
carrasqueiral 169
carrasquenho 169
carrasquento 169
carrear 270, 285
carreata 838
carregação 25, 31, 190, 319
carregado 190, 319, 422, 428, 777
carregado de dívidas 806
carregado de espáduas 159
Carregador 271
carregamento 25, 31, 190, 319
carregar 35, 52, 184, 190, 215, 270, 319, 649, 789
carregar a celha/o sobrolho 837, 841, 900
carregar a mão 640
carregar água em peneira/num jacá 471
carregar ao ombro 215
carregar o peso dos janeiros 128
carregar o preço 814
carregar o semblante 837
carregar pedra enquanto descansa 698

carregar sobre 716
carregar sobre a direita/sobre a esquerda 278
carregar um crime a alguém 938
carregar/franzir o cenho 837
carregar-se de dívidas 806
carregável 320
carrego 190
carregonceira 263
carreira 69, 264, 266, 625, 692
carreira louca 274
carreira militar 722
carreira sacerdotal 995
carreira vertiginosa 274
carreirão 627
carreiro 268, 627
carreiro de formigas 627
carrejão 271
carrejo 272
carreta 272, 727
carretar 270
carrete 272
carretear 270
carreteira 627
carreteiro 268
carretilha 633
carreto 264, 270, 272, 812
carretora de amores 962
carril 259, 272, 627
carrilhanor 997
carrilhão 417, 1000
carrilhonar 402a, 407
carriola 272
carripana 272
carro 272
carro de bois 272
carro de combate 716
carro de mão 272
carro do sol 318
carro fúnebre 363
carro na lama 683
carroça 272
carroça de dinheiro 803
carroça de lixo 683
carroçada 190
carroção 272
carroceiro 268, 852, 895
carrossel 272, 312
carruagem 272
carruagem de posta 272
carta 184, 531, 532, 550, 554, 769, 963
carta anônima 934
carta apostólica 741
carta branca 755, 760
carta citatória 741
carta comendatória 592
carta confirmatória 467
carta de alforria 750
carta de amores 592
carta de corso 791
carta de crédito 805
carta de naturalização 184
carta de partilha/de pagamento 786
carta de prego 741
carta de recomendação 592
carta de segurança 664
carta encíclica 592
carta geográfica 695
carta insolente 592
carta pastoral 592
carta topográfica 554
carta-bilhete 592
cartabuxa 652
cartabuxar 652
cartalogia 551
cartão 550, 556, 592
cartão de crédito 800, 805
cartão de débito 800, 805
cartão de pêsames 915
cartão de visita 550

cartão-postal 592
cartapácio 551, 592, 593
cartas 840
cartas marcadas 611, 923
cartas na mesa 525
cartas reversais 774
cartaz (ant.) 664
cartaz (pop.) 873
cartaz 531, 593, 626
cartear-se 592
carteira 505, 551, 800, 805
carteira de lembranças 505
carteirista 792
carteiro 191, 268
cartel 550, 715
cartela 551
cartelo 938
cartilagem 321, 323, 327
cartilagíneo 323
cartilaginoso 323, 327
cartilha 537
cartografia 554, 692a
cartola 225
cartomancia 511
cartomante 513
cartonar 323
cartorário 551
cartório 551
cartuchame 727
cartucheira 253, 727
cartucho de guerra/de festim 727
cártula 551
cartulário 86, 551
cartusiano 996
cartuxo 996
caruara 129
carujeira 339
carujeiro 353
caruncharr 124, 128, 659
caruncho 165, 659, 663, 913
carunchoso 124
carunha (reg.) 222
cárus 360, 376
carusma 40, 384
carvalho 159, 206, 873
carvão 384, 388, 426, 431, 556
carvão de pedra 388
carvoejar 686, 690
cãs 128
casa 166, 189, 292, 363, 444, 599, 696, 712, 780
casa civil 746
casa comercial/de negócio 799
casa da ópera 599
casa da suplicação 966
casa da tia 961
casa das três esquinas (Porto) 752
casa de alfarrabista 593, 799
casa de campo 189
casa de correção 752, 975
casa de Deus/de oração/do Senhor 1000
casa de educação 542
casa de malta 59
casa de marimbondo(s) 667, 704, 830
casa de modas 225
casa de passe 961
casa de pasto 189, 298
casa de penhores 787
casa de pouca farinha (bras.) 752
casa de reclusão 752
casa de saúde 662
casa de tafularia 945
casa de vidro 328
casa dos contos 802
casa dos lordes 875
casa dos milagres ou sala dos milagres 1000
casa militar 746

538

casa paterna 189
casa religiosa 1000
casaca 188, 225
casaco 225, 384
casacudo 188
casadeiro 903, 904
casado(s) 9, 88, 613, 903
casadouro 131, 903, 904
casal 89, 780, 903
casal de pombinhos 897
casalar 903
casaleiro 188
casalejo 189
casamata 189, 666, 717, 752
casamatado 717
casamenteiro 903
casamento 43, 48
Casamento 903
casamento de arranjo/arrumado 903
casamento de inclinação 903
casamento misto 903
casamento morganático 24
casamento morganático/desigual/desvantajoso/de mão esquerda 903
casamento na igreja/no civil/ na igreja e no civil 903
casamento por interesse 903
Casanova 897, 962
casão 189
casar 41, 42, 48, 903
casar com pessoa de condição/ fortuna desigual 903
Casarás e amansarás 903
casario 189
casca 6, 204, 220, 223, 642
casca de noz 32
casca de vaca 975
cascabulho (bras.) 541, 645
cascadura 823
casca-grossa 852, 895
cascalhada 838
cascalhar 402a, 838
cascalheira 330, 360, 402a
cascalho 330, 342
cascão 223, 895
cascar 276
cascas de alho 643
cascata 130, 337, 348, 846
cascata de leite e mel 639
cascavel 366, 501, 504, 901, 913, 949
casco (fig.) 450
casco 450
cascos defeituosos 440c
cascudo 223, 256, 823, 972
casculho 643
caseação 321
caseadeiro 690
casebre 189
caseiro 189, 518, 746, 779, 849
cash 800, 807
casier 551
casinha 653, 752
casinhola 189
casinhota 189
casinhoto 189
casitéu 189
casmurrada 606
casmurral 606
casmurrice 606
casmurro 606
caso 8, 151, 454, 514, 567
caso agora muda de figura, o 15
caso análogo 180
caso de amor 897
caso de consciência 926
caso de honra 720
caso de xifopagia (fig.) 888
caso estranho e imprevisto 151
caso haja mister 641
caso que 469

caso urgente 684
casório 903
caspa 330, 653, 655
caspento 330, 653
cáspite! 870, 931
casposo 330, 653
casqueira 223
casquejar 658, 660
casquento 223
casquette 225
casquilhar 851
casquilhice 851
casquilho 851, 854
casquinada(s) 402a, 838
casquinha 6, 220
cassa 427
cassação 756, 761
cassação de poderes 925
cassamento 756
Cassandra 512, 513, 668
cassar 44, 756, 761
cassetete 276, 727
cassino 74, 189
cassiótico 704
casso 477, 699, 964
casta 11, 75, 166, 372
castanha (de burro) 299
Castanho 433
castanho 45, 453
castanhola 417
castanholar 416
castão (parte superior de bastão) 210
castão x biqueira, ponteira 237
castelão 745, 746, 753, 965
castelaria 965
castelhanismo 563
castelo (de nuvens) 72
castelo 189, 717, 875
castelo-d'água 636
castelo de areia 328
castelo de cartas 160, 328
castelo no ar 515
castelos de dourada fantasia 858
castelos/obras/projetos no ar 858
castiçal 423
castiçar 168
casticidade 567, 578, 850
casticismo 578
castiço 42,168, 567, 574, 578, 648, 650, 850
castidade 944, 946, 953, 960
castificar-se 944, 955
castigado 567, 578
castigado com a pena de Talião 718
castigador & *v.* 975
castigar 174, 716, 830, 932, 972, 974
castigar o brio 879
castigar o corpo 879
castigar-se 950, 952
castigável 649, 945, 947
castigo 828, 828, 919, 952, 972, 974
casto (céu) 438
casto 42, 242, 576, 650, 849, 850, 960
castor 225
Castor e Pólux 89, 423, 890
castração 158, 201
castrametação 722
castrar 38, 158, 201
castrejo 189
castrense 722
castro 189
casual 151, 156, 475, 621
Casualidade 621
casualidade 151, 361, 619, 735
casualidade da sorte 156
casualmente & adj 156, 412, 621

casuísta 476
casuística 477
casuístico 477, 926
casula 999
casulo 223
casus belli 713, 824
casus foederis 770
cata 461, 609
catabatista 984
catacego 443, 499
cataclismo 146, 165, 348, 619, 830
catacrese 521, 523, 560, 569
catacumba 363
catacúmbio 608
catacústica 402
catadióptrica 420
catadupa 348
catadura 448
catadura torva 846
catafalco 363
cataglotismo 579
cataléctico 597
catalecto 551
catalefo 363
catalepsia 265, 376
catalepsia patológica 655
catálise 49
catalítico 49
catalogação 60
catalogado & *v.* 60
catalogar 60, 551
catálogo 86, 551
catalogue raisonné 594
catamarã 273
catamenial 299
catamênio 299
catana 727
catanada 932
catanear 932, 934
Catão 739, 948
cataplasma 160, 223, 354, 662
cataplasmado 655
cataplasmar 662, 834
cataplexia 158, 376
catapora 655
catapulta 727
catapultar 284
catar 609
catarata 337, 348
catarata negra 442
catarro 299
catarroso 653
catártico 652, 662
catassol 440
catasta 752, 975
catastáltico 662
catástase 654
catástrofe 67, 619, 729, 735, 830
catastrófico 619
catatau 130, 193, 727
catatônico 376
catatraz! 972
cata-vento 149, 338, 349, 550, 607
catecismo 461, 484, 983a, 987
catecúmeno 541, 607, 711, 997
cátedra 542, 747, 1000
catedral 1000
catedrático 540
catedrilha 542
categoria 7, 8, 71, 75, 877
categoricamente verdadeiro 494
categórico 474, 478, 494, 535
categorizar 60
catenária 245
catênula 45, 219
catequese 461, 537, 998
catequético 537
catequista 461, 540
catequizador 540
catequizar 461, 478, 537, 983a, 987, 998

catérese 299
cateretê 840
caterético 171
Caterfelto 994
caterva ou magna caterva (de vagabundos) 72
cateto 212
catetômetro 212
Catilina 941
catilinária 932, 938
catimbau 857
catimbau/catimbó 392
catinga 401, 819
catingar 401, 819, 877
catingoso 401
catingueiro 401, 877
catinguento 401
catita 845, 851, 854
catitismo 851
cativa! 653, 867
cativante 829, 845, 897
cativar 175, 615, 749, 751, 781, 829, 845, 897, 916
cativar a atenção/a ideia/o pensamento/o espírito/as vistas 457
cativar a benevolência dos potentados 933
cativar o ânimo de 888
cativar o coração 829
cativar o pensamento 451
cativeiro 749, 751
cativo 429, 643, 743, 746, 749, 754, 827, 916
catixa! 867
catolicão (depr.) 662 988a
catolicão 662
catolicidade 983a
catolicismo 78, 983a, 998
católico 78, 914
católico apostólico romano 983a
catoniano 739
catonismo 739, 855
catóptrica 420
catoptromancia 511
catrabucha 256
catrafilar 751
catraia 962
catraieiro 269
catraio 129, 271
catrâmbias! 932
catrameço 51
catrapão 271
catrapós 271
catrapós/catrapus 402a
catrapus 271
catre 215
catuaba 824
catual 965
catualia 965
caturra 606
caturrar 606
caturrice 606, 842
caução 467, 771, 805
caucho 325
caucionado & *v.* 771
caucionante 771
caucionar 771, 787
caucionário 771
caucionar-se 771, 864
cauda (de exército) 235
cauda 39, 65, 67, 214, 235, 281
caudal 67, 235, 348
caudal de sangue 361
caudaloso 348
caudatário 65, 281, 746, 886, 997
caudato 214, 235
caudel 745
caudelar 693
cáudice 215
caudífero 440c
caudilhar 693

caudilho 694, 745, 873
caule 215
caulescente 367
caulículo 215
caulífero 367
caulifloro 367
caurim 808
caurinar 545, 808
caurineiro 808, 941
Causa 153
causa 170, 462, 626, 959
causa antipática 477
causa causans 153, 155, 615
causa de abatimento 837
causa final 153, 620
causa geradora 153
Causa Primária 976
causa propulsora 615
causa pública 910
causa/fonte de prazer 829
causa/fonte de sofrimentos 830
causado & *v.* 153
causado por 154
causador & *v.* 153, 164, 615
causal 153, 600
causalidade 153
causar 153, 161, 615, 870
causar a morte a 361
causar admiração 845
causar asco 649
causar azedume a 397
causar ciúmes a alguém 920
causar comichão 375
causar comichões & *subst.* 380
causar dano 649
causar desapontamento a 509
causar descontentamento/aborrecimento 832
causar dissabor 649
causar dó/enternecimento/pesar 830
causar dor 830
causar embaraço 706
causar engulhos 649, 867
causar impressão no ânimo de 824
causar indignação 932
causar inveja 921
causar mal a 659
causar náuseas 395, 830, 867
causar prazer 829
causar raiva 900
causar repugnância 653
causar repulsa 830
causar repulsão 395, 867
causar sensação 375, 642
causar tédio/nojo 867
causar terror 860
causar uma dúvida 485
causar vergonha & *subst.* 874
causar viva impressão 824
causar/provocar desgostos 867
causas ignoradas 615a
causerie 588
causídico 476, 922, 965, 968
cáustica 245
causticação 830
causticante 382, 830, 932
causticar 104, 171, 384, 830, 907
causticidade 171, 384, 574, 856, 907
cáustico 171, 384, 821, 830, 856, 932
cautela 459, 510, 664, 668, 928
Cautela 864
cautela! 669
cautelosamente & *adj.* 864
cauteloso 498, 668, 673, 864
cautério 384, 830, 972
cauterização 384
cauterizar 384, 823
cauterizar/amortalhar a consciência 907

cauto 864
cava 207, 252, 350
cavaco 388, 588
cavadiço 221
cavado 173, 252, 260
cavador 371
cavalada 497
cavalar 271, 412
cavalaria 722, 726, 861, 910
cavalaria ligeira 726
cavalariça 189, 370, 653
cavalariço 746
cavaleira 268
cavaleirar 281
cavaleiro (pejorativo para) 701
cavaleiro 268, 373, 726
cavaleiro andante 504, 717, 863, 910
cavaleiro da/de triste figura 717, 863
cavaleiroso 861
cavalete 556, 975
cavalgada 69, 72, 268
cavalgadura 271, 493, 501
cavalgante 268
cavalgar 206, 215, 266, 303, 305, 622
cavalgata 268, 840
cavalhadas 840
cavalheiresco 850, 851, 894, 906, 910, 939, 942
cavalheirismo 816, 826, 894, 906, 944
cavalheiro 372, 3373, 784, 816, 875, 892, 894, 906, 939, 942
cavalheiro de indústria 792
cavalheiroso 816, 939, 942
cavalheirote 875
cavalicoque (dep.) 271
cavaliere servente 886
cavalinho (pop.) 800
cavalo 271, 366, 373, 412
cavalo baio bem sujo 440a
cavalo branco mascarado com pintas pelo corpo 440a
cavalo castanho ou amarelo torrado 440a
cavalo castanho-claro 440a
cavalo castiço 373
cavalo completamente branco 440a
cavalo cor de canela 440a
cavalo cor de lobo 440a
cavalo cor de ouro desmaiado 440a
cavalo cujos testículos estão recolhidos no ventre 440a
cavalo da cor da amora 440a
cavalo de batalha 454, 481, 490, 626
cavalo de cara branca ou malhado no corpo inteiro 440a
cavalo de cauda longa 440a
cavalo de cor acinzentada 440a
cavalo de cor amarelada com reflexos dourados quando exposto ao sol 440a
cavalo de cor clara e crinas amarelas 440a
cavalo de cor entre branco e amarelo 440a
cavalo de cor grisalha 440a
cavalo de cor mais ou menos escura 440a
cavalo de cor vermelha semelhante ao pinhão 440a
cavalo de frisa 717
cavalo de lançamento 373
cavalo de mancha branca no seladouro 440a
cavalo de olhos cercados de malhas brancas ou que ao erguer a cabeça põe os olhos em alvo 440a
cavalo de padreação 373
cavalo de pele preta coberta de pelos brancos e com crinas de igual cor 440a
cavalo de pelo amarelo-avermelhado 440a
cavalo de pelo branco e pardo ou de pelo branco com malhas escuras e redondas 440a
cavalo de pelo branco mesclado de vermelho e preto 440a
cavalo de pelo todo castanho-escuro 440a
cavalo de qualquer cor mas com a cara branca 40a
cavalo de rabo branco 440a
cavalo de sobrancelhas brancas 440a
cavalo malhado de branco até os joelhos 440a
cavalo manco de uma perna 440a
cavalo mesclado de branco e vermelho 440a
cavalo montado 726
cavalo pardacento 440a
cavalo preto e branco 440a
cavalo preto ou castanho com malhas brancas nos ilhais ou nas espáduas 440a
cavalo preto salpicado de pintinhas brancas 440a
cavalo que apresenta malha branca na testa 440a
cavalo que levanta muito a cabeça ao andar 440a
cavalo que possui malhas ou manchas 440a
cavalo que tem a cauda curta ou cortada 440a
cavalo que tem a cauda entremeada de fios brancos 440a
cavalo que tem a cor escura do melro 440a
cavalo que tem a crina mais clara que os outros pelos do corpo 440a
cavalo que tem a parte inferior do ventre e as regiões entre os membros, a garganta e o focinho esbranquiçados como que desbotados 440a
cavalo que tem brancos os pés traseiros 440a
cavalo que tem cada olho de uma cor 440a
cavalo que tem crina preta e de outra cor os outros pelos 440a
cavalo que tem grande sinal branco no focinho 440a
cavalo que tem malha branca de alto a baixo na testa 440a
cavalo que tem malha branca em volta de um ou ambos os olhos 440a
cavalo que tem malha de cabelos brancos ou preta perto do casco 440a
cavalo que tem malhas nos pés 440a
cavalo que tem manchas alvas nas mãos 440a
cavalo que tem o pelo avermelhado e branco dando o aspecto de cor rosada 440a
cavalo que tem o pelo escuro 440a
cavalo que tem o pelo escuro acinzentado 440a
cavalo que tem pelo cor de rato 440a

cavalo que tem pelos brancos entremeados com pelos escuros 440a
cavalo que tem uma malha na testa 440a
cavalo que visto de lado é mal aprumado 440a
cavalo salpicado de preto e branco 440a
cavalo tordilho claro 440a
cavalo, cores e sinais de 440a
cavalo, vozes de 412
cavalo-pai 373
cavalório 493
cavalos pequenos 271
cavalos velhos 271
cavão 371
cavaqueador 584, 588
cavaquear 588
cavaqueira 588
cavaquinho 417
cavaquista 901
cavar 208, 252, 260, 371
cavar a sua ruína com as próprias mãos 699
cavar na vinha e no bacelo 471
cavar um abismo 713
cavatina 415
cávea (ant.) 599, 728, 752
caveat 741
Caveat emptor 769, 795
caveira 40, 203, 362, 450, 669
caveiroso 203
cavendo tutus 459, 664
caverna 189, 252, 530
caverna de Ali-Babá 791
caverna de Éolo 349
caverna de Trofônio 837
cavername 329, 362
cavernoso 252, 405, 408, 410, 581
caveto 252
caviar 392
cavicórneo 253
cavidade 244, 252
cavidar(-se) (ant.) 668, 864
cavidoso (ant.) 864
cavilação 477, 545, 702, 932
cavilador 548, 936
cavilar 477, 544
cavilha 45, 215, 263, 633
cavilhar 43
caviloso 477, 544, 545, 702
cavo 208, 252, 405, 408, 410, 581
cavoucar 208, 252
cavouqueiro 701
caxambu 840
caxerenga 253
caxerenguengue 253
caxerim 253
caxias 682
caxito 271
caxixi 417
caxumba 250, 655
cc 401
CD 594
cear 298
cebo! 932
cebola (pop.) 114
cebola 160, 249, 393, 401
cebolório! 867, 930, 932
cê-cê 401
ceceio 583
cecém (poét.) 430
ceceoso 583
ceco 440e
cedência 782
ceder 160, 283, 324, 488, 607, 762, 782, 783, 784, 933
ceder a palma (insucesso) 34, 879
ceder à sedução 615
ceder ao desespero 859

ceder o lugar | cerrar cortina

ceder o lugar 147
ceder o passo a alguém 275
ceder temporariamente 787
cediço 80, 82
cedilha 550, 590
cedilhar 550, 590
cedimento 782
cedível 783
cedo 111, 132, 135, 674
cédula 80, 505, 551, 800
cédula de testamento 771
cefalalgia 378, 837
cefalálgico 378
cefaleia 378
cefalia 378
cefálica 450
cefálico 450
cefalomancia 511
cefalomântico 511, 514
cefalometria 372, 450
cefalópago 83
cegada 840
cegamente & *adj.* 442
cegar 254, 420, 442, 606
cegar de brancura 430
cegar um caminho 706
cega-rega 366, 584, 840
cego 254, 442, 458, 487, 491, 601, 823
cego conduzindo outro cego 539
cego de 824
cego em preconceitos 481
cegonha 348, 633
cegonha, vozes de 412
cegude 663
Cegueira 442
cegueira 481, 491, 606, 825
cegueira voluntária 487
cegueta 443
ceguidade 442
ceia 298
ceia dúbia 298
ceifa 103, 154, 371, 618, 775
ceifado na mais rútila existência 360
ceifar 103, 201, 308, 361, 371, 509, 775
ceifar a foice da morte a vida a alguém 360
ceifar as esperanças de 859
ceifar do hastil 162
ceifar vidas 657
ceitil 643
cela 191, 752, 893
Cela s'entend 613
Cela/ça va sans dire 82, 525
celada 717
celagem 434
celebração 733
Celebração 883
celebrado & v 883
celebrante 996
celebrar 597, 838, 873, 883, 931
celebrar a páscoa 998
celebrar as virtudes dos varões ilustres 873
celebrar o jubileu/o centenário 838
celebrar o ofício divino 998
celebrar o serviço divino 998
célebre 873
celebridade 873, 883
celebrizar 873
celebrizar-se 873
celeireiro 637
celeiro 189, 636
celerado 907, 913, 945, 949
célere 111, 274
celeremente 686
celeridade 111, 132, 274, 684
celerímetro 200
celesta 417

celeste 648, 950, 829, 976, 981, 987
celestial 648, 650, 829, 976, 981
celestino 438, 981, 996
celeuma 59, 411, 932
celha(s) 205, 441
celheado 440a
celíaco 221
celibatário 904, 960
celibatarismo 904, 960
Celibato 904
celibato 960
célibe 904
célico 976
celícola 372
celígeno (fig.) 944
celígeno 981
celipotente 976
cello 417
celsitude 206, 574, 648, 845
celso 206, 574, 648, 650, 845, 873, 942
célula 56, 191, 198
célula-mãe 3
celular 191, 252, 527, 534, 592, 633
celuliforme 252
cem 98
cem por cento 639
cementar 140
cemiterial 363
cemitério 67, 182, 363, 657
cena 448, 554, 599, 845
cena burlesca 853
cena cômica 599
cena de sangue 361
cena lírica 599
cena muda 599
cenáculo (de crentes) 72
cenáculo 74, 189, 191, 712
cenagal 345
cenagoso 653, 961
cenário 298, 441, 448, 556, 599, 728, 845
cenatório 298
cencramidade 57
cendal 225
cendrado 432
cendrar/acendrar 652
cenestesia 821
cenho 832, 833, 839, 900, 932
cenho cerrado 895
cenho severo 901
cenhoso 832, 900
cênico 599
cenismo 563
ceno 345, 653
ceno do vício 945
cenóbio 893
cenobismo 893
cenobita 893, 996
cenobital 996
cenobítico 893, 996
cenobitismo 893
cenografia 556, 599, 692a
cenógrafo 559, 599
cenopégia 998
cenosidade 961
cenoso 653, 961
cenotáfio 363
cenrada 652
cenreira 606, 867
censatário 779
censionário 779
censítico 769
censo 85, 86, 466, 810
censo reservativo/consignativo 769
censor (crítico) 967
censor 480, 850, 936
censório 868, 932
censura 462, 480, 932, 938, 998
censurabilidade 651

censurador 480, 936
censurar 462, 480, 932
censurável 495, 923, 932, 945, 947
cent 800
centão 41, 70, 597
Centauro 318
centauro 83
centavo 99, 800
centelha 32, 382, 420, 423, 698
centelhar 420
centena 98
centenário 98, 108, 130, 138, 840, 883
centenas 102
centesimal 98, 99
centésimo 99
centímano 83
centímetro 200
centímetro cúbico 466
centípede 83
cento 98
centóculo 83
centopeia 130
central 68, 221, 222, 642
Centralidade 222
centralidade 242
centralização 222
centralizado & *v.* 222
centralizar 48, 221, 222, 290, 737
centralmente & *adj.* 222
centrar 222
cêntrico 222
centrificar 222, 290
centrífugo 222, 289, 291
centrípeto 222, 288, 290
centro 68, 74, 222
centro comercial 799
centro de gravidade 222
centro de oscilação 222
centro de percussão 222
centro de pilhagens 791
centro de pressão 222
centro do sistema planetário 423
centro espírita/de mesa/de umbanda 1000
centunvirato 737
centúnviro 745
centuplicar 98
cêntuplo 98
centúria 51, 98, 102, 108, 726
centurião 745
centúrio 745
cepáceo 249, 250
cepilhadura 204
cepilho 255
cepo 215, 493, 501, 683, 752
cepticismo 485, 487, 989
céptico 485, 487, 984, 989
cepudo 241, 852
cera 133, 275, 324, 352, 356
ceráceo 324, 355, 429, 605, 607, 822
cerâmica 384, 557
cerâmico 557
ceramista 559
Cerasa 805, 808
cerato 356
ceráunia 173, 318
ceráunio 495, 550, 597, 847
ceraunite 318
Cérbero 263, 664, 913, 949, 982
cerca 229, 230
Cerca 232
cerca de 32, 197
cerca de arame 232
cercado 232
cercado do respeito e da admiração 873
cercador 716
cercadura 229, 231, 847

cercania(s) 197, 227
cercão 197
cercar 227, 232, 261, 716, 717
cercar de atenções 894, 902, 928
cercar de atenções e amabilidades 933
cercar de atenções/de mimos 902
cercar de grades 229
cercar-se de 709
cerce 207
cerceadura 201
cerceamento 751, 761
cercear 36, 38, 162, 201, 308, 751, 761
cercear a inteligência 497
cercear as esperanças de 859
cerceio 201, 761
cérceo 162, 199, 201, 207
cercilhar 995
cercilho 995
cerco 261, 716, 728, 751
cerco cristalino 318
cerdas 256
cerdo 366
cerdoso 256
cereais 367
cereal 367
cerealicultura 371
cerealífero 367
cerebelo 440e, 450, 451, 498
cerebração potente 498
cerebral 440e, 450
cerebralidade 450
cerebrina 450
cerebrino 83, 450, 497, 499, 515, 853
cérebro 372, 440e, 450, 498, 820
cérebro e o braço 615
cérebro tacanho 499
cereja 434
cereja do bolo 650
cerejal 371
céreo 355, 429
Ceres 369
ceres 371
cerica 356
cerimônia 882, 883, 894, 990, 998
cerimônia civil/religiosa/nupcial 903
cerimonial 527, 855, 882, 894, 998,
cerimonialismo 998
cerimoniático 882, 928
cerimonioso 855, 894, 928
cerne 5, 68, 159, 323
cernelha 250
cernir (ant.) 42, 465
ceroferário 711, 997
cerografia 558
cerol 556
ceromancia 511
cerome 225, 356, 662
ceroplástica 557
ceroplástico 557
ceroso 355, 356, 662
ceroula 225
cerqueira 996
cerqueiro 227
cerração 353, 421, 475
cerração da fala 581
cerradamente 606
cerrado 3, 102, 181, 232, 261, 321, 421, 428, 519
cerra-fila 65, 88, 235, 281
cerrar (o cavalo) 131
cerrar 67, 261, 321, 528, 729
cerrar a boca 585
cerrar a boca de 479
cerrar a porta a alguém 895
cerrar com o inimigo 720
cerrar cortina 424

cerrar fileiras | charlatanismo

cerrar fileiras 673, 709, 712
cerrar os olhos 458
cerrar os olhos à luz 360, 487
cerrar os ouvidos ao bom-senso 481
cerrarem-se todas as portas 859
cerrar-se a todo o trato 893
cerro 206, 342
certame 476
certame 713, 720
certamente & *adj.* 474, 488, 494, 762,
certar 476, 720
certeiro 474, 731
Certeza 474
certeza 484, 494, 518, 535
certeza matemática 474
certidão 467, 4474
certificado 467, 550, 551, 771
certificar 467, 474, 527, 535
certificar-se 461, 463, 480a
certificar-se pelo tato 379
certificativo 467
certificatório 467
certíssimo 474
certo 79, 136, 474, 484, 494, 498, 535, 543, 705, 762, 858
certo como a morte/como os impostos/como dois e dois são quatro 474
certo que sim 488
cerúleo 438, 827
cerume 352
ceruminoso 355
cerval 412
cervato 129
cerveja 298, 959
cervejaria 189
cervical 440e
cervicalgia 378
cerviculado 203
cervilheira 717
cervino 412
cerviz 203, 235
cervo 366
cervum 412
cerzidor (dep.) 593
cerzir 41, 43, 660
césar 745
cesariano 739
cesarismo 737, 739
cesarista 739
céspede 367
cespitoso 367
Cessação 142
cessação 265, 360
cessação de pagamento 808
cessão 624, 762, 782, 784, 927a
cessar 67, 70, 142, 614, 624
cessar de 624, 678
cessar de viver 360
cessar pagamentos 808
cessar-fogo 723
cesta 191
cesta-rota 532
cestinho 191
cesto 191, 717
cesto roto 527, 584
cesura 44, 70, 198, 201, 259
cesurar 70, 378
cetáceo 192
ceticismo 509
cetim 255
cetina 356
cetinoso 255, 324
cetografia 368
cetologia 368
cetras 550
cetrigeno 737
cetro 33, 550, 737, 747, 875, 876
céu 189, 318, 338, 438, 601, 976
Céu 981

céu aberto 377, 827
céu azul 734, 858
céu da boca 390, 440e
céu de brigadeiro 705, 827, 858
céu de bronze 382
céu mitológico 981
ceva 613
cevadeira 810
cevado 373, 501, 821, 824
cevado de ódio 898
cevadouro 370
cevadura 361
cevão (fig./pej.) 962
cevar(-se) 194, 298, 545, 613, 615, 640, 803
cevar-se no vício 945
cevo 454, 545, 613, 615
chá 298, 344, 856, 932
chabraque 225
chabuco (ant.) 975
chaça 713, 821
chacal 637, 913
chaçar 33
chácara 189, 780
chá-chá-chá 415
chacim 366
chacina 361
chacinado 203
chacinador 361
chacinar 361
chacoina (ant.) 840
chacota 856
chacoteador 844
chacotear 842, 856
chacoteiro 856
chá-dançante 840, 892
chafalhão 856
chafalheiro 851
chafalho 414, 727
chafardel (de ovelhas) 72
chafarica 189, 799, 959
chafariz 348
chafurda 345, 653
chafurdar 653
chafurdar-se 310
chafurdeiro 345, 653
chafurdo 345
chaga 378, 619, 655, 830, 945
chagado (fig.) 945
chagado 874
chagar 378, 830
chagar-se 828
chagas 874
chagoso (fig.) 945
chagrin 223
chaguento (fig.) 945
chaguer/chaquer 191, 385
chaguismo 655
chair à canon 726
chairelado 440a
chalaça 840, 856, 857
chalaceador 844, 856
chalacear 836, 842, 856
chalaceiro 856
chalavega (asiát.) 273
chalé 189
chaleira 191, 386
chaleirar 933
chaleireiro (bras.) 935
chalinque 273
chalrar 412
chalreada 411, 584
chalreadura 411, 584
chalrear (criança) 583
chalrear 412, 584
chalreio 411, 584
chalupa 273, 726
chama 382, 420, 423, 439, 615, 825
chama de cintilações desconhecidas/de efeitos maravilhosos 897
chama inédita 897

chamada 85, 388, 550, 932, 972
chamada aos quartéis 722
chamada às contas 932
chamada de atenção 457, 525
chamada de credores 808
chamada geral 741
chamado 741, 926
chamalote 255
chamamé 415
chamamento a juízo 938
chamar 85, 288, 564, 741, 976
chamar a atenção 525, 642, 845
chamar a atenção para 457, 550, 668
chamar à autoria 969
chamar à balha 715
chamar a desafio/a terreiro/a campo 715
chamar a duelo 715
chamar a esclarecida atenção de alguém para 527
chamar à existência 161
chamar a Juízo 467
chamar à memória 505
chamar à ordem 744
chamar à razão 484
chamar a responsabilidade para si 926
chamar a si 625, 676
chamar à vida 660
chamar às armas 722
chamar às contas/à ordem 927, 932, 938
chamar credores 808
chamar lágrimas aos olhos 830, 914
chamar nomes 929, 932
chamar por 630
chamar por edital 741
chamariz 545, 615
chamas 897
chambão 852, 877, 895
chamboíce 852
chamborgas 884, 887
chamborreirão 701
chambre 225
chambrié 975
chamear 420
chamejante 420, 824, 900
chamejar 382, 420, 824, 825, 900
chamejar em fogos de diversas cores 420
chamente 703
chamiço 388
chaminé 260, 349, 351, 386
chamorrado 776
chamorro 776
chamotim 174, 902
champanha da terra (cachaça) 959
champanha/champanhe 959
champanhota 838
champil 545
Champs de Mars 728
chamurro 440b
chamuscadela 384
chamuscado 384
chamuscadura 384
chamuscar 384
chamusco 384
chanca 211, 225, 440e
chança 842, 856, 880, 884
chance 134
chancear 842
chanceiro 844
chancela 21, 550, 769
chancelar 550, 551, 769
chancelaria 966
chanceler 553, 745, 759, 967
chanchada 599
chandeu (na China) 799
chaneza (ant.) 344, 703, 894
chanfalho 727

chanfana 298, 727
chanfrado 245, 252
chanfradura 217, 252
chanfrar 195, 252
chanfro 252, 2557, 557
changueiro (bras.) 271
chaníssimo 213, 703
chantagem 775, 791
chantagista 792
chantar (ant.) 184
chantrado 995
chantre 997
chantria 995
Chanuká 998
chanukiá 999
chão 211, 251, 255, 342, 344, 518, 576, 703, 881, 894
chapa (bras. pop.) 890
chapa 80, 104, 204, 251, 550, 551, 558
chapada 251, 342, 344
chapadão 342, 344
chapadeiro 188
chapado 52, 493, 525, 650, 698, 940, 941
chapar 213, 550
chaparral 169
chaparro 367
chapar-se o cavalo com alguém 213
chape 402a
chapeado 223
chapear 204, 223, 241
chapeirada 190
chapeirão 225, 667
chapejar 315, 402a
chapejar no charco 645
chapeleiro 225, 690
chapeleta 277, 283, 348, 972
chapelete 225
chapelina 225
chapelinha 225
chapelório 225
chaperon 664
chapéu 225
chapéu-armado 225
chapéu cardinalício 747
chapim 211
chapinar 315
chapineiro 225
chapinhar 315, 337, 348
chapinheiro 343, 345
chapins 225
chapodar 201, 371
chapuz 215
chapuzar 306
chapuzar-se 308, 310, 886
charabã 272
charabasca 169
charabasco 169
charada 497, 519, 533, 840, 842
charadismo 840
charadista 519, 533, 844
charamba (Açores) 840
charamela 417
charameleiro 416
charanga 404, 415
charango 417
charangueiro 416
charão 223
charco 343, 345
chargé d'affaires 758
charivari 59, 404, 407, 4411, 414
charla 584
charlador 584
charlar 584
charlata 662, 701
charlatanaria 477, 544
charlatanear 477, 545
charlatanesco 699
charlatanice 477, 491, 545
charlatanismo 477, 491, 544, 699, 855, 884

charlatão | chocar o gosto

charlatão 493, 545, 548, 662, 701, 855
charlatão de circo 599
charlateira 747
charneca 169, 180, 344
charnecal 169
charneira 244, 440e
charnequeiro 188
charoar 223
charola 215, 272, 1000
charpa 215
charquear 673
charrete 272
charro 499, 501, 852, 895
charrua 253, 371
charruar 371
charuto 392, 433
Charybdis sanguinis 361
chasco 856
chaspulho 599
chasquear 842, 856
chasqueiro 275
chasqueta 501
chasse-marée 273
Chassepot 727
chasser 297
chat 534, 592
chata (ant.) 363
chata 273
chatamente & *adj*. 843
chateação 832, 841
chatear 841
chateau(x) en Espagne 515, 858
chatelaine 847
chateza 187, 852
Chateza 843
chatice 841, 843
chatim 701, 792, 797
chatinador 797
chatinar 794
chatinaria 794
chato 16, 201, 213, 254, 517, 575, 579, 653, 841, 843
chatura 16, 843
chaussé en grande ténue 225
chauvinismo 884
chauvinista 910
chavádego 784
chavão 22, 80, 104, 613, 642, 948
chavascal 169, 653
chavasco (p. us.) 34, 499, 651, 895
chavasqueiro 34, 169, 895
chavasquice 895
chave (indicação) 462
chave 153, 261, 413, 522, 631, 642, 666, 747, 752
chave da abóbada 729
chave de parafuso 633
chave do enigma 522
chaveco (dep.) 273
chaveirão 550
chaveiro 263, 637, 753
chavelho(s) 253, 717, 781, 961
chave-mestra 791
chávena 191, 252
chaveta 45
chavetar 43
chavo 643
chazan 997
Che sará, será 601
chef 298
chefado 737
chefão 745
chefatura 737
chef-d'œuvre 648
chefe 642, 694, 745, 873
chefe da Igreja Católica 996
chefe da/de orquestra 175, 642
chefe de fila 234
chefe de polícia 745
chefe de seção 694
chefe de turma 694

chefete 739
chefia 62, 693, 737, 745
chefiar 62, 280, 693
chega 480, 806, 932
chega! 639
chegada 121, 142, 265, 729
Chegada 292
chegadela 286, 932, 972
chegadiço 156, 292, 682
chegado 11,197, 292
chegado a disposto a 176
chegado à idade provecta 128
chegado cara a cara 199
chegamento (ant.) 969
chegamento 199, 292
chegança (ant.) 961
chegança 199, 969
chegar 121, 292, 527, 812,
chegar a 731, 885
chegar a acordo 774
chegar a alguém a roupa ao corpo 972
chegar a alto grau de superioridade 648
chegar a bom termo 67, 731
chegar à conclusão 480
chegar a meio-termo 774
chegar a mostarda ao nariz de alguém 900
chegar a sua hora 360
chegar a ter garbos em 884
chegar a um acordo/entendimento/arranjo 488, 714, 762
chegar a uma determinação/ resolução 604
chegar à verdade 480a, 494
chegar ao auge 35
chegar ao calvário 729
chegar ao conhecimento de 490
chegar ao extremo de 863
chegar ao fim da linha 143
chegar ao fim da viagem 292
chegar ao meridiano 210
chegar ao quadro 292
chegar ao relho 615, 725
chegar ao seu conhecimento 490
chegar ao zênite/ao seu termo/ao seu ocaso 729
chegar brasa a sua sardinha 943
chegar na maré da tarde 135
chegar quando Inês já era morta 135
chegar repentinamente 508
chegar-se 286
cheia 31, 102, 348, 639, 640
cheio 31, 52, 72, 102, 168, 190, 194, 404, 639, 640, 704, 777, 820
cheio até a boca/até as bordas 52
cheio até a garganta 869
cheio de 639
cheio de agonias/de enguiços 859
cheio de altos e baixos 16a, 250
cheio de anos 128
cheio de apetite 865
cheio de atenções 894
cheio de azáfama 682
cheio de azar 735
cheio de brisa e de sol 656
cheio de canseiras 688
cheio de caprichos & *subst*. 608
cheio de cardos 253
cheio de distinção 851
cheio de dívidas 806
cheio de efes e erres 868
cheio de enlevos 829
cheio de esperanças 858
cheio de formas extraordinárias 845

cheio de imagens 577
cheio de incidentes/de peripécias 151
cheio de lugares comuns 575
cheio de perigos 665
cheio de poeira 330
cheio de pontos de interrogação 121
cheio de responsabilidade 704
cheio de rodeios 311
cheio de senões 568
cheio de si 880
cheio de sombra 168
cheio de zelo 821
cheiradeira 191
cheirando a azeite 673
cheirar 296, 398, 400, 461
cheirar a 17, 398
cheirar a alho 814
cheirar a bispo 384
cheirar a cueiro(s) 127, 129
cheirar a mofo 124
cheirar a sebo 852
cheirar mal 401
cheirete 401
cheiro 398, 400, 490
cheiro de corpo 401
cheiro de santidade 987
cheiroso 398, 400
cheirum 401
cheirume 401
chelpa 800
chem-chem 412
chemin faisant 270
cheque 800, 830
cheque ao portador 800
cheringalho 941
cheval de bataille 880
chevaux de frise 253
chi coração!
Chi lo sa? 475
chiada 402a, 410
chiadeira 402a, 410
chiado 412
chiador 410
chiar (fam.) 900
chiar 402a, 409, 410, 412
chiaroscuro 431, 432, 556
chiasco 383
chiba 366
chibalé (Port.) 891
chibança 851, 884, 898
chibantaria 884
chibante 854, 884, 887
chibantear 851
chibantice 884
chibantismo 851
chibar 851
chibarrada 72
chibarreiro 370
chibarro 129, 366
chibata 324, 727, 975
chibatada 972
chibatar 972
chibatear 716
chibo 129
chica 840, 961
chiça! 930
chicalhar 681
chicana 477, 481, 545, 702
chicanar 477, 544, 702, 968
chicaneiro 477, 701, 713, 968
chicanista 701, 968
chicha 551
chichiar 412
chichimeco 193, 846
chichisbear 902
chichisbéu 897
chico da ronda (bras.) 840
chi-coração 902
chicória 901
chicotada 972
chicote 727, 975

chicote de armas 727
chicotear 276, 615, 972
chieira (reg.) 880
chifanga 752
chifarote 727
chifre 253, 717, 961
chilido 412
chilindrão 840
chilique 158
chilrada 412
chilrar 412
chilreador 416
chilrear 410, 412, 838
chilreio 412
chilro 42, 391, 412
chimarra/chamarra 999
chimarrão 298
chimarrita 415
chimbal 417
chimpanzé 366, 846
chimpar 276, 582, 841
chimpar uma mentira 546
chimpar uma peça 545
china (pop.) 800
chinar 261
chincalhão 840
chincar 390
chinchar 775
chincharavelho 129
chinchila 846
chinchorro 877
chinela 225
chinelada 972
chineleiro 225, 877
chinelo 225
chinesice 643
chinfrim 59, 411, 643, 649, 742
chinfrimeira 713
chinfrinada 411, 643, 713
chinfrinar 411
chinguiço 215
chinó 225
chio 402a, 410, 412
chiola 272
chipante 273
chique 845
chiqueirá 975
chiqueiro 189, 545, 653
chiquel 191
chiquismo 851
chirinola 59, 519, 545
chirriante 410
chirriar 409, 412,
chirrio 409, 412
chiscar 713, 796
chisme 653
chispa 382, 420, 423
chispante 574, 824, 900
chispar 274, 420, 900
chispe 225
chispo 225
chiste 842
chistoso 842
chita 440b
chitado 440
chitão! 403
chito 402a
chiton! 403
Chö Trul Dutchen 998
choça 189
choca 280, 417, 848
chocalhada 315, 838
chocalhar 315, 412, 529, 584, 838
chocalheiro 529, 532, 584
chocalhice 529, 532, 588
chocalho 417, 532
chocante 14, 179, 375, 647, 649, 830, 846, 852, 874, 898
chocar 14, 124, 61, 179, 276, 375, 526, 611, 626, 673, 713, 824, 830, 867, 932
chocar o gosto 846

543

chocar traição 940
chocarrear 842, 856
chocarreiro 599, 842, 844, 856
chocarrice 497, 840, 842, 843, 852, 856, 857
chocar-se com 508, 798, 713
chocas 653
chochice 517, 575, 641, 841
chochinha 203, 877
chocho 34, 160, 477, 517, 575, 579, 641, 643, 645, 659, 841, 843, 902
choco 161, 659, 673, 730, 732
chocolate 298, 433
chofer 268
chofer ou motorista (pejorativo para) 701
chofrada 508
chofrar 402a, 508
chofreiro 508
chofrudo (p. us.) 508
choina (rég.) 420
choldra 59, 72, 877
choldraboldra 59, 41, 72, 411, 720
choninha 203
chopada 840
choque 14, 24, 146, 173, 199, 276, 315, 508, 647, 704, 708, 713, 720, 821, 828
choque das armas 720
choque dos exércitos 722
choqueiro 370
choquento 158, 653, 655
choquice 837
choradamente 765
choradeira(s) 765, 822, 839
chora-doilos (p. us.) 839
chorador 767, 839
choramigas 767, 822, 839
choramingador 822
choramingar 822, 839, 901a
choramingas 822
chorão 767, 822, 839, 868
chorar 416, 765, 833, 837, 839
chorar a falta de 776
chorar lágrimas de sangue 839, 950
chorar pitanga 839
chorar por um olho azeite e pelo outro vinagre 544, 940
chorar por um olho só
chorar seus pedaços 950
chorar sua falta 950
chorar torrentes/rios de lágimas 839
chorina 225
chorinca 822
chorincar 822
choringas 839
chorinho 415
choro 415, 839
choroso 828, 839
chorrilho 69, 72
chorudo 168, 298, 333, 639, 775, 810
chorume 333, 803
chorumento 333
chorumento fluente (líquido em movimento) 333
choupa 253
choupana 189
choupaneiro 188
chousa 232
chousal 752
chouso 752
chousura 232
choutar 266, 275, 315
chouto 275, 315
chova ou faça sol 474
chove não molha 575
Chove-lhe em casa 734
chover 348, 639,

chover a canivetes 348
chover a cântaros 348
chover azagaia 348
chover copiosamente 348
chover molinha 348
chover no molhado 104, 135, 575, 640
chover por uma pá velha 348
chronique scandaleuse 934
chuaiar 402a, 405
chuçar 378, 615
chuceiro 726
chucha 127
chuchadeira 775
chuchado 243
chuchado das carochas/das bruxas 203
chuchar 127, 296, 775
chuchar um murro 972
chuchurrear 402a
chuço 253 727
chué 34, 203, 391, 643, 841, 852, 877
chufa 842, 856, 929
chufar 856, 929
chula (Espanha) 962
chula 840
chularia 579, 843, 852
chulé (pop.) 401
chulear 43, 673
chuleio 43
chulice 579, 843, 852
chulipa 276, 378
chulismo 579, 843, 852
chulo 563, 579, 8 52, 853, 961
chumaçar 190, 224, 324
chumaceira 332
chumaço 190, 215, 224, 263, 324
chumbada 716
chumbado (pop. fig.) 932
chumbado 440b, 959
chumbar 43, 184, 261, 319
chumbar os pés ao chão 860
chumbeado 959
chumbeira 545
chumbo (fam.) 498
chumbo 284, 319, 727
chumbo trocado 148
chumeco 225, 701
chumela 127
chupá 998
chupadela 296
chupado 203, 243
chupador 296, 959
chupadouro 260, 348
chupa-flor 366
chupa-galhetas 701
chupa-jantares 683
chupa-mel 366
chupão (pop.) 351, 902
chupão 296
chupar 296, 298, 775, 789, 814, 959, 961
chupar jantares 683
chupar o sangue/os ossos a alguém 158, 545
chupela 348
chupeta 260
chupista (port.) 959
chupista 548, 683, 959
churdo 949
churrasco (bras.) 298
churrasquear (bras.) 298
churriado (bras.) 440b
churrião 272
chusma 72, 102, 269, 712
chusmar 673
chuta! 403
chute 463
chuva 306, 348, 639
chuva de 639
chuva de aplausos 931
chuva de pedra 383

chuvada 348
chuvarada 348
chuveiro 348, 639
chuvinhar 348
chuviscar 339, 348
chuvisco 339, 348
chuvisqueiro 348
chuvoso 348
ci devant 122
cianeto 663
cianídrico 663
cianípede 440c
cianirrostro 438, 440c
cianismo 438
ciano 438
cianocéfalo 438
cianoftalmo 440d
cianogênio 334
cianômetro 438
cianóptero 440c
cianose 438
Ciao! 293
ciar 283, 920
cibalho 298
cibário 298
cibato 129, 298
cibo 298
cibório 191, 1000
cica 395, 397
cicateiro 606, 901
cicatice 606
cicatrícula 550, 551, 848
cicatriz 550, 551, 848
cicatriz fica, A 919
cicatrização 660
cicatrizar 261, 658, 660, 848
cicatrizar as feridas 834
Cícero 582
cícero 591
cicerone 524, 527
ciceroniano 578
ciciar 402a, 405, 412, 533, 583
ciciar as palavras 405, 581
cicio 402a, 405, 412, 583
cicioso 405
ciclamato de sódio 396
ciclicidade 138
cíclico 136, 138, 311, 597, 629
ciclismo 840
ciclista 268
ciclo 58, 138, 247, 311, 629
ciclo lunar 138
ciclo solar 138
ciclóide 247
ciclometro 247
ciclone 146, 312, 349, 649, 667
ciclônico 146
Ciclope/ciclope 83, 159, 192, 547
ciclopédia 490
ciclópico 31,159, 192, 642
ciclose 311, 312
cíclotron 316
cicnoide 430
cicuta 663
cidadã 374
cidadão 188, 372, 373, 748
cidadão do mundo 910
cidade 189
cidade dos mortos 363
cidadela 74, 476, 666, 717
cidra 436, 959
cidrão (cachaça) 959
cieiro 383
Cien est fait 729
ciência 490, 538, 698
ciência da forma 240
ciência da gravidade 319
ciência da harmonia 413
ciência da luz 420
ciência da matéria 316
ciência da vida 359
ciência das cores 428

ciência das forças mecânicas 276
ciência das leis 963
ciência das moedas 800
ciência das plantas 369
ciência do ar 338
ciência do ataque e da defesa 722
ciência do calor 382
ciência do Direito 963
ciência do direito e das leis 924
ciência do espírito 450
ciência do gosto 850
ciência do governo dos povos 737
ciência do reino mineral 358
ciência do som 402
ciência dos animais 368
ciência dos aromas 398
ciência dos corpos celestes 318
ciência dos deveres 926
ciência dos fluidos elásticos 334
ciência dos líquidos 333
ciência dos líquidos em movimento 348
ciência dos seres vivos 357
ciência dos tecidos 329
ciência dos venenos 663
ciência política 737
ciência relativa ao homem 372
ciência social 910
ciências das datas 114
ciências das forças 159
ciências dos arúspices 511
ciências físicas 316
ciências ocultas 992
ciências psíquicas 450
ciente de 490
cientemente 611
cientificamente preparado 490
cientificar 527
científico 82, 476, 494, 698
cientista 476, 492
cientista político 690
cieropia 443
cifa 356
cifar 356
cifra 84, 101, 522, 533, 550, 561, 696, 643, 800
cifrado 533
cifrante 522
cifrão 84, 550
cifrar 596
cifrar-se 54, 596
cigalho 32, 40, 51
cigana 513
ciganada 544
ciganaria 544
cigance 544, 702
cigano 268, 545, 548
cigarra 366, 412
cigarrar 392
cigarrilha 392
cigarrista 392
cigarro 392
Ci-gît 363
cilada 361, 544, 545, 665, 667, 702, 940
cilha 45
cilhar 43
ciliação 955
ciliciar-se 952, 955
cilício 378, 952
cilífero 441
cilígero 441
cilindricidade 249
cilíndrico 249
cilindro 249
cilindro compressor 255
cilindroide 249
cílio(s) 205, 441

cilium 205
cimácio 210
cimalha 206, 210, 550
címbalo 417
cimbrar 245
cimbre 240, 250, 329
cimeira 253, 550, 717
cimeiro 206
cimeliarca 997
cimélio 1000
cimentado 714
cimentar 43, 46, 159
cimentar uma união 48
cimento 45, 323, 330, 635
cimério (poét.) 421
cimitarra 727
cimo 210
cinabrino 434
cinábrio 434
cinca 495
cincada 495
cincadilha 495
cincar 495
cincerro 417
cinco 98
cinco a cinco 98
cinco sentidos 375
Cinderela 746, 877
cindir 44, 91
cindir-se 489
cindível 51
cineasta 559, 594, 690
cinegética 622
cinegético 622
cinejornal 527
cinema 527, 554, 599, 692a, 840
cinemática 264
cineração 384
cinerama 599
cinerar 162, 362, 384
cinerário 362, 363
cinéreo 432
cinesalgia 378
cinesia 264, 537
cinética 264
cingel (de bois) 72
cingel 89
cingideiras 781
cingir 43, 225, 227, 229, 751
cingir a coroa 737
cingir com os braços 902
cingir o cilício 952
cingir os rins 673
cingir-se 304, 743
cingir-se a 603
cingir-se aos preceitos que lhe são impostos 926
cíngulo 999
cínico 823, 885, 911, 930, 932, 934, 936, 940, 955, 961
cinismo 520, 885, 940, 955
cinografia 366
cinosura 278, 693, 873
cinosuro 440c
cinquena 108
cinquenta 98
cinta 203, 225, 230, 247
cintar 195, 229
cinteiro 127
cintel 247
cintila 382, 423
cintilação 420
cintilante 420, 428, 574, 578
cintilar 420
cintilho 45, 247
cinto 45, 225, 227, 232, 247
cinto frio, o 383
cintura 203, 440e
cinturão 225, 230, 247
cinza(s) 40, 384, 388, 362, 653
cinzel 262, 558
cinzelador 559
cinzeladura 557

cinzelar 161, 557, 558, 650
cinzento-azulado 432
cio 961
ciografia 114, 421, 556, 692a
ciográfico 114
ciógrafo 114, 559
cióptico 441
cioso 459, 920
cioso de sua honra 939
cipariso 839
cipó 215, 233, 324, 363, 551, 8 39, 883, 975
cipoal 59, 219, 704
cipreste 363, 839
ciprinicultura 370
ciranda 465, 652, 840
cirandagem 465
cirandar 42, 465, 609
cirandinha 840
Circe 615, 994
circense 840
circeu (ant.) 544, 545
circinação 312
circinal 248
circo 599, 692a, 728
Circuição 311
circuitar 227, 311, 629
circuito 138, 149, 227, 230, 232, 248, 266, 279, 311
Circuito 629
circuitosamente & *adj.* 629
circuitoso 311, 629
circulação 311, 312, 531, 809
circulador de ar 385
circulante 311
circular 227, 245, 247, 248, 249, 311, 531, 532, 592, 800
circularidade 247
circularidade complexa 248
circularmente & *adj.* 311
círculo 7, 181, 227, 230, 247, 311, 728
círculo azimutal 213
círculo de relações sociais 892
círculo polar ártico 247
círculo social 892
círculo vicioso 279, 477
circulus lacteus 423
circum-adjacente 199, 227
circum-ambiente 227
circum-ambulação 311
circum-ambular 311
circumpolar 227
circum-murado 229
circum-navegação 267, 3311
circum-navegador 268
circum-navegar 267, 311
circuncidar 998
circuncisão 976, 988
circuncluso 229
circundação 227, 311, 552
circundante & v 227
circundar 227, 229, 230, 245, 247, 311, 629
circundar a fronte com um nimbo refulgente 873
circundução 756
circundutar 756
circundutor 756, 925, 964
circundutor 756
circunferência 227, 230, 231, 311
Circunferência 247
circunferente 227, 312
circunflexão 230
circunflexo 244, 311
circunfluência 311
circunfluente 227
circunfluente 311
circunfluir 73, 227, 311
circúnfluo 311
circunforâneo 311
circunfulgente de pedrarias 803

circunfundir 73, 311
circunfusão 73
circunfuso 227
circungiração 312
circungirar 312
circunjacência 220
Circunjacência 227
circunjacente 197, 199, 227
circunlocução 566, 573
circunlocutório 573
circunlóquio 477, 573, 629
circunraiano 199
circunrotatório 312
circunscrever 36, 38, 201, 221, 227, 229, 232, 261, 641, 664, 751, 761
circunscrever-se 304, 826
circunscrição 181
Circunscrição 229
circunscrição judiciária 922
circunscrito 229
circunsonante 402
circunspe(c)ção 457, 459, 498, 576, 837, 864
circunspecção em evitar os extremos 826
circunspe(c)to 275498, 826, 837, 864
circunstância 134
Circunstância 8
circunstância acidental 151
circunstância atenuante 937
circunstância particular 151
circunstanciado 573, 594
circunstancial 8, 151, 472
circunstancialmente & adj 8
circunstanciar 573, 594
circunstâncias atenuantes 469
circunstâncias difíceis/embaraçosas/prementes/estreitas/angustiosas 804
circunstâncias intermediárias/moderadas 736
circunstancionar 594
circunstancioso 573
circunstante 227, 444
circunstar 227
circunvagante 264, 266, 311
circunvagar 264, 266, 311, 573
circunvagar o olhar 441
circunvagar o pensamento por 451
circunvago 264, 266, 311
circunvalação 229, 232, 233, 717
circunvalar 229, 232, 717
circunvizinhança 197, 199, 227
circunvizinhar 227
circunvizinhar-se 197
circunvizinho 199, 227
circunvoltear 312
circunvolução 248, 312
circunvolver 311, 312
cireneu 711
cirial 423
círio 266, 423
ciriologia 578
cirita 893
cirro 353
cirrose 194
cirrose hepática 655
cirurgia 260, 662
cirurgia bucomaxilofacial 662
cirurgia cardiovascular 662
cirurgia de cabeça e pescoço 662
cirurgia do aparelho digestivo 662
cirurgia pediátrica 662
cirurgia plástica 243
cirurgia torácica 662
cirurgião (pejorativo para) 701
cirurgião 662
cirurgião plástico 243

cirúrgico 662
cisalhas 40
cisalpino 197
cisamazônico 197
cisão 44, 489, 713
ciscagem 645
ciscalhada 645, 653
ciscar 371
cisco 645, 653
cisel 247
cisgangético 197
cisma 451, 489, 515, 606, 608, 713, 837, 984
cismado 606
cismador 515
cismar 451, 515, 606, 837
cismático 451, 458, 489, 503, 515, 837, 984
cismontano 197
Cisne 318
cisne 416, 430, 582, 597
cisne-preto 83
cisne, vozes de 412
cispadano 197
cisplatino 188, 197
cisqueiro 653
cissíparo 440c
cissura 260, 713, 889
cistalgia 378
ciste 191
cisterciense 996
cisterna 208, 260, 343, 636
cisticercose 655
cistite 655
cita 467
citação 19, 82, 467, 741, 969
citadino 188, 189
citado 62
citar 82, 467, 741, 969
citar artigos e parágrafos 467
citar de falso 544
cítara 417
citaredo 416
citarista 416
citatório 969
Citéria 845
citometria de fluxo 662
citote (ant.) 965
citreo 436
cítrico 397
citricultura 371
citrino (poét.) 436
citronela 834
ciumagem 920
ciumar 920
ciumaria 920
ciúme 485, 921
Ciúme 920
ciumeira 920
ciumento 920
ciumento de 865
ciumoso 920
cível 963
cívico 372, 910
civil 221, 372, 894, 997
civilidade 892, 894
civilista 968
civilização 658
civilizado 894
civilizar 537, 658
civilizar-se 894
civismo 910
cizânia 367, 619, 713, 720, 889
clã 712
clache-clache 412
clade (poét.) 361
clamante, esganiçado & *v.* 411
clamar 411, 630, 708, 765, 839
clamar contra 932
clamar vingança 649
clamatório 839
clâmide 225
clamídia 655

545

clamor | cocorocó

clamor 402, 411, 630, 765, 839, 932, 950
clamorosamente 31
clamoroso 411, 765, 825, 839, 923, 945
clandestino 447, 528
clangor 402a, 404
clangorar 402a
clangorejar 402a
clangoroso 31, 404
claque 599, 712
clara 352
clara voce 525
claraboia 245, 247, 260, 420a,
claraboiar (ant.) 420
clarão 420, 422
clarão de esperança 858
clarear 42, 125, 420, 518, 652
clareira 44, 252, 260, 342, 344, 420a
clarejar 420
clarescurecer 126, 422
clarete 429, 436
clareza 42, 425, 518, 580
Clareza 570
clareza de vistas 576
claridade 420, 425
claridade frouxa 125, 422
claridade intensa 420
claridade mediana 422
clarificar 42, 518, 522, 652
clarificar-se 950
clarifico 420
clarim 417, 722
clarinada 669
clarinar 412
clarineta/e 392, 417
clarinete-baixo 417
clarista 996
clarividência 510, 992
clarividente 498, 510
claro 42, 420, 425, 446, 474, 518, 525, 527, 535, 873
claro como cristal 425
claro como o dia 474, 525
claro como o dia/como a própria evidência 518
claro como o sol ao meio-dia 474
clarões de incêndio 162
claro-escuro 125, 422
clarone 417
claror 420
Classe 75
classe 7, 8, 51, 71, 372, 541, 542, 875, 877
classe A 803
classe clerical 996
classe desunida 708
classe dos nobres 875
classe eclesiástica 996
classe gramatical 567
classe impensante 493
classe média 877
classe pensante e douta 492
classe produtora 371
classe sacerdotal 996
classes inferiores 877
clássica 415
classicismo 578, 850
clássico 124, 242, 567, 578, 613, 648, 850
clássico burilador da língua 578
clássicos 560
classificação 58, 60, 71
classificação das ciências 490
classificado 60
classificar 60, 76, 465, 480, 484, 518
classificar orações 567
classificar-se 71
classificativo & *v.* 60
classificável 60

clástico 260
claudicação 275, 495, 732, 945
claudicante 160, 275, 475
claudicar 160, 275, 481, 495, 544, 945
claustro 1000
claustro da infinita Sabedoria 977
claustro materno 191
claustrofobia 860
cláusula 51, 566, 593, 620, 697, 769, 770
cláusula condicional 469
clausular 770
clausura 752, 893
clava 276, 727
clava de Hércules a tombar sobre 479
clavaria 636
clavário 263
clave (de sol/de fá/de dó) 413
claveiro 263
clavicórdio 417
claviculário 263, 801
claviforme 250
clavija 45
clavina 727
clemência 740, 906, 910
Clemência 914
clemente 740, 906, 914
clepsidra 114
cleptomania 503, 791, 865
cleptomaníaco 504, 792
Clerezia 996
clericalismo (depr.) 987
clericalismo 737, 995
clericalmente & *adj.* 995
clericato 995
clérigo 996
clérigo de epístola 996
clero (termos depreciativos) 996
clero 996
clerófobo 911
cleromancia 511, 992
clidomancia 511
cliente 655, 746, 755, 795
clientela 746, 795, 937
clima 181, 338
clima de ouro 656
climatérico 149
climático 149
climatizar 385
climatologia 338
clímax 33, 210
clínica 662
clínica médica 662
clinicar 625
clínico 662
clinômetro 217
clinquant 852
Clio 594
clique 712
clister 662
clitóris 440e
clivo 217
clivoso 217
cloaca 350, 401, 653
cloacário 653
cloaqueiro 653, 877, 886
clonado 19
clonar 19, 90
clone 17, 21, 90, 634
clônico 315
clonismo 315
cloral 79
cloreto de sódio 392
cloro 727
clorofila 435
clorofórmio 823
cloroformização 376
cloroformizar 376, 823
clorose 655
clorótico 160, 429, 655

clown 599, 844
clube 74, 189, 759, 892
clusório 645
cnidose 380
coabitação 88, 184, 199, 903
coabitantes 88
coabitar 88, 186, 199
coação 739, 744, 751
coacervação 72
coacervar 50, 72, 636
coactivo 751
coacto 751
coacusado 938
coada 652
coadjutor 709, 711
coadjuvação 178, 707, 709
coadjuvador 707
coadjuvante 707, 709, 711
coadjuvar 709
coador 42
coadouro 42, 144, 652
coadunação 23
coadunar 23, 72
coadunar-se 23
coadunável 23
coadura 42, 652
coagir 739, 744, 751
coagmentação 43, 72
coagmentar 43, 240
coagulação 321
coagulado 352
coagulante 321
coagular 321
coagulatório 321
coágulo 321
coalescência 13, 46, 48
coalescente 46
coalescer 46
coalhada 321, 354
coalhado 321, 352
coalhadura 321
coalhar 23, 321
coalhar dinheiro 817
coalheira 321
coalho 23, 321, 354, 714, 817
coalizão 178, 709
coalizar-se 709
coamante 897
coangustar 201
coanhar 465
coanho 465
coaptação 23
coar 42
coar a luz 425
coarctação 36, 195, 201, 203, 751
coarctada 462, 468, 476, 477, 479, 536, 617, 842, 937
coarctar 36, 38, 195, 201, 751
coarctar a liberdade 749
coar-se o olhar por entre as pálpebras semicerradas 443
coautor 711, 938
coautoria 709
coaxação 412
coaxar 412
coaxo 412
cobaia 366, 463
cobalos 980
cobáltico 437
cobalto 437
coberta 161, 210, 223, 263
coberto 223, 447, 525, 528
coberto de pó amarelo semelhante a pólen 367
coberto de vergonha 874
coberto de videira 367
cobertor 223, 384
cobertor de papa 223
cobertura 189, 225, 530, 666
Cobertura 223
cobertura ao vivo 527
cobertura de bolo 223
cobiça 865, 921, 943

cobiçar 865, 921, 943
cobiçável 648, 829, 865, 921
cobiçoso 865, 921
cobra 412, 901, 913, 949
cobra chocalheira 913
cobra na relva 526, 667
cobra, vozes de 412
cobrador 785, 801
cobrador de sisas 965
cobrança 741, 810
cobrar 741, 775, 785, 810, 812
cobrar ânimo/forças 861
cobrar (as) forças 660, 689
cobrar-se de um medo 861
cobre 439, 800
cobres (gír.) 800
cobricama 223
cobrir (animal a fêmea) 373
cobrir 223, 30, 33, 528, 664
cobrir de carícias 902
cobrir de espuma 353
cobrir de lauréis a fronte 873
cobrir de louros 873
cobrir de luto eterno 874
cobrir de neve 128
cobrir de opróbrios 874
cobrir de verdura 435
cobrir de vergonha 874
cobrir o lanço a alguém 796
cobrir uma coisa com a sombra de 544
cobrir(-se) de trevas 126
cobrir-se 839
cobrir-se com o manto de 544
cobrir-se com penas de pavão 880
cobrir-se de burel 839
cobrir-se de cãs 128
cobrir-se de glórias 873
cobrir-se de suor 688
cobrir-se o coração 837
cocá (bras.) 366
coca 225, 972
coça 972
coçado 659, 677
cocaína 376, 663
cocainização 376
cocainizar 376
cocanha 840
coçar 331, 375, 380, 459, 550, 847, 876, 972
coçar a cabeça 475, 519
cocção 384
coccidioidomicose 655
coccíneo 434
cocedra (ant.) 324
cócegas 375, 380, 615, 865
coceguento 375, 380
coceira 380
coche 272, 363
coche fúnebre 363
cochedura 256
cocheira 189, 363, 370
cocheiro 268, 694, 746, 852
cochichar 405, 527, 533
cochicho 405, 580, 583
cochicholo 189
cochilar 495, 683
cochilo 495
cochim 324
cochino 653
cochonilha 434
Cocito 982
cock-tail 41
cóclea 45, 248, 260, 418
cocleado 248
coclear 248
cocleiforme 248
coco (cachaça) 959
cocô 299
cocoricar 412
cocorico 412
cocorocó 412

cocote 962
cocuruto 210
côdea 223, 491, 653, 877
codear 298
codeúdo 223
códex 593
códice 551, 593
codicilar 63, 771
codicilo 65, 771
codificação 72, 963
codificar 72, 963
código 72, 80, 522, 560, 593, 692, 697, 963
código de contabilidade 811
código morse 560
codilhar 33, 545, 549, 731
codilho 545
codonatário 778
coeficiência 88
coeficiente 84, 88
coefora 360
coelheira 189
coelho 168, 366
Cœli enarrant gloriam Dei 423
coempção 12, 778, 795
coentrada 393
coentro 393
coepíscopo 996
coequação 786
coerança 778
coerção 744, 751
coercitivo 744
coercivamente & *adj.* 744
coercivo 744
coerdeiro 778, 779
coerência 46, 476, 939
coerente 23, 321, 476, 939
coerir 46
coesão 321, 327, 352, 488
Coesão 46
coesivo 46, 321
coeso(s) 321, 327, 488, 714, 709
coestaduano 188, 890
cœsura 44
coetâneo 118, 120
coeteris parubus 27
coeternidade 120
coeterno 112
coevo 120
coevo dos primeiros tempos 124
coexistência 1, 88, 120, 199, 216, 740
coexistente 88, 120
coexistir 88, 120, 199
coextensão 27
coextensivo 216
cofiar (a barba) 255
cofiar ou acofiar 902
cofo 191, 225, 752
cofre 191, 636, 802, 817
cofre de gargalhadas 853
cofre do Estado 802
cogitabundo 837
cogitação 451, 514, 215
cogitar 451, 514, 515, 620
cogitativas 450
cognação natural 11
cognato 9, 11, 562
cognição 490, 527, 538
cognitivo 490
cógnito 490
cognome 564, 565
cognominação 564, 565
cognominal 564
cognominar 564, 565
cognoscência 450
cognoscibilidade 490
cognoscitivo 450
cognoscível 490
cogoilo 847
cogote 235
cogula 999

cogular 640
cogulhado 847
cogulo 52, 640
cogumelo 367
cohen 995, 996
cói ou coio 530
coibição 616, 751
coibir 751, 761
coibir-se 826
coibitivo 751
coição 66
coice 65, 235, 276, 281, 716
coiceador 276
coicear 276
coiceira 43, 312, 917
coiceiro 276
coiçoeira 501
coifa 219, 225
coiffure 225
coigual 976
coima 761, 974
coimar 761, 974
coimável 945, 964
coimeiro 761
coinchar 412
coincho 412
coincidência 13, 199
coincidente 120
coincidir 13,120
coincidir em toda a extensão 13
coindicação 550
coinquinar 848
coira 717
coiracho 226
coirela 203, 371
coisa(s) 3,151, 316, 625
coisa à toa 978
coisa alguma 101
coisa bem diversa 18
coisa certa 474
coisa da mão do homem 161
coisa dada 784
coisa de 32
coisa de arromba 872
coisa de entidade/de tomo 642
coisa de estalo/de arromba 648
coisa de nonada 643
coisa de pouca monta 643
coisa de pressa 642, 684
coisa do arco-da-velha 872
coisa imprevista 621
coisa irrealizável 471
coisa nenhuma 4, 101
coisa nula 2
coisa nunca vista 872
coisa pública 910
coisa que serve de cópia 22
coisa ruim 978
coisa-feita 992
coisas a fazer 625
coisas da vida!
coisas de eterna luminária 853
coisas do demo 619
coisas e lousas 31, 41
coisas invisíveis, som de 402a
coisas mínimas 643
coisas para serem lembradas 505
coisíssima nenhuma 101
coita (ant.) 735
coitado 735, 804
coitado de...! 839
coitado! 914
coitar 735, 761
coito 961
coixote 717
cola 45, 65, 235, 352
colaboração 178, 707, 709, 778
colaborador 531, 593, 690
colaborar 680, 707, 709, 778
colaborativo 178, 709
colação 298, 464, 755

colação de grau 755
colacia 11, 888
colacionar (ant.) 464
colaço 11
colada 198
colado 199, 996
colador 890
colafizamento 715
colafizar 715, 972
colagem 43, 692a
colagogo 662
colangiopancreatografia endoscópica retrógrada 662
colapso 158, 659, 688, 732
colar 43, 45, 247, 639, 755, 847
colar o grau 755, 873
colar-(se) 46
colarinho 225, 247
colaterais 349
colateral 11, 216, 236
colator 890
colcha 223, 384
colcha de retalhos 20a, 441, 440
colchão 215
colchão de penas 324
colcheia 413
colchete 45
coldre 191, 962
cole 206
colear 228, 248, 489, 886
coleção 72, 593, 636
coleção de mapas 72
coleção de provérbios 496
colecionador 553
colecionar 72
colecionista 553
colega 88, 541, 711, 890
colegatário 778, 779
colegere leges 963
colegiado 541
colegial 537, 541, 542
colégio 537, 542
colégio de Laputa 539
coleguismo 709, 888, 892
coleira 247, 752, 941
colendíssimo 876, 928
colendo 876, 928
cólera 173, 655, 898, 900
colericamente 31
colérico 720
colérico 900, 901
coleta 765, 775, 809, 990
coleta de dados 626
coletador 191
coletânea 72, 551, 596
coletâneo 596
coletar 191, 466, 467, 765, 775, 785, 810, 812
coletário 998
colete 225
colete à prova de balas 666
colete de força 503, 752
coletício 609a, 722
coletividade 50, 372
coletivismo 737
coletivo 72, 78, 372
coletivos (reunião de coisas/pessoas) 72
coletor 72, 191, 785, 965
coletor solar 384
colgado 214
colgadura 214, 847
colgalho 214
colgar (a sombra) 424
colgar 214, 847, 972
colhedeira 556
colhedor 191
colheiceiro (ant.) 191
colheita 72, 154, 371, 618, 636, 673, 775
colheitadeira 371
colher 32, 174, 298, 371, 480, 508, 609, 633, 658, 765, 775, 789

colher à mão 751
colher alguém no brete 545
colher conhecimentos /informações 538
colher de 527, 785
colher de emboscada 702
colher informações 461
colher os benefícios 644
colher os frutos de 775, 973
colher os frutos/os louros/os aplausos 731
colher vantagem/proveito 698
colhera (bras.) 45
colherada 25
colhido 775
colhudo 720
colibri 366
cólica(s) 378, 704
colidir 14, 18, 24, 179, 276, 713
colidir-se com 708
coligação 72, 178, 709, 712
coligado 711
coligar 72
coligar-se 23, 178, 709
coligir 72, 480
colimação 278
colimar 278
colina 206, 305, 342
colinoso 206
coliquação 335
coliquativo 335
colisão 14, 24, 179, 276, 568, 708, 713, 720
Coliseu 728
collant 225
colmado 223
colmar 52, 67, 210
colmar alguém de favores 906
colmatagem 636
colmeal 72, 102, 370
colmeeiro 370
colmeia 72,102, 289, 329, 370, 691
colmilho 253
colmilhoso 253
colmilhudo 253
colmo 189, 215, 223
colo 198, 203, 215
colo de garça 440e
colo do pé 440e
colo, dorso, peito, tarso x planta, sola 237
colóbio 999
colobreta (ant.) 722
colocação 60, 183, 184
colocado & *v.* 184
colocar 60, 72,184, 755, 796
colocar de fora 220
colocar debaixo dos pés 879
colocar dentro 221
colocar em apuro 704
colocar exteriormente 220
colocar mais um prego no caixão de 830
colocar no mercado 796
colocar nos pratos da balança 464
colocar num mesmo plano 213
colocar num pedestal 307
colocar por ordem alfabética ou cronológica 60
colocar/pôr/estar nas proximidades de 197
colocar-se 58, 71
colocar-se em mau campo 699
colocar-se em posição horizontal 687
cologaritmo 84
coloidal 352
coloide 352
colombina 599
colomim (bras.) 746
cólon 440e, 590

colônia | com todas as regras

colônia 184, 372, 780
colonização 184
colonizador 188
colonizar 184, 188
colono 188, 371
colonoscopia 662
coloquial 588
coloquialismo 563
colóquio(s) 588
colóquios íntimos 902
colóquios namorados 902
color 428, 617
coloração 428
colorado (bras.) 440b
colorante 428
colorar 428
colorau 393
colorear 428, 544
colorido 428, 516, 545, 549, 556
colorido sólido 428
colorimento 469
colorimetria 428
colorímetro 428
colorir 41, 428, 435, 440, 544, 549, 556, 577, 615, 617, 829, 937
colorir com artifício 477
colorir com tintas apagadas 937
colorista 559, 593
colorização 428
colorizar 428
coloroförmio 376
colossal 31, 102, 192, 200
colossalidade 192
colosso 192, 206, 642, 873
colostomia 260
colostro 352
colporteur 797
colposcopia 662
cólquico 435
coltar 356a
Colubra non parit restem 17, 167
colubreado 248
colubrejar 248, 311
colubrina 727
colubrino 248, 412
columbano 412
columbário 363
columbicultura 370
columbina 599
columbino 366, 946, 960
coluna 69, 206, 215, 249, 268, 551, 591, 726, 873
coluna histórica 551
coluna manubial 733
coluna vertebral (suporte) 222
coluna vertebral 215, 440e
colunar 215, 249
colunas de Hércules 233
colunata 69, 72
colunelo 233
coluneta 215
coluro 318
colusão 544
colusivo 544
colusório 544
com 632
com a ajuda de Deus 470
com a ajuda dos deuses 156
com a ajuda/o auxílio/a proteção de 631, 707
com a balança na mão 922
com a boca cheia de risos 894
com a breca! 832, 870, 932
com a consciência do dever cumprido 926
com a consciência em paz 946
com a consciência limpa 939
com a consciência tranquila 926
com a cor de 544, 617
com a corda no pescoço 665, 725

com a devida vênia 760
com a forma de pequeno saco 367
com a fortuna! 832
com a fronte rorejante de suor 686
com a intenção de 620
com a mão de gato 528, 702
Com a mão em teu seio, não dirás do fado alheio 934
com a mão na consciência 535, 922
com a melhor boa vontade 602
com a mente 450
com a mosca 264
com a pena na mão 590
com a presteza vertiginosa dos expressos 274
com a respiração suspensa 507, 581
com a sucessão dos anos 109
com a verdade 543
com a vista apenas 441
com a voz presa que exprime o pavor supremo 860
com abundância 639
com acompanhamento de 416
com afinco 604a, 765
com afronta de toda a justiça 923
com altos e baixos 28
com ambas as mãos 602
com amor 821
com ardorosa veemência 574
com arreganho 535, 878
com as carnes à mostra 226
com as devidas reservas 485
com as faces incendiadas 824
com as mãos atrás 681
com as mãos na cabeça 839
com as mãos nos bolsos 681
com atrevimento 863
com auxílio de 632
com azedume 895
com boas maneiras 894
com braço forte 744
com brevidade 684
com candura 543
com cara de poucos amigos 932
com certeza 474
Com certeza! 858
com chiste 842
com conhecimento da matéria 535
com conhecimento de causa 611
com conhecimento e notícia 620
com conta 174
com conta, peso e medida 953
com custo 619
com desassombro 525, 535
com descanso 275
com desconto 813
com desespero 173
com desleixo 460
com dificuldade 704
com dignidade 939
com dissimulação 544, 545
com efeito 494
com elevado apreço 928
com emprego de violência 744, 964
com erudição & subst 490
com escala por 278
com esmero 650
com esperança 664
com estômago vazio 865
com exatidão rigorosa 138, 494
com exceção de 55
com exclusão (de) 38, 55
com falsidade 544

com familiaridade 888
com fero cenho 900
com firmeza e força 604
com flores dispostas em umbela 367
com fumaças de gente 885
com geral correspondência 12
com graça 842
com grande força 173
com grande urgência 684
com habilidade 698
com honra 939
com ímpeto 173, 863
com incivilidade & *subst*. 895
com insciência 491
com insistência 604a
com instância 765
com intenção 620
com intento de 620
com intermitência 70
com intervalos 275
com intervenção de 631
com justificado orgulho 878
com justificativa 469
com lábios trêmulos 824
com lágrimas de sangue 821
com lágrimas nos olhos 821, 824, 839
com largueza de vistas 740
com licença 760
com língua de palmo 603
com luvas de pelica 894
com maior soma de motivos 467
com mais forte motivo 476
com mão armada 722
com mão de ferro 739
com mão de mestre 698
com mão firme 604
com mãos largas/abertas 816
com mãos pródigas 639
com mau cheiro 932
com mil demônios! 870
com moderação 826
com movimento de relógio 58
com movimento uniforme 138
com muita atenção 457
com muita largueza 816
com muita teimosia & *subst.* 606
com muitas curvas e desvios 16a
com o andar do tempo 109
com o coração despedaçado 828
com o coração macerado 837
com o coração palpitante (e fremente) 821, 824
com o coração quebrado de 821
com o correr do tempo 117
com o credo na boca 665, 860
com o dedo nos lábios 581
com o diabo! 900
com o dinheiro queimando-lhe a algibeira 818
com o espírito desafogado 831
com o fim aparente de 617
com o fim de 620
com o intuito de 620
com o maior respeito 928
com o objetivo de 620
com o perdão da palavra 469
com o rabo entre as pernas 879
com o rosto rosado de comoção 824
com o sobrecenho carregado 900
com o sol empinado 125
com o sorriso nos lábios 823
com olhos longos 865
com originalidade 20
com os dedos 379

com os diabos! 870
com os lábios trêmulos 821
com os olhos cravados 441
com os olhos encarniçados/vermelhos de chorar 839
com os olhos nadando em lágrimas 839
com os ouvidos atentos 418
com os seus botões 589
com ou em duas ou três palhetadas 705
Com outro nome a fábula fala de ti (Horácio, Sátiras) 971
com penhor de 550
com pequeno embaraço 705
com peremptória afirmação 535
com perseverança & *subst*. 604a
com pés de lã 403, 528, 702, 864
com pesar 603, 744
com pesar seu 708
com peso e medida 498
com pezinhos de lã 702
com poder 157
com ponderação 498
com pouco esmero 651
com pouco trabalho 705
com prazer 602, 827
com precipitação 135, 684
com precisão matemática 138
com premeditação 611
com presteza 132
com preterição das formalidades legais 964
com propósito de 620
com propriedade 646
com pulso de ferro 604, 686
com que 632
com que já se contava 871
com que não se contava 508
com razão ou sem ela 603, 604, 631
com receio de que 623
com reciprocidade 12
com referência 9
com refinada sagacidade 702
com regra 174
com relação a 9
com repugnância 708
com requintes de sofisma 477
com restrição de 38
com risco da própria vida 926
com rufos de tambores 882
com sal e finura 842
com santos nós 903
com serenidade 826
com seus botões 589
com simplicidade 703
com sobranceria 878
com solução de continuidade 70
com submissão 928
com superioridade 33
com tal que 469
com tenacidade e energia 686
com toda a exatidão 494
com toda a fé 486
com toda a força 157
com toda a força dos remos 686
com toda a probabilidade 472
com toda a urgência 684
com toda a verdade 494
com todas as aparências 448
com todas as letras 573
com todas as minúcias 573
com todas as regras 80
com todas as suas forças 686
com todas as veras 493
com todas (as) veras do coração 543, 602
com todas regras 80

com todas suas partes 52
com todo o acatamento 928
com todo o ardor de uma paixão 897
com todo o interesse 765
com todo o rigor 494
com todos os acessórios 52
com todos os efes e erres (ff e rr) 19, 494, 573
com todos os matadores 52
com todos os pormenores 573, 594
com todos os requisitos 52
com todos os sacramentos 52, 673
com toques de caixa 882
com ufania 878
com um frêmito de admiração 870
com um pé na sepultura 360
com um traço de pena 741
com uma mão atrás e outra na frente 804
com uma penada 737, 741
com uma perna às costas 705
com unhas e dentes 686
com urgentes rogos 765
com utilidade 644
com vagar 275
com velhacaria 544
com velocidade incomparável do raio 274
com ventos contrários 708
com zelo & *subst.* 459
com/em duas pallhetadas 684
coma (parte superior de árvore) 210
coma 142, 256, 376, 590, 655, 683, 823
comadre 191, 386, 662, 890, 949
comandante 694, 745
comandante da região 745
comandante-chefe 745
comandar 280, 693, 737, 741
comandita 712, 778
comanditar 693
comanditário 88, 711, 778
Comando 741
comando 693, 737
comarca 181, 965
comarcante 233
comarcão (ant.) 181, 188, 199
comarcar 199
comato 318
comatoso 376, 823
comba 198
combalear 508
combalido 158, 160, 659, 683
combalido pelas enfermidades 655
combalir 124, 158, 160, 649, 655, 659, 837
combalir o organismo 657
combate 720, 722
combate corpo a corpo 720
combate naval 720
combate singular 720
combatente 159, 284, 710, 720, 722
Combatente 726
combater 720, 722
combater contra 708
combater fantasmas 482, 643
combater moinhos de vento 482
combatido de vários pensamentos 605
combatível 475, 195
combatividade 720, 722
combativo 720, 722, 726
combinação 23, 41, 54, 60, 84, 225, 440, 464, 709, 723, 769, 774
Combinação 48

combinado 48, 178, 488, 611, 768, 769
combinar 41, 43, 48, 60, 488, 709, 714, 769, 770, 774
combinar com 626
combinar-se 23, 56
combinatório & *v.* 48
combinável 41, 48
comblain 727
comboiar 281, 664
comboieiro 65, 281
comboio 272, 281, 636, 664
comborça 962
combro 342
comburente 384
combustão 722
combustibilidade 384
combustível 334, 384, 635
Combustível 388
combustível fóssil 388
combustível nuclear 388
combustivo 388
combusto 384
Come sardinha e arrota caviar 384
come-brasa(s) 173, 887
começar 1, 66, 116
começar a aparecer 734
começar a maré montante de 35
começar a suster-se nas pernas 127
começar a ter vida exterior 359
começar pelo fim 699
começar vida nova 654
Começo 66
começo de execução 680
começo do fim 67
comedela 544, 789, 791
comédia 544, 546, 599, 643, 692a, 853, 857
comédia bufa 599
comedianta 599
comediante (pejorativo para) 701
comediante 548, 599, 844, 855
comedido 174, 498, 502, 572, 817, 826, 864, 879, 881, 953, 955
comedido nos gastos 817
comédie larmoyante 599
comedietta 599
comedimento 174, 498, 576, 879, 881, 953, 958
comediógrafo 599
comedir 834
comedir as palavras 864
comedir-se 174, 498, 740, 826, 864, 953
comedor 792, 818, 957
comedouro 298
comemoração 505, 551, 838, 883
comemorar 505, 838, 873
comemorativamente & *adj.* 883
comemorativo 883
comemorável & *v.* 883
comenda 747, 876
comendador 876
comendaticiamente 931
comendatício 931
comendatário 931
comendatório 931
comenos 106, 134
comensal 840, 890
comensurabilidade 23, 466
comensurado 23
comensurar 466
comensurar-se com 27, 720
comensurável 84, 85, 466
comentado 531
comentador 480, 524, 595
comentar 476, 480, 522, 595
comentar com muita simpatia 931

comentário 476, 522, 595, 643
comentários malévolos 523
comentarista 532
comentício 515, 546
comentista 524
comento 522
comer (chulo) 691
comer 162, 282, 296, 298
comer à barba longa 683
comer a dois cabos/a dois carrilhos 775, 943
comer além do preciso 954
comer as mãos de raiva 900
comer as palavras 583
comer as unhas de alguém 804
comer até fartar-se/até saciar-se 957
comer com avidez 298
comer com sofreguice/como um lobo/à tripa forra/até rebentar 957
comer da banda podre (pop.) 945
comer de matula 72
comer desenfreamente 954
comer desengaçadamente 957
comer gato por lebre 547
comer na mesma gamela 888
comer o pão de 746
comer o pão que o diabo amassou 828
comer pela mão de alguém 749
comer pomba (bras.) 110
comer pomba (bras.) 133
comer terra 735
comer um boi 957
comercial 794, 805, 813
comercializar 796
comerciante (pejorativo para) 701
comerciante 794, 797
comerciar 625, 794, 796,
comércio 588, 625, 794
comércio a retalho 794
comer-se de inveja 921
comer-se de piolho/de miséria 804
comer-se de raiva 900
comes e bebes (pop.) 298
comestíveis 298
comestível 298
comestivelmente & *adj.* 298
cometa 268, 318, 758
cometa barbado 318
cometário 318
cometente 755
cometer 676, 680, 716, 755
cometer adultério 961
cometer baixezas 874
cometer com paz 723
cometer erro(s) 495, 732
cometer inconfidência 529
cometer ou dizer inépcias 499
cometer sacrilégios 988
cometer solecismo 568
cometer sua ventura a Deus 861
cometer um crime 947
cometida 716
cometimento 676, 716
cometimento insano 863
cometografia 318
comezaina 298, 840
comezinho 298, 518, 570
comichão 375, 865
Comichão 380
comichar 375, 380
comichoso 375, 380, 865
comicidade 842
comício 72, 696
cômico 599, 844, 853
comida 296
Comida 298

comida de porco 41
comido de ciúmes 920
comido de inveja 921
comilança 298
comilão 957
comilaz 957
cominação 741, 908, 909, 972
cominar 741, 909
cominatório 741, 909, 972
cominheiro 482, 549
cominuição 330
cominuir 51, 328, 330
comiscar 298, 957
comiseração 914
comiserante 914
comiserar-se 914
comissão 625, 696, 737, 812, 813, 973
Comissão 755
comissariado 298, 637
comissário 637, 755, 758, 759, 797
comissário de bordo 269
comissionado 755, 758
comissionar 755
comissionista 755
comisso 776, 925, 974
comissões 810
comissório 773
comissura 43, 198
comistão 41
comisturado 41
comitê 696
comitente 755
comitiva 65, 69, 88, 235, 266, 268, 281, 712, 746, 882
comitre (ant.) 753
committere semen sitienti solo 645
Comme deux gouttes d'eau 17
comme il faut 82, 850, 851, 875
comme les autres 17, 871
commedia del'arte 599
commencement de la fin 162
commis voyageur 758
committere in legem 964
Commodita est consideranda 134
commodity(ies) 799, 800
como 17, 632
como a água 525
como a agulha ao polo 543
como a nêspera 367
como a própria evidência 525
como açafrão 436
como as coisas vão indo 151
como as rosas de maio 123
como asa 367
como assim? 461, 870
como cão e gato 891
como consequência 154
como costeio 298
como de costume 82, 613
como de dia 423
como Deus for servido 8
como doido 274
como é do dever de 926
como é (de) praxe 80, 613
como entender 600
como escarlate 434
como gema de ovo 436
como lhe aprouver 600
como medida de prevenção 668
como não há outro remédio 601
como o sol 525
como ocorrem as coisas 7
como os outros 17
como por encanto 113
como que 17
como que/se 448
como quer 762
como requer 760, 762
como rubi 434
como sangue 434

como se | compromissário

como se 17, 651
como se nada fosse com ele 823
como se pode presumir 470
como se queria demonstrar 478
como sói ser 52
como tábua de salvação 859
como talhado de molde 134
como toda gente 613
como um bloco único 714
como um cavaleiro 882
como um dez 474
como um espelho 213
como um foguete 274
como um grande senhor 882
como um ladrão à meia-noite 528
como um ladrão à noite 508
como um possesso 503
como um poste telegráfico 419
como um raio 274, 508
como um só homem 488, 709
como um sol sem ocaso 112
como um tiro 113
como um turbilhão 274
como uma estátua 419
como uma onça & subst 159
como uma pedra 419
como vão as coisas 8
como verdade inconcussa 535
como? 461, 627
comoção 315, 713, 821, 825
comocéfalo 83
comodante 787
comodatário 788
comodato 787
comodidade 377, 644, 827
comodismo 943
comodista 943
cômodo 23, 377, 644, 646
comodoro 745
cômodos da vida 827
comoração 582
comorante 184
comorar 186
comoriente 360
cômoro 371
comovedor 821
comovente 642, 821, 824, 833
comover 175, 413, 824, 914, 916
comover-se 821
comovido 821
comovido até o fundo 821
compacidade 102, 195, 321
compactação 195, 321, 596
compactado 596
compactar 195, 321, 596
compacto(s) 3, 43, 46, 72, 87, 102, 195, 201, 321, 572, 709, 714, 769
compactuar 709
compactuar com a sorte 826
compadecer-se 914
compadecer-se com 23
compadecimento 914, 915
compadrar-se 888
compadre 890
compadrice 481, 923, 940
compadrio 481, 888, 923, 940
compage(s) 41, 50, 329
compaginação 43, 591
compaginar 43
compaixão 910, 914
companheira 903
companheirismo 888
companheiro 17, 27, 88, 711, 890, 903
companhia 72, 88, 269, 599, 709, 712, 726
cômpar 27
Comparação 464
comparação 9, 466, 569,

comparador 464
comparar 9, 464
comparar os prós e os contras 476
comparativamente 26, 464
comparativo 26, 464
comparável 9
comparecência 186
comparecer 186, 763
comparecimento 186
comparência 186
comparsa 599, 709, 711
comparsaria 599, 709
comparte 88, 711, 778, 890
comparticipar 778, 786
compartícipe 778
compartilhamento 786
compartilhar 484, 488, 680, 709, 778, 786, 915
compartilhar de 714
compartilhar sentimentos alheios 914
compartimento 51,189, 191, 786
compartir 709, 778, 786, 915
compáscuo 780
compassado 138, 174, 242, 275, 314, 413
compassageiro 268
compassar 174, 240, 275, 314
compassivo 906, 914, 915
compasso 58, 80, 138, 247, 413, 466, 692a, 693
compaternidade 888
compatibilidade 12, 23, 48, 470, 646
compatível 9,12, 23, 470, 644, 646
compatrício 188
compatriota 188, 372, 890
compeçar (ant.) 66
compecilho 626
compeço 66
compelação 461, 938, 969
compelativo 457, 461, 5564
compelente & *v.* 744
compelido 744
compelir 157, 601, 744, 749, 926
compendiador 596
compendiar 195, 201, 596
Compêndio 596
compêndio 86, 593
compendiosamente & *adj.* 596
compendioso 201, 572, 596
compenetração 457, 498
compenetrado de 484
compenetrar 615
compenetrar-se 451, 474, 484, 486
Compensação 30
compensação 718, 774, 807, 952, 973
compensador 30, 775, 973
compensadoramente & *adj.* 30
compensar 27, 30, 147, 952, 973
compensativo 30, 973
compensatório 30, 774, 973
competência 157, 490, 698, 708, 737, 924
competente 23, 79, 157, 490, 492, 646, 698, 700, 963
competição 708, 720
competidor 27, 710, 720, 726, 891
competir 27, 157, 648, 720, 777, 873, 926
competir a 693, 924
competitividade 625
compilação 72, 593
compilador 593
compilar 596[
complacência 602, 740, 743, 762, 827, 831, 894, 906, 910, 914
complacente 602, 707, 740, 743, 760, 762, 826, 879, 906, 914

complacentemente & *adj.* 602
complanar 251, 255
compleição 220, 240, 316, 448
compleição fraca/delicada 160
compleicionado 159
compleiçoado 159
complementação 52
complementar(es) 39, 84,50, 52, 428, 729
complementário 729
complementarmente & *adj.* 729
complemento 37, 39, 40, 52, 729
completação 52
completamente 31, 50, 52
completamente despido 226
completamente emplumado 673
completamente pronto 673
completamento 50, 639, 729
Completamento 52
completar 39, 50, 52, 67, 650, 680, 729
completar sua revolução sideral 729
completável 52
completivo 729
completo 31, 50, 52, 525, 639, 650, 729
completório 67
completude 50
complexão 43, 72
complexar 61
complexidade 59, 519, 571
complexo 50, 72, 84, 248, 704
complexo das coisas criadas 318
complexo de diversas combinações 48
complicação 59, 571, 704, 835
complicado 59, 519, 571, 704
complicador 704, 835
complicar 61, 519, 704, 706, 835
componedor 591
componência 56
componenda 769
componente 51, 54
Componente 56
componente constitutiva 56
compor 41, 48, 54, 56, 161, 415, 590, 591, 597, 626, 723, 774
compor-se 23, 48
compor-se com seus inimigos 723
compor-se com sua mágoa 826
comporta 232, 263, 295, 348, 350
comportamento 372, 692
comportar 54, 470, 670, 760
comportar acepção 516
comportar diversas interpretações 520
comportar significações múltiplas 519
comportar-se 692
comportável 320
compos mentis 502
composição (concórdia) 23
composição 5, 48, 60, 76, 415, 567, 692a, 714, 723, 774, 962
Composição 54
composição dramática 599
composição lipogramática 593
compósita 161
compositivo 54, 56
compositor(es) 413, 415, 559, 591, 593, 692a, 847
compossessor 778
composta 84
composto 48, 54, 498, 826, 881
compostura 174, 498, 544, 703, 826, 849, 864, 879, 939
compra 775, 777, 794, 809
Compra 795
compra e venda 794
compra recíproca 12

compradiço 940
comprado & *v.* 795
comprador 794, 795, 799
comprar 780, 784, 794, 795
comprar a dinheiro/à vista/ fiado/a giz/à rasa/a prazo/ a prestação/de altamaia 795
comprar bem 815
comprar gato por lebre 547, 699
comprar grado e mangrado 609a
comprar nabos em saco 609a, 621, 699
comprar pelos olhos da cara 818
comprar por 812
comprar por bom preço 775
comprar por tuta e meia 815
comprar por um nada/por uma bagatela 815
comprar um veredito (pop.) 938
comprável 795, 940
comprazedor 762, 894, 906
comprazer 707, 762, 829, 906
comprazer(em)-se 377, 602, 741, 892
comprazer-se com a vingança 919
comprazer-se em 827, 906
comprazimento 762, 772, 827, 831, 906, 910
compreender 54, 76, 227, 476, 490, 498, 516, 518, 522, 526, 527
compreenderem-se um ao outro 74
compreender-se a 9
compreensão 54, 76, 450, 476, 490, 498
compreensão de 498
compreensibilidade 518, 572
compreensiva 498
compreensível 518, 525
compreensor 513
compressa 662
compressão 195, 572, 596, 751
compressibilidade 195, 322
compressível 322
compressivo 322
compressor 300, 739
compridaço 200
compridão 200
compridez 200
comprido 200, 573
comprido e forte 440c
comprido e o curto 50
Comprimento 200
comprimento e largura 50
comprimento e largura da Terra 180
comprimido 43, 228, 229, 662
comprimir 179, 195, 201, 203, 229, 300, 308, 319, 321, 324, 751, 817
comprimir as manifestações livres 739
comprimir-se 72, 102
comprobativo 478
comprobatório 467, 478
compromotedor 649
comprometer 665, 679, 704, 835, 848, 874, 907, 938
comprometer em processo 938
comprometer o futuro de 818
comprometer-se 676, 699, 768, 769, 770, 774, 874, 947
comprometer-se a 926
comprometido 774, 806, 874, 926, 947
comprometimento 481, 774, 926
compromissado 774
compromissar 774
compromissário 480, 774

compromisso | condenar

compromisso 29, 30, 525, 628, 676, 697, 723, 737, 768, 769, 770, 771, 806, 808, 926
Compromisso 774
compromissório 774
comproprietário 778
comprovação 467, 478
comprovador 478
comprovante 478
comprovar 478
comprovativo 467, 478
comprovinciano 188
compte rendu 551
compulsão 601, 744, 751
compulsar (des.) 744
compulsar 457, 461, 601, 677, 749
compulsar as folhas 538
compulsatório 744
compulsivo 744
Compulsoriedade 601
compulsoriedade 744
compulsório 601, 630, 737, 744, 926
compunção 950
compungidamente & adj 950
compungido 950
compungimento 950
compungir 830
compungir-se 950
compungitivo 830, 950
compurgação 467
compurgar 937
computação 85, 591
computação gráfica 692a
computador 85, 527, 590, 633
computador 85
computar 85
computar pela estimativa/pelo grosso 466
computável 85, 466
computista 85
cômputo 85, 466
comua 653
comum 36, 78, 80, 124, 136, 490, 575, 613, 643, 677, 778, 841, 871
comum de dois 81, 374a
comumente 31
comuna 181
comunais 780
comungante 990
comungar 484, 990, 998
comungar com 451
comungatório 1000
comunhão 712, 714, 778, 998
comunhão espiritual 888
comunial 778
comunicabilidade 525, 527
comunicação 43, 525, 527, 532, 778, 888, 892
comunicação de espíritos 992
comunicação verbal 582
comunicação visual 692a
comunicado 532
comunicador 527
comunicador social 690
comunicador visual 559
comunicante 592
comunicar 527, 531, 532, 784
comunicar impressões 527
comunicar movimento 264
comunicar o sentido de 522
comunicar-se 560
comunicar-se com 892
comunicar-se o fogo a 384
comunicativo 148, 892, 894
comunicável 270
comunidade 13, 372, 712
comunidade de bens 778
comunidade em geral 372
comunidade na internet 592
comunismo 737, 778
comunista 710, 737, 778
comutação 30, 147, 148, 794, 918

comutar 774, 794, 918
con amore 602
con brio 415
conato 5, 675
conatural 16
conaturalidade 17
conca 191, 418
concameração 250
concatenação 9, 43, 69
concatenar 9
concatenar ideias 451
concatenar reminiscências 505
concatenar-se 69
concavar 252
Concavidade 252
concavidade 191, 308
côncavo 208, 252
conceber 66, 161, 480a, 484, 490, 515
conceber a ideia 451
conceber aversão 867, 898
conceber intenção/desígnio & *subst.* 620
conceber predileção por 865
concebido (apenas) pelo pensamento 4, 515
concebível 470, 518
conceder 488, 514, 529, 760, 762, 763, 784, 973
conceder a cidade por menagem 751
conceder isenção 927a
conceder menção honrosa 973
conceder os foros de 514
conceder privilégios 760
concedido 760
conceicionista/concepcionista 996
conceitarrão 931
conceito 154, 450, 453, 480, 484, 496, 516, 527, 596, 842, 873, 928
conceitosparciais/estreitos/superficiais/apertados/apoucados/acanhados/curtos/mesquinhos/comprometidos/vesgos/errados 481
conceituado 642, 873, 928
conceituoso 413, 574, 577, 842
concelhio 696
concelho 72, 965
concento 413
concentração 48, 72, 178, 222, 290, 585
concentração de espírito 457
concentrado 457, 585
concentrar 72, 222, 290, 321, 596
concentrar todas as esperanças em 897
concentrar-se em 457
concentrar-se em oração/em meditação 990
concentrar-se em recordação 505
concentricidade 222
concêntrico 222
concepção 450, 453, 484, 490, 515
concepção errônea 481
concepcionário 987
concepções 481
conceptáculo 191
conceptibilidade 450, 470
conceptível 470
concernente 9, 12
concernente ao sentido do cheiro 398
concernir 9
concertado 903
concertador 724
concertar 464, 468, 626, 673, 714, 723, 769
concertar dissidências 723

concertar-se 709
concertina 417
concertino 415
concertista 413
concerto 23, 46, 413, 415, 416, 488, 709, 714, 769
concerto grosso 415
concessão 760, 762, 784, 973
concessão mútua 774
concessional 760
concessionário 779, 785
concessivo 760
concessões mútuas 774
concessor 784
concetto 842
concha 191, 223, 245
concha auditiva 418
concha azulada 318
conchacil 967
conchador 191
conchalim 967
conchar 847
conchas da balança 922
conchavar 43, 611, 626, 769
conchavar-se 709
conchavo 611, 626, 709, 769
concheado 245
conchear 847
conchegado 377
conchegar-se 377
conchegativo 377, 829, 902
conchego 377, 664, 827, 897
concho 858, 880
concidadão 372
concierge 753
conciliábulo 72, 544, 626, 696
conciliação 714, 723, 774, 918, 952
conciliado com a sã moral 939
conciliador 724, 918
conciliante 714, 723
conciliar 120, 696, 723, 774, 831
conciliário 696
conciliar-se 714, 918
conciliativo 714, 723
conciliatório 469, 602, 714, 723, 774, 831, 918
conciliável 23, 918
concílio 72, 696, 995
concional 582, 696
concionar (desus.) 582
concionatório 582
concisamente & sem mais preâmbulo 572
concisão 201
Concisão 572
conciso 572, 596
concitação 615, 715, 824
concitador 615
concitar 615, 715, 824
conclamação 411, 488
conclamador 935
conclamar 488, 529, 931
conclave 72, 696, 995
conclavista 696, 746
concludente 476, 478
concluído 673
concluir 67,161, 476, 480, 522, 604, 729
concluir um ajuste/um contrato 769
conclusão 65, 67, 154, 478, 480, 484, 496, 522, 729
conclusão antecipada 481, 611
conclusão é arbitrária, A 477
conclusão errônea 477
conclusão manca 495
conclusão manca e forçada 477
conclusão precipitada 481
conclusão refletida 478
conclusivo 462, 476, 480, 522, 729
concluso 729
conclusões precipitadas 481

concocção 673
concoctivo 673
concoctor 673
concoidal 245
concoide 245
concologia 223
concolor 428
concomitância 88, 120, 216, 709
concomitante 88,120
concomitantemente 109
concomitar 120
concordança 488
concordância 23, 46, 413, 567, 762
concordante 23, 488
concordantemente & *adj.* 488
concordar 23, 488, 602, 714, 760, 762
concordata 769, 808
concorde 23, 488, 714
concórdia 23, 413, 488, 709, 888
Concórdia 714
concorrência (de causas) 488
concorrência 23,72, 102, 120, 217, 222, 286, 290, 709, 921
Concorrência 178
concorrente 120, 178, 286, 290, 489, 710, 865, 891
concorrentemente & *adj.* 178
concorrer 120, 178, 290, 488, 709, 865, 891
concorrer para 615
concorrerem 290
concreção 46, 321
concrescibilidade 1
concrescível 1
concretamente 1
concretar 321
concretização 1
concretizar 79, 316, 321
concreto 1, 46, 79, 316, 321, 323, 635
concretude 3
concriação 709
concriar 709
concubina 962
concubinagem 961
concubinário 962
concubinato 903, 961
concubinato legal (dep.) 903
concúbito 961
conculcar 731, 773, 874, 930, 932
concupiscência 377, 865, 943, 961
concupiscente 961
concupiscível 961
concurso 72,178, 290, 707, 709, 720
concussão 276, 789, 791, 940
concussar 791
concussionário 792, 940, 941, 949
concussor 792, 941
concutir 160, 276, 649
condado 181, 875
condão 157, 698
conde 875, 876
conde andeiro 860
conde de Lipe 739
condecoração 733, 747, 876
condecorado 698
condecorar 973
condenação 162, 922, 932, 938, 974
Condenação 971
condenadas no Tártaro a encher um tonel furado 471
condenado 495, 754, 949, 971, 988
condenado às galés 975
condenador 480
condenar 480, 601, 708, 922, 932, 971, 972

condenar à calceta | congelação

condenar à calceta 972
condenar alguém ao diabo 908
condenar alguém às gemônias 874
condenar antecipadamente 481
condenar-se 950
condenatório 971
condenável 649, 874, 932, 945
condensação 195, 321, 335, 352, 572
condensado 195
condensar 36, 195, 321, 335, 352, 572, 596
condescendência 602, 623, 681, 740, 743, 760, 762, 879, 886, 894, 906, 914
condescendente 740, 743, 760, 762, 879, 906
condescender 488, 602, 605, 623, 740, 762
condescender em 760, 879
condessa 191, 975, 876
condessilha 664, 666
condestável 745, 965
condestável 875, 965
condição 7, 8, 71, 75, 151, 183, 469, 514, 697, 769, 873, 875, 877
condição essencial 615
condição física 316
condição normal/ordinária 80, 630
condição primária 630
condição social 875
condicional 7, 8, 469, 751, 770
condicionalmente 8, 770
condicionamento 9, 751
condicionar 469, 751, 770
condiçoar 770
Condições 770
condições desfavoráveis 473
condições personalíssimas 79
condigno 23, 924
côndilo 250
condimentar 392
condimentício 392
condimento(s) 298, 393, 673
condimentoso 392
condir 392, 673
condiscípulo 88, 541, 890
condiscípulo 890
côndito 533
condizente 9
condizer 23, 646
condoer(-se) 830, 914
condoído 914
condoimento 914, 915
condolência(s) 839, 896, 914
Condolência 915
condolente 914, 915
condomínio 189, 778
condômino 778
condonação 918
condonar 918
Condorcet 85
condoreiro 577
condottiero/i 268, 726
condralgia 378
condro 321
condução 270, 272, 280, 693
conducente 176
conductário 540
conduplicação 104
conduplicado 89
conduplicar 89
conduta 680, 698
Conduta 692
conduta desleal 940
conduta exemplar/ilibada/impecável 944
conduta irregular 852
condutício 746, 943
condutivo 176
conduto 294, 295, 302
Conduto 350

condutor 233, 271, 280, 694, 873
condutor de homens 175
conduzido pelo nariz 749
conduzir 176, 234, 270, 280, 350, 692, 693, 707, 873
conduzir a 644, 709
conduzir à malhada 370
conduzir a reboque 285
conduzir a uma situação dissolvente 162
conduzir alguém pelo nariz 749
conduzir ao altar/ao altar himeneal 903
conduzir para 278
conduzir transações 625
conduzir/induzir a erro 495
conduzir-se 692
conduzir-se pelo caminho da bem-aventurança 987
cone 249, 253
conectar 9
conectar-se (na internet) 527
conectivo 43, 45
cônego 996
conexão 9, 11, 17, 43, 45, 46, 69, 155
conexidade 9
conexivo 9
conexo 9
conezia 681, 995
confabulação 588
confabulador 588
confabular 588
confarreação 903
confecção 54, 161
confeccionado 673
confeccionamento 161
confeccionar 41, 54,161, 673
confecto 128, 659
confederação 709, 712
confederar 709
confederar-se 178
confeição 161
confeiçoar 161
confeitar 396, 545, 829
confeitaria 691
confeito 396
conferência 464, 476, 537, 582, 586, 588, 595, 696, 712, 724
conferencial 696
conferenciar 588, 695
conferencista 582
conferente 582
conferição 464
conferido por lei 924
conferir 464, 588, 695, 784
conferir a alguém funções importantes tanto na esfera do poder civil como na do eclesiástico 737
conferir direitos 924
conferir gabos de excelência a 931
conferir honras 873
conferir o cargo de 755
conferir o sacramento da ordem 755
conferir ordens 755, 995
conferir os graus universitários 755
conferva 367
confessador (depr.) 988a
confessar 488, 529, 535, 744, 998
confessar a própria fraqueza 879
confessar alguém 455
confessar gratidão 916
confessar o crime 947
confessar sua inópia 491, 947
confessar-se 916, 950, 990
confessar-se a 902
confessar-se culpado 950
confessar-se vencido 158

confessional 987
confessionário 1000
confesso 525, 947, 996, 997
confessor 461, 977, 996
confiabilidade 484
confiado 484, 535, 858, 861, 885
confiança 474, 484, 507, 543, 664, 703, 805, 858, 861, 888, 931
confiança na solvabilidade 805
confiante 484, 486, 858, 861
confiar 484, 527, 703, 755, 760, 784, 858
confiar a alguém o manejo de um negócio 755
confiar ao cérebro 505
confiar ao papel 590
confiar em 467, 484, 858
confiar suas penas a alguém 529
Confiar, desconfiando 487, 702
confiável 703, 888
confidencial 528, 533
confidencialidade 533
confidencialmente 528
confidenciar 527, 533
confidências 533, 902
confidencioso 528
confidente 711, 746, 888
confidente dos enamorados 318
configuração 7, 54, 220, 240, 448
configurar(-se) 240, 448, 554
confim 199
confinação 199
confinal 233
confinamento 229, 752
confinante 227, 233
confinar 87, 199, 229, 469, 781
confingir 626
confinidade 197, 199
confins 196, 227, 233
confins da terra 196
confioso 486, 858
confirmação 462, 467, 478, 488, 535, 762, 998
confirmar 467, 480, 488, 535, 769, 931
confirmatório 467
confiscação 773, 776, 789, 974
confiscado 925
confiscar 777, 789, 924, 971, 974
confisco 776, 789, 974
confissão 488, 529, 950, 998
confissão auricular 529, 952, 998
confissão pública 950
confissão pública do delito 952
confissionário 950
confissões 594
conflagração 146, 173, 384, 722, 742
conflagrar 173, 722, 742
conflitante 14, 237, 891
conflitar 179, 489
conflito 14, 24, 179, 489, 708, 713, 720, 722
conflituoso 24, 179
confluência 72, 178, 286, 290, 348
confluente 178, 286, 290
confluir 178, 286, 290
confluxo 290
conformação 82, 240, 757
conformado 605
conformar 23, 240, 613
conformar-se 23, 82, 304, 488, 602, 714, 725, 826
conformar-se com 646
conformar-se com a moda 851
conforme 8, 9, 23, 82, 488, 613, 620, 826
conforme à ciência do Direito 963
conforme à justiça/à equidade/ao direito/à razão/à retidão 922

conforme à letra 494
conforme a ocasião 8
conforme à razão 476
conforme a razão e a justiça 922
conforme à regra 82
conforme ao decoro 924
conforme aos princípios preestabelecidos 82
conforme as circunstâncias 8
conforme com os princípios da honra 939
conforme der o dado 8
conforme o momento 8
conforme soprar o vento 8
conformemente 476
conformidade 16, 17, 23, 58, 80, 242, 613, 714, 725, 757, 826
Conformidade 82
conformidade com o direito 922
conformidade de esforços/de pensamentos/de sentimentos 714
confortação 834
confortador 973
Confortador 976
confortante 225, 834
confortar 159, 834, 914
confortativo 377, 834
confortativo 834
confortável 377, 827, 829
conforto 377, 618, 827, 829, 834
conforto moral 915
confortos de enforcado 645, 834, 859
confortoso 834
confrade 27, 711, 890
confragoso 256
confranger 744, 830
confranger a alma 830
confranger de incerteza 475
confrangimento 744, 830
confraria 712, 892, 997
confraternal 12, 888
confraternar 714, 723, 888
confraternidade 888
confraternização 888
confraternizar 714, 723, 888
confricar 331
confrontação 199, 464
confrontação dos débitos e créditos 811
confrontações 227
confrontar 199, 234, 464, 489
confrontar testemunhas 467
confronto 9, 24, 179, 464, 489, 713, 720, 889
Confúcio 986
confucionismo 984, 986
confucionista 983a
confugir a 664
confundido 59, 475, 479, 879
confundir 41, 61, 219, 458, 465a, 475, 479, 495, 508, 519, 731, 879, 916
confundir alhos com bugalhos 61
confundir em toda a linha 13
confundir o justo com o injusto 923
confundir-se 699
confundir-se com 17, 199
confusão 41, 59, 61, 173, 315, 458, 465a, 475, 491, 517, 519, 821, 825, 889
confusão das línguas 560, 563
confuso 61, 59, 405, 422, 447, 465a, 475, 519, 571, 879
confutação 479
confutar 479
confutável 475
congé 756
congelação 385

congelado | considerar-se

congelado 141, 383
congelamento 383, 385
congelar 321, 333, 385
congelar-se de medo 860
congelável 144
congeminação 89
congeminar 90
congeminência 8, 837
congênere 17, 75
congenial 23, 714
congenialidade 23
congenialmente & *adj.* 714
congênito 5,153
congérie (de paus) 72
congérie 241
congestão 72, 640
congestionado 52, 434, 640
congestionar 52, 434, 640
congesto 420, 640
côngio (ant.) 466
conglobar 72
conglomeração 72
conglomerado 46, 72, 321
conglomerar 72, 321
conglutinação 46
conglutinante 45
conglutinar 45, 46, 352
conglutinativo 45, 46
conglutinoso 46, 352
congosta 189, 627
congoxa 828
congoxar 830
congoxoso 828, 830
congraçamento 723
congraçar 723
congratulação 838
Congratulação 896
congratulado 896
congratulante 896
congratular-se com 838, 896
congratulatório 896
congregação 72, 178, 290, 542, 696, 997
congregacionalista 984
congregado 996
congregante 540
congregar 48, 72
congregar(em)-se 178, 709, 712
congressional 696
congressista 759
congresso 72, 290, 696
Congresso 963
congresso católico 997
congreve 388, 727
congruado 996
congruário 996
congruência 16, 23, 82, 646, 939
congruente 23, 646, 714, 939
congruidade 23, 976
côngruo 23, 646, 714
conhaque 959
conhecedor 492, 700
conhecedor das coisas divinas e humanas 976
conhecedor de 490
conhecer 480a, 490, 961
conhecer a diferença entre o ativo e o passivo 811
conhecer carnalmente uma mulher 961
conhecer de perto 821
conhecer de perto a glória 873
conhecer dias difíceis 732
conhecer plenamente/de perto/como ninguém/como aos próprios dedos, muito de perto/intimamente 490
conhecer por experiência 821
conhecido 175, 490, 494, 531, 698, 705, 873, 890
conhecimento(s) 375, 527, 698, 888
Conhecimento 490

conhecimento profundo/imenso/sólido/variado/completo/esmerado/acroático/acroamático/enciclopédico 490
conhecimentos gerais/rudimentares/deficientes/crassos/minguados/imperfeitos 491
conhecimentos sólidos e variados 490
conhecimentos superficiais 491
cônico 249, 253
conífero 367
conivência 709, 760, 947
conivente 709, 711, 738, 760, 947
conje(c)tura 475, 485, 514
conje(c)tura provável 472, 858
conje(c)tural 475, 514, 515
conje(c)turar 475, 485, 510, 514, 515
conjugação 567, 709
conjugação de esforços 178
conjugado 43
conjugal 903
conjugar 43, 120, 567, 709
conjugar esforços 178
conjugar o verbo *rapio* em todos os seus tempos 791
conjugar o verbo vingar em todos os seus tempos 919
conjugativo 567
conjugável 567
cônjuge 903
conjugicida 361
conjugicídio 361
conjúgio 903
conjunção 23, 43, 45, 138, 199
conjuntamente 120
conjuntamente com 37, 178
conjuntar 43
conjuntiva 441
conjuntivo 43, 413
conjunto 43, 50, 72, 120, 225, 692a
conjunto das coisas criadas 318
conjunto das funções orgânicas 359
conjunto de conhecimentos 490
conjunto de leis ou preceitos reguladores das relações sociais 922
conjuntura 8, 134, 151
conjuntura aflitiva 828
conjuntura de circunstâncias favoráveis 134
conjuntura difícil 665, 704
conjura 626, 709
conjuração 626, 709, 766
conjurado 548, 6 26, 692
conjurador 626, 994
conjurar 626, 765, 992
conjurar a loucura 502
conjurar o perigo 731
conjuratório 675, 766
conjuro 545, 765, 992
conluiar(-se) 23, 611, 709, 769
conluio 544, 611, 626, 709, 712, 769, 940
connaître le dessous des cartes 490
connoisseur 492, 850
conoidal 253
conoide 249, 253
conoscente 850
conotação 9, 516
conotar 516, 550
conotativo 550
conquanto 30
conquassão 378, 830
conquista 731, 775
conquista de novos horizontes 282, 658
conquista de si mesmo 604

conquistador 722, 731, 829, 897, 962
conquistar 615, 731, 749, 777, 925
conquistar a imortalidade 873
conquistar ascendência sobre 175
conquistar honras 873
conquistar louros imarcescíveis 873
conquistar novos horizontes 658
conquistar o espírito/o coração 484
conquistar terreno 282
conquistável 624
consagração 505 , 677, 873, 931, 987, 998
consagrado 82, 484, 490, 582, 613, 924, 987
consagrado pela lei e pelo uso 80
consagrar 677, 784, 873, 883, 931, 995, 998
consagrar a atenção 457
consagrar o melhor da sua atividade 682
consagrar-se 680
consagrar-se a 625
consagratório 998
consanguíneo 11
Consanguinidade 11
consanguinidade 9, 17,166
consciência 375, 450, 820, 926, 939
consciência cauterizada 907
consciência da própria dignidade 944
consciência delicada/tranquila 822, 926
consciência embotada/cauterizada 951
consciência limpa 939
consciência tranquila/honesta/desafogada 946
conscienciosamente 535
consciencioso 459, 926
consciencioso 494, 543, 772, 9 22, 926, 939
consciente 864
conscientemente 611
conscientizar 658
cônscio de 490
conscrição 744
conscrito 696, 726, 744
consecrante 998
consecrativo 998
consecratório 998
consecução 63, 69, 731, 775
consecutivo 63, 69, 117
conseguimento 731
conseguinte 63
conseguintemente 476
conseguir 729, 731, 775, 785
conseguir seu intento/objetivo 731
conseguível 775
conseiroso 682
conselheiral 499
conselheirático 499
conselheiresco 499
conselheiro 540, 694, 695, 696, 890, 968
Conselheiro Acácio 501
Conselho *(recomendação)* 696
conselho *(recomendação)* 527, 532, 615, 668
Conselho *(corpo consultivo)* 695
conselho anfictiônico 696
conselho de guerra 966
conselho de ministros 696
conselho municipal 696
consenciente 762
consenso 488, 762

consentaneidade 23, 646
consentâneo 23, 646
consentido 963
consentimento 488, 600, 743, 760
Consentimento 762
consentimento expresso/tácito 760
consentir 488, 615, 760, 762
consequência 63, 151, 154, 642
consequente 63,154, 281, 476
consequentemente 63, 154, 476
consertar 60
consertar 658, 660
consertar a garganta 297
consertar as folhas de um livro 658
conserto 658, 660
conserva 393
conservação 141, 670
conservação das coisas 1
conservação das forças físicas 654
conservado 141
conservador 613, 670, 721, 737, 826
conservadorismo 124, 150
conservante 670
conservantismo 82,141, 670
conservar 143, 170, 751, 781
conservar à distância 719
conservar a paz 714, 721
conservar a pólvora seca 673
conservar afastado 289
conservar as tradições 670
conservar autoridade 737
conservar dentro dos limites 761
conservar em bom estado 143
conservar ileso 143
conservar na gaiola 781
conservar no pensamento/na memória/na mente/na ideia/na lembrança 505
conservar os seus antigos hábitos 613
conservar salvo e intato 670
conservar sua força ou ação 1
conservar vivo 670
conservar/deixar nas trevas da ignorância 528
conservar-se 141
conservar-se afastado/a (respeitosa) distância 187,196, 623
conservar-se arredio 623
conservar-se de bom humor 714
conservar-se de parte 623
conservar-se dentro dos limites 174
conservar-se em movimento 264
conservar-se fiel a 604a
conservar-se firme e constante 604a
conservar-se fora do caminho 623
conservar-se inabalável 604
conservar-se na obscuridade 893
conservar-se oculto 526
conservativo 670
conservatório 542, 636, 910
consesso 696
consideração 451, 453, 457, 615, 617, 642, 829, 864, 873, 888, 928
considerado 454, 928, 939
considerando 467
considerando que 476
considerar 457, 461, 476, 480, 484, 864, 888, 928
considerar como substância 3
considerar-se 880

553

considerar-se um ente nulo 879
considerável 31, 192, 642
consignação 784
consignar 270, 535, 755
consignar à memória 505
consignar ao esquecimento/ao túmulo dos Capuletos 506
consignar ao túmulo 363
consignar às chamas 384
Consignatário 758
consigo mesmo 589
consilii 605
consistência 16, 23,150, 321, 327, 604a
consistente 3,150, 327, 476
consistir 48, 54, 596
consistorial 696, 995
consistório 72, 696, 995
consoada 298, 892, 956
consoante 8, 9, 23, 82, 561
consociabilidade 892
consócio 778, 890
consola 215
consolação 834, 915, 976
consolador 834
consolar 834, 914, 915
consolidar(-se) 46, 48, 150, 159, 321
consolo 618, 834
consommé 298
consonância 23, 413, 578, 714, 888
consonar 413, 714
consonar 23, 413
consono 23, 413
consorciar(-se) 41, 48, 72, 709, 723, 903
consórcio 48, 709, 903
consorte 88, 711, 903
conspecção 441
conspecto 186, 441
conspectus 596
conspeito 441
conspicuidade 446, 873
conspícuo 446, 525, 873
conspiração 626, 709, 712
conspirador 626, 711, 941
conspirante 626
conspirar 626
conspirata 626, 709
conspurcação 773, 874, 961
conspurcação de princípios/ de disposições legais 964
conspurcar 653, 848, 874, 934, 961
conspurcar as liberdades 739
constância 16, 69, 80, 136, 141, 143, 150, 604a, 606, 682, 743, 897, 939
constante 5, 16,69, 80, 110, 136, 141, 150, 488, 604a, 897
constante como a estrela polar 939
constar 48, 454, 532
constatação 478
constelação 52, 318, 423, 639, 873
constelado 318, 639
constelar 126, 420, 847, 873
consternação 828, 832, 837, 839, 860, 915
consternado 828, 837, 950
consternador 830
consternar 830, 837, 860
constipação 261
constitucional 924, 963
constitucionalidade 963
constitucionalismo 963
constitucionalista 968
constitucionalização 963
constitucionalizar 963
constituição 5, 7, 54, 924, 963
constituição atlética 159
constituinte 54, 56, 696, 755, 759

constituir 50, 54, 56,161
constituir a essência de 56
constituir perene ameaça 909
constituir possuidor 777
constituir procurador 759
constituir uma ameaça 665
constituir uma anomalia 83
constituir uma segunda natureza 5
constitutivo 5, 54, 56
constranger 706, 739, 744, 749, 751, 926
constranger o sentido/a significação 523
constranger-se 603
constrangidamente 751
constrangido 744, 579, 603, 749, 551
constrangido pela necessidade 601
constrangimento 603, 706, 739, 744, 749, 751
constrição 195, 749, 832
constringente 195
constringir 195, 751
constritivo 195
construção 161, 240, 329, 522
construção de um afeto/de uma convivência 888
construção errônea (má interpretação) 495
construído no ar/na areia 515
construir 161, 240
construir castelos de dourada quimera 515
construir castelos na areia/no ar 471, 858
construir sobre 484
construir sobre um rochedo 150
construtor 164, 690
consubstanciação 3, 13, 998
consubstanciar 3,13
consubstantificar 3
consueto 613
consuetudinário 613
cônsul 745, 768, 759
consulado 737
consular 737, 759
consulente 695
consulta 485, 695
consultação 695
consultante 695
consultar 609, 695, 707
consultar mal os interesses de 495
consultar o barômetro 463
consultar o travesseiro 133, 451, 695
consultar unicamente os seus interesses 943
consultor 695
consultório 662
consumação 67, 729, 903
consumação patológica 160
consumado 52, 525, 650, 729
consumar(-se) 67, 151, 680, 729
consumar a destruição de 162
Consumatum est 729
consumição 638, 828
consumido pelo desejo de 865
consumidor 795
consumir 162, 298, 331, 638, 795, 809, 998
consumir-se 659, 821
consumir-se de cuidados 828
consumível 812
consumo 638, 677, 795, 809
consunção 162, 195
conta 85, 86, 249, 507
Conta outra! 485
contábil 811
Contabilidade 811

contabilista 811
conta-corrente 800, 811
contador 527, 550, 690, 801, 811
contador de histórias 548
contador mecânico 85
contadoria 802
contagião 270
contagiar(-se) 73, 270, 657, 655, 659
contágio 73, 270, 657
contágio moral 824
contagioso 73, 270, 655, 657
contaminação 73, 270, 6553, 657,659, 874
contaminado 655
contaminador 657
contaminar(-se) 270, 653, 655, 657, 659, 874
contaminável 270
contante 800
contanto que 8, 469, 514
contar 76, 85, 466, 594
contar a sua própria história 525
contar as horas 684
contar as próprias palavras (prudência) 498
contar bravatas 884
contar bulas 546, 884
contar coisas inverossímeis 546
contar com 472, 467, 484, 507, 858
contar com a probabilidade do êxito 858
contar de modo enfadonho 573
contar maranhões 546
contar os bocados que dá 819
contar os passos 275
contar os pintos antes do nascimento 858
contar outra história 468
contas 811, 847, 998
contas aladroadas 791
Contas de perto e amigos de longe 890
contato 175, 199, 490, 538, 892
conte com 484
contêiner 191, 636
contemplação 441, 451, 458, 507, 620, 740, 870, 902, 928, 955
contemplador 186, 317, 444
contemplar 441, 444, 451, 457, 507, 870, 902, 928
contemplar com avidez 377
contemplar com desdenhosa indiferença 871
contemplar voluptuosamente 865
contemplar-se 1
contemplativo 317, 451, 505
contemporaneidade 120
contemporâneo 118, 120, 174, 605, 607, 681, 702
contemporizador 605
contemporizar 133, 174, 469, 605, 609a, 681, 702, 826
contemptível 930, 940
contenção 476, 686, 720, 817, 879, 881, 921, 969
contenças 633, 780
contenciosamente 969
contencioso 170, 468, 475, 713, 969
contenda 24, 59, 476, 489, 713, 722, 889
Contenda 720
contendedor/contendor 891
contendente 468, 969
contender 27, 468, 476, 713, 720, 891, 969
contender com 708
contendor 489, 710, 720, 726, 921, 969
contenho 448

contensão 457
contensão do espírito 451, 515
contentadiço 826
contentamento 734, 827, 836
Contentamento 831
contentar 829, 831
contentar-se com 677
contente 488, 602, 826, 827, 831
contentemente 831
contento 831, 865
conter 54, 76, 142, 174, 191, 227, 454, 751, 761, 817, 826
conter a corrente 708
conter a indignação 826
conter a língua 585
contérmino 67,199, 233
conterrâneo 372, 890
contérrito 860, 879
conter-se 826, 953
contestabilidade 546
contestação 462, 468, 476, 479, 536, 713, 969
contestador 462, 468, 614, 710, 742
contestar 462, 468, 479, 485, 489, 536, 708, 720, 742
contestatoriamente & *adj*.462
contestatório 462, 468, 479, 536, 614, 708
contestável 475
contestável em juízo
conteste 467, 488
Conteúdo 190
conteúdo 56, 221, 454, 516, 596
contexto 5, 88, 219, 516
contextura 5, 7, 88, 219, 329, 516
contido 174, 502, 881, 953, 955
contiguamente & *adj*. 199
contiguidade 197
Contiguidade 199
contíguo 197, 199
continência 174, 448, 928, 953, 960
continental 342
continente 54, 181, 191, 342, 953, 960
contingência 8, 151, 156, 177, 470, 475, 749
contingencial 751
contingenciamento 749, 751
contingenciar 751
contingente(s) 8, 39, 111, 137, 151, 156, 177, 469, 470, 475, 635, 707, 726, 786, 809
contingível 470, 705
Continuação 143
continuação 39, 63, 69, 117, 281, 604a
Continuação de ação 143
continuadamente & *adj*. 143
continuado & *v*. 143
continuado gramatical 564
continuador 65
continuamente & *adj*. 69
continuar 65, 69, 106, 143, 604a
continuar a 143
continuar a ser 1
continuar desamparado 665
continuar na mesma 141
continuidade 63, 112, 117, 136, 143
Continuidade 69
continuísta 599
contínuo 69, 104, 110, 136, 141, 407, 534, 604a, 746
contista 593
conto 98, 594
conto da avozinha 594
conto de fada 594
conto de velha 546
conto do vigário 544, 702, 791
contorção 241, 243
contorcer(-se) 241, 243, 315, 360, 378, 855

contorcer-se em espiral 248
contorcido 243
contornamento 311
contornar 227, 229, 230, 236, 245, 279, 311, 731
contornar dificuldades 705
Contorno 230
contorno(s) 227, 240, 448, 554
contorsão 243, 378
contos 545, 692a
contra 14, 179, 708
contra a corrente/o vento/a maré 704, 08
contra a lei 925
contra a moral 619
contra a vontade 744
contra *bonos mores* 852, 925, 945
contra o correr do pelo 218
contra o qual se erguem razões de toda ordem 932
contra toda a razão 497, 925
contra toda expectativa 508
contra todo o direito e a justiça 925
contra vontade 603
contra-ação 708
contra-aproche 717
contra-assinar 467
contra-atacar 717
contra-ataque 717
contra-aviso 756
contrabaixo 417
contrabalançador 468
contrabalançar 27, 30, 179, 468
contrabandear 791, 964
contrabandista 792
contrabando 294, 791, 964
contrabater 708, 720
contrabateria 179, 708, 718
contracambiar 12, 148, 808, 917
contracâmbio 148, 813
Contração 195
contração 36, 48, 201, 203, 596
contração dos nervos 315
contracédula 756
contracifra 522
contraconvergente 290
contracorrente 237, 718
contracosta 237
contradança 59,148, 840
contradição 14, 24, 468, 477, 479, 489, 536, 708
contradita 462, 468, 536, 708, 718
contraditar 14, 237, 462,468, 479, 489, 536, 708, 713, 937
contraditor 468, 710, 891
contraditório 14, 237, 462, 468, 477, 479, 536, 708
contradizer 24, 468, 489, 536, 708, 713
contradizimento 536
contraedito 756
contraemboscada 708, 717, 718
contraente 769, 903
contraescarpa 717
contraescritura 756
contraestimular 174
contraevidência 468
contrafação 19, 21, 544, 545
contrafagote 417
contrafazer 19, 544
contrafazer-se 544, 855
contrafé 969
contrafeição 21
contrafeitiço 718, 993
contrafeito 509, 603, 732, 832, 846, 881
contraferrar 756
contrafileira 235
contraforte 206, 215, 717
contrafosso 136

contrafuga 415
contragolpe 708, 718
contraguarda 717
contraído 193
contraimento 195
contraindicação 14, 468, 616, 668, 718
contraindicar 468, 616, 756
contrainterrogatório 461
contrair 32, 36, 195, 201, 258, 613, 659, 775
contrair dívida de gratidão 916
contrair dívidas 806
contrair empréstimo 788
contrair enfermidade 655
contrair núpcias/esponsais/matrimônio 903
contrair obrigação 768
contrair/cobrar amizade/afeição 888
contrair-se 193
contralto 408, 415, 580
contramandado 718, 756
contramandar 741, 756
contramarca 550, 718, 756
contramarcar 550, 756
contramarcha 145, 283
contramarchar 145, 283, 313
contramaré 348
contramedida 462, 718
contramestre 269, 694
contramina 708
contraminar 706, 708, 731
contramira 718
contramolde 22
contramudação 148
contramuralha 717
contramurar 717
contramuro 717
contranatural 83, 855
contraneutralidade 83
contranitência 719
contraofensiva 717
contraordem 718, 756
contraordenar 756
contraparente 11
contrapasso 718
contrapé 88, 711
contrapeçonha 662
contrapesar 27, 30, 179, 616
contrapeso 28, 30, 179, 319, 706
contrapontista 413
contraponto 413, 692a
contrapor 237, 464, 468, 708
contrapor-se 14, 237
contraposição 14, 179, 218, 468
Contraposição 237
contraproducente 175a, 732
contraprojeto 718
contrapropaganda 539
contraprotesto 468
contraprova 463, 468, 550, 718
contraprovar 464, 468
contrariado 603, 901a
contrariador 891
contrariamente 12
contrariar 24, 14, 179, 479, 536, 616, 704, 706, 708, 713, 732, 830, 831, 937
contrariável 477, 485
contrariedade 14, 179, 619, 704, 732, 828, 830, 832, 889
contrariedade do réu 937
contrário 14, 24, 79, 218, 237, 489, 603, 708, 889
contrário a 867
contrário à boa moral 925
contrário à lei 964
contrário à moral e aos bons costumes 961
contrário à razão 471
contrário a toda e qualquer expectativa razoável 473

contrário à verdade 495
contrário ao dever 927
contrário ao natural 83
contrário ao que deve ser 925
contrário aos bons princípios 945
contrarregra 599
contrarreparo 717
contrarréplica 462
contrarresolução 718
contrarresposta 413
contrarrevolução 145, 708
contrasselo 550, 718
contrassenha 550, 722
contrassenso 477, 497
contrassinal 550
contrassujeito 413
contrastar 14, 15, 18, 24, 237, 464, 485, 536
contrastar com o inimigo 717, 719
contrastar com os perigos 861
Contraste 14
contraste 18, 237, 464, 708
contrata (pop.) 769
contratado & *v.* 769
contratante 758, 769
contratar 676, 769, 770, 794
contratar casamento 903
contratável 794
contratempo(s) 135, 156, 665, 704, 706, 735, 830
contrátil 195
contratilidade 195
contratilmente & *adj.* 195
contrativo 195
contrato 23, 780, 963
Contrato 769
contrato leonino 925
contrato penhor 768
contratorpedeiro 273, 727
contratual 769
contratura 195
contravalação 717
contravalar 717
contravapor 145, 718, 756
contravenção 536, 708, 773, 927, 964
contraveneno 662
contraveniente 742, 773, 964
contravento 509, 708, 735
contraventor 742, 773, 964
contraversão 523
contravertente 237
contraverter 218, 237, 313, 523, 679, 708
contravir 83, 462, 536, 773, 927, 964
contretemps 706
contribuição 37, 707, 709, 784, 809, 910
contribuição voluntária 812
contribuidor 707, 784
contribuinte 348, 707, 784, 807
contribuir 153, 176, 178, 6680, 707, 709, 784, 809
contribuir na afirmação de um princípio 478
contribuir para 631
contributário 707, 784
contributivo 178, 707
contrição 950, 952
contristação 828, 915
contristado 828
contristador 830
contristar 830, 837
controlado 174
controlar 749, 751, 817
controlar-se 953
controle 157, 174, 498, 693, 751, 777, 781, 826
controvérsia 24, 476, 489, 713, 720

controvérsia judicial 969
controversial 476
controversista 476, 710, 726
controverso 475, 485
controverter 476, 485
controvertido 523
controvertível 475, 485, 495
contubernal 711
contubernar-se 888, 961
contubérnio 709, 712, 888, 903, 961
contudo 18, 30
contumácia 606, 661, 951
contumaz 606, 661, 741
contumélia 885, 907, 929, 932, 933
contumelioso 885, 895, 929, 930, 934
contundente 378, 479
contundir 330, 378, 830
conturbação 742, 821
conturbar(-se) 742, 821
conturbativo 475, 742
contusão 330, 378, 619
contuso 378
conubial 903
conúbio 903
convales 252
convalescença 658, 660
convalescente 660
convalescer 654, 660
convelir 301
convença 769
convenção 72, 551, 696, 723, 769, 774
convenção de Genebra 722
convencer(-se) 175, 474,478, 484, 488, 537, 615
convencido 484, 880, 885
convencimento 484, 615, 880
convencimento à pancada 964, 972
convencionado 769
convencional 82, 769
convencionalidade 82
convencionalismo 613, 851
convencionar 769, 770
convenções sociais 851
convenho! 488
conveniência 23, 134, 644, 851
Conveniência 646
conveniente 23, 134, 498, 630, 644, 646, 698
convenientemente & *adj.* 646
convênio 23, 769
conventicular 528
conventículo 72, 696
convento 893, 1000
conventual 995, 996
conventualidade 995
convergência 72,178, 222, 286
Convergência 290
convergente 178, 286, 290, 445
convergir 176, 178, 197, 222, 286, 288, 290
conversa 532, 588, 997
conversa de pescador 884
conversa entre marido e mulher 588
conversa-fiada 617, 884
conversa para boi dormir 617
conversa/história de pescador 482
conversação 582, 588
conversador 532, 584, 588
Conversão 144
conversão 607, 984, 987
conversão gradual 140
conversar 461, 584, 588, 695, 902
conversar em particular 588
conversar *tête* à *tête* 588
conversável 588, 892, 894
conversível 27, 144

conversivo | coronal

conversivo 144
converso 987
converter 987
converter ao estado de inocência 987
converter em charco 337
converter em clichê 591
converter em metal sonante 796
converter em paul & *subst.* 345
converter em pó 330
converter em quimo 144
converter em substância 3
converter-se em 144
converter-se em pó 358
convertibilidade 13
convertido 607, 987
convertível 144
convés 210
convexidade 194, 307
Convexidade 250
convexo 194, 250
convicção 474, 478, 484, 615, 858
convício 929
convicto 474, 484, 525
convidado 840, 892
convidar 763, 865
convidativo 615
convincente 476, 484
convindo 646
convir 23, 488, 644, 646, 760, 762, 774, 926
convir com 82
convite 741, 763, 765, 784
conviva 840, 890, 892
convival 840
convivência 372, 588, 888, 892
convivente 892
conviver 88, 186, 888, 892
conviver com 186
convivial 840
convivialidade 892
convívio 840, 888, 892
convívio com os livros 538
convizinhar-se 17, 197
convizinho 199
convocação 741
convocação de credores 808
convocar 72, 741
convocativo 72
convolar para novas núpcias 903
convolução 248, 312
convolutamente & *adj.* 248
convoluto 248
convulcionar 173
convulsão 59, 146, 173, 315, 378
convulsar 315
convulsionar 61, 146, 315, 830
convulsionário 173, 315
convulsivo 173, 315
convulso 173, 315, 825, 860
coobação 336
coobar 336
coonestar 544, 617, 937
cooperação 23, 178, 488, 707, 778
Cooperação 709
cooperador 690, 709, 711
cooperar 680, 707, 709, 712, 714, 778
cooperário 711
cooperativa 910
cooperativismo 178, 778
cooperativo 709
cooptação 6, 609, 615, 775
cooptante 288
cooptar 6, 72, 288, 615, 775
coordenação 27, 58, 60
coordenadas 182, 184
coordenadas geográficas 183, 560
coordenadas terrestres/celestes/equatoriais/polares/geográficas/cartesianas 466

coordenar 60, 72, 693
coorte (de soldados) 72
coorte 726 . .
copa 210, 256, 633, 636
copado 242, 256, 367, 424
copar 250, 367
coparazão 225
coparticipação 709, 778
coparticipar 778
copázio 191
copé (bras.) 189
copegar 275
copeiro 746
copelação 49
copelar 49, 465
cópia 17, 19, 545, 551, 554, 557, 626, 639
Cópia 21
cópia autenticada 771
cópia perfeita 13, 21
copia *verborum* 573, 582, 584
copiado & v 19
copiangagem (bras.) 791
copiar 19, 189, 554, 590
copiara (bras.) 189
copidesque 591, 593
copiloto 269
copiografar 19
copiógrafo 19
copiosamente 348
copiosidade 25, 573, 639
copioso 52, 102, 573, 639, 640
copista 19, 590
copla 597
coplista 597
copo 191, 252, 959
copos, som de 402a
coprar 597
coprejar 597
coprocultura 662
copropriedade 778
coproprietário 778, 779
copróstase 261
coprostasia 261
copudo 242
cópula 43, 45, 897, 961
copular 43, 961
copulativo 43
coque 378, 384, 388, 716, 972
coqueiral 371
coqueiro (pop.) 548
coqueluche 655
coquetel 298, 959
coquetismo 851, 933
coquette 854
coquillage 847
coquinho (cachaça) 959
Cor 428
cor 448, 544, 617
cor baça 436
cor da aurora 434
cor da noite 431
cor de azeitona 435
cor de burro quando foge 429
cor de doninha 436
cor de mel 436
cor de pinhão 433
cor local 428
cor negra 431
cor oscilante entre o rubro e o violáceo 437
cor parda 432
coração 5, 68, 221, 222, 372, 440e, 450, 642, 820, 899
coração bem formado 948
coração de aço 604, 682
coração de leão 861
coração de ouro 948
coração de ouro/bem formado/sempre pronto aos acenos do bem 906
coração de pedernal/de pederneira 914a

coração de pedra/de neve/de bronze/de mármore 823
coração de pomba 914
coração do estio 382
coração empedernido/de bronze/de lama 951
coração férreo/duro/de mármore/de pedra 907
coração impenetrável 823
coração valente 861
coraçãozinho 902
coracoidal 245
coracoide 245
coracóideo 245
coraçudo 861
corado 434, 654
coradouro 340
coragem 604, 604a, 863, 885
Coragem 861
coragem inexcedível 861
coragem moral 604
coragem! 615, 860, 931
corágico 551
corajosamente & *adj.* 861
corajoso 604, 719, 861
coral 415, 434, 580, 667, 847
coralino 434
coram judice 969
coram populo 525
corânico 985
Corão 985
corar 340, 428, 434, 821, 879, 881
corbelha 191, 903
corça 274, 374
corcel 271, 274
corcova 250
Corcovado 206
corcovado 243, 245, 250
corcovar 241, 245
corcovear 309
corcovo 206, 309
corculionídeo 366
corcunda 243, 250
corda 45, 72, 200, 205, 246, 348, 413, 633, 752, 975
corda bamba 314
corda e o caldeirão, a 89
corda na garganta 704
corda sensível 822
cordão 45, 69, 205
cordão sanitário 664, 670
cordão umbilical 45, 205, 440e
cordas ásperas da prosa 579
cordas do coração 820
cordato 498, 602, 826, 864
cordeação 466
cordear 466
cordeiro 129, 366, 412, 946, 948
cordeiro inocente 430
cordel 45
cor-de-rosa 434, 734
cordial 377, 392, 602, 662, 821, 829, 888, 897, 902
cordialidade 602, 821, 888, 892
cordialmente 916
cordifoliado 367
cordiforme 245
cordilheira 206, 342
cordite 777
cordoada 348
cordoalha 72
cordon bleu 746
cordovaneiro 225
cordura 602, 740, 864, 879, 906
coreia 315
coreiro 997
coreografia 692a
coreógrafo 559
cores berrantes 852
cores cativas 429
cores da eloquência 582
Cores e sinais de bois 440b
Cores e sinais de cavalos 440a

Cores e sinais de diversos animais 440c
cores nítidas da realidade 494
cores primitivas 428
coreu 597
coriáceo 327
coriambo 597
coribântico 503
corifeu 33, 540, 694, 745
corindon 847
Coriolano 941
córion 223
coriscada 423
coriscada de pelouros 716
coriscar 284, 420
corisco 318, 423, 872
corista 416, 997
coriza 299, 653
corja 72
cornaca 268, 271, 276, 716
cornalão 440b
cornalina 425, 427
cornamusa 417
corne inglês/corno inglês 417
córnea 441
cornear 961
córneo 323
corneta 416, 417, 440b, 722
corneta acústica 418
corneta-mor 745
corneteiro 416
cornicho 781
cornicurto 440b, 440c
cornífero/cornígero 253, 440b, 440c
cornígero 440c
cornija 206
cornilargo 440b, 440c
cornino 993
corniola 425
cornípede 366, 440c
cornisolo 253, 962
cornitromba 722
corno 244, 253, 961, 962
corno de abundância 639
corno de Almateia 639
cornucópia 639, 648, 734
cornudo 253, 440b, 440c
cornúpeto 373
cornuto 253, 878
coro 415, 416, 488, 580, 692a, 1000
coro de aplausos 931
coro sideral 318
coroa 120, 210, 247, 318, 733, 747, 800, 847, 875, 876
coroa cívica 733, 876
coroa de dente 440e
coroa de louros 876, 973
coroa do martírio 378
coroa e chave 642
coroa luminosa 420
coroa obsidional 876
coroa/cabeça 621
coroa triunfal 876
coroa viriginal 960
coroa x raiz 237
coroação 737, 755, 883
coroado (depr.) 996
coroado de parras 847
coroado de rosas e pâmpanos/de magnífico êxito 731
coroamento 729
coroar 67, 210, 227, 729, 755, 847, 873
coroar de êxito 731
coroça 964
corografia 183
coroide 441
coroidea 441
corolário 154, 476, 480
corombó 440b
coronal 175, 247, 694, 745

coronha x cano | cortesmente

coronha x cano 237
coronífero 247
corpanzil 159, 192, 202
corpete 225
corpo 3, 42, 50, 240, 316, 362, 440e, 642, 712, 726
corpo a corpo 199, 713
corpo caloso 440e
corpo consultivo 696
corpo da igreja 1000
corpo de baile 599
corpo de delito 947
corpo de doutrina 490
corpo de exército 726
corpo de tropa 726
corpo diplomático 758
corpo discente 541, 542
corpo docente 142
corpo doze 561
corpo e sangue 316
corpo estranho 10, 24, 57, 228
corpo exânime 362
corpo humano, partes do 440e
corpo inânime 362
corpo inteiro 556
corpo político 372, 737
corpo sem alma 738
corpo sólido 321
corpo vítreo 441
corporação 712, 965, 997
corporal 3, 316, 378
corporalidade 3, 316
corporalização 554
corporalizar 3, 316, 554
corporativismo 481, 923
corporatura 192, 316
corporeidade 3, 316
corpóreo 3, 316
corporificação 1, 3, 554
corporificar 3, 316, 554
corporizar 3, 316
corpos celestes 126, 318
Corpos luminosos 423
corpos platônicos 244
corpulência 159, 192, 202
corpulento 159, 192
Corpus Christi 998
corpus delicti 947
corpus juris 697, 963
corpus pabulum 316
corpuscular 193
corpúsculo 32, 320
corra a dança! 838
corradiação 74, 290
corram as coisas como correrem 474, 601
correão 45
correção 58, 242, 462, 494, 578, 650, 658, 850, 926, 939, 972
correção de linguagem 567
correção e esmero no trajar 851
correcional 972
corredeira 348, 667
corrediço 149, 255, 705
corredio 149, 800
corredor 200, 203, 260, 627
corredouro 728
correento 323, 327
corregedor 694, 745, 967
corregedor de comarca 967
corregimento (ant.) 974
córrego 348
correia 45, 975
correio 268, 271, 510, 534
correio de Jó 532
correio eletrônico 527, 592
Correlação 12
correlação 9
correlacionar 9, 12
correlatar 9, 12
correlativo 9, 12
correlato 9, 12
correligionário 488, 711, 890

corrente 1, 45, 69, 82, 118, 151, 264, 348, 490, 518, 531, 532, 613, 752
Corrente 347
corrente ano 118
corrente-d'água 347
corrente de ar 347, 349
corrente de ideias 451
corrente e moente 584
corrente marítima 348
corrente mês 118
corrente submarina 153, 348, 526, 708
correnteza 69, 72, 348,
correntio 82, 274, 348, 474, 576, 643, 705
correr 1, 106, 109, 111, 151, 264, 267, 274, 347, 348, 532, 682, 800
correr a bom correr 111, 274
correr a cortina a alguma coisa oculta 525
correr a coxia 264, 683
correr a flux 639
correr a foguetes 699
correr a obrigação a 926
correr a toda a brida 274, 622
correr a toque de caixa 297
correr alegre a vida a alguém 836
correr após o fantasma 482
correr as cinco partes do mundo 266
correr até perder o fôlego 274
correr atrás do impossível 645
correr bem o negócio 775
correr com o vento em popa 267, 274
correr como um doido/como um galgo 374
correr como uma xara 274
correr da raia (pop.) 927
correr de boca em boca 531
correr de vergonha 568
correr depressa 684
correr desenfreadamente 173
correr desvairadamente 173
correr em jorro 348
correr em paralelo 216
correr graves riscos 665
correr mal a sorte a alguém 735
correr mundo 266
correr na pista de 622
correr no encalço de 281
correr o pregão 903
correr o reposteiro 529
correr o risco/perigo (de) 177, 621, 665
correr o sangue de 361
correr os dedos sobre 379
correr os olhos 457, 441
correr para 348
correr para a destruição 124
correr para a ruína 659
correr paralelo a 178
correr parelha com 178
correr parelhas (com) 27, 120, 648, 873
correr por conta de alguém 771
correr risco 177
correr suavemente 705
correr tudo bem a alguém 734
correr tudo muito bem 731
correr um fresco regelado 383a
correr um par de lanças com 720
correr um véu sobre 528
correr uma esponja sobre 918
correr voz de 532
correr voz entre 532
correr/perpassar/transcorrer/andar/volver/decorrer do tempo 109
correrem as lágrimas a alguém às bagadas 839

correrem bem os negócios 734
correrem lágrimas pelas faces de 839
correria 716, 720, 722
Corresponde à existência concreta 1
correspondência 9, 23, 58, 82, 821
Correspondência 592
correspondente 9, 12, 23, 527, 592, 593
correspondente especial 534, 758
corresponder 23, 27, 58, 602, 646, 718, 743, 777, 821
corresponder a uma necessidade 630
corresponder a uma necessidade pública 644
corresponder ao amor de alguém 897
corresponder ao cumprimento 148
corresponder ao que se deseja 639
corresponder mal a um favor 917
corresponder-se com 592
corretagem 794, 812
corretivo 658, 662, 972, 974
correto 242, 476, 494, 567, 646, 658, 924, 939, 944
corretor 758, 797
corretor de casamentos 903
corretor gramatical 591
corretor ortográfico 591
corretório 658, 972
corretriz 996
corréu 88
corricas 258
corrida 109, 264, 274, 622, 720, 840
corrida aos bancos 808
corrida perigosa 665
corrido 613, 659, 879
corrido a assobios 929
corrigenda 495
corrigendum 495
corrigir 174, 462, 494, 529, 650, 660, 932, 972
corrigir falhas 658
corrigir o engano 527
corrigível 658, 972
corrilho(s) 532, 696
corrimaça 929
corrimão 215
corrimento 299
corriqueiro 80,104, 124, 490, 517, 613, 643, 843, 871
corro 102, 728
corroboração 467, 488, 762
corroborante 662
corroborar 467, 488, 931
corroborativo 467
corroer 162, 171, 659, 663
corromper 615, 649, 653, 657, 659, 679, 795, 818, 874, 940, 945, 961
corromper a seiva 649
corromper uma conta 811
corromper-se 615, 940, 945
corrompido 659, 945, 961
corrosão 659
corrosivo 171, 384, 649, 830
corru(p)ção 659, 923, 945
corru(p)tor 940
corruchiar 412
corrugação 258
corrugar 258
corrume (pop.) 278
corru(p)ção 49, 175, 481, 6115, 653, 667, 775, 791, 818, 907, 940, 961, 964
corrupio 312

corruptela 563
corru(p)to 401, 649, 657, 659, 792, 818, 940, 945, 961
corsage 225
corsário 531, 726, 792
corsário de toda a roupa 792
corsear 267
corseiro 266
corso 267, 728, 791
cortadeira 253
cortado 44, 51, 70
cortado a pique 212
cortado ao meio 91
cortado de 16a
cortado de espaço a espaço por articulações (fruto ou folha de leguminosas) 367
cortado por misérrimos suspiros 839
cortadura 44, 257, 259
corta-mão 244
cortante 171, 17u3, 253, 383, 410, 535, 572, 574, 821, 830, 932
cortar 38, 44, 51, 53, 70, 142, 162, 201, 219, 240, 257, 267, 302, 557
cortar a casaca 934
cortar a continuação 142
cortar a saída 479
cortar a teia da vida 361
cortar as asas/o voo a 706, 751, 761
cortar as ondas 267
cortar as relações 889
cortar cerce 162, 201, 241, 308
cortar cólera a alguém 174
cortar como navalha 383
cortar dificuldades 705
cortar direito 922
cortar em lâminas 204
cortar-largo 818
cortar o casaco conforme o pano 864
cortar o coração 828
cortar o nó 705
cortar o voo 645
cortar o voo às esperanças 509, 859
cortar os ares 404, 839
cortar os braços 751
cortar pela carne e pelo sangue 739
cortar pela honra 930
cortar pela raiz 162, 361
cortar por si 624
cortar uma volta 704
cortável 51
corte(s) 38, 44, 55, 70, 189, 198, 201, 219, 240, 253, 257, 259, 302, 370, 557, 627, 633, 696, 737, 746, 851, 875, 902
corte 198
corte de apelação 966
corte de ovelhas 189
corte infernal 978
corte papal 696, 995
corte, fio, gume x releixo, costas, cota (reg.) 237
corte, gume x alvado, espiga 237
cortejador 897
cortejar 865, 886, 894, 902, 933
cortejar popularidade 880
cortejo 39, 65, 69, 88, 268, 281, 363, 882
cortelha 653
cortês 851, 879, 892, 894, 906
cortêsã 875, 962
cortesania 933
cortesanice 886, 933
cortesão 875, 886, 933, 935
Cortesia 894
cortesia 308, 892, 928
cortesmente & *adj.* 894

557

córtex | crespidão

córtex 220, 223
cortiça 320
cortical 223, 235
córtice 223
corticento 223
corticite 223
cortiço 189, 370
corticoso 223, 51, 70
cortilhar 44
cortina 214, 424, 530
cortinado 214, 424
cortinado do sacrário 1000
cortinar 424, 528
cortinha 181, 371
cortir-se com o trabalho 686
coruchéu 206, 210
coruja 130, 512, 846
corujeira (dep.) 189
corujeiro 189
corumbá 188
coruscação 420
coruscante 420
coruscar 420
coruta 210
coruto 210
corvejar 104, 412
corveta 273, 726, 727
corvino 366
corvo (depr.) 996
corvo 412, 431
corvo, vozes de 412
Corvos a corvos não tiram os olhos 481
cós 206, 210, 247, 817
cós x fímbria, orla 237
coscinomancia 511
cóscoro 223, 258
coscorrão 972
coscorrinho 817
coscos 800
coscuvilhar 532, 907
coscuvilheira 532
coscuvilheiro 532
coscuvilhice 532
cosedura 43
coser 43, 673
coser a facadas ou a punhaladas 361
coser-se com 199
coser-se com a terra 213
cosmético 354, 356, 662, 857
cosmicamente & *adj.* 318
cósmico 318, 554
cosmo(s) 318
cosmogenista 318
cosmogonia 318
cosmografia 318
cosmógrafo 318
cosmologia 318
cosmólogo 318
cosmonauta 269
cosmonave 273
cosmopolita 189, 372, 78, 910
cosmopolítico 910
cosmopolitismo 78, 910
cosmorama 78, 448
cosmosofia 318
cosqueadura 972
cosquear 972
cosquento 380
cossacos 726
cosseno 217
costa 217, 231, 236, 342
costadas (de rio) 248
costado 166, 235, 236
costal 235
costalgia 378
costálgico 378
costaneira 235, 236
costão 236
costas 235
costas da mão 440e
costear 216, 236, 267

costeiro 216, 217, 231, 236
costela 236, 903
costroso 223
costumado 613, 871
costumagem 613
costumário 613
costume 80, 82, 225, 613, 677, 692, 851
costume faz lei, O 613
costume ou hábito geral 613
costumeiras 613
costumeiro 80, 82, 613
costumier 599
costura 43
costurar 43
costureira 225, 690
costureiro 690
cota(s) 200, 551, 552, 807, 812
cota de armas 550
cota de malha 717
cotação 642, 812, 888
cotado 642
cotar 466, 550, 812
cote 243, 252
cotejador 464
cotejamento 464
cotejar 9, 464
cotejo 9, 464
coteto 193
cotiar 842
cotícula 463
cotidiano 613
cotillon 840
cotio 136, 613
cotizar/quotizar 786, 807, 812
cotó 193, 253, 897
coto 40, 51, 423
coto, fuste, haste, hastil x ferro, ponta 237
cotonicultura 371
cotovelada 276, 550
cotovelo 244, 258, 440e
cotovia 366
coturnado 577, 699
coturno 225, 599
couceira 66
couleur de rose 858
coulisse 599
coup d'état 146
coup d'œil 448
coup de grâce 67, 361, 719, 972
coup de main 173, 680, 716
coup de maitre 731
coup de plume 590
coup de soleil 384, 503
couraça 223
couraça 717, 727
couraçado 273, 717, 722, 726
couraçar 717
couraceiro 726, 846
couracho 226
courão 962
courela (ant.) 466
couro 223, 253, 327, 962
coutada 181
coutada 189
couto 666
coutumier 225
cova 189, 208, 252, 257, 260, 363, 530
cova do ladrão 252
cova funerária 363
côvado 200
covão 189, 350, 363
covarde 160, 605, 860, 862, 941
covardemente & adj 862
covardia 605, 860, 907
Covardia 862
covardice 862
covato 350, 363
coveiro 189, 363
covil 74, 189, 530, 667, 752, 961
covil de ladrões 791

covinha 252
covo 208, 252
coxalgia 378
coxeadura 275
coxear 160, 275, 699, 732
coxia 69, 72, 189, 342, 627, 1000
coxilha (bras.) 206
coxim 215
coxo 158, 160, 243, 275, 440d, 579, 651, 655, 663, 721, 923, 978
cozer 384
cozer a fogo lento 382
cozido 298
cozimento 673
cozinhar 673
cozinheiro 298, 746
crachá 876
crack 663
crambe repetita 869
cranial 440e
craniano 450
crânio 440e, 450
craniografia 450
craniolar 450
craniologia 450
craniólogo 450
craniomancia 511
cranioscopia 450
cranioso 450
cranista 450
crápula 940, 954, 957, 961
crapuloso 653, 954, 961
craquejar 402a
crás-crás 412
crase 5, 48, 54, 201, 596, 590
crassice 202
crassície 321, 352
crassidade 202, 321, 352
crassidão 202, 352
crasso 321, 352, 493, 852
crástino 119, 121, 125
cratera 191, 208, 252, 619, 636, 649, 667
crateriforme 208, 252
craticulação 19
cravação 43
cravamento 300
cravar 43, 229, 298, 300
cravar lindes 229
cravar o coração 830
cravar os dentes 390
cravar os dentes envenenados 934
cravar os olhos em 441, 457
cravar um punhal no coração de 830
craveira 22, 26, 80, 466
cravejado 639
cravejar 43, 257, 300
cravelho 263
cravija 45
craviola 417
cravista 416
cravo 45, 392, 417
cré com cré 17
crê ou morre 744
crebro 104, 136
creche 910
Credat judeus Apella 495, 497
credência 1000
credenciais 550
credencial 467, 755
credenciário 997
credenda 484
credibilidade 472, 484
creditador 805
creditar 805, 811
creditar uma conta 805
creditável 484
creditavelmente & *adj.* 484
creditício 805
crédito 175, 484, 625, 737, 771, 780, 800, 806, 810, 811, 873, 931, 944

Crédito 805
crédito de depósito em conta-corrente 811
crédito público 805
creditório 805
Creditur de odio 898
credo 484, 535, 983
credo dos apóstolos/de Niceia/ atanasiano 983a
Credo quia absurdum 486
Credo quia impossibile 486
credo! 932
credor 779, 787, 805
credor hipotecário 805
credor/merecedor/digno de louvores 931
credulamente & *adj.* 486
Credulidade 486
credulidade 547, 703
crédulo 481, 484, 486, 547
cremação 384
cremadeiro 363
cremalheira 214
cremar 362, 3363, 384
crematório 363
creme 223, 352, 356, 436, 648
creme do creme 648
cremoso 352
crenado 257
crenas 257
Crença 484
crença 514, 858
crença popular 484
crendeirice 486, 992
crendeiro 501, 547
crendice(s) 486, 992
crente 983a, 987, 988a
crenulado 257
crenular 257
creófago 298
crepe 839
crépida 225
crepidado 256
crépido 256
crepitação 402a, 406
crepitar 402a, 406
crepitar a fé no coração 987
crepitar a fuzilaria 716
crepitoso 406
crepuscular 126, 422
crepúsculo 67, 126, 360
crepúsculo da manhã/da tarde 422
crepúsculo da vida 128
crepúsculo matutino 125 2, 514, 535, 858
crer em bruxas 486
crer facilmente 602
crer numa coisa como se fosse um evangelho 486
crer pelos ares 486
crer piamente/a olhos fechados 484, 486
crescença 35, 39, 194
crescendo 35, 415
crescente 35, 245, 550
crescer 1, 35, 140, 1611, 168, 192, 194, 658, 734
crescer a olhos vistos 35
crescer a onda 704
crescer a palmo 35
crescer como rabo de cavalo 659
crescer de importância 642
crescer de vulto 35
crescer e recrescer a onda de 173
crescer em fúria 173
crescido(s) 31, 40102, 131, 192
crescimento 35, 161, 194, 305
cresiana generosidade 818
Creso 803
crespidão 256

crespina | cuidados domésticos

crespina 191
crespir 19, 256
crespo 173, 256, 577
cresta 384, 789, 791
crestado 433
crestadura 384
crestar 162, 340, 384, 433, 509, 791
crestar as esperanças (de) 732, 837, 859
cresto 129, 560, 596
crestomatia 41, 560, 596
cretinizar 499
cretino 499, 501
crevasse 198
cria 129
Cria fama e deita-te na cama 873
Cria o corvo, tirar-te-á o olho 917
criação 123, 154, 161, 168, 318, 366, 370, 480a, 515, 537, 976
criada 746
criadagem 746
criadeira 127, 746
criado 631, 690, 711, 746, 758
criado de quarto 746
criado no trabalho e na honestidade 939
criado/educado no seio da luxúria 954
criador 161, 164, 370
Criador 976
criança 127, 129, 193
criança de mama 129
criançada 499
criancice 499
criancinha 129
criançola 129, 501
criar 153, 161, 184, 370, 515, 976
criar a alguém uma situação vantajosa 734
criar à mão 370, 613
criar água/saliva na boca 865
criar bico 878
criar corpulência 194
criar fama retumbante 873
criar fezes 653
criar limo 265
criar lodo 265
criar moda 851
criar moleja 194, 683
criar na mente 451
criar nova mentalidade 146
criar novas diretrizes 146
criar qualquer coisa nova 515
criar raiz/raízes 175, 613
criar teorias 514
criar uma necessidade para 630
criar uma situação dissolvente da disciplina e do respeito 738
criar vocábulos 563
criar-se no vício 945
criatividade 498
criativo 161, 498, 515
criatura 3,129, 154, 372, 899
criatura terrestre 372
cribiforme 260
cri-cri 412
cricrilar 412
crido & v. 484
crime 665, 925, 945, 947
crime de colarinho branco 791
crime de lesa-majestade 742, 940
crime de lesa-majestade divina 988
crime de lesa-pátria/de lesopatriotismo 940
crime do colarinho branco 964
crime hediondo 964

criminação 938
criminador 938
criminalidade 667, 945, 947
criminar 938
criminoso 649, 938, 945, 947, 949, 971
criminoso esquecimento 930
crina 256
crinalvo 440a
crináureo 318
crinífero 256, 318, 440c
crinígero 440c
crinipreto 440a
crinisparso (poét.) 256, 318
crinito 256, 318, 440c
crinolina/e 224, 225
criocéfalo 440c
crióforo 387
crioulos 41
cripta 363, 530, 1000
críptico 528
criptococose 655
criptoftalmia 442
criptografia 528, 692a
criptônimo 565
criptosporidíase 655
críquete 840
crisálida 144, 193, 526
crise 8, 34, 146, 612, 665,, 704
crise de angústias 828
crise de lucidez 502
crise de nervos 825
crise formidável do derradeiro transe 360
crise social 667
crisma 564, 998
crismar 564, 565, 998
crisoberilo 847
crisol 42, 144, 191, 463, 632
crisólita 650, 847
crisólito 650
crisologia 800
crisólogo 582
crisopeia 692a, 800, 992
crisóstomo 582
crispar 195, 256
crista 210, 214
crista das montanhas 550
cristais 839
cristal 323, 425
cristal de rocha 323
cristal hialino 425
cristalinidade 42, 425, 446, 570
cristalino 321, 413, 4225, 4441, 446, 518, 543, 570
cristalização 321
cristalizante 321, 323
cristalizar 321, 323, 358
cristalizável 321
cristalomancia 511
cristandade 983a
cristão 914, 983a
cristão novo 607
cristão velho 606
cristianismo 983a, 998
cristífero 990
cristípara 977
cristofania 998
cristómaco 984
critério 58, 463, 467, 476, 600, 609
criterioso 60, 498, 502
crítica 465, 480, 595, 932, 938
crítica apaixonada 481
crítica acerba 842
crítica picante 856
criticar 480, 850, 856, 932
criticar com azedume 934
criticastro 701
criticável 475, 495, 932
criticismo 595, 932, 934
criticista 461
crítico (pejorativo para) 701

crítico 8, 134, 480, 850, 926
crítico esclarecido 850
crítico panfletário 595
critiqueiro 701
critomancia 511
criva 260
crivado 260, 704
crivado de dívidas 806
crivar 260, 440
crivar de golpes/de balas 378
crível 470, 472, 484
crivo 260, 465, 609, 652
croca 53, 252, 949
cróceo 436
crochê 219
crocidismo 360
crócino 436
crocitar 412
crocito 412
croco 436
crocodilo 913, 941
crocodilo, vozes de 412
crocota (ant.) 225
croia 962
cromar 223
cromática 428, 440, 413
cromático 413, 428, 440
cromatismo 428, 440
cromismo 428
cromografar 558
cromografia 558
cromográfico 558
cromometria 428
cromosfera 318
cromoterapêutica 662
cromoterapia 428, 662
crônica 114, 532, 551, 594
crônica de escândalos 934
crônicas 692a
cronicação 551
cronicidade 110,150
crônico 110, 150, 841
croniqueiro (dep.) 553
croniqueiro 593
cronista 114, 553
cronogista 114
cronografia 114, 594
cronógrafo 114, 553
cronograma 114, 625, 626, 673
cronologia 114
cronologicamente & adj. 114
cronológico 114
cronólogo 114
cronometrar 114
Cronometria (registro e medida do tempo) 114
cronométrico 114
cronômetro 114
cronoscópio 114
croque 45
croquento 250
croqui 22
croquis 554
crosta 6, 204, 223
croupier 694
cru 53, 123, 428, 635, 651, 674, 699, 914a
cru e recru 674
cruciação 378
crucial 219, 998
cruciante 378, 830
cruciar 378, 830
cruciato 378, 828, 830
cruciferário 280, 711
crucificação 378, 972, 975
crucificado 976
crucificador 975
crucificar 378, 972
crucifixão 378
crucifixo 998
cruciforme 219, 998
crucígeras 440c
crucígero 219

crudelíssimo 830
crudívoro 298
cruel 361, 378, 649, 735, 739, 830, 907, 914a
crueldade 361, 649, 739, 828, 907, 914a
cruelmente 31
cruentação 361
cruentar 361, 739
cruentar o solo pátrio 722
cruento 361
crueza 674, 907
cruor 361
crupe 655
crurifrágio 972
crustáceo 223, 366
crux criticorum 533
cruz 219, 319, 550, 735, 828, 975, 998, 999, 1000
cruz de S. André 975
cruz vermelha 662
cruzada 716, 722
cruzadamente & adj. 219
cruzadismo 840
cruzadista 533
cruzado 219, 276, 726, 8800
cruzador 273, 722, 726, 727
Cruzamento 219
cruzamento 41, 248, 302
cruzar 41, 219, 266, 267, 302, 370, 465a
cruzar os braços 609a, 681, 866
cruzar-se 990
cruzeiras 440c
cruzeiro 1000
cruzeiro 267, 267, 800, 998
Cruzeiro do Sul 318
cruzeta 219
cruzetado 219
crúzio 996
ctenodonte 253
CTP 590, 591
cu (chulo) 235
cuada 306
cuba 191, 875
cubagem 466
cubar 93, 466
cubata 189
cubelo 189, 717
cubeto 440b
cúbica 84
cubicar 466
cúbico 244
cubicular 189
cubiculário 746
cubículo 189, 752
cubismo 692a
cúbito (nova nomenclatura: ulna) 440e
cubo 84, 92, 244, 745
cuboide 244
cuca 130, 298, 846, 860
cucar 412, 451
cucarne 840
cúcio 129
cuco 407, 962
cucufate 193
cucular 412
cucuritar 412
cucurucu 412, 584
cueca(s) 225, 415
cueiro 127, 225
cufaia 746
cui bono 620, 644
cui prodest 620
cuia 191
cuiara (bras.) 941
cuíca 417
cuidado(s) 457, 625, 682, 735, 772, 828, 830, 864, 931
Cuidado 459
cuidado! 459, 668, 864
cuidados domésticos 692

cuidadosamente | cutucar/catucar a onça...

cuidadosamente & *adj.* 459
cuidadoso 457, 459, 602, 864, 865, 939
cuidar 459, 514, 654, 670
cuidar de 459, 625, 680, 707, 746
cuidar e recuidar 451
cuidar unicamente de sua pessoa 943
cuidar unicamente dos seus negócios 456
cuido (ant.) 514
cuim 40
cuincar 412
cuinhar 412
cuitá (ant.) 828
cuja atividade chega ao auge 682
cuja autenticidade não está provada 495
cuja certeza se antevê 474
cuja existência não se contesta 1
cuja língua é de palmo e meio 584
cuja memória nos é cara 360
cuja nervura principal se ramifica em nervuras secundárias 367
cuja raiz lança vários troncos 367
cujas flores brotam da raiz 367
cujas flores são desprovidas de invólucro 367
cujas flores só têm um pistilo 367
cujas folhas produzem raízes 367
cujo 897
cujo eco morre dentro de nossas fronteiras 643
cujo êxito é infalível 731
cujo fruto é de forma cônica 367
cujos estames estão inseridos nos pistilos 367
cujos estames estão reunidos num só fascículo 367
cujos frutos são pomos 367
cujos lábios não mentem 543
cul de lampe 558, 847
cul de sac 252, 261, 704
culapada 306
culapar 306
culatra 235
culatral 235
culatrar 731
culatrona/culatrão (Minho) 962
cúlcitra 215
cúleo 975
culicídeo 913
culinária 692a
culminação 33, 71, 210, 305, 729
culminância 33, 210
culminante 33, 210
culminar 33, 206, 210, 305, 729
culpa 649, 945, 971
Culpa 947
culpabilidade 938, 947
culpado 938, 945, 947, 971
culpar 155, 932, 938, 947
culposo 947
cult 599
culteranismo 579, 855
culteranista 577, 855
culterano 855
cultista 855
cultivação 658, 673
cultivado 850
cultivador 371
cultivar 143, 371, 670, 680, 707, 772
cultivar com esperança e carinho 538

cultivar o solo 673
cultivo 371
culto 490, 576, 578, 842, 850, 873, 928, 987
Culto 990
culto ao diabo 980
culto da verdade 543
culto das tradições 150
culto dos mortos 360
cultor 371, 492, 772, 865, 990
cultor da disciplina 743
cultor das Musas 597
cultos/seitas afro-brasileiros 990, 996
cultuar 897, 928
cultuar a amizade 888
cultuar a verdade 543, 939
cultuar o direito 922
cultura 371, 372, 490, 538, 658, 673, 692, 850
cultural 372
culturismo 159
culumi 129
cum grano salis 469, 485
cum multis aliis 37
cumbado (ant.) 245
cumbé 840
cumbuca 191
cumbuco (bras.) 440b
cume 206, 253
Cume 210
cumeada 210
cumeeira 210
cúmplice 88, 690, 711, 938
cumpliciar 690
cumplicidade 709, 760, 947
cumpra-se 741
cumpridor 743, 772
cumpridouro (ant.) 644
cumpridouro 772
cumprimentar 892, 894, 896
cumprimentar com um selinho/(forte) abraço 902
cumprimenteiro 894
cumprimento do dever 772, 926, 939, 944
cumprimento(s) 743, 772, 838, 892, 896, 902, 926, 928
cumprimentos rasgados 933
cumprir 680, 692, 729, 743, 772, 924, 926
cumprir à letra/à risca 772
cumprir as regras/os preceitos 82
cumprir com a palavra 772
cumprir com fidelidade os compromissos 772
cumprir leis/ordens de 741, 743
cumprir o seu dever 939, 944
cumprir os preceitos da Igreja/de Deus 987, 990
cumprir os seus compromissos com fidelidade 939
cumprir pena 972
cumprir seu dever/suas obrigações 926
cumprir sua missão/seu fadário 729
cumprir sua palavra 939
cumpulsoriedade 630
cum-quibus 800
cumulação 72
cumulativo 72
cúmulo 35, 72, 210, 353
cuna (poét.) 66, 127, 153
cunca do joelho 244
Cunctando restituit rem 681
cuneiforme 244
cúneo 191
cunha 228, 253, 633
cunhagem 161
cunhagem de moeda 800

cunhar 161, 228, 515, 626, 642, 800
cunhar moeda 775
cunhete 727
cunho 7, 26, 22, 234, 550
cunho x anverso, reverso 237
cunicultura 370
cupão 800
cupida 897
cupidez 819, 865, 943
cupidíneo 897
cupidinoso 865, 897, 943
cúpido 819, 954, 961
Cupido 845, 897
cupim 165
cupim 440e, 659, 663, 913
cupom 800
cúpula 210, 250, 615
cúpula do edifício 729
cupulado 250
cupuliforme 250
cuquiada 292, 669, 722
cura 660, 662, 996
cura-d'almas/cura de almas 996
cura radical/perfeita/infalível/completa 662
curador 758
curandeiro 548, 662, 695, 701, 994
curar 654, 658, 660, 662, 670
curare 663
curar-se 654, 660
curar-se por informação 486
curativo 656, 662, 834
curato 181, 995
curau 188
curável 6, 655, 662, 858
cúria 696, 966
cúria romana 995
curial 498, 613, 646, 696
curialmente 963
curião 694
curiboca 41
curiosa felicitas 698
curiosamente 31
Curiosidade 455
curiosidade 507, 865, 872
curioso 83, 455, 461, 492, 507, 850, 865
curral 189, 232, 370, 653, 752
curraleiro 370
currar 907
currente calamo 590
curriculum 537
curriola 75
cursar aulas 538
cursista 541
cursivinho 561, 590
cursivo 561
Curso 109
curso 71, 259, 264, 266, 278, 348, 531, 537, 542
curso complementar 542
curso forçado 744
curso fundamental 542
curso médio 542
curso vestibular 542
cursor 534, 746
curteza 201, 491, 819, 860, 881, 945
curteza das faculdades intelectuais 499
curteza de meios 804
curtição 377
curtido na guerra 722
curtidor 673
curtidouro 673
curtimenta 673
curtimento 673
curtir 377, 673, 821, 823, 840
curtir a pele a alguém 934
curto 193, 201, 491, 499, 572, 819
curto da vista 443

curto de palavras 585
curul 696, 747
curumim 746
curupira 980
curva 217, 244, 245, 3311, 629
curva de nível 554
curvado aos celestes desígnios 826
curvador & *v.* 245
curvadura 245
curvar 241, 244, 245, 324
curvar a cabeça 725
curvar a fronte 725, 879
curvar-se 175, 308, 601, 725, 743, 749, 879, 886, 928, 990
curvar-se para trás 235
curvar-se sem quebrar 324
curvar-se submisso ao magister dixit 486
curvas 945
curvatura 244, 252, 279, 886
Curvatura 245
curvejar 311
curveta 309, 3131
curvetear 309, 3114
curvidade 245, 245, 311
curvirrostro 440c
curvo 243, 244, 245
cusco 366
cuscúscio 129
cuspidato 253
cúspide 253
cuspideira 191, 653, 913
cuspidela 297
cuspido de opróbrio e de desonras 874
cuspido e escarrado 17
cuspidor 653
cuspidouro 653
cuspidura 297
cuspilhar 297, 929
cuspinhar 297, 907, 929
cuspir 276, 289, 297, 907, 929
cuspir na honra de 934
cuspir no prato que comeu 917
cuspir sangue em bacia de ouro 803
cuspo 299
custa 809, 812
custar 812
custar a crer (incredulidade) 485
custar ameixas de conserva 704
custar caro 704, 814
custar os dentes da boca/os olhos da cara 704, 814
custar pouco 815
custar sacrifícios 814
custas 809, 973
custe o que custar 474, 601, 604
custear 807, 809
custeio 625, 670, 807, 809
custo 625, 704, 809, 812
custo elevado 814
custódia 664, 751, 781, 1000
custodiar 664, 751
custódio 664
custos rotularum 553
custoso 648, 704, 814, 883
cutâneo 220, 223
cutela 253, 727
cutelaria 253
cutelo 253
cutia 366
cutícula 223
cuticular 223
cutilada 276, 378, 619, 716, 830
cutilaria 691
cutileiro 690
cútis 220, 223
cutucar/catucar a onça com vara curta 901

cuvilheira | dar contas a Deus

cuvilheira 746, 962
cuvilheira 962
cuxiú (bras.) 366
cuzapada 306
cygne noir 650
czar 745
czarda 415
czarina 745

D

D. Isabel, a Redentora 750
D. Juan 962
D. Quixote 504, 717, 726, 863, 887
d'além-mar 196
da alvorada 318
da breca 841
da cabeça aos pés 52, 200
da capo 104
da China ao Peru 180
da cor de chocolate 433
da cor de rato 432
da cor do ébano 431
da coroa da cabeça à sola dos pés 200
da criação 372
dá duas vezes quem dá sem demora 784
da época 175
da gata 267
da gema 42, 494
da maior evidência 525
da mais alta respeitabilidade 928
da mais baixa espécie 961
da mais pura água 425
da mão de 631
da melhor vontade 602
da mesma categoria 9
da mesma forma 17, 37
da mesma forma que 17
da mesma laia 9
da mesma natureza 17
da mesma panelinha 712
dá na mesma 823
dá no mesmo... 866
da noite para o dia 113
da palavra para a luta 720
da parte de 707, 741
da pele do diabo 901
da pior espécie 907
da rabeca, o 841
da tarde 318
da última moda 851
da vida diária 613, 643
da(c)tilografia 590
da(c)tilógrafo 553, 590
dabua 991
dação 807
daco 165
dactílico 597
dáctilo 597
dactilografar 590
dactilologia 588
dactilomancia 511
dactilonomia 85, 550
dactiologia 550
dada 784
dádiva 763, 775, 784, 973
dadival 784
dadivar 784, 816
dadivosidade 816, 906, 942
dadivoso 168, 639, 784, 816, 818
dado 8, 514, 613, 760, 785, 815, 894
dado a 176, 959
dado a brigas 720
dado à contemplação das coisas divinas 987
dado à lascívia 961
dado a penhor 805
dado a prática de exercícios religiosos 987
dado a pugnas 720
dado em aforamento 780

dado o caso 151
dado o caso de 469
dado o caso que 469, 514
dado que 469
dado que assim seja 514
dador 784
dador de todas as coisas 976
dados 467, 476, 514, 621, 804
dados estão lançados, Os 604
dágaba (budismo) 1000
daguerreotipar 554, 556
daguerreotipia 554
daguerreótipo 556
daí 154, 155, 476
daí por diante 117
daimiato 737
daimio 745
daimio ou daimió 739
daimoso 784, 816, 906
dairo 745
dala 350
Dá-lhe a água pela barba 704
Dalila 962
dalmática 999
daltonismo 443
dama 372, 374, 626
dama de ferro 975
dama de honor 746
damaísmo 374
damas 840
damas de honra/honor (ant.) 903
damasco 434
Dá-me n'alma que... 510
damejar 902
damice 855
damnosa hereditas 663
damo 962
Damon e Pítias 890
danada (cachaça) 959
danadinha (cachaça) 959
danado 900, 949
danar 503, 649, 659
dança 314, 692a, 812, 840
dança de afrodescendentes 840
dança de roda 692a
dança de rua 692a
dança de s. Guido 315
dança de salão 692a
dança folclórica 692a
dança lasciva 961
dança moderna 692a
dançar 279, 309, 315, 407, 838, 840
dançar as tripecinhas 704
dançar de urso 702
dançarino 559, 599
dançatriz 599
dandão 378, 720, 830, 860, 887
dândi 851, 854
dandinar 855
dane-se! 908, 930, 972
danificado 848
danificar 649, 659
danifico 649
daninho 649, 907
danismo 819
danista (ant.) 819
dánístico 819
dano 619, 649, 659, 848, 947
danoso 619, 649, 735, 830, 907
dantanho 122
dantes 122
dantes quebrar que torcer 604
dantesco (fig.) 982
dantesco 31, 860
daqui a pouco 121
daqui avante 121
daqui em diante 121
daqui para ali 314
daqui por diante 121
dar 114, 147, 153, 264, 276, 402, 402a, 457, 522, 535, 762, 763, 784, 796, 809, 973

dar a alguém com a janela na cara 895
dar a alguém com a porta no nariz 929
dar a alguém lanças contra si mesmo 699
dar a alguém o coração uma pancada 510
dar a alguém um osso a roer 615
dar a alguém uma roda de tolo/de ladrão 907
dar a alma a Deus/ao diabo 360
dar a cada um o que lhe pertence 922
dar à canela 623
dar a casca/o cavaco 900
dar a César o que é de César 465, 922, 937
dar a entender 527
dar à estampa 531
dar a forma triangular 244
dar a garupa 886
dar a hora 114
dar à língua 580, 584
dar à luz 161, 359, 531
dar a mão 677
dar a mão à palmatória 479, 495
dar a mela a alguém 158
dar a moda 851
dar a morte a alguém 361
dar a ossada 360
dar a palma a alguém 725
dar a partida 66
dar à perna 274, 309, 684, 840
dar a picholeta por 865
dar a razão de 522
dar ao registro 551
dar à sepultura 363
dar a seres imaginários nome e habitação 515
dar à trincadeira 298
dar a última demão/os últimos retoques/a última pincelada/o último toque 729
dar a última mão a 650
dar à unha 686
dar a vida por 717, 897, 942
dar a vida por uma prosa 584
dar a vida/a existência a alguém 359
dar a volta por cima 836
dar abraço 902
dar acolhimento a 892
dar aguarelas 428
dar águas pela barba a alguém 704
dar ajuda 707
dar alforria a 750
dar alívio/pêsames/os sentimentos 915
dar altos gritos 411
dar amplas proporções a 35
dar andamento a 707
dar anuência 488
dar ao badalo 584
dar ao demo a cardada 732
dar ao diabo a carda 859
dar ao erro uma ficção de verdade 477
dar ao esfregão 584
dar ao esquecimento 506
dar ao manifesto 535
dar aos dentes 298
dar aos foles 529
dar aos porcos /aos cães 782
dar aparência rugosa a 256
dar apoio moral e material a 707
dar apreço a 865
dar ar de sua graça 894
dar arcadas vomitando 841
dar ares de 17

dar arras de 33
dar às asas 623
dar as boas vindas 892, 894
dar às canelas 274
dar às de vila-diogo 623
dar as entranhas por 717
dar às gâmbias 623
dar às mãos 709
dar às palavras um sentido translato/analógico 521
dar às pernas 623
dar as prolfagas de 894
dar às trancas 623
dar audiência a alguém 457
dar auxílios & *subst.* 707
dar aviso 550, 668
dar aviso de 527
dar baixa 55, 552, 756, 757
dar balanço (*discutir*) 461
dar bastante 775
dar bateria a 716, 720
dar bateria a alguém 686
dar bem a medida de 550
dar bilha de leite por bilha de azeite 943
dar boa conta de si 944
dar boa medida 816
dar bom burro ao dízimo 645
dar bom despacho 762
dar bom exemplo 944
dar bom pago 916
dar bom resultado 731
dar bote 276
dar brado 873
dar cabo de 162, 361, 809
dar cabriolas 218, 309
dar caça 622
dar caloria 384
dar calote 806, 808
dar cambalhota 218
dar cambalhotas/cambotas 309
dar carta branca 760
dar cartas 175
dar cavaco 900
dar cincas 495
dar ciúmes a alguém 920
dar coca 615, 824, 829
dar codilho 33
dar coices 491
dar com a cabeça pelas paredes 503, 699
dar com a carga em terra 725
dar com a decifração da charada 480a
dar com a língua nos dentes 529
dar com a porta na cara de alguém 901a
dar com as ventas num sendeiro 509
dar com mão larga 816
dar com o basta 67, 142
dar com o busílis 480a, 705
dar com o corpo em terra 213
dar com o nariz num sedeiro 699
dar com o navio nos cachopos 699, 732
dar com o trinho 480a
dar com os pratos na cara 917
dar com tudo em polvorosa 818
dar com tudo em vaza-barris 732
dar com tudo no bucho 298, 957
dar combate 716
dar combate a 708, 720
dar como pretexto 617
dar compensação 147
dar conhecimento de 527
dar conselho 695
dar consenso 762
dar contas a Deus 360

561

dar contravapor | dar tratos à bola

dar contravapor 708
dar cor 41
dar cor a mentira 544, 617
dar corda 171, 673
dar corda a alguém 584
dar cores 428
dar corte a alguém 706
dar crédito 484, 805
dar crédito/nome 873
dar cuique suum 924
dar cumprimento à 772
dar curso a 529
dar de barato 514
dar de beber 298
dar de campa 669
dar de cara com 292
dar de chofre em 508
dar de corpo (pop.) 297
dar de esguelha 217
dar de espórtula 784
dar lucro 810
dar de mão 678, 764
dar de olho a alguém 550
dar de proveito 644
dar de rendimento 810
dar de rosto 156, 179
dar de rosto a alguém 930
dar de si 200, 324
dar de ventre 297
dar demonstração de 478
dar dentadas 390
dar descarga 716
dar descargo de si 926
dar desconto 815
dar Deus nozes a quem não tem dentes 645
dar dias de glórias ao seu país 873
dar dinheiro aos montes 818
dar direitos 924
dar diversas cores a 440
dar dois dedos de prosa 588
dar dois sentidos à mesma palavra 523, 545
dar e receber em troca 12, 148
dar e redar 784
dar e tomar 30, 774
dar em arrendamento 771
dar em bêbedo 959
dar em doido 503
dar em duro 704
dar em espetáculo 525, 882
dar em morgado 775
dar em penhor 771
dar em resultado 154
dar em rosto a alguém 932
dar em seu poder 785
dar em troca 147
dar energia & *subst.* 171
dar enguiço a 992
dar entrada 294, 551, 785
dar entrada a 296
dar entrada em 294
dar escândalo 945
dar esfolagato a 523
dar esmola 990
dar esperanças de 176, 768
dar exagerada importância às coisas 822
dar execução 680, 743
dar expansão a 760
dar expressão animada 556
dar falhas 945
dar falsa impressão/falsa ideia 495
dar falsa interpretação 544
dar falso colorido 523, 544
dar falso testemunho 938
dar fé de 441
dar fiador 771
dar folga 687
dar fome a alguém de alguma coisa 865

dar força 159
dar força a 760
dar forma a 240
dar forma concreta a 316
dar forma cônica a 253
dar forma esférica 249
dar formas vistosas e belas 847
dar frescor a 123
dar frutos 161
dar frutos envenenados 649
dar gato por lebre 545
dar golpe 702
dar gosto 829
dar gosto ao diabo 907
dar graças 916
dar grandes passadas 274
dar guarida 892
dar honras 873
dar ideia de 17
dar importância 550, 642
dar impulso 284
dar impulso a 615
dar incenso 931, 933
dar indício de 550
dar investidura 157, 755
dar largas a 954
dar largas à imaginação 515
dar liberdade 750, 760
dar lição 537
dar licença 760
dar lugar a 153
dar lugar/ocasião/ensejo a 177
dar lustre a 577
dar maior realce a 845
dar mais brilho a 482
dar mangas 707
dar manteiga a alguém 933
dar mau agouro 649
dar mau grado à fortuna 735
dar mau pago 917
dar maus exemplos 932
dar meios de 157
dar mel pelos beiços 933
dar mostra de espírito justo 922
dar mostras de poltrão 862
dar muito que falar 642
dar murro em ponta de faca 471
dar na cabeça a/de alguém 608
dar na mesma 27
dar na moca 480a
dar na ratada a alguém 529
dar na telha a/de alguém 608
dar na trilha 480a
dar na veneta 451, 608
dar na vista 457
dar nas mazelas no vivo 822
dar nas mazelas/no vivo 835
dar nas vistas 642
dar no alvo 292, 480a
dar no chiste 522
dar no goto 642, 829
dar no molo 451
dar no pé 623
dar no pensamento de 451
dar no ponto 522
dar no vinte 480a, 511, 698
dar noções superficiais a 539
dar nos olhos 518, 525
dar novas ideias 537
dar novo alento a 658
dar novo colorido a 469
dar o alamiré 693
dar o alarma 668
dar o beijo na face com a espada escondida 544
dar o bilhete-azul 756
dar o braço a 902
dar o cavaco por 865
dar o devido apreço 465
dar o devido desconto 469
dar o dito por não dito 607

dar o exemplo 22, 615
dar o fora 293, 449, 623
dar o gambito 702
dar o lamiré 66
dar o máximo contingente de seus esforços 686
dar o máximo de esforço 686
dar o necessário amanho ao solo 673
dar o pé à braga 749
dar o pira 293, 449, 623
dar o remate a 729
dar o sangue por alguém 360
dar o ser 161
dar o ser a 161, 642
dar o ser a bagatela 699
dar o ser a bagatelas 608, 822
dar o ser a bagatelas e nonadas 486, 497
dar o ser a nonadas 681
dar o seu ao seu dono 922, 924
dar o seu coração a alguém 897
dar o tiro de misericórdia 914
dar o troco 718
dar o último arranco 360
dar o último suspiro 360
dar o voto 488
dar o(s) ar(es) de sua graça 186
dar ocasião a 134
dar ocupação a alguém 625
dar oportunidade ao azar 177
dar ordens 741
dar os fios à teia 360
dar os primeiros passos 763
dar ou a ponta de polé 378
dar ou pôr dinheiro a juro/a logro/a interesse 787
dar outra feição ao caso 468
dar outro aspecto 140, 658
dar ouvidos 457
dar ouvidos a 418
dar pábulo à maledicência invejosa 934
dar pábulo/enchente à risota 853
dar paga mesquinha 819
dar palha 545
dar para trás 287
dar parabéns 896
dar parte de fraco 725
dar passadas 266
dar passagem à luz 425
dar passos 673
dar passos incertos e pesados 275
dar patadas 497
dar pé 209
dar pela feira 819
dar pelo rosto a 27
dar permissão 760
dar plenos poderes 755
dar poderes 760
dar por certo 484, 535
dar por concluído 729
dar por diminuto preço 815
dar por encargo 755
dar por feita uma coisa 484
dar por firme e valioso 467
dar por iníqua/por ilegal uma decisão 756
dar por motivo 617
dar por paus e por pedras 460, 900, 909
dar por provadas circunstâncias atenuantes 970
dar por um objeto certa quantia 795
dar posição forçada a 241
dar posse 755
dar praça a 76
dar pratos 853
dar prazer 824, 829, 831
dar prejuízo 940

dar prejuízo a 808
dar pressa a 684
dar pretexto a 937
dar provada demonstração de 525
dar provas de 680
dar provas de certa aptidão para 698
dar provas de valor 861
dar proveito 644, 648
dar pulos 900
dar pulos de corça 900
dar quartel 740, 914
dar que falar 874
dar que fazer 649, 861
dar que pensar 475
dar que suar 704
dar quebra 643
dar quebra à palavra 940
dar quebranto a alguém 992
dar quebras 918
dar querela contra 938
dar *quid pro quo* 718
dar quinau 494
dar quinze, e fauta 479
dar razão a 931
dar razão de si 682, 937
dar realce/relevo a 446
dar rebate de 505
dar rebates de saudades a alguém 833
dar recepção 892
dar rédea larga 750
dar rédeas a 738
dar rédeas à imaginação 515
dar rédeas soltas 750
dar rédeas/margem/expansão a 705
dar relevo a 642
dar resguardo a 664
dar resina a alguém 932, 934
dar resposta 742
dar resultado 170
dar saco a 791
dar saída 552
dar saída a 297, 937
dar saltos 838
dar sangria a alguém 788
dar satisfação 720, 952
dar saúde 654
dar sentença 480
dar sentido metafórico 521
dar serventia 260
dar serventia/serviço/trabalho a 625
dar seu contingente 707
dar seu nome 707
dar sevícias (jur.) 905
dar sinal 525
dar sinal a 550
dar sinal de alarma 550
dar sinal de vida 264
dar sinal/indicação/indícios de 525
dar socos 720
dar solução a 480
dar sono 841
dar sota e ás 33
dar sota e ás a alguém 885
dar sota e basto 33
dar sua palavra (de honra) 768
dar sua palavra de honra 535
dar sumiço a 162
dar talho a 162, 480a
dar tempo 507
dar tempo ao tempo 106, 133, 507, 681
dar testemunho 467
dar toda a latitude a sua exposição 573
dar tom às fibras 656
dar tom falso 414
dar tratos à bola 515

562

dar tratos à bola/à imaginação | de cócoras

dar tratos à bola/à imaginação 451
dar tratos de polé 972
dar trégua 740
dar trégua a 914
dar triste cópia de si 874
dar um alamiré 505
dar um amasso 902, 961
dar um aspecto mais aceitável 937
dar um atracão a alguém 765
dar um benefício 775
dar um branco 452
dar um colorido a 937
dar um corpo à terra 363
dar um giro 266
dar um golpe 680
dar um golpe de mestre 604
dar um impulso & *subst.* 276
dar um osso a roer a alguém 755
dar um palpite 514
dar um passo decisivo 604, 609
dar um selinho/uma bitoca 902
dar um tapinha (gentil) nas costas ou no ombro de 902
dar um verde a alguém 829
dar um xeque-mate 731
dar uma batibarba 932
dar uma cresta 791
dar uma dentada 298
dar uma descrição 594
dar uma elasticidade incompreensível 523
dar uma esperança 858
dar uma estafa de pancadas em alguém 972
dar uma estocada 907
dar uma facada 788
dar uma força 707
dar uma fraterna 932
dar uma ideia animada/viva/exata/sensível/inteligente de 554
dar uma lição 972
dar uma mãozinha 707
dar uma noção ou uma definição errônea de 539
dar uma penada sobre 590
dar uma queda 735
dar uma saltada em casa de alguém 892
dar uma substância de 596
dar uma tocarola a alguém 894
dar uma tunda 972
dar uma vista de olhos 441
dar valor excessivo 482
dar vasqueiro e não em cheio 217
dar vazão 297
dar ventos a alguém 933
dar viço e frescor a 836
dar vida e alento a 630
dar vista a 441
dar vista a alguma coisa 457
dar vista de 441
dar vivacidade 836
dar volta o juízo a alguém 503
dar voltas 629
dar voltas ao miolo 475
dar voltas ao miolo a alguém 503
dar voltas ao texto 523
dar vomitório a alguém 455
dar(-se) aos calcanhares 623
dar/conferir poder 157
dar/fazer passeio 266
dar/fazer uma avançada 716
dar/fazer/pôr um fim 67
dar/impor o nome de 564
dar/manifestar preferência 609
dar/oferecer a outra face 725

dar/soltar/soar alarma 669
dar/ter fé 484
dar/tocar a rebate 669
darandina 682, 684
dardanário 943
dardejante 420
dardejar 284, 291, 297, 378, 420, 830
dardejar faíscas 420
dardo 253, 274, 284, 663, 727, 830, 856, 932
darem-se as mãos 178, 892
darem-se mútuas explicações 723
dares e tomares 713
dar-lhe nas maturrangas 479, 529, 536, 543
darmadeira 466
dárnua (Japão) 875
dar-se 151, 156, 879
dar-se a partida 725
dar-se a perros 461, 900
dar-se a toda a sorte de vícios 945
dar-se ao desprezo 940
dar-se ao respeito 926
dar-se ares 855
dar-se ares de fidalgo 875
dar-se ares de querer 737
dar-se ares de riso 838
dar-se bem 731
dar-se bem com 656
dar-se mal 24
dar-se o pé a alguém 679
dar-se o pé a alguém e tomar ele a mão 940
dar-se pelo nome de 564
dar-se por agravado 900
dar-se por cangado 725
dar-se por culpado 947
dar-se por desonrado e infamado 874
dar-se por vencido 732
dar-se pressa em 684
dar-se/ocorrer ao mesmo tempo 120
dartroso 945
daruês/daroês 996
darwinismo 316
darwinista 316, 989
das arábias 699
das Arábias 852
das dúzias 34, 699
das ervas 167
das finanças 801
das lamparinas 501
das normas 174
das suas prerrogativas 886
dasafiar a morte 863
dastur 996
data 25, 51, 106, 786
data de bofetões 972
data miliária 883
data proecognita 467
data venia 469
datar 106, 114
datar de muitos séculos 112
datar de pouco 123
datar do século passado 124
dataria 966
datismo 521, 579
de 655
de abana-moscas 643
de absoluta necessidade 630
de ação 692
de acordo 82
de acordo com 23
de afogadilho 113, 684
de agora 118, 123
de água abaixo 705
de água arriba 704
de água-doce 699
de água-morna 491, 643, 648, 699

de águas-mornas 158, 732
de águas sediças 657
de águia 245
de alcateia 459
de alfa a ômega 50
de algibeira 193, 563
de alma 780, 820
de alma e coração 686
de alta-fidelidade 402a
de alta hierarquia 875
de alta periculosidade 907
de altamala 50
de alto a baixo 50, 52, 200
de alto bordo 642
de alto coturno 642, 875
de alto discernimento e de avisada circunspecção 922
de aluguel 763
de aluvião 213
de alvenaria 159
de amarelo tostado 433
de amplos horizontes econômicos 803
de andas 545
de ânimo aguerrido 722
de ânimo deliberado 604
de ânimo intransigente 606
de anjo 413
de antemão 62, 116, 132, 510, 543, 739
de antes quebrar que torcer 543, 739
de aposta 620
de apreço 873
de apreensão fácil 498
de arrancada 113, 174, 273, 508
de arrebate (ant.) 113
de arrepio 218, 708
de arribação 699
de arromba 394, 648, 650, 870, 882
de arte que 476
de assalto 173
de assento 275
de assento e sobremão 642
de assobio 699
de atalaia 459, 507
de automóvel 274
de autoridade 543
de avelã 501
de avião 267, 274
de azul e de ouro 827
de azul e ouro 734
de baioneta 173
de baioneta calada 708
de baixa estatura 193
de baixa estirpe 699, 874, 877
de baixa estirpe 877
de baixa estofa 874, 877, 940
de baixa origem 877
de baixo coturno 877
de baixos sentimentos 874
de balaústres 229
de banda 217, 460, 898
de barba a barba 186
de barbas nevadas 128
de barriga 213
de barriga para o ar 683
de batida 274, 684
de batismo 564
de beiço (légua) 200
de beiço extenso 573
de beijado 815
de belas cores 845
de belos cabelos 845
de bem 939
de boa avença 864
de boa fachada 845
de boa-fé 543, 939
de boa-feição 906
de boa fonte 543
de boa índole 826
de boa mão 543
de boa marca 366

de boa mente 602
de boa ou má vontade 601
de boa plástica 845
de boa presença 845
de boa raça (diz-se também da égua que não trabalha e dá boas crias) 366
de boa raça 875
de boa vontade 488, 602
De boas intenções está ladrilhado o inferno 732
de bóbus 815
de boca aberta 827, 870
de bois 189
de bom augúrio 858
de bom ensejo 134
de bom gosto 850
de bom grado 602
de bom humor 602
de bom ou mau grado 601
de bom/mau agouro 511
de bombas 577
de bons costumes 944
de borco 213, 218
de borla 815
de borra 699
de botas e esporas 673
de braço dado 709, 888, 892
de braço dado com 88
de braços abertos 602, 888, 894
de braços cruzados 681, 866
de bruços 213
de cabeça descoberta 928
de cabeça erguida 878
de cabeça oca 491
de cabeça para baixo 218
de cabelinho na venta 901
de cabo a rabo 50, 52
de cacaracá 643, 699
de cadeira 535
de cambalacho 611
de cambalhota 59, 306
de cambulhada 59
de caminho 460, 684
de cana rachada 410
de Canaã 168
de capa e espada 493, 642
de cara a cara 197
de cara amarrotada 901a
de cara de abade 243
de cara de bolacha 243
de cara patibular 947
de caráter contrário 14
de carne 159
de carnes escassas 203
de carona 815
de carregação 649, 699
de carreira 274
de cartapácio 699
de cartas marcadas 611
de casca grossa 895
de cascas-d'alho 643
de caso pensado 611, 620
de catrâmbias 213
de causa 535
de cavalete 244, 245
de cavalo 274
de certo 474, 488
de cerviz empinada 604
de chapa 237, 493
de chapéu na mão 765, 928
de chapuz 113, 173, 218, 306
de chofre 113, 132, 508
de chupeta 648, 829
de cima 206, 976, 981
de cima para baixo 218
de cinco folhas 367
de cinco pétalas distintas (corola) 367
de circo 698
de circunstância 642
de cocanha 206
de cócoras 193

de comprido | de modo que

de comprido 200
de comum acordo 488
de concerto 488
de conduta exemplar 939
de confiança 474
de confirmação 485
de conformações olímpicas 845
de conformidade 82
de conjunto 43
de consciência 543
de consciência delicada 939
de consciência larga 940
de construção delicada 845
de conta 543
de contado 807
de contínuo 69
de contrabando 57, 761, 791, 964
de cor 505
de cor e salteado 505
de coração 505, 543, 820
de coração aberto 525
de coração bem formado 910, 939
de coração de pedra 907, 919
de coração de pomba 822
de coração grande/generoso 906
de cordel 643
de cores leves 429
de cores vivas e variadas 440
de corpo e alma 52, 602, 686, 820
de correção impecável 939
de corrida 274, 684
De corsário a corsário não se perdem senão os barris 481
de costa arriba 704
de costas 213
de costume 613
de costumes lassos/livres 961
de costumes libidinosos 961
de cote 136, 613
de cozinha 563
de cuidado 655
de cujus 362
de custo elevado 814
de custo sobrelevado 814
de dar engulhos 867
de degrau em degrau 26
de dentro 221
de dentro para fora 218
de destaque 175
de déu em déu 266, 270, 279, 632
de dia 106, 125
de dia a dia 106
de die in diem 106, 138
de diferente classe 18
de diferente padrão 18
de difícil compreensão 519
de direito 924
de distância em distância 198
de dois corações 544
de dois gumes 171, 253
de duas faces 544
de duas flores 367
de duas folhas 367
de duas línguas 544
de duas opiniões 544
de duas pétalas 367
de eadem fidelia duas pariete dealbare 682
de ébano 431
de efeito contraproducente 732
de efeito mortífero 162
de eficácia incomparável 648
de eleição 648, 873
de emboscada 528
de empreitada 651, 699
de encenação 882
de enche-mão 192, 650, 845
de encomenda 546
de encontro a 237
de enfiada 684
de entusiasmo 612

de entuviada 274, 684
de envés 544
de envite 720
de envolta com 37, 120
de escacha-peroba 476
de escantilhão 306, 684
de escol 648, 873
de esfuziote 113, 274
de esguelha 217, 236
de espaço 275
de espada desembainhada 713
de espavento 394, 882
de espírito acanhado 452, 499
de espírito apoucado 481
de espírito forte 498
de espírito leve 499
de espírito lúcido 498
de espírito nobre 939
de espírito são 498, 502
de espírito tacanho 499
de espreita 507
de estalo 648
de estatura alta e esbelta 845
de estiletes compridos 367
de estofa 699
de estouro 870, 882
de estribeira 575
de estrondo 870
de eternas luminárias 853
de exceção 31
de existência concreta 1
de existência impossível 2
de fácil colocação no mercado 794
de facto 1
de Faetonte 732
de falsete 410
de fancaria 643, 699, 852
de farta-velhaco 852
de fato 1, 494, 925
de fazer chorar as pedras 821
de fazer riso 477
de fazer suar o topete 704
de fecundidade 168
de feição 134
de feição que 476
de feira 599
de fero aspecto 846, 907
de ferro 604
de ferro e nada dobradiço 739
de fibra guerreira 722
de fina estética 650
de fio a pavio 50, 52
de fio comprido 213
de flanco 236
de flecha 246
de flores brancas 367
de flores masculinas 367
de flores negras 367
de flores pequenas 367
de fogo 382
de foguete 274, 684
de folhas pequenas 367
de fond en comble 52
de fonte limpa 474
de fonte segura 474
de fora de 220
de força 490, 574
de força e de brutalidade 173, 739
de forma alguma 32, 536, 761
de formas alentadas 159
de formas suaves 845
de formosas nádegas 845
de foz em foz 267, 293, 640
de fraca compleição 160
de frente 186
de fresco 123
de frescura 168
de fronte erguida 861, 878
de fruto negro 367
de frutos triangulares 367
de fugida 460, 572
de gagosa 815

de galo 501
de garça 435
de gelo 826
de generosidade sem igual 816
de generoso tronco 875
de gênio 901
de gênio nada irritável 826
de geração em geração 112
de godés 815
de golpe 508
de gosto 602
de gozo indefinível 827
de graça 705, 815
de grado 602
de grande 639
de grande descortino 498
de grande gala 847
de grande poder 157
de grande poder eficiente 171, 476
de grande procura 795, 796
de grande projeção 175, 642, 873
de grande valia 642
de grande vulto 192
de grandes raízes 367
de grau em grau 26, 58, 275, 706
de gravata lavada 875
de guarda 507
de há muito 122
de há muito esperado 155
de há pouco 123
de há três anos 122
de harmonia com 16
de Herodes para Pilatos 270, 629
de hoje 118
de hoje em mão 270
de hoje em diante 121
de honra 543, 642
de hora a hora 106
de horizontes estreitos 481
de ilharga 236
de imaginação fecunda 515
de imediato 132
de impensado 113, 612
de importância & *subst.* 642
de importância vital 642
de improviso 113, 508, 612
de inaudita crueldade 914a
de indiscutível mérito 873
de indústria 611, 620, 680
de inigualável eloquência 582
de inocência paradisíaca 946
de inopino 621
de inteira justiça 922
de janeiro 843
de jato 132
de joelhos 725, 765, 928
de jure 924, 963
de juro e herdade 737, 924
de lado 217, 236
de lado a lado 52
de lamber os dedos 394
de lana-caprina 643
de lança em riste 673, 708, 716, 895
de lançante (bras.) 217
de largo 196
de largo fôlego 573, 642
de laringe 655
de légua e meia 573
de lei 42
de leite 174, 430
de lés a lés 50,52, 200
de levadio 223
de levante 458, 882
de leve 320, 460
de lince 441
de língua e meia 200
de livre e espôntanea vontade 602
de lógica inderrocável 476
de longe 196, 681, 683

de longe em longe 137, 198
De longe te trouxe um figo, logo que te vi comi-o 819
de longo a longo 200
de louros 733
de luz e de candura 543
de má catadura 846
de má fama 874
de má fé 487
de má índole 907
de má intenção 907
de má mente 603
de má sombra 846
de má vontade 603, 900
de machucha 642
de madeira 635
de má-fé 940
de magníficos efeitos 845
de mais da marca 640
de mais de doze estames 367
de mal a pior 735, 835
de malas feitas 293
de malhão 744, 925
de mamposta 620
de maneira que 476
de maneira toda especial 31
de manhã 125
de manhãzinha 125
de mansinho 403, 528
de manso 403
de mão beijada 815
de mão-cheia 648, 650, 698
de mão comum 488
de mão comum ou de mãos dadas 709
de mão de mestre 650
de mão em mão 270
de mão lavada 815
de mão morta 781
de mão na ilharga 683, 885
de mãos abertas 816
de mãos azinhavradas 940
de mãos dadas 199, 488, 712
de mãos de prata 698
de mãos erguidas 765
de mar a mar 52
de maravilhosa simplicidade 476
de marca 31, 648
de marca anzol 649
de marca de anzol 699
de marca G 31, 543, 648
de marca maior 31, 640, 648
de mau caráter 907
de mau gênio 901
de mau gosto 852
de mau grado 24, 603, 708
de medo 860
de meia cara 493, 643, 815
de meia tigela 34, 643, 699
de meio a meio 52
de meio relevo 643
de melhor mente 602
de melhor situação 735
de membros 159
de memória 505
de menção 31
de menoridade 127
de mentira 699
de merecido destaque 642
de mil diabos 173
de miolo 499
de misericórdia 666
de modo algum 32, 536, 764
de modo apropriado 23
de modo cabal/completo/acabado 650
de modo genérico 78
de modo geral 78
de modo imperfeito 619
de modo indeciso 475
de modo orgulhoso 878
de modo que 448, 476

de modo superior 33
de mofo 815
de molagem 815
de molde 134
de molde a causar assombro 870
de molho 337
de momento a momento 136
de montante 666
de montão 59
de monte a monte 50
de more 613
de *motu proprio* 600
de muita amizade 888
de muita confiança 888
de muita fama/nomeada & subst. 873
de muitas cores 440
de muitas flores 367
de muitas nervuras (folhas) 367
de muitas pétalas (corola) 367
de muitas possibilidades 858
de muitas raízes 367
de muitas riquezas naturais 803
de muitas sementes e grãos 367
de muito alegre sombra 827
de muito boas prendas 698
de muito fundo 490
de muitos eixos 367
de muitos espinhos 367
de muitos lados 236
de muitos pés 367
de muletas 307
de mútuo acordo 488
de nascença 5
de nascimento 820
de nascimento ilustre 875
de navio 267
de nenhum modo 536
de nenhum outro avantajado 33
de nervuras reticulares 367
de neve 383, 430
dê no que der 474
de nobre estirpe 875
de nobre linhagem 875
De noite todos os gatos são pardos 126
De noite, à candeia, a burra parece donzela 126
de nome feito 582
de nome feito e consagrado 873
de nomeada 873
de norte a sul 196, 200
de novo 90, 104
de novo em novo 123
de novo gênero 123
de obra grossa 699
de oitiva 491, 527
de oito estames livres (flor) 367
de oito folhas 367
de oito pétalas 367
de oito pistilos 367
de oito sépalas 367
de olhar meigo 544
de olhos abertos 507
de olhos arregalados 870
de olhos baixos 879
de olhos vendados 491
de oliveira 356
dê onde der 601
de ontem 122
de ordem inferior 193
de ordem superior 939
de orelha à escuta 507
de orelha em pé 507
de origem tupi 563
de ou em rota batida 623
de ouro 633, 656
de outra estopa 18
de outra forma 18
de outro modo 18

de pai a filho 112
de pai pra filho 270
de palanque 681, 683
de palavras açucaradas 544
de palmo e meio 200
de palpitante atualidade 642
de pancada 132
de pândega 683
de papel passado (pop.) 903
de papo para o ar 213
de parceria com 178
de parte 528
de parte a parte 12
de partido 662
de passagem 10, 111, 113, 270, 458, 491, 572, 627, 684
de patente 698
de patuscada 683
de pavio curto 825
de pé 478
de pé leve 274
de pé no estribo 293, 673
de pé para a mão 684
de pé posto 627
de pé quebrado 597
de pedra e cal 323, 327
de peito feito 620
de pele espessa 376
de pensamentos 451
de pequeno cálice 367
de permeio 228
de pernas para cima 218
de pernas tortas 440d
de perto 197
de perturbadora magia 845
de pés e mãos atados 601, 806
de pés juntos 535
de peso 113, 498, 543, 604, 642
de peso e medida 543
de pétalas desiguais 367
de pétalas insertas no ovário 367
de pétalas longas 367
de pétalas pequenas 367
de pied en cap 52
de plano 132, 705, 925, 964
de poleiro 535
de polo a polo 180, 196
de ponta a ponta 180, 200
de ponta a ponta 52
de ponta-cabeça 218
de ponto em branco 52, 543,572, 717, 851
de popa a proa 200
de porqueiro a porco 835
de porrete à esquina 895
de portas abertas 531
de portas abertas e janelas escancaradas 525
de portas adentro 221
de porte 642
de pouca monta 34, 643
de poucas carnes 203
de pouco préstimo 645
de pouco tempo 123
de pouco valor 643
de praça 525
de prata 413, 800
de praxe 82, 613
de precisão 727
de preço 543, 648
de preferência 609
de presença a presença 186
de presente 118
de prevenção 459
de previsto 116, 864
de primeira água 33, 648, 873
de primeira classe 33, 648, 941
de primeira grandeza 33, 648, 873

de primeira luz 33
de primeira mão 123
de primeira ordem 642, 648
de primeira plana 33, 642, 648
de primeira viagem 699
de primeiríssima 33, 648
de primeiro 116
de primo cartelo 477
de *primor* 650, 845
de princípios austeros 939
de procedimento airoso 939
de profissão 613
de profundis 360, 839
de progênie 875
de pronto 113, 132
de propósito 611, 620
de prova experimentada 494
de pulso 490, 574, 642, 873
de puro anil 438
de qualidade 875
de qualidade que 476
de qualquer consideração 643
de qualquer maneira 460, 494, 601
de qualquer modo 30, 601, 604, 762
de quando em quando 70, 136, 137
de quarentena 507
de quatro (gir.) 865
de que a verdade se distancia 546
de que lugar? 461
de que mal se ouvem os surdos rumores 526
de que maneira? 627, 632
de que motivo? 461
de que não há memória 137
de que não há memória no Brasil 870
de que não se deve cogitar 925
de que ninguém descobriu ainda o fim exato 645
de que se não deve cogitar 761
de que se não deve cogitar mais 610
de que se não deve falar 528
de quebrar pescoço 217
de queixo caído 870
de quem (que não eu) 922
de quinta dinamização 171
de quotiliquê (burl.) 175, 875
de raça 42
de rachar 383
de raízes amarelas 367
de rápida apreensão 498
de raspão 895
de rasto 275
de rastos 804, 886
de rebuço 528
de recompensa 815
de recôndito 687
de recuo 283
de recursos 698
de redor 197
de refece 705
de regra 82, 613
de relance 508
de renome 873
de repelão 173, 895
de repelo 173
de repente 113, 612
de repica-ponto 650
de reserva 152, 640, 673, 777
de respeito 642
de retirada 283
de revés 217, 218, 236, 619
de revesilha 14
de revesinha 217, 218
de rigor 744
de rojo 275, 886
de rojões 275
de roldão 59, 173

de rondão 59
de rosas 827, 829
de rosas e de ouro 125
de rosto descoberto 531
de saltar aos olhos 474
de salto 113, 309
de sangue 42, 875
de sangue azul 875
de sangue-frio 611, 823, 826, 861
de sangue na guelra 720, 863, 901
de sangue quente 863, 901
de saúde melindrosa 655
de saudosa memória 873
de se esperar 871
de se lhe tirar o chapéu 476
de sebes 229
de segunda (classe) 651
de segunda mão 659, 785
de semelhante 17
de sementes amarelas 367
de sementes carnudas 367
de sentimentos baixos 940, 945
de sentinela 459, 507
de seu dever 926
de seu próprio movimento 600
de siso 498
de sisório 498
de sobejo 639, 640
de sobra 640
de sobreaviso 459
de sobremão 650
de sobrerrolda 459
de sobrerronda 459
de sobressalente 39, 636, 640
de sol a sol 106
de sorrate 528, 702
de soslaio 217
de sua própria autoridade 600
de súbito 612
de suma importância 642
de superior penetração 498
de supetão 113, 132, 508
de surpresa 508, 621
de tal arte que 476
de Tântalo 824
de tauxia 434
de telhas abaixo 180
de tempo em tempo 136
de tempos a tempos 137
de tenção feita 611, 620
de tendências viciosas 945
de tenente 69
de terra 800
de textura fina 329
de tirar o fôlego 870
de toda a consciência 535
de toda parte 180
de todas as cores do arco-íris 440
de todas as espécies 81
de todas as horas 136
de todo o coração 543
de todo o momento 136
de todo o ponto 52
de todos os dias 136
de todos os feitios 81
de todos os gêneros 81
de todos os lados 227, 278
de tombo em tombo 306, 308
de tortos 378
de trás 235
de través 217
de três cápsulas 367
de três carpelos 367
de três células 367
de três estames 367
de três estames livres entre si 367
de três flores 367
de três folhas 367
de três nervos ou nervuras 367
de três pétalas 367

de três sementes 367
de tronco branco 367
de tropel 59
de truz 394, 648, 845
de ultramar 196
de um azul cobalto 438
de um córrego fazer um grande rio 605
de um extremo a outro 52
de um fato 113
de um fôlego 69, 111
de um golpe 113
de um jato 465a
de um modo e de outro 631
de um ou outro modo 627
de um para outro lado 314
de um perfeito acabado 729
de um perfeito acabamento 650
de um rasgo 113
de um salto 113
de um só estame 367
de um só parecer 604
de um só rosto 604
de um só sexo 367
de um vigor supremo de lógica 476
de uma assentada 69, 111, 113, 132
de uma cajadada 69, 113, 132
de uma cajadada matar dois coelhos 698
de uma extremidade a outra 52
de uma horizontalidade monótona 213
de uma penada 132, 737, 741
dê uma polegada e receba uma braça 789
de uma só flor 367
de uma só folha 367
de uma só pétala 367
de uma só sépala 367
de uma só vez 132
de uma tirada 69
de utilidade para 644
de vale em vale 180
de valor 648
de várias espécies 16a
de veia 602
de vento em popa 349, 618, 705, 731, 734
de veras 474
de verdadeiro e positivo interesse 642
de vez 474
de vez em quando 136, 137
de vida austera 944
de vigia 459
de virtude fácil 961
de viseira erguida 604, 708
de vista curta 491, 699
de vistas acanhadas 481
de viva voz 186
de vontade 600
de vontade férrea 604
de/à socapa 528
deã 996
deado 995
dealbação 652
dealbar 430, 652
dealbar da madrugada 125
deambulação 573
deambular 264, 573, 683
deão 996
dearrezoar ou dearrazoar 713
dearticulação 580
dearticular 580
débâcle 162, 348, 732
debaixo 207
debaixo de capa 528
debaixo de chave 751
debaixo de mão 702
debaixo do azul deste céu 318
Debaixo do pé surgem desgraças 508

debaixo dos panos 702
debalde 175a, 645, 732
debandada 73, 283, 287, 291, 623, 671
debandar 44, 73, 287, 623, 671
debate 484, 588, 713, 720
debate oral 476
debatedor 476
debater 476, 720
debater com igual denodo 476
debater tumultuariamente 713
debater uma questão 485
debater-se 173, 315, 704, 719
debater-se em lutas acesas 713
debater-se na incerteza 475
debater-se nas trevas da demência 503
debater-se nas vascas da morte 360
debater-se num oceano de dúvidas 475
debatidiço 475, 476
debelar 142, 162, 174, 660, 731, 826
debelar um mal 658
debelativo 731
debênture 771, 800, 805
debicar 298, 953
debicar com/em 856
debicar com/em alguém 856
débil 32, 160, 328, 405, 422
debilidade 160, 203
debilitação 160
debilitado 160, 683
debilitar 158, 160
debilmente 32
debique 856
debiqueiro 953
debitar 805, 811
débito 625, 806, 809, 811
débito conjugal 903
debka 415
deblaterar 708, 932
deblaterar contra 929
debloquear 723
debochado 961, 954, 962
debochar (gal.) 961
debochar-se 954
deboche 945, 954
debonnaire 836
deborcar 218
debouçar 673
debrear 972
debris 330
debruar 39, 229, 847
debruçado 214
debruçar-se 213, 214, 308
debruçar-se aos pés de alguém 886
debruçar-se sobre a lousa 873
debruçar-se sobre os livros 538
debrum 39, 231
debulhar 195, 461
debulhar-se em lágrimas 839
debulho (de porco) 221
début 675
debutante (gal.) 64
débutante 599
debutar (gal.) 66
debute (gal.) 66
debuxador 559
debuxante 559
debuxar 555, 556, 594
debuxar com pincel de artista 594
debuxo 556, 594
década 98, 106, 108
decadência 36, 124, 160, 306, 655, 659, 988
decadente 124, 160, 659
decagonal 244
decágono 244
decaída 962

decaído 659
decaído da estima pública 947
decair 36, 124, 195, 659, 735, 804
decair da estima pública 874
decair da graça de alguém 889
decálogo 484, 926, 983a
decalque 19
decamerão 593, 594
decâmetro 466
decampamento 293
decangular 244
decania 124
decano 130, 540, 745
decantação 270
decantador 935
decantar 270, 597, 873, 883, 931
decanter 191
decapitação 361, 972
decapitar 241, 361, 972
deceinar 370
decemestre 108
decenal 108
decenário 108, 998
decência 849, 851, 939, 960
decêndio 108
decênio 108
decente 23, 646, 849, 924, 939, 960
decenvirato 737
decênviro 745
decepação 38
decepado 53
decepar 38, 158, 201, 241, 378
decepção 508, 509, 544, 626, 732, 832, 859, 871
decepção amarga/triste/dolorosa/cruel 509
decepcionar 509
deceptio visus 443
decertar 720
decessor 64
decididamente 31
decidido 31
decidido 474, 535, 602, 604
decidir 153, 175, 462, 480, 600, 604, 967
decidir da sorte 152
decidir-se 604, 609
decidir-se por 609
decíduo 111, 306, 367
Decies repetita placebit 829
decifração 480a
decifrar 462, 480a, 522
decilitrar 298, 959
decilitreiro 959
décima 99, 812
decimal 84, 98
decímetro 466
décimo 99
décimo primeiro 99
décimo quarto 99
décimo segundo 99
décimo terceiro 99
decisão 609, 462, 480, 600, 604, 620, 697
decisão da espada 722
decisão final e irrevogável 474
decisivo 31, 474, 476, 478, 535, 604, 741
declamação 517, 577, 582, 838
declamar 517, 582
declamar contra 932
declamatório 466
declaração 484, 529, 535, 566
declaração peremptória 535
declaração/ato/profissão/artigos de fé 983
declarante 527
declarar 516, 535
declarar com autoridade 737
declarar culpado 971
declarar guerra 713

declarar incurso em pena 971
declarar livre de culpa 970
declarar nulo 773
declarar nulo e sem efeito 552
declarar sem efeito 756
declarar tabu 761
declarar-se em estado de quebra 808
declarar-se em greve/em sessão permanente 719
declarar-se incompetente 925
declarar-se vencido 725
declarativo 535
declaratório 516, 527, 535, 566
declinação 20a, 36, 217, 278, 279, 306, 466, 567, 659
declinação da derrota 267, 304
declinante 36, 114
declinantemente 36
declinar 36, 124, 160, 217, 279, 306, 567, 649, 659, 735
declinar a prosápia a alguém 879
declinar a responsabilidade 927a
declinar do dia 126
declinar nome 79
declínio 36, 124, 160, 659
declínio da existência 128
declivar 217
declive 217, 245, 306
declividade *(plano inclinado)* 306
declivoso 217
decoada 335
decocção 384
decocto 384
decodificação 522
decolar 293, 267
decomedir-se 303
decomponível;
decompor 49, 51, 659
decompor-se 321
Decomposição 49
decomposição 653
decomposição orgânica 659
decomposto & *v.* 49
decoração 847, 876
decorador 847
decorar 186, 505, 538, 847
decorativo 847
decoro 498, 646, 851, 928, 939, 960
decoroso 23, 646, 922, 924, 928, 939, 960
decorporificar 317
decorrente 63
decorrer 106, 109
decorrido 122
decorrido anteriormente 116
decorticação 226
decotado & *v.* 226
decotar 201, 226
decote 226
décousu 732
decremento 36, 195
decrepidez 128
decrepitar 402a
decrepitar-se 128
decrépito 128, 160
decrepitude 128, 158, 160, 659
decrescente 36
decrescentemente 36
decrescer 36, 103, 195
decrescimento 36,195, 659
decréscimo 36, 776
decretal 741
decretalmente 36
decretar 480, 737, 800, 967
decretar a mobilização geral 722
decretar leis 963
decreto 480, 741, 963
decreto-lei 963
decretório 741

decretos de Deus/da Providência 601
decretos do Alto 601
decrua 371, 673
decruagem 371
decruar (a seda) 652
decruar 371, 673
decúbito 213
decúmano 99
decumbente 213
decuplar 98
decuplicar 98
decúria 98, 696
decurião 541, 694, 759
decursivo 109
decurso 106, 109
dedada 32
dedal 32
dedáleo 59, 248, 519, 698, 704
dédalo 59, 248, 519, 533, 704
dedecorar 874, 934
dedeira 223
dedicação 604a, 677, 682, 686, 743, 873, 888, 897, 926, 928, 942, 990
dedicação excessiva 606
dedicado 543, 604a, 613, 686, 743, 890, 897
dedicado a 888
dedicado às coisas de Igreja 987
dedicar 677, 763, 784
dedicar 763
dedicar 784, 873, 883, 990
dedicar a vida à verdade 939
dedicar simpatia a alguém 888
dedicar todo o afeto a 897
dedicar-se 602, 604, 625, 686
dedicar-se a 620, 676, 680
dedicar-se à sua tarefa 625
dedicar-se afanosamente 682
dedicar-se ao estudo de 538
dedicar-se ao serviço divino 998
dedicatória 784
dedicatório 527
dedignar-se 885
dedilhar 416
dedilhar (instrumento musical) 417
dedilhar a lira 597
dedo 379, 440e
dedo anular 379, 781
dedo de Cupido 897
dedo de Deus/da Providência 601
dedo do artista 698
dedo do destino 156
dedo médio 781
dedo mínimo 781
dedo-duro 527
dedos 781
dedos de prata 700
dedos, som de 402a
dedução 38, 476, 480, 522, 813
dedutivo 467, 522
deduzir 38, 476, 480, 522, 813
deduzir a verdade 480
deduzir de 155
defasado 135
defecação 652
defecar 297, 299, 652
defecção 607, 624, 742
defectibilidade 475, 495, 651
defectível 475
defectividade 651
defectivo 53, 651
defeito 53, 243, 649, 651, 848, 945
defeituoso 34, 53, 241, 243, 649, 651
defender (uma causa, um réu) 968
defender 159, 467, 535, 664, 670, 706, 707, 717, 906, 922, 931, 937, 942

defender com igual denodo pró e contra 702
defender o pró e o contra 607
defender os seus direitos 924
defender tese 538
defender *unguibus et rostro* 717
defendimento 937
defendível 937
defenestrar 756
defensa 664, 717
defensão 717
defensável 717, 937
defensiva 717
defensivamente & *adj*. 717, 937
defensível 717, 937
defensivo 717, 726, 937
defensor 664, 717, 726, 922, 937, 968
defensório 717, 937
deferência 743, 928
deferido 760
deferimento 760, 762
deferir 488
deferir 760, 762
deferir compromisso 768
defesa 223, 232, 664, 670
Defesa 717
defesa 761, 922. 937
defeso 761
deficiência 34, 198, 304, 641, 651
Deficiência 53
deficiência visual 442
deficiente 53, 491,641
deficiente visual 442
déficit 53, 304, 625, 806, 808
deficitário 53, 304, 641
definhado 193, 641
definhamento 195, 655, 839
definhamento progressivo e rápido 162
definhar 36,124, 160, 195, 659
definição 516, 522
definido 233, 446, 474, 494, 518, 525
definir 474, 516, 522, 537, 550, 554, 564
definir-se 604
definitivo 67, 535, 604
definito 474, 494, 525
definitório 995
deflação 800, 812
deflagração 384
deflagrar 384
deflegmação 42, 340
deflegmar 42, 340
deflexão 245, 279
defloração 609
defloramento 961
deflorar 609, 659, 961
defluir 73
deflúvio 348
defluxo 299
deformação 241, 243, 848
deformado & *v*. 241
deformado 243, 555
deformar 241, 243, 483
deformar a pureza das linhas 846
deformar a pureza de suas linhas 649, 651
deforme 241, 651, 846
deformidade 83,241, 243, 846, 848, 945
defraudação 791
defraudador 545, 548, 792
defraudar 545, 791, 964
defrontar 237, 719
defronte de 237
defrontear 234
defumação 336
defumar 336, 431, 652
defunção 360
defunteiro (bras.) 363

defunto 122, 362
defunto de taverna 959
degagé 851
deganho 1000
degastador 638
degelar 335, 382, 384
degelo 335
degeneração 659, 874
degenerado 659, 945, 954, 961
degenerar 169, 659, 940
degenerar dos seus antepassados 945
degenerar(-se) 659, 874
degenerescência 659
degenerescência do caráter 940, 945
deglutição 296, 298
deglutir 162, 296, 298
degola 361
degolação 361, 972
degolador 361, 975
degoladoura 361
degoladouro 361
degolar 162, 972
degradação 659, 874, 879, 961
degradamento 659
degradante 945
degradar 440, 659
degradar da milícia do clericato 874
degradar das ordens sacras 972
degradar(-se) 874, 940
degradar/degredar 972
degradê 428, 440
degrau 71, 215, 631, 673
degraus 305, 307, 627
degredado 893
degredo 893, 972
degringolada 124, 732
degringolar 659
degustação 298, 377, 390
degustar 298, 390, 827
Dei gratia 924
deia 845, 979
deicida 361
deicídio 361
deícola 987
deidade 845
deificação 981, 991
deificar 873, 991
deífico 873
deípara 977
deiscência 260
deiscente 367
deísmo 984, 989
deísta 987
deitadela 683
deitado ao almargem 645
deitado de costas/de bruços 213
deitar 155, 175, 184, 348, 441, 621, 662, 992
deitar a culpa a 938
deitar a livraria abaixo 686
deitar a mão 791
deitar a mão a alguma coisa 789
deitar a mão sobre 480a
deitar a perder 679
deitar abaixo 162
deitar açúcar em 396
deitar agraço no olho a alguém 907
deitar âncora 292
deitar ao chão 308
deitar ao fogo 384
deitar as mãos sobre 789
deitar bálsamo em 174
deitar cartas 511
deitar cobras e lagartos pela boca 497, 499
deitar escuma pela boca 900
deitar fogo a 384

deitar foguetes 838
deitar fora 53, 297
deitar inculcas 461
deitar lenha no forno 686
deitar lenha/azeite/combustível no fogo 900
deitar malícia em 523
deitar mão a alguém 751
deitar moda 851
deitar no esquecimento 506
deitar no leilão 796
deitar o dinheiro pela janela 818
deitar os arpéus a 781
deitar os bofes pela boca 682
deitar os corninhos de fora/ao sol 861
deitar os gadanhos a 781
deitar os gázeos a alguém 441
deitar para mal 477, 544
deitar para mal/para mau sentido 523
deitar para o mal 679
deitar para outro sentido 477
deitar para um canto 930
deitar pérolas a porcos 638
deitar poeira nos olhos de alguém 545
deitar por terra 162, 213
deitar sortes 511
deitar suas linhas 626
deitar um borrão 874
deitar um cheiro agradável 400
deitar um erre 932
deitar um segredo à rua/ao mar 529
deitar uma cã fora 827
deitar uma coisa para trás das costas 506
deitar/arrojar grilhões 749
deitar/dizer/falar cobras e lagartos 900
deitar-se 213, 687
deitar-se a 677, 680
deitar-se a adivinhar 511
deitar-se à boa-vida 683
deitar-se a dormir 683
deitar-se aos pés 725
deitar-se aos pés de alguém 879, 886
deitar-se de fora 609a
deitar-se horizontalmente 308
deitar-se sobre espinhos 378
deiviril 976
deixa 550, 784
deixado 40
deixado da mão de Deus 945
deixar (muito) a desejar 651
deixar 187, 287, 293, 624, 771, 782
deixar a descoberto 525
deixar a ferida cicatrizar 918
deixar à matroca 738
deixar a perder de vista 33
deixar a porta aberta 760
deixar a prisão de limo de seu desterro 360
deixar à revelia 624
deixar à sepultura o passado 506
deixar a vida/o mundo 360
deixar *ad referendum* 605
deixar alguém bem penteado 972
deixar alguém em branco 545
deixar alguém engasgado 508
deixar ao acaso 621
deixar ao critério de 600
deixar aos cuidados de alguém 460
deixar às boas noites 509
deixar as coisas tomarem seu rumo 681
deixar às escuras 509

deixar às trevas | demônio

deixar às trevas 624
deixar atordoado 508
deixar atrás 33, 282
deixar barcos e redes 624
deixar bom sinal de sua coragem 861
deixar cair a beiça 832
deixar cair no chão 773
deixar cair no chão/no esquecimento 930
deixar cair no esquecimento 918
deixar cair o beiço 932
deixar cair o queijo da boca 933
deixar cair o velário 528
deixar com um palmo de nariz 509
deixar correr 460
deixar correr a pena 573
deixar correr à revelia 460
deixar correr o marfim 460, 601, 609a, 681, 866
deixar corrido de vergonha 874
deixar de 773
deixar de acudir 624
deixar de cama 568, 874
deixar de chover 340
deixar de correr 340
deixar de divagações 576
deixar de estar no gosto do dia 678
deixar de histórias 572
deixar de ser úmido 340
deixar de si fama 873
deixar de ver 442
deixar de votar 609a
deixar devoluto 782
deixar eclipsar-se no espírito a luz da razão 503
deixar em herança 784
deixar em meio 730
deixar em pousio 674
deixar em terra 782
deixar enroscar-se pela serpente da inveja 921
deixar escapar 460, 582, 776, 782
deixar escapar um segredo 529
deixar estar 141
deixar extraviar 776
deixar fora 55
deixar franco o campo 705
deixar impune 918, 927
deixar inacabado & *adj.* 730
deixar legado 784
deixar livre trânsito 760
deixar murchar os louros 874
deixar na alma um sulco de tristeza 837
deixar na orfandade 360
deixar na penumbra 33
deixar na retaguarda 280
deixar na sombra 873
deixar nas trevas da ignorância 528
deixar nestas linhas a expressão de seu profundo pesar 915
deixar no espírito boa impressão 642
deixar no ostracismo 930
deixar no tinteiro 53, 55, 773
deixar o campo 283
deixar o século 893
deixar órfãos 360
deixar os entes queridos 293
deixar para amanhã 133
deixar para as calendas gregas 133
deixar para outra ocasião 133
deixar passar 135, 740, 760, 927a
deixar passar carros e carretas 762

deixar perceber 529
deixar por 796
deixar por fazer 730
deixar recado para que 741
deixar rolar 601
deixar rolar no resvaladouro da indiferença 930
deixar só 623
deixar transparecer 525
deixar transparente 525
deixar travo na garganta 395
deixar tudo mais na sombra 642
deixar um sabor 390
deixar um vácuo impreenchível 833
deixar uma coisa por outra 609
deixar viúva e filhos 360
deixar-se apanhar às mãos 547
deixar-se atravessar da luz 425
deixar-se cegar pela cólera 900
deixar-se contaminar 821
deixar-se de reservas e reticências 543
deixar-se embalar pelo canto da sereia 547
deixar-se embrulhar 547
deixar-se enganar 547
deixar-se inebriar nos turbilhões de incenso 933
deixar-se influenciar 175
deixar-se levar 486
deixar-se levar pelo canto da sereia 615
deixar-se levar pelo nariz 743, 749, 886
deixar-se levar pelo uso 82
deixar-se levar/conduzir/oprimir 749
deixar-se oprimir 886
deixar-se prender pelas seduções de 870
deixar-se prender pelo interesse 819
deixar-se subornar 615
deixou cair o queijo 698
dejeção 284, 299
dejeção sanguínea 299
dejeções alvinas 299
dejetar 297
déjeuner à la fourchette 298
del credere 467
délabrement 162
delação 938
delaidar 241
delamber-se 855
delambido 843, 855, 880
delapidar 158
delatar 527, 529, 938
delator 527, 938, 941
delê 996
Dele!
deleção 552
delectus 562
delegação 755, 759
delegação de poderes 737
delegado 55, 147, 758, 759, 785
delegar 270, 755
deleitação 377, 827, 829
deleitamento 827
deleitar 394, 829, 831, 836
deleitar-se 377, 827, 836
deleitar-se os cuidados 840
deleitável 829
Deleite 829
deleite 831
deleite carnal 377, 954
deleitosamente 31
deleitoso 377, 394, 829
deleixação 460
deleixamento 460
deleixar-se 460

deleixo 460
delenda Carthago 606
deletado 552
deletar 552
deletério 649, 657, 659
deletreação 562
deletrear 491, 522, 538, 561
delével 506
delfim 779
delgadeza 203, 322
delgadeza da voz 410
delgado 32, 160, 203, 322, 328, 329
délia 318
delibamento 390
delibar 394
deliberação 451, 604
deliberadamente 600, 611, 620
deliberado 604, 611
deliberar 451, 737
deliberar-se a fazer 676
deliberativo 451
delicadeza 160, 174, 328, 494, 578, 704, 829, 845, 850, 894
delicadeza de compleição 203
delicadeza de consciência 939
delicadeza de sentimentos 939
delicadeza do engenho 498
delicado 160, 203, 328, 329, 394, 413, 572, 578, 704, 822, 829, 845, 850, 868, 894, 902, 906
delícia 377, 827
deliciar 829
deliciar-se 377, 827
deliciar-se com 394
delícias de Cápua 377
deliciosamente 31
delicioso *(causador de prazeres)* 413
delicioso 377, 383a, 394, 648, 656, 829
delicodoce 885
deligação 43
delimento 552
delimitação 229, 751
delimitar 229, 233, 751
delineação 230, 554, 594
delineamento 230, 554, 626
delinear 229, 240, 550, 554, 556, 626
delinquência 947
delinquente 938, 947, 949
delinquir 947
deliquescência 335
deliquescente 335
deliquio 158, 688
deliquium 688
delir 335, 552
delir da memória 506
delir resistências 705
Delirant reges plectunctur Achivi 739
delirante 503, 824, 825
delirar 499, 503, 825, 932
delírio 315, 495, 503, 825
delírio alcoólico 959
delirioso 824
delirium tremens 959
deliroso 503
delitescência 447
delitescente 526
delito 947
delivramento 161, 672, 750
délivrance 161
delivrar 750
delonga 110, 133, 685
delongar 133
delta 342, 343
deltacismo 579
deltocarpo 367
deltoidal 244
deltoide 342
deltóideo 244

delubro 1000
deludir 545, 773
delusão 495, 545
deluso 495, 545
delusório 495, 545
deluzir-se 421
demagogia 737, 738
demagógico 738, 742, 825
demagogo 694, 710, 742, 910
demais 37
demais a mais 640
demanda 720
Demanda 969
demandado 969
demandante 969
demandar 278, 461, 630, 715, 765, 969
demandar em juízo 969
demandista 969
demão 204, 223, 707
demarcação 229
demarcadora 233
demarcar 229, 233, 465
demasia 640, 679, 954
demasiadamente 640
demasiado 640, 645
demasiado tarde 133, 135
demasiar-se 303, 640, 679, 825, 954
demasiar-se em vinho 959
dembe 739, 745
dembo 739
demear 53, 641, 730
demência 499, 503
dementar 503
dementar-se 503
demente 458, 503, 504
demerger-se (ant.) 625
demérito 874, 925, 945
demeritório 925, 945
demi-jour 422
demilunar 245
demi-monde 877
demissão 55, 77, 738, 756, 757, 972
demissão do ânimo 837
demissionário 757
demitido 55, 77
demitir 77, 55, 738, 756, 972
demitir de si a justiça 923
demitir de si a vontade 601
demitir-se 757
demiúrgico 979
demiurgo 690, 979
demo 702, 720, 887, 901, 978
democracia 737, 748, 877, 881, 910
democrata 877, 881, 910
democrático 737, 748, 881, 892, 922
Demócrito 388
démodé 678, 852
demografia 466
demoiselle 129
demolatria 991
demolhar 310, 337, 339
demolição 162, 462
demolidor 165
demolidor de reputações alheias 936
demolir (destruir) 479
demolir 162, 308, 462
demolir reputação 934
demolitório 162
demonarca 978
demonázio 978, 980
demonete 129, 682, 980
demoníaco 503, 619, 649, 824, 907, 945, 980
demonifúgio 992
demonifugo 990, 992
demônio 173, 619, 663, 860, 913, 949

568

Demônio 978
demônio em forma humana 949
demonismo 978, 980
demonografia 980, 992
demonógrafo 994
demonolatria 992
demonologia 980, 992
demonomancia 992
demonomania 503, 992
Demonstração 478
demonstração 467, 525, 882
demonstração ocular 446
demonstração rigorosa/científica/matemática 478
demonstrações 535
demonstrado 478, 490, 494
demonstrador 478
demonstrar 85, 467, 478, 937
demonstrar a inocência de 937
demonstrar de maneira inconcussa 478
demonstrar de modo formal e esmagador 478
demonstrar em circunstâncias muito concludentes 525
demonstrar valor 861
demonstrativo 478, 525, 550
Demora 133
demora 110, 265, 275, 685
demora de pagamentos 806
demorado 110, 133, 275, 457
demorar 110, 133, 142, 183
demorar-se 265, 275
demorar-se em 292
demorar-se no estômago 867
demoroso 275
Demóstenes 582
demover 185, 270, 616
demover com súplicas 765
demover-se 279
demular 324
demulcente 174, 396, 662, 834
demulcir 174, 396, 834
dendria 242
dendriforme 242
dendrite 242
dendrolatria 991
dendrologia 369
denegação 462, 479, 536, 764
denegar 462, 479, 536, 761, 764
denegar a justiça 923
denegrecer 431, 483, 653, 934
denegrimento 934
denegrir 421, 431, 483, 653, 848, 934
dengoso 855
dengue 655, 855
denguice 855, 880
denigrativo & *v* 483
denigrativo 653
denigrição 483, 653
denigrimento 874, 932
denigrir 483, 874, 934
denodado 682, 821, 861
denodo 861
denominação 75, 550, 564, 983
denominação imprópria 565
denominacional 983
denominacionalismo 983
denominador 84, 564
denominar 564
denominativo 564
denosto 929
denotação & *v.* 550
denotação 516
denotador 467
denotar 467, 516, 550
denotar candura 703
denotar primor 845
denotativo 516, 550
denotável 550
denouément 154

dénouement 67
denouément 729
Densidade 321
densidade 46, 195, 319, 352
densitometria óssea 662
denso 72, 102, 321
dentado 244, 253, 257
dental 561
dentar 257, 298, 378, 720
dente (de âncora) 244
dente 250, 390, 663
dente canino 253
dente de coelho 704
dente por dente 718
Dente por dente, olho por olho 919
dente, orelha, unha x boca, cabeça 237
dentear 248, 257
dentel 257
dentes 298, 330, 440e, 633, 717, 781
dentes, som de 402a
dentição 127
denticulado 244, 253, 257
denticular 253, 257
denticulo 257
dentiforme 253
dentígero 257
dentista (pejorativo para) 701
dentista 301, 662, 690
dentro 221
dentro de determinados limites 651
dentro de pouco tempo 132
dentro de poucos dias 119
dentro dos eternos princípios de justiça 922
dentro dos limites 26
dentro dos limites do possível 470
dentro dos limites traçados 174
dentro em pouco 121
dentros, os 221
dentuça 846
dentudo 253
denúncia 527, 938
denunciação 529, 932, 938
denunciador 938
denunciante 527, 938
denunciar 527, 529, 938
denunciativo 932
denunciatório 932, 938
Deo volente 470
deontologia 926
deparar-se a alguém 156, 446, 480a, 775
deparar-se a alguém alguma coisa 508
deparar-se a/com alguém 151
departamento 51, 81, 682
departamento 588
departir 44, 588, 786
departir-se 623
depascente 298
depauperado 641, 655, 804
depauperamento 158, 460, 641, 655
depauperar 160, 789, 804
depecuniado 804
depenador 814, 789, 792
depenar 226, 301, 789, 791, 814
depenar-se 839
dependência 9, 34, 51, 56, 65, 154, 644, 749, 777, 780
dependente 9, 707, 746, 749, 751, 770
dependente de 154, 177, 475
depender 9, 154
depender de 34, 467, 746
dependura 214
dependurar 214

depenicar 298, 301
deperecer 160
depilar 226
depilatório 226, 662
deploração 839
deplorando 830
deplorar 603, 833, 839
deplorável 649, 735, 830, 945
depoente 467
depoimento 467, 535, 551
depois 117, 121
Depois da morte o médico 135
depois disso 117
depois que 117
depopular 162, 659
depor 467, 535, 738, 756, 784
depor a vida 360
depor as armas 723, 743
depor o luto 836, 838
depor sua renúncia nas mãos de 757
depor um beijo em 902
deportação 270, 297
deportar 297
deposição 738, 756
deposição de armas 723
Depositar 184, 636, 775, 787
depositar confiança em 484
depositar de seu penhor 771
depositário 753, 758, 779, 785, 801, 890
depositar-se 306
Depósito 636
depósito 321, 771, 809
depósito de 727
depositório 321
depôt 636
depravação 649, 659, 945, 961
depravação do apetite 83
depravado 659, 945, 961
depravar 659
depravar os costumes 945
depravar(-se) 874
Deprecação 766
deprecada 765
deprecado & *v.* 766
deprecante 767
deprecar 766, 839, 914, 967
deprecatório 766
depreciação 34, 36
Depreciação 483
depreciação 659, 813, 815, 930, 932, 934
depreciadamente & *adj.*
depreciado 483, 659, 815
depreciador 483
depreciar 34, 481, 483, 643, 813, 930, 932
depreciar(-se) 874
depreciativo & *v.* 483
depreciativo 523, 563, 934
depreciativo de cabeça 440e
depreciativo de cabelo 440e
depreciativo de cara 440e
depreciativo de nariz 440e
depreciativo de pé 440e
depreciativo para estrangeiro/brasileiro/italiano/inglês/lisboense/mineiro/portuense/português 565
depredação 791
depredar 241, 659, 791
depredatório 791
depreender 480, 490, 527
depreensão 480, 490, 527
depressa 274, 684
Depressão 308
depressão 160, 208, 252, 655, 837, 859
depressivo 901a
depressor 830
deprimente 483, 874, 934
deprimido & *v.* 252, 308

deprimido 837, 901a
deprimir 207, 252, 308, 483, 679, 837, 874, 930, 934
deprimir-se 837, 859
depuração 652
depurador 662
depurar 42, 465, 610, 652, 662
depurativo 662
deputação 755, 758
deputado 634, 690, 694, 737, 755
Deputado 759
deputar 755, 759
deputar todos os poderes em 755
dequitar-se 161
derelicto 782
derelito 893
derivação 154, 567
derivada 84
derivado 154
derivado de 154
derivados do petróleo 635
derivar 154, 348, 480, 775
derivar de *(ser recebido)* 810
derivar de 810
derivar sua origem de 153
derivar-se 154, 279
derivativo 154
derivativos 799
derivável 155
derma 223
dermal 223
dermatite saborreica 655
dermatofitose 655
dermatologia 223, 662
dermatológico 440e
dérmico 223, 440e
dermografia 223
dermologia 223
dernier cri 123
derrabado 201
derrabar 201
derradeira etapa 67
derradeira ou a extrema hora 361
derradeira pulsação da vida 360
derradeiramente & *adj.* 122
derradeiro 34, 67, 122
derradeiros estertores 67
derraigar 371
derrama 73, 503, 531, 812
derramado & *v.* 73, 348
derramado 103, 503, 573
derramamento 335
derramamento de sangue 361
derramar 73, 297, 522, 531, 537, 638, 818
derramar sentido pranto 839
derramar seu sangue 719
derramar-se 69, 348, 503, 573
derrancar 659
derreado 158, 160, 275, 688
derrear 160, 907, 934, 972
derrear com trabalho 688
derrear-se 688
derredor 227, 230
derredor de 311
derregar 259, 351
derreigar 371
derrelição 624
derrelito 624, 782
derrengado 158, 688
derrengar 160, 855
derrengar-se 688
derrengo 855
derretedura 335
derreter 144, 335, 384, 659, 818
derreter-se 449, 880
derretido 335, 897
derretimento 335, 897
derribada de mato e queima da roça 673

derribado da esperança 859
derribadouro 667
derribamento 162
derribar 140, 213, 308, 479, 731, 756
derriçador 897
derriçar 902
derriço 897, 901a
derrisão 856, 929
derriscar 552
derrisoriamente & *adj.* 856
derrisório 853, 856, 930
derrocada 146, 162, 306, 619, 732
derrocar 146, 162, 308, 479, 731, 732
derrocar as esperanças de 859
derrogar 756
derrota 34, 162, 266, 267, 278, 732
derrota nas urnas 610
derrotado 610, 725, 732
derrotar numa controvérsia 479
derrotar 162, 610, 706, 708, 731
derrotar as esperanças/a expectativa a alguém 509
derrotar-se 279
derroteiro 266
derrotismo 832, 837, 859, 911
derrotista 710, 832, 911, 936
derrubada 308, 371
derrubamento 308
derrubar 158, 162, 173, 308, 756
derrubar/derribar do poder/trono 738
derruir 162, 308, 731
dervixe/devis 996
descaso 460
des+encruar & *v.* 324
desabafadamente 861
desabafar 260
desabafar da roupa 226
desabafar o estômago 297
desabafar-se 385, 527, 529
desabafo 525, 703, 919
desabalado 31, 274, 684, 825
desabamento 306
desabar 241, 659
desabastecer 641
desabatinar 226
desabatinar-se 757
desabe 306
desabelhar 73, 623
desabitado 187, 624, 893
desabitar 187, 782, 893
desábito 614, 678
desabituar 614
desabonar 874
desabono 874
desabotoadura 161
desabotoamento 161
desabotoar 44, 161, 260, 313
desabotoar os lábios num sorriso 838
desabotoar-se 529
desabraçar 44
desabrido 173, 274, 383, 410, 579, 739, 895, 901
desabrigado 158, 260, 665
desabrigar 158, 185, 665
desabrigo 665
desabrimento 713, 895
desabrir 624
desabrir-se 889, 895
desabrir-se com alguém 889, 932
desabrochar 44, 161, 260, 367
desabrochar da vida 127
desabrochar-se 932
desabrolhar 153, 161
desabusado 173, 487, 614, 739, 861, 885, 887, 923
desabusar 527, 529
desaçaimar 750

desacamar 185
desacampar 185, 293
desacanhado 682, 861
desacanhar-se 861
desacatamento 929
desacatar 929
desacato 874, 929
desacaudelado 738
desacaudilhado 738
desacaudilhar 738
desacautelado 460, 674, 818, 863
desacautelado e imprudente no falar 584
desacautelar-se 460, 863
desacavalar 44, 51, 73
desaceitar 297, 764
desaceleração 275
desacerbar 834
desacertadamente chamado 565
desacertado 495, 647
desacertar 495, 679
desacerto 495, 497, 679, 699
desaclimar 614
desaclimatar 614
desacobardamento 861
desacobardar 861
desacoimar 937
desacoitado 665
desacoitar 185, 622
desacolchetar 44, 260
desacolher 297, 479, 610, 764, 867, 893, 932
desacolhimento 867, 889, 932
desacomodar 61, 185
desacompanhado 44, 87
desacompanhar 87, 489, 610, 624, 866
desaconchegar 44
desaconselhado 24, 863
desaconselhar 616, 756
desaconselhável 24
desaçoarar 370
desacordado 376
desacordar 24, 158, 713
desacorde 24, 489
desacordo 15, 18, 28, 59, 83, 158, 414, 489, 536, 647, 713
Desacordo 24
desacoroçoar(-se) 158, 616
desacorrentar 44, 750
desacostumado & inábil 614
desacostumar 614
desacreditado 499, 546, 808, 874, 940
desacreditamento 659
desacreditar 485, 808, 874, 885, 934
desacumular 44, 73, 322
desaderir 47
desadestrar 539
desadmoestação 616
desadmoestar 616
desadoração 898
desadorar 898 ,930
desadormecer 159, 680, 682
desadormentar 159, 682
desadornado 576
desadornar 849
desadorno 849
desadunado 15
desadvertido 458, 499, 863
desafabilidade 895
desafaimar 298, 869
desafamado 874
desafamar 874
desafazer 614
desafeição 866, 889, 898, 930
desafeiçoado 867, 889, 922
desafeiçoar 241, 889
desafeito 614
desaferrar 293, 616
desaferrolhar 750

desaferrolhar cadeias/gilhões 750
desafervorar 616
desafetação 576, 703, 849, 881
desafetado 576, 703, 849, 850, 881
desafeto 708, 889, 891
desafiado 254
desafiador 715, 726, 865, 887, 909
desafiadoramente 715
desafiante 715, 742
desafiar 141, 254, 485, 715, 742, 821, 861, 865, 909, 924
desafiar a ação do tempo 112
desafiar a paciência 704
desafiar a qualquer descrição 83
desafiar a ruptura/a fratura 327
desafiar as nuvens 206
desafiar comparação 648
desafiar contestação 494
desafiar explicação 519
desafiar o esforço humano 674
desafiar seus congêneres 33
desafinação 24, 414, 489, 713
desafinado 24, 410, 414, 659, 713
desafinar 24, 414, 489
Desafio 715
desafio 415, 461, 863, 909
desafio à ação do tempo 141
desafiuzar 907
desaforar 929
desafogadamente 600, 748, 823
desafogado 202, 377, 748, 826
desafogar 705, 750, 834
desafogar as paixões 945
desafogar novos horizontes 658
desafogar o coração 834
desafogar-se com alguém 529
desafogar-se em lágrimas 839
desafogo 826, 834
desafoguear 383a, 385, 834
desaforado 885
desaforamento 925
desaforar(-se) 885, 925
desaforo 885, 929
desafortunado 732, 735, 828, 839
desafronta 718, 919
desafrontado 750
desafrontar(-se) 718, 834, 919
desafrutado 169
desafundar 305, 849
desagarrar 44, 301, 782
desagasalhado 158
desagasalhar 185, 665
desagasalhoso 893
desagastar 723, 824
desagastar-se 723, 826, 836
deságio 813, 815
desaglomerar 322
desaglutinar 47
desagoniar-se 826
desagradar 395, 830, 867
desagradar ao ouvido 579
desagradável 135, 383, 395, 401, 414, 706, 830, 841, 846, 867, 898
desagradável ao paladar 395
desagradavelmente 395
desagradecer 917
desagradecido 917
desagradecimento 917
desagrado 832, 898
desagravador 952
desagravar 36, 928, 952, 973
desagravar-se 919
desagravo 919, 952, 973
desagregação 44, 49
desagregado 47
desagregamento 162
desagregar 44, 49
désagrément 830

desagrilhar 44
desaguadeira 350
desaguador 348
desaguadouro 340
desaguar 67, 297, 340
desaguarnecido 849
desaguisado 713, 720, 923
desainar 370, 900
desairado 852
desairar 241, 846, 874
desaire 509, 647, 843, 846, 852, 874
desairoso 647, 846, 874
desajeitadamente 699
desajeitado 647, 699, 701, 704, 830, 846, 852
desajeitar 241
desajoujar 44, 750
desajudado 706
desajudar 706, 708
desajuizado 499
desajuntar 44, 87
desajustar 44, 756
desajuste 756
desalagar 297, 340
desalbação 430
desalcandorar 738
desalcandorar-se 306
desalegrar 837
desalegre 837
desalegria 837
desalentar 614
desalentado 624, 688, 732, 837, 839
desalentar 616, 830, 837, 859
desalentar-se 158, 624
desalento 160, 616, 624, 837, 859
desalforjar 297
desalgemado 748
desalgemar 44, 750
desalhear 783
desalhear-se 458, 866
desaliar & *v* 10
desaliar-se 905
desalijar 320
desalinhado (*desordenado*) 460
desalinhado 460, 575, 579, 852
desalinhar 849
desalinhar o estilo 579
desalinhavar 44
desalinho 59, 460, 579, 674, 825, 849, 852
desalistar 53, 55
desaliviar (ant.) 834
desalmado 361, 907, 914a
desalmamento 907
desalmar 361
desalmar-se 907
desalojamento 185, 270, 297
desalojar 185, 270, 297
desalterar 174
desalterar-se 826
desalumiado 421, 491
desamabilidade 895
desamagoar 834
desamalgamar 44, 49
desamanhar 61
desamão 196, 898
desamarfanhar 255
desamarrar 44, 672
desamarrar-se de sua opinião 607
desamarrotar 255
desamável 895, 930
desambição 866, 881, 942
desambicioso 866, 881, 942
desambientado 10
desamenizar 843
desamigar 889
desamistar 889
desamizade 889
desamodorrar-se 459
desamodorrar 457, 682

desamolado | desbastar a ignorância

desamolado 254
desamolgar 246
desamor 624, 889, 898, 907, 930
desamorável 907
desamoravelmente 898
desamoroso 907
desamortalhar 226, 529
desamotinar 723, 743
desamparado 87, 158, 665, 804, 837, 898
desamparar 158, 287, 610, 624, 907, 624, 665, 804, 831
Desamparo 624
desamparo 665, 804, 831
desamuar 723, 831
desamuar-se 836
desancar 479, 907, 932, 972
desancorar 293
desanda 929
desandar 283, 313, 659, 735
desanelar 313
desanexar 44
desanichar 185, 907
desanimação 616
desanimado 624, 732, 823, 837
desanimador 830
desanimar 616, 683, 706, 832, 837, 860
desanimar-se 158, 624, 859
desânimo 158, 160, 624, 681, 837, 859
desaninhar 185, 622
desanojar 915
desanojar-se 838
desanuviado 420, 425, 446, 287
desanuviar 420, 522, 829, 834
desanuviar-se 446
desapadrinhar 610, 932
desapaixonado 823, 826, 922, 939
desapaixonar-se 826
desaparafusar 313
desaparecer 2, 4, 67, 304, 360, 449, 623
desaparecer ao sopro destruidor de 162
desaparecer da memória 506
desaparecer na voragem de 638
desaparecer no esquecimento 506
desaparecido 449, 776
Desaparecimento 449
desaparecimento 2, 360, 447, 776
desaparelhado de 776
desaparelhar 158, 789
desaparentado 10
desapartar 44, 723
desapavorado & v. 861
desapavorar 861
desapear de um cargo 756
desapear-se 292
desapegado 942
desapegar(-se) 624, 889, 942
desapego 624, 823, 866, 893, 930, 942
desaperceber 641, 674
desapercebido 460, 508, 665, 674
desapertado 44
desapertar 44, 47, 672, 905
desapiedadamente & adj. 914a
desapiedado 739, 914a, 919
desapiedado/despiedado 907
desapiedar 914a
desapiedar-se ou despiedar-se 914a
desaplaudir 932
desaplauso 483, 932
desaplicação 458
desaplicado 458, 460, 678
desaplicar-se 458
desapoderado 173, 503, 641, 684, 825

desapoderar 789
desapoderar-se 782
desapoiar 932
desapoio 932
desapontadamente & adj 509
desapontado 509
desapontamento 509, 832
desapontar 509, 832
desapoquentar 829, 834
desapoquentar-se 826
desaportuguesar 568
desaposentar 185, 789
desapossado 776
desapossamento 789
desapossar 783, 789, 925
desapossar-se 782
desapostura 852
desapreciar 483, 874
desapreço 483, 930
desaprender 506
desapressado 275, 460
desapresto 674
desaprimorado 579, 846, 852, 895
desapropósito 135
desapropriação 789
desapropriar 789
desapropriar-se 782
desaprovação 489, 764, 874, 908, 932,
desaprovar 479, 536, 927, 932, 971
desaproveitado 818
desaproveitar 624, 638, 645, 678
desaproximar-se 15, 196
desaprumar-se 217
desaprumo 217, 852
desaquartelar 185
desaquecer 385
desaquinhoar 789
desar 874
desaranhar 522, 652
desarilhar (reg.) 241
desarmado 158, 508, 665
desarmamento 723
desarmar 49, 51, 73, 144, 158, 162, 241, 313, 616, 665, 723, 732, 831, 849, 914
desarmar malevolências 723
desarmonia 14, 24, 489, 713, 889
desarmonia de sons 414
desarmônico 243, 489
desarmonioso 24, 243, 713
desarmonizar 24
desarquivar 529, 552
desarraigar 162, 297, 301, 614
desarrancar 301, 614
desarranchar 185
desarranjado 59, 61, 659
desarranjamento 61
desarranjante & v. 61
desarranjar 24, 41, 61, 659, 732
desarranjar-se o cérebro a alguém 503
desarranjável 61
Desarranjo 61
desarranjo 59, 674, 713, 849
desarrazoado 471, 475, 477, 481, 495, 497, 499, 503, 923
desarrazoar 475
desarrazoável 923
desarrear 226
desarregaçar 313
desarregimentar 73
desarrenegar-se 723
desarrimar 624, 665, 907
desarrimo 624, 665
desarrisca 552, 998
desarriscar 552
desarriscar-se 926, 990
desarrochar 44, 552
desarrolhar 260
desarrolhar a boca 584
desarrufar 174, 723

desarrufar-se 836
desarrufo 723
desarrugamento 255
desarrugar 255
desarrumação 61
desarrumar 61
desarticulação 44, 49
desarticulado 10
desarticular 44, 241
desartificioso 543, 576, 703
desarvoradamente & adj. 279
desarvorado 279, 499, 503, 699, 824
desarvorar 61, 162, 645, 649, 659
desarvorar-se (fam.) 623
desasado 158
desasar 158, 972
desasir 44, 782
desaso(s) 608, 699
desassanhar 174
desassanhar-se 826
desassazonado 24, 135, 647
desasseado 653
desassear 653
desasseio 653
desasselar 260
desasselvajar 658
desassemelhar 18
desassimétrico 59
desassimilar 18
desassimilar-se 16a
desassisado 699, 863
desassisar 503
desassociado 10
desassociar 10, 44
desassociar-se 905
desassomar 449
desassombradamente 525, 543, 703
desassombrado 705, 861
desassombramento (p. us.) 863
desassombrar 522, 829
desassombrar o espírito 834, 836
desassombrar-se 446, 836
desassombro 703, 861
desassossegado 264, 828
desassossegador 860
desassossegar 830
desassossegar-se 825
desassossego 149, 264, 665, 825, 828, 860
desassustado 861
desassustar 826, 834
desastrado 647, 649, 699, 701, 732, 735, 739
desastramento 699
desastre 361, 495, 619, 699, 732, 735, 830
desastroso 135, 499, 619, 647, 649, 732, 735, 830
desatabafar-se 529
desatacar 44, 297
desatado 47
desatar 44, 705, 750
desatar alguém do marido 905
desatar cadeias/grilhões 750
desatar o nó górdio 480a
desatarraxar 313
desatar-se a língua a alguém 584
desatar-se em flores 161
desatar-se o pranto pela face 839
desatascar 297
desatascar-se/libertar-se do vício 944
desataviado 576, 674
desataviar 579, 849
desatavio 576, 674, 849
desate 65
desatemorizar 861
Desatenção 458

desatenção 460, 624, 667, 895, 929
desatencioso 895, 929
desatender 458, 460, 764, 929, 930
desatendimento 764
desatendível 643
desatentamente & adj. 458
desatentar 458, 460
desatento & adj. 458
desatento 458, 927
desaterrar 252
desaterro 252
desaterrorizar 861
desatestar 641
desatinado 173, 458, 481, 503, 699, 863
desatinar 173, 503, 699, 825, 923, 925
desatinar-se 503, 679, 900
desatino 481, 495, 499, 503, 679, 699, 818, 863, 907
desatolar 297, 301
desatolar-se 672
desatordoar 822
desatracar 44, 293
desatrancar 705
desatravancar 705
desatravessar 705
desatrelar 44, 750, 905
desatremado 10, 503
desatremar 499, 503, 645, 945
desatual 119
desatualidade 119
desaurido 503, 504
desaustinado 503, 699
desaustinado 713
desautorização 929, 972
desautorado 929
desautorar 742, 874, 929
desautorizar 874, 932
desautorizar-se 940
desautorizar-se 940
desauxiliar 624
desavença 18, 24, 489, 713, 720, 889
desaverbar 552
desavergonhadamente 940
desavergonhado 885, 940, 945, 954
desavergonhar-se 885, 940
desavezar 614
desaviar 681, 732
desaviar-se 279
desavindo 713, 891
desavir 891
desavir-se 24, 713, 889
desavisado 499
desavisar 756
desaviso 499, 756, 863
desavistar 442, 447, 449
desavistar-se 196
desazado 699
desbancar 33, 731
desbandar 523
desbaratadamente 59, 460
desbaratado 732
desbaratador & v. 818
desbaratamento 162, 638, 818
desbaratar 162, 479, 638, 645, 731, 818
desbarate 638
desbarato 162, 638
desbarbado 127
desbarbar 226
desbarrancar 252
desbarretar 892
desbarretar-se 894, 928
desbarrigado 251
desbastar 195, 201, 240, 253, 322, 330, 371, 537, 650, 673
desbastar a ignorância 537

desbastar a rudeza dos ignorantes | desconforto

desbastar a rudeza dos ignorantes 537
desbastardar 924, 963
desbaste 371
desbastecer 322
desbatizar 998
desbatocar 260
desbeiçar 241
desbloquear 260, 672, 723, 731
desbocado 738, 742, 945, 961
desbocar-se 961
desbolado 499, 503
desborcinar 241
desbordar 348, 640
desboroar 306, 330, 652
desbotado 429, 517, 575
desbotamento 429, 659
desbotar 111, 124, 422, 429, 469, 659
desbragado 649, 885, 954
desbragar-se 954
desbravador 234, 280
desbravamento 371
desbravar 260, 280, 370, 371, 480a, 537, 673
desbravar o terreno 705
desbriado 823, 885, 940, 945
desbriar 659
desbriar-se 885, 940, 945
desbridar 750
desbridar-se 173, 738
desbrio 862, 885, 940
desbrioso 885, 940, 945
descabaçar (pop.) 961
descabeçador 975
descabeçamento 972
descabeçar 201, 241, 306, 348, 972
descabeladamente 31
descabelado 31, 173
descabelar-se 839
descaber 135, 647, 923
descabido 24, 647, 923
descabimento 135
descaçar-se 614
descadeirar 241, 972
descaída 306, 495, 499, 945
descair 158, 174, 217, 279, 306
descair da causa 732
descair de fome 160
descair no vício 945
descair para 595
descair para o S.O. 349
descaírem os joelhos 160
descalabro 619, 735
descalçadeira 301, 929
descalçador 301
descalçar 226
descalçar a bota 705, 731
descalço 226, 508, 665
descaliçar 652
descambação 124
descambada 217
descambadela 499, 647, 699
descambar 124, 176, 217, 499, 659
descambar com enorme disparate 497
descambar no ridículo 732, 853
descambar-se 497
descaminho 279, 449, 776, 791
descamisar 804
descampado 180, 260, 344
descampar 623
descancelar 260
descangar 44, 87, 905
descansadamente 31
descansadeiro 215, 687
descansado 174, 275, 683, 687, 721, 826
descansar 199, 215, 265, 363, 685, 687
descansar em paz 360

descansar no regaço do Senhor 360
descansar nos outros 681
descanse em paz 360
descanso 142, 215, 265, 683, 685, 687, 834
descantar 416
descante 415
descapacitar-se 607
descaracterizar 78
descarado 525, 885, 895, 940, 945, 949, 961
descaramento 885, 940
descarapuçar 226
descarar-se 885
descarecer 639, 777
descarga 173, 284, 297, 299, 402a, 406, 552, 716, 771, 807, 937
descarga de pau 972
descargo 834, 970
descaridade 907
descaridoso 907
descarinho 930
descarinhoso 895, 907
descarnado 203, 243
descarnar 49, 461
descaro 885
descaroável 895, 907
descaroçar 301, 522, 573
descarolar 226
descarregado 705
descarregar 185, 279, 284, 297, 320, 406, 552, 705, 834, 927a
descarregar a consciência 926
descarregar a consciência/o coração 529
descarregar a ira sobre 907
descarregar da culpa 937
descarregar do pensamento 458
descarregar o coração 834
descarregar sua cólera em alguém 907
descarregar suas águas em 348
descarregar vista flamejante sobre 900
descarregar-se 348, 927a
descarregar-se de 297
descarrego 807
descarreirar 61, 449, 776
descarrilado 732
descarrilar 61, 503
descarrilar-se 945
descartado 77
descartar 77, 678
descartar-se 623
descartar-se de 297, 610, 672, 782
descartável 77, 643
descarte 77, 477, 528, 782
descasado 10, 87, 903
descasalar 87
descasamento 905
descasar 44, 87, 905
descascadura 226
descascamento 226
descascar 201, 226, 652
descaso 458, 506, 624, 823, 863, 866, 927, 929, 930
descaspar 652
descasque 226
descasquejar 652
descatequizar 539
descativar 750
descaudado 201, 318
descaudar 201
descaudato 201, 243, 440c
descautela 863
descauteloso 863
descavalgar 276, 306
descegar 441
descendência 65, 69, 117, 167
descendência em linha reta 167
descendente 167, 217, 306

descendentemente & adj. 306
descendentes 167
descender 154, 167, 306
descender de humilde prosápia 877
descensão 306
descensional 306
descenso 264, 306, 308
descente 306
descento da maré 348
descentralização 738
descentralizar 49, 73
descentralizar-se 291
descentrar 291
descer 36, 292, 306, 308, 319, 659
descer a 812
descer a detalhes 594
descer a infâmias 874
descer a minuciosidades 573
descer a ninharias 643
descer à sepultura 360
descer ao nível de 659
descer ao túmulo 360
descer o dia 126
descercar 260, 672, 723
descerebrado 491, 499
descerebrar 499, 503
descerem as trevas 126
descerimonioso 895
descerrado & v. 529
descerrar 260, 525, 529
descer-se da burra 607
deschancelar 260
Descida 306
descida 308
descida 36, 217, 264, 292, 308
descida do câmbio 800
descimentar 44, 47, 162
descimento 306
descingir 44
desclaridade 421
desclassificação 158, 949
desclassificar 61, 659, 874
descoagulação 335
descoagular 335
descoagulável 335
descoalhar 335
descoalho 335
Descoberta 480a
descoberta 462, 490, 626
descoberto 448, 525
descobridor 164, 280
descobrimento 480a
descobrir 226, 260, 441, 462, 480a, 490, 522, 529
descobrir a caça 461
descobrir a calva a alguém 932
descobrir ao longe 510
descobrir falta em 932
descobrir o sentido de 522
descobrir os intuitos malévolos 529
descobrir-se 446, 529, 894, 928
descobrir-se o sol 420
descocado 499, 885
descocar-se 885
descoco 497, 885
descoimar 927a
descolar 47
descolmar 173, 226
descoloração 429
descolorado 429
descolorar 429, 469
descolorir 429, 469
descolorizar 429
descomado 318
descomedido 31, 83, 192, 640, 739, 814, 818, 825, 961
descomedimento 303, 640, 738, 818, 907, 954
descomedir-se 173, 497, 573, 584, 679, 738, 739, 818, 825, 863, 954, 961, 964

descomedir-se no beber 959
descomer 297, 790
descomida 297
descomodidade 647
descômodo 647
descomover 174
descompadrar 713, 891
descompadrar-se 889
descompaixão 914a
descompassado 31, 59, 83, 139, 173, 243
descompassar 61, 200, 241, 303
descompassar-se 173, 825, 954
descompasso 24, 59, 83, 243
descomplicação 570, 849
descomplicado 570, 849
descomplicar 849
descomponenda 932
descompor 61, 226, 713, 932
descompor-se 825, 954
descomposto 579
descompostura 460, 929, 932
descomprazente 764
descomprazer 603, 764
descompromisso 773
descomunal 31, 192
descomungar 918
descomungar ou desexcomungar 998
desconceito 485, 874
desconceituar 544, 659, 874, 934
desconcentração 458
desconcentrado 458
desconcentrar 73, 291
desconcentrar-se 458, 892
desconcertado 509, 647, 863
desconcertante 24, 83
desconcertar 24, 497, 509, 713, 732, 832, 859
desconcertar os planos de alguém 732
desconcertar-se 489, 821, 825, 954
desconcertar-se na vida 874
desconcerto 24, 497, 713, 889, 954
desconchavar 489
desconchavar-se 24, 497
desconchavo 497
desconchavo de marca maior 497
desconciliação 24
desconcordância 713
desconcordante 24, 489
desconcordar 24, 489, 713
desconcordar com 764
desconcorde 489
desconcórdia 713
descondicionar 705
desconexão 10, 44, 477, 497, 517
desconexo 10, 44, 477, 497, 517
desconfeito 243
desconfiado 485, 487, 585, 605, 822, 860, 881, 901
desconfiança 475, 485, 487, 510, 514, 585, 603, 605, 665, 860, 920
desconfiante 485
desconfiar 475, 485, 510, 514, 860, 920
desconfiguração 241
desconfigurar 241
desconfigurar-se 16a
desconfissão 536
desconformar-se 623
desconforme 10, 14, 15, 24, 28, 83, 241, 462
desconformemente & adj. 83
desconformidade 10, 24, 462, 489, 764
Desconformidade 83
desconfortar 830, 837
desconfortável 647
desconforto 378, 828, 837

desconfranger | desempapelar

desconfranger 829
descongelar 335, 384
descongestionar 185, 322
desconhecedor
desconhecedor 491, 917
desconhecer 491, 536, 917
desconhecer o requinte da hipocrisia 543
desconhecer os acúleos da carne 960
desconhecido 2, 57, 121, 123, 268, 447, 491, 526, 565, 877, 917
desconhecido da fama 874
desconhecimento 2, 491, 528, 917
desconjuntadiço 328
desconjuntado 44, 158, 243
desconjuntar 44, 61, 241
desconjuntar-se 124, 328, 659
desconjuntável 328
desconjunto 10, 15, 87
desconjuntura 44
desconjurar 830, 929
desconsagração 756, 929
desconsagrar 679, 929, 988
desconsciência 491, 823
desconselhável 647
desconsentimento 489, 764
desconsentir 489, 764
desconsertado 674
desconsertar 61, 645, 659
desconsideração 77, 874, 929, 930
desconsiderado 77
desconsiderar 77, 456, 458, 483, 929
desconsolação 837
desconsoladeza 837
desconsolado 391, 575, 828, 837, 843
desconsolar 830, 837
desconsolar-se 837
desconsolo 828, 832, 837
desconsoloso 828
desconstrangido 748
desconstrução 462
desconstruir 462
descontado & *v* 813
descontagiar 652
descontar 38, 813, 930
descontentado 489
descontentamento 489, 828, 900
Descontentamento 832
descontentar 832
descontente 489, 710, 828, 832, 839, 901
descontingenciar 750
descontinuação 70, 142, 624
descontinuadamente 70, 142
descontinuado 70, 139, 142, 730
descontinuamente 198
descontinuar 70, 142, 730
descontinuidade 44, 198
Descontinuidade 70
descontínuo 44, 70, 137
Desconto 813
desconto 469, 815
desconto racional 813
descontratar 756
descontrolado 139
descontrole 814
desconveniente 14, 24, 647
desconversa 671
desconversar 70, 456, 468, 585, 764
desconversável 585, 893, 895
desconverter 660
desconvidar 756
desconvir 24, 489, 647, 713, 764
desconvite 756
desconvizinhança 196
desconvizinho 196
descoordenar 61

descopado 440a
descor 429
descorado 422, 429, 517, 575
descorado pelo frio 383
descoramento 429
descorante 429
descorar 422, 429
descorçoado 837
descorçoamento 837
descorçoar 616
descornar 241
descoroar 738, 756, 849
descoroçoado 683, 823
descoroçoar 616
descortejar 895, 929
descortês 852, 895, 900, 929
Descortesia 895
descortesia 852, 901, 901a, 929
descortesmente 895
descorticar 226
descortiçar 226, 441, 480a, 498, 849
descortinar em 511
descortinar os arcanos do futuro 510
descortinar-se 121
descoscorar 226
descoser 44
descoser a amizade 889
descoser a orelha a alguém 932
descoser o fiado (p. us.) 529
descosido 10, 517
descostumar 614
Descostume 614
descostume 624, 678
descosturar 44
descravar 44, 301
descravejar 44
descravizar 750
descrédito 485, 874, 940
Descrença 485
descrença 487, 509, 989
descrente 485, 509, 988, 989
descrer 485, 988, 989
descréudo (ant.) 485
descrever 527, 554, 594
descrever a traços largos *(compendiar)* 594
descrever círculo 311
descrever com negras cores 483
descrever por miúdo/em detalhes 594
descrever um círculo 247
descriado (fam.) 131
Descrição 594
descrição 75, 527
descrição detalhada/minuciosa/particular/pormenorizada/fiel/completa/circunstanciada 594
descrição do corpo humano 440e
descrição dos prazeres do amor 961
descrição viva e animada 574
descrido 485, 988
descriminar 937, 970
descritivamente & *adj.* 594
descritível 594
descritivo 594
descrito & *v.* 594
descritor 594
descruzar 313
descuidado 458, 460, 499, 506, 579, 624, 863, 866, 927
descuidar 624
descuidar-se 863
descuidar-se de 460
descuidista 792
descuido 458, 460, 495, 863
descuidoso 174, 458, 460, 484, 486, 826, 866
desculpa 469, 477, 617, 918

desculpa esfarrapada/de mau pagador 617
desculpador 937
desculpar 469, 918, 937, 970
desculpar-se 617
desculpas de mau pagador 477, 546
desculpável 648, 918
descumpridor 614, 773
descumprimento 614, 742, 773, 808
descumprir 460, 742, 773
descurar 678, 730, 773, 930
descurar de 460
descuriosidade 456
descurioso 456, 460
descurvar 246
desdar 44, 148, 660, 775
desde 117
desde a criação do mundo 124
desde então 117
desde esse tempo 117
desde já 116, 121
desde logo 117
desde o ano zero 124
desde o *fiat* 112
desde o princípio 66
desde que há mundo 112
desde que o mundo é mundo 124
desde tempos imemoriais 122
desde toda a eternidade 112
desdém 456, 823, 849, 866, 878, 885, 898, 930
desdenhador 930
desdenhar 460, 610, 866, 878, 885, 929, 930
desdenhável 643
desdenhosamente & *adj* 930
desdenhoso 878, 885, 929
desdentado 243, 440c, 846
desdentar 241, 254
desdita 732, 735, 828
desditado 735
desditoso 735, 828
desdizer 24
desdizer-se 607
desdizer-se de sua opinião 607
desdobramento 35, 313
desdobrar 73, 246, 313, 522
desdobrar ao infinito a sua atividade 682
desdobrar-se 35, 200
desdourado 483, 874, 934
desdouro 483, 874, 934
deseclipsar 448, 480a, 529
deseclipsar-se 446
desedificação 945, 988
desedificar 539, 679, 945, 988
deseducar 539
desejabilidade & *adj.* 646
desejado & *v.* 865
desejar 600, 630, 865, 897
desejar a alguém felicidades e venturas 896
desejar a alguém feliz Natal e boas entradas de ano 896
desejar saber 475
desejar um fim determinado 620
desejável 646, 865
desejo (euf.) 741
desejo 377, 600, 602, 609, 620, 630, 741, 765, 827, 858, 897, 961
Desejo 865
desejo de bens e gozos materiais 377
desejo de saber 455
desejo imoderado de luxo e prazeres 954
desejo insaciável 820, 865
desejo violento e pecaminoso 921

desejos impuros 961
desejosamente & *adj.* 865
desejoso 821, 865
Deselegância 579
deselegância 843, 846, 852, 895
deselegante 34, 225, 579, 843, 846, 852, 895
deseliminar 660
desemaçar 44
desemalar 297
desemalhetar 44
desemaranhamento 705
desemaranhar 60, 313, 522, 705, 750
desembaçar 428
desembaciar 446, 652
desembainhar 226
desembainhar a espada 716, 722
desembalar 297
desembandeirar 849
desembaraçado 682, 698, 748, 807, 892, 894
desembaraçamento 301
Desembaraçamento 672
desembaraçar 44, 60, 313, 672, 705, 750
desembaraçar de 652
desembaraçar de dificuldades 705
desembaraçar-se 672, 782
desembaraço 682, 705, 885
desembaralhar 60
desembarçado 274
desembarcar 292, 342
desembargado 927a
desembargador 922, 963, 967
desembargar 790, 963
desembargo 788, 790
desembarque 292
desembarrancar 604
desembarrilar 297
desembaular 297
desembebedar 958
desembelezar 849
desembestadamente 274
desembestado 173, 825
desembestar 274, 276, 315
desembestar-se 173
desembezerrar 723
desembocadura 67
desembocar 67
desembolsar 807, 809
desembolsar-se 816
desembolso 807, 809
desemborcar 313
desemborrachar 958
desemboscar 185, 622
desembotar 253, 682
desembravecer 174, 370
desembrenhar 297
desembrenhar-se 672
desembrenhar dos vícios 944
desembriagar 953, 958
desembrulhar 226, 297, 313, 518, 522, 705
desembrulho 522
desembruscar-se 446
desembrutecer 537
desembruxar 992
desembuçar 226, 522, 525, 580, 705
desembuchar-se 527, 529, 582
desemburrar 537, 650
desemburrar-se 836
desemedar 44
desemoldurar 849
desempachar 705
desempacotar 297
desempalhar 185, 297
desempalmar 782
desempanar 446, 522
desempapar 255
desempapelar 313

desempapuçar | desenroupar

desempapuçar 195
desemparceirado 10, 15, 18, 20, 87
desemparceirar 44, 87
desemparedar 750
desemparelhado 10, 18, 44, 87
desemparelhamento 44
desemparelhar 18, 44, 87
desemparelhar-se 903
desempastar 44
desempatar 28, 480, 609
desempate 480
desempavesar 849
desempecer 705
desempecilhar 705
desempedernir 324, 705, 914
desempedrar 226
desempegar 297
desempenado 845
desempenar 246
desempenhar 170, 680, 692,807
desempenhar bem os seus deveres 926
desempenhar com perfeita correção 926
desempenhar os deveres/cargo/funções de 625
desempenhar suas funções 686
desempenhar suas obrigações 926
desempenhar um cargo 737
desempenhar um mandato 755, 759
desempenhar uma função 644
desempenhar uma missão 772
desempenhar uma obrigação 772
desempenho 170, 599, 680, 772, 926
desemperrar 332, 616
desemperro 607
desempestar 652
desempilhar 44
desempoar 652
desempobrecer 803
desempoçar 340
desempoeirar 522, 652
desempoleirar 738, 756
desempoleirar-se 306, 735
desempolgar 782
desempregado 678, 681
desempregar 738, 756
desemprego 667
desemprenhar 161
desemproado 894
desemproar 879
desemproar-se 879, 894
desempunhar 782
desemudecer 582
desenamorar-se 898
desenamorar-se de 867
desenastrar 44
desencabeçar 616
desencabrestado 173, 738
desencabrestar 750
desencabrestar-se 173, 738, 825
desencachaçar 958
desencadeado 748
desencadear 44, 173, 615, 750, 824
desencadear guerra 722
desencadear/semear ódios 907
desencadear-se 525, 825, 900, 932
desencadear-se a revolução 146
desencadernar 44
desencaixar 44, 297, 546, 738, 756, 849
desencaixilhar 849
desencaixotar 297
desencalacrar 672
desencalacrar-se 807
desencalhado 672

desencalhar 672, 705
desencalhe 705
desencalmadamente 826
desencalmar 383a, 385, 826
desencaminhamento 940
desencaminhar 495, 539, 545, 776, 961
desencaminhar a atenção/o pensamento 458
desencaminhar dinheiro 791
desencaminhar-se 279, 449, 495, 945
desencamisar 226, 804,, 790
desencanar 279
desencantação 480a
desencantado 575
desencantador 575
desencantamento & v. 616
desencantar 480a, 616, 992
desencanto 480a, 843
desencantoar 185, 480a
desencanudar 255
desencapoeirar 529, 750
desencapotar 226
desencapotar-se 529
desencaracolar 255, 313
desencarapelar 255
desencarapitar-se 306
desencarcerar 750
desencardir 652
desencarecer 483, 659, 815
desencarecimento 483
desencarnado 317
desencarnar-se 317, 360
desencarquilhar 255
desencarrancar-se 836
desencarregar 756, 927a
desencarregar-se 772
desencarreirar 495, 593, 545
desencartar 756
desencasacar 226, 652
desencasquetar 616
desencastelar 185
desencastoar 44
desencavernar 185
desencavilhar 44, 301
desencerar 226
desencerrar 480a, 529, 750
desencharcar 340
desencher 185, 297, 638
desencilhar 44
desenclaustrar 750
desenclavinhar 44
desencobrir-se 446
desencoifar 226
desencolerizar 174, 723
desencolher 194, 200, 246
desencomendar 756, 766
desencomoroçar-se 306
desenconchar 185, 750
desenconchar-se 880
desencontrado 489
desencontrar 24, 304
desencontrar-se 24, 489
desencontro 15, 24, 279, 489, 889
desencorajar 616, 837
desencordoar 645
desencorporar 44
desencorrear 44
desencortiçar 255
desencoscorar 255
desencostalar 320
desencostar 212
desencovar 185, 297, 363, 529, 622
desencovilar 185
desencovilhar 672
desencravar 297, 301, 672, 705
desencravilhar 301, 672, 705
desencrespar 255
desencristar 879
desencumear-se 306

desencurralar 185, 750
desencurvar 246
desendemoninhador 994
desendemoninhar 174, 992
desendeusar 483, 874, 879, 988
desendividar-se 807
desendoidecer 502
desendurecer 324
desenegrecer 430
desenervar 158, 159, 522, 829, 836
desenevoar-se 446
desenfadadiço 829, 840
desenfadar-se 840
desenfadativo 840
desenfado 840
desenfaixar 226
desenfardar 297
desenfardelar 478, 529
desenfarpelar 226
desenfarruscar-se 446
desenfastiadiço 392, 394
desenfastiar 394, 824, 829, 834
desenfastiar-se 836
desenfastidioso 394
desenfatuado 881
desenfatuar 879
desenfear 829
desenfeitar 849
desenfeitiçar 992
desenfeixar 44
desenfermar 660
desenferrujar 537, 658
desenfezar 174
desenfezar o espírito 538
desenfiar 44, 313, 717
desenfileirar 61
desenflorar 659
desenformar 297
desenfornar 297
desenfrascar 297
desenfreadamente 31
desenfreado 173, 684, 738, 742, 825
desenfreamento 885, 954
desenfrear-se 173, 738, 825, 900, 954
desenfrear-se 738, 825, 900, 954
desenfrechar 276
desenfrenar-se 900
desenfronhar 276
desenfronhar disparates 497
desenfronhar mentiras 546
desenfronhar-se 446
desenfunar 195
desenfunar-se 879
desenfurecer 502
desenfurnar 185
desenfurnar-se 446
desenfuscar-se 446
desengaçadeira 465
desengaçar 465, 957
desengaiolar 750
desengajar 756
desengalapar 246
desengalfinhar 723
desenganado 360
desenganado dos médicos 655
desenganar 509, 527, 529, 543, 616, 859
desengano 509, 529, 616, 732, 859
desengarrafar 297
desengasgar 705
desengasgar-se de 672
desengastalhar 44
desengastar 44
desengatilhar 313, 406
desengenhoso 699
desenglobar 44
desengodar 616, 859
desengolfar 664, 672
desengonçado 83, 158, 846
desengonçar 241

desengonço 243, 846
desengordar 195
desengordurar 652
desengraçado 391, 575, 841, 843, 846, 852
desengraçar 195, 843
desengraçar com 867, 898
desengraixar 331
desengrandecer 483, 874
desengranzar 44
desengravatar 226
desengravecer 174, 469, 834
desengrazar 313
desengrenhar 255
desengrilar-se 174
desengrimpar-se 306, 879
desengrinaldar 849
desengrossar 203, 253, 322
desengrosso 195
desengrumar 335
desengrunhir 682
desenguiçar 255, 992
desenguiço (reg.) 255
desengulhar 836
desenhador 559
desenhar 240, 554, 556, 626
desenhar-se 515, 525
desenhista 559
desenhista industrial 559, 690
desenho 554, 556, 626, 692a
desenho a esfuminho 556
desenho industrial 692a
desenjaular 750
desenjoar 836, 840
desenjoativo 392, 394, 836
desenlaçar 313, 480, 522, 624, 672, 705
desenlace 65, 154, 360, 529, 729
desenlambuzar 652
desenlamear 652, 919
desenlapar 185
desenlapar-se 446
desenlear 44, 313, 705, 750
desenlear-se 604
desenlear-se de 672
desenleio 672
desenlevar 509
desenlevo 509
desenliçar 672, 705
desenlodar 652
desenlouquecer 502
desenlutar-se 446, 836, 838
desenluvar 226
desenobrecer 874
desenodoar 652
desenovelar 313
desenovelar-se 69, 200
desenquadrar 849
desenraiar 705
desenraivar 826
desenramar 201
desenrascar 60, 518
desenrascar-se 672
desenredar 49, 60, 480a, 518, 522, 672, 705
desenredar-se de 672
desenredo 65, 67, 480a, 729
desenregelar 384
desenriçar 255, 522
desenrijar 324
desenrijecer 324
desenriquecer 804
desenrodilhar 313
desenrodilhar-se 200
desenrolar 49, 151, 313, 522, 525, 529
desenrolar o pendão da eloquência 582
desenrolar uma bandeira 550
desenrolar-se 69, 151, 200, 728
desenrolhar 260
desenroscar 313
desenroupar 226

desenrubescer | desgrenhar-se

desenrubescer 429
desenrugar 255
desensaburrar 652
desensacar 297, 301
desensandecer 502
desensanguentar 723
desensebar 652
desenseiar 301
desensinamento 539
desensinar 539
Desensino 539
desensoberbecer 879
desensoberbecer-se 879
desensombrar 836
desensopar 340
desensurdecer 418
desentabular 162, 226, 756
desentaipar 750, 919
desentalar 672, 705, 750
desentarraxar 313
desentediar 840
desentender 419, 491, 519
desentender 491, 519, 764
desentender-se 891
desentendido 493
desentendimento 720
desentenebrecer 420, 518, 522
desenternecer 823
desenternecer-se 914a
desenterramento 363, 529
desenterrar 122, 123, 297, 363, 461, 480a, 529
desenterrar os ossos 166
desenterroar 330
desentesar 44, 324, 687, 879
desentesar-se 624
desentesourar 297, 480a, 537
desentibiar 159, 615
desentibiar-se 604
desentoação 414, 489
desentoante 489
desentoar 24, 414, 489
desentoar-se 825, 954
desentocar 185
desentolher 682
desentonar 879, 907
desentorpecer 159, 171, 332, 682
desentorpecer-se 682
desentortar 246
desentraçar 313
desentraipar 672
desentralhar 705
desentranhar 297, 480a, 529
desentranhar-se 529, 784, 816
desentravar 332, 705
desentrincheirar 185
desentristecer-se 836
desentronizar 738
desentrouxar 44, 313
desentulhamento 705
desentulhar 252, 705
desentumecer 36
desentupir 260, 705
desenturvar 425, 522
desenublar-se 446
desenvasar 297, 301
desenvasilhar 185, 297
desenvencilhar-se 672
desenvencilhar-se de 624, 764
desenvergar 226
desenvermelhar 429
desenvernizar 226
desenvestir-se 738
desenviesar 60, 313
desenvincilhamento 672
desenvincilhar 522
desenvolto 682, 940, 954, 961
desenvoltura 682, 836, 885, 940, 954, 961
desenvolver 78, 168, 522, 537, 573, 734
desenvolver a ação ofensiva 716

desenvolver(-se) 1, 69, 73 161, 194, 200
desenvolvida 245
desenvolvido 31, 131
desenvolvimento 35, 144, 154, 161, 194, 200, 313, 522, 658
desenxabidez 843
desenxabido 391, 575,579, 830, 841, 843, 852
desenxabimento 391
desenxabir 391,843
desenxamear 73
desenxovalhado & v. 652
desenxovalhar 652, 928
desenxovalhar-se 919
desenxovar 750
desperança 828
desequilibrado 503, 504, 699, 818
desequilibrar 28, 243
desequilíbrio 28, 503
desequiparar 28
deserção 103, 287, 605, 624, 671, 893
deserdação 789
deserdado 776
deserdar 55, 783, 789
deserdar-se em vida 945
desertar 2, 103, 607, 623, 624, 757
desertar do culto 988
desertar do seu posto 862
desértico 169, 340
desertificação 169
desertificar 169, 340
deserto 169, 180, 182, 187, 340, 893
desescurecer 420
desesperação 859
desesperadamente 31
desesperado 173, 404, 503, 704, 824, 828, 859, 471, 859
desesperança 509
Desesperança 859
desesperançadamente & *adj.* 859
desesperançado 509, 732, 837, 859
desesperançar 509, 859
desesperançoso 859
desesperar 173, 509, 859
desesperar(-se) 173, 825, 828, 837, 839, 900
desestagnar 348
desestima 889, 898, 929, 930, 932
desestimação 483
desestimado 739
desestimador 936
desestimar 483, 889, 898, 932
desestimular 616
desestímulo 616
desestorvar 705
desevangelização 539
desevangelizar 539
desexcomungar 918
desfabricar 162
desfabular 468, 494
desfaçado 885
desfaçamento 885
desfaçar-se 885
desfaçatez 885, 940
desfadiga 687, 834
desfadigar 834
desfadigar-se 687
desfaiar-se 306
desfalcamento 776
desfalcar 38, 53, 641, 791, 818
desfalcar-se 36
desfalecer 158, 160, 422, 429, 688, 860
desfalecido 360, 837
desfalecimento 158, 160, 624, 683, 688, 823
desfalque 36, 53, 776, 791, 808, 818

desfanatizar-se 826
desfarelar 330, 465
desfastio 836, 867, 708, 874, 898, 930
desfavorável 603, 760, 708, 891
desfavoravelmente 619
desfavorecer 706, 708, 732, 932
desfavorecido 169, 846
desfazedor 921, 936
desfazer 44, 51, 144, 145, 162, 179, 241, 616, 681, 708, 731, 732, 756, 773, 934
desfazer a fábula de 468
desfazer a frieza dos indiferentes 457
desfazer agravo 919
desfazer em triste desilusão 509
desfazer o casamento 905
desfazer um ato 756
desfazer-se 4
desfazer-se como o sal na água 111, 449
desfazer-se de 672, 678, 782
desfazer-se dos laços 750
desfazer-se em 680, 934
desfazer-se em cumprimentos 894
desfazer-se em elogios 931
desfazer-se em zumbais 933
desfazimento 756
desfear 679, 846, 848
desfechar 67, 260, 276, 284, 406, 582
desfechar insultos/injúrias 929
desfecho 64, 67, 154, 360, 480, 729
desfecho fatal 360
desfeita 713, 874, 839
desfeitear 907, 929
desfeito 173, 203, 732
desferir 276, 313, 416
desferir a espada 716
desferir os mais rudes golpes contra a honra de 934
desferir sons 416
desferir um golpe 680
desferir voo 287, 293
desferrar as velas 293
desferrolhar 44
desfervoroso 823, 826
desfiar 205, 594
desfiar as contas do rosário 990
desfibrado 158, 605, 862, 886
desfibramento 862
desfibrar 158, 205, 461
desfibrar-se 886
desfiguração 241, 523, 544
desfigurado 523, 555
desfiguramento 241, 555, 846
desfigurar 241, 477, 483, 523, 544, 546, 555, 659, 679, 846, 848
desfigurar um fato 544
desfilada 274
desfiladeiro 198, 203, 342, 627, 704
desfilar 69, 264, 266, 851,
desfile 266, 928
desfile de forças armadas 883
desfilhar 201
desfingidamente 543
desfitar 442
desfloração 961
desflorar (gal.) 199
desflorar 199, 579, 659, 849, 961
desflorecer 579, 659
desflorecimento 961
desflorescer 124
desflorido 579
desflorir 579, 659
desflurano 376
desfogado 180
desfolha 226

desfolhação 226
desfolhadura 226
desfolhar 195, 226
desfolhar-se 367
desforçar-se 919
desforço 718, 919
desforra 718, 919, 972
desforrar-se 30, 919
desfortalecer 158, 160
desfortuna 732,735, 830
desfortúnio 735
desfradar-se 757
desfraldar 313
desfraldar uma bandeira 525, 550, 712
desfranjar 849
desfranzir 255
desfrear-se 173
desfrechar 284, 716
desfrequentado 187
desfrisar 256
desfruir 377, 777, 827
desfrutação 777
desfrutador 683, 779
desfrutar 377, 677, 683, 777, 827, 256
desfrutar de um emprego 625
desfrutar dinheiro 818
desfrutável 853
desfrutável aprazível 377
desfrute 377, 777, 856
desfruto 377
desfundar 208, 252, 305
desgabar 483, 929, 932, 934
desgabo 483, 932, 934
desgadelhar 219, 256
desgalgar 61
desgalhar 44, 201
desgarrada 415
desgarrado 73, 80, 413, 732, 961
desgarrão 279
desgarrar 279
desgarrar do porto 293
desgarrar-se 73, 945
desgarrar-se da trilha comum 20
desgarre 850, 861, 885, 945
desgarro 945
desgastar 38, 195, 330, 331, 659
desgaste 331, 335, 384
desgorgomilado 638, 818
desgostar 603, 830, 832, 841, 867, 932
desgosto(s) 735, 828, 832, 837, 841, 867, 889, 932
desgostoso 828, 832, 837, 867
desgovernação 738
desgovernado 169
desgovernar 638, 737, 738, 818
desgovernar-se 945, 954
desgoverno 59, 279, 738, 818, 954
desgraça 619, 663, 735, 753, 828, 830
desgraça dos tempos 735
desgraçada 962
desgraçadamente & *adj* 874
desgraçadamente 31, 874
desgraçado 7350 804, 828, 830, 874, 877, 908
desgraçado de! 908
desgraçar 649, 735, 874
desgraçar-se 874, 940
desgraciar-se 839
desgraciosidade 843
desgracioso 241, 843, 895
desgramado 908
desgranar 255
desgravidação 161
desgravidar 161
desgrenhado 256, 579, 653, 852
desgrenhar 173, 219, 256, 349
desgrenhar-se 839

desgrudadura | desmiolado

desgrudadura 47
desgrudar 44, 47
desguardar 638
desguardar-se 863
desguaritar (bras.) 279
desguarnecer 38, 158, 638, 665, 789, 849
desguarnecido 508, 641, 665, 849
desguarnecimento 849
desguedelhado 579
desguedelhar 219, 579
desiderato 620, 865
desideratum 461, 865
desídia 460, 683, 927
desidificação 679
desidioso 683, 927
design 626, 692a
designação 75, 564, 609, 741, 755
designadamente 79
designar 79, 114, 550, 564, 609, 755
designar as posições 60
designativo 550
designativo da fêmea que tem o primeiro parto 367
designativo da vinha que vingou 367
designativo das folhas ou flores 367
designativo de animal que tem vida individual e insulada 366
designativo de frutos carnosos como a laranja 367
designativo de gênero que abrange muitas plantas 367
designativo de uma raça de carneiro de lã muito fina 366
designativo do perisperma formado de uma lâmina delgada 367
designativo dos chifres de boi quando se desfiam batendo de encontro a objetos resistentes 440b
designativo dos estames soldados 367
designativo dos órgãos vegetais que têm duas partes simétricas 367
designativo dos vegetais próprios de lugares secos 367
designer 559, 690
desígnio 278, 516, 600, 620, 865
desígnio em ação 622
desígnio inabalável 535
desígnios da Providência 976
desigual 15, 16a, 18, 24, 149, 248, 256, 923
desigualar 28
desigualdade 14, 15, 16a, 18, 24, 256, 923
Desigualdade 28
desigualeza 28
desigualmente 28
desiludido 732
desiludir 509, 527, 529, 543, 616, 859
desilusão 495, 509, 732, 837
desimaginar 527, 616
desimpedido 260, 332, 705, 748, 927a
desimpedimento 748
desimpedir 260, 705, 750
desimpestar 656
desimplicar 705
desimportante 930
desimprensar 705
desimpressionar-se 826
desinçar 162, 297, 652, 664, 672
desinchação 195
desinchado & *v.* 195
desinclinação 603, 867

desinclinadamente & *adj.* 603
desinclinado 603, 867
desinclinar 212, 213
desinço 652
desincompatibilizar 23, 723
desincorporar 49
desincutir 539
desindiciar 970
desinência 67, 142
desinfamar 970
desinfecção 652, 660, 670
desinfeccionar 652, 656
desinfeliz 828, 908
desinfestar 672
desinfetante 652, 662
desinfetar 336, 652
desinflamar 195
desinfluir 616
desinformação 491
Desinformação 528
desinformado 491, 528
desinformar 528
desinjuriar 919
desinquietação 149
desinquietador 830
desinquietante 830
desinquietar 830
desinquieto 264, 682
desinstruído & desinstrutivo 539
desinstruidor 539
desinstruir 539
desintegração 44
desintegrar 10, 44
desintegrar-se 162
desinteligência 489, 713, 720, 889
desintencionado 601
desinteressadamente 815, 942
desinteressado 815, 823, 866, 922, 866, 922, 939, 942
desinteressante 391, 643, 841, 843, 846
desinteressar(-se) 456, 624, 823, 843, 942
desinteressar-se de 866
desinteresse 456, 624, 823, 866, 871, 930, 932
Desinteresse 823
desinteresseiro 823, 939, 942
desinternar 297
desintumescer 185, 195
desinvernar 185, 340
desinvestir 756
desipere in loco 840
desiriado & *v.* 429
desirmanado 87
desirmanar 28, 44, 87
desirmanar-se 713
desirmão 28, 87
desistência 142, 624, 732, 757
desistente 624
desistir 142, 624, 678, 782, 862
desistir de 681, 757
desistir em meio do caminho 304, 730
desistivo 662
desistória (ant.) 546
desitivo 142
desjeito 699
desjeitoso 699
desjejua 298
desjejuar 298
desjejum 298
desjungir 10, 44, 55, 70, 750, 905
deslaçar 44
deslacrar 260
deslado 236
desladrilhar 226
deslajear 226
deslanar 226
deslanchar 66
deslapidado 421

deslassar 44
deslastrar 320
deslavada 885
deslavado 391, 429, 885
deslavamento 429, 885
deslavar 429, 874
deslavar-se 885
deslavrar 371
desleal 544, 624, 940
deslealdade 544, 624, 773, 940
desleardar 940
desleal doso 940
deslealmente 523, 891, 940
desleitar 301
desleixado 460, 575, 624
desleixar 624
desleixar-se 460, 683
desleixo 460, 624, 673, 866
deslembrado 458, 506
deslembrança 506
deslembrar 506
deslendear 652
desletrar 539
desliar 44, 927a
desligado 10, 376, 458, 866
desligamento 10, 44, 458, 826
desligar 10, 44, 270, 927a, 970
desligar(-se) 458, 927a
desligar-se de 489, 607, 866, 932
desligar-se de seu compromisso 757
deslindamento 229, 522
deslindar 461, 480a, 522
deslindar a extrema de 229
deslindar a meada 522
deslinde 522
deslinguado 934, 961
deslinguar 201, 241, 581
deslinguar-se 961
deslisura 256
deslizamento 264
deslizante 332
deslizar 109, 264, 348, 495, 940, 945
Deslocação 185
deslocação 44
deslocado 24, 185
deslocamento 140, 264, 270
deslocar 144, 61, 85, 270, 738
deslocar-se 264, 287
deslograr 732
deslombar 972
desloucar 371, 483, 932, 934
deslouvor 483, 929, 932
deslumbrado 615, 825, 827, 884
deslumbramento 420, 503, 824, 829, 870
deslumbrante 420, 829, 845, 882
deslumbrar 420, 845, 870, 882, 897
deslumbrativo 845
deslumbroso 420, 882
deslustrador & *v.* 934
deslustrar 483, 874, 932, 934
deslustrar um passado 874
deslustre 874
deslustroso 874
desluzidor 936
desluzir 483, 523, 874, 934
desmagnetizar 660
desmaiado 405, 422
desmaiar 158, 160, 422, 429, 688, 860
desmaiar a estrela a alguém 735
desmaiar de sua resolução 607
desmaiar do dia 126
desmaiar os encantos 483, 846
desmaio 70, 158, 422, 429, 624, 860
desmaios 945
desmalicioso 543, 547
desmama 127, 614

desmamado 127
desmamar 127, 614
desmame 614
desmamentar 127
desmanchada (cachaça) 959
desmanchadão 460
desmanchadiço 328
desmancha-prazeres 706, 830
desmanchar 51, 61, 158, 162, 179, 241, 645, 849
desmanchar a igrejinha 731
desmanchar-se 328, 659, 732, 825, 954
desmanchar-se em 680, 824, 862, 934
desmanchar-se em rapapés 308
desmanchar-se em salamaleques 886
desmancho 954
desmandar 756
desmandar-se 303, 825, 954, 964
desmandar-se no beber 959
desmandar-se no comer 957
desmandibulação 972
desmandibular-se de pasmo 870
desmando 954, 964
desmanho 59, 73
desmaninhar 371
desmantar 226
desmantelado 279, 674
desmantelar 124, 51, 61, 62, 179, 241, 645, 659, 674
desmantelo 59
desmaranhar 658
desmarinho 31, 59, 83, 192, 640
desmarear 652, 659
desmarear-se 279
desmarelecer 428
desmaridação 905
desmaridar 44, 905
desmascarar 479, 529, 543, 874
desmascarar-se 529, 543
desmastreado 279, 674
desmastrear 645, 659, 678
desmaterializar 317
desmazelado 460
desmazelar-se 460
desmazelo 460, 624
desmedar 705
desmedido 31, 83, 105, 192, 639, 640
desmedir-se 173, 303, 954
desmedrado 160, 243, 460
desmedrança 160
desmedrar 160, 195, 659
desmedrar-se 193
desmedroso 861
desmedulado 158
desmedular 301, 659
desmembramento 44
desmembrar 10, 44, 73, 201
desmemória 506
desmemoriado 506
desmemoriado de Colegno 506
desmemoriar 506
desmentido 462, 468, 479, 536
desmentir 462, 468, 479, 509, 536, 543, 659, 708
desmentir as esperanças de 859
desmerecer 124, 429, 659, 885, 925
desmerecer(-se) 874
desmerecimento 429
desmergulhar 313
desmesura 895
desmesuradamente 31
desmesurado 31
desmesurar(-se) 173, 194, 303, 584, 863, 954
desmilitarizar 723
desmiolado 458, 491, 499, 699, 701, 825

desmiolar | despojos de suas entranhas

desmiolar 301, 503
desmiolar-se 825
desmistificar 543
desmobilar 641
desmochar 201, 659
desmoderar-se 173, 825, 954
desmoitar 240, 537, 658
desmoitar terras maninhas 673
desmonetizar 800
desmontar 44, 49, 51, 61, 73, 276, 292, 306, 313, 633
desmonte 44
desmoralização 659, 945
desmoralizado 499, 945
desmoralizador 945
desmoralizar 659, 874, 945
desmorecimento 616
desmoronadiço 328
desmoronamento 44, 146, 162, 659, 732, 735
desmoronar (fig.) 160
desmoronar 146, 160, 162, 241, 306, 308, 659, 732
desmortificar 834, 836
desmotivação 616
desmotivado 495
desmotivar 616
desmouchar 158, 254
desmudar-se 429
desmunhecar 374a
desmurar 162
desnacional 911
desnacionalização 925
desnacionalizado 925
desnacionalizar 614, 925
desnalgado 203, 243
desnarigar 201, 241
desnasalar 413
desnasalizar 413
desnatar 315, 352
desnaturado 473, 907, 914a, 949
desnatural 6, 83, 485
desnaturalidade 855
desnaturalização 925
desnaturalizar 659, 925
desnaturar 144, 477, 483, 523, 544, 659, 679
desnaturar-se 907
desnavegável 261
desnecessário 175a, 640, 645, 647
desnecessidade 645
desnegociar 756
desnervamento 158
desnevar 384
desninhar 185
desniquelar 226
desnível 206
desnivelar 28, 206
desnocar 44
desnoivar 789, 904
desnorteado 279, 481, 503, 509, 549, 699
desnorteamento 279, 699
desnortear 475, 495, 503, 508, 539, 824
desnortear-se 279, 605, 821, 825
desnotar 552
desnuar 226
desnublado 425
desnublar-se 446
desnudação 525
desnudado 776
desnudamento 226
desnudar 226, 480a, 525, 529, 849
desnudez 226, 849
desnudo 169, 226, 849
desobedecer 742, 773, 964
Desobediência 742
desobediência 719, 738, 773, 927, 964
desobediente 603, 719, 742, 951

desobedientemente & *adj.* 742
desobriga 807, 926
desobrigação 748, 750, 807, 927a
desobrigado 748, 750, 807, 927a
desobrigar 44, 740, 750
desobrigar-se 692, 772, 927a, 990
desobrigar-se de 926
desobrigatório 927a
desobstrução 705
desobstruído 705, 748
desobstruir 260, 705
desocupação 293, 681, 782
desocupado 187, 452, 681, 683, 685
desocupar 293, 782
desúuvré 681
desofuscar-se 446
desolação 87, 162, 169, 659, 828, 832, 837, 893
desolar 162, 659, 837, 907
desolhado 837
desoneração 750
desonerado 808
desonerar 297, 320, 756
desonerar-se 772
desonerar-se de 297
desonerar-se de culpa 970
desonestamente 940
desonestar 961
Desonestidade 940
desonestidade 544, 961
desonesto 544, 791, 940, 945, 961
desonra 808, 874, 929, 940, 945, 961
desonrado 808
desonrar 808, 874, 929, 961
desonrar ou desvirtuar (alguém) 940
desonroso 874, 945
desopilar 705, 834
desopilar o fígado 834, 836
desopressão 750, 834, 740, 750, 834
desopressar 740, 750, 834
desopressor 740, 750
desoprimido 750
desoprimir 740, 750, 834
desopulentar 804
desordeiro 713, 720, 726, 742, 887, 913, 949
Desordem 59
desordem 41, 173, 241, 315, 465a, 713, 719, 720, 742, 825
desordenadamente & *adj.* 59
desordenado 31, 59, 139, 173, 315, 739, 961
desordenar 59, 61
desorelhar 201, 241
desorganização 61, 659, 674
desorganizado 674
desorganizar 59, 61, 162, 659
desorientação 279, 458, 539, 605, 699, 825
desorientadamente 279
desorientado 279, 475, 479, 499, 503, 504, 509, 605, 699
desorientador 458, 503
desorientar 458, 475, 477, 495, 503, 508, 509, 519, 539
desorientar-se 279, 605, 699
desornado 846, 849
desornar 849
desossar 301
desova 161, 295
desovar 161
desoxidação 42
desoxidar 658
desoxigenar 42, 658
despachado 682
despachar 361, 480, 680, 684, 729, 737, 755, 762, 784
despachar para o outro mundo 361

despachar-se 684
despacho 480, 532, 592, 682, 684, 729, 741
despadrar-se 757
desparafusar 313
desparamentar 226
despargir 348
despassar 303, 549
despautério 495, 497, 499
despavorir 860
despear 750
despecuniar 804
despedaçamento 162
despedaçar 44, 162, 173, 328, 830
despedaçar os laços 750
despedida 67, 293756,
despedir 276, 284, 297, 972
despedir a alma/a vida/o espírito 360
despedir da vida 361
despedir de si a tristeza 836
despedir de si a virtude 945
despedir os passos de um lugar 623
despedir raios 404
despedir-se 287, 293
despedir-se de 624, 678
despedir-se de amigos 293
despedir-se em latim 623
despedrado 410
despegar 47
despegar do trabalho 683
despegar-se 866, 942
despegar-se da vista 643
despegar-se de 672, 823
despego 930, 942
despego/desprezo das coisas mundanas 893
despeitado 832, 898, 907
despeitar 900, 921
despeitar-se 832, 900
despeito 481, 832, 895, 900, 921
despeitorar 528
despeitorar-se 527, 529
despeitoso 830, 837, 898, 907, 921
despejado 885
despejar 53, 297, 340, 348, 638, 677, 705, 756
despejar os canhões 716
despejar toda a sua ciência 686
despejar-se 348, 885
despejo 297, 885
despela 226
despeladura 226
despelar 226
despenar 834
despencar 306, 659, 625, 677, 784, 795, 809, 816
despendurar 313
despenhadeiro 198, 208, 212, 217, 342, 667
despenhar em desvarios 874
despenhar-se 306, 659, 716
despenho 306, 348
despenhoso 256, 665
despensa 636
despenseiro 637, 694
despenteado 852
despentear 219, 256
despenujar 255
desperceber 419, 458, 764
despercebido 447
desperdiçador 638, 818
desperdiçar 638, 641, 679, 776, 818
desperdiçar o tempo 645, 681
desperdiçar o tempo em vagares 685
desperdiçar uma boa ocasião 135

desperdício 73, 638, 679, 818
desperfilar 61
despersonalizar-se 874, 945
despersuadir(-se) 616, 607
despersuasão 616
despertador 114
despertar 153, 457, 615, 682, 824
despertar a atenção/a ideia/o pensamento/o espírito/as vistas 457
despertar a compaixão 914
despertar a emotividade 824
despertar a hilaridade 842
despertar a memória 505
despertar do letargo 824
despertar esperanças 511
despertar interesse 824
despertar o cão que dorme 835
despertar paixão 897
despertar recordações 505
despertar simpatia 484
Despesa 809
despesas loucas 818
despicador 919
despicar 919
despicar-se 861
despicar-se das ofensas 919
despiciendo 643, 930
despiciente 930
despido 226, 641, 776
despido de 53
despido de artifício 525
despido de atavios 576
despido de sua glória 874
despido de verdade 495
despiedade 914a
despiedado 914a
despiedoso 907, 914a
Despimento 226
despinçar 301, 429, 483, 552, 555, 699
despique 919
despir 173, 226, 529, 674, 789, 849
despir a estamenha do orgulho 879
despir a natureza 907
despir a pele 145, 607
despir a pele a alguém 529
despir a régia púrpura 757
despir o luto 836
despir um santo para vestir outro 147, 788, 925
despir-se da circunspeção 954
despir-se das prisões da carne/do invólucro mortal 360
despir-se das suas prerrogativas 925
despir-se de 297, 776
despir-se na rua de todas as leis 964
despistamento 671
desplantar 301
desplante 861, 885
desplumar 226
despoético 843
despoetizar 598, 843
despojado 576, 776, 849, 879, 942
despojado de franquias e imunidades 925
despojador 791, 792
despojamento 576, 674, 776, 879, 881, 942
despojar 789, 791, 925, 792
despojar alguém de suas roupas 226
despojar de 756
despojar-se da vaidade 881
despojar-se de 678, 776
despojo(s) 40, 705, 733, 793
despojos da vida 362
despojos de suas entranhas 167

despojos mortais | destocar

despojos mortais 362
despojos opimos 733, 793
despolidez 895
despolido 256, 674
despolpar 226
despoluir 652
desponderado 499
despontar 66, 116, 125, 254
despontar ao espírito uma sugestão 514
despopular 893
despopularizar-se 874
desporto 720, 840, 856, 893
desportos atléticos 840
desposado 903
desposar 903
desposório 903
despossuído 777a, 804
déspota 739, 745, 913
déspota esclarecido 739
despoticamente 31
despótico 739, 964
despotismo 175, 739, 964
despovoado 187, 893
despovoamento 103, 893
despovoar 103, 162, 187, 297, 361, 657, 659, 893
despratear 226
desprazer 828, 830, 832, 841, 867, 900
desprazimento 828, 867
desprazível 830
desprecatado & *v.* 863
desprecatar-se 460, 863
despregar 44, 301, 313
despregar a tela dos acontecimentos 594
despregar a vista de 442
despregar a voz 580, 582
despregar-se 893
despremiar 974
desprendado 699
desprender 44, 47, 293, 750
desprender das algemas 750
desprender-se 672, 866, 942
desprender-se das conveniências 954
desprendido 866
desprendimento 866, 893, 910, 942
despreocupação 826, 829, 866, 942
despreocupado 942
despreocupar-se 826, 942
despreparadamente 674
despreparado 508, 674
Despreparo 674
despressurização 667
desprestigiar 483, 679, 837, 874, 929
desprestigiar a autoridade 742
desprestígio 175a, 929
despretensão 866, 881, 942
despretensiosamente 703
despretensioso 703, 849, 866, 879, 881
desprevenido 460, 508, 665, 922
desprevenir-se 863
desprezar 53, 55, 483, 610, 638, 643, 678, 773, 825, 867, 885, 919, 930, 932, 964, 988
desprezar a popularidade 881
desprezar as regras gramaticais 568
desprezar escrúpulos justificados 945
desprezar o perigo 861
desprezar tudo 624
desprezar-se 874
desprezativo 930
desprezável 643, 930
desprezível 32, 34, 643, 649, 853, 862, 874, 877, 886, 930, 940, 945

desprezo 610, 773, 874, 889, 932, 964
Desprezo 930
desprezo do luxo e da ostentação 881
desprezo pelas convenções sociais 885
desprimor 579, 651, 843, 846, 852, 860, 895
desprimorado 34, 651
desprimorar 483, 579, 651
desprimoroso 34, 651, 846
desprivilegiado 925
desprivilegiar 78
despronúncia 970
despronunciar 970
desproporção 24, 28, 243
desproporcionado 24, 28, 83, 192, 241, 846
desproporcional 243
desproporcionalidade 243
desproporcionar 61, 241, 243
despropositado 31, 135, 477, 495, 497, 814
despropositar 135, 497
despropositar-se 863
despropósito(s) 497, 699, 907
desproteção 624
desproteger 158, 624, 665
desprotegido 158, 665, 804, 898
desproveito 619, 638, 659
desproveitoso 649
desprover 53, 638, 641, 508, 641, 674, 776
desprovido de 53, 777a
desprovido de água 340
desprovido de fundamento 546
desprovido de ligeireza 579
desprovido de sentido 517
desprovido de simetria 243
desprovido de umidade 340
Desprovimento 777a
desprovimento 53, 641, 674
despudor 885, 940, 961
despudorado 886, 940, 945, 954, 961
despundonor 940
despundonoroso 862, 940
desquadrilhar 972
desqualificado 877, 940
desquamação 226
desquamar 226
desqueixar 972
desquerer 603, 867, 898
desquiar 226
desquiciar 44, 61
desquilar 226
desquitação 905
desquitado 903, 905
desquitar 614, 756, 905
desquitar-se 905
desquitar-se da sociedade 893
desquite 903, 905
desramar 201, 371
desrazão 477, 497, 923
desrazoável 814
desrebuçado 525
desrefolhar 461
desrefolho 461, 480a
desregido 699
desregradamente & *adj.* 954
desregrado 638, 647, 818, 945, 954
desregrado no uso da liberdade 738
desregramento (em comer e beber) 957
desregramento 699, 738, 818, 945, 954, 957, 961
desregramento de costumes 954
desregrar-se 825, 845, 954, 961
desrelvar 226
desremediado 735

desrespeitado & *v.* 929
desrespeitador 929
desrespeitar 568, 742, 874, 923, 929, 964, 988
desrespeitar o horário de silêncio 929
desrespeitar uma ordem 742
desrespeito 742, 773 ,895, 930, 932, 964
Desrespeito 929
desrespeito à sinalização 667
desrespeitosamente/em tom escarninho 929
desrespeitoso 929
desresponsabilizar 927a
desrevestir 226
desriçar 255
desrolhar 260
desruidoso 265, 403
dessa maneira 8
dessa vez 119
dessabença 491
dessaber 491
dessabor 391, 843
dessaborar 391, 843
dessaborear 391
dessaborido 391
dessaboroso 391
dessagrar 972, 988
dessalar 391
dessalgado 391, 843
dessalgar 391, 843, 992
dessalterar (gal.) 834
dessaltório 149
dessangradeiro 350
dessangrar 160, 340, 789
dessangrar-se 348
dessatisfação 828, 832
dessatisfatório 830
dessatisfazer 832
dessatisfeito 832
dessaudoso 830
dessazonar 391
desse modo 8
dessecação 340
dessecamento 340
dessecar 340, 823
dessedentar 298, 869
dessegredo 529, 531
desseguir 18, 624
desselar 296
Dessemelhança 18
dessemelhança 15, 28, 464
dessemelhante 15, 18, 28, 464
dessemelhantemente & adj. 18
dessemelhar-se 18
dessentir 376
dessepultar 297, 363
dessepulto 362
dessert 298
desserviçal 539, 907, 943
desserviço 539, 619, 645, 679, 699
desservir 539, 645, 679, 699, 737
dessesmar 756
dessexuado/assexuado 960
dessimetria 28, 59
dessimétrico 28
dessinalado 552
dessiso 499
dessisudo 499
dessitiar 260, 723
dessoante 414
dessociável 895
dessocorrer 624
dessoldadura 47
dessoldar 47
dessoltar a imaginação 515
dessombrar 384, 420
dessono 414
dessonoro 414
dessoração 335
dessorar 333, 335
dessoterrar 363

dessubjugado 748
dessubjugar 738, 750
dessuetude 614
dessujar 652
dessujeito 748
dessultório 59, 81, 315, 607
dessurdo 418
dessuspeitoso 484, 861
desta feita 118
desta maneira 627
desta vez 118
destabocado (bras.) 499
destabocado 499, 503, 940, 961
destacado 10, 465
destacamento 44, 103,726
destacar 47, 87
destacar-se 14, 33, 206, 250, 446, 642, 873
destacar-se na planície azul da história 873
destampar 173, 260
destampar-se a 680
destampatório 404, 497, 720
destampice 497
destapar 260
destapar ou destampar 529
destarelar 497
destarelo 497
destarte 476
destecer 60, 313, 480a, 522, 705
destecer um enredo 543
destelhar 173, 226
destemer 861
destemidez 861
destemido 861
destemor 861
destêmpera 713
destemperado 383, 414, 499, 597, 885
destemperança 383, 954
destemperar 160, 385, 391, 410, 414, 497, 503
destemperar-se 825, 900, 954
destempero 135, 149, 299, 383, 497, 608, 954
desteridade 702
desterramento 972
desterrar 893, 972
desterrar-se 287
desterro 893, 972
desterroar 371
destetar 614
destilação 42
destilador 386
destilar 295, 336, 348, 652
destinado 152, 176, 601
destinado a 620, 646
destinado a/para 278
destinar 601, 620
destinar para a desgraça 735
destinar-se a 625
destinatário 592, 785
destingir 429
destino 121
Destino 152
destino 67, 121, 156, 292, 359, 507, 601, 620, 621
destituição 756
destituído 641, 804
destituído de evidência 468
destituído de fundamento 477, 545
destituído de naturalidade 485
destituído de verdade 495
destituir 641, 756, 783, 789, 925
destoante 24, 477, 498
destoante de 18
destoar 14, 15, 18, 24, 414, 489
destoar dos princípios adotados em todas as nações civilizadas 923
destocar 301, 729

destoldado & fortemente | Dever

destoldado & fortemente 420
destoldar 226, 260, 522, 652
destoldar-se 446
destom 713
destopetear 879
destorcer 246, 313
destorcer caminho 283
destorroar 330
destorção 217
destoucar 849
Destra 238
destramar 60, 313, 480a, 522,, 731
destrambelhado 481, 503, 504, 509
destrambelho 61, 497
destramente 238
destrançado & *v* 313
destrançar 313, 705
destravado 584, 885, 961
destravar 44, 705
destrepar 306
destreza 274, 682, 698, 702, 705
destribar-se 306, 732
destrinçador 79
destrinçar 49, 461, 480a, 518, 522, 537, 573, 786
destrinchar 461, 522
destrinço 522
destripular 158
destro 238, 682, 698
destroca 148
destrocar 148
destroçar 162, 638, 731
destroço(s) 40, 162, 330, 638
destroier 273, 722, 727
destronamento 738
destronar 738, 756
destronar a beleza 846
destronar-se 306
destroncar 44, 201, 241
destronização 738, 756
Destruição 162
destruição 2, 146, 165, 619, 649, 732, 735
destruição da vida 361
destruição de animais 361
destruído 162, 732
Destruidor 165
destruidor 162, 649, 657, 907, 913
destruidoramente & *adj.* 162
destruir 140, 462, 241, 361, 509, 649, 678, 681, 732, 756, 907
destruir as esperanças de 859
destrutível 328, 477, 506
destrutivo 162
destrutor 162
desumanamente 31
desumanar 914a
desumanidade 907, 914a
desumano 378, 735, 830, 907, 914a
desunanimar 489
desunhar 158, 688
desunhar-se 623
desunhar-se em 604a
desunião 24, 44, 713
desunidade 44
desunido 10, 15, 44, 70
desunir 24, 44, 87, 713, 905
desurdir 162, 480a, 522
desusado 83, 124, 563, 617, 678
desusar 614, 678
desusar-se 124
desuso 614, 624, 645
Desuso 678
desvaidade 881
desvaidoso 881
desvairado (ant.) 15
desvairado 15, 173, 481, 503, 504, 824, 825, 859, 863, 900
desvairado pela ambição 865
desvairado pelo ciúme 920
desvairamento 173, 608

desvairamento delirante 825
desvairança 15, 16a, 503
desvairar 173, 503, 606, 825
desvairar-se 173, 825, 897, 907, 945
desvaire 503
desvairo 503
desvaler 624, 645, 708, 907
desvalia 645, 874
desvaliar 481
desvalido 735, 804, 874
desvalijar 789, 791
desvalimento 874
desvalioso 483, 645
desvalor 483, 645, 862
desvalorização 34, 483, 656, 800, 813, 815
desvalorizar 34, 813
desvalorizar a moeda 800
desvanecer 552, 880, 916
desvanecer-se 4, 429, 449, 878
desvanecer-se de si 880
desvanecido 429, 880
desvanecimento 449, 880
desvantagem 34, 619, 776
desvantajoso 647, 649
desvão 198, 530
desvario 481, 503, 825
desvarios e paixões desordenadas 825
desvelado 425, 457, 459, 525, 604a, 682, 821, 897, 902
desvelamento 529
desvelar 226, 446, 529, 830
desvelar-se 459
desvelar-se por 906
desvelejar 283
desvelo 459, 682
desvelo(s) 902
desvendamento 480a, 525, 529
desvendar 480a, 529, 543
desvendar à luz do dia 529
desvendar um segredo 480a
desveneração 929
desvenerar 929
desventura 619, 732, 735, 828
desventurado 735, 828
desventurar 735, 830
desverdecer 659
desvergonha 885, 940
desvergonhado/desavergonhado 961
desvergonhamento 885
desvergonhar-se 874
desvestimento 226
desvestir 226
desvezado 614
desvezo 614
desviação 279
desviado 279
desviado do conhecimento público 528
desviar 20a, 55, 140, 185, 706, 791, 818
desviar a atenção 458
desviar a atenção/o pensamento 458
desviar alguém de sua resolução 616
desviar de 616
desviar os olhos 442
desviar(-se) 245, 279, 291
desviar-se da vertical 217
desviar-se da virtude 945
desviar-se de 18, 20, 287
desviar-se do dever 927
desvidrado 422
desvidrar-se 874
desvigiar 460
desvigor 160
desvigoramento 659
desvigorar 158, 659, 756
desvigorizar 756

desvinculação 10
desvinculado 10
desvincular 10, 44, 750
desvio 20a, 140, 245
Desvio 279
desvio 20a, 83, 140, 245, 291, 627, 629, 776, 818, 940, 945
desvio das boas normas 947
desvio das leis normais 83
desvio de dinheiro 791
desvirar 313
desvirgar 961
desvirginamento 961
desvirginar 62, 116, 659, 961
desvirilização 158
desvirilizado & *v.* 158
desvirilizar 158, 160
desvirtuado 659
desvirtuamento 481, 483, 659
desvirtuar 477, 481, 483, 523, 659, 679, 874
Desvirtude 945
desvoluntariar-se ao sabor de alguém 603
deszelar 460, 930
detalhadamente 594
detalhado 573, 594
detalhar 79, 527, 573, 594, 626
detalhes 32, 527, 573, 594, 643
detalhismo 868
detalhista 868
detença 133
detenção 133, 186, 751, 752, 781
detensor 781
detento 754, 753, 779, 781
detentores das riquezas 803
detenu 754
deter 133, 142, 265, 706, 708, 751, 781
deter a corrente 142
deter o campeonato de 33
detergência 652, 662
detergir 340
deterioração 36, 653, 659, 661, 835, 848
deteriorado 649, 651, 653
deteriorado pelo uso 124
deteriorar 124, 195, 649
deteriorar(-se) 659, 874
determinação 600, 604, 620, 695, 697, 741
determinação de causa 155
determinação do caráter pelo modo de rir 671
determinação 79, 474, 490, 600, 604, 620
determinado por 630
determinador 741
determinante 84, 153, 741
determinar 79, 106, 155, 474, 480, 741
determinar o oriente 278
determinar uma vez por todas 604
determinar-se a 600, 604, 861
determinativo 535, 741
determinismo 601
determinista 601
detersão 652
deter-se 133, 265, 485
deter-se diante de 706
detersivo 652, 662
detestação 867, 898
detestar 867, 898, 908
detestar a velhacaria & *subst.* 702
detestável 649, 830, 867, 898, 945
detidamente 573
detido 133, 754, 938
detonação 173, 284, 402a, 406, 462
detonante 173
detonar 173, 284, 402a, 406, 462

détour 245, 279
detração 483, 932, 934
detrair 934
detrair da honra alheia 934
detraqué 699
detrás da capa de 545
detratação 929, 934
detratar 483, 932, 934, 936
detrição 330
detrimento 619, 659
detrito(s) 40, 330, 653
detritus 330
detrusão 972
detruso 754
detumescência 195
deturbar 824
deturpação 679
deturpado 523
deturpar 523, 544, 546, 555, 659, 679
Deu-lhe 900
Deum virtute 156
deus 33, 664, 899
Deus 650, 976
Deus ajuda a quem madruga 62
Deus ajuda quem cedo madruga 116
Deus dá nozes a quem não tem dentes. 681
Deus das Alturas 976
Deus endurece o coração dos pecadores 951
Deus ex machina 976, 707
Deus Filho 976
Deus lhe perdoe! 918
Deus me é testemunha.535
Deus me perdoe 469
Deus me/te/nos livre! 665
Deus nos livre 761, 766, 932
Deus o favoreça! 764
Deus o permita! 865, 931
Deus o queira 865
Deus queira! 765, 858
Deus sabe como 475
Deus te salve! 928
Deus tenha sua alma em glória 360
Deus, tenha misericórdia de mim 950
Deus, tenha piedade de nós! 918
deusa 845, 897, 979
deusa da justiça 922
deusa das cem bocas 873
Deusa Matuta 125
deuterogamia 903
Deuteronômio 985
deuteroses 985
devagar 275
Devagar com o andor! 826
Devagar se vai ao longe. 275
devagarinho 174
devaneador 451, 458, 515, 822
devanear 458, 515
devaneio 4, 451, 458, 515, 608, 858
devassa 461
devassar 324, 326, 461, 490, 529, 531, 961
devassidão 954, 961
devasso 945, 954, 961, 962
devastação 162, 716, 791
devastador 649
devastamento 659
devastar 361, 649, 657, 659, 716, 791, 893, 907
deve 806, 809
devedor 788, 800, 806, 808
devedor de 926
deve-haver 811
devenir 121
dever 472, 537, 625, 630, 806, 916, 926, 944
Dever 926

579

dever até a alma | dignidade

dever até a alma 806
dever atenções e finezas 916
dever fineza/obrigações a alguém 916
dever imperioso/indeclinável/iniludível/moral 926
dever morrer com alguém 533
dever os cabelos 806
deveras 31, 494, 535, 543
dever-se a 154
devesa 232, 367
devidamente 154, 924
devidamente autorizado 760
devido 646, 806, 924, 926, 963
devido a 154, 155, 926
dévio 261, 471, 706
devir 121, 152
devoção 897, 902, 928, 990
devoção/prática religiosa 987
devocionário 990, 998
devocionista 987
devolução 277, 660, 764, 790
devoluto 777a, 782
devolver 148, 277, 283, 289, 313, 408, 660, 764, 784, 790
devolver à vida 660
devolver intato 718
devolver o epíteto de 718
devolver-se 200
devorado 821
devorado pela cobiça 865
devorador 165, 865
devorante 865, 957
devorar 162, 282, 298, 638, 789, 830, 957
devorar a humilhação 725
devorar as pestanas 538
devorar chão 274
devorar com os olhos 455, 715, 827
devorismo 791, 818, 940
devorista 818
devotado 604a, 743, 821, 897
devotado a 888
devotamento 990
devotar 763, 784
devotar a alguém o culto de verdadeira estima 897
devotar-se 604, 998
devoto (depr.) 988a
devoto 865, 890, 928, 987
devoto de Baco 959
dez contra um 472
Dez de Tevet 998
dezena 98
dezenove 98
dezesseis 98
dezessete 98
dezimar 972
dezoito 98
Di Yu (chinês) 982
dia 108, 420
dia a dia 136
dia aziago 735
dia crítico 665
dia de fazer/de trabalho/de semana 682
dia de finados 363
dia de folga 687
dia de grande/pequena gala 840
Dia de Ibeji 998
dia de ira 919
dia de jejum/de preceito 956
dia de magro 952, 956
Dia de Oxalá 998
dia de peixe 956
dia de Reis 998
dia de s. Nunca 107, 471
Dia de Xangô 998
dia defeso 687
dia do juízo 121
dia do juízo final 67, 121

dia do juízo universal 121
dia do sacrifício 998
dia do Senhor 687
dia dos finados 998
dia e noite 110, 136
dia ferial 108
dia ferial/fasto/útil 682
dia festival 840
dia magro 956
dia por dia 106, 138
dia santificado 687, 840
dia santo 990
diabetes *insipidus* 655
diabetes *mellitus* 655
diabinha 129
Diabo, o 978
diabo 978
diabo a quatro 59
diabo em pessoa/em carne e osso 949
diabo em pessoa/em figura de gente 913
diabo encarnado 949
diabo leve os que vêm atrás, O!
diabo o dá, o diabo o leva, O 776
diabolicamente 31
diabólico 649, 907, 945, 978
diabolismo 978
diabrete 129, 978
diabrura 836, 840, 992
diabruras 907
diacho 978
diaconal 995
diaconato 995
diaconisa 996
diácono 996
diácope 218
diacrítico 550
diacronismo 119
diacústica 402
díada 89
diadema 247, 747, 847, 875
diademado 737, 747
diádose 658
diafa 784
diafaneidade 322, 425, 518
diáfano 42, 322, 425, 518
diáfise 198
diafônica 402
diáfora 104, 520, 563, 653
diaforese 299
diafragma 68, 228
diagnose 465, 550
diagnosticar 79, 510
diagnóstico 463, 510, 550
diagonal 217
diagrama 554, 562
diagramação 591
diagramador 559, 590, 591, 593
dial 138
dialetal 461, 563
dialética 461, 476
dialético 476, 560
dialeto 476, 560, 563
dialisação 49
dialisador 49
dialisar 49
diálise 49
dialogado 588
dialogal 588
dialogar 588
dialogia 520, 563
dialogismo 521, 586
diálogo 89, 588
diamagnético 289
diamagnetismo 289
diamante 159, 323, 420, 823, 847
diamante artificial 544
diamante bruto 674, 852, 877
diamante de primeira água 648
diamante naife 674
diamante sem jaça 650
diamante senal 323, 847

diamantífero 803
diamantífico 803
diamantino 159, 323, 648, 914a
diamantizar 482, 658, 873
diametralmente oposto 14, 237
diâmetro 200, 202, 246, 312
Diana 318, 960
diante de 186, 237
diante de Deus e de todo o mundo 525
diante dos olhos 446
dianteira 33, 64, 66, 234, 280
dianteira, frente, vanguarda x cauda, fundo, retaguarda 237
dianteiro 64, 234, 280, 673
diapasão 413
diaporese 605
diaquilão 662
diária 809, 973
diariamente 136, 613
diário 86, 108, 114, 136, 138, 531, 551, 593, 594, 613, 811
diarista 690
diarreia 299, 653, 655,
diarreico 299
dias 106
dias após dois 104, 136
dias áureos 734
dias caniculares 382
dias claros 734
dias da semana 138
dias de gordo 954
dias ditosos 827
dias e dias 110
dias gordos 840
dias nefastos/ominosos/sombrios/difíceis 735
dias prósperos/felizes/serenos/venturosos/isonhos/alcióneos 734
dias sombrios e amargurados 713
diascórdio 662
diasirmo 549
diasóstica 652, 656, 670
diasóstico 656
diástole 35, 194, 314
diatérmano 384
diatermia 382, 384
diatérmico 384
diátese 5, 7, 79, 649, 820
diatônico 413, 720, 932
diatritário 662
dicacidade 885, 934
dição 569
dicar 928
dicastéria 966
dicaz 842, 885, 934
dicção 580
dicélias (ant.) 961
dichote 842, 856
dicionário 527, 560, 562, 593
dicionarista 492, 593
dicionarizar 60
dicongo 840
dicotiledôneo 367
dicotomia 91
dicotômico 91
dicotomizar 91
dicótomo 91
dicromático 440
dicrotismo 90
dicroto 90
dicteríade 962
dictério 842
Dictum sapient sat est 527
dictum sapienti 550
didascália 480, 537
didascálico 537
didática 537
didático 537
didatologia 537
dídea 80

dídimo 89, 367
diedro 244
dielétrico 87
diérese 550, 561
dierético 171
dies irae 67, 735, 919
dieta 662, 696
dietética 662
dietético 662
Difamação 934
difamação 938
Difamador 936
difamador 934, 874, 934
difamatório 932
Diferença 15
diferença 18, 28, 40, 84, 464, 489
diferençar 15, 465
diferençar-se 18, 20, 820
diferençar-se de 83
diferenças 713
diferenciação 465
diferencial 84
diferenciar 465
diferenciar-se 15
diferente 10, 15, 18, 28, 44, 79, 464
diferentemente & *adj* 15, 28
diferindo *toto coelo* 14
diferir 15, 18, 133, 489
diferir *toto coelo* 14, 489
diferir *toto coelo, longo intervalo* 15
difícil 59, 217, 261, 665, 686, 704
difícil de se acreditar 485
dificilmente & *adj*. 704
Dificuldade 704
dificuldade(s) 706, 719, 735, 804
dificuldade de contentar-se 868
dificuldades vêm uma após outra, As 704
dificultar 603, 704
dificultosamente 619
dificultoso 704
difidência 485
difidente 485, 860
difilobotríase 655
difluência 348
difluir 348
difração 279, 291
difratar-se 279
difrativo 291
difringente 291
difteria 655
difundido 78, 531
difundir 73, 339, 531
difundir(-se) 194, 573
difusamente & *adj.* 573
difusão 35, 41, 73, 186, 291, 531, 573
difuso 73, 200, 573
digam o que disserem 474, 535
digamia 903
dígamo 374a
digamos a verdade 922
digerir 144, 298, 451, 538, 673
digerível 298
digestão 673
digesto 596
digitação 379, 591
digitado 253, 590, 781
digitador 553, 590, 591
digitalizado 590
digitalizar 590
digitar 590
digitiforme 253
dígito 84, 379
digladiação 720
digladiar 476, 720
dignação 760, 894, 973
dignar-se 602, 760, 762, 879, 894, 906, 973
dignidade 71, 498, 873, 875, 876, 878, 939, 995

dignidade pontifícia | díscolo

dignidade pontifícia 995
dignificação 873
dignificado 878
dignificante 873, 942
dignificar 648, 873
digníssimo 876
dignitários da Igreja 996
digno 484, 873, 924, 939, 960
digno da atenção dos amantes do belo 845
digno da missão que lhe deram 698
digno de 27, 924
digno de confiança 664
digno de confiança/de fé/de crédito/de respeito 939
digno de dó 828
digno de encômios 944
digno de epopeia 873
digno de fé 474
digno de indulgência 651
digno de melhor sorte 735
digno de nota 31
digno de piedade 930
digno de prêmio 944
digno de se apetecer 865
digno de se ver 845
digno de ser imitado 648
digno de todo o apreço 906
boa sombra o cobre 906
digno de todo o crédito 474
digno de veneração 873
digno do pincel de um artista 845
dignus cantari 873
dignus vindice nodus 519, 704, 872
digrama 562
digressão 196, 279, 573
digressionador 573
digressionar 279, 573
digressivo 279, 573
digressoar 279, 573
Diis aliter visum 509, 601
Diké 922
dilação 133
dilaceração 44, 162, 659
dilacerante 830
dilacerar 36, 44, 162, 328, 378, 659
dilapidação 638, 659, 791, 818, 940
dilapidador 638, 791, 818, 941
dilapidadura 162
dilapidar 638, 659, 791, 818, 940
dilatabilidade 194, 325
Dilatação 194
dilatação 35, 110, 192, 322, 384, 640
dilatadamente & *adj.* 194
dilatado 110, 180, 194
dilatar 110, 133, 200, 250, 322
dilatar os horizontes do espírito 537
dilatar(-se) 31, 35, 194, 192, 573
dilatável 325
dilatoriamente 133
dilatório 133, 683
dileção 897
dilema 91, 475, 476, 605, 609, 704
dilemático 475, 476, 704
diletante 492, 850
diletantismo 490, 850
dileto 897
diligência 272, 461, 602, 673, 680, 682, 686, 926, 939
diligenciar 686
diligenciar-se 926
diligente 682, 926, 939
dilucidação 522
dilucidamento 522
dilucidar 518, 522

dilúcido 420, 518
dilúculo 66, 125
diluente 337, 348
diluição 103, 335
diluimento 335
diluir 48, 103, 638
diluir-se 2, 4, 67, 449
diluir-se em vinho 959
diluir-se no sonho e no esquecimento 506
diluto 2, 335
diluvial 639, 640
diluviano 124, 640
diluviar 348
dilúvio 31, 72, 102, 146, 337, 348, 640, 667
diluvioso 348
dimanação 154, 155, 348
dimanante 154
dimanar 154
dimensão 25, 192
dimensão longitudinal 200
dimensionar 466
dimensível 466
dímero 91
dímetro 597
dimidiação 91
dimidiar 85, 91
dimidiato 84
diminuendo 38, 84, 415
Diminuição 36
diminuição 38, 160, 195, 201, 776, 813
diminuição de peso 834
diminuição de volume 195
diminuição do mal 658
diminuição do número 103
diminuído 34, 36
diminuidor 36, 38, 84
diminuir 32, 34, 36, 38, 137, 174, 193, 195, 201, 275, 483, 641, 659, 813, 817, 834, 937
diminuir a densidade 322
diminuir a gravidade 937
diminuir as penas 705
diminuir de ponto 36
diminuir de zelo e atividade 683
diminuir o brilho 483
diminuir o passo 275
diminuir o peso 320
diminuir um mal 658
diminuível 36
diminutivo 32, 193
diminuto 32, 36, 53, 103, 193, 413, 641, 643
dimorfismo 520, 607
dimorfo 81, 520, 607
dinâmica 157, 159, 276, 625
dinâmico 159, 264, 276, 680, 682, 686
dinamismo 171, 276, 574, 682
dinamitar 162, 165, 727
dinamiteiro 165
dinamitista 913, 949
dinamizar 171
dinamômetro 159, 466
dinarquia 737
dinasta 745
dinastia 737
dinástico 737
dinemo 781
dinheiral 800
dinheirama 800
dinheirama brava 803
dinheirão 800
Dinheiro 800
dinheiro 632, 780, 803
dinheiro a tute 803
dinheiro de contado 800
dinheiro de plástico 800
dinheiro em metal sonante 800
dinheiro metálico 800
dinheiro pesa a alguém 818

dinheiro que sai 809
dinossauro 122
dintorno 230
dinumerar 85
diocesano 995, 996, 997
diocese 181, 995
Diógenes 893, 911
dioneia 822
dionisíaca 954
diorama 448, 556
Dioscoros 890
Dióscuros 89, 890
dioso (ant.) 128
diótrica 420
dipétalo 367
dipilidiose 655
diplasiasmo 90, 568
diplegia 158, 655
dipleiscópio 114
diploide (ant.) 225
diploma 467, 755
diplomacia 698, 702, 724, 769
diplomado 490
diplomar(-se) 538, 542
diplomata 534, 702, 724, 758
diplomática 122
diplomático 702, 864
diplomatista 700
diplostêmone 367
dipsomania 503, 865, 959
dipsomaníaco 504
díptero 1000
díptico(s) 86, 551
dique 232, 263, 343, 616, 666, 706, 717
dirandela 423
diras 908
Direção 278
direção 176, 246, 266, 279, 280, 286, 537, 550, 628, 692a, 693, 697, 737, 741
direção de arte 692a
direção de intenções 703
direcional 278, 693
direcionar 278, 693
direcionável 693
direita 236, 246
direiteza 246
direito(s) 212, 234, 238, 246, 737, 780, 812, 922
Direito 924
direito autoral/de greve/de imagem/de resposta/de sangue/intelectual/personalíssimo/público/subjetivo 963
direito civil/canônico/eclesiástico 963
direito como um fuso 212
direito constitucional/penal/civil 963
direito da força 744
direito de barreira 812
direito de escolha 609
direito divino 737
direito internacional 963
direito natural 963
direito objetivo/adjetivo/substantivo/administrativo/aéreo/agrário/assitencial/previdenciário/cambial/cambiário/comercial/consuetudinário/costumeiro/do trabalho/econômico/espacial/positivo/predial/tributário/urbanístico 963
direito romano 963
direito x avesso 237
direitos alfandegários 812
direitos dinásticos/civis/incorpóreos/pessoais 737
direitos humanos/civis/conexos/políticos/a alimentos/adquiridos 963

direitos pautais 812
Direitura 246
direitura 939
direta ou indiretamente 631
diretamente & *adj.* 246
diretiva 741
diretivo 278, 693
direto 246, 276, 628, 939
diretor 540, 599, 693, 745
Diretor 694
diretor do Tesouro 801
diretor financeiro 801
diretoria 693
diretório 86, 696
diretriz & *v.* 693
diretriz 278, 692, 693, 697
diribitor 609
diribitório 609
dirigente 694
dirigido & *v.* para 278
dirigir 269, 278, 279, 537, 590, 626, 693, 707, 737
dirigir a atenção 537
dirigir a sua barca com tento 731
dirigir ameaças 860
dirigir os passos para 278, 622
dirigir sua barca com tento 698
dirigir súplicas à divindade 990
dirigir um golpe 716
dirigir um inquérito/uma devassa 461
dirigir um negócio 625
dirigir um requerimento 765
dirigir vaias 929
dirigir-se 278, 286
dirigir-se a 586, 765
dirigir-se para 176, 246
dirigir-se para mau fim 647
dirigir-se para 266
dirigível 273, 726
dirimente 469
dirimir 162, 476
dirimir dúvidas 467, 518
dirimir o matrimônio 905
dirimir uma dúvida 474
diro 830, 907
dirofilariose 655
dirupção 162
diruptivo 162
disassociação 44
disbasia 315
discente 540, 541
disceptação 476, 720
discernimento 441, 450, 465, 498
discernimento e completa lucidez 502
discernir 441, 450, 465, 476, 498, 490, 518
discernível 518
disciplina 58, 537, 709, 743, 751, 772, 926, 952, 955, 972, 990
disciplinado 602, 722, 743, 886, 955
disciplinar 58, 537, 658
disciplinas 378, 537
discipulado 537, 538
discipular 541
Discípulo 541
discípulo(s) 983a, 985
discípulo de Epicuro 954a
discípulo de Galeno 662
discípulo de Zimerman 893
disco 220, 247, 284, 415, 594, 692a, 840
discoide 247, 251
díscolo 489, 607, 895, 901, 984

581

discordância | distrate

discordância 15, 24, 414, 489, 708, 713
discordante 10, 14, 24, 477, 713, 891
discordantemente & *adj.* 24
discordar 18, 24, 414, 489, 603, 713
discorde 14, 15, 24, 489, 713
Discórdia 713
discórdia 24, 720, 889
discorrer 467, 476, 537, 573, 580, 582, 586, 595
discorrer por várias terras 266
discorrer sobre 588
discorrer sobre teologia 983
discreção 585
discrepância 18, 24, 477, 489, 708, 713
discrepante 15, 24
discrepar 15, 18, 489, 708
discretear 498, 588
discretear sobre um assunto 595
discreto 498, 576, 585, 864
discrição 498, 576, 600, 609, 698, 826
discricionariamente 964
discricionário 481, 600, 609, 885, 925, 964
discrime 15, 233, 465
discrímen 233
Discriminação 465
discriminação 15, 498
discriminador 465
discriminar 28, 465, 498, 609
discriminar as glebas componentes 786
discriminativo 465
discriminatório 465
discriminável à vista 525
discursador 582
discursar 537, 573, 582, 586, 595
discursista 582
discursivo 476, 582, 595
discurso 476, 537, 560, 586, 595
Discurso 582
discurso direto 567
discurso indireto 567
discussão 461, 476, 588, 595, 713, 720
discussão acalorada 713, 720
discutibilidade 475, 546
discutir 451, 476, 485, 891, 937
discutir com 588
discutir um assunto 595
discutível 470, 475, 477, 485
disenteria 299, 655
disenteria amebiana 655
disenteria bacteriana 655
disentérico 299
diserto 578, 582
disfarçado 544
disfarçar 469, 528, 544
disfarçar a marca de origem 528
disfarçar-se 530
disfarce 528, 530, 545, 546, 617
disfemismo 569
disferir 194
disfónica 414
disforme 192, 241, 243, 846
disformidade 243, 846
disgestório 440e
disjecta membra 44
disjecti membra poetæ 597
Disjunção 44
disjunção 24, 47, 49, 70, 73, 87
disjungir 44
disjuntar 44
dislalia 583
dislate 497
dislexia 583

dislogia 583
disopia 443
disosmia 399
díspar 14, 15, 18, 24, 87
disparada 274, 623
disparar 274, 276, 284, 402a, 406
disparar uma arma 716
disparatado 24, 135, 477, 497, 499, 964
disparatar 173, 477, 497, 499, 863
disparate 477, 495, 497, 517, 568, 853
disparateiro 499
disparidade 14, 15, 24, 28
disparo 276, 402a, 406, 623
dispêndio 809, 818
dispendioso 809, 814
dispensa 55, 77, 681, 687, 756, 927a,
dispensado 55, 927a
dispensar 53, 55, 77, 678, 756, 784, 906, 918, 927a
dispensar considerações 451
dispensar de 760
dispensar proteção 707
dispensar qualquer comentário 518
dispensário 662, 910
dispensável 643, 645
dispepsia 655
dispéptico 655
dispersão 35, 44, 49, 186, 291, 420, 428, 638
Dispersão 73
dispersar 44, 73, 162, 185, 291, 638
dispersar-se 623, 671
dispersivamente & *adj.* 73
disperso 44, 55, 73, 103, 137, 291
display 531
displicência 456, 458, 624, 674, 823, 828, 832, 841, 866, 867, 927, 930
displicente 458, 624, 830, 867, 927
dispneia 349, 655
disponibilidade 640
disponibilização 777
disponibilizar 763, 784, 796
disponível 636, 640, 677, 777, 794, 796
dispor 58, 60, 184, 613
dispor bem 60
dispor com antecedência 673
dispor de 677, 777, 780, 782, 796
dispor de meios 803
dispor de recurso 498
dispor do seu tempo 685
dispor em camadas 204
dispor em forma de xadrez 219
dispor metodicamente 60
dispor-se 176, 602, 673
dispor-se a 604, 673
disposição 5, 7, 8, 58, 176, 184, 240, 602, 682, 697, 769, 777, 820, 821
disposição de espírito 600, 602, 820
disposição superior 601
disposição viciosa do espírito 837
disposições 770
disposições preliminares 673
dispositivo 631, 633, 741, 770
dispostas como as barbas de uma pena 367
dispostas quatro a quatro na haste da planta 367
disposto 602, 682, 697, 820
disposto a 602, 604, 673
disposto a levar a cabo sua ação 604

disposto e ordenado para o combate 719
disputa 24, 476, 713, 969
disputador 476, 492, 710
disputante 476, 726
disputar 476, 485, 648, 713, 720, 891
disputar precedência 33
disputar sobre um cabelo/a ponta de um alfinete 681
disputar sobre um cabelo/ sobre a ponta de uma agulha 517
disputativo 476, 485
disputável 461, 475, 485
disquisição 461, 595
dissabor 828, 830, 832, 837, 867
dissaboroso 828, 832
disse me disse 532, 588
dissecação 44, 49, 461
disseção 44, 49, 461
dissecar 49
dissector 461
disseminação 73, 531, 537
disseminar 73, 529, 531, 537
dissensão 18, 24, 462, 489, 713, 720
dissensões 713
dissentâneo 489
Dissentimento 489
dissentimento 462, 485, 536, 603, 713, 764, 832, 932
dissentir 24, 462, 485, 489, 603, 713, 764
dissertação 594
Dissertação 595
dissertador 595
dissertar 584, 595
dissertativo 595
dissetor *(instrumento cortante)* 44
dissidência 24, 489, 536, 712, 713
dissidente 489, 536, 710, 713, 832, 984
dissidentemente & *adj* 489
dissidiar 489, 713
dissídio 489
dissidir 713
dissilábico 562
dissílabo 562
dissimilar 18
dissimilitude 18, 28
dissimulação 702, 940
dissimulado 526, 528, 544, 545, 702
dissimulador 548
dissimular 544, 545, 702
dissimulatório 545
dissímulo 526
dissipação 377, 638
dissipação 73, 818, 954
dissipado 954, 961
dissipador 638, 818
dissipar 162, 638, 776, 818
dissipar as trevas da ignorância 537
dissipar do espírito 452
dissipar do pensamento 458
dissipar dúvidas 518
dissipar o pensamento 452
dissipar uma dúvida 474
dissipar-se 4, 449
dissipar-se da memória 506
dissoante 489
dissociabilidade 893
dissociação 10
dissociado 10
dissociar 10
dissociável 893
dissolubilidade 44
dissolução 44, 49, 162, 335, 360, 756
dissolução de costumes 961

dissolução do casamento 905
dissolução do vínculo do casamento 905
dissoluto 945, 961, 962
dissolúvel 44, 144
dissolver 49, 73, 162, 335, 756
dissolver os depósitos da educação 539
dissolver os depósitos de 162
dissolver-se 2, 4, 449
Dissonância 414
dissonância 24, 410, 489, 713, 867
dissonante 24, 414, 489
dissonar 414
dissono 489
dissuadir 527, 616, 695, 706
Dissuasão 616
dissuasivo 616
dissuasor (p. us.) 616
dissuasório 616, 695
distanásia 360
Distância 196
distância 200
distância do tempo 110, 122
distância zenital 466
distanciado 196
distanciamento 44, 73
distanciar 44, 55, 73
distanciar-se 15, 196, 2182, 287
distanciar-se da terra 267
distanciar-se da verdade 546
distante 11, 122, 196
distar 196
distender(-se) 194
distensão 194
dístico 551, 597
distinção 14, 15, 446, 465, 518, 609, 850, 851, 873, 875, 876
distinção delicada 15
distinção fidalga 894
distinção fina 15
distinção sutil 15
distingué 873
distinguidor 465
distinguir 79, 441, 465, 518, 906, 916
distinguir com 755
distinguir com a sua preferência 609
distinguir com o seu comparecimento 186
distinguir com palavras amáveis 931
distinguir pelo nome de 564
distinguir-se 14, 15, 642, 648, 820, 873
distinguir-se de 18
distinguir-se pela elegância 850
distinguir-se pela sua pequena dimensão 201
distinguível 446
distintamente & *adj.* 873
distintivo 7, 79, 465, 550, 747
distinto 10, 15, 18, 33, 44, 87, 402, 446, 465, 518, 525, 535, 580, 850, 851, 873, 875, 928, 939
distocia 161, 301
distomo 260
distorção 83, 279, 477, 481, 523, 555
distorcer 523, 544, 555
distorcer informação/notícia/fato/verdade 477
distorcido 523, 555
distração 458, 624, 840
distraído 458
distrair a atenção/o pensamento 458
distrair o espírito 452
distrair-se 458, 683, 840
distratar 756
distrate 756

distrativo | diz-se do vegetal de flores no caule

distrativo 458
distrato 756
distribuição 60, 73, 784, 786
distribuição da justiça 922
distribuição ordenada 58
distribuidor 593
distribuir 60, 784, 786
distribuir com parcimônia 817
distributivamente 87
distrição 704, 828
distrital 181
distrito 51, 181, 227
distúrbio 61
dita 152, 156, 601, 731, 734, 827
ditado 496
ditador 745, 913
ditadura 737, 739
ditame(s) 80, 615, 697, 741, 950
ditames da justiça 922
ditar 615, 741
ditar leis 693, 737
ditatorial 737, 885
Dite 982
diteísmo 984
diteístico 984
diteríade 599
ditinho 902
ditirâmbico 503, 597, 825
ditirambo 415, 597, 838
dito 496, 535, 566, 697
dito burlesco/gracioso/picante 842
dito cheio de graça 842
dito com equívocos 842
dito de amor 902
dito de zombaria 842
Dito e feito 113, 132, 682, 684, 729
dito espirituoso 842
dito está dito, O 606
dito jocoso 842
dito mordaz 842
dito picante 856
dito satírico 842
ditongal 561
ditongar 561
ditongo 561
ditos obscenos 961
ditos zombeteiros 856
ditoso 134, 731, 734, 827, 829
diurético 662
diurnal 138, 990, 998
diurno 138
Diuturnidade 110
diuturno 110
diva 559, 845, 979
divã 215, 696, 966, 979
divagação 573
divagador 279, 573, 575
divagar 264, 266, 573
divedo (ant.) 11
Divergência 291
divergência 14, 15, 18, 20a, 24, 73, 83, 279, 462, 489, 708, 713, 720
divergência religiosa 489
divergente 14, 15, 20a, 73, 291, 445, 462, 489, 713
divergir 14, 15, 18, 24, 291, 462, 485, 489, 713
diversamente & *adj.* 16a
diversão 140, 729, 836, 840
Diversidade 16a
diversidade 10, 14, 15, 18, 20a, 81, 100, 464
diversidade de opinião 489
diversificadamente 100
diversificado 20a
diversificar 15, 16a, 18, 20a, 140, 149
diverso 15, 16a, 44, 81, 464
diversório 189, 666
diversos 100, 102

divertido 836, 840, 853, 840
divertimento(s) 72, 377, 415, 599, 829, 838, 954
Divertimento 840
divertir 840, 842
divertir-se com coisas fúteis 683
divertissement 599
divícia(s) 780, 803
dívida 774, 780, 800
Dívida 806
dívida de gratidão 916
dívida flutuante 806
dívida insolúvel 808
dívida ruim/mal parada 806
dividendo 84, 786, 810, 973
dividido em duas lígulas 367
dividido em lóbulos alongados 367
dividir 85, 91, 228, 229, 713
dividir em duas 51
dividir em partes 49
dividir *pro rata* 786
dividir-se 291
divíduo 84
divina particula aurae 450
divina/suma essência 976
divinação 511
divinador 513
divinal 976, 981, 987
divinatório 511, 513
divinatriz 513
Divindade 976
divindade 845, 983
divindade tutelar 664
divinização 873, 981, 991
divinizar 482, 873, 991
divino 650, 829, 870, 873, 944, 976, 987
divisa(s) 233, 484, 550, 697, 747
divisão 44, 51, 75, 85, 102, 228, 713, 726, 786
divisão de bens 786
divisão de compasso 413
divisão departamento 625
divisão geodésica/proporcional 786
divisão *pro rata* 786
divisão territorial 181
divisar 233, 441
divisional 51, 84
divisionário 51, 800
divisível 84
divisor 84
divisora 233
divisória 228, 232
divo 976, 979, 987
divodigno 528
divorciado 87, 903, 905
divorciado da virtude 945
divorciar(-se) 44, 905
divorciar-se dos bons costumes 945
divórcio 24, 44, 55, 57, 73, 773, 903
Divórcio 905
divulgação 527, 529, 531, 594, 532
divulgar 527, 529, 531, 532, 535
divulgar na internet foto/filme sem a devida permissão 929
divulgar-se 532
divulsão 44
Diwali/Deepavali 998
dixe sem valor 643
dixe me dixe me (pop.) 532
dixemes 532
dixes 840
dixieland 415
dize tu direi eu 713
dizedela (fam.) 496
dizem 532
Dize-me com quem andas e dir-te-ei as manhas que tens 890

Dize-me com quem andas e eu te direi quem és 890
dizer 516, 527, 550, 580, 582, 594
dizer a *buena-dicha* 511
dizer a causa 522
dizer a sua própria história 518
dizer a verdade 543
dizer adeus 287, 293
dizer adeus a 293, 624
dizer alto e bom som 543
dizer ao ouvido 533
dizer asneiras/ desconchavos 497
dizer bem a dita a alguém 734
dizer bem de 931
dizer bons improvisos 842
dizer bulas 546
dizer chascos 856
dizer cobras e lagartos/sopas e saramantigas de alguém 934
dizer com 23
dizer com arreganho 535
dizer com simplicidade e sem ênfase 576
dizer de algo/alguém o que Mafoma não disse do toucinho 932
dizer de algo/alguém o que Mafoma não disse do toucinho 934
dizer de si para si 589
dizer desconchavos 499
dizer disparates 367
dizer doçuras de amor 902
dizer duas palavras 582
dizer finezas 894
dizer frases sem nexo 584
dizer galanteios 933
dizer graças/bufonerices/chocarrices/facécias 842
dizer horrores/raios e coriscos de 934
dizer impropérios 929
dizer inconveniências 499
dizer mal a dita a alguém 735
dizer mal à sua vida 735
dizer mal da vida alheia 934
dizer mal de 934
dizer *mea culpa* 950
dizer missa 998
dizer não 489
dizer o que vem à boca 612
dizer o último adeus 839
dizer obscenidades 961
dizer os seus particulares 529
dizer palavras comiserativas 839, 914
dizer pão, pão, queijo, queijo 703
dizer pérolas de 931
dizer por si 467
dizer precisamente o necessário 576
dizer rabulices 477
dizer redondamente 527
dizer requebros 902
dizer respeito 9
dizer sacrilégios 988
dizer sem reserva/sem reticência/sem eufemismo 529
dizer sempre a verdade 543
dizer sensaborias 843
dizer sim/idem/amém/apoiado 488
dizer tolices & *subst.* 499
dizer tudo 518
dizer uma das suas 499
dízima 99, 973
dízima periódica 69, 104
dízima periódica simples 84
dizimação 103, 907
dizimar 38, 99, 103, 160, 361, 974
dízimo 809, 812

diz-se da árvore cujo tronco é direito e comprido 367
diz-se da corola cujo aspecto lembra um focinho 367
diz-se da deiscência longitudinal 367
diz-se da flor em que o número de estames é duplo do das pétalas 367
diz-se da folha arredondada na extremidade 367
diz-se da planta de cuja raiz brotam muitos caules 367
diz-se da raiz que se parece com a cabeça de nabo 367
diz-se das árvores de frutos duros ou lenhosos 412
diz-se das flores e corolas que têm o aspecto de máscara 367
diz-se das flores que produzem folhas 367
diz-se das folhas cujas nervuras partem da base 367
diz-se das plantas cujas flores aparecem depois das folhas 367
diz-se das plantas cujas flores ou pedúnculos nascem da raiz 367
diz-se das plantas cujas folhas são de forma e grandeza diversas 367
diz-se das plantas que crescem nos terrenos silicosos 367
diz-se das plantas que no mesmo pé têm separadas as flores masculinas e femininas 367
diz-se de certa cor de pelo pardo--vermelho dos muares 440a
diz-se de órgão que apresenta saliências em forma de vermes 367
diz-se de órgãos providos de palha 367
diz-se do animal que se reproduz por meio de ovos 366
diz-se do cálice de cinco sépalas 367
diz-se do capítulo que contém somente flores unissexuais 367
diz-se do fruto de mesocarpo volumoso e carnudo e grande cavidade cheia de placentas com muitas sementes 367
diz-se do fruto naturalmente unido a outro 367
diz-se do fruto ou do grão cercado por uma expansão membranosa 367
diz-se do fruto que se abre de um só lado 367
diz-se do fruto que se abre espontaneamente para deixar cair a semente 367
diz-se do fruto que tem muitas cápsulas 367
diz-se do fruto que tem muitas sementes distintas 367
diz-se do gado que no verão pasta nas montanhas e no inverno nas planícies 366, 440b
diz-se do gineceu que só tem um estilete 367
diz-se do órgão que está colocado sobre o receptáculo da flor 367
diz-se do pavão quando ergue a cauda 366
diz-se do vegetal 367
diz-se do vegetal cujos cotilédones estão reunidos num só corpo 367
diz-se do vegetal de flores no caule 367

583

diz-se do vegetal parasita que cresce no caule de outros vegetais 367
diz-se dos frutos que se abrem fendendo-se 367
diz-se dos insetos com as quatro asas membranosas revestidas de escamas e de aparelho bucal sugador 366
diz-se dos insetos que se nutrem de excrementos 366
diz-se dos peixes que respiram por brânquias e pulmões 366
diz-se dos septos das válvulas quando os grãos aderem a eles 412
diz-se dos vegetais de cuja raiz brotam anualmente novos caules herbáceos 367
diz-se dos vegetais que vivem fixados sobre outros 367
dó 839, 914
do alfa ao ômega 52
do alto 206, 981
do alto de seus coturnos 535
do alto de seus coturnos/tamancos 878
do alto de sua grandeza 875
do Amazonas ao Prata 200
do arco-da-velha 83, 870
do Brasil ao Japão 180
Do Capitólio à rocha Tarpeia não há senão um passo 874
do céu 206, 668
do contrário 18
do coração 821
do crime 167
do deserto 366
do dia 318
do espírito 450
do estilo 613
do fundo d'alma 821
do ganha-pão 877
do gurupés 267
do imo peito 821
do interior 221
do íntimo d'alma 543, 821
do lado de cá 197
do lado de fora 220
do lado do meio dia 278
do lado interior 221
do leito 348
do mais fino quilate 578, 648, 650, 873
do mais puro anil 438
do mesmo modo 37
do mesmo modo que 17
do norte & *subst.* 278
do outro mundo 980
do papo amarelo 42
do pastor 318
do peito 543, 821
do poder de alguém 471
do primeiro ao último 52
do princípio ao fim 52, 200
do siso 253
do tempo do onça 124
do traquete 267
do túmulo 660
do universo 372
Doação 784
doação783, 910
doação inoficiosa 925
doado 784
doador 784, 910
doar 783, 784
doar-se 604
dobadoura 682
dobar 311
doble 940
doble ou dobre 544
doblete 643
doblez 544, 940

dobra 244, 245
Dobra 258
dobradiça 43, 45, 237, 312
dobrado 90, 258
dobrado bemol 413
dobrado de ossos 159
dobrado sustenido 413
dobradura 90, 258
dobrar 90, 219, 245, 258, 311, 324, 402a, 412
dobrar a cerviz 725
dobrar a cerviz a 175
dobrar a cerviz à escravidão 739, 749
dobrar de resolução 607
dobrar o(s) joelho(s) 308, 725
dobrar o natural de alguém 658
dobrar o passo 274
dobrarem (os sinos) 363
dobrarem os sinos lugubremente/a finados 839
dobrar-se 319
dobrar suavemente 324
dobrável & *v.* 258
dobre 412, 475, 519, 520, 548
dobre a finados 732, 839
dobres a finados 363
dobrez ou doblez 702
dobro 90, 417
doc 800
doca 263, 292, 293
doçar (ant.) 855
docas 691
doce(s) 125, 298, 348, 377, 383a, 396, 405, 413, 578, 597, 648, 740, 829, 845, 902
doce como a ambrosia dos deuses 396
doce como açúcar 396
doce como mel 396
doce de boca 602, 886
doce de freio 602, 743
doce sonho de poeta 515
docência 542
docente 540
dócil 538, 602, 705, 743, 826, 879, 886
dócil aos acenos de 743
dócil e maleável aos empenhos 923
docilidade 538, 602, 725, 743, 772, 894
docílimo 743, 886
docilizar-se 602
docimasia 463
docimástico 463
docinho 396
documentação 467
documentar 467, 594
documentário 527
documentarista 594
documento 467,551, 771
documento de dívida 806
documento oficial 551
documentos contraditórios 468
Doçura 396
doçura 377, 413, 602, 740, 829
doçura de ânimo 602
dodecaedro 244
dodecagonal 244
dodói 378
dodônidas 513
doença 378, 619, 649
Doença 655
doença celíaca 655
doença de Chagas 655
doença de Creutzfeldt-Jakob 655
doença de inclusão citomegálica 655
doença de Lyme 655
doença de Von Gierke 655
doença do espírito 655

doença do legionário 655
doença do sono 655
doença fatal 655
doença fatal/terminal 619, 635
doenças causadas por artrópodes 655
doenças causadas por bactérias 655
doenças causadas por fungos 655
doenças causadas por produtos químicos 655
doenças causadas por protozoários 655
doenças causadas por vermes 655
doenças causadas por vírus 655
doenças do metabolismo 655
doenças genéticas 655
doenças imunológicas 655
doenças neurológicas 655
doenças nutricionais 655
doenças psicológicas 655
doenças zimóticas 655
doente 160, 655
doentio 657
doer a alguém 378
doer nos ouvidos 410
doer-se de 914
doer-se de sua dor 839
doestar 907, 929
doesto(s) 907, 929
dogaressa 745
doge 745
dogma 474, 484, 983
dogmático 481, 535, 606
dogmatismo 474, 477, 481, 535, 606, 855, 885
dogmatismo religioso 983a
dogmatista 474, 535, 606
dogmatizador 474
dogmatizar 474, 481, 535, 539
doidado 499
doidarrão 503
doidejar 173, 315, 499, 503
doidice 503
doidivanas 501, 504, 608, 701
doidivanas varrido 501
doidivanos 458
doido 458, 503, 504, 897
doido de pedra 504
doido por 865
doido varrido 503, 504
dois 89, 90, 98
dois corações num só 897
dois gostos 949
dois pesos e duas medidas 923
dois pontos 143, 590
doito (ant.) 613
dólar 800
dolce far niente 681, 683
dolente 378, 839
dólmen 257
dolo 545, 722, 940
dolorido 378, 830
dolorífico 378, 830
Dolorimento 830
dolorosamente & *adj* 830
doloroso 31, 378, 830
doloroso contraste de fortuna! 877
dolos da/de guerra 626, 702
doloso 544, 545, 940
dom 5, 157, 618, 698, 784, 820, 876
dom da palavra 582, 584
dom das línguas 560
dom de 820
dom de falar bem 582
Dom Quixote e Sancho Pança 890
doma (ant.) 108

domado 749
domador 370, 540
domar 162, 370, 731, 749
domável 624, 705, 743
Domesticação 370
domesticado & *v.* 370
domesticador 370
domesticar 370, 613
domesticável 370, 743
domesticidade 370
doméstico 174, 188, 189, 221, 370, 746
domiciliado 188
domiciliar 184
domiciliar-se 186
domicílio 184, 189
domicílio paterno 189
dômina 374
dominação 175, 737
dominado 725
dominado pela inveja 921
dominador 33, 175, 737, 745
dominal 777
dominante 33, 141, 157, 175, 413, 454, 532, 613, 642, 737, 821
dominar 1, 33, 78, 175, 206, 457, 490, 615, 693, 737, 749, 777
dominar a vontade de 175
dominar as paixões 944
dominar o campo 731
dominar pela altura 206
dominar-se 826, 953
Domine 990
domingal 138
domingo 687
domingo da ressurreição 998
domingo de ramos 998
domingo de rosas 998
domingueiro 847, 882
Domini benedictum 826
dominical 138, 976
dominicano 996
domínico 996
domínio 33, 157, 175, 693, 728, 737, 777
domínio das paixões 944
domínio de si mesmo 604, 942, 953
domínio dos mares 341
dominioso 878
dominó 530, 599, 840
Dominus abstulit sit nomem 826
Dominus dedit 826
domo 210
Don Juan 897
dona 374, 694
dona de casa 682
dona-branca (cachaça) 959
donadio 784
donaire 578, 842, 845
donaire afetado 855
donairear 842
donairo 578, 845
donairoso 578, 829, 842, 845
donatário 779, 784, 785
donativo 763, 784, 809
donato 997
donde 476
donde desertou a moralidade 940
donde desertou a verdura 340
donde? 461
doninha 401
dono 745, 779
dono de 777
donoso 842, 845
donzel 746, 900
donzela 129, 374, 960
donzelice 904, 960
donzelona 904
doppler transcraniano 662
Dor (física) 378

dor | É questão de tempo

dor 828, 830
dor de cabeça 378
dor de cotovelo(s) 920
dor de dentes 378
dor de ouvidos 378
dor de parto 161, 378
dor fisica 828, 830
dor viva/penetrante/cruciante/aguda/desabalada/violenta/funda 378
dorado (ant.) 655
doravante 121
dórico 847
doridamente & *adj.* 378
dorido 378, 830, 837, 914
dormência 376
dormente 172, 174, 215, 265, 275, 345, 376, 526, 683
dormeuse 272
dormida 189, 683
dormidor 683
dormilão 683
dorminhoco 683
dormir 133, 141, 265, 460, 526, 683
dormir à sombra dos louros 685
dormir a sono solto 683
dormir com um olho aberto 459
dormir confiante na fé dos tratados 664
dormir e acordar com 5, 88
dormir em Deus/no Senhor 360
dormir no gélido sudário 360
dormir no ponto 135, 460
dormir o sono da noite sem horas 360
dormir o sono do pecado 951
dormir o sono do verdadeiro repouso 360
dormir sobre 451
dormir sobre o caso 133
dormir sobre os livros 538
dormir sobre os louros 681
dormitar 683
dormitivo 376
dorna 130, 193
dorneira 330
dorsal 67, 235, 440e
dorsalgia 378
dorso 235
dorso da mão 235, 440e
dorso do pé 440e
dorsum 235
dos Afonsinhos 124
dos ares 349
dos azares da guerra 722
dos diabos 619
dos dias atuais 123
dos eixos 659
Dos males o menor 609
dos pés à cabeça 50
dos prazeres 131
dos quatro costados 493, 875
dos que se inspiram nos preceitos de Epicuro 954
dos risos 131
dos sentidos 377
dos trilhos 659
dos viventes 359
dosado 25
dosar 41
dose 25, 51, 662
dose homeopática 32
dosear os ingredientes 662
dossel 223, 747, 1000
dossiê 551
dotação 784, 810, 973
dotado 777
dotado de 820
dotado de caráter nobre 944
dotado de inteligência invejável 498
dotado de organização 159

dotado de raciocínio 450
dotal 780
dotalício 780
dotar 161, 784
dote 157, 780, 784, 803
dotes 538, 698, 820
dotes intelectuais 490
dotes oratórios 582
douceur 784
douradilho 440a
dourado 436, 439, 648
dourar 223, 436, 439, 477, 482, 847
dourar a pílula 477, 545, 615, 829, 933
doutíloquo 490
Douto 492
douto 490, 500, 560
doutor 492, 662, 876, 968
doutor da mula ruça 662, 701
doutor de secadal 493
doutor seráfico 977
doutoraço 493
doutorado 537, 542
doutoral 535, 878
doutoralmente 535, 885, 873
doutorando 541
doutorar-se 873
doutorice 491
doutrina 490, 516, 697
doutrina firmada 484
doutrinação 537
doutrinado 541
doutrinador 540
doutrinal 484, 697
doutrinamento 537
doutrinar 537, 695
doutrinário 492, 537, 697, 855
doutrineiro 540
downgrade 659
download 527
doxologia 990
doze 98
doze dúzias 98
dracma 800
Draco 71
draconário 726
draconiano 739, 907
drag queen 897
draga 633
dragão 83, 173, 901, 949
dragão infernal 978
drágea 662
dragomano 524
dragona 847
dragonada 716, 972
dragonas 550, 747
drainagem ou drenagem 340
drama 554
Drama 599
drama 554, 619, 692a, 828
dramalhão 599
dramaticamente & *adj.* 599
dramático 599, 821, 882
dramatis personæ 372, 599, 691, 712
dramatizar 599, 824
dramatologia 599
dramaturgia 599, 692a
dramaturgo 559
drapejar 214, 402a
drástico 171, 739
drenar 297, 340, 638
drenar pântanos 656
dríades 979
drive 574, 612
droga 56, 643, 662, 663
droguete 223
droguista 662
dromedário 271, 637
dromo 627, 728
dromomania 264
dromômetro 200
drope 396

druida 996
druidesa 996
druidisa 996
dsconsideração 458
DTP 590, 591
dual 89
Dualidade 89
dualismo 89, 984
dualista 89
dualístico 89
dualizar 89
duas mãos esquerdas 239, 701
duas vezes 90
duas vezes lasso 961
duas caras 949
dubador (ant.) 225
dubiedade 605, 738
dubiedade/dubiez 475
dúbio 422, 475, 605, 738
dubio procut 474
dubitação 475
ducado 181, 800
ducal 181
duce 33, 745
ducentésimo 99
ducha 337
ducha d'água fria 616
ductibilidade 578
dúctil 324, 325, 327, 578, 602, 605, 607, 743
ductilidade 149, 324, 325, 327, 607, 743
ductilizar 324
ducto 260, 314, 350
duelista 726, 863, 887
duelo 720
duende 83, 193, 860, 979, 980
duenna 664
dueto 89, 415, 580, 692a,
dugongo 83
duidade 89
dulce domum 189
dulcidão 396, 829
dulcificação 396
dulcificante 396
dulcificar 396
dulcífico 396, 413, 829
dulcífluo 396
dulcíloquo 405, 413, 544, 933
dulcimer 417
Dulcineia 897
dulcíssimo 396, 829
dulcíssono 413, 829
dulçor 396
dulçoroso 396, 829
dulçura 396
dulçuroso 396
dulia 554
dulocracia 737
Dum spiro spero 858
duma só fé 604
duna 250, 342
dunas 342
dundum 727
duneta 210
dunfa 840
dunga 175, 875, 887
dúnia 51, 712
dúnia (ant.) 180
duodécimo 99, 593
duodécuplo 98
duodeno 440e
duólogo 599
dupla significação 563
duplamente & *adj.* 90
dúplex 89
duplicação 35, 104
Duplicação 90
duplicar 35, 90
duplicata 21, 89, 550, 551, 640, 805, 806
duplicata 89

duplicatura 258
dúplice 89, 90, 544, 940
duplicidade 89, 544, 702, 940
duplo 17, 89, 90, 147
duplo sentido 520
duque 745, 875, 876
duquesa 745, 875, 876
dura 932, 972
dura realidade 732, 859
durabilidade 110, 179, 327
Dura veritas sed veritas 543
duração 106, 110
duração indefinida 109
duração limitada 108
duração sem-fim 110
duradouro 110, 112, 505
durame 5
durâmen 221
durante 106, 110
durar 106, 110, 141, 159
durar como um sonho/ como as rosas de Malherbe 111
durar eternamente 112
durar por muito tempo 124
durável 106, 110, 159, 327
duravelmente & *adj.* 110
duraz 323
durázio 323
dureza 321, 323, 327, 579, 804
dureza de coração 907, 945, 951
duríades 979
durindana 727
duro 323, 327, 376, 579, 704, 739, 830, 898, 907, 914a, 932, 955
duro com duro não faz bom muro 323
duro como couro 327
duro de 704
duro de cabeça 606
duro de coração 907
duro de ouvido 419
duro freio 761
duto 295, 350
duunvirado 737
duunviral 745
duunvirato 737
duúnviro 745
dúvida 475, 485, 605, 989
duvidar 475, 485, 920, 989
duvidoso 137, 139, 422, 461, 475, 485, 605, 704
duzentos 98
dúzia 98
DVD 594

E

e 37
É a grosseria em pessoa. 895
É a vontade do rei. 741
e assim por diante 37
É assim que o diabo gosta 665
é de crer 470
é de se tirar o chapéu! 870
e dia 125
É força que 630
É impossível 471
É mais fácil um camelo passar pelo buraco da agulha.
e mão a mão 186
É muito gorda a arara. 485
e ninguém mais 87
É o clone de... 17
É o óbvio ululante. 525
é o termo 516
e ontem 122, 123
e peso 113
É portador de existência física 1
é possível que me engane 469
É proibido proibir.
e quejandos 37
É questão de tempo 474

e rivo flumina magna facere | elenco

e rivo flumina magna facere 605
É tarde 606
É tarefa comparável à das Danaides 471
e tenente 69
e um fôlego 111
é um louvar a Deus de queixo caído! 870
eare 476
ebanáceo 431
ebandada 73
ebâneo 431
ebanho caprino 72
ebanino 431
ebanista 690
ebanizar 431
ébano 431
ebionita 984
ebola 655
ebolado 194
e-book 593
eborário 690
eborato 430
ebóreo 430
ebriedade 959
ebrifestante 959
ebrifestivo 959
ébrio 959
ébrio de 825
ebrioso 959
ebrissaltante 959
ebulição 59, 171, 173, 315, 353, 384, 825, 900
ebuliente 824
ebulir 315, 353, 384
eburnação 323
ebúrneo 430
ebutar (gal.) 66
eca! 653, 867
ecano 130
écbase 573
Ecce iterum Crispinus 104
Ecce signum. 550
ecfonema 860, 870
écfora 250
ecfrástico 394
ecfrático 392
echacorvos 997
echadiço 461, 527, 534
échafaudage 673
eclâmpsia 315
Eclesiastes 985
eclesiástico 995, 996
eclesiologia 995
eclesiológico 995
eclética 562
eclético 609
ecletismo 29, 41
ecletismo 609, 628, 774, 984
eclímetro 217, 244
eclipsado 447
eclipsar(-se) 33, 421, 447, 449, 528, 873, 874
eclipse 61, 70, 421, 449, 624
eclipse parcial 422
eclíptica 318
écloga 597
eclogista 597
eclusa 232, 263, 343, 348
ecnefia 349
eco 19, 21, 104, 154, 175, 277, 402, 405, 407, 408, 462, 568
ecoar 19, 104, 402a, 408, 462
ecoável 408
ecolalia 583
ecologia médica 662
ecometria 402
e-commerce 796, 799
economia 58, 692
Economia 817
economia ou tratamento dos animais 370

economia ou tratamento dos vegetais 371
economia sórdida 819
economias 636, 817
economias arruinadas 808
economicamente & *adj.* 817
econômico 817
economista 690, 801
economizador & *v.* 817
economizar 201, 636, 673, 775, 817
economizar palavras 572
econômo 694
ectilótico 662
éctipo 21
ectlipse 201
ectoplasma 317, 980
ectoplasmático 317
ectrótico 662
ecúleo 830
ecumenicidade 78
ecumênico 78
edacidade 865, 957
edaz 865
edaz/edace 957
edema 194, 324
edemaciar(-se) 194, 324
edemático 194
edematoso 194, 324
éden 827
Éden 845, 981
edênico 827, 829, 981
edição 531, 591, 593
edição eletrônica 591
edição *princeps* 64
edícula 191, 1000
edificação 161, 537, 987
edificador 690
edificante 648, 944
edificar 161, 537, 944
edificar alguém na certeza 474
edificar sobre areia 858
edificar suas esperanças sobre 858
edificativo 944
edifício 161, 189
edil 694, 965, 967
edilício 967
edilidade 696, 966
Édipo 462, 524
edital 527, 741
editar 531, 590
edito 741
édito 741
editor 531, 591, 593, 690
editor de texto 590, 591
editora 593
editorador 593
editoral 531
editorar 531, 590
editorial 531, 593, 595
edredom 384
educação 490, 537, 613, 673, 851, 894
educação física 537
educação liberal 490
educação/ensino precários 667
educacional 542
educado 537, 850, 894
educandário 542
educando 541
educar(se) 537, 538, 613, 658, 944
edulcoração 396
edulcorante 396
edulcorar 396, 652
édulo 298
eduzir 301
eduzir a nada 162
efebo 129
Efeito 154

efeito de óptica 443
efeito patológico 821
efeito positivo 731
efeitos especiais 692a
efélides 848
efemeridade 111, 149
efeméride(s) 114, 551, 593
efemerizar 111
efêmero 8, 111, 149
efeminação 160, 862
efeminado 160, 373, 961
efeminar 158. 160
efêndi 875
efervescência 149, 171, 173, 315, 353, 720, 821, 824, 825
efervescente 338, 353
efervescer 173, 315, 353
éfeta 967
efetivamente 1
efetivar 680, 729
efetividade 141
efetivo 1, 141, 494, 644
efetuação 680
efetuar 170, 680, 692, 729
efetuar a venda 796
efetuar transações 625, 794
efetuar uma ascensão 305
efetuoso 157
efialta 828, 830
eficácia 157, 170, 644
eficaz 157, 170, 171, 644, 648, 700
eficaz contra 662
eficazmente 52
eficiência 26, 157, 170, 644, 682
eficiente 157, 170, 171, 644, 648, 698, 700
efigiar 554
efígie 21, 554
eflorescência 330
efluência 291, 336
efluente 291
efluir 291
eflúvio 334, 398, 400
efluvioso 334
éforo(s) 967
efúgio 477
efulgência 420
efundir 297, 348
efundir lágrimas 839
efundir luz sobre 873
efundir sangue 361
efusão 297, 299, 525, 582
efusão de sangue 361
Egéria 597, 845
egéria 597
égide 664, 666, 717, 937
ego 317, 943
egocêntrico 943
egocentrismo 943
egoísmo 880, 911
Egoísmo 943
egoísta 911, 943
egoisticamente & *adj.* 943
egoístico 911, 943
egolatria 943
egotismo 943
egotista 943
egregiamente 31
egrégio 642, 873
egressão 293, 302
Egressão 295
egresso 295
egro 655
égua 271, 374
eheu jam satis 869
eia! 615, 836, 860
Eid ul-Fitr 998
eido 181
eigaço 491
eimeriose 655
Einstein 500
eira 371
eirado 189

eiros 223
eis senão quando 113, 508
eiterável 104
eiva 651, 848
eivado (de) 639, 651, 824
eivado de erros 495, 568
eivar 659, 848
eixo 143, 68, 91, 53, 215, 222, 246, 312, 642
ejaculação 284, 295, 297, 301, 580
ejaculado 580
ejaculador 284
ejacular 284, 297
ejaculatório 284, 580
ejeção 284, 297, 301
ejetar 297
ejetor 297
El Dorado 803
ela 158, 374
elã 574, 612
elaboração 161, 6626, 658, 673
elaborado 673
elaborar 673, 729
elafiano 366
elaidina 356
elaiuria 356
élan 276
elar-se 46, 248
elas por elas 148
elastecer 325
elastério 157, 159, 171, 325
elasticidade 157, 159, 171, 277, 324
Elasticidade 325
elástico 324, 325, 334, 520, 940
elastificar 325
elastizar 325
elastomérico 325
elastômero 325
elche 607
ele 373
Ele me pagará! 909
electro 415
electropop 415
elefante 192, 271, 412
elefante em loja de louça 701
elefante, vozes de 412
elefantíase 655
elefântico 271, 412
elefantino 271, 366, 430, 655
elegância 577, 842, 845, 850, 851
Elegância 578
elegância de ademanes 845
elegância de formas 578, 845
elegância de maneiras 851
elegante 225, 578, 842, 845, 850, 851
elegantemente & *adj.* 851
eleger 609, 976
eleger seu representante 759
elegia 363, 597, 839
elegíaco 363, 597, 839
elegíada 597
elegiógrafo 597
eleição 601, 609, 755
eleito 899, 987
eleito de Deus 977
eleitor 609, 745, 755
eleitora 609
eleitorado 609
eleitoral 609
eleitos do Senhor 977
elementar 42
elemento(s) 41, 51, 56, 153, 316, 329, 341, 514
elemento constitutivo 56
elemento devorador 382
elemento dissolvente 949
elemento inicial 66
elemento vital 615
elementos vitais 5
elemi 356a
elenco 75, 86, 72, 599, 712

eleófago | em grande quantidade

eleófago 298
eletivo 609
eletricidade 157, 274
eletricidade voltaica 157
eletricista 690
elétrico 113, 274, 633, 825
eletriz 609
eletrizado 821
eletrizante 574, 821
eletrizar 157, 175, 508, 824, 870
eletrocutar 972
eletroencefalografia 662
eletroencefalograma 662
eletrolisação 49
eletrolisar 49
eletrólise 49
eletrolítico 49
elétron 316
eletrônico 633
eletronistagmografia 662
eletrotermia 382
eletrotipia 591
eletrotipo 591
eletuário 396, 662
eleutérias 840
elevação 26, 206, 210, 250, 305, 554, 574, 648, 658, 737, 845, 873
Elevação 307
elevação de temperatura 384
elevação do espírito 515
elevação moral 939
elevada investidura 737
elevado 206, 307, 574, 627, 648, 814, 845, 873, 942
elevador 305, 307, 627
elevar 35, 307, 648, 873
elevar a temperatura 384
elevar ao cubo 93
elevar ao pináculo da glória 873
elevar às alturas da retórica 931
elevar o conceito de 658
elevar o nível de 658
elevar o preço 814
elevar-se 183, 206, 305, 658, 800, 873, 990
elevar-se pelo voo 305
elfo 83
eliciar 297, 992
elícito 615
elidir 201
eliminação 38, 42, 55, 77,103, 162, 301, 610
eliminador 55
eliminar 38, 53, 55, 77, 103, 162, 297, 361
eliminar do rol dos culpados 970
eliminatório 55
eliminável 6, 55
elipse 201, 247, 567, 572
elipsoide 247
elipsoide de revolução 249
elíptico 247, 521, 573
elisão 44, 53, 201
Elísio 981
elísio 981
elite 648, 803, 851, 875
élitro 223
elivrar-se 161
elixado 384
elixar 384
elixir 662, 993
elixir de longa vida 662
elixir vitæ 662
elmo 666, 717
elo 9, 43, 45, 71. 247
elocução 569, 580
elogiaco 931
elogiador 931, 935
elogiar 880, 931, 933
elogiativo 931
elogio 829, 931, 973

Elogio em boca própria é vitupério 880, 931
elogio público 488
elogios em boca própria 880
elogista 935
elongação 196
eloquência 582
eloquência comunicativa/cachoeiral/fulgurante 517, 573, 582
eloquência concional 582
eloquência de 516
eloquência dos algarismos 478
eloquência sagrada 582
eloquente 574, 577, 582
elóquio (p. us.) 582, 586
El-Rei meu amo 876
elucidação 522, 529
elucidante 467
elucidar 467, 518, 522, 543
elucidário 518, 595
elucidativo 522
elucubração 451
eludir 476, 623, 773
eludórico 556
elutriação 652
elutriar 270, 6 52
elzevir 591
em 221
em aberto 730, 808
em abstrato 87
em abundância 639
em ação 170
em aditamento 37
em agitação 673
em agraço 53, 730, 732
em águas tranquilas 714
em aliança 178
em alta 799
em alta escala 31, 639, 794
em alta estima 931
em alto conceito 931
em alto grau 31, 639
em amizade 888
em andamento 53, 625, 673, 730
em ângulo reto 212
em apreço *(plano)* 673
em apreço 454, 626
em apuro 704
em apuros 704
em arco 245
em armas 673
em arrumação 673
em artigo de morte 360
em assombrosa quantidade 31
em assuada 742
em atenção 155
em atenção a 615, 631, 902. 928
em atitude hostil 708
em atitude provocadora/agressiva 889
em atraso 53, 806, 808
em aumento progressivo 35
em áureos reflexos 420
em bagas 382
em baixa 799
em balanço 475
em balde 175a, 732
em bandadas 72
em bando 72
em barda 31, 639
em benefício de 648
em bica(s) 69, 348
em bloco 50
em boa 494, 535
em boa ordem 58
em boa/em bem nascida hora 134
em boas 648
em boas mãos 664
em bolandas 684
em bom direito 924, 963
em bom ponto 654

em bom romance 525
em borbotões 173
em botão 66, 123
em branco 491, 552
em brandos afagos 902
em brasa 382
em breve 119, 121, 132, 596
em breve resumo 572
em breve tempo 132
em bruto 241, 674
em busca de 176, 278, 282, 461
em cachão 173
em caminho 270, 282
em camisa 226
em campo aberto 665
em campo raso 665
em caráter oficial 737
em carne e osso 1, 186, 494
em carnes 226
em casa 186
em caso algum 107
em cata de 461
em caudais 639
em cena 599
em certo grau 26, 32
em chamas 382
em cheio 50, 173, 237
em cheiro de santidade 931
em cima 206
em circuito 197
em circulação 531, 532
em circunstâncias & *subst 8*
em circunstâncias difíceis/embaraçosas/precárias 806
em circunstâncias mui concludentes 525
em claro 53
em cochicho 405
em coiracho 226
em começo 673
em comemoração 883
em comissão 755
em companhia de 88,197
em comparação 464
em completa nudez 226
em comprido 200
em comum 465a, 778
em conclusão 476
em concorrência com 178
em confiança 528
em confidência 528
em confirmação de 467
em conflito com 708
em conformidade com a lei 963
em consciência 450, 822
em consequência 154, 155, 476, 620
em consideração (a) 155, 454, 476
em construção 53, 730
em contos de velhas 486
em contraposição 536
em contrário de 30
em convulsões 315
em cooperação 709
em coro 48
em corrida desenfreada 274
em corroboração 467
em cuja pele ninguém quer estar 735
em cumprimento 743
em curto espaço de tempo 111
em curvas coleadas 248
em custódia 751, 938
em debandada 59
em débito 806
em decadência 659
em declínio 659
em declive 217
em decúbito 213
em defesa de 648
em demanda (de) 176, 278, 282, 461

em demasia 640
em deplorável condição 732
em depósito 637
em desafio (a) 708, 715
em desalinho 59
em desarmonia (com) 24, 713
em desavença 713
em desenho desprimorado 572
em desespero de causa 859
em desforra de 972
em desordem 713
em destaque 931
em desvirtude 392
em determinado grau 31
em detrimento da justiça 923
em detrimento de 619, 649
em devida forma 924, 963
em diagonal 217
em dias alternados 138
em diferente ocasião 119
em direção oposta à de 237
em direito 924, 963
em discussão 461
em dívida 806, 808
em doida sanha 173
em dolorosa situação econômica 804
em domicílio 186
em duas palhetadas 572, 596
em eclipse 528
em elaboração 673
em embate com 24, 708
em embrião 66, 121, 152, 673
em equilíbrio 27
em erupção 1
em escala ascendente 58
em escala descendente 58
em estado de bem-aventurança 827
em estado de excitação 824, 825
em estado desesperador 859
em estado febril 824
em estagnação 681
em estoque 637, 777
em estrita confiança 528
em estudo 454, 626
em excesso 640
em execução 170, 625
em expectação 507
em experiência 463
em êxtase 827
em face de 155, 186, 237
em falso 495
em falta 53, 947
em família 221
em favor de 618, 648, 707, 931, 937
em fé do que 467
em febre 173, 824
em fervorosa súplica.
em flagrante 680
em flagrante delito 474
em força 639
em forma 924, 963
em forma de 17
em forma de caracol 248
em forma de fita flexuosa 248
em foto (ant.) 664
em fralda de camisa 226
em franca prosperidade 731
em frangalhos 44
em frente de 237
em fuga 623
em função 170
em futuro 121
em geral 78
em gestação 121
em globo 50, 465a, 488
em grande 192
em grande escala 639
em grande gala 225
em grande quantidade 639

587

em grau completo 31
em grau doloroso 31
em grau elevado 33
em grau excepcional 31
em grau festivo 31
em grau incerto 32
em grau limitado 32
em grau malévolo 31
em grau negativo 32
em grau pequeno 32
em grau supremo 31
em grau violento 31
em grosso 50, 794
em guarda! 459, 717
em guerra aberta/acesa 708, 713, 907
em guerra com 722
em harmonia com 23, 82
em hasta pública 796
em havendo vagar 134
em hipótese alguma 32, 107
em honra de 648, 883
em hora avançada 133
em idade avançada 128
em imaginação 515
em incubação 626, 673
em inteira harmonia de vistas 714
em intimidade 888
em jogo 620
em lanço 796
em largos traços 572
em lascas 328
em leilão 796
em liberdade 748, 927a
em ligeiro esforço 596
em linguagem clara 522
em linguagem singela 518
em linguagem sóbria 543
em linha de batalha 708, 722
em linha reta 200, 246
em litígio 713
em loros 248
em lugar de 641
em lugar superior 206
em lutas e contrações nervosas 173
em má hora 135
em mais de dois fascículos 367
em mal 828
em manga de camisa 226
em mãos 625
em mãos de médico 655
em marcha 264, 270
em marcha forçada 684
em marcha para 282
em marcha regulada 58
em marcha sonolenta 275
em massa 50, 102, 488
em mau caminho 619
em mau lugar 647
em meio de 228
em melhores condições 658
em memória de 505
em menos de um minuto 113
em missão especial 755
em monta 59
em montão 59, 465a
em movimento 1
em movimento de oscilação 314
em nome de 737, 755
em nome do céu! 908
em nome do governo 737
em nossos dias 118
em número(s) redondo(s) 29, 466
em obediência 743
em observação 459
em ocasião alguma 107
em oferta 763
em ondulações 248
em operação 170. 680

em órbita 311
em outra hora 119
em outra ocasião 119
em outros tempos 122
em outros termos 522
em paga 148, 973
em pálido escorço 572
em pânico 909
em parte 32
em parte alguma 187
em partes iguais 27
em partes proporcionais 786
em particular 79, 528
em paz 714
em pé de guerra 824
em pele 226
em pelo 226
em pelote 226
em penúria extrema 804
em pequena escala 32
em pequena extensão 32
em perfeita comunhão 178
em perfeita união de vistas 709
em perigo (de) 177, 655, 665
em períodos fixos 58
em perspectiva 121, 152, 200, 507
em peso 50, 488
em pessoa 186
em pinha 639
em pleno dia 525
em poder de 749
em ponto 118
em ponto grande 192
em português claro 522, 525, 703
em poucas palavras 572, 596
em prática 692
em prejuízo de 649
em preparação 673
em preparo 53, 152
em presença (de) 155, 186
em préstimo 160
em primeira mão 123
em primeiro lugar 62, 66, 116
em prisão 938
em pró/prol de 648, 931
em procura de 461
em proporção (a) 9, 23
em prospecto 620
em prova de 937
em proveito de 648
em público 531
em público e raso 531
em pura perda 645, 732
em qualquer lugar 180
em qualquer ocasião 119
em qualquer outra parte 187
em qualquer parte que 180
em qualquer tempo que for 119
Em que desvarios não despenhas os míseros mortais! (Garrett) 880
em que misérias 880
em que não se deve pensar 932
em que pascem os touros 367
em que pese a/aos 30, 603, 708
em que/quem se pode confiar 484, 939
Em que tempos vivemos? 940
em quem não teve poder a morte 873
em questão 151, 454
em quincôncio 98
em quotas 51
em rama 674
em rápida sucessão 136
em rateio 786
em razão de 155, 615
em recado 751
em recurso extremo 665, 859
em redondo 197

em redor 197, 227
em referência 9
em regra 82, 924
em relevo 250
em remate 572
em repouso 687
em represália 718
em reserva 637
em resultado de 155
em resumo 572, 596
em retribuição de 973
em revoada 72
em risco 177
em roda 311
em roda-viva 684
em rodopio 311
em sã consciência 494, 535
em seco 704
em secreto 528
em segredo 528
em seguida 117
em segundo lugar 90
em segurança 664
em seguro 664
em sentido contrário 218
em separado 87
em seu fadário de gemer e chorar 839
em seu juízo perfeito 502
em sinal de 550
em sinal de reconhecimento 916
em sobressalto 860
em som de guerra 708
em suas verdadeiras cores 494
em substância 596
em substituição a/de 641
em suma 572, 596
em sumo grau 31
em suspensão 320
em tal caso 8
em talas 704, 804
em tela 151, 461
em tempo 134
em tempo algum/nenhum 107, 536
em tempos de figo 734
em tempos que já vão longe 122
em termos amistosos 894
em termos gerais 78
em termos irreverentes 895
em termos simples 522
em terra firme 664
em terras estrangeiras 57
em terreno firme 664
em terreno seguro 664
em toda a área adjacente 197
em toda a criação 318
em toda a extensão da palavra 31
em toda a luz 525
em toda a plenitude 31
em todas as direções 180, 278
em todas as latitudes 180
em todo (o) caso 30, 469, 494, 601
em todo o esplendor de sua formosura 845
em todos os climas 180
em todos os quadrantes 278
em todos os recantos do globo 180
em todos os tempos 112
em tom baixo 581
em tom de comando 741
em tom doutoral 878
em tom familiar 894
em tom imperioso 741
em tom lamuriante 765
em torno (de) 197, 311
em trajos de Adão 226

em trânsito 111, 270, 282, 627
em três fileiras 58
em três partes 51
em triunfo 731
em troca 148
em turba 102
em última análise 476, 572
em última instância 603
em último caso 603
em último recurso 603, 665, 859
em um instante 113
em uma palavra 572
em uma volta de mão 113
em uso 677
em vantajosas condições 648
em vão 175a, 645, 732
em vez de 641
em vias de execução 673
em vias de preparação 626, 673
em vida 359
em virtude de 155, 620
em vista 620
em vista do que 476
em voga 1, 80, 613
em volta 197, 227
em voz alta 525
em voz baixa/sumida/quase imperceptível 581
em xadrez 219
em zigue-zague 248
em/a bom recato 664
em/por toda a parte 186
ema (reg.) 959
emaçar 551
emaciação 195
emaciado 203. 243
emadeiramento 329
emadeirar 329
emagotar 72
emagrecer 160. 195
emagrecimento 195
e-mail 184, 527, 534, 592
emalar 190, 528
emalhar 61, 219
emalhetar 43, 219, 228, 257, 300
emanação 295, 299, 336, 398, 400
emanações 334
emanações mefíticas/pútridas/infetas 657
emanante 295
emanar 153, 154, 295
emancipação 748, 750
emancipar 705
emanente 154
emanquecer 275
emantar 223
Emanuel 976
emaranhado 41, 59, 248, 519, 704
emaranhamento 59, 219
emaranhar(-se) 43, 61, 219, 256, 704, 706
emarar-se 293
emarjar 229
emassar 223, 352
emastrar 673
embaçadela 545
embaçado 429, 545, 571
embaçamento 571, 870
embaçar 422, 479, 483, 545
embaciado 422, 425, 429
embaciamento 422, 848
embaciar 422, 424, 429, 483, 653, 848, 874
embaidor 548
embainhar 229, 258
embainhar a espada 174, 723
embair 495, 545
embair a boa-fé dos incautos 545
embaixada 755, 758
embaixador 534, 758
embalado 731

embalado pela vitória | empalheirar

embalado pela vitória 884
embalagem 184, 229
embalar 174, 190, 314, 880, 902
embalar com promessas 545
embalar ilusões 515, 858
embalsamar 362, 363, 400, 670
embalsamar na memória 505
embalsamento 670
embancar 545
embanda 996
embandeirar(-se) 367, 847
embandeirar-se em arco 838
embaraçado 158, 605, 704
embaraçante 704
embaraçar(-se) 219, 461, 475, 605, 699, 647, 704, 706, 732, 870
embaraço 8, 261, 475, 605, 704, 732, 751, 825
embaraço na fala 583
embaraçoso 59, 519, 647, 704, 706
embaralhado 465a
embaralhamento 465a
embaralhar 41, 61, 465a, 519, 539
embaralhar as cartas 140
embarbascar 376
embarbecer 131
embarcação 273
embarcadiço 268, 269
embarcado & *v* 293
embarcadouro 293
embarcamento 293
embarcar 293
embargada da fala 583
embargado dos membros 158
embargante 924
embargar 706, 761, 789, 924, 969
embargar a voz 821
embargo 265, 706, 761, 789
embarque 293
embarrancar sempre na mesma dificuldade 158
embarrar 223
embarrar(-se) 206, 210, 706
embarras de choix 609, 640
embarras de richesse 640
embarreirar 706, 717
embarretar-se 225
embarricar 190, 717
embarrilar 72, 190, 545, 670
embasamento *(de coluna)* 211
embasbacado 870
embasbacar(-se) 475, 519, 605, 870
embastecer 321
embate 14, 24, 179, 199, 276, 708, 713, 719, 720, 722
embater(-se) 14, 24, 179, 276, 713, 719
embater-se contra 24
embates da adversidade 704
embatocar 261
embatucado 479, 509
embatucar 519
embaucador 548
embaular 190, 223, 528, 636
embebecer-se 870
embebedar(-se) 376, 823, 959
embeber (-se) 41, 296, 300, 339, 538
embeber a espada no sangue de 361
embeberar 296
embeberar-se em 538
embeber-se em vagas reflexões 515
embeber-se no estudo 538
embebição 296
embebido 451, 821, 827, 870
embeiçado 865
embeiçar 829, 870, 897
embeiçar com alguém 897

embelecador 545, 548
embelecar 545
embelecer 578, 845, 847
embeleco 545
embelenar 907
embelezado 577
embelezamento 577, 845, 847
embelezar 577, 658, 829, 845, 847
embelezo (ant.) 845
embespinhar-se 900
embestado 717, 722
embetesgar 751
embetesgar-se 699
embevecer(-se) 829, 870
embevecido 870
embevecimento 870
embezerrado 837
embezerrar(-se) 606, 832, 900
embicado 253
embicadura 293
embicar 253, 265
embicar-se para 266
embiocar-se 225, 544
embiocar-se 988
embira 45
embirra 867
embirração 603, 901a
embirradela 606
embirrante 606
embirrar 606, 832, 900
embirrar com 867
embirrativo 606, 867
embirrento 606
emblema 147, 550, 551
emblema de autoridade 747
emblemático 550
emblematizar 554
emboaba (depr.) 57, 565
emboçador 690
embocadura 67, 343
embocar 67, 223, 416
embocetar 190
emboço 223
embodalhar 653
embodegar 653, 848
embófia 545, 878, 885
emboitar 653
emboldregar-se 653
emboldriar(-se) 653, 848, 934
embolismal 228
embolísmico 228
embolismo 228
êmbolo 263
embolofrasia 583
embolsar 190, 785, 789, 907
embolsar o credor 807
embolsar-se 294
embolso 785, 807
embonada 658
embonar 658
embonecar-se 851
embora 30, 469
emboras 838, 896
emborcar 218, 298
emborcar uma garrafa 298
emborco 218
embornal 191
embornalar 190, 817
emborrachar-se 959
emborralhar 653
emborrascar 421
emboscada 361, 545, 665, 667, 940
emboscar(se) 526, 528, 530, 665
embosnar(-se) 837, 910a
embostar (chulo) 653, 848
embostelado & *v.* 653
embostelar 653
embotadeira 225
embotado 172, 254, 3776
embotadura 254
Embotamento 254

embotamento 172, 823, 826
embotamento da audição 419
embotamento das faculdades mentais 499
embotar 158, 174, 254, 376, 823
embotelhar 190
embotijar 190
embraçar 781
embrancar 430
embrandecer 160, 174, 914
embranquear 430
embranquecer 430
embranquejar 430
embravear 824
embravecer 173
embravecido 173
embravecimento 173
embrear 223
embrechado 599, 847,
embrechar 257 847
embrenhar-se 221, 294
embriagado 959
embriagador 829
embriagar(-se) 298, 824, 954, 959
embriaguez 298
Embriaguez 959
embrião 66, 153
embridar 751
embriogenia 153
embriogênico 153
embrional 66
embrionário 66, 153, 193, 674
embriônico 193
embriotomia 301
embriótomo 301
embrocação 662
embromação 544, 629, 702
embromador 548
embromar 544, 940
embrulhada 41, 59, 517, 704, 713
embrulhado 519
embrulhador 702
embrulhar 43, 72, 190, 223, 227, 523, 544, 545, 706
embrulhar e levar para casa 781
embrulhar o estômago 395, 867
embrulhar-se 225
embrulhar-se falando 583
embrulho 31, 72
embruscar 424
embrutar 499
embrutecer 376, 491, 499, 539, 823
embruxar 992
embuçado 225, 526
embuçalador (fig.) 941
embuçar(-se) 528, 530
embuchado 528, 581, 841
embuchar 298, 479, 528, 581, 832, 900
embuço 447, 530
embudar 376, 622, 663
embude/ambude 45, 350, 376, 663
embuizar (ant.) 245
emburrar 499, 837
emburrar em 606
emburricar 545, 992
embustaria 544
embuste 544, 545, 546, 702, 940
embusteiro 545, 548, 702, 792, 941
embustice 544
embuticar 771
embutidor 690
embutidura 300, 847
embutir 43, 223, 228, 257, 300, 957
embuxar 298

embuziar-se 901a
emedar 72
emelar 396, 829
emenagogo 662
emenda 462, 552, 658, 972, 974
emenda pior que o soneto 699
emendar 462, 658, 660
emendar-se 950
ementa 86, 505, 596, 990
ementar 86, 505
ementário 86, 505
emergência 8, 151, 295, 446, 662, 704
emergente 295
emergir 250, 267, 295, 305, 446, 448
emérito 128, 490, 492, 500, 873
emersão 295
emético 171, 662
emetrope 441
emetropia 441
émeute 742
emigração 103, 266, 295
emigrado 188, 268, 489, 623, 893
emigrante 57, 266, 268, 295
emigrar 266, 295
emigratório 266
eminência 206, 642, 873, 876
eminente 206, 490, 642, 873, 928, 939
emir 745, 875
Emisit ore caseum 698
emissão 291, 295, 297
emissário 527, 534, 758, 828
emitente 297
emitido & *v.* 297
emitir 291, 297, 5313, 582, 800
emitir elogios 931
emitir juízo 480
emitir luz 420
emitir som 402
emitir sons 580
emitir uma sugestão 514
emitir vapor 334
EMLA 376
emoção 821, 825
emocionadamente 821
emocional 821
emocionante 822
emocionar-se até as lágrimas 822
emoldar 229, 240
emoldurar 227, 229, 230
emoliente 174, 662
emolir 662
emolumento(s) 775, 784, 810, 973
emonar-se 900
emordaçar 581, 751
emortecer 376
emotivamente 821
emotivo 821, 822
emouquecer 419
empa 215
empacar 133, 190, 304, 706
empachamento 957
empachar 640, 706
empachoso 706, 881
empacotamento 184
empacotar 72, 190, 223
empada 41, 59, 20a, 298
empadroar 76, 551
empáfia 491, 878, 885
empafiado 880, 885
empáfio 878, 880
empalação 260, 972
empalamento 975
empalar 260, 972
empalhação 702
empalhar 133, 224
empalhar cadeira 686
empalheirar 224

empalidecer | encadeamento de argumentos

empalidecer 422, 429, 436, 508, 821, 860
empalidecer/o declinar/o desmaiar da estrela de alguém 735
empalmação 698, 702, 791
empalmador 792
empalmar 190, 545, 702, 789, 791
empampanar 371
empanada 422
empanado 848
empanamento 422, 848
empanar 33, 4422, 424, 659, 848
empancar 706
empandeirar 638, 545, 672, 809
empandeirar(-se) 194, 709
empandilhado 714
empandilhar 791
empandilhar-se 178
empandinar(-se) 194
empantanar 310, 337, 345, 653
empantufado 878, 880
empantufar-se 194, 225, 880
empanturrado 52, 869
empanturramento 640, 869, 957
empanturrar 52, 640, 869
empanturrar o estômago 957
empanturrar(-se) 194, 880, 957
empanzinado 869
empanzinamento 640, 869, 857
empanzinar(-se) 194, 640, 869, 880, 957
empapar(-se) 296, 337, 537
empapelar(se) 225, 902
empapelo 223
empapuçado 655
empapuçar(-se) 194
empar 215, 371
emparceirado 88
emparceirar(-se) 43, 709
empardecer 432
emparedamento 893
emparedar 229, 751, 781
emparedarem-se as ondas 173
emparedar-se 212, 893
emparelhado 88
emparelhamento 43
emparelhar 27, 43, 89
emparelhar-se com 88, 199, 658, 707
emparrar 371, 847
emparreirar 371
emparvecer 499
emparvoecer 699, 870
empasma 340
empastamento 556
empastar 223, 353, 556
empaste 556
empatado 609a
empatar 133, 609a, 706, 708, 809, 817
empatar capital 794
empatar com 27
empate 27, 605, 609a, 628, 761, 974
empatia 888
empavesar 847
empavonar-se 880
empeçar 704, 706
empecer 706, 761
empecilho 706, 761
empecimento 706
empecível 649
empeço 649, 706, 751
empeçonhar 649, 659, 663, 835, 874
empeçonhentar 663
empedernecer 323, 823, 914a, 951
empedernido 823
empedernimento 907, 951
empedernir(-se) 323, 823, 907, 914a, 951

empedrar(-se) 223, 323, 914a, 951
empegar 310
empelamar 673
empelicado 734
empelicar 673
empelota 191, 1000
empena 236
empenachar 847
empenar 225, 241
empenhado 768, 805
empenhado em 604, 686
Empenhamento 788
empenhar 771, 788
empenhar/comprometer a palavra 535, 768
empenhar-se 459, 625, 642, 686
empenhar-se com alguém 765
empenhar-se contra 716
empenhar-se em 604, 620, 676
empenhar-se no bom combate 722
empenho 455, 459, 620, 682, 686, 765, 768, 771, 788, 805, 865
empenhorar 771
empepinar 323, 545
emperlar 847
emperrado 150, 579
emperramento 150, 579, 606
emperrar(-se) 150, 265, 304, 331, 579, 606, 706
emperro 606
empertigado 212
empertigar-se 212, 880
empesgar 223, 653
empestado 657
empestar 649, 657, 659, 830, 945
empetecado 854
empezar 223, 653
empezinhar 223, 653
empicotar 210, 972
empilhar 72, 549, 636, 640, 775
empinado 212, 885
empinar 206, 210, 217, 298
empinar um papagaio 840
empinar-se 212, 307, 885
empinar-se o sol 125
empinhocados 72
empiorar 659, 835
empíreo 318, 827, 829, 976, 981
empireuma 401
empireumático 401
empírico 463, 477, 699
empirismo 463, 4747, 675, 677
emplasmado 655
emplasmar-se 655
emplastar 855
emplastrar 223
emplastro 223, 555, 645, 662, 701
emplumar 223
empoado 878
empoar 223, 330
empobrecer 169, 638, 641, 789, 804
empobrecer o espírito 539
empobrecimento 36
empoçar(-se) 337, 345, 653
empocilgar 653, 751
empoeirado 330
empoeirar 330, 653
empola 250, 353, 384, 848
empolado 173, 577, 855, 878
empolamento 577
empolar(se) 194, 173, 349, 353, 577, 880
empoleirado 184
empoleirar 307
empoleirar-se 184, 206, 305, 737
empolgado 821, 865
empolgado por força inexorável 725
empolgado por uma ideia que se lhe apossou do cérebro 606

empolgante 457, 574, 642, 821, 829
empolgar 175, 457, 537, 606, 642, 781, 789, 824, 829
empolgar o auditório 582
empolgar o espírito/o coração 484
empolgar o pensamento 451
empolhar 526, 673
empolmar 321, 352
empolvorizar 330
emporcalhado 653
emporcalhamento 653
emporcalhar 653, 848, 874, 929
emporético 223
empório 74, 799
empossar 755, 777
emposta 706
emposta de terra 206
empostação 580, 855
empostar 580
emprazar alguém para 715
empreendedor 676, 680, 682
empreender 66, 170, 622, 625, 6675, 676, 68
empreendimento 170
Empreendimento 676
empreendorismo 682
empregado 694, 746, 758
empregado do fisco 965
empregar 184, 625, 644, 677, 755, 787, 809
empregar capital 794
empregar com mau resultado 732
empregar esforço extremo 686
empregar o último recurso 686
empregar os meios mais vis para conseguir os seus fins 940
empregar os tesouros de sua bondade 976
empregar todas as forças e energias 686
empregar todos os tiros no alvo 731
empregar-se 680
empregar-se em 625
emprego 625, 644, 677
emprego de capital/capitais 787, 809
emprego de meios sub-reptícios 775
emprego de palavras extravagantes 579
empreguiçar-se 683
empreitada.
empreitador 797
empreiteiro 626, 690, 797
emprenhar 168
emprenhar-se pelos ouvidos 486
empresa 170, 620, 622, 625, 676, 680
empresa especulativa/comercial 794
empresar 625, 751
empresário 599, 676, 682
empressement 682, 821, 865
emprestado 6
emprestador 787
emprestar 787
emprestar a juros/sob hipoteca/sobre penhores 787
emprestar asas a 707
emprestar com usura 819
emprestar demasiado valor a 482
emprestar falso colorido a 544
emprestar novo colorido a 140
emprestar rósea aparência a 544
emprestar sobre penhores 771

Empréstimo (concessão de) 787
empréstimo (levantamento de) 788
empréstimo 805
emproado 878
emproar-se 878
emprostótono 315
emptício (jur.) 795
empubescer 131
empulhar 544, 545, 856, 940
empunhar 480, 676, 677, 693, 781
empunhar a batuta 693, 737, 873
empunhar a férula 480
empunhar as rédeas de 737
empunhar o fuzil 722
empunhar uma arma 716
empunhar/sustentar o cetro 737
empurrão 276, 284
empurrar 276, 284, 300
empurrar com a barriga 605
empurrar para baixo 308
empurrar para longe 289
empuxão 276, 284
empuxar 284, 615
empuxo 276, 284
emudecer(-se) 403, 479, 581, 585
emulação 708, 720, 921
emulador 891
emulante 891
emular 19, 720
emular com 648
emular-se 27, 873
emular-se com 708
êmulo 27, 708, 710, 891, 921
emulsão 352
emulsionar 352
emulsivo 352
emunctório 350
emundação 952
emurchecer(-se) 160, 195, 429
en bloc 50
en grand seigneur 878
en grande tenue 851, 882
en masse 712
en passant 111, 134, 270, 621
en règle 82
en revanche 718
en route 270
en tapinois 528
enágua 225
enálage 521
enaltecer 482, 648, 931
enamorado 413, 865, 897
enamorar-se de 827, 897
enanar 834, 902
enântico 959
enarcado 245
enargia 582
enarmonia 413
enarmônico 413
enarração (ant.) 522
enastrar 229, 847
enatar 168, 223
encabar 300
encabeçado 749
encabeçar 551, 658, 777, 812
encabeçar-se 515
encabelado 256
encabeladura 256
encabelar 256
encabrestar 43, 737, 751
encabritar-se 305, 309
encabruado 606
encachaçado 959
encachaçar-se 959
encachar-se 226
encacho 225
encadeação 69
encadeado 639
encadeamento 9, 23, 43, 69, 88
encadeamento de argumentos 476

encadear | encoleirar

encadear 9, 43, 69, 302, 751, 829
encadear o raciocínio 497
encadeirar 737
encadeirar-se 184
encadernação 223
encadernador 593
encadernar 43
encadernar-se 225
encafuar 528
encafuar-se 528
encafunar-se 528
encafurnar 528
encaibrar 673
encaiporar 735
encaiporar-se 735
encaixado & *v.* 257
encaixar 43, 223, 228, 257, 300
encaixe 43, 211, 260
Encaixe 257
encaixilhar 229
encaixotador 673
encaixotar 43, 190, 223, 363, 636, 751
encaixotar na memória 505
encalacrado 806
encalacrar 907, 938
encalacrar-se 699, 806
encalamoucar 808
encalçar 281, 622
encalço 235, 461, 550, 622
encaldeirar 252, 371
encalecer 376
encalhação 732
encalhado 732
encalhar 304, 475, 706, 732
encalhe 732
encalir 670
encalistar 735
encalmadiço 382
encalmar 382, 824, 900
encalvecer 226
encalvecido 169
encamar 204, 655
encambulhar 43
encame 189, 667
encaminhar 60, 537, 550, 693, 695, 707
encaminhar-se 278
encaminhar-se para 176
encamisada 716, 720
encamisar 223
encampação 756
encampar 756
encanalhar-se 945
encanamento 350
encanastrar 190, 219
encancerar 659
encandear 545, 702, 870
encandecer 615, 821, 824
encandilar 321, 396
encanecer 128, 432
encanecido em 698
encangalhar 43, 225
encaniçar 229
encanizar-se 606
encantação 615
encantado 615, 827, 865
encantador 413, 829, 845, 897
encantadoramente 31
encantamento 870
Encantamento 993
encantar 642, 829, 845, 870, 897, 992
encantar as penas/os cuidados 834
encanteirar 51, 371
encanto 175, 377, 615, 827, 829, 840, 845
encantoar 44
encantoar-se 893
encantonado 893
encantonar-se 893
encanudar 249, 260

encanzinado 606
encanzinar-se 606
encapachar 223
encapar 223
encapeladura 315, 348
encapelamento 173
encapelar-se 173, 315
encapetado 900
encapoeirar 636
encapotado 225, 528, 544
encapotar 223, 528, 544
encapotar-se 225, 421
encaprichar-se 606, 608
encapuchado 519
encapuzar 223
encapuzar-se 225
encaracolado 248
encaracolar 248, 256
encaramelar 321, 385
encaramonado 837
encaramonar-se 901a, 932
encarangar(-se) 383, 655
encarantonhado 846, 907
encarapelar-se 173
encarapinhar 248, 321
encarapitar-se 206
encarapuçar-se 225
encarar 441, 480, 715, 719, 861
encarar a vida pelo lado mais grato 377
encarar as coisas pelo lado positivo 698
encarar com prevenção/com maus olhos/com pessimismo 932
encarar de frente 861
encarar em todos os seus aspectos/em todas as suas fases 461
encarar por um prisma absolutamente vulgar 477
encarar sob outro aspecto 468
encarar sob várias faces 476
encarar-se com o inimigo 716
encarcerado 754
encarceramento 751
encarcerar 229, 751
encardir 653
encarecer 33, 482, 549, 814, 931
encarecidamente 765
encarecimento 35, 482, 814
encarentar 814
encargar 755
encargo 625, 706, 755, 809, 812, 926
encarna 45, 257
encarnação 5, 554, 976
encarnação da autoridade 745
encarnação perfeita e viva da honra/virtude 873
encarnado 5, 420, 434
encarnar 3, 316, 434, 550, 554, 556, 613
encarnar a autoridade/o poder 737
encarnar a hipocrisia 544
encarnar-se 976
encarne 556, 615, 622
encarneirado 173
encarneirar-se 173
encarniçado 31, 159, 173, 361, 434, 606, 820, 824, 825, 898, 900, 907, 914a
encarniçamento 604, 606, 900
encarniçar 173, 434, 613, 615, 824
encarniçar-se 606, 914a
encarniçar-se no combate 720
encarochar 972
encarquilhar 258
encarrancar-se 421, 832, 901a
encarrascar-se 959
encarraspanado 959
encarregado 746

encarregado de negócios 758
encarregar 755
encarregar de comissão 755
encarregar-se (de) 625, 676
encarreirar 60, 693
encarrilar 60
encarrilhar com 480a
encarrilhar um negócio 698
encartar 542, 972
encarte 531, 593
encarvoar 384, 431, 653
encarvoejar 431, 653
encarvoiçar 384, 653
encasamento 961
encasar 300
encascar 223, 823
encasquetado 481
encasquetamento 481
encasquetar 606, 615
encasquetar-se 515, 606
encasquilhar-se 851
encastalhar 43
encastelar 72, 636, 717
encastelar-se no último reduto 606
encastoar 43
encatarroar-se 655
encatramonar-se 832, 900
encatrinar-se 959
encáustica 556
encavacado 900
encavacar 900
encavacar-se 901a
encavalgado 266
encavalgadura 268
encavalgar 266
encavalgar-se 637
encavar 257, 300
encavernar 528
encavo 43, 252, 257
encefálico 440e, 450
encéfalo 440e, 450
enceguecer 442
enceinte 181, 232
encelar 751
encelar-se 893
enceleirar 636
encenação 448, 599, 882
encenar 599
encendrar 652
encentrar 222
encerado 223, 340, 356, 363
encerar 223, 332
encercar 311
encerebrar 505, 538
encerra 370, 752
encerrado 751
encerramento 142, 229, 261, 729, 751, 893
encerrar 191, 227, 261, 447, 526, 528, 729, 751
encerrar contradições 24
encerrar-se 893
encerrar-se num mutismo 585
encerro 67, 893
encervejar-se 959
encetamento 66
encetar 66, 676
enchacotar 673
enchamerdeado 653
enchampanhar-se 959
enchapinado 323, 440c
encharcadiço 345
encharcado 337, 345
encharcar 337, 345, 348, 640, 653
encharcar-se 310, 959
encharcar-se no vício 945
enchedeira 350
enchente 31, 72, 102, 348, 639, 640, 667
encher 30, 52, 72, 102, 106, 190, 224, 294, 300, 636, 639, 706, 830, 832, 841, 869

encher a algibeira/os bolsos 775
encher a alma de ilusões 515, 858
encher a boca de 884
encher a cara com bofetadas 972
encher a memória 505
encher a mochila 298, 791
encher a sua idade 360
encher alguém de aguilhoadas 378
encher as algibeiras 637
encher as arcas do tesouro 803
encher até as bordas 52
encher bem as suas obrigações 926
encher de admiração 508
encher de asperezas e escabrosidades 256
encher de espanto 870
encher de luz 537
encher de orgulho/contentamento 836, 878
encher de perfume 400
encher de zelo e atividade 824
encher e vazar 314
encher linguiça (pop.) 133, 517
encher o bucho 957
encher o saco (vulg.) 830, 832, 841
encher (o) tempo 110, 133, 681
encher os olhos 829
encher os olhos de alguém 831
encher tempo 110
encher-se 298, 821, 957
encher-se de admiração 870
encher-se de afetos 897
encher-se de júbilo 836
encher-se de mazelas 874, 945
encher-se de ufania/de orgulho 878
encher-se de vaidade 880
enchia 348
enchido 224
enchimento 52, 190, 224, 639, 869
enchoçar-se 666
enchouriçar-se 878
enchumaçar 224
enciclia 348
encíclica 531, 537, 592
encíclico 247, 531, 592
enciclopédia 490, 527, 593
enciclopédico 78
enciclopedista 593
encilhar 225
encimar 210
encintar 43, 229
encinzar 330, 432
encinzerado (céu) 432
enciumado 920
enclarear 125
enclausurado 754
enclausurar 227, 261, 751, 781
enclausurar-se 893
enclave 233
enclavinhar os dedos 219
encluso 229
encoberta 530, 617
encobertadamente 528
encobertar 528
encoberto 447, 526, 528
encobrimento 528
encobrir 424, 447, 528, 544, 545, 664
encobrir furtos 791
encobrir intentos 544
encobrir-se 449
encofrar 785, 817
encoimar 974
encoiraçar 223
encolar 902
encolar-se 46
encoleirar 225

591

encolerizar | enfezamento

encolerizar 830
encolerizar-se 173, 900
encolerizável 901
encolher 193
encolher a mão 819
encolher os ombros 460, 866
encolher-se 195, 283, 383, 881
encolhido 203, 207, 383, 641, 879, 881
encolhimento 36, 195, 776
encolhimento de ombros 550
encólpio 191, 1000
encomenda 625, 755
encomendação 360
encomendar 741, 755
encomendar à memória 505
encomendar alguém ao diabo 908
encomendar de antemão 864
encomendar-se a Deus 950, 990
encomiar 931
encomiasta/fã ardoroso do passado 935, 936
encomiástico 931
encômio 931
encomiógrafo 935
encomissar 974
encomoroçar 482
encomoroçar-se 206, 880
encompridar 200, 549
encompridar-se 200
enconcar 245
enconchado 881
enconchar-se 195, 664, 893
enconhacar-se 959
encontar 789
encontradiço 136
encontrão 276
encontrar 151, 156, 290, 480a, 775
encontrar a morte 360
encontrar a porta fechada 764
encontrar agasalho em 931
encontrar algo em cada esquina 640
encontrar algo no meio do caminho 774
encontrar barba a barba 719
encontrar carinhosa hospedagem 892
encontrar dias sombrios 735
encontrar forma para o pé 23
encontrar guarida 484
encontrar o caminho já desbravado 117
encontrar onde abrigar-se 671
encontrarem-se nas opiniões 489
encontrar-se 1, 186
encontrar-se a meio do caminho 714
encontrar-se com (alguém)199, 276, 292, 720
encontro 156, 179, 199, 244, 276, 290, 480a, 720, 888
encontro de contas 811
encoquinar 528
encoquinhar 528
encorajamento 615, 834
encorajar 615, 707, 824, 861, 931
encordoar 673
encore 104, 931
encornar 716
encoronhar 673
encorpado 159, 321
encorpadura 321
encorpar(-se) 35, 194, 321, 352
encorrear 43, 258
encortelhar 751
encorticar 184
encorticar 323
encortinar 847
encorujar-se 544, 893

encoscorar 256, 258
encosta 217
encostadela 775, 788, 791
encostadiço 749
encostado 217
encostador 806
encostar 217
encostar a cabeça no ombro de 902
encostar alguém com duas libras 806
encostar o bastão/a vara 757
encostar-se 199, 217, 632, 687
encostar-se a alguém 88
encostes 215, 664
encosto 215, 664, 707
encouchar(-se) 245, 881
encouraçado 273, 717, 726, 727
encouraçar 664, 717, 823
encouraçar o coração 951
encourar 223, 823
encoutar 974
encouto 974
encovado 203
encovar 528
encovar-se 893
encovilar 184, 528
encrassamento 352
encravar 158, 199, 300, 479, 545, 907
encravar no lodo 653
encravar-se 699, 704, 732
encravelhar-se 806
encravilhar(-se) 699, 704
encravo (dep.) 798
encrenca 59
encrenqueiro 720, 832
encrespado 173, 250
encrespadura 315
encrespamento 256, 315
encrespar 16a, 248, 256, 258, 349
encrespar-se 315, 878. 900, 901a
encrespar-se com soberba 878
encriptar 363
encristado 878
encristar 256
encristar-se 307, 878
encristinar-se 878
encrostar 223, 823
encruado 704, 732
encruamento 323
encruar(-se) 150, 323, 324, 376, 661, 900, 914a, 951
encrudelecer-se 900, 914a
encruecer 323
encruecer-se 914a
encruentar-se 914a
encruzamento 219
encruzar 219
encruzilhada 91, 219
encumear (altura) 210
encumear-se 206
encurralar 370, 716, 751
Encurtamento 201
encurtamento 36, 38, 596
encurtar 36, 38, 111, 132, 195, 201, 241, 572, 641, 751, 789, 817
encurtar razões 572
encurvado 245
encurvar 245
encurvar-se 279
encurvatura 217
endecha 839
endechador 839
endechar 839
endefluxar-se 655
endemia 136, 655, 657
endêmico 69, 79, 136, 221, 655, 657
endemoniado 173
endemoninhadamente 31
endemoninhado 503, 825, 900, 907, 945

endemoninhar 900
endemoninhar-se 173, 825, 907
endentação 257
endentar 257
endentecer 127
endereçar 278, 590
endereçar a palavra a 586
endereço 184, 189, 278, 550
endereço eletrônico 184
endérmico 209
endeusado 878
endeusamento 878, 991
endeusar 482, 873, 931, 991
endeusar-se 878, 880
endez 636
endiabradamente 31
endiabrado 173, 503, 702, 825, 900, 907
endiabrar 900
endiche 545
endinheirado 803
endireita 662
endireitamento 246
endireitar 60, 246, 658
endireitar com 480a
endireitar-se 212, 660, 944
endireito 278
endividado 641, 804, 806
endividar 916
endividar-se 788, 806
endividar-se com alguém 916
endocarpo 222
endocrinologia 662
endoenças 828, 998
endoidecer 503
endomingado 847, 882
endoscópio 461
endosmose 302
endosmótico 294
endossamento 488
endossante 800
endossar 467, 488, 769, 771, 800, 931
endosso 488, 550, 551, 771, 800
endrômina 544, 702
endurado 606
endurar 619
endurar o coração 914a
endurecer 150, 159, 321, 323, 376, 823
endurecer o coração 914a, 951
endurecer-se 907
endurecido 159, 323, 376, 823, 988
endurecimento 321, 323, 951, 988
endurentar 323, 823
endurentar o coração 914a
endurentar-se 907
eneágono 244
eneático 98
enegrecer 384, 421, 431, 653, 874, 934
enejo 111
êneo 43, 110, 159, 323, 823
energético 71
energia 5, 157, 159, 574, 604, 682, 686, 861
Energia 171
energia elétrica 157
energia física 171
energia potencial 157
energia voluntária 171
energicamente 171
enérgico 157, 159, 171, 404, 476, 574, 604, 821, 824
energizar 171
energúmeno 481, 504, 549, 584, 606, 949, 988
enervação 160, 659, 681
enervado 158, 160, 172
enervamento 158, 160, 659
enervar 158, 160, 659

enesgar 244
enésimo 99
enevoado 353, 421, 422, 424, 426, 432, 447, 519
enevoar 421, 424, 837
enfadadiço 868, 901
enfadado & *v.* 841
enfadamento 841
enfadar 830, 832, 841
enfadar-se 841, 900
enfado 603, 688, 828, 832, 837
Enfado 841
enfadonhar 841, 704
enfadonho 704, 830, 837, 841, 843, 871
enfadoso 841
enfaixar 127, 223, 225
enfant gâté 869, 899
enfant perdu 863
enfarado 866
enfarar 841
enfarar-se 866
enfardador 673
enfardar 43,190, 751
enfardelar 190
enfarinhamento 491
enfarinhar 539
enfarinhar-se 491
enfaro 395, 841
enfaroar 395, 841
enfarpelar-se 225
enfarruscar 431, 653
enfartamento 869
enfartar 261, 706, 869
enfarte 261, 706, 869
ênfase 535, 577, 580, 642
enfastiamento 841
enfastiar 830, 841
enfastiar-se 841, 866, 867
enfastioso 830, 841, 867
enfaticamente & *adj.* 577
enfaticamente 31
enfático 535, 575, 577, 578
enfatuação 486, 503, 606, 825, 880
enfatuado 85, 481, 486, 503, 878, 880
enfatuamento 855, 880
enfatuar-se 878, 880
enfear 846, 848
enfeirar 625
enfeitado 851
enfeitar 544, 549, 845, 847
enfeitar com renda 847
enfeitar-se 225, 851
enfeitar-se de penas 225
enfeite(s) 39, 225, 231, 549, 847
enfeitiçar 824, 829, 897, 992
enfeixamento 290
enfeixar 43, 72, 290, 751
enfeixar nas mãos 222
enfeixar nas mãos os destinos de 737
enfelujar 431, 653
enfermar 654, 655
enfermaria 662
enfermeiro 662, 690
enfermiço 655
enfermidade 160, 619, 655, 945
enfermo 160, 655
enferrujado 124, 659, 683
enferrujamento 659, 683
enferrujar(-se) 124, 265, 659
enfervescer-se a sanha de alguém contra 900
enfesta 210
enfesto 206, 217
enfeudação 783
enfeudado aos interesses 943
enfeudar 749
enfezado 193, 195, 641, 643, 900, 901
enfezamento 160

enfezar | enlodar-se

enfezar 160, 195, 659, 900, 901a
enfezar-se 193
enfiada 63, 69, 72, 639
enfiar 225, 260, 300, 302, 821
enfiar a cabeça na boca do leão 547
enfiar a mão 814
enfiar a viola no saco 585
enfiar alguém pelo fundo de uma agulha 545
enfiar de susto 860
enfiar o braço 276
enfiar o nariz em 228
enfiar pela terra adentro 479
enfibrar 159
Enfield 727
enfileirado & *v.* 58
enfileirar-se 58, 71
enfim 133, 476, 572
enfirmar 158
enfistulado 260
enfitar 847
enfiteuse 769, 771, 780
enfiteuta 779
enfiteuticar 771, 783
enfitêutico 769
enflorar 161, 367, 829, 847
enflorescer 367
enfogar 384, 824
enfolhar 435
enfolhar-se 367
enforcamento 972
enforcar 361, 815, 972
enforcar as esperanças 859
enforcar as rendas 638
enforjar 384, 673
enformar 240
enfornado 192
enfornar 384
enfraquecer 36, 103, 158, 160, 174, 659, 688, 789, 937
enfraquecido 103, 158, 160, 683
enfraquecimento 36, 160, 659
enfraquentar 160
enfrascar 190, 6366, 751
enfrascar-se em genebra 959
enfrascar-se no estudo de 538
enfrascar-se no vício 945
enfreamento 751
enfrear 706, 751
enfrenar (bras.) 706, 751
enfrenesiar(-se) 825, 830, 900
enfrentamento 179, 713, 715, 863
enfrentar 234, 708, 715, 719, 720, 861
enfrentar dias adversos 828
enfrentar dificuldades 704
enfrentar o perigo com a serenidade dos bravos 861
enfrestado 198, 260
enfriar 385
enfronhado 490
enfronhar 537
enfronhar as mãos 683
enfronhar-se 538
enfronhar-se em 490, 880, 884
enfrouxecer 158, 160
enfulijar 653
enfumaçar 653
enfumarar 336
enfumar-se 878
enfunado 194, 250
enfunar(se) 194, 878, 880
enfunilado 260
enfunilar 252, 253, 260
enfuniscar (reg.) 900
enfurecer 173, 824, 900
enfurecer-se 173, 503, 825, 900
enfurecido 173, 173, 900
enfurecimento 173, 825
enfuriado 900
enfuriar 900
enfurnado 528

enfurnar 184, 528
enfurnar-se 530
enfuscar 421
enga 298, 613
engabelar (bras.) 545
engaçar 330
engaço 45
engadanhado 383
engadanhar-se 383, 475
engafecer(-se) 659, 945
engaiolado 229
engaiolamento 751
engaiolar-se 893
engajamento 769
engajar 722, 746
engajar-se como voluntário 763
engalanar 577, 845, 847, 882
engalanar o espírito 658
engalfinhar-se 720
engalhar 706
engalhardear 847
engalhardetar 847
engalispar-se 720, 885
engambelar 940
enganação 544, 882
enganadiço 486, 547
enganado 545, 495, 544, 545, 702, 941
Enganador 548
enganar 495, 528, 539, 544, 545, 615, 702
enganar a dor 834
enganar em 491
enganar-se 495, 699
enganar-se redondamente/de meio a meio 495
engana-vista 443, 556
enganchar 43
enganido 383
enganir (ant.) 383
engano 477, 495, 515, 536, 544, 702, 732
enganoso 477, 495, 544, 545, 702
engar 613, 897
engaranhado 383, 605, 704
engaranhido 383
engarapar 545
engaravitado 383
engargantar 298
engarnachar 999
engarrafar 190, 203, 528, 636, 670, 751
engarrafar na memória 505
engarupar 89
engarupar-se 88
engasgado 479, 509
engasga-gato (cachaça) 959
engasgalhar-se (pop.) 475, 479, 751
engasgar(-se) 475, 479, 706
engasgar com mosquitos 643
engasgar-se com mosquito e engolir leão 608
engasgo 581, 583, 704
engastalhar(-se) 43, 706
engastar 43, 257
engaste 45, 257
engate 45
engatilhar 673
engatinhar 275
engavelar 72, 636
engazofilar 751
engazopar 751
engazupar 545
engelhamento 258
engelhar 258
engendrar 153, 515, 545
engendrar um plano 626
engenhar 480a, 515
engenhar um plano 626
engenharia militar 722
engenheiro 466, 492, 690, 726, 786

engenheiro topográfico 466
engenho 330, 492, 498, 515, 633, 698, 702
engenho remisso 493
engenhoca 545, 702
engenhoso 515, 698, 702
engerido 383
engerir-se 195, 383
engessar 223, 430
englobadamente 50
englobado & *v* 41
englobar 37, 41, 43, 72
engodar 545, 615, 784, 940
engodativo 933, 935
engodilhado 59
engodilhar 706
engodo 545, 615, 702, 784, 933, 940
engoiado 383
engoiar-se 383
engolfado 451, 458
engolfar(-se) 162, 310, 451
engolir 162, 296, 298, 484, 638, 930
engolir a/uma afronta 725, 918
engolir a isca 602
engolir carapetões 486
engolir cobras e lagartos 725
engolir gato por lebre 547
engolir leão e engasgar com mosquito 699
engolir os haveres recebidos 638
engolir patranhas 486
engomado 854
engomar 255
engonatão 114
engonçar 43, 257
engonço 45
engonha 683
engonhar 683
engordar 194, 298, 658
engordurar 332, 653
engorgido 383
engorovinhado 258
engorrar-se 709
engra 253
engração 83, 829, 836, 842, 853
engradar 751
engraixar 431
engrampar 545
engramponar-se 880
engrandecer 35,192, 549, 648, 873, 931, 990
engrandecer-se 194, 734, 873
engrandecimento 35, 194, 482, 873
engranzar 43, 257, 302, 545
engravatar-se 225
engravescer 835
engravitar-se 212, 719
engraxador 652
engraxamento 332
engraxar 332
engraxar as botas de 886
engraxate 652, 935
engrazular 545
engrelar 127
engrelar-se 212
engrenar 257
engrenhar 60, 255
engrifar-se 673, 722, 900
engrilado 900
engrilar 895
engrilar-se 212, 901a
engrimanço 497, 517, 519, 563, 571, 583, 586
engrimpar-se 184, 206, 305, 873, 878
engrimponar-se 184, 878, 885
engrinaldar 847, 973
engrolado 674
engrolador 701

engrolar 384, 412, 544, 583, 730
engrossador 607, 935
engrossamento 933
engrossar 35, 37, 194, 321, 933
engrossar o corte 254
engrotar (o orifício da ampulheta) 706
engrumar 321
engrumecer 321
engrunhido 383
engrunhir 376
engrunhir-se 383
engrupir 544, 940
enguia-elétrica 366
enguiçador 994
enguiçar 659, 992
enguiço 129, 735, 846, 859, 992
enguiforme 248
engulhar 297, 395, 867
engulho 395, 841, 865, 867
engulhoso 395, 830, 841, 867, 930, 940
engulipar (pop.) 298
enguloseimar 298, 394
engunhar 258, 340
enigma 497, 519, 520, 533
enigmar 519
enigmático 475, 519, 528
enigmatista 519
enjaezar 225
enjambrar 241
enjaulamento 751
enjaular 751
enjeitamento 867
enjeitar 610, 624, 764, 782, 867, 930
enjoado 843, 967
enjoador 841
enjoar 395, 830, 841, 867, 900
enjoativo 392, 395, 830, 841, 867
enjoadiço 868
enjoiar 847
enjoo 395, 841, 867
enlabiar 933
enlabruscar 653
enlaçadas 847
enlaçamento 219
enlaçar 43, 219
enlaçar-se 248, 903
enlace 43, 903
enladeirado 217
enlaivar 653, 848
enlambujar 957
enlambuzadela 653
enlambuzar 653
enlambuzar-se 491
enlameado 339, 345
enlamear(-se) 653, 874, 907, 934, 940
enlanguescer 160, 683
enlapar 184
enlapar-se 530, 666
enlatar 670
enleado 605
enleante 475
enlear 43, 219, 475, 519
enlear-se 248, 545, 605, 699
enleio 248, 458, 475, 605, 704, 870
enlerdar 458
enlevado 451, 457, 821, 827, 870
enlevador 821
enlevamento 824, 897
enlevar 413, 457, 642, 824, 829, 845
enlevar-se 458, 827, 870
enlevo 458, 821, 827, 831, 865, 870, 872, 897, 899
enliçar 626
enliço 626
enlocar 528
enlodar 345, 653
enlodar-se 653

593

enlouquecido 503, 504
enlourar 436
enlourecer 436
enlousar 363
enluarado 422
enludrar 653
enlutado 839
enlutar(-se) 361, 829, 830, 837, 839
enluvar-se 225
enobrecer 482, 648, 658, 873
enobrecer-se 875
enobrecimento 873
enodado 43
enodar 43, 256, 704
enodo 251, 255, 705
enodoar 483, 653, 848, 874, 934
enófilo 959
enofobia 958
enófobo 958
enóforo (ant.) 959
enoitar 421
enoitecer 421, 830, 837
enojador 841
enojamento 841
enojar 395, 830, 841, 867
enojar-se 866
enojo 832, 841, 867, 900
enojoso 603
enomancia 511, 959
enorme 31, 102, 105, 192
enormemente 31
enormidade 31, 192, 495, 497, 947
enouriçar 256
enovelar 219, 248
enquadrar 229, 751
enquanto 120
enquanto houver força 686
enquanto isso 109
enquanto o mundo for mundo 112
enqueijar 321
enquesta 461
enquimose 848
enquiridio 593
enquisa 461
enquistado 229
enrabeirar 653
enrabichar 706
enraigar-se 613
enraivecer(-se) 173, 821
enraizar-se 124, 150, 175
enramada 189, 223
enramalhetar 72, 847
enramar 847
enramilhetar 72, 847
enrançar 659
enranchar 72
enrarecer 322
enrascada 665, 704
enrascadela 702
enrascar(-se) 874, 938
enredado 43, 59
enredador 545, 702, 949
enredar 41, 43, 219, 475, 532, 626, 702, 706
enredar alguém com lisonja 933
enredar alguém com perguntas hábeis 545
enredar-se 699
enredar-se nos laços de 547
enredear 219
enredo 219, 454, 516, 532, 544, 545, 588, 626, 702, 907
enredomar 227
enredomar na memória 505
enredomar-se 893
enredoso 477, 519, 704
enredouçar 314
enregelado 360, 376, 383
enregelamento 383, 385
enregelar(-se) 383, 385

enrelicar na memória 505
enresinar 323
enrevesado 497
enricar 35, 803
enriçar(-se) 61, 704
enrijamento & *v*. 323
enrijar 159, 323
enrijecer 159, 323
enrilhar 323
enriquecer 35,76, 161, 648, 658, 803, 847
enriquecer o espírito 537
enriquecer o lar 161
enriquecer seus conhecimentos intelectuais 490
enriquecer-se 775
enriquecido de feéricas belezas 845
enriquecimento 658
enriquentar 803, 847
enristar 213, 673
enrizar 275
enrobustecer 159
enrocamento 635
enrodelar 717
enrodilhar 248, 311
enrodrigar 215
enroladamente 528
enroladouro 221, 222
enrolar 43, 219, 223, 245, 248, 545
enrolar a bandeira de combate 683
enrolar a língua 583
enrolar as bandeiras 723
enrolar-se 225
enroscado 217
enroscado pela serpente do ciúme 920
enroscar 219, 248, 258, 311
enroscar-se em 46
enroscar-se para dormir 687
enrostar 932
enroupar 223
enroupar em frases 566
enroupar-se 225
enrouquecer(se) 405, 410, 581
enroxar-se 437
enrubescer(-se) 434, 821, 824
enruçar 659
enrudecer 499, 659
enrufar 256
enrugamento 258
enrugar 16a, 248, 256, 258
enrugar a fronte 837
enrugar-se 195, 659
Ens Entium 976
ensabanado 440b
ensaboadela 491, 652, 932
ensaboado 652
ensaboadura 652
ensaboamento 652
ensaboar 332, 652, 932
ensaboar o queixo do burro 732
ensacar 190, 636, 775, 789
ensaiador 673, 675
ensaiador de ouro e prata 463
ensaiar 463, 599, 673, 675
ensaiar o espírito 538
ensaibrar 223
ensaio(s) 463, 538, 595, 673, 692a
Ensaio 675
ensaios de apuro 599
ensalada 41
ensalmador 992, 994
ensalmar 992
ensalmeiro 992, 994
ensalmo 992
ensalmourar 67
ensamarrar-se 225
ensambenitar 972
ensamblador 690
ensambladura 43

ensamblagem 43
ensamblamento 43
ensamblar 43, 257, 300
ensancha 40, 134, 748
ensanchar(-se) 35, 194
ensandalar 400
ensandecer 499, 503
ensanefar 847
ensanguentado 361, 653
ensanguentar 361, 434
ensarilhar 219
ensarilhar as armas 683, 723
enseada 198, 252, 343
ensebar 332
enseio 248, 260
enseirar 670
ensejar 134
ensejo 134, 646
ensemble 50
ensenhorear-se de 538
ensífero 717
ensiforme 253
ensilar 670
ensilvar 227, 706
ensilveirar 227
ensimesmado 221, 585, 881
ensinadela 972
ensinador 540
ensinamento 537, 697
ensinança 537
ensinar 527, 537, 613, 972
ensinar com a eloquência fria dos algarismos 478
ensinar com autoridade 474
ensinar com prático ensinamento 537
ensinar errado 539
ensinar o padre-nosso ao vigário 539, 640
Ensino 537
ensino 540, 695, 972
ensino falho/defeituoso/ineficiente 539
ensino fundamental 537
ensino médio 537
ensirrostro 440c
ensoado 382, 655
ensoar(-se) 382, 384
ensoar-se 384
ensoberbecer(-se) 880, 827, 878, 880, 885
ensobradar 206
ensofregar 171, 173
ensolvar (peça de artilharia) 158
ensombrar 421, 424, 837
ensombro 664
ensopado 337
ensopar 300, 337, 339
ensopar em boa doutrina 537
ensopar-se 538
ensujentar 653
ensumagrar(s) 419, 673
ensurdecedor 404, 419
ensurdecência 419
ensurdecer(-se) 404, 419, 458, 764
entablamento 206
entabolar conversação 588
entabolar negociações 763
entabuar 60, 66, 323, 707
entabular um serviço 676
entaipar 223, 751
entalada 704
entalado 203
entalar 203, 704
entaleigar 190
entalhado 257
entalhador 558, 559
entalhadura 250, 257, 558
entalhar 161, 223, 240, 257, 557, 558
entalhe 257, 550, 557

entalho 244, 252, 557, 558
entaliscar-se 704
entangar 226
entanguecer(-se) 383
entanguido 193, 383
entanguitado 383
então 106, 119
entapar-se 449
entapizar 223, 847
entaramelar-se 583
entardecer 126, 135, 421
entarraxar 43
ente 1, 3
ente de razão 515
ente malfazejo 165, 619, 663, 830, 913
enteado 167
entear 43
entecer 219
entediante 843
entediar 841, 867
entejar 841
entejo 841
enteléquia 517, 563
entender 451, 476, 480, 490, 518, 693
entender de lagares de azeite 698
entender mal 419
entendido 490, 492, 500, 700, 850
entendimento 450, 476, 498, 714
entenebrecer 126
entenrecer 324
entente cordiale 714, 888
entérico 221
enternecedor 413, 829, 902
enternecer(se) 824, 914
enternecido & *v*. 914
enternecimento 914, 915
enterobíase 655
enteroscopia 662
enterrado em 229
enterrador 363
enterramento 363
enterrar 300, 361, 363, 528
enterrar a cabeça na areia (fig.) 866
enterrar a unha 814
enterrar sob algumas leivas de argila 363
Enterro 363
enterro 856
enterro de corpo à terra 363
entes queridos 11
entesadura 246
entesar 179, 200, 212, 246, 323, 606, 885
entesar-se com 719
entesourar 72, 636, 775, 780, 803, 817
entesourar no pensamento/na memória/na mente/na ideia/na lembrança 505
entestar 199, 234
entêté 481, 606, 880
entibecer-se 158
entibiamento 624
entibiar 36, 158, 160, 616, 823
entibiar-se 158, 605, 624
entidade 3
entidade luminar 642
Entidades demoníacas 980
Entidades divinas 979
entimema 476
entintar 223
entoação 402, 413, 580
entoamento 413
entoar 413, 416
entoar louvor 931
entoar um ave 894
entocar 528
entófito 367
entojar 841

entojo | enunciativa

entojo 841
entômico 366
entomologia 368
entomologista 368
entonação 580
entonar-se 885
entono 878
entontecedor 274
entontecer 158, 315, 503, 959
entornadura 638
entornar 218, 297, 298, 348, 638, 954, 959
entornar bálsamo na ferida 834
entornar-se o caldo 659, 732
entorno 197, 199, 227
entorpecente 376
entorpecer 160, 172, 174, 376, 706, 823
entorpecido 172, 683, 823
entorpecido de medo 860
entorpecimento 376, 381, 683, 823
entortadela 243
entortadura 243
entortar 217
entortar para um lado 241
entortar-se o negócio 732
entortilhar 248
entouçar(-se) 194
entouceirar(-se) 194
entourado 832
entourage 227
entourar 832
entoxicar 649
entozoários 193
entrada 66, 134, 198, 231, 260, 286, 294, 298, 551, 810
entrada forçada 294, 300
entrada franca 815
entrado de vinho 959
entrado em anos 128
entrajar-se no manto de 545
entralhação 219
entralhar 43, 219, 751
entramar 41
entrança 66
entrançar 43, 219, 248, 440
entrância 66, 888, 897
entranhadamente 543
entranhado 31, 124, 159, 820
entranhar(se) 221, 294, 310, 538, 897
entranhar-se de amor 897
entranhas 5, 221, 820
entranhas da terra 208
entranqueirar 717
entrante 294
entrar 294
entrar com o pé direito 731
entrar como um vândalo 162
entrar de corpo e alma na campanha 680
entrar em 680
entrar em acordo 774
entrar em carreira 625
entrar em cena 294, 446
entrar em concorrência com 27
entrar em concorrência com alguém para 865
entrar em conflito 713
entrar em conta 642
entrar em depressão 859
entrar em desesperação 900
entrar em detalhes/em minúcias 79, 594
entrar em ebulição 384
entrar em função 66
entrar em justa 716
entrar em luta com 708
entrar em minúcias 79
entrar em negociações 724

entrar em nova fase 144
entrar em peleja 720
entrar em pelejas 720
entrar em rivalidade/em competição 708
entrar em tediosas minúcias 573
entrar em um assunto 595
entrar em uma questão 461
entrar na cabeça (de) 451, 484
entrar na composição 48, 56
entrar na confecção 56
entrar na dança 707
entrar na posse de 775
entrar na razão 922
entrar nas cogitações 451
entrar no âmago do assunto 595
entrar no antro da fera 861
entrar no armário 374a
entrar no conto do vigário 486
entrar no pleno gozo de seus direitos civis 131
entrar numa irritação tremenda 900
entrar para 709
entrar para a vida pública 892
entrar para o rol 785
entrar pelos olhos a dentro 518
entrar por 518
entrar por um ouvido e sair por/pelo outro 456, 458, 487, 506
entrasgado 203
entravado & *v.* 706
entravar 706, 751
entrave 704, 706
entre 228
entre a cruz e a água benta 665
entre a cruz e a caldeirinha 665
entre a parede e a espada 665
entre Cila e Caribdes 665, 704
entre dentes 405, 528, 581
entre dia 125
entre dois fogos 704
entre dois sóis 106
entre gestos de deboche e gargalhadas de escárnio 929
entre nós 528
entre o céu e a terra 338
entre o lobo e o cão 126
entre o lusco e o fusco 475
entre o malho e a bigorna 665
entre parênteses 10, 134, 573
entre vivo e morto 360
entreaberto 198, 260
entreabrir 198, 260, 446
entreabrir os olhos 443
entreato 70, 106, 599
entrebater-se 720
entrebranco 429
entrecambado 59
entrecana 198
entrecasca 221, 228
entrecerrar 528
entrecho 454, 599, 626
entrechocarem-se 720
entrecoberta 198
entreconhecer(-se) 491, 888
entrecoro 1000
entrecorrer 151
entrecortado 70
entrecortar 70, 219, 228
entrecorte 219
entrecruzar-se 219
entredanha 528
entredizer 589, 761
entredormido 683
entrée 298
entrefolho 530
entreforro 224
entrega 637, 725, 782, 784, 790, 821

entregador 941
entregar 637, 782, 784, 790, 940
entregar a espada 725
entregar ao fogo 384
entregar ao silêncio 918
entregar nas mãos do Senhor 826
entregar o ramo 796
entregar-se 601, 604, 625, 677, 680, 725, 859
entregar-se a 613, 824, 954
entregar-se à ciumaria 920
entregar-se à mendicância 765
entregar-se à mercê de 725
entregar-se à prática de transações comerciais 794
entregar-se à vertigem do amor 897
entregar-se ao devaneio 452, 515
entregar-se ao jogo/ao vício 945
entregar-se ao sono 683
entregar-se aos prazeres 377
entregar-se às distrações 840
entregar-se de corpo e alma a 549
entregar-se desenfreadamente 825, 640, 682
entregar-se nas mãos de Deus 601
entregue 725, 784
entregue à exploração de 547
entregue ao manejo de 547
entregue aos seus próprios recursos 87
entrelaçamento 82, 219
entrelaçar 41, 43, 219, 248
entrelinha 228, 526, 528, 595
entrelinhar 198, 590
entrelopo 57, 621, 791, 964
entreluzir 422
entremaduro 674, 730
entremeadamente & *adj.* 228
entremeado 39
entremear 41, 70, 198, 219, 228
entremear de termos bombásticos 577
entremédio 228
entremeio 106, 198, 219, 228
entrement 298
entrementes 30, 106
entremesa 298
entremeter-se 228, 455, 682
entremetido 228, 682
entremetimento 682
entremez 106, 599
entremezista 599, 844
entremontano 228
entremostrar 448
entremostrar-se 446
entrenebrecer 421
entrenublado 447
entrenublar-se 421
entreolhar-se 588
entreouvir 418
entrepano 228
entrepausa 70, 198
entrepernar 219
entrepernas 219
entreportas 221
entreposto 636, 799
entrepreneur 599
entrescolher 609, 609a
entressachar 41, 228
entresseio 198
entressei(o)s 248, 2252, 477
entressolhos 477, 702
entressombrar 443
entressonhar 441, 515
entretalhador 559
entretalhadura 557
entretalhar 557

entretalho 557
entretanto 30, 476
entretecedura 219
entretecer 41, 32, 219, 248, 440
entretela 224
entretelar 224
entretém (pop.) 840
entretenida 607
entretenimento 840
entretenimento íntimo 588
entreter 133, 670, 831, 840
entreter a dor 834
entreter palestra 588
entreter-se 840
entreter-se conversando 588
entretimento 228, 840
entretom 428
entretrópico 228
entreturbar(se) 70, 821, 824
entrevação 158
entrevado 158
entrevar 158
entrevecer 158, 421
entrever 441, 443, 507, 510
entrevero 713
entrevinda 292, 508
entrevista 588, 892
entrevisto 498
entrezilhado 203
entrincheirado 717
entrincheiramento 232, 717
entrincheirar(-se) 717, 664
entristecer 830, 837
entristecer-se 837, 839
entronar 737, 931
entroncar(-se) 194,155, 228, 290, 300, 903
entronear 737
entronização 755, 873
entronizar(-se) 737, 873
entronquecer(-se) 194
entropia 382
entrós 257
entrosagem 257
entrosar 257
entrouxar 72
entroviscada 361
entroviscar-se 421
entrudar 840
entrudo 840
entufado 878, 880
entufar(-se) 194, 250, 878, 880
entulhado 52, 640
entulhar 52, 190, 636, 706
entulho 330, 517, 645, 706
entumescer 194
entupimento 261, 706
entupir 52, 186, 190, 261, 300, 636, 706, 869
enturvar 421, 830, 837
entusiasmado 827
entusiasmar 175, 615, 825, 829
entusiasmar-se 827, 870
entusiasmo 574, 682, 821, 827, 858, 870
entusiasmo poético 597
entusiasta 606, 821, 822, 858, 935
entusiástico 515, 821, 825, 858
enublar 421, 424
enucleado 518
enuclear 301, 518, 522
enumeração 86
enumeração longa e fastidiosa 573
enumerar 76, 527, 594
enunciação 580
enunciado 566
enunciador 527
enunciar 531, 535, 566, 580, 582
enunciar de cor 505
enunciar uma questão 461
enunciativa (ant.) 522, 551

enunciativo | equívoco

enunciativo 527
enunciatório 527
enurese 655
enuvear 424
envaidar 880
envaidar-se 880
envaidecer(-se) 880, 827, 873
envalar 229, 717
envanecer 880
envasar 190
envasar-se 653
envasilhar 190
envelhacar-se 702, 941
envelhecer 124, 128, 678
envelhecido 128
envelhecimento 124
envelope 223
envencilhar 43
envenenado 655, 657, 830
envenenador 657
envenenamento 659, 663
envenenar 523, 649, 657, 659, 663, 679, 835, 900
envenenar até a última fibra 649
envenenar os costumes 945
envenizar-se 959
enverdear 435
enverdecer 435
enverdejar 435
enveredar(-se) 278, 286, 737
envergadura 202
envergar 225, 245
envergonhado 547, 879, 881
envergonhar 907
envergonhar-se (de) 821, 879, 881, 932, 950
envermelhar 434
envermelhecer 434, 821
envernizado 959
envernizamento 847
envernizar 223, 255, 356a, 477, 544, 556, 670, 847, 937
enverrugar 258
envesgar os olhos 443
envessar 218
enviado 534, 755, 758, 759
enviar 270, 284, 755, 784
enviar *e-mail* 527, 592
enviar para a eternidade 361
enviar sentidas condolências 915
enviar torpedo 592
enviar um triste abraço 915
enviar uma carta 592
enviatura 755
envidar esforços 686
envidar todo o pulso de ânimo em 686
envidilhar 247, 371
envidraçar 223, 422
envidraçarem-se os olhos a alguém 360
enviés 217, 218
enviesar 217
envilecer(-se) 874, 940, 945
envilecimento 874
envinagrar(-se) 397, 856, 959
envincilhar 43, 219
enviperado 900
enviperar-se 900
environs 197, 227
enviscar(se) 43, 545, 547, 663
envite 763
enviuvar 87, 361, 905
enviveirar 636
envolta 59
envoltas 626
envolto 59
envolto em prantos 839
envolto em reva 421
envoltório 223, 232
envoltura 223

envolvedor 223, 702
envolvente 578
envolver 41, 54, 153, 223, 227, 229, 467, 516, 526, 731, 938
envolver em faixas 225
envolver o inimigo 731
envolver-se 225, 699, 874
envolver-se em 625, 676, 680
envolver-se em desânimo 837
envolver-se no manto da hipocrisia 544
envolvido 41
envolvimento 682, 709
enxabimento 391
enxacoco 391, 517
enxada 371
enxadão 253
enxadrezado 219
enxadrezar 219
enxaguar 652
enxalmar 30
enxalmar as feridas 834
enxalmo 30, 225, 501, 846, 860
enxambrar 340
enxame 69, 102, 639
enxameante 72
enxamear 72, 102, 639
enxamel 329
enxaqueca 655, 837
enxara 169
enxarcear 673
enxárcia 72
enxarondo 391
enxaropar 662
enxebre 391
enxecar 907, 974
enxeco 706, 907, 974
enxercar 340
enxerga 215
enxergão 215
enxergar 441, 480a
enxergar longe 498, 510
enxerido 24, 228
enxerir-se 228
enxertado 6, 24, 613
enxertar 37, 184, 300, 371, 537
enxertar-se 228, 294
enxerto(s) 6, 300, 371, 549, 551
enxó 253
enxofrar 330
enxofre 388, 436
enxofrento 388
enxota-cães 263, 997
enxota-diabos 994
enxotar 135, 289, 756
enxoval 127, 225, 673, 780
enxovalhar 653, 830, 874, 929, 932, 934
enxovalhar-se 940, 945
enxovalho 874, 934
enxoveedo 501
enxovia 752
enxovolhar 258
enxudar 653
enxugador 340
enxugar 340
enxugar as lágrimas de 914
enxugar gelo 645
enxugo 340
enxúndia 192
enxundioso 192
enxurdeiro 345
enxurrada 348, 639, 877
enxurro 348, 877
enxuto 340, 823
enzona 545
enzootia 370
eólio 349
Éolo 349
epacta 108
epanadiplose 104
epanáfora 104
epanástrofe 104

epanchement 525
epânodos 104
eparação violenta 44
epaulette 550
epêntese 35
éperdu 824
épergne 191
épicas proezas 873
epicaule 367
epicédio 597, 839
epicéfalo 83
epiceno 81, 374a
epiciclo 247
epicicloide 247
épicier 877
epiclino 367
épico 594, 597, 599, 692a, 873
epicúreo 954
epicurismo 827, 868, 954, 957
epicurista 827, 840, 954a, 957
epicuro 868
epidemia 78, 655
epidêmico 70, 73, 78, 655, 657
epidemiologia 662
epiderme 220, 223
epidérmico 220
epidítico 577, 882
epídromo (ant.) 206
epifania 998
epifito 367
epigamia 903
epigastralgia 378
epigenesia 161
epígono 167
epígrafe 66, 550, 564
epigrama 597, 842, 856
epigramar 842
epigramático 572, 842
epigramático 842
epigramatista 844
epigramatizar 597, 842, 856
epilatório 226
epilepsia 315, 655, 825
epiléptico 173, 315, 612, 821, 825
epileptiforme 173, 315
epilogal 67
epilogar 596
epílogo 65, 67, 154, 480, 529, 596, 599, 729
epinícias 838
epinício 415, 597, 838
epíquea 740
epiquirema 476
episcênio (ant.) 599
episcopal 995
episcopaliano 984
episcopalismo 995
epíscopo 967
episodicamente 137
episódico 10, 111, 137, 228, 573
episódio 51, 70, 151, 228, 573
epispástico 662
epistar 330
epístola 537, 592
epistolar 592
epistolário 551, 592
Epístolas 985
epistoleiro 551
epistólico 592
epistolografia 592
epistológrafo 592
epístoma 263
epitáfio 363, 597
epitalâmio 597, 903
epítase 597
epitema 662
epitético 565
epíteto 39, 564, 565, 929
epitomar 201, 596
epítome 193, 572, 596
epitomizar 596
epítrope 760

epizootia 370, 655
época 106
época anormal 665
epodo 65, 496
epônimo 564
epopeia 597, 873
epopeia imensa de prodígios 873
epopeico 873
epopta 541
eportado 879
epóxi 204
epravação do apetite 83
epressa 274
epressão 207
epudo 241
epulão 996
epulótico 834
epuxo 215
equação 9, 27, 30, 84
equacionar 9
equador 68, 181, 247, 318, 382
equânime 740, 826, 918
equanimidade 465a, 740, 826, 922
equatorial 68, 181, 318, 445
equável 16
equende 996
equevo 120
equidade 922, 939, 963
equídeo 412
equidistância 29, 68, 216, 628, 736
equidistante 27, 29, 68, 216, 628
equidistar 68, 216, 628
equidoso 922
equilibração 27, 30
equilibrado 174, 502
equilibrar 27, 30
equilibrar a receita com a despesa 817
equilibrar-se 607, 609a
equilíbrio 27, 30, 242, 502, 607, 736, 850, 864
equilíbrio estável 150
equilíbrio instável 149
equilibrista 599, 607, 700
equimúltiplo 84
equinípede 440c
equino 271, 412
equinocial 318
equinócio 318
equinococose 655
equinocultura 370
Equipagem 269
equipagem 269, 633
equipamento 631, 633, 673, 780
equipar 225, 269, 673
equiparação 464
equiparar 27, 464
equiparar-se 27
equiparável & *v.* 27
equiparência 464
equipe 759
equípede 440c
equipendência 27
equipendente 27
equipolência 27
equipolente 27
equiponderância 30
equiponderante 27
equiponderar(-se) 27, 30
equitação 266
equitativo 498, 922, 924, 939
equivalência 27, 30
equivalente (a) 9, 27, 30, 516, 522, 812
equivaler 516, 812
equivocação 477
equivocar(-se) 475, 495, 477, 520, 544, 864
equivocidade 571
equívoco 475, 47, 481, 485, 495, 520, 528, 544, 571, 713, 961

Equívoco | escamado

Equívoco 520
equívoco intencional e agressivo 520
equóreo 341
era 106, 108, 114
era cristã 114
era um dia 106
era uma vez 106, 119, 122
erário 802
erastianismo 984
Erato 416
eratopagia 88, 89
eratópago 89
e-reader 593
erébico 982
Érebo 982
ereção 161, 212, 307, 961
eremícola 893
eremita 893, 955
eremitério 189, 893
eremítico 893
eremitório 893
éreo 323
eretibilidade 307
erétil 212, 307
eretilidade 212
eretismo 173, 212, 825, 961
ereto 212, 307
eretor 307
ergastulário (ant.) 753
ergástulo 752
ergo 476
ergometria 662
ergotismo 476, 480
erguer 161, 307, 411, 582, 658
erguer a crista 885
erguer a luva 919
erguer a mão contra 719
erguer a voz 411, 932
erguer a/sua voz contra 489, 708
erguer-se 1, 183, 206, 212, 307, 446, 894
erguer-se como ameaça 152
erguer-se das cinzas/do túmulo 660
erguer-se fulminante de 932
erguer-se nos pés 307
erguida 215
erguido & *v.* 307
erguimento 307, 658
eriba 271
eriçação 253, 256, 704
eriçar 253, 156
eriçar de 640
eriçar de dificuldades 704
eriçar os cabelos 830
erigir 161, 206, 307
erigir-se em ameaça 665
éril 323
erimir 142
erináceo 256
erinaque 225
erisipela 655
eritema infeccioso 655
ermar 162, 187, 361, 657, 659, 716, 893
ermete 215
ermida 893, 1000
ermitania 893
ermitão 893
ermitoa 997
ermo 169,187,180, 893
erne 221
erodir 358
erogar (desus.) 784
erólito 318
Eros 897
erosão 171, 659
erosivo 171, 384
erótico 827, 897, 961
erotídeas 897
erotismo 827, 897

erotomania 961
erotômano 962
erpendículo 212
errabundo 73
errada 495
erradamente 619
erradicação 301
erradicar 301
erradio 44, 73, 87, 149, 264, 266, 279
errado 218, 495, 523, 547, 597
errado por ser proibido 925
errância 475, 495
errante 73, 149, 185, 264, 266, 279
errar 279, 481, 495, 519, 523, 545, 945
errar desastradamente 699
Errar é humano, perdoar é divino 918
errar mui e crassamente 495
errar no cálculo 508
errar o alvo 304, 732
errar o lanço 732
errar o salto 732
Errare humanum est 495
errata 495
errático 44, 73, 87, 149, 264, 279, 608
erratum 495
errazinar 104
erre (na loc. *por um erre = por pouco*) 665
erremoto 173
erro 279, 515, 568, 732, 945, 947, 984
Erro 495
erro clerical 495
erro contra as regras de sintaxe 568
erro crasso/grassento/palmar/ material/imperdoável/injustificável/supino/grosseiro/ arrevesado/de palmatória 495, 568
erro de apreciação/de cálculo 481
erro de cálculo 508
erro de visão 481
erro humano 667
erro tipográfico 495
erroneamente 495
erroneamente chamado 565
errôneo 495
error (des.) 495
erubescente 434
erubescer-se 881
eructação 297, 334
erudição 490, 538, 560
erudição chocha 491
erudir 537
eruditão 493, 500
eruditar 490
eruditismo 490
erudito 490, 492, 500
eruditonamente 491
eruditus artificio simulationis 548, 702
eruginoso 435
erupção 173, 295, 667
erupção vulcânica 872
erupções escabrosas 655
erva 651, 800
erva daninha 619
Erva ruim não a cresta a geada 949
ervaçal 367
erva-cidreira 834
ervagem 367
ervar 663
erviço 129
ervoeira (ant.) 962
és não és 32, 643

esbabacado 870
esbabacar 870
esbaforido 684, 688
esbaforir-se 688
esbaldar-se 840
esbalgir 638
esbandalhar 44, 162, 328
esbanjado & *v.* 638
esbanjador 638, 818
Esbanjamento 638
esbanjamento 73, 818
esbanjar 36, 638, 679, 818
esbaralhar 61, 465a
esbarrar 142, 265, 276
esbarrar com 179
esbarrar de encontro a 158
esbarricar-se 659
esbarroar(-se) 306, 706
esbarrocar-se 124
esbarrondadeiro 212, 667
esbarrondar(se) 44, 162, 306, 732
esbater 60, 457, 556, 642
esbater a cor 429
esbater as trevas 420
esbater um baixo-relevo 557
esbater-se na penumbra 34
esbatido 429
esbelteza 845
esbelto 845
esbelto como a estipe da palmeira 845
esbirro 739, 965
esboçação 53, 730
esboçar 240, 554, 556, 626
esboçar-se 66
esboceto 596
esboço 240, 448, 551, 554, 556, 594, 595, 596, 626, 730
esbofar 475
esbofar-se 686, 688
esbofetear 649, 716, 720, 972
esbogalhar 330
esbombardear 716
esborcelar 241, 716
esborcinar 241, 716
esbordar 303, 640
esbórnia 961
esboroamento 306
esboroar 44,162, 306, 308, 330, 509
esboroar as esperanças de 859
esboroável 328
esboroo 306
esborraçar 45, 51, 162, 328
esborrachar 44, 162, 241, 328, 330
esborralhada 146, 162, 732
esborralhar 306
esborrar 652
esborratar 653
esborretear 653
esbracejar 315, 686, 704, 719, 720
esbranquiçado 429, 430
esbraseado 434
esbraseamento 384
esbrasear 384, 434
esbravear 173, 404, 825
esbravecer 173, 404, 825, 900
esbravejar 173, 404, 411, 825, 900
esbrizar (ant.) 638, 795, 809
esbugalhado 250
esbugalhar 441
esbugalhar os olhos 457
esbulhado 776
esbulhar 789, 925
esbulhar da posse de 789
esbulho 776, 791, 818
esburacado 260
esburacar 252
esburgado 203

esburga-pernas 972
esburgar 226
esbuxar 44, 61
escabecear 279
escabecear com sono 683
escabeche 392
escabelar 256
escabelo 215
escabichador 461
escabichar 461
escabiose 655
escabreação 900
escabreado 900
escabrear(-se) 287, 623, 900
escabrosidade 256, 704
escabroso 16a, 217, 256, 653, 679, 704, 945
escabujar 315, 719, 932
escabulhar 226
escabulho 223
escacar 44
escachar 44
escachoar 315, 348, 402a
escacholar 716
escada 305, 307, 627
escada de incêndio 671
escada de segurança 671
escada rolante 307, 627
escadaria 307, 627
escadório 627
escadote 307
escadraçar 44, 51, 328
escafandro 310, 461
escafeder-se 293, 449, 623, 671
escagaçar-se 297
escaiola 223
escaiolar 223
escala 69, 71, 200, 413, 466
escala diatônica/cromática 413
escala enarmônica 413
escala maior 413
escala menor (harmônica e melódica) 413
escalada 305, 307, 716
escalador 716
escalafriado 383
escalafrio 383
escalamento 716
escalão 215
escalar 305, 307, 731, 755, 791
escalar com açoites 972
escalar trincheiras 716
escalavrado pelo desespero 828
escalavradura 331
escalavrar 209, 226, 241, 256, 331, 649, 830
escalavro 331
escalda 393
escaldado 509, 950
escaldadura 825
escaldante 824
escalda-pé 386
escaldar 384
escalda-rabo (pop.) 929, 932
escaldar-se 950
escaler 273
escalfar 384
escalfeta 386
escalfúrnio 907
escalonar 240, 673
escalpar 361
escalpelar 260, 461
escalpelizar 260, 461
escalpelo 253, 461
escalpo 733
escalrachar 371
escalrichado 391
escalvado 169, 226, 255
escalvar 169, 226
escama 204, 223
escamação 226
escamado 204, 223, 900

597

escamalhoar-se | escotomia

escamalhoar-se 623
escamar 226
escamar-se 623, 900
escamas caíram dos olhos de, As 529
escambar 148, 794
escambo 148, 794
escameado 223, 225
escamel 650
escamento 204, 223
escâmeo 223
escamiforme 223
escamígero 204, 223
escamonear-se 901a
escamoso 204, 223, 256
escamotação 702
escamotagem (gal.) 791
escamoteação 544, 545, 698, 702, 791
escamoteador 548, 792
escamoteagem 702
escamotear 545, 702, 789, 791
escamotear informação 528
escampado 260, 665
escampar 340
escampo 260
escamugir-se 623
escanado 128, 131, 698
escanar-se (ave de rapina) 128
escanastrado 158
escança 156
escançado 731
escanção 746, 892
escançar 892
escancaradamente 525
escancarado 198, 260, 448, 703
escancarar 198, 260, 529
escancarar a consciência 951
escancarar a honra 961
escancarar a porta 296
escanchar 45
escandalizador 932
escandalizante 932
escandalizar 832, 900, 907, 932, 945
escandalizar-se 822, 900
escandalizar-se com 932
escândalo 532, 588, 679, 713, 830, 874, 900, 938, 945
escândalo dos poderosos (texto difamatório) 934
escandalosamente 31
escandaloso 31, 679, 874, 882, 932, 945, 961
escandalum magnatum 874
escandar 597
escandecência 900
escandecer 384
escandecido 384
escandescência 384
escandir os seus pecados 950
escandir versos 597
escandoloso 923
escaneado 590
escaneamento 591
escanear 590
escanelado 203, 243
escâner 591
escangalhar 44, 162
escangalhar-se de rir 838
escanganhar 465, 609
escanhoar 255, 729
escanifrado 203, 243
escaninho 221, 530
escano 215, 670
escantilhão 466
escanzelado 243
escapada 623, 671
escapade 497, 608
escapadela 608, 623, 671, 840
escapadiço 671
escapar 506, 529, 623, 643, 927
escapar à compreensão 519

escapar à/da memória *(esquecimento)* 458, 506
escapar à observação/ao descobrimento 447, 526
escapar a qualquer reparo 458
escapar a unhas de cavalo 671
escapar da mosca e ser comido/devorado da/pela aranha 735, 835
escapar de 671
escapar de boa 671
escapar dum perigo pela malha rota 671
escapar ileso 671
escapar pela malha 623
escapar por um triz 671
escapar por uma unha negra 671
escaparate 191, 477, 607, 617, 671
escapatória 477, 546, 607, 617, 626, 937
Escapatória 671
escape 671
escapelador/escalpelizador 461
escápole 927a
escápula 215, 250, 671, 750
escapulário(s) 998, 999
escapulir(-se) 449, 623, 671, 750
escaquear 219
escaqueirar 44, 162, 219, 328
escaques 219
escara 653
escarabocho 555
escarafunchador 461
escarafunchar 461
escarafunchar a memória 505
escaramuça 713, 720, 722
escaramuçador 726
escaramuçar 720
escarapela 720
escarapelar 649, 720
escaravalho 252
escarcear 402a
escarcela 717, 784
escarcéu 59, 341, 404, 411, 708
escarcha 256, 383
escarchar 256, 396
escardado 440b
escardear 331, 371
escardilhar 371
escardilho 371
escarificar 257, 378, 830
escarlate 434
escarlatina 434, 655
escarmenta 509, 972
escarmentado 950
escarmentar 972
escarmentar-se 509
escarmento 509, 732, 972
escarnador 461
escarnar 49, 461
escarnecedor & v. 856
escarnecer 856, 929
escarnecimento 856
escarnecível 853
escarnicador 856
escarnicar 856
escarniçar 929
escarnificar 49, 830, 972
escarninho 856, 930
escárnio 856, 874, 930
escarnir (pop.) 856
escarolar 226
escarolar-se 928
escarótico 171, 392
escarpa 206, 217, 717
escarpado 212, 217
escarpamento 217
escarpar 212, 217
escarpelar 378
escarpes 975

escarpim 225
escarradeira 191, 653
escarrado (pop.) 554
escarrador 191
escarrapachar(-se) 184, 213, 932
escarrapiçar 537
escarrapichar 522
escarrar 297
escarrinhar-se 297
escarro 297, 299, 877
escarva 257
escarvador 262
escarvar 209, 257, 260
escarvoar 556
escasquear 652
escassamente 32, 103
escassas vezes 137
escassear 32, 36, 53, 103, 137, 641
escassez 32, 36, 53, 103, 137, 304, 322, 641, 804
escasso 32, 103, 137, 201, 491, 641
escasso do real faz ceitil e o liberal do ceitil faz real, O 819
escatel 260
escatima 545, 651, 828
escatimar 480a, 523, 545, 907, 929
escatologia 67
escavação 252, 257, 461
escavacar 162, 328
escavado 252
escavador 461
escavar 208, 252, 260, 371, 461
escaveirado 243
esclandre 36
esclarecedor 467, 527
esclarecer 467, 474, 518, 522, 527, 537
esclarecido 490, 500
esclarecimento 490, 522, 527
esclerose múltipla 655
esclerótica 441
escoadouro 295, 350
escoamento 297, 348, 638
escoar 270, 638
escoar-se 109, 348, 638
escoda 255, 276
escodar 255
escodear 226
escogitar 461
escoicear 276, 491, 716
escoicinhar 276, 491, 716
escoico 597
escoimado 946
escoimar 650, 658, 946, 970
escol 648, 650, 851
escola 75, 484, 490, 527, 540, 556
Escola 542
escola adversa 710
escola de minas 542
escola normal 542
escola politécnica 542
escola religiosa 983
escola-modelo 542
escolar 129, 536, 541, 542, 983
escolástico 490, 492, 524, 537, 538, 542, 849
escolha 600
Escolha 609
escolha de vocábulos 569
escolher 114, 600, 609, 692, 755, 759
escolher em escrutínio 609
escolhido 609, 648, 875
escolhido a dedo 23
escolho 346, 665, 667
escoliastes 524
escoliasto 524
escólio 496, 522
escolmar 226

escolopendra 83
escolta 88, 103, 281, 664, 666, 726, 753
escoltar 236, 281, 664
escombro 51, 330
escondedor 530
escondedouro 530
escondedura 528
esconde-esconde 840
esconder 528, 664
esconder o jogo 544
esconder(-se) 530
esconderelo 528, 530
Esconderijo 530
esconderijo 182, 449, 528, 666
esconder-se 294, 449, 526, 623
escondido 447, 528
esconjugar 768
esconjuração 766
esconjurador 994
esconjurar 908, 992
esconjurar um mal 992
esconjurativo 766
esconjuratório 766
esconjuro 545, 992, 993
esconso 217, 244, 530, 923
esconso de cervelo 499
esconso de miolo 503
escopeta 727
escopeteiro 726
escopo 26, 516, 620
escopo do conhecimento 494
escopro 262, 558
escora 215, 664, 673, 707, 717
escorar 215, 707
escorar-se 959
escorbuto 655
escorçar 201, 556, 596
escorcemelar-se 623
escorchante 812
escorchar 331, 649, 791, 812
escorço 201, 554, 556, 596
escória 40, 330, 653, 877
escoriação 226, 331
escoriar 209, 226, 331
escorjar 241, 523, 744
escornada 716
escornar 716, 930
escornear 930
escornichar 930
escorpião 830, 913
Escorpião 318
escorraçar 289, 830, 867, 907, 930, 932
escorraçar a tristeza 840
escorralha 40
escorralho 40
escorralhos 40
escorregadela 306, 495, 568, 732, 945, 947
escorregadiço 217, 332, 665, 705
escorregadio 217, 255, 332, 355, 665
escorregadouro 217, 255
escorregadura 945
escorregamento 264
escorregadio 961
escorregar 264, 306, 495, 732, 945
escorregar da memória 506
escorregar na ladeira do crime 945
escorregável 255, 475, 665
escorreito 567, 578, 654, 944
escorrer 333, 348
escorropicha-galhetas 997
escorropichar 298
escorvar 673
escote 973
escoteiro 268
escotilha 260
escotilhão 260
escotomia 443

escouçar | esmaio

escouçar 61
escoucear contra 708
escova 256, 652, 932
escovação 932
escovadela 932, 972
escovalho 652
escovar 284, 297, 331, 652, 658, 673
escovilhão 652
escovilhar 652
escrava 746
escravatura 749
escravidão 749, 752, 886, 907
escravização 749
escravizado & *v.* 749
escravizar 749
escravizar as consciências 739
escravo 746, 749, 754
escravo da moda 851
escravo de 743, 749
escrevedor 701
escrevente 19, 553, 590
escrever 527, 551, 590, 595
escrever alguma coisa com/ em letras de fogo/ouro 931
escrever apurado 578
escrever em caracteres rútilos de fogo 505
escrever em prosa 598
escrever na areia 506
escrever no bronze 505
escrever o *hic jacet* do bom senso 497
escrever ou dizer cesta por balhesta 495
escrever uma carta 592
escrever versos 597
escrevinhadeiro 590
escrevinhador 590, 593, 701
escrevinhar 590
escriba 553, 590, 701, 968, 996
escrínio 191, 636
escrita 550, 561
Escrita 590
escrita universal 560
escritinho 592
escrito & cuneiforme 590
escrito 593
escrito mal alinhavado 568
escrito que perdeu valor/validade 927
escritor (pejorativo para) 701
escritor 559, 593, 690
escritório 191
escritos na parede 668
escritura 467, 771, 777
escritura de contrato 769
escrituração 811
escriturar 551, 590, 811
escriturário 553, 746
Escrituras 985
escrivaninha 590
escrivão 553, 590, 968
escrófulas 655
escrópulo 319
escroque 702, 792
escroto (chulo) 877
escrotocele 655
escrupularia 603, 605, 855
escrupular-se 605
escrupulejar-se 605
escrupulizar-se 485, 605, 615a
escrúpulo(s) 457, 459, 485, 603, 772, 860, 926, 939
escrupulosamente 457
escrupulosidade 603, 939
escrupuloso 494, 459, 461, 487, 543, 603, 772, 868, 922, 926, 939
escrutador 461
escrutar 455, 457, 461, 490
escrutinador 461, 480
escrutinar 457, 480, 609
escrutínio 457, 461, 209

escrutínio nominal 609
escucir-se 623
escudado 664
escudar 664, 717
escudar-se 666, 677
escudeirar 746
escudeirático 746
escudeiro 746, 875
escudela 191, 252
escudo 223, 550, 551, 664, 666, 717, 800, 875, 876
esculápio 662
esculca 668
escúleo 975
esculpido & *v.* 557
esculpir 161, 240, 259, 557, 558
escultor 559
escultura 554, 692a
Escultura 557
escultural 557, 845
esculturar 240, 557
escuma 353, 643, 653, 877, 900
escuma da terra 949
escuma de sabão 332
escumado 353
escumalho 877
escumante 353
escumar 315, 353
escumar sangue e bile 900
escumilha 847
escumoso 353, 573, 577
escuna 273
escuramente & às escuras 421
escurecer 126, 421, 422, 424, 431, 506, 519
escurecível 506
escurentar (ant.) 421
escureza 421, 431
escuridade 421, 431
escuridão 421, 422, 431, 442, 491
escuro 421, 422, 426, 519, 526, 528, 837, 846
escuro como breu 421
escurra 501
escurril 499, 501, 643
escusa 617, 770, 918, 937
escusação 970
escusado 640, 645
escusador 937
escusar 937, 970
escusar/indeferir um requerimento 764
escusar-se 617
escusar-se a um pedido 764
escusatório 937
escusável 937
escuso 653
escuta! 418, 457
escutador 418
escutar 418, 457
escutar alguém 457
escutar atentamente 507
escutar com as duas orelhas 418
escutar o canto da sereia 933
esdruxularia 83, 608
esdruxulez 608
esdruxulidade 608
esdruxulizar-se 608
esdrúxulo 83, 139, 149, 562, 580, 597, 608
esemalhetar 44
esenfurecer-se 174
esengalapar 246
esenredar 60
esfacelamento 49, 713
esfacelar 44, 328, 330, 681
esfacelar-se 162
esfaimado 203, 641, 865, 957
esfaimar 865, 956
esfalfado 688
esfalfar 158, 688
esfanicar 330

esfaquear 260, 361, 649, 659
esfarelar 330
esfarinhar 330
esfarrapado 226, 643, 804
esfarrapar 44, 162, 659
esfatiar 51
esfera 7, 26, 181, 249, 318, 625, 682, 728
esfera armilar 466
esfera de ação 157
esfera de atividade 682
esfera(s) de fogo 318
esfera dos conhecimentos humanos 490
esfera terrestre 554
esferal 249
esferas vermelhas 318
Esfericidade 249
esférico 247, 249, 318
esferoidal 249
esferoide 249
esférula 249
esfervilhar 315, 353, 384, 825
esfervilhar aos centos 31
esfiladeiro 198
Esfinge 513
esfinge 83, 519, 533
esflorar 659
esfola-caras (depr.) 690, 701
esfolador 830
esfoladura 331
esfolamento 814
esfolar 209, 226, 331, 378, 789, 791, 812, 814
esfolegar 348
esfolhar 226
esfoliação 204
esfoliar 226
esfomeado 203, 956, 957
esfomear 956
esforçado 604a, 682, 686, 861, 926
esforçar-se 170, 6765, 686
esforçar-se por 675
esforçar-se por dominar 716
esforço 170
esforço 171, 680, 682
Esforço 686
esforço da fantasia/da imaginação 549
esforço de imaginação 515
esforço obstinado 686
esforço por 622
esforços infrutíferos/inúteis/vãos 686
esforços vãos/baldados/improfícuos/perdidos/estéreis 732
esfraldar 313
esfrangalhar 328
esfrega 331
esfregação 331
esfregado & *v.* 331
esfregadura 331
esfregalho 331
esfregão 215, 331
esfregar 223, 331, 505, 652
esfregar os olhos 870
esfriadouro 387
esfriamento 383, 385, 616
esfriar 174, 385, 616
esfulinhar 652
esfumar 431
esfuminho 556
esfuracar 252
esfuscar 431
esfuziada 716
esfuziante 821, 827
esfuziar 402a, 409
esfuzilar 420
esgadanhar 649
esgaivar 252
esgaivotado 203, 651
esgalgado 203

esgalhado 99
esgalhar(-se) 91, 99, 201, 244, 291
esgalho 99
esgalrichar 412
esganação 819
esganado 957
esganado por dinheiro 819
esganar 361
esganar-se 680, 819
esganiçado 410, 411, 583
esganiçar(-se) 411, 412
esgar 846
esgarabulhão 682
esgarabulhar 264, 309, 682
esgaraminhar 53
esgaratujar 590
esgaravatador 652
esgaravatar 461, 609, 652
esgaravatil 262
esgarçar 44, 260
esgarço 32
esgardunhar 649
esgares 855, 857
esgargalar 226
esgarrão 279
esgarrar 279, 945
esgatanhar 649
esgazear 429, 870
esgo 248
esgoelar 411, 580
esgorjar 226, 865
esgotado 2, 552
esgotadouro 350
esgotamento 158, 638, 659, 688
esgotante 704
esgotar 53, 295, 340, 638, 688
esgotar o cálice da amargura 828
esgoto 297, 340, 350, 652
esgrafiar 556
esgrafito 556
esgraminhar 55, 371
esgrima 720
esgrimidor 726
esgrimir 716, 720
esgrimista 726
esgrouviado 203
esgrouvinhado 429
esguardar 928
esguardo 928
esguazar 209, 267, 302
esguazo 209
esguedelhado 653
esguedelhar 256
esgueirar-se 623
esgueiriço 893
esguelha 217
esguelhado 217
esguelhão 236
esguelhar 217
esguichadela 348
esguichar 297, 333, 348
esguicho 337, 348
esguincho 276
esguio 200, 203, 206
eslabão 378
esladroar 371
eslagartar 371
eslinga 307
eslingar 307
esmadrigar 279
esmaecer 429
esmagachar 330
esmagador 159, 319
esmagar 162, 241, 319, 328, 330, 479, 649, 739, 751, 830, 879
esmagar a lei 739
esmagar a soberba 879
esmagar sob o peso da realidade 509, 829
esmaiar 158, 429
esmaio 158, 429

599

esmalmado | espetadela

esmalmado 460, 683
esmaltador 559
esmaltar 223, 440, 556, 847
esmalte 6, 223, 556, 847
esmaltista 559
esmaniar 503
esmar 85, 466, 511, 514
esmarelido 436
esmarrido 340
esmechada 378
esmechar 378, 716
esmensurado 31
esmerado 650, 850, 851
esmeralda 435, 847
esmeraldino 435
esmerar(-se) 459, 602, 604, 650, 686, 851
esmerar-se até o ridículo 855
esmerar-se na feitura/na execução de 686
esmerar-se no alinho das frases 578
esmerdar (chulo) 653
esmeril 253, 255, 330
esmerilar 253, 255, 331, 658
esmerilhador 461
esmerilhadora 461
esmerilhar 255, 331, 461
esmero 459, 578, 650, 850, 868
esmero artístico 850
esmigalhamento 330
esmigalhar 51, 162, 241, 328, 330, 378
esmigalhar-se 160
esmiolado 699
esmiolar 330
esmirrado 193
esmirrar(-se) 124, 195, 659
esmiuçador 461
esmiuçar 330, 457, 461, 522
esmiudar 330
esmiudear 461
esmiunçar 461
esmo 514
esmoer 298, 330
esmola 641, 784, 906, 910
esmolador 767, 784
esmolar 765, 784, 906, 990
esmoleiro 767, 784
esmolento 784
esmóler 767, 784, 785, 801, 948
esmóler-mor 801
esmoncar 301
esmonda 371
esmondar 371
esmordaçar 298, 378
esmordicar 298
esmorecer(-se) 158, 360, 422, 616, 624
esmorecido 360, 624, 681
esmorecimento 616, 624
esmorzar 415
esmoucar 649
esmurraçar 716, 720
esmurrar 276, 716, 720, 972
esmurrarem-se ou esmurraçarem-se 718
esnobe 613
esnobismo 608, 613, 880
esnocar 38, 201, 371
esnodar 44
esnoga 1000
esofagite 655
esôfago 440e
esôfago de Barrett 655
esofagogastroduodenoscopia 662
Esopo 846
esotérico 79, 520, 528, 992
esoterismo 79
espaçadamente 137, 275
espaçado 198
espaçamento 198

espaçar 110, 133, 137, 198
espacejar 198
espacial 196, 318
espácio 440b
Espaço 180
espaço 26,192, 196, 198, 338, 413
espaço aberto/livre/ilimitado 180
espaço celestial 318
espaço de tempo 109
espaço definido 181
espaço em branco 2
espaço entre o ânus e os órgãos sexuais 440e
espaço indefinido 180
espaço infinito 180
espaço sideral 318
espaçonauta 269
espaçonave 273
espaçosamente & *adj.* 180
espaçoso 180, 192, 202
espada 253, 262, 722, 727, 744
espada da lei 963
espada de Dâmocles 665, 667
espada de dois gumes 477
espadachim 726, 742, 863, 887
espadagão 727
espadanado 348
espadanar 348
espadâneo 253
espadão 727
espadas cevadas de sangue 361
espadaúdo 159, 192, 440d
espadeirada 276, 716, 972
espadeirar/espaldeirar 716, 972
espadeiro 726, 887
espadela 276
espadelar 276
espadim 727
espádua 250
espairecer 689, 827, 834, 840
espairecimento 840
espalda 215, 250
espaldão 717
espaldar 215, 717
espaldear 716
espaldeira 717
espaldeta 215, 250
espalha-brasas (bras.) 863, 884, 887
espalha-canivetes 863
espalhado 47,103
espalhafatar 853
espalhafato 59, 315, 404, 549, 852, 882, 884
espalhafatosamente 882
espalhafatoso 481, 549, 825, 852, 853, 855, 880, 882, 884
espalhamento 44, 73
espalhar 35, 44, 73, 291, 531
espalhar aos quatro ventos 529
espalhar luz 537
espalhar o tio e a dor 361
espalhar perfumes 400
espalhar-se 186, 532, 573
espalier 232
espalmar 241, 251, 255
espanador 652
espanapse 104
espanar 297, 652
espancador 863, 887, 949
espancar 649, 972
espancar a luz 539
espancar com o seu clarão 420
espanéfico 851, 855
espanejar 652
espanholada 482, 497, 517, 549, 884
espanholismo 563
espanholizar-se 855
espantadiço 825, 860
espantado 509, 870

espantalho 669, 683, 846, 852, 860
espanta-lobos 584
espantar 508, 824, 870
espantar a caça 732
espanta-ratos 887
espantar-se 870
espanto 508, 860, 870
espanto deixou todos imóveis, O 509
espantoso 508, 830, 870
espapaçar 324, 391
esparadrapo 834
esparavão (alv.) 655
esparçal 667
espargimento 73
espargir 73, 223, 339, 348, 440
espargir os seus raios 420
esparralhar-se 213
esparregar 393
esparrela 545, 702
esparrinhar 339, 348
esparsa 597
esparso 44, 70, 73, 87, 103, 552
Espártaco 742
espartano 939, 944, 953, 955
espartenhas 225
espartilhar-se 225
espartilho 225
esparzimento 73
esparzir 73, 223, 339
espasmar 315, 870
espasmo 139, 146, 173, 315, 378, 612
espasmódico 70, 111, 113, 139, 149, 173, 315, 612
espata 727
espatifar 44,173, 328
espatifar-se 162
espátula 556
espaventar 860
espaventar-se 882
espavento 860, 882, 884
espaventoso 882
espavorecer 860
espavorido 860
espavorir 860
espavorizar 860
especial 5, 79, 648
especialidade 394, 625, 648, 662
Especialidade 79
especialidades médicas 662
especialista 492, 662
especialização 625, 698
especializar(-se) 527, 564, 625
especialmente 31, 79
especiaria 393
espécie 7, 75, 372, 800
especificação 527, 594
especificadamente 79
especificado 79
especificar 79, 465, 527, 564, 594
especificativo 5, 79, 550
especificidade 79
específico (medicamento) 662
específico 79, 662
específime(n) 82, 550
especiosidade 677
especioso 472, 477, 495, 545
espectador 186, 197
Espectador 444
espectral 317, 980
espectro 4, 317, 420, 428, 443, 846, 860, 979, 980
espectro de pesadelo 860
espectro solar 440
espectrografia 428
espectrologia 420
espectroscópio 420, 428
especulação 156, 451, 463, 514, 621, 675, 794
especulador 548, 797

especulador cambial 794
especular 425, 451, 461, 514, 621, 675, 794
especulária 420
especulativo 451, 514, 794
espéculo 262, 445
espedaçar 328
espedrado 173
espedregar 658
espedrejar 705
espeguilhado & *v.* 229
espeitorar 226
espelhar 19, 420
espelhar-se 880
espelhento 255
espelho 251, 255, 445, 650, 948
espelho mágico 443
espelunca 189, 791
espenicar 226
espenicar-se 851
espenifre (ant.) 840
espeque 215, 717
espera 133, 507
esperado 507
esperado de há muito 507
esperadouro 74, 507
Espera-lhe a pancada 718
Espera-lhe pela pancada, pela volta 919
esperança 484, 507
Esperança 858
esperança morta/fanada/crestada/vã/impossível 859
esperança vã e falsa ilusão 509
esperançado 858
esperançar 858
esperanças aéreas 858, 859
esperanças bem fundadas 472
esperanças crestadas 509
esperanças vãs e loucas 471
esperanças vãs/falsas/em verde 858
esperançosamente & *adj.* 858
esperançoso 472, 698, 858
esperante (p. us.) 858
esperar 133, 507, 681, 858, 865, 871
esperar a sua vez 681
esperar em/de 484
esperar ensejo favorável 110
esperar impacientemente 133
esperar melhor ocasião 133
esperar o manjar do céu 681
esperar por 507
esperar por sapato(s) de defunto 471, 486
esperável 472, 858
esperdiçar 638, 818
esperdício 638
esperma 161
espermacete 356
espermático 161, 168
espermatizar 161, 168
espernear 173, 309, 315, 719, 832, 839, 932
espertalhão 702, 941
espertar 615, 682
esperteza 498, 545, 682, 698, 702
esperteza de rato 499
esperteza saloia 702
espertina 682
espertinar 682
esperto 171, 274, 498, 682, 698, 702, 825
espessar 321, 426
espessidão 321, 352, 426
espesso 321, 352, 367, 421, 426
espessura 192, 202, 321, 352, 426
espetacular 882
espetáculo 448, 599, 857, 872, 882
espetaculoso 845, 882
espetada 378, 716
espetadela 716

600

espetado | essencialidade

espetado 256
espetar 260, 302, 361, 378, 716
espeto 253, 706
espeto e ovo 15
espevitadeira 386
espevitado 855, 885
espevitador 386
espevitamento 855
espevitar 505
espevitar as palavras 855
espevitar-se 855
espezinhar 34, 649, 739, 830, 874, 879, 885, 907, 930, 932
espia 548, 668
espia perdida 668
espiada 441
espiadela 441
espião 455, 461, 527, 534, 668
espiar 441, 444
espicaçar 375, 378, 615, 824
espicha (de sardinhas) 72
espichar /esticar o pernil/as canelas 360
espichar 200, 260, 325, 549
espichável 325
espiche 72, 262, 263, 586
espicho 262, 263, 666
espicilégio 72
espicular 253
espiculum 253
espiga 253, 841
espigado 131, 206, 212
espigão 206, 253
espigar-se num negócio 699
espigueiro 636
espigueto 410
espiguilha 231
espiguilhar 229
espim 704
espinafre 203
espíneo 704
espineta 417
espingarda 727
espingarda antitanque 727
espingarda, som de 402a
espingardeamento 361
espingardear 361, 716, 972
espinha 203, 253, 704
espinha atravessada 898
espinha dorsal 5, 215, 221, 235
espinha na garganta 704
espinhaço 206, 210, 215, 235
espinhar 256
espinheiro 663
espinhento 256
espinho(s) 253, 378, 663, 704, 830
espinhoso 253, 256, 704
espinotear 173, 315, 900
espinotear-se em espasmos de ira 900
espínula 999
espiolhar 609, 652
espionagem 441, 461
espionar 441, 444, 461
espipar 348
espipocar 402a
espira 248
espiráculo 351
espiral 248
espiralado 248
espiralar 248, 305
espiralar aos ares 305
espirar 349, 359
espírita 984, 989
espiritismo 984, 992
espiritista 317, 984
espírito 317, 362, 450, 453, 498, 516, 520, 604, 682, 820, 840, 860, 912, 980
Espírito 842
espírito ameno/desanuviado 836
espírito angélico 977

espírito bem equilibrado 864
espírito calmo 826
espírito caritativo/esmóler 906
espírito cavalheiresco 942
espírito crítico 461
Espírito da Luz 976
Espírito da Verdade 976
espírito de classe 481, 709, 712, 892
espírito de classe/de partidarismo 923
espírito de sedução, O 978
espírito de vingança 919
espírito desconfiado 487
espírito desequilibrado/tarado/desorganizado/anormal/conturbado/prejudicado 503
espírito do mal 978
espírito embotado 499
espírito familiar 664
espírito firme 939
espírito forte 500
espírito humanitário 906
espírito imundo 978
espírito investigativo/de crítica 455
espírito lúcido 498
espírito maligno 978
espírito mau/imundo/maligno 978
espírito mercantil 794, 943
espírito muito dinâmico 682
espírito povoado de alucinações 503
espírito reto e equilibrado 922
Espírito Santo 695, 976, 985, 998
espírito são e equilibrado 502
espírito superior/estoico 826, 989
espírito vacilante 605
espírito vasto 492
espírito-santo de orelha 539
espiritual 4, 317, 450, 976, 987
espiritualidade 317
espiritualismo 317, 450
espiritualista 317, 989
espiritualizar 317, 476
espiritualmente 450, 822
espirituosamente & *adj.* 842
espirituosidade 842
espirituoso 171, 392, 836, 842, 844, 856
espirra-canivetes 863, 901
espirrar 333, 348, 349, 402a, 409
espirrar para o céu 158, 645
espirro 349, 409
esplanada 344
esplandecer 420
esplander 420
esplenalgia 897
esplendecência 420
esplendecer 420
esplendente 420
esplender 420, 873
esplendidez 420
esplêndido 394, 648, 734, 845, 847, 873
esplendor 31, 410, 734, 845, 873, 882
esplendor da manhã 125
esplendoroso 734, 845
esplenético 837, 901a
esplenotomia 301
esplim 901a
espoar 465
espocar 402a
espojar-se 315, 378
espojar-se em 640
espojar-se pela poesia 597
espojeiro (bras.) 371
espoldra 371
espoldrar 371

espoleta 388, 547, 711
espoletar 673
espoliação 776, 791
espoliado 776
espoliador 792
espoliar 789, 791
espolinhar-se 315
espólio 780, 793
espondaico 597
espondeu 597
esponja 652, 959
esponjosidade 322
esponjoso 252, 260, 320, 324
esponsais 903
esponsálias 903
espontaneidade 600, 674, 703
espontâneo 477, 578, 600, 602, 612, 674, 703, 748
espontão 727
espontar 38
espora 253, 615
esporada 615, 932
esporadicidade 137
esporádico 10, 24, 44, 70, 73, 137
esporas de fogo 615
esporas, som de 402a
esporear 274, 615, 824
esporte 840
esportista 690
espórtula 784, 973
esportular 784, 816
esportulário 785
esposa 88, 374, 903
esposar 484, 609, 707, 709, 903
esposo 897, 903
esposório 903
espostejar 44, 51, 162, 361, 972
espoucar de foguetes 838
espraiamento 73
espraiar(-se) 35, 73, 194, 200, 291, 348, 402, 573
espraiar raios 420
esprectroscopia 428
espreguiçadeira 215, 685
espreguiçamento 683
espreguiceiro 215
espreitador 444
espreitança 441
espreitar 441, 444, 457, 459, 507, 526
espreitar as ocasiões 607
espremer 195, 301, 461, 812
esprit de corps 481
espuma 320, 353
espumante 353, 824, 959
espumar 353, 824
espumar de raiva 898, 900
espumejar 353
espúmeo 353, 824
espumífero 353, 824
espumígero 353, 824
espumosidade 353
espumoso 353, 824
espurcícia 653
espurco 653
espúrio 495, 544, 545, 738, 925
esputagem 299
esputar 297
esquadra 72, 273, 726, 759
esquadrão 102, 726
esquadrar 212
esquadrejar 212, 240
esquadria 212
esquadriar 212
esquadrilha 273, 726
esquadrilhar 55, 73, 972
esquadrinhador 461
esquadrinhadura 461
esquadrinhar 457, 459, 461
esquadro 244
esqualidez 203, 653
esquálido 203, 243, 641, 653, 846
esqualor 653

esquarroso 256
esquartejar 44, 51, 97, 162, 361, 972
esquartelar 97
esquartilar (bras.) 97
esquartilhar 97
esquecediço 506
esquecer 53, 460, 506, 740, 893, 918
esquecer os benefícios 917
esquecerem-se os olhos 457
esquecer-se de 460, 930
esquecer-se de si/de quem é 945
esquecer-se dos seus deveres 945
esquecido (de) 122, 376, 458, 499, 506, 624, 804
esquecido dos homens 87, 893
esquecimento 376, 678, 918
Esquecimento 506
esquecimento de si mesmo 953
esquecimento dos benefícios recebidos 917
esquecimento dos próprios interesses 942
esquecível 506, 918
esqueite 840
esquelético 203, 243, 362
esqueleto 40, 50, 203, 215, 329, 362, 626
esquema 60, 554, 626
esquemático 554
esquença 156
esquenta-corpo (cachaça) 959
esquentado 720
esquentador 386
esquentar 384, 824
esquerda 236
esquerdar 927
esquerdo 239, 511, 512
esquiça 263
esquife 215, 273, 363
esquilo 274
esquina 244
esquinado & *v.* 244
esquinar 240, 244
esquinar-se 959
esquipação 673
esquipado 847, 851
esquipamento 673
esquipar 673, 847
esquipático 608
esquírola 204
esquisitice 608, 853
esquisito 57, 83, 394, 608, 648
esquissa 554
esquissar 554, 556
esquisseto 554
esquisso 22, 554
esquistossomose 655
esquitar 813
esquivamento 671
esquivança 287, 623, 764, 881, 893, 927a, 930
esquivar-se 460, 623, 671, 927a
esquivar-se de 898
esquivez 764, 881, 893
esquiveza 881
esquivo 149, 187, 623, 867, 881, 893
esquivoso 881, 893
esquizofrenia 503
esquizofrênico 504
essa 363
Essa não! 485
essência 3, 5, 221, 316, 398, 400, 516, 642
essência eterna 976
essenciais 356
essencial 3, 5, 7, 31, 33, 56, 211, 630, 642, 648
essencialidade 5, 630

601

essencialmente | estar com vida

essencialmente 31
essoutro 15
és-sueste (E.S.E.) 278
essunta 104
Est modus in rebus 174
Está claro 474, 488
está dito! 762
Esta é a segunda denunciação 903
Está em jogo 454
Está encerrada a sessão 729
Está escrito 601
Está na cara 525
Está sempre a repisar a mesma cantilena 104
Está servido?
esta só pela fortuna! 832
Está visto 474, 488
estabanado/estavanado 458, 699, 701, 863
estabanamento 699
estabelecer 161, 467, 600, 693, 741, 967
estabelecer a moda 175, 615, 737
estabelecer aliança 709
estabelecer as bases de 211
estabelecer comparação 464
estabelecer compensação & *subst.* 30
estabelecer concludentemente a verdade 480
estabelecer condições 770
estabelecer confronto 464
estabelecer leis 963
estabelecer o bloqueio 716
estabelecer o seu predomínio 737
estabelecer os preliminares 673
estabelecer por hipótese 514
estabelecer relações íntimas/fraternais/amigáveis 888
estabelecer seu quartel-general 184
estabelecer suas razões sobre 484
estabelecer um plano 626
estabelecer-se 150, 625
estabelecer-se com casa de negócio 676
estabelecer-se com uma sociedade 709
estabelecido 141, 484, 488, 613
estabelecimento 161, 184, 712, 762
estabelecimento de ensino 542
estabelecimento penal 752
estabilidade 1, 110, 141, 604
Estabilidade 150
estabilização 800
estabulação 370
estabular 370
estábulo 189, 191, 370
estaca 215, 265, 975
estacada 232, 717, 728
estação 71, 106, 108, 183, 293, 752
estação das neves 128, 383
estação de águas 656, 662
estação dos amores 131
estação espacial 273
estacar 70, 142, 265
estacaria 232
estacionamento 53, 304
estacionar(-se) 141, 150, 184, 265, 292
estacionar em local proibido 929
estacionário 141, 150, 265
estada 186
estadão 882
estadear 882

estadia 186, 200, 466
estádio 106, 200, 728, 840
estado 8, 71, 181, 737, 780, 873
Estado 7
estado carótico/agonizante/comatoso 360
estado da arte 650
estado de consciência (kardecistas) 982
estado de excitação 825
estado de guerra 722
estado de sítio 739, 752
estado dos negócios 151
estado febril 655
estado interessante 161
estado melindroso 160
estado menor 745
estado mórbido 820
estado precário de saúde 655
estado primitivo 145
estado psicológico 450
estado-maior 696, 745, 746, 752
estados gerais 696
estafa 686, 688
estafado 617, 688
estafador 792
estafar 688
estafar de pancadas 972
estafar-se 688
estafeiro (ant.) 746
estafermo 243, 501, 655, 706
estafeta 268, 534
estafim (ant.) 975
estagiário 541, 746
estágio 463, 538, 673
estagirita 850
estagnação 141, 142, 265, 345, 681, 683
estagnado 141, 265, 345
estagnar(-se) 141, 142, 265, 336, 345, 348
estalactífero 214
estalactite 214
estalactítico 214
estalagem 184, 189
estalagmite 212
estalante & *v.* 406
estalão 466
estalar 44, 66, 173, 292, 402a, 406
estalar a castanha na boca a alguém 509, 547
estalar como vidro 328
estalar de frio 383
estalar guerra 722
estalar os beiços 394
estalar os lábios de contente 377
estaleiro 691
estalejadura 406
estalejar 402a, 406
estalidar 402a
estalido 402, 402a, 405
estalir 402a
estalo 402, 402a, 972
Estalo 406
estambrar 205
estambre 205
estambre da vida 359
estame 205, 359
estaminar 205
estamínula 205
estampa 1000
estampa 240, 550, 554, 556, 845, 847
estampagem 558
estampar 240, 531, 550, 554, 556, 558, 594
estampar na memória 505
estampar-se 531
estampido 402a, 404, 406, 508
estampilha 769, 771, 972
estampilhar 729

estancar 340, 348, 660, 761
estancar a sede que vai no coração 869
estanca-rios 348, 633
estância 189, 597, 780
estância hidromineral 656
estanciar 186, 687
estancieiro 779
estanco 799
estandarte 550, 747
estanhar 223
estanque 340, 751, 777
estapafúrdio 497, 499, 549, 608, 852, 853
estar 1, 58, 59, 186, 280, 693
estar à âncora 265
estar à balança na fieira 27
estar à beira de 152
estar à beira de um precipício 665
estar à bica 121
estar à brocha 704
estar a calhar 23, 134
estar à capa 265
estar a cargo de 924
estar a cem léguas de 458
estar à coca de 459
estar a contas 713
estar a dar até a última gota de sangue por 897
estar à dependura 665, 804
estar a despedir 360
estar a embarcação em foto 664
estar à espreita 459
estar a ferro e fogo/de fogo e sangue contra 889
estar a ferros 751
estar a fogo e a sangue com alguém 713
estar à frente de 737
estar à lareira 384
estar à larga 748
estar à mercê de 601, 725, 743, 749
estar à mira 459
estar a morrer por 865
estar a muitas horas de 196
estar à obediência de (alguém) 737, 749
estar a ouro e fio 27
estar a pão e laranja 972
estar a par de 490
estar à paz de pirolo ou de parolim (pop.) 804
estar a pingar de sono 683
estar à pique de 152
estar à ponta de 121
estar a ponto 673
estar à porta da eternidade 360
estar à prova de fogo 31
estar à soldada/a serviço/às ordens 746
estar à testa de 737
estar abaixo de outro em valor ou em mérito 34
estar abaixo do horizonte 447
estar abarbado com a morte 360
estar abatido & *adj.* 837
estar aberto & *adj.* 260
estar acabado 128, 732
estar acima da lei 927a
estar acostumado & *adj.* 613
estar afetado 655
estar agonizante 360
estar ainda à flor da terra 123
estar ainda de pé 141
estar ainda quente 123
estar alegre & *adj.* 836
estar alerta/à la mira 459
estar amartelado de amores por 897

estar antenado 457
estar ao alcance de 157, 197, 518
estar ao cavaco 588
estar ao fato de 490
estar ao lado 484
estar ao pairo com alguém 719
estar ao seu alcance certa aptidão para 698
estar aos ais 839
estar aos itens 713
estar aos paus 804
estar apaixonado/enamorado por 897
estar ardendo em brasa 900
estar às atenças de 484
estar às avessas 59
estar às más com alguém 889
estar às moscas 893
estar às portas 197
estar às suas sopas/às suas atenças 749
estar às voltas com a justiça 947
estar atacado de marcopia 482
estar atacado de metromania 597
estar atarefado 682
estar atento 457
estar atrás da cortina 526
estar ausente & *adj.* 187
estar azedo & *adj.* 397
estar baixo o dia 126
estar baldo ao naipe 804
estar baseado 183
estar bêbedo & *adj.* 959
estar bem 654, 803
estar bem de saúde 654
estar bem de vida 803
estar bem humorado 836
estar cansado 688, 841
estar cariado até a medula dos ossos 945
estar caro & *adj.* 814
estar cercado de grandezas e mimos 377
estar cheio de 841
estar ciente/farto de saber 490
estar coeso 488
estar coligado com 709
estar com 225
estar com a boca aberta 457
estar com a candeia na mão 360
estar com a corda no pescoço 665, 804
estar com a lua 497
estar com a pulga 264
estar com a respiração dificultosa e entrecortada 688
estar com água na boca 394
estar com as esporas 673
estar com as mãos debaixo do braço 681
estar com bicho-carpinteiro 264
estar com cócegas de 865
estar com disposição 602
estar com muitos ferros no fogo 676
estar com o ânimo desafogado 827
estar com o baraço na garganta 704
estar com o burro 901a
estar com o miolo mole 503
estar com o pai na forca 684
estar com padre à cabeceira 360
estar com seus azeites 901a
estar com todo o jeito de 472
estar com um pé na cova 128, 160, 655
estar com uma mão sobre a outra 681
estar com vida 359

602

estar comendo marimbondo | estar no mesmo pé

estar comendo marimbondo 900
estar como o peixe n'água 377, 827
estar como pinto no lixo 827
estar como rato no queijo/como peixe na água 831
estar como um cacho/com a perua/com a pinga/de fogo/de pileque/de porre 959
estar como uma bicha 900
estar completo & *adj.* 52
estar comprometido 947
estar condenado 655
estar conluiado com 709
estar contente & *adj.* 827, 831
estar contíguo 233
estar curtido (do sol) 382, 613
estar cuspindo fogo 900
estar de acordo (em) 23, 488, 760
estar de atalaia 459, 668
estar de banda 236
estar de boa data 836
estar de boa hora 655
estar de boa vontade 602
estar de cabeça virada 503
estar de candeias às avessas com alguém 889
estar de casa e pucarinha 683
estar de emboscada 526
estar de esperança 161
estar de guarda 507
estar de inteligência com 626
estar de levadia 173
estar de levante 458
estar de luto 839
estar de má data 837
estar de mão armada contra 708
estar de mão(s) na ilharga 681, 683
estar de mãos na ilharga 681
estar de maré 602, 831
estar de molho/de resguardo 655
estar de observatório 459
estar de olhos abertos 459
estar de parceria 709
estar de pé 1, 69, 924, 963
estar de pé atrás com alguém 459
estar de permeio 228
estar de perna estendida 683
estar de pernas para o ar 59
estar de pernas quebradas 158
estar de perninha 683
estar de pique com 713
estar de plantão 625
estar de ponto em branco 851
estar de posse de 777
estar de proveito 161
estar de radar ligado 457
estar de recovo 683, 687
estar de remolho 655
estar de ripanço/de pânria 683
estar de sentinela 459, 926
estar de sobreaviso 459, 507
estar de sorte 734
estar de tromba 832
estar de veia 602
estar de volta para 234
estar de/em salmoura 670
estar debaixo da obediência de 737
estar desacostumado 614
estar descaçado & *adj.* 614
estar desconfiado 485
estar descontente & *adj.* 832
estar despreparado & *adj.* 674
estar destinado a alguém 156
estar desvirginada & *adj.* 961
estar devendo (gír.) 947
estar difundido 186

estar disseminado 186
estar distante 196
estar distraído 458
estar divorciado de 24
estar divorciado do bom senso 477
estar doente & *adj.* 655
estar doente de cuidado 655
estar em ação 170
estar em acentuado destaque 873
estar em adiantado estado de gravidez 161
estar em água até o pescoço 665
estar em alteração 713
estar em armas 722
estar em artigo de morte 360
estar em boas mãos 664
estar em bom pé 731
estar em brasa 824, 825
estar em comum/em indiviso 778
estar em contato com os livros 538
estar em convivência com 888
estar em custódia 751
estar em desacordo 24, 713
estar em dívida (com) 806, 916
estar em dúvida 485
estar em embrião 66
estar em equilíbrio 27
estar em erre de 152
estar em erro 495
estar em estado embrionário 66
estar em estado rudimentar 66
estar em evidência 873
estar em execução 963
estar em férias 687
estar em germe 66
estar em glória 360
estar em graça para com alguém 888
estar em guarda 459
estar em inteligência com 592
estar em íntima conexão 9
estar em jejum 956
estar em juízo com alguém 969
estar em liberdade 748
estar em mantilhas 66
estar em maré de rosas 827
estar em maus lençóis 699
estar em minguante 36, 659
estar em movimento & *subst.* 264
estar em obrigação para com alguém 916
estar em oposição 708
estar em oratório 121, 507
estar em outro hemisfério 196
estar em paralelo 27
estar em paz 721
estar em pelo 226
estar em perigo de vida 655
estar em perigo/em risco 121, 665
estar em preparativos 673
estar em proporção 9
estar em regra 58
estar em relação entre 12
estar em roupas menores 226
estar em sérios embaraços 825
estar em seu choco 66
estar em seu elemento 705
estar em seu poder 785
estar em situação próspera 803
estar em sua primeira infância 66
estar em um lago d'água 382
estar em uso 677
estar em veia de felicidade 734, 827

estar em vésperas 121
estar em via de 470
estar em vigor 1, 924, 964
estar em voga 677
estar em/com sorte 734
estar em/sobre grelhas 828
estar embatucado 581
estar eminente a 206
estar empenhado até as orelhas 806
estar endividado 806
estar enganado 495
estar entre a bigorna e o martelo 665
estar entre a cruz e a água benta 665
estar entre a cruz e a caldeirinha 665
estar entre a vida e a morte 360
estar entre ambas-las-águas 605
estar entre as dez e as onze (pop.)/debaixo da mesa 959
estar errado 495
estar escondido & *adj.* 528
estar escuro & *adj.* 421
estar esperançoso & *adj.* 858
estar estabelecido com casa de negócio 794
estar estendido no chão 207
estar exposto aos tiros da inveja 734
estar exposto às atenções/aos comentários 457
estar fadado/destinado/condenado 601
estar faltando a 187
estar faminto/sequioso 865
estar farto de 841, 867
estar febricitante 825
estar feito 803
estar ferido de morte 111, 360
estar fervilhando de 639
estar firme 150, 606
estar fora de 672
estar fora de si 503
estar fora de uso 124, 614
estar fora do alcance (de) 196, 471
estar fora do jogo 664
estar fresco 383a
estar fundeado 265
estar glorioso de 884
estar iminente 121, 152, 286
estar impaciente & *adj.* 825
estar implicado em processo crime 947
estar *in albis* 519
estar inatento 458
estar inativo & *adj.* 683
estar incompleto 53
estar incuravelmente caído no caminho do vício 945
estar indeciso & *adj.* 605
estar inerte & *adj.* 172
estar inquieto 264
estar invertido & *adj.* 218
estar isento & *adj.* 927a
estar latente/subentendido/recalcado/debaixo de cinza 221, 526
estar ligado 457
estar limpo 652
estar livre de culpa 946
estar logado 457
estar longe de 641
estar louco & *adj.* 503
estar mais para lá do que para cá 128
estar mal 735
estar mal de 641
estar mal informado (euf.) 495

estar mal visto 874, 940
estar metido em boas/em boa carrapata (pop.) 704
estar metido num sino 831
estar morto 360
estar morto na memória de/em mortório 506
estar morto por 865
estar muito arraigado 141
estar muito pegado a 888
estar muito suado 382
estar na adolescência 131
estar na aldeia e não ver as casas 458
estar na altura de 234
estar na aurora da vida 131
estar na batida de 480a
estar na berlinda 853, 932
estar na bica 121
estar na brecha 717
estar na consciência de 543
estar na consciência de todos 474
estar na expectativa 507
estar na flor dos anos 127, 131
estar na forja/no prelo/na bigorna 673
estar na indigência 804
estar na lista para 924
estar na lua 901a
estar na mão de 157
estar na memória 505
estar na moda/*fashion*/na beta/no gosto do dia/em voga/nos trinques 851
estar na muda 226, 585
estar na obscuridade 874, 877
estar na ordem 926
estar na ordem das coisas naturais 871
estar na ordem do dia 532
estar na parte de fora 220
estar na pindaíba (bras.) 804
estar na ponta da língua 506
estar na posse integral/em pleno uso de suas faculdades mentais 502
estar na posse mansa e pacífica 777
estar na presidência 693
estar na prorrogação 128
estar na sela 737
estar na sua cancha 377
estar na véspera de 116
estar nas ânsias da morte 360
estar nas mãos de 749
estar nas proximidades 197
estar nas sete quintas 734
estar nas suas sete quintas 831
estar nas tintas (fam.) 866
estar nas últimas 360
estar no (período do) cio (animais) 961
estar no abril 131
estar no apogeu/no galarim da fortuna 773
estar no bagaço 804
estar no cabo 360
estar no caso de 27, 698, 803
estar no coração 543
estar no curso de 538
estar no desembolso de 787, 805
estar no espinhaço 804
estar no fim do mundo 196
estar no galarim da fama 873, 931
estar no gozo de/exercer seus direitos 748
estar no gume de 121
estar no lugar de 759
estar no mato sem cachorro 704
estar no mesmo pé 141

603

estar no período da dentição | estilhar

estar no período da dentição 127
estar no período de gravidez 161
estar no poder de alguém 157
estar no potro 972
estar no quarto minguante 36
estar no rol das coisas inexistentes 2
estar no sangue/ na massa do sangue 5
estar no sétimo céu 734, 827, 831
estar no seu estado normal (irôn.) 959
estar no seu juízo 502
estar no seu quarto minguante 128
estar no tribunal divino 360
estar nos ares 507
estar nos bicos dos pés 206
estar nos espaços imaginários 515
estar nu & adj. 226
estar num dize tu direi eu 713
estar numa pior 832
estar o perigo à espreita 665
estar oculto 447
estar ocupado/atarefado 625
estar pago de ofensa recebida 919
estar para cada hora 121
estar para cair 124
estar para dar a hora 121
estar para sobrevir 152
estar para toda a hora 121
estar para tudo 826
estar pegando frangos 959
estar pela hora da morte 814
estar pelos autos 488, 762
estar pelos cabelos 684
estar pendente 214
estar pendurado & adj. 214
estar pensativo 458
estar perto 197
estar perto do ocaso 128
estar podre de velho 124
estar político com 713
estar pombinho (burl.)/embriagado /pio (gír. ant.) 959
estar por horas 121
estar por tudo 602, 607, 886
estar por um fio 111, 152, 160, 665
estar por um fio a vida de alguém 360
estar posto na sela 737
estar preocupado 828
estar preparado contra as eventualidades 459
estar preparado/pronto 673
estar presente & adj. 186
estar presente ao espírito 457
estar preso 751
estar preso a duas amarras 775
estar preso com homenagem 751
estar preso por um fio 665
estar prestes a 152
estar prestes a comparecer perante o tribunal de Deus 360
estar prestes a habitar com os mortos/a dar à casca 360
estar privado da sensibilidade tátil 381
estar proeminente 206
estar próximo 152
estar próximo a dar a alma a Deus 360
estar publicado & adj. 531
estar que 474
estar queimado & adj. 384

estar quente & adj. 382
estar quente/alegre 959
estar quieto & adj. 265
estar quite 718
estar radiante de alegria 731
estar realizado 803
estar reduzido à expressão mais simples 804
estar remido de seus sofrimentos 834
estar remoto de 506
estar resolvido a 865
estar rouco de tanto falar 584
estar são como um perro (fam.) 654
estar se lixando (para) 823, 866
estar seco & adj. 340
estar seguro 484, 664
estar sem sabor 391
estar sempre com a espada desembainhada 713
estar sempre com a tacha arreganhada 499
estar sempre com o dedo no gatilho 682
estar sempre com o pé no ar 264
estar sempre em cena 853
estar sempre na brecha 720
estar sempre no vermelho 804
estar senhor de 490, 527
estar separado de alguém por motivos de ordem pessoal 889
estar sepultado 363
estar situado & adj. 183
estar só 87
estar sob a ação de poderoso anestésico 376
estar sob palavra 769
estar sobranceiro 206
estar sobre espinhos e alfinetes 828
estar sobre ferro 265
estar sobre o horizonte 446
estar sobrecarregado 682
estar sujeito (a) 177, 749
estar sujeito à falibilidade humana 495
estar sujeito à lei da gravidade 319
estar sujeito a uma penhora 804
estar surto 265
estar suspenso 152
estar talhado para 646, 698, 924
estar teimoso em 606
estar torrado 384
estar tudo desorganizado 59
estar tudo perdido 859
estar um brinco/umas pratas/ uma limpeza 652
estar um caco 128
estar um podão 128, 160, 655
estar um pouco acescente 397
estar uma fornalha 382
estar uma limpeza 650
estar uma pilha de nervos 822
estar úmido 339
estar vivo & adj. 359
estar voltado para 278
estar/entrar em decadência 735
estar/ficar a poucos passos de 197
estar/ficar silencioso & adj. 403
estar/ser atacado de 655
estar/ser morto & adj. 361
estardalhaço 402, 404, 549, 882, 884
estardalhante 880, 882
estarem noivos 903
estarem os tempos bicudos 804

estarim 752
estarola 854
estarrecer 824, 860
estarrecido 860
estarrincar 402a
estar-se lambendo para alguma coisa 865
estatário 110, 133
estatelado 265, 870
estatelado no chão & v. 213
estatelamento 306
estatelar as costelas no chão 213
estatelar-se 213, 306, 870
estática 159, 319
estático 149, 265, 823
estatística 85, 86, 466, 551, 626, 811
estatístico 85
estatmética 466
estatólder 745
estátua 206, 265, 554, 557, 883, 1000
estatuária 554, 557
estatuário 559
estatueta 554, 557
estatuificar-se 823
estatuir 741
estatura 75, 192, 206
estatutário 697
estatuto 692, 697
estatuto(s) 741, 963
estau 189
estava escrito 601
estavanado 499, 699
estável 141, 799
estazar 688
este (E.) 278
este 79, 118
este mesmo 118
estear 215
esteárico 355
estearina 356
estear-se 677
esteganografia 519, 528
estegômia 913
esteio 215, 707, 717, 873, 937
esteira 65, 80, 219, 235, 281, 551
esteirão 219
esteirar 219, 267
esteiraria 799
esteireiro 690
esteiro 343, 348
estela 551
estelante 318, 420
estelar 318
estelário 253
estelífero 253, 318
esteliforme 253
estelionatário 792, 941
estelionato 791, 940, 964
estema 166, 247, 733, 847
estendal 31, 340, 527, 594
estendaria 340
estendedouro 340
estender 200, 763
estender a mão 707
estender a mão a alguém 894
estender a mão à caridade pública 765
estender a mão direita a 888
estender a perna 274
estender a sacola 765
estender a sua influência 749
estender o braço 789
estender sobre 223
estender sua esfera de ação a 175
estender(-se) 194, 202
estenderete 20, 69, 213, 424, 573, 649, 874, 990
estender-se ao infinito 318
estender-se até 196

estendido 200, 213
estendido ao comprido 213
estenografar 590
estenografia 590
estenográfico 526
estenose 203
estentor 404, 411
estentóreo 404, 580
estentórico 580
estentório 411
estentoroso 580
estepe 147, 344, 367, 634
estercar 371, 673
esterco 653
estercoral 653
estercoreiro 653
estere 466
estéreo 402a, 633
estereodinâmica 264
estereofônico 402a
estereometria 466
estereorama 554
estereoscópico 445, 446
estereoscópio 445
estereotipado & v. 591
estereotipagem 558, 591
estereotipar 550, 558, 591
estereotipia 558, 591
estereotípico 591
estereótipo 558
estéril 169, 340, 367, 645
esterilecer 169
esterilidade 169, 340, 645
esterilização 169
esterilizador 386
esterilizar 499
esterilizar a inteligência 491
esterilizar o ensino 539
esterilizar-se 169
esterlicado 225
esterlino 800
esternutação 349, 409
esternutatório 349, 409, 727
esteroide 159
esterqueira 653
esterqueiro 653
esterquilínio 653
esterroar 330
estertor 360, 402a
estertores 315
esteta 593
estética 845, 850
estético 171, 375, 845, 850
estetoscópio 461
estévia 396
estiagem 340, 382
estiar 340
estibordo 235, 236, 238
esticada 200
esticado 323
esticar 200, 246, 325
esticar(-se) 194, 246, 325
esticável 325
Estige 982
estigial 982
estígio 982
estigma 550, 848, 874
estigmático 443
estigmatismo 441
estigmatizar 848, 874, 932, 934, 938
estigmologia 561
estigmológico 561
estigmônimo 565, 593
estilar 295
estilar uma lágrima 839
estilete 262, 558, 727
estiletear 378
estilha 51, 193
estilhaçamento 162
estilhaçar 51, 205, 328
estilhaço 32
estilhar 44, 205

estilicídio | estuante

estilicídio 299, 348
estiligota 263
estilingada 284
estilista 559, 578, 593, 690
estilo 7, 80, 114, 556, 851
Estilo 569
estilo bombástico 853
estilo correto 567
estilo de apocalipse 519
estilo deselegante 843
estilo difuso 577
estilo empolado 497, 517
estilo floreado 579
estilo pomposo que encobre a carência de ideias 577
estima 873, 888, 928, 931
estima geral 873
estimação 642, 931
estimado 888, 897, 928
estimar 85, 465, 466, 480, 484, 812, 888, 897, 928, 931
estimar em nada 483
estimar muito 897
estimar/ter em nada 930
estimar-se 939
estimativa 465, 466, 480
estimativo 466
estimável 648, 906, 939, 944
estimulação 392, 505, 824
estimulante 171, 392, 615, 824
estimular 171, 173, 392, 615, 824, 829
estimular o apetite 865
estimular sensualmente 961
estímulo 615, 625, 695
estinha 370
estinhar 370
estio 340
estio da existência 131
estiolado 195
estiolamento 160, 429
estiolar 124, 195, 429, 649, 659
estiolar-se 160
estiomenar 171, 659
estiômeno 171, 619, 649
estipendiar 746, 973
estipendiário 746, 749, 785
estipêndio 809, 973
estíptico 397
estipulação 769
estipular 114, 769, 770
estirada 200, 266
estirão 51, 69, 196, 200, 266
estirar 200
estirar a barra 686
estirar-se 69, 213, 879
estirar-se morto 361
estirpe 11, 75, 153, 166, 875
estiticidade 397, 819
estítico 203, 819
estiva 215
estivador 271
estival 382
estivar 826
estivo 382
Estley Richards 727
esto 206, 348, 825
esto perpetua! 865, 928, 931
Esto perpetuum 112
estocada 276, 716
estocar 72
estofa 75, 224
estofar 190, 224, 324
estoicidade 823, 826
estoicismo 179, 823, 826, 942, 953
estoico 823, 826, 910, 942, 953
estojo 191, 636
estola 225, 999
estolidez 499
estólido 499
estomacal 395, 440e, 662
estomagar-se 900
estômago 191, 221, 298, 440e

estomatologia 662
estomatoscópio 461
estomentar 276
estonar 226
estonteado 404, 458, 499, 503, 699, 870
estonteante 274
estontear(-se) 376, 458, 503, 821, 870, 959
estopa 205, 224
estopada 841
estopar 224, 261
estopento 205
estopetar 256
estopim 388
estoque 25, 31, 253, 636, 727, 798, 800
estoquear 716
estoraque 400
estorcegão 378
estorcer-se 315, 378
estore 422
estornar 226, 811
estorninho 440b
estorninho, vozes de 412
estorno 811
estorricar 384
estortegar 173
estorvador 706
estorvar 704, 706, 708, 761
estorvilho 706
Estorvo 706
estorvo 70, 751, 761
estorvo à visão 443
estou certo 484
estou de acordo! 488
estouradinho (fam.) 854
estourar 113, 173, 292, 402a, 406, 508, 623, 825, 900
estoura-vergas 720, 887
estouraz 404, 406
estouro 113, 173, 404, 406, 508, 900
estouro (de boiada) 623
estouro da boiada 73, 291
estouro da bomba 529, 872
estouvado 458, 499, 608, 699, 701, 863
estouvado 863
estouvamento 135, 458, 499, 699
estrabar 297
estrábico 440d, 443
estrabismo 441, 443
estrabo (de bestas e outros animais) 299
estraçalhar 44
estracinhar 44, 162
estrada 278, 627
estrada coimbrã 613, 627
estrada de ferro 627
estrada de rodagem 627
estrada real 627
estradar 673
estradeiro 941
estrado 211, 213, 215, 599
estrafalário 653, 853
estrafegar 162
estraga-albardas 818
estragação 659
estragado 124
estragar 649, 659
estragar com o uso 124
estragar-se 659
estrago(s) 162, 619, 659
estralar 402a, 406
estralejar 402a, 404, 406
estrambote 597
estrambótico/estrambólico 83, 497, 549, 608, 640, 853
estrame 215
estramento 215
estramonina 663

estramontado 900
estrangeirismo 57, 563
estrangeiro 57, 188
estrangulação 361
estrangulador 361
estrangular 158, 203, 361
estranhamento 889
estranhar 489, 870, 932
estranheza 509 870
estranho 6, 10, 57, 83, 196, 608
estrapada 972
estrapade 716
estrapado 975
estratagema 544, 626, 692, 698, 702, 722
estratagemático 702
estratégia 544, 620, 625, 626, 673, 692, 702, 722
estratégico 544, 626, 702, 722, 726
estrategista 700
estratego (ant.) 745
estratificação 204, 329
estratificado 204
estratificar 204
estrato 204, 213, 353
estratocracia 737
estratosfera 338
estreante 64, 541, 599
estrear 66, 599
estrear-se 675
estrebaria 189, 370, 653, 752
estrebaria de Áugias 653
estrebuchamento 173
estrebuchar(-se) 173, 315, 719, 825
estrebuchar nos derradeiros estertores 360
estreia(s) 66, 599, 675, 784
estreita/íntima/evisceralmente ligado 43
estreitamente & *adj*. 203
estreitamento 203
estreitamento de relações 888
estreitar(-se) 36, 159, 195, 201, 203, 229, 321, 902
estreitar ao seio 902
estreitar vínculos 890
estreitar-se o cerco 261
estreiteza(s) 32, 193, 641, 817, 819, 704, 888
Estreiteza 203
estreito 193, 198, 203, 343, 481, 572, 627, 665, 704
estreitura 203
estrela(s) 156, 271, 318, 423, 599, 601, 876
estrela boeira 318
estrela cadente 111, 318, 423
Estrela de Nazaré 977
estrela de primeira grandeza 500, 873
estrela de seis pontas
estrela do norte 278, 550, 693
estrela doce e perenemente acesa 858
estrela fatídica 649
estrela matutina 318
estrela polar 278, 550, 693, 694, 873
estrela tutelar 711
estrela-d'alva 318
estrelado 253, 318, 440a
estrelante 420
estrelar 126, 420, 873
estreleiro 440a
estrelejar 126, 420
estrelinha 550
estremar 233, 494
estremeção 821, 860
estremecer 315, 380, 821, 897
estremecido 897
estremecimento 315, 821, 825, 897

estremunhado 683
estremunhar 824
estrênuo 604a, 682, 821, 861
estrepada 378
estrepar 378
estrepe 253
estrépido 402a
estrepitar 402a
estrépito 404, 406
estrepitoso 31, 173, 404
estresir 19
estria(s) 253, 259, 440, 913, 980
estriado em espiral 248
estriar 248, 259
estribado 211, 467
estribar-se 215, 467
estribar-se em 9
estribeiro 746
estribeiro-mor 746
estribilhar 412
estribilho 104, 597
estribo 215, 418
estricnina 663
estricnínico 663
estricote (desus.) 41, 59
estridência 410
estridente 404, 410
estridor 409
Estridor 410
estridulação 410
estridular 404, 410, 412
estrídulo 404, 410, 412
estriduloso 410
estrige 512, 913, 994
estrincar 402a
estrinchar 838, 840
estringir 201
estripar 301, 361
estrito 82, 494, 739
estritura 195
estro 176, 597
estrofe 51, 597
estroina 504, 818, 840
estroinice 608, 699, 818, 840
estrompar 162, 659
estrompido 402a, 404, 406
estronca 215
estrondar 404
estrondear 173, 402a, 404, 411
estrondejar 402a
estrondo 402a, 404, 406
estrondosamente 31
estrondoso 173, 402, 404
estrongiloidíase 655
estropajo 215
estropalho 215
estropeada 402a
estropear 158, 402a, 491, 523, 583, 659
estropiado 160
estropiar 201, 645, 679, 688
estropício 619
estrotejar 266, 274
estrugido 393
estrugir 402a, 404
estrugir mais forte que o trovão 404
estrugir os ouvidos/os ares 404
estrumar 371, 673
estrume 371, 653
estrumeira 653
estrumoso 653
estrupada 349, 716, 720
estrupida 404
estrupido 402a, 404
estrutura 7, 50, 60, 161, 240, 329
estruturação 60, 625
estruturado 60
estrutural 7, 329
estruturar 60, 329
estuação 382
estuante 382, 825

605

estuar | ex hypothese

estuar 382
estuar a febre de 825
estuário 67, 343
estucha 300
estuchar 261, 300
estudadamente 620
estudado 544, 611, 855
estudantaço 541
estudantal 537
estudantão 541
estudantaria 542
estudante 129, 538, 541
estudantil 541
estudantino 541
estudar 461, 490, 538
estudar a fundo 595
estudar a genealogia de alguém 166
estudar com muito escrúpulo e competência 538
estudar de modo inexcedível 538
estudar um jeito compungido 544
estúdio 691
estudiosamente & adj. 538
estudioso 451, 457, 492, 538
estudo 451, 457, 461, 490, 595
Estudo 538
estudo acurado 451
estudo ativo/diligente/exclusivo/minucioso/aturado/intenso/profundo/meditado/prolongado 457
estudo das causas finais 620
estudo de viabilidade 673
estudo do direito seria inútil se a justiça não pudesse ser reduzida a ato, O (Pereira e Sousa) 924
estudos proficientes 538
estufa 371, 386
estufadeira 386
estufado 298
estufar 190
estufilha 752
estufim 371
estugar 615
estugar o passo 274
estultice 499
estultícia 497, 499
estultificado 732
estultificar-se 699
estultilóquio 497
estulto 499
estuoso 382
estupefação 508, 826, 870
estupefaciente 376, 870
estupefacto 870
estupefativo 870
estupefazer 508, 870
estupeficar 508, 823, 870
estupendamente 31
estupendo 31, 192, 642, 648, 870
estupidez 491, 499, 699, 843
estupidez legítima/completa 499
estupidificado 870
estupidificar 376, 491, 499
estúpido 452, 481, 491, 499, 501, 699, 841, 843, 895
estupor 158, 508, 683, 846, 870
estupor maligno 949
estuporação 508
estuporado 158, 870
estuprador 913
estuprar 907, 961
estupro 300, 907, 961, 964
estuque 223
estúrdia 503, 608, 699, 818
esturdiar 503, 608, 818
esturdice 608
estúrdio 83, 503, 608
esturrado 606

esturrinho 392
esturro 384
esunção 880
esurino 824, 829, 865
esvaecer(-se) 4, 160, 429, 449
esvaecer-se a energia 624
esvaecido 624
esvair-se 158
esvair-se em sangue 360
esvaziamento 641
esvaziar 53, 185, 187, 297, 638
esvaziar o copo 298
esventar 340
esverdeado 435
esverdear 435
esverdinhado 435
esverdinhar 435
esviscerar(-se) 260, 907
esvoaçante 320
esvoaçar 152, 206, 264, 267, 305, 311, 320, 909
esvoaçar no cérebro 451
esvurmar 938
ET 83,188, 268
et coetera 37
et ejusdem furfuris 37
et hoc genus omne 17, 81
et reliqua 37
Et tu, Brute! 917
eta 316
etalhado 44
etamorfose 140
etapa 71
etc. 37
etempsicose 140
éter 318, 320, 322, 334, 376
etérea mansão 981
etéreo 4, 206, 317, 318, 320, 334, 515, 981, 987
eterificar 334
eterizar 376
eternal 112
eternamente 112
Eternamente grato! 918
eternar-se 112
Eternidade (duração sem fim) 112
eternidade 110, 360, 976
eternífluo 112, 505, 734
eternização 110
eternizar no bronze/nos fastos da história 873
eternizar-se 110, 112
eterno 80, 106, 110, 112, 505, 821
Eterno 976
eterno descanso 360
eterno sono 360
eternos e imutáveis princípios de justiça 922
eterogenia 161
eteronomia 83
etésios 349
éthos 692
ética 372, 692, 820, 944
ética profissional 697, 698
etiço 271
ético 926
etilista 959
étimo 153
etimografia 562
etimologia 155, 562
etimológica 562
etimológico 562
etiologia 155, 490
etíope 431
etiqueta 550, 613, 851, 882
etiquetado à parte 44, 87
etiquetar 550
etnarca 745
etnia 372
etnicismo 984, 989
étnico 79, 984, 991
etnodiceia 963

etnogenealogia 372
etnografia 372
etnologia 372
etocracia 737
etogenia 372
etognosia 372
etografia 372, 594
etologia 372
etólogo 372
etopeia 372, 594
etopeu 372
etos 692
eu 79, 317
Eu é que sou o... 604
eu em carne e osso 317
eu mesmo 79, 317
eubage 513
eucaristia 998
eucarístico 998
êuclase 847
eucológio 998
eucrasia 159, 654
eucrástico 654
eucromo 428, 845
eudiômetro 338, 656
euemia 654, 875
eufêmia 990
eufemismo 469, 521, 526, 560, 569, 577, 579, 850
eufemista 577, 850, 935
eufemístico 577, 850
eufonia 413, 578, 580
eufônico 578
euforbiáceas 663
euforia 377, 654, 664, 831, 836
Eufrosina 836
eufuísmo 577, 855
eufuísta 577, 855
eufuístico 855
euge! 931
eugenesia 168
eugenésico 168
eugenia 168
èugrafo 445
eumatia 538
Eumênides 173, 900, 913, 919
Eunt anni 106
eunuco 746
eupéptico 662
euripo 315, 343, 666, 667
euritmia 138, 242, 845
eurítmico 138
euro 349, 800
eurônoto 349
europeizar-se 855
europeu 188
europop 415
eurreta 344
eussemia 550, 858
èustilo 242
eustomia 580
eutanásia 360
eutaxia 9, 80, 82, 242, 845
Euterpe 416
eutimia 826
eutocia 161
eutrapelia 842
eutrapélico 842
eutrofia 298, 662
euzoodinamia 654
evacuação 277, 283, 387, 397, 399, 624, 652, 782
evacuar 277, 283, 293, 297, 299, 782
evadir-se 623, 671
evagação 458
evalve 361
evalve 367
evanescência 111, 449
evanescente 449
evanescer 111, 449
evangelho/Evangelho(s) 474, 484, 494, 521, 648, 985

evangelho do dia 588
evangelho pequenino 496
evangeliário 998
evangélias 532
evangélico 983a, 985
evangélico (depr.) 988a
evangelista 985
evangelização 537, 998
evangelizador 534, 540, 996
evangelizar 537, 998
evantar ao cume 210
evaporação 295, 336, 449
evaporar(-se) 2,4, 67, 111, 297, 333, 336, 340, 449, 623, 732
evaporatório 351
evaporável 334
evaporizar-se 449
evaporizável 336
evasão 544, 617, 623, 638, 671, 773
evasiva 469, 477, 528, 544, 546, 607, 617, 629, 671, 702
evasivo 477, 528, 544
evecção 315
evencer 789, 925
evento 151
eventual 8, 121, 137, 151, 156, 177, 621
eventualidade 121, 137, 156, 177
Eventualidade 151
eventualmente 137, 152
eversão 162, 218, 297
eversivo 146, 165, 218
evicção 775, 789
Evidência 467
evidência 446, 478, 494, 525, 550, 570
evidência da parte adversa 468
evidência presuntiva 472
evidência secundária 467
evidenciar(-se) 467, 474, 478, 518, 525, 873
evidente 446, 448, 467, 474, 478, 518, 525, 570
evidentemente & adj. 441, 467
evisceração 297
eviscerar 44, 297, 301
evitação 617
evitar 287, 460, 603, 668, 671, 706
evitar a convivência 893
evitar comprometer-se 927a
evitar o trato 623
eviternidade 112
eviterno 112
evo (poét.) 278
evocação 505, 833
evocador 505
evocar 153, 505, 677, 765
evocar à memória 505
evocativo 505, 833
evocatório 505
evolar-se 400
evolar-se aroma misterioso de antiguidade 122
evolução 140, 144, 161, 264, 267, 282, 311, 607, 658, 673, 680
Evolução 313
evolucionar 607
evolucionista 607
evoluções militares 722
evoluir 144, 282, 313, 607, 614
evolutivo 282
evolver 607
evos (poét.) 112
evulsão 301
ex æquo 922
ex animo 602
ex bono et æquo 922
ex cathedra 535, 737, 741, 885
ex concesso 68
Ex digito gigas: pelo dedo se conhece o gigante 550
ex hypothese 514

ex meru motu | exibicionista

ex mero motu 600, 737
ex natura sua ceteros fingere 481
ex necessitate rei 601, 630
Ex pede Herculem 82, 550
ex post facto 133
ex professo 737
Ex ungue leonem 550
ex vi de 155, 615
exação 494
exação no cumprimento dos deveres 132
exação violenta 789
exacerbação 35, 173, 303
exacerbado 173
exacerbamento 173
exacerbar 35, 173, 303, 682, 835, 900
exageração 35, 549
Exageração 482
exageradamente & adj. 482, 549
exagerado 482, 549, 852, 855
exagerar 35, 482, 544, 549, 555, 640, 933
exagerar o valor de 482
exagero 497, 515, 523, 544, 546, 555, 577, 643, 835, 884
Exagero 549
exagero sentimental 822
exagitado 704, 713, 825
exalação 299, 336, 398
exalações 657
exalar 297
exalar emanações pútridas 401, 657
exalar o derradeiro alento 360
exalar odor 398
exalar suaves eflúvios 400
exalar-se 400
exalçar 482, 931
exaltação 307, 482, 825, 873
exaltado 482, 503, 504, 824
exaltamento 307
exaltar 307, 482, 549, 873, 931, 990
exaltar-se 825
exalviçado 429, 430
exame 441, 457, 461, 467, 595
exame físico 662
exame íntimo 451
exame *post mortem* 363
exames médicos 662
examinador 461, 480
examinar 85, 457, 461, 463
examinar meticulosamente/detidamente/minuciosamente 457
examinar muito atentamente 457
examinar o reverso da medalha 864
examinar por provas e contraprovas 463
exangue 160
exania 297
exanimação 158, 376
exanimado 360
exânime 158, 360
exantema súbito 655
exarar 550, 551, 590
exarca 745, 758
exarcebação 835
exarco 745
exasperação 173, 835, 900
exasperar(-se) 173, 830, 900
exata 17
exatamente 13, 31, 488, 494
exatidão 1, 13, 80, 459, 543, 570, 646, 939
Exatidão 494
exatificar 474, 494
exato 1, 117, 19, 21, 474, 494, 543, 570, 572, 924

exato no cumprimento do dever 926
exator 785
exaurir 53, 160, 169, 351, 638, 688, 789
exaurir as forças 158
exaurir os cofres 818
exaurir-se 688
exaustão 158, 295, 688
exaustar 688
exaustiva 461
exaustivamente 31
exaustivo 52, 319, 688, 704
exausto 2, 158, 169, 641, 659, 688
exaustor 351
exautoração 929, 972
exautorar 756, 929, 972
excarceração 750
excarcerar 750
exce(p)cional 469
exceção (de) 16a, 38, 55, 83, 469, 614
excedente 40, 640
exceder 33, 648, 873
exceder à expectativa 731
exceder ao necessário 640
exceder em astúcia 545
exceder em duração 110
exceder Herodes em crueldade 549
exceder os limites 173
exceder os melhores cálculos 482
exceder s. Vicente na caridade 549
exceder-se 173, 303, 573, 679, 739, 825, 954, 964
excelência 33, 648, 650, 698, 839, 850, 876
excelência intelectual 498
excelência(s) moral(is) 906, 944
excelente 33, 134, 157, 168, 394, 648, 650, 656, 939
excelente acabamento 650
excelente disposição física 654
excelentíssimo 876
exceler 33, 650, 873
excelsitude 206, 873, 942
excelso 206
excelso 33, 206, 578, 650, 845, 873, 944, 976
excentricidade 79, 83, 220, 499, 503, 608, 853
excêntrico 24, 83, 139, 220, 481, 503, 608, 853
excepcional 20, 24, 33, 79, 83, 614, 642, 870
excepcionalidade 83
exceptis excipiendis 469
excerto(s) 596, 609
excessivamente 640
excessivo 31, 102, 549, 640
excessivo apuro da linguagem 577
excesso(s) 33, 40, 84, 303, 549, 640, 954
excesso de ornamentos 852
excesso de sensibilidade 825
excesso de velocidade 667
exceto 38, 55, 83
excetra 667, 913
excetuadamente 31
excetuar 53, 55, 465, 610
excisão 201
excisar 201
excitabilidade 173, 822, 901
Excitabilidade 825
excitação 149, 171, 377, 615, 821, 825, 900
Excitação 824
excitadamente & adj. 824, 825
excitadiço 825

excitado 173, 824, 825
excitador 615, 824, 825
excitamento 824, 825
excitante 171, 615, 824, 865
excitante afrodisíaco 615
excitar 153, 171, 173, 375, 615, 821, 824, 829, 865, 900
excitar a admiração 829, 845
excitar a atenção/a ideia/o pensamento/o espírito/as vistas 457
excitar a compaixão 914
excitar a compunção 950
excitar a curiosidade 475, 642
excitar à dor 914
excitar ao desespero 824
excitar apetites venéreos 961
excitar o apetite 824
excitar ódio 898
excitare fluctus in simpulo 645
excitativo 615
excitatório 615, 824, 825, 901
exclamação 580
exclamações lancinantes 839
exclamar 411, 932
excluidamente & adj. 77
excluído 55, 77
excluindo 55
excluir (de) 38, 55, 77, 610, 756, 761
excluir a hipótese de 471
excluir das fileiras 756
excluir-se 757
exclusão 610, 893
Exclusão 77
exclusão 893
exclusiva 55
exclusivamente 31
exclusive 38, 55, 77
exclusivismo 739
exclusivo 42, 55, 77, 79, 83, 739, 761
excluso 55, 77
excogitação 451, 515
excogitar 451, 515, 626
excomungação 908
excomungado 908, 988
excomungar 756, 893, 908, 932, 972, 998
excomunhão 761, 893, 908, 972, 998
excomunhão maior/menor 908
ex-corde 543
excreção 295
Excreção 299
excrementício 299, 653
excremento 299, 653
excrescência 250, 303, 640, 848
excrescente 640, 645
excrescer 194, 640
excreta 653
excretar 299, 653
excretor 299
excruciante 378, 830
excruciar 378
exculpação 918, 927a, 937, 970
exculpar 937, 946
exculpatório 937
excursão 266, 573, 716, 840
excursionar 266
excursionista 268
excurso 266
excutir 789
execração 610, 867, 908
execrando 938
execrar 867, 932
execrável 649, 830, 867, 898, 932, 945
execução 154, 161, 361, 416, 599, 680, 692, 729, 772, 808, 926, 972
execução militar 972
executado 969

executado a custo 275
executado com mestria 650
executar 170, 361, 415, 416, 417, 622, 677, 680, 692, 729, 772, 789, 972
executar as ordens de 743
executar sua tarefa 680
executável 470
executivo 693, 737, 745, 963, 965
executor 361, 631, 680, 690, 758, 975
executor de alta justiça 975
èxedra 74
exegese 522
exegeta 524
exegética 522
exegético 522
exemplador 975
exemplar 22, 82, 550, 591, 650, 944, 972
exemplificação 79, 82, 522
exemplificar 79, 82, 516, 518, 522
exemplificativo 79, 82, 516, 522
exemplo 19, 22, 80, 82, 540, 697, 873, 948
exemplo vivo 873
exemplos cívicos 537
exenteração 301
exequatur 755
exequente 969
exequial 363
exéquias 363
exequibilidade 470, 644, 705
exequível 470, 705
exercer 170, 175, 677, 680
exercer a arte cênica 599
exercer a caridade 906
exercer a clínica 625
exercer a judicatura 480
exercer a magistratura judicial 967
exercer a mendicância 765
exercer a profissão de 625
exercer a soberania 777
exercer as funções de 737
exercer atos de vingança 919
exercer autoridade 737
exercer cidadania 748
exercer decisiva influência 642
exercer influência 615
exercer laboriosamente a sua atividade 686
exercer o comércio 794
exercer o governo 737
exercer os cruéis instintos de ferocidade 686
exercer os poderes conferidos 755
exercer poder 157
exercer pressão 319, 739
exercer seu mister 680
exercer sua soberania sobre 737
exercer uma ascendência 615
exercer uma parcela de autoridade 737
exercer vindita contra 919
exercício 170, 537, 625, 673, 677, 680, 682, 686
exercício da inteligência 451
exercitação 537, 673, 677, 680, 686
exercitado 698
exercitar 370, 537, 677, 680, 698
exercitar-se 538
exército 72, 102, 722, 726
exerdação 789
exerese 301
exergo (de uma moeda) 551
exibição 448, 525, 531, 882
exibicionismo 880, 882
exibicionista 880, 882

607

exibidor | exsudar vingança

exibidor 531
exibir 467, 476, 525
exibir a alternativa 609
exibir aos olhos de 529
exibir aparência/aspecto 448
exibir bons vestuários 851
exibir luxo 882
exibir-se 446, 882
exicial 361, 649
exício 67, 162, 649
exido 169, 189
exigência(s) 601, 630, 641, 741, 865, 901a
Exigência 868
exigente 630, 739, 832, 865, 868
exigido & *v.* 630
exigir 519, 630, 741, 812, 924, 926
exigir a atenção/a ideia/o pensamento/o espírito/as vistas 457
exigir explicações 715
exigir licença/permissão 760
exigir uma resposta 461
exiguidade 32, 53, 103, 137, 203, 641
exiguidade em tamanho 32
exíguo 32
exíguo em grossura 322
exilado 268, 295, 893
exilar 185, 270, 893, 972
exilar-se 295
exílio 55, 185, 972
exílio voluntário 893
eximido 927a
exímio 648, 650, 698
eximir 672, 760, 927a
eximir-se (de) 297, 460, 623, 671, 927a
eximir-se da responsabilidade 927a
exímo atirador 700
exinanição 158
exinanido 2
exinanir 2, 4, 160, 162
exire vim viribus 718
Existência 1
existência 3, 108, 151, 186, 359, 692
existência futura/d'além túmulo 152
existencial 1
existente 1, 118
existibilidade 1
existimare unumquemque moribus suis 481
Existir 1, 359
existir de fato 474
existir em 186
êxito 154, 293, 295, 449, 729, 731, 829
exitoso 731
Exmo. Sr. 876
êxodo 103, 293, 295, 599
Êxodo 985
ex-officio 494, 694, 737, 924
exomologese 950, 952
exoneração 55, 738, 756, 927a, 937, 972
exoneração a bem do serviço público 972
exonerado 927a
exonerar 55, 297, 738, 756, 937, 972
exonerar-se 757, 782
exoração 765
exorar 765
exorável 762
exorável 914
exorbitância 303, 549, 640, 803, 814
exorbitante 303, 640, 812, 814
exorbitar 279, 303, 549, 640, 679, 742, 964

exorbitar das atribuições 925
exorbitar de sua competência 964
exorcismar 992, 998
exorcismo 766, 992, 993
exorcista 994
exorcistado 995
exorcizar 998
exordial 62, 64
exordiar 62
exórdio 64, 66, 582
exórdio x peroração 237
exornar 847
exortação 574, 586, 615, 668, 695
exortador 668
exortar 582, 668, 695, 765
exortativo 615, 668, 695
exortatório 668
exosmose 295, 302
exoso 898
exostose 250
exotérico 78, 490, 525, 531
exoterismo 78
exótico 10, 24, 57, 83, 608
exotismo 24
expandir(-se) 33, 35, 194, 322, 573
expansão 35, 194, 322, 525, 549
expansão da alma 820
expansão de sentimentos 703
expansibilidade 194
expansivo 194, 529, 543, 584, 588, 836, 892
ex-parte 481
expatriação 295
expatriado 268, 623
expatriar 893, 972
expatriar-se 295
expectação 121, 507, 858
Expectação 871
expectante 507, 510
expectantismo 507
expectar 133, 507
expectativa 472
Expectativa 507
expectativa ansiosa/ardente/premente/confiante 507
expectativa ilusória 509
expectável 472, 870
expectoração 655
expectorar 297, 580, 900
expedição 266, 274, 291, 682, 716, 722
expedição militar 722
expedicionário 268
expediente 626, 631, 632
expedir 270, 284, 531, 684
expedir como comissário 755
expedir decreto/portaria 741
expedir uma carta 592
expedir-se perfeitamente 731
expedito 274, 682, 684
expedrar 705
expelir 162, 297
expelir de sua face 972
expelir de sua presença 932
expelir do pensamento 458
expender 527, 531, 535
expensa 809
expenso gradu 528
experiência(s) 461, 478, 594, 675, 821
Experiência 463
experiens laborum 686
experiente 700, 864
experimenta 463
experimentação 550
experimentado 52, 673, 698
experimentador 463
experimental 123, 463, 675
experimentalista 463
experimentalmente 675
experimentar 151, 375, 463, 490, 675, 677, 821, 828, 830

experimentar a fortuna 621
experimentar as suas forças 720
experimentar conclusões 476
experimentar dor 378
experimentar prazer 377, 827
experimentista 463
experimento 463, 675
experimento e erro 463
experimentum crucis 463, 478
expert 490
expertise 698
expiação(ões) 950, 952, 974, 976, 998
Expiação 952
expiar 952, 976
expiar na prisão sua falta 972
expiar-se de toda a mácula 952
expiatória 952
expiatório 952
expilação 791
expilar 791
expiração 67
expirado 122
expirante 122
expirar 67, 109, 360
explanação 155, 522, 595
explanar 537, 580
explanar com exemplos 518
explanativo 522
explanatoriamente 522
explanatório 518, 522
expletivo 517, 573, 640
explicação 155, 522, 537, 550
explicar 155, 462, 480a, 518, 522, 527, 537, 566
explicar-se 723
explicativo 79, 522
explicatório 522
explícito 474, 516, 518, 525, 527, 535, 570
explicitude 570
explodir 65, 113, 171, 173, 284, 402a, 406, 508, 732, 825
explodir em elogios 931
exploração 461, 622, 667, 679, 814
explorado 124
explorador 268, 534, 548, 668, 683, 792, 814, 941
explorar 461, 463, 675, 679, 789, 794, 814
explorar a credulidade de alguém 545
explorar a vaidade de 880
explorar o terreno 463
exploratório 301, 794
explorável 470
explosão 113, 146, 173, 276, 404, 406, 732, 825, 900
explosível 406
explosivo 173, 665, 727
expoente 26, 84, 550
expoliação 619
exponencial 461
expor 220, 467, 522, 525, 527, 529, 531, 535, 537, 580, 594, 617
expor à influência do fumo 336
expor à irrisão pública 874
expor à reprovação 932
expor à sorte 621
expor à vista/à contemplação 525
expor ao tempo 338
expor aos olhos de 527
expor de antemão 511
expor detalhada e circunstanciadamente 527
expor um assunto 595
expor-se (a) 177, 446, 529, 665, 861, 863, 874, 882
expor-se a perigo/a risco 665
expor-se à sorte 621

expor-se às vistas de 446
exportação 295, 301, 796
exportação 301, 796
exportador 796
exportar 796
exportável 796
exposição 446, 448, 476, 522, 525, 527, 531, 550, 594, 595, 596, 665, 882
Exposição 529
exposição pública 972
exposição sumária 516
exposição viciosa 495
expositivo 527
expositor 518, 524, 527, 540
expositório 522, 527, 595
exposto (a)158, 177, 220, 475, 525, 665
exposto à vista 446
exposto ao ar 226
expostulação 616, 766, 932
expostular 766, 932
expostulatório 616, 766
expremer 455
expressão 416, 448, 516, 525, 560m 564, 566
expressão bombástica 517
expressão de dor 915
expressão de um juízo 514
expressão graciosa 842
expressão imprópria 563
expressão máxima da arte 650
expressar 220, 516, 550, 566
expressionismo 692a
expressivamente 516
expressividade 578
expressivo 428, 516, 518, 527, 894
expresso 272, 274, 525, 535, 566, 620
expresso de viva voz 580
expressões elogiosas 931
expressões triviais 579
exprimir 516, 527, 550, 566, 582
exprimir-se 560
exprimir-se com facilidade e clareza 582
exprimir-se com precisão 578
exprobração 932, 938
exprobrador 932
exprobrar 616, 632
exprobrativo 932
exprobratório 932, 938
exprobrável 947
expromissor 807
expropriação 782, 789
expropriar 789
expugnação 731
expugnador & *v.* 716
expugnar fortaleza 716
expugnável 158, 665
expulsão 55, 77, 185, 270, 289, 295, 299, 972
Expulsão 297
expulsar 53, 55, 77, 270, 289, 297, 756, 972
expulsor 297
expulsório 297
expultriz 297
expunção 162
expungir 162, 552
expurgação 652
expurgar 289, 297, 652, 658
expurgar dos erros e dos defeitos 658
exsicação 340
exsicar 340
exsolver 44, 335
exsudação 295, 299
exsudação mal cheirosa 401
exsudar 295
exsudar ódio 898, 907
exsudar vingança 919

êxtase | faire le diable à quatre

êxtase(s) 377, 515, 821, 824, 827, 870, 897, 990
extasiado 457, 827, 870
extasiante 829
extasiar 824, 829, 870
extasiar-se 377, 827, 870, 990
extasiar-se na contemplação de 827
extático 821, 827, 870
extemporaneamente & adj. 612
extemporaneidade 119, 135
extemporâneo 111, 119, 135, 612, 674
extemporizar 612, 674
extensão 25, 26, 31, 180, 192, 194, 196, 200, 573
extensão de/do tempo 110
extensão superficial 202
extensibilidade 324
extensível 316, 325
extensivo 202
extenso 31, 180, 200, 202
extenuação 36, 158, 688, 937
extenuado 158, 688
extenuador 688
extenuante 319, 688, 704
extenuar 688, 818
extenuativo 319
exterior 220, 448
Exterioridade 220
exterioridade 57, 448, 544
exteriorizar 220, 529
exteriormente & adj. 220
exterminação 301
exterminador 165, 361
exterminar 162, 361, 972, 974
extermínio 162, 361, 974
externar 220, 529
externato 542
externo 6, 220, 541
extinção 2, 162, 360
extincteur 385
extinguir(-se) 2, 67, 162, 361, 421
extinguir as palavras nos lábios 581, 837
extinguir-se a voz 581
extinguir-se no planeta o calor central 471
extinguível 6, 328, 506
extinto 2, 122, 360, 362
extintor 165, 385
extirpação 162, 301
extirpamento 162
extirpar 55, 162, 301
extirpar abusos 658
extirpável 6
extorcionário 789
extorquido 925
extorquidor 739
extorquir 302, 744, 775, 777, 789, 812, 814
extorsão 301, 775, 789, 806, 814
extorsivo 814
extorso 789
extorsor 789, 792
extra 37
extracanônico 984
extração 162, 796
Extração 301
extradição 270, 297
extraditar 270
extradorsado 250
extradorso 250
extrafino 648
extraído & *v.* 301
extrair 301, 480a
extrair raiz 85
extrajudicial 964
extrajudiciário 964
extralegal 964
extramontano 895

extramundano 317
extramural 220
extramuro(s) 220
extranatural 317, 980
extranumerário 39, 640
extraoficial 738
extraordinário 31, 83, 508, 608, 613, 640, 642, 648, 845, 870
extrapolação 549
extrapolar 549, 640, 825, 873, 925
extraportas 220
extraprograma 508
extrarregulamentar 964
extratar 596
extraterrestre 188, 268, 614
extraterritorial 220
extrato(s) 398, 551, 596, 609
extravagação 303
extravagância 83, 481, 499, 515, 549, 608, 814, 818, 853
extravagância sem qualificativo 497
extravaganciar 638
extravagante 31, 83, 139, 173, 224, 428, 471, 497, 499, 503, 504, 515, 549, 577, 608, 638, 640, 814, 818, 825, 852, 853, 855
extravagante 139
extravagar 55
extravasão 640
extravasar 640
extravazação 295
extravazamento 295, 299
extravazar 295, 297
extraviado 2, 73, 87, 279, 776
extraviar 279, 495, 776, 961
extraviar-se 73, 304, 449
extravio 279, 449, 776
extrema 667, 231, 233
extrema debilidade 158
extrema facilidade em crer 486
extrema-unção 998
extremadela 233
extremado 825
extremar 44, 229, 465
extremar os confins de 229
extremidade 210, 231, 233, 804, 828
extremidade superior 210
extremismo 668, 911
extremista 911
extremo 31, 42, 67, 231, 828
extremo norte 196
extremo ocidente 196
extremo oriente 196
extremo sul 196
extremoso 821, 897, 902, 906
extrinsecabilidade 57
Extrinsecabilidade 6
extrinsecamente & *adj.* 6
extrínseco 6, 220
extroversão 295
extrovertido 892, 894
extrusão 295, 297
Exu 979
exuberância 168, 573, 574, 639, 640
exuberância de seiva 159
exuberante 53, 102, 168, 573, 640
exuberante de seiva 168
exuberar 168, 639
exúbere 127
exular 893
exulcerar 209, 659, 830
exulta 893
exultação 731, 836, 838, 884
exultante 827, 831, 838, 858, 884
exultantemente 31
exultar(se) 836, 873
exultar de alegria 838

exumação 363, 529
exumar 122, 123, 297, 363, 461, 529
exúvia 299
exuviável 226
Ezequiel 513

F

fabordão 414
fábrica 161, 691
fabricação 54, 544, 546
fabricado 546
fabricador 164, 548, 690
fabricante 164, 563, 690
fabricar 54, 153, 161, 371, 515, 544, 546, 626
fabricar a sua própria desgraça 699
fabricar moeda 800
fabricário 997
fabrico 161, 329, 371
fabril 673
fabriqueiro 997
fabro (poet.) 690
fábula(s) 2, 4, 495, 521, 546, 594, 692a
fabulação 546
fabular 514, 515, 546
fabulista 515, 548, 593, 594
fabulizar 546
fabulosas dissipações 818
fabuloso 2, 31, 124, 515, 546, 549
fac totum 690
faca 253, 271, 727
faca ao peito 744
faca de jugar 253
façade 234
facadista (bras.) 788
facalhão 253, 727
façalvo 440a
faça-me a graça/o favor de! 765
facaneia 271
façanha 680, 720, 861, 945
façanheiro 880
façanhoso 870
façanhudo 720, 846
facão 75
facão 792
faça-se justiça 908
facção 712
faccionário 711, 712
faccionismo 481, 825
faccioso 481, 713, 923
face 220, 234, 237, 360, 440e, 448
face a face 186, 237, 525, 861
face x anverso, reverso 237
facear 212, 673
facebook 534, 840
facécia 836, 842
faceciosidade 842
facecioso 842
faceira 501, 884
faceiro 499, 854, 855, 897
facejar 673
faces ardentes 901
facetar 212, 240, 673, 842
facetear 902
faceto 842
facha 234, 423
fachada 64, 220, 234
facho(s) 318, 388, 423, 550, 825
facho da guerra 722
facho de discórdia 713
facho do himeneu 903
fachola 878
facial 234
fácies 240, 448
fácil 458, 486, 518, 602, 703, 705
fácil a 602
fácil de entusiasmo 547, 821
fácil de se compreender 518

fácil de se manejar 320
Facilidade 705
facilidade 698, 894
facilidade de aprender 538
facilidade em esquecer 918
facilis descensus Averni 217, 665
facilitar 134, 470, 673, 705, 707, 763, 784
facilmente 474, 705
facínora 907, 913, 945, 949
facinoroso 649, 907, 949
facistol 1000
façoila 192
fac-similado 19
fac-similar 19, 21, 554
fac-símile 13, 19, 21
fac-simile 554
factício 111, 545, 546
factível 470, 705, 760
factoide 882
fac-totum 700, 758, 890
factual 543
fa(c)tualidade 543
fácula 420, 848
faculdade 134, 537, 542, 698, 760, 924
faculdade de dominar 582
faculdade de falar 582
faculdade de raciocinar 450
faculdade de ver 441
faculdade noscitiva 450
faculdade reprodutiva 168
faculdade/capacidade auditiva 418
faculdade/condição de homem livre 748
faculdades 803
faculdades intelectuais 450
faculento 653
faculoso 653
facultar 134, 705, 760, 763, 784
facultas dicendi 582
facultativo 600, 748, 760
facultoso 639, 803
facúndia 582
facundidade 582, 842
facundo 582
fada 845, 912, 979
fadado à desventura 735
fadado a grandes destinos 698
fadado a grandes empreendimentos 858
fadar 511, 601, 707
fadário 156, 601
fade-in 144
fade-out 144
fadejar 416
Fadiga 688
fadiga(s) 682, 686, 841
fadigado & *v.* 688
fadigar 686
fadigar-se 688
fadigoso 688, 704
fadista 683, 949, 962
fadistagem 683
fado(s) 152, 156, 415, 597, 601, 961
fáeton 272
Faetonte 735
fagote 417
fagueiro 829, 831, 858, 902
faguice 902
fagulha 382, 420, 423
fagulhar 291, 420
fagulharia 420
faiança 191, 557, 852
faiante (chulo) 683
faim (desus.) 727
faina 625, 682, 686
fainéant 683
faire antichambre 133
faire des pattes de velours 544
faire le diable à quatre 404

609

faísca | familiaridade

faísca 32, 382, 420, 423
faísca elétrica 872
faiscação 622
faiscador 461, 622
faiscar 420, 461, 824
faisqueira 636
faisqueiro 622
fait à loisir 673
fait à peindre 845
fait accompli 729
fait divers 532
faixa 45, 193, 205, 230, 247
faixa de terra 181
faixar 43, 461
faixas infantis 127
faixeiro 127
fajardice 791
fajuto 34, 544, 877
fala 411, 560, 566, 580, 582, 586, 588
fala arrastada 583
falaca 975
falace 544
falácia 411, 477, 495, 532, 544, 545, 588
falaciloquência 544
falaciloquente 544
falacioso 544, 584
falada 411, 586, 588
faladar 584
faladeira (f.) 584
falado 104, 582, 883
falador 584, 934, 936
falamento 582
falando em tese 78
falange 72, 102, 440e, 712, 726
falange distal 440e
falange medial 440e
falange proximal 440e
falanstério 910
falante & *v.* 582
falar 412, 467, 525, 550, 580, 582
falar a 586
falar a alguém com sete pedras na mão 895
falar à esconso 550
falar a lume de palhas 491
falar à mão 70
falar a mesma língua 560
falar à toa 477, 497
falar a torto e a direito/pelos cotovelos/à toa/com desembaraço/por falar/por vício/sem tom nem som/às estopinhas 497, 584
falar a um surdo/a um poste/a uma parede 645
falar a verdade 529, 543
falar *ab hoc et ab hac* 477, 499
falar *ab-irato* 900
falar alto e bom som 529
falar alto/rasgado 543, 615
falar ao coração 824, 829, 831, 916
falar ao espírito de justiça de alguém 922
falar aos corações 976
falar aos efésios 589
falar baixo 581
falar bem alto 467, 525
falar com 588
falar com afetação 855
falar com alguém lhanamente 894
falar com boa prosódia 580
falar com chança 884
falar com chiste 842
falar com ênfase 582
falar com franqueza 703
falar com hipocrisia 544
falar com isenção de ânimo 922
falar com rompantes 285

falar como o apocalipse 519
falar como um oráculo 474
falar como um papagaio/uma maitaca 584
falar consigo mesmo 589
falar de 505, 516, 527, 531
falar de cadeira/poleiro 474, 535
falar de cátedra/de cadeira/de/poleiro 480, 490
falar de oitiva 497
falar de papo ou com ares de importância 885
falar *de visu* 474
falar descomedidamente 549
falar do coração 703
falar em desabono de alguém 934
falar em favor de 937
falar em termos pouco respeitosos 929
falar *ex cathedra* 474
falar grego 583
falar grosso 909
falar mais alto 615
falar mal de 932
falar mal do tempo 681
falar na cabeça (bras.) 581
falar no ar 517
falar num impulso de cólera 898
falar num momento de raiva 898
falar palavrão 961
falar pela porta dianteira 543
falar por 937
falar por alto 491
falar por engonços 573
falar por entre dentes/pelo nariz 583
falar por monossílabos 585
falar por si 518
falar português velho e relho 543
falar primorosamente 582
falar rasgado 525, 703
falar rudemente a verdade 703
falar sem rebuço 529, 703
falar sem rodeios/eufemismo/reticências 572
falar sozinho 589
falario 411, 588
falas melífluas 702
falastrão 584
falatória 411
falatório 455, 532, 580, 584, 588
falaz 477, 495, 544, 545, 702
falazar 484
falbalá 231
falcado 245
falcão 412, 441, 913
falcatrua 545, 702
falcatruar 545
falcatrueiro 702
falcifoliado 244
falciforme 244, 245
falcípede 244, 440c
falcoar 622
falcoaria 622
falconete (ant.) 727
falconídeo 366
falda 211
faldistório 1000
falecer 360, 641
falecido 122, 360, 362
falecimento 360, 641
falécio 597
falência 732, 808
falerno 298
falésia 212, 342
falêucio 597
falha 2, 53, 70, 198, 260, 460, 495, 848, 927, 945, 947

falha mecânica 667
falhado 70
falhar 198, 460, 495, 509, 519, 645, 732
falhar a memória 495
falhar ao que se comprometeu 940
falhas 813
falho 53, 460, 651, 732
falho de contextura 575
falibilidade 475, 495
falido 645, 732, 804, 806, 808
falimento 360, 732
falinha 405
falir 641, 659, 732, 804, 808
falir fraudulentamente 808
falível 475, 477, 485
Falo em alhos e respondes em bugalhos 135
falpárreas 877
falperra 791
falperrista 792
falporrice 945
falquear 195, 212, 240
falquejar 212, 240
falripas 440e
falsa 414
falsa alegação 546, 617
falsa aparência 617
falsa braga 717
falsa doutrina 984
falsa ideia 495
falsa impressão 495
falsa modéstia 855
falsa piedade 987, 988
falsa testemunha 548
falsa vergonha 855
falsador 548
falsamente & *adj.* 544, 940
falsar 414, 732
falsário 548, 792
falseador da verdade 546
falseamento 544
falsear 523, 544, 659, 940
falsear a verdade 546
falsete 581, 583
falsetear 410, 483
falsia 544
Falsidade 544
falsidade & *adj.* 545, 546, 940, 925
falsídia (pop.) 544
falsídico 546
falsificação 19, 21, 41, 544, 545, 546
falsificado & *v.* 544
falsificar 41, 495, 544
falsificar uma conta 811
falsífico 544
falso 2, 477, 495, 544, 546, 665, 925, 940
falso alarme 669
falso colorido 523, 544, 549
falso como os juramentos de jogador 545
Falta 304
falta 2, 53, 187, 442, 460, 495, 536, 630, 641, 651, 732, 806, 865, 927, 945, 947
falta de afabilidade 895
falta de alacridade 603
falta de ânimo 738
falta de apreço 930
falta de arrependimento 951
falta de atenção 458, 866
falta de audição 419
falta de compostura 945
falta de cuidado 460
falta de cumprimento de dever 773, 927
falta de dignidade 886
falta de dinheiro 804
falta de dono 777

Falta de elasticidade 326
falta de energia e de vontade 605
falta de escrúpulo/de decência/de caráter/de hombridade 940
falta de exatidão 546
falta de existência 2
falta de expectativa 509
falta de fé 485, 487, 989
falta de fibra 862
falta de garantias 925
falta de habilidade 698, 699
falta de hábito 614, 678
falta de instrução 491
falta de intelecto 499
falta de inteligência 499
falta de interesse/de ambição 866
falta de jeito 852
falta de lisura 256
falta de luz 421
falta de malícia 703
falta de originalidade/imaginação/espírito 843
falta de pagamento 808
falta de pressa 685
falta de *quorum* 187
falta de recursos 804
falta de resolução 605
falta de ritmo 139
falta de simetria 846
falta de trabalho 683
falta de variedade 16
falta de vestuário 226
falta de vigor 158
faltar 34, 53, 187, 641, 773
faltar a alguém a *altera pars* Petri 499
faltar à dignidade própria 945
faltar à obediência 742
faltar a paciência 900
faltar à promessa 940
faltar à sua palavra 773
faltar a voz a alguém 821
faltar ao fim colimado 732
faltar aos seus compromissos 940
faltar aos seus deveres 945
faltar com a proteção a 907
faltar pouco 53
falto 243, 641
falto de 53
falto de dinheiro 804
falto de discernimento 458
falto de energia 683
falto de expressão/de vida/de relevo 555
falto de forças 160
falto de humanidade 914a
falto de luz 421
falto de resolução 605
falto de sabor 391
falto de tecido adiposo 203
falto de transparência 426
falto de vida e de animação 830
faltoso 187, 651, 947
falua 273
Fama 873
fama 532, 931
fama excede a realidade, A 549
Fama volat 873
famélico 865, 956
famigerado 873
famígero 873
família 11, 75, 166, 167, 372
familiar 166, 189, 221, 370, 490, 570, 576, 613, 746, 888, 890, 894
familiar com 490
familiar como os dedos das mãos/os vocábulos de uso diário 490
familiaridade 490, 888

familiarizado com | Favorito

familiarizado com 490
familiarizar 537, 613, 823
familiarizar-se com 490, 538
familiarizar-se com o perigo 861
faminto 203, 296, 641, 804, 825, 865, 956
famoso 648, 870, 873
famoso! 931
famulento 865
fâmulo 746, 997
fanado 160, 659
fanal 175, 278, 550, 668, 873
fanar 124, 241, 429, 659
fanar-se 160
fanaticamente 31
fanático 474, 481, 503, 504, 606, 821, 825, 984, 988, 988a
fanatismo 481, 486, 503, 606, 821, 825, 911, 984, 988
fanatizar 824
fancaria 852
fanchona (depr.) 897, 961
fanchone 961
fanchonismo 961
fanchono (pop.) 962
fandango 415, 599, 840
fandangueiro 840
fandigar (reg.) 961
fandinga 804
faneco 51, 659
fanfarra 404, 415, 417, 838
Fanfarrão 887
fanfarrão 173, 726, 884, 949
fanfarrar 402a, 404
fanfarrear 884, 885
fanfarrice 884
fanfarronada 517, 884
fanfarronar 482, 884
fanfarronice 482, 884
fanfúrria 884
fanho 583
fanhosear 583
fanhosez 583
fanhoso 583
fanico 158
faniquito 158
fantascópio 448
fantasia 2, 21, 225, 415, 453, 514, 515, 530, 600, 608, 856, 858, 865
fantasia imaginativa 515
fantasiado 599
fantasiador 515
fantasiar 450, 451, 514, 515, 544, 626, 856, 858
fantasiar calúnia 934
fantasiar-se 225
fantasiar-se de 544
fantasioso 2, 515,
fantasista 515, 858
fantasma 4, 203, 317, 443, 448, 515, 669, 860, 980
fantasmagoria 2, 4, 448, 515, 555
fantasmagórico 2, 4, 317, 448, 495, 515, 517
fantasmagorizar 2
fantasmagorizar-se 4
fantasmal 2
fantasmático 2
fantasmatoscópio 448
fantasticamente 31
fantástico 2, 31, 83, 317, 471, 497, 515, 608, 870
fantastiquice 2, 608, 852, 884
fantil 366, 440c
fantochada 853
fantoche 193, 554, 599, 605
fantocini 554, 599
faquino 997
faquir 376, 953, 996
faquirismo 823
faquista 361, 887

faramalha 517, 884
faramalheiro 517, 884
faramalhice 517
farândola 877
farandolagem 877
farândula 72
farandulagem 72, 225
farante 524
faraó (ant.) 745
faraônico 124
farauta 130
faraute 64
farceur 599
farda 225, 747
fardagem 225
fardamento 225
fardar-se 225
fardelagem 319
fardete 319
fardo 31, 72, 319, 735, 828, 830
fardo da velhice 128
farejador 398, 702, 886
farejar 398, 461, 480a, 510, 527
farejar o toque de retirada 886
farejo 398
fareláceo 330
farelagem 330
fareleiro 493
farelento 330
farelhão 206, 342, 346
farelo 330, 643, 884
farelório 517, 884
faretrado 378, 717
faretrar 378, 649, 716, 830
farfalha 404, 409
farfalhada 409, 584, 852
farfalhador 584
farfalhão 584
farfalhar 402a, 405, 584
farfalharia 409, 584
farfalheira 409, 852
farfalhento 573, 584
farfalhice 884
farfalho 402a
farfalhudo 577, 847
farfância 884
farfantão 887
farfante 882, 884, 887
farina
farináceo 330
farinar 330
faringe 440e
faringite 655
faringodinia 378
farinha 330
farinha do mesmo saco 17
farinhento 330
farinhoso 330
farinhota 330
farinhudo 330
farisaico 544, 988
farisaísmo 544, 988
fariscar 398, 461, 480a, 510
fariseu 548, 949, 988, 988a
farmacêutico 662, 690, 701
farmácia 662
farmacologia 662
farmacopeia 662
farmacopola 662, 701
farmacotécnica 662
farnel 298
far-niente 685
faro 398
faroeste 196
farofeiro 887
farol 175, 278, (sinal luminoso) 423, 550, 668, 873
faroleiro 884, 887
farolim 278
farpa 253
farpado 253
farpante 253
farpão 253, 378

farpar 253
farpas e gravetos 41
farpear 253, 716
farra 818, 840, 954, 959, 961
farragoulo 225
farragulha 682
farrancho 840
farrapada 225
farrapagem 225
farrapão 877
farrapeiro 804
farrapilha 804
farrapo(s) 32, 225, 362, 645
farrear 838, 840
farricoco 877
farripas 226, 256, 440e
farrista 840
farromba 887
farrombeiro 884, 887
farronca 884
farronqueiro 884
farroupilha 877
farroupo 129
farrumpeu 653, 848
farrusca 653, 727, 848
farrusco 431, 848
farsa 2, 497, 544, 546, 555, 599, 692a, 842, 853, 856, 857
farsada 853
farsalhão 599
farsante 548, 599, 844, 884
farsantear 544, 599, 842
farsesco 853
farsista 599, 836
farsola 599, 844, 884, 887
farsolar 842
farsolice 842
farsudo 884, 887
fartadela 639
fartamente 420
fartamento 640
fartar 52, 639, 640, 841, 869
fartar a sede de vingança 919
fartar-se 298
farteza 639
farto 168, 192, 298, 321, 639, 640, 867, 869
fartum 401
fartura 31, 168, 639, 734, 803, 869
fas gentium 963
fasces 747
fascículo 593
fasciculoso 72
fascinação 175, 288, 615, 825, 829, 865, 870
fascinado 825, 827
fascinado pela visão de 821
fascinador 829
fascinante 615, 897
fascinar 175, 288, 615, 824, 829, 845, 870, 992
fascinar com falsas doutrinas 545
fascínio 175, 288, 615, 829
fasciolíase 655
fascismo 737
fase 8, 71, 106, 138, 144
fase climatérica da vida 128
fases da lua 138
fashion
fasquia 204, 205
fasquiar 204
fastado 44
fastidioso 575, 603, 649, 686, 830, 843, 867, 932
fastiento 867, 868
fastígio 210, 847, 873
fastigioso 873
fastio 841, 866, 867, 869
fasto 734
fastos da glória 873
fastos da História 873

fata morgana 423, 443, 495, 515
Fata obstant 601
fatacaz 51
fatal 135, 150, 361, 474, 601, 649, 830, 859
Fatal vaidade 880
fatalidade 152, 156, 361, 601, 621, 735
fatalismo 601, 735
fatalista 601
fatalmente 31, 154, 601
fateiro 877
fateixa 45, 245, 666
fateusim 780
fatia 32, 51, 775
faticano 511
fatídico 361, 511, 601, 649, 909, 985
fatífero 361
fatigado 688
fatigante 217, 319, 686, 688, 704, 841
fatigar 688, 830
fatigar o cérebro 451
fatigar-se 686, 688
fatigar-se com trabalho 686
fatiloquente 511, 985
fatíloquo 511
fatiota 225
fato (de cabras) 72
fato(s) 1, 151, 225, 467, 494
fato anacrônico 115
fato consumado 1, 151, 474, 729
fator 51, 56, 84, 153, 164, 690
fatuidade 452, 499, 855, 880
fátuo 501, 878, 880
fatura 86, 161, 729
faturamento 810
faturar 86, 810
faubourg 227
fauce(s) 231, 260, 351
faular 420
faúlha 330, 382, 420, 423, 643, 682
faulhar 420
faulhento 420, 423, 499
fauna 72, 366
fauno 980
fausto 734, 827, 845, 882
faustoso 428, 882
faustuoso 428, 845, 882
fauteuil 215
fautor 690, 711, 890
fautoria 707
fautorizar 707
fautriz 890
fauvismo 692a
faux pas 732, 961
favas contadas 474, 601
faviforme 260
favila 389
favo de mel 396
favonear 707
favônio 349
favor(es) 457, 592, 618, 644, 707, 737, 740, 760, 784, 816, 829, 873, 894, 916
favor divino 648
favor do céu 618
favorável 134, 602, 646, 648, 707, 734, 890
favorável à saúde 656
favoravelmente 618, 931
favoravelmente inclinado 602
favorecedor 816
favorecer 482, 644, 705, 707, 760, 816, 829, 925, 931
favorecer com 648
favorecimento 644, 707
favoritismo 481, 923
favorito 829, 890, 897
Favorito 899

611

favorito das Musas 597
faxina 162, 388, 652
faxinal 344
faxineiro 652
faz de conta 4
fazedor 690
fazedura 161
Faze-me a barba e far-te-ei o cabelo 718
fazenda *(propriedade)* 181
fazenda 184, 189, 316, 780, 798
fazenda pública 802
fazendário 801
fazendeiro 188, 371, 779
fazendo o devido desconto 469
fazer (a) cabeça 990
fazer (larga) messe 998
fazer 27, 54, 161, 461, 600, 680, 729, 731, 765
fazer a admiração de 870
fazer a água repuxo 348
fazer a alguém fel e vinagre 900
fazer a alguém sangue de bugio 900
fazer a anatomia de 461
fazer a apoteose/a glorificação de 873
fazer a biografia de 594
fazer a boca doce a alguém 933
fazer a cama a alguém 919, 932
fazer a codificação de 963
fazer a corte 902, 933
fazer a curva 245
fazer a honra de 894
fazer a promulgação de 963
fazer a revisão 591
fazer a síntese 54
fazer a transfusão de 270
fazer à vela 623
fazer a viagem do outro mundo 360
fazer a vista grossa 760
fazer abalos por cantarejar de galos 482, 643
fazer abatimento 815
fazer abertura de 763
fazer ablativo de viagem 623
fazer abstração de 610
fazer aceitar à força 744
fazer acoberrar 544
fazer acompanhamento 416
fazer acontecer 615
fazer acusação 155, 932
fazer água 659
fazer ajuste de contas (com alguém) 919
fazer ala 60
fazer alguém do seu partido 615
fazer alguém em pedaços 934
fazer alguém jurar 768
fazer alguém num Cristo 378
fazer alguém passar mau quarto de hora 929
fazer algumas do diabo 173
fazer almoeda 531
fazer almoeda da honra 940
fazer alto 142
fazer alusões injuriosas e ofensivas a alguém 929
fazer amizade (em) 644, 890
fazer amor 897, 902, 961
fazer andar a cabeça à roda 959
fazer ângulo agudo com o horizonte 217
fazer antecâmara 933
fazer ao caso 642
fazer apelo a 586
fazer apelo à memória 505
fazer apreensão/tomadia 789
fazer aquisição 795
fazer armas 720

fazer arraial 840
fazer arranjo 416
fazer às cegas/às tontas 460
fazer as coisas com todo o ripanço 275, 683
fazer as coisas pela calada 702
fazer as coisas pela metade 460, 641, 732
fazer as coisas pelo meio 699, 730
fazer as contas com 746
fazer as delícias de 829, 931
fazer as honras 892
fazer as honras da casa 892
fazer as horas 681
fazer as pazes com 721
fazer as vezes de 147, 625, 755
fazer as vezes/o papel/o ofício de 147
fazer atença com o tempo 82
fazer avença com o tempo 683
fazer avenida (gal.) 840
fazer baixar os olhos 885
fazer bando por si 693, 737
fazer barba medrosa 860
fazer barretada 894
fazer barriga/saliência 250
fazer barulho com 884
fazer barulho com alguém 884
fazer beiça 832
fazer beicinho 900
fazer bela figura 845
fazer belas rimas 597
fazer bem a sua parte 926
fazer bem ao coração 829
fazer bexiga 856
fazer bicho de sete cabeças 482, 605
fazer boa cara 743
fazer boa dormida 683
fazer boa liga 23
fazer boa massa 23
fazer boas ausências 931
fazer boiar 307
fazer bojo 250
fazer bom acolhimento 894
fazer bom conceito 931
fazer bom rendimento 810
fazer bom rosto 602
fazer bom rosto à fortuna 826
fazer bom uso de 658
fazer boneca a alguém 856
fazer boquinha 900
fazer bordos 959
fazer brilhante figura 873
fazer brio de uma coisa 884
fazer brotar saúde e energia de um lugar insalubre 656
fazer bulha com 658, 677
fazer burla de 856
fazer cabedal de 642
fazer cafuné 834, 902
fazer cair no laço 545
fazer cair o prato da balança 140
fazer cair os braços 616
fazer calar (o bico) 479
fazer calar 581, 731
fazer calor & *subst.* 382
fazer cambiantes 440
fazer caminho 734
fazer capricho em 604, 606, 939
fazer cara a 932
fazer caramunhas 839
fazer careta(s) 832, 867, 909, 929, 932
fazer caridade 906
fazer carranca(s) 885, 895
fazer caso de 459, 642, 865
fazer caso de alguma coisa como da lama da rua 930
fazer cativo 751
fazer caução 771

fazer causa com 709
fazer cenas 853, 874
fazer cera 133, 275, 683
fazer cessar 142
fazer chamada 85
fazer chape 402a
fazer chegar às mãos de 784
fazer ciente 527
fazer circular 800
fazer coação 744
fazer cócegas 380
fazer cocó 297, 299
fazer coisas do arco da velha 173
fazer coisas do diabo contra 907
fazer coleta 765
fazer com a mão direita sem que a esquerda veja 881
fazer com que 686
fazer como os outros 82
fazer companhia 88
fazer companhia a 88
fazer compasso 416
fazer compensação 807
fazer concessões 469
fazer conferências 537
fazer confidência(s) (a alguém) 527, 533
fazer conhecido 531
fazer conjetura 514
fazer conquista 897
fazer conserva de 670
fazer conta 810
fazer continência 928
fazer contos de réis ou milhares de cruzeiros 775
fazer contrapropaganda 539
fazer contraste 14
fazer contravertente 237
fazer coro com 88, 488
fazer corpo mole 705
fazer correções 658
fazer costas a alguém 707
fazer cotejo 464
fazer crer 544
fazer cruz à porta de alguém 713
fazer cumprir um contrato 963
fazer curativos 662
fazer da barriga a divindade suprema 957
fazer da fraqueza força 686
fazer da necessidade (uma) virtude 609a, 698, 774, 826
fazer da noite dia 682
fazer da (sua) profissão um sacerdócio 926, 942
fazer da virtude o pão de cada dia 944
fazer das suas 173, 808
fazer das tripas coração 826, 861
fazer de alguém gato (e sapato) 856
fazer de alguém um homem 658
fazer de concerto 488
fazer de conta que 514
fazer de duas ou mais coisas uma só 13
fazer de príncipe/de princesa 885
fazer de si/de alguém mangas ao demo 686
fazer de um arguieiro um cavaleiro 482, 549
fazer de um caminho dois mandados 682
fazer de uma coisa bicho de sete cabeças 482
fazer de uma pessoa outra 658

fazer de urso (fam. e pop.) 853
fazer de vela 623
fazer decidida e porfiada guerra 708, 722
fazer delongas 704
fazer demonstração de 478
fazer dependente de 157
fazer depredação 791
fazer desatinos 503
fazer descer a um nível de inferioridade 483
fazer desconto 813
fazer desembuchar 744
fazer desocupar o beco 297
fazer diabruras 838, 907
fazer diferença 15
fazer diferentes caras e figuras 607
fazer diligências 682, 686
fazer disparates 497
fazer disparo 716
fazer divisão geodésica 786
fazer do estômago sua divindade 954
fazer do sambenito gala 885, 945
fazer do trabalho um prazer/uma religião 682
fazer duplo jogo 544
fazer eco 408
fazer em estilhaços 328
fazer em fanicos 162
fazer em fatias 44
fazer em pedaços 328
fazer em pó 162
fazer em Roma o mesmo que os romanos 82
fazer em tiras 205
fazer embasbacar 870
fazer embatucar alguém 479
fazer ementa de 86
fazer emissão 800
fazer engolir à força 744
fazer entrar em cofre 810
fazer entrar no caminho 537
fazer escaramuça 720
fazer escárnio 856
fazer escola 731
fazer escorço 201
fazer esforços inutilmente 732
fazer esforços para se erguer 732
fazer esperar 510
fazer espirrar a alguém 900
fazer esquecer 506, 831, 952
fazer estardalhaço (em torno de) 642
fazer estendal de palavras retumbantes mas que nada significam 782
fazer exame de consciência 505, 950
fazer exceção 469
fazer exemplo em 972
fazer exibição 882
fazer experiência 463
fazer explosão 406
fazer face 110, 159
fazer face a 234, 604, 719, 807, 826
fazer face aos seus compromissos 807
fazer falada 874
fazer falar de si 874
fazer falta 865
fazer farinha com alguém 714
fazer farronca 884
fazer faxina 637
fazer fé 474, 494, 543
fazer feitiço 994
fazer ferver o sangue 824
fazer festas 902
fazer fiasco 732
fazer ficar com a pulga atrás da orelha 920

fazer figa a alguém | fazer um figurão

fazer figa a alguém 908
fazer figurinhas 853
fazer finca-pé 606, 708
fazer fitas (bras.) 882
fazer fogo 686
fazer força de vela 274, 686
fazer fortuna 803
fazer frase 517, 566
fazer frente 141
fazer frente a 708, 719
fazer frente a alguém 902
fazer frente ao perigo 861
fazer frio a alguém 616
fazer furor 829
fazer gala 880, 884
fazer gala de ateísmo 989
fazer galhofa/troça de 856
fazer garatujas 590
fazer gato sapato de 930
fazer gazeta 683
fazer gemer os prelos 531
fazer girar a cabeça 824
fazer glórias 884
fazer gosto 829
fazer grande cabedal de 33, 482, 882
fazer grande espalhafato/estardalhaço 549
fazer grande ruído 873
fazer grandes gabões 549
fazer guerra a 649, 907
fazer honra a 931
fazer hora 683
fazer imposição do pálio 755
fazer impressão 171
fazer inferno a alguém 907
fazer injustiça 925
fazer inovações 20a
fazer intrigas 940
fazer jiga-joga com alguém 856
fazer jogo com alguém 702
fazer jogo de alguém 856
fazer juízo precipitado 486
fazer juízo temerário 481, 486
fazer jus a 922
fazer justiça 922, 972
fazer justiça a 931, 937
fazer justiça com as/pelas próprias mãos 919, 923
fazer lama à porta de alguém 892
fazer lamúria 839
fazer lançamento 811
fazer leilão 796
fazer leis 963
fazer lembrar 505
fazer letra morta da lei 964
fazer lóbi 175
fazer lucubrações 455
fazer lume 384
fazer luxo em alguma coisa 884
fazer má ausência de 934
fazer má cara (a alguém) 603, 832, 839
fazer mal a (alguém) 649, 907
fazer mal e com precipitação 460
fazer mão baixa 789, 791
fazer mau estômago 395, 830, 867
fazer mau juízo de 932
fazer mau uso de 679
fazer *mea culpa* 950
fazer mercê 973
fazer mergulhia de (videiras) 371
fazer meter a língua no saco 479
fazer milagres 698
fazer mofa/troça a alguma coisa 932
fazer mofo/má cara a alguém 603

fazer mossa (em) 241, 824
fazer mostras (de) 544, 884
fazer mutirão 709
fazer mútuas concessões 774
fazer nana 174, 834
fazer nascer 153, 161
fazer natural 910
fazer negaça 865
fazer negócio 794
fazer negócio lucrativo 734
fazer negócios fraudulentos 940
fazer nina 174, 834
fazer noitadas 682
fazer número apenas 643
fazer o balanço 480
fazer o bem e não ver/sem ver a quem 906, 912
fazer o cadastro 466
fazer o catatau a alguém 919
fazer o cruzeiro de 267
fazer o diabo a quatro 659, 825, 907
fazer o enterro de alguém 856, 929
fazer o estômago vir à boca 395
fazer o horóscopo de alguém 511
fazer o impossível 686
fazer o inimigo morder o pó 731
fazer o lançamento de 551
fazer o mal e a caramunha 544, 907
fazer o máximo de 549
fazer o mesmo 19
fazer o navio cabeça 278
fazer o navio rasto para 278
fazer o ofício de 147
fazer o orgulho de 878
fazer o panegírico (de) 582, 931
fazer o papel de 147, 625
fazer o pesadelo de 704
fazer o plano de 626
fazer o possível 675, 682
fazer o possível por 686
fazer o que lhe aprouver 600
fazer o santo 990
fazer o seu ofício 926
fazer o sinal da cruz 990
fazer o tombamento de 551
fazer objeção/objeções 764, 932
fazer obra de amanuense 19
fazer obra limpa e asseada (irôn. fam.) 907
fazer obra por 19
fazer observar 924
fazer ofício de corpo presente 823, 866
fazer opção/escolha/eleição 609
fazer operações cirúrgicas 662
fazer orações 990
fazer orçar 466
fazer os fusos tortos (burl.) 961
fazer os preparativos 673
fazer ouvidos de mercador 419, 458, 460, 764
fazer ouvidos moucos 487, 764, 829
fazer ouvir a sua voz 175, 411
fazer pagamento 807
fazer panelinha com alguém 709
fazer papel 855
fazer papelinhos/figurinhas 853
fazer parede 719
fazer parte de 56
fazer parte do cortejo 281
fazer parte do patrimônio de 777
fazer partilha 786
fazer passar como seu 791
fazer pasto de 162

fazer pausa 70
fazer pé 653
fazer pé atrás 719
fazer pela metade 628
fazer pelouros 609
fazer penacho de 884
fazer pender 153
fazer pender a balança 28, 175, 615
fazer penhora 789
fazer penitência 828, 952
fazer perder a candura 961
fazer perder a paciência a um santo 841
fazer perder a presença de espírito 458
fazer perder em valor 483
fazer perder o juízo a alguém 503
fazer peso 175
fazer pinto 791
fazer pirraça 830
fazer pirueta 607
fazer pontaria 278
fazer ponte 705
fazer ponto 142, 729, 808
fazer por dar na vista 855
fazer pouco caso de 610
fazer pouco de 927, 929
fazer pouco em 458, 643, 866, 871, 929
fazer praça de 531, 880
fazer prato de 856
fazer preces 765
fazer pregão de alguma coisa 531
fazer pregas & *subst.* 258
fazer preparativos 673
fazer presa (de) 321, 789
fazer presente 784
fazer presente de alguma coisa a alguém 527
fazer pressão 175
fazer prisioneiro 751, 789
fazer prodígios 682
fazer profundas cogitações 515
fazer progresso(s) 35, 538, 682, 731
fazer promessas falazes 768
fazer propaganda/reclame/reclamo de 531, 695, 931
fazer proposta(s) 514, 763
fazer protestos de 768
fazer prova de 478
fazer proveito 775
fazer provisão (para) 673, 821
fazer querela de alguém 938
fazer questão de 459, 604, 606, 744, 770, 924
fazer questão de beber água limpa 20
fazer questão fechada 744
fazer raivar de inveja e ciúme 33
fazer rapapés 886, 933
fazer rateio 786
fazer razão a uma saúde/a um brinde 892
fazer realizar 692
fazer reclamo (de) 457, 529, 695
fazer reconhecimento 461
fazer refegos 258
fazer referência 79
fazer reparo em 457
fazer resenha 527
fazer restrição 465
fazer retratação solene 952
fazer reverência 308
fazer ricochete 277
fazer rir 842
fazer rir as pedras 842
fazer riso de 856
fazer roça 110, 133

fazer rodeios 311
fazer rosto a 234
fazer ruge-ruge 405
fazer ruído 642
fazer saber 527
fazer sair 297, 301, 480a
fazer sala a alguém 892
fazer saltar (a mola) 325
fazer sarilho com uma arma 717
fazer sede 865
fazer segunda 416
fazer sensação/estardalhaço 642
fazer sentir a alguém 932
fazer sentir sua ação 175
fazer serão 682
fazer seu 931
fazer seu aparecimento/sua estreia 446
fazer seu jogo 702
fazer seu ofício 772
fazer seu pé de alferes a uma dama 902
fazer seu quartel general 150
fazer seus os sentimentos alheios 914
fazer sexo/amor 961
fazer silêncio 403
fazer simetria 237
fazer sinopse de 596
fazer soar bem alto 482
fazer sob sua autoridade 600
fazer soberba e vaidade de 880
fazer sobranceria a alguém 885
fazer sociedade/rancho 709
fazer soltas de gado 370
fazer sombra 421
fazer sombra a 33
fazer sondagem 208
fazer sua a causa de 707
fazer sua estreia 66, 446
fazer suar 704
fazer suar a bom suar 704
fazer suar o topete 704
fazer suas as palavras de 488
fazer suas despedidas 293
fazer subir a cor ao rosto de alguém 874
fazer supor 516
fazer tem-tem 127
fazer tenção/designio de 620
fazer tentativa 675
fazer teres 127
fazer terreiros de patacas 884
fazer testa a 648
fazer tilim 402a
fazer timbre 602, 604, 939
fazer tique-tique 407
fazer toca 184
fazer tomadia 709
fazer trabalho de sapa 162, 717
fazer trabalho para 992
fazer transações 625
fazer tremer a barba/os queixos a alguém 860
fazer trinta por uma linha 907
fazer troça de 856
fazer troca dolosa 545
fazer trocadilhos 523, 544
fazer tromba 832, 932
fazer tudo ao seu alcance 686
fazer tudo com segurança 864
fazer tufo 256
fazer turismo 266
fazer um alarido infernal 411
fazer um boneco 737
fazer um cavalo de batalha 549
fazer um circuito 629
fazer um desvio 679
fazer um dever de 926
fazer um falso jogo 544
fazer um figurão 851, 873

fazer um firme e quatro rodarem | felpado

fazer um firme e quatro rodarem 791
fazer um jogo 692
fazer um mundo de bens 648
fazer um paralelo 464
fazer um papel 544, 599
fazer um quadro de 594
fazer um relato 594
fazer um resumo de 596
fazer um sinal 550
fazer uma bela defesa 719
fazer uma boa caçada 622
fazer uma brincadeira 842
fazer uma coisa a contratempo 135
fazer uma coisa à podoa 705
fazer uma coisa *ad ostentationem* 882
fazer uma coisa com uma perna às costas 705
fazer uma coisa na melhor das intenções 703
fazer uma consulta 485
fazer uma corrida 274
fazer uma descrição & *subst.* 594
fazer uma figura 448
fazer uma fogueira de 384
fazer uma grande redução nos preços 815
fazer uma gritaria dos diabos 411
fazer uma ladainha de 573
fazer uma mesma a causa de alguém e a sua 709
fazer uma narrativa 594
fazer uma necessidade 297
fazer uma pausa 687
fazer uma petição de princípio 477
fazer uma reforma de 637
fazer uma reparação de 952
fazer uma resenha de 594
fazer uma soneca 683
fazer uma surpresa a alguém 892
fazer uma triste figura 874
fazer uma viagem/uma jornada 293
fazer uso (de) 644, 677
fazer valer os seus direitos 924
fazer valer sua mercadoria 943
fazer vantagem 644
fazer veniaga de 796
fazer ver 478, 525, 527
fazer vergões 972
fazer versos sem metrificação 597
fazer vibrar a corda de 615
fazer vingar a sua vontade 604, 731
fazer vir o estômago à boca 867
fazer visita 894
fazer vispere 449, 623
fazer vista 642
fazer vista baixa 544
fazer vista grossa 740
fazer vogar 531
fazer volta-cara 623
fazer voltar 764
fazer voltar a calma e a reflexão 616
fazer voltar às mãos de 790
fazer voltar para trás 283
fazer voto de pobreza 955
fazer votos pela prosperidade de alguém 896
fazer xixi 299
fazer zumbaias a alguém 933
fazer/dar de empréstimo 787
fazer/dar meia-volta 283
fazerem as águas revessa 348

fazer-lhe os últimos ultrajes 874
fazer-se 144
fazer-se a luz por todos os lados 125, 420
fazer-se à malta 623, 808
fazer-se à vela 287
fazer-se amável 894
fazer-se ao(s) mar(es) 267, 293
fazer-se bonito 855
fazer-se de Catão 544
fazer-se de cego 487
fazer-se de desentendido 456
fazer-se de novas 458
fazer-se de/a vela 293
fazer-se de surdo 419, 458
fazer-se de tolo 497
fazer-se desentendido 419, 764, 866
fazer-se eco 488
fazer-se em pedaços/em trapos/em molambos 44, 162
fazer-se fino 885
fazer-se forte 606, 885
fazer-se forte em 609
fazer-se gente 131
fazer-se Inês d'horta 419, 458
fazer-se na volta do mar 267
fazer-se natural 184
fazer-se o entendimento em mil voltas 475
fazer-se ouvir 417
fazer-se padre 995
fazer-se passar por 544
fazer-se pimpão com alguém 715
fazer-se preguiçoso 683
fazer-se prestes 673
fazer-se representar 759
fazer-se saloio 702
fazer-se seguir 116, 280
fazer-se senhor de 789
fazer-se sentir 1, 170
fazer-se velho/bonito 855
fazer-se/fechar-se em copas 585
fazer-se/ficar pálido/desconcertado/vermelho/fulo 821
fazimento 161, 680
fazível 470, 705
faz-tudo 682, 690, 700, 758
fé 484, 768, 805, 858, 939, 987
fé antiga 484
fé ardente 484
fé brônzea 484
fé de carvoeiro 486
fé de ofício 551
fé divina 983a
fé firme/implícita/arraigada/inabalável/calma/sóbria/imparcial/desapaixonada/bem fundada 484
fé indestrutível 484
fé profunda 484
fé púnica 940
fé sincera 484
fé/milícia cristã 983a
Fealdade 846
fealdade 243, 940, 947
feanchão 846
febeu 318
Febo 318, 423
febra 171
febra/fevra/févera 205
febrazinhas 205
febre (encefalite) do Nilo ocidental 655
febre 382, 655, 825, 865
febre aftosa 655
febre amarela 655
febre do carrapato 655
febre maculosa 655
febre paratifoide 655
febre purpúrica brasileira 655

febre Q 655
febre tifoide 655
febricitante 68, 173, 682, 825
febricitar 825
febriculoso 655
febrífugo 662
febril 173, 682, 684, 821, 824, 825
feca 188
fecaloide 401
fecha 65
fechado 229, 261, 321, 421, 528, 585, 823
fechado a sete chaves 528
fechado a todos os argumentos 487
fechado num círculo de ferro 229
fechadura 45, 261
Fechamento 261
fechamento 706
fechar 63, 67, 229, 261, 706, 729
fechar a boca 585
fechar a boca de 479
fechar a bolsa 808
fechar a cara 839, 895
fechar a carranca 901a
fechar a chave 528
fechar a mão/a bolsa 764, 819
fechar a porta 761
fechar a porta aos bons exemplos 945
fechar a porta do céu 649
fechar a raia 235
fechar a saída 142
fechar as portas a 162
fechar carranca/cara a/para 932
fechar dentro dos limites 751
fechar fileiras 709
fechar num círculo 227, 261
fechar o jorro 348
fechar o perímetro 729
fechar o templo de Jano 723
fechar os olhos (a) 360, 442, 458, 460, 738, 740, 760, 773
fechar os olhos a alguém 360
fechar os olhos ao mundo 442
fechar sistematicamente os olhos/os ouvidos 487
fechar um negócio 794
fechar uma conta 811
fechar-se a laje sobre o túmulo 363
fechar-se com o segredo 528
fecho 45, 65, 67, 729
fecial 534
Fecit delineavit 556
fécula 653
fecundação 161, 168
fecundador 161, 164, 168
fecundante 161
fecundar 161, 168, 537
fecundar o espírito 537
fecundez 168
fecundia 168
fecundidade 168
fecundizar 168
fecundo 161, 168, 476, 498, 515, 639
fedegoso 401
fedelho 129, 701
fedentina 401
fedentinoso 401
feder 401, 653, 830, 841, 867
federação 709, 712
federado 711
federal 709, 712
federalismo 737
federalizar 709
federar-se 709
federativo 712, 737
fedífrago 940

Fedor 401
fedorentina 401
fedorento 401, 653
Fedra 960
feed-back 626
feericamente 31
feérico 845
feiamente & *adj.* 846
feição 5, 75, 240, 448, 550, 820, 836, 906
feiíssimo 846
feijoada 298
feila 420
feio 241, 243, 649, 830, 846, 852, 874
feio como bode/como sapo 846
feira 74, 448, 794, 799
feirante 797
feirar 794, 795
feital 169
feitiçaria 870, 897, 992
feiticeira 845, 913, 994
feiticeiro 500, 513, 829, 845, 897, 992, 994
Feiticeiro 994
feiticismo 992
feitiço 615, 829, 840, 992, 993
feitio 7, 75, 161, 240, 448, 680, 812, 820
feito da frase 566
feito 604, 673, 676, 698, 996
feito à candeia 597
feito a capricho 845
feito à mão 590
feito ao sabor e no estilo das trovas populares 597
feito com grande cuidado e atenção 459
feito com todo o escrúpulo e atenção 709
feito d'armas 720
feito heroico 861
feito por aclamação 488
feito por escala/ por tabela 138
feito por mão de mestre 650
feito uma sopa 337
feitor 690, 694, 779, 797
feitorar 693
feitoria 693
feitorizar 677, 693
feitos estrondosos 873
feitos gloriosos 731
feitos guerreiros 861
feitura 161, 240, 729
feiume 846
feiura 846
feixe 25, 72, 636, 639
feixe de 639
feixe de luz 420
fel 395, 619, 649, 898, 900, 901, 907
felação 377, 961
feldspato 323
féleo 395
felicidade 156, 377, 618, 621, 731, 734, 827, 831
felicidade eterna 981
felicidade inesperada 734
felicitação 896
felicitar 734, 896
felicitar alguém *ab imo pectore* 896
felídeo 366
felinicultura 370
felino 366, 528, 544, 702
feliz 23, 134, 377, 578, 618, 646, 731, 734, 827, 831, 836
feliz acaso 731
feliz meu bem 840
felizmente & *adj.* 827
felonia 742, 914a, 940, 947
felpa 320, 330
felpado 324

felpudo | ficar a cavaleiro

felpudo 256, 324
feltrar 219
fêmea (diz-se de) que tem o primeiro parto 440c
Fêmea 374
fêmea 962
femeaço (lus.) 374, 962
femeal 374
femeeiro 961, 962
fementido 545, 546, 940
fêmeo 374
feminação 160
feminal 374
feminar 160
femineo 374
feminidade 374
feminil 374
feminilidade 160, 374
feminino 374
feminismo 374
feminizar 374
femme de chambre 746
fêmur 215, 440e
fena 445
fenda 44, 70, 198, 252, 259, 260
fender 44, 91, 198, 259, 267, 328, 402a, 659
fendido 91, 198, 260, 651
fendido em oito partes 367
fendilhar 198, 259
fendimento 44, 198
fenecer 67, 360
fenecimento 67, 360
feneratício 787
fenestrado 260
fenestral 260 420a
fenestrar 260
feniano 710, 742
fenilcetonúria 655
Fênix 163, 660
fênix 83, 648, 650
fenomenal 31, 83, 870
fenomenalidade 83
fenômeno 83, 137, 151, 448, 872
fera 173, 366, 412, 900, 901, 913, 949
fera humana 361
feracidade 168
feracíssimo 168
feræ naturæ 366
ferais 360
feral 363
feraz 168
férculo 272
Ferétrio & Panteão 979
féretro 363
fereza 173, 907, 914a
féria 108, 973
feriado 642, 685, 687, 840, 883
feriar 681, 687, 883
férias 142, 687, 840
férias maiores 687
ferida 260, 378, 619, 655, 830
ferida incicatrizável 619, 919
ferida mortal 619
ferida profunda 378
ferida sensível 822
ferido 725, 917
ferido de asa 959
ferido de morte 732
ferido no coração 837
ferimento 378
ferino 173, 412, 842, 907, 914a
ferir 179, 276, 378, 410, 416, 649, 659, 716, 824, 830, 907, 932, 972
ferir a alguém com a ingratidão 917
ferir a atenção/a ideia/o pensamento/o espírito/as vistas 457
ferir a vista 420
ferir apenas a cobra 730

ferir com flecha 830
ferir de cegueira 442
ferir de frente 659
ferir de morte a fé de alguém 485
ferir frente a frente 708
ferir lume 274, 384, 900
ferir o alvo 731
ferir o céu/o ar com gritos 411, 699
ferir o espírito da rotina 614
ferir o ponto 476
ferir os olhos 420
ferir os ouvidos 414
ferir os sentimentos de 824
ferir um assunto 595
ferir-se a guerra 722
fermata 413
fermentação 59, 171, 353, 659, 825, 900
fermentáceo 353
fermentar 315, 353
fermentativo 315, 353
fermentável 353, 825
fermentescente 353, 825
fermentescibilidade 353
fermentescível 353, 825
fermento 56, 171, 173, 353, 821, 825, 900
fermentoso 168
Fernando Mendes Pinto 548
Fernando Noronha 752
fero 31, 173, 410, 674, 824, 830, 900, 907, 914a
ferocenho 839
ferócia (poét.) 907
ferocidade 173, 825, 885, 907, 914a
feroz 173, 503, 674, 824, 825, 846, 861, 907, 914a
feroz como um tigre 173, 907
ferozmente 31
ferra 550
ferrabrás 726, 863, 884, 887
ferrado 191
ferradura 245
ferrageal 371
ferrageiro 797
ferragista 797
ferragoulo 225
ferramenta 631, 633
ferramenta cega 645
ferramental 631, 633
ferrão (bras.) 615
ferrão 253, 378, 727
ferrar 384, 550
ferrar com alguém (chulo) 940
ferrar o mono 545
ferrar o porto 292
ferraria 691
ferreiro 440a, 440c, 690
ferrejar 625, 682, 794
ferrenho 606, 739, 824, 898, 907
ferrenho 907
fêrreo 43, 159, 604, 606, 739
ferrete 550, 564, 565, 874, 975
ferretear 384, 550, 565, 848, 874, 932, 934
ferretoada 378, 932
ferretoar 378, 615
ferretoar os ânimos 824
ferricoque 193
ferrinhos 417
ferro 159, 323
ferro acro 328
ferro de luva 307
ferro furado 727
ferro velho 643
ferro, som de 402a
ferroada 378
ferroadas traiçoeiras (fig.) 934
ferroar 378
ferrolho 45, 261, 752

ferropear 751
ferropeias 752
ferros 752
ferros d'El-Rei 752
ferro-velho 701, 797, 798
ferrovia 627
ferroviário 272
ferrugem 433, 659, 663
ferrugem do tempo 122
ferrugenta 727
ferrugento 124, 653
ferrugíneo 422, 830
fértil 168, 365, 371, 515
fertilidade 168, 639
fertilização 168
fertilizante 371
fertilizar 168, 371, 673
férula 737, 975
fervedouro 173, 315, 384, 667, 742, 825
fervedouro de 639
fervedura 173, 384, 825
fervença 384, 821
fervência 825
ferventar 315
fervente 315, 349, 382, 682, 821, 824, 825
ferver 173, 315, 353, 382, 384, 639
ferver em cachão 315
ferver em desejos 865
ferver em pouca água 825
ferver em pulgas 825
Ferver o sangue nas veias 824
fervescente 382
fervet opus 682
férvido 173, 382, 682, 821, 824, 825, 897, 990
fervilha 682
fervilhamento 149, 824
fervilhante 102, 824
fervilhar 313, 353, 384, 639, 682
fervor 173, 382, 384, 574, 682, 821, 825, 865, 897, 990
fervor religioso 987
fervorar 824
fervoroso 682, 821, 825, 987
fervura 173, 315, 353, 384
fesceninas 961
fescenino 954, 961
festa(s) 138, 784, 838, 840, 882, 883, 892, 902, 998
Festa acabada, músicos a pé 812
festa campestre 840
festa das candeias/da purificação de Nossa Senhora 998
festa de arromba 840
festa de comes e bebes 840
Festa de Iemanjá 998
Festa de Obaluaiê 998
Festa do desjejum 998
festa dos Reis 998
festa dos Tabernáculos 990, 998
festa junina 840
festa rasgada 827
festa rija 840
festança 840, 892
festão 72, 260, 847
festarola 840
festas imóveis/móveis/mundanas 998
festas ou cerimônias neopagãs 998
festas ou cerimônias afro-brasileiras 998
festas ou cerimônias do budismo tibetano 998
festas ou cerimônias do hinduísmo 998
festas ou cerimônias do islamismo 998

festas ou cerimônias do zenbudismo 998
festas ou datas judaicas de caráter religioso 998
festeiro 836, 840
festejador 840, 935
festejar 838, 883, 902
festejar por lisonja e servilismo 933
festejo(s) 840, 838, 883, 902
festim 298, 377, 840
festim de Baltazar 162
festins 954
festival 840, 892
Festival das luzes 998
festivamente 31
festividade 838, 883, 998
festivo 377, 836, 838, 840
festo 258
festoar 847
festonadas 847
festonar 847
fetal 66, 129
fête champêtre 840
fetiche 500, 899, 991, 993
fetichismo 827, 928, 991
fetichista 984
feticida 361
feticídio 361
fetidez 401
fétido 401, 830
feto 66
fetoscopia 662
feu de joie 840
feu d'enfer 716
feudal 749, 780
feudalidade 777
feudalismo 737, 749
feudatário 746,749, 779, 785
feudo 780
fez 225, 352
fezes 40, 299, 645, 649, 653
fiadilho 205
fiado 205, 796, 805, 808
fiador 467, 550, 771
fiador bastante 771
fiadoria 771
fiadura 771
fialho 205
fiança 467, 788, 805
Fiança 771
fiancée 897
fiar 205, 626, 771, 796, 805
fiar delgado 819
fiar fino 642
fiar muito em si 880
fiar-se 621, 858
fiar-se alguém aos perigos de 665
fiar-se em 484
fiasco 732
fiat 741
Fiat justitia ruat caelum 908
Fia-te na Virgem e não corras 683
fibra(s) 205, 820, 861
fibra guerreira 722
fibra por fibra 52
fibrilha 205
fibrilífero 205
fibrinhas 205
fibrino 205
fibroide 205
fibrose cística 655
fibroso 205, 327, 329
fíbula 45, 205, 215, 440e
fibulação 43
Fica frio! 826
ficante (bras. gír.) 897
ficar 23, 40, 110, 141, 144, 150, 153, 183, 265, 772, 839
ficar a apitar 547
ficar a cavaleiro 206

ficar a chupar dedo | figuração

ficar a chupar dedo 732
ficar a dever 34
ficar a distância formidável 732
ficar a matar 646
ficar a mercê de 177, 725
ficar a nadar 870
ficar a nenhum 804
ficar a pão e água 958
ficar a pedir confissão/o céu 360
ficar a pedir misericórdia 378, 804
ficar a rir-se 671
ficar à ucha/a pedir chuva 804
ficar a ver navios 732
ficar a zero 804
ficar abaixo do andar dos brutos 940
ficar abatido 859
ficar acordado 459
ficar adiado 133
ficar adito a 613
ficar afamado 931
ficar agitado/chocado 821
ficar alcançado & *adj.* 808
ficar além do necessário 40
ficar alerta 527
ficar antenado/ligado/atento 459
ficar ao Deus dará 624
ficar ao lado de 88
ficar ao meio do caminho 142
ficar aos pés de 207
ficar arrependido 950
ficar às avessas 459
ficar às moscas 265
ficar atrás 235, 281
ficar atrasado 806
ficar barrado 732
ficar boquiaberto/estupefato 870
ficar cheirando torcida 509
ficar chumbado 732
ficar coberto d'água 310
ficar com 865, 897
ficar com a melhor 731
ficar com a pulga atrás da orelha (pop.) 920
ficar com as algibeiras despejadas 804
ficar com as mãos atadas 605
ficar com cara de asno 547
ficar com cara de bobo /boquiaberto 509
ficar com dor de cotovelo 920
ficar com o diabo no corpo 907
ficar com o ouvido atento 507
ficar com o santo e a esmola 698, 702
ficar como fiador 768
ficar como pinto no lixo 831
ficar como uma pedra 581, 823, 914a
ficar contente & *adj.* 831
ficar contra a parede 601
ficar cor de pimentão 821, 881, 900
ficar corrido/baço/embatucado com um desengano/com cara à banda/com a cara ao lado/de nariz torcido/a ver navios/com um palmo de cara/aquém da água/com cara de quem chupou limão/com nariz de palmo e meio/ a chupar o dedo/às domingas 509
ficar dando voltas 475
ficar de atalaia 459
ficar de borco 655
ficar de braços cruzados 460, 681

ficar de cabeça para baixo 218
ficar de cama 655
ficar de cócoras 308
ficar de emboscada/de tocaia 530
ficar de expectativa 673, 681
ficar de fora 55
ficar de frente 234
ficar de grito (bras.) 197
ficar de luto 915
ficar de melhor partido 731
ficar de observação/de sobreaviso 459
ficar de orelha em pé 507
ficar de pé 143, 307
ficar de pior partido 732
ficar de prontidão 673
ficar de remissa 133
ficar de reserva 507, 678
ficar de sobra 40
ficar de sobreaviso 864
ficar de tocaia 507
ficar debaixo 725
ficar decepcionado 509
ficar dentro das marcas 953
ficar dentro de sua órbita 304
ficar desapontado 495, 509
ficar desconfiado/paranoico (de tanto ciúme) 920
ficar desnorteado 279
ficar deteriorado 659
ficar devairado 824
ficar donzela 904
ficar em água de bacalhau 732
ficar em atitude irreverente 929
ficar em branco 519, 552
ficar em cima do muro 607, 826
ficar em desordem 59
ficar em jejum 519
ficar em meio 53, 730
ficar em mortório 169, 678
ficar em ordem 58
ficar em paz 714
ficar em pé 1
ficar em pousio 674
ficar em seco 732
ficar em silêncio 581
ficar embatucado 581
ficar enchendo o tempo 133
ficar enciumado 920
ficar encurralado 601
ficar endemoninhado 173
ficar enganado 547
ficar engasgado 475, 479, 605, 821
ficar enleado 870
ficar entalado 547
ficar entre as dez e as onze 605
ficar enxuto 951
ficar ereto/direito 212
ficar esperando 133
ficar estropiado 688
ficar exausto 688
ficar firme 604
ficar fora do prumo 217
ficar fresco 823
ficar fulo de raiva 900
ficar gritante 24
ficar hidrófobo 503
ficar imóvel 681
ficar imóvel como um poste/ como uma estaca 265
ficar implicado 874
ficar impune 671, 927
ficar *in albis* 519
ficar inadimplente 806
ficar inaproveitado 678
ficar inativo 133, 681, 687
ficar indignado 932
ficar inerte 681, 683

ficar insolvente 808
ficar intrigado 455, 519
ficar letra morta 773
ficar mais alto que 206
ficar mamado em 547
ficar meio adormecido 683
ficar na cabeça 505
ficar na expectativa 133
ficar na garganta 581
ficar na memória 505
ficar na obrigação de 926
ficar na pendura/pindura 806
ficar na penumbra 506, 874
ficar na prateleira 681
ficar na retaguarda 235
ficar na sua 604a
ficar na sua opinião e daí não sair 606
ficar neutro 605, 866
ficar no desembolso 808
ficar no lugar de 755, 759
ficar no meio 68, 628
ficar no meio do caminho 628
ficar no papel 304, 645, 732
ficar no seu posto 926
ficar no tinteiro 506
ficar numa irritação tremenda 900
ficar orfanado/privado de 776
ficar para ali 624
ficar para semente/para titia 87, 904
ficar para um canto 624, 930
ficar parado 681
ficar pelo pescoço 547
ficar perplexo 605, 704
ficar perplexo diante do perigo 860
ficar petrificado 860
ficar pintado/com a cara à banda 509
ficar pobre/limpo/fresco/à pá 804
ficar por barreira de opróbrios 932
ficar por barreira de zombarias 853
ficar por concluir 53
ficar preso pelos beiços 827
ficar privado de certos direitos 925
ficar que nem uma pedra 585
ficar quieto 403, 807
ficar relegado a um plano inferior 874
ficar responsável 768
ficar satisfeito e reconhecido 831
ficar sem 776
ficar sem alento e anelante 688
ficar sem o domínio/sem a posse de 776
ficar sem um pingo de sangue 860
ficar sensivelmente impressionado 505
ficar sério com alguém 895
ficar só 265
ficar sucumbido 725, 732
ficar surdo 764
ficar suspenso no ar 320
ficar suspenso no espaço 214
ficar tolo de ver 870
ficar ultrapassado 124
ficar um por outro 718
ficar uma por outra 30
ficar velho128
ficar vigilante 668, 682, 864
ficar/dar em nada 732
ficar/pôr-se/permanecer na frente 234
ficarem as águas estagnadas 345

ficar-se a 677
ficar-se com Deus 601
ficção 2, 515, 544, 546, 692a
ficção científica 692a
ficha 800
fichu 225
fictício 2, 515, 544, 545, 546
ficto 544
fidagal 31, 875
fidalgaria 875
fidalgarrão 875
fidalgo 578, 875, 894
fidalgo de meia tigela 875
fidalgo de nobre/alta linhagem 875
fidalgo dos quatro costados 875
fidalgote 875
fidalgueiro 875
fidalguia 574, 826, 851, 875, 942
fidalguice 884
fidedignidade 543
fidedigno 19, 470, 474, 484, 494, 543, 939
fideicomissário 758, 779
fideicomisso 771, 780
fideicomissório 771, 780
fidejussório 771
fidelidade 543, 604a, 743, 772, 829, 888, 926, 928, 939
fidelidade rigorosa 772
fidelíssimo 939
fideputa (chulo) 877
fidéus 298
fido 604a, 743, 772
fidúcia 484, 805, 858, 861
fiducial 484
fiduciário 484, 800
fidus Achates (= amigo confiável) 711, 890
fieira 69, 72, 260, 821
fiéis 987, 997
fiel 19, 21, 484, 494, 743, 772, 801, 888, 890, 939, 983a, 987, 997
fiel a 604a
fiel à letra 494
fiel à sua bandeira 939
fiel à verdade 543
fiel até à morte 604a
fiel como a agulha ao polo 939
fiel como o gnômon ao sol 543
fiel como o quadrante ao sol/como a agulha ao polo 772
fiel escudeiro 711
fieldade 604a, 664, 743, 939
fielmente 21, 594, 772, 890
fielmente reproduzido 494
fieza 805
fífia 410, 414
figa 643, 993
figadal 820, 889
fígado 440e, 820
fígaro 690, 701
figle 417
figo passado 203, 643
figulino 370, 324
figura 220, 240, 372, 413, 554, 599
figura de cera 554
figura de discurso 516, 549, 566
figura de discurso/de conceito/de dição 521
figura de grande projeção/de alto relevo 873
figura de pano arrás 846
figura de presepe 857
figura de retórica 2
figura e fundo 89
figura homérica 873
figura olímpica 873
figura principal 615
figura varonil 873
figuração 220, 511

figurado | flamispirante

figurado 514, 515, 520, 521, 551
figural 550
figuralidade 240
figuranta 599
figurante 599
figurão 642, 694, 745, 873, 875
figurar 446, 514, 515, 521, 550, 554, 556, 873
figurar na primeira plana 33
figurar no rol 76
figurar num nível elevado 873
figurarias 840
figurar-se 515
figuras de estilo 560, 569
figuras de linguagem 560
figuras de sintaxe 567
figuras decorativas 175a
figurativo 550, 554, 563, 577
figurilha 193, 554
figurinista 599
figurino 22, 554, 692a, 851
figurista 559
figuriste 559
fila 69
filaça 205
filactério/filactérias 496, 993
filamentar 205
Filamento 205
filamentoso 205, 327
filandras 205, 320
filandroso 329
filante 392
filantropia 648, 707, 784, 906
Filantropia 910
filantrópico 784, 910, 914, 942
filantropo 648, 910, 912, 942, 948
filão 636
filar 615, 751, 765, 775, 781
filar jantares 683
filaríase 655
filarmônica 415
filatérias 517
filáucia 878, 880, 884, 943
filé 845, 865
filé mignon 827
fileira(s) 58, 69, 726
fileiras inimigas 710
filete 205, 231, 248
filha 902
filha de Eva 374
filha-de-santo 996
filharada 129, 167
filheiro 161, 166, 168
filhento 161, 168
filho 127, 129, 167
filho das ervas 877
filho das Musas 597
filho de 153, 184
filho de algo 875
filho de Apolo 597
Filho de Davi 976
filho de Deus 372, 976
filho do ganha-dinheiro 877
Filho do Homem 976
filho do pecado 167
filho do sol e neto da lua 875
Filho e Espírito Santo 13
filho e filha 11
filho ilegítimo 167
filho póstumo 65, 117
filho pródigo 950
filho de santo 996
filho-família 129
filhos da noite 792
filhos de bênção 167
filhos de Deus 983a, 987
filhos dos homens/de Belial/ das trevas 988
filhote 129
filiação 9, 11, 155, 167
filial 9, 3, 51, 167
filiar(-se) 155, 709

filiar-se no partido adverso 607
filicida 361
filicídio 361
filiforme 203, 205
filigrana 847
filigranar 21, 847
filípica 932, 938
filisteu 192
filistria 840, 852
filmadora 553, 633
filmar 554, 594
filme 554, 594, 599
filó 427
Fi-lo porque qui-lo 604
filófago 298
filoginia 372, 374, 897, 961
filologia 522, 560, 567
filologista 492
filólogo 492, 690
filomático 490, 492
filomela 416
filosofar 476, 490
filosofia 490
filosofia de lagartixa 520
filosofia experimental 316
filosofia mental 450
filosofia natural 316
filosofia positiva 316
filosofia sectária 481
filosofia zetética 461
filosófica 597
filosófico 451, 826
filósofo 476, 492
filtração 42
filtragem 42
filtramento 42
filtrar 42, 348, 652
filtrar-se 295
filtro 42, 144, 295, 652, 993
Fim 67
fim 65, 142, 210, 231, 360, 480, 601, 620, 865
fim da vida terrena 360
fim de linha! 859
fim do mundo 196
fimbo 727
fimbrado 231
fimbrar 229
fímbria 231
fimbriado 231
fimento 233
fimícola 653
fina flor 650
finado 360, 362
final 67, 729
finale 67
finalidade 278, 620, 865
finalização 67, 729
finalizante 729
finalizar 67, 729
finalmente 67, 476
finamento 360
finamento 67
finança(s) 800, 802, 811
finanças periclitantes 808
financeira 805
financeiro 800, 801, 811
financiado 796, 805
financiador 787
financial 800
financiamento 625, 632, 805
financiar 784
financista 801, 811
finar 67
finar-se 360
finar-se por 865
finca 215
fincamento 300
fincão 215
finca-pé 215, 686, 865
fincar 43, 215, 276, 300
fincar pé 606, 719
fincar-se 150, 184

finco (ant.) 769
finda (ant.) 67
findar 2, 67, 109
findo 62, 67, 122
findou 122
finesse 702, 850
fineza 203, 322, 829, 850, 894, 902, 906
finfar 851
fingido 2, 495, 544, 546, 702, 940, 988
fingidor 548
fingimento 19, 544, 555, 940
fingir 19, 514, 544, 626
fingir modéstia ou recato 988
finis 67
Finis coronat opus 729
finítimo 199, 233
finito 111
finitude 2, 160, 203, 253, 320, 322, 328, 329, 410, 494, 498, 572, 578, 641, 648, 650, 698, 702, 829, 850, 897
fino 572
fino como coral 702
finório 702, 941
finta 812
fintar 808, 812
fintar-se 707
finura 203, 498, 578, 698, 702, 842, 845, 850
fio(s) 69, 160, 205, 253, 359, 522, 633, 662
fio de Escócia 205
fio de prumo 212
fio vital 359
fio-dental 225
fiorde 343
fique tranquilo 484
firma 550, 712, 769
firmã 741, 760
firmal 45, 191
firmamento 189, 215, 318, 981
firmão 760
firmar 150, 211, 467, 474, 590, 769, 931
firmar aliança 709
firmar-se 150, 215
firme 43, 143, 150, 265, 321, 323, 327, 498, 604, 604a, 606, 861
firme até a medula 604
firme e decidido propósito 620
firme e quedo como um rochedo 265
firmes no seu posto!
firmeza 141, 143, 150, 159, 179, 323, 327, 464, 600, 604, 604a, 606, 664, 861
firmeza de 606
firmeza de ânimo 604, 604a, 944
firmeza de ânimo 604a
firmeza de ânimo 944
firmidão 150, 769
firula 577
fisberta (ant. e chulo) 727
fiscal 480, 694, 745, 800, 811
fiscalização 457, 664, 693, 737
fiscalizar 457, 461, 693
fiscela 752
fisco 802
fisga 44, 70, 198, 260, 622, 727
fisgada 378
fisgar 490, 498, 518, 751, 781, 789
física 316
física nuclear 316
fisicismo 316
físico 316, 492, 662, 690
físico-mor 662
fisiculturismo 159
fisiografia 183
fisiologia 357
fisiológico 440e
fisiologismo 481

fisionomia 5, 220, 234, 448, 550
fisionomia carrancuda/rebarbativa/rude 837
fisioterapeuta 690
físsil 328
fissilidade 328
fissíparo 366, 440c
fissura 198, 260, 865
fissurado 865
fissurar 865
fistor 493, 500, 702
fístula 260, 550, 655
fistulado 260
fistuloso 260
fita(s) 45, 205, 847, 876
fita cinematográfica 882
fitar 441, 455, 457
fitar o impossível 471
fitar o pensamento em 457
fitar os olhos em 441
fitilha 205
fitívoro 298
fito 278, 457, 620, 865
fitófago 298
fitografia 369
fitologia 369
fivela 45
fiveleta 45
fixação 184, 481, 606, 825
fixação do câmbio 800
fixado 150, 825
fixar 106, 114, 184, 604
fixar a atenção/o espírito 457, 824
fixar na memória 505, 538
fixar os limites de 229
fixar preço 812
fixar-se em 46
fixidade 150, 265
fixidez 150, 265, 327
fixo 43, 141, 150, 265, 327, 428, 613
fixura 150
flabela 349
flabelação 349
flabelado 245
flabelar 349, 383a
flabelar os caracteres 824
flabeliforme 245
flacidez 160, 324, 641, 945
flácido 160, 324, 326
flagelação 830, 952, 955, 972, 998
flagelado (bras.) 268
flagelamento 955
flagelar 739, 830, 907, 972, 974
flagelar-se 952, 955
flagelativo 830, 945
flageliforme 205
flagelo 619, 655, 663, 828, 830, 874, 972, 974, 975
flagelo da humanidade 913
flagelos da ira celeste 972
flageolet 417
flagício 619, 649, 907, 945, 947
flagicioso 874, 907, 945
flagrante 382, 434, 525, 531
flagrante bello 722
flagrante delito 474
flama 382, 825
flama da inteligência 498
flamado 382
flamância 123, 382, 882
flamante 123, 382, 420, 821
flamear 420
flamejante 824
flamejar 420
flamenco 415
flâmeo 420
flamífero 382
flamifervente 382, 821
flamígero 382
flâmine 996
flamispirante 382, 821

617

flamívomo | fonético

flamívomo 382, 821
flâmula 550
flâmula sagrada 550
flanar 683
flanco 236
flanela 384
flanqueador 236
flanquear 236, 664, 716, 717
flash 527
flato 334, 880
flato dos intestinos 297
flatulência 334, 349, 401
flatulento 334, 338, 349
flatuloso 334
flatuosidade 334
flauta 417
flauta baixo 417
flauta de Pan 417
flauta doce 417
flautar 416, 855
flautear 416, 607
flauteiro 416
flautim ou piccolo 417
flautista 416
flavescente 436
flavescer 436
flavo 436, 439
flébil 839
flebotomia 297, 662
flecha/frecha 206, 253, 262, 274, 278, 284, 457, 550, 727
flecha, som de 402a
flechada 619
flechar 302, 649, 716
flechar de motejos 856
Flegetonte (rio) 982
flegmão 655
fleima 826
flerte 897
flete (bras.) 271
fleugma 265, 685
fleuma 352, 823, 826
fleumático 823, 826, 866
fleur de lis 847
flexão 20a, 245, 258, 279, 567
Flexibilidade 324
flexibilidade 578, 602, 605, 698, 705, 886
flexibilização 750
flexibilizar(-se) 324, 750
flêxil 324
flexíloquo 520
flexionar 20a
flexípede (poét.) 243, 786
flexível 324, 602, 605, 725, 743, 886
flexor 245
flexuosæ fraudes 545
flexuosidade 243, 248
flexuoso 243, 245, 248
flexura 245, 258
flibusteiro 792
flickr 534
flocculi 330
floco 204, 330, 353
flocos de neve 383
flocoso 330
flóculo 330
flogístico 382
flogisto *ver flogístico*
flojar 367
flor 161, 234, 367, 648, 650, 845, 875
flor da competência 700
flor da farinha 230
flor de 517
flor dos anos 127
flor x carnaz 237
Flora (deusa) 367
flora 367, 369
florais 597
floral 367
florão 558, 847

floreado 577, 847
floreante 435
florear 161, 223, 367, 549, 577, 847, 873, 882
florear num instrumento 416
florear o discurso 582
floreio(s) 402a, 698, 847
Floreio 577
florejante 367
florejar 161, 577, 734, 845, 847
florente 168, 734, 858
flóreo 168, 367, 577, 847, 858
flores 400
flores artificiais 847
flores brancas 299, 655
flores de retórica/de eloquência 577, 847
florescência 159, 161, 367
florescência da vida 127
florescente 168, 734
florescer 1, 161, 168, 367, 446, 734, 845, 873
florescer 161
florescimento 161
floresta 102, 367, 639
floresta hirciniana 533
florestal 367
florestar 371
floreta 847
floretado 426
florete 253, 262, 727
floreteado 367, 577
floretear 161, 367, 577, 716, 720, 847
floricultor 371
floricultura 371
florido/flórido 367, 428, 577, 654, 847, 858
flórido 367
florífero 168
florígero 168
florilégio 596
florim 800
florir 161, 168, 367, 734
florir de promissoras esperanças 858
flórula 369
Flos Sanctorum 977, 983, 998
flostriar 840
flotilha 273, 726
fluência 348, 578, 584, 639
fluente 118, 348, 576, 578, 582, 584
fluentemente & *adj*. 348
Fluidez 333
fluidez 348, 570, 578
fluídico 317
fluidificação 335
fluidificar 333
fluido 333, 334, 348, 578
fluido em movimento 347
fluir 333, 347, 348, 824
flume/flúmen (poét.) 348
fluminense 348
flumíneo 267, 348
flutícola 341
fluticolor 435
flutígeno 341
flutígero 341
flutissonante 341, 404
flutissono 341, 404
flutivago 273, 305, 341
flutuação 139, 149, 314, 320, 605, 607
flutuação 149
flutuador 320
flutuante 149, 267, 305, 320, 532, 605, 607,
flutuar 149, 267, 314, 320, 475, 605
flutuar no espírito 454, 515
flutuável 320
flutuosidade 605

flutuoso 173, 267, 348
fluvial 267, 348
fluviátil 267, 348
fluxibilidade 111, 149
fluxionário 84, 111
fluxível 111, 149
fluxo 35, 111, 144, 147, 335, 348, 451, 639, 838
fluxo 144
fluxo branco 299
fluxo de ventre 299, 655
fluxo e refluxo 264, 314, 348, 607
fluxo e refluxo da sorte 151, 601
fluxo mensal 299
fluxograma 626
fó! 869
fobia 860, 867, 889, 898
foca 819
focacho 499
focalização 290
focalizar 222, 290, 457, 525, 642
focinheira 752, 837, 895
focinho 234, 250, 260, 440e
focinhudo 440d, 846
foco 153, 222, 290, 691
Foco 74
foco de calor 386
foeces 299
fofa 961
fofice 324, 325, 880
fofo 194, 324, 325, 878, 880
fofoca 532, 588
fofocagem 532
fofocar 532
fofoqueiro 532, 936
fofura 324
fogaça 298, 784
fogacho 382, 423, 901
fogal 812
fogaleira 386
fogalha 386
fogão 384, 386
fogareiro 386
fogaréu 382, 423, 847
fogem os anos 106
fogo 189, 382, 384, 420, 574, 716, 762, 821, 825, 828, 959
fogo cruzado 12, 148, 708
fogo de alegria 840
fogo de atiradores 716
fogo de bilbode 722
fogo de santelmo 423
fogo do céu 173, 872
fogo do gênio 498
fogo dos combates 722
fogo entre cinzas 526
fogo eterno 982
fogo fátuo 515
fogo grego 382
fogo latente 820
fogo lento 974
fogo por filas/por pelotões 716
fogo que nunca se extingue 982
fogo tamborilado/convergente/rolante/cruzado 722
Fogo, viste linguiça 729
fogo-fátuo 4, 420, 423, 443
fogos 382
fogos de artifício 382, 423, 838
fogos de Bengala 382
fogos de pirotecnia 423
fogosidade 863
fogoso 173, 682, 684, 821, 822, 825, 861, 863, 901
fogoso 682
fogueado 382
fogueira 382, 384, 386, 423, 550, 619, 668, 825, 838, 840, 883
fogueira 384
fogueiro 690
foguetada 402a, 838, 932
foguetaria 402a, 838

foguete 273, 274, 305, 382, 550, 605, 722, 838
foguete 274
foguete, som de 402a
foguetear 838
foguetório 402a, 838, 932
foguista 268, 690
foiçar 201, 371
foice 165, 253, 360, 371
foiteza 861
fojo 208, 260, 345, 530, 545, 667
fola 348, 402a
folar 298
folclore 551, 596, 979
folclorista 553
földer 531
fole 349
fole, som de 402a
fôlego 349, 359, 405, 687
foles 580
folga 142, 683, 685, 687
folgado 202, 377, 681, 687, 689, 831, 836
folgança 687, 836, 840
folgar 685, 687, 836, 838, 840
folgar de 827
folgazão 264, 827, 836, 840, 842, 892
folgazar 687, 838, 840
folguedo 840, 892
folha 51, 204, 367, 531, 551, 593, 727, 786
folha 204
folha seca 320
folhado(s) 298, 573
folhagem 367
folhame 367
folharia 367
folhas secas 388
folheado 204, 223
folhear 204, 223, 457, 538
folheca 204, 383
folhelho 204
folhento 204, 256
folhepo 383
folheta 204
folheteado 204
folhetear 204
folhetim 593, 599
folhetinista 593
folheto 531, 592, 593
folhinha 114
folho 191
folhoso 191, 204
folhudo 204, 256
folia 840, 954, 972
folião 836, 840, 844
foliar 840
folícula (dep.) 531
folicular 260
foliculário 531, 593, 701
folículo 204
folifago 298
fólio 591, 593
folipa 383
folipo 383
fome 641, 820, 865
fome 820
fome canina/aplêstica/devoradora/devorante/de lobo 868, 957
fome de rabo 865
fomentar 153, 173, 331, 615, 673, 824, 834
fomentar 173
fomentista 615
fomento 313, 707, 824, 834
fominha 819, 957
fona 819
fonação 402, 580
fonema 402, 561
fonética 402, 561, 567, 580
fonético 402, 580, 582

fonetismo 561
fon-fon 402a
fonfonar 402a
foniatria 662
fônica 402
fônico 402, 580
fonoaudiologia 418
fonoaudiólogo 418, 690
fonografia 402, 561
fonógrafo 104, 418
fonologia 402, 567, 580
fons et origo 153
fontainha 348
fontal 154, 348
fontanal 154, 348
fontanário ou fontenário 348
fonte 66, 153, 236, 348, 636, 639, 1000
fonte de bem 618
fonte de dissabores/de contrariedades/de desgostos 830
fonte de luz 423
fonte de luz e de calor 423
fonte(s) de perigo 530, 665, 667
fonte de prazer 377, 618
fonte piéria 597
fontela 350
fora 55, 83, 187, 220
fora da craveira comum 83
fora da moda 124, 852
fora da monção 24, 135
fora da razão 497
fora daqui! 449
fora das leis eternas da Providência 83
fora das malhas de 664
fora das raias da verdade 495
fora de 38
fora de combate 610, 645
fora de hora(s) 133, 135
fora de lugar 647
fora de mão 196
fora de moda 678
fora de ocasião 135
fora de propósito 10, 24, 135
fora de questão 10, 489, 610, 925
fora de questão/de combate/de cogitação 859
fora de si 824
fora de toda dúvida 474, 535
fora de toda expectativa 508
fora do comum 31, 83, 870
fora do habitual 508
fora do usual 83, 614
fora dos cálculos de alguém 732
fora dos eixos 732
fora dos limites 549
fora dos limites da possibilidade 471
fora dos moldes clássicos 20
fora! 489, 766, 932
foragido 185, 268, 623, 893
foragir(-se) 295, 528, 530, 623, 893
forame 260
forâmen 198
forâneo 10, 57
foras, os 220
forasteiro 10, 57, 268, 893
força(s) 5, 25, 26, 31, 157, 170, 171, 173, 192, 276, 364, 428, 516, 574, 615, 630, 632, 639, 642, 654, 686, 737, 821, 972, 975
Força 159
força 214
força aérea 726
força bruta 157, 739, 744, 964
força centrífuga 277, 289
força centrífuga/centrípeta 157
força centrípeta 288
força conservadora 670
força de atração 615
força de espírito/de vontade 604

força de vontade 600
Força é que 601
força expansiva 171
força física 744
força física/muscular/bruta 159
força hidráulica 157
força irresistível 601
força magnética 615
força maior 156, 601, 744
força moral 604, 944
força motriz 153, 264
força naval 726
força repulsiva 289
força vegetativa 168
força viva 357
forçadamente 154
forçado 10, 523, 579, 601, 751, 855, 949, 975
forcado 91, 244, 371
forçado de galés 754
forcadura 91
forçamento 523, 744
forção 91, 215
forçar 170, 303, 523, 615, 686, 731, 744, 749, 926, 961
forçar 303
forçar a entrada 300
forçar a espada da justiça 964
forçar a marcha 274, 684
forçar a passagem 302
forçar a saída 301
forçar as linhas 731
forçar o sentido 523
forçar o tempo 732
forçar os mastros 274
forçar trincheiras 731
forçar-se 603
forças armadas 726
forças auxiliares 726
forças componentes 56
forças de reserva 726
forças irregulares 726
forças militares/regulares/armadas 726
forçável 744
forcejar 686
forcejar-se 603
forcejo 686
fórceps 301, 781
forçosamente 476
forçoso 159, 601
forçura 215
foreiro 188, 779
forense 965, 968
fórfex 253
fórfice 253
forgicar 544, 626
forja 144, 386, 691
forjado 545, 546
forjador 546, 692
forjador de palavras 563
forjar 161, 384, 544, 546, 626, 686
forjar acusação 938
forjar as mais revoltantes mentiras 934
forjar grilhões 751
forma 1, 3, 6, 7, 220, 329, 448, 554, 556, 569, 613, 627, 697, 998
forma 220
Forma 240
forma adunca 244
forma do vestido 440e
forma processual 963
forma[ô] 22
formação 54, 161, 240,
formação de quadrilha 667, 791
formadamente & *adj.* 240
formado 240, 820
formado de muitas folhas ou folíolos 367
formador 161, 540

formadura 240
formal 7, 82, 240, 474, 494, 525, 535, 604, 739, 744, 786
formal 474
formalidade 80, 613, 851, 855, 882, 963
formalismo 851, 855, 988
formalista 772, 851, 855, 882, 998
formalizado 900
formalizar(-se) 240, 900
formão 255, 262
formar(-se) 50, 54, 56, 58, 60, 161, 240, 537, 538, 626
formar ângulo de 180° 237
formar cachão 348
formar de colaboração com 709
formar grande opinião de si mesmo 880
formar juízo acerca de 480
formar no espírito 515
formar tréguas 723
formar um partido 712
formar uma corrente favorável 673
formar uma determinação/resolução 604
formar uma série 69
formar-se rabino 995
formas alentadas 159
formativo 240
formato 7, 192, 240
formatura 755
formicário 412
formicívoro 298
formicular 366, 686, 817
formicular 817
formidando 31, 860
formidante (poét.) 31
formidável 31, 686, 704, 830, 860
formidável rede de 639
formidoloso 860
formiga 193, 412, 667, 690, 817
formiga-branca 165
formigamento 380
formigão 541, 996
formigar 72, 102, 380, 639, 640
formigueiro 102, 380, 828
formiguejar 102
formosear 829, 845
formoso 413, 498, 829, 845, 939
formosura 648, 845
fórmula 80, 84, 496, 626, 662, 697, 963
fórmula sagrada 998
formulação 453
formular 527, 590, 741, 693
formular acusação contra 938
formular aplausos 931
formular hipótese(s) 155, 475
formular itens 461
formular tremendo libelo contra 938
formular um conselho 695
formulário 551, 697, 990, 998
fórmulas burocráticas 613
fornaça 386
fornada 25, 72, 161
fornalha 382, 384
Fornalha 386
fornear ou fornejar 686
fornecedor 599, 637
fornecer 637, 784, 796
fornecer (os) meios 705, 707
fornecido 637
fornecimento(s) 635, 637, 796
fornicação 961
fornido 159, 637
fornido de carne(s) 159, 192
fornilho 386
fornimento 192, 637
forninho 386

fornir 159, 637
forno 382, 384, 386
forno crematório 363
foro 809, 810, 812, 965
foro interior/íntimo 926
foro/fórum 966
foros 924
forquear 91
forqueta 91
forquilha 91, 215, 242, 244
forquilhar 91, 244
forquilho 91
forra 224
forrado & *v.* 224
forrador 819
forragaitas (pleb.) 819
forrageador 792
forragear 19, 371, 461, 609, 637, 791
forragear 371
forrageiro 792
forragem 41
forramento 224
forra-peito (cachaça) 959
forrar 30, 223, 224, 750, 817
forrar de 223
forrar-se 623, 660
forrejar 371
forreta 819
forro 223
Forro 224
forró 415, 692a, 750, 840
forrobodó 840
forroia 271
Forsam et hœc olim meminisse juvabit 505
fortaçar 255
fortaço (reg.) 255
fortalecer(-se) 35, 157, 159, 171, 467, 654, 658, 689, 717, 861, 976
fortalecer 159
fortalecer com o exemplo 944
fortalecer fileiras 709
fortalecimento 717
fortalegar 159, 717, 861
fortaleza 159, 327, 604, 604a, 664, 666, 717, 752, 861
fortalezar 159, 717
forte 31, 157, 159, 171, 173, 192, 323, 327, 392, 404, 413, 428, 476, 484, 498, 516, 572, 604a, 642, 654, 666, 682, 686, 704, 717, 821, 825, 826, 861
forte 498
forte como um leão 159
forte em 490
fortemente & *adj.* 159, 171
fortidão 327, 895, 901
fortificação 717
fortificante 159, 656, 662
fortificar(-se) 35, 159, 717, 664, 861
fortim 666, 717
fortíssimo 413
fortuitidade 621
fortuito 6,151, 156, 508, 621
fortum 401
fortuna(s) 152, 594, 601, 665, 731, 734, 780, 803
fortunas colossais 803
fortunear 794
fortúnio 731
fortunoso 377, 648, 827
fórum/fofo 588, 696, 992
fórum de discussão 534
fosca 550, 715
foscar 426
fosco 422, 426, 429
fosfatos 505
fosforear 420, 422
fosforecer 420
fosforejar 420, 422
fosfóreo 388, 704, 901

fosforescência | Frescura

fosforescência 422 423
fosforescente 420, 423
fosforescer 422
fosfórico 388, 423, 704, 901
fósforo(s) 384, 388
fosquinha 532, 550, 715
fossa 252, 343
fossa higiênica 653
fossa nasal 351
fossado 716
fossão 682, 957
fossar 461, 682
fossário (ant.) 363
fósseis 357, 362
fóssil 124, 645
fossilismo 122, 124
fossilização 323
fossilizar(-se) 141, 150, 323, 670
fosso 198, 203, 208, 232, 259, 343, 350, 717
fosso 203
fota 225
fotocomposição 591
fotoelétrico 423
fotofobia 443
fotogênico 420
fotografar 19, 554, 556
fotografia 17, 420, 554, 556, 594, 692a
fotografia 420
fotográfico 420
fotógrafo 19, 556, 559, 599
fotolito 591
fotolitografia 558
fotologia 420
fotometria 420
fotômetro 420
fotopsia 443
fotoques 979
fotosfera 227, 247, 318, 420, 423, 873
fototelegrafia 556
fototipia 556
fototipiar 556
fouveiro 436, 440a
fovente (poét.) 707
fovila 161
fox-trot 840
foz 67, 244, 343
fraca figura 877
fraca gente 877
fraca possibilidade 473
fraca roupa 804
fracalhão 160, 862
fracamente & *adj.* 160
fração 32, 51, 84, 100a, 712
fracas 404, 713
fracassar 304, 495, 732
fracasso 404, 406, 619, 732, 735
fracasso da memória 506
fracatear (bras.) 688
fracionado 44
fracionar 44, 51
fracionário 51, 84
fracionável & *v.* 51
fraco 160, 174, 176, 193, 322, 328, 405, 422, 477, 517, 575, 605, 624, 641, 643, 655, 665, 738, 820, 822, 860, 862
fraco das pernas 160, 275
fraco de alguém 865
fradaço (depr.) 996
fradalhada (depr.) 996
fradalhão 192, 996
fradaria (depr.) 996
fradar-se 995
frade 996
frade menor 996
frade(s) preto(s)/negro(s) 996
fradeiro (depr.) 988a, 995
fradejar 907, 934
fradépio (depr.) 233, 996
fradesco (depr.) 988a, 995

fraga 206, 323
fragalhotear 838
fragata 159, 273, 682, 726, 854
fragatear 683, 838, 851
fragífero 704
frágil 32, 111, 160, 322, 328, 330, 477, 605, 643, 651
frágil 160
fragilidade 149, 160, 945
Fragilidade 328
fragilizar 328
fragmentação 713
fragmentado 44
fragmentar 51, 70, 328, 659
fragmentariamente 51
fragmentário 51, 70, 87
fragmentista 596
fragmento 32, 40, 51, 56, 193, 596
frago 299, 653
frágoa 735, 828
fragoado 828
fragor 173, 402a, 404, 406
fragorar 402a
fragoroso 404
fragosidade 256, 704
fragoso 16a, 253, 256, 704, 706
fragrância 398
Fragrância 400
fragrante 377, 398, 400
fragrante como uma rosa 400
fragrantemente & *adj* 400
frágua 382, 386, 691
fraguar 384, 626
fraguedo 323, 342
fragueiro 169, 256, 682, 686, 704, 748, 823, 852, 895
fragueiro 256
frágula 727
fragura 256
frajola 854
fralda 39, 211, 214
fralda do mar 342
fralda marítima 342
fraldear 264
fraldeiro 366
fraldejar 236
fraldilha 225, 717
fraldi(s)queiro 366
fraldoso 194, 573
frâmea (ant.) 727
frança 210, 854, 897
franças (parte superior de árvore) 210
franca-tripa 599
francear 201
francelho 584
francesismo 544, 563, 855
francesista 855
franchado 91
franchão 653, 846
franchinote 129
franchinote 854, 885
França 739
frâncica 253
franciscanada 840
franciscano 996
franco 525, 535, 602, 703, 784, 800, 816, 894, 939
franco de lei 543
franco de porte 927a
franco-atirador 726
francofobia 911
francomania 19
francomaníaco 19
franduleiro (desus.) 57
franduno 19, 57
frangainho 129
frangalho 225
frangalhona 852
frangalhote 129
frangalhotear 961
frangalhoteiro 961, 962
franganito 129

franganote 129
frangão 129
frangibilidade 328
frangível 322, 328
frango 129, 373
frangote 129
franja 231, 549, 847
franjado 231, 549, 577
franjar 227, 229, 847
franjar de espuma a boca a alguém 900
franqueado (a) 177, 260
franqueamento 260
franquear 260, 705, 807, 927a
franquear a bolsa 816
franquear a porta 760
franquear os segredos 529
franquear-se 529
franqueza 525, 529, 543, 703, 816, 927a, 939
franqueza 529
franquia 260, 666, 748, 924, 927a
franquir 371
franzido 258
franzimento díolho 839
franzino 160, 203
franzir 195, 256, 258
franzir o sobrolho/as sobrancelhas/a testa 832, 837, 839, 867, 901a, 932
fraque 225
fraquear 36,160
fraqueiro 160
fraquejar 36, 160, 605
fraquete 160
fraqueza(s) 128, 158, 605, 651, 862, 945
Fraqueza 160
fraqueza de vista 443
fraqueza genesíaca 158
frasal 566
frasca 637
frascaria 818, 961
frascário 608, 818, 961
frasco 191
frase 521, 560, 562
Frase 566
frase memorável/empolgante 566
Frase: *Coeli enarrant gloriam Dei* 318
fraseado 566, 580
fraseador 577
frasear 517, 566
fraseologia 560, 566, 569, 577
fraseologista 577
frases de efeito 577
frases lapidares 578
frases rendilhadas 577
frases sonoras, mas vazias de sentido 577
frásico 566
frasquinho 191
fraternal 714, 888, 890, 897, 902, 906
fraternal 888
fraternidade 11, 372, 714, 888, 892, 910
fraternização 372
fraternização 709, 714, 888, 892
fraternizar-se (com) 709, 714, 888, 906
fraterno 714, 888, 906
fratricida 361
fratricídio 361
fratura 44
fraturar 44
frau 129
fraudador 545, 548, 792
fraudar 544, 732, 791
fraudar de 38
fraudatório 544

fraude 21, 544, 702, 791, 940, 964
Fraude 545
fraude pia 546
fraudulência 544, 545, 940
fraudulento 544, 545, 702, 775, 940, 964
fraudulento 545
frauduloso 544, 545
frechar/flechar 716
frecheira 717
frecheiro 726, 897
freciosismo 577
Fred e Barney 890
free 815
freezer 385, 387
Frégoli 607
fregona 746
freguês 711, 795, 949
freguesia 181, 795, 995
frei 876
freima 684, 860, 865
freio 616, 737, 751
freio aos apetites 953
freira 996
freiral 995, 996
freirático 988a, 995
fremebundo 173
fremente 173, 682, 821, 824, 833
fremente de indignação 900
fremente e agitada colmeia 682
fremir 173, 314, 402a, 404, 412, 821
fremir de alegria 827
fremir de indignação 900
frêmito 315, 402a, 404, 821, 824, 825, 838
frêmito 402a
frendente 824, 900
frender 821
frendor 383, 402a, 821, 839, 860, 900
frendor 402a
frenesi 503, 515, 608, 682, 825, 841
frenesiar(-se) 830, 900
frenético 173, 503, 824, 901
frenologia 450
frenologista 492
frenólogo 492
frente 229
Frente 234
frente a frente 186, 708, 861
frente única 488
frente x verso 237
Frequência 136
frequência irregular 137, 139
frequência periódica 138
frequentação 892
frequentar 186, 888, 892
frequentar escola 538
frequentativo 104
frequente 82, 104, 126, 136, 613, 682, 871
frequente 126
frequentemente & *adj.* 136
fresa 255
frescal 123, 391
frescalhão 128, 131
frescalhota 128, 131
fresco (pej.) 822
fresco 123, 383a, 385, 435, 505, 556, 687, 864, 961
fresco 383a
fresco como pepino 383a, 826, 866
fresco como uma alface 654
fresco como uma rosa 123
frescor 174, 349, 383a, 428, 834, 845
frescor da mocidade 131
frescura (vulg.) 822
frescura 123, 823, 826, 866
Frescura 383a

fressura | funções da Divindade

fressura 41, 221
fressureira (chulo) 962
fresta 70, 198, 260, 351, 420a
frestado 260
fretamento 812
fretar 637
frete 264, 270, 637, 812
fretenir 412
freto (poét.) 343
frevo 415
fria 1, 363
friabilidade 330
friacho 383, 460, 605, 823
friagem 383
frialdade 169, 383, 460, 823, 866, 895
frialdade 383
friamente & *adj.* 383
friandise 868
friável 328, 330
fricassé 298
fricativa 561
fricativo 331
fricção 157, 330, 331
friccionar 331
frieira 402a, 957
frieirão 391
frieza 383, 429, 575, 823, 826, 866, 930
frieza de ânimo 861
frigideira 386, 882
frigidez 383, 930
frigidíssimo 383
frígido 383, 605, 866
frigífico 383
frigir 384, 882, 884
frigorífero 385, 387
frigorífico 385, 387
frincha 44, 198, 260
Frineia 962
frio 160, 172, 360, 383, 391, 429, 555, 575, 665, 823, 826, 830, 866
frio 160
Frio 383
frio como a pedra 383
frio como a terra 383
frio como o gelo 383
frio como o mármore 383
frio como o sorvete 383
frio de espanto 860
frio de neve 383
frio de rachar/de rapar/rigoroso 383
frioleira 499, 517, 643, 852
friorento 383
frisa 599
frisado 248
frisante 17,134, 484, 494
frisão 271
frisar 17, 23, 248, 259, 457
friso 206, 210, 231
frisson 821
fritada 298
fritar 384
fritir 384
fritura 298, 673
friúra 383
frivolidade 499, 517, 608, 643, 645
frívolo 477, 497, 499, 517, 605, 643, 645
frívolo 497
frocado 847
frocadura 847
froco 847
froixel/frouxel 320
froixo 738
frolo 402a
froncil 258
fronde 210, 367
frondear 250, 367
frondejante 367
frondejar 150, 367, 402a

frondente 242, 367
frôndeo 367
frondescência 367
frondescente 367
frondescer 250
frondeur 742
frondíparo 367
frondosidade 242, 367
frondoso 99, 168, 242, 367, 424
fronha 223
frontaberto 440a
frontal 220, 232, 234, 706, 999
frontaleira 999
frontão 210
frontar (ant.) 765
frontaria 64, 220, 234
fronte 234, 440e
frontear 234, 237
fronteira 66, 67, 197, 199, 226, 229, 231, 233,
fronteira 199
fronteirar 234, 237
fronteiriço 199, 231, 233
fronteiro 231, 233, 237
Fronti nulla fides 485
frontino 440a
frontispício 64, 220, 234
frota 102, 726
frouxel 255, 324
frouxel do lar 189
frouxelado 255, 324
frouxeza 160, 324, 605, 623
frouxidade 160, 605
frouxidão 47,158, 160, 172, 275, 324, 605, 683, 738, 823, 862
Frouxidão 575
frouxo 44, 47, 172, 202, 275, 326, 422, 460, 477, 575, 603, 605, 641, 655, 738, 823
frouxo de riso 838
frouxos de tosse 655
fru-fru 402a, 405
frufrulhar 402a, 405
frugal 817, 953
frugalidade 576, 817, 849, 879, 881, 953
frugalidade 817
frugere consumere natus/nati 645, 683, 877
frugífero 161, 168, 644
frugívoro 298
Fruição 377
fruir 377, 777, 827
fruitivo 377, 829
fruível 677
frumentação 722
frumentáceo 367
frumental 367
frumento 367
frumentoso 168
fruste 575, 643
frusto 124
frustração 509, 732, 859, 871
frustrado 645, 732
frustrado em seus desígnios 859
frustrador & *v.* 732
frustrâneo 645, 674, 732
frustrante 732
frustrar 509, 545, 645, 706, 732, 761
frustrar-se o cálculo a alguém 495
frutar 153
frutescente 168, 367, 644
frútice 367
fruticoso 367, 644
fruticultor 371
fruticultura 371
frutífero 161, 168, 644
frutificação 168
frutificar 161, 168, 644, 658, 731, 734

frutificar 168
frutificativo 161, 168
frutívoro 298
fruto 154, 161, 167, 618, 644, 810
fruto do matrimônio 167
fruto duro ou lenhoso 367
fruto proibido 615, 761
frutuário 168, 644
frutuosidade 168
frutuoso 161, 168, 644
fu! 867, 930
fuão 57, 372, 877
fubá 330, 440b
fubeca 732
fubecada 276, 732
fuçador 455
fuçar 455
fuças 234, 440e
fucsina 434
fuehrer/führer 33,745
fúfia (fam.) 853, 854
fuga 73, 274, 287, 293, 415, 546, 617, 623, 670, 671, 685
fuga! 623
fugace 623
Fugaces labuntur anni 106
fugacidade 111, 113, 149, 274, 623
fugalaça 133
fugaz 111, 113, 149, 274, 623
fugaz como um sorriso/ como uma estrela cadente 111
fugazes pés 111
fugente 556, 623
fugião 623
fugida 546, 617, 623, 671
fugidiço 623
fugidio 149, 274, 623, 674
fugiente 196, 623
fugimento 623
fuginte 623
fugir 24, 109, 111, 264, 274, 449, 671, 750, 862
fugir a 623
fugir à convivência 893
fugir à luz dos olhos 378
fugir à vida mundana 893
fugir aos ditames da justiça 923
fugir com 789, 791
fugir com o corpo 623, 927a
fugir com o rabo à seringa 764
fugir da memória 506
fugir da raia (pop.) 927
fugir de 287
fugir de excessos e de exageros 826
fugir do mundo 360
fugir envergonhado 623
fugitivamente & *adj.* 623
fugitivo 111, 149, 274, 287, 607, 623, 671, 742, 893
fugitivo 149
führer/fuehrer 33, 745
fuinha 401, 455, 819
fujão 623, 862
fula 639, 684
fulano 57, 78, 372
fulcro 215
fulda 999
fulgência 420, 845
fulgente 420
fulgentear 420, 847
fúlgido 420
fulgir 420
fulgor 420
fulgor de esperança 858
fulgor de frases 577
fulguração 420, 873
fulgurante iluminado 420
fulgurar 420, 873
fulgurar nos fastos da história 873

fulguricrinantes (tranças) 256
fulguroso 420
fulheiro 941
fuligem 431, 653
fuliginosidade 431
fuliginoso 426, 431
fulminação 162, 173, 361, 909, 932, 971
fulminado 732
fulminante 113
fulminante 162, 476, 478, 830, 932
fulminar 284, 404, 406, 420, 909, 932, 971, 972
fulminar a excomunhão 908
fulminar censuras 932
fulminar com anátema 908
fulminar excomunhão 756, 972
fulminatório (fig.) 971
fulmíneo 162, 173, 420
fulminífero 361, 971
fulminis ocior alis 274
fulminívomo 162, 382, 420
fulminoso 162
fulo 429, 436, 900
fulo de pressa 684
fúlvido 436, 439
fulvo 433, 436, 439
fumaça(s) 154, 392, 440b, 855, 880
fumaçada 334
fumaceira 334
fumacento 517
fumada 669
fumadeira 392
fumado 959
fumador 392
fumante 353, 392
fumar 336, 392, 900
fumar em ambiente fechado 929
fumaraça 334
fumarada 334
fumarar 336
fumaria 334
fumarola 334
fumear 336, 353
fumear à cólera no peito de alguém 900
fumegante 382, 526, 824
fumegar 336, 353, 382, 384, 526, 900
fúmeo 334, 336, 426
fumialgodão 727
fumicultura 371
fumífero 336, 426
fúmido 426
fumífico 426
fumiflamante 336, 384
fumigação 336, 652
fumigar 652
fumista 392
fumívomo 336, 392
fumizar 336
fumo(s) 4, 154, 334, 353, 384, 645, 653, 839, 880
fumoso 334, 336, 878
funambulismo 607, 840
funâmbulo 599, 607
funca 645, 683
funçanata 840
funçanista 840
função 84, 154, 170, 625, 644, 840, 926, 995, 998
funciologia 567
funcional 625, 642
funcionalizar-se 625
funcionar 633, 680
funcionar bem 705
funcionar regularmente 58
funcionário 694, 746, 758
funcionista 840
funções da Divindade 976

funções eclesiásticas 998
functus officio 756
funda 191, 215, 727, 775
fundação 161
fundado 211, 467, 494
fundador 164
fundadores de religião 986
fundagem/fundalha 40, 653
fundalho 40
fundamental 5, 7, 153, 211, 215, 630, 642
fundamentalismo 911
fundamentalismo religioso 983a
fundamentalista 983a
fundamentalmente 31, 215
fundamentar 211, 467
fundamentar-se 150, 467, 484
fundamento(s) 66, 153, 211, 215, 467, 615
fundar 66, 161, 184, 208, 454
fundar torres no vento 858
fundar-se no direito e na razão 963
fundeado 265
fundear 184, 292
fundeiro 726
fundente 335
fundiário 371
fundibular 726
fundibulário 726
fundíbulo 727
fundição 161, 384, 691
fundilho 235
fundir 41, 43, 48, 144, 161, 240, 384, 644
fundir antagonismos 723
fundir num só número 37
fundir o gelo de 824
fundir uma fortuna (gal.) 818
fundirem-se as forças 178, 709
fundir-se (com) 36, 348, 449
fundível 144, 335
fundo 5, 67, 150, 208, 211, 221, 235, 378, 556, 630, 636
fundo de investimento 799
fundo de reserva 636
fundo dissentimento 713
fundo x tampa 237
fundos 800
fundura 26, 31, 208, 490
fundura da dor 378
fúnebre 363, 837, 839
fúnera 839
funeral 363, 839
funerário 363, 830, 837, 839
funereamente 31
funéreo 363, 830, 837, 839
funestação 839
funestador 830
funestar 830, 837, 874, 932
funesto 135, 361, 649, 732, 735, 830, 914a
fungagá 415
fungão 129, 250, 392
fungar 296, 409, 411, 832, 839
fungar uma 392
fungiforme 249
fungível 111, 677
fungo 250
fungologia 369
fungosidade 250
fungoso 150
funicular 245, 307
funículo 45
funífero 205
funiforme 205
funil 203, 249, 252, 260, 350, 959
funilaria 691
funileiro 690
funk 415, 840
funque 840
fura-bolos 379, 781

furacão 146, 165, 173, 312, 349, 649, 667, 735
furacar 252
furacidade 791, 940
furado (bras.) 344
furador 253, 262
furaminoso 260
furão 412, 682
fura-paredes 682
furar 260, 300, 731, 732
furar de lado a lado 302
furar fila 929
furar muito para 686
furar paredes 682
fura-vidas 682, 943
furente 173, 825, 900
furfuração 330
furfuráceo 330
furfúreo 330
furgão 272
fúria(s) 173, 503, 825, 887, 898, 900, 901, 980
furial 825, 900
Fúrias 900, 913
fúrias infernais 173
furibundo 503, 900
furiosamente 31, 900
furiosidade 173, 503, 825
furioso 173, 349, 503, 684, 825, 900
furna 189, 252, 530
furo (gír.) 495
furo 26, 260
furor 173, 503, 820, 821, 825, 865, 900
furor dos guerreiros 722
furor uterino 655, 961
furriel 745
furta-cor 440
furtadela 528
furtador 792
furtar 775, 791
furtar algumas horas ao trabalho 685
furtar as voltas a alguém 717
furtar o corpo a (golpe) 717, 927a
furtar uma assinatura 940
furtar-se 623, 927a
furtar-se aos amigos 893
furtar-se às vistas 528
furtar-se com o corpo a alguém 717
furtivamente 528
furtivo 526, 528, 702
furto 528, 545, 775, 789, 964
Furto 791
furúnculo 250, 655
fusa 413
fusada 378
fuso 41, 43, 48, 54, 335, 384, 709
fuscalvo 422, 432
fuscicórneo 440c
fuscímano 440c
fuscipene ou fuscipêneo 440c
fuscirrostro 440c
fusco 431, 433, 440b
fuseira 312
fusibilidade 384
fusiforme 244, 253
fúsil 335
fusilade 716
fusível 144, 335
fuso 378
fuso esfêrico 244
fusque-fusque 422
fusta 273
fuste 72
fustigação 972
fustigar 349, 378, 856, 972
fustigo 378
futamono (Japão) 727

fute (bras.) 978
futebol 840
fútil 158, 497, 499, 517, 643, 645, 683, 843, 866
futilidade 4, 499, 517, 643
futilizar 499
futon 215
futrica 643
futricada 643
futricar 794
futrico 588
futriqueiro 797
futura 897
futuramente 121
futurar 511
futurição 121, 981
futuridade 117, 121
futurismo 855
futuro 64, 65, 117, 121, 151, 167
Futuro 121
futuro possuidor 779
futuroso (bras.) 858
fuxico 532
fuzil 45, 423, 727
fuzil automático 727
fuzilada 402a, 423
fuzilamento 361, 972
fuzilante 420
fuzilar 291, 361, 420, 824, 972
fuzilarem os olhos de alguém 898
fuzilarem os olhos de alguém prometendo vingança 919
fuzilaria 402a, 716
fuzilaria intermitente 722
fuzileiro 726
fuzil-metralhadora 727

G
gabação 931
gabachista 887
gabadela 884, 931
gabadinho 873
gabador 935
gabamento 884
gabão 225
gabar 931
gabarão 887
gabardine 225
gabardo 225
gabarola(s) 884, 887
gabarote 273
gabarra 273
gabarrice 884
gabar-se 880, 884
gabazola 884, 887
gabela 812
gabinador 225
gabinete 191, 556, 691, 696, 737
gabiru 941
gabo 880
gabola(s) 493, 878, 884, 887
gabolice 880, 884
gadanha 253, 360
gadanhar 371
gadanheira 371
gadanho 371, 781
gadelha 256, 978
gadelhas 440e
gado 366, 412
gadunhar 791
gafado 639, 659, 945
gafanhão 309, 913
gafanhoto 165, 203, 309, 412, 818, 913
gafanhoto, vozes de 412
gafar 659
gafaria (ant.) 662
gafar-se 655, 945
gafe 135
gafeira 653
gafeirento 655, 659, 898, 945
gafeiroso 655, 659, 898, 945

gafento 653, 655, 659, 898, 945
gafftop 273
gafieira 692a, 840
gafo 659, 886, 898, 945
gaforina 440e
gaforina/garofinha 440e
gaforinha 256
gag 857
gagata 431
gage(s) 771, 775, 784
gago 583
gaguear 583
Gagueira 583
gaguejador 583
gaguejar 412, 583
gaguez 583
gaguice 583
gaia ciência 597
gaiar ou guaiar 839
gaiatada 836, 838
gaiatice 836, 838, 842, 853
gaiato 129, 683, 836, 842
gaifona 855
gaifonar 855
gaio 271, 698, 712, 836
gaiola 370, 752
gaiolo 440b
gaipeiro 298
gaita 800, 840
gaita ou harmônica 417
gaitada 276, 416, 932
gaitado 932
gaitas de fole 417
gaitear 412
gaiteiro 416, 831, 840, 851
gaivagem 350
gaivar 350
gajé 845, 855
gajeiro 269, 305, 682
gajo 702, 941
galã 599
gala 838, 840, 882, 897, 998
galáctico 318
galactófago 298
galactóforo 299
galactorreia 299
galadura 168
galalau 192
galana 720
galanice 842, 897, 902
galantaria 842, 845, 850, 894, 902
galante 829, 845, 851, 939
galanteador 897
galantear 842, 847, 902
galanteio(s) 894, 897, 902
galantemente 842
galantice 894
galantuomo 939
galão 205, 309, 550, 847
galapos 781
galar 168
galardão 873, 876, 973
galardoador 973
galardoar 973
galarim 210, 734, 873, 882
galas 847
galatita 847
galáxia 3, 318, 423, 873
gálbano 356a
galdéria (lus.) 962
galdrapa 374
galdripanas (reg.) 957
galé 273, 726, 975
gálea 717
galeaça 273
galeão 273, 726
galear 851, 882
galegada 852, 895
galego 565, 852
galeota 273
galeote 273, 975
galera 272, 273, 726
galera do Estado 737

galeria | gaseiforme

galeria 189, 191, 260, 599, 627, 636, 639
galeria de pintura 556
galeriano 269
galerno 174, 349, 383a
galés 972, 974
galezia 545
galfarro (fig.) 943
galfarro 943, 957, 965
galga 546, 666, 865
galgação 246
galgar 246, 303, 305, 737
galgar de um pulo 309
galgaz 203
galgo 274, 366
galhada 91
galharda (ant.) 840
galhardear 845, 873, 882
galhardear trajes vistosos 851
galhardete 550, 847
galhardia 225, 816, 827, 845, 851, 861
galhardo 648, 654, 816, 827, 845, 861, 873, 939
galheta 1000
galho 51, 167, 367
galhofa 836, 842, 856
galhofada 836, 842
galhofar 836, 838, 842, 856
galhofaria 683, 840, 842
galhofeiro 836, 844, 856
galhudo 91, 367
galiâmbico 597
galicanismo 984
galicanto 125, 412,
galicínio 125, 412
galiciparla 563, 855
galiciparlice 563
galicismo 563
galicista 563, 855
galilé ou galileia 363
Galileu 318
galimatias 497, 577, 884
galimatizar 497
galináceo 366
galinha 374, 412
galinha choca (pop.) 655
galinha, vozes de 412
galinha-d'angola 366
galinheiro 189, 599
galinicultura 370
galipódio 356a
galipote 356a
galispo 129, 373
galivar 240
Galling 727
galo 250, 366, 373, 412
galo das trevas ou candeeiro das trevas 1000
galo de briga 726, 887
galo, vozes de 412
galocha 225
galões 747
galonar 847
galopada 274
galopado 698
galopador 274
galopante 274
galopar 111, 266, 274, 402a
galope 274, 402a, 840
galopear 402a
galopim 129, 548, 609, 683, 767, 965
galopinagem 765
galopinar 683, 765
galpão 636
galra (pop.) 580
galrar 412, 584
galrar ou galrear 583
galreador 584
galrear 412, 584
galreiro 584
galrejador 584

galrejar 412, 584
galucho 541, 699, 701, 726
galvánico 825
galvanismo 157, 824
galvanizar 157, 824
galvanotipia 591
galveta 273
gama 15, 69, 413, 428
gamação 865
gamacismo 583
gamado 865
gamão 840
gamar 897
gamar por 865
gamarra 752
gambá 366, 401
gambade 309
gambado 309
gambérria 545
gâmbia 440e
gambiarra 599, 713
gâmbias 215
gambito 545, 702
gamela 191
gamelada 190
gamenho 851, 854, 855, 877
gamo 373
gamologia 903
gamomania 903
gana 600, 603, 819, 820, 825, 865, 898, 904
ganadeiro 370
ganância (pelo que é alheio) 921
ganância 775, 806, 814, 819, 865, 943
gananciosa 644, 814, 819, 943
gancho 45, 215, 245
ganchorra 45, 379
ganchoso 245
gandaia 683, 954
gandaiar 683, 877
gandaieiro 683, 877
gândara 169, 344
gandarês 344
gandula 683
gandular 683
gandulo 683
ganfar 794
gangana (bras.)130
gânglio 440e
gangolino (bras.) 941
gangorra 148, 314
gangrena 619, 945
gangrena gasosa 655
gangrenar 649
ganhadeiro 686, 690, 877
ganha-dinheiro 690
ganhador 877
ganhame 618
ganhança 775
ganhão 690, 877
ganha-pão 632, 690
ganhar 292, 615, 731, 775, 785, 810
ganhar a alguém entranhado ódio 898
ganhar a amizade de 888
ganhar a batalha/a partida 731
ganhar a dianteira 175, 280
ganhar a glória 360
ganhar a palma 33
ganhar a simpatia de 897
ganhar a todos 33
ganhar a todos em 931
ganhar a todos na graça 850
ganhar a vida 686
ganhar ânimo/ousadia 861
ganhar caminho/terreno/terra 282
ganhar crédito 931
ganhar dinheiro 803
ganhar força(s) 157, 689

ganhar juízo 498
ganhar meio por meio 814
ganhar montes e mares 803
ganhar mundos e fundos 803
ganhar o respeito e a veneração 873
ganhar o tempo perdido 660
ganhar os galões de oficial/os bordados de general 873
ganhar pé 175
ganhar pela porta traseira 940
ganhar preponderância 737
ganhar respeito 928
ganhar simpatias 829
ganhar tempo 110, 133
ganhar terra com alguém 888
ganhar terreno 132, 194, 274, 615
ganhar triste/má reputação 932
ganhar/apanhar/contrair uma enfermidade 655
ganho 618, 775, 810
ganhos e perdas 811
ganhoso 819, 943
ganhuça 775, 819
ganido 410, 412
ganir 410, 412,
ganizar 412
ganja 356a
ganso 373, 409, 412
ganzá 417
ganzepe 257
garabulha 59, 517, 590, 949
garabulhador 590
garabulhar 590
garabulhento 256
garabulho 256
garafunhas 590
garança 434
garanhão 271, 373, 962
garanjão (pop.) 192
garante 771
garantia 467, 747, 664, 768, 771, 788, 805, 829, 924
garantia de aval 771
garantido 494, 924
garantidor 771
garantir 467, 474, 484, 535, 537, 760, 768, 771
garanto! 484
garanto-lhe 484
Garanto-lhe que... 535
garapa 396
garatuja 517, 550, 555
garatujador 590
garatujar 517, 555, 590
garatujas 590
garatusa 544, 545
garavato 45, 200, 245
garavotear 682
garavunha 590
garbo 225, 845, 850, 851
garboso 845
garça 430
garça, vozes de 412
garção 746
garço 435
garçom 746
garçota 129, 847
gare 293
garfada 775
garfo 91, 244, 300, 371, 975
gargajola 129
gargalaçar 298
gargaleiro 272
gargalhada 402a, 736, 840, 932
gargalhada estridente/gostosa/estrepitosa/homérica 838
gargalhada sarcástica 932
gargalhar 402a, 838
gargalheira 247, 739, 752
gargalho 299

gargalo 203, 210, 260, 299, 440e
garganeiro 957
garganta 198, 203, 260, 351, 404, 440e, 580, 667, 887
gargantão 957
garganteado 413
gargantear 411, 412, 416, 884
garganteio 412, 415
gargantilha 247, 847
gargantoíce 957
Gargântua 192, 957
gargantuano 192
gargarejar 337, 412, 583
gargarejos 902
gargolar 405
gargolejar 405
gárgula 350
garibalde 307
garibáldi 225
garimpar 461
garimpeiro 268, 461
garlão 584
garlopa 255
garna (bras.) 348
garnacha 996, 999
garnar (bras.) 348
garnarcha 747
garnear 255
garnizé 129, 373
garoa 348
garotada 852
garotar 683, 840
garotear o couro a alguém 972
garotice 852
garoto 129 193, 683, 877
garra 379, 653
garrafa 191, 959
garrafada 190
garrafal 561
garrafão 191
garrafinha 191
garraio 129, 701
garrancho 367
garrano 193, 271, 941
garrar 279
garras 360, 717, 737, 739, 781
garras aduncas 781
garras do fisco 802
garrenta 653
garrida 417, 1000
garridice 845, 847, 851
garrido 428, 836, 845, 847, 851, 882
garrir 405, 412, 584, 840, 847, 882
garrir-se 852
garritar 412
garro 655
garrocha 253
garrotar 158, 361, 972
garrote 361, 366, 373, 972, 975
garrotear 324, 739
garrucha 727, 975
garrular 412, 584
garrulice 584, 836
garrulidade 584
gárrulo 416, 584, 836
garupa 235, 281
gás 'pimenta' 727
Gás 334
gás 333, 388, 426
gás asfixiante 663
gás deletério 663
gás lacrimogêneo 727
gás mostarda 727
gás sarin 727
gás sufocante 727
gasalhada 892
gasalhoso 892
gasconada 884
gaseificação 334
gaseificado 353
gaseificar 334 ,336, 353, 972
gaseiforme 334, 336

623

gasganete | germinal

gasganete 440e
gasificação 336
gasificar 336
gasnate 440e
gasnete 440e
gasogênio 334
gasógeno 334
gasolina 356, 388
gasólito 334
gasômetro 334
gasoso 334, 353
gaspa (cachaça) 959
gaspacho 298
gastador 638, 809, 818
gastalho 45
gastança 638
gastar 160, 162, 195, 625, 638, 645, 673, 677, 809, 818
gastar à doida 638
gastar a vida em 625
gastar cera com maus defuntos 638
gastar com largueza 818
gastar pelo uso 659
gastar todos os seus desvelos 459
gasto 124, 160, 638, 659, 677, 688, 809
gasto suntuoso/astronômico/largo 818
gastralgia 378
gastriloquia 580
gastrite 655
gastroenterologia 662
gastrólatra 954a, 957
gastrolatria 957
gastromancia 511
gastronomia 298, 377, 957
gastronômico 957
gastrônomo 957
gata 374, 845
gata borralheira 682, 877, 881, 948
gatafunhos 590
gatanhar 378
gatarrão 366
gatázio 379, 781
gateado 440a
gateador 792
gatear 43
gateira 959
gatenho 674
gatesco 412, 702, 853
gatesgo 702
gatherum 72
gatice 845
gaticida 361
gatil 189, 370
gatilho 633
gatimanhas 550
gatimanhos 902
gato 40, 45, 366, 373, 412, 441, 845
gato e rato 891
gato murador 366
gato pingado 363, 877
gato por lebre 15
gato, vozes de 412
gatorro 366
gato-sapato 840
gatum 412
gatunagem 791
gatunar 791
gatunice 791
gatuno 791, 792
gaturar 683
gauchada 884
gauche 699
gaucherie 699, 852
gaúcho 370
gaudério 683
gáudio 827, 836, 838
gaudioso 827, 836

Gautama 986
gávea 206
gavela 25, 72
gaveta 191
gavião 913
gavinha 205, 248
gavota (ant.) 840
gavotte 415
gay 374a, 897, 961
gaze 427
gazeador 683
gazear 412, 683
gazeio 412, 683, 840
gazela 274, 946
gázeo 435
gazeta 531, 551
gazetear 683
gazeteiro 455, 532, 593, 683
gazetilha 531, 593
gazetilheiro 593
gazetilhista 593
gazetista 593
gazia 716
gazil 836
gaziva 716, 791
gazofilácio 191, 800, 802, 1000
gazofilar (pleb.) 791
gazua 631, 633, 716, 791
geada 383
gear 385
geba 130, 250
gebo 852
geboso 243, 440d
geena 982
Geia 342
geira 466
gelada 383
geladeira 385, 387
gelado 383, 387, 430, 823, 866
gelar 385, 823, 837, 860
gelar o sangue 830
gelar o sangue nas veias 824, 860
gelar o som de 403
gelatina 352
gelatiniforme 352
gelatinoso 352
geleia 352, 354, 396
geleira 383, 387
geler à pierre fendre 383
gelhas 258
gelidez 383
gélido 360, 376, 383, 823
gelo 383, 385, 823, 866
geloscopia 511
gelosia 260, 420a, 459, 530
gema 153, 221, 222, 356a, 436, 648, 847
gemado 436
gemante 420
gemebundo 839
gemedor 839
gemente 839
gêmeo(s) 11, 13, 17, 88, 89
Gêmeos 318
gemer 319, 349, 378, 402a, 405, 412, 535, 580, 828, 839
gemer sob o peso de 207
gemicar 839
gemido 378, 405, 412, 833, 839
gemido lancinante 839
gemífero 803
geminação 89, 90
geminado 90
geminar 90
gemini 89
gêmino (poét.) 90
gemologia 358
gemônias 874, 975
Gemônias 975
genal 234
genealogia 69, 75
genealógico 166

genealogista 492, 593
genearca 166
genebra *(bebida alcoólica)* 298
genebra 959
genebrada 959
general 745
general de brigada 745
general de divisão 745
generalato 995
generalidade 29, 596
Generalidade 78
generalíssimo 33, 745
generalização 476
generalizar 78
generalizar-se 35, 613
generante 168
generativo 168
generatriz 168
genérico 67, 662
gênero 7, 75, 556, 567, 569
gênero de vida 692
gênero humano 78, 372
gênero narrativo 594
gênero pastoril 597
gêneros 798
gêneros alimentícios 298
gêneros musicais 415
generosidade 784, 816, 826, 829, 906, 910, 918, 939, 942, 944
generoso 639, 740, 784, 816, 861, 906, 910, 912, 939, 942, 944
gênese 66, 153, 161
Gênese 985
genesíaco 161
genética médica 662
geneticista 492
genético 161
genetlíaco 138, 511, 513, 883
genetliologia 511
genetriz 166
gengibirra (cachaça) 959
gengiva 440e
genial 377, 498, 602, 698, 820, 836
genialidade 602
genibus flexis 725
genibus nixus 765
geniculado 244
gênio 5, 7, 176, 450, 492, 498, 698, 700, 820, 901, 912
gênio assombroso/divinamente inspirado 498
gênio cordato 826
gênio do bem 979
gênio do mal 978
gênio iniciativo 682
gênio intrépido 861
gênio irritadiço/irascível/forte/mau 901
gênio poético 597
gênio tutelar 711
gênio/divindade tutelar 979
genioso 901
genital 161, 440e
genitália 440e
genitor 161, 164, 166
genitora 166
genitriz 164
genitura 153, 161
genius loci 664
genocida 722, 974
genocídio 974
gens humana 372
gentaça 877
gentalha 877
gente 75, 372, 712
gente coletícia 726
gente de guerra 726
gente de mareação 269
gente de nação 983a
gente de todos os calibres 102
gente do Evangelho 547
gente emplumada 366
gente perdida 962

gentiaga 72, 877
gentil 174, 242, 602, 816, 845, 850, 851, 875, 894, 939
gentileza(s) 457, 816, 845, 851, 861, 894, 939, 944, 945, 720
gentil-homem 875
gentilício 989
gentílico 564, 984, 989
gentilismo 984, 989, 991
gentilizar 989, 991
gentinha 877
gentio 984, 989
gentleman 372, 894, 939
genufle(c)tir 725, 990
genuflexão 308, 725, 886, 894, 928, 990
genuflexo 886, 928
genuflexório 215, 1000
genuinidade 42
genuíno 19, 42, 48, 494
genus humanum 372
genus irritabile vatum 597
geocêntrico 318, 943
geodésia 318, 466, 554
geodesicamente 786
geodésico 466
geófago 298
geognosia 358
geognóstico 358
geografia 183
geógrafo 492
geologia 358
geológico 358
geólogo 492
geomancia 511
geômetra 466, 492
geometria 466
geométrica 29, 84
geométrico 494
geonímia 564
geoponia 371
georama 448
geoscopia 358
geoso 383
geração 11, 75, 108, 153, 161, 163, 166, 372
geração espontânea 161
gerador 161, 164, 166
geral 73, 78, 613, 694, 996
geralmente 78, 613
geralmente aceito 82
geralmente falando 78
geralmente recebido 80
gerar 153, 161, 158, 515
gerar confiança 484
gerar conflitos 649
gerar desejo 865
gerar prazer 829
gerar uma dúvida 485
gerativo 153
geratriz 161
gerência 170, 692, 693
gerência/administração/governo/aplicação/direção infeliz 699
gerencial 693
gerenciamento 817
gerenciar 625, 693, 817
gerente 599, 693, 694, 758
geriatria 662
geringonça 328, 517, 519, 563, 667
gerir 693
gerir mal 495
germanada 11
germanar 27, 43, 723
germanismo 563, 855
germano 11, 42
germanofobia 911
germanófobo 911
germe 66, 153, 626, 674
germinação 168, 194
germinal 153

germinar | gostar de dar na vista

germinar 153, 367
germinar de 154
gerocômio/gerontocômio 128
geroglífico 554
geroglifo 554
gessar 223
gesseiro 559
gesso 430
gesta 861
gestação 161, 673
Gestalt 692a
gestante 161
Gestão 693
gestão 692
gestão fraudulenta 818
gestatório 270
gesticulação 550, 580
gesticulado 550
gesticular 550, 599
gesticular uma negação 536
gesticular uma recusa 764
gesto 527, 550, 560, 680
gesto de arrogância 900
gesto obsceno 929
gestor 693, 694
gestos agressivos 209
gestos de namorados 902
gestos escarninhos 930
gestos, acomodar ao discurso 582
geyser 386
giardíase 655
giardiose 655
giba 250
gibanete 717
gibão 225
gibosidade 250
giga 191
gigajoga 148
gigante 159, 192, 215, 642, 667
gigânteo 870
gigantesco 31, 192, 206, 870
gigolô 961
gilete 374a
gilvaz 551, 848
gimnanto 367
gimnosofista 953, 984
gimnuro 440c
ginandria 374a
ginandro 367
ginasial 537, 541, 542
ginásio 537, 542, 728
ginasta 540, 599
ginástica 159, 537, 686, 720, 840
ginástico 537
gineceu 189, 374
ginecocracia 737
ginecologia 374, 662
gineta 747
ginetado 266
ginetário 268, 726
ginete 268, 271, 366
ginga 267
gingar 267, 855
ginglimo 440e
ginofobia 904
ginoto elétrico 366
ginseng 824
giolho 244
gira (pop.) 504
girafa 192, 366
girândola 72, 423, 838
girante & *v.* 312
girão 231
girar 140, 149, 218, 248, 279, 311, 312, 794, 800
girar com milhões 803
girar como ventoinha 477
girar nos ares 267
girar sobre seu eixo 312
girassol 367
girassol oriental 847
girata 266

giratacachém 192
giratório 264
giravolta 146, 148, 266
gire! 932
gíria 560, 563, 579, 702
gírio 563, 702
giro 138, 266, 311, 312, 629, 840
giromancia 511
gisar 227
gitano 268
giz 556
gizar 229, 550, 554, 626
glabro 226, 255
glaçar 223
glace 223
glacê 223
glacial 383, 575, 823, 830, 866
glaciar 383
glaciário 383
glacier 383
gladiador 159, 726
gladiar 720
gladiatório 713, 720
gladiatura 720
gládio 722, 722
gládio da justiça 922
gládio do Senhor 972
glândula 440e
glândula mamal 250
glandular 440e
glauco 435
glaucoma 655
gleba 181, 342, 780, 786
glicerina 332, 356
glicônico 597
glicosímetro 662
glicosúria 662
glifo 252, 554
glíptica 558
gliptografia 558, 847
gliptologia 558
gliptoteca 557
global 50
globífero 367
globifloro 367
globo 249, 323
globo do olho 441
globo terráqueo 318
globosidade 249
globoso 249
globular 249
glóbulo 32, 193, 249
globuloso 249
glockenspiel 417
glomerar 72, 321
glon-glon 407
glória 420, 836, 873, 882, 976, 990
glória celestial/eterna 981
gloria in excelsis Deo! 990
gloria in excelsis! 838
gloriar-se 878, 880
glorificação 873, 874, 990, 991, 998
glorificação póstuma 873
glorificar 734, 829, 873, 928, 931, 976, 990, 998
gloríola 880
glorioso 873
glosa 522, 597, 932
glosador 597, 850
glosar 53, 55, 480, 522, 595, 932
glosar um mote 597
glossalgia 378
glossário 86, 518, 562, 593
glossografia 560, 562
glossográfico 562
glossógrafo 492, 562
glossologia 560
glossológico 560
gloterar 412
glótica 560
glótico 560
glotologia 560

glotorar 412
GLP 334
GLS 374a
glu-glu 402a, 407, 412
glúon 316
glutão 865, 957
glute ou glúten 352
glutina 352
glutinar 46, 352
glutinoso 45, 46, 352
glutonaria 298, 865, 954a, 957
glutônico 957
gma 44
gnaisse 342
gnatalgia 378
gnaticida 361
gnaticídio 361
gnoma ou gnome 496
gnômico 496
gnomo 83, 114, 980
gnomônico 114
gnose 490
gnosticismo 984, 988
gnóstico 984, 988
go 840
go go 415
gobelin 847
gobe-mouche 547
godalha 129
godilhão 330
godo 852
goela 198, 231, 260, 298, 351, 404, 440e, 887
goelar 411
Gog 192
gogo 352
goiva 253, 255, 262
goivado 252
goivadura 252
goivar 252
goivo 839
gola 258
Golconda 803
gole 51, 298
golelha 440e
golelhar (fam.) 584
golelheiro 584
goles (heráld.) 434
goleta 273, 343
golfada 297, 348
golfadas de luz 420
golfão 343
golfar 295, 297, 348
golfejar 297, 348
golfinho 192, 341
golfo 198, 252
Golfo 343
Gólgota 67, 363, 828, 975, 1000
goliardo 844, 954a, 959
Golias 159, 192
golilha 975
golpada 276, 972
golpe 162, 276, 378, 509, 619, 626, 680, 702, 716, 732, 828, 830
golpe de audácia 626
golpe de estado 146, 626, 680, 756, 925, 964
golpe de mestre 626, 680, 698
golpe de misericórdia 972
golpe de montante 619
golpe de morte 67, 361
golpe de vento 349
golpe de vista 448
golpe decisivo 619
golpe do baú 903
golpe feliz 680, 698
golpe feliz/acertado/estratégico/de mestre 731
golpe feliz/ousado/certeiro 626
golpe final 729
golpe infeliz/desastrado/errado/antiestratégico/antipolítico 732

golpe mortal 972
golpe ou tiro de misericórdia 361
golpe por golpe 718
golpe/tiro de misericórdia 729
golpeado 828
golpear 276, 378, 485, 649, 659, 716, 830, 972
golpear a gramática 568
golpear com o facão da crítica 932
golpear de morte 649
golpelha 191, 702
golpista 702
goma 356a, 436
goma copal 356a
goma-arábica 356a
goma-elástica 325
gomar 153, 255, 331
gomeleira 649
gomia 727
gomil 191
gomo 51, 167
gomose 655
gomosidade 352
gomoso 352
gonalgia 378
gôndola 273
gondoleiro 269
gonete 262
gongórico 577, 579, 855
gongorismo 577, 579, 855
gongorista 577, 579, 855
goníclito 323
gônio 466
goniógrafo 244
goniometria 244
goniômetro 244
gonorreia 655
gonzo 43, 45
gorado 732
gorar 732
gordã 356
gordaço 192
gordalhudo 192
gordanchudo 192
gordo 31, 298, 355, 639
gordura 192, 356
gordurento 355
gorduroso 355
gorgaz 284, 727
gorgeira 847
gorgolão 297, 298, 348
gorgolar 348, 402a
gorgolejar 402a, 412
gorgolejo 402a
gorgolhão ou gorgolão 348, 402a
gorgolhar 348, 402a
górgona 83
Górgonas 846, 860
gorgueira 847
gorgulho 193, 330, 412
gorguz ou gorgaz 284, 727
gorila 366
gorja 235, 351
gorjal 717
gorjeador 416
gorjear 407, 412, 416
gorjeio 407, 412
gorjeta 558, 615, 784, 973
goró (cachaça) 959
gorovinhas 258
gorra 225
gorro 225
gosma 299, 352
gosmar 297, 529, 535, 582
gosmento 352
gospel 415
gostar 390, 850
gostar da obscuridade 879
gostar de 394, 865, 888, 897, 931
gostar de alguém a morrer 897
gostar de dar na vista 884

gostar de ficar na sombra | gravar

gostar de ficar na sombra 881
gostar de pôr os pingos nos ii 604
gostar mais de 609
gostável 394
Gosto 390
gosto 394, 459, 600, 698, 820, 827, 850, 865
gosto apurado/educado/cultivado/requintado 850
gosto estragado 608
gosto forte 392
gosto muito pronunciado 820
Gosto não se discute 390
gostosamente 31, 602
gostoso 377, 394, 829, 831
gota 32, 249, 348, 655
gota a gota 26, 51
gota coral 315
gota d'água no oceano 32, 643
gota serena 442
gotas 339
gotear 295, 339, 348
goteira 223, 259, 350
gotejamento 306
gotejante 339
gotejar 295, 306, 339, 348
goticismo 852
gótico 241,561, 852
gourmand 850, 954a, 957
gourmet 850, 954a
governação 693
governadeira 690, 694, 817
governado 817
governador 694, 745, 753
governador da cidade 745
governador das armas 745
governador do bispado 996
governalho 278, 737
governamental 693, 737
governamento 278
governança 692, 693
governanta 540, 694, 753, 817, 737, 745
governar 175, 278, 498, 693, 737, 976
governar a vida 686
governar com mão de ferro 739
governar com rigor 737
governar com tolerância e sabedoria 740
governar *ex bono et æquo* 740
governar-se 953
governar-se pela própria bitola 604
governativo 737
governável 705, 743
governichar (depr.) 693
governo 175, 181, 278, 537, 692, 693, 737, 745
governo de saia 737
governo de si mesmo 604
governo espiritual 995
governo provisório 696, 737
governo/direção do universo 976
governo/sólio pontifício 995
gozação 856, 929
gozada 856
gozador 836, 856
gozar 377, 677, 775, 777, 821, 827, 856, 897
gozar as doçuras da paz 721
gozar da confidência/da confiança 888
gozar da liberdade 748
gozar de boa saúde 654
gozar o doce *far-niente* 685
gozo 366, 377, 677, 827, 831, 836, 897
gozos excessivos 954
gozos sensuais 377
gozoso 829, 831

GPS 184, 594, 693
grã 875
grabato 215
graça 564, 578, 618, 740, 760, 784, 840, 842, 845, 850, 876, 914, 918, 987
graça pesada 843, 852
graças 845, 916, 990, 998
graças a 154, 155, 707
Graças a Deus! 990
graças! 916
gracejador 836, 842, 844, 856
gracejar 836, 838, 842, 856
gracejo 840, 842, 856, 857
graceta 842
grácil 160, 203, 845
gracilidade 328, 578, 850
gracinha 857
graciosamente 602, 748, 815
graciosidade 578, 815
gracioso 602, 815, 840, 842, 844, 845
gracitar 412
graçola 842, 843, 856, 857
grã-cruz 876
grã-cruz da Ordem de Cristo 876
gradação 15, 26, 58, 69, 428, 440, 569
gradador 371
gradagem 371
gradar(-se) 194, 255, 371, 673
gradaria 232
gradatim 275
gradativamente 26, 174, 275
gradativo 26, 58, 69
grade 191, 219, 232, 371, 752
gradeação 673
gradear 371
gradecer 194, 875
gradim 558
gradinada 729
gradinar 729
grado 26, 642, 875
grado e mangrado 609a
graduação 7, 58, 60, 75, 464, 466, 737
graduação universitária 755
graduado 58, 490, 492, 642, 755, 873, 928
graduado 58, 492, 642, 755, 873, 928
gradual 26, 58, 69, 275, 998
gradualmente 35, 144, 275, 464
graduar 23, 60, 440, 466
graduar-se 538, 873
grã-duquesa 875
gradus 562
Græculus escuriens 886
Græcum est 519
grafar 590
gráfica 593
gráfico 518, 554, 556, 590, 593, 594, 690
grafila 231
grafilha/garfilha 231
grã-finagem 875
grafito 554
grainha 222
gral 330
gralha 366, 512, 584
gralha, vozes de 412
gralhada 411
gralhador 584
gralhar 411, 412, 584
gralhear 412
grama 319
gramalheira 214
gramar 298, 828
gramática 537, 560, 562
Gramática 567
gramática comparativa 560
gramática descritiva 567

gramática gerativa 567
gramática normativa 567
gramática ruim/defeituosa/falsa/manca/mascavada 568
gramatical 567
gramaticalismo 567
gramaticalizar 567
gramaticão 493
gramático 492, 567
gramatiquice 491, 855
grameiras 260
gramínea 367
graminhar 246
graminívoro 298
grampa 45
grampar 43
grampo 45
gramponau (ant.) 545
grana (gír.) 800
granada 727
granada de fuzil 727
granada de mão 727
granadeiro 159, 192, 726
granadino 434
granalha 330
granar 131, 330
grandalhão 192, 206
grande (no sentido de muito) 31
grande (quantidade) 33
grande 83, 105, 110, 131, 173, 180, 192, 200, 202, 206, 348, 490, 531, 639, 642, 648, 698, 704, 830, 861, 873, 875, 928, 942, 976
grande apóstolo 977
Grande Arquiteto do Universo 976
grande cópia 639
grande do Império 875
grande espaço de tempo 110
grande gala 225
grande marca 492
grande mundo 851, 875
grande ópera 599
grande pedaço 51
grande quantidade 31, 639
grande temporal 349
grande uniforme 225
Grande Ursa 318
grande verbosidade 582
grandemente 31, 191
grandes feitos 642, 720
grandevo 128
Grandeza 31
grandeza 25, 26, 180, 192, 642, 803, 816, 845, 872, 873, 875, 876, 882, 939, 976
grandeza d'alma 906
grandeza de ânimo 826
grandeza de ânimo/de coração 942
grandeza d'alma 918, 944
grandeza moral 942
grandiloquência 582
grandíloquo 582
grandiosidade 648, 845
grandioso 31, 574, 648, 845, 870, 873, 882, 942
grandíssimo 31, 192
grandor (ant.) 882
granel 59, 591, 636
grangrena moral 907
grani 271
granido 556, 558
granifero 330
graniforme 330
granir 556, 558
granita (de cabras e ovelhas) 299
granitar 330
granítico 323, 327, 557
granito 150, 159, 323, 330, 557
granitoide 323

granitoso 323
granívoro 298
granizada 306
granizado pela desgraça 828
granizar 383, 385
granizo 383
granizo de 639
granja 189, 780
granjear 371, 461, 775, 902, 928, 933
granjear a esperança 858
granjear a simpatia de 888
granjear afeto/simpatia 829
granjear o séquito dos povos 873
granjear simpatia 897
granjearia 371, 775
granjeio 371, 775
granjeiro 371, 779
granjola 192
granjolada 940
granjolão 192
granjolice 940
granulação 330
granulado 330
granular 193, 249, 330
grânulo 32, 256, 330
granulosidade 256, 330
granuloso 321, 330
grão 32, 222, 330, 875
grão-ducado 181
grão-mestre 694
grão-rabino 996
grão-tinhoso (pop.) 978
grão-vizir 745
grãozinho 193
grasnada 411, 412
grasnadela 410, 412
grasnado 412
grasnar 410, 412
grasnido 412
grasnir 412
grasno 412
grassar 35, 73, 102, 657
grassar a notícia 532
grassento 321, 355, 852
grassitar 412
grata satisfação 831
gratamente 31, 916
Gratidão 916
gratificação 784, 916, 973
gratificar 784, 831, 973, 906, 916
grátis 748, 784, 808, 815
gratis por Deo 815
grato 646, 829, 916
grato à vista 845
grato ao paladar 394
gratuidade 615a, 815
gratuitamente 748, 808, 815, 910
gratuitidade 815
gratuito 477, 514, 602, 615a, 748, 808, 815, 942
grátula 940
gratulação 896, 916
gratular 896, 916
gratulatório 896, 916
grau 171
Grau 26
grau 58, 71, 75, 171, 873, 876
grau colateral 11
grau de 31
grau de parentesco 11
graúdo(s) 31, 192, 642, 803, 875
gravação 557, 591, 594, 907
gravado *e v.* 558
gravador 559, 580, 633
gravador de voz 553
gravadura 558
gravame 619, 625, 706, 755, 809, 812, 830
gravar 259, 537, 550, 551, 554, 557, 558, 594, 640, 704, 812, 830, 907

gravar a atenção... | guerrear

gravar a atenção/a ideia/o pensamento/o espírito/as vistas 457
gravar na memória 505
gravar no bronze/nos fastos da história 873
gravar no pensamento/na memória/na mente/na ideia/na lembrança 505
gravata 225
gravatinha 225
gravato 388
grave 275, 319, 415, 498, 574, 642, 655, 665, 826, 830, 837, 843, 881
graveolência 362, 398, 401
graveolento 398, 401
graveto 388
gravetos para a fogueira 173
graveza 31, 171, 642, 837
grávida 161
Gravidade 319
gravidade 31, 157, 171, 288, 498, 574, 642, 665, 837, 864, 881
gravidade de porte 498
gravidade zero 320
gravidez 161
grávido 319
gravitação 157, 319
gravitação universal 288
gravitacional 319
gravitar 176, 286, 306, 319, 440b
gravius verbum 842
gravoso 649, 830
Gravura 558
gravura 554, 556, 692a, 847
graxa 356a
graxear 902
graxeira 332
graxo 355
grazina 584, 832
grazinada 411
grazinador 584
grazinar 411, 412, 584, 832
grecismo 563
greda 324, 342
gredelém ou gridelim 438
gregal 72, 349, 370
gregalada 349
gregário 72, 370, 892
grego 519
gregos e troianos 488
gregotins 517, 590
greguejar 519, 583
grei 72, 75, 366, 712, 997
grelar 367
grelha 219, 271, 386, 975
grelhar 378, 382, 384
grelo 153, 205
gremial 712, 892
grêmio 74, 221, 712, 892, 997
grenetina 352
grenha 59, 256, 367, 440e, 674
grés 323
greta 44, 198, 259, 260
gretado 198
gretadura 44, 198
gretar 198, 259
grevas 225, 717
greve 179, 742
grevista 742
grifa 561
grifar 412, 642
griffonage 590
grífico 83
grifo 83, 519, 520, 533, 550, 561
grigri 412
grilheta 45, 752, 754, 949, 975
grilhões 752
grille 219
grilo, vozes de 412
grima 867, 898, 900
grimacier 599, 855
grimpa 149, 210, 338, 349

grimpar 206, 210, 885, 895
grinalda 72, 247, 550, 596, 733, 747, 847, 876
gringo (depr.) 57, 565
gripe aviária 655
gripe suína 655
gris 432
grisalho 432
griseta 423
grisette 877
griséu 432
grisisco 432
gris-perle 432
grisu 146, 334
grita 411, 532
grita jovial 838
gritada 83, 411, 495, 630
gritar 'pega ladrão!' 544
gritar 404, 410, 411, 412, 580, 765, 825, 839, 932
gritar à boca aberta 531
gritaria 402, 404, 411, 580, 932
Grito 411
grito 402, 404, 531, 550, 580, 950
grito da sentinela 669
grito de angústia 839
grito de dor 839
grito de guerra 669, 715, 722
grito de revolta 489
grito zombeteiro e insultante 929
gritos atrozes 839
gritos lancinantes *(expressão de dor)* 378
Groenlândia 383
grogue 959
gromática 466
gromenar 928, 933
gromenare 886
gronga (bras.) 992
groom 746
grosa 98, 330
grosar 330
groselha 434
groselheira 367
grossa pancadaria 972
grossaria 895, 934
grosseira 329
grosseirão 701, 895
grosseiro 34, 243, 254, 256, 499, 563, 579, 651, 653, 674, 846, 852, 877, 885, 895, 961
grosseria 843, 852, 885, 895
grossidão (ant.) 895
grosso 31, 50, 173, 192, 194, 202, 254, 321, 348, 404, 639, 642, 852, 895
grosso de 642
grosso modo 465a
grossura 192, 321, 843
groteiro 188
grotescamente 31
grotesco(s) 83, 579, 643, 847, 853
grou, vozes de 412
grua 307
grudadeiro 45
grudado 199
grudadura 43, 46
grudar 23, 43, 45
grudar em 88, 622
grudar(-se) 46, 709
grudar-se a 88
grude 45, 352
grudento 45, 46
grugrujar 412
grugrulhar 402a, 412
grugrurejar 412
grugulejar 412
grugulejo 412
grugulhar 412
gruir 412
grulha 584
grulhada 411

grulhar 412, 584
grulhento 584
grumar 321, 330
grumear 321
grumecência 321
grumento 72
grumetagem 72
grumo 321, 330, 354
grumoso 321, 330, 352, 354
grúmulo 321, 330
grunhidela 412
grunhido 412
grunhir 412
grupar 72
grupelho 712
grupeto 415, 847
grupo 72, 75, 103, 712
grupo escolar 542
gruta 252, 530
grutesco 530
guache 428, 556, 692a
guadimá (bras.) 373
guai de...! 839
guaia (ant.) 839
guaiar 402a
guainumbi 366
gualdido 732
gualdipério 544
gualdir 298, 638, 809
gualdo 436
gualdrapa 225, 231
gualdripar (fam.) 791
guampa (bras.) 253
guano (de aves marinhas) 299
guante 717
guapeza 845
guapice 845, 861
guapo 845, 861
guaraná 824
guarânia 415
guarda 65, 441, 457, 459, 550, 593, 664, 668, 711, 717, 751, 753, 781
guarda aduaneiro/da alfândega 965
guarda avançada 234, 668
guarda campestre 370
guarda civil 965
guarda de baixo! 669
guarda de pescoço 753
guarda e observância das leis 963
guarda nacional 726
guarda pretoriana 739
guarda-avançada 64, 664, 666
guarda-barreira 263, 965
guarda-braço 717
guarda-chuva 223, 424, 666
guarda-costas 88, 664, 666, 717, 726, 753
guardado 751
guardador 664, 717, 753
guardador de gado 370, 746
guarda-fogo 666, 717
guarda-freios 664
guarda-joias 191, 664
guarda-livros 553, 801, 811
guarda-louças 191
guarda-marinha 745
guarda-mato 225, 232
guarda-menor 965
guardamento 990
guarda-mor 694, 745, 753, 965
guardanho 819
guarda-noturno 664
guarda-pé 225
guarda-pisa 231
guarda-pó 225
guarda-porta 530
guarda-portão 263
guarda-prata 191

guarda-quedas 666
guardar 191, 370, 459, 636, 664, 670, 673, 772, 817, 937
guardar a fé 987
guardar a linha de imparcialidade 922
guardar a respectiva distância 928
guardar as costas a alguém 664
guardar clausura perpétua 893
guardar de cor 505
guardar dia santo 987
guardar em depósito 636
guardar em segredo 528
guardar lembrança das ofensas 898
guardar muito fechado 528
guardar neutralidade 27, 609a, 721, 866
guardar no cérebro 505
guardar o decoro 498
guardar o devido decoro 928
guardar o leito (gal.) 655
guardar ódio até a morte 898
guardar os sábados 990
guardar respeito 928
guardar segredo 528, 533, 585
guardar silêncio 403, 581, 585
guarda-raios 666
guarda-roupa(s) 191, 225
guardar-se 953
guardar-se da mosca e ser comido da aranha 659, 665
guardar-se de 664, 717
Guarda-se da mosca, mas é comido da aranha 699
guarda-sol 223, 424, 666
Guarda-te do homem que não fala e do cão que não ladra 585
guarda-vento 530
guarda-vestidos 191
guarda-vista 422, 424, 666
guardião 664, 753, 759, 996
guardião da lei 967
guarecer 660
guarida 530, 664, 666, 717, 937
guarir 660
guariroba 395
guarita 530, 666
guarnecer 159, 223, 229, 269, 637, 664, 673, 847
guarnecer de franja 229
guarnecimento 717, 847
guarnição 88, 188, 225, 231, 269, 664, 666, 717, 726, 847
guarnicioneiro 746
guar-te!
guasca 975
guazil 745
gudão ou godão 636
gudinha 780
guebro 984
guecha 271
guecho 129
guedelha 256, 440e
guedelhudo 256
guedelhudo ou gadelhudo 440d
gueixa (japonesa) 962
guelricho 545
Guemará 985
guepardo 274
guerra 708, 720
Guerra 722
guerra de morte 907
guerra de morte/de extermínio 722
guerra de palavras 588
guerra de penas 476
guerra no papel 720
guerra nuclear 722
guerra sem quartel 722
guerreador 720, 722
guerrear 708, 720, 722, 907

627

guerreiramente | hemeropatia

guerreiramente & *adj.* 722
guerreiro(s) 720, 722, 726, 861, 998
guerrilha 720, 726
guerrilheiro 726
guet-apens 361, 545
gueto 87, 752
guia 62, 64, 175, 234, 266, 268, 271, 278, 280, 524, 527, 537, 540, 550, 594, 627, 693, 694, 695, 697
guia espiritual 695
guiado pelos arrojos insopitáveis de 825
guiador 64, 271
guiagem 812
guião 550
guiar 234, 278, 280, 537, 693, 695, 906
guiar os destinos 737
guiar os passos a alguém 642
guiar-se 278
guichê 260
guieiro 64, 280
guiga 273
guilha 545, 636
guilherme 633
guilhotina 975
guilhotinar 361, 972
guinadas 279, 309, 378
guinadas de riso 838
guinar 279
guinchada 411
guinchar 402a, 404, 410, 411, 412
guincho 410, 412
guindamaina 894
guindar 206, 307, 577
guindar à altura de 931
guindar-se 880
guindaste 307
guindola 215
guines (pop.) 800
guinéu 800
guinhento 352
guinhoso 352
guinilha 271
guipura 231
guisa 627, 883
guisado 298, 394, 613
guisalhar 402a
guisamento 1000
guisar 393, 626, 707
guita 45, 205
guitarra 417
guitarra elétrica 417
guitarra portuguesa 417
guitarrada 415
guitarrear 416
guitarreiro 416
guitarréu 417
guitarrilha 417
guitarrista 416
guizalhar 412
guizar 673
guizo 417
gula 298, 865, 954
Gula 957
gulapa (reg.) 957
guleima (burl.) 957
guleimar 954
Gulf-stream 348, 386
gulodice 298, 394, 829, 957
gulosar 298, 394
guloseima 298, 829
gulosice 298, 394, 957
gulosidade 957
gulosina 394
gulosinar 394
guloso 296, 957
guloso como o imperador Vitélio 957
gume 171, 253, 633
gúmena 45

gumífero 356a
gúndia 273
gundra 273
gupiara 342
gupo de combate 726
guri 129
gurizada 129
gusano 165, 193, 663
gusla 417
gustação 390
gustativo 390, 440e
gusto 377, 390
guta 356a, 436
gutapercha 356a
gutural 561, 583
guturalizar 583
gymnasium 728

H

há alguns anos 122
há bocadinho 122
há de haver 811
há de sair-lhe dos lombos! 972
Há governo? Sou contra!
Há homem no leme 604
Há motivos para crer/para esperar 472
há muito pouco tempo 118
há muito tempo 110
há nada 118
há poucos dias andados 122
Há tradutores e tradutores 15
habanera 415
habeas corpus 741, 750, 963
hábeas-corpus 963
habena (poét.) 693, 747, 752, 975
hábil 23, 134, 498, 673, 698, 702, 864
hábil adulador 925
hábil na arte de enganar 548
habilidade 157, 450, 498, 538, 692
Habilidade 698
habilidade de finório 702
habilidade de saber conviver socialmente 892
habilidoso 698
habilitação 157, 490, 673, 698, 963
habilitações 698
habilitado 490, 963
habilitar 157, 673, 698
habilitar-se 673
habilmente 698, 705, 731
habitação 184, 189
habitacional 189
habitáculo 189
habitado 186
habitador 188
Habitante 188
habitantes de Pandemônio 978
habitar 184, 186, 188
hábito 5, 7, 36, 550, 627, 677, 747, 876
Hábito 613
hábito de 613
hábito talar 999
habituado 613, 823
habitual 78, 80, 82, 104, 124, 613, 643, 871
habitualismo 673
habitualmente & sempre 613
habituar(-se) 537, 602, 613, 823
hacienda 189, 780
hacpólique 225
Hades 982
hádron 316
hagiografia 551, 983
hagiográfico 983
hagiógrafo 553
hagiolatria 991
hagiologia 977, 983
hagiológico 551, 983

hagiológio 983, 998
hagiomaquia 983
hagiomeno 551
haissúaque 253
haja o que houver 474, 601
halial 379
haliêutica 622
haliêutico 622
hálito 349, 359
halitose 401
halo 227, 247, 420, 873
halomancia 511
halotano 376
halterofilismo 159
hamadríadas 979
handicap 720
hangar 189, 636
hansa 712
hanseático 712
hanseníase 655
hansenologia 662
haplologia 36, 572
happy hour 126, 840
haragano 877
haraquiri 972
harém 189, 374, 752, 961
haríolo 513
harmatão 382
harmonia 16, 23, 46, 58, 80, 82, 138, 242, 502, 412, 413, 415, 488, 578, 597, 692a, 714, 721, 888
harmonia de vistas 488
harmônico 9, 23, 80, 413, 714
harmônio 417
harmonioso 23, 60, 413, 415, 574, 597, 650, 714
harmonista 413, 415
harmonizar(-se) 82, 413, 714, 723, 774
harmonizável 23
harmonômetro 413
harmosta (ant.) 745
harola 215
harpa 417
harpa-eólia 413
hárpaga 727
harpar 416
harpe (ant.) 727
harpear 416
harpejo 413
harpia 739, 789, 792, 819, 913, 949, 980
harpista 416
harto 159, 192, 639
hasta 727
hasta pública 796
hastado 726
hastapura 733
haste 215, 633
haste x braços, travessa 237
hasteamento 307
hasteamento de bandeira 838, 883
hastear 206, 307
hastear a bandeira da vitória 731
hastear bandeira falsa 544
hastil 215
hastilha 215
hastim (reg.) 203
haud passibus equis 28
haurir 296, 298, 398
haurir conclusão 480
haurir delícias 827
hausto 296, 298
haut goût 392
havana 392, 433
haver (p. op. a 'deve') 805, 810
haver 1, 151, 731, 777, 785
haver à mão 292
haver canas e canetas 704

haver de 775
haver por bem 480, 737, 741, 931
haver por herança 777
haver possibilidade 470
haver vista de 441
haveres 632, 780
haver-se(com) 692, 720
haver-se na luta com bizarria 861
havia poucos dias que 122
haxixe 663, 824
Hay que endurecerse pero sin perder la ternura jamás (Che Guevara) 906
hazazel 147, 828, 938, 952
heavy metal 415
hebdômada 108
hebdomadário 138, 531, 593
hebdomático 98
Hebe 845
hebetação 376, 499, 823
hebetar 376, 499, 823
hebetismo 499
hebraico 519, 560
hebraísmo 563
hebreu 983a
hecatombe 98, 361, 830, 991
hechor 271, 694
hectare 466
héctica 655
héctico 655
hederoso (poét.) 888
hediondez 846, 945
hediondo 653, 830, 846, 860, 945, 961
hedonismo 954
hedonista 827, 954a
hedonístico 827
hegemonia 33, 157, 175, 615, 693, 737
hegemônico 175
hégira 106, 114, 293
hei por bem 741
hein? 461
Heitor 863
heleborizar 673
Helena 845
helenismo 563
helenista 492
Helgardh (mit. nórdica) 982
helíaco 120
helianto 367
hélice 248, 267, 273, 312
helicoidal 248
helicoide 248
Hélicon 597
helicóptero 273, 722, 726
helícula 248
hélio 318
heliocêntrico 318
heliocromia 19, 21
Heliogábalo 954a
heliografia 19, 21, 420, 556
heliográfico 420
heliógrafo 556
heliogravura 556
heliolatria 991
helioscópio 422, 445
heliotrópio 367, 400, 847
helluo librorum 492
helmintologia 368
helvidiano 984
hematoide 434
hematologia 662
hematoma 655
hematose 335
hematosina 434
hemeralgia 442
hemeralopia 392, 433
hemerologia 114
hemerológio 114
hemerólogo 114
hemeropatia 655

hemialgia 655
hemicrania 837
hemíono 271
hemiopia 443
hemiplegia 158
hemiplégico 158
hemisférico 181, 249
hemisfério 181, 249
hemisferoidal 249
hemisferoide 249
hemistíquio 597
hemofioia 655
hemograma completo 662
hemoplástico 298
hemoptise 299
hemorragia 299
hemorrágico 299
hemorroidário 901a
hendecágono 244
hendecassílabo 597
Henrique VIII 986
Henry 727
hepatalgia 378
hepático 440e
hepatite 436, 655
hepatologia 662
heptacordo 417
heptaédrico 244
heptaedro 244
heptágono 244
heptálogo 484
heptâmetro 597
heptarca 745
heptarquia 737
heptassílabo 597
heráclias 840
Heráclito 839
heráldica 550
heraldo (ant.) 64, 534
herança 121, 775, 777, 780, 784
herbáceo 367
herbário 72, 367, 369
herbático 367
herbífero 367
herbiforme 367
herbívoro 298, 367
herbolária 994
herbolário 369
herbóreo 367
herborista 369
herborização 369
herborizador 369
herborizar 369
herboso/ervoso 367
hercúleo 159, 686, 704
Hércules 159, 215
Hércules celígero 215
herdade 780
herdado 5
herdamento 775, 777
herdança (desus.) 775, 777
herdar 775, 777, 780, 784, 785
herdar-se 783
herdeiro(s) 65, 121, 167, 779, 785
herdeiro aparente/presuntivo 167, 779
hereditariedade 5
hereditário 5, 154
herege 487, 984, 989
heresia 495, 497, 984, 988
heresiarca 984
herético 495, 984
heril 749
herma 883
Hermafrodismo 374a
hermafrodita 83, 374a
hermafroditismo 374a
hermafrodito 374a
hermeneuta 524
hermenêutica 522, 963
hermenêutico 522
hermeta 215
hermeticamente fechado 261

hermeticidade 519
hérnia 655
Herodes 949
herói 175, 599, 642, 861, 873, 948
herói de romance 861
herói do dia 532
heroicidade 861
heroico 597, 726, 861, 873, 942
heroicômico 597
heroide 902
heroificação 873
heroificar 873
heroína 663
heroísmo 680, 861, 942, 944
heroísmo temerário 861
herpes 655
herpes zóster 655
herpetologia 368
hesitação 475, 583, 603, 605, 860, 867
hesitante 603, 605
hesitar 475, 485, 605, 699, 732, 821
hespérico 278
Hespérides 639
hesterno 122, 123
hetera 962
heterismo 961
heterista 961
heterocarpo 367
heteróclito 10, 20a, 24, 83, 853
heterodáctilo 440c
heterodoxia 983a
Heterodoxia 984
heterodoxo 984
heterofilo 367
heterógamo/heterogâmico 367
heterogeneidade 10, 15, 16a, 18, 41
heterogêneo 10, 14, 15, 16a, 18, 20a, 24, 41, 81, 83, 244
heteromaquia 720
heteronímia 564
heterônimo 564, 565
heteronomia 83
heterônomo 83
heteropatia 662
heteropétalo 367
heterorrexia 83
heteróscios 188
heterossexualismo 897
heterotaxia 83
heterótipo 83
hético 195
heureca!
hexaédrico 244
hexaedro 244
hexagonal 244
hexágono 244
hexagrama 562
hexâmetro 597
hexápole 712
hexassílabo 562
hialino 425
hialito 426
hialoide 425, 441
hialotecnia 692a
hialurgia 692a
hiante 198, 208, 260
hiato 187, 198, 414, 568, 579
hibarro 129
hibernação 150, 376
hibernal 383
hibernar 376
hiberno 383
hibridação 83
hibridez 83
hibridismo 24, 41, 83, 563
hibridista 563
híbrido 24, 41, 83, 563
hic et nunc 118
Hic jacet 363
hidra 83, 165, 168, 667, 913

hidráulica 348
hídria 191
hidrião 191
hidro 83
hidroavião 273
hidrocultura 337, 371
hidrodinâmica 333, 348
hidrofobia 503, 649, 655, 867
hidrófobo 503
hidrogenar 334
hidrogenia 333
hidrogênio 334
hidroginástica 337
hidrografia 341
hidrográfico 341
hidrógrafo 341
hidrolatria 958, 991
hidrologia 333
hidrólogo 492
hidromancia 511
hidromania 503
hidromassagem 337
hidromecânica 348
hidromel 396
hidrometria 348
hidrônfalo 333
hidropatia 662
hidrópico 194, 640
hidropisia 194, 640
hidroplano 726
hidropônica 337, 371
hidrosfera 341
hidrossácaro 396
hidrostática 333
hidrotecnia 337
hidroterapêutica 662
hidroterapia 337, 662
hiemal 383
hiena 913
hieranose 315, 655
hierarca 996
hierarquia 75, 737, 875, 876
hierarquia eclesiástica 995
hierárquico 737, 875
hierática 985
hierático 985
hierodrama 554
hierodula 962
hierofante 493, 855, 994
hieroglífico 519, 554, 590, 855
hieróglifo/hieróglifo 519, 533, 554, 561, 590
hierografia 983, 985
hierologia 983
hierológico 983
hieromancia/hieroscopia 511
hieropeu 996
Hierosólima celeste 981
hifen 45
high life 851
high society 851, 875
high-life 875
hígido 654, 656
higiene 652, 656, 670
higiene analéptica 654
higiênico 656
higienizar 652
higrofobia 867
higrometria 339
higrômetro 339
higroscópio 339
hílare 829, 831, 836
hilariante 334, 829, 836
hilaridade 836, 838
hilarizar 836
hilo 316
hilogenia 316
hilozoísmo 984
Himalaia 192, 206
hímen 550, 960
himeneu 903
himenolepíase 655

himenópode 440c
himenóptero 440c
hinário 551, 998
hinc illoe lachrymoe! 830
Hinc illœ lacrymœ 155
hinduísmo 983a, 998
hínico 597
hinidor 412
hinista 597
hino 415, 597, 931, 990
hino a Apolo 318
hino ambrosiano 990
hino em honra de 990
hino nacional 928
hinógrafo 597
hinologia 597
hinólogo 597
hinterland 235
hipálage 521, 569
hípata 205
hiperalgesia 375
hiperalgia 375, 358
hiperatividade 264
hiperativo 264
hipérbato 218, 519, 521, 567, 577
hipérbole 245, 482, 549, 569, 640
hiperbólico 245, 549, 640
hiperbolismo 549
hiperbolizar 549
hiperbóreo 196, 383
hipercolesterolemia 655
hipercriticismo 481, 832, 868, 932
hipercrítico 932
hipercritivo 868
hiperdulia 990
hiper-estésico 615
hiperfísico 976, 980
Hipérion 845
hipermetropia 441, 443
hipermístico (depr.) 988a
hiperortodoxia 486
hiperosmia 398
hiperparatireodismo 655
hiperplasia 655
hiper-realismo
hipersensibilidade 375, 825
hipersensível 825
hipertensão arterial 655
hipertensão portal 655
hipertensão pulmonar 655
hipertireodismo 655
hipertrofia 35, 194, 640
hipertrofiado 194
hipertrofiar(-se) 194
hipetro 1000
hip-hop 415, 840, 692a
hipiatra 370
hipiatria 370
hipiátrica 370
hípico 366
hipismo 840
hipnologia 683
hipnótico 174, 376, 662, 683
hipnotismo 683
hipnotizar 824
hipoalgesia 376
hipoalgia 376
hipocampo 83
hipocausto 386
hipocentauro 83
Hipocondria 901a
hipocondria 503, 655, 837
hipocondríaco 504, 655, 837, 901a
hipocôndrio 236
hipocorístico 562
hipocrisia 544, 545, 546, 855, 988
hipocrisia refalseada 544
hipócrita 481, 544, 548, 988, 988a
hipodérmico 367
hipodromia 692a

hipódromo | homogeneizar(-se)

hipódromo 599, 728, 840
hipoestesia 376
hipofagia 298
hipogeu (ant.) 252, 363
hipógnata 83
hipogrifo 83
Hipólita 960
Hipólito 960
hipologia 370
hipômanes 993
hipomania 271
hipopétalo 367
hipopótamo 192, 846, 895
hipóstase 3
hipostasiar 3
hipostático 3
hipostênico 160
hipóstilo 191
hipotálamo 440e
hipotalássico 341
hipoteca 771, 787, 805
hipotecar 771
hipotecar a existência em 686
hipotecar o seu profundo reconhecimento/a sua eterna gratidão 916
hipotecário 779
hipotenusa 217
hipótese 155, 475, 490, 514
hipotético 2, 469, 475, 514
hipotipose 574, 594
hipotireodismo 655
hipotomia 370
hipsometria 466
hircino 366
hircismo 401
hircoso 401
hirsuto 256, 852
hirto 200, 256, 265, 323, 360
hirundino 366
hispéride 367
hispidez 256
híspido 256
hissopada 339
hissopar 337, 339
hissope 337
histeralgia 378
histeranto 367
histeria 503, 608
histérico 173, 608, 821, 824, 825
histerismo 173, 503, 608, 825
histerólogo (ant.) 583
histeromania 961
histerotomia 301
histiodromia 267
histologia 329
histológico 329, 440e
histoneurologia 329
histonomia 329
histoplasmose 655
história 546, 551, 594
História coroará o seu nome, A 873
história da carochinha 546
história de amor 897
história de sempre 104
história em quadrinhos 692a
história mal contada 617
história natural 357
história repetida 573
historiador 492, 553, 594, 690
historiar 594, 847
histórico 124, 594, 873
historieta 594
historiografia 594
historiógrafo 553
historiola 594
histrião 599, 844
histrião 844, 949
histriônico 599
Hitler 913, 949
hiulco 198, 208, 260
Hla Bab Dutchen 998

hobbit 83
hobby 827
hoc genus omne 877
Hoc volo, sic jubeo, sit pro ratione voluntas 964
hodierno 118, 123
hodometria 200
hodômetro 200
hoje 118
hoje ou amanhã 119
Holi 998
holocausto/Holocausto 361, 830, 952, 974, 991
holofote 423
holografia 554, 962a
hológrafo 590
holograma 554
holômetro 244
holossídero 159
homão 373
hombridade 373, 878, 939, 944
homem a quem a barba aponta 440d
homem a quem falta um braço ou que tem uma das mãos cortada 440d
homem alto 206
homem ao mar 645
homem às direitas/da estofa dos antigos 939
homem astuto 700
homem barrigudo (feio) 440d
homem bom 648, 906, 912, 944
Homem bom 948
homem cabeludo ou de cabelo desgrenhado e comprido 440d
homem casado 903
homem cheio de equipações 608
homem com barba 440d
homem completo 500
homem corcovado, mal trajado 440d
homem coxo 440d
homem da lei 967
homem das botas 546
homem de (primeira) impressão 612
homem de agalhas 941
homem de armas 726
homem de barba feita 440d
homem de barba negra 440d
homem de beiços grossos 440d
homem de boa atenção 948
homem de boa cabeça 500
homem de boa ralé 948
homem de boas entranhas 948
homem de cabelo escuro 440d
homem de cabelos dourados 440d
homem de capa em colo 683
homem de cara feia ou de rosto sombrio e carregado 440d
homem de cascão grande/de mau cascão 895
homem de chapa 192
homem de cor 431
homem de dias 130
homem de duas caras 607
homem de expediente 700
homem de fêvera 861
homem de fígado(s) 604, 861
homem de gosto 850
homem de grande esfera 492
homem de grande mérito 492, 700
homem de grandes pestanas 440d
homem de iniciativa 682
homem de leis 968
homem de letras 492, 593
homem de letras gordas 493

homem de má chasona 936
homem de má sombra 913
homem de mancheia 948
homem de mãos curtas 440d
homem de mãos grandes 440d
homem de mau despacho 868
homem de mau interior 949
homem de maus fígados 949
homem de muitos entressolhos 702
homem de nariz grande 440d
homem de negócios 700, 797
homem de olhos azuis claros 440d
homem de olhos grandes 440d
homem de olhos negros 440d
homem de palavra/de honra/de caráter/de princípios/enche-mão/ de boa capa/de boas contas/de boa laia/da mais alta respeitabilidade 939
homem de palha 701, 862
homem de perna quebrada 440d
homem de pernas abertas 440d
homem de pernas altas 440d
homem de pernas curtas 440d
homem de pernas grandes 440d
homem de pernas longas 440d
homem de pernas tortas 440d
homem de pés grandes 440d
homem de pescoço grosso 440d
homem de peso 500
homem de posição/de condição de destaque/de sangue/de prol 175, 875
homem de poucas palavras 585
homem de prol 873
homem de reconhecida probidade 939
homem de representação 175, 642, 875
homem de sangue 949
homem de sete ofícios 792
homem de suposição 700
homem de testa grande 440d
homem de tino 864
homem de trança dourada 440d
homem de trazer e levar 949
homem de três tornozelos 159
homem de saber/de sólida cultura/de fina educação/de muita instrução 492
homem desdentado 440d
homem do dia 175
homem do leme 269, 694
homem do mundo 875
homem dos prazeres 954a
homem dos sete instrumentos 700
homem douto 500
homem duro dos fechos 606
homem é o lobo do homem, O 949
homem elástico 607
homem encorpado/largo das espáduas 440d
homem escolhido 700
homem gordo 192, 202
homem influente 642, 694, 873
homem malfazejo 949
homem para nada 701, 862
homem para tudo 690, 700, 949
homem pequeno de alma e coração 949
homem perigoso 913
homem põe e Deus dispõe, O 601
homem porco 653
homem quantioso 803
homem que manqueja, que claudica ou a que falta perna ou pé 440d

homem que não tem barba 440d
homem que parece ter duas barbas (queixo) por estar muito gordo 440d
homem que tem a barba ruiva 440d
homem que tem as maxilas alongadas e proeminentes 440d
homem que tem barbas como o bode 440d
homem que tem muita barba 440d
homem que tem o beiço inferior pendente ou muito mais grosso que o superior 440d
homem que tem o bordo da pálpebra revirado 440d
homem que tem o cabelo de um louro deslavado 440d
homem que tem olhos azuis 440d
homem que tem remela 440d
homem que tem seis dedos 440d
homem que tem verrugas 440d
homem roto 877
homem ruim 173, 830, 941, 945
Homem ruim 949
homem safado 940
homem sem avoengos 877
homem sobrado 803
homem trigueiro 440d
homem velho 160
homem zarolho 440d
homem, sinais característicos do 440d
homem/lobo do mar 269
homem/mulher de mamas grandes 440d
homem-bicho 949
Homem-Deus 976
homem-peixe 83
homenagear 873, 883, 928
homenagem(ns) 725, 873, 928, 931, 990
homens 372
homens do futuro 167
homenzarrão 192
homenzinho 193, 877
homeopata 662
homeopatia 662
homeopático 32, 193, 662
homeose 464
homérico 597, 873
Homero 597
homicida 361, 907
Homicídio 361
homicídio 964
homilia 586, 595, 990, 998
homiliar 990, 998
homiliário 593
homiliasta 593, 996
homínido 440c
homiziado 623
homiziar(-se) 528, 530, 623, 664, 666
homizieiro (ant.) 361
homízio (ant.) 361, 530, 791
homo antiqua fide 939
Homo homini lupus 949
homo multarum literarum 492
homo suæ spontis 604
homo trium literarum 792
homocêntrico 222
homocentro 222
homófago 298
homofonia 413, 520, 580
homofônico 564
homofonia 413, 520, 564, 580
homofonógrafo 564
homogeneidade 9, 16, 42
homogeneizar(-se) 16, 17

homogêneo | ideias livres

homogêneo 9, 13, 16, 27, 42
homogêneo 42
homogênese 161
homogenesia 161
homogenia 161
homógrafo 27, 520, 564, 580
homologia 9, 16
homólogo 9, 17
homomeria 9
homômero 9
homonímia 520, 564, 580
homônimo 520, 564
homossexual 374a, 897
homossexualidade 374a, 961
homossexualismo 897
homotermal 382
homúnculo 193, 877
honestar 544, 847
honestar-se 939
honestidade 543, 703, 939, 960
honesto 527, 543, 703, 873, 894, 924, 928, 939, 944, 946, 960
honesto na corte 946
honeymoon 903
Honni soit qui mal y pense 937
honni soit! 908
honorabilidade 939
honorário 809
honorários 810, 973
honorável 928
honorificar 973
honorificência 815
honorífico 815, 873
honoris causa 873
honra 733, 873, 928, 939, 953, 960
honradamente & *adj.* 939
honradez 939
honrado 772, 873, 939, 960
honrar 771, 807, 873, 883, 916, 931
honrar com o brilho de sua presença 186
honrar sua palavra 772
honrarias 873, 876
honras 873, 876, 928, 931
honras excepcionais 873
honras fúnebres 363
honroso 873
hoplômaco 726
hora 108, 415
hora amarga do ostracismo 735
hora de crise 665
hora (duvidosa) entre a claridade e as trevas 126, 422
hora infortunada 735
hora suprema 360
hora zero 126
hora(s) canônica(s) 998
Horácio 597
horário 108, 138
horas 106
horas antemeridianas 125
horas de lazer 681
horas de lazer/de ócio/de folga/de parança/de recreio 685
horas do Ângelus 126
horas e horas 110
horas esquecidas/inteiras 110
horas minguadas 735
horas vagas/desafogadas/subsecivas 681, 685
horda 72, 102, 166, 712
horizontal 207, 213, 251, 255
horizontalidade 207, 251
Horizontalidade 213
horizontalizar 213
horizontalmente & *adj.* 213
horizonte(s) 121, 213, 441, 507, 669
horizontes largos/amplos/desafogados 734
horografia 692a

horologia 114
horológio 114
horometria 114
horóptero 246
horoscopar 511
horoscopia 511
horoscópio 511, 512
horoscopizar 511
horóscopo 121, 156, 511
horrendo 31
horrendo 83, 649, 830, 846, 860, 945
horrente (poét.) 846
horrente 830
hórreo (desus.) 636
horribilidade 846
horrida bella 722
hórrido 649, 830, 846, 852, 860
horrífero 830, 846, 860
horrífico 649, 830, 846, 860
horripilação 383, 655, 860
horripilante 649, 830, 846, 860
horripilar 830, 860
horríssono 410, 860
horrível 649, 704, 846
horrivelmente 31
horror 828, 860, 867, 898
horror 867
horrorizado 828, 860
horrorizar(-se) 830, 860
horroroso 649, 830, 846, 860
hors d'œuvre 298
hors de combat 645, 655
horsa 271
horta 182, 371
hortaliças 393
hortar 371
hortelão 371
hortícola 371
horticultor 371
horticultura 371
hortifrutigranjeiro 371
hortigranjeiro 371
horto 369
horto botânico 371
hosana 838, 931, 990
hosana! 838, 990
hosco 440b
hospedagem 184, 189, 892
hospedamento 892
hospedar(-se) 184, 186, 892
hospedaria 189
hospedavelmente 892
hóspede 188, 890, 892
hóspede de 892
hospedeiro 890, 894
hóspedes da floresta 366
hospício 662
hospital 662, 906, 910
hospital de sangue 662
hospitalar 662
hospitalário 662
hospitaleira 996
hospitaleiro 892, 906
hospitalidade 816, 892
hospitalizar 184
hospodar 745
hostal 189
hostau 189
hoste(s) 72, 102, 726
hóstia 204, 998
hóstia do saber 537
hostiário 191, 1000
hostil 14, 24, 603, 708, 867, 889, 891, 898
hostilidade(s) 708, 889, 722
hostilizar 708, 889, 891
hostilmente & *adj.* 708, 889
Hotchkiss 727
hotel 189
hotentote 431
hotentotismo 583
houppelande 225

huerfago 655
huérfago 655, 688
huguenote 984
huguenotismo 984
hulha 388
Hulk 83, 159
humanal 372
humanar(-se) 3, 316, 372, 894
Humani nihil a me alienum puto 910
Humanidade 372
humanidade(s) 78, 537, 560, 906, 910, 914
humanismo 372
humanista 372, 492, 540
humanitário 372, 906, 910, 914
humanitarismo 906, 910, 942
humanitarista 906, 910
humanizar(-se) 316, 372, 894, 914, 976
humano(s) 372, 906, 914
húmil (poét.) 879, 928
humildade 725, 849, 881, 886, 894, 987
Humildade 879
humildar-se 879
humilde 725, 743, 849, 877, 879, 881, 886, 928, 987
humilde de coração 879
humildemente 879
humildoso 879
humilhação 34, 725, 874, 879, 886, 907
humilhado 725, 739, 879
humilhante 874, 879
humilhar 34, 739, 874, 879, 907
humilhar-se 725, 743, 862, 879, 886, 914, 928, 950, 990
humilhoso 874
humílimo 879
humor 5, 176, 333, 339, 602, 608, 653, 820, 829, 842
humor albugíneo 441
humor aquoso 441
humor branco e viscoso 299
humor impertinente/rabugento/desagradável 901a
humorismo 842
humorista 842
Humorista 844
humorístico 842
húmus 168
hurdício 717
huri 845
hurler avec les loups 82
hurler de se trouver ensemble 24
hurra! 838, 931
hússar/hussardo 726
hussard 726
hussita 984
hussitismo 984
hysteron 218

I

I want to be alone (Greta Garbo) 893
iadogã 996
Iago 941
iaiá 902
ialorixá 996
iamologia 662
iamológico 662
iamotecnia 662
iantino 437
iaô 996
iarmulka 999
iatagã 727
iate 273
iatismo 337, 840
iatralipta 662
iatralíptica 662
iatria 662

iátrica 662
iatrogenia 655
iatrogênico 655
iatrógrafo 662
iatrologia 662
iatroquímica 662
iatroquímico 662
íbula (ant.) 45
içar 206, 307
içar uma bandeira 550
Ícaro 268, 863
icástico 556
icnografia 692a
ícone 147, 550, 554, 873
icônico 554, 873
iconoclasmo 984
iconoclasta 165, 913
iconografia 550, 554
iconográfico 554
iconólatra 991
iconolatria 991
iconologia 554
iconômaco 988
ícor 333, 401, 653
icoroso 333, 653
icosaedro 244
ictericia 436
ictericiado 436
ictericiar 436
ictérico 436, 481
ictíaco 412
ictiofagia 298
ictiófago 298
ictiografia 368
ictiográfico 368
ictiógrafo 492
ictióideo 368
ictiologia 368
ictiológico & *subst.* 368
ictiólogo 492
ictiomancia 511
ictiotomia 368
icto 580
icto citius 132
ictóideo 412
id est 522
Id vero verius 543
ida 264, 266, 293
ida e vinda 314
idade 106, 108, 110, 124
idade 108, 110, 124
idade avançada/provecta 128
idade da inocência 127
idade da razão 131
idade de ouro 734
idade de pedra 122
idade em que o sangue gela nas veias 128
idade grave 128
idade madura 128
idade primitiva 122
idade pueril 127
idade média 122
ideação 515
ideal 4, 31, 52, 317, 495, 514, 515, 650, 865
idealidade 450, 515
idealismo 4, 450, 515
idealista 515
idealístico 515
idealização 451, 515
idealizar 451, 515, 626
idear 515, 617, 626
ideável 514
ideia(s) 450, 480, 481, 498, 620, 695
Ideia 453
ideia abstrata 451, 453
ideia dominante 820
ideia fixa 481, 503, 606
ideia luminosa 626
ideias avançadas 748
ideias livres 748

631

Idem per idem | imerecido

Idem per idem 104
identicamente & *adj.* 13
idêntico 13, 27, 104, 464
Identidade 13
identidade 17, 27, 464, 714, 888
identidade visual 692a
identificação 13, 464, 714, 888
identificar 13, 464, 480a
identificar-se no mesmo escopo 709
ideogenia 450
ideografia 554
ideograma 554, 566, 590
ideologia 450, 515
ideológico 515
ideólogo 450, 515
idílico 515
idílio 515, 597, 897, 902
idiólatra 943
idiolatria 943
idioma 560, 566
idiomático 79, 560, 566
idiomorfo 357
idiopatia 481, 820, 865, 897
idiossincrasia 5, 79, 83, 176, 481, 603, 820, 867
idiossincrásico 5, 820
idiota 486, 499, 501, 504
idiotia 499
idiotice 499
idiótico 499
idiotismo 79, 499, 566, 655
idiotizar 499
idma 45
ido 122, 449
idólatra 984, 991
idolatrar 897, 991
idolatria 897
Idolatria 991
idolátrico 991
idolizar 988
ídolo(s) 865, 897, 899, 986, 991
idoneidade 23, 698, 820, 939
idôneo 23, 498, 698, 771, 939
idosa 128, 130, 373, 374
Iemanjá 341, 979
igaçaba (bras.) 191
igara 273
igarapé (bras.) 350
igarité 273
igaruana (bras.) 269
ignaro 491, 499
ignávia 158, 460, 683, 823, 826, 862
ignávio 460
ignavo 603, 683, 862
ígneo 382, 434
ignescente 382
ignição 382
ignífero 173, 382
ignificação 384
ignígero 382
ignipotente 173
ignis fatuus 423
ignispício 511
ignívomo 162, 173, 382, 615, 727
ignizar(-se) 384, 434, 825
ignóbil 643, 649, 819, 862, 877, 886, 943, 945, 961
ignobile vulgum 877
ignobilidade 874
ignobilmente 940
ignomínia 874
ignominiar 874
ignominioso 874, 900, 940, 945
ignorado 475, 526, 874, 877
ignorância 481, 528, 699
Ignorância 491
ignorância crassa/supina/palmar 491
ignorantaço 491
ignorantão 491, 493
ignorante 491, 493, 699

Ignorante 493
ignorantemente & *adj.* 491
ignorantismo 491
ignorar 456, 487, 491, 536, 641
ignoratio elenchi 477
ignorável 643
ignotícia 491
ignoto 491, 526, 528
ignotum per ignotius 477
igreja 1000
igreja católica 983a
igreja de Roma/de Deus 983a
igreja grega cismática 984
igreja judaica 996
igreja latina 983a
igreja livre 984
igreja muçulmana 996
igreja protestante 996
igrejário 1000
igrejeiro (depr.) 988a
igrejinha 545, 712
igrejola 1000
igrejório 1000
Iguaçu 348
igual 13, 26, 27, 255
igual encarado por qualquer prisma 13
igual sob todos os aspectos 13
igualação 27, 30
igualado & *v.* 27
igualamento & *v.* 27
igualar 23, 27, 213, 251, 255, 464
igualdade 13, 16, 465a, 609a
Igualdade 27
igualdade de sentimentos 888
igualdade geométrica 13
igualha 17, 75
igualitarismo 465a
igualmente 27, 37
iguaria 298
iguaria delicada 394
igúmeo 171
il s'en faut bien 489
Il y a des fagots et fagots 15
ila 189
ilação 480, 522, 528
ilação mental 526
ilação não contida nas premissas 477
ilacerado 141, 670
ilacerável 43, 327
ilacrimável 914a, 919
ilapso 144, 294, 976
ilaqueado 43
ilaquear 43, 545, 547, 945
ilativo 480
ilécebra(s) 902
ilegal 83, 495, 739, 761, 923, 925, 964
ilegalidade 738, 773, 925
Ilegalidade 964
ilegalmente 925, 964
ilegitimidade 925, 964
ilegítimo 495, 545, 738, 925, 964
ilegível 519
íleo 440e
ileso 141, 650, 664, 670
iletrado 491, 493
Ilha 346
ilha do sumiço 363
ilhal 236
ilhar 31, 44, 87
ilharasco 167
ilharga(s) 236, 440e, 717, 890, 899
ilhargueiro 11, 236
ilhastro 167
ilheta 346
ilhéu 188, 346
ilhó 260
ilhoa 188, 349
ilhota 346
ilhote 346

Ilíada 873
ilíade 665
ilibado 939, 944
ilibar(-se) 660, 937, 944
iliberal 739, 819, 943
iliberalidade 739, 819, 943
iliberalismo 739
iliberalmente & teocraticamente 481
iliçar 545, 940
ilícito 925, 964
ilídimo 495, 925, 964
ilidir 479, 713
ilimitabilidade 105
ilimitadamente 31
ilimitado 31, 180, 260, 639, 748
ilimitado e ilimitável 105
ilíquido 52, 321, 475, 519
iliterato 491
ilocável 317
ilógico 477, 495, 497
ilogismo 477, 497
ilose 250
ilota 746, 754
ilotismo 749
ilouvável 947
iludir 477, 495, 544, 545, 732, 940
iluminação 420, 423, 490, 558, 692a, 883
Iluminação de Buda 998
iluminação pública 838
iluminado 428, 490, 492, 511, 873, 987
iluminado evangelizador 985
iluminar 537, 420, 428, 434, 446, 518, 847, 873
iluminar o espírito 537
iluminar o quadro 594
iluminista 490, 511, 556, 847
ilunga 271
ilusão 2, 443, 495, 507, 515, 544, 732, 858
ilusão de alma criação do espírito 515
ilusão de ó(p)tica 4, 443, 495, 515
ilusionismo 443
ilusionista 599
ilusivo 477, 495, 545, 773
ilusor 477, 495, 773
ilusório 477, 495, 515, 545, 773
ilustração 82, 490, 522, 554, 558, 595, 847
ilustrado 490, 492, 500, 639, 873
ilustrador 559, 593
ilustrar 82, 518, 522, 554, 873
ilustrar as faculdades da inteligência 537
ilustrar-se 490, 538
ilustrativo 79, 82, 516, 518, 522, 527, 554
ilustre 642, 873
ilustríssimo 876
imã 288, 615, 865
imã 745, 995, 996
imaculabilidade 650, 652, 939, 946
imaculada 960
imaculado 430, 543, 650, 652, 845, 873, 939, 944, 946, 953, 960, 977
imaculado 543
imaculado 650
imaculável 946
imáculo 543, 650, 873, 946
imagem 1000
imagem 17, 21, 220, 240, 448, 453, 554, 569, 650, 845, 998
imagem virtual 443
imagem viva/perfeita/acabada/fiel 554
Imaginação 515
imaginação 546, 698
imaginaçãoardente/ousada/fecunda/profícua/irrequieta/

impressionável/viva/fértil/brilhante/exaltada/ativa/enérgica/escaldante/engenhosa/inventiva/impetuosa 515
imaginadamente & *adj.* 515
imaginado & *v.* 515
imaginador 559
imaginar 451, 514, 515, 626
imaginar 626
imaginária (desus.) 557
imaginário 2, 84, 495, 515, 546, 559, 608
imaginar-se 515
imaginativo 515, 837
imaginável 514
imaginoso 473, 485, 498, 515, 517, 577, 608
imaleabilidade 603, 939
imaleável 323, 606, 939
imanar 157
imane 31, 105, 173, 907, 914a
imanejável 647
imanência 5, 110, 141
imanente 5, 110, 141
imanidade 31
imarcescível 112, 939
imarcessibilidade 112
imarginado 202
imaterial 2, 317, 450, 643
Imaterialidade 317
imaterialidade 4, 450, 643
imaterialismo 317
imaterialista 317
imaterializar 317
imaterialmente & *adj.* 317
imaturação 674
imaturidade 53, 651, 674
imaturo 123, 132, 135, 674, 730
imaviosidade 414
imavioso 414
imbaralhável 18
imbatizado 565
imbecil 499, 501, 547, 701
imbecilidade 158, 643, 593
Imbecilidade 499
imbele 158, 160, 860
imberbe 127, 129
imbo 247
imbório 21
imbrar 245
imbricado 223
imbricar 223
imbrífero 349
imbrífugo 349
imbroglio 59, 704, 713
imbuído 484, 820
imbuir(-se) 52, 300, 484, 537, 615, 695
imediação 199
imediações 227
imediatamente 111, 113, 684
imediatismo 113
imediato 63, 113, 117, 132, 147, 269, 694
imedicável 859
imedido 105, 465a
imeditado 452
imemorado 452, 506
imemorável 124
imêmore (poét.) 506
imemorial 124, 613
imensidade 31, 105, 180
imensidade das imensidades 105
imensidão 31, 105
imensitude 105
imenso 31,102, 105, 180, 192
imensurabilidade & *adj.* 31
imensurável 84,105
imerecedor 485
imerecidamente chamado 565
imerecido 923, 925

imergente | impor tacha/defeito/labéu

imergente 310
imergir 294, 300, 310, 337
imérito 923, 925, 946
imersão 146, 300, 310, 337
imersível 310
imerso (em) 229, 310, 458, 528
imerso em pensamento *(inatento)* 451
imerso em vícios 945
imesclado 42
imigração 266, 294
imigrante 57, 188, 266, 268, 294
imigrar 266, 294
imigratório 266
iminente 121, 152, 286, 673
imiscibilidade 47
imiscível 18, 57
imiscuir-se 228, 682
imisericórdia 907
imisericordioso 907, 914a
imissão 296
imissível 47
imitação 17, 41, 104, 545, 554
Imitação 19
imitação burlesca 555
imitação servil 21
imitado 19
imitador 19
imitar 17, 19, 104, 554
imitar alguém como norma 19
imitativamente 19
imitativo 19, 554
imite 132, 907
imitigável 173, 859, 919
imitir 296
imo 5, 221
imobiliário(s) 780
Imobilidade 265
imobilidade 150, 376
imobilismo 124, 141, 150, 265
imobilista 122
imobilização 265
imobilizar(-se) 142, 150, 265, 613, 623, 681, 683
imoderação 173, 954
imoderadamente 19
imoderado173, 639, 640, 739, 825, 954
imodéstia 878, 880
imodesto 855, 878, 880, 884, 885, 961
imodicidade dos preços 814
imódico 640, 814
imodificável 150, 606
imolação 361, 784, 952, 991
imolador 991
imolando 991
imolar 361, 784, 991, 998
imolar a justiça às conveniências 923
imolar-se 942, 952
imolestado 664, 831
imoral 923, 930, 945, 961, 962
imoralidade 940, 945
imorigerado 954, 961
imorígero (poét.) 954
imorredouro 112, 143
imortal 112, 873
imortalidade 112, 873
imortalidade subjetiva 873
imortalização 112, 873
imortalizar(-se) 112, 873
imortificado 836
imoto 150, 265, 606
imóvel 150
imóvel 174, 189, 265, 683, 780, 823, 860, 870
imóvel como uma estátua 265
impaciência 132, 684, 825, 901a
impacientar(-se) 684, 825, 900
impaciente 173, 264, 507, 682, 684, 825, 859, 863, 865, 900, 901
impaciente 264

impactar 870
impacto 10
impagável 648, 853, 870
Impalpabilidade 381
impalpável 4, 193, 317, 381
impaludar 663
impaludismo 655, 657, 663
impar 10, 44, 84, 87, 839, 870
impar 880, 957
impar de petulância 885
imparcial 29, 498, 740, 922, 939
imparcialidade 922, 939
imparecença 18
imparidade 87
impartilhado 50
impartilhável 50
impartível 87, 321, 327
impassibilidade 265, 683, 823, 826, 866, 871
impassibilizar 174
impassível 172, 174, 265, 376, 456, 823, 826, 866
impatriótico 911
impavidez 604, 861
impávido 826, 861
impecabilidade 650, 868, 946
impecável 650, 922, 931, 939, 944, 946
impecuniosidade 804
impecunioso 804
impedição 706
impedido por 926
impedidor & *v.* 706
impediente 706
impedimento 706, 761, 780, 903
impedir 179, 471, 623, 662, 706, 751, 761
impedir acesso 781
impedir de cair 215
impedir o crescimento de 201
impedir o curso de 70
impedir o passo à luz 426
impeditivo 706
impeitável 942
impelente 276
impelido & *v.* 276, 284
impelir 264, 276, 284, 615, 744
impelir para diferentes partes 73
impendente 121, 286
impender (a) 121, 152, 286, 924, 926
impenetrabilidade 321, 519, 585
impenetrável 59,208, 261, 321, 323, 376, 519, 526, 533, 585
impenitência 606
Impenitência 951
impenitente 606, 739, 951
impenitentemente & *adj.* 951
impensadamente 458
impensado 452, 499, 508, 601, 612
impensado 499
impensável 452, 471
imperador 745
imperante 693, 737, 745
imperar (sobre) 1, 33, 78, 175, 737, 741
imperativo 474, 601, 741, 926
imperatório 737, 739, 741
imperatriz 745
impercebível 447
imperceptibilidade 381, 419, 447, 519, 526
imperceptível 193, 275, 381, 408a, 419, 447, 519, 581
imperceptível aos sentidos 526
imperceptivelmente 32, 823
imperdível 5, 664, 731, 873
imperdoável 649, 919, 938, 945
imperdurável 137, 139

imperecedouro 112
imperecibilidade 112
imperecível 1, 43, 112, 150, 873, 976
imperfectível 651
imperfeição 34, 53, 243, 304, 495, 579, 641, 848, 945
ImperTeição 651
imperfeição moral 945
imperfeiçoar 651
imperfeições da técnica jurídica 964
imperfeitamente 32, 651
imperfeito 21, 34, 53, 491, 555, 641, 651, 659, 848
imperfumado 399
imperfuração 261
imperfurado 261
imperial 181, 737
imperialismo 303
imperialista 303
imperialmente 741
imperícia 491, 667, 699
império 33, 175, 181, 670, 737, 741, 744
império das circunstâncias 744
império das vagas oceânicas 341
império sobre si mesmo 600, 953
imperiosamente & *adj.* 741
imperiosidade 630, 878, 885
imperioso 175, 601, 630, 737, 741, 744, 878, 885, 926
imperito 491, 699
imperituro 112, 873
impermanência 111, 139, 149
impermanente 111, 139, 149
impermeabilidade 261, 316, 321
impermeável 225, 321
impermisto 42, 47
impermitido 925
imperscrutável 519, 528
imperseverante 624
impersistência 624
impersistente 149
impersonalidade 78
impersonalizar 78
impersonificar 78
impertérrito 772, 861
impertinência 10, 135, 608, 765, 841, 885, 901a
impertinência pueril 868
impertinente 135, 174, 739, 830, 885, 887
imperturbabilidade 823, 826, 861
imperturbado 174, 685
imperturbável 174, 823, 826, 861
impervertido 141
impérvio 261, 471, 823
impérvio à clemência 914a
impérvio à luz 426
impérvio à razão 606
impérvio às sugestões 616
impérvio nas trevas 491
impessoal 317
impessoalidade 78
impetigo 655
Ímpeto 612
ímpeto 173, 276, 508, 574, 600, 601, 684, 692, 821, 825, 863
ímpeto de cólera 900
impetra 765
impetração 765
impetrante 765, 767
impetrar 765
impetuosamente 612, 863
impetuosidade 173, 276, 665, 682, 684, 821, 825, 861, 863
impetuoso 171, 173, 274, 574, 612, 630, 684, 821, 825, 861, 863, 865
impiamente & *adj.* 988

impidoso (ant.) 704
impidoso 706, 822, 832
impiedade 649, 907, 914a
Impiedade 988
impiedosamente 31
impiedoso 901, 907
impingir 744, 784, 796, 841
impingir histórias 544
impingir um murro 378
impingir uma mentira 546
impio 907, 988, 989
implacabilidade 898, 900, 919
implacável 173, 601, 604, 739, 830, 898, 907, 914a, 919
implacavelmente 919
implacidez 315, 825
implantação 300, 537
implantado 5, 184, 300
implantar uma bandeira 550
implantar uma dúvida 485
implantar-se 228
implantar-se em 186
implante 300, 537
implausível 471
implemento 633, 772
implexo 41, 519, 704
implicação 14, 24, 219, 489, 526, 536
implicado 9, 24
implicado em processo 969
implicância 14, 24, 489, 603, 704, 713, 867, 901a
implicante 704, 708, 832
implicar 24, 153, 467, 472, 526, 601, 615, 713, 868, 901a, 938
implicar com 489, 603, 830, 907
implicar-se 699, 720
implicatório 513
implícito 516, 526
imploração 765
implorador 765, 767
implorante 765, 767
implorar 765, 865
implorar a graça de 765
implorar pelo perdão 950
implumar 225
implume 129, 226
impolidez 895
impolido 16a, 674, 895
impolítica 699, 895
impolítico 699
impoluto 42, 845, 939, 944, 953
imponderabilidade 317, 320
imponderado 458, 460, 499
imponderável(veis) 4, 317, 320, 477
imponderoso 320
imponência 642, 845, 873, 878, 882, 885
imponente 31, 206, 642, 824, 845, 870, 882
impontual 133, 139, 187
impontualidade 139, 773, 927
impopular 739, 830, 867, 874, 898
impopularidade 874, 898
impopularizar-se 874
impor 300, 630, 741, 744, 928, 974
impor a atenção/a ideia/o pensamento/o espírito/as vistas 457
impor infâmias/falso testemunho 934
impor o chapéu cardinalício 755, 998
impor obrigações e encargos 741
impor pena/castigo 974
impor restrições/condições 751
impor silêncio 479, 581
impor tacha/defeito/labéu 874

633

impor tributos 812
impor um dever & *subst.* 926
imporosibilidade 321
imporoso 321
impor-se 613, 739, 924
impor-se a 175, 731
impor-se à atenção 457
impor-se à confiança 484
impor-se ao respeito 926, 928
impor-se aos aplausos de 931
importação 296
importado 57
importador 795
importância 25, 31, 62, 175, 516, 775, 800, 873
Importância 642
importância despendida 809
importante 31, 33, 175, 476, 642, 824, 875
importar 153, 296, 516, 526, 642, 644, 795, 926
importar em 27, 800, 812
importar-se com 642, 865
importátil 319
importe 809, 812
importunação 765, 841
importunador 765, 841
importunar 104, 765, 830, 841
importunar o ouvido 414
importunidade 765, 841
importuno 706, 765, 830, 841
importuno ao ouvido 414
imposição 630, 741, 744, 749, 812, 925
imposição das mãos 755
imposição de nome 564
imposição de penas 972
imposição do pálio 998
impositivo 741, 744
Impossibilidade 471
impossibilidade 473, 704, 706
impossibilitar 158, 471, 706
impossível 84, 471, 640, 704, 814, 830
impossível ou irrealizável na prática 471
impossuído 777a
imposto 706, 809, 812, 973
imposto 591, 593
imposto a 926
imposto de consumo/de renda 812
imposto indireto 812
imposto territorial 812
imposto/tributo de sangue 722
impostor 544, 548, 726, 878, 880, 884, 885, 887
impostura 544, 545, 546, 702, 878, 884, 885
imposturar 544, 884, 885
imposturia 544
imposturice 544
impotável 395
Impotência 158
impotência 160, 169, 175a, 732
impotencial 1
impotente 158, 160, 175a, 641, 643, 645, 732
impotentemente & *adj.* 158
impraticabilidade 471, 645, 704
impraticado 614, 678
impraticável 261, 471, 704, 859
imprecação 765, 908
imprecação dolorosa 839
imprecar 765, 908
imprecatado 460, 863
imprecativo 765, 863
imprecatório 765, 863
imprecaução 460, 863
Imprecisão 571
imprecisão 139, 465a, 475

impreciso 78, 139, 279, 447, 465a, 475, 519
impreenchido 187, 641
impreenchível 180, 642
impregnação 41,48,161, 296
impregnado 48, 639, 820
impregnar 41, 52, 168, 300, 537, 640, 869
impregnar 41, 52, 300, 537, 640, 869
impregnar-se 296, 538
imprematuro 134
impremeditação 612, 621
impremeditado 156, 612, 621, 674
imprensa 527, 531, 551, 591, 593
imprensar 319, 321, 558, 591
impreparado 674
impresciência 508
imprescindibilidade 630
imprescindível 630
imprescritibilidade 924
imprescritível 924
impressão 375, 453, 484, 490, 550, 558, 590, 591, 821
Impressão 591
impressão desagradável 395
impressão olfática 398
impressionabilidade 615, 822
impressionado 821
impressionamento 824
impressionante 31, 375, 484, 525, 574, 642, 821, 870
impressionar 375, 451, 821, 824, 870, 914
impressionar agradavelmente 829
impressionar bem 829
impressionar mal 830, 846
impressionar o espírito de 537
impressionar-se 821
impressionar-se facilmente 822
impressionável 375, 484, 822, 837
impressionismo 692a
impressível 484, 642
impressivo 375, 484, 821, 824
impresso 591, 593
impressões digitais 550
impressor 591, 593
impressora 590
imprestabilidade 645
imprestável 158, 643, 645
impretendente 866, 942
impreterível 474, 601, 859
imprevidência 460, 667, 674, 818
imprevidente 460, 674, 818
imprevisão 460, 674
imprevisível 621
imprevistamente 132, 508
imprevisto 135, 156, 508, 612, 621, 674
imprimidor 591
imprimir 264, 550, 558, 591, 800
imprimir movimento 284
imprimir na memória 505
imprimir na mente 537
Improbabilidade 473
improbidade 791, 874, 907, 940, 947
improbidade administrativa 791
improbo 704, 907, 923
improcedência 546, 615a
improcedente 477, 495, 546, 615a, 923
improdutibilidade 645
improdutivamente & *adj.* 169
Improdutividade 169
improdutividade 645
improdutivo 169, 645
improferível 961

improficiência 491, 699
improficiente 699
Improficiente 701
improficuidade 169, 645
improficuo 169, 645, 732
improfundo 209
improgressivo 70, 139
improlífero 169
impromptu 612
impronúncia 970
impronunciar 480, 918, 970
improperação 932
improperar 907, 929, 932
impropério 874, 907, 929
impropício 24,135
improporção 24
improporcionado 241
improporcionar 241
impropriamente chamado 565
impropriar 24,135, 647
impropriedade 24, 647
Impropriedade 925
impróprio 6, 24,135, 495, 499, 647, 657, 699, 923, 925
improrrogável 474, 601, 859
impróspero 511, 735
improvado 477
improvável 137, 471, 473
improvidência 460, 674
improvidente 674, 818, 863
impróvido 674, 818
improvisação 612, 674
improvisado 106, 612
improvisador 548, 582, 597, 612, 844
improvisar 415, 416, 515, 544, 582, 612, 673, 674
improvisar uma desculpa 546
improvisata 586, 597
improviso 508, 586, 597
improvocado 156
imprudência 458, 460, 499, 667, 699, 863, 945, 947
imprudente 458, 460, 863
impuberdade 127
impúbere 127
impubescente 127
impubescido 131
impudência 885, 895, 940
impudente 885, 887, 895, 940, 945, 947, 961
impudicícia 961
impudico 897, 940, 945, 961, 962
impudor 885, 961
impugnação 468, 479, 536, 708, 716, 756, 932
impugnador 710
impugnar 468, 479, 536, 708, 716, 756, 932
impugnativo 708
impugnável (*falso*) 485
impulsão 276, 284, 612, 615
impulsar 276, 615
impulsionar 35, 264, 276, 284, 615, 707
impulsionar os ânimos 824
impulsiva 276
impulsivamente & *adj.* 615
impulsivo 276, 284, 481, 601, 612, 615, 825, 863
impulso 176, 282, 284, 574, 608, 612, 615
Impulso 276
impulso incontido 821
impulso natural/cego/onipotente 601
impulso para frente 658
impulso repentino 612
impulsor 276, 284, 615
impulsor e condutor de 615
impune 671, 918, 970
impunidade 671, 925, 927, 970

impunido 671, 970
impunível 648, 922, 944, 946
impureza 40, 41, 299, 653, 984
Impureza 961
impureza do espírito 653
impuridade 653, 961, 984
impurificar 653, 961
impuro 41, 651, 653, 657, 940, 945, 961, 984
imputação 155, 874, 938
imputador 938
imputador de calúnia 936
imputar 155, 874, 934, 938
imputar responsabilidade 155
imputável 155, 938
imputrescível 112
imudável 80, 150, 265, 604a
imundícia 653
imundície 653, 961
imundo 649, 653, 940, 945, 954, 961
imune 670, 815, 927a
imunidade 670, 748, 924, 927a
imunidade diplomática/parlamentar 927a
imunizar 670
imunologia 662
imutabilidade 150, 606, 976
imutação 140, 144
imutado 141
imutar 140
imutável 5, 16, 69, 80, 110, 141, 150, 265, 604a
imutavelmente & *adj.* 150
imutilado 50
in absentia 187
in actu moriendi 360
in adversum 218
in articulo 111
in articulo mortis 360
in bello 722
in câmera 528
in diem 106
in embryo 153
in eternum 112
in extenso 573
in extremis 360
in extremo 704
in flagrante delicto 680, 947
in forma pauperis 804
in foro conscientiæ 926
in integrum 50
in limine 66
in loco 183
in medio rebus 682
in memoriam 363, 505
in mente 451, 515
in morem 613
in naturalibus 226
in nomine 4, 562
in nubibus 2
in occulto 447, 528
In omne volubilis oevum 112
in ovo 153
in pace 752
in perpetuum 112
in petto 450, 454, 526, 528, 620
in pontificalibus 999
in posse 470
in presente 118
in primo loco 62, 66, 116
in processa ætate 128
in promptu 673
in propria persona 79, 186
in puris naturalibus 226
in secula seculorum 112
in seipso totus teres atque rotundus 650
In silvam non ligna feras insanius 640
in situ 183
in statu pupillari 127, 538, 541
in statu quo 141, 660

in summa 572
in terrorem 668, 860, 909
in the right place 646
in toto 52
in transitu 111, 144, 270, 627
in tribus verbis 572
in utrumque paratus 673
inabalado 159
inabalável 43, 150, 174, 179, 323, 487, 604, 604a, 719, 823, 826, 861, 939
inabdicável 5, 924
inábil 158, 699
Inabilidade 699
inabilidade 158, 239, 499, 645, 732
inabilidoso 699
inabilitação 674
inabilitar 158, 932
inabilmente & *adj.* 699
inabitado 187, 624, 893
inabitável 169, 187, 657, 893
inabitual 137, 508
inabordável 105, 196, 206, 304, 471, 519, 878, 893, 895
inabstêmio 954
inabstinência 954
inabstinente 954
inacabado 53, 730
inacabamento 53, 460
inacabável 31, 105, 112
Inação 681
inação 58, 172, 174, 460, 605, 623, 674, 683, 687, 823, 826, 866
inaceitável 24, 55, 477, 495, 764, 830, 923, 930, 932
inaceito 55
inacendível 385
inacessibilidade 571
inacessível 105, 196, 208, 261, 304, 471, 571, 704, 812, 878, 893, 895
inacessível a empenhos 939
inacessível a qualquer engenho 519
inacesso (poét.) 196, 471
inaciano 996
inacidentado 16
inaclimável 10, 57
inacreditável 508, 870
inacusável 946
inadequabilidade 647
inadequação 83
inadequado 24, 135, 158, 641, 645, 647, 699, 925
inaderência 47
inaderente 47
inadiável 474, 601
inadimplemento 773, 808
inadimplência 806, 808
inadimplente 806, 808
inadimplir 806, 808
inadmissão 55, 77, 647
inadmissibilidade 55, 647
inadmissível 5, 24, 31, 55, 647, 814, 830
inadmitido 55
inadmitir 77, 485
inadquirido 777a
inadquirível 5, 814
inadulterado 494
inadvertência 458, 495, 674, 863
inadvertido 458, 674, 863
inaflito 831
inaglutinação 47
inalação 296, 662
inalado 440c
inalar 296, 398
inalcançado 304
inalcançável 196, 304
inaliável 14, 24, 179
inalienabilidade 781, 924
inalienação 781
inalienável 5, 781, 924

inalterabilidade 141, 150, 174, 823, 826, 866
inalterado 826
inalterar 150
inalterável 5, 16, 80, 138, 141, 150, 174, 604a, 826, 866
inamável 895
inambicioso 823
inambulação 314
inamissibilidade 924
inamissível 924
inamolgável 323, 604a, 606, 898, 907, 914a, 919
inamovibilidade 265
inamovível 150, 265, 924
inane 4, 53, 477, 641, 643, 645
inânias 643
inanição 158, 160, 641, 643
inanidade 4, 53, 517, 641, 643, 645, 880
inanido 160
inanimado 160, 172, 358, 360
inânime 358, 360
inanir 160
inapagável 505, 821
inaparente 447, 526
inapelável 601, 859
inapetência 823, 866
inaplicabilidade & *adj.* 24
inaplicável 24, 477
inapreciável 31, 32, 105, 193, 642, 644, 648
inaproveitabilidade 169
inaproveitado 782
inaproveitável 169, 645, 647, 649
inaproximável 105, 196
inaptidão 24, 158, 499, 641, 645, 651, 699
inapto 641
inárculo 993
inarmonia 24, 414, 720
inarmônico 414, 720
inarmonioso 24
inarrável 31, 870
inarrecadável 776
inarrependido 951
inarticulação 87, 583
inarticulado 44, 87, 581, 583
inartificial 5, 674, 703, 849
inartificialidade 849
inartificioso 703, 849
inartístico 846
inascível 2, 976
inassiduidade 187, 624
inassimilável 6, 57
inatacabilidade 650
inatacável 494, 650, 664, 845, 924, 939
inatenção 451, 452, 499
inatendível 923, 925
inatentamente 458
inatento 458, 460, 823
inatestado 468
inatingido 105, 304
inatingir 304
inatingível 196, 206, 208, 304, 471, 895
inativamente & *adj.* 683
inatividade 160, 172, 265, 275, 376, 458, 460, 624, 681, 866
Inatividade 683
inatividade intelectual 452
inativo 172, 265, 275, 460, 609a, 681, 683, 699, 823, 866
inato 2, 5, 820
inatraente 846, 866
inaturável 830, 867
inaudaz 605
inaudibilidade 419
inaudito 31, 83, 473, 475, 491, 508, 526, 528, 830
inaudível 403, 405, 408a, 419, 581

inaudivelmente 405
inauferível 5
inauguração 66, 755, 883
inaugural 62, 64, 66
inaugurar 66, 116, 883
inaumentado 36
inaumentável 36
inauspicioso 135, 649, 859
inautenticado 495
inautenticidade 544
inautêntico 468, 475, 544, 545, 546
inautorizado 475, 738, 761, 925
inauxiliado & *v.* 706
inavegado 491
inavegável 261, 471
inca 745
incabível 24
incabrestável 825
incalcinável 150
incalculável 31, 105
incalculavelmente 31
incameração 789
incamerar 789
incandescência 382, 384, 825
incandescente 382, 384, 434, 825
incandescer 384
incandescer-se 825
incanoro 414
incansado e incansável 69
incansável 110, 604a, 682, 686
incão 196
incapacidade 158, 471, 491, 499, 641, 645, 699, 925
incapacitado 158
incapacitar 158, 471
incapaz 158, 160, 499, 699, 925
incapaz de compreender coisas elevadas 491
incapaz de dizer sim ou não 605
incapaz de mostrar-se em público 874
incapaz de qualquer deslize 939
incapaz de reação e resistência 547, 605
inçar 52, 72, 73
inçar a ninhada 161
incaracterístico 6
incarbonizável 385
incastigado 970
incastigável 648, 922, 944, 946
incasto 945, 961
incauto 460, 863
incelença 839
incelência 839
incender 382, 825, 900
incendiar 162, 173, 382, 384, 824
incendiar o Amazonas 471
incendiário 165, 382, 384, 615, 742, 907, 911, 913, 949
incendiar-se 384
incendiável 384
incendido 420, 434, 824
incendimento 821, 824, 825, 900
incêndio 146, 162, 173, 382, 384, 420, 722, 830
incêndio das paixões 825
incendioso 384
incensação 933
incensadela 933
incensador 933, 935
incensar 314, 933
incensário 933, 935
incensário ou incensório 1000
incenso 356a, 388, 400, 928, 931, 933, 990, 998
incensório 933, 935, 998
incensurabilidade 650
incensurado 931
incensurável 494, 650, 922, 946
incentivar 824

incentivo 615, 625
incentor 615
incerimonioso 881, 895, 929
incertamente 475
Incerteza 475
incerteza 139, 465a, 519, 571, 605, 621, 704
incerteza aflitiva 828
incerto 78, 121, 137, 139, 149, 156, 422, 447, 475, 503, 519, 605, 704
incessante 69, 104, 110, 112, 136, 604a
incessável 112, 136
incessibilidade 924
incessível 924, 925
incesso 925
incestar 961
incesto 961
incestuoso 961
incha 713, 867, 898
inchação 194, 250, 880
inchaço 250, 880
inchado 194, 575, 577, 878, 880
inchado de frases banais 575
inchamento 194
inchar 194, 878
inchar-se 880
iniciativa 682
incicatrizável 112, 919
incidência 156
incidental 151, 156
incidente 151, 156
incidente inesperado 508, 509
incidentemente 10, 491, 621
incidir 175, 469
incidir em comisso 974
incidir na sanção do Código Penal 947
Incidit in Scyllam qui vult vitare Charybdim 665
incindível 43
incineração 384
incinerar 162, 363, 384
incipiência 66
incipiente 66
incipit 66
incircunciso no espírito 606
incircunscritível 105
incircunscrito 105, 180, 260
incircunspecto 460
incisão 44, 257, 259, 260
incisar 259
incisivo 171, 516, 572, 574, 821
inciso 51, 571
incisório 253
incisura 44, 259
incitabilidade 826
incitação 615, 715, 824
incitado 900
incitador 615, 715
incitamento 615, 695, 715, 824
incitante 615, 715
incitar 171, 173, 615, 715, 824
incitar a atenção/a ideia/o pensamento/o espírito/as vistas 457
incitar a guerra 722
incitar o coração 824
incitativo 615
incitativo 715
incivil 852, 895
incivilidade 895
incivilizado 674, 877, 895
inclassificável 471, 645, 649, 932
inclemência 173, 383, 739, 744, 914a, 919
Inclemência 914a
inclemência da miséria 804
inclemente 739, 914a
inclinação (da agulha) 278
inclinação 5, 7, 176, 217, 278, 279, 600, 602, 698, 820, 865, 888, 897, 928

inclinação da balança | incriticável

inclinação da balança 28
inclinação de cabeça 308, 488, 550
inclinado 217, 615, 820
inclinado a 176, 602
inclinado ao favoritismo 923
inclinado aos pleitos 969
inclinado para 865
inclinado para baixo 214
inclinar 217, 245, 278, 897
inclinar a balança 153
inclinar a proa para 278
inclinar sua preferência para 865
inclinar-se 176, 217, 308, 481, 488, 602, 879, 928
inclinar-se a vitória para 731
inclinar-se à vontade de 725
inclinar-se ao favor contrário 607
inclinar-se diante 928
inclinar-se para 279, 820
inclinar-se para a ruína 124
inclinar-se para a sua ruína 659
inclinar-se por 609, 925
inclinar-se por alguém 888
inclito 873
incluído 76, 526
incluir 54, 76, 227, 300, 551
inclusão 54, 465a
Inclusão 76
inclusiva 76
inclusivamente & *adj.* 56
inclusive 37, 76
inclusivo 56, 76
incluso 76
incoação 66
incoagulado 333
incoagulável 333
incoalescência 47
incoar 66
incoarctado 50
incoativo 66, 673
incobrável 776, 808, 815
incoerção 748
incoercibilidade 742, 748
incoercível 173, 748
incoerência 47, 477, 497, 503, 517
incoerente 10, 24, 47, 477, 497, 499, 517
incoerentemente & *adj.* 47
Incoesão 47
incofesso 528
incogitado 452, 508, 612
incogitado e incogitável 2
incogitável 452
incógnita(s) 491, 528
incógnito 491, 526
incognoscível 519
incoincidência 15
incola 188
incolor 422, 429, 575, 579, 605, 609a
incólume 141, 650, 670
incolumidade 377, 656, 664, 670
incombente 217
incombinado 47
incombinável 24, 47, 179, 713
incombinável 889
incombustível 385
incombusto 385, 670
incomensurabilidade 10, 105
incomensurável 10, 85, 105
incomodado 655
incomodante 649
incomodar 410, 414, 830, 841
incomodar-se 459, 828
incomodativo 649, 830
incomodidade 706, 830
incômodo 24, 319, 647, 649, 655, 686, 704, 706, 830, 841

incômodos 735, 828
incomparável 10, 14, 18, 33, 648, 650, 656, 870
incompassivo 907
incompatibilidade 647, 708, 889
incompatibilizado 713
incompatibilizar-se 889
incompatibilizar-se com 713
incompatível 10, 14, 24, 647, 889
incompatível discordante 647
incompensável 648, 870
incompetência 158, 491, 499, 641, 699, 925
incompetente 158, 491, 641, 645, 649, 699, 925
incomplacência 739, 914a, 919
incomplacente 739, 907, 914a, 919
incompletação 730
incompletamente & *adj.* 53
incompleto 53, 64, 651, 674, 730, 732
incompletude 304, 730
incomplexibilidade 705
incomplexidade 58
incomplexo 58, 59, 84, 518, 705
incomportável 640, 645, 830
incompossível 24
incomposto 42
incompreender 491
Incompreensão 452
incompreensibilidade 517, 519, 571
incompreensível 105, 519, 526, 528
incompreensivelmente & *adj.* 519
incompressibilidade 321
incompressível 321
incompressor 320
incompto 703, 849, 852
incomum 83
incomunicabilidade 44, 87, 528, 781, 893
incomunicabilizar-se 893
incomunicante 517
incomunicativo 528
incomunicável 44, 87, 517, 751, 781, 893
incomutabilidade 150
incomutável 150, 945
inconcebível 471
inconcebível 83, 473, 485, 519, 845, 870
inconceição 674
inconceptibilidade 471
inconceptível 519
inconcepto 471, 473, 932
inconcessível 471, 964
inconcesso 761, 964
inconciliabilidade 24, 889
inconciliação 24
inconciliável 10, 24, 179, 497, 889, 891
inconcludente 477
inconcluído 730
inconclusão 304
inconclusividade 730
inconclusivo 477
inconcluso 730
inconcordável 10, 14, 24
inconcordável 889
inconcusso 150, 476, 494, 604, 604a, 650, 946
incondenado 970
incondenável 970
incondicionado 748
incondicional 52, 612, 748, 760, 762, 815, 886
incondicionalidade 748, 886
incondicionalismo 886
incondicionalmente 601
incôndito 59, 519
inconexão 10, 44

inconexo 44, 70
inconfessado 489
inconfessável 528, 649, 932
inconfiável 139
inconfidência 529, 742, 940
inconfidente 529, 607, 742, 940, 941
inconfirmado 546
inconformado 475
inconformável 951
inconformidade 16a, 28, 489, 536, 708
inconfortado 837
inconfortável 830
inconfundível 15, 18, 33, 79, 465, 873
inconfundível 873
incongelado 333
incongelável 143, 150, 333
incongenial 24
incongruência 24, 83, 699
incongruente 14, 24, 647
incongruidade 24
incôngruo 24
inconho 367
inconjugável 150
inconquistabilidade 664
inconquistado 159, 748
inconquistável 159, 471, 604, 604a, 606, 664, 722, 939
inconsciência 376, 491, 699, 823, 907
inconsciencioso 940
inconsciente 486, 491, 601, 643, 823
inconsciente 940, 945
inconscientemente 612
inconsentâneo 24
inconsequência 10, 14, 477, 699
inconsequente 10, 24, 499, 608
inconservável 328
inconsideração 458, 584, 699, 863
inconsideração pelo tempo 115
inconsiderado 452, 458, 460, 605, 699, 863
inconsiderável 32, 643
inconsistência 149, 497, 499, 605
inconsistência flagrante 477
inconsistente 149
inconsistente 24, 149, 475, 497, 499, 608
inconsolabilidade 837
inconsolável 837, 859
inconstância 16a, 137, 139, 149, 605, 624
inconstante 137, 139, 149, 266, 279, 458, 475, 605, 608, 624
inconstitucional 925, 964
inconstituído 452, 458, 460, 499, 601, 612
inconsumível 50, 112
inconsumível 50, 112, 150, 159
inconsunto 50, 112, 141, 150
inconsútil 16, 43, 50, 69
incontaminado 42, 670, 939, 944, 953, 960
incontável 105
incontentabilidade 868
incontentado 489
incontentável 868
incontérrito 871
incontestado 474
incontestável 31, 474, 476, 494, 543
inconteste 474
incontido 173, 748, 825, 863
incontinência 945, 954
incontinência gastronômica 957
incontinente 961
incontinuidade 70, 142

incontínuo 70
incontornável 471
incontrariável 739, 901
incontrastável 150, 601
incontrito 951
incontrolável 173, 825
incontroverso 474
incontrovertido 488
incontrovertível 474
inconvencível 487
Inconveniência 647
inconveniência 135, 499, 699
inconveniente 135, 499, 619, 647, 649, 706, 852, 925, 940
inconvenientemente & *adj.* 647
inconversável 585, 893
inconversível 143, 150
inconvertido 489
inconvertível 143, 487, 489
inconvidativo 830, 866
incoordenação 61
incoordenado 315
incopiado 20
incorporação 48, 76, 775
incorporado 76
incorporado à língua 563
incorporar 37, 41, 43, 48, 50, 72, 554
incorporar ao patrimônio de 789
incorporar(-se) 56, 712
incorporeidade 317
incorpóreo 4, 317
incorreção 495, 568
incorrendo na pena 974
incorrer 947
incorrer a nota de 932
incorrer em 177
incorrer em censura 932
incorrer em comisso 974
incorrer em excomunhão 908
incorrer na excomunhão 874
incorrer no desagrado/na excomunhão 874
incorrer no rancor de 830
incorrer nota de 874
incorrer nota de ingrato 917
incorreto 477, 495, 568
incorrigibilidade 606, 951
incorrigível 606, 720, 859, 951
incorru(p)tibilidade 939
incorru(p)tível 922, 939
incorru(p)ção/incorrupção 946
incorrupção 939
incorruptível 112, 141, 150, 543, 650
incorrutível ou incorruptível 942, 944
incorruto 141, 670
incorruto a promessas e lisonjas 939
incotejável 10
incredibilidade 31, 471, 473, 485
incredulamente & *adj.* 485
Incredulidade 487
incredulidade 485, 989
incrédulo 485, 487, 989
incrementado 35, 658
incrementar 35, 658
incremento 35, 194, 658
increpação 932, 938
increpante 938
increpar 932, 938
incréu 485
incriado 2, 976
Incriado 70
incriável 471
incriminação 938
incriminar 155, 932, 938
incriminatório 932
incristalizável 143, 150
incriticável 648, 650

incrível | indolência

incrível 31, 83, 471, 473, 485, 614, 642
incruento 721
incrustação 223, 300, 847
incrustação calcária 653
incrustar 221, 257, 847
incubação 161, 528, 611, 626, 673
incubado & v. 526
incubar 161, 526, 544, 611, 620, 673
íncubo 378, 649, 828, 860, 978, 980
íncude 215
inculca 455, 461, 527
inculcação 537
inculcadeira 962
inculcadeiro 527
inculcador 527
inculcar 527, 529, 537, 549, 550, 615, 695
inculcar para a prostituição 961
inculcar-se 855, 880, 882, 884
inculpabilidade 946
inculpação 938, 946
inculpado 946
inculpar 932, 938, 947
inculpar alguém como responsável 938
inculpável 946
inculposo 946
incultivado 491
incultivável 169
inculto 256, 491, 579, 674, 681, 852, 877, 895
incultura 491, 674
incumbência 625, 755, 926
incumbir 755
incumbir a 924, 926
incumbir-se 625
incunabula 127
incunábulo 66, 153, 593
incurável 5, 601, 655, 859
incúria 624, 674, 927
incurial 16a, 59, 139, 647
incurialidade 59, 83, 139
Incuriosidade 456
incuriosidade 460, 866
incurioso 456, 458, 460
incursão 294, 716, 791
incurso 716, 947, 971, 974
incurso em erro 495
incutir 300, 514, 207
incutir coragem 615
indagação 455, 461, 595
indagador 461
indagar 455, 461
indagar por experiências 463
indébito 925
indecência 647, 945, 961
indecente 647, 852, 853, 874, 923, 925, 945, 961
indecidido 461, 475
indecifrável 519, 870
indecisão 29, 603, 605, 609a
indeciso 279, 475, 605, 609a, 730
indeclarável 31, 528, 870
indeclinável 141, 150, 601
indecomponível 42, 50, 87, 150
indecoro 852, 874, 945, 961
indecoroso 852, 874, 925, 945, 961
indefectibilidade 474, 650
indefectível 112, 474, 494, 650
indefensável 158, 665, 725, 938, 947
indefensibilidade 665
indefensível 158, 665, 938, 945
indefenso 158
indeferimento 761, 764
indeferir 764
indefeso 158, 665, 725

indefesso 69, 604a, 682, 686
indeficiente 474, 639, 650
indefinição 519, 609a
indefinidamente 107
indefinido *(incerto)* 495
indefinido 105, 156, 447, 475, 495, 515, 519, 609a
indefinito 156, 515
indefinível 515, 517
indeformado 845
indeformável 150
indeiscente 261, 367
indelével 150, 505, 550, 821, 873
indeliberado 605, 612
indelicadeza 895
indelicado 647, 852, 895
indelineável 447
indemarcado 465a, 475
indemonstrável 477
indene 670
indenidade 30, 670, 918, 973
indenização 30, 790, 952, 973
indenizar 30, 790, 807, 952, 973
independência 10, 489, 748, 803, 927a
Independência ou morte! 750
independente 748, 803, 984
independente de raciocínio 477
independer 10
indepreensível 193
indesatável 43
indesbotável 428
indescobrível 526
indescosível 43
indescritível 83, 845, 860, 870
indesculpável 874, 938, 945
indesejabilidade 647
indesejado 866
indesejável 24, 57, 499, 645, 647, 706, 830, 866, 930, 940
indesejoso 866
indestronável 143, 924
indestruído 50, 141, 670
indestrutibilidade 321
indestrutível 43, 112, 150, 323, 476, 505, 604a, 821
indesviável 150, 604a
indesvirginado 960
indeterminação 156, 465a, 475, 605
indeterminado 78, 109, 156, 279, 461, 465a, 475, 519
indeterminar 465a
indetido 143
indevassado 491
indevassável 105, 261, 528
indevidamente & *adj.* 925
indevido 495, 647, 925, 964
indevoção 989
indevoto 989
index 379, 550
index expurgatório 761
index expurgatorius 761
indexação 812, 814
indicação 525
Indicação 550
indicação 108, 457, 467, 522, 525, 564, 668, 695, 697, 741
indicação de autoridade 550
indicação de descoberta 550
indicação de desgraça 550
indicação de distância 550
indicação de inocência e virgindade 550
indicação de perigo 550, 669
indicação de quantidade 550
indicação de religião 550
indicação de triunfo 550
indicação do futuro 550
indicação do passado 550
indicado 646
indicador 379, 467, 550, 781

indicar 79,155, 467, 516, 525, 550, 642, 695
indicar a razão de 155
indicar as várias faces sob as quais se possa encarar uma questão 476
indicar com exatidão 474
indicar mais de um objeto 100
indicativo 5, 467, 550
indicatório 467, 550
indicção 697, 995
índice 84, 86, 466, 550, 562, 593
indiciado 938, 971
indiciador 938
indiciar 550, 938, 969, 971
indício 550, 551
indício de verdade 472
indício veemente 478
indícios de crise 668
indícios que deixam presumir a verdade 472
indícios veementes 947
indiço 188
indículo 550
Indiferença 866
indiferença 456, 458, 460, 603, 609a, 624, 823, 826, 871, 889, 930
indiferença pelas coisas do passado 506
indiferente 172, 376, 456, 458, 460, 609a, 624, 823, 826, 866
indiferente aos males alheios 907
indiferentemente & *adj.* 866
indiferentismo 823, 866, 930
indiferentismo pelas letras 491
indígena 188
indigência 641, 804
indigente 643, 804
indigerível 867
indigestão 640, 655, 957
indigesto 59, 323, 674, 841, 846, 867
indígete 861, 873, 948
indigitado 550
indigitar 457, 514, 527, 550, 695
indignação 832, 898, 900
indignação lavra em vibrantes protestos, A 900
indignado 900
indignamente 940
indignar 900
indignar-se 900, 932
indignar-se com 867
indignidade 874, 886, 929, 940, 945
indigno 647, 649, 699, 862, 874, 886, 925, 932, 940, 945
indigno de confiança 495
indigno de crédito 485
indigno de qualquer cogitação 643
indigno de se nomear 649
índigo 438
indilatável 326
indiligência 460, 624, 674, 683, 927
indiligente 460
indiluto 50
indiminuto 33
indir 44
indiretamente 526, 629
indireto 279, 477, 526, 629
indirigível 327, 323
indiscernibilidade 447
indiscernível 447, 519
indisciplina 59, 674, 738, 742, 945
indisciplinabilidade 606, 951
indisciplinado 606, 719, 720, 738, 742, 748
indisciplinar 61, 659, 742

indisciplinar o espírito 452
indisciplinável 742, 748, 825, 951
indiscreto 455, 461, 499, 584, 863
indiscrição 460, 499, 588, 699
Indiscriminação 465a
indiscriminação 59, 475
indiscriminadamente 41, 42, 465a, 609a
indiscriminado 41, 59, 81, 465a, 475, 621
indiscriminável 59, 447, 465a
indiscutibilidade 474, 645
indiscutível 1, 474, 476, 494, 649, 926
indisfarçado 525
indisfarçável 525
indispensabilidade 630
indispensável 56, 150, 474, 601, 613, 630, 639, 642
indisponibilidade 781
indisponível 601
indispor 616, 832
indispor(-se) 713, 889, 891
indisposição 655, 713, 889
indisposto 603, 655, 713, 889, 901a
indisputabilidade 474
indisputado e indisputável 474
indisputável 474
indisputavelmente 154, 476
indissimulado 703
indissolubilidade 43, 321
indissolúvel 43, 50, 69, 143, 321
indissolvabilidade 321
indissolvido 50
indistinção 13, 59, 447, 465a
indistinguível 447, 465a
indistinto 13, 81, 405, 447, 465a, 475, 519, 609a
inditoso 828
individuação 79
individuador 79
individual 79, 87, 372, 550
individualidade 3, 20, 79, 83, 100a
individualidade de escritor e de esteta 578
individualismo 911, 943
individualista 943
individualizar 79, 564
individuar 79
indivíduo 84, 87, 372, 373, 877
indivíduo diplomado em todas as faculdades da perversidade 949
indivíduo impulsivo 612
indivíduo mal-afamado 949
indivíduo muito conhecido da polícia 949
indivíduo perigoso 949
indivíduo que figura sempre nas crônicas policiais 949
indivíduo que se vendeu ao diabo 949
indivíduo sem lisura/de consciência cauterizada 949
indivisão 778
indivisibilidade 321
indivisível 42, 50, 87, 150, 321, 465a
indiviso 50, 52, 465a, 778
indivulgado 526
indizível 519, 870
indoável 781
indócil 173, 603, 704, 742, 951
indocilidade 158, 603, 606, 742, 951
indocilizar 742
índole 5, 7, 820
índole pacífica 826
indolência 158, 172, 376, 460, 623, 681, 683, 823

indolente | infiltrado

indolente 172, 275, 376, 460, 683, 823
indolor 376, 827
indomado 159, 173, 852
indomável 159, 173, 604, 604a, 704, 719, 722, 742, 825, 852, 861
indomesticado 674
indomesticável 159, 173, 623, 852
indoméstico 623, 674, 852
indômito 173, 674, 722, 852, 861, 878
indoor 531
indouto 491
indúbio 474
indubitabilidade 474
indubitável 474, 535
indubitável e indubitado 525
indubitavelmente 474
indução 461, 476, 480, 615
indúcias 133, 142, 480, 723
indúctil 606
inductilidade 323, 579
indulgência(s) 602, 740, 760, 906, 910, 914, 918, 998
indulgenciar 740, 906, 918
indulgente 602, 648, 740, 760, 762, 826, 906, 914, 918
indultado 918
indultar 740, 918
indultário 918
indulto 760, 918
Indumentária 225
indumentária 6, 220, 569
indumento 223, 225, 569
induração 323, 951
indurado 323, 951
indúsio 225
indústria 625, 682, 698, 702
indústria das abelhas 370
industrial 690, 805
industriar 698
indústrio (ant.) 698
industrioso 604a, 682, 686, 698, 940
indutar 223
indútil 323
indutivo 615
induto 223
indutor 615
indúvia 223
induzido 615
induzidor 615
induzimento 615
induzir 153, 175, 476, 480, 545, 615, 695, 829
induzir a crer 484
induzir em erro 477
inebriante 829, 959
inebriar 829
inebriar-se 827, 959
ineclipsável 33
inédia 956
ineditismo 20
inédito 18, 20, 123, 491, 526
ineducado 491
inefável 829, 870
ineficácia 158, 175a, 641, 645, 732
ineficaz 24, 158, 172, 175a, 477, 641, 645, 647, 732
ineficazmente & *adj.* 175a
ineficiência 158, 645, 732
ineficiente 158, 172, 477, 645, 732
inegável 474
inelasticidade 326
inelástico 326
inelegância 846, 852
inelegante 579, 846, 895
inelutável 474, 601, 844
inemendável 951
inenarrável 31, 83, 870
inenfraquecido 159

inépcia 158, 497, 499, 699
ineptidão 158, 499, 699
inepto 24, 158, 477, 499, 645, 647, 699
inequação 28
inequivocamente 31
inequivocidade 570
inequívoco 31, 474, 484, 494, 518, 527, 535, 543, 570
Inércia 172
inércia 141, 175a, 265, 460, 615a, 623, 681, 683, 699, 823, 866
inércia física 172, 826
inércia mental 172
inercial 615a
inercialmente 615a
inerência 5
inerente 5, 56, 820
inerir 5
inerme 158, 665
inerradicável 150
inerrância 474, 650
inerrante 265, 474, 494, 731, 946
inerte 172, 175a, 326, 360, 606, 615a, 624, 681, 699, 823, 866
inerte e impassível 547
inervar 159
inescrupulosidade 940
inescrupuloso 940
inescrutabilidade 519
inescrutável 519
inescurecível 505, 518, 642, 873
inescusável 601, 630, 938
inês da horta 877
inesgotabilidade 105
inesgotável 105, 112, 159, 168, 639
inesitante 484
inesmagável 159
inesmorecível 682
inespecificado 78
inespecificidade 78
inesperadamente 132, 508
inesperado 132, 508, 612, 870
inespiritual 316
inesquecível 505, 845, 873
inessencial 6
inestancável 143, 825
inestendível 193, 317
inestético 846
inestimável 648
inestreado 20
inevitabilidade & *adj.* 859
inevitabilidade 601, 859
inevitável 474, 601, 859
inevocável 506
inexação 495, 773
inexaminável 465a, 519
inexatidão (*erro*) 460
inexatidão 460, 495, 546, 571, 773
inexato 460, 495, 546
inexaurível 105, 112, 159, 168, 639
inexausto 1, 168, 639
inexceder-se 304
inexcedível 33, 650
inexcepcional 924
inexcitabilidade 172
Inexcitabilidade 826
inexcitável 174, 826
inexcitavelmente & *adj.* 826
inexclusão 54
inexecução 730, 773, 927
inexecutado 730
inexecutável 471
inexequibilidade 471, 704
inexequível 471, 704
inexistência 187
Inexistência 2
inexistente 2, 187
inexistir 2

inexorabilidade 601, 604, 739, 914a, 919
inexorado 601, 604
inexorável 494, 601, 604, 606, 739, 744, 823, 859, 898, 907, 914a, 919
inexperiência 486, 614, 699, 703
inexperiente 129, 486, 493, 547, 614, 699, 703, 960
inexperimentado 123, 461
inexperto 547, 699, 701
inexpiação 951
inexpiado 671, 951
inexpiável 945, 951
inexplicabilidade 83, 519
inexplicado 491, 526
inexplicável 83, 105, 519, 870
inexplorado 20, 123, 491
inexplorável 471
inexpressão 517, 526
inexpressível 517
inexpressividade 575
inexpressivo 429, 517, 575
inexpresso 517, 526
inexprimível 83, 517, 829, 870
inexpugnabilidade 664
inexpugnável 664, 861
Inextensão 180a
inextensão 317
inextensível 317, 326
inextenso 193, 317
in-extenso 50
inexterminável 105, 143, 150, 159, 639
inextinguível 31, 105, 150, 173, 639, 825
inextinguível da memória 505
inextinto 1, 173
inextirpável 5, 31, 105, 150, 159
inextirpável da memória 505
inextricabilidade 248
inextricável 46, 49, 471
infactível 471
infalibilidade 474, 650, 885
infalibilidade do papa 983a
infalibilista 987
infalível 112, 136, 141, 157, 474, 494, 601
infalivelmente 474
infalsificado 42
infamação 42
Infamação 874
infamação 934, 936
infamador 936
infamante 874, 934
infamar 649, 874, 934
infamar-se 940
infamatório 934
infame 649, 874, 907, 940, 945
infâmia 874, 934, 940, 945
infamiliar 491
Infância 127
infância 66
infando 649, 735, 830, 898
infandum jubes renovare dolorem 839
infandum renovare dolorem 505
infanta 745, 875
infantaria 722, 726
infantaria motorizada 722
infantasiado 1
Infante 129
infante 129, 160, 167, 268, 726, 875
infanticida 361
infanticídio 361
infantil 127, 129, 486, 499, 575, 960
infantil 129, 486, 499, 575, 960
infantilidade 127, 499
infantilismo 499
infantilizar 129, 499
infantilizar-se 145

infantilmente & *adj.* 127, 129
infartar 261
infarto 261
infatigabilidade 604a, 682
infatigável 604a, 682
infatuação 481
infausto 732, 735, 828, 830
infecção 401, 655, 824
infeccionador 657
infeccionar 659
infeccioso 655
infectar 653
infecto 401
infectologia 662
infecundar 539
infecundidade 169
infecundo 169
infelicidade 619, 699, 735, 828
infelicidade perseverante 735
infelicitar 737, 739, 830
infeliz 135, 619, 643, 647, 649, 732, 735, 804, 828, 830, 839, 877, 908, 962
infeliz de mim! 839
infeliz de! 908
infelizes 877
infelizmente 732, 828
infenso 24, 603, 708, 889, 898
infenso a 867
inferência 476, 480, 522
inferências opostas à verdade/ à lógica dos fatos/à lei 481
inferição 522
inferior 28, 34, 207, 643, 651, 726, 746
inferior a 641
Inferioridade 34
inferioridade 28, 641
inferiorizar 34
inferiormente & *adj.* 34
inferir 476, 480, 522
infernado pela ideia do ciúme 920
infernal 274, 404, 619, 649, 830, 907, 945, 978, 982
infernalmente 31
infernar 649, 907
infernar-se 828
inferneira 411
infernizar 830
inferno 828
Inferno 982
Inferno 982
Inferno chama pelo inferno 945
inferno mitológico 982
inferno sobre a terra 735, 828
ínfero 34, 982
infértil 169, 645
infertilidade 169
infertilizar 169, 645
infestação 716, 830
infestar 73, 162, 186, 649, 653, 830
infesto 603, 649, 708
infetar 401, 655, 657, 659
infeto 401, 655
infetuoso 653
infibulação 43
infibular 43
inficionado 655
inficionar 655, 657
inficionar os costumes 945
infidelidade 149, 546, 624, 742, 773, 791, 940, 984, 989
infidelidade conjugal 961
infidelidade da sorte 156
infido 149, 773, 940, 989
infiel 149, 544, 546, 624, 773, 940, 989
infielmente 940
infiltração 41, 228, 294, 302, 337, 537
infiltrado 294, 302

infiltrar | injuriar

infiltrar 41, 537
infiltrar na alma preceitos condenáveis 539
infiltrar nos espíritos a ideia da luta 861
infiltrar-se 73, 228, 294, 302
ínfimo 32, 34, 193, 211, 643, 874, 877, 940
infindabilidade 105
infindável 105, 112, 143, 573
infindo 105, 112, 141, 200, 639
Infinidade 105
infinidade 102, 639
infinitamente 31, 105
infinitesimal 32, 84, 193
infinitésimo 32
infinito 31, 84, 105, 112, 180, 318, 976
Infinito Bem 976
infinitude 105, 112, 976
infirmar 160, 468, 479, 756
infirmativo 479, 756
infistular-se 945
infixidez 149
inflação 35, 94, 322, 349, 800, 812, 814, 880
inflacionar 814
inflado 194, 482, 577
inflamabilidade 384
inflamação 384, 655, 824
inflamado 577, 821, 824
inflamar 171, 173, 382, 434, 615, 824, 835
inflamar-se 384, 821, 824, 900
inflamável 384
inflar 349, 482, 880
inflar(-se) 194
inflatório 194
infletir 245, 279
inflexão 245, 279, 402, 416, 567, 580
inflexão lânguida do corpo e da voz 855
inflexibilidade 246, 323, 606, 739, 914a
inflexionável 150
inflexível 141, 150, 323, 326, 604, 606, 739, 823, 939
inflexo 243, 245
inflição 828, 830, 972
infligir 974
infligir a si próprio castigos corporais 952
infligir dano 649
infligir dor 378, 830
infligir sofrimento 828
infligir/irrogar/impor pena/castigo 972
Influência 175
influência 153, 157, 170, 615, 642, 724, 737, 873, 897
influência astral 601
influenciar 175, 615, 642
influente 157, 175, 642, 737
influentemente & *adj.* 175
influição 175, 294
influir 153, 170, 175, 615
influxo 144, 175, 294, 348, 615, 639
influxo moral 615
in-folio 593
informação 490, 505, 516
Informação 527
informação 490, 505, 516, 529, 531, 532, 550, 594, 626, 668
informação capciosa/ilusória/tendenciosa 539
informacional 527
informadamente 527
informado & *v.* 527
informado de 490
informador 527
informante 527, 534

informar 527, 532, 537, 668
informar contra 938
informar-se 461, 490
informativo 527, 532
informatização 625
informe 59, 83, 241, 243, 461, 527, 674, 852
informemente & *adj.* 241
informidade 241
infortificado 158
infortificável 665
infortuna 735, 828
infortunado 735, 830
infortunar 735, 830
infortúnio 619, 732, 735, 828, 830
infortunoso 735, 828
infra 207
infra dignitatem 874, 940
infra-assinado 63
infração 83, 303, 614, 773, 925, 927
infracionável 43
infracto 128, 160
infraescrito 63
infragibilidade 321
inframencionado 63
infrangibilidade 327
infrangível 46, 50, 321, 323, 327
infrato 837, 859
infrator & *v.* 773
infraturável 327
infrene 31, 173, 684, 825, 954
Infrequência 137
infrequência 103, 139, 614, 678
infrequentado 87, 187, 893
infrequente 103, 137, 614
infringência das leis da natureza 83
infringir 83, 303, 614, 742, 773, 925, 927, 964, 988
infrutiferamente & *adj.* 732
infrutífero 169, 645, 732
infrutuosidade 645
infrutuoso 169, 645
ínfula 747, 999
infundado 2, 477, 495, 545, 546, 615a, 923
infundibular 252
infundibuliforme 252
infundíbulo 249, 252, 260
infundice ou infundiça 652
infundiliforme 260
infundir 41, 153, 300, 348, 537, 928
infundir ânimo 861
infundir assombro 870
infundir coragem 615
infundir energia 615
infundir no coração 820
infundir novas energias 159
infundir prazer 829
infundir terror 739
infundir tristeza 837
infundir vida 168
infundir vida nova 658, 824
infunicar 241, 483, 555
infusa 191
infusão 41, 294, 300, 335, 662
infusibilidade 321
infusível 321
infuso 43
infusórios 193
infustamento 401
ingalgável 206, 304
ingarilho 854
ingaro 268
ingênito 31
ingente 404
ingênua 599
ingenuidade 486, 499, 547, 703, 946
Ingênuo 547

ingênuo 129, 486, 499, 501, 543, 547, 699, 703, 960
ingerado 2
ingerência 298
ingerir 298, 300
ingerir-se 294
ingesta 298
ingestão 296, 298
inglesa 45
inglesar 563
inglesismo 563
inglorificado 874
inglório 830, 874
inglorioso 874
inglúvias 191, 351
ingluvioso 957
ingovernável 173, 606, 704, 742, 825
ingracioso 846
ingramatical 568
ingranzéu 411
ingratamente & *adj.* 917
Ingratidão 917
ingratidão 169, 917, 923
ingratidão revoltante/hedionda 917
ingrato 169, 704, 830, 907, 917
ingratona 917
ingrediente 41, 56
ingredir 294
ingremância (pop.) 608
íngreme 212, 217, 704
ingresia 404, 411, 583
Ingressão 294
ingressar 294
ingressar nas fileiras de 76
ingresso 294, 302
ingrimanço 411
ingurgitação 296, 706
ingurgitado 640
ingurgitamento 296, 640, 706
ingurgitar 52, 298, 640, 706
ingurgitar-se 640
ingurgitar-se no vício 945
inhaca (bras.) 401
inhaca 735
inhenho 499, 605
inibição 706, 751, 761
inibir 471, 706, 751, 761
inibitivo 706, 751, 761
inibitória 704
inibitório 706, 751, 761
iniciação 66, 76, 537, 673
iniciado 541
iniciador 164, 540
iniciais 550, 561
inicial 66, 124
inicialmente & *adj.* 66
inicianda 996
iniciando 541
iniciar 66, 76, 116, 461, 537
iniciar a obra de devastação 162
iniciar a viagem 293
iniciar alguém num segredo 529
iniciar os passos 66
iniciar-se 675
iniciativa 66, 676, 680, 682
iniciativo 66, 682
iniciatório 66
início 66, 537
Início e o Fim 976
inideal 1, 452, 494
indoneidade 158, 925
indôneo 24
inigualável 33
iniludível 476, 494, 518, 525, 702, 926
inimaginabilidade 471
inimaginado 494, 508
inimaginativo 843
inimaginável 31, 83, 471, 473, 845, 870

inimicícia (p. us.) 889
inimicíssimo 889
inimicus humani generi 910, 913
inimigo (comum) 978
inimigo 165, 603, 649, 708, 710, 720, 722, 889, 898, 978
Inimigo 891
Inimigo batido ainda não é vencido 891
inimigo capital 891
inimigo comum 891
inimigo da raça humana/do gênero humano 913
inimigo da raça humana/do gênero humano/da humanidade 911
inimigo de 867
inimigo de estardalhaço 881
inimigo encarniçado/declarado/mortal/jurado/manifesto/acérrimo/fidagal/gratuito 891
inimigo, o 978
Inimigos declarados são os menos perigosos, Os 891
inimistar 889, 891
inimitado 20
inimitável 33, 648, 650
Inimizade 889
inimizade 713, 867, 898, 907
inimizado 898
inimizar 889
inimizar(-se) 889, 891
inimpressionável 823
inincluído 55
inindulgência 914a
inindulgente 914a
ininflamável 385
ininformado 491
ininfracto 69
ininiciado 491
ininstruído 491
inintelectual 452, 499
ininteligente 499
Ininteligibilidade 519
ininteligibilidade 533, 571
ininteligível 519, 571
inintencional 156, 601
ininterceptado 69
ininterceto 69
ininterminente 69, 143
ininterrupção 69, 143
ininterruptamente 110
ininterrupto 69, 104, 143
ininventado 526
ininvestigável 519
ininvocatório 766
iniódimo 83
iniquamente 31
iniquidade 649, 907, 923
iníquo 907, 923, 945
inirritável 174
insento de 177
injeção 294, 300, 662
injeção de óleo canforado 615
injeção intramuscular 662
injeção intravenosa 662
injeção letal 972
injeção subcutânea 662
injectiva (pop.) 632
injetar 300, 337
injetar recursos 809
injucundo 579, 830
injunção 615, 630, 695, 741, 744
injunções políticas 886, 923
injunctivo 744
injungir 741, 749
injuntivo 741
injúria 619, 649, 659, 716, 874, 929, 934, 938
injuriante 929, 934
injuriar 659, 929, 932

639

injuriosamente & *adj.* 932
injurioso 649, 895, 898, 900, 929, 932, 934, 962
injustamente & *adj.* 923
Injustiça 923
injustiça 830, 917, 940
injusticeiro 923
injustiçoso 923
injustificado 615a, 923, 925
injustificável 874, 907, 923, 925, 938, 945
injusto 477, 495, 923, 945
injusto possuidor 789
injustos 988
inobediência 742
inobediente 742
inobservado 447, 491, 870
Inobservância 773
inobservância 458, 742, 927, 940, 964
inobservante 458, 773
inobservar 458
inobservável 471
inobtido 777a
inobumbrável 33
Inocência 946
inocência 648, 703, 944, 960
inocentado 970
inocentar 937, 946
inocente 127, 129, 158, 547, 648, 656, 703, 939, 944, 946, 960, 970
inocente como um cordeiro/como um recém-nascido 946
inocentemente & *adj.* 946
Inocuidade 175a
inocuidade 158, 648
inoculação 294, 300, 537
inocular 184, 300, 531, 537, 615
inocular brio 861
inocular esperanças 511
inocular-se 294
inoculável 294
inócuo 158, 172, 175a, 575, 643, 645, 648, 656, 866
inodoro 399
inofensivamente & *adj.* 172
inofensivo 158, 172, 642, 656, 721, 879, 946
inofensivo como uma pomba 946
inoficioso 649, 738, 925
inofuscável 33
inolento 399
involidável 505, 642, 873
inominado 565
inominável 649, 830, 860, 874
inoperante 645
inoperativo 169
inópia 32, 53, 103, 641, 804, 945
inopinado 156, 471, 508, 614, 621, 642
inopinável 471, 642
inopino 508, 614, 621
inoportunamente & *adj.* 135
inoportunidade & *adj.* 647
inoportunidade 135
inoportuno 24, 135, 477, 321
inops 605
inops mentis 504
inorgânico 6, 358, 635
inorganizado 358
inório 702
inortodoxo 984
inosculação 43, 219, 248
inospitabilidade 893
inospitaleiro 893
inóspito 169, 187, 340, 657, 893
inosura 278
inovação 120, 20a, 23, 140, 614
inovador 123, 614
inovar 20, 20a, 123, 140, 660
inóxio 158, 172, 648, 670, 946
inpunemente 925

inqualificado 24, 52, 158, 699
inqualificável 649, 860, 874, 932, 938, 940
inquartação 48
inquebradiço 159, 327
inquebrado 50, 69
inquebrantabilidade 327
inquebrantado 159
inquebrantável 150, 159, 323, 327, 604a, 878, 939
inquebrável 50, 327
inquena 108
inquérito rigoroso/esmerilhador/honesto 461
inquestionado 488
inquestionável 474, 518, 525, 926
inquestionavelmente 488
inquietação 149, 173, 264, 315, 665, 682, 825, 828, 830, 832, 860
inquietação da consciência 950
inquietação de consciência 603
inquietador 665, 860
inquietar(-se) 642, 716, 828, 860
inquieto 173, 264, 314, 315, 682, 684, 713, 825, 860
inquilino 188
inquinação 653, 659, 874
inquinar 653, 659, 938
inquinar-se 940
inquirição 461, 476
inquiridor 461
inquirir 461
inquisição 461, 739, 966
inquisidor 461, 739
inquisitorial 378, 455, 461, 739, 965
inquisitório 965
interpretação 416
insaciabilidade 957
insaciado 865
insaciável 159, 173, 455, 819, 865, 868, 957
insaciável de vida e de sangue 361
insalubérrimo 657
insalubre 657
Insalubridade 657
insalutífero 657
insanabilidade 859
insanável 649, 776, 859
insânia 173, 499, 503
insanidade 499, 503
insano 173, 499, 504, 649, 704
insantificado 988
insatisfação 668, 837
insatisfeito 832, 865
inscícia 491
insciência 491, 528
insciente 528, 699
inscrever 76, 551, 558, 590, 883
inscrever como credor 811
inscrever em rol 86
inscrever o nome de alguém no rol dos representantes da nação 609
inscrever-se nos registros de 76
inscrição 76, 550, 551, 558
inscrição tumular 463
inscrições lapidares 554
inscrito 76
insculpir 558
inscultura 557
insé(c)til 50, 321
insecável 43
inseduzível 939, 944
insegregável 43
insegurança 475, 605, 665
inseguridade 665
inseguro 475, 665
insensatez 499, 503

insensato 499, 503, 608, 818, 863
Insensibilidade [tb. física] 376
insensibilidade 172, 506, 823, 826, 866, 914a
insensibilidade física 381
insensibilidade moral 76, 951
insensibilidade tátil 381
insensibilizar 160, 376, 823
insensibilizar-se 826
insensificar a sensibilidade 376
insensitivo 376, 381
insensível 275, 376, 381, 447, 823, 826, 907, 914a
insensível aos benefícios 917
insensível às coisas do passado 506
insensivelmente & *adj.* 823
inseparabilidade 43, 88
inseparado 46
inseparáveis 88
inseparável 43, 46, 50, 79, 820, 888, 890
inseparavelmente & *adj.* 88
insepulto 362
Inserção 300
inserção 37, 41, 184, 228, 294, 296
inserido & *v.* 300
inserir 37, 228, 294, 300
inserir meios 85
inserir-se 300
inserto 300
inservível 645
inseticida 361
insetívoro 298
inseto 193, 412
insetologia 368
insetologista 368
insetos, vozes de 412
insídia 361, 649, 702, 934, 940
insidiari temporibus 607
insidioso 477, 481, 526, 649, 665, 702
insigne 492, 525, 873, 939
insígnia 448, 550, 733
Insígnia 747
insígnia de autoridade 747
insígnias 876
insígnias de nobreza 875
insignificado 517
Insignificância 643
insignificância 32, 34,103, 193, 645
insignificante 32, 34, 643, 871, 877, 930
insignificativo 517, 643
insimplificável 150
insimular 527, 934, 938
insinceridade 544
insincero 544, 940
insinuação 228, 294, 300, 514, 521, 526, 527, 537, 615, 695
insinuante & *v.* 294
insinuante 294, 615, 829, 892, 894, 897
insinuar 300, 505, 514, 527, 615, 695
insinuar falta de 938
insinuar(-se) 228, 526, 888, 897
insinuar-se nas boas graças de 593
insinuar-se no ânimo de 714
insinuativo 300, 615, 829, 894, 897
Insipidez 391
insipidez 575, 841, 843
insípido 391, 575, 841, 843, 866
insipiência 491, 499, 503, 528, 863
insipiente 158, 499, 503, 863
insistência 104, 136, 143, 600, 604a, 606

insistente 141, 600, 604a
insistir 104, 136, 476, 573, 600, 604a, 606, 615, 682, 695
insistir em 535, 604, 606, 744
ínsito 5, 674
insobriedade 954, 957
insóbrio 954
insociabilidade 893
insocial 893
insociável 585, 893
insofismável 476, 484, 494, 535
insofreável 173
insofrido 173, 264, 682, 684, 720, 825, 863, 901
insofrimento 682, 825
insofrível 830
insolação 382, 384, 503
insolar-se 384
Insolência 885
insolência 614, 742, 855, 895, 923, 929
insolente 614, 852, 878, 885, 887
insolentemente & *adj.* 885
insoletrável 519
insolicitado 766
insolidariedade 708
insolidez 149
insolidificado 333
insólito 83, 614, 870
insolúvel 321, 471, 519, 808
insolvência 641, 732, 804, 806
Insolvência 808
insolvente 804, 806, 808
insolvível 808
insomnium 682
insondabilidade 208, 519, 585
insondado 105, 208
insondável 105, 208, 585
insone 459, 682
insônia 682
insonoridade 403, 414
insonoro 403, 414
insonte 946, 960
insopitável 820
insossar 391, 843
insosso 391, 517, 575, 830, 841, 843
insouciance 460, 866
insouciant 460, 866
inspeção 441, 457, 461
inspecionar 457, 461
inspector 461
inspetar 461
inspetor 480, 694
inspiração 294, 296, 477, 498, 514, 515, 597, 612, 615, 737, 821, 824, 976, 987
inspiração divina 985
inspiração rápida e brilhante 498
inspiração/toque de Deus 985
inspirado 511, 615, 985, 987
inspirador 711
inspirar 153, 296, 537, 615, 695, 824, 928
inspirar amizade 888
inspirar ânimo 861
inspirar ao desepro 859
inspirar ao homem o sentimento da dignidade 648
inspirar confiança 494
inspirar confiança absoluta 474
inspirar confiança de imparcialidade 967
inspirar confiança pela sua imparcialidade 922
inspirar desconfiança 923
inspirar desejo 865
inspirar pouca simpatia 867
inspirar-se nos elevados princípios de justiça 922
inspirativo 824

inspissação | interesse particular

inspissação 321
inspissar 321, 352
instabilidade 16a, 149, 605, 665
instalação 60, 66, 184, 557, 737, 755
instalar 184
instância 615, 765
instantaneamente & *adj.* 113
Instantaneidade 113
instantaneidade 111, 132
instantâneo 111, 113, 508
instante 106, 108, 111, 113, 152, 360, 630, 765, 821, 824
instante decisivo 360
instantemente 765
instanter 113
instar 152, 479, 630, 824
instar com 765
instar omnium 82, 613
instare omnium 17
instauração 66
instaurar 66, 161, 969
instável 140, 149, 264, 266, 475, 605, 665
instigação 615, 695, 715, 824
instigador 615, 711
instigante 574
instigar 484, 615, 695, 715, 824
instilação 537
instilar 41, 300, 537, 615
instintivo 477, 601, 612
instinto 5, 450, 477, 601
instintos de natureza depravada 945
institor 631, 694, 758
instituição 161, 712
instituição financeira 800
instituições 963
instituir 153, 161, 537, 725
institutário 540
instituto 542, 697, 712
instituto propedêutico 542
instrução 490, 537, 538, 673, 697
instrução primária/profissional/elementar/rudimentar/secundária/superior/técnica/religiosa/cívica 537
instrução variada 490
instruções 527, 695, 741
instructo 537
instruído 490, 500, 537
instruidor 537
instruir 467, 527, 537, 695, 998
instruir nos princípios de boa e sã moral 944
instruir-se 538
instrumental 415, 417, 631, 632, 633, 644, 692a, 707
Instrumentalidade 631
instrumentalidade 170, 644
instrumentalista 416
instrumentalizar 631
instrumentar 415, 416
instrumentista 413, 559
Instrumento 633
instrumento 605, 631, 711, 780, 886
instrumento cirúrgico 633
instrumento cortante 262, 633
instrumento de punição 830, 972, 975
instrumento de suplício 975
instrumento dócil 547
instrumento musical 633
instrumento óptico 633
instrumento perfurador 260
instrumentos 632
instrumentos bélicos 722
instrumentos com barras vibrantes 417
instrumentos com teclado 417
instrumentos de corda 417
Instrumentos de óptica 445

instrumentos de pancada 417
instrumentos de percussão 417
instrumentos de sopro 417
instrumentos de superfície vibrante 417
Instrumentos musicais 417
instrumentos para calcular 85
instrumentos para medir distâncias 200
instrumentos para pulverização 330
instrumentos perfurantes 262
instrutivo 537
instruto 490, 537, 540
insua 346
insuave 704, 830
insuavidade 895
insuavidade do gosto 395
insubmergível 320
insubmersível 305, 320
insubmissão 179, 719
insubmisso 173, 179, 489, 606, 719, 742
insubordinação 10, 738, 742
insubordinado 606, 720, 742
insubordinar 742
insubordinável 742
insubsistência 2, 140, 495
insubsistente 4, 140, 477, 643
insubsistir 140
insubstancial 2, 4, 160, 495, 515
insubstancialidade 101
Insubstancialidade 4
insubstancialmente & *adj.* 4
insubstituível 33, 630, 642, 776
Insucesso 732
insucesso 158, 304, 509, 699, 764, 773, 837
insueto 614
Insuficiência 641
insuficiência 53, 158, 304, 499, 645, 699
insuficiente 32, 158, 304, 641, 645, 651, 699, 732
insuficientemente 32, 641
insuflme 204, 424
insuflação 300, 349
insuflar 300, 349, 615
insula (poét.) 346
insulação 10, 44
insulado 44, 346
insulador 87
insulamento 893
insulamento da sociedade 881
insulano 188, 346
insular 10, 44, 87, 346
insular-se 893
insulcado 491
insulso 391, 843, 852
insultante 874, 898, 929
insultar 720, 885, 895, 929, 932
insulto 874, 929, 932
insultuosamente 929
insultuoso 898, 929, 930, 934
insumo 56, 810
insuperável 33, 471
insuplantável 33
insuportável 31, 319, 395, 713, 742, 814, 830, 841, 867
insuprimido 141
insuprimível 630, 642
insuprível 630, 776
insurgência 742
insurgente 742
insurgir-se 719
insurgir-se contra 708, 742, 932
insurpreendido 871
insurrecionado 742
insurrecional 742
insurrecionar 742
insurreição 179, 708, 719, 742

insurreto 742
insusce(p)tível 823, 826
insuscetível de mudança 150
insuspeição 474, 484
insuspeito 484, 494, 543, 858, 922, 939, 944
insuspeitoso 484
insuspicaz 858
insustentável 158, 477, 665, 725
intacto 953
intaglio 252
intangibilidade 141, 193, 381, 748
intangível 4, 141, 193, 317, 381, 526, 664, 670, 772, 924, 939
intatibilidade 193, 381
intátil 193, 317, 381, 526
intatível 670
intato 123, 141, 650, 670, 939, 944, 946, 960
integer vitæ scelerisque purus 939
integérrimo 922, 939
íntegra 50
integração 52, 76
integrado 76, 465a
integral 50, 84
integralismo 737
integralização 52
integralizar 50, 52
integralmente 31, 50
integrante 52, 56, 729
integrar 50, 52, 465a, 729
integridade 50, 52, 820, 922, 939, 944
íntegro 50, 52, 69, 604, 650, 670, 729, 922, 939, 944
inteira satisfação 831
inteirado de 490
inteiramente 31, 50
inteirar 50, 52, 527, 729
inteirar-se 450, 461
inteirar-se de 490
inteireza 50, 52, 922
inteireza de caráter 939, 944
inteireza de saúde 654
inteireza moral 939
inteiriçado 323, 383
inteiriçar 50, 323
inteiriçar-se 383
inteiriço 16, 43, 50, 69, 323, 939
inteiro 50, 52, 69, 604, 670, 729, 826, 939
inteiro na vida 939, 944
intelecção 450, 476
intelectível 450
intelectivo 450
Intelecto 450
intelecto 498
intelectual 450, 492, 593
intelectualidade 450
inteligência 317, 450, 516, 522, 698
Inteligência 498
inteligência acanhada/apoucada/nula 499
inteligência medíocre 493
inteligência nativa/privilegiada/invulgar/robusta/exuberante/formosa/peregrina 498
inteligência privilegiada 498
inteligente 372, 459, 476, 498
inteligentemente & *adj.* 498
Inteligibilidade 518
inteligibilidade 570
inteligível 418, 516, 518
inteligivelmente & *adj.* 518
intemente 858, 861
intemerato 543, 944
intemperado 42
Intemperança 954
intemperança 377, 640, 957, 959
intemperante 954, 961

intempérie 139
intempestividade 115, 135
intempestivo 24, 135, 508
Intenção 620
intenção 153, 278, 600, 604, 611, 615, 644, 865
intenção secreta 702
intencionado 155, 611, 620
intencional 600, 620
intencionalidade 620
intencionalmente 600, 611, 620
intenções de alguém 886
intenções reservadas 451
intendente 694, 745, 965
intensamente 31
intensão 171, 173
intensar 171
intensar-se 173
intensidade 25, 26, 157, 171, 173, 825
intensificação 835
intensificar 35, 171
intensivo 171
intenso 31, 157, 171, 382, 404, 428, 639, 821, 825
intentar 620, 675, 676, 686
intentar um processo 969
intentar uma ação 969
intentar uma interpresa sobre 716
intento 516, 620
intento louco 863
intentona 675, 742, 863
intentos sinistros/nefandos 907
intépete 413
inter sacrum et saxum 665
inter sacrum et saxum stare 665
intercadência 39, 70
intercadente 70, 139, 149
intercalação 41, 228
intercalar 228, 300
intercambiar 148
intercambiável 148
intercâmbio 12, 148, 794, 892
interceder 724
interceder por 765
intercepção 70, 706
interceptar 70, 706, 761, 789
intercepto 70, 228, 706
intercessão 765, 766, 976, 990
intercessor 724, 766, 767, 968, 976, 977
interciso 44, 51, 70, 91, 201
interclavicular 228
intercolunar 228
intercomunicação 527
intercontinental 228
intercorrência 228, 302
intercorrente 139, 148, 228
intercortar 581
intercurso 888, 892
interdependência 9, 12
interdependente 9
interdição 761, 925
interditado 925
interditar 761, 925
interditório 761
interdizer 761, 925
interessado 767, 865, 943
interessado em 604, 620
interessante 83, 642, 829, 897
interessar 9, 829
interessar a 642
interessar-se 455
interessar-se por 457, 459, 642, 680, 707, 865, 906, 914
Interesse 822
interesse 455, 459, 618, 642, 644, 765, 775, 906, 921, 928, 943, 973
interesse comum 644
interesse geral 618
interesse particular 481

interesse público | inútil

interesse público 910
interesse subalterno 481
interesseiro 544, 819, 943
interesses 806
interestadual 228
interestelar 318
interferência 24, 179, 228, 294, 682, 706, 724
interferir 228, 706, 724
interfixa 633
interfone 633
intergaláctico 318
intericar 200
interim 106
interino 111
interior 221, 228, 450, 820, 888
Interioridade 221
interioridade 5
interiorizar 221
interiormente 208, 221, 526
Interjacência 228
interjacência 68, 198, 294
interlinea 228
interlinear 228
interlobular 228
interlocução 586, 588
interlocutor 582, 588
interlocutória 480
interlocutório 480, 588
interlúdio 70, 198
interlunar 138, 447
interlúnio 106, 138, 142, 198, 447
intermação 382
intermaxilar 228
intermediação 724
intermediar 228, 724
intermediário 29, 68, 221, 228, 628, 631, 711, 724, 758, 797, 943
intermédio 29, 45, 68, 228, 599, 631, 724
intermeter 228, 706
interminado 53
interminável 31, 105, 110, 112, 200
intérmino 180, 200
intermissão 70, 106, 142
intermitência 70, 106, 137, 138
intermitente 70, 137, 138
intermitentemente 275
intermitir 70, 137
intermontano 228
intermóvel 633
intermúndio 180, 893
intermural 221
intermurar 717
intermuscular 228
internação 300, 751, 752
internacional 78, 372, 892
internacionalizar 78, 892
internado 542
internamento 300, 751
internar 221, 751
internar-se 294
internar-se no estudo 538
internato 542
internet 527, 531, 534, 592, 799, 840
interno 5, 188, 221, 228, 541
internúncio 534, 758
interoceânico 228
interocular 228
interpelação 70, 142, 461, 586, 741, 969
interpelador 461
interpelante 461
interpelar 70, 142, 461, 586, 969
interpenetração 294, 302
interpetar 516
interplanetário 318
interpolação 41, 70, 142, 228
interpoladamente 139
interpolado 70, 139, 440a

interpolar 41, 61, 70, 85, 142, 228
interpor 228
interpor sua autoridade 724
interpor tardança e embaraços 706
interpor-se 228, 706, 724
interposição 37, 228, 631, 682, 706, 724
interposto 68, 74, 228, 631, 799
interpotente 633
interprender 625, 676, 716
interpresa 676, 716
interpretação 155, 484, 516, 537
Interpretação 522
Interpretação errônea 523
interpretação maligna/tendenciosa 523
interpretação restritiva 481
interpretação simples e racional 522
interpretador 524
interpretante 524
interpretar 415, 416, 417, 480a, 522, 527, 537
interpretar bem 599
interpretar/apreender/entender/conceber/traduzir/construir mal 523
interpretativo 522
interpretável 518
Intérprete 524
intérprete 513, 527, 582, 599, 692a
interregno 70, 106, 111, 142, 198, 738
interresistente 633
interrogação 461, 476, 521, 569
interrogador 461
interrogar 461, 695
interrogativo 461
interrogatório 461
interromper 61, 70, 142, 198, 201, 228, 462, 706, 730
interromper as relações com 889
interrompidamente 59
interrupção 61, 70, 142, 187, 198, 624, 687, 706
interruptamente 139
interrupto 70, 198
interruptor 70
intersecção 219
intersecional 219
interserir 228, 300
intersticial 228
interstício 106, 198
intertexto 219
intertextura 329
intertropical 228
intervaladamente 137, 198, 275
intervalado 198
intervalar 70, 198, 228
Intervalo 198
intervalo 53, 70, 106, 142, 187, 221, 413
intervalo lúcido 502
intervenção 300
intervenção 228, 300, 631, 724
intervenideira 228, 724, 962
interveniente 724
interventivo 631, 724
interventor 228, 631, 694, 724, 758
interverter 140, 218, 279
intervindo 631
intervir 70, 151, 228, 662, 682, 706, 724
intestado 552
intestinal 221, 440e
intestino 221
intexto 219

intimação 527, 741, 969
intimar 527, 741, 969
intimar em nome de Deus 768
intimativa 527, 535, 682, 741, 885
intimativo 535, 741
intimidação 860, 909
intimidação 909
intimidade 5, 221, 490, 528, 888, 892, 897
intimidador 909
intimidante 909
intimidar 616, 860, 909
intimidativo 909
íntimo 5, 43, 221, 528, 820, 888, 890
intimorato 772, 861
intinção 998
intitulação 564
intitulamento 564
intitular 564, 565
intitular-se 925
intocável (fig.) 939
intolerância 606, 739, 825, 867, 907, 914a
intolerante 481, 739, 885, 907
intolerantismo 481, 739, 825
intolerável 173, 319, 382, 395, 579, 649, 657, 830, 841, 867
intonso 256, 852
intoxicação 663, 824, 825
intoxicar 657, 663
intoxicar-se 959
intra muros 528
intracraniano 221
intraduzível 519
intragável 867
intramarginal 221
intramedular 221
intramuros 221
intranquilidade 665, 825, 860
intranquilizador 860
intranquilo 828, 860
intransferível 150, 265, 601, 781
intransigência 606, 739, 907, 914a
intransigência no manejo dos dinheiros públicos 939
intransigente 739, 772
intransigível 907
intransitabilidade 261
intransitável 261, 471, 706
intransmissibilidade 150, 781, 924
intransmissível 781, 924
intransmutabilidade 150
intransmutável 110, 150
intransparência 426, 519
intransparente 519
intransponível 206, 261, 471
intransportável 265, 319
intranstornado 141
intraocular 221
intrapulmonar 221
intratabilidade 895
intratável 471, 704, 878, 885, 893, 895, 914a
intravascular 221
intrêmulo 265, 861
intrepidez 861
intrépido 826, 861
intricamento 519
intricar 61, 475
intricar ou intrincar 519
intricável 519
intriga 454, 532, 545, 588, 626, 907
intrigante 626, 702, 940, 949
intrigar 475, 519, 532, 545, 626, 702, 907
intrigas 682, 702
intrigas de bastidores 599

intriguista 532, 545, 940, 949
intrilhado 180, 526
intrincado 59, 248, 475
intrincado ou intricado 704
intrincamento 59
intrincável 519
Intrinsecabilidade 5
intrinsecamente & *adj*. 5
intrínseco 5, 221, 613
introdução 64, 66, 294, 296, 300, 415, 599, 785
introdutivo 62
introdutor 64, 66
introdutor diplomático 882
introdutório 62, 116
introduzir 37, 62, 153, 294, 300, 511
introduzir inovações 20a
introduzir novas condições 469
introduzir sangue novo 824
introduzir-se 228
introito 66, 998
intrometer(-se) 24, 228, 294, 300, 682, 706
intrometidiço 228
intrometido 24, 57, 228, 294, 682, 885
intromissão 294, 682
introspecção 441, 451, 457
introspectivo 221, 451
introversão 218, 441, 451, 585
introverter 218
introvertido 585
intrugir 24
intrujão 57, 228, 545, 548, 683, 706
intrujão de presilha 548
intrujar 24, 545
intrujice 545
intrujir 545
intrusão 10, 24, 135, 228, 294, 789, 925
intruso 24, 57, 188, 228, 640, 645, 706, 738, 925, 964
intuição 450, 463, 477, 490, 510, 511
intuição divina 985
intuir 476, 510
intuitivamente & *adj*. 477
intuitivo 474, 477, 510, 525
intuito 278, 600, 620
intumescência 250
intumescente 194
intumescer 35, 194, 250
intumescido 194, 250, 878
intumescido de vaidade 880
intumescimento 194, 250
inturgescência 250
inturgescer 577
intuspecção 441, 451
inúbil 127
inulto 918, 970
inultrapassável 33
inumação 300
inumanidade 907
inumano 907, 976
inumar 300, 363
inumerabilidade 105
inumerável 102, 105, 639
inúmero(s) 102, 105, 640
inumeroso 105
inundação 337, 348, 640
inundante 294, 337
inundar 294, 337, 348, 640
inundarem-se as faces a alguém de lágrimas 839
inupto 904
inurbanidade 895
inurbano 895
inusitado 491, 614, 678
inútil 4, 175a, 169, 499, 640, 645, 647, 649, 674, 678, 732

inutilidade | ir de monte a monte

inutilidade 158, 169, 175a, 638, 643, 647, 732
Inutilidade 645
inutilização 638
inutilizado 659, 776
inutilizar 158, 162, 645, 678, 731, 732
inutilizar com traços em cruz 552
inutilmente 645, 732
invadeável 208, 261
invadir 73, 186, 282, 294, 300, 302, 303, 716, 722, 789, 925
invadir a privacidade de alguém 929
invadir a seara alheia 925
invadir coração 824
invalescer 159, 689
invalidação 479, 756
invalidade 4, 645, 756, 925
invalidar 158, 479, 536, 645, 756, 925
invalidez 158, 160, 655
inválido 158, 160, 477, 655, 925, 964
invaporável 5
invariabilidade 16, 138, 327
invariável 5, 16, 69, 141, 143, 150, 327, 407, 474
invariavelmente 16
invasão 73, 186, 228, 294, 716, 722, 925
invasivo 294, 708, 889
invasor 294, 716, 722
invectiva 908, 932, 938
invectivar 713, 932
invectivo 929
invedado 260, 760, 924
invedável 260, 705, 760
inveja 481, 865, 907
Inveja 921
inveja mata, A 921
invejado 897
invejando 921
invejar 865, 921
invejável 31, 648, 829, 865, 897, 921
invejoso 832, 865, 898, 921, 934
invenção 451, 480a, 515, 544, 546, 626, 698, 702
invencioneiro 546, 548, 855
invencionice 546
invencível 31, 33, 105, 159, 206, 471, 601, 604, 604a, 706, 722, 731
invendível 781, 815
inventado 2, 317, 545, 546
inventador 546
inventar 161, 480a, 514, 515, 544, 546, 626
inventar coarctadas 477
inventariação 551
inventariante 553, 924
inventariar 85, 551
inventário 86, 551, 780
inventilado 261
inventiva(s) 450, 515, 698
inventividade 498
inventivo 451, 498, 515, 698
invento 480a
inventor 164, 280, 615
inverdade 544, 545, 546
invericamente & *adj.* 546
inverídico 495, 544, 545, 546
inverificabilidade 473
inverificável 105, 471, 473, 477
inverissímil 473
inverossimilhança 473
inverna 383
invernada 370, 383
invernadouro 370, 386
invernal 383
invernar 383

invernar com frios excessivos 383
inverneira 383
inverno 108, 383
inverno da vida/da idade 128
inverno desabrido 383
invernoso 383
inverossímil 83, 471, 473, 485, 497
inverossimilhança 18, 471, 473, 546
inversamente 14
Inversão 218
inversão 14, 140, 145, 308, 521, 577
inversão de valores 146
inversão sexual 961
inverso 14, 218, 237
invertebrado 366, 886
inverter 218, 308
inverter a ordem 146
invertidamente & *adj.* 218
invertido 59, 218
invertível 150
investida 463, 675, 676, 716, 856
investidor 787, 799
investidura 755
Investigação 461
investigação 455, 457, 538, 595, 626
investigador 455, 461
investigar 455, 457, 461, 480, 538
investigativo 461
investimento 625, 799
investir 157, 173, 282, 722, 755, 787, 809, 856
investir das funções 755
investir das funções de autoridade 755
investir na posse 777
investir na suprema magistratura 737
investir sobre/contra 716
inveteração 124
inveterado 110, 124, 150, 606, 613
inveterar 124, 613
inveterar-se 150
inviabilidade 471
inviabilizar 471
inviável 471
invicto 33, 159, 604a, 731, 748
invictus ad vulnera 939
invídia 921
invidioso 921
invido 898, 921
invigilância 458, 460
invigilante 458, 460
invingado 918
invio 180, 471, 704
inviolabilidade 924, 927a
inviolado 670, 670
inviolável 141, 528, 772, 924
Invisibilidade 447
invisibilidade 447, 526
invisível 193, 196, 317, 447, 491, 526, 976
invisivelmente & *adj.* 447
inviso 83, 447, 649, 867
invita Minerva 603, 704
invitatória 586, 597
invocação 569, 586, 597, 707, 765, 990
invocação dos santos 998
invocador 767, 990
invocar 586, 695, 765, 990
invocar espírito(s) 515, 992
invocar meios divinos e humanos 682
invocar o céu por testemunho 535
invocar o testemunho de 467
invocar o testemunho do céu e do mar 535

invocativo 765, 990
invocatória 597, 599, 765
invocatório 765, 990
invocável 977
involução 145, 248, 283
invólucro 191, 204, 220, 223
involuir 145
involuntariedade 601, 603
involuntário 601, 603
involutoso 231
invulgar 31, 33, 83, 137, 614, 642, 648, 870, 873
invulgaridade 83
invulnerabilidade 664, 939
invulnerado 670
invulnerável 323, 664, 939
inxabido 391
io 69
ioió 902
iole 273
iolo 221
Iom Kipur 956, 990, 998
iotacismo 583
ipod 633
ipomóclio 215
ipostenia 160
ipse dixit 474, 535
ipsimis verbis 494
ipsissima verba 494
ipsissimis verbis 19
ipso facto 1
ipssima verba 13
ir 117, 179, 274, 306, 348
ir à bolina 267
ir a caminho de 278, 286
ir a Canossa 725, 879, 950
ir à cena 599
ir à enga 613
ir a esmo 279, 605
ir à figura/ao pelo/ao físico de alguém 972
ir à forca 972
ir à frente de 693
ir à glória 808
ir à igreja 990
ir a machado 323
ir à mão a alguém 142, 708
ir à melhor 734
ir à melhor/para melhor 658
ir à mercê dos ventos/das ondas 29
ir à missa com 714
ir à pata 266
ir à privada 297
ir à serra 900
ir à terra 213, 808
ir à testa 612
ir abaixo 732
ir abertamente contra 708
ir *ad patres* 360
ir adiante 143, 280
ir além das esperanças de 731
ir além das medidas de 33
ir além de suas atribuições 738
ir além do ordinário 648
ir amanhecer em 292
ir andando 654
ir ao ar 293, 305
ir ao assunto 595
ir ao beija-mão 743
ir ao cabo do mundo 266
ir ao chão 808
ir ao colo de 270
ir ao contrário de 708
ir ao cume 210
ir ao encalço de 286, 461
ir ao encontro 714
ir ao encontro da vontade de alguém 743
ir ao encontro de 178, 286, 707
ir ao encontro dos desejos de 762, 829
ir ao extremo de 855, 859, 861

ir ao fundo 319
ir ao fundo/a pique 310
ir ao galinheiro a alguém (fig. e chulo) 972
ir ao Jordão 660
ir ao livro 551
ir ao longo de 236
ir ao ponto principal 572
ir ao socairo de 281
ir aonde não foi chamado 682
ir aos fatos 576
ir aos foles a alguém 972
ir aos jornais 531
ir aos ou pelos ares 173
ir após 622
ir às apalpadelas 675
ir às carranchinhas 270
ir às causas 476
ir às cavalitas 270
ir às costas de 270
ir às costas de alguém 972
ir às do cabo 900, 909
ir às lãs com o inimigo 720
ir às vias de fato 720
ir até o fim 604
ir atrás do choro 914
ir atrás/na cola/na pista/na alheta/na pegada/na batida de/nas estribeiras de 281
ir avante 282, 731, 734
ir barlaventeando de tudo 606
ir batendo a alheta 879
ir bem 654, 731
ir bem/suavemente/às mil maravilhas 734
ir buscar lã e sair tosquiado 732
ir buscar lenha para se queimar 699
ir caindo a tarde 126
ir carregado 270
ir com 488
ir com a barba sobre 281
ir com a cara no chão 213
ir com a corrente 714, 851
ir com a corrente/a onda 488, 886
ir com a maré 681
ir com a moda 82
ir com alguém 82, 709
ir com as turbas 82
ir com escala pela ingenuidade de alguém 545
ir com o compasso na mão 494
ir com o nariz no chão 213
ir com o tempo 605
ir com outrem 178
ir com pressa 684
ir contra 489, 708
ir contra a corrente 489, 708, 719
ir contra as leis naturais 83
ir contra o bom senso 497
ir dar em 67
ir de abalada 623
ir de arribada 292
ir de batida 274, 623
ir de bem a melhor 658
ir de braço dado com 178
ir de cabeça abaixo 659
ir de charola 840
ir de conserva 88
ir de déu em déu 279
ir de encontro 179, 276, 489
ir de encontro a 24, 720
ir de encontro à ordem 742
ir de escantilhão 274, 684
ir de foz em foz 303, 734
ir de fugida 623
ir de mal a pior 659, 835
ir de mãos dadas 120
ir de mãos dadas com 88
ir de monte a monte 303

643

ir de ponto em branco para | ir-se alongando

ir de ponto em branco para 278
ir de rota batida 684
ir de tombo em tombo 659
ir de ventas ao chão 213, 808
ir de vento em popa 705, 734
ir de... a ... 144
ir direito a 143, 278
ir direito ao alvo 731
ir direito ao coração 824
ir direito aos fatos 572
ir direito como um fuso 278
ir diretamente 628
ir diretamente ao alvo 572
ir direto à questão 576
ir direto ao alvo 476
ir dormir 687
ir e vir 266, 314
ir em aumento 35
ir em busca de aventura 463
ir em debandada 623
ir em decadência 128, 659
ir em diminuição 36
ir em franca decadência 124
ir em frente 143
ir em procissão 266
ir em procura de 278
ir fora das marcas 173, 825, 954
ir fora das raias 303
ir fundo 208
ir já alta a noite 126
ir ladeira abaixo 306, 659
ir ladeira acima 275
ir lindamente 23
ir longe 31, 573, 803, 858
ir mais ou menos 736
ir mal 647, 655
ir malhar com os olhos em 286
ir malhar com os ossos em 292
ir na alheta de 622
ir na corrente 705
ir na esteira de 19
ir na frente 62, 116, 234, 280
ir na frente/na vanguarda 873
ir na onda 82, 486
ir na retaguarda 63
ir na trilha de 281
ir no mesmo carro com 709
ir num balão 267
ir num bote 267
ir num crescendo contínuo 35
ir num decrescendo contínuo 36
ir num plano inclinado 874
ir numa progressão descrecente 36
ir pacificamente 736
ir para a balada 838
ir para a mansão dos justos 360
ir para as malvas 360
ir para bom lugar 360
ir para o estaleiro 681
ir para o matadouro 665
ir para onde sopram as conveniências 607
ir para pior 659
ir para um retiro 990
ir para/subir a bordo 293
ir passo a passo 275
ir pela ladeira abaixo 735
ir pelas vertentes 659
ir pelo 609
ir pelo caminho do carro 82, 488
ir pelo ralo 638
ir pelos ares 162
ir por água abaixo 732
ir por diante 282
ir por d'avante 734
ir por um plano inclinado 945
ir remediando-se com o pouco que ganha 204
ir remediando-se com o pouco que tem 804

ir rio acima 267
ir sem se comprometer 736
ir seu mole-mole 275
ir sobre 281, 622
ir ter a 292
ir ter com 266
ir tudo em maré de rosas 705
ir tudo numa maré de rosas 734
ir tudo raso 900
ir(-se) embora 293, 623
ir/levar a cabo 729
ira 173, 825, 898, 900
ira do Senhor 972
ira é uma loucura passageira, A 900
Ira furor brevis est 900
iracúndia 898, 901
iracundo 173, 898, 900, 901
iradamente 31
irado 173, 900
irar(-se) 173, 898, 900
Irascibilidade 901
irascibilidade 825, 900, 901a
irascível 825, 900, 901
irascivelmente & *adj.* 901
irem às vias de fato 716
irem-se os olhos a alguém nalguma coisa 441
irem-se os olhos de alguém nalguma coisa 870
irem-se os olhos em alguma coisa 865
irete 45
iriado 440
iriante 420
iriar 420, 440
irídio 440
Íris 268, 440, 441, 534, 711, 847
íris do céu 838
irisação 428, 440
irisado 440
irisante 440
irisar 420
irizante 420
ir-lhe aos untos 972
irmã 996
irmã de caridade 662
irmãmente 922
irmanação 888
irmanado 178, 709
irmanar 13, 27, 43, 72, 89, 723, 888
irmandade 11, 17, 712, 888, 997
irmão 11, 27, 890, 996
irmão de leite 11
irmão e irmã 11
irmão gêmeo 17, 348
irmão uterino 11
irmãos 997
irmãos siameses 89, 890
iró 51
iroga 273
ironia 520, 521, 546, 569, 842
ironia da esperança 859
ironia maliciosa 67
ironia pungente 856, 907
irônico 520, 521, 842, 856
ironizar 842
iroso 173, 898, 900
irra!, 867, 900, 930
irracionais 366
irracional 84, 366, 452, 471, 477, 497, 499
Irracionalidade 477
irracionalidade 364, 366, 497
irracionável 471, 477
irradiação 291, 420
irradiante 291
irradiar 73, 291, 420
irradicável 5
irradioso 422
irreal 2, 317, 495, 515, 546

irrealidade 2
irrealizabilidade 471
irrealização 304
irrealizável 471, 859
irreclamável 776
irrecompensado 808
irreconciliabilidade 10
irreconciliado 713
irreconciliável 24, 713, 889
irreconhecido 489
irrecuável 604
irrecuperável 122, 776
irrecusabilidade 744
irrecusável 476, 494, 648, 744, 763, 859, 922
irredimível 776, 808
irredimível ou irremível 951
irredolente 399
irredutibilidade 150, 606
irredutível 150, 159, 606, 772
irreduzível 150, 606
irrefletido 452, 460, 499, 612, 699
irreflexão 452, 458, 499, 699, 863
irreflexivo 452
irreflexo 452, 460, 499
irreformado 951
irreformável 150, 601, 659, 859, 945
irrefragável 474, 494, 859
irrefragavelmente 31
irrefreado 748
irrefreável 173, 748, 825
irrefutabilidade 474
irrefutado 478
irrefutável 474, 478, 494, 859
irregenerado 945, 951, 988
irregenerável 951
irregistrado 552
irregular 16a, 24, 59, 70, 139, 149, 243, 248, 315, 852, 923, 964
irregular na conformação 241
Irregularidade 139
irregularidade 16a, 24, 28, 59, 83, 651, 945
irregularidade de forma 243
irregularmente & *adj.* 139
irrelação 24
irrelativamente & *adj.* 10
irrelativo 10
irrelevância 32, 103
irrelevante 517, 643
irreligião 988
Irreligião 989
irreligiosamente & *adj.* 989
irreligiosidade 989
irreligioso 989
irremediável 150, 173, 471, 474, 601, 649, 776, 837, 859
irremissível 474, 601, 649, 776, 859, 938, 945
irremitente 69, 110, 604a, 859
irremovível 808, 815
irremovível 150, 265, 474, 601
irremunerado 808, 815
irreparabilidade 649, 859
irreparável 776, 859
irrepartido 50
irrepartível 50, 87
irrepetido 87
irrepleguível 957
irreplicável 474, 476, 478
irrepreensibilidade 650, 939, 946
irrepreensível 242, 476, 494, 650, 939, 944, 946
irrepresentável 317
irreprimível 173, 748, 825, 859
irrequieto 173, 264, 266, 682, 713, 742, 825
irrequintado 852
irresignado 859

irresignável 859
irresistência 328, 725, 772
irresistente 160, 328, 605, 725
irresistibilidade 328, 601
irresistível 159, 474, 601, 744, 825, 829, 845, 859
Irresolução 605
irresolução 149, 172, 475, 609a, 860
irresolutamente & *adj.* 605
irresoluto 149, 605, 607, 609a, 683, 699, 738
irresolúvel 471
irrespirável 649, 657
irrespondido 478
irrespondível 474, 476, 478
irresponsabilidade 927a
irresponsável 499, 501, 503, 504, 624, 927a, 945
irrestaurável 776
irrestringível 105
irrestrito 31, 50, 78, 105, 639, 748
irretalhável 43
irretocabilidade 650
irretocável 845
irretorquível 476, 478
irretratado 535
irretratável 150, 317, 606, 859
irrevelado 526, 528
irrevelável 528
irreverência 929, 988
irreverenciar 895, 929, 988
irreverencioso 895, 929
irreverente 885, 895, 929, 961, 988
irrevocável 150
irrevogabilidade 150, 859
irrevogado 141, 143, 150, 601, 859, 924
irrigação 337, 348, 371, 673
irrigador 337
irrigar 337, 348, 371
irrigatório 337
irrimado 598
irrisão 856, 929
irrisor 856, 929
irrisório 32, 193, 477, 495, 545, 643, 853
irritabilidade 825, 901
irritação 35, 173, 824, 828, 835, 898, 900, 901, 901a
irritadiço 868, 895, 900, 901
irritado 173, 900
irritamento 35, 173, 835
irritante 171, 392, 824, 830, 835, 841, 898, 900
irritar 171, 173, 615, 824, 830, 832, 841, 900
irritar o coração 830
irritar os ouvidos 410
irritar-se 825, 895, 900, 901
irritar-se com facilidade 901
irritativo 824, 830, 835, 900
irritável 825, 901
írrito 645, 925, 964
írrito e nulo 756
irrivalizado e irrivalizável 33
irrogação 972
irrogar 155, 649, 874, 974
irrogar censuras 932
irromper 66, 173, 295, 446, 508, 525, 612
irrogação 339
irrorar 339
irrupção 173, 294, 508, 716
ir-se 109, 225, 360, 449, 659
ir-se a alguém a luz dos olhos 442
ir-se à garra 279
ir-se à garra de alguém alguma coisa 876
ir-se alongando 196

ir-se às nuvens | jesuítico

ir-se às nuvens 206
ir-se como um passarinho 360
ir-se concluindo 360
ir-se embora 187, 287, 623, 671
ir-se para o céu/para os anjinhos/para Deus 360
ir-se perdendo de vista 196
ir-se puxando 360, 623
ir-se rebolindo 623
isabel 440a
isadelfo 83
isagoge 64
isagógico 64
isca 388, 545, 615, 784
iscar 332, 356a, 545, 659
iscnofonia 405, 583
isel 247
isenção 748, 922
Isenção 927a
isenção de 815
isenção de ânimo 922
isentar 672, 927a, 937, 970
isentar-se da obrigação 927a
isento 748, 815, 927a
isento de 42, 777a
isento de imperfeição 650
isento de mácula 946
isento de malícia 648, 960
isento de perturbações 826
isento de preconceitos 487
isento de receio/de desconfiança/de temor/de apreensões 858
isento de temor/de preconceitos/de apreensões 861
isericórdia (de andor) 215
Ísis 979
islâmico 983a
islamismo 983a, 998
islamita 983a, 984
islenho 188, 346
isobárico 338
isobarométrico 338
isócolo 27
isocromia 425
isocronismo 120
isócrono 120
isodáctilo 440c
isodinâmico 27
isoflurano 376
isófono 413
isogônico 244
isógono 27, 244
isografia 21
isolação 44, 87
isoladamente 87
isolado 44, 70, 87, 103, 137, 465, 706, 893
isolador 87
Isolamento 87
isolamento 44, 55, 465, 528, 893
isolar 10, 42, 44, 87, 261, 465
isolar-se 893
isolítero 27
isólogo 17, 240
isomeria 17
isomerismo 17, 85
isômero 17, 240
isométrico 27, 240
isomorfismo (similaridade de forma) 240
isomorfismo 240
isomorfo 17, 240
isonomia 27, 922
isônomo 240, 321, 323
isópode 440c
isosporíase 655
isóteras 382
isotéricas 382
isotérmico 382
isotrópico 425
isqueiro 388
ísquio 236

Isso deixa muito a desejar 643
Isso é outra história 15
Isso é outro cantar 15
isso mesmo! 931
Isso não é preciso dizer 474
Isso não pega 473
isso não! 489
isso sim! 931
istmico 342
istmo 45, 203, 342
isto é 79, 516, 522
Isto é caso para sentir remorso 950
isto é de morrer! 838, 839
Isto é de regra 613
Isto é dos livros 601
Isto é uma consciência 950
isto em vez disto 973
isto entra pelos olhos 525
Isto não está na cartilha 475
Isto não me faz míngua 639
Isto não tira nem põe 643
isto sim! 488
Isto tem caveira de burro 732
Isto tem mandinga 732
Isto traz água pelo bico 545
isto! 488
ísula 215
ita (bras.) 323
Ita diis placuit 601
Ita est 494
itaipava (bras.) 706
itálico 550, 561, 591
itambé 208
itando 649
itano 268
Itatiaia 206
Ite missa est 729
item 37, 51, 454, 769, 770
iterábile (ant.) 104
iteração 90, 104, 136, 604a
iterar 104, 136
iterativo 104
itinerante 268
itinerário 266, 527
itupava 348
itupeba 348
itupeva (bras.) 348
iuan 800

J

já 116, 118, 122
Já a barba o ameaça 131
já agora 859
já batido 705
já comer pão com côdea 131
já conhecido 705
já enterrado 122
Já era! 859
já esperado 871
já estar chegando ao fim 128
já estar com a memória obliterada 128
já estar homem 131
já experimentado 705
já ir longe 122
já lá vamos! 870
já lhe nevar na serra 128
Já lhe pica a cevada na barriga 917
Já lhe pinta o bastardo 131
já mencionado 62
já ouvir 197
já pisar o calcanhar de 197
já previsto 871
já pungir a barba a alguém 131
já que 155, 514
já sentir o cheiro de 197
já ser mulher 131
já ter nascido com a vulnus 111
já ter os dias contados 111
já ter previsto 871
já trilhado 705

ja(c)to 612, 684
jab 276
jabiraca 130
jabuti 275
jaça 651, 752, 848
jacaré 366, 441, 897, 913
jacatá 745
jacente(s) 209, 213, 265
jacintino 439
jacinto 439, 847
jack 550
jaco 717
jacóbeo 544
jacobeu 548
jacobice 544
jacobinismo 911
jacobino 710
jactância 549, 855, 878, 880
Jactância 884
jactanciar-se 884
jactanciar-se de 884
jactanciosamente & *adj.* 884
jactancioso 878, 880, 884, 885, 887
jactante 878
jactar-se 880, 884
jacto(s) 51, 299, 348, 420
jacto/jato 276
jacuba (bras.) 298
jaculação 276, 716
jacular 276
jaculatória 990
jáculo 276, 716
jacumã (bras.) 269
jaez 75, 225
jaglado 219
jagodes 501, 547, 554, 846, 877, 949
jaguané 336, 440b
jaguar 913
jagunço 711, 726, 746, 913
jalapeiro 662, 701
jalde 436
jaldinino 436
jaleco 225
jalne 436
jalofo 493
jamais 107, 536, 642
jamais suspeitado 526
jâmbico 597
jambo 597
janeanes 877
janeiras 415, 784
janela 260, 420a
janeleira 897
janeleiro 683
janga 273
jangada 273, 840
jangadeiro 269
jangalamaste 853
jangaz 192, 846
janicéfalo 83
janízaro 711, 726, 739
Jano 263, 548
Jano bifronte 544, 548, 607
janota 851, 884, 887
Janota 854
janotada 851, 854
janotar 851
janotaria 851
janotice 851
janotismo 851, 855, 880
jantar 298
jánuária (cachaça) 959
januis clausis 221, 528
janus anceps 548, 607
jaqueta 225
jaquetão 225
jararaca 900, 901, 913, 949
jararacuçu 913
jaratataca 401
jarda 200, 466
jardia 169

jardim 182, 189, 367, 371, 840, 845
jardim botânico 367, 369
jardim das delícias 377
jardim das Hespérides 981
jardim de infância 537, 542
jardim zoológico 370
jardinagem 371
jardinar (pop.) 840
jardineira 854
jardineiro 371
jarere ou jererê 545
jargão 563
jarra 191, 853
jarrão 191, 873, 875
jarreta 130, 852
jarretar 38, 158, 440e
jarreteira 876
jarro 191
jasezinho 225
jasmim 400, 430
jaspe 440
jaspear 440
jáspeo 430
jato 51, 273, 274, 348
jaula 370, 752
jauleiro 753
javali 366
javali, vozes de 412
javardo 501, 653, 852, 895
javelin 727
javrar 257
javre 257
jazer 157, 183, 186, 207, 215, 265, 360, 363, 526, 678
jazer a herança 778
jazer à superfície 518
jazer em erro 495
jazer em roda 220, 227
jazer entre 228
jazer imóvel 265
jazer oculto 447
jazer sob 207
jazer sob uma necessidade 601
jazer/ficar à espera/à espreita 507
jazerão 717
jazerina 717
jazida 265, 636, 826
jazigo 363, 636
jazz 415
jazz-band 415
jeca 371
jegue (bras.) 271
jeira 181
jeito 176, 240, 627, 698, 820
jeitoso 698
jejuadeiro (depr.) 988a
jejuador (depr.) 988a
jejuar 952, 956, 990
jejuar a respeito de 491
jejuar pelas almas das canastras 298, 957
jejum 952, 955, 990
Jejum 956
jejum do traspasso 956
jejuno 440e, 641, 956
jenolim 436
Jeová 976
jequitibá 206, 873
jeremiada(s) 839, 932
jeremiar 839, 932
Jeremias 513, 839
jeribita 959
jerico 271
jeronimita/hieronimita 996
jeropari 980
jeropiga 959
Jerusalém 484
Jerusalém celeste 981
jesuíta 548, 996
jesuítico 477, 544

jesuitismo | justiça

jesuitismo 477, 544
Jesus Cristo 976, 986
Jesus Sacramentado 998
jet d'eau 348
jetaícica 356a
jetatura 441, 649
jeté 309
jet-ski 273, 337
jeu d'esprit 842
jeu de mots 842
jeu de théâtre 599
jeune premier 599
jeune veuve 599
Jezabel 962
Jezebel 913
jia 846
jiboia 366, 846
jiboiar 869
jiga 840
jiga-joga 314, 475, 605, 856
jiló 395
jingo 910
jingoísta 910
jinjibirra (cachaça) 959
jipe 272, 722
jiqui 545
jiribanda 932
jirigote 941
jiu-jitsu 840
Jó 735
joalharia 691
joalheiro 690
joalheria 691, 847
João de boa alma 948
João Redondo e Maria das Flores 599
joão-fernandes 877
joão-ninguém 34, 804, 877
joão-panão 804
Joaquim Silvério 941
jocos 836
joco-sério 842
jocosidade 829, 836, 840, 842
jocoso 836, 842
joeira 260, 465
joeirar 42, 55, 461, 465, 609, 652, 658
joeiro 465
joelheira 717
joelheiro 209
joelho 244, 440e
jogado aos dados 665
jogado fora 645
jogador 621, 701, 949
jogador de profissão 945
jogar 276, 284, 314, 621, 675, 680, 840
jogar a cabra-cega 475, 699
jogar a pancada 720
jogar a pedra e esconder a mão 544
jogar a reputação de alguém na lama 934
jogar a sua última carta 606
jogar a última cartada 686
jogar aos ventos 610
jogar as armas 716
jogar as cristas 713
jogar as cristas com 720
jogar as melhores cartas 686
jogar as mitras 713
jogar bem com 23
jogar com pau de dois bicos 607, 702
jogar com toda a baralha 686
jogar de garupa 276
jogar dinheiro no ralo 818
jogar entrudo 840
jogar fora 638
jogar fora/ao mar/aos ventos 782
jogar lanças falsas contra alguém 702

jogar lenha na fogueira 173, 835
jogar lixo no chão 929
jogar na arena a sorte de 720
jogar na loteria 621
jogar o florete 716
jogar pelo ralo 638
jogar poeira nos olhos 442
jogar seguro 864
jogar um balde de água fria em 616
jogar-se 310
jogar-se a sorte de alguém em 728
jogata 840
jogatina 945
jogo 27, 72, 156, 275, 599, 621, 692, 702, 840, 856, 945
jogo acertado/atrevido 626
jogo da fortuna 156
jogo de azar 621
jogo de cena 448, 599
jogo de empurra 148, 314, 856
jogo de palavras 477, 497, 520, 563
jogo de sortes 156
jogo dos cantinhos 840
jogo franco 525
jogos 720
jogos circenses 840
jogos de carta 840
jogos de palavra 842
jogos de tabuleiro 840
jogos florais/juvenais/de prenda 840
jogos olímpicos 840
jogos *online* 840
jogral 599, 844
jogralice 842, 852
joguete 601, 842, 856
joguetear 842, 856
John Bull (depr.) 565
joia 618, 648, 809, 845, 847, 899
joia da coroa 650
joias 420, 780
joio 367, 619
jolda (de velhacos) 72
jóquei 268
jorna (pop.) 973
jornada 264, 266, 722
jornal 527, 531, 532, 551, 973
jornaleco (dep.) 531
jornaleiro 690
jornalismo 527, 531
jornalista (pejorativo para) 701
jornalista 531, 532, 553, 593, 594, 690
jornardear 266
jorné ou jórnea 717
jorra 47
jorramento 348
jorrão 213, 272, 295, 333, 347, 348, 653
jorrar dinheiro pelo ladrão 803
jorro 276, 348
José 960
jovem 123, 127, 129, 654
jovem paz 903
jovial 831, 836, 840, 842, 892
jovialidade 836, 892
jovializar-se 836
Joya Kane 998
juba 256
Jube domine 743
jubeteiro 797
jubilação 681, 836
jubilado 128, 681
jubilar 827
jubilar-se 681, 836
jubileu 138, 838, 840, 883
júbilo 827, 831, 836, 838
jubilosamente 31

jubiloso 831, 836, 884
jucundidade 836
jucundo 836, 840
judaico 983a
judaísmo 983a, 998
judaísmo conservador 984
judaísmo liberal 984
judaísmo reformista 984
Judas 941
judeu 983a
judeu errante 268
judiar 830, 856
judiaria 189, 830, 856
judicação 480
judicar 480
judicativo 480, 965
judicatório 480, 965
judicatura 480, 737, 965, 966
judicial 480, 967, 968
judiciar 480
judiciário 480
Judiciário 963
judicioso 480, 498, 922
judô 840
judoca 726
jugada (de bois) 72
jugador 253
jugal 903
jugar 361
juglandina 395
jugo 45, 725, 743, 749, 752
jugo de ferro 739
jugo férreo 739
jugular 162, 174, 350, 361, 731, 749
juidiciário 965
juiz 480, 492, 690, 695, 850, 963, 965, 967, 976
Juiz 967
juiz da festa 801
juiz de fato 967
juiz de fora 745
juiz de paz 724, 965
juiz ordinário/eleito/da relação/*ad quo* 967
juiz pedâneo/da vintena/de paz 967
Juiz Supremo do Universo 976
juízo 450, 480, 484, 498, 527, 566, 695, 722, 966
juízo de Deus 463, 992
juízo de ferro 722
juízo de Salomão 922
juízo do ano 512
juízo natural 477
juízo temerário 481
julepo 396
julgado 965
julgador 480, 467
julgamento 450, 453, 465, 609, 922, 976
Julgamento 480
julgamento errôneo 481, 486
julgar 480, 514, 602, 850, 922, 965, 967, 976
julgar a trouxe e mouxe 481
julgar acerca do mérito e do demérito de 480
julgar através de pernicioso otimismo 481
julgar com a imparcialidade de juiz 480
julgar com pleno conhecimento de causa 480
julgar conveniente 600
julgar intuitivamente 477
julgar mal com parcialidade 481
julgar os outros por si 481
julgar por intuição 477
julgar provável 507
julgar restituído o lume da razão a alguém 502

julgar-se 880
julgar-se estrela quando não passa de pirilampo 880
Jumental 366
jumentice 606
jumento 271, 412, 493, 501, 606
jumento com pele de leão 701
juncal 345
junção 37, 41, 45, 48, 88, 120, 244, 290, 348
Junção 43
juncar 223
junco 273, 324
jungido a uma opinião 481
jungir 43
júnior 127, 129
Juno 920
junta 43, 45, 72, 89, 258, 696
juntado 72
juntamente 43, 120
juntamente com 37
juntar 37, 43, 72, 168
juntar extratos de 596
juntar-se 46, 709
junto(s) 37, 43, 46, 88, 120, 199, 606
junto a 197
junto de 227, 236
juntura 43, 260, 348
Júpiter 979
jura 535, 768, 908, 959
jurado 480, 967
juramentar uma testemunha 768
juramento 535, 768
jurão (bras.) 189
jurar 484, 535, 768
jurar bandeira 66, 722
jurar desforra 909
jurar falso 544
jurar na fé dos padrinhos 486
jurar obediência 743
jurar pela pele a alguém 909, 919
jurar pela pele de alguém 898
jurar pelos Santos Evangelhos 535
jurar por 535
jurare in verba magistri 477, 486
jure divino 924, 976
jure et facto 924
júri 72, 922
jurídico 963, 965
jurisconsulto 492, 593, 968
jurisdição 737, 924
Jurisdição 965
jurisperito 968
jurisprudência 924, 963
jurista 778, 819, 968
juro(s) 806, 810, 924, 973
Juro que... 535
jurupinga (cachaça) 959
jus 924
jus civile 963
jus et norma loquendi 567
jus gentium 963
jus nocendi 737
jus sperniandi 719
jusante 207
justa 205, 720
justa relação 646
justafluvial 342, 348
justamente & *adj.* 922
justapor 37, 39, 72, 199
justaposição 37, 199
justar 716, 720
juste milieu 68, 628
justeza 494, 646, 939
justeza da frase 566
justeza dos conceitos 578
Justiça 922
justiça 939, 976

justiça de funil | lamentadeira

justiça de funil 923
justiça de mouro 914a
justiça deve começar por ser aplicada em casa, A 922
justiça humana/divina 972
justiça imolada às conveniências 923
justiça parcial/prevaricadora/desonesta/ruim/torta/vesga/subserviente às imposições de 923
justiça reta/imparcial/incorru(p)tível/segura/honrada/pronta/fundada mais no prudente arbítrio do que na letra da lei 922
justiça retributiva 972
Justiça seja feita 922
justiça social 910
justiçado 975
justiçar 969, 972
justiceiro 922, 975
justificação 617, 918, 937, 963, 970, 987
justificado 987
justificante 937
justificar 467, 469, 918, 931, 937, 970, 976
justificar a sua conduta 937
justificar-se 617
justificativa 469, 617
justificativo 937
justificável 922
justilho 225
justo 29, 134, 494, 498, 760, 922, 924, 939, 948, 963
justo e obstinado em seus propósitos 939
justo meio 29
justura 23
justus et tenax propositi 939
juvenco (poét.) 129
juvenescência 127
juvenil 127, 131
juvenilidade 127, 131
juvenote 129
juventude 131

K
kabuki 415
Kadish 990, 998
kaiser 745
kama sutra 961
kantele 417
kaput! 859
katiusha 727
Kepler 318
kidush 998
Kindergarden 542
kipá 999
kit 88
kitesurf 840
kitsch 852
klezmer 415
kooh-i-nor 650
koto 417
Krishna 979
kromprinz 779
Krupp 727

L
lã de carneiro 223
Lá foi/lá vai tudo quanto Marta fiou 732
lá fora 196
lá isso é! 488, 535
lá isso não! 489
lá mais adiante 196
Lá se avenham 866
Lá se foi tudo quanto Marta fiou 509
labareda 382, 423, 825
labaredas do ódio 898

lábaro 550
lábdano 356a
labelado 231, 250
labéu 565, 651, 848, 874
lábia 545, 702, 933
labial 231, 250, 561
lábil 111, 149, 255, 332, 475, 665
lábio(s) 231, 250, 440e
labiríntico 59, 248, 519, 704
labirintiforme 248
labirinto 59, 219, 248, 279, 418, 279, 418, 519, 533, 704
Labitur et labetur 109, 112, 143
labor 686, 680, 682
laborado 673
laborar 371, 680, 686
laborar num engano 495
laboratório 691
laboriosa abelha 690
laboriosamente & *adj.* 686
laboriosidade 680, 682, 686, 704
laborioso 680, 682, 686, 704
labrego 188, 371, 491, 501, 852, 877, 895, 978
labrosta ou labroste 501, 852, 877
labuta 686
labutação 680, 686
labutar 680, 682, 686
labuzar 653
laca 356a, 434
laçada 43, 45, 847
lacaiada 746, 843, 852
lacaio 746, 877, 886
laçaria 847
lacedemônios 990
laceração 44
laceramento 44
lacerar 44, 328, 659, 830
lacerar a 378
lacerar as faces 839
lacerável 44, 328
laço 45, 247, 545, 752, 847
laço conjugal 903
laço de fita 550
laço de leite 352
lacônico 572, 585
laconismo 572, 585
laços de amizade 888
laços de amor 897
laços de sangue 11
lacrar 45, 261
lacrau 913
lacre 45, 434
lacrear 434
lacrimação 839
lacrimável 649, 828, 830
lacrimejante 839
lacrimejar 839
lacrimogêneo 334, 727, 822
lacrimoso 822, 837, 839, 914
lactar 127, 707
láctea 352, 662
lácteo 352, 427, 430
lactescência 427
lactescente 352, 427, 430
lacticínios 298
lacticinoso 352, 427
lacticolor 430
lactífago 298, 958
lactífero 352
lactiforme 430
lactíneo 430
lacuna 2, 53, 198, 252, 304, 495, 641, 651
lacunar 53, 198, 304, 651
lacunoso 53, 70, 198, 651
lacustral 343
lacustre 343
lada 348
ladainha 104, 573, 575, 613, 990
ladairos/ladários 990, 950

ladeado & *v.* 88
ladear 88, 216, 236, 477, 607, 716
ladeira 217
ladeira abaixo 306
ladeirento 217
ladeiro 217
ladino 487, 498, 578, 702
lado 236, 246, 342
lado a lado 197, 199, 712
lado da epístola/do evangelho 1000
lado de montar 239
lado do coração 239
lado dos instintos e dos vícios 945
lado fraco 665, 822, 945
lado oposto 237
lado x cabeceira, topo, testeira 237
ladra 200
ladrado 412, 934
ladrador 936
ladradura 412
ladrão 548, 913, 949
Ladrão 792
ladrão chapado/refinado 792
ladrão formigueiro 792
Ladrão que rouba ladrão tem cem anos de perdão 918
ladrar 412, 414, 909
ladrar 909
ladrar calúnias 934
ladravaço 792
ladravão 792
ladravaz 791, 792
ladrido 412, 934
ladrilhador 690
ladrilhamento 223
ladrilhar 223
ladrilheiro 690
ladrilho 204, 223
ladripar 791
ladrisco 792
ladro 653, 791, 829
ladroaço 792
ladroagem 775, 791
ladroar 791
ladroeira 530, 791
ladroeirar 791
ladroíce 791
lady 372, 894
lagalhé 877, 941
lagamar 343
laganha ou langanha 653
laganhento 653
lagão (asiát.) 273
lagariça 636
lagarta 165
lagarta rosada 165
lagarteiro (pop.) 702
lagartixa 203, 366
lagarto 129
lago 345
lago de fogo 386, 982
lago irremeável 360
lagoa 343, 345
lagoeiro 345
lágrima 839
lágrima sabeia 998
lagrimar 839
lágrimas ardentes 839, 901
lágrimas como punhos 839
lágrimas da aurora 339
lágrimas de crocodilo/de mostarda 544
lágrimas matutinas 339
lágrimas que marejam os olhos 839
laguna 343
laia 75
laical 997
laicizar 997
laico 988, 997

laidrar 412
laird 745
laisser aller 681, 738
laisser faire 623, 681, 738
laisser-aller 826
laisser-faire 826
laissez faire 681
laissez-aller 460
laissez-faire 460
laissez-passer 460
laivo 848
laivos 491
laje 204, 223, 551
laje fria e muda dos sepulcros 363
lájea 204, 223, 363
lájea fria 363
lajeado 223
lajeamento 223
lajear 223
lajedo 223
lajem 223
Lama 345, 352, 649, 653, 745
lamaçal 343, 345, 653
lamacento 339, 345, 352, 426
lamarão 345
lamaroso 345
lambaba 972
lambaceiro (reg.) 957
lambada 378, 415, 840, 929, 932
lambança 588
lambão 957
lambarar 298, 957
lambaraz 957
lambareiro 957
lambarice 957
lambaz 957
lambdacismo 583, 579
lambear 298
lambe-botas 886
lambe-cu (chulo) 886
lambedela 199, 298, 784
lambedor 396, 662, 886
lambedura 199, 298
lambeiro 957
lambe-pratos 957
lamber 199, 298, 377, 394, 659, 855
lamber a poeira 213
lamber os beiços 390
lamber os pés 886
lamber os pés a alguém 933
lamber-se 838
lambida 298, 840
lambiscar 298, 953
lambisco 32
lambisqueiro 953, 957
lambrequins 214, 248, 847
lambuça 653
lambuçadela 653
lambuçar 653
lambujar 298, 953, 957
lambujeiro 953, 957
lambujem 32, 298, 491, 545, 784
lambuzada 32
lambuzadela 32, 491, 653
lambuzar 653
lamecha 897, 935
lameira 345
lameiral 345
lameirão 345, 649
lameiro 345, 653
lamela 204
lamelação 204
lamelar 204
lameliforme 204
lamelípede 440c
lamelirrostro 440c
lameloso 204
lamentação 597, 915
Lamentação 839
lamentações 363
lamentadeira 839

lamentador | largueador

lamentador & v. 833
lamentar(-se) 833, 837, 839, 915, 932, 950
lamentável 649, 830
lamentavelmente 31
lamento 833, 839
lamentosamente 31
lamentoso 839
lâmina 51, 204, 251, 253, 255, 501, 633, 727
laminação 204
laminado 204
laminagem 204
laminar 204
laminela 253
laminífero 204
laminoso 204
lamiré 413
Lammas 998
lamoja 652
lâmpada 214
lâmpada de Aladim 993
lâmpada de Davy 666
lâmpada de segurança 666
lâmpada dicroica 423
lâmpada febeia 318
lâmpada fluorescente 423
lâmpada halógena 423
lâmpada incandescente 423
lâmpada *spot* 412
lampadário 423
lampadejar 420, 422, 508
lâmpado (ant.) 423
lampadomancia 511
lampana 546
lamparão 655
lamparina 423
lampeiro 674, 684, 851, 880
lampejar 420
lampejo 420, 480a, 490, 505, 525, 612
lampianista 690
lampião 423
lampinho 127, 129, 440d
lampo 116, 674
lamúria 545, 765, 839
lamuriador 765
lamuriar 765, 839
lamuriento 765, 839, 868
lamurioso 765
lanada 263
lança 234, 262, 253, 727
lançaço 972
lançada 716
lançadeira 314
lançadiço 32, 34, 645, 877
lançado às urtigas 645
lançador 795
lançadura 276
lança-foguetes 722
lançamento 123, 267, 276, 551, 795, 811
lançamento em rosto 932
lançar 123, 175, 276, 284, 348, 461, 551, 713, 763, 795, 796
lançar a atenção 457
lançar a barra mais longe que alguém 33
lançar a cascavel ao gato 863
lançar à conta de 155
lançar a desonra sobre 874
lançar a dúvida sobre 485
lançar a égide de sua misericórdia 976
lançar a finta 812
lançar a luva 485, 938
lançar a luva a alguém 715
lançar a monte 624
lançar a rede 463, 622
lançar à responsabilidade de alguém 938
lançar água no mar 640
lançar âncora 265

lançar âncora/ferro 292
lançar aos pés de alguém 784
lançar aos quatro ventos 531
lançar as bases/os alicerces/os fundamentos/a primeira pedra 673
lançar azeite ao fogo 824, 835
lançar balde de água fria 174
lançar bando 531
lançar botões 367
lançar combustível 824
lançar combustível ao fogo 35, 384
lançar de si 297
lançar dúvida sobre 536
lançar em perplexidade 475
lançar em profunda tristeza 830
lançar em registro 551
lançar em rosto 713
lançar em rosto/em face 932, 938
lançar ferro 265
lançar ferros a alguém 751
lançar fora 297
lançar fora o manto da hipocrisia 543
lançar interdição sobre 761
lançar invectivas contra 932
lançar linhas no papel 590
lançar luz 420
lançar luz nova 522
lançar luz sobre 480a
lançar maldições 908
lançar mão de 467, 677, 789
lançar mão de uma aberta 134
lançar n'água 337
lançar na balança 461, 466, 480
lançar na estupefação 824
lançar na vala comum 363
lançar na viuvez 361
lançar nau ao mar 731
lançar no crédito 805
lançar no débito/crédito 811
lançar no papel 590
lançar no rol 76
lançar o bastão no meio dos contendores 723
lançar o coração ao largo 826
lançar o débito e o crédito 811
lançar o guante 715
lançar o hábito às urtigas 757
lançar o malhão mais alto 33
lançar o pomo da discórdia 713
lançar o seu veto sobre 761
lançar os alicerces 161
lançar os alicerces/a primeira pedra/os fundamentos 66
lançar os olhos para 441, 457
lançar ou dizer ou proferir blasfêmias 988
lançar para cima 621
lançar pela ladeira abaixo 61
lançar por terra 731
lançar por terra o adversário 731
lançar por um declive 61
lançar raízes 150
lançar raízes/âncora 184
lançar renovos 161
lançar sobre a terra os seus derradeiros clarões (o sol) 126
lançar sombra 424
lançar sombra sobre 483
lançar sortes 621
lançar sua exoneração aos pés de 757
lançar suas contas 811
lançar suas linhas 626
lançar um artigo no débito/no crédito 805

lançar um véu sobre 506
lançar uma ponte 774
lançar uma ponte entre 45
lançar-se 665
lançar-se a monte 623
lançar-se a nado 293
lançar-se aos pés de alguém 765
lançar-se com o inimigo 623
lançar-se contra 708
lançar-se em 348
lançar-se em empresas arriscadas 861
lançar-se na devassidão 961
lançar-se nos braços de 666
lançar-se por ladeira abaixo 306
lançar-se sobre 716
lanças 476
Lancaster 727
lance 8, 71, 134, 151, 665, 676, 680
lance arriscado/apertado 704
lance-d'olhos 441
lance de dados 621
lance decisivo 8
lance difícil 704
lance oratório 517, 582
lanceado de dor 828
lancear 260, 716, 830
lanceiro 726, 840
lanceolado 253
lances 156
lances de valor 861
lanceta 253, 262
lancetada 378
lancetar 260, 378
lanceteira 255
lancha 273
lanchaca (ant.) 726
lanchão 273
lanchar 298
lancha-torpedeira 273
lanche 298
lancinante 378, 830
lancinar 378, 830
lanço 51, 276, 702, 763, 795
landau 272
landes 169
landgrave 745
landgravina 745
landsturm 726
landwehr 726
langor 160, 172, 655, 683, 823, 826
langoroso 160, 172, 275
languescer 36, 160, 655, 681, 823, 826, 839
languidez 160, 172, 575, 655, 683, 823, 826, 839
lânguido 160, 172, 275, 575, 823, 897
languinhento 46, 160
languir 160, 681, 823
languor 172, 683
lanhar 44, 276, 378, 679, 972
lanho 44, 378
laniar 253
Lanífero 256
lanifício 691
lanígero 256, 366
lanosidade 256
lanoso 256
lansquené 156
lansquenete 156
lanterna 235, 281, 420a, 423
lanterna de Diógenes 461
lanterna de furta-fogo 423
lanterna mágica 443, 445, 448, 840
lanterneiro 690
lanterneta 727
lanternim 420a
lanudo 256

lanugem 131, 255, 324
lanuginoso 256, 324
lanzudo 256, 895
lapa 252, 530
lapão 501, 701, 895
láparo 129, 366
laparoscopia 260
laparotomia 44
laparotomizar 44
lapatina 395
lapidação 537
lapidar 240, 537, 572, 576, 650, 658, 673, 716, 850, 907, 972
lapidária 554
lapidário 554, 559, 872, 690
lápide 363, 883
lapídeo 323
lapidescência 323
lapidescente 323
lapidificação 323
lapidificar 323
lapidoso 323
lapiga (dep.) 373
lapijar 556
lapim 792
lapinga (cachaça) 959
lapinhas 998
lápis 556, 590
lapisada 554
lápis-lazúli 438, 847
Laplace 318
Lapônia 383
lapônio 501, 852, 877
lapso 460, 495, 506, 945, 947
lapso da memória 506
lapso de tempo 106, 111
lapsus calami 495, 568
lapsus linguæ 495, 568
lapsus plumæ 495, 568
lapúrdio 501
lapuz 501, 653, 674, 852, 877, 895
laquear 43, 223
lar 166, 189, 265, 292
lar doméstico 189
laracha (chulo) 856
larada 384, 653
laraita 374
laranja 436, 439
laranjado 436
laranjal 371
laranjo 440b
larapiar 791
larário 189, 792
lardear 228
lardívoro 298
lardo 356, 393
larear 683
larego 129
lareira 189, 384, 386
lares et penates 189
lares paternos 189
larga 748, 782
largamente 31, 202
largar 44, 287, 580, 582, 624, 750, 782, 782, 784
largar a toda a força de vela 293
largar de mão 53, 55, 624
largar mão 816
largar o porto 293
largar os ossos 360
largar por mão de 624
largar terra para favas 623
largar uma piada 842
largar-se 623
largar-se a 677
largheto 275, 415
largifluo 188, 639
largo 31, 105, 110, 180, 189, 192, 202, 274, 275, 415, 573, 639, 642, 644, 748, 816, 870
largo como o estuário do Amazonas 202
largueador 818

larguear | leigar

larguear 638
largueirão 202
largueza 180, 202, 573, 638, 748, 816, 906
largueza injustificada 818
largura 192
Largura 202
laringalgia 378
laringe 351
laríngeo 351
laringite crônica 655
laringoscopia 662
laringoscópio 461
laringotomia 301
larva 129, 215
larvado (fam.) 503
larval 860
lasanha 298
lasca 32, 51, 204, 330
lascado 53
lascar 51, 205, 328
lascarino 792
Lasciate ogni speranza voi ché intrate 859
lascívia 377, 827, 897, 954, 961
lascivo 827, 836, 897, 961
laser 420
lassidão 47, 158, 160, 172, 875, 575, 681, 683, 385, 688, 738, 823, 826, 841
lassitude 823, 688
lasso 44, 47, 160, 172, 324, 326, 575, 688, 738, 961
lástima 645, 839, 914
lastimar(-se) 837, 914
lastimável 828, 932, 945
lastimoso 828, 839
lastração 319
lastrar 223
lastro 30, 211, 298, 319, 800, 805
lastro foguetão 666
lata 191, 204, 234, 440e
latada 215, 929, 972
latagão 192
latâneo (ant.) 236
latão 420
latear 847
lategada 615, 972
látego 615, 975
latejamento 314
latejar 314
latejo 314
latência 172, 447, 519
Latência 526
latente 172, 447, 519, 526, 528
latentemente 526
later 314, 528
lateral 236
Lateralidade 236
lateralmente & *adj.* 236
laterício 635
laterifólio 367
Latet anguis in herba 667
Latet scintillula forsan 858
látex 352
latibular 981
latíbulo 189, 338, 530, 666, 981, 1000
latido 412, 934
latidos 950
latifúndio 181, 780
latim 519, 560
latim macarrônico 563
latinada 495, 568
latiniparla (dep.) 493
latinista 492
latinizar 563, 578
latino 578
latinório 491, 563
latir 412, 909
latitude 180, 181, 183, 202, 466, 573
latitude e longitude 550

latitudinal 181
latitudinarianismo 984
latitudinário 202, 984, 989
lato 31, 78, 202, 748
latoaria 691
latoeiro 690
latria 990
latrina 653
latrinário 653, 886, 961
latrineiro 653, 877, 886
latrocinar 791
latrocínio 789, 791, 964
lauda 593
laudari a laudato viro 931
laudatício 838, 931
laudativo 838, 931, 935
laudator 935
laudator temporis acti 122, 613, 833, 935
laudatório 838, 931, 935
laudável 931
laudêmio 810
laudes 990
laudo 480
laudo arbitral 480
láurea 733, 873, 973
láurea de doutor 873
laureado 597, 698
laurear 847, 873, 931, 973
laureável 931
laurel 733, 873
láureo 436, 873
lauréola 873
laurífero 873
laurígero 873
laurino 873
laurívoro 513
lauro 436
lausperene 990
lauto 298, 394, 639, 882
lava 299, 348, 352, 382
lavabo 337, 990, 998
lavação 652
lavacro 998
lavada 348
lavadeira 652
lavadela 652
lavado 543, 894
lavado de ares 349
lavado/banhado em lágrimas 828
lavadura 652
lavagem 652
lavagem cerebral 537
Lavagem do Bonfim 998
lavanda 400
lavanderia 652
lava-pés 998
lavar 652, 970
lavar a égua 803
lavar as mãos 624, 866, 927
lavar as mãos de 782, 927a
lavar sua testada 927a
lavar uma injúria no sangue de 919
lavar-se 944, 990
lavatório 652
lavego 371
lavor 219, 557, 578, 847
lavoso 299, 352
lavoura 371
lavra 371
lavrada 371
lavradeiro 371
lavrador 371
lavragem 371
lavramento de escrituras 783
lavrança 371
lavrar 73, 162, 259, 371, 550, 551, 554, 556, 557, 590, 657, 686, 800, 847
lavrar a sentença condenatória 971

lavrar documento 590
lavrar o fogo sob cinzas 526
lavrar-se de uma calúnia 937
laxação 47, 160, 688
laxante 662
laxar 47, 160, 275, 834
laxativo 662
laxidão 275, 683
laxo 172, 705, 738
Laylat al-Qadr 998
lazarar 865
lazarento 655, 945
lazareto 662, 664
lazarista 996
lazarone 804
lazeira 619, 804, 828, 830
lazeirento (fig.) 945
lazer 134, 685, 687
lazulite 438, 847
lazzarone 683
lazzaroni 877
lé com lé, cré com cré 17
le diable à quatre 173
le pas 62
le pot au lait 515
Le Roi le veut 741
leal 543, 604a, 703, 743, 772, 888, 939
lealdade 604a, 703, 743, 772, 829, 888, 926, 928, 939
lealdoso 939
lealmente 890
leão 33, 159, 366, 412, 604, 854, 861, 872, 873, 895
leão, tigre, onça, urso, vozes de 412
lebracho 129, 366
lebrão 366
lebre 274, 366
lebre 412
lebreiro 366
lebréu 366
lecionação 537
lecionado 541
lecionado de sofrimentos 655
lecionando 541
lecionar 537
lecionário 998
lecionista 540
léctica 272
lectícula 272
lectorato ou leitorado 995
lectriofonema 125
led (díodo emissor de luz) 423
ledamente 31
ledice 827, 831, 836, 842
ledo 831, 836
ledor 540
legação 755, 784
legado 534, 758, 780, 783, 784
legado *a latere* 758
legal 494, 740, 760, 922, 924, 963
legal ou ilegalmente 631
Legalidade 963
legalização 963
legalizado 963
legalizar 467, 924, 963
legalmente & *adj.* 963
legar 755, 783, 784
legatário 167, 779, 785
legato 413, 415
legenda 546, 550, 551, 594, 697, 998
legendário 124, 546, 594, 873, 998
legging 225
legião 102, 712, 726
legião de honra 876
legibilidade 518
legionário 711, 726
legislação 693, 963
legislador 693, 759, 963
legislar 737, 963

legislar para 693
legislativo 693, 696, 963
legislatório 963
legislatura 963
legislável 963
legisperito 968
legista 968
legítima 780
legítima ou ilegitimamente 604
legitimação 924
legitimado 11, 963
legitimar 467, 924, 963
legitimidade 924, 963
legítimo 11, 42, 494, 578, 760, 922, 924, 963
legítimo de Braga 494
legível 518
legra 461
legrar 461
légua 200
légua da Póvoa 196
légua de beiço (bras.) 196
leguleio 701, 968
legulejo 701, 968
legume 367
leguminário 367
leguminívoro 298
leguminoso 367
legumista 371
lei 80, 741, 697
lei absoluta/substantiva/material/adjetiva/formal/processual/pessoal/administrativa/coativa 963
lei anonária 814
Lei Áurea 750
lei comum/natural/política/marcial/civil/criminal/militar/moral/da guerra 963
lei da graça 985
lei das gentes 963
lei das leis 963
lei das nações 963
lei das rolhas 739
lei de 613
lei de contravenções penais 963
lei de Cristo 985
lei de Deus 985
lei de funil 923
lei de Lynch 738
lei de meios 811
lei de meios/orçamentária 963
Lei de Murphy 735
lei de Newton 288, 319
lei de Talião 718, 919
lei de Volstead 958
lei do canhão 744
lei do ventre livre/dos sexagenários/Áurea/Afonso Arinos/Maria da Penha/lei do inquilinato 963
lei dos medas e dos persas 80, 141
lei dos profetas 985
lei fundamental orgânica 963
lei infame/draconiana/liberticida 739
lei judaica 985
lei magna/maior/básica/fundamental 963
lei marcial 739, 744
lei marcial/do mais forte/de Lynch 964
lei nova 985
lei ordinária/complementar 963
lei orgânica 963
lei procustiana 80
lei rigorosa 739
lei seca 958
leicenço 655
leigaço 493
leigal 997
leigar (desus.) 997

649

leigo 57, 491, 493, 746, 989, 997
leiguice 491, 499
leilão 796
leiloar 796
leiloeiro 758, 796
leira 181, 210, 342, 344, 367
leirão 792
leis da natureza 82
leis divinas e humanas 963
leis do movimento 264
leis não são boas porque se mandam, senão porque bem se guardam, As 963
leishmaníase 655
leishmaniose 655
leitão 129
leitão, vozes de 412
leitar 430
leite 352, 430
leite de cal 430
leite e mel 734
leite virginal 396
leitente 352
leitento 430
leiteria 189
leito 208, 215, 350, 903
leito da morte 360, 363
leito de Procusto 523, 619, 744, 975
leito de rosas 377
leito nupcial 903
leitoado 192
leitor 540, 995
leitoso 352, 427
leitras 352
leitura 490, 522, 537, 538
leitura da Torá 998
leiva 210, 342
leixão 223, 342, 346
lelé 504
lelo (reg.) 503
lema 476, 484, 496, 550, 697
lemacídeo 366
lemático 496, 550
lembradiço 505
lembrado & v 505
lembrador 505
lembrança 505, 550, 551, 695, 784, 833, 932
lembrança suave e triste 833
lembranças 892, 894
lembrar(-se) 17, 505, 514, 516, 527, 668, 695
lembrar a alguém o cumprimento do dever 932
lembrativo 17
lembrete 505, 932, 972
leme 278, 633, 693, 747
lemniscata 248
lemnisco 733
lêmur/lêmure (Roma antiga) 980
lemúrias 991, 992
lena (f.) 962
lençaria 691
lenço 225, 440e, 652
lenço de alcobaça 392
lençol 204, 223, 251, 636
lençol-d'água 343
lençol-roupa defunteira 363
lenço-tabaqueiro 392
lenda 124, 515, 546, 594
lendário 873
lêndea 653
lendeaço 653
lendeoso 653
lenga-lenga 497, 517, 573, 584
lenha 388
lenhador 371, 690
lenheiro 371, 690
lenhificar 323
lenho 367
lenho da cruz 998

lenidade 174, 740
leniência 174, 740
leniente 174, 662, 740
lenificar 174, 834
lenimento 662
lenir 174, 834
lenitivo 174, 660, 662, 834
lenocínio 961
lentar 339
lente 443, 445, 540
lente de aumento das paixões 481
lente de prima 540
lentecer 339
lenteiro 345
lentejar 339
lentejoila 420
lentejoula 847
lentes de contato 445
lentescente 339, 352
lenteza 275, 339, 683
lentícula 445
lenticular 245, 250, 262, 445
lentidão 133, 275, 339, 603, 683, 685
lentiforme 245, 250, 445
lentigem 848
lentiginoso 848
lento 133, 172, 174, 275, 339, 352, 603, 683
lento lento 275
lentura 275, 339, 683
leoa 374, 854, 949
leoneira 189, 530, 667, 752
Leônico 366
leonino 412, 545, 940
leopardo 440
lepidez 132
lépido 132, 682, 684, 831, 836, 856
lepidóptero 366
lépido-sereia 83
leporino 366
lepra 619, 655, 830
leprologia 662
leprosaria 662
leprosário 662
leproso 655, 874, 886, 945
leprosório 662
leptospirose 655
léptron 316
leque 247, 349, 385
ler 522, 538
ler a saltar 460
ler às avessas 523
ler de cadeira 490
ler e corrigir as provas de granel 591
ler mal 491
ler nas entrelinhas 522
ler no futuro 511
ler por outra cartilha 489
ler/ rezar pelo mesmo breviário que outrem 484
lerdaço 499
lerdeza 275, 685
lerdice 375
lerdo 133, 172, 275, 499, 683
léria 517, 546
les dessous des cartes 153
lesão 655, 659, 925
lesar 545, 649, 791, 907, 925, 940
lésbica 897, 961
leseira 158, 685, 866
lesivo 619, 649
lesma 133, 275, 412, 683, 843
leso 158, 376, 504, 685
lestada 349
leste 236
lestes 111, 171
lesto 111, 171, 684
lesto ou lestes 682, 836

let it be 826
letal 361, 839
letalidade 361
letargia 172, 376, 655, 681, 683, 823
letárgico 172, 275, 376, 681, 683
letargo 376, 475, 681, 683, 823
letargo da dúvida 485, 989
L'Etat c'est moi 604
leteano 506
léteo 361
Letes 506
letífero 361
letificante 829
letificar 829
letífico 829
letivo 537
letomania 361, 503
letra 516, 550, 590, 800
Letra 561
letra açangalhada 590
letra ao portador 800
letra capital/maiúscula/capitular/minúscula/medial 561
letra de câmbio 800
letra de câmbio/da terra 771
letra de forma 591
letra de velho 590
letra exicial 975
letra garrafal 561
letra má 590
letra morta 158, 517, 645, 738, 773, 927, 964
letra promissória 800
letra protestada 808
letra redonda 591
letra uncial 590
letra vermelha 550
letradice 491
letrado 490, 492, 500
letradura 491
letramento 537
letras 560, 592
letras divinas 985
letras do papa 741
letreiro 551
letrudo 493, 500
léu 134
leucemia 655
leucemia mieloide aguda 655
leucemia/linfoma de células T do adulto 655
leucofleumático 823
leucorreia 299, 655
leucorreico 299, 655
leva 72, 283, 726
leva e traz 949
leva rumor! 403
levada 348
levadeira 633
levadente 378, 932
levadia 341, 348
levadiço 264
levamento (ant.) 791
levantadiço 260, 264, 452, 458, 460, 742, 860
levantado 206, 264
levantador 742
levantadura 307, 742
levantamento 307, 446, 594, 633, 719
levantamento de empréstimo 788
levantamento de mastro 840
levantar 153, 161, 206, 307, 658, 810, 931
levantar à altura de 482
levantar a cabeça 525, 658
levantar a caça 622
levantar a fronte 878
levantar a fronte/a grimpa 878
levantar a grimpa 708, 719, 885, 895

levantar a lebre 461, 476
levantar a luva 461, 919
levantar a população contra 742
levantar acampamento 623
levantar alarido 411
levantar alguém do pó 658
levantar alguém do pó/da lama 707
levantar altares a alguém 873
levantar às alturas 873, 931
levantar às estrelas 482
levantar as mãos ao céu 838
levantar as mãos contra alguém 907
levantar as mãos contra o seu benfeitor 917
levantar as orelhas 455, 457
levantar calúnias 934
levantar clamor contra 932
levantar dificuldades 704
levantar do letargo 824
levantar empréstimo/dinheiro 788
levantar estátua 883
levantar falso testemunho 544, 934
levantar ferro/âncora 293
levantar figuras 511
levantar forças 722
levantar fundos 775
levantar grande celeuma 642
levantar mão de 624
levantar o acampamento 287
levantar o acampamento/o arraial 293
levantar o ânimo 615
levantar o ânimo de 824
levantar o cerco 260, 723
levantar o espírito 836
levantar o labéu/a pecha 970
levantar o lanço 796
levantar o pendão da revolta 742
levantar o veto 762
levantar o voo 623
levantar poeira 682
levantar tempestade num copo d'água 645
levantar tempestades 173
levantar um depósito 785
levantar um protesto 932
levantar uma balela 546
levantar uma dúvida 475
levantar uma ideia 514
levantar uma questão 461
levantar voo 267, 287, 293
levantar/afastar/sofraldar/rasgar a cortina/o véu 529
levantar/erguer os braços 725
levantar-se 183, 194, 206, 307, 446, 734, 973, 894
levantar-se com o santo e com a esmola 917
levantar-se de um salto 870
levantar-se de uma doença 660
levante 278, 742
levântico 188
levantino 188, 278
levar (a epidemia) famílias inteiras 361
levar 270, 298, 361, 495, 630, 638, 677, 775, 777, 785, 789, 791, 812
levar a 67, 153, 176, 615
levar à afinação de 615, 824
levar a barra diante de alguém 33
levar a boca 390
levar a bom termo 680, 692
levar a cabo 67
levar à cena 599
levar a cotio 225
levar a desonra a 784

levar a desonra ao lar de alguém | licor

levar a desonra ao lar de alguém 961
levar a desordem a 61
levar a efeito 680, 692, 729, 772
levar a fertilidade a 168
levar a fio de espada 914a
levar à força 285
levar a indisciplina a 61
levar a indisciplina ao seio de 742
levar a mão a 379
levar a melhor 731
levar a mira 620
levar a noite de vela/de espertina 682
levar a palma 33, 873
levar à parede 731, 879
levar a pena/boa paga para o seu tabaco 972
levar à presença de 763
levar à rebelião 742
levar a reboque 88
levar a rojão 285
levar a salvamento 729
levar à sepultura 361
levar a sério 822
levar a sua avante 731
levar a sua condescência ao ponto de 906
levar a sua condescendência ao ponto de 740
levar a sua fisgada 604
levar água no bico 528
levar água para o seu moinho 943
levar alguém a (+ verbo no infinitivo) 744
levar alguém à cama 655
levar alguém a esperar 507
levar alguém ao talho 744
levar alguém pelo beiço 737
levar alguma coisa de mangação/de galhofa 856
levar ao cabo/ao fim 729
levar ao cadafalso 972
levar ao combate 722
levar ao conhecimento de 527
levar ao desespero 859
levar ao forno 384
levar ao mercado 796
levar ao ostracismo 930
levar as coisas a fio 604a
levar as coisas às do cabo 686, 729, 139
levar as coisas muito longe 549
levar às costas/às cavalitas/às carranchinhas 215
levar as lampas 33
levar as precauções ao extremo 864
levar até o calvário 67
levar atrás de si 280
levar boa vida 377, 734
levar bomba 732
levar café para São Paulo/água para o oceano 645
levar com a porta na cara 764
levar com a tábua no rabo 917
levar couro e cabelo 791, 789
levar de assalto 789
levar de birra 606
levar de rastos 285
levar de vencida 33, 173, 284, 731
levar de vencida os diques 303
levar de vencida todos os diques 143
levar decidida melhoria 33
levar descaminho 449
levar desvantagem 34
levar diante de si 284
levar em brio/em capricho 686
levar em consideração 461
levar em conta 465, 469
levar em linha de conta 476, 480
levar em mente 620
levar em vista/em mira/em mente 620
levar fumo a Goiás/café a São Paulo/água ao Amazonas 640
levar grande avanço a alguém 274, 280
levar grande velocidade 274
levar jeito 472
levar lenha para o mato 640
levar luz 522
levar mau caminho 647
levar muito caro 814
levar na cuia 732
levar no espírito recordações 505
levar nos bitáculos (ant. pop.) 972
levar o caminho de 19
levar o diabo 449
levar o fito/mira em 611
levar o gato à água 863
levar o luto e a desolação 162
levar o ramo de oliveira 723
levar o seu grãozinho na asa 959
levar o tributo de suas águas a 348
levar os olhos 457, 642, 870
levar para a lama 934
levar para diante 676
levar para seu tabaco 495
levar pelo nariz 737
levar pelos ares 638
levar por diante 143, 680
levar primazia sobre 33
levar rasca na assadura 775, 810
levar sangue novo 824
levar saudades a alguém 894
levar sedução ao espírito de 829
levar sua conta 972
levar tudo a fio de espada 964
levar um artigo ao débito/crédito 811
levar um babaréu/uma surriada 853
levar um coice de alguém 917
levar um fim determinado 620
levar um livro ao prelo 531
levar um quinau 495
levar um raio de luz a 518
levar um raio de luz ao recesso de 522
levar uma amoladela mestra 972
levar uma bolada de 791
levar uma lição à custa própria 509
levar uma recusa 764
levar uma vida de 692
levar vantagem 33
levar vida de abade 840, 954
levar vida de abade/de fidalgo 377
levar vida de cão 804
levar vida de cigano 266
levar vida de judeu errante 266
levar vida de porco 681
levar vida descansada 734
levar vida difícil e laboriosa 804
levar vida direita 377, 734
levar vida dissoluta e de deboche 954
levar vida folgada 377
levar vida negra 378
levar vida nômade 266
levar vida ociosa 683
levar/chamar Deus para si 360
levar/ganhar a palma 731
levar/tomar em conta/em consideração 457
levar-se do diabo/da breca 900
levar-se do interesse 940
levas de soldados 707
leve 32, 270, 320, 322, 475, 643, 705
leve como uma pena & *subst.* 320
leve e leve 320
leve ebriedade 959
leve tintura 491
levedação 194, 659
levedar 194, 353
lêvedo 353
levedura 56, 353
leveiro 320
levemente & *adj.* 320
lever de rideau 599
Leverrier 318
leves 349, 351
Leveza 320
leveza 458, 578, 584, 643
leviandade 458, 499, 584, 605, 608
leviano 458, 584, 605
leviatã 192, 341
levidade 320, 682
levidão 320, 499
levigação 330
levigar 330
levípede 274, 682, 684
levita 996
levitação 320
levitante 320
levitar 320
Levítico 985
levulose 396
lex legum 963
lex mercatoria 963
lex non scripta 963
lex scripta 697, 963
lex Talionis 718, 919
lexical 562
léxico 560, 562, 593
lexicografia 560, 562
lexicográfico 562
lexicógrafo 492, 593, 690
lexicologia 562
lexicológico 562
léxicon 562
lhama 271, 523, 830, 879
lhaneza 543, 576, 703, 849, 879, 894, 939
lhano 543, 703, 849, 881, 894, 939
lhano 703, 849, 881, 894, 939
lhanos 344
lhanura 251, 543, 703, 849, 894
liaça 72
liação 43
liame 9, 752
liamento 45
liança 714
liar 43, 714
libação 298, 959
libar 298, 390, 821, 959
libar delícias 827
libata 189
libatório (ant.) 959
libelista 936, 938
libelo 934, 938
libente 602
libentissimamente 602
liberação 672, 750, 760, 771, 807
liberação de uma dívida 807
liberado 672, 750
liberal 481, 639, 737, 740, 760, 816, 818, 942
liberal e amplo para uns, restrito e apertado para outros 923
liberalidade 740, 748, 784, 906, 942
Liberalidade 816
liberalismo 740, 748, 942
liberalização 750
liberalizar 750, 784, 816
libera-me 839
liberar 672, 750, 807
liberatório 807
liberdade 134, 600, 604, 703, 738, 760, 885, 924
Liberdade 748
liberdade civil/natural 748
liberdade de expressão/de associação/de comércio/de culto/de consciência/de pensamento/de imprensa 748
liberdade poética 597
libérrimo 748
libertação 660, 671, 672, 748
Libertação 750
libertação condicional 672
libertador 750
libertar 660, 672, 705, 750
libertar da lei da morte 873
libertar de 297
libertar de impurezas 42
libertário 742, 750
libertar-se 489, 750
libertar-se da lei da morte 873
libertar-se de 297
Libertas quae sera tamen 750
liberticida 739, 751
liberticídio 739, 751
libertinagem 954, 961
libertino 897, 945, 949, 954, 954a, 961
Libertino 962
libertivo 750
liberto 748, 750
libidinagem 377, 827, 954, 961
libidinosidade 827, 865, 954
libidinoso 827, 961, 962
libidinoso vulgar 962
Libitina 360
líbito 600
libra 319, 800
libra esterlina 800
libração 314
librar(-se) 30, 126, 211, 267, 314, 320
libré 225, 550, 746, 876
libretista 415
libreto 593, 599
liça 720, 728
licanço 913
licantropia 503
licantropo 503, 504
lição 533, 538, 697, 932, 972
lição dura da experiência 509
liceal 542
licença 134, 488, 597, 673, 681, 687, 738, 748, 760, 762, 927a
licença de favor 681
licenciado 492, 927a
licenciar 73, 755, 756, 760
licenciar/desmobilizar o exército 723
licenciar-se 873
licenciatura 755
licenciosidade 738, 954, 961
licencioso 738, 954, 961
liceu 542
lícia 544
liciar 297
lícita ou ilicitamente 604
licitante 755
licitar 763, 795
lícito 760, 922, 924, 963
lições da história 668
licor 298, 333, 396, 959

licor báquico | litografar

licor báquico 959
licoreiro 191
licoroso 171
lictor 965, 975
lida 682, 686
lida incessante 682
lidador 686, 726
lidar 682, 686, 720
lidar a vida 686
lidar com heroico esforço pela vitória 722
lide 682, 686, 720, 722
líder 33, 175, 234, 280, 694, 745, 873
liderança 33, 280, 692, 693
liderar 33, 234, 280, 873
lídimo 42, 494, 543, 567, 578, 922, 963
lidir 179
lidite 165, 727
lido 490
lidocaína 376
lied 415
lienteria 653, 655
liga 41, 43, 45, 48, 709, 712, 714, 88, 709, 712, 888
ligação 9, 23, 43, 155, 348, 709, 714, 888, 903
ligação íntima 48
ligação recíproca das moléculas 46
ligação sexual 961
ligado 9, 413, 457, 712
ligado a 888
ligado pelas raízes do parentesco 11
ligado por pedículo ou a pedículo 367
ligados por 712
ligadura 43, 45, 223, 662
ligame 43, 45
ligâmen 43
ligamento 43, 45, 888
ligar 9, 41, 43, 45, 46, 155, 642
ligar demasiada importância a 482
ligar muito valor a 484
ligar por anastomose 219
ligar por parentesco 5, 9
ligar-se 13, 709, 712
ligeira (bras.) 975
ligeireza 132, 274, 320, 499
ligeireza de mão 545
ligeirice 274
ligeiro 113, 264, 274, 320, 322, 429, 475, 491, 605, 682, 684
lígneo 367
lignificar 323
lignívoro 366
liláceo 437
lilás 437
liliáceo 430
liliputiano 193
lima 255, 330, 352, 650
limado 578, 650, 850
limadura 330, 331, 658
limæ labor 658
limagem 330, 331, 658
limalha 330
limão 397, 436
limar 38, 195, 255, 330, 331, 578, 650, 658, 729
limar o espírito 537
limatão 255
limbo 230, 231, 645, 751, 982
limiar 66, 231, 294
liminar 62, 66, 116
limitação 36, 103, 199, 229, 469, 751
limitado 32, 193, 233, 641
limitar(-se) 36, 103, 114, 201, 229, 233, 304, 469, 641, 743, 751, 761, 817, 826

limitar-se a 603, 681
limitar-se com 199
limitativo comarcão 233
limite 52, 67, 84, 199, 227, 231, 641, 729
Limite 233
limítrofe 199, 227, 233
limo 124, 367, 653
Limoeiro 752
limonada 385, 387
limosidade 352
limoso 352
limpa 371, 791
limpa-botas 652, 746, 886
limpa-calhas 652
limpa-candeeiro 690
limpa-chaminés 652, 690
limpadela 652
limpador 652
limpadura 652
limpamente & *adj* 652
limpamento 652
limpa-pratos 957
limpar 42, 162, 289, 297, 331, 446, 552, 650, 652, 658, 673, 789, 791
limpar de mato 673
limpar o tempo 340
limpar os cofres 818
limpeza 42, 459, 578, 650, 849, 939, 960
Limpeza 652
limpeza de bolsa 804
limpeza de sangue 875
limpeza étnica 974
límpidez 174, 425, 446, 578, 960
límpido 42, 425, 438, 446, 518, 543, 576, 578, 703, 850, 946, 960
límpido como cristal 518
limpo 425, 446, 494, 525, 648, 650, 652, 849, 939, 946
limpo de mãos 939
limusine 272
lince 274, 366, 441
linchamento 972
linchar 972
linda 233
lindar 229, 233
linde 233
lindeiro 197, 199, 227, 233
lindeza 845
lindo 829, 845
lineal 166
lineamento 79, 200, 230, 240, 448, 550
linear 69, 166
Lineu 369
linfa 333, 337, 425, 440e
linfangite estreptocócica 655
linfático 337
linfogranuloma venéreo 655
linga 307
língua 390, 440e, 524, 560
língua bunda 568
língua-d'água 343
língua de Camões/Shakespeare/ Racine/Horácio/Dante 560
língua de prata 582
língua de terra 342
língua de trapo 583, 584
língua harmoniosa do espírito 597
língua impura 548
língua presa 583
língua proterva/viperina/dos maldizentes/dos caluniadores/dos contumeliosos 934
língua viperina/danada/depravada/serpentina/de escorpião/dos maldizentes/dos caluniadores/dos contumeliosos 936
linguagem 372, 550, 569

Linguagem 560
linguagem afetada 517, 549
linguagem castigada 578
linguagem clara 518
linguagem das cores 428
linguagem dos sons 415
linguagem franca 525, 570
linguagem franca e rude 703
linguagem imparlamentar/áspera/rude/grosseira 895
linguagem mascavada 568
linguagem pura e castiça 578
linguagem vigorosa 574
linguagem/palavra retorcida 477
lingual 560, 582
língua-mãe/materna/nativa/vulgar/natural/original 560
linguarão 584
linguaraz 532, 584
linguarejar 584
linguareiro 532, 584
linguarejar 584
linguarice 584
linguarudo 532, 584
línguas de fogo 382
línguas mortas 560
lingueirão 584
lingueta 217, 635
linguiça 41, 532
linguista 492, 560
linguística 560
linguístico 560
língula 511, 727
linguteira 240
linha 69, 75, 166, 200, 203, 205, 233, 550, 590, 597, 692
linha colateral 11
linha-d'água 550
linha da palma da mão 440e
linha de batalha 69
linha de colimação 278
linha de conduta 626, 627, 692
linha de cumeada 210, 233
linha de masculinidade 167
linha de terra 556
linha divisória 233
linha dos ascendentes 11
linha fundamental 556
linha quebrada 279, 629
linha reta 246, 628
linha sinistra 735
linha sinuosa 279
linha sismal 669
linhagem 11, 69, 75, 153, 166, 875
linhagista 492
linhas 230, 448
linhas isotérmicas 382
linhito ou lignito 388
linhol 205
linhote 45
liniment 356, 662
linografia 558
linotipia 591
linotipo 591
lio 45, 72
lipa 225
lipemania 837
lipemaníaco 837
lipidograma 662
lipoide 355
liposo 440d, 653
lipotimia 158, 688
liquação 384
Liquefação 335
liquefação 384
liquefativo 335
liquefazer 333, 335, 384
liquefeito 333, 335
líquen 367
liquescência 335
liquescente 335
liquescer 335

líquida 561
liquidação 729, 771, 807, 813, 815
liquidador 807
liquidar 85, 461, 480a, 815
liquidar as contas 461
liquidar contas 807
liquidar contas com 919
liquidatário 758, 807
liquidez 333, 474
liquidificação 335
liquidificante 335
liquidificar 335
liquidificável 335
líquido 40, 333, 352, 474, 518, 812
líquido cristal 337
líquido e certo 474, 601
líquido elemento 337
líquido em movimento 337, 348
líquido espermático 161
lira 417, 597, 800
Lírica 597
lírico 415, 597
lírio 430, 845
lirismo 577, 822, 825
liró 851
lis 430
lisamente 255, 703
liso 16, 174, 213, 251, 255, 705, 849, 939
lisonja 545, 829
Lisonja 933
lisonjaria 933
lisonjas 615
lisonjeador 902, 933, 935
lisonjear 545, 829, 831, 880, 902, 931
lisonjear o paladar/o apetite 394
lisonjear os ouvidos de alguém 933
lisonjeiras frivolidades 894
lisonjeiro 858, 902, 933, 935
lista 75, 200, 298, 551, 594, 627
Lista 86
lista descritiva 86
listagem 86
listão 200, 230, 440b, 627
listar 86, 440
listeriose 655
listra 200, 203, 440
listrado 219, 259, 440
listrão 230
listrar 440
lisura 251, 543, 703, 705, 939
Lisura 255
litania 990
litar 952
litargírio 40
liteira 215, 272
literæ humaniores 560
literal 19, 494, 516, 522, 525, 561
literalidade 516
literalmente 19, 494, 772
literário 560
literatice 491
literato 492, 593
literatura 490, 560, 692a
literatura aguada 575
lítero 561
Litha 998
litigante 726, 969
litigar 708, 713, 969
litigável 969
litígio 24, 489, 713, 720, 889, 969
litigioso 24, 713, 969
lítio 324, 430
litizonte 847
litocromia 556, 559
litogenesia 358
litografar 19, 558

litografia | louco

litografia 556, 558
litográfico 558
litógrafo 559
litoide 323
litolatria 991
litologia 358
litólogo 358
litomancia 511
litoral 231, 342
litorâneo 231
litóreo 231
litorina 272
litório 342
litosfera 342
litotes 469
litotipografia 558
litro 466
litura 552
liturgia 998
litúrgico 998
livelar 27
lividez 429, 431, 437, 438
lívido 429, 432, 437, 438
livor 429, 437, 438
livrador 750
livraison 593
livralhada 593, 672, 750
livramento condicional 750
livrança 750
livrar 664, 672, 717, 748, 750, 937
livrar da ignorância 537
livrar das penas do inferno 987
livrar de 652
livraria 593
livrar-se 623, 671, 927a, 970
livrar-se a custo 671
livrar-se da prisão 671
livrar-se de 297, 750, 782
livra-te! 618
livre 52, 332, 600, 602, 656, 681, 705, 748, 750, 760, 776, 808, 858, 904, 927a, 961
livre alvedrio 600
livre arbítrio 600
livre como o ar/um pássaro 748
livre de 777a, 815
livre de cuidados 836
livre de inquietações 827, 831
livre de perigos 664
livre de preconceitos 922
livre de risco/de perigo 664
livre docência 542
livre docente 540
livre pensador 989
livre pensamento 989
livre voo 748
livre-arbítrio 748
livre-câmbio 794
livre-cambismo 794
livreiro 593, 701
livremente 600, 748, 760
livresco 593
livrete 593
livrinho 593
livrinho de lembranças 505
livro 86, 591
Livro 593
livro azul 86
livro azul/róseo/amarelo/negro 551
livro da lei 985
livro da vida 359
livro de bordo 551
livro de derrota 551
livro de indicações úteis 644
livro de Moisés 985
livro de Mórmon 986
livro de notas 596
livro de orações 593
livro de ouro 551
livro do destino 601

livro dos cantares 985
livro dos filhamentos 875
livro dos Números/dos Reis/dos Paralipômenos 985
livro eletrônico 593
livro fechado 491
livro mestre 551
livro selado 519
livro virtual 593
livro-caixa 811
livrório (dep.) 593
livros 811
livros escolares 567
livros religiosos 998
livroxada (burl.) 593
lixa 255
lixadeira 255
lixão 653
lixar 255, 331
lixeiro 877
lixívia 335, 652
lixiviação 652
lixiviar 652
lixivioso 652
lixo 299
lixo 40, 299, 517, 645, 653
loa(s) 64, 931
loa loa 655
loba 747, 999
lobacho (de lobo) 129
lobal 412, 907
lobby 175
lóbi 175
lobinho 250, 655
lobismo 175
lobisomem 83, 860, 980
lobista 175
lobo 412, 432, 949
lobo à porta 667
lobo cerval 366
lobo com pele de ovelha 545
lobo com pele de ovelha, unhas de gato e hábitos de beato 548
lobo e o cordeiro, o 923, 925
lobo infernal 978
Lobo não come lobo 481
lobo vestido de ovelha 548
lobo, vozes de 412
lôbrego 421, 830, 860
lobrigar 441, 443, 450
lobrigar 498
lóbulo, ponta x raiz 237
lobuno 412, 440a, 440b
loca 530
locado 183
locador 779
local 79, 181, 183, 531, 532, 594
local de justiça 922
local de penitência ou expiação 950
local de penitência/expiação 937
locale 183
localidade 183, 189
localização 8, 182, 183, 693
Localização 184
localizado 183, 184
localizar(-se) 182, 184
locanda 799, 959
locandeiro 779
loção 652, 662
locar 184, 780
locatário 188
loco dolente 378
locomobilidade 264, 266
locomoção 264
Locomoção 266
locomoção por água ou ar 267
locomoção por terra 266
locomotiva 272, 285
locomotividade 264
locomotivo 264
locomotor 264, 266

locomotriz 266
locomóvel 264, 266
locomover-se 264, 286
locução 560, 566, 582
locução imperfeita 583
locular 191
loculicida 367
lóculo 191
locum tenens 188, 759
locupletar(-se) 640, 775, 785, 803, 869, 925
locus penitentiae 918, 937, 950
locus standi 215, 617, 873
locus tenens 147
locusta 913
locustário 366
locutório 191
lodaçal 345, 874, 961, 962
lodeiro 345
lodo 345, 352, 649, 653, 874
lodoso 345, 653
logado 457
logaritmo 84
logar-se 527
lógica 476, 498, 545, 922
lógica dos fatos 467, 478
lógica dos números 474
logicamente 154, 476
lógico 476
logística 625
logo 111, 113, 121, 132, 155, 476, 478
logo às primeiras diligências 705
logo depois 117
logo imediatamente 117
logo logo 684
logo que 120
logoglifo 519
logógrafo 593
logogrifo 533, 842
logomaquia 476, 588, 713, 720
logomáquico 588
logomarca 550, 554
logômetro 85
logorreia 582
logotipo 550, 554
logrador 548
logradouro 189, 197, 344, 840
logrão 548, 819
lograr 545, 731, 775, 777, 808, 827
lograr boa saúde 654
logrativo 545
logreiro (ant.) 819
logro 545, 618, 702, 775, 808, 819
loio 438, 493, 996
loireira 845
loja 799
loja de modas 851
lojista 797
lólio 367
lomba 206, 683, 823
lombada 206, 210, 217, 235
lombalgia 378
lombar 235, 440e
lombardo ou lompardo 440b
lombeira 683, 823
lombo 51, 235, 236
lombociatalgia 378
lombrical 248
lombricoide 248
lombriga 655
lomentáceo 367
lona 517, 546
longa duração 110
longada 264
longamente 110, 200
longamira 445, 760, 762, 826, 918, 942
longânime 760, 762, 826, 918, 942
longânime/longânimo 906, 914

longanimidade 816, 826, 906, 918, 942
longe 15, 196
longe da verdade 545
longe de 196
longe de mim! 766
longe de nós! 603, 908
longe de quadro 556
longe disso 18, 536
Longe dos olhos, longe do coração 187
longe e perto 180
longe vá! 603, 766, 908
longes 17, 510, 820
longes luminosos do futuro 121
longes, os 122
longevidade 110
longevo 110, 128
longilobado 367
longimetria 200, 466
longínquo 122, 124, 196
longipétalo 367
longípodo 200
longitroante 408, 642
longitude 183, 200, 466
longitudinal 181, 200
longividente 510
longo 110, 200, 580
longo tempo 110
longo tirocínio 613
longueiro 200
longueza 133, 200
longura 133, 200
lonjura 196
lontra 440a
look-out 448
loop 311
looping 138
Lopez 739
loquacidade 517, 573
Loquacidade 584
loquaz 532, 582, 584
loquazmente & *adj.* 584
loquela 517, 580, 584, 586
loquete (pop.) 45
loquial 299
loquismo 580
lorcha 273
lord 642, 853
lorde 875, 876
loricado 223
loriga 717
lorigado 717
lorigão 717
lorota 546
lorpa 491, 499, 501, 547, 701
losango 244
Losar 998
losna 395
lostra 683, 972
lotação 192
lotado 52
lotador 466
lotar 52, 466, 621
Lotário 897, 962
lote 25, 72, 75, 181 342, 786
loteria 156, 475, 618, 621
loto 156, 840
louça 191, 298, 384, 635, 648
louçainha 882
louçainha ou louçania 847
louçainhar 847
louçainho 847, 851, 852
loucamente 31, 503
louçanear 847
louçania 159, 168, 577, 654, 845, 882
loução 159, 168, 574, 654, 836, 845, 851, 882
louco 173, 274, 499, 503, 824, 825, 836, 897, 900

Louco | maçada

Louco 504
louco de 825
louco de ciúmes 920
louco de cólera 900
louco rematado 504
louco/arrebatado de alegria 827
loucura 173, 497, 655, 699, 825, 840, 863
Loucura 503
loucura circular 503
loucura rematada 503
loup-garou 980
louquejar 497, 503, 838
louquice 497, 503
loura 800
louraça 440d, 499, 501, 962
lourar 436
lourear 436
lourecer 436
loureira 845
lourejar 436
lourejo 436
louro 436, 550, 584, 733, 876, 973
louro metal 800
louros 731, 873
lousa 189, 223, 255, 363, 426
lousa tumular 363
lousão 545
louvação 466, 931
louvado 480, 967
louvador 935
louvamento 931
louvaminha 931
louvaminhar 933
louvaminheiro 933, 935
louvaminho 933
louvar 931, 933, 990
louvar exageradamente 482
louvar-se em 488, 609
louvável 618, 648, 931
louvor 916, 931, 973, 990
louvor da posteridade 873
loxodromismo 628
LSD 663
lua 149, 426, 961
Lua 318
lua cheia 138
lua de mel 827, 903
lua nova 138, 447
luada 608
luar 420, 422
luarento 422
luau 840
lubricar 332
lubricidade 33, 355, 377, 827, 865, 954, 961
lúbrico 332, 827, 829, 897, 954, 961
Lubrificação 332
lubrificação 355
lubrificado & *v.* 332
lubrificante 332
lubrificar 255, 332, 673, 705
lucanário 198
lucão 545
lucarna 420a
lucendus a non lucendo 18
lucerna 423
lucidar 19
Lucidez 420, 425, 498, 502, 518, 570
lúcido 420, 425, 446, 498, 518, 570
Lúcifer 318, 978
luciférico 649, 945, 978
luciferino 978
lucífero 420, 423
lucífugo 126, 266, 287, 421
lucilante 420
lucilar 420, 422
luciluzir 420
lucitremer 422

lucivelo (bras.) 422
lucrar 644, 731, 775, 810
lucrativo 644, 775, 810, 973
Lucrécia Bórgia 960
lucro 618, 625, 644, 775, 973
lucro líquido 810
lucubração 451, 682
lucubrar 455
lúcula 318
lucus a non lucendo 565
ludião 310, 320
ludibriar 544, 545, 856, 940
ludibriar de 483
ludíbrio 601, 605, 853
ludibrioso 483, 856
lúdicro 853
ludo 720, 840
ludroso 653
lufa 349, 684
lufada 146, 349
lufa-lufa 264, 682, 684
lufar 349
lugar 8, 71, 181, 183, 625, 636, 873
Lugar 182
lugar afastado 893
lugar comum 517
lugar de diversão 840
lugar de divertimento 182
lugar de expiação 952
Lugar de habitação 189
lugar de honra/de distinção 892
lugar de morada 182
lugar de predição 511
lugar de repouso 265
lugar de reunião 74
lugar de suplício 982
lugar de tormento 982
lugar hediondo 653
lugar perigoso 182
lugar sagrado 182
lugar seguro 182, 664
lugar sensível 822
lugar totalmente inviolável 893
lugar/meio de passagem 627
lugar-comum 843
lugarejo 189
lugar-tenente 147, 759
Lughnasad 998
lugre 273
lúgubre 421, 830, 839, 846, 860
lúgubre morada dos mortos 363
lugubremente 31
Luigi Vampa 792
lumbago 378
lume 210, 234, 382, 420, 423, 502
lume-d'água 220
lume da vista 401
lume do espelho 445
lume x aço 237
lume, superfície, tona x fundo 237
lúmen 423
lumes (poét.) 441
lumes prontos 388
lumidária (ant.) 420a
lumieira 260, 420a, 423
lumieiro 318, 423
luminar 318, 423, 492, 500, 700, 873
luminar da jurisprudência 968
luminária 388, 423, 540, 693, 838
lumineiro 420c
luminosamente 423
luminosidade 420, 516, 518, 845
luminoso 192, 420, 423, 476, 518, 525, 527, 537, 845, 873
lunação 108, 138
lunar 318
lunário 114

lunário perpétuo 114
lunático 503, 504, 608, 825
lundu 415, 597
lundum 840
luneta 260, 420a, 445, 975
lunícola 188
luniforme 245
lunissolar 114
lúnula 244, 245, 848
lunulado 245, 848
lunular 848
lupa 445
lupanar 374, 961
luperco 996
lupino 366
lúpus eritematoso sistêmico 655
lura 189
lúrido 421, 429, 431, 436, 437
lusco 443
lusco-fusco 126, 422, 431, 432
lusitanismo 560
lusófobo 911
lusomania 19
lusório 840
lustração 652, 952
lustral 952
lustrão 627
lustrar 255, 332, 477, 544, 652, 658, 673, 952
lustre 420, 423, 836, 873
lustrilho 255
lustrino 255, 420
lustro 98
lustroso 255, 332, 420, 648, 873
lusus naturae 83
luta 686, 720, 921
luta encarniçada/de vida e morte 720
luta intestina 720
luta por 622
luta sem fim 682
lutador 159, 682, 686, 726
lutar 223, 261, 682, 704, 708, 720, 891
lutar arco por arco 720
lutar com desvantagem contra 34, 704
lutar com ingentes esforços 686
lutar com marés contrárias e ventos ponteiros 704
lutar contra 179
lutar contra as fatalidades do destino 735
lutar contra as ondas 267
lutar em defesa de 717
lutar peito a peito 720
lutas sangrentas 722
luteranismo 984
luterano 984
Lutero 986
lutífico 839
lutíssono 839
luto 263, 828, 837, 839
luto aliviado 839
lutulência 345
lutulento 345
lutuosamente 31
lutuoso 837, 839
luva 225
luvaria 225
luvas 784, 809, 973
luxação 44, 185
luxar 44, 851, 882
luxar o pé 378
luxo 159, 225, 448, 640, 645, 851, 882
luxo oriental 882
luxuoso 377
luxúria 159, 377, 640, 827, 297, 954, 961

luxuriante 168, 377, 639
luxuriar 377, 961
luxuriosamente & *adj.* 377
luxurioso 377, 827, 897, 954, 961, 962
luz 274, 359, 423, 474, 490, 494, 522, 527, 537
Luz 420
luz amarela 668
luz artificial 423
luz azul 550
luz baça/frouxa/bruxuelante/mortiça/duvidosa 422
luz coada através dos vidros de claraboia 422
luz da inteligência 450
luz da razão 502
luz da verdade 543
luz de melhores dias 858
luz de vela/de/candeia/das estrelas 422
luz do dia 420
luz elétrica 423
luz irreflexa 420
luz já se vai fazendo, A 529
luz moral 926
luz profética 511
luz que ilumina o espírito 450
luz sidérica 423
luz solar 420
luz vermelha 669
luz viva 420
luz zodiacal 423
luzeiro 318, 420, 423, 492, 500, 642, 700, 873
luzeiros da noite 318
luze-luze 423
luzerna 382, 420
luzes 490
luzidio 192, 255, 332, 420, 882
luzido 882
luzidor 420
luzimento 420, 882
luzir 420, 644

M

M. S. *literæ scriptæ* 590
má aceitação 523
má andança 735
má aplicação 523, 679
má apreensão 523
má compreensão 523
má conduta 947
má estrela 649
má forma 949
má fortuna 735
má intenção 907
má interpretação 523
má orientação 477, 539
má rês 941
má resposta 885
má vida 378, 961, 962
Má vontade 603
má vontade 867, 889
Mabe 979
mabeco 366
Mabon 998
maca 215, 272
maça 276, 727
maçã de ouro 615
maçã de outra árvore 15
macabra 860, 503, 830, 860, 735, 846
macacal 412
macaco 19, 276, 307, 366, 412, 565, 702, 846, 857
macaco em casa de louça(s) 24, 699
Macaco, olha o seu rabo 651
macacoa 655
macacos me mordam/ um raio me parta se for verdade 487
maçada 545, 841, 972

macadamizar | mais propício ao desenvolvimento...

macadamizar 223, 255
maçador 841
maçadoura 841
maçadura 972
maçagem 331
macambuziar 585
macambuzice 585, 837
macambúzio 585, 837
macaná (bras.) 727
macanjo 941
maçante 841, 843
mação ou maçom 528, 690
macaqueação 19, 545
macaqueador 19
macaquear 19,104
macaqueiro 412
macaquice 855, 857
maçar 830, 841, 972
maçaranduba (cachaça) 959
macaréu 348
maçarico 129
maçaroca 72
macarronada 298
macarrone (depr.) 565
macarrôneo 563
macarrônico 563
macarronismo 563
maçãs do rosto 440e
macavencar 503
macavenco 504, 608
mácea 191
macedônia 41
macega 367
macegal 344, 367
maceiro 965
maceração 952, 955, 998
macerado 203, 429, 837
macerar 330, 378, 830
macerar o corpo 879
macerar-se 952, 955
macéria 321
maceta 191, 255
macha 374
machacá (bras.) 440b
machacaz 159, 192
machadinha 727
machadinho 253
machado 253, 276, 727, 975
machado de pedra (pop.) 318
machado de sapador 727
macha-fêmea 43, 45, 312, 374a
machão 192, 373, 901
machatim 548, 599
machear 258, 373
machete 727
macheza 373, 861
machial 169
machiar 169
machila 272
machileiro 271
machimbombo *307*,305
machismo 373
macho 159, 373, 962
Macho 373
macho de liteira 192, 846
macho x fêmea 237
machorra 169
machucação 619
machucar 241, 330, 378, 649, 830, 907
machucho 175, 642, 803
machzor 998
maciço 3, 25, 42, 43, 46, 52, 87, 150, 195, 201, 319, 321, 323, 639
macicote 436
maciez(a) 255, 324, 332
macilência 203
macilento 203, 243, 429, 436, 837
macio 255, 324, 332, 829
maço 72, 276, 558, 621, 727
maçon 690
maçonaria 519, 528, 709, 712
maconha 663

maçônico 519, 528
macota (bras.) 175, 739, 845, 873
má-criação 852, 885, 895
macrobia 110
macróbio 110, 128, 130, 373
macrocéfalo 83
macroceronte 83
macrocosmo 318
macroglosso 83
macrologia 573, 577
macropia 443
macróptero 440c
macrorrizo 367
macróscios 188
macroscópico 192
macróstico 590, 591
macrostilo 367
macrotársico 440c
macruro 440c
macte animo! 931
macte virtude! 931
maçudo (ant.) 3
maçudo 841
mácula 441, 651, 848, 874, 945
maculado 848, 988
macular 440, 649, 651, 653, 659, 946, 848, 874, 934, 961
maculável 940, 961
maculiforme 848
maculoso 653, 848, 874
macumã (bras.) 393
macuma 746
macumbeiro 994
macuta 643
Madalena 950
madama 374
madame 876, 903, 962
madamismo 374
madefação 374
madefato 339
madeficar 339
madeira 558, 635
madeiro 215, 319, 501, 998
madeixa 214, 219, 256
mádido 339
m(M)adona 374, 977
madorna 683
madorra 683
madorrar 683
madraçaria 683
madracear 683
madraceirão 683, 877
madraceiro 683
madrasta 166, 949
madre 191, 208, 221, 350, 440e, 694, 996
Madre Celestina 702
Madre de Deus/de Misericórdia 977
Madre Teresa de Calcutá 910, 942
madrepérola 440
madressilva 367
madria 173, 341
madrigal 415, 597, 894
madrigalesco 597
madrigalizar 597
madrigaz 203, 846
madrigoa 189
madrigueira 189, 666
madrigueira/madrilheira 530
madrilheira 189, 666
madrinha 694, 717, 903
madrugada 125, 1332, 135, 674
madrugador 125, 132, 682
madrugar 62, 66, 116, 121, 132, 682
maduração 673
maduramente 498
maduramente arquitetado 611

madurar 498, 650, 673
madurecer 673
madureza 673
maduro 134, 658, 673, 864
mãe 153, 166, 348, 912, 977
mãe das mães 977
mãe de ouro (bras.) 423
mãe de santo 996
mãe pátria 153
maelström 312, 348, 667
maestoso 415
maestrino 415
maestro 413, 415, 540, 559
mafamético 903, 983a
mafarrico 129, 978
má-fé 481, 487, 544, 702, 773, 940
mafioso 913, 949
Mafoma 513
Mag Mell (mit. irlandesa) 982
maga 994
magana 415, 962
maganão 941
maganear 940
maganeira 840
maganice 840
magano 836, 840, 941, 949, 961
magarebe (persas) 990
magarefe 662, 701
magazine 551, 593
magia 175, 448, 545, 829, 870, 992, 993
mágica branca 448
mágica diabólica 993
magicar 837
mágico 513, 548, 599, 829, 845, 870, 893, 980, 982, 994
magister 540
magister dixit 474, 535
magistério 321, 537, 540, 542
magistrado 480, 492, 745, 967
magistral 490, 540, 648, 650
magistralidade 491, 650, 855
magistralmente 741
magistrando 540, 541
magistrático 967
magistratura 737, 965
magma 40, 352
Magna Carta 769
magnanificatório 931
magnanimidade 740, 816, 906, 918, 939, 942
magnânimo 648, 740, 816, 826, 906, 910, 914, 918, 939, 942
magnas componere lites 724
magnata 175, 745, 875
magnete 288
magnético 288
magnetismo 157, 175, 288, 615
magnetismo animal 992
magnetita 288
magnetizador 994
magnetizar 157, 175, 288, 615, 737, 824, 992
magneto 615, 865
magnetômetro 288
magni nominis umbra 659, 873
magni pretii homo 492, 700
magnificação 35, 194, 482, 931
magnificar 35, 549, 648, 873, 931, 990
magnificar(-se) 194
magnificat 415, 990
magnificatório 194
magnificência 31, 816, 845, 876, 882
magnificente 845, 882
magnífico 394, 648, 803, 816, 845, 847, 873, 876, 882
magniloquência 577
magniloquente 577
magníloquo 582
magnitude 25, 31,192, 206, 642
magno 642

Magno conatu magnas nugas 638
magnus Appollo 500, 695
mago 413, 984, 992, 994
mágoa 833, 837, 900
magoado 378, 833, 837
magoar 378, 649, 830
magoar-se 841
magoar-se com alguém 900
mágoas 915
magoativo 830
magote 100, 103, 726
magra 45
magrela 243
magrete 203
magreza 203, 641
magriço 717
magrizela 203
magro (insuficiente) 32
magro 32, 53, 169, 193, 195, 203, 243, 575, 641
magrote 203
magujo 301
Mahabarata/Maabárata 986
maia 854
maícia 520
mail list 592
mainça ou maunça 25
mainel 215
maintien 692
maiô 225
maionese 41, 59, 298, 393
maior 31, 33, 413
maior da marca 31 ,192
maior de idade/de 21 anos 131
maior de todos 781
maior ou menor que 28
maioral 694, 745
maiores, os 166
maioria 33, 100, 102, 613
maioridade 131
maire 694, 745
mais 37, 40
mais alto 33
mais baixo 211
mais bela metade do gênero humano 374
mais cedo 116
mais cedo ou mais tarde 119
mais claro que a luz do sol 420
mais das vezes 613
mais das vezes, as 136
mais de um 98
mais depressa que a palavra 132
mais dia ou menos dia 119
mais do que nunca 107
mais do que prometia a força humana 471
mais elevado 33
mais engraçado de 642
mais fácil de se dizer do que se fazer 704
mais hoje ou mais amanhã 119, 121
mais imperiosa das virtudes 926
mais inaceitável das hipóteses 617
mais interessante 642
mais justo dos sentimentos morais, o 916
mais logo 133
mais morto do que vivo 688
mais ou menos 17, 25, 29, 495, 628
mais outra vez 90
mais pequeno & 32, 34
Mais pode Deus que o Diabo 686, 704
mais propício ao desenvolvimento dos maus do que dos bons instintos 945

mais que duvidoso 473
mais que podia ser 640
mais que tudo 899
mais querer 609
mais tardar até 121
mais tarde 117
mais uma razão 467
mais uma vez 104
Mais vale boa nomeada que cama dourada 873
Mais vale quem Deus ajuda que quem cedo madruga 976
Mais vale um pássaro na mão do que dois voando 474
Mais vale um toma que dois te darei 474
Mais valem amigos na praça que dinheiro na caixa 890
mais velho que o azeite e o vinagre 490
mais velho que o vinho 124
mais veloz que o raio 274
mais vital de seus órgãos 642
maitaca 584
maitre 298
majestade 574, 745, 845, 873, 876, 882, 976
majestático 873, 875
majestoso 206, 574, 845, 870, 873, 875, 878, 882
major 745
majoração 35
majorar 35
maktub (iestava escritoi) 601
Mal 619
mal 32, 120, 378, 619, 651, 655, 704, 735, 828, 907, 925, 954
mal à propos 135
mal alinhado 651
mal alinhavado 575
mal arquitetado 499
mal avindo 24
mal castrado 201
mal compleicionado 160
mal compreendido 523
mal contentadiço 814
mal cozinhado 651
mal criado 885
mal de Alzheimer 655
mal de Chagas 655
mal de Parkinson 655
mal de s. Lázaro 655
mal de Weil 655
mal determinado 447
mal engenhado 647
mal entendido 523, 713
mal entendu 713
mal estar 378
mal feito 34
mal figurado 473
mal haja! 908
mal humorado 832
mal nascido 877
mal pecado 828
Mal pensava que... 508
Mal por mal antes o menor 609
mal pronunciado 583
mal propício 24, 647
mal provido/abastecido/suprido/servido 641
mal que 120
mal que dizem de, o 934
mal satisfeito 832
mal sisudo 499
mal ter tempo de comer 682
mala 191, 534, 592
mala direta 592
mala fides 940
mala punica 940
malabárico 704
malabarismo 607, 698
malabarista 599, 607

malabruto 493, 852, 887, 895
mal-acabado 651
malacara (bras.) 440b
malacate 633
malacia 382, 721, 865
malacodermo 440c
malacologia 368
malade imaginaire 837
maladio (ant.) 188
maladroit 699
malafaia 941
mal-afamado 898
mal-afortunado 135, 732, 735, 828
malagma 354
mal-agradecido 917
malaguenha (esp.) 415
malaise 828
mal-ajambrado 651, 852
mal-alinhavado 674
mal-amanhado 699, 852
mal-andante 732, 735, 828
malandra 877, 962
malandragem 72, 792
malandrar 791
malandréu 792, 877
malandrim 792, 877, 949
malandrino 792, 877, 949
malandro 683, 702, 792, 877, 940, 941
malápio 792
malaposta 272
malaquita 435, 847
malar 440e
malária 655, 657, 663
mal-armado 440b, 440c
mal-arranjado 852
malas caras 846, 895
malas-artes 907
mal-assombrado 846
malato 129, 655
mal-avença 713
mala-ventura 619, 735
mal-aventura 735, 830
mal-aventurado 735, 828
mal-avindo 708, 713
mal-avinhado 959
malaxar 324
mal-azado 699
malbaratado & *v.* 818
malbaratamento 483
malbaratar 34, 162, 638, 776, 815, 818
malbaratear 483
malbarato 638, 776, 815, 818, 930
malcasado 903
malcasar 903
malcheirante 401
malcheiroso 401
malcomido 203, 953
malcomportado 895, 945
malconceituado 940
malcontentadiço 481, 832, 865, 868, 923
malcontente 832, 867
malcorrente 275, 699, 832
malcozido 674
malcozinhado 579, 674, 799
malcriadez (pop.) 895
malcriado 203, 742, 852, 895, 901
maldade 606, 649, 907
Maldição 908
maldição 663, 735, 830, 909, 932
maldição eterna a! 908
Maldição eterna para quem ousar recordar-se das nossas dissensões passadas! (Caxias) 723
maldição sem termo sobre ti! 908
maldisposto 603

maldito 649, 657, 907, 908, 945, 988
maldito seja! 908
malditoso 735
maldizedor 936
maldizente 934, 936
maldizer 908, 934
maldizer a sorte 735
maldosamente 31
maldoso 649, 907, 923
maleabilidade 324, 602, 607
maleante 683
maleável 324, 607
maledicência 588, 934
maledicente 934, 936
malédico 934, 936
mal-educado 742, 895
maleficamente & *adj.* 619
maleficência 649, 907
maleficiar 649, 907
malefício 619, 649, 907, 993
maléfico 619, 649, 907
maleiforme 276
maleita 657, 860
maleitoso 657
mal-empregado 679
mal-encarado 846, 907
malenconia 837
mal-engendrado 649
mal-engraçado 841, 843
mal-ensinado 895
mal-entendido 481, 495
mal-entrajado 226
maléolo 250, 440e
mal-esboçado 674
malesso 440b, 941
mal-estar 655, 735, 828, 832
maleta 191
malevão (reg.) 907
malevo (reg.) 907
malevolamente & *adj.* 907
Malevolência 907
malevolência 830, 867, 889, 919, 945
malevolente 907
malévolo 649, 898, 907, 945
malfadado 665, 732, 735, 828, 859
malfadar 735
malfalante 934
malfazejo 649, 907
malfazer 907
malfazer a reputação 934
malfeito 243, 651, 679, 852, 923, 925
Malfeitor 913
malfeitor 649, 907, 949
malfeitoria 619, 649, 907, 945, 947
malferir 361, 378, 907, 934
malga 191
malgalante 895
malgastar 638
malgovernar 737
malgradado 509, 603, 732, 832
malguiado 699
malha 51, 189, 198, 219, 260, 626, 643, 704, 848, 972
malhação 159
malhada 72, 74, 189, 370, 626
malhadal 370
malhadeiro 330, 828, 852, 853, 862
malhadiço 460, 499, 862, 885
malhado 159, 440, 440a, 848
malhado ou lavrado 440b
malhador 276, 720, 863
malhão 233
malhar 159, 276, 378, 412, 848, 856, 972
malhar de um sítio abaixo 306
malhar em ferro frio 135, 158, 645, 732

malhar no ferro enquanto está quente 134
malhar no mesmo assunto 104
malhas 440, 477
malhetar 228, 257
malhete 257
malho 276, 474, 702
malhoada 626, 709
malhote 276
mal-humorado 655, 828, 895, 901, 901a
malícia 523, 545, 702, 842, 856, 898, 907
malícia-de-mulher 822
maliciar 523, 544
maliciosidade 907
malicioso 523, 544, 702, 898, 907, 961
malignante 649, 907
malignar 649, 907
malignidade 173, 523, 649, 659, 702, 830, 907
maligno 523, 619, 649, 702, 907, 978
malim 215
malina (pop.) 401
mal-intencionado 907
malmandado 742
malnascido 735, 859, 907, 945
malogrado 158, 732
malograr 638, 645, 732
malogro 509, 619, 638, 732
maloio 501, 877
mal-orientado 699
malparada 808
malparado 665, 808, 859
malparar 621
malparir 169, 732
malpecado 732
malprocedido 895
malpropício 135, 708, 735
malquerença 713, 867, 889, 898, 907
malquerente 889, 907
malquerer 649, 867, 889, 898
malquistado 889
malquistar 891
malquistar-se 713, 889
malquisto 889, 898
malroupido 226
malsão 655, 657
malsentido 655
malsim 527
malsinação 523
malsinado 499, 867
malsinar 483, 523, 527, 679, 859, 889, 934
malsoante 491, 414, 961, 988
malsofrido 684, 825
malsonante 410
malsucedido 732
malta 45, 72, 712
maltaria (de trabalhadores) 72
maltês 371
maltesia 72
maltrajado 852
maltrapido 226
maltrapilho 226, 804, 877
maltratado pela ingratidão 917
maltratar 378, 645, 649, 830, 895, 907, 929, 932
maltusianismo 169
malucar 503
maluco 501, 503, 504
malum prohibitum 925
maluqueira 503
maluquice 499, 503
mal-usar 679
malvada/marvada 959
malvadez/malvadeza 907
malvado 907, 945, 949
malventuroso 135, 732, 735

malversação | manobrar

malversação 638, 791, 818, 947
malversado 945
malversador 791, 818
malversar 638, 791, 818, 940
malvestido 226
malvezado 945
malvisto 443, 874, 898, 940, 945
mama 250
mamã 166
mamadeira 127, 959
mamadura 296
mamãe 166
mamalhudo 243, 250, 440d
mamão 129
mamar 127, 296, 775
mamar a alguém todo o seu cabedal 791
mamarracho 555, 701
mamata (bras.) 681
mambira 188
mambo 415
mamelão 206
mameluco(s) 41, 726
Mami tua res agitur paries dum proximus ardet 665
mamífero 250, 366
mamilar 250
mamilho 250
mamilo 206, 250
mamiloso 250
mamoa 249
mamola 681
mamoso 249
mamota 501
mamparra 791
mamposta 751
mamudo 250, 440d
mamujar 127
mamulengo(s) 554, 599, 840
mamunha (ant.) 363
mamute 192
maná 394, 396, 707, 827, 829
manada (de vacas) 72
manadeira 348
manadeiro 153, 348
manadio 72
manadouro 66
manalvo 440a
manancial 153, 348, 636, 639
mananguera (bras.) 203
manápula 243, 440e
manar 154, 295, 348, 683
manata 792
mancada (gír.) 495
mancar 53, 275, 732
mancarrão (m.) 271
manceba 129, 962
mancebia 131, 903, 961
mancebil 131
mancebo 129
mancenilha 649, 663
Mancha 848
mancha 32, 203, 343, 653, 874, 945
manchado 651, 848
manchado de sangue 361
manchar 440, 649, 653, 659, 848, 874, 961
manchar as páginas da História 649
manchar-se 940
manchas hepáticas 848
manchas solares 318, 848
mancheia 639
manchete 532
manchil 153
mancípio (ant.) 746
manco 53, 158, 241, 491, 499, 579, 597, 651, 732, 923
mancomunação 709
mancomunar-se 23, 709
mancomunar-se com 626
mancornar 749

manda (ant.) 784
Manda quem pode 741
mandachuva 175, 694, 739, 745, 873, 875
mandadeiro 534, 746
mandado 741, 784
mandado de prisão 751
mandado de segurança 750
mandado de soltura 750
mandado sobrestatório 970
mandamento 496, 697, 741
mandamus 741
mandante 694, 741, 745
mandão 175
mandar 610, 737, 741, 755, 976
mandar à estampa 531
mandar à fava/à tábua 930
mandar à memória 505
mandar *ad patres* 361
mandar alguém para as palhas 503
mandar ao diabo 908
mandar ao parlamento 609
mandar às favas 932
mandar às urtigas 773
mandar bugiar 932
mandar bugiar/catar coquinho 930
mandar com despótica arrogância 739
mandar de presente ao inferno 162, 361
mandar de presente ao inferno/ao diabo 908
mandar e desmandar 737
mandar em testamento 784
mandar imprimir 531
mandar incluir no rol dos culpados 971
mandar para a eternidade 361
mandar para o limbo 645
mandar para os diabos 297
mandar para outra vida 361
mandar recado 527
mandar suas testemunhas a alguém 715
mandarim 739, 745, 967
mandarinete 739
mandar-se 623
mandar-se para 266
mandatário 690, 758, 759, 785
mandato 741, 755, 760
mandato apostólico 741, 755
mandato imperativo 755
mandi 188
mandíbula 298, 440e
mandil 652
mandinga 993
mandingar 992, 994
mandingueiro 994
mandioca 367
mandiocaba 367
mandiocal 367
mandioqueiro 188
mando 693, 737, 739, 741
mandonismo 739
mandraca 993
mandraço 683
mandrana 683
mandranice 683
màndria 683
mandrianar 683
mandrião 127, 275, 683, 877
mandriar 275, 683
mandriice 683
mandril 255
mandrilar 255
mandriona 275
mandu 501
manducação 298
manducar 298
manducativo 298
manducável 298

mané 501
Mane, thecel, farés! 669
manear 43
maneável 602, 886
manecoco 499, 501
mané-gostoso 547
maneia 45
maneio(s) 356, 677
maneira 75, 240, 522, 613, 627, 632, 698, 851
maneira de agir 680, 692
maneira de falar 521
maneira de pensar 484
maneira de se exprimir 569
maneira de ser 820
maneiras 16a, 176, 820, 851
maneiras abrutadas 895
maneiras burguesas 852
maneiras lhanas 894
maneirismo 79, 579, 855, 880
maneirista 559, 855
maneiro 193, 320, 370, 379, 644
maneiroso 698
manejar 314, 315, 379, 677
manejar a espada 722
manejar a pena 590
manejar o cinzel 557
manejar o leme 693
manejar o pincel 556
manejar os negócios de 693
manejar torpes armas 940
manejável 320, 324, 602, 886
manejo 266, 677, 722
manejo da pena 590
manema 499, 501
manente 141
manequim 193, 554, 605, 854, 886
manes 362, 860, 980
Manet alta mente repostum 505, 919
Manet cicatrix 919
maneta 158, 243, 440d
manfarrico 978
manga 72, 225, 295
manga diágua 348
mangaba (cachaça) 959
mangabinha (cachaça) 959
mangação 856
mangador 856
mangalaça 683, 961
mangalaço 683, 941
manganela 727
manganilha 545, 702
mangano 877
mangão 683, 856
mangar com alguém 856
mangar de (pop) 929
mangaz 192, 202, 683, 701
mangoal martelo de armas 727
mangona 683
mangonar 683, 685
mangonear 683
mangos (gír.) 800
mangoso 702
mangote 717
mangra 339
mangrado 193, 732
mangrar 160, 732
manguá 975
manguaça 959
mangual 276
mangue 342, 345
mangueira 337, 350
manguito 929
Manhã 125
manha 66, 533, 608, 651, 655, 698, 702
manhã luminosa 125
manhas 613
manhãzinha 125
manhoso 133, 545, 608, 702

manhuça 103
manhuço 103
mania 481, 503, 608, 865
mania metrificadora 597
maníaco 481, 499, 503, 504, 865
maniatar 43, 158, 744, 751
manibus pedibusque 686
manica 45, 666
manicla (bras.) 45
manicodiata (de heróis) 72
manicomial 662
manicômio 662
manícula 666
manicurto 243, 440d, 651, 819
manidade 907
manietar 43, 158, 706, 751
manietar alguém de pés e mãos 158
manietar as mãos de alguém 158
manifestação 295, 446, 448, 570
Manifestação 525
manifestação das urnas 609
manifestações 535
manifestações de afeto ou de amor 902
manifestações de dor 839
manifestações de prazer 838
manifestações positivas 478
manifestamente & *adj.* 525
manifestar 525
manifestar voto 480
manifestar-se 295, 446, 480, 525, 529
manifestar-se a favor de 609
manifestar-se com esplendor 525
manifesto 490, 518, 525, 531, 617
manigância 443, 544, 907
manilha 25, 247, 350, 752, 847
manilhar 350, 847
manilúvio 337
maninelo 499, 501, 844, 962
maninha 169
maninhado 169, 674
maninhar 674
maninhez 169
maninho 169, 189, 674
manio 360
maniota (bras.) 45
manipanço 192, 202, 991
manipanso 159
manipresto 274, 682
manipueira 663
manipulação 54, 379, 677, 692
manipulado 54
manipular 54, 379, 673, 677
manipulário ou manipular 726, 745
manípulo 25,103, 550, 726, 999
maniputo/mueniputo 991
maniquete 999
manir (reg.) 294
manirroto 638, 818
manistérgio/manutérgio 999
manita 243
manitu 991
manivela 307, 633
maniversia 545, 940
manja 298
manja-léguas 268
manjar 298, 394, 648, 829
manjar delicioso 298
manjedoura 370
manjelim 319
mànjua (pop. e ant.) 298
manjuba (bras.) 298
Manoa 803
manobra(s) 545, 673, 680, 702, 722
manobra bem inspirada 626
manobrar 278, 626, 673, 680, 682, 686, 702

657

manobrar com habilidade | marialva

manobrar com habilidade 731
manobreiro 702
manojeiro 694
manojo 25, 103
manojuca 188
manola 962
manolho 25, 103
manopla 225, 243, 440e, 651, 717, 846, 972, 975
manoplegia 158
manoscópio 338
manqueba (bras.) 160
manquecer 275
manqueira 275, 651, 945
manquejar 275
manquitó 243, 275
manquitola 243, 275
mansamente 528
mansão 189, 875
mansão celeste 981
mansão da morte 363
mansão dos justos 981
mansão eterna 981
mansão/morada dos justos 981
mansarda 189
mansarrão 275, 683
mansedume 602, 879
mansidade 174
mansidão 174, 275, 403, 602, 826, 879
mansidão de voz 405
manso 174, 275, 370, 403, 602, 721, 740, 823, 826, 879, 886
manso e manso 403
mansuetude 174, 602, 740, 879, 894
manta 51, 223, 225, 384, 840
manta de retalhos 41
mantão (ant.) 225
mante 636
mantear 307, 713, 841
manteiga 324, 356, 822
manteiga em nariz de cão 638, 679
manteigoso 355
manteiguento 355
manteiguilha 356, 400
mantel 999
mantelete 225, 999
mantença 637, 803, 809
manteção 298
mantenedor 726, 784
mantenimento 69, 143
manter 170, 298, 535, 670, 809
manter a concórdia 723
manter a paz 174
manter correspondência epistolar 592
manter de pé 673
manter em bom estado 670
manter intato 670
manter o decoro de sua posição 939
manter o fogo sagrado 143
manter o *stare decisus* 143
manter o terreno 141
manter o terreno conquistado 670
manter relações epistolares 592
manter severa vigilância 459
manter sua trajetória 143
manter uma grande seriedade de princípios/um espírito implacável de justiça 939
manter-se casto/celibatário 953
manter-se firme na sua resolução 604
manter-se imaculado 960
manter-se o mesmo 141
mantéu 225, 511
mântica 191
manticora 860

mantilha 225
mantimento(s) 298, 637
mantô 225
manto 421, 530, 664, 666, 747, 875
manto da hipocrisia 544
manu militari 744, 964
manual 193, 320, 379, 527, 551, 593, 596, 695
manuatar 43
manubalista 727
manubial 793
manúbrio 633
manucodiata 639, 873
manudução 693
manudutor 694
manufato 161
manufator 164, 690
manufatura 161, 691
manufaturar 161
manufatureiro 161
manumissão 750
manumissor 750
manumitir 750
manuscrever 590
manuscrito 590
manusear 258, 379, 441, 457, 461, 677
manuseio 677
manutença 670
manutenção 69, 141, 143, 170, 298, 670, 693, 809
manutenção deficiente 667
manutência 141, 150
manutenência 69,143, 150, 670, 693
manutenível 777
manzorra 243, 379, 440e
mão 25, 175, 204, 223, 280, 348, 372, 379, 440e, 550, 593, 631, 737, 781
mão à obra! 931
mão cheia / mancheia 25
mão de ferro 781
mão de finado 699, 701, 735, 819
mão de mestre 700
mão de obra 161, 673, 680, 809
mão de relógio 550
mão de sal 393
mão direita 238
mão esquerda 239
mão firme 781
mão grande e mal feita 440e
mão morta 601, 605
mão pendente 615
mão por mão 888
mão x pé 237
mão-aberta 638
mão-fechada 819
Maomé 986
maometano 983a
maomético 983a
maometismo 983a
mão-pendente 784
mão-posta 459
mãos à obra!
mãos azinhavradas 940
mãos de fada 700
mãos experimentadas/hábeis/ certeiras/adestradas/práticas/treinadas/educadas 700
mãos limpas 946
mãos professas em 698
mãos rotas 818
mão-tenente 197
mãozudo 243, 440d, 651
mapa 184, 527, 554, 594
mapa-múndi 554
mapoteca 72
maquete 22, 559
maquetista 559
maquia 800, 812, 973
maquiador 599
maquiagem 6, 692a, 882

maquiar 466, 791, 812
Maquiavel 702
maquiavelice 702, 940
maquiavélico 544, 702, 940
maquiavelismo 544, 702, 940
maquiavelista 548, 702
maquiavelizar 544, 702
máquina 272, 501, 633
máquina de calcular 85
máquina de costura, som de 402a
máquina de escrever 590
máquina elevatória 307
máquina endiabrada 727
máquina fotográfica 633
máquina infernal 727
máquina plana 591
máquina pneumática 349
maquinação 545, 611, 626, 702, 940
maquinação infernal 619
maquinador 626
maquinal 601, 612, 615a, 633
maquinar 515, 611, 626
maquinar laços 545
maquinaria 633
máquinas de guerra 722
maquineta 1000
maquinismo(s) 632, 633
maquinista 268, 599, 690
maquintoche 225
mar 549
mar de angústias 830
mar de rosas 827
mar em fora 267, 293, 640
mar proceloso 667
mar revolto da vida 735
mar tempestuoso das paixões 825
mar, som de 402a
marabu/marabuto 996
maracá 722, 838
maracanã 584
maracatu 415
maracha 666
marachão 666, 717
marafona 962
marafonear 961
marafoneiro 961, 962
marajá 745
maranduba ou maranduva (bras.) 546
maranha 256, 626, 704
maranhão 546
maranhar 41, 61, 256
maranhoso 545, 702, 949
marasmar 655, 823
marasmar-se 837
marasmático 158, 655, 837
marasmo 141, 158, 655, 659, 683, 823, 826, 837, 866, 871, 901a
marasmódico 823
marasquino 959
maratona aquática 337
marau 941
maravalha(s) 40, 330, 388, 643
maravilha 870, 872
maravilha de sete dias 643, 871
maravilhado 870
maravilhar 870
maravilhar-se 870
maravilhoso 31, 549, 870
marca 7, 26, 233, 550, 551, 554, 642
marca da fábrica 550
marca de Judas 193
marcação 229, 278, 692a
marcado 446, 535, 601, 873
marçano 541, 701
marcante 79, 873
marcar 79, 106, 114, 133, 229, 450, 550, 551, 751, 847, 848
marcar passo 141, 613

marcar preço 812
marceneiro 690
marcescência 111
marcescente 111
marcescível 111
marcha 69, 109, 151, 264, 266, 267, 282
marcha a ré 145, 277, 283
marcha acelerada 684
marcha contra 716
marcha forçada 274, 684
marcha fúnebre 363, 415, 839
marcha para o desconhecido 665
marchando atrás 281
marchando na frente 280
marchante 797, 801
marchar 266, 282, 293
marchar a um de fundo 69
marchar ao lado 236
marchar atrás 34
marchar com 199
marchar contra 716
marchar paralelamente 236
marche-marche 274, 684
marchetado 318
marchetar 223, 440
marchetaria 692a
marcheteiro 690
marciano 188
márcido 160, 659
márcio (poét.) 722
marco 233, 319, 550, 551, 800
marco condutor 550
marco divisório *(limite)* 466
marco miliário 551
marco primordial 233
marco quilométrico 550
marconigrama 532
marcos de pedra 233
maré 134, 348
maré cheia 206, 337, 348
maré da indignação 825
maré de rosas 731
maré do carvoeiro 134
maré dos acontecimentos 151
mare magnum 25
maré vazia 348
maré/mar/leito de rosas 734
mareante 269
marear 278, 422, 483, 841, 874, 934
marear à bolina 267
marechal 745
marechal de campo 745
mareiro (vento) 349
marejada 59, 348
marejar 874
marel 373
mare-magnum 41, 59
maremoto 146, 173, 348, 667
mareoroma (neol.) 554
maresia 348, 401, 667
mareta 348
marfado 832, 859, 900
marfar 173, 649, 830, 841, 901a
marfar-se 832, 900
marfim 430
marga 342, 371
margar 371
margarina 356
margarita 847
margear 216, 229, 236, 295
margem 153, 231, 342, 625, 810
marginal 216, 231, 236, 342, 949
marginar 216, 229, 236, 551
marginiforme 231
margoso 342
margrave 875
margravina 745
margueira 342
Maria 977
maria-branca (cachaça) 959
marialva 268, 683

marianismo 977
mariano 977
maria-vitória 975
maricão 160, 862
maricas 160, 862, 962
maridagem 903
maridança 903
maridar(-se) 903
marido 373, 903
marimacho 159, 901
marimba 417
marimbar 545
marimbo 840
marimbondo 913
marimbondo ou maribondo 901
marinha 231, 342, 556, 726
marinha de guerra 722
marinhagem 269
marinhar 278, 305
marinharia 267, 269
marinheiresco 341
marinheiro 267, 690, 726
marinheiro de primeira viagem 701
marinhista 559
marinho 341
marinismo 855
marino 341
mariola 690, 877, 941, 949
mariolada 940
mariolar 940
mariolatria 991
marionete 554, 599
mariposa 847, 962
mariposear 266, 315
mariscar 622
marisco 366
marisma 345
marisqueiro 622
maritacaca (bras.) 401
maritágio (ant.) 784
marital 903
marítimo 267, 341
marketing 531, 625
marlotar 256, 258
marmanjo 501, 941
marmelada 396, 611, 775
marmita 191, 962
marmorário 690
mármore 323, 440, 557, 823, 866
mármore de Pafos 430
marmorear 686
marmóreo 323, 557, 823, 907
marmorizar 323, 823
marmotear 582
marmoto 690
marna 342
marnel 345
marno 342
marnoso 342
maroma , 45, 205, 599, 698
maromba 72, 704
marombeiro (bras.) 935
marosca 545
marotagem 940
maroteira 545, 940
maroto 877, 940, 941, 949
marouço 173, 341, 373
marquês 875
marquesa 215, 875
marquesado 875
marquesinha 223
marqueteiro 531
marra 259, 276
marracho 129, 366
marraco 371
marrada 276, 378, 716
marrafa 219, 256
marralhão 683
marralhar 606
marralheiro 683, 702
marralhice 683, 702
marrana 243

marrancho (pop.) 897
marranica 243
marrano 653, 908
marrão 129, 276, 366, 373
marrar 151, 276, 716
marraxo 702, 792
marreca 243, 250
marreco 245, 702
marreta 633
marretada esmechada 716
marroaz 273
marrom 433
marroxo 40, 645
marruá 373
marruaz 366, 606
marruaz ou marroaz 606
marrucar (pop.) 683
marrufo (depr.) 996
marsupial 440c
marta (pop.) 959
Marte 722
martelada 276
martelador 276
martelar 104, 114, 276, 412, 476, 606, 841
martelar a paciência 104
martelar sobre 451
martelar uma questão 476
martelete 276, 633
martelo 276, 284, 418, 633
martelo de guerra 727
martinete 256, 276, 633
Martini 727
mártir 361, 828, 955, 977
Mártir do Calvário 976
Mártir do Gólgota 976
martírio 361, 378, 828, 830, 942, 952, 955, 972, 974
martirizar 378, 830, 907, 974
martirológio 551, 983, 998
martirologista 553
marufle 45
marufo 959
maruja 269
marujada 269, 998
marujo 267, 269, 726
marulhada 59, 348, 402a, 404
marulhado 667
marulhar 348, 404
marulheiro (vento) 349
marulho 402a, 407
marulhoso 173, 348, 402a
marxista 737
marzoco 857
mas 18, 30, 651, 932
mas não parasitas 367
más notícias 274, 532
más ou precárias condições de saúde 655
más palavras 713
Mas que hei de fazer! 866
Mas quem pode livrar-se por ventura / Dos laços que o amor arma brandamente? (Camões) 897
Masaniello 742
mascabar 659, 930
mascabo 659
mascar 104, 298, 392, 568, 583, 609
mascar latim de cozinha 491
máscara 225, 528, 530, 599, 617, 717
mascarado 440a, 440b, 545, 599, 857
mascarar 528, 544, 555, 937
mascarilha 225
mascarino 367
mascarra 653, 848
mascarrar 568, 590, 653, 848
mascate 797
mascatear 794, 796
mascavado 653, 674
mascavar 465, 583

mascotar 298, 330
mascoto 276, 330
masculifloro 367
masculinidade 373
masculinizar 159, 373
masculinizar-se 855
masculino 373, 861
másculo 159, 373
masmarra (depr.) 996
masmarro 941, 996, 997
masmorra 752
masmorreiro 753
masoquismo 827, 907, 961
masoquista 907, 962
massa 3, 25, 31, 50, 252, 316, 319, 321, 354, 372, 635
massa e mona 89
massa encefálica 450
massa enorme e compacta 102
massa falida 780, 808
massa informe 241
massa informe/mole 192
massa popular 72, 372
massacrar 361
massacre 361
massagada 59
massame 208
massamorda 298
massapé ou massapê 342
massaroco 353
massas 298, 556
masseirão 191, 202, 350
masseter 361
massudo 3, 192, 321, 575, 579
mastaréu 206
maste (bras.) 840
mastigação 298
mastigada (pop.) 361
mastigar 104, 298, 405, 461, 583
mastim 366, 527, 936
mastique 356a
mastodinia 378
mastodonte 192
mastodôntico 192, 243
mastoide 250
mastóideo 250
mastologia 368, 662
mastoquino 253
mastozoologia 368
mastreação 72
mastreação nova em barco velho 903
mastrear 673
mastro 205, 206, 550
mastro composto 206
mastro da mezena 267
mastro do gurupés 206
mastro grande 206, 267
mastro real 206
mastro real da gata ou da mezena 206
mastro real do traquete 206
masturbação 377
masturbar 961
mata 102, 367, 639
mata-borrão 590
mata-cães 683
matacão 51, 323
matação 686, 828
matadeiro 657
matador 361, 829, 841, 845, 865
matadouro 361, 657
matadura 378, 945
matagal 367, 519
matagoso 367, 519
matalotagem 59, 298, 637
matalote 64, 269, 273, 890
mata-mouros 726, 863, 887, 913
matança 361, 686, 716
matante 949
mata-piolhos 379, 781
matar 361, 378, 480a, 657, 688, 830

matar à fome 956
matar à fome/a sede 298
matar a galinha de ovos de ouro 699
matar a lógica 497
matar a sede 869
matar de inveja 33, 845
matar dois coelhos de uma cajadada 682
matar o sono 683
matar o tempo 681, 685, 840
matar o vitelo mais gordo 883
mata-ratos 959
matar-se por 865
mata-sanos 548
mata-sete 863, 887
matassano 701
matassão 701
match 720
mate 298, 429
matear 298
mateiro 268, 877
matemática 25, 474
matematicamente 31, 154
matematicamente igual 13
matematicamente perdido 776
matematicamente verdadeiro 494
matemático 85, 92, 494, 601, 690
mateologia 515, 518, 519
mateotecnia 515
Máter Dolorosa 977
máter Matuta 125
mátere (dos celtas) 727
mater-familias 166
matéria 3
Matéria 316
matéria 3, 329, 454, 516, 635
matéria bruta 316, 358, 635
matéria corante 428
matéria de receber 963
matéria em discussão 461
matéria gordurosa 356
matéria inorgânica 358
matéria inorganizada 358
matéria médica 662
matéria prima 642
materiais 377, 651
material 1, 56, 316, 633, 642, 843
Material 635
material com que se fabricam os sonhos 4
material de escritório 633
material de guerra 727
materialão 316, 954
materialidade 1, 3, 316, 499
materialismo 316, 377, 984, 989
materialista 316, 989
materialização 1, 316
materializador & *v.* 316
materializante & *v.* 316
materializar 316, 499, 554
materializar-se 3
materialmente 316, 491
matéria-prima 56, 316, 635, 674
materias fecais 653
maternal 11, 166, 542, 897, 906
maternidade 166, 876
materno 11, 166
matesiologia 537
mathematicis racionibus 466
maticar 622
maticina 395
matilha 622, 712
matilheiro 622
matinada 59, 125, 404, 405, 411, 990
matinal 125
matinalmente 125
matinar 66, 404, 537, 682
matinas 990
matiz 15, 428, 440, 448, 556
matizado 41, 428

matizamento 440
matizar 223, 428, 440, 577, 847
mato 367
matraca 407, 856
matracar 765
matrália 125
matraqueado 52, 410, 698
matraquear 410, 537, 673, 675, 698, 856, 929
matraquejar 929
matrás 191
matreirice 702
matreiro 698, 702
matriarca 374
matriarcado 374
matricida 361
matricídio 361
matrícula 76, 294, 538
matriculado 52, 76, 541, 698
matriculando 76
matricular 551
matricular-se 76, 294, 538
matrimonial 903
matrimonialmente & *adj.* 903
matrimoniar 903
matrimônio 41, 903
matrimônio clandestino/espiritual/consumado/putativo/rato/de consciência/de São João das Vinhas/de razão 903
matrix 691
matriz 153, 22, 84, 191, 221, 240, 348, 440e, 636, 691, 1000
matrona 130, 192, 374, 903
matronaça 159, 192, 374
matronal 128, 131, 374
matula 72
matulagem 73, 683
matulão 192, 683, 818, 895
matungo (dep.) 271
maturação 161
maturar 658, 673
maturar-se 128, 864
maturidade 123, 124, 128, 131, 650, 673, 729
maturrango 268, 701
maturrão 501
maturrengo 268, 701
Matusalém 130
matutar 451
matutinário 998
matutino 125, 531
matuto 188, 503, 504, 547, 702, 877, 893
mau 59, 619, 649, 704, 830, 898, 907, 917, 927, 961
mau agouro 859
mau caráter 940
mau cheiro 401, 867
mau destino 735
mau emprego 638, 679
mau ensino 895
mau gênio 900
mau gosto 392
Mau gosto 852
mau grado a 30
mau grado de 30
mau humor 900, 901
mau intento 907
mau negócio 619
mau nome 874
mau olhado 441, 649
mau passo 961
mau procedimento 947
mau quarto de hora 828
mau serviço 619
mau tom 852
mau tratamento 649
mau uso 649
Mau uso 679
mau! 932
mau-caráter 940
mau-caratismo 649

maunça 103
mau-olhado 993
maus 988
maus dias 735
maus modos 901a
mauser 727
mausoléu 363
mauvaise plaisenterie 852
maviosidade 413, 829
mavioso 413, 829, 902
mavórcio 722
mavórtico 720
maxi (ssaia) 225
maxicote 635
maxidesvalorização 800
maxila 298, 440e
Máxima 496
máxima 697
máxima sábia/recebida/consagrada/verdadeira/sediça/vulgar/reconhecida/universalmente aceita 496
maximalismo 737
maximalista 737
maximamente 31, 609, 642
maxime 642
maxime memorabilia omnium 642
maximização 482
maximizado 482
maximizar 482, 523
máximo 31, 33, 210, 642
máximum 33
maxixe 415, 840, 961
mayday 669, 707
mayonnaise 298
mazarize 635
mazela 378, 874, 945
mazelar(-se) 874, 945
mazelento 945
mazombice 837
mazombo 41, 837
mazorca 742
mazorqueiro 742
mazorral 895
mazorro 895
mazurca 415, 840
mazurcar 840
me 317
me judice 484
Me poupa! 866
me vide! 484
mea culpa 950
Meação 628
meação 91
meaco 59, 219, 223, 626
meada de difícil desenredo 704
meado 91
mealha 32, 643
mealheiro 169, 645, 775, 817
meândrico 248, 519
meandro 248, 519, 533, 629
meandros da fraude 544
meandroso 704, 855
meano 440b
meante 68
meão 29, 32, 68, 628
mear 29, 85, 91, 628
meato 260, 350
Meca 74, 290, 484
mecânica (ciência)159
mecânica celeste 318
mecânica 601, 632, 633, 690
mecanismo 329, 633
meças 464, 466
Mecenas 492
mecenas 784, 890, 910, 912
mecenato 648, 707, 910
mecha 263, 388, 841
mechar 261, 652
meco 372, 877, 962
meda 25, 72, 636

medalha 550, 551, 557, 733, 747, 847
medalhão 175a, 557, 847, 873, 875
medalhar 558, 883
medalhário 191, 559
medalheiro ou medalhário 690
Média 29
média 774
média aritmética 29
Mediação 724
mediação 106, 631, 766, 976
mediador 228, 631, 711, 724, 968, 976
medial 29, 68
mediana 29, 68, 628
medianeiro 68, 228, 724, 758, 766, 968
mediania 826, 877
medianidade 68, 736
medianiz 591
mediano 29, 68, 628, 774, 826
mediante 413, 631
medianetemente & *adj.* 29
mediar 68, 228, 631, 724
mediar a paz entre 724
mediatamente 631
mediatário 724, 766, 767
mediatizado 712
mediatizar 766
mediato 34, 526, 629
mediatório 724
mediatriz 68, 212
medicação 662
medical 662
medicamentação 662
medicamentar 654, 662
medicamento 662
medicamento caseiro 662
medicamentoso 662
medição 85, 466
medicar 654, 660, 662
medicastro 548, 662, 701
medicatriz 662
medicável 858
medicina 662
medicina da conservação 662
medicina da dor 662
medicina de emergência 662
medicina de família e comunidade 662
medicina de transplantes 662
medicina do trabalho 662
medicina do tráfego 662
medicina expectante 662
medicina física e reabilitação 662
medicina intensiva 662
medicina legal 662
medicina nuclear 662
medicina operatória 662
medicina ortomolecular 662
medicina preventiva e social 662
medicina veterinária 370
medicinal 662
medicinar 662
médico 492, 662, 690, 695, 701
médico assistente 662
Médicos Sem Fronteira 910
Medida 466
medida 25, 26, 80, 84, 413, 597, 626
medida de inclinação 217
medida do tórax 440e
medida provisória 741
medida repressiva 761
medidamente 826
medidas 466, 632, 680
medidas agrárias 466
medidas de capacidade 466
medidas de comprimento 200
medidas de peso 319

medidas extremas 739
medido 174, 639, 646
medidor 466
medieval 68, 122, 124
medievalismo 122
medievalista 122
medievo 122, 124
médio 29, 68, 222, 379, 628
medíocre 29, 32, 34, 499, 575, 628, 643, 651, 871, 877
Mediocridade 736
mediocridade 29, 32, 628, 639, 651, 826
mediqueiro 662
mediquito 701
medir 85, 174, 264, 451, 466
medir a extensão do salto 864
medir armas com 720
medir as consequências 864
medir as costelas a alguém 716, 972
medir com a vista 441
medir com os olhos 715
medir forças 159
medir o chão com o corpo 213
medir o tempo 682
medir poucos passos do berço à sepultura 111
medir-se com 720
medir-se por 9
meditabundo 451, 458, 837
meditação 457, 837, 955
meditador 451
meditar 451, 620, 837, 990
meditativo 451, 830, 837, 451, 642
mediterrâneo 68, 228
médium 513, 631, 994
médium-vidente 994
medível 466
medo 443, 481, 665, 980
Medo 860
medonho 173, 404, 649, 830, 846, 860
medorreia 862
medra 35,144, 168, 194, 313, 658, 734
medrança 35, 144, 168, 194, 313, 658
medranço 734
medrançoso 734
medrar 1, 35, 161, 168, 313, 658, 734
medricas ou medrincas 862
medrincas 877
medrio 35, 168, 658, 734
medrosamente & *adj.* 860
medroso 860, 862
medrugo 784
medula , 5, 68, 221, 630, 642
medular 221
medulato 298
meduloso 221
Medusa 846
medúsio ou medúsico 846
meeiro 68, 91, 778, 779
meeting 72, 696
Mefistófeles 980
mefistofélico 649, 907, 945
mefítico 401, 657, 663
mefitismo 657, 663
megacosmo 318
megafone 580
megalho 45, 256
megálio ou megalino 400
megalítico 323
megalografia 873
megalomania 855, 880
megalomaníaco 855, 880
megalômano 855
megâmetro 244
meganha 701, 726
megassena 156, 618
megatério 124

Megera | mentira

Megera 173
megera 166, 949
meia-água 189
meia batalha 642, 731
meia-calça 225
meia-cana 230
meia-cara (bras.) 746
meia ciência 491
meiadade (ant.) 68
meia dúzia 98
meia-esfera 249
meia-esquadria 91
meia-idade 122, 131
meia-laranja 249
meia-lua 245, 247
meia-luz 126
Meia-luz 422
meia-máscara 225
meia-noite 126
meia(s)-palavra(s) 477, 550
meia-palavra para um bom entendedor 527
meia-palavra para um sábio 518
meia-ração 641
meia-tigela 643
meia-tinta 422, 429, 556
meia-volta 309
meias 225
meias medidas 605, 628
meias-partidas 278
meias-resoluções 605
meias-razões 477
meidado 68, 91
meigengro 659
meigo 174, 413, 648, 826, 879, 897, 902, 914
meiguice(s) 602, 615, 879, 902
meiguiceiro 902
meijoada 686
meimendro 663
meinhos 545
meio 68, 91, 222, 227, 627, 628, 631
Meio 68
meio áureo 736
meio-busto 554, 556
meio circulante 800
meio-corpo 554, 556
meio de fuga 666
meio-dia 125, 278
meio do caminho 628
meio e o fim 630
meio-galope 274
meio-grosso 392
meio indireto 632
Meio líquido 352
meio-morto 688
meio por cento 813
meio-rufo 255
meio-soldo 810
meio supersticioso 670
meio-termo 68, 174, 609, 628, 774
meio-tom 428
meio-trote 275
Meios 632
meios 617, 631, 635, 780, 800, 803
meios de constrangimento 752
meios de escapamento 671
meios de ocultar 530
meios de preservação 670
meios de reconhecimento 550
meios de segurança 664, 666
meios de vida 803
meios extremos 632
meiose 91
meirinhado 965
meirinho 366, 440b, 534, 965
mel 396
mel rosado 396
mela 226, 659
melaço 352, 396,

melado 396, 959
melananto 367
melancia 249
melancolia 837, 901a
melancolicamente 31
melancólico 830, 837, 839, 841, 843, 901a
melancolizar 830, 837
Melanésia 431
melanina 431
melanita 431
melanizar 431
melanocarpo 367
melanócero 431, 440c
melanócomo 431, 440a, 440d
melanope 431, 440d
melanóptero 440c
melanuro 431, 440b, 440c
melar 396, 659, 972
melasmo 128
melático 697
melaxanto 440
melcatrefe 877
melê 465a
meleca (vulg.) 653
meleira (cachaça) 959
melena 256, 440e
méleo 396, 933
melequento 653
melga 193
melgueira 618, 648, 775, 815
melhor! 866
melhor 35, 648, 658
melhor bocado 50
melhor da história 642
melhor da passagem 642
melhor do que 33
Melhor é fazer debalde do que estar debalde 682, 686
Melhor fora que... 609
melhor idade 128
melhora 658
melhoradamente 602
melhorado 658
melhorador & *v.* 658
melhoramento 282, 618
Melhoramento 658
melhorar 174, 537, 614, 648, 650, 654, 658, 689, 834
melhorar em conhecimentos 658
melhorar o estado mental 502
melhorável 658
Melhores dias virão 858
melhoria 33, 35, 282, 658, 834
melhormente 602, 658
meliana 556
meliante 683, 792, 940, 941, 962
mélico (poét.) 413
melieiro 902, 933
melifero 396, 933
melificação 396
melificar 396
melífico 933
melifila 834
melifluidade 396, 413, 607
melindrado 822
melindrar 830, 832, 895
melindrar-se 822, 900
melindre 396, 465, 822, 855, 894, 960
melindroso 111, 373, 475, 665, 704, 822, 862, 901
melinite 727
melioidose 655
melissa 834
melito 396
meliturgia 370
melitúria 655
melívoro 298
Melodia 413

melodia 412, 692a
melodiar 413
melódico 413
melodioso 377
melodioso 405, 413, 597, 829
melodista 416
melodrama 599
melodramático 599
melofone 417
melografia 413
melógrafo 416
melomania 413, 855
melômano 415, 416
melômelo 83
melopeia 415
meloplastia 660
meloso 886
Melpômene 599
melra (f.) 431
melro 941
melroado 440a
melúria 544, 839
membrana 204
membranoso 329
membro 51, 56, 633
membro do parlamento 696
membros 983a
membros esparsos 44
membrudo 159, 192
memento 505, 551, 594, 990
memento mori 363, 837
memorabilia 505, 642
memoração 505
memorando 505, 551, 586
memorandum 505, 596
memorar 505, 883
memorativo 505, 883
memorável 505, 642, 873
Memória 505
memória 551, 593, 594, 595, 873
memória artificial 505
memória fraca/claudicante/infeliz/traiçoeira/de galo/ingrata/falível/apagada 506
memória histórica 551
memória pronta/tenaz/feliz/retentiva/firme/fotográfica/obediente ao apelo/privilegiada/fiel/que não trai 505
memorial 505, 551, 593, 594, 642, 765
memorialista 553
memorião 505
memórias 551
memorista 553, 593
memoriter 505
memorizar 505
memoroso 505
mênade (f.) 959
ménage 692
ménage à trois 961
menagem 743, 752, 928
ménagère 682
ménagerie 72, 370
menálio 370
menção 527
menção honrosa 973
mencionar 467, 527
mendacidade 544, 546
mendaz 544, 545, 546
mendicância 765, 804
mendicante 765, 767, 804
mendicidade 765, 804
mendigação 765, 804
mendigagem 804, 877
mendigar 765, 804
mendigaria 765, 804
mendigo 767, 785, 804, 877
menear 314, 315, 379, 677, 855
menear a cabeça 764
meneável 324, 605

meneio 315, 550, 677, 702, 855
menestrel 416, 597
menina 129, 374, 960
menina de cinco olhos 975
menina do olho 441
menina dos olhos de 620
menina dos olhos de alguém 899
meninada 129
menineiro 127, 499
meningite 655
meningococcemia 655
meninice 499
meninil 129
menino 129, 373, 702
menino da pá virada 264
menino trocado 147
menisco 445
menisco convergente/divergente 445
meniscoide 445
menopausa 128
menor 34, 129, 413, 746
menor do que 641
menorá 999
menoridade 100a, 103, 127
menorista 996
menorragia 299
menorreia 299
menos 34, 38, 55, 187, 641
menos as franjas 640
menos de um100a
menos (grande) 34
menos perfeito 651
menoscabado 898
menoscabador 936
menoscabar 907, 930, 934
menoscabo 483, 930, 934
menospreço 483
menosprezador 483, 930
menosprezar 483, 610, 643, 773, 874, 885, 930
menosprezível 940
menosprezo 456, 483, 610, 823, 930
mens sana 502
mens sana in corpore sano 654
mens sibi conscia recti 878, 945
Mensageiro 534
mensageiro 268, 271, 510, 527, 746, 758
mensagem 532, 592, 741, 916
mensagem por celular 534
mensal 108, 126, 138
mensalão 175, 481, 775, 791
mensaleiro 792, 940
mensalidade 809
mensário 298, 531
mensório 298, 847
menstruação 131, 299
menstruada 131
menstrual 138, 299
mênstruo 299
mensura 413, 466
mensuralista 415
mensurar 466
mensurável 84, 466
mental 450
mentalidade 450, 451
mentalidade de escol 492, 498
mentalmente 451, 515
mente 450, 515, 620
mente consciente de sua (própria) retidão 946
mentecapto 499, 503, 504
mentideiro 546
mentido 545
mentir 495, 509, 544, 545, 546, 549, 617, 940
mentir a 732
mentir à fé jurada 940
mentir pela gorja 546
mentira 2, 523, 544, 702

Mentira | meter a alma no inferno

Mentira 546
mentira gorda/calva/grossa/branca/solene/inofensiva/descabelada/de rabo e cabeça/de grosso calibre/deste tamanha/de/escacha/de arromba 546
mentira inofensiva 528
mentira que tem viso de verdade 546
mentirola 546
mentiroso 520, 544, 546, 548
mentis gratissimus error 481
mento 298, 440e
mentor 500, 524, 540, 694, 695, 873
mentorizar 537
menu 298
mênu 86
meote 225
mequetrefe 682, 877
mera/vaga suposição 514
meramente 42, 87
merarquia 726
mercadeiro 797
mercadejar 794, 940
mercado 74
Mercado 799
mercado de ações 799
mercado de títulos 799
mercado futuro 799
mercado virtual 799
mercadologia 625
mercador 637, 794, 796
Mercador 797
mercador de sobrado 797
Mercadoria 798
merca-honra 941
mercância 794, 798
mercanciar 794
mercante 794, 797
mercantil 481, 794, 943
mercantilismo 481, 794, 943
mercantilmente 794
mercar 775, 795
mercatório 794
merca-tudo 701, 797
mercável 794, 796
mercê 618, 740, 760, 784, 798, 876, 918, 973
mercê de 154, 155, 707
mercearia 636, 794, 799
merceeiro 797
mercenaria 691
mercenário 690, 722, 726, 746, 812, 943
mercenarismo 943
merceologia 625, 794
mércia 625, 794, 961, 964
mercurial 264, 932
mercúrio 149, 274, 682
Mercúrio 274, 534
merda (chulo) 299, 401, 653
merdice (pleb.) 653, 874
merdilheiro 653
merdívoro 298, 366
merecedor de 924
merecedor de crédito 484
merecedor de estima 931
merecedor de reprovação 932
merecer 615, 924
merecer a atenção 642
merecer acolhimento 642
merecer altares 873
merecer louvores 931
merecer o inferno 908
merecer ser pesado a ouro 498
merecidamente 564, 646
merecido 922, 924
merecimento(s) 642, 648, 698, 820, 924, 944
merencóreo 830
merencório 839
merenda 298

merendar 298
merendeira 191
merengue 415
meretíssimo 873
meretrício 961, 962
meretrícula 962
meretriz 962
mergulhado 451, 457
mergulhado até as orelhas em compromissos 806
mergulhado em longas cismas 458
mergulhado nas trevas da ignorância 491
mergulhado no esquecimento 506
mergulhado no mais fero cativeiro 739
mergulhão 310, 371
mergulhar 300, 306, 310, 337, 528
mergulhar a mão em sangue 907
mergulhar a pena em fel/na lama 934
mergulhar de cabeça 604
mergulhar em sangue 361
mergulhar *in media res* 300
mergulhar no cativeiro 749
mergulhar no esquecimento 506
mergulhar o olhar em 441
mergulhar o olhar no futuro 121, 510
mergulhar o olhar no passado 122
mergulhar-se 294, 449, 451, 461
mergulhar-se na dissipação 954
mergulhar-se na intimidade penetrável do lar 892
mergulhar-se na intimidade penetrável do lar de alguém 888
mergulhar-se no devaneio 515
mergulhar-se no letargo 826
mergulhia 371
mergulho 146, 208
Mergulho 310
mericismo 298
mericologia 368
meridiana 278
meridianamente 525
meridiano 114, 125, 181, 210, 247, 318
meridiano da vida 131
meridional 278
merinaque 225
merino 366, 440c
merisma 44
meritíssimo 876
meritíssimo juiz 480
mérito 157, 648, 698, 820, 944
meritório 931, 944
merlão 717
merlim 205, 253, 702, 941, 994
merma 776, 813
mero 32, 42, 87, 617, 651
merologia 596
merugem 348
meruginha 348
merujar (pop.) 348
mês 108, 138, 213, 215, 251, 255, 298, 344, 696
mesa de abade 954
mesa eleitoral 609
mesa judiciária 992
mesa lauta 298
mesa regalada 954
mesa sagrada da comunhão 1000
mesada 707, 784, 810
mésalliance 24

mesa-redonda 588
mesário 609, 694, 696
mescla 41, 48, 440
mesclado & *v.* 440
mesclado 41, 440, 465a
mesclar 41, 428, 440, 465a
mesclar de estrangeirismos 563
mesclar de verde 435
mesentérica 655
meseta 206, 251
Mesmer 994
mesmeriano 992, 994
mesmerismo 992
mesmice 16, 27, 80, 141, 575, 613, 843, 871
mesmíssimas palavras 494
mesmíssimo 13, 17, 141
mesmo 13, 17, 141
mesmo ainda 30
mesmo assim 30
mesmo até 708
mesmo no caso de 30, 469
mesmo que 469, 708
mesmo que *caulescente* 367
mesmo que dipétalo 367
mesmo que *evalve* 367
mesnada 726
mesnadeiro 726
mesocarpal 228
mesocárpico 228
mesocarpo 221, 228
mesóclise 228
mesoclítico 228
mesocracia 737
mesocrático 737
mesófrio 440e
mesolábio 85
mesolítico 124
mesolóbulo 228
mesomeria 228
méson 316
mesopotâmia 68, 228, 342
mesopotâmico 68, 228
mesquinhar 819
mesquinharia 643, 819, 907
mesquinhez 499, 643, 819, 940
mesquinhez de sentimentos morais 945
mesquinho 160, 169, 193, 499, 643, 649, 804, 819, 828, 877, 940, 943, 949
mesquita 1000
Messalina 962
messe(s) 154, 161, 367, 371, 618, 636, 775
messenger 840
messianismo 825
Messias 912, 976
messório 371
mesteiral ou mesteirial (ant.) 690
mester 625
mestiçação 41
mestiçamento 41
mestiçar 41
mestiçaria 41
mestiço 41, 877
mesto 837
mestraço 700
mestrado 537, 542
mestrança 542
Mestre 540
mestre 269, 524, 694, 695, 700, 811, 850
mestre da língua 578
mestre de cerimônias 694, 882
mestre de sala 694
mestre e remestre 700
mestre eminente do direito 968
mestria 490, 698, 731
mestrona 493

mesura 886, 892, 894, 928, 933
mesurado 498, 826, 864, 953
mesurar 886, 894, 928, 933
mesureiro 886, 928, 933
mesurice 886, 933
meta (*chegada*) 265
meta 67, 265, 233, 292, 441, 620, 728, 865
metábole 140
metabólico 140
metabolismo 140
metacarpo 440e
metacentro 222
metacismo 583
metacronismo 115, 140
metade 51, 68, 91, 628
metade do caminho 68
metafísica 450
metafísico 450, 519
Metáfora 521
metáfora 147, 550, 560, 569, 577
metafórico 520, 521, 563
metaforizar 521
metáfrase 21, 522
metafrasta 524
metafrástico 522
metagênese 140, 161
metagoge 521
metais 633
metais preciosos 800
metal 413, 415, 635
metal de voz 402, 580
metal progressivo 415
metal rico e reluzente 800
metalcore 415
metalepse 521
metálico 635
metalismo 800
metalizar 358
metalografia 358
metalográfico 358
metalurgia 358
metalúrgico 358
metamomo 198
metamórfico 140
metamorfismo 140
metamorfose 144
metamorfosear 140
metamorfosear-se 530
metanoia 952
metanol 388
metaplasma 148
metaplástico 140
metaptose 140
metástase 140
metastático 140
metatarso 440e
metátese 140, 218, 270
metatipia 140
metátomo 198
metediço 24, 57, 228, 294, 455, 682, 706
Mete-lhe o bordão na mão 885
Mete-lhe o dedo na boca 545
meteórico 318
meteorismo 194, 334
meteorito 318
meteoro 111, 318, 423, 872, 873
meteorografia 318
meteorógrafo 338
meteorólito 318
meteorologia 318, 338
meteorológico 338
meteorologista 492
meteoromancia 511
meteoronomia 318
meteoros luminosos 423
meteoroscopia 338
meter 184, 225, 300, 636, 751
meter a alguém os pés nas algibeiras 856
meter a alma no inferno 945, 961

meter à bulha/a riso | mil vezes... do que...

meter à bulha/a riso 856
meter à cara de alguém 525
meter a cara/o pé no mundo 623
meter a cara/os peitos 686
meter a ferro e fogo 361
meter a foice em seara alheia 682
meter à força 300
meter a mão 814
meter a mão até 825
meter a mão até o cotovelo 173, 954
meter a mão em 461
meter a mão na consciência 950
meter à pala alguém 545
meter a peça em bateria 673
meter a pique 162, 716, 731
meter a ridículo 856
meter a riso 856
meter a uso 225
meter a viola no saco 403
meter agulhas por alfinetes 545, 686
meter alguém avante 707
meter alguém em boa 665, 704
meter alguma coisa no bico de alguém 529
meter carochas na cabeça de alguém 546
meter cutelos e varredouras 686
meter das gordas a alguém 544, 702, 933
meter de permeio 706
meter de reserva 637
meter em brio(s) 615, 824, 861
meter em cena 599
meter em danças 704
meter em desesperação 859
meter em faturas 86
meter em processo 969
meter entre 76
meter mãos a obra 676
meter mãos criminosas nas arcas do Tesouro (ant.) 940
meter medo 860
meter na cabeça de alguém 514, 527
meter na cabeça/na cachimònia 695
meter na posse 777
meter na roda 930
meter no bolso 789
meter no chinelo 33
meter no pensamento/na memória/na mente/na ideia/na lembrança 505
meter no redil 370
meter no rol de 938
meter num chinelo 879
meter o bedelho 682
meter o ferro a alguém 830
meter o focinho em 682
meter o jogo nas mãos de alguém 755
meter o nariz em tudo 682
meter o pé na jaca (gír.) 954
meter o Rocio na betesga 471
meter ombros a 676
meter ombros a uma empresa 686
meter os cães à nora/na vinha 702
meter os cães na moita e assobiar-lhes de fora 702
meter os dedos pelos olhos 477
meter os pauzinhos 702
meter os pés pelas mãos 477, 699
meter ou pôr ombros a uma empresa 604

meter pelos olhos a dentro 478
meter pernas ao caminho 293
meter pernas ao cavalo 274
meter saca-rolhas em 744
meter sobre os ombros 676
meter sua colherada ou as mãos na massa 682
meter tempo em meio 133
meter tudo a saco 584
meter uma lança em África 471, 731
meter uma rolha/um cadeado na boca 585
meter vira em barreira 731
meter/ pôr mãos à obra 66
meter/enfiar a mão 791
meter-se 484
meter-se a taralhão ou tralhão 682, 885
meter-se a trabalhar 676
meter-se até os cotovelos em alguma coisa 455, 457
meter-se como piolho por costura 186, 647
meter-se de gorra com 709
meter-se de gorra com alguém 714, 888
meter-se de permeio 706
meter-se em 294, 676
meter-se em água fervente 713
meter-se em alhadas 732
meter-se em altas cavalarias 863
meter-se em brio 604
meter-se em debuxos 682
meter-se em filistrias/fofas/camisa de onze varas/cavalarias altas 704
meter-se em guarda 673
meter-se em maus lençóis 699
meter-se em meio 228
meter-se na cabeça de alguém 451, 514, 608
meter-se na cama 881
meter-se na concha 879, 893
meter-se na encóspias 607
meter-se na ideia 505
meter-se nas encolhas 585, 609a
meter-se nas encolhas/nas encóspias 866
meter-se nas encóspias 879
meter-se numa redoma 943
meter-se onde não é chamado 455
meter-se/pôr-se numa redoma 893
meticulosidade 457, 459, 461
meticuloso 457, 459, 461, 860, 926
metido 24, 228, 455, 855, 885
metido à cunha 24
metido à força 10
metido a pique 732
metido consigo 585
metido consigo mesmo 837
metodicamente 58, 60, 174
metódico 58, 60, 80, 459, 498, 953
metodismo 984
metodista 984, 988
metodizar 60
método 58, 80, 498, 620, 626, 627, 673, 692
método baconiano 461
método das fluxões 84
método das tentativas 463
método socrático 461
metodologia 461, 537, 625
metonímia 147, 521, 560, 569
metonímico 521, 563
metonomásia 565
metoposcopia 234, 448, 511, 522
metralgia 378

metralha 41, 402a, 584, 632, 727
metralhada 716
metralhador 716, 726
metralhadora 584, 727
metralhadora Madsen 727
metralhadora pesada 727
metralhar 402a, 584, 716
métrica 569, 597
métrico 466
metrificador 597
metrificar 597
metro 200, 272, 466, 597
metrô 272
metrografia 466
metrologia 466
metromania 597, 961
metrômano 597
metrônomo 413
metrópole 74, 189, 222, 737
metropolita 996
metropolitano 189, 996
metrorragia 299
metrorreia 597
metrotomia 301
Mettere la coda dove non va il capo 702
mettre de lieau dans son vin 160, 174
metuendo (poét.) 830, 846, 860
meu 777
meu amor 902
meu bem 902
Meu coração pouco a pouco se afastou do dele 713
meu é meu, o que é seu é meu, O que é (joc.) 789
Meu lugar é aqui 604
meum et tuum 780
meus olhos 902
Meus pêsames 915
Meus sentimentos 915
meus, os 11
Mexa-se, homem! 684
mexediço 264
mexedor 949
mexer 41, 379
mexer em casa de marimbondos 863, 901
mexer na ferida 505
mexer os beiços 405, 581
mexer os pauzinhos 680, 686, 765
mexericada 532
mexericar 532, 626, 702, 907
mexerico 532, 626, 702, 907
mexericos 588, 682
mexeriqueira 977
mexeriqueiro 532, 588, 626, 702, 936, 949
mexer-se 264, 680
mexerufada 41
mexidos 907
mexilhão 682
mexonada 264, 315
mezinha 662
mezinhar 662
mezinheiro 662, 701
mezinhice (pop.) 662
mezuzá 999
mezzanino 599
mezzo termine 68, 628, 774
Mezzofanti 492
mezzo-tinto 558
miada 412
miadela 412
miado 412
miadura 412
mialgia 378
mialhar 205
miar 412
miasma(s) 295, 334, 336, 401, 653, 657, 663

miasmar 657
miasmático 345, 657
miau 366, 412
mica 32, 204
micáceo 204
micado 745
miçanga 561, 643, 847
micante (poét.) 420
micareta 840
micetologia 369
micha 41
michela 962
Mickey e Pateta 890
mico 846
micologia 369
micose 655
micranto 367
microacústico 418
microbiano 193
micróbio 193
microcéfalo 83, 501
micrócero 440c
microcosmo 193, 372
microcosmologia 440e
microdáctilo 440c
microfilo 367
microfone 418, 580
microfonia 405
microfonógrafo 418
microglosso 440c
micrógnato 440c
micrografia 193
micrologia 193, 586
micrólogo 586, 643, 852, 880
micrômegas 193
micrometria 193
micrômetro 193, 466
microminiaturizar 193
micron 193, 200
micro-ondas 386
micro-ônibus 272
micropétalo 367
micrópila 198
micrópilo 260
micropsia 443
microscopia 193
microscopia de RMN 662
microscópico 193, 445
microscópio 193, 445, 633
microscopista 445
microzoários 193
micterismo 832, 856
mictório 191, 653, 662
Midas 803
midi 225
mídia 531
midríase 443
mielalgia 378
mielografia 662
mielograma 662
migala 913
migalha(s) 32, 40, 51, 330
migalhar 330
migalheiro 643, 819
migalhice 643
migar 330
mignon 193
migo 317
migração 266
migrante 266
migrar 266
migratório 266
miíase 655
miiodopsia 443
mijadeiro 191
mija-mansinho 702
mijar (vulg.) 299
mijarete 191
mijoca (cachaça) 959
mil 98, 102
mil e uma noites 515
mil réis 800
mil vezes... do que.. 609

milagre | mistagogia

milagre 83, 156, 731, 872
milagreira 83, 872
milagreiro 977, 992, 994
milagrento (pop.) 698, 977, 992, 994
milagroso 83, 870, 977
milando (África port.) 969
milenar108
milenário 124
milênio 108, 110, 121, 515, 858
milésimo 99
mil-flores 440a
milfurado 260
milgamenho 845
milgrada 434
milgranada 434
milha 200
milhafre 792, 913
milhano 225, 792
milhão 98
milhar 98
milhares 102
milhares de 102
milhas 98
milheiro 98, 102
mil-homens 863, 884, 887
miliar 193
miliardário 803
milícia 726
milícia celeste 977
miliciano 722, 726
miliciar 726
milimétrico 193
milímetro 200
milionário 803
milionésimo 99
milípede 440c
Militam muitas possibilidades em favor de... 472
militança 726
militante 722, 726
militar 690, 720, 722, 726
militar contra 179, 708, 719
militar sob as ordens de 709
militarão 739
militarismo 737
militarizado 722
militarizar(-se) 722
mílite (poét.) 726
mil-lindo 845
milonga 415, 626
milorde 272
mim 317
mimalho 869, 899
mimanço 869, 899
mimar 902, 933
mimeografar 19
mimeógrafo 19
mimese 19, 521
mimetismo 149, 528, 607
mímica 527, 550, 599
mimo 599, 650, 763, 784, 829, 845
mimodrama 599
mimógrafo 599
mimologia 19
mimologismo 560
mimos 902
mimosa 125, 375
mimoseador 816
mimosear 763, 784, 816, 902
mimoso 160, 174, 203, 324, 394, 413, 648, 829, 845, 850, 862, 897, 899
mimosura 578, 822
mina 252, 260, 618, 636, 639, 727
mina de ouro 636, 648, 775, 803
minacíssimo 665, 909
minado por 821
minadouro 66, 153
minar 160, 162, 252, 260, 545, 626, 659, 663, 702, 706, 716, 717, 830
minarete 206, 1000
minas antitanque 727

minauderie 855
minaz 665, 909
mindinho 379, 781
minduba 959
mineira 252, 636, 639, 636, 690, 635
mineralizar 358
mineralogia 358
mineralogista 358, 492
mineralúrgico 358
minerar 686
minério 635
minerografia 358
minerográfico 358
minerógrafo 492
Minerva 500
minerva 591
minerval 973
mingacho 670
mingau 321
míngua 36, 53, 641, 651, 776, 804
míngua da maré 641
minguado 32, 103, 193, 201, 491, 641, 804
minguante 659
minguante de vocábulos 575
minguar 36, 103, 137, 140, 195, 201, 641, 659
minguar a alguém o pão 804
minha 777
minhocas 486, 515
minhoteira 627
mini 225
miniatura 17, 556
miniaturar 193, 483, 556, 594
miniaturista 559
miniaturização 195
miniaturizar 195
Minié 727
minificar 193
mínima 413
minimalismo 692a
minimização 483
minimizado 483
minimizar 193, 195, 483, 523
mínimo 32, 34, 193, 379, 643, 996
minimum 34
mínio 434
ministerial 631, 6696, 995
ministerialismo 886
ministerialista 886
ministério 625, 746, 995, 996, 998
ministério do altar 996
ministraço 694, 967, 996
ministrador 690
ministrante 690, 707
ministrar 298, 637, 763, 784
ministrar a hóstia do saber 537
ministrar consolação 915
ministrar prazer 829
ministrar remédio 662
ministrice (dep.) 996
ministro 631, 690, 694, 745, 759, 922, 967, 996
ministro da fazenda 801
ministro da morte 975
ministro de Deus 996
ministro do altar/do Senhor/de Jesus/do Evangelho/da religião 996
ministro do Supremo Tribunal Federal 963
ministro plenipotenciário 758
minoração 36, 174
minorar 36, 174, 195, 320, 469, 834
minorar com remédio 662
minorativo 662
minoria 34, 103, 489, 614
minotaurizar 961
minotauro 83, 962

minuano 349, 383
minúcia 459, 868
minuciar 494
minúcias 32, 573, 594, 643
minuciosidade 457, 459, 494, 868
minucioso 459, 494, 573, 594, 868
minudência 79, 494, 573, 594, 643
minudencioso 573
minudente 573, 594
minuendo 38, 84
minueto 415, 840
minus 38, 187
minúsculo 193
minuta 22, 551, 626
minutar 590
minutiæ 32, 643
minuto 108, 113
Miobe 839
mioleira 450
miolo 5, 68, 221, 450, 642
miomancia 511
míope 443, 481, 491
miopia 441, 443, 491, 499
mioto 792
miquelete(s) 550, 726, 792
mira 278, 600, 620, 865
mirabile visu! 911
mirabolante 31, 83, 192, 853, 855, 870
miráculo 872
miraculoso 870, 977
mirada 441
mirador 206
miradouro 206
miragem 4, 443, 495, 515, 858
miralmuminim 996
miramar 206, 441
miramolim 996
mirante 206, 210, 441
mirão 444
mira-olho 377, 394
mirar 278, 441, 457, 459
mirar voluptuosamente 865
mirar-se 880
mirar-se no exemplo de 19
miríade 72, 98,102
mirificar 870
mirífico 648
mirim 129
miriógono 244
mirmidão 726, 746
mirmilão 726
mirolho 443
mirone 444
mirra 203, 356a, 400, 819, 900
mirrado 193, 195, 203, 643, 659
mirrar 124, 195, 203, 340, 659
mirreo 400
mirrino 400
mirto 897
misantropia 837, 893, 901a
Misantropia 911
misantrópico 837
misantropo 585, 837, 893, 911
miscelânea 41, 59, 72, 78
miscelânea literária 596
miscelâneo 41
miscibilidade 48
miscível 41, 48
miscrado 41
miscrador 702
mise-en-scène 448, 599, 882
mise-en-scène 882
miseração 914
miserando 649, 735, 804, 830
miserar 830
miseráveis 877
miserável 32, 649, 804, 819, 828, 830, 874, 940, 949
miseravelmente 32

miserê 804
miserere 914
miséria(s) 32, 619, 641, 643, 667, 804, 808, 819, 828, 874, 945
misericórdia 215, 740, 906, 918
misericórdia! 914
misericórdia inexausta e inexaurível 914
misericórdia inexausta/inexaurível 740
misericórdia infinita 976
misericordiador 914
misericordioso 648, 740, 906, 914, 976
mísero 32, 649, 804, 819, 828
misérrimo 804, 828
Mishná 985
misocéfalo 440c
misogamia 904
misógamo 904
misoginia 904, 960
misoginista 904 ,911
misógino 904
misologia 452, 477, 486, 491, 493
misoneico 613
misoneísmo 613
misoneísta 613
misopedia 867
misossofia 477, 486, 491
misóssofo 493
misraim 998
miss 129
missa 990, 998
missa ainda não vai a Santos, A 730
missa campal 883
missa-cantante 996
missa de caçador 111
missa de corpo presente/de requiem/de defuntos/de sétimo dia 998
missa de réquiem 363
missa em ação de graça 916
missa fúnebre 839
missa particular/pedida/de esmola/seca/do galo/pontifical 998
missa rezada/cantada/nova/chã/baixa/calada/breve/do dia/conventual 998
missa solene/dialva/campal/das almas 998
missado 996
missagra 312
missal 998
missão 55, 625, 722, 755
missão apostólica 998
missão espacial 267
missar 990, 998
missária 363
misseiro 987, 988a
míssil 273, 274, 716, 722, 727
míssil antiaéreo 727
míssil anticarro 727
míssil antimíssil 717
míssil antitanque 722, 727
míssil ar-ar 727
míssil ar-terra 727
míssil balístico 722, 727
míssil balístico intercontinental 727
míssil terra-terra 727
missionar 537, 998
missionário 534, 540, 996
missionarismo 537
missis 876
missis ambagibus 572
missiva 592
missivista 592
missivo 284, 592
missongo 88, 711, 739, 886
mista 562
mistagogia 522, 537

mistagogo | molhar sua sopa

mistagogo 64, 524, 540, 695
mistela 41, 59, 298
mister 625, 630, 641, 865, 876
mistério 221, 447, 519, 526, 533, 599
mistério asiático 533
mistério caucasiano 983
misterioso 83, 121, 447, 475, 491, 528, 855, 870
mística 199, 987
misticidade 987
misticismo 987
místico 317, 475, 519, 528, 987, 992
mistificação 477, 519, 528, 544
mistificador 544, 548
mistificar 539, 477, 528, 545
mistifório 41, 59
misto 41, 244
misto de desgosto e ódio 921
Mistura 41
mistura 48, 54, 72, 465a, 497, 903
mistura de ar e água 353
misturada 41, 59
misturadamente & em tigelada 41
misturado(s) 41, 88, 465a
misturar 41, 61,219, 465a
misturar harmonicamente 48
misturar suas águas com as de 348
misturar-se com 88
misturável 41
mísula 211
misunderstanding 713
mitene 225
mítico 515, 546
mitigação 36, 174, 834, 937
mitigante 829
mitigar 36, 174, 469, 658, 834
mitigativo 174, 834
mitigatório 834
mitilicultura 370
mitingueiro (dep.) 582
mitismo 515
mito 2, 4, 515, 546
mitografia 515
mitologia 979, 984
mitológico 2
mitológico 515
mitose 90
mitra 747, 999
mitrado 698, 702, 996
mitrar 998
Mitrídates 662
mitridatismo 670
mittimus 741
miúça 32, 51
miuçalha 51
miuçalhas 643
miudamente 494
miudar 461
miúdas 784
miudear 594
miudeza(s) 221, 494, 594
miúdo(s) 32, 104, 136, 190, 193, 221, 461, 573, 613
mixanga 188
mixórdia 41, 59, 61, 465a
mixuango 188
mnemônica 505
Mnemosina 505
mnemotecnia 505
mnemotécnica 505
mnemotécnico 505
mó 253, 312, 330, 639
mó ou mole (de gente) 72
moádi 996
moafa 959
moagem 330
móbil 153, 164, 264
mobilar 637, 673

móbile 214, 557
mobile 592, 799
mobília 633
mobiliária 780
mobiliário 780
mobiliário urbano 531
mobilidade 149, 264, 822
mobilismo 623
mobilização 722, 741
mobilizar 175, 264
mobilizar forças 722
mobilizar(-se) 264
moca (pop.) 276
moça 374, 546, 727, 746, 856, 960
moça de fortuna 962
mocada 972
moçafo 986
moçalhão 129
mocamau (bras.) 623
mocambeiro 366, 623
mocambo 189, 530, 893
mocanco 683
mocanqueiro 683
moção 264, 763
mocassim 225
mocedo 129
mocetão 129
mocetona 129
mocha (ant.) 413
mochão 346
mochar 158, 201
mochila 191, 250, 637
mochileiro 266
mocho 440b, 512, 585, 893
mocidade 123, 127, 131
mocó (bras.) 191
moço 129, 373, 746, 904
moço da câmara 746
moço de fretes 271
moço de recados 746
moçoila 129
mocorongo 852
moda 123, 415, 613, 677, 692a
Moda 851
modal 6, 7, 8, 79, 413
modalidade 7, 75, 240
modalmente & *adj.* 7
modelação 19
modelador 559
modelar 19, 22, 82, 240, 242, 550, 554, 556, 557, 648, 650, 944
modelar ou pautar seus atos pelos de 19
modelarmente & *adj.* 22
modelo 22, 80, 82, 240, 329, 500, 540, 550, 554, 650, 873, 948
modelo da perfeição 650
Moderação 174
moderação 22, 36, 498, 502, 576, 736, 740, 751, 826, 849, 879, 881, 953
moderadamente & *adj.* 174
moderado 29, 32, 174, 275, 383a, 498, 639, 740, 774, 817, 826, 879, 953
moderador 724
moderante 834
moderantismo 740
moderar 36, 275, 737, 740, 826, 834
moderar a velocidade 275
moderar as palpitações do coração 834
moderar(-se) 174, 826
moderativo 834
moderato 415
modernice 123
modernismo 123
modernista 123
modernizar 123
moderno 123
modernos, os 120
modestamente & *adj.* 881

Modéstia 881
modéstia 32, 174, 483, 643, 703, 804, 849, 879, 960
modesto 32, 572, 643, 651, 703, 804, 817, 826, 849, 879, 881, 953
modicar 36, 817
modicidade 32, 643, 817
modicidade nos preços 815
módico 32, 643, 817
modicum 786
modificação 15, 20a, 140, 469
modificar 20a, 140, 174, 469, 648
modificar beneficamente 658
modificar favoravelmente 648
modificar o aspecto 555
modificar-se 607
modificável & *v.* 140
modilho 415, 855
modinha(s) 415, 597
modismo 79, 123, 225, 851
modo 7, 75, 140, 602, 613, 627, 698
modo de pensar 484
modo de se exprimir 569
modo de vida 625, 692
modorra 275, 363, 376, 683, 823
modorral 683, 841
modorrar 376, 683
modorrento 275, 499, 683
modorro 499
modorroso 683
modos 20a, 176, 692, 820
modos asselvajados 852
modos característicos 820
modos de obrar 692
modulação 15, 140, 412, 413, 440
modulação na voz 402
modular 140, 314, 412, 413, 416
módulo 84, 402, 413
módulo lunar 273
modus operandi 170, 627
modus vivendi 723
moeda 800
moeda antiga 800
moeda corrente 800
moeda falsa/desvalorizada 800
moeda forte/fraca/corrente 800
moeda, som de 402a
moedeira 688
moedeiro 800
moedeiro falso 792
moedela 972
moedor 841
moedura 330
moela 191
moenda 330
moente 330
moente e corrente 80, 330
moer 104, 298, 330, 331, 830, 841
moer com pancadas 720
moer os ossos a alguém 972
moer os ossos/a paciência a alguém 841
mofa 856, 929
mofador 856
mofar 653, 856, 929, 930
mofar de 842
mofatra 545, 819
mofatrão 548, 819
mofento 653, 732, 735
mofento crônico 124
mofina 735, 819, 934, 949
mofinento 735
mofino 701, 735, 742, 819, 828, 978
mofo 124, 339, 401, 653, 659
mofoso 653
mogangueiro 855
moganguice 855
mogão 440b
mogarabil 797
mogiganga(s) 855, 857

mogilalismo ou mogislalismo 583
mogno 433
mogo 233
moico (reg.) 440b
moído 655, 688
moimento 363, 763
moina 941
moinante 683, 836, 840
moinar (gír.) 683
moinha 330, 348
moinho 312, 330, 691, 957
moinhos de vento 643
moio 98
moira encantada 528
moirouço (de pedras) 72
moiseísmo 983a
moiseísta 983a
Moisés 986
moita 367, 530
moita! 403
moita carrasco! 403
moitão 633
moiteira 367
mola 43,159, 325, 633, 639
mola real 153, 615, 633
molada 253
molagem 618, 653
molambo 225
molancas 605, 862
molangueirão 160, 683
molangueiro 160
molanqueirão 605, 862
molanqueiro 605, 862
molar 253, 330, 486
moldado 820
moldar 240, 554, 557, 673
moldar-se 19, 602
moldável 144
molde 22, 80, 240, 329, 557
moldura 230, 231, 232, 847
mole 31, 160, 324, 605, 705, 738, 862
mole como manteiga 324
mole mole 705
molécula 56, 180a, 193, 316
molecular 193
moleira 210
moleirão 862
moleiro 690
moleja (das aves) 299
molelha 215
molemente 829
molenga 605, 683
molengão 683, 862
molengar 683
molengo 862
molengueiro 683
moleque 129, 877, 940
molestação 830
molestamento 649, 907
molestar 378, 649, 655, 830, 832, 841, 907, 961
moléstia 655, 841
moléstia avassalou-lhe o espírito, A 503
molesto 649, 704, 830, 841, 867
molestoso 649, 704, 830, 841
moleza 275, 683, 688, 705, 738, 862, 918, 954
moleza de corpo 172
molha 339
molhada 339
molhadela 337, 339
molhado 337
molhadura 339, 784
molhança 298
molhanga 298
molhar 337, 339, 348
molhar a palavra 959
molhar a pena na tinta 590
molhar o biscoito (chulo) 961
molhar sua sopa 707

molhe | mordedura de pulga

molhe 666, 717
molhe-molhe 348
molho 25, 39, 72, 298, 393
molição 686
molícia 683, 862, 918, 954
molície 324, 862
molícita 324
moliço 223, 371
molidia 215
molificação 324
molificante 324, 662
molificar 324, 662
molificativo 324
molilho 330
molime 276
molímen 276
molinha 348
molinhar 330, 348
molinheira 330
molinhoso 348
molinote 330
molito 961
mollah 996
Moloque 361, 986
molosso 366, 597
molúria 339, 683, 701, 862, 918
molusco 366
molusco contagioso 655
momentâneo 111, 113
momento 8, 106, 111, 113, 134, 360, 642
momento aflitivo 828
momento conveniente/psicológico/crítico 134
momento crítico 8
momento psicológico 8, 113
momento supremo 360
momentosamente & *adj.* 642
momentoso 642
momice 550, 855
Momo 838
momo 599, 844, 855, 856
momóptero 440c
mona (fam.) 841
mona enfeitada 846
monacal 995, 996
monacato 995
mônada(s) 56, 84, 193, 855
monadelfo 367
mônades 193
monândrico ou *monandro* 367
monanto 367
monaquismo 995
monarca 745
monarcolatria 991
monarcômaco 740
monaria 855
monarquia 737
monarquia absoluta/constitucional/representativa/hereditária/parlamentar 737
monarquiar 737
monárquico 737
monarquismo 737
monastical 995
monástico 995
monção 134, 349
moncar 297, 301
monco 299, 653
moncoso 34, 653, 874, 877
monda 103, 301, 371, 673
mondadura 301, 371
mondagem 371
mondar 53, 55, 301, 371, 652
mondongo 221, 653
mondongueiro 653, 877
monera 144, 193
monetariamente & *adj* 800
monetário 800, 811
monetas 855
monete 256
monetizar 800
monge 893, 996

mongil 839, 999
monha 554
monhó 41
monho 45, 225
mônica(s) 996
moniliforme 247
monir 668, 695, 932
monismo 989
monista 989
mônita 932
monitor 513, 540, 633, 694, 695, 726
monitória 695, 932
monitório 668
monja 996
monjal 995, 996
monjolo 330
mono 19, 366, 501, 798, 857
monoblepsia 443
monocarpiano ou *monocárpico* 367
monocarpo 367
monocéfalo 83
monócero 440c
monociclo 272
monoclino 374a
monocórdio 16
monocromático 428
monocromia 556
monócromo 428
monóculo 443, 445
monóculo 83
monodáctilo 83, 440c
monodente 83
monodia 415, 589, 597, 839
monodiar 416, 839
monódico 16, 416, 589, 839, 841, 843
monodonte 440c
monodrama 589, 599
monofilo 367
monofisismo 984
monofista 984
monófito 367
monofobia 892
monofóbico 892
monófobo 892
monofonia 579
monogamia 903
monogamista 903
monógamo 367, 903
monógino 367
monografia 593, 594, 595
monógrafo 593
monograma 533, 554, 561
monogramático 533, 561
monogramista 533
monogramo 317, 556
monoico 367
monoilo 440c
monolatria 991
monolépide 440c
monólito 551
monologar 582, 589, 579, 589
monológico 589
Monólogo 589
monólogo 582, 586, 599
monomania 503, 606
monomania religiosa 503
monomaníaco 503, 504
monomaquia 463, 720
monometalismo 800
monométrico 597
monômetro 597
monomotor 273
mononucleose infecciosa 655
monopétalo 367
monoplano 273, 726
monópode 83, 215
monopólio 83
monopólio 751, 777, 840
monopolista 797, 943
monopolizador 781, 797

monopolizar 288, 751, 777, 781
monopolizar a atenção/a ideia/o pensamento/o espírito/as vistas 457
monopolizar o pensamento 451
monopse 443
monopsia 443
monóptero 215, 440c
monorrimo 597
monorrítmico 413, 415, 597
monospermo 367
monósporo 367
monossépalo 367
monossilábico 562
monossílabo(s) 562, 895
monóstico 572, 597, 842
monostilo 367
monoteico 983
monoteísmo 983, 983a
monoteísta 983, 987
monoteístico 983a
monotonia 13, 16, 27,104, 141, 575, 579, 841
monótono 16, 69, 104, 141, 407, 841, 843
monotrilho 272
monóxilo 50, 273
monozoico 366, 440c
mons parturiens 482
monsenhor 876, 996
monsenhorado 995
monsieur 876
monstrengo 846
monstro 83, 192, 243, 846, 860, 872, 913, 949
monstro! 908
monstro de beleza 845
monstro infernal 978
monstro sinadelfo 83
monstruosidade 83,192, 243, 495, 497, 846, 853, 913, 947, 964
monstruosidade deste tamanho 497
monstruoso 31, 83, 192, 243, 495, 649, 830, 846, 852, 853, 914a
monta 642, 763, 800
montada 271
montagem 599, 673
montanha 31, 72,150, 192, 206, 342, 840
montanha pariu um rato, A 549, 884
montanha-russa 217, 272
montanhês 188, 206, 268, 674
montanhesco 206
montanhismo 840
montanhoso 206, 248, 256
montanística 358
montanístico 358
montano 206, 674
montante 25, 50, 727, 800
montão 31, 72, 59, 639
montar 43, 266, 633, 673
montar a 812
montar em 800, 812
montar guarda 664
montar no cachaço de alguém 749
montar sentinela 459
montar uma exploração em alta escala 794
montaraz 173, 206, 674
montaria 271, 622, 637
montar-se no cachaço de alguém 765
monte 31,192, 206, 342, 636, 639, 640, 780, 786
monte de estrumes 653
monte de pedras 550
monte de vênus 440e
monteada 622
monteador 622

montear 554, 622
montearia 622
monteia 554
monteiro 622
montepio 780, 787, 810
montês 206, 852
montes auri polliceri 768, 858
montes de ouro 31
montes e mares 640
montesinho 188, 206
montesino 188, 206, 852
montículo 206
montijo 206
montívago 188
montra (gal.) 799
montureiro 653
monturo 31, 639, 645, 649, 653, 949
monumental 31, 192, 206, 363, 550, 648, 870
monumento 206, 363, 505, 551, 733
monumento comemorativo 883
monumento sepulcral 363
monumentos escritos 551
monumentoso 192, 206, 648, 870
monumentum úre perennis 733
moodswinger 417
moquear 382, 384
moquém 386
moquenco 683, 855, 899
moquenqueiro 683, 855, 899
moquenquice 683, 855
mor 33
mora 133
morabito/morabita 996
Morada 189
morada da divindade 189
morada de amor 897
morada dos demônios 982
morada dos eleitos/dos bem-aventurados 981
morada eterna 360, 981
moradia 189
morador 188, 371
moral 450, 476, 480, 597, 926, 944
moral de funil 945
moralidade 154, 476, 648, 926, 939, 944
moralismo 939
moralista 476
moralizador 944
moralizar 476, 537, 658
moralmente 450, 822
morar 186
morar ao pé da porta 199
morar na memória 505
morar porta com porta 199
moratória 133, 142, 806, 808
moratório 133
morbidez 158, 160, 172, 655, 657, 683, 823
morbideza 655
mórbido 160, 172, 655, 657, 683
morbífico 160, 655, 657, 683
morbígeno 657
morbíparo 655, 657
morbo 655
morboso 655, 657
morbus 655
morcão 499, 501
morcegal 366
morcego 412, 666, 893, 996
mordaça 739, 752
mordacidade 171, 392, 856, 895, 907, 932, 934
mordaz 392, 574, 842, 895, 932, 934
mordedela 378, 934
mordedura 378, 856, 934
mordedura de pulga 643

mordente | mover com pancadas

mordente 171, 378, 392, 428, 847, 856, 934
morder 298, 378, 384, 390, 615, 720, 788, 830, 934
morder 934
morder a isca 547, 602
morder a terra 360
morder e soprar 544
morder na pele de 934
morder o pó 749
morder o pó/a poeira 725
morder os beiços 509, 900
morder os lábios 932
morder os lábios a 832
morder os lábios/beiços 837
morder-se de despeito 921
morder-se de inveja 921
mordicação 378, 392
mordicante 171, 392, 615
mordicar 378, 392, 615
mordicativo 392, 615
mordidela 856
mordido de 824
mordido de ciúmes 920
mordimento 950
mordomar 693
mordomo 694, 745, 746, 801
more fluentis aquæ 274
more solito 613
more solitum 82
more suo 613
moreno 41, 431, 433, 440b
morfeia 655
morfenho 583
morfético 655
morfina 376
morfinismo 376
morfinizar 376
morfologia 240, 368
morfologista 492
morgado 167, 775, 779, 780
morganático 14, 24
morgue 363
moribundo 360, 655
morigeração 894, 953
morigerado 498, 944, 953
morigerar(-se) 658, 944
morígero 498, 944, 953
morim 430
moringue 191
morioplástica 147
mormacento 382
mormaço 382
mormente 609, 642
mormo 655
mórmon 903
mormonismo 903, 984
mormonista ou mórmon 984
mornidão 160, 382, 383a
morno 172, 382, 422, 841
moroiço 31
morosidade 275, 603, 683, 265
moroso 133, 275, 603, 685, 704
morouço 72
morra! 932
morraça 371, 388, 653, 959
morrão 388
morraria 206
morredíço 67, 111, 360, 422
morredor 111
morredouro 111, 128, 657
morrento 360
morrer 2, 67, 126, 292, 360, 429, 449, 659
morrer à casca 732
morrer a ferro frio 361
morrer à nascença 111, 732
morrer ao pecado 944
morrer às paixões 24
morrer da mão de alguém 361
morrer da memória 506
morrer de 821
morrer de fome 804, 819

morrer de inveja 921
morrer de medo 862
morrer de morte natural 360
morrer de morte violenta/de macaca 361
morrer de rir 838
morrer de tédio 841
morrer de velhice/de morte natural 729
morrer equipado 604a
morrer no campo da honra 873
morrer no seu posto 604a
morrer para o mundo 893
morrer por 717, 897
morrer sem dizer aí Jesus 360
morrer vestido 361
morrião 225, 717
morrinha 401, 655, 685, 819, 841
morrinhento 655, 659
morrinhoso 360, 655, 659
morro 206, 342
morrudo 206
morsegão 378
morsegar 241, 378
morso 378
mortais 372
mortal 31,111, 360, 361, 372, 649, 657, 820, 841
mortalha 363
mortalidade 372
mortandade 361
Morte 360
morte 2, 67, 142, 162, 360, 649
morte aflitiva 360
morte dialma 945
Morte de Buda 998
morte eterna 152
morte moral 945
morte natural/prematura/trágica/violenta 360
morte por adesão a uma causa 952
morte prematura 361
morte premeditada 361
morte violenta 361
morte-cor 428, 556
morteirada 716
morteirete 727
morteiro 330, 727
morteiro Stokes 727
morte-luz 428
mortesinho (ant.) 362
morticínio 361
mortiço 422
mortiferamente & *adj.* 361
mortífero 361, 657, 722, 727, 860, 867, 879, 952, 955, 974, 998
mortificação 378, 828, 830, 832, 867, 879, 952, 955, 974, 998
mortificado 837
mortificante 830
mortificantemente 31
mortificar 649, 830, 832, 879, 907
mortificar o fogo dos instintos 955
mortificar os apetites 960
mortificar os sentidos 952
mortificar-se 686, 952, 955
mortinato 362
morto (astro) 528
morto 2, 172, 169, 265, 361, 362, 376, 408a, 528, 555, 732, 823, 833
morto de 821
morto de ciúmes 920
morto de inveja 921
morto no nascedouro 732
morto para a honra 940
morto pelas balas inimigas 361
mortório 360, 363, 506, 678
morto-vivo 860
mortualha(s) 362, 363
mortuárias 363

mortuário 363
mortulho 363
mortuório 363
mortuoso 362
morubiba 745
morubixaba 745
mórula 133
morzelo 271, 440a
mosaico 16a, 20a, 41, 81, 440, 556
mosca 131, 193, 653, 841
mosca atarantada 701
mosca morta 548
moscado 400
moscar 623, 671
moscaria 653
moscas volantes 443
mosco 791
mosleme 983a
moslêmico 983a
moslemita 607, 983a
mosqueado 41, 81, 433, 440
mosquear 440
mosqueiro 530, 653
mosquetaço 716
mosquetão 727
mosquetão x travinca 237
mosquetaria 716, 727
mosquete 271, 727
mosquetear 716
mosqueteiro 717, 726
mosquiteiro 530, 717
mosquito 193
mossa 252, 257, 378, 550, 821
mostarda 392, 393
mosteia 272
mosteiro 893, 1000
mosto 653
mostra 448
mostra de gente 882
mostrador 234, 467, 799
mostrança 448
mostrar 467, 478, 525, 527, 550
mostrar à evidência 478, 525
mostrar a falácia/a fragilidade de 479
mostrar a mais completa abnegação 942
mostrar a porta a 895
mostrar as cartas 529, 703
mostrar as costas ao inimigo 623
mostrar as ferraduras 623
mostrar azáfama 682
mostrar boa cara 762, 931
mostrar bonito par de calcanhares 623
mostrar cara feia 764
mostrar ciúmes para com 920
mostrar coragem 719
mostrar denodo/coragem 719
mostrar em circunstâncias mui concludentes 535
mostrar erudição 490
mostrar fibra 719
mostrar gratidão 916
mostrar má cara 932
mostrar má vontade 764
mostrar modos imperiosos 885
mostrar nas suas verdadeiras cores 543
mostrar o calcanhar de Aquiles 479
mostrar o caminho a 693
mostrar o lado vulnerável 536, 543
mostrar o pescoço já inclinado ao jugo 725
mostrar o seu ponto fraco 479
mostrar pouca vontade 603, 932
mostrar resistência 719
mostrar-se 446, 448, 525, 680, 882

mostrar-se adversa a fortuna 735
mostrar-se carrancudo 932
mostrar-se caturra 606
mostrar-se descortês 898
mostrar-se desrespeitoso 929
mostrar-se ilibado 939
mostrar-se inconstante 605
mostrar-se momentaneamente 113
mostrar-se muito cortês 892
mostrar-se prazenteiro 836
mostrar-se reconhecido/grato & *adj.* 916
mostrar-se ressentido com alguém 900
mostrengo 645, 683, 846, 799
mot à mot 19
mot d'ordre 741
mot pour rire 842
mota 263, 666
mote 550, 551, 597, 842, 856
mote ou moto 496
motejar 842, 856
motejo 842, 856
motete 842, 856, 990
moteto 415
motilidade 822
motim 59, 404, 713, 719, 742
motinação 742
motinada 824
motivação 615
motivador 615
motivar 153, 467, 615
Motivo 615
motivo 153, 617
motivo de alarma 665
motivo fútil 617
motivo secreto 615
motivos desconhecidos 615a
motivos supervenientes 601
moto 550, 697
motocicleta 272
motociclismo 840
motociclista 268
motonáutica 840
motoneta 272
motor 164, 264, 615
motório 264
motorista 268, 690
motorneiro 268
motreco 51
motreto 51
motriz 164, 264, 615
moucarice 419
moucarrão 419
mouco 419
mouquice 419
mouquidão 419
moura encantada 803
mourejar 615
mouresca 727
mourisca 599, 840
mouro 440a, 440b, 682
mouro faiscante 803
mouro na costa 667
mouroço/moirouço 639
mousseux 353
moutão 307
moutonné 250
move majorum 82
movediçamente & *adj.* 264, 270
movediço 149, 264, 270, 607
movedor 264
móveis 633, 780
móveis e utensílios 635
móvel 149, 264, 615
movente & *v.* 264
moventes 780
mover 175, 285, 484, 615
mover à compaixão/à piedade 914
mover com pancadas 972

667

mover o juízo a alguém | municionar

mover o juízo a alguém 503
mover uma demanda 969
mover-se 109, 264, 266, 680, 682
mover-se a todos os ventos 605
mover-se homocentricamente 311, 312
mover-se na sua órbita 82
mover-se para trás 283
mover-se para uma e outra parte 314
mover-se rapidamente 274
mover-se vagarosamente 275
movido 264, 615
movido por 777
movimentação 264, 680
movimentar(-se) 264, 266, 284, 285, 680
Movimento 264
movimento 140, 315, 682
movimento através de 302
movimento comunicado a um objeto situado atrás 285
movimento comunicado a um objeto situado na frente 284
movimento convergente 290
movimento curvilíneo 311
movimento de 287, 289
movimento de restituição 325
movimento divergente 290
movimento inicial 293
movimento irregular 315
movimento maquinal 601
movimento mecânico 601
movimento oscilatório 314
movimento para 288
Movimento para além da meta 303
movimento para baixo 306
movimento para cima 305
movimento para dentro 296, 294
movimento para fora 295, 297
movimento para frente 282
movimento para trás 283
movimento para, em direção a 286
movimento que não atinge a meta 304
movimento rápido 274
movimento separatista 489
movimento terminal 292
movimento vibratório 314
movimentos populares 742
movimentos sísmicos 668
móvito 674, 732
movível 149, 264
moxamar 340
moxifinada 517
moxinifada 59, 643
mozeta 999
mp-3 633
MPB 415
mu 366
mua 271
muamba 793
muar 271, 366
mucama 746
much ado about nothing 549, 643
muchacha 129
muchacho 129
mucilagem 352
mucilaginoso 352
mucíparo 299, 352
mucívoro 298, 352
muco 299, 352, 653
mucogênio 352
mucol 352
mucolito 352
mucormicose 655
mucosidade 352, 653
mucoso 352
mucronado 253

mucufo 188
muçulmanismo 983a
muçulmano 983a
muçurana 752
muda 140, 270, 561, 635
mudadiço 149, 270
mudado 15, 140
Mudança 140
mudança 20a, 147, 264, 270, 293, 607, 626, 680
Mudança de ação para repouso 142
mudança de alto a baixo/ de fio a pavio 146
mudança *de fond en comble* 146
mudança de intenção/de intento/de projeto 607
mudança de partido 140
Mudança de uma coisa por outra 147
Mudança dupla ou recíproca 148
Mudança gradual 144
mudança radical 140
Mudança súbita ou violenta 146
mudança súbita/radical/orgânica/completa 146
mudança violenta 162
mudança185
mudar 140, 149, 270, 605
mudar a face 146
mudar a face da questão 468
mudar a voz 131
mudar as setas (de alguém) em grelhas 479
mudar de aspecto 15, 16a
mudar de assunto 70, 585, 624
mudar de conversa 456
mudar de cor 821, 860
mudar de estado 903
mudar de ideia/de intenção 607
mudar de nome 565
mudar de parada 270
mudar de partido/de casaca/de religião 607
mudar de rumo & *subst.* 279
mudar de rumo 140, 279
mudar de vida 614, 658, 944
mudar o pelo 226
mudar para melhor 658
mudar para pior 659
mudar radicalmente 146
mudarem-se as setas em grelhas 732
mudar-se 287
mudar-se com as circunstâncias 607
mudável 149, 264, 605, 624
mudável como ventoinha 607
mudez 403, 581, 585
mudeza 581
mudo 403, 581, 585
mudo como um poste/uma pedra/um sepulcro 581
mudo como uma pedra/como um túmulo/como um poste 585
mudo e quedo como um rochedo 870
muezim 996, 997
mufla 847
mufti 967
mugido 412
mugir 402a, 404, 412
Muita bulha e nada entre dois pratos 482, 509
Muita parra e pouca uva 884
muita trovoada e pouca chuva 482, 549
muitas vezes 104, 136, 613

muitíssimo 31
muito 31, 639
muito a descoberto 531
muito à sua vontade 831
muito à vista 531
muito agradecido! 916
muito além 196
muito barulho por nada 549, 643, 884
muito bem 488, 831, 931
muito brandamente 415
muito conhecido 136
muito de grado 602
muito exasperado 900
muito obrigado! 485, 916
muito ordinário 930
muito produtivo 168
muitos 31, 98, 100, 102
mula 412, 949, 996
mula ou mua 271
mula ruça 493
mula sem cabeça 860
muladar 653
muladeiro 268
mulato 41, 431
muletada 271
muletas 215, 707
muleteiro 694
mulher 374
mulher boa 948
mulher bonita 845
mulher corrida/rodada/corriqueira/da vida/da zona/de má nota/da rua/do mundo/pública/perdida/de vida fácil 962
mulher de costumes fáceis 962
mulher de rebuço 962
mulher do povo 962
mulher feia 846
mulher idosa 130
mulher impudica 962
mulher ruim 949
mulheraça 159, 192, 374
mulherão 159, 192, 374
mulher-dama 962
mulherengo 373, 961
mulherial 374
mulhericida 361
mulhericídio 361
mulherigo 962
mulheril 131, 374
mulherinha 949
mulherio 72, 374
mulherzinha 962
muliado 83
muliebre 374
mulsa 396
mulso 396
multa 972, 974
multado & *v.* 974
multar 761, 972, 974
multas menores 974
multiaxífero 367
multicapsular 367
multicaule 367
multiciente 490
multicolor 440
Multidão 102
multidão 31, 72, 100, 372, 640, 877
multidão de 100
multiface 16a, 20a, 682
multifacetado 81
multifário 15, 16a, 20a, 81
multifloro 367
multifluente 348, 639
multifluo 639
multifocal 445
multiforme 16a, 20a, 81
multiformemente & *adj.* 81
multiformidade 16a
Multiformidade 81

multígeno 81
multilateral 242, 244
multilátero 244
multilocular 191
multiloquência 582, 584
multimilionário 803
multímodo 20a, 81
multinérveo 367
multípara 161, 168, 374
multipartido 99
multípede 440c
multiplicação 35, 85, 104, 136, 161 ,163, 168
multiplicador 84
multiplicando 84
multiplicar 35, 85, 100, 104, 136, 161, 163
multiplicar-se 35, 682
multiplicar-se em gentilezas 894
multiplicável 168
múltiplice 15, 81, 100, 102, 639
multiplicidade 10, 16a, 81, 100, 102, 639
múltiplo 81, 84, 98, 100, 102, 408
multipotente 157
multisciente 490
multiscio 490
multiungulado 440c
multívago 185, 264, 266
multívio 260, 627
multívolo 865, 868
Multos capit musica = a música agrada a muitos 415
multum in parvo 596
Mumbo-Gumbo 979
múmia 203, 362
mumificar 124, 362, 363, 491, 499, 539
mumificar-se 659
muncupativo 564
muncupatório 564
mundana 962
mundanal 78, 316, 318, 372, 377, 943, 954, 989
mundanalidade 377, 988, 989
mundanário 316, 377, 943, 954, 989
mundanidade 377, 989
mundanismo 377
mundano 316, 318, 372, 377, 943, 954, 988, 989, 997
mundável (ant.) 372
mundeiro 683, 877
mundial 78, 342, 372
mundícia 652
mundície 652
mundificação 652
mundificado & *v.* 652
mundificar 652
mundo 3, 31, 102, 151, 180, 181, 372, 377, 488, 652
mundo aristocrático 851, 875
mundo católico 983a
mundo cristão 983a
mundo do além 512
mundo dos mortos (mit. egípcia) 982
mundo e o céu 549
mundo elegante 850, 851, 875
mundo inteiro 78
mundo interno/subjetivo 926
mundo organizado 357
mundo sublunar 318
mundos e fundos 31, 640
mungil 839
mungir 301
munhão 250
munheca 440e
munição 635, 717, 727
municiar 673, 727
municionamento 673, 717
municionar 637, 673

municionário | nada ter de comum com

municionário 637
municipal 181, 965
municipalidade 696, 965, 966
munícipe 188
município 181
munições 635
munificência 31, 816, 942
munificente 816, 942
munificentia effusissimus 816
munífico 942
munir 637, 673
munir de antemão 673
munir-se de paciência 826
munquir (reg.) 298
múnus 625, 826
múon 316
muque 159
muquira 819
muquirana 819
muradal 653
murador 789
mural 692a, 733
muralha 192, 212, 232, 664, 666, 706, 717, 752
muralhar 706, 717
murar 229, 664, 717, 751
murar contra 664
murça 999
murcha 659
murchar 111, 124, 195, 258, 429, 659
murchar-se 160
murchar-se a beleza 128
murchar-se o riso 837
murchecer 429
murchecer-se 160
murchidão 429, 659
murcho 160, 195, 340, 659, 828, 837
mureira 653
murganho 129, 366
múrice 434, 437
murici (bras.) 400
muricida 361
murídeo 412
murino 412
murmulhante 405
murmulhar 402a, 405
murmulho 402a, 405
múrmur 405, 934
murmuração 532, 832, 934
murmurador 405, 832, 936
murmurante 405
murmurar 402a, 405, 527, 580, 583, 934
murmurar ao ouvido palavras consoladoras 834
murmurar-se 532
murmuré/muremuré (bras.) 417
murmurejar 402a, 405, 407
murmúrio 402a, 405, 532, 580
múrmuro 405
murmuroso 405, 407
muro 232, 717
muro de separação 713
murra 382, 384
murraça 378
murro 276, 378, 716, 972
murta 897
murzá (turco) 875
musa histórica 594
musas 416, 560
Musas 597
muscícola 371
muscívoro 366
muscoso 367
musculação 159
muscular 159, 440e
muscularidade 159
musculatura 159, 192
músculo 159
músculos de aço 159

musculosidade 159, 192
musculoso 159, 192, 354
museta 417
museu 41, 72, 636
musgo 367
musgoso 367
música (ver *gêneros musicais* e *instrumentos musicais* de 415 a 417)
música 413 a 597, 692a
Música 415
música ambiente 415
música barroca 415
música clássica/erudita 692a
música concreta 415
música *country* 415
música das esferas 58
música de balé 415
música de câmera 415
música de capela 417
música de dança 415
música eletrônica 415
música experimental 415
música folk 415
música incidental 415, 692a
música instrumental 415
música marcial 415
música minimalista 415
música nordestina 415
música popular 692a
música reles 414
música renascentista 415
música serial 415
música vocal 415
música/harmonia das esferas 318
musicado 413
musical 413, 415, 416, 692a
musicalmente & *adj.* 416
musicante 416
musicar 416
musicata 415
Músico 416
músico 413, 415, 559, 690, 692a
musicógrafo 415, 416
musicólogo 415
musicomania 415
musicomaníaco 855
musicômano 415, 416, 855
musiquear 416
musiqueta (dep.) 415
musiquim (dep.) 416
musselina 427
mussitação 405
mussitar 405, 527
Mutabilidade 149
mutabilidade 111, 264, 315
mutação 140, 149, 624
mutacismo 579
mutante 149
mutatis mutandis 12, 19, 140, 148
Mutato nomine de te fabula narratur 521, 718, 971
mutatório 149
mutável 6, 140, 149, 264, 270
mutilação 38, 201, 241
mutilado 53
mutilar 36, 38, 158, 201, 241, 483, 659
mutilar a verdade 544
mútilo (poét.) 53, 241
mutismo 403, 528, 581
mutismo voluntário 581
mutra (ant.) 550
mutrar (Ásia) 550
mutreta 545, 702
mutuação 148, 787, 788
mutuador 787
mutual 12
mutualidade 9, 12, 148
mutuante 787
mutuar 148, 787

mutuário 788
mutuatário 788
mutum 366
mútuo 12, 148, 718, 787
muvuca 411
muxara 666
muxiba 203
muxinga (pleb.) 299
muxinga 972
muxirão ou mutirão 707
muxuango 188
muzuna 800
my space 534
mylord 875

N
N.B. 457
na afirmativa 488
na aparência 448
na ausência de 641
na bacia das almas 815
na batida de 281
na bigorna 620, 625, 626, 673, 676, 730
na boa andança 734
na boa e na má andança 112
na boca de 484
na boca de todos 532
na bucha 113
na calada da noite 528
na capacidade de suas posses e forças 686, 804
na cara 186
na carola a alguém 451
na casa de detenção 938
na cauda 235
na cerração 528
na conta 494
na conta do haver 805
na defensiva 717
na dianteira 280
na direção de 278
Na dúvida, abstém-te 475
na epiderme 209
na época conveniente 134
na escuridão 442
na essência 5
na estacada 717
na estação 134
na estrada 270
na eventualidade de 151, 514
na face da terra 180
na face do planeta 318
na falta de 187
na falta de 630
na falta de outro melhor 601
na fantasia 515
na fé dos padrinhos 477
na forja 673
na frágua do padecer 828
Na frágua do padecer é que se acrisola a amizade 888
na frente 280
na gema 382, 383
na generalidade 78
na guerra 722
na hipótese de 8, 151, 469, 514
na hora amarga do ostracismo 735
na infância da humanidade 122
na infância de 66
na íntegra 50, 52, 494
na intimidade 528
na intimidade do lar 221
na lata 525
na maioria dos casos 613
na mais rigorosa/ampla/científica/lata/restrita significação do vocábulo 516
na madura 830
na medida de 23
na mente 526
na mesa 673

na mesma direção 246
na mesma hora 120
na mesma ocasião 120
na moita 403
Na natureza nada se cria, nada se perde, tudo se transforma 140
Na necessidade se prova a amizade 888
na névoa matutina 125
na nuvem 528
na obscuridade 874
na ocasião aprazada 134
na ocasião própria 134
na ofensiva 716
na opinião de 484
na orfandade 361
na parte exterior 220
na parte superior 206
na paz do lar 221
na paz e na guerra 112
na penumbra 528, 874
na pior das hipóteses 474
na plenitude da força 159
na plenitude da mocidade 131
na plenitude do inverno 383
na plenitude do tempo 109
na plenitude do verão 382
na pojadura de suas glórias 873
na ponta da língua 197, 505
na premência da ocasião 612
na presença 186
na primeira gaita 125
na primeira oportunidade 132
na quadra 134
na qualidade de 615
na realidade 1, 494
na retaguarda 235, 281
na semana de nove dias 107
na sombra 528, 874
na substância 5
na tela 454
na totalidade 50
na última moda 851
na vanguarda 280
na verdade 474, 535, 543
na véspera de 131
na zina do calor 382
nababesco 377, 803, 816
nababia 737
nababo 745, 803
nabo 501
nabos em saco 475, 621
nação 75, 166, 372
nácar 434, 440
nacarado 434, 440
nacarar 434
nacarino 434
nacibo 601
nacional 188, 221, 372, 674
nacionalidade 372
nacionalizar 78, 370, 613, 910
nações 72
nada 2, 4, 101, 536, 641, 643, 645
nada avesso a 602
nada de 647
nada de novo 732
nada disso 18, 32, 536
Nada do que é humano me é indiferente 910
nada fazer 681, 683
nada ficar a dever a 27
nada há mais verdadeiro 543
nada mais de 627
Nada mais tenho a dizer 478
nada pobre 639
nada pretender 942
nada que se pareça com isso 18
nada significar 517, 643
nada sobre a terra 4
nada tentar 681
nada ter de comum com 10

669

nada ter de impossível | não entender palavra...

nada ter de impossível 470
nada ter que ver com 623
nada triste 827
nadadura 267
nadante 305, 320
nadar 267, 337
nadar à vontade 705
nadar como uma pedra 310
nadar contra a corrente 704
nadar de braçada 490, 705
nadar em 639, 640
nadar em delícias 827
nadar em dinheiro 803
nadar em grande água 734, 803
nadar em maré de rosas 377
nadar em seco 735
nadar em suor 382
nadar entre 228
nadar entre o rolo e a ressaca 704
nadar na abundância 377
nadar num mar de rosas 831
nadar para a terra 673
nadar sem bexiga 748
nadegada 306
nádegas 235, 440e
nadegudo 235
nadegueiro 235
nadinho 32
nadir 207, 211
nadiral 211
nadível 5, 674, 703
nadivo 703
nado 5, 267, 359, 703
naegleríase 655
náfego 440c
nafta 388
nagar 417
nagual 488, 994
nagualismo 488
naïf 703
naife 674
naipe 75
naique 965
nairangia 511
naire 745
naite 840
naïveté 703
naja 913
nalga 235
namaz 990
nambi 271
nambiju 440b
nambu 366
namoração 902
namorada 897
namoradamente 902
namoradeira 897
namoradeiro 897
namorado 373, 829, 897, 899
namorador 897
namorados 902
namoramento 441, 897
namorar 441, 865, 902
namorar-se de si mesmo 880
namoricar 902
namorico 897, 902
namorido (pop.) 897
namoriscar 902
namorisco 897
namoro 441, 897, 902
nana 174, 415, 683, 902
nanar 416, 902
nanequismo 984
nanico 193
nanismo 193
nanja 32, 107, 536, 761, 764
nanquim 431
não 32, 462, 536, 603, 610, 761, 764, 895
não aberrar de 646
não abrir a boca/o bico 585
Não acabamento 730

não acabar 730
não acanhado 31
não aceitar 489, 719, 764
não achar nada de extraordinário 871
não achar um furo ao negócio 704
não acreditar 485
não admitir 485, 764
não admitir demora 630
não admitir discussão 474
não admitir ponto nem ataca 124
não admitir réplicas 744
não admitir/comportar ilusões 494
não adquirido 703
não agir 681
não agir com honestidade 544
não aguentar 160, 688
não alcançar a 641
não alheio a 490
não alterar uma linha 141
não amadurecido 645
não apadrinhar 932
não aparecer 447
não aparecimento 447
não apoiado! 462, 489, 536, 932
não aprovar 764
não aproveitar 756
não atender a 678, 764
não atentar 458
não atinar com a solução 519
não atingir a meta 53, 304
não bastante 641
não bastar 641
não bem 619
não brincar com 928
não caber em si de contente 831
não caber na cova de um dente 193
não caber nas bainhas 880
não caber no mundo 878
não cair em saco roto/em terreno sáfaro 527
não captar 519
não ceder 719
não ceder a lágrimas 914a
não ceder facilmente à pressão 323
não ceder um passo 141
não ceder uma linha 606, 764, 924
não cessar de 604a
não chegar a 34
não chegar à craveira 193, 645
não chegar aos pés de 34
não cheirar bem 475
não chegar ao calcanhar de 34
não cogitar mais de 506
não coibir abusos 762
não coincidir 15
não colhido 678, 782
não combinar 24
não comparecer 187
não comparecer às urnas 609a
não comparecimento 187
não completar 699, 730
não comportar ilusões 494
não comportar vacilações 665
não comprar nabos em sacos 698
não compreender 452, 519
não concluir 142, 730
não concluir sua trajetória 730
não conclusão 730
não concordar com 485
não condescender (em) 764, 878
não confiado ao papel 582
não conformista 984
não confundir a luz com as trevas 465

não conhecer a misericórdia 914a
não conhecer a secura 339
não conhecer a sombra/a verdura 169
não conhecer a tirania 748
não conhecer a verdura 169, 340
não conhecer curvas nem desvios 141
não conhecer entraves a 748
não conhecer limites 31, 105, 640
não conhecer margins/limites/fronteiras 105
não conhecer modelo 20
não conhecer modificação 16
não conhecer nascente nem ocaso 105
não conhecer o mundo 703
não conhecer obstáculos 143
não conhecer outra substância 42
não conhecer repouso 109
não consentir 706
não constrangido 602
não continuar 624
não contrafeito 703
não contrair núpcias 904
não convir 647
não corresponder a 732
não corresponder aos mais elevados sentimentos de justiça 923
não corresponder às esperanças de 509
não crer 485
não crer no que vê/no que ouve/no que sente 870
não criar dificuldades 760
não criar limo 264, 682
não criar mofo 264
não criar obstáculos (a) 760
não cuidar de 452
não cumprir (ordem, lei) 927
não dar a mínima 823, 866
não dar acordo de si 158, 376
não dar apreço 483
não dar com o busilis 519
não dar fé 447
não dar féria a 688
não dar frutos 169
não dar importância 930
não dar mais sinal de vida 360
não dar o barco pelo leme 742
não dar o braço a torcer 606
não dar pelo governo de 742
não dar pelo leme 606
não dar ponto sem nó 943
não dar por isso 452
não dar quartel (ao inimigo) 361, 907, 914a
não dar sinal 526, 528, 585
não dar trégua (a) 622, 868, 907, 914a
não dar trégua a 622
não dar um passo 265
não dar uma sede de água a alguém 819, 907
não de veia 603
não defeso 760
não deitando para mau sentido 469
não deixar brecha para dúvida 518
não deixar cair no chão 457
não deixar cair no chão um favor 148
não deixar de pé 479
não deixar dormir 824
não deixar escapar 781, 789
não deixar escapar uma palavra 528, 581, 585

não deixar escapar uma sílaba 528
não deixar fazer moeda falsa 459
não deixar ir mais adiante 528
não deixar lugar/margem/brecha para dúvida 518
não deixar meter o dedo na boca 702
não deixar morrer 670
não deixar nada a desejar 650
não deixar o mais leve traço de hesitação 474
não deixar passar despercebido 883
não deixar pedra sobre pedra 146, 479
não deixar perecer 143
não deixar por menos de 812
não deixar pôr pé em ramo verde 459, 914a
não deixar rastos 449
não deixar resvalar a ocasião 134
não deixar uma pedra no lugar 461
não deixar verde nem seco 162
não deixar vestígio 4, 552
Não deixes para amanhã o que podes fazer hoje 132
não depender de ninguém 748
não depender de vontade humana 601
não depender do alvedrio de ninguém 601
não desacompanhar 281
não desandar no sentido oposto ao 698
não descambar para os extremos 736
não descortinado 123
não desejar para o seu maior inimigo 603
não desfitar a vista de 441
não desligar de 457
não despregar os olhos de 457
não destoar 16
não desvendado 526
Não devemos fazer aos outros o que não queremos que nos façam 922
não discriminar 465a
não disfarçado (real) 543
não dispor de tempo 682
não divergir 16
não dizer chus/ bus 403, 581, 585
não dizer coisa com coisa 503
não dizer fum nem fum 585, 866
não dizer nada ao caso 10
não dizer palavra 403
não dizer se é peixe nem carne 605
não dizer sim nem não 477, 605
não dizerem bem 24
não dobrar a cerviz 719
não dobrar os joelhos 989
não dormir 459, 682, 825
não durar três padre-nossos 111
Não é preciso o Espírito Santo para mostrar 525
não é verdade? 461
não encontrar a chave/a solução do enigma 519
não encontrar justificativa 923
não encontrar o trincho 704
não enfeitar 576
não enganar 543
não entender palavra/patavina/do riscado 491

não entrar nos cascos... | não querer confiar...

não entrar nos cascos a alguém 519
não enxergar um palmo adiante do nariz 491
não errar 498
não escrito 582
não esperar 508
não esperar tolerância nem quartel 739
não esquecer um único item da cortesania/das regras da civilidade 894, 933
não essencial 643
Não está nas mãos de ninguém 823
não estar ab-rogado 963
não estar bem de saúde 655
não estar com os seus alfinetes 900
não estar compadre de 889
não estar convencido da verdade 485
não estar de avença com 24
não estar de vez para 603
não estar divulgado 533
não estar em estado de deliberar 959
não estar fora das leis naturais/humanas/divinas 470
não estar isento de 177
não estar muito católico 651
não estar nem aí 823, 866
não estar num leito de rosas 828
não estar para festas 832, 837
não estar prescrito 924
não estar prescrito/ab-rogado 963
Não estou nem aí 823
não estranhar 613
não estreado 123
não estudado 576, 703
não evoluir 613
não excluindo 37
não excluir 23
não eximir-se da responsabilidade 604
não existência 2
não existir & *v.* 2
não exorbitar 174, 740, 926
não experimentado 678
não explorado 678
não expor fielmente 495
não factício 703
não falar 585
não faltar à fé jurada 939
não faltar nada a alguém 377
não fazer 681
não fazer boa liga 24
não fazer bom cabelo 867
não fazer bom estômago a alguém 830, 867
não fazer carreira 945
não fazer caso de 823
não fazer caso de oposições 606
não fazer caso nem cabedal de 930
não fazer caso se 930
não fazer distinção entre o meu e o teu 791
não fazer falta 175a
não fazer fé 487
não fazer frio nem calor a alguém 866
não fazer justiça 483
não fazer mal 648
não fazer míngua 643
não fazer mistério 525
não fazer oposição/objeção 762
não fazer outra coisa senão 136
não fazer pulsar o coração 643
não fazer questão de 757
não fazerem boa farinha 713, 889

Não fica bem ao homem honrado mentir 546
não ficar a dever nada a 27
não ficar com Deus nem com o diabo 609a
não ficar de pé 479
não ficar imóvel 282
não ficção 692a
Não ficou por mim o... 686
não fugir 719
não fugir à regra 82
não ganhar admissão 55
não gostar de 867
não gostar de alguém 713
não gostar de dubiedade 604
não grande coisa 651
não guardar a serenidade que lhe impõe o cargo 923
não guardar mágoa(s) 918
não guardar o devido respeito 929
não guardar ressaibo da injúria 918
Não há a menor dúvida 474
Não há medalha sem reverso 30
Não há melhor parente que amigo fiel e prudente 890
Não há motivos para se descrer 472
Não há que ver 474
Não há remédio 601, 604
não há/não havia (seguido de infinito) 412
não haver apelo nem agravo 601
não haver diferença 120
não haver (vestígio) de dúvida 474
não haver mais remédio 859
não haver motivos 615a
não haver paladar para 867
não haver paladar que suporte 395
não haver por bem 878
não haver possibilidade de espécie alguma 471
não haver razão 615a
não haver razão para se perder a esperança 472
não haver regra 59
não haver remédio/recurso 859
não haver restrição 78
não imitar 20
não importa! 643
Não importa 823
não importante 193, 930
não interessar 643
não interferência 681
não invejado 930
não ir à missa de 489
não ir bem 24
não ir com a corrente 489
não ir contra o vento 698
não ir direto ao assunto 573
não ir fora de 488
não ir nada com alguém 489, 889
não ir pelo caminho do carro 20
não lamentado 932
não lançado à circulação 123
não lapidado nem polido 575
não largar 789
não largar alguém 88
não largar de mão 781
não largar do pé 88
não levantar os olhos de 441, 457
não levantar uma palha 681
não levar 813
não levar a sério 487, 856
não levar a sério os seus deveres 927

não levar em conta 930
Não lhe corta a cepa 954
não ligar duas ideias 499
não ligar importância 823, 866, 930
não longe de 197
não mais! 142, 403, 639
não malhar em ferro frio 698
não manifestar variedade 16
não manter a mesma jurisprudência 16a
não manter o regime fluvial 340
não manter o terreno conquistado 283
Não me toque (palavras de Jesus) 893
não me toques 822
não medir consequências 863
não medir o tempo 685
não medir sacrifícios 682, 686
não mentirem os lábios 543
não merecer menção 458
não merecer o ar que respira 917
não merecer o pão que come 683
não meter a cabeça na boca do leão 698
não meter dente 491
não meter em conta 813
não meter prego sem estopa 681
não morrer 112, 671
não mover um pé 681
não mover uma palha 265
não nutrir dúvidas 484
não nutrir esperança 859
não observar 760, 964
não obstante 30, 469, 708
não ocupar lugar no espaço 317
não oferecer dificuldades 518
não olhar a despesas 816
não olhar a nada 863
não olhar despesas/gastos 818
não olhar para 442
Não organização 358
não organizado 59
não ouvir 419
não padecer dúvida 474
não pagamento 808
não pagar 808
não pago 808
não palmilhado 123, 678
não para vós 923
não parar 109
não parar quieto 264
não parecer lícito nem de bom critério 925
não passar da (ou de) cepa torta 732, 735
não passar de 34, 141
não passar de cepa torta 732
não passar de projeto 732
não passar de um almoço 705
não passar de um impotente & *adj.* 158
não passar despercebido 446
não passar sem 677
não pedir meças a 34
não pegar a lábia 732
não penetrar no mistério 519
não pensar 452
não pensar mais em 458, 918
não perceber nada 519
não perder a oportunidade 682
não perder a serenidade 826
não perder o controle de si mesmo 826
não perder o menor gesto de alguém 457
não perder o ponto 459
não perder tempo 111, 132, 682, 684

não perderás por isso o casamento!
não permitido 761
não permitir 706, 761
não permitir expansão de 751
não permitir que sofra a inocência 922
não perseverar 681
não pertencer mais a si mesmo 942
não pescar de 491
não pescar palavra de 491
não poder atirar a primeira pedra 947
não poder banir do pensamento 505
não poder com uma gata pelo rabo (pop.) 160
não poder consigo 160
não poder deixar de 601
não poder deixar de testemunhar os seus agradecimentos 916
não poder dispensar 630
não poder fazer gadanha 383
não poder ligar duas palavras 583
não poder mais 688
não poder medir-se 34
não poder mexer os pés/as pernas 688
não poder passar sem 630
não poder piar 739
não poder prescindir de 630
não poder prevalecer 477
não poder resistir 725
não poder satisfazer seus compromissos 808
não poder separar-se de 5
não poder suportar 825
não poder tolerar 867
não poder transpirar 533
não pôr o pé em ramo verde 864
não pôr prego sem estopa 681
não possuir 641
não poupar ninguém 934
não poupar sexo nem idade 907
não poupar uma só circunstância para 686
não precisado 639
não precisar de andadeiras 698
não precisar de prova 474
não precisar de provas para crer 486
não precisar de ser comentado 642
não precisar dizer 518
não pregar o olho 825
não pregar o olho toda a noite 682
não pregar prego sem estopa 943
não preparado 635, 651
não prestar a devida atenção 460
não prestar advertência 458
não prestar atenção 456, 458
não prestar ouvidos 419
não prestar para nada 645
Não procede a alegação 479
não procurar outro broquel senão o que a lei oferece 963
não prosperar 735
não prosseguir 67, 292, 624
não purificado 653
não que eu saiba 536
não quebrar 143
não querer 603, 764
não querer confiar no testemunho dos seus próprios olhos 487

não querer dizer nada | não ter posição de autoridade

não querer dizer nada 517
não querer negócio com 889
não querer negócio com os homens 893
não querer (nem) saber de 866
não querer ouvir falar de 866
não querer ver o sol 487
não querer ver o verso da medalha 481
Não quero estar na sua pele 735
não quitado 808
não reagir 725, 757
não reconduzir 756
não reconhecer 489
não recuar 143, 604
não recusar 762
não regadio 340
não regatear esforços 686
não regatear favor(es) 816, 906
não regatear sacrifícios 682
não registrado 552
não regular bem da bola 503
Não relação 10
não resistir à pressão 324
não resistir mais 688
não respeitar 173
não respeitar as conveniências 945
não respeitar ninguém 885
não respirar 507, 870
não responder à chamada 187
não responder ao insulto 725
Não ressonância 408a
não retrogradar 282
não saber 491
não saber a cartilha 491
não saber a quantas anda 506, 699
não saber da missa metade 491
não saber de que cor é uma coisa 491
não saber em que pé há de dançar 605
não saber explicar 870
não saber já 506
não saber lutar 860
não saber nada de 491
não saber o que fazer 475, 519
não saber o que fazer de 491
não saber o que quer 605, 699
não saber onde meter as mãos 699, 881
não saber onde se há de meter 475
não saber para onde ir 704
não saber para onde se voltar 605
não saber para que lado se há de voltar 605
não saber quantas pernas tem um *o* 491
não saber que partido há de tomar 605
não saber que rumo tomar 475
não sair da rota trilhada 681
não sair da trilha 613
não sair de sua esfera 304
não saldado 808
não sancionado 925
não satisfazer o desejo de 764
não se adjetivarem 24
não se admirar 507
não se admirar de nada 932
não se afastar uma linha 772
não se agitar 681
não se ajustarem 24
não se animar 860
não se atrever 860
não se compreenderem 713
não se comprometer 864
não se computando 38

não se conformar 489
não se conformar com a rota batida 20
não se confundir (com) 15, 18
não se conhecer 2
não se dar por entendido 452, 866
não se darem as mãos 713
não se dedignar 879, 894
não se deixar arrastar 606, 719
não se deixar cangar 719
não se deixar iludir pelo canto da sereia 604
não se deixar imolar como um cordeiro 719
não se deixar levar pela corrente 20
não se deixar surpreender 459
não se descobrir diante de 929
não se desviar de 604a
não se deter 143
não se determinar por coisa alguma 605
não se dever dizer 533
não se dignar 878
não se dignar descer de sua importância 878
não se dobrar 719
não se doer de sua dor 823
não se encontrarem 216
não se entender com 10
não se entrever nitidamente 528
não se envolver em 609a
não se esquecer de 772
não se expor a perigos 664
não se falando 38
não se ficar a saber... 475
não se harmonizar 24
não se importar (com) 456, 823, 866, 867
não se incluindo 38
não se incomodar com 460
não se interessar por 456
não se justifica 932
não se lembrar de 917
não se ligarem duas pessoas 889
não se manifestar 221
não se mover 681
não se parecer com 18
não se perder em digressões 576
Não se pescam trutas a bragas enxutas 686
não se poder calcular até onde vai 105
não se poupar a alguma coisa 686
não se prender com 925
não se prestar a 764
não se pronunciar (de pronto) 605, 609a
não se ralar 823, 826
não se separar de 88
não se submeter 719, 742
não se seguir 18
não seguir a rota palmilhada 83
não sei que diga 978
não seja o dia negro que... 766
não sentido 932
não sentir emoção 823
não ser atacado por 671
não ser bem irmão de 15
não ser bem que 923
não ser bem-sucedido 932
não ser contemplado como merecia 917
não ser coxo nem manco 498
não ser de ontem nem de hoje 122
não ser demais que 646

não ser deslocado 134
não ser devido 925
não ser digno de chegar às solas do sapato de 34
não ser dos pecos na arte de embair 544
não ser equitativo 925
não ser esquecido 973
não ser fácil em excitar-se 826
não ser grande coisa 705
não ser homem de peleja 860
não ser homem para grandes empresas 699
não ser intransigente 469
não ser nada lerdaço 498
não ser nem peixe nem carne 607
não ser novidade 871
não ser o momento azado 135
não ser outro 13
não ser para graça 861, 901
não ser para os beiços de 648
não ser peixe nem carne 475
não ser perene 340
não ser plano nem poliédrico 245
não ser senhor do seu nariz 547
não ser surpresa 871
não ser transparente & *adj.* 426
Não serás amado se de ti só tens cuidado 943
não serem concorrentes 216
não servir de nada 645
não servir para Deus nem para o diabo 645
não servir para nada 175a
não (significar) 517
não sobrar tempo a alguém 682
não soprarem bons ventos a alguém 735
não suportar 867
não suportar com garbo uma crítica 479
não suportar confronto 28
não surtir efeito 158
não suspeitar de alguma coisa 484
não tarde 132
Não tem importância 823
Não tem que ver 474
não temer concorrência 33
não temer contradita 494
não tenho dúvida 484
não ter a língua limpa 961
não ter a mais remota ideia 491
não ter a virtude do valor 860
não ter ainda os seus dias cheios 359
não ter alçada em 738
não ter alma para dar cinco réis 819
não ter alternativa 601
não ter altos e baixos 213
não ter altos nem baixos 141
não ter ar algum 846
não ter arrebiques 849
não ter as condições legais 964
não ter atilho nem vincilho 645
não ter base sólida 477
não ter berço 877
não ter bom senso 499
não ter cabimento 923
não ter capacidade legal 925
não ter capacidade para 158
não ter cheiro 399
não ter coisa alguma que leve os olhos 643
não ter com que pagar 808
não ter consciência 940

não ter corpo nem forma 317
não ter critério 499
não ter cruzes nem cunhos 699
não ter cuidado em 460
não ter curiosidade 456
não ter curvas nem inflexões 246
não ter de dar satisfações a ninguém 748
não ter desejo de 866
não ter direito à escolha/à alternativa 601
não ter direito nem avesso 607
não ter dono 777a
não ter educação nem princípios 895
não ter eira nem beira 804
não ter escrúpulos de 602
não ter espinha nem osso 705
não ter estômago para 603, 867
não ter expressões para traduzir a gratidão que lhe vai na alma 916
não ter fé 485
não ter figura humana 846
não ter ideia/noção/concepção 491
não ter importância & *subst.* 643
não ter indulgência para com os outros 914a
não ter influência & *subst.* 175a
não ter inimigos a combater 721
não ter interferência 623
não ter jaça 650
não ter jeito 135
não ter largueza de vistas 499
não ter maiores consequências 643
não ter mais o fausto dantanho 659
não ter mais o frescor dantanho 124
não ter mãos a medir 682
não ter meios de subsistência 804
não ter menosprezo por 879
não ter mínima justificativa 923
não ter miolos 499
não ter momento de descanso 682
não ter nada em que se lhe pegue 939
não ter nem ramo de figueira/nem cheta 804
não ter noção 491
não ter notícia certa 475
não ter o entendimento boto 498
não ter ombros para 699
não ter onde cair morto 804
não ter onde se apoiar 158
não ter outro Deus que a sua barriga 954
não ter pai alcaide 877
não ter panos para manga 804
não ter papas na língua 543
não ter par 33, 650
não ter paragem 264
não ter parte 623
não ter paz nem trégua 682
não ter pé 208
não ter pé(s) nem cabeça 497
não ter piedade para com (alguém) 907
não ter (ponta) por onde se lhe pegue 645, 940
não ter posição de autoridade 738

não ter prática do mundo | necrodulia

não ter prática do mundo 703
não ter que invejar a 33
não ter querer 601
não ter ralé para 867
não ter ralé para o trabalho 683
não ter razão 495
não ter real 804
não ter relação & *subst.* 10
não ter ressentimentos 918
não ter segredos para 490
não ter senão cotão na algibeira 804
não ter senão estampa 862
não ter senão língua 584, 934
não ter senso 499
não ter sentido preciso 520
não ter soca 804
não ter solução 519
não ter sorte 732
não ter surpresas 871
não ter tempo a perder 684
não ter tomado chá em pequeno 895
não ter trégua nem folga 682
não ter uma hora de sua 682
não ter uma sombra de justiça/um traço de humanidade/um resto de siso 923
não ter vontade própria 749
não ter voz ativa nem passiva 681
não tirar da cabeça 606
não tirar os olhos 457
não tirar proveito de 732
não tocado 678
não tocar 678
não tolher 760
não tomar cuidado de 460
não tomar em consideração/no devido apreço 460
não tomar interesse por 866
não torcer o nariz 762
não traduzir a verdade 546
não traduzir o pensamento 517
não transigir 606, 924
não tratar de 460, 624
não tratar diretamente 477
não treinado 699
não trepar e não sair de cima (vulg.) 781
não trepidar 604
não trilhado 123, 678, 704
não trocar... por... 609
não tugir nem mugir 265, 403, 479, 581, 585, 826
Não tugiu nem mugiu 732
Não usar 678
não usar de cerimônias 789
não usar de rodeios 703
não valer dois caracóis 645
não valer dois réis de cominhos 645
não valer o tempo 643
não valer um cornado 645
não valer uma pataca 643
não vedado 924
não velado 525
não ver (*ser cego*) 447
não ver 442
não ver motivos 615a
não ver ossos em 602
não ver senão pelos olhos de alguém 547, 886
não ver um palmo diante do nariz 499, 699
não ver um raio de luz na escuridão 859
não vestido 226
não vingar 732
não vir a pelo 135
não vir para o caso 10

não virar as costas a 719
não visar a interesses 942
não voltar a cara atrás 606
não voltar atrás 606
não vulgar 850
napalm 727
napeias 979
napeiro 460, 683
napelina 376
napetência 172
napeva 193
naquele tempo 119
narceína 376
narcisar-se 880
Narciso 845, 854, 880
narcose 376, 823
narcótico 376, 662, 841
narcotina 376
narcotismo 376, 823
narcotização 376
narcotizar 376, 823, 841
nardino 400
nardo 400
narguilé 392
narícula 351, 398
nariganga 440e
narigão 243, 440e
narigudo 243, 250, 846
narigueta 243, 398, 440e
narina 398
nariz 250, 398, 440e, 702
nariz de cera 64, 517
narração 594
narrado 594
narrador 527, 532, 594
narrar 594
narrar minuciosamente 594
narrativa 527, 594
narrativa maravilhosa 546
narrativo 594
nas boas horas 734
nas bochechas 186
nas coxas 460
nas entranhas de 208
nas entrelinhas 526
nas fuças de 186
nas garras de 749
nas horas de estalar 684
nas mãos 673
nas mãos de 749
nas planícies 440b
nas profundas de 208
nas suas mais belas vestes 673
nas trevas 528
nas últimas 655
nas vésperas de 116
nasal 243, 440e, 561, 583
nasalação 583
nasalar 583
nascedouro 66, 153, 260, 359
nasceiro 66
nascença 66, 153, 359
nascente 66, 206, (de rio, oposta a barra, foz) 237, 278
nascer 66, 151, 154, 295, 348, 359, 446, 448
nascer com estrela na testa 734
nascer com uma colher de ouro na boca/com o bumbum virado para a lua 734
nascer debaixo de bom planeta 734
nascer de ferro e pouco dobradiço 606
nascer do cérebro 515
nascer do sol 125
nascer em boa hora 734
nascer em má hora 735
nascer empelicado 734
nascer sob estrela propícia 734

nascidiço 5, 576, 674, 703
nascido de ventre livre 748
nascimento 66, 153, 161, 359, 446
Nascitur ridiculus mus 509
nascituro 129, 674
nasofaringoscopia 662
nata 352, 648, 650, 851, 875
nata da terra 168
natação 267, 337, 840
natal (tb. Natal) 66, 138, 188, 359, 896, 998
natalício 138, 883
natátil 267, 320
nateiro 371
natento 168
natimorto 362
natio 189, 371
natividade 66, 511
natividade de Nossa Senhora 998
nativo 5, 154, 188, 576, 674, 703
nato 5, 703
natomizar 49
natura 318
Natura il face e poi rompe la stampa 87
natural 5, 13, 22, 82, 138, 153, 188, 420, 470, 472, 477, 494, 518, 525, 576, 578, 601, 612, 613, 646, 674, 820, 849, 871
natural de 153, 154, 184
naturalidade 576, 646, 674, 703, 849
naturalismo 226, 494, 849
naturalista 357, 492
naturalização 82, 144, 184
naturalizado 184
naturalizar 910
naturalizar-se 184, 188
naturalmente 154
natureza 5, 7, 75, 80, 176, 318, (princípio) 494, 674, 820
natureza fecunda 639
natureza humana 372
natureza viva 357
natureza-morta 692a
naturismo 226
nau 273, 737
nau de espécie 668, 702
nau de guerra 726
naufragado 732
naufragar 306, 310
naufragar seu crédito 808
naufrágio 162, 304, 659, 732, 945
náufrago 735, 828
naufragoso 665, 732
naumaquia 720
naumáquico 720
nauro 896
nauscópio 445
náusea 395, 828, 841, 867
nauseabundo 395, 401, 653, 830, 841, 867
nauseante 867
nausear 395, 841, 867
nauseativo 395, 867
nauseento 401, 653, 841, 867
nauseoso 395, 401, 841, 867
nauta 269
náutica 267, 278
náutico 267
náutilo 273
nautografia 267, 273
nautógrafo 273
nava 344
naval 267, 733
navalha 253, 383, 727, 936
navalhada 378
navalhar 361, 378, 383, 830
navalheiro 949
navalhista 720, 949
Nave 273

nave 68, 222, 1000
navegabilidade 267
Navegação 267
navegação aérea 267
navegador 267, 269
navegante 267, 269
navegar 267, 293
navegar a remo 686
navegar a todo o pano 267, 274
navegar com todos os ventos 605, 607, 698
navegar com vento favorável 734
navegar entre duas águas 609a
navegar no mesmo barco com 88
navegar rota abatida 267
navegar terra a terra 267
navegável 470
naveta 1000
naviculário 273
naviforme 267, 273
navífrago 273, 665
navígero 267
navio 267
navio carvoeiro 273
navio costeiro 273
navio de conserva 666
navio de corso 726
navio de guerra 726
navio mercante 273, 726
navio negreiro 273
Nazareno 976
nazaritismo 984
nazarita 960, 996
názer (Pérsia) 966
nazifascismo 737
názir 694, (na Pérsia) 696
nazireu 955, 958
nazismo 737
Ne no Kumi/Yomi no Kumi (mit. japonesa) 982
ne plura dicam 572
ne quid nimis 817
Ne varietur 141
neblina 353, 475, 667
nebulosa 318
nebulosidade 353, 422, 519
nebulosidade geográfica 643
nebuloso 124, 196, 353, 424, 447, 475, 519, 571, 837
nec caput nec pedes 497
Nec mora nec requies 682
nec plus ultra 52, 196, 210, 650
necatoríase 655
necear 497
necedade 491, 497, 499
necessária 653
necessariamente 154, 601, 630, 744
necessário 601, 630, 639, 644, 744
necessário e suficiente 639
Necessidade 630
necessidade 601, 641, 644, 744, 804, 865
necessidade absoluta/adversa/cruel 630
necessidade carece de lei, A 630
necessidade de esperança 859
necessidade dura/férrea 630
necessidade imperiosa/inexorável 630
necessidade mete a velha a caminho, A 630
necessidade premente 601
necessitado 767, 804
necessitar 630, 641, 744
necessitar de tutela 499
necessitário 601
necessitoso 765, 804
necrodulia 360

673

necrófago | nictação

necrófago 298, 366
necrografia 358, 362
necrolatria 360, 992
necrologia 360, 594
necrológico 594
necrológio 360, 363, 551, 586, 839
necrólogo 594
necromancia 511, 992
necromante 513, 994
necrópole 363
necrópsia 363
necropsiar 362
necroscopia 362, 363
necroscópico 363
necrotério 363
néctar 377, 394, 396, 827, 834
nectáreo 396, 829, 834
nediez 192
nédio 192, 194, 255
nefando 649, 653, 874, 932, 938, 945, 988
nefário 649, 898, 945
nefasto 135, 649, 735, 830, 859
nefelemancia 511
nefelibata 515, 563, 855
nefelibatismo 515, 563, 855
nefralgia 378
nefrálgico 378
nefrologia 662
nega (< negar) 536, 699, 764, 867
negaça 545, 550, 615, 764
Negação 536
negação 175a, 462, 468, 479, 485, 528, 699, 764
negação da existência 2
negação formal e peremptória 536
negacear 545
negaceiro 545, 548
negado & *v.* 536
negador 536, 548
negalho 32, 51, 193, 219
negamento 536
negar 462, 479, 485, 489, 536, 610, 761, 764, 989
negar a canonicidade dos livros hieráticos 988
negar a mão a alguém 895
negar os ouvidos a alguém 458
negar ouvidos a 764
negar peremptoriamente/redondamente/absolutamente/*in limine*/de plano/a pés juntos 536
negar-se 447
negar-se a si mesmo 942
negar-se a si por outrem 942
negar-se de sábio 881
negativa 462, 536, 764
negativamente & *adj.* 2, 536
negativo 2, 14, 84, 489, 536, 764
negatório 536
neglicenciar 624
negligé 225
Negligência 460
negligência 133, 483, 575, 624, 674, 678, 681, 699, 730, 773, 863, 927, 929
negligenciado 460, 624
negligenciar 53, 55, 458, 460, 483, 528, 730, 773, 823, 918, 927, 930
negligenciar uma distinção 465a
negligenciável 643
negligente 172, 458, 460, 499, 575, 624, 641, 653, 699, 738, 823, 852, 927
negligentemente & *adj.* 460
negociação 724, 769, 794
negociador 724, 758, 769, 797
negociador da paz 724

negociamento 794
negociante 797
negociar 625, 724, 783, 794, 796, 812
negociar a consciência (de) 679
negociar a paz 724
negociar a pena 940
negociar o talento (de) 679, 940
negociar tratados 769
negociarrão 794
negociata 791, 794, 940
negociável 783, 794, 796
negócio 151, 622, 625, 676, 680, 794
negócio de amor 897
negócio de compadres 923
negócio escuso/fraudulento/de bandeirola 940
negócio furado 732
negócios de comadre 702
negócios do coração 903
negócios em geral 151
negocioso 682, 794
negocista (dep.) 794, 797
negraço 431
negral 431
negralhão 159, 431
negregado 135, 649, 830, 945
negregoso 421, 735, 860, 945
negregura 421, 431
negrejar 1, 421, 431, 446, 830, 837, 839
negridão 421, 431
negrilho(s) 129, 431, 839
negrito 591
negro 124, 421, 431, 735, 830, 837, 839, 860, 945
Negro é o carvoeiro, branco o seu dinheiro 800
negrófilo 750
negromante 513
negror 421, 431
negrume 421, 431
negrura 421, 431, 907, 945
negus 745
nem 536
nem à mão de Deus 32
nem aqui nem lá 187
nem assado 32
nem assim 32
Nem chus nem bus 403
nem fum nem fole de ferreiro! 403, 479
nem ideias reservadas 703
nem mais nem menos 27
nem mais um pio! 403, 479
nem muito bem nem muito mal 29
nem para cima nem para baixo 265
nem para frente nem para trás 265
nem para lá vai 32, 536
nem pensar/nem pensar! 32, 536
nem por hipótese 536
nem por onde passe (loc. fam.) 536
nem por pensamento 32, 536
nem por sombra 32, 536
Nem preso nem cativo têm amigo 735, 890
nem que 30
nem que chova(m) canivetes 474, 604
nem tanto 469
nem tanto ao mar nem tanto à terra 628
Nem todo aquele mato é orégãos 495
Nem tudo que reluz é ouro 495
nem um nem outro 610

Nem um ponto de luz piscava na amplidão 126
nem um sequer 101, 187, 536
nem uma coisa nem outra 83
nem uma partícula 4
nem uma só pessoa 187
nem (uma) vivalma 101, 187
nemésico 919
Nemésio 972
Nêmesis 919, 922
nemine discrepante 488
nemine dissentiente 488
Nemo me impune lacessit 715
nemólito 367
nemoral 367
nemoroso 168, 367
nenê 129
nêngaro 129
nengro 129
nenho 499
nenhum 2, 101, 536
nenhum mortal 187
nenhum outro 87
Nenhum som perturba os ares 403
nenhumamente 32, 536
nênia 597, 839
nenúfar 367
neocatolicismo 984
neófito 541
neofolk 415
neógamo 903
neogótico 850
neografismo 561
neógrafo 561
neolítico 124, 318
neologia 563
neológico 563
Neologismo 563
neologismo 565, 571
neologista 563
neologizar 563
neólogo 563
neomênia 138
neomênio 991
neonatologia 662
neopaganismo 998
neoplasia 655
neorama 448
neotérico 123, 537
nepáceo 367
Nepente 662
nepentes 836
nepote 899
nepotismo 11, 481, 923, 940, 943
nepotista 943
nequícia 907
nereida 341, 979
neres (de pitibiriba) /néris (pop.) 101, 764
Nero 913, 949
neroniano 907
nerval 440e
nervo 159, 615
nervo da guerra 800
nervo óptico 615
nervosidade 159, 860
nervosismo 132, 503, 682, 684, 860
nervoso 264, 440e, 574, 684, 825, 860, 901a
nesciar 499
nescidade 499
néscio 477, 491, 493, 499, 501
nesga 32, 51, 181, 193
nesga de céu azul 858
nessa conjuntura 8
nesse andar 151
nesse comenos 106
nesse entremeio 106
nesse entrementes 106
nesse estado de coisas 8
nesse ínterim 106

nesta mesma ocasião 106
neste instante 118
neste momento 118
neste mundo 180
neste mundo sublunar 180
neste mundo transitório 180, 318
neste particular 448
neste vale de lágrimas 180
Nestor 130, 500, 695
nestorianismo 984
neto(s) 127, 167, 650, 652
neto e neta 11
netuniano 341
netunino 341
netúnio 341
Netuno 341
neuma 415, 488, 489, 762, 764
neural 440e
neuralgia 378
neuralgia facial 378
neurastenia 837, 901a
neurastênico 837, 901, 901a
neurocirurgia 662
neurologia 662
neurose 503, 825, 901a
neurótico 504, 825, 901a
neutral 609a, 721, 866
neutralidade 29, 609a, 623, 628, 721, 823, 866, 922
neutralização 30, 179
neutralizar 30, 162, 179
neutro 29, 317, 609a, 866
nevada 383
nevado 206, 430, (cabelo) 440a, 440b, 823
nevão 383
nevar 128, 383, 385, 430
nevasca 383
neve 128, 383, 430
nevée 383
neves perpétuas 206
neviscar 383
nevo 127
névoa 353, 422, 424, 443, 475, 519
nevoaça 353, 519
nevoado 353, 424
nevoar 424
nevoar-se 421
névoas do erro 495
nevoeiro 353, 424, 475, 519
nevoentar 424
nevoente 196
nevoento 121, 206, 353, 383, 421, 424, 519
nevoso 206, 353, 383, 421, 519
nevropatia (ou neuropatia) 901a
nevropático (ou neuropático) 825, 901a
nevrose (ou neurose) 503, 825, 901a
nevrótico (ou neurótico) 504, 825, 901a
new wave 415
Newton 318
nexo 9, 43, 45
nhenhenhém 613
Niágara 348
niaiserie 517
nibilário 636
nica 643, 822, 841, 868
nicar 378
nicho 191, 198, 252, 681, 893, 1000
nicho do eterno templo 873
nicles (pop.) 101
nicociana 392
nicotina 392, 663
nicotino 683
nicromântico 992
nictação 420, 443

nictalope | *non chalance*

nictalope 443
nictalopia 443
nictalópico 443
nictêmero 108
nictente 420
nictescência 420
nictícora 512
nictofobia 860
nidificar 184, 366, 673
nidor 398
nidoroso 398, 401
nidus 153, 189
nigela 431
nigelar 431, 558
nigérrimo 431
Nigrícia 431
nigrípede 440c
nigromancia 992
nigromante 513, 994
nigromântico 511
nígua 913
nihil ad rem 10
nihil agere 681
nihil certi habere 475
Nihil tetigit quod non ornavit 850
niilidade 2, 4
niilismo 2, 989
nil (ou *nihil*) *admirari* 823, 871, 932
Nil desperandum 858
Nil medium est 601
nilo (bras.) 440b
nimbado 873
nimbar 229, 247, 873
nimbífero 348
nimbo 247, 353, 420, 873
nimboso 348, 422, 873
nímia indulgência 918
nimiamente 31, 573
nimiamente pormenorizador 573
nimiedade 640
nímio 640
Nimium ne crede colori 485
Nimrod 361, 622
nina 129, 174
ninar 174, 834, 902
ninfa 341, 374, 845, 979
ninfomania 961
ningres-ningres 877
ninguém 4, 101, 187, 536, 877
Ninguém adivinharia que... 508
Ninguém o vence na bebida 959
ninguém sobre a terra 187
Ninguém suporia que... 508
ninguenzito 877
ninhada 72, 102, 167, 189
ninharia(s) 32, 643
ninho 153, 189, 897
ninho de ratos 59
ninho de vespas 667, 704, 830
ninho paterno 189, 221
nini 129
nino 129
nínsia (japonês) 996
niqueiro 868
níquel 800
niquelar 223
niquento 841, 868
niquice 841, 868
Nirvana (budismo) 981
nisi prius 741
Niso e Euríalo 890
nistagmo 683
nisus formativus 161
nitidamente expresso 578
nitidez 420, 425, 446, 570, 576, 580
nitideza 420, 576
nítido 420, 446, 465, 518, 525, 570, 576, 578, 652

Nito in adversum 708
nitrato de potássio 392
nitrido 412
nitridor 412
nitrir 412
nitro 392
nitrogênio 663
niveal 383
nível 27, 71, 213, 217
nível de Casela 244
nível do mar 207
nível oceânico 207
nivelação 213
nivelamento 27, 673
nivelar 16, 27, 162, 209, 251, 255, 308
nivelar com o chão 162
nivelar-se 27
níveo 430
nó 45, 454, 642, 704, 706
no agraço 131
no alcance de 461
no âmago (de) 208, 221
no ambiente paterno 221
No aperto e no perigo se conhece o amigo 735, 890
no apogeu 31
no auge 31
no berço 129
no berço de 66
no bojo do tempo 152
no campo 186
no campo da honra 873
no cartão 796, 805
no caso de 8, 151, 469, 514
no caso (em) que 151, 469
nó cassiótico 45
nó cego 45, 704
no círculo da família 892
no colo 129
no conceito de 484
no coração 221, 382, 526
no correr do tempo 106
no cúmulo 31
no curso natural/ordinário/forçado das coisas 151
no dia 31 de fevereiro 107
no dizer de 467
no encalço de 461
no entanto 30, 106
no entender de 484
no entrementes 106
no espaço 338
no espaço sideral 318
no estrangeiro 57, 220
no exterior 220
no figurado caso de 514
no frouxel do lar 221
no fundo 5, 208
nó górdio 471, 704
no horizonte 507
no interior de 221
no íntimo d'alma/da alma 450, 515
no intuito de 620
no julgar de 467, 484
no lar 221
no limiar de 197
no mais aceso da refrega 722
no mais entranhado de 221
no máximo 32
no meio de 221, 222
no meio desse cenário 183
No melhor da festa... 508
no menos 32
no mercado 763
no meridiano 210
no mesmo ato 120
no mesmo instante 113, 132
no mesmo momento 120
no mesmo time 712
no momento em que falo/em que escrevo 118

no nariz de 186
no nascedouro 66
no ninho paterno 221
no número singular 87
no pensamento 450, 515
no pensar de 484
no pino 382
no pino do dia 125
no pino do inverno 383
no prelo 673, 730
no pressuposto de 514
no que concerne a 9
no que diz respeito a 9
no que interessa a 9
no que me concerne/respeita/interessa 79
no recesso de 221
no regaço da equidade 922
no remanso do lar 221
no rigor da moda 851
no rigor do verão 382
no rosto 186
no rumo em que as coisas vão 8
no saltu 113
no sentido do comprimento 200
no sentido longitudinal 200
no sentir de 467, 484
no séquito de 281
no seu círculo social 892
no seu elemento 23, 831
no seu justo valor 494, 618
no seu lugar 646
no seu meio 892
no silêncio da noite 528
no sopé 211
no spiritu 69, 132
no talante 177
no tapete 620, 626
no tempo de 106
no tempo preciso 132
no tribunal da consciência (fig. jur.) 926
No universo tudo passa, tudo cai! 140
no verdor dos anos 131
no xadrez 938
no zênite 31, 210
noa 108
nobiliário 875
nobiliarista 875
nobiliarquia 875
nobiliárquico 875
nobilitador 873
nobilitante 648, 873
nobilitar 648, 658, 873, 875
nobilitar-se 875
nobilizar 875
noblesse 875
nobre 574, 578, 642, 873, 875, 922, 924, 942, 944
nobremente & *adj.* 875
Nobreza 875
nobreza 574, 578, 648, 845, 876, 944
nobreza de ânimo 816
nobreza de caráter 826, 942
nobreza de coração 918, 939, 942
nobreza de intentos 942
nobreza de porte 845, 851
noção 453, 454, 490
noção do dever 926
nocente 649
nocional 490
nocivamente 31
nocividade 619, 649, 907
nocivo 135, 649, 657, 830, 907, 925
noções estreitas/parciais/superficiais 481
noções do justo 922
noctambulação 266
noctambulismo 266

noctâmbulo 266, 267, 268
nocticolor 421, 431
noctígeno & *v.* 421
noctiluz 423
noctívago 366
noctívolo 267
nodo 250
nódoa 32, 651, 653, 848, 874
nodoamento 653
nodoar 659
nodosidade 16a, 250, 256
nodoso 250, 704
nódulo 245, 50
noduloso 250
noevi materni 127
noitada 682, 686, 840, 892
noite 421, 475, 491
noite caliginosa 735
noite de s. Bartolomeu 716
noite dos tempos 122
noite e dia 604a
noitecer 126
noitibó (fig.) 893
noitinha 126
noiva 897, 903
noivado 116
noivar 902, 903
noivo 373, 897, 903
nojento 395, 401, 653, 830, 846, 867, 874, 886, 898, 930, 940
nojo 395, 610, 828, 839, 867
nojoso 830, 832, 839, 867
nolens volens 444, 601, 603
Noli me tangere 715, 825, 868, 893
nolição 603
nolle prosequi 624
Nolumus leges Angliæ mutari 141, 143
Nolumus leges brasilienses mutari 670
nom de plume 565
nômade 266, 268
nomadismo 266
nomarca (Egito) 745
nome 562, 564, 873, 875
nome consagrado/venerado/belo/aureolado de respeito 873
nome da pia 564
nome de guerra 565
nome falso 565
nome imortal 873
nome popular 565
nome próprio 564
nome suposto 565
nomeação 564, 755
nomeada 565, 873
nomeadamente 33, 79, 564
nomeado 564, 758
nomeadura 564, 755
nomear 79, 564, 565, 609, 755, 759
nomear os seus representantes 609
nomenclação 564
nomenclador 564
Nomenclatura 564
nomenclatura 86
nomenclaturar 564
nomia 80
nômina (ant.) 86, 191, 666, 993
nominação (ret.) 564
nominal 4, 564
nominalmente 79
nominata 86, 564
nominativo 564
nomografia 963
nomologia 963
nomotético 893, 924, 963
Non cadit in virum bonum mentiri 546
non chalance 866

Non constat | Nunca se conheceu ou ouviu falar...

Non constat 477
non deficit alter 704
non descriptum 59
non dum in scirpo quærere 605
non ego 6
Non erat his locus 135
Non hoec in federa 610
Non húc in fúdera 536
Non liquet 519
Non mi recordo 506
non nobis 990
Non nostrum tantas componere lites 471, 713
non plus ultra 650
non possumus 135, 471, 604, 606, 764
Non potest = é impossível 471
non sequitur 477, 495
Non sum qualis eram 140
nona (poesia) 597
nona (clériga) 996
nonada 4, 32, 643
nonagenário 128, 130
nonagésima 108
nonagésimo 99
nonchalance 460, 823
nones 84
nongentésimo 99
noningentésimo 99
nônio 193, 466
nono (clérigo) 996
nono (numeral) 99
Nonum prematur in annum 133
nonuplicar 98
nônuplo 98
nora 337, 348, 633
nordestear 278
nordestia 349
norma 22, 80, 613, 627, 692, 697
normal 5, 22, 58, 80, 82, 138, 212, 502, 613, 697
normalidade 80, 212
normalista 540
normalizar 60, 658, 660
normativo 80
nor-nordeste 278
nor-noroeste 278
noroeste 278
norte 236, 278
nortear 278
nortear-se pelos princípios austeros da justiça 922
nos braços de Morfeu 683
nos cueiros 129
nos dias de hoje 118
nos dois hemisférios 180
nos tempos que correm 118
Nos trabalhos se veem os amigos 890
Noscitur a sociis 82
nosocomial 662
nosocômico 662
nosocômio 662
nosocrático 662
nosofobia 503, 860
nosófobo 504
nosomania 503
nosomaníaco 503, 504
nosomântica 993
nossa mãe comum 342
Nossa Senhora dos Navegantes 998
nosso 777
Nosso Pai 998
nosso planeta 318
nosso satélite 318
Nosso Senhor do Bonfim 998
nossos antecessores 166
nossos pais 64, 266
nossos, os 11
nostalgia 833, 837
nostálgico 833

nota 457, 505, 522, 532, 535, 550, 551, 800, 873, 874
nota bene 457
nota grave 408
nota infamante 874
nota musical 413
nota tônica 80
notabilia 642
notabilidade 492, 642, 873
notabilizar 873
notabilizar-se 873
notação 413
notado 873
notalgia 378
notar 375, 441, 450, 551
notário 553, 590, 968
notar-se 1
notas 593
notas distintas 973
notável 31, 525, 734, 870, 873, 939
notavelmente 31
Notícia 532
notícia(s) 490, 505, 527, 529, 531, 594, 668
notícia falsa 532
notícia fantasiosa 532
notícia sensacional/fresca/ triste/pavorosa/alvissareira/espaventosa/borborinhante 532
noticiador 532
noticiar 527, 531, 532
noticiário 527, 532
noticiarista 527
noticiarista 532
noticioso 527, 532
notificação 527, 550, 969
notificar 527, 969
notívago 126, 264, 266, 421, 893
noto ('falso' ant.) 925
noto ('conhecido') 490, 531
notômelo 83
notoriamente & adj. 490
notoriedade 531, 873
notório 474, 490, 525, 873
nótula 595
noturlábio 114
noturnal 266, 421
noturno 126, 264, 266, 415, 421, 431
nouveau riche 123
nova 104, 532
Nova Canaã 639
nova edição 19, 21, 163
nova edição corrigida, aumentada e melhorada 658
nova organização 658
Nova Zembla 383
novação 20, 20a, 123, 614
novador 614
novamente 90
novas ideias 607
novato 129, 493, 541, 565, 614, 674, 699, 701, 960
nove irmãs 416, 597
novedio 167
novel 123, 614, 674, 699
novela(s) 546, 594, 599, 692a
noveleiro 527, 532, 593
novelista 532, 593, 594
novelo 249, 522
novena 108, 116, 990
novenário 98, 998
novênio 108
noventa 98
noviciado 538, 673
noviciário 541, 673, 1000
noviciar-se 675
noviço 493, 541, 699, 701
Novidade 123
novidade(s) 16a, 18, 20, 20a, 83, 161, 532, 588, 614

novidadeiro 532
novilho 129
novilho castrado que fica tendo a dupla aparência de boi e touro 440b
novilunar 138, 421
novilúnio 138, 421
novo 15, 17, 18, 20, 66, 123, 563, 614
novo do trinque 123
novo em folha 123
novo rico 877
Novo Testamento 985
novo/ velho estilo 114
novos e velhos direitos 812
nóxio 657
nozilhão 655
nu 226, 255, 525, 641, 665, 804, 849
nu metal 415
nu soul 415
nuamente & *adj.* 226
nuança(s)/ *nuance* 15, 428, 440, 465
nubente 897, 903
nubícogo 349
nubífero 349, 353, 426
nubífugo 349
nubígeno 348, 353
núbil 131, 903
nubilar 636
nubilidade 127, 131
nubiloso 353, 424
nubívago 206, 267, 366, 515
nublado 353, 421, 422, 424, 426, 519, 839
nublar 223, 353, 421, 830, 837
nublar-se 839
nubloso 353, 421, 422, 424, 426, 519, 837, 839
nuca 235, 440e
nucal 235
nuçon 488, 600, 762
núcleo 68, 153, 221, 222, 642, 799
núcleo colonial 184
nuculâneo 367
nuda veritas 494
nudação 226
nudez 849
nudez mitológica 226
nudeza 226
nudípede 226
nudismo 226
nudo 169, 226
nuelo 226
nueza 226
nuga 643, 645
nugação 477
nugacidade 499, 515, 645
nugæ canoræ 517, 842
nugativo 158, 477, 497
nugatório 158, 477, 497, 645
nuidade 226
nulidade 2, 175a, 493, 645, 756, 925
nulificação 30, 756
nulificar 2, 30, 756, 773
Nulla dies sine linea 682
nulli secundus 33
nullis jurare in verba magistri 487
nulo 2, 4, 84, 158, 175a, 477, 499, 645, 699, 925, 964
nulo com concepção 477
nulo abrir e fechar de olhos 113, 274, 684
num acesso de cólera 612
num ai 113
num amargo furor contra o sorte 735
num ápice 113
num assomo de cólera 900
num átimo (de tempo) 111, 113

num de seus repentes 612
num delírio de louco 173
num êxtase 827
num lampejo 900
num leito de rosas 377
num mar de rosas 377
num momento 113
num nível elevado 206
num piscar de olhos 274
num pronto 111, 113
num pulo 684
num rápido lance de vista 113
num relance de olhos 113
num rufo 111
num santiámen (vulg.) 113
num simples volver de olho 113
num triz 113
num vai não vai 113
numa bela manhã 106
numa boa 713
numa comunhão de ideias 488
numa frase feliz 574
numa impenetrável solidariedade 709
numa volantina 113
numária 800
numário 800
nume 664, 979
Numeração 85
numeração 466
numerador 84
Numerais cardinais 98
Numerais ordinais 99
numeral 84, 85
numeralidade 100, 102
numeramento 85
numerar 76, 85, 480, 529, 594
numerário 800
numerativo 84
numerável 85
numérico 84, 85
Número 84
número 31, 75, 413, 567, 593, 639, 696
número comensurável 84
número decimal 84
Numero Deo impare gaudet 84
número fracionário 84
número incomensurável 84
número inteiro 84
número limitado 103
número misto 84
número primo 42, 84
número redondo 84
número um 100a
numerosidade 102
numeroso 31, 102, 159, 413, 639
numisma 800
numismal 800
numismática 800
numismático 800
numismatografia 800
numo 800
numular 800
numulária 803
numulário 800
nunação 568
nunc dimittis 990
Nunc dimittis servum tuum, Domine 731
Nunca 107
nunca 536
nunca as mãos te doam! 972
nunca dantes navegado 704
Nunca diga — é impossível 858
Nunca diga: desisti 604a
nunca esmorecido 604a
Nunca houve maior engano 536
nunca mais 107
nunca se assevandijar ao serviço de um interesse 942
Nunca se conheceu ou ouviu falar de semelhante coisa 83

Nunca se ouviu | obstáculo insuperável

Nunca se ouviu 83
Nunca se sabe... 475
Nunca se viu 83
Nunca se viu consentida no mundo sua existência 2
nunca tua sombra seja menor! 894
nunca visto 20, 83, 102, 526
núncia 510
núncio 64, 510, 534, 758
nuncupação 564
nuncupato (des.) 564
nuncupatório 527, 784
nundinário 799
núndinas (ant.) 799
nunes 84
nupcial 903
núpcias 903
nupérrimo 123
nuricida 361
nutação 314, 605
nutante 605
nutar 314, 605
nuto 600, 762
nutrição 707
nutrício 298
nutricionista 690
nutrido 192
nutriente 298, 662
nutrimental 298
nutrir 159, 298, 484, 537, 670, 707, 931
nutrir amor por/a 897
nutrir aversão 867
nutrir desejos de vingança 919
nutrir más intenções 907
nutrir suspeitas 475, 485
nutrir um pensamento/uma ideia 451
nutrir um sentimento 821
nutrir uma esperança 858
nutrir veemente desejo de vingança 898
nutrir-se (de) 35, 298
nutritivo 298, 656, 662
nutriz 753
nutrologia 662
nuvem 72, 102, 149, 338, 353, 422, 424, 515, 833, 837
Nuvem caliginosa empana o brilho de sua estrela 735
nuvens acumuladas 512
nuvens de agosto 111
nuvens densas e opacas no horizonte 909
nuvens negras no horizonte 665, 668, 859
nuvens pressagas 669
nuvens purpúreas 126
nuvioso 353, 424

O

O argumento cai por terra 479
O caso é... 494
ó da guarda! 669
O fato é... 494
O que dá o berço a tumba leva 820
O que não se faz no dia de sta. Luzia faz-se em outro dia qualquer 133
O tempora! O mores! 874, 932, 940, 945
Ó tempos! Ó costumes! 940
O.N.U. 724
oaristo 588, 902
oasiano 7
oásis 20a, 44, 168, 342, 834
obbligato 415
obcecação 606, 907
obcecado 481, 499, 825
obcecar 442, 499, 606, 823
obdução 223

obducto 223
obduração 323, 606, 907
obdurado 606
obdurar 323
obdurar-se 823, 914a
obedecendo a um critério/a uma lei 58
obedecer 82, 175, 602, 725, 743, 749, 772, 987
obedecer à espora de 743
obedecer à espora do cavaleiro 743
obedecer à lei do destino 601
obedecer à rotina/às injunções do *magister dixit* 481
obedecer ao chamado 615
obedecer ao leme 705
obedecer às leis da gravidade 306
obedecerem ao mesmo ritmo/compasso 120
obedencial 743
Obediência 743
obediência 602, 725, 749, 772, 926, 928
obediência passiva 743
obediente 602, 743, 879, 886
obedientemente & *adj.* 743
obeliscal 206, 551
obelisco 206, 551, 883
óbelo 495, 550, 551
oberado de dívidas 806
oberar 741
oberar-se 806
obesidade 192, 194
obeso 192, 243, 640
obfirmado 606
obfirmar 606
óbice 706, 751
obiter dicta 134
obiter dictum 228
óbito 360
obituário 360, 594
objeção 462, 468, 706, 932
objetar 462, 468, 479, 485, 489, 708, 764, 932
objetável 462
objetiva 445
objetivação 626
objetivar 278, 316, 518, 522, 600, 620
objetividade 1, 6, 576
objetivo 3, 6, 278, 316, 600, 620, 865
objeto 3, 153, 316, 454, 620
objeto amado 899
objeto da simpatia 897
objeto de controvérsia 461
objeto de desejo 865
objeto de discussão 454
objeto de indiferença 643
objeto de luxo 645
objeto de medo 860
objeto de ódio/de execração 898
objeto de riso e de mofa 930
objeto do pensamento 453
objeto ou causa de riso 857
objetos 798
objurgação 932
objurgar 932
objurgatória 932
objurgatório 932
oblação 763, 784, 990
obladagem 784, 990
oblata 763, 784, 990
oblatar 763, 990
oblato 997
oblíqua 217
obliquamente 217, 940, 945
obliquar 217, 279, 544, 607, 940
Obliquidade 217
obliquidade 243, 244, 279, 520, 940

Obliquidade de julgamento 481
oblíquo 217, 243, 244, 248, 279, 443, 520, 629
obliteração 506, 552
obliteração da memória 506
obliteradamente & *adj.* 552
obliterado 552
obliterar 261, 506, 552
oblivial 506
oblívio 506
oblivioso 506
obliviscendo 506
oblongo 200, 247, 249
oblóquio 708, 874
obnoxiação 886
obnóxio 177, 649, 735, 830, 886, 898, 925
obnubilado 422
oboé 417
oboé diamore 417
oboísta 416
óbolo 784
Obon 998
oboval 247
obóveo 247
obovoide 247
obra 154, 161, 170, 593, 625, 680, 702
obra-d'arte 161, 845
obra de 32, 197
obra de arte 845, 847
obra de circunstância 134
obra de fancaria 643
obra de ficção 515, 594
obra de um instante 111
obra do acaso 621
obra limpa 850
obra manual 161
obrada 784
obradar (ant.) 784
obradeira 997
obrador 164, 690
obragem 161
obrante 157, 170, 644
obra-prima 556, 648, 650, 698, 845
obrar 161, 297, 680, 692
obrar com malícia 940
obrar com prontidão 170
obrar como julgar conveniente 600
obrar sem discernimento 499
obras de sta. Engrácia 110, 133, 275, 730
obras meritórias 944
obras-primas do estilo 569
obrecéu 223
obregão (ant.) 912
obreia 45, 204
obreiro 164, 690
obrepção 702
obreptício 528
ob-reptício 528, 702
obrigação 601, 625, 706, 707, 740, 744, 749, 768, 769, 770, 771, 774, 784, 806, 809, 916, 926
obrigação contraída 768
obrigado 916
obrigado a 744
obrigado por 926
obrigador 906
obrigamento 744, 916
obrigante 906
obrigar 601, 744, 749, 916, 926
obrigar a fé/sua fé 768
obrigar a meter a viola no saco 479
obrigar sua palavra 771
obrigar-me-ei muito disso 916
obrigar-se 768, 770
obrigar-se a 926
obrigar-se a alguém 743

obrigar-se por 771
obrigar-se por juramento 768
obrigatoriamente 744
obrigatoriedade 601, 630
Obrigatoriedade 744
obrigatório 601, 630, 741, 744, 926
ob-rogação 756
ob-rogar 756
obscenidade 852, 961
obsceno 653, 852, 961
obscuração 421
obscurantismo 491
obscurantista 491
obscurantizar 491
obscurecer 61, 421, 422, 424, 431, 519, 874
obscurecer a verdade 477
obscurecer o juízo a alguém 503
obscurecer-se a razão a alguém 519
obscurecer-se rosto a alguém 837
obscurecimento 421, 442
Obscuridade 421
obscuridade 422, 426, 475, 519, 571, 879
obscuro 421, 426, 431, 447, 491, 519, 526, 528, 571, 651, 874, 877, 879
obscurum per obscurius 519
obsecação 481
obsecração 765
obsecrar 765
obsequente 602, 743, 886, 894
obsequiador 784, 816, 894
obsequiar 763, 784, 816, 892, 894, 916
obséquias 363
obséquio 618, 760, 784, 829, 894, 906
obsequiosidade 743
obsequiosidade 784, 886, 894, 906, 928
obsequioso 740, 760, 886, 902, 906, 928
observação 441, 450, 453, 457, 459, 461, 468, 495, 535, 926, 932, 741
observações 522
observações tendenciosas 477
observador 444, 457, 461
Observância 772
observância 80, 82, 613, 926, 955, 998
observância rigorosa das leis da etiqueta/da pragmática 851
observante 772, 926, 996
observar *(prestar atenção)* 441
observar 82, 441, 444, 450, 457, 461, 462, 772, 926, 987
observar as condições de 463
observar as conveniências 498
observar as leis 963
observar atentamente 459
observar o cerimonial 928
observatório 206, 441, 459, 461
obsessão 481, 503, 606, 825, 907
obsesso 503, 504
obsessor 907
obsidente 716
obsidiar 459, 716
obsidional 716, 733
obsolescência 678
obsolescer 124
obsoletar 124
obsoletar-se 124
obsoleto 122, 563, 645, 678, 852
obstaculizar 706
obstáculo 70, 179, 616, 666, 704, 706
obstáculo insuperável 706

obstante 706
obstar 704, 708
obstar a 706, 761
obstar à continuação de 751
obsterger uma ferida 662
obstetrícia 161, 662
obstetrício 662
obstétrico 662
obstetriz 631, 662
obstinação 141, 150, 327, 603, 901a, 951
Obstinação 606
obstinadamente 31, 606
obstinado 150, 173, 327, 603, 604, 606, 616, 704, 719, 880
obstinado na culpa 951
obstinar-se 606
obstringir 43, 744
obstringir cerco 716
obstrito 744
obstrução 261, 263, 706, 742, 751, 761
obstrucionismo 708
obstrucionista 710
obstruir 52, 70, 186, 261, 348, 528, 640, 706, 731, 761, 781
obstrutivo 706
obstrutor 706, 710
obstupefação 823, 870
obstupefato 870
obstúpido 683, 870
obtemperação 462, 468, 743, 762
obtemperar 462, 468, 743, 762
obtenção 775, 777
obter 731, 775, 777, 785, 789, 973
obter a reintegração 660
obter a separação judicial 905
obter como concessão/como favor 785
obter conhecimentos /informações 538
obter *habeas corpus* 750
obter licença 687
obter o consenso geral 931
obter o grau de doutor 873
obter por bom preço 775
obter resultado rigorosamente exato 494
obter um buraco 755
obtestação 765
obtestar 467, 489, 765
obtundente 378
obtundir 174, 254, 376, 378, 823
obturação 261
obturador 706
obturar 261
obtusada 367
obtusado 254
obtusangulado 244
obtusangular 244
obtusângulo 244
obtusão 254, 376, 823
obtusar 261
obtusidade 499
obtuso (ângulo) 217
obtuso 244, 254, 376, 499, 823
obumbração 421, 606
obumbrar 33, 421, 422, 528
obus 727
obuseiro 727
obvenção 775
obverso (de moeda) 234
obviamente 154, 474, 871
obviar 708, 764
obviar a 706
obviedade 80
óbvio *(manifesto)* 446
óbvio 80, 474, 518, 525, 871
ocar 252
ocarina 417
ocarinista 416
ocasião 8, 106, 134, 153, 685
ocasião favorável/propícia 134

ocasião inoportuna/infeliz/desfavorável 135
ocasião propícia 646
ocasionador 153
ocasional 8, 156, 475, 621
ocasionar 153
ocasionar dor 830
ocasionar ensejo de 134
ocaso 67, 124, 142, 278, 360, 449
Occasionem cognosce 134
occídio 361
occipício 235
occipúcio 235
occisão 361
occisivo (des.) 361
oceánico 267, 341
oceânides 341, 979
oceano 102, 192, 208, 639
Oceano 341
oceano de verdura 168
oceanografia 341
oceanográfico 341
ocelado 440
oceta 191
ochas 713
ocidental 236, 278
ocidente 278
ocíduo 278
ócio 460, 681, 683, 687
Ócio 685
ociosamente 133, 377, 681, 683, 687
ocioso 452, 640, 643, 645, 647, 681, 683, 685
óclea 45
oclocracia 737, 877
oclocrático 737
oclusão 261
oco 4, 53, 252, 477, 491, 517, 643, 645, 843
ocorrência 151
ocorrência de tempo 134
ocorrer 1,151
ocorrer a alguém 451
ocorrer à memória 505
ocorrer ao espírito 514
ocorrer casualmente 156
OCR 591
ocra 433, 436, 439
ocráceo 436
ocre 433, 436, 439
ocreoso 433, 439
ocrósia 436
octacordo 413, 417
octaédrico 244
octaedriforme 244
octaétéride 108
octandro 367
Octateuco 985
octeto 415
octingentésimo 99
octodécimo 593
octoedro 244
octófido 99, 367
octofilo 367
octogenário 128, 130
octogésima 108
octogésimo 99
octógino 367
octogonal 244
octógono 244
octonado 597
octonário 98
octópede 440c
octopétalo 367
octossépalo 367
octossílabo 562
octroi 812
octuplicar 98
óctuplo 98
oculação 371
oculado 252, 440, 441
ocular 186, 440e, 441, 445

oculiforme 441
oculis subjecta fidelibus 446
oculista 441, 443, 662
oculística 441
óculo 247, 260, 351
óculos 445
óculos de sol 424
oculoso 440
ocultação 449, 526, 528, 544, 585, 702, 717
ocultamente & *adj.* 528
ocultamento 447, 526, 528
ocultar 447, 528, 539
ocultar à vista 442
ocultar à vista/à observação 528
ocultar fraudulentamente 940
ocultar-se 449, 526
ocultar-se à vista 449
ocultismo 992
ocultista 994
oculto 447, 491, 519, 526, 528, 533, 585
ocupação 186, 625, 644, 680, 692, 722, 777
ocupação primitiva 777
ocupado 625, 682
ocupador 188
ocupante 186, 188, 779
ocupar 186, 294, 722, 777, 781, 789
ocupar a atenção/a ideia/o pensamento/o espírito/as vistas 457
ocupar a pasta de 693
ocupar a presidência 693, 737
ocupar a tribuna 582
ocupar lugar no espaço 316
ocupar o lugar devido 58
ocupar o tempo 106, 625
ocupar um cargo 737
ocupar um emprego/um cargo/uma função 625
ocupar um lugar de decisivo relevo 642
ocupar um lugar na memória 505
ocupar um posto 737
ocupar uma grande área 31
ocupar/ encher um lugar 71
ocupar-se 588, 676, 682, 686
ocupar-se com 457, 625
ocupar-se com bagatelas 681
ocupar-se com futilidades 683
ocupar-se com o maravilhoso 549
ocupar-se com os seus negócios 625
ocupar-se de 459, 680
ocupar-se de um assunto 595
ocupar-se de uma questão por diversas formas e pontos de vistas opostos 476
ocupar-se em termos elogiosos 931
ocursar 151
odalisca 215, 746
odaxismo 127
ode 597
ode pindárica 597
Odeiem mas temam 739
odelar 240
Odeon 416, 597
Oderint dum metuant 739
odiado 649, 898
odiar 867, 898
odiar a mentira 543
odiável 867, 898
odiento 846, 898, 907, 919
Odin 979
Ódio 481, 649, 713, 867, 889, 900, 907, 932
Ódio 898
Ódio com ódio se paga 718, 898

ódio inextinguível/mortal/implacável/figadal/incontido/encarniçado/de morte/entranhado 898
ódio mortal 898
ódio teológico 988
odiosamente 898
odiosidade 898
odioso 649, 830, 846, 898, 907, 923, 932, 945
odisseia 594, 665, 872
Odisseia 873
odisseico 873
odium theologicum 988
odometria 692a
odontagogo 301
odontagra 378
odontalgia 378
odontálgico 378, 662
odontoide 253
odontologia 662
odontose 127
odontotecnia 662
Odor 398
odor 400
odorante 398, 400
odorar 398
odorífero 398, 400
odorífico 398, 400
odorifumante 400
odoro 398, 400
odorosamente & *adj.* 398
odoroso 398, 400
odragão infernal 978
odre 191
odre de vinho 959
oequam servare mentem 826
oequo animo 823, 826
oere perennius 873
oés-noroeste (W.N.W. ou O.N.O.) 278
oés-sudoeste (W.S.W. ou O.S.O.) 278
oeste (W. ou O.) 278
oeste 236
úuvre 161
ofegante (vento) 349
ofegante 821
ofegar 349, 402a, 405, 688, 821
ofego 349, 402a, 405, 688, 821
ofegoso (vento) 349
ofegoso 688
ofeguento 688
ofender 179, 568, 649, 716, 830, 895, 964
ofender a estética 846
ofender a pituitária 401
ofender a reputação de 934
ofender o bom senso 497
ofendículo 706
ofensa 649, 716, 742, 832, 874, 900, 907, 930, 947
ofensiva 716, 722
ofensivamente 929
ofensivo 649, 653, 716, 726, 830, 867, 895, 898, 929, 930, 934
ofensor 649, 716
oferecer 153, 467, 609, 763, 784, 796
oferecer à consideração de alguém 514
oferecer à escolha de alguém 609
oferecer a mão 707
oferecer à memória 505
oferecer a mesma face 16
oferecer a missa 998
oferecer à venda 763
oferecer aspecto diferente 15
oferecer combate 715
oferecer em holocausto 952
oferecer em leilão 763
oferecer faltas e lacunas 651

oferecer o colo ao jugo | onde o diabo perdeu as botas

oferecer o colo ao jugo 725
oferecer probabilidade de êxito 858
oferecer sacrifício 990
oferecer seu nome/a mão de esposo 903
oferecer seus préstimos a 763
oferecer seus préstimos a alguém 707
oferecer vítimas 991
oferecer/apresentar renúncia 757
oferecer-se 446, 602, 763
oferecer-se à contemplação/à admiração 446
oferecer-se aos maiores perigos 861
oferecer-se voluntariamente 600
oferecido 763, 799
oferecido à prostituição 961
oferecimento 763
oferenda 763, 784
oferente 763
oferta (p. op. a *procura*) 796
Oferta 763
oferta 784, 815
oferta e procura 12, 148, 794
ofertamento 763
ofertante 763
ofertar 763, 796
oferteira 997
ofertório 990, 998
offset 591
ofiase 226
oficiador 996
oficiais do mesmo ofício 708, 921
oficial 474, 494, 553, 625, 690, 737, 745, 965
oficial da alma 996
oficial de justiça 963, 965
oficial do mesmo ofício 891
oficial mecânico (pejorativo para) 701
oficialidade 745
oficialmente 737
oficiante 996
oficiar 527, 592, 998
oficina 144
Oficina 691
oficinal 691
ofício 170, 592, 620, 625, 690, 995
ofício de corpo presente 363
ofício divino da missa 998
ofício dos defuntos 998
ofício-circular 531
oficiosamente 942
oficiosidade 682, 906
oficioso 602, 682, 737, 894, 906, 942
oficlide 417
ofídico 412
ofídio 412
ofidismo 663
ofiófago 298
ofiologia 368
ofiomancia 511
ofsete 591
oftalgia 443
oftalmagia 378
oftalmia 443
oftalmiatro 443
oftálmico 441
oftalmografia 441
oftalmologia 441, 662
oftalmologista 441, 443
oftalmoscopia 441
ofuscado 426
ofuscamento 420, 667
ofuscante 420, 428
ofuscar 33, 420, 442, 483, 523, 528, 679

ogã 996
ogem os anos 106
ogiva 245, 1000
ogival 245
ogro 83, 192, 846, 860
Ogum 979
Oh tempos! Oh costumes! 945
O-higan 998
oio 98
oitante 247
oitão 236
oitava 319, 990
oitava maravilha 642
oitava maravilha do mundo 872
oitavar 99, 240, 244
oitavário 990
oitavo 99, 593
oitenta 98
oitentão 130
oitiva 418
oito 98
ojeriza 610, 867
o.k.! 931
olá! 488, 870
olaria 384, 557
olé! 488, 870
oleado 223, 340, 356
oleaginoso 355
oleaginoso 355
olear 332, 356, 670
oleção de mapas 72
oleicultura 371
oleífero 355, 367
oleificante 355
oleificante/oleígeno 367
oleifoleado 367
oleígeno 355
oleíla 356
oleína 356
olente 398, 400
óleo (pintura) 692a
óleo 332, 355, 556, 662
Óleo 356
óleo de babaçu 356
óleo de carrapato 356
óleo de castanha 356
óleo de colza 356
óleo de linhaça 356
óleo de mamona 356
óleo de rícino 356
óleo lubrificante 356
óleo mineral 356
oleografia 554
oleogravura 554
oleol 356
oleolado 356
oleolato 356
oleômetro 356
óleos fixos 356
oleosidade 356
oleoso 255, 332, 355
olericultura 371
oleum addere camino 35, 173
olfação 398
olfatar 398
olfativo 398, 440e
olfato 398, 465
olfatório 398
olfertum 401
olga 342
olha 20a, 41, 298
olha podrida 41
Olha que te conto uma história! 909
olha! 457
olhada 441
olhadela (pop.) 441
olhado 992, 993
olhadura 441
olhalva (reg.) 168
olhalvo ou olhibranco 440a
olhapim 792

olhar 441, 451, 457, 459, 484, 550
olhar alguém por cima dos ombros 930
olhar amoroso 897, 902
olhar ardente 900, 902
olhar com bons olhos 906
olhar com cobiça 921
olhar com desprezo 930
olhar com olhos de inveja 921
olhar com os olhos de 481
olhar com os próprios olhos 459
olhar com simpatia 906
olhar com sobranceria 885
olhar de cheio 234
olhar de esguelha 867
olhar de esguelha/de soslaio 443, 932
olhar de lado/de soslaio 930
olhar de palanque 187
olhar de relance *(negligência)* 457
olhar de relance 460
olhar de soslaio 489
olhar do dono 459
olhar em sinal de provocação 715
olhar espantado 870
olhar o dia de amanhã 817
olhar os outros por cima dos ombros 878
olhar para 441, 914
olhar para alguém a fito 441
olhar para o céu 683
olhar para o dia de amanhã 864
olhar para o futuro 121
olhar para outro lado 458
olhar por cima dos ombros 878, 885
olhar por si 864
olhar severo/sisudo 895
olhar sobranceiramente 878
olhar somente um lado da questão 481
olhar torvo 901a
olharapo 792
olhares ameaçadores 909
Olhe! 441
olheirão 348
olheiras 839, 848
olheiro 348, 444, 527, 694
olhento 252
olhinegro 431, 440d
olhizaino 443
olhizarco 440a, 440d
olho 72,129, 194, 440e, 457
Olho da Providência 976
olho de Argos 459
olho de boi 260, 420a
olho de gato 847
olho do dono 693
olho nu/desarmado 441
olho por olho 30,148, 718
olho vesgo da má-fé 702
olho vivo 450
olho vivo! 459, 668, 682
olho-diágua 348
olho-grande (pop.) 921
olhos 441, 445
olhos aquilinos/de águia/de lince 441
olhos avinagrados 901
olhos avinhados 959
olhos baixos 881
olhos bugalhados 441
olhos de basilisco 898
olhos de gato 441
olhos de lince 498
olhos envidraçados 360
olhos envinagrados/reluzentes de indignação/de basilisco/que chamejam ira 900

olhos grandes à flor do rosto 443
olhos maganos 702
olhos pisados 839
olhos que o pranto umedece 839
olhos rasos de lágrimas 839
olhos rociados de lágrimas 839
olhos vesgos da má-fé 481
olhudo 243, 440d
olíbano 356a, 400, 990
oligarca 745
oligárguico 737
oligarquia 737
olimpíada(s) 720, 840
olímpico 873, 882, 981
Olimpo 981, 1000
olimpo 189
oliva 435
oliváceo 435
olival 371
olíveo 435
olivicultor 371
olivicultura 371
olodum 840
olor (poét.) 398, 400
olorar 400
oloroso 400
olvidado 506
olvidar 506
olvidável 506
olvido 506, 866
omacefaliano 83
omacéfalo 83
omalgia 378
ombrear-se 27, 709
ombreira 66, 231, 260, 294
ombridade 826, 861
ombro 159, 686
ombro a ombro 88, 199, 236, 709, 712, 888
ombro a ombro com 178
ombrômetro 348
ombros dos montes 210
ômega 67
omeleta 298
ominar 511
ominoso 511, 649, 735, 874, 909, 945
ominuir 51
omissão 2, 53, 77, 495, 528, 609a, 623, 641, 651, 678, 732, 773, 947
Omissão 55
omisso 2, 77, 187, 452, 460
omitido 77
omitir 53, 55, 77, 201, 460, 495, 552, 773
omitir-se 460, 623
Omne tulit punctum 731
omnia suspendens naso 868
omnibus ungulis 686
omnibus virtutibus politus 939
omnilíngue 490
omnium 72
omnium gatherum 59
omnívoro/onívoro 957
Omulu 979
onagro 271
onanismo 961
onça 159, 173, 309, 319, 441, 861, 913
oncocercose 655
oncologia 662
onda(s) 149, 151, 248, 314, 341, 348
onda gigante 315
onda salgada 341
ondas de 639
ondas encapeladas 341
onde 186
Onde fala o ouro, cala a razão 803
onde o diabo perdeu as botas 196

onde o sapato aperta 708, 822
onde quer que 180
Onde se dão, aí se levam 718
onde se viu semelhante coisa? 870
onde terá segura a curta vida 664
ondeado 248
ondeante 248
ondear 149, 245, 248, 256, 311, 314, 348, 349
Ondim/ Ondina 897
Ondina 979
ondulação 16a, 248, 256, 270, 314,
ondulado 248
ondulante 315
ondular 149, 245, 248, 314
ondulatório & v. 314
ondulina 652
onduloso 248
oneração 787
onerado 806
onerado de dívidas 806
onerar 319, 649, 659, 704, 706, 830
onerar de tributos 812
onerário 215
onerar-se 806
onerosidade 704
oneroso 319, 649, 704, 706, 814, 830
ones ou nunes 84
one-step 840
ônfalos 68
onfinante 199
onglete 558
onibebedor 959
ônibus 272
onicolor 440
onicomancia 511
onicrítico 511
onifário 81
oniforme 16a, 20a, 81, 240
onigênero 81
onigeno 81
onímodo 78, 81
oniparente 168
onipatente 525, 531
onipotência 157, 976
onipotente 157, 159, 175, 601, 976
onipresença 186, 976
onipresente 186, 525, 976
onirismo 515
onirocricia 511
onirocrítica 511
onirocrítico 513
onirodinia 266
oniromancia 511
oniromante 513
onisciência 490, 976
onisciente 490, 976
onissapiência 976
onividência 186, 976
onividente 186, 976
onívoro 298, 865
ônix 440, 847
online 527
onocentauro 83
onomancia, nomancia ou onomatomancia 511
onomasta 564
onomástico 564
onomatologia 564
onomatológico 564
onomatopeico 563, 564
onomatopeia 19, 560, 564, 569
onomatopeico 562
onomatópico 563, 564
onóxilo 50
onstipação 261
onsunção patológica 160

ontem 122
ontologia 1
ônus 319, 625, 706, 755, 809, 812, 830
onus probandi 475, 485
onusto 52, 190, 319, 706, 830
onze 98
onzena 819
onzenar 532, 819, 907
onzenário 819, 949
onzenear 532, 819
onzeneiro 532, 626, 702, 819, 949
onzenice 532, 626, 907
ooforalgia 378
opa 999
Opacidade 426
opacidade 353, 571
opaco 190, 321, 421, 422, 426, 447, 519, 571
opado 324, 878, 880
opala 847
opalanda 999
opalescência 427, 440
opalescente 427, 440
opalescer 428
opalino 427, 440
opção 600, 609
opcional 600, 609
ópera 415, 580, 597, 599, 692a
ópera bufa 599
ópera burlesca 856
ópera séria 599
operação 170, 625, 680, 722, 794, 800
operação cesariana 301
operação cirúrgica 662
operação padrão 133, 603
operação tartaruga 133, 603
operacional 170
operações aritméticas 85
operações do espírito 451
operador 662, 690
operante 170, 680
operar 161, 170, 662, 692
operar contra 708
operar grande transformação 146
operar milagres 731
operar uma transformação 140
operário 690
operativamente & *adj.* 170
operativo 170
opercular 261
operculiforme 261
opérculo 223, 263
opereta 415, 599
operosidade 625, 682, 686
operoso 157, 644, 680, 682, 686
opiar 174, 376
opidano 188
opífero (poét.) 707
opífice (desus.) 690
opifício 686, 691
opilação 706
opilante 706
opilar 706
opilativo 706
opilência 315, 655
opimo 168, 639, 648, 775, 803, 810
opinante 609
opinar 480, 609
opinativo 472, 475, 477
opinável 472, 475
opinião *(crença)* 480
opinião 453, 480, 484, 626
opinião abalizada 490
opinião pública 609
opinião pública/popular/corrente/dominante/prevalecente 488
opiniático 481, 606, 880

opinionista 474
opinioso 481, 606, 880
ópio 376, 663
opiófago 298, 683
opíparo 298, 394, 639, 882
opistógrafo 235
oponente 536, 708, 891
Oponente 710
opopânace 356a
opópanax ou opopônax 356a
opor 464, 468, 706, 932
opor formal desmentido 468, 708
opor formal desmentido/formal contestação 536
opor resistência 323, 719
opor-se 24, 179, 237, 462, 603, 708, 719, 720, 742, 764
opor-se com firmeza 708
oportunamente & *adj.* 134
Oportunidade 134
oportunidade 8, 617, 646
oportunidade favorável/feliz/áurea/benvinda/auspiciosa 134
oportunismo 607, 646
oportunista 607, 943
oportuno 23, 134, 646
oposição 14, 24, 138, 179, 237, 462, 489, 536, 706, 719, 720, 742, 761, 932
Oposição 708
oposição implacável 719
oposição voluntária 179
oposicionista 489, 710, 742, 832
opositivo 462
opositivos de cabelo 440e
opositivos de dente 440e
opositivos de mão 440e
opositivos de partes do corpo 440e
opositivos de pé 440e
opositor 489, 708, 710, 891
opostamente & *adj.* 237
oposto 14, 237, 603, 708, 889, 891
oposto à boa ordem 59
oposto à verdade 546
opostos 237
opressão 378, 649, 739, 749, 830, 925, 964
opressivo 159, 382, 739, 830
opressor 722, 739, 830, 907, 913
oprimido 725, 739, 828, 837, 925
oprimido pelas necessidades 804
oprimir 319, 907, 649, 739, 744, 749, 830
opróbrio 874
oprobrioso 874
opsiometria 441
optação (ret.) 865
optar 600, 604, 609
optativo 865
óptica 420, 441
óptico 441, 633
optimacia 875
optimates 175
optime! 931
optometria 441
opugnação 610, 708
opugnar 708, 716
opugnável 158
opulência 168, 577, 639, 648, 734, 803, 882
opulência de palavras 577
opulentado 639
opulentado de glórias 873
opulentar 803
opulentar glórias 873
opulentar-se 639
opulento 168, 574, 639, 803

opúsculo 593
oque 276
oquete (pop.) 45
Ora muito obrigado! 485
ora pois 476
ora sim ora não 70
ora sus! 615
oração 566, 582, 586, 765, 990
oração fúnebre 363, 586
oração jaculatória 990
oracional 566
oraçoeiro (ant.) 998
oracular 475, 494, 511, 985
oráculo 462, 474, 494, 500, 512, 524, 534
Oráculo 513
oráculo de Delfos 513, 520, 526
orada 1000
orador 524, 582
orago 513, 707
oral 440e, 564, 580, 582
oralmente & *adj.* 580
orangotango 366
orar 582, 990
orar pela alma de 363
orate 504
oratória 582
oratório 415, 580, 582, 1000
orbe 247, 249
orbe do dia 318
orbícola 189, 264, 372
orbicular 247, 249
órbita 233, 247, 278, 311, 318, 625, 627, 692
orbital 311
orbitalmente 311
orbitante 311
orbitar 311
orbitário 252
orbívago 264
orçal (bras.) 45
orçamentária 811
orçamento 466, 625, 811
orçamentólogo 801, 811
orçar 85
orçar em 812
orchata 387
orcino 746, 750
orco (poét.) 363, 982
orçol 250
ordação (ant.) 714
ordália 463, 828
ordália/ ordálio 992
ordeiro 129, 721, 743
ordem 7, 26, 75, 80, 138, 242, 459, 639, 697, 721, 741, 800, 873
Ordem 58
ordem das coisas 80, 82
ordem de batalha 722
ordem de coisas 693, 737
ordem de pagamento 800
ordem de sucessão 63
ordem do dia 151, 626, 741
ordem do mérito militar 876
ordem é rica e os frades são pobres, A 818
ordem formal 741
ordem imutável dos acontecimentos 601
ordem inversa 218
ordem militar 876
ordem natural 82
ordem permanente 613
ordenação 58, 60, 741, 755, 963, 995, 998
ordenada 84, 200, 466
ordenadamente 58
ordenado 58, 60, 601, 809, 924
ordenados 810, 973
ordenamento 60
ordenança *(indo atrás)* 235

ordenança | otoscópio

ordenança 65, 88, 281, 726, 741, 746, 886, 963
ordenar 60, 737, 741, 755, 924, 995
ordenar antecipadamente 152
ordenar com império 926
ordenar como soberano/com soberania/com império/sem admitir reflexão 741
ordenar(-se) 58, 995
ordenhar 301
ordens sacras/menores/maiores/de presbítero/de diácono/de subdiácono/de porteiro/de ostiário/de exorcista/de acólito 995
ordinado 996
ordinando 996
ordinária 809
ordinariamente 31
ordinário 34, 80, 544, 613, 643, 645, 651, 852, 871, 877, 940
ore rotundo 577
oréades 979
orelha 418, 440e
orelhudo 271, 499, 606
oreografia 206
oreográfico 206
oressa 349
órfã 129
orfanar 87, 360, 361, 641, 789
orfanato 624, 910
orfandade 87, 624
orfanologia 963
orfanológico 963
órfão 44, 87,129,158, 167
orfeão 415
orfeico 415, 416
orfeônico 580
Orfeu 416
organeiro 690
orgânico 5, 7, 329, 357, 440e, 635
organismo 3, 329
organismo de gelatina 605
organismo informe 643
organismos vivos 357
organista 416
organização 54, 60,161, 240, 316, 329, 625, 626
Organização 357
organizado 58, 357
organizador 164, 593, 626
organizar 54, 58, 60, 161, 626
organizar um partido 712
organizar uma sociedade/companhia/quadrilha/comandita 709
organograma 625
órgão 1, 357, 402, 417, 441, 450, 524, 527, 534, 580, 582, 593, 631
órgãos acústicos 418
órgãos da nação 745
órgãos do tato 379
órgãos genitais 440e, 961
orgásmico 897
orgasmo 173, 212, 377, 827, 897
orgástico 829
orgia 59, 639, 640, 959, 961
orgia de gastar 818
orgíaco 59, 954
orgias 954
orgolão 297
orgulhar 878
orgulhar-se 878
orgulhar-se de 873, 878
Orgulho 878
orgulho 880
orgulho desmedido 878
orgulhosamente & *adj.* 878

orgulhoso 878, 885, 930
orientação 58, 278, 537, 550, 692, 693, 695, 741
orientado 278
orientador 540
orientar 60, 537, 693
orientar a atenção 451
orientar os passos 692
orientar-se 278
oriente 278
oriente e ocidente 237
orifício 198, 260
orifício que comunica o estômago com o intestino 440e
intestino 440e
oriforme 231, 260
Origan 998
origem 66, 153
originador 164
original 18, 20, 22, 83, 153, 503, 515, 550, 608
Originalidade 20
originalidade 18, 79, 83, 503, 515, 600, 608
originalmente & *adj.* 20, 153
originar 66, 153
originário 154, 600
originar-se de 154
originismo 984
orilha 231
Órion 318
oriundo da mais humilde camada social 877
oriundo de 154
orixá 979
orizícola 371
orizicultura 371
orizívoro 298
orizófago 298, 366
orkut 534, 840
orla 39, 67, 193, 197, 230, 231
orladura 229, 231
orlar 227, 229, 230
orminos 161
Ormuzd 979
ornado 577, 847
ornado de imagens 578
ornado de todas as virtudes 939
ornador 847
ornamentação 847
ornamental 845, 847
ornamentar 845, 847, 873
ornamentista 847
ornamento *(de discurso)* 573
ornamento 577, 873
Ornamento 847
ornar 161, 577, 845, 847
ornar o discurso 582
ornar o discurso com retórica 582
ornar-se de verde 435
ornato 558, 577, 847
ornatos ridículos 852
ornear 412
orneio 412
ornejar 412
orno 412
ornitofonia 412
ornitologia 368
ornitomancia ou ornitoscopia 511
ornitose 655
orogênico 206
orognosia 206
orografia 206
orográfico 206
orologia 206
orológico 206
orosfera 342
órpido 172
orpulência 159

orquestra 413, 415, 417, 599, 692a
orquestra de câmera 415, 692a
orquestrar 415, 416
orquialgia 378
orte 44, 67
ortela 198, 263
ortilha 247
ortivo 66
orto 66
ortodáctilo 440c
ortodonte 440c
Ortodoxia 494
Ortodoxia 983a
ortodoxo 82, 494, 983a
ortodromia 246
ortodrômico 246
ortoédrico 212
ortoépia prosódia 580
ortoépico 580
ortofonia 580
ortofrenia 537
ortogonal 244
ortogonalidade 246
ortógono 212, 244
ortogontal 212
ortografar 590
ortografia 561, 567
ortografia etimológica/fonética/simplificada 561
ortografia fonética 562
ortográfico 561, 562
ortolexia 580
ortologia 580
ortológico 580
otometria 466, 597
ortopedia 243, 662
ortopedista 243
ortopneia 349
ortuito 156
orvalhado 339
orvalhar 335, 339
orvalho 339, 348
orvalhoso 339
Os seus dias estão avaramente contados 360
oscilação 138, 149, 605
Oscilação 314
oscilações do barômetro 338
oscilante 314
oscilantemente & *adj.* 314
oscilar 214, 279, 314, 422, 605
oscilar entre os dois extremos 149
oscilatório 314
oscitação 260, 683
oscitante 260
oscitar 198, 260, 683, 841
osco 225
osculação 199
osculador 199
oscular 17,199, 902
oscular suavemente 174
osculatório 191, 199, 998, 1000
ósculo 199, 894, 902
osga 898, 913
Osíris 979
osmanli 983a
ósmico 318
osmologia 398
osmorama 78
ossada 40, 50, 215, 329, 362
ossama 40
ossamenta 329, 362
ossaria 40, 362
ossário 363
ossatura 50, 215, 329, 362
ósseo 323, 440e
ossificação 323
ossificado 323
ossificar 323, 823

ossificar-se 150
ossífico 323
ossífrago 159
ossívoro 298
osso 3, 321, 323, 426
osso da coxa 440e
osso da perna que fica do lado da tíbia 440e
osso do antebraço 440e
osso do braço 440e
osso duro de roer 704
osso que forma o antebraço 440e
ossos 362
ossos do ofício 704
ossouro 253
ossuário 363
ossuoso 323
Ostara 998
ostealgia 378
ostensão 882
ostensivamente & *adj.* 617
ostensível 472
ostensivo 448, 472, 525, 617
ostensor 882
ostensório 448, 1000
ostentação 448, 525, 642, 851, 852, 855, 878, 880, 882, 884
Ostentação 882
ostentação de forças 673
ostentador 882
ostentadoramente 882
ostentar 367, 525, 882
ostentar a cor branca 430
ostentar bazófia 884
ostentar beleza 845
ostentar distinção 884
ostentar louçania 168
ostentar luxo 882
ostentar viço 845
ostentar-se em 1
ostentar-se em público 882
ostentosamente 882
ostentoso 525, 577, 882
osteoporose 655
osteozário 366
osteozoário 440c
óster 230
ostergar 282
ostiarato 995
ostiário 263, 997
ostíolo 260
ostra 412
ostráceo 366
ostracismo 735, 893, 932
ostrar-se sem vegetação 169
ostras (diz-se de) em que se formam pérolas 440c
ostrino 434
ostro 234, 434
otalgia 378
otálgico 378
otaréu 215
otário 547
otens corpori 159
otentator 978
oticismo 572
ótico 418
otimamente & *adj.* 648
otimamente 31, 618
otimates 875
otimismo 482, 831, 836, 858
otimista 482, 836, 858, 935
otimização 625
ótimo serviço 618
otium cum dignitate 681, 685
otocéfalo 83
otodinia 378
otologia 418
otomana 215
otorrrinolaringologia 662
otoscópio 418

ou por outra | paixão

ou por outra 516
ou um ou outro 609
ou... ou... 609
oubliettes 752
Ouça o rei o que ordena a lei 922
oura 158
ouracho 226
ourar 158, 503, 959
ourela 231
ourelo 231
ouriçado 704
ouriçar 212, 824
ourichuvo 436
ouriço 253
ouriço-cacheiro 256
ourives 559, 690, 847
ourivesaria 691, 692a, 847
ouro 42, 420, 436, 439, 800
ouro da Tolosa 735
ouro em barra 800
ouro em pó 948
ouro falso 643
ouro no azul 648
ouro ou prata de lei 648
ourolo 189, 227
ouropel 420, 517, 544, 545, 577, 643, 847, 852
ousadia 861, 885
ousadia excessiva 863
ousado 665, 885
ousamento 861
ousar 861, 863
ousar dizer 514
ousio 861
ouso dizer 484
Ouso dizer-lhe que... 535
outar 465
outdoor 531
outeirinho 206
outeiro 206, 250, 342
outeiro divisório 233
outo 40
out-of-date 124
outono 108, 124, 383a
outono da vida 128
outorga 760, 784
outorgação 755
outorgamento 760, 784
outorgar 760, 784, 816
outorgar foros de 484
outra porta, que esta não se abre, a! 764
outra vez 90, 104, 123
outra vida 360
outré 549, 853
outrem 372
outro 15, 17, 44
outro mundo 152
outro ofício! 699, 932
outro par de sapatos 15
outro que tal 17
outro tal 17
outro tanto 90
outrora 122
outrossim 37
outsider 614
Ouve o que cada um diz 922
ouve! 418
ouverture 415
ouvi dizer 532
ouvido 418, 440e
ouvido de percevejo 418
ouvido sensível/agudo/fino 418
ouvidor 418, 745, 967
ouvidos dependentes da boca de alguém 457
ouvidos em alguma coisa 457
ouvinte 418, 541
ouvir 418, 457, 527
ouvir a dúplice/semidúplice 998
ouvir a parte contrária 922

ouvir alguém de sua justiça 922
ouvir até o fim 457
ouvir atentamente 602
ouvir cantar o galo e não saber onde (pop.) 495
ouvir missa 990
ovação 462, 873, 883, 931
ovado 249
oval 200, 247, 249, 733
óvalo 847
ovante 282, 731, 836, 838
ovar 931
ovário 370
oveiro 440b
ovelha 129, 366, 374, 412
ovelha tresmalhada 489
ovelha tresmalhada/negra 949
ovelha, vozes de 412
ovelhada 129
ovelhas 997
ovelheiro 370
ovelhum 412
ovença 691
óveo 249
over-head 809
oviário 72, 129
ovículo 847
oviduto 260
ovil 189, 370
ovino 412
ovinocultura 370
ovípara 168
ovíparo 366
ovívoro 298
ovo 66, 153, 249, 440e
ovoide 249
ovos podres 401, 929
ovovíparo 440c
ovulação 295
ovular 249
ovuliforme 249
óvulo 249
Oxalá 979
Oxalá! 765, 858, 865
oxidação 659
oxidar 124, 659
oxigenado 656
oxigenar 334, 648, 656
oxigenar o organismo 656
oxigênio 334, 338, 648, 656
oxígono 244
oxítono 562, 580
Oxóssi 979
Oxum 979
ozena 401

P

p a pá 19, 494
pá 386, 652
pá de cal 67, 729, 732
pabola 887
pabulagem 884
pábulo 298, 516, 547, 635, 884, 887
pábulo mental 454
pabulum 298
paca 72
pacacidade 174, 265, 721, 826
pacatez 174, 265, 721, 757, 826
pacato 721, 743, 826
pacau 840
pace 760
pace tanti nominis 928
paceiro 607, 933, 935
pachecal 499
Pacheco 501
pachochada/pachouchada 497, 961
pachola 501, 683, 844, 962
pacholice 497, 499, 880, 961
pachorra 133, 265, 275, 683, 685, 823, 826

pachorrento 133, 275, 683, 685, 823, 826
pachorrice 275
pachouchada 499
paciência 604a, 826, 840
paciência beneditina 604a
paciência de Jó/de beneditino 826
paciente 547, 721, 826, 831, 971, 975
pacificação 174, 714, 721, 918
Pacificação 723
pacificador 723, 724
pacificar 174, 616, 721, 723, 918
pacífico 174, 602, 714, 721, 723, 826
paço 189
pacote 25, 31, 72
pacotes (gír.) 800
pacotilha 190
pacotilho 25, 32, 643
pacóvio 499
pacóvio 501, 547
pactário 769
pactear 769
pacto 23, 46, 676, 709, 712, 723, 769
pacto federal 963
pacto fundamental 963
Páctolo 803
pactuado & *v.* 769
pactuar (com) 23, 605, 607, 709, 769
pactuário 758
padaria 691
padecedor 828
padecente 828, 971
padecer 378, 655, 821, 828
padecer com uma dor 378
padecer da cabeça 503
padecer de extrema inópia 804
padecer fome e sede 865
padecer seu quinhão de dor 828
padecimento 378, 619, 655, 828, 832
padeiro 690
padejar 686, 690
padieira (parte superior de janela/porta) 206, 210
padieira, verga x limiar, liminar, soleira 237
padieira, verga x parapeito, peitoril 237
padiola 215, 272, 363
padixá 745
padralhada (depr.) 996
padrão 22, 26, 75, 80, 82, 233, 240, 466, 744, 813, 650
padrão monetário 800
padraria (depr.) 996
padrar-se 995
padrasto 166, 206
padre 995, 996
padre de réquiem (depr.) 493, 996
Padre/Pai Eterno 976
padreada 161
padreador 164, 373
padreca/o (depr.) 996
padre-mestre 493, 500, 540, 941
padres apostólicos 985
padrinho (de duelo) 480, 967
padrinho 444, 664, 711, 717, 903, 912
padroado 175, 664, 707, 995
padroeira de Paris 977
padroeiro 664, 711, 968, 977
padroeiro dos trabalhadores e da família 977
padronizar 78

pães e peixes 734
paga 807, 809, 973
pagador 801, 807
pagadoria 802
pagamento 800, 809, 973
Pagamento 807
pagamento adiantado 809
paganismo 984, 989, 991
paganizar 989, 991
pagante & pagador & *v.* 807
pagante 801, 807
pagão 565, 795, 807, 809, 984, 989
pagar a multa 952, 974
pagar às ou por pagelas 807
pagar bem/de contado/à vista/em boa moeda/de seu bolso 807
pagar caro 828
pagar caro uma fantasia 647
pagar caro/as favas 972
pagar com a vida 360
pagar de contado 973
pagar demasiado 814
pagar na mesma moeda 718
pagar o censo à morte 360
pagar o censo comum 360
pagar o patau/o pato/os paus 547
pagar o pato 828
pagar o tributo à natureza 360
pagar pela rasa 819
pagar por honra da firma 939
pagar sob protesto 808
pagar tributo a 828
pagar tributo às contingências humanas/à natureza 945
pagar-se com 677
pagar-se com as próprias mãos 789
pagar-se de suas próprias mãos 807
página 51, 591, 593
paginação 85
paginação computadorizada 591
paginador 593
paginar 85, 591
páginas de um diário 594
pago(s) 189, 807, 919
pagode 415, 840, 991, 1000
paguilha 807
Pai 13
pai climatérico 128
pai da pátria/da nação 759, 912
pai da vida (fam.) 740
pai de égua 373
pai de santo 996
pai do mal/da mentira 978
pai e mãe 11
pai nobre 599
pai velho 522
painel 554, 556, 588, 594
paio 41
paiol 636
pairar 206, 264, 267, 320, 909
pairar como ameaça 665
pairar como um pesadelo 475
pairar entre duas opiniões 605
pairar no ar 526
pairar no mesmo nível 27
pairar nos ares 507
pairar num nível elevado 33
pairar sobre 152
pairar uma dúvida 485
pairarem no ar interrogações sobre 475
país 181, 342
país das fadas 515
país de cocanha 639
paisagem 441, 448, 556, 692a, 845
paisagista 559, 690
paisista 559
paixão 173, 481, 820, 821, 824, 825, 865, 897, 900, 923

paixão avassaladora/tirânica | pantanoso

paixão avassaladora/tirânica 820
paixão pelas letras/pelos livros 490
paixão predominante 865
Paixhan 727
paixões carnais 961
pajé 745, 994
pajem 717, 746
pala 424, 530, 545, 546, 666, 999
palacego 189, 875, 933, 935
palacete 189
palacianismo 933
palaciano 189, 607, 875, 933, 935
palaciego 933
palácio 189, 875
paladar 390, 465
paladinamente 525
paladino 268, 490, 664, 717, 726, 861
paládio 664, 666
palafita 215
palafrém 271
palafreneiro 746
Palam qui meruit ferat 873
palamalhar 840
palamalho 840
palamenta 72
palanca 215, 717
palancar 717
palanfrório 477, 517, 573, 584
palangana 191, 215
palanque 441, 599
palanquim 215, 272
palão (chulo) 546
palatal 390
palatinal 390
palatino 390, 745, 875
palato 390, 440e
palavra 535, 560, 562, 768, 771
palavra dada/empenhada 768
palavra de Deus 985
palavra de honra/de rei 768
palavra de ordem 741
Palavra de rei não volta atrás 768
palavra divina 985
palavra é prata, o silêncio ouro, A 585
palavra fácil 569
palavra muito autorizada 474
palavra por palavra 19
Palavra puxa palavra 713
palavrada 517, 884, 961
palavrão 929, 961
palavras 884
palavras açucaradas/adocicadas/melífluas 544
palavras afetuosas 892
palavras amargas/ríspidas/duras/desagradáveis 932
palavras amigas 902
palavras ásperas/agressivas 895
palavras bombásticas 577
palavras cruzadas 840
palavras de mel 829, 902
palavras desabridas 713
palavras melífluas 617
palavras melífluas/adocicadas 615
palavras melífluas/mesuradas/de mel/doces 894
Palavras não enchem barriga 931
palavras ocas 517, 546
palavras que quebram os dentes/que deslocam as mandíbulas 579
palavras retumbantes 577
palavras rituais 80
palavras sacramentais 632
palavreado 477, 517, 563, 573, 584, 588

palavreado desnecessário 573
palavreado oco 517
palavreador 584
palavrear 584
palavreiro 573, 584
palavrões 720
palavrório 517, 573, 584
palavroso 517, 573, 577, 584
palco (de) 599, 649, 728
pálea do cálice 999
paleáceo 367
paleaço 605
palear 545
palega (asiát.) 273
paleio 517, 588
paleografia 122, 522, 560
paleógrafo 122, 525
paleologia 122, 560
paleontografia 122
paleontologia 122, 368, 550
paleozoico 124
palerma 493, 499, 501
palestina 591
palestra 532, 542, 582, 595, 596, 728
Palestra 588
palestrador 588
palestrante 582
palestrar 537, 588
paléstrico 720
palestrista 588
paleta 240, 556
paletó 225
palha 320, 643
palha para mostrar o vento 463
palhabote 273
palhaçada 477, 599, 842, 843, 853, 857
palhaço 599, 836, 852, 857
palhada 477, 517, 573
palhal 189
palharesco 643
palhas na balança 643
palheirão 519
palheireiro 797
palheta 556
palhetada 111, 113
palhetar de prata 126, 430
palhete 436
palhetear 856
palhoça 189
palhota 189
páli 519
paliação 133, 544, 834, 937
paliar 133, 174, 469, 544, 658, 774, 834, 937
paliativo(s) 133, 174, 469, 477, 605, 662, 834, 937
paliçada 717, 728
palicário 726
pálida 125
palidejar 429
palidez 422, 429, 508, 665, 821
palidez cadavérica 429
pálido 422, 429, 517, 575
pálido como a morte 860
pálido como a morte/um fantasma/um cadáver/a cera de uma tocha funérea 429
pálido de cólera 900
palilogia 104
palimbaquio 597
palimpsesto 147
palindromia 218
palíndromo 218, 561, 563, 842
palingênese 660
palingenesia 443, 660
palinódia 607, 756
palinodista 607
palinuro 269, 694
pálio 223, 1000
paliota 713

palitar 652
palito 203, 652
palitos fosfóricos 388
palma 234, 731, 733, 876
palma da mão 440e
palma x dorso, costas, reverso 237
palmada 276, 972
palmar 31, 490
palmas para 931
palmas, som de 402a
palmatinérveo 367
palmatoada 972
palmatoar 972
palmatória 423, 495, 975
palmatória do mundo 701
palmear 931
palmeira 206
palmeirim 268
palmeiro 268
palmejar 931
palmilha 207
palmilhado 82
palmilhar 264, 266
palmilhar a vereda batida 613
palmilhar a vereda da perseverança/do bem 944
palmípede 366
palmito 550, 960
palmo 51, 200
palmo a palmo 26, 51, 275
paloma (ant.) 946
palonço 501
palor 429
palpabilidade 1, 316
palpabilizar 316
palpação 379
palpar 379
palpar o terreno 463
palpável 1, 3, 220, 316, 379, 446, 494, 518, 525
pálpebra 223
palpebrado 223
palpitação 378, 821, 860
Palpita-me o coração que... 510
palpitante 123, 314, 359, 639, 642, 821
palpitar 1, 314, 359, 477, 514, 821
palpite 463, 477, 481, 510, 514
palra 584
palrado 584
palrar 412, 583, 584, 588
palraria 584
pálrea 411, 584
palrear 412, 588
palreiro 532, 584
palrice 584
palude 343, 345
paludial 345
paludismo 655, 657
paludoso 345, 657
palurdice 499
palúrdio 166, 499, 501
palustre 345
pampa 41, 344, 367, 440, 440a, 440b
pampeiro 349
pampilho 253
pampolinha 840
panaca (pop.) 486, 491, 499, 501, 605
panaceia 632, 643, 662
panache 885
panal de palha 501
panar 223
panasqueira (burl.) 342, 674
panasqueiro 852
pança 250
panca 633
pancada 276, 306, 348, 378, 402a, 406, 504, 508, 514, 608, 680, 716, 972

pancada 306
pancada de criar bichos 972
pancada na bola 503
pancadão 845
pancadaria 415, 417, 972
pancadinha 406
pancárpia 596, 609, 847
pancarpo 361
pancrácio 501
pâncreas 440e
pancreatalgia 972
pancreático 440e
pançudo 194, 243, 846
pandecta 490, 591, 595, 596, 963
pândega(s) 840, 954
pandegar 683, 838, 840
pândego 836, 840, 853
pandeireiro 416
pandeiro 417
pandemia 78
pandêmico 78
pandemônio 59, 72, 475, 709, 825, 961, 982
pandiculação 194, 683
pandilha 548, 683, 709, 711, 712, 941
pandilhar 683, 940
pandilheira 548
pandilheiro 683, 792, 941
pando 194
pandora 417
pandorga/pandorca 192, 414, 415, 840
panegiricar 931
panegírico 931
panegiriqueiro (depr.) 935
panegirista 935
paneiro 191
panejar 556
panela 191
panela de muitos cozinheiros 699
panelada 190
panelinha 75, 709, 712
panema 501, 735
panfletário 936
panfletista 593, 595
panfleto 531, 551, 592, 593
panfleto infamante 934
pangaio 683
pangajoa (asiát.) 273
pangalhada 840
pangaré 271, 440a
pânico 508, 860
panificar 686
paniguado 890
panléxico 562
pano 848
pano de boca 599
pano verde 945
panóplia 717, 727, 733
panorama 78, 441, 448, 556
panorâmico 78, 446
panos quentes 605
panoura (asiát.) 273
panrear 683
pânria 683
pansa 191
panselene 138
pansofia 490
pantafaçudo 192, 243, 846
Pantagruel 957
pantagruélico 296, 819, 865, 868, 957
pantagruelismo 868, 957
pantalão 501, 854
pantalha 422
pantalonas 225
pantalonice 842
pantanal 343, 345
pântano 343, 352, 653
Pântano 345
pantanoso 339, 345

panteão da história 873
pantear 499, 856
panteísmo 989
panteísta 984, 989
panteístico 984
pantera 173, 861, 900, 913, 949
pantim (bras.) 532
pantófago 957
pantógrafo 19
pantologia 490
pantologista 492
pantólogo 492
pantomima 544, 545, 550, 560, 599, 692a, 853, 857
pantomimeiro 548, 599
pantomimice 545
pantomímico 550
pantomimo 599
pantomina 545, 550
pantomineiro 599
pantufa 192, 225, 854
pantufo 225
panturra 191, 250, 880, 885
panturrilha 224, 440e
pão 298
Pão 998
pão celeste/angélico/ázimo/dos anjos/do céu/da alma/da vida 998
Pão da vida 976
Pão de Açúcar 206
pão de açúcar 250, 253
pão de ló 880
pão do espírito 454, 537
pão sempre cai com a manteiga para baixo, O 735
pão-duro 819
papa 223
papa (sumo pontífice) 996
papa-açorda 501, 862
papa-ceia 318
papada 192
papado 995
papa-fina 394, 853
papagaial 366, 584
papagaio 19, 104, 412, 584, 806, 840
Papagaio come milho, periquito leva a fama 923
papagaio de pirata 88
papagaio, vozes de 412
papa-gente 298, 860
papaguear 104, 499, 584
papa-hóstias (depr.) 988a
papai 166
papa-jantares 88, 645, 683, 886
papal 995, 996
papa-léguas 268, 274
papalino 995
papalvo 501, 547
papa-meninos 860
papa-missas (depr.) 988a
papa-moscas 501, 547
papança 298
papão 860, 957
papar 298
papar moscas 683
papa-rei 996
paparicado 899
paparicar 298, 933, 953
paparicos 298, 394, 902
paparriba 213, 683
paparrotada 884
paparrotagem 884
paparrotão 884, 887
paparrotice 884
papas (pastas) 354
papa-santos (depr.) 988a
papaz (grego) 996
papazana 298
papear 412, 584, 588
papeira 250, 655
papéis 467

papel 223, 430, 467, 590, 593, 599, 625, 626, 643, 692, 771
papel em branco 552
papel queimado 903
papel saliente 175
papel timbrado 550
papel triste 853
papelada 467
papelão (burl.) 501, 854
papelaria 799
papelata (dep.) 531
papeleira 551
papelejo (dep.) 531
papel-moeda 800
papelucho (dep.) 531
papesa (depr.) 996
papila gustativa
papilionáceo 366
papíreo 590
papiro 590
papironga 545
papisa 996
papismo 983a
papista (depr.) 988a
papo 191, 250
papocar 402a
papudo 243, 250
papujar 402a
pápula 250
papuloso 250
paquebote 273
paqueboteiro 269
paquerar 865, 902
paqueta 746
paquete 273, 746
paquidermático 823
paquiderme 366, 823
paquidérmico 376
paquímetro 466
par 17, 27, 84, 88, 89, 875
par dés! 870
par nobile fratrum 17, 890
Par pari refero 718
para 278
para a frente 282
para a frente! 282
para a parte de 278
para a vida e para a morte 112
para abreviar 572
para alugar 763
para aqui e para diante de Deus 112
para assombrar os burgueses 882
para assustar 909
para bem dizer 494
para benefício de 618, 648
Para bom entendedor meia palavra basta 527
para cá de 197
para cima (de) 98, 206, 307
para coroar a obra 642
para cúmulo da desgraça 828
para diante e para trás 314
para encurtar a história 572
para exemplo e escarmento 972
para garantir-lhe o epíteto de 565
para inglês ver 882
para logo 117, 132
para mais 37
para mais de 33
para matar o tempo antes que ele nos mate 681
Para mim ele morreu 889
Para mim ele riscou 889
para nunca mais ser esquecido 642
para o bispo 808
para o dia de santa cereja 107
para o futuro 121
para o seu lugar! 283
para o/pelo bem público 910

para onde quer que 176
para onde? 461
para quando? 461
para que 620
para que não haja risco 664
para salvar as aparências 643
para sempre 106, 112
para ser breve 572
para todo o sempre 112
para todos os casos 78
para todos os fins e intenções 52, 620
para trás 235, 283
para trás/vade retro! 145, 283
para tudo 644
Para velhaco, velhaco e meio 718
para! 761
para-água 223
parabélum 727
parabéns 838, 896
parábola 245, 521, 537, 594
parabólico 245, 521
paracentese 297
paracleteação 976
paracletear 537, 695, 976
paracleto 540, 695
Paracleto 976
paracoccidioidomicose 655
paracronismo 115
parada 67, 70, 133, 142, 265, 266, 681, 687, 717, 761, 882
parada militar 838
paradeiro 67, 142, 183, 189, 292, 751
paradigma 22, 80, 240, 650, 948
paradigmático 22
paradisíaco 827, 829, 981
parado 174, 265
paradouro 292
paradoxal 471, 475, 519
paradoxo 497, 519, 533, 569
paradoxo temerário 497
parafernais 633
parafernal 761
parafina 356
parafinar 332
para-fogo 530
parafonia 583
paráfrase 19, 21, 522, 566
parafrasear 19, 522
parafrasta 524
parafrástico 19, 522
parafusar 455
parafusar 461, 514, 515
parafusar na ideia 451
parafusos 45, 248, 312, 633
parafuso de Arquimedes 45
parafuso de pressão/de chamada 633
parafuso frouxo 651, 706
paraganas 780
paragem 180
paragoge 35
parágrafo 51, 566, 593, 769, 770
paragramatismo 583
paraíba (depr.) 374a, 897, 961
paraíso 827, 845, 981
paralalia 581, 583
paralambdacismo 583
paralático 196
paralaxe 196
paralelamente 216, 236
paralelepípedo 244
paralelismo 17, 23, 120, 242, 464, 569
Paralelismo 216
paralelo 17, 120, 216, 236, 247, 464
paralelo almicantarado 318
paralelogramo 244
parálio 341
paralipómenos 39

paralipse 460
paralisação 70, 142, 265, 683
paralisado 730
paralisar 142, 158, 376, 683, 730, 823
paralisia 158, 265, 376, 655, 823, 866
paralítico 158, 160, 376, 655, 823
paralogia 583
paralogismo 477
paralta 854, 880
paraltice 851
paramentar(-se) 225, 845, 847, 999
paramentos 999
parâmetro 84
páramo 318, 344, 981
páramos dos sonhos 515
parança 142, 685
parangona 591
paraninfar 444
paraninfo 444, 664, 903
paranoia 452, 503
paranoico 458, 499, 503, 504
paranone (asiát.) 273
parapeito 706, 717
paraquê 620
paraquedas 666
paraquedista 726
parar 67, 142,186, 265, 292, 403, 681, 717, 729, 761
parar a vista em 441
parar em 144
parar na sua marcha 304
para-raios 666
pararrotacismo 583
parasceve 998
parasita 88, 623, 645, 683, 746, 886, 935
parasítico 749, 789, 886
parasitismo 683
para-sol 424, 666
parasselene 247
parassigmatismo 583
parati 959
parau (asiát.) 273
parável 705
para-vento 666
parca 384
Parcas 360, 601
parce 984
parceiro 27, 88, 709, 711, 778, 890
parceiro de nome 564
parcéis 667
parcel 209
parcela 32, 51, 84, 786, 807
parceladamente 51
parcelado 44, 51, 796, 805
parcelar 44, 51, 786, 805
parcelário 51
parcere subjectis 914
parceria 88, 709, 778
parche 834
parcial 51, 70, 79, 481, 711, 923
parcialidade 28, 75, 481, 712, 865, 923
parcializar 712
parcialmente/em parte 32, 51
parcimônia 32, 53, 103, 137, 174, 641, 817, 849, 881
parcimoniosamente 32
parcimonioso 103, 817, 953
parcimonioso nas palavras 585
parcioneiro 88
parcíssimo 32
parco 32, 103, 817, 953
pardacento 432
pardaço 432
pardal 373
pardaleja 374
pardaloca 374
pardavasco 41
par-dessus 225

pardieiro | passar a fio de espada

pardieiro 189
pardo 41, 431, 432
Pardo 432
pardusco 432
párea(s) 161, 466, 749
pareador 690
parear 466
parece que 448
Parecem-se como dois raios do mesmo sol 17
Parecem-se como duas folhas do mesmo galho 17
Parecem-se como duas gotas d'água 17
Parecem-se como duas gotas de orvalho 17
parecença 17, 472
parecer(-se) 17, 448, 470, 472, 480, 484, 525, 695
parecer bem que 922
parecer consumir-se de tristeza 837
parecer desagradável 846
parecer estátua 265
parecido 17
paredão 212, 666, 706
parede 179, 212, 232, 666, 706, 719, 742, 752
parede e meia 199, 228
paredes têm ouvidos, As 584
paredro 694, 695
paregórico 662
parelha 17, 27, 89
parelhamente (ant.) 37
parelheiro 271
parelho 27
parélio 420
parêmia 496, 521
paremiologia 496
paremptose 35
parênese 586, 695
parenética 582
parenético 695
parênquima 316, 329
parental 11, 166, 839
parente 11, 17
parente em grau arredado 11
parente próximo 11
parenteiro 11
parentela 11
parentesco 9, 11, 17
parêntese 10, 45, 70, 89, 198, 228
páreo 708, 720
parergo 39, 577
párese 158
paresia 158
paresta (afric.) 909
parga 31
pari passu 27,109, 120
pária(s) 877, 893
paridade 17, 27, 82, 88, 89
paridade absoluta 13
paridura 161
parietal/ais 236
pariforme 17, 27
parilidade 17, 23, 82
parir 161, 297
parla 588
parlador 532, 582, 584
parlamentação 723, 724
parlamentar 534, 646, 696, 724
parlamentário 534
parlamentarismo 737
parlamento 696
parlanda 586
parlapatão 880, 884, 887
parlapatice 499, 884
parlatório 191, 532, 588
parlenda 476, 477, 594, 586
parlenga 477, 584
parler à tort et à travers 477
Parnaso 189, 596, 597, 1000
paro (ant.) 265

parochet 1000
pároco 996
paródia 19, 21, 523, 555, 597, 856
parodiar 19, 597, 856
parola 517, 582
parolador 548
parolagem 584
parolar 584, 588
parolear 584
paroleiro 548, 584
parolice 584
paronímia 564, 580
parônimo 17, 562, 564
paronomásia 17, 520, 521, 563, 577
paropsia 443
paróquia 181, 995
paroquial 181, 995
paroquiano 188, 995, 997
paroquiar 995, 998
parotidite infecciosa 655
parouvela 476, 588
parouvelar 584, 588
paroxismo(s) 173, 360, 825, 900
paroxítono 562, 580
parque 189, 367, 371, 636, 840
parque aquático 728
parque de diversões 840
parra 499, 884
parrado 440b, 440c, 499
párrafo (ant.) 51
parrana 613, 852, 877
parranda 941
parreira 367
parreiral 371
parrésia 535
parricida 361
parricídio 361
parrudo 193
parse/guebro 991
partazana 727
Parte 51
parte 56, 84, 100a, 236, 593, 786, 938
parte adversa 710
parte alíquota 100a
parte ativa 680
parte do dedo a que adere a unha 440e
parte do intestino delgado entre o duodeno e o íleo 440e
parte do leão 33, 50
parte do rosto entre as sobrancelhas 440e
parte e parcela 56
parte essencial 50, 56, 642
parte integral 56
parte integrante 56
parte maior 50
parte posterior do pescoço 440e
parte superior de (algo) 210
parteira 631, 662
parteiro 301, 662, 711
partejar 662, 707
partenão 374
pártenon 189
parterre 371
partes 698, 820
Partes do corpo humano 440e
partes do discurso 562, 567
partes pudendas 440e, 961
Parthis mendacior 544
parti pris 611
particeps criminis 690
participação 527, 625, 709, 812
Participação 778
participação verbal 527
participador 690
participante 690, 709, 777, 778
participar (de) 56, 527, 668, 680, 690, 709, 714, 778

participar de uma opinião 484
participar dos sentimentos alheios/de outrem 906, 914
participar em grupo/comunidade de relacionamento 592
participativamente 707
participativo 707, 709
partícipe 690, 707, 709, 777, 778
partícula 32, 51, 316 , 330
partícula consagrada 998
particular 51, 57, 79, 137, 528, 573, 738
particulares 594
particularidade 5, 8, 20, 51, 79, 157, 457, 594
particularismo 5
particularista 79
particularizar 79, 527, 564, 594
particularmente 31, 881
partida 25, 72, 287, 295, 360, 449, 623, 798, 840, 929
partidão (fam.) 903
partidária 709
partidário 481, 488, 709, 711, 890
partidarismo 481, 709, 821, 825
partidarista 709
partidas simples/singelas/dobradas 811
partidista 711
partido 449, 484
Partido 712
partido-alto 415, 840
partido contrário 710
partido de resistência 141
partidor 786
partilha 73, 714, 778, 820
Partilha 786
partilha de/do leão 640, 925
partilhadamente & *adj.* 786
partilhado & *v.* 778, 786
partilhador & *v.* 786
partilhamento 778, 786
partilhar 44, 51, 488, 709, 778, 786, 915
partilhar ideias/sentimentos 714
partimento 228
partindo do princípio que 514
partir 51, 67, 154, 185, 187, 267, 293, 786
partir como uma bala 274
partir em bocados 51
partir em estilhaços 44
partir o coração 830
partir o coração a alguém 828
partir para cima 173
partir para o imenso Incognoscível 360
partir-se 489
partitivo 51
partitura 415
partível 322, 328
parto 154, 161, 295
parto da montanha 482, 509, 643, 884
parto prematuro 674, 732
Parturient montes 482, 509, 732
parturiente 161
parva 298, 800
parva componere magnis 464
parvalheira 181, 884
parvenu 123, 852, 877
parvidade 193
parvo 193, 486, 499, 501
párvoa 501
parvoado 499
parvoeirão 501
parvoeirar 499
parvoejar 499
parvoiçada 499
parvoíce 499, 643
parvoíce chapada 497

parvoidade 499
parvoinho 501
Parvolândia 501
parvulez/parvuleza 127, 499
párvulo 127, 129
pas si bête 498
pascacice 499
pascácio 501
pascal 138, 998
pascentador 370
pascentar 370
pascer 298, 370, 687, 827, 829, 840
pascigo 344, 367
páscoa 998
páscoa do Espírito Santo 998
páscoa florida 998
pascoal 998
pascoar 998
pasigrafia 560
pasigráfico 560
pasmaceira 499, 681, 683, 826, 866, 870
pasmado 458, 683, 827, 870
pasmar 870
pasmatório 683, 870
pasmo 870
pasmoso 870
paspácio 501
paspalhajola 501
paspalhão 501, 645
paspalhice 499
paspalho 501, 645, 860
paspalhona 130, 501
pasquim 531, 856, 934
pasquinada 934
pasquinar 934
pasquineiro 531, 791, 936
passa fora! 930
passa-culpas 906, 918, 937, 970, 996
passada 264, 266
passadeiras 627
passa-dez 840
passadiço 111, 260, 627
passadio 298
passadismo 122
passadista 122
passado 62, 67, 116, 122, 506, 509, 659
Passado 122
passador 532, 548
passador de notas falsas 792
passadouro 189
Passadouro 627
passageiro 8, 111, 149, 268, 444, 460
passagem 8, 51, 109, 140, 144, 151, 198, 260, 270, 294, 350, 593, 627
Passagem 302
passamanar 847
passamanaria 691
passamaneiro 690
passamanes 205, 847
passamaque 225
passamento 360
passa-muros (ant.) 727
passanito 877
passante 40, 117
passante de 33
passa-palavra (gal.) 550
passa-pé (ant.) 840
passaporte 631, 666, 741, 760
passar 106, 111, 173, 264, 348, 360, 379, 449, 522, 601, 609, 625, 827, 828
passar a 144, 298
passar a condições prósperas 658
passar a costume 613
passar a fazer parte 76
passar a fio de espada 361

685

passar à história 135, 643
passar a limpo 590
passar a mão na cabeça de alguém (fig.) 927a
passar a mão no pelo de 972
passar a mão por cima de 902
passar a(s) noite(s) em branco/em claro 682, 825
passar a noite sem dormir 459
passar a outras mãos/a mãos de terceiros 783
passar a perna 702, 814
passar à posteridade 873
passar a vau 267
passar a vida em bonança 734
passar a vista em 441
passar adiante 274
passar além 303
passar além dos limites/das marcas 549
passar alguma coisa pelas mãos 461
passar as coisas pela fieira 459
passar às mãos (de) 270, 784
passar as marcas/as raias 303
passar as raias (de) 679, 825, 954
passar as rédeas do governo a 738
passar através de 302
passar bem 377, 674
passar com armas e bagagens para 607
passar como certidão 484
passar como sombra/como nuvem 111
passar da conta 640
passar da opulência à desgraça 735
passar das mãos de alguém para as de 270
passar das marcas 964
passar das medidas 825
passar de cavalo a burro 659
passar de largo/por alto sobre 572
passar de memória 506
passar de pais a filhos 775, 783
passar de porqueiro a porco 659, 732
passar despercebido 447, 458, 643
passar desta vida para a outra 360
passar do sublime ao ridículo 853
passar e repassar 314
passar em claro 53, 33, 460, 773
passar em febre 349
passar em julgado 474, 859
passar em revista 480, 457, 505
passar em silêncio 53, 55, 460
passar fome 804
passar ligeiramente sobre 460
passar mau quarto de hora 828
passar maus bocados 828
passar miúda revista 461
passar na cabeça 451
passar na pedra 253
passar necessidade 804
passar o camelo pelo fundo de uma agulha 471
passar o conto do vigário a alguém 545
passar o pé/as palhetas 623
passar o rodo (bras. gír.) 907
passar o Rubicão 93
passar o tempo/as horas de tédio 681
passar os olhos (por) 457, 538
passar para a reserva 681
passar para o papel 19
passar para outrem 783

passar pela ciranda 609
passar pela fieira 828
passar pela joeira/pelo crivo 42, 465
passar pela memória 505
passar pelas armas 361, 972
passar pelas forcas caudinas 725, 879
passar pelo bestunto de 451
passar pelo crivo 42, 465, 609
passar piche na porta de alguém 929
passar por 151, 544
passar por alguma coisa como sem importância 930
passar por alguma culpa a alguém 918
passar por alto (sobre) 458, 483
passar por bobo 853
passar por certo 532
passar por cima (de) 53, 55, 773, 925, 930
passar por cima de bagatelas 604
passar por cima de todas as dificuldades 731
passar por um assunto como gato por brasas 572
passar por um eclipse 449
passar procuração 755
passar recibo da ofensa 725
passar regularmente 654
passar-se a cena em 728
passar sem 55, 678
passar um negócio pelas mãos de 625
passar uma borracha sobre 918
passar uma coisa por alto 506
passar uma coisa sem selo 486
passar uma mentira 546
passar uma ordem 741
passar uma vida de prazeres 377
passar vida alegre e folgada 840
passar vida fortunosa 377
passar/gastar/consumir/matar/levar o tempo 106
passar/pôr sebo nas canelas 623
passarada 366
passaredo 366
passareira 636
passarinhar 622
passarinheiro 608, 622, 825
passarinho 366, 702
pássaro 305, 366, 941
pássaro bateu a linda plumagem, O 671
pássaro bisnau 702
pássaro de bico amarelo 702
pássaro encarcerado 754
pássaro na mão 777
passarola 273, 366
pássaros canoros 366
passar-se 151
passatempo 685, 840
passavante 534, 722, 723
passável 651
passa-volante 727
passe 198, 545, 760, 992
passe bem 293
passe muito bem! 293
passe! 488
passeador 268
passeadouro 189
passeante 268, 683
passear 186, 266, 441, 451, 529, 840, 882
passear o olhar 441
passear sem destino 683
passeata 266, 838
passeio 189, 266, 627, 840, 882

passeio público 840
passeio triunfal 705
passento 296
passe-partout 631
passe-passe 443, 545, 992
possibilidade 375
passional 821, 826, 865
Passional 985
Passionário 985
passioneiro 998
passível 375
passível de 177
passível de censura/de punição 649, 945
passível de mudança 149
passível de punição 972
passível de reprovação 932
passividade 172, 681, 743, 826
passivo 172, 681, 743
passo(s) 26, 58, 71, 151, 198, 200, 203, 264, 266, 343, 626, 632, 680, 1000
passo a passo 275
passo curto/de boi/de cágado 275
passo em falso 732
passo entre passo 275
passo errado 961
passo extremo 704
passos vacilantes 128
Passou fazendo o bem 948
Pasta 354
pasta 551, 593, 636, 737, 747
pastagem 344, 367
pastar 298, 827
pastejar 298
pastel 59, 298, 556, 683, 877
pastelão 298, 531
pastelaria 691
pasteleiro 690
pastelista 559
pastilha 32, 204
pastinhar 298, 953
pastio 344
pasto 232, 298, 344, 367, 454, 516, 827
pasto dos vermes 362
pastor 271, 370, 373, 540, 694, 995, 996
pastorale 415
pastorear 370, 998
pastorear os povos 737
pastorear/pastorizar 693, 998
pastorela 588, 597, 840
pastoril(is) 370, 998
pastorizar 998
pastosa (voz) 583
pastoso 352, 354
pastrano 852, 877, 895
pata 211, 440e
pataca 800
patacão 800
patacaria 800
patacho 273
pata-choca 683, 997
pataco(s) 501, 800
patada 495, 499, 917
patagão 206
patágio (ant.) 231
patagônio 206
pataia (ant.) 636
patamal 268
patamar 210, 268
patamaz (depr.) 501, 988a
patão (bras.) 801
pataqueiro 643, 701
patarata 501, 546, 884
pataratear 546, 884
pataratear 546, 884
pataratice 884
patas de gato 631
pativa humana 584

patau 501
patavina (m.) 101, 501
pataz 366
patchuli 400
pateada 929
patear 276, 725, 732, 929
patego 501
pateguice 499
pateiro 275, 348, 370, 997
patejar 402a, 719
patela 43, 440e
pátena 999, 1000
patente 75, 260, 448, 490, 518, 525, 531, 703, 737, 741, 760, 876, 924
patentear 467, 478, 525, 529, 535
patentear desnudadamente 478
patentear intensa luz 420
patentear-se 446
pater patriae 912
pater-familias 166
paternal 11, 166, 897, 902, 906
paternalmente & adj. 166
paternidade 11, 153, 161, 166, 876
paterno 11, 166
pateta 486, 499, 547
pateta das luminárias 493, 501
patético 821, 830
patibular 860, 975
patíbulo 975
pático 961
patifaria 940
patife 392, 940, 941, 949
pátina 124
patinação 840
patinhar 337
patinheiro 627
patinho 621, 701
pátio 66,181, 189
pato 373, 412, 501, 621, 701
pato mudo 581, 759
pato, vozes de 412
patoá 563
patognômica 550
patognômico 550
patógrafo 492
patola 440e, 499, 501
patologia clínica 662
patologista 492
patólogo 492
patonha 440e
patota 75, 621
patoteiro 621, 701
patranha 545, 546
patranheiro 546, 548
patranhento 546
patrão 373, 694, 711, 717, 745, 912
patrazana 372
pátria 66, 153, 189
pátria celeste 981
patriarca(s) 130, 166, 373, 996
patriarcado 181, 373, 995
patriarcal 124, 128, 166
patriciado 875
patricídio 361
patrício 188, 875, 890
patrimoniais 780
patrimonial 780
patrimônio 780
pátrio 188
patriota 910
patrioteiro 910
patriótico 910
patriotismo 910
patrística 983
patrizar 910
patrocinador 711, 717, 784, 937, 968
patrocinar 707, 784, 937, 968
patrocínio 175, 664, 707, 717, 784, 937

patronado | peina

patronado 737
patronagem 707
patronato 175, 664, 707, 737
patronear 707, 937
patronímico 564
patrono 664, 711, 717, 890, 912, 937, 968
patrono dos animais 977
patrulha 103, 666, 668, 712
patrulhar 664
patuá 998
patudo 440c
patuleia 877
pátulo (poét.) 260, 525
patuscada(s) 840, 954
patuscar 838, 840
patusco 836, 840, 842, 844
pau 215, 727, 975
pau argentino 975
pau de arara 975
pau de cabeleira 853, 897
pau de fileira 210
pau de lacre 356a
pau de sebo (bras.) 206, 840
pau de vassoura 203
pau mandado 690, 886, 749
pau para toda colher 690
pau para toda obra 690
pau rodado (bras.) 57
paul 345, 653
paulada 378, 716, 972
paulatino 275
paulina 908, 998
Paulo Afonso 348
paulo post futurum 121
paupérie 804
pauperismo 804
paúra 860, 862
paus (gír.) 800
pausa 70, 142, 198, 265, 275, 413
pausadamente 415
pausado 275
pausar 70, 133, 687
pausar sua observação em 457
pauta 75, 86, 413, 590, 812
pautado 60, 80, 590, 953
pautar(-se) 590, 953
pautas (pop.) 769
pautear (bras.) 588
pavana 840
pavão (diz-se de) quando ergue a cauda 440c
pavão 440, 845, 880
pavão, vozes de 412
pavê 396
paveia 25, 72
pavés 717
pávido 860
pavilhão (da orelha) 418
pavilhão 189, 223, 550, 1000
pavilhão do leito 223
pavimento 211
pavimento térreo 207
pavio 388
pavonaço 437
pavonada 880, 884
pavor 860, 867
pavorosa 532, 860
pavoroso 649, 839, 860
pax in bello 723
pax vobiscum! 894
paxá/baxá 739, 745, 884, 887
paximina 223, 225
paz 174, 265, 403, 664, 687, 714, 829, 888
Paz 721
paz bucólica 687
paz-d'alma 683, 826
paz de espírito 826
pazada 25, 51, 72, 378
pazada diágua 348
pazear 723
pda 633

pé(s) 8, 71, 153, 200, 207, 211, 215, 440e, 597
pé ante pé 174, 275, 403, 528
pé dáctilo 597
pé de altar 973
pé de boi 122, 613
pé de cabra 791
pé de chumbo 275, 500, 843, 939
pé de galinha 258
pé de meia 817
pé de vento 349, 735
pé de vinho 40
pé espondeu & tribreve 597
pé no saco (vulg.) 841
peã 318
peadouro (ant.) 370, 972
peagem (ant.) 812
peal 225
peanha 211, 215, 1000
peanho 207
peão 268, 370, 746
pear 43, 158, 706
peça 51, 161, 544, 545, 599, 626, 706
peça de espetáculo 599
peça justificativa 467
peça por peça 51
peça publicitária 592
peça teatral 599
pecabilidade 651, 947
pecadaço 945
pecadilho 643, 945, 947
pecado 927, 945, 947, 961, 988
pecado dominante 945
pecado mortal 947
pecador 945, 949, 962, 988
pecadorao 949, 962
pecados de primeira plana 945
pecaminar 961
pecaminar consigo mesmo 961
pecaminoso 649, 651, 945, 961
pecar 732, 945, 961
pecar contra a gramática 495
pecar contra a honra 874
pé-cascudo 978
pecável 945, 947
Peccavi, miserere mei, Deus 950
peceta (dep.) 271
pecha 651, 848, 945
pecherão 271
pechincha 618, 648, 775, 812, 815
pechinchar 765, 812
pechincheiro 683, 815
pechisbeque 544, 643, 852
pechoso 483, 606, 934, 945, 949
peciolado 367
peco 499, 659, 843
Peço permissão para afirmar que... 535
peçonha 663
peçonhento 657, 663, 830
pé-coxinho 840
pectíneo 253
pecuária 370
pecuário 366
peculator 941
peculatário 792, 941
peculato 791, 940
peculiar 79, 83
peculiaridade 16a, 20, 83
peculiarmente 31
pecúlio 31, 72, 86, 800, 817
pecúlio (de anedotas) 72
pecúnia 800
pecuniário 800
pecunioso 803, 814
pedacinho 32
pedaço 51
pedaço-d'asno 501
pedaço de mau caminho 845
pedágio 302, 812
pedagogia 537, 855

pedagógico 537
pedagogo 492, 540, 690, 855
pedal 633
pedantaria 491, 855
pedante 493, 500, 601, 855, 880, 884
pedantear 491
pedanteria 880
pedantesco 855
pedantice 855
pedantismo 491, 855, 878, 880
pedantocracia 737
pedantocrático 737
Pede púna claudo 972
pé-de-cabra 631, 633
pé-de-chumbo 275, 500, 565, 843, 939
pederasta 961, 962
pederastia 961
pedernal 323
pederneira 323, 388
pedestal 211, 215, 883
pedestre 266, 268, 726
pedestrianismo 266
pediatria 662
pediculado 367
pediculose 655
pedicuro 662
pedida 760, 765
Pedido 765
pedido 461, 630, 741, 812
pedido negativo 765
pedidor 767
pedigolho 767
pedigonho 767
pedilúvio 337, 386, 662
Pedimos perdão e damos perdão/perdoamos 918
pedinchão 765, 767
pedinchar 765
pedincho (fam.) 767
pedintão 765, 767
pedintaria 765, 877
pedinte 765, 767, 785, 804, 877
pedintoriamente & *adj.* 765
pedir 615, 622, 760, 765, 812, 865, 990
pedir a mão de 765
pedir a morte como um descanso 828
pedir arrego 479
pedir as contas 757
pedir conselhos 695
pedir contas a alguém 461
pedir de porta em porta 765
pedir desculpas/perdão 952
pedir esmolas 765
pedir explicações 586, 715
pedir licença/permissão 760
pedir meças 33, 715
pedir misericórdia/perdão 950
pedir misericórdia/quartel/clemência 914
pedir parecer a alguém 695
pedir perdão 918
pedir quartel 160, 725
pedir socorro 665
peditório 765
pedofilia 907
pedófilo 907, 913, 949
pedologia 537
pedra 321, 323, 363, 501, 551, 558, 635
pedra angular 211, 215, 244, 642
pedra angular da Igreja 976
pedra britada 330
pedra de afiar 253
pedra de ara 1000
pedra de escândalo 874, 934
pedra de cevar 288
pedra de raio 318
pedra de toque 463
pedra filosofal 471, 650, 702
pedra fundamental 66, 211, 642

pedra infernal 171
pedra lioz 430
pedra no caminho 704
pedra no sapato 704
pedra noventa 623
pedra sepulcral 363
pedra sobre pedra 162
pedra x engaste 237
pedraça 383
pedradas 900, 929
pedrado 440, 440a
pedral 323, 343
pedranceira 206, 323
pedraria 648, 847
pedras preciosas 847
pedregal 323
pedregoso 256, 323, 342, 704
pedreguento 256
pedregulhento 323, 342
pedregulho 323
pedreira 323, 704
pedreiro (pejorativo para) 701
pedreiro 690
pedrês 440a
pedrinha 330
pedrisco 383
Pedro Botelho 978
pedroso 323
pedrouço 342
pedunculado 214, 215
peduncular 215
pedunculoso 215
pega 584, 633, 713, 720, 752, 846, 962
pegada(s) 1, 235, 550, 551, 613, 622
pegadiço 45, 46, 73, 352
pegadilha 476, 720
pegado 46,199
pegadouro 633
pegadura 46, 352
pegajosidade 46
pegajoso 46, 352
pegamassa 45, 841
pegamento 46, 352
peganhento 45, 46, 352
pegão 215
pegar 43, 73, 331, 379, 706, 751m 775m 777m 781
pegar a toda isca 819
pegar bom resultado 731
pegar de surpresa 508
pegar em 676
pegar em armas 722, 742
pegar fogo 384
pegar na mão de 902
pegar na pena 590
pegar no bico da chaleira 933
pegarem as bichas 731
pegar-se (a) 321, 467, 604a
pegar-se a língua a alguém 583
pegar-se alguma coisa à mão de alguém 791
pegar-se com (alguém) 713, 716, 765, 990
pegar-se de palavras 713
pegas 701, 968
Pégaso (mit.) 271
pego 198, 208, 260, 341, 667
pego com a boca na botija 947
pegomancia 511
peguilha 713
peguilhar 477, 497, 713, 715
peguilho 706
peguinhar 649, 713, 739
pegulhal (ant.) 366, 370
pegulho 129, 817
pegural 370
pegureiro 370, 746
peia 45, 633, 752
peidar 334
peido (pleb.) 297, 334, 401
peina (ant.) 253

peinar-se | penudo

peinar-se 652
peine dure et forte 974
peita 30, 615, 784, 809, 973
peitar 615, 763, 784, 795, 940
peitavento 280
peiteiro 615, 940
peito 221, 234, 250, 450, 820
peito a peito 237, 708, 713, 861
peito do pé 440e
peitoral 662
peitoril 717
peituga 234
peixão 845
peixe (fig. pop.) 899
peixe 366, 412, 532
peixe fora diágua 24, 83
peixe voador 83
peixinho (fig. pop.) 899
pejada 161
pejado (de) 639, 640, 777
pejamento 869
pejar(-se) 52, 605, 640, 706, 869, 879
pejar a circulação de notas falsas 800
pejo 821, 881, 939, 960
pejorar 874, 885
pejorativo 483, 520, 523, 649, 659
pejoso 881, 953
pela 226, 249
pela alma que Deus me deu! 535
pela barra fora 293
pela boca de 529
Pela boca morre o peixe 584, 934
pela calada 403, 528, 545
Pela face da terra não suspirava uma aragem 403
pela fresca 125, 338
pela minha garganta! 535
pela proa e pela popa 52
pela raiz 207, 308
pela rama 458, 491
pela sonega 528
pela sonsa 544, 702
pela tua cabeça! 765
pela tua vida! 765
pela verdade e dentro da verdade 543
pela volta de 197
pelado 226
peladura 226, 331
pelagem 223
pélago 102, 198, 208, 341, 639
pelame 223
pelancas 214
pelanga 128, 203, 223
pelangana 203, 215, 223
pelar 195, 210, 226, 331, 814
pelar-se de medo 860
pelar-se muito por 865
pelas costas 187
pele 204, 220, 223, 384
pelechar 226
pelego 501
peleja 713, 720
pelejador 720
pelejar 720, 722
pelejar rijo 861
pelejo em sentido contrário 708
pelém (reg.) 203
pelerine 225
peles delicadas e preciosas 223
pelhanca(s) 128, 203, 214
pelhancaria 128
pelharanca(s) 128, 203, 214
pelica 255
pelicanídeo 366
pelicano 301, 366, 412, 637
peliçaria 673
peliceiro 673
película 204, 223
pelicular 367

pelintra (bras.) 804, 852, 854
pelintragem 877
pelintrão 804
pelintrar 804
pelintraria 877
peliqueiro 673
pelisse 225
pelitrapo 804
pelo 223, 256
pelo amor de Deus! 765
pelo avesso 218
pelo centro de 631
pelo claro 525
pelo contrário 14
Pelo dedo se conhece o gigante 550
pelo largo 573
pelo mar afora 293
pelo menos 30, 32, 87
pelo muda a raposa, mas o natural não o despoja 5
pelo mundo afora 180
pelo pé 207
pelo próprio punho de 590
pelo punho de 590
pelo que 476
pelo que ouviu dizer 527
pelo que pertence a 9
pelo sim, pelo não 475, 485
pelo telégrafo 684
pelo tempo 124
pelos belos olhos de 615
pelos cabelos 900
pelos laços de sangue 11
pelos olhos de 615
pelos seus filetes 367
peloso 256
pelota 249, 273
pelotão 726
pelotica(s) 545, 698
pelotilha 32, 249
pelotiqueiro 599, 607, 844
pelourinho 752, 975
pelouro 609
pelúcia 255
pelúcido 425
peludo 223
peluginoso 223, 256
pelve 252
pélvico 252
pélvis 252
pena(s) 320, 590, 593, 643, 686, 704, 718, 828, 837, 914, 922, 971, 974
pena adestrada 569
pena capital 972
pena-d'água 348
pena de escrever, som de 402a
pena de ouro 569
pena de Talião 27
pena de um escritor amestrado 569
penacho 256, 550, 693, 733, 747, 847
penada 480, 550, 590
penado 256
penal 972, 974
penalidade 972
Penalidade 974
penalização 974
penalizado 837, 914
penalizar(-se) 828, 830, 837, 914, 922, 974
penar 828, 830
penas emprestadas 545, 788
penates 189, 979
penável 945
penca 243, 250, 440e, 846
penchant 602, 820
pencudo 243, 440d, 651, 846
pendanga 644
pendant 17
pendão das quinas 550

pendência 24, 176, 476, 713, 720, 969
pendenciador 720
pendenciar 713
pendenga 489, 713, 720
pendente (de) 154, 177, 206, 214, 217, 457
pendente lite 106, 475, 969
pender 121, 124, 152, 154, 160, 217, 278, 609
pender a cabeça ao peito 837
pender para 481, 602, 829, 897, 925
pender para o arrocho 739
pender sobre 206
penderica 214
pendericalho 214
penderico 214
penderucalho 214
pendor 5, 176, 481, 602, 609, 698, 820, 865
pendor das inclinações naturais 820
pendular 314
pendularmente 314
pêndulo 114, 214, 314
Pendura 17
pendura/pindura 423, 806
pendurado 214
pendurar 45, 214, 771, 805
pendurar ante os olhos 882
pendurar os olhos em 441
pendurar-se 184
penduricalho 214
penedia 323, 342
penedo 150, 265, 323, 342
peneira 260, 348, 465, 609, 652
peneiração 461, 652
peneiramento 42
peneirar 42, 55, 348, 461, 465, 609, 652
penejar 590
penela 206, 853
penetra 853, 854, 855, 885
penetração 186, 228, 260, 294, 296, 302, 498
penetrado 484, 820
penetrado de amor e reconhecimento 916
penetrador 498
penetrais 221
penetralia mentis 450, 820
penetrante 171, 173, 253, 294, 375, 378, 383, 404, 410, 459, 498, 698, 821, 830
penetrar 175, 186, 228, 260, 282, 294, 302, 378, 461, 490, 498, 511, 518, 522
penetrar até a medula dos ossos 383
penetrar coração 824
penetrar o ânimo de alguém 498
penetrar o íntimo segredo de 490
penetrar-se de dor 828
penetrável 209, 518
pênfigo 655
penha 206, 323, 342
penhascal 206
penhasco 206, 217, 323, 342, 667
penhascoso 206, 217, 256, 342, 665
penhoar 225
penhor 467, 768, 771, 788, 805, 809
penhor de amor 167
penhora 781, 787, 789
penhorado 768, 916
penhorar 768, 771, 788, 789, 812, 916
penicada 653
penico 191, 653
penífero 256

peninérveo/peninervado 367
península 342
peninsular 342
pênis 440e
Penitência 950
penitência 952, 955, 974, 990, 998
penitencial 950, 952
penitenciar 998
penitenciária 752, 966, 972, 995
penitenciário 754, 950
penitenciar-se 950, 952
penitencieiro 996
penitente 950, 952, 987
penny 800
penny wise and pound foolish 818
pennywistle 417
penosa impressão 828, 900
penosamente 31
penoso 31, 686, 688, 704, 830
pensadamente & *adj.* 451
pensado 451
pensador 451, 476, 492, 500
pensamentear 451
pensamento 274, 453, 459, 496, 515
Pensamento 451
pensamento(s) íntimo(s) 612, 620
pensamento maduro 451
pensamento súbito 612
pensamentos que vibram e palavras que queimam 574
pensante 451, 490
pensão 189, 686, 704, 780, 784, 803, 810
pensar 451, 484, 514, 662
pensar duas vezes 864
pensar em 620, 865
pensar feridas 662
pensar maduramente 451
pensar na morte da bezerra 458
pensar que a lua é um bonito queijo 486
pensar que se benze e quebrar o nariz 509, 699
pensativo 451, 458, 837
pênsil 214
pensionar 784
pensionário 746, 785
pensioneiro 784
pensionista 746, 785
penso 217, 298
pentadecágono 244
pentaedro 244
pentágono 244
pentágrafo 19
pentagrama 413
pentâmetro 597
pentaneto e pentaneta 11
pentapétalo 367
pentarquia 737
pentassépalo 367
pentassilábico 562
pentassílabo 562
Pentateuco 985
pentatlo 720
pentavô e pentavó 11
pente 253, 255, 652
penteadela 652
penteado 225
penteador 223
penteadura 225, 652
pentear 255, 652
pentearia 691
Pentecoste 998
penteeiro 690
pente-fino 792
pentobarbital 376
pentotal 376
penudo 256

penugem | periodizar

penugem 255, 256, 324
penujoso (macio) 255
penúltimo 62, 67
penumbra 422, 893
penumbroso 422
penúria 32, 641, 804
penurioso 804
peonagem 726
pepineira 618, 636, 648, 681, 775, 815, 840
pepino (pop.) 844
pepita 32, 800
peplo 223, 225
peplum (ant.) 225
pepolim (ant.) 440d
peponídeo 367
péptico 662
Pequei 950
pequena quantidade 103
Pequena Ursa 550
pequenada 129
pequenez 32, 34, 127, 201, 203, 641, 643, 817, 819, 879, 886, 940
Pequenez 193
pequenineza 193
pequenino 127, 193
pequeníssimo 193
pequenito 32
pequenitotes 129
pequeno(s) 32, 127, 129, 193, 275, , 641, 643, 877, 930
pequenote 129
pequerrucho 129
pequice 499
pequira 271
per contra 14, 468, 708
per fas et nefas 24, 601, 604, 604a, 631
per incuriam 458
per jocum 842
per procuratione 755
per saltum 59, 70, 315
per se 87
per vim 157
peragração 138, 312
peralta (bras.) 264
peraltear 851
peralvilhice 851
peralvilho 854, 880
perambulação 266
perambular 266
perante 186
perante a lei 963
perau 208, 343
percalçar 775
percalço(s) 619, 704, 775, 973
perceber 375, 418, 441, 476, 480a, 490, 518, 775, 785, 810, 821
perceber em sua profunda argúcia 510
perceber no ar 498
perceber por qualquer dos cinco sentidos 375
perceber-se 864
perceber-se e aperceber-se de 510
perceber-se facilmente 518
percebido 864
percebimento 375, 450, 785
percentagem 51
percepção 418, 450, 453, 476, 490, 502, 785, 810
percepção do sabor 390
percepção dos sons 418
percepção embotada 499
percepção nítida 465
perceptibilidade 375, 446, 450, 518
perceptível 375, 418, 446, 518
perceptivo 375, 537
percepto 375, 775
percevejo 45, 401, 653
percha (navio) 847

percha (para ginástica) 840
percluso 265, 751
percorrer 264, 302, 457
percorrer a escala descendente 36
percorrer as folhas 538
percorrer os mares 267
percorrer toda a sua trajetória 729
percuciente 276
percurso 200, 264, 266
percussão 276
percussor 276
percutir 276, 417
percutor 276
perda 160, 360, 619, 638, 651, 659
Perda 776
perda das faculdades intelectuais 499
perda de direitos 925
perda de direitos civis e políticos 925
perda de esperança 859
perda de saúde 655
Perdão 918
perdão 970
perder 135, 649, 678, 776
perder a batalha 732
perder a cabeça/a tramontana 825
perder a calma 825, 900
perder a casta 874
perder a chave/o fio/o faro 475
perder a compostura/o controle de si mesmo 900
perder a cor 821
perder a dignidade 945
perder a energia 688
perder a graça de alguém 889
perder a manha/o costume 614
perder a oportunidade 133
perder a paciência 825
perder a partida 732
perder a rota 279
perder a sela 738
perder a sensibilidade 376
perder a timidez 861
perder a tramontana 279, 900
perder a vida 360
perder a vista 442
perder a viveza 429
perder as estribeiras 509, 699, 821, 824, 900
perder as forças 655
perder as passadas 732
perder boa ocasião para ficar calado/inativo 732
perder carnes 195
perder da memória 506
perder de preço 34
perder de vista 196, 447, 449, 460
perder o conceito/o crédito/a reputação 874
perder o dó ao dinheiro 818
perder o entusiasmo 624
perder o equilíbrio 732
perder o fôlego 688
perder o juízo/a/cabeça/o uso da razão 503
perder o leme 279
perder o tempo 135, 683
perder o terreno 275
perder o trabalho/a cartada/preço e feitio/tempo e feitio/o seu latim 372
perder o uso dos sentidos 376
perder o valimento 874, 930
perder o valimento e a influência 735
perder o vigor 160
perder o vigor/a força e a energia 683

perder pé 208
perder seu latim 704
perder seu preço 429
perder sua importância 643
perder tempo preciosíssimo 681
perder terreno 34, 732
perder toda esperança 859
perder volume 36
perder-se 279, 304, 310, 348, 360, 449, 495, 645, 945
perder-se de vista 31
perder-se em algum pensamento 451
perder-se em conjeturas 475
perder-se em divagações 573
perder-se na opinião de alguém 874
perdição 162, 619, 649, 721, 776, 874, 988
perdíceo 366
perdida 776, 962
perdidamente 645
perdidiço 193
perdido 2, 44, 87, 103, 137, 185, 187, 196, 279, 451, 458, 528, 624, 665, 732, 776, 821, 824, 828, 837, 860, 945, 961
perdido de admiração 870
perdido na noite dos tempos 122, 506
perdido/doido/louco de amor 897
perdidoso 776
perdigão 373
perdigotar 295, 653
perdigoto 129, 299
perdigueiro 366
perdível 6, 776
perdiz 412
perdiz de chamada 622
perdoado 918
perdoador 906, 918
perdoar 740, 918, 970, 976
perdoável 643, 918
perdulário 638, 818
perdurabilidade 327
perduração 110
perdurar 1, 106, 110, 112
perdurável 110, 112
perecedouro 111
perecer 2, 67, 111, 162, 360, 659
perecimento 111, 659, 732
perecível 111
peregrina 498
peregrinação 266, 676, 990
peregrinação deste mundo 359
peregrinador 268, 990
peregrinar 264, 990
peregrinismo 563
peregrino 31, 33, 57, 83, 137, 268, 614, 648, 845, 870, 987, 990
perempção 756
perempto 756, 964
peremptoriedade 474
peremptório 142, 474, 535, 604, 737, 739, 741, 744, 926
perene 69, 106, 110, 113, 141, 142, 150, 367, 505, 734,
perenial 69
perenidade 69,110, 112
perequação 27
perfazer 52, 729, 800
perfazimento 729, 772
perfeccionismo 868
perfeccionista 868
perfectibilidade 650
perfectível 650
perfectivo 650
perfeição 52, 242, 578, 648, 845, 948, 976
Perfeição 650
perfeição da frase 566
perfeição ideal 650

perfeição típica 650
perfeita 17
perfeitamente 52, 494, 535, 650
perfeitamente! 488
perfeito 21, 23, 31, 50, 52, 242, 474, 574, 578, 648, 650, 698, 729, 845, 931, 939, 946
perfeito em 698
perfervidum ingenium 682
perficiente 52, 650, 729
perfídia 544, 940
pérfido 544, 545, 940
perfil 230, 236, 448, 556, 594
perfil grego 845
perfilar 60, 212, 246, 556, 594
perfilar-se (com) 212, 719
perfilhar 167, 484, 609
perfulgência 420
perfulgente 420
perfumado 400
perfumador 400
perfumadura 400
perfumar 400
perfumaria 400
perfume 400
perfumismo 400
perfumista 400
perfumoso 400
perfunctório 53, 111, 460, 491, 641
perfuração 260
Perfurador 262
perfurador 633
perfurar 252, 260, 294, 302
perfurar a carne 378
pergaminho 771, 875
perguilherto 713
perguntador 455, 461
perguntão 455, 461
perguntar 455, 461
Peri 845
peri 979
peribolo 181, 189, 1000
perícia 490, 538, 613, 698
periclitante 158, 177, 665
periclitar 665
pericrânio 440e, 450
periculosidade 665
periculoso 665
periélio 197
periergia 577
periferia 227, 230, 231
periférico 230
perífrase 560, 564, 565, 566, 569, 573
perifrasear 573
perifrásico 564, 573
perigalho 128
perigar 665
perigeu 197
perigo 177
Perigo 665
perigosamente & *adj*. 665
perigoso 177, 649, 659, 665, 704, 713, 720, 830, 860, 907, 949
perilepsis 476
perilo 253
perimetral 230
perimétrico 230
perímetro 227, 230, 231
perimorfose 140, 144
Perinde ac cadaver 743
perineal 440e
períneo 440e
periodicamente & *adj*. 138
Periodicidade 138
periodicidade 58, 70,145
periodicista 593
periódico 70, 108, 136, 138, 531, 593
periodiqueiro 531, 593, 701
periodismo 531
periodizar 566

689

período | pesadora

período 71, 104, 106, 108, 138, 566
Período 108
período áureo 734
período de Saros 138
períodos bem arredondados 577, 578
períodos burilados 577
períodos torneados 578
perióstero que reveste a superfície externa do crânio 440e
peripatético 264, 266, 268, 853, 855
peripécia(s) 8, 146, 151, 735
périplo 267, 311, 594
peripterado 367
períptero 1000
periquito 584
periscios 188
periscópico 446
periscópio 441, 445
perispérmico 367
perissodáctilo 440c
perissologia 573, 579
perissológico 573
perissólogo 573
peristáltico 248, 306
perístase 573
peristilo 181
peritivo 64
perito 480, 490, 500, 698, 700, 967
perito em fingimento 702
peritonial 440e
peritônio 440e
perituro 111
perjurar 544, 607, 757, 940
perjúrio 544, 607, 757, 940
perjuro 544, 548, 607, 940, 941, 949
perlar 427, 847
perlavar 652
perleúdo (dep.) 490
perlífero 440c
perliquetete 855
perlonga 133
perlongar 133, 236, 264, 266, 441, 457, 461
perlustrar os caminhos de uma ciência 538
permanece profundamente gravado/arraigado no coração 919
permanecer 1, 110, 141, 186
permanecer firme 150
permanecer imóvel 265
permanecer na ignorância 491
permanência 1, 16, 110, 136, 143, 150, 172, 186, 604a
Permanência 141
permanente 5, 69, 80, 106, 110, 136, 141, 150, 613
permanentemente 106, 604a
permeabilidade 260
permeação 302
permear 228, 302
permeável 260
permissão 488, 600, 705, 737, 748, 755, 762
Permissão 760
permissível 470, 600, 760, 922, 924, 963
permissivo 760
permissório 760
permistão 41
permisto 41
permita-se-me a expressão 469
permitente & *v.* 760
permitido 760, 922, 924, 963
permitir 488, 529, 705, 737, 740, 760, 826
Permitiu Deus que 601
permuta 12, 148

Permuta 794
permutação 84, 140, 148
permutar 12, 85, 140, 148, 270, 794
permutável 12, 794
perna 51, 215, 440e
pernaberto 243
pernaça 215
pernada 274
pernalta 243
pernalteiro 440d
pernalto 440d
pernaltudo 440d
pernas, para que te quero? 623, 669
pernear 309, 315, 719
pernegudo 243
pernegudo 440d
perneira(s) 225, 717
perneiras 225
perniaberto 440d
pernície 162, 619
perniciosamente 31
pernicioso 619, 649, 657, 663, 907
pernicurto 243, 440d, 651
pernil 203, 215
pernilongo 203, 243, 440d, 651
perniquebrado 158, 243, 440d
pernitorto 243, 440d
pernoitar 142, 292
pernóstico 579, 855, 878
pernudo 243
pérola(s) 339, 427, 430, 648, 847, 873, 899
perolífera 440c
perolino 427, 430, 432, 847
perolizar 427, 430
peronial 440e
perônio/fíbula 440e
peroração 65, 582, 586
perorar 573, 582, 586
perpassar 106, 109, 199, 264, 302, 349, 643, 773, 930
perpassar das idades 122
perpassar de vista 458
perpassar um pediteiro 764
perpassável 643, 648, 651
perpendicular 212, 246
perpendicularidade 212, 244, 246
perpendicularizar 212
perpendicularmente & *adj.* 212
perpetração 680
perpetrador 690
perpetrar 649, 680
perpetrar barbaridades 907
perpetrável 470
perpétua 437
perpétua juventude do espírito 498
perpetuamente & *adj.* 112
perpetuar(-se) 112, 143, 150, 161, 873
perpetuar no bronze/nos fastos da história 873
perpetuidade 105, 110, 112
perpétuo 69, 105, 112, 136, 143, 150, 780
perplexão 458, 475, 704
perplexidade 475, 519, 605, 704, 870
perplexo 59, 458, 475, 479, 605, 870
perquirição 455, 461
perquirir 461
perquisição 455, 461
perra 949, 962
perraria 606, 713
perreiro 263, 997
perrengo 606
perrengue 606, 683

perrexil 392, 615
perrice 606
perro 366, 606, 792, 941
perscrutação 461
perscrutador 455, 461, 498
perscrutar 444, 455, 457, 461
perscrutável 209
persecução 281
persecutório 622
perseguição 281, 286, 461, 649, 739, 828, 830, 907, 925
Perseguição 622
perseguido 623, 898, 925
perseguido pela fortuna 735
perseguidor 622, 891, 898, 907, 913, 949
perseguir 281, 622, 739, 765, 830, 929, 972
perseguir alguém como espectro 88
perseguir com baldões 907
perseguir um fim determinado 620
perseverança 136, 143, 600, 604, 606, 682
Perseverança 604a
perseverante 110, 600, 604a, 682, 719, 861
perseverantemente & *adj.* 604a
perseverar (em)143, 600, 604, 604a, 606, 682, 686, 719
perseverar no vício 945
persiana 260, 422
persigal 653
persignação 990
persignar(-se) 983a, 990
persistência 5, 104, 136, 141, 143, 150, 604a, 606, 686, 951
persistente 110, 136, 141, 143, 150, 604a, 606
persistentemente & *adj.* 141
persistir 1, 106, 110, 141, 143, 150, 604a, 606, 682
persistir no desígnio 719
persolver 807, 926
persona grata 899
personada 367
personagem 175, 372, 599, 642
personalidade 3, 79, 317, 372, 875, 932
personalismo 79
personalíssimo 87
personalista 943
personalizar 79, 564, 929
personificação 19, 521, 554, 569, 599
personificar 79, 550, 554, 599
perspectiva 152, 156, 441, 448, 472, 507, 510, 556, 858
perspectiva aérea 428
perspectiva brilhante/promissora 858
perspectiva do futuro 121
perspicácia 441, 498, 502, 698, 702
perspicaz 487, 498
perspicuidade 441, 518
perspícuo 446, 518
persuadido 484
persuadir(-se) 175, 484, 486, 615, 695
persuadível 602
persuasão 484, 537, 602, 615, 695
persuasão íntima 484
persuasibilidade 602, 615
persuasiva 615
persuasivo 484, 615, 695
persuasor 484, 615
persuasória 695
persuasório 484, 615
pertença 39, 155, 777, 924
pertence(s) 56, 88, 633, 780, 783
pertencente a 9

pertencer (a) 9, 56, 76, 157, 777, 780, 924, 926
pertencer a alguém "como o riso à inocência, como o aroma à flor" 5
pertencer à raça de Otelo 920
pertencer ao arquivo do passado 122
pertencer ao código penal 947
pertencer ao sexo feio 373
pertences de mesa 298
pertênue 322, 328
pértiga 200
pertinácia 604a, 606, 686, 951
pertinácia no erro 481
pertinaz 604a, 606
pertinência 23, 777
pertinente 9, 23
perto (de) 32, 197, 199, 227, 236
pertos 820
Pertransiit benefaciendo 948
perturbação 59, 61, 142, 171, 315, 713, 742, 821, 824, 825
perturbação da ordem 315
perturbação das faculdades mentais 503
perturbação mental 503
perturbação visual 443
perturbado 479, 509
perturbado pela dor 828
perturbador 458
perturbar(-se) 61,70, 140, 218, 315, 475, 503, 713, 824, 830, 832, 860, 881, 907
perturbar a atenção/o pensamento 458
perturbar a tranquilidade 665
perturbar o repouso dos mortos 363
perturbativo 314
pertússis 655
peru 412, 621, 701, 880
Peru 803
peru, vozes de 412
perua 959
peruca 225
perueiro 366
pervasividade 186
pervasivo 186
perversamente 31, 619
perversão 523, 539, 546, 659, 988
perversão do apetite 865
perversão do raciocínio 477
perversidade 649, 901a, 907
perverso 649, 739, 907, 945, 949
perverter(-se) 61, 477, 523, 539, 544, 545, 649, 659, 679, 874, 940, 945
perverter o raciocínio 477
pervertido 495, 523, 961, 988
pervertido 988
pervicácia 606
pervicaz 606
pervigil 264
pervigília 459, 682
pervigilium 682
pervinco 11, 121, 197, 199
pérvio 260
pérvio à luz 425
pés x costas, encosto, espalda, espaldar, respaldo 237
pesadamente 275
pesadão 202, 319, 843
pesadelo 378, 515, 704, 706, 828, 830, 860
pesado 31, 128, 172, 192, 241, 275, 316, 319, 575, 579, 639, 647, 649, 683, 704, 706, 843, 846, 852, 895
pesado a ouro 814
pesado como chumbo 319
pesado de sono 683
pesadora 319

pesadumbre | pilheira

pesadumbre 319, 832
pesadume 319, 603, 828, 832, 837
pesagem 319, 466, 915
pesar 85,175, 319, 451, 457, 461, 466, 615, 828, 830, 832, 833, 837, 900, 914, 950
pesar as palavras 457, 498
pesar na balança 642
pesar na consciência 950
pesar o sono sobre as pálpebras 683
pesar os prós e os contras 864
pesar sobre os ombros de 926
pesar sobre os ombros de alguém a responsabilidade do cargo 737
pesaroso 828, 837, 950
pesar-se 950
pesca 622, 840
pesca submarina 337
pescador 361, 622
pescar 361, 461, 463, 498, 621, 622
pescar de agacho 544
pescar em águas turvas 713
pescaria 361, 622
pescoção 972
pescoço 203, 440e
pescoço alto e bem lançado 440e
pescoço de cisne 245
pescoçudo 243, 440d
pesebre 370
peseta 800
pesgar 223
peso(s) 25, 31, 175, 284, 319, 466, 642, 800, 828, 830
peso absoluto 319
peso da mentira 546
peso de muitos janeiros 128
peso dos anos 128
peso e medida 174
peso específico 319
peso morto 706
peso relativo 319
pespegar 276, 378, 582, 841
pespegar uma mentira 546
pespegar uma peça 545
pespegar/impingir/aplicar um soco/um murro/uma bofetada 972
pespego 645, 706
pespontar 673
pespontear 43
pesponto 43
pesporrência (chulo) 885
pesquisa 455, 457, 461, 527, 537, 622
pesquisação 461
pesquisar 455, 461
pesquisar com a mão 379
Pessach 998
pessimismo 483, 485, 832, 837, 859, 911
pessimista 483, 832, 837, 936
péssimo 649, 867, 898
pessoa(s) 3, 188, 317, 372
pessoa a quem se odeia de fato 898
pessoa alguma 187
pessoa crédula 486
pessoa de bico revolto 878, 885
pessoa de calcanhar rachado 877
pessoa de levar e trazer 631
pessoa de pouco mais ou menos 877, 941
pessoa de quolitiquê 877
pessoa desejosa 865
pessoa do serviço de alguém 746
pessoa fidedigna 474

pessoa geniosa 901, 936
pessoa insignificante/ordinária 941
pessoa inútil 877
pessoa magra 160
pessoa ridícula 853
pessoa ridícula e desfrutável 857
pessoa violenta 901
pessoal 3, 79, 372
pessoal de bordo 269
pessoalmente 79, 186
pessoeiro 778
pestana(s) 205, 441
pestanejar 126, 315, 422, 443, 550
pestanejo 315, 443, 550
pestanudo 205, 440d
peste 401, 619, 655, 663, 828, 830
peste bubônica 655
peste negra 655
pestiferar 657, 659
pestífero 657, 663
pestilência 649, 655, 657
pestilencial 657, 830
pestilenciar 657
pestilencioso 657
pestilente 657
pestilento 657
pestilento lameirão de 649
pestoso 657
pesudo 846
pesume 603
pesunho 440e
pet 370
peta 546
pétala 51
petalado 367
petalismo 735, 893
petardar 162
petardear 162
petardeiro 165, 726
petardo 727
petarola 546, 548
PET-CT 662
petear 546
peteca 605, 840
peteiro 548
petequial 848
petéquias 848
petição 765, 963
petição de princípio 477
peticego 443
Peticionário 767
petiço 271
petimetre 854
petinga 615
petintal 263
petipé 466
petisca 840
petiscar 298, 384, 390
petiscar alguma coisa de 490
petisco 298, 394, 853, 855, 857
petisqueira 298
petisseco 160, 659
Petit à petit l'oiseau fait son nid 275
petitio principii 477
petit-maître 854
petiz 129
petizada 129
peto 392, 443, 841
petrechar 157, 673
petrechos 633
petreco 877
pétreo 323, 823, 914a
petrificação 321, 323
petrificado & *v.* 860
petrificante 323
petrificar 321, 323, 358, 385, 508, 823, 824, 860, 870
petrífico 323, 870

petrina 45, 203, 440e
petrolaria 691
petroleiro 165, 384, 742
petróleo 356, 388
petrolífero 355
petrolista 165
petrologia 358
petrologista 492
Petrônio 850, 851, 854
petulância 880, 885, 901
petulante 885
peugada 551
peúgas 225
pevide 193, 222, 330, 583, 642
pevidoso 222, 583
pexisbeque 847
pexote 621, 701
pez 356a
pezudo 440d
pezunho 440e
PhD 537
piá (bras.) 129
pia 191
pia batismal 998, 1000
piacular (ant.) 952
piáculo 947, 952
piada 842, 856, 857
piadinha 856
piadista 844, 856
piafé 412
piamente 486
pianinho 415
pianíssimo 413, 415
pianista 416
piano 174, 275, 413
piano 417
pião 312, 840
piar 412
piara 72, 102
piastra 800
pica 655, 865
picada 210, 250, 310, 378, 627, 828
picadeira 276, 370
picadeiro 728
picadela 828
picadinho 392
picado 298, 440, 848
picado de inveja 921
picado pelo ciúme 920
picador 262
picadura 378
pica-flor 366
pica-fumo (dep.) 271
pica-milho 877
picante 171, 574, 821, 824, 856, 932, 934, 961
Picante 392
picão 165, 276
pica-pau 271, 727
picape 272
pica-ponto 262
picar 51, 260, 310, 375, 378, 380, 392, 615, 716, 900, 907
picar a inveja alguém 921
picar a retirada do inimigo 716
picar o coração 830
picar o lanço 796
picar os ánimos 824
picar terra 292
picarço/pigarço 440a
picardia 907
picarem os alfinetes a alguém 920
picaresco 499, 579, 853
picareta 165, 253, 276, 370
picaria 370, 692s, 702
pícaro 702, 853, 907, 940
picaroto 210
picar-se 822, 880, 884
picar-se de curiosidade 455
piccolo 417

picela 378
píceo 356a
pichão (de pombo) 129
pichar 929
piche 431
pichel 191
pichelaria 691
picheleiro 690
pichelingue 792
picho 191
pichorra 191
pico 206, 210, 392
picolé 385, 387
picoso 206
picota 975
picote 999
picoto 210
Picou-lhe a mosca 900
pictórico 556
picuinha 856, 907, 929
picuinhar 412, 907
picumã (bras.) 653
pidão 767
pièce de resistance 298
piedade 648, 839, 910, 914
Piedade 987
piedade filial 897
piedoso 648, 914, 987
piegas 501, 822, 853, 855, 857, 859
pieguice 822, 853, 855
pieira 408a, 410, 655
piela 959
pier 292, 293
Piérides 416, 597
piério 416, 597
pierrô 599
pietista 988
pifa 959
pifano 417
pifão 959
pífaro 417
pifio 34, 391, 643, 645, 649, 841, 852, 877
pif-paf 840
pigalgia 378
pigarrear 349
pigarrento 352
pigarro 352
pigarroso 352
pigenesia 161
Pigmalião e Galateia 897
pigmeia 193, 493
pigmentar 428
pigmento 428, 431
pigmeu 193, 493, 877
pignoratício 771
piguancha 130
pijama 225
Pilades e Orestes 890
pilantra 702, 940, 949
pilão 330, 804
pilar(es) 206, 215, 233, 265, 330, 551, 873
pilares de Hércules 550
pilarete 215
pilastra 215, 551, 847
pilastra de reforço 215
pildar (chulo) 623
pilé 396
pileca (dep.) 271
pilência 315
píleo 999
pilepsia 315
pileque 959
pilequinho 959
piléu 941
pilha 31, 72, 639
pilhagem 775, 791
pilhar 508, 775, 791
pilhar-se servido 731
pilheira 636

691

pilheiro | placável

pilheiro 636
pilhéria 2, 643, 840, 842, 857
pilheriar 842
pilho (vulg.) 792, 941
pilhota 191
pilone 66
piloro 260, 440e
pilota (pop.) 688, 776
pilotar 269, 278, 693
piloteamento 693
pilotear 269, 278, 693
piloto 269, 527, 690, 694, 726, 786
pilrete 193
pílula 249, 662
pilular 249
pilunga 271
pimenta 392, 393, 901
pimentão 434, 440e
pimpão 854, 887
pimpar 377, 840, 882
pimpona 854
pimponar 851
pimponear 851
pimponice 884
pinaça 273
pinacoteca 556
pináculo 210, 873
pinador 262
pinar 43
pinça 301, 781
píncaro 206, 210, 253, 873
pincel 556, 559
pincel de luz 420
pincel meduloso 559
pincelada 491
pincelada infeliz 575
pincelar 556
pince-nez 445
pinceta 558
pincha 191
pinchar 276, 305
pincho 309
pindaíba (bras.) 804
pindárico 597, 648, 650
pindarizar 597
pinel 504
pinga (bras.) 25, 32, 804, 959
pinga por pinga 26, 51
pingaço (bras.) 271
pingadeira 775, 809, 810
pingado (ant.) 972
pingalho 852
pingalim 975
pingante 804
pingão 653, 804
pingar 306, 333, 348, 550, 775
pingar bom rendimento 810
pingar miséria 804
pingarelho 877
pingente 214, 847
pingo(s) 32, 193, 271, 299, 348, 550, 643
pinguço 959
pingue 31, 168, 298, 355, 639, 775, 810
pingueiro 959
pinguela 45, 627
pinha 72
pinhal de Azambuja 791
pinhão 440a
pinheiro 440b
pinhota 72
pinimba 867
pino 45, 210
pinoco 233
pinoia 659, 798, 962
pinote 309
pinotear 315, 719
pinta 32, 220, 240, 550
pintado 556, 650
pintado a fresco 556
pintado ao natural 554

pintador 555
pintainho 129
pintalegrete 851, 854
pintalgar 440
pinta-monos 555, 701
pintão 555, 854
pintar 428, 545, 554, 556, 594, 847
pintar a óleo 556
pintar ao vivo 594
pintar com cores carregadas 938
pintar com cores vivas 556
pintar de branco 937
pintar de várias cores 440
pintar e bordar 840
pintar mal 555
pintar na imaginação 514, 515
pintar nas suas verdadeiras cores 543
pintar o caneco 173
pintar o grilo 545
pintar o sete/a manta 173, 840
pintar os canecos/a manta/o sete 173, 840, 907
pintarroxo 440b
pintar-se aos olhos de alguém 446
pintas 440
pinto 129
pinto calçudo (fam.) 701
pintor (pejorativo para) 701
pintor 559
pintor de marinhas 559
pintor reles 555, 559
pintura 223, 428, 554, 594, 650, 692a, 845
Pintura 556
pintura a óleo 428, 556, 692a
pintura a pastel 556
pintura a têmpera 428, 556
pintura acrílica 428
pintura(s) de iluminação 556, 847
pintura de regraxo 556
pintura pastosa 556
pinturesco 556, 845
pínula 445
pio 412, 543, 648, 914, 987
pioca 188
piolheira 643, 653
piolhento 653
piolhice 643
piolho 653
piolhoso 653
píon 316
pioneiro 64, 234, 280, 540, 673
pior 659
pior que o diabo 945
Pior que o inimigo é o mau amigo 891
piora 659, 835
pioração 835
piorado & *v.* 659
Pioramento 659
pioramento 36, 835
piorar 124, 173, 659, 661, 732, 835
pioria 659, 835
piorra 840
piorum sedes 981
pipa 191, 193, 202, 249, 840
piparote 276
pipeta 191
pipi (das crianças) 440e
pipiar 412
pipilar 412
pipitar 412
pipo 191
pipocar 402a
pipote 191
pique 177, 253, 310, 392, 606, 727
piquenique 840
piqueta 233

piquete 268, 271, 668, 717, 726
pira 382, 386, 463
pira do tempo 122
piração 825
piraí 975
pirajá (bras.) 348
piramidal 244, 253
piramidalmente 31
pirâmide 244
piranga 352, 804, 940
pirangar (pop.) 765
pirange (Índia) 272
pirangueiro 877, 940
piranha (bras.) 901
piraquara 188
piraquera 622
pirar(-se) 449, 623
pirata 792
piratagem 791
pirataria 789, 791
piratear 791
pirático 791
Pireneus 206
pires 191
pirexia 655
piriche (asiát.) 273
pírico 382, 386
piriforme 249
pirilampear 422
pirilâmpico 423
pirilampo 423
piriri 299
pirobalística 722
pirobolista 690
piróbolo 727
pirobologia 382, 692a
pirobologista 382
piroca 226
pirófano 425
pirofilácio 382, 386
pirofobia 860
piróforo 384
pirogênese 382, 384
pirogranito 635
pirogravar 558
pirogravura 558
pirolatria 991
pirologia 382
pirômaco 384
piromancia 511
piromania 503
pirometria 382
pirômetro 389, 466
piropina 434
piropo 434, 847
piroscópio 389
pirose 655
pirotecnia 382, 692a, 882
pirotécnico 382, 690
pirótico 171, 384
piroxila 177
pirraça 713, 830, 907, 929
pirraceiro 481, 830, 949
pirracento 481
pírrica (ant.) 840
pirríquio 597
pirronice 487, 606
pirrônico 485, 487, 606
pirronismo 485, 487, 606, 989
pirronista 989
pirueta 218, 312
piruetar 218, 309, 315
pisa 330, 972
pisadela 330
pisado 749
pisadura 330, 378
pisa-flores 855
pisa-mansinho 545, 548, 702
pisando em ovos 864
pisar 266, 276, 330, 378, 613, 649, 773, 830, 907
pisar as esporas 824
pisar as pranchas da barca 293

pisar com indiferença 930
pisar em terra 292
pisar o mais alto degrau da escada que conduz à imortalidade 873
pisar o palco 446, 599
pisar os calcanhares de 286
pisar sobre ovos 704
pisar terra firme 342
pisar um vulcão 526
pisar/dormir sobre um vulcão 665
pisa-verdes 854, 855
pisca 40, 193
piscadela 550
piscar 443
piscar a alguém o olho 550
piscar de olhos 111, 113, 550
piscar os olhos 550
piscativo 622
piscatória 597
piscatório 622
piscem natare doces 539, 640
písceo 366, 622
piscicultura 370
piscina 343, 370, 636, 728, 1000
piscina probática 952
piscinal 952
piscívoro 298
piscola 371
piscoso 168, 348
pisgar-se 623
piso 211, 784
pisotear 830
pispirreta (f.) 584
pissasfalto 670
pissitar 412
pista 461, 550, 551, 622, 627, 728
pistão 263
pisteiro 127
pistola 727
pistola elétrica 727
pistola-metralhadora 727
pistolão 175
pistoleta 727
pistoleto 727
pitada 32, 193
pitada de rapé 643
pitadear 296, 392
pitagoriano 953
pitagorismo 953
pitança 298, 641, 784, 810
pitanceiro 784
pitanga (bras.) 129
pitar 392
piteira 392, 959
piteireiro 959
piteiro (pop.) 959
pitéu 298, 394
Pítia 513
pitiríase versicolor 655
pito 392, 994
píton/pitão 513, 994
pitônico 511, 994
Pitonisa 513
pitoresco 556, 574, 577, 578, 840, 845
pitorra 193, 202, 312, 840
pitosga 443
pituíta 299, 333, 352
pituitária 351, 398
pituitário 299, 352
pituitoso 333, 352
pivete 129, 400, 792
piveteiro 400
pivô 153, 312
pixaim 256
píxide 191, 1000
pixuna 366
pizzicato 415
placa 204, 550, 551, 800, 876, 883
placabilidade 918
placar 626, 876
placável 918

placebo 662
placença (ant.) 931
placenta 161
placet 488, 741, 760, 931
placidez 174, 265, 403, 826
plácido 174, 265, 721, 826
plácito(s) 488, 496, 760, 768, 769, 931
plagiador 19
plagiar 19
plagiário 19, 701, 788
plagiato 19, 21, 788, 791
plágio 19, 21, 788, 791
plaina 255
plaino 180, 255, 344
plaisanterie 842
planador 273
planáltico 206
planalto 206, 251, 342, 344
planamente 543, 703
planear 620, 626, 702
planear na fantasia 514, 515
planejado 626
planejador 626
planejamento 625, 673, 811, 858
planejar 620, 626, 673
planeta (é) 999
planeta 3, 249, 318, 372, 426, 601
planetário 318, 372
Planeza 251
planeza 344
plangente 837, 839
plangentemente 31
planície 180, 182, 213, 251
Planície 344
planície da História 873
planície etérea 318
planificar 251
planiglobo 554
planilha 625, 626, 811, 812
planilhar 673
planisfério 554
plano 60, 71, 213, 251, 255, 514, 620, 625, 631, 692, 702
Plano 626
plano de negócio 625, 673, 811
plano espiritual 981
plano horizontal 213
plano inclinado 217, 276, 306, 633, 667
planos feitos sem base 858
planta 207, 211, 367, 527, 554
planta do(s) pé(s) 207, 440e
planta exótica 10, 24, 57
plantação 184, 300
plantado 183
plantar 371
plantar a incerteza 539
plantar bananeira 218
plantar batatas 297
plantar ventos e colher tempestades 154
plantígrado 440c
planura 206, 251, 342, 344
planura uniforme 213
plaqué 436
plasma 440e
plasmador 240
plasmar 19, 240, 537, 554
plasmável 149
plásmico (recebendo forma) 240
plástica 240, 554
plasticidade 324
plasticina 324
plástico 149, 240, 324, 635
plastificar 223, 255
plastilina 324
plastrão 225, 717
plastron 225
plataforma 484, 542, 626, 724
plateia 444, 599
platiasmo 583
platibanda 847

platina 800
platinar 430
platô 206, 213, 251, 344
platônico 451, 826, 960
platonismo 451, 826, 960
plausibilidade 156, 472
plausível 472, 476, 648, 924, 937
plaustro (poét.) 272
plebe 877
plebe ignara 493, 877
plebe miúda 877
plebeidade 877
plebeísmo 34, 560, 568, 579
Plebeísmo 877
plebeu 877
plebiscitário 609
plebiscito 480, 609, 741, 963
plectro 597
Plectuntur Achivi 495
plêiade 72, 102, 639, 873
pleitar 969
pleiteante 765
pleitear 467, 648, 765, 924, 969
pleitear a causa de 937
pleitear parelhas com 27
pleitear primazia 27, 648
pleito 609, 720, 969
plenamente 31, 52
plenário 31, 52, 966
plenidão 639
plenilunar 138
plenilúnio 138
plenipotência 157
plenipotenciário 759
plenipotente 157
plenitude 25, 26, 31, 50, 52, 68, 482, 639, 650
pleno 31, 52, 639
plenum 316
plenus rimarum esse 499
pleonasmo 517, 568, 569, 573, 640
pleonasmo vicioso 568
pleonástico 573, 640
pletora 640
pletora de dinheiro 803
pletórico 640
pleurodinia 378
pleuróssomo 83
plexo 9, 219
plexus 219
pletora 640
plica 590
plicar 258, 590
plicatura 258
plinto 211, 215
pliocênico 124
plissado 258
plissar 258
plissê 258
plombagina *crayon* 556
pluma 320, 550, 847, 876
plumacho 256, 847
plumaço 215, 847
plumagem 256, 847
plumão 847
plumbaria 692a
plumbear 432
plúmbeo 319, 422, 429, 432, 683
plúmeo 847
plumilha 847
plumitivo 531, 593, 701
plumoso 256, 847
plúmula 153
plural 98, 100
Pluralidade 100
pluralidade 81,102
pluralismo 740
pluralizar 35, 100
pluralmente 100
plurima mors imago 361
plus 37
plus satis 640
plusquam 33

Plutão 982
Pluto 803
plutocracia 803
plutocrata 803
plutônico 382, 982
plutônio 388
pluvial 348
pluviátil 348
pluviometria 348
pluviômetro 348
pluvioso 348
pmd (psicose maníaco-depressiva) 503
pneuma 615
pneumatologia 450
pneumobrânquio 366, 440c
pneumocistose 655
pneumologia 662
pneumonalgia 378
pneumonia 655
pneumoultramicroscopicossilicovulcanoconiose 655
pó 193, 207, 320, 330, 362, 645
pó de cantiga (fam.)134
pó dos arquivos 124
pó! 870
poalha 320, 330
pobre 169, 477, 575, 641, 643, 735, 804, 808, 849
pobre como um rato de igreja/ como Jó 804
pobre de 53
pobre de espírito 493, 501, 843
pobre de! 908
pobre de...! 839
pobre diabo 804, 877
pobre em 641
pobremente 31, 804
pobretão 804
pobrete 804
pobreza 32, 641, 643, 849
Pobreza 804
pobreza de espírito 499, 843
pobreza de faculdades 499
pobreza de faculdades e debilidades de espírito 491
pobreza franciscana 804
pobreza de títulos 925
Pobreza não é vileza 804
poça 343, 345
poção 298, 662
poção venenosa 663
poceiro (bras.) 191
pocema (bras.) 411
pocilga 189, 653
pocilgo 653
poço 208, 260, 343, 636
poço artesiano 343
poço de ciência/de saber/de cultura 492
poda 38, 201, 371
podadeira 253, 371
podão 130, 160, 253, 371, 701
podar 36, 38, 195, 201, 371
podcast 534
Pode crer 535
pode espernear à vontade!
podengo 366
Poder 157
poder 5, 31, 159, 173, 175, 574, 642, 698, 737, 873, 924, 976
poder arbitrário 739
poder das chaves 995
poder de administrar a justiça 965
poder dispor de si 748
poder dispor de sua mão 904
poder espiritual do clero 996
Poder executivo 963
poder iluminante 423
Poder judiciário 922, 963
Poder legislativo 963
poder literário 569

poder mecânico 633
poder opressivo que a força dá 925
poder persuasivo & *adj.* 615
poder ser 470
Poder Supremo 976
poder temporal 737
poderes 745
poderes constituídos 745
poderio 175, 642, 737
poderosamente 31,157
poderosíssimo 976
poderoso 33, 157, 159, 171, 175, 192, 404, 642, 722
Pode-se ouvir uma mosca voar 403
Pode-se ouvir uma pena cair 403
podestade 967
pódice (poet.) 235
podoa 253, 371
podologia 662
podre 401, 643, 649, 653, 657, 659, 945, 961
podre de rico 803
podre de vícios 945
podre(s) 945
podredouro 653
podres 945
podricalho 653, 683, 862
podridão 401, 653, 657, 659, 663, 961
podridão do vício 945
podrido 645
poedeira 168
poeira 207, 330, 645, 880
poeira de luz 318
poeira nos olhos 617
poeirada 330, 402
poeirento 330
poejo 330
poema 415, 597, 873
poema épico 597
poema heroico 597
poema sinfônico 415
poemeto 597
poente 124, 278
poento 330
Poesia 597
poesia 692a
poesia anacreôntica 597
poesia dramática 597
poesia elegíaca & *adj.* 597
poesia lírica 597
poesia satírica 856
poeta (pejorativo para) 701
poeta 515, 559, 597
poeta bordalengo 597
poeta de água doce 597
poeta de assobio 597
poetaço 597
poetar 597
poetastro 597, 701, 855
poético 515, 574, 597, 821, 845
poetismo 597
poetizar 515, 597
pogrom 830
poh! 932
poial 215
poiar 184, 305
poideira 331
poído 124, 677
pois 155, 476
pois nana 762
pois não 488, 762
pois que 155, 870
pois sim! 762
pojadura 168, 873
pojar 292
pojo 292
pola 845, 972
polaca 273, 840
polar 222

polaridade 89, 237, 278
polarímetro 445
polariscópio 445
polarização 668, 708
polarizar-se 420
polca 415, 840
polcar 840
poldras 627
poldro 129, 271
polé 378, 633, 975
polear 972
polegada 32, 200
polegar 379, 781
poleiro 206, 737
polêmica 476, 720
polêmico 476, 713
polemista 476, 710, 713, 726
pólen 161
pólex 379
polha 129, 374
polhastro 129, 373
polho 129
poliacanto 367, 704
poliadelfo 367
poliandra 962
poliandria 903
poliandro 367, 903
polianteia 883
polianto 367
poliarquia 737
policarpo 367
polichinelo 501, 554, 599, 605, 844
polícia 459, 527, 658, 664, 666, 965
policial 66, 664, 692a, 965
policial corrupto 907, 949
policiamento 664, 693
policiar 459, 658, 664
polícia-secreta 461
policitação 768
policlado 367
policlínica 662
policresto 644, 662
policromático 428, 440
policromia 440, 556
policromo c
polidáctilo 440c
polidez 851, 894
polidipsia 865
polido 255, 576, 578, 842, 84
polidura 255
polifagia 957
polífago 957
polifilo 367
polífito 367
polifonia 580
polifonismo 580
polífono 408
poligamia 903
polígamo 903
poligarquia 737
poligástrico 191, 440c, 868, 957, 965
polígeno 168
polígino 367
poliglota 490, 492, 560
poliglotia 490
poliglótico 490, 492, 560
poliglotismo 490, 560
poligonal 244
polígono 244
poligrafia 593
polígrafo 490, 593
polilha 330
polimatia 490
polimático 490
polímato 490, 492
polimento 255, 847, 850
polimeria 17
polimerismo 17
polímeros 635
polimorfia 81
polimorfismo 81
polimorfo 81, 240

polínico/polinífero 367
polinoso 367
poliocértica (ant.) 722
poliomielite 655
poliônimo 564
poliopia 443
poliorama 448
poliorcética 716
polipétalo 367
pólipo 250
polipódio 367
polir(-se) 195, 255, 331, 477, 537, 578, 650, 658, 673, 729, 847, 894
polir o espírito 537
polirrítmico 413
polirrizo 367
polispermo 367
polissilábico 562
polissílabo 562
polissíndeto 567, 573
polissíntese 36
polissulco 259
politeama 599
politécnico 537, 542
politeísmo 984
politeísta 984
politeístico 984
política 626, 692, 702, 737, 894
política de campanário 481
política fabiana 605, 864
politicagem 481
politicalha 702
politicante 702
politicão 548, 701, 702
politicar 692, 702
político (pejorativo para) 701
político 700, 702, 864, 894
político corrupto 907, 949
politicote 701
politipar 19
politiqueiro 548, 701, 702
politiqueiro de aldeia 548
politiquete 701
politiquice 481
polme 330
polmo 653
polo 67, 74, 210, 222, 865
polo norte 237
polo sul 237
polografia 318
polonaise 225, 415
polonesa 225
polpa 354
polposo 354, 639
polpudo 324, 354, 642, 775, 810
poltranaz 862
poltranear 862
poltrão 862, 886
poltrona(s) 215, 599
poltronaria 862
poltronear-se 681
polução 659
poluição 653, 773, 874, 945, 961
poluir 653, 659, 679, 874, 934, 961
poluto 659, 874
polvilhado 440
polvilhar 330, 848
polvilhar de tintas 440
polvilho 330
pólvora 330, 727
pólvora infumígena 727
pólvora sem fumaça 727
polvorêntpo 330
polvorinho 349, 622
polvorosa 59, 682
poma 249, 250, 554
pomáceo 367
pomada 223, 356, 546, 662
pomadista 493, 548, 880
pomar 371
pomareiro 371
pomba 946
pomba da paz 723

pomba sem fel 948
pombal 189
pombeira 666
pombeiro 797
pombinha sem fel 948
pombo 271, 412, 440a, 440b
pombo e rola, vozes de 412
pombo-correio 534
pomicultor 371
pomo 615 713
pomo de adão 440e
pomo de discórdia 461, 720
pomo(s) de ouro 639, 865
pomologia 369
pomólogo 369
Pomona 369
pompa 448, 845, 882
pompa de palavras 577
pompa dos funerais 363
pompa fúnebre 363
pomparoso 882
pompear 845, 847, 882
pomposidade 845
pomposo 577, 845, 847, 882
ponche 298, 959
poncheira 252, 959
poncho 223, 225, 30
ponderabilidade 319
ponderação 319, 451, 457, 468, 480, 498, 642, 864, 932
ponderado 174, 502, 604, 864
ponderado espírito de justiça 922
ponderar 451, 457, 461, 462, 468, 617, 864
ponderável 3, 316, 319
ponderoso 319, 476, 484, 642
pondo de lado 55
pondo de parte 55
pondras 627
pônei 271
pongo 366
ponha-se na rua! 932
pons asinorum 519, 704
ponta (de mulas) 72
ponta(s) 40, 210, 231, 253, 717
ponta de cabelo 440e
ponta de estoque 813
ponta do dia 125
ponta x fundo 237
ponta x raiz 237
pontada 378
pontal 342
pontalete 215
pontão 215, 272, 273, 627
pontapé 135, 156, 276, 378, 619, 972
pontar 599
pontaria 278, 716
pontaria certeira 731
pontas aceradas de um/dum dilema 147, 475, 476, 609
pontas de fogo 386
ponta-seca 765
ponte 45, 440e, 627
ponte de barcas 627
ponte levadiça 627, 671
ponte pênsil 627
ponte volante 627
pontear 43, 420
ponteira 253
ponteiro 114, 234, 550, 706
pontiagudo 203, 253
pontificado 995
pontifical 882, 995, 996, 998, 999
pontificante 996
pontificar 490, 998
pontífice 694, 745, 996
Pontífice 996
pontifical 995, 996
pontificio 996
pontilha 231, 253, 847
pontilhado 440, 704

pontilhado de 16a
pontilhado de erros 495
pontilhado de estrelas 318
pontilhado de peripécias 151
pontilhar 440
pontilhismo 692a
pontilhoso 604
pontinha 32, 713
pontinho 840
ponto 8, 26, 32, 67, 71, 43, 177, 180a, 193, 265, 454, 550, 599, 642, 692a, 848
ponto a aclarar 475
ponto capital 642
ponto controvertido 713
ponto culminante 206, 210
ponto de admiração 870
ponto de apoio 215
ponto de concentração 74
ponto de convergência 74
ponto de honra 939
ponto de inflexão 279
ponto de interrogação 519
ponto de mira 642
ponto de partida 66,145
ponto de reunião 74, 182, 222, 290
ponto de venda 799
ponto de vista 183, 448, 453, 556
ponto e vírgula 142, 590
ponto em discussão 461
ponto facultativo 687, 883
ponto final 142, 292
ponto fraco 651, 822
ponto fraco e vulnerável 477
ponto fundamental 642
ponto geométrico 193
ponto negro 668
ponto nevrálgico/vulnerável 822
ponto por ponto 13, 494, 573
ponto vernal 318
ponto, o 341
pontoada 972
pontoado 440
pontoar 440
pontoneiro 690
pontos cardeais 278
pontos colaterais 278
pontos do horizonte 236, 278
pontos subcolaterais 278
pontoso 772, 939
pontuação 675, 590
pontual 132, 138, 772, 926, 939
pontualidade 80, 132, 136, 138, 494, 682, 772, 926, 939
pontualmente 132, 138
pontuar 550, 567, 590
pontudo 253, 895
pop 415
pop folk 415
pop punk 415
popa 234, 996
popa x proa 237
Popeye e Brutus 891
popinha 366
popocar 402a
populaça 877
população 188, 372
populacho 877
popular 175, 563, 873, 892, 906, 931
popularidade 873, 897, 931
popularizar & v. 518
popularizar 518, 522, 529, 829, 873
populoso 72, 102, 186
pôquer 840
pôr 184, 590
pôr a alguém as costelas em molho 972
pôr a alguém os cinco dedos na cara 972

por a alguém um nó na garganta | por laços de sangue

por a alguém um nó na garganta 581
pôr a bandeira a meio-pau 839
pôr a barato 815
por à boca 298
pôr a boca à 934
pôr a calva (de alguém) à mostra 529, 932, 938
pôr a carapuça a alguém 929
pôr a coberto 664
pôr a consciência em leilão 940
pôr a descoberto 529
pôr à disposição (de) 707, 763, 784
pôr à espada 361
pôr a faca no peito de 744
pôr a ferro e fogo 162
pôr a ferros 751
pôr a juros 787
pôr a limpo 461
pôr a meia ração 641
pôr a mira em 620
pôr a morte 361
pôr à mostra 478
pôr a par 527
pôr a perigo 665
pôr a pino 212
pôr à prova 461, 463
pôr à prova a paciência de 830
pôr a prumo 212
pôr a resina no arco 934
pôr a salvo 670, 750
pôr a serviço 677
pôr a servir 746
pôr a sua felicidade em 865
pôr a sua mira em 865
pôr a sua mira no lucro 943
pôr a tiracolo 214
pôr a tormentos 378
por à venda 763, 796
pôr a verdadeira sela no verdadeiro cavalo 480a
pôr a vida a preço 665
pôr à vista em 441
pôr a votos 609
pôr a/em preço 796
por acaso 156, 621
por acessos 70, 315
por acontecimento 156
por adiantamento 787
por agora 111, 118
pôr água na fervura 174
por aí afora 279
por aí além 180
pôr albardas a alguém 830
pôr algo em poder de 784
pôr alguém a calva à mostra 874
pôr alguém à/pela rasa 934
pôr alguém de rasto(s) 874, 934
pôr alguém em embaraço 907
pôr alguém em lençóis de vinho 972
pôr alguém na necessidade de 744
pôr alguém no/em estaleiro 160, 804
pôr alguém nos carrapitos da lua 931
pôr alguém raso/mais raso que a lama 458
por algum tempo 111
por alguns instantes 111
por alta noite 133
por alto 458, 460, 477, 491, 572
por amor à moda 851
por amor de 155, 707, 902, 928
pôr ante os olhos de 525
por antiguidade 114
por antonomásia 565
pôr ao abrigo de 717
pôr ao abrigo de ônus e de embaraços 705

pôr ao alcance de 518, 763
pôr ao alcance de todas as bolsas 815
pôr ao ar 338
pôr ao martirológio 998
pôr aos lábios 298
pôr aos pés de 763
por arte do diabo 907
por arte mágica 146
por artes de berliques e berloques 545
pôr as armas em sarilho 723
pôr as barbas de molho 459, 665, 864
pôr as mãos em 677
pôr as raízes ao sol 301, 659
pôr as uvas em pisa a alguém 972
por assim dizer 469, 516
por atacado 50, 465a, 609a, 639, 794
por baixo 528
por baixo de 207
pôr barbicachos a 751
por bem 894
por bem dizer 494
por bem ou por mal 159, 601
por burel 839
por cabo 476
pôr cadeado depois de roubado 699
pôr cadeado na boca 528
por cálculo aproximado 466
por caminho resvaladiço e tortuoso 940
por caminhos tortuosos 945
por capricho 615a
por casca de alho 643
por causa de 155, 707
por cautela 459
por cerco 716
por chalaça 842
pôr cilada 545
por cima de 206
por cobro a 174 751
pôr cobro a alguém 751
pôr como condição 770
por conclusão 476
pôr condições 770
por conseguinte 476
por consequência 154
por consideração a 615
por conta de 9, 805
por contra a parede 479
por costume 613
por cueiros 225
por cuidado 459
por culpa de 155
por dá cá aquela palha 608
por data em 114
por de acordo 23
por de avesso 218
pôr de banda/de lado/de parte 624, 930
pôr de bom humor 836
pôr de lado 610, 624, 678
pôr de molho 310
pôr de parte 53, 185, 460, 609, 610, 614, 678, 773, 776, 782, 927
pôr de parte/de lado 458
pôr de quarentena/de/molho/de parte 485, 536
pôr de remissa 133
pôr de remolho 507
pôr de salmoura/de escabeche/de molho 337, 392
pôr de sobreaviso 668
por de trás 235
por deferência a 928
por delegação popular 924
por demais 640
por dentro 221, 813

pôr dentro de pneus de borracha e atear fogo (bras. gír. de criminosos) 907
por desencargo/descargo de consciência 643, 926
por desfastio 842
por desgraça 828
por despedida 476
por detrás 187
por Deus! 535
por dever de cortesia e boa educação 894
por dez réis de mel coado 815
pôr diante de 680
por direito de herança 924
por direito divino 924
por diversas vezes 119
por divertimento 840
pôr do sol 126
por dúvida(s) 485, 764
por efeito (de) 155, 615
pôr em alarma 669, 860
pôr em andamento/em execução 284, 676
pôr em bom caminho 707
pôr em brasa 384
pôr em campo toda a sua atividade 686
por em carestia 704
pôr em cena/em evidência 467, 525, 599
pôr em circulação 800
pôr em cobro/a bom recato/a salvo 664
pôr em contato 199
pôr em contingência 665
pôr em contraste 237
pôr em debandada 73
pôr em depósito 636
pôr em desordem 24, 61
pôr em dia os seus pagamentos 807
pôr em dúvida 485, 489
pôr em equilíbrio 30
pôr em escritura 590
pôr em evidência 446, 465, 531
pôr em execução 676, 680, 692
pôr em face 464
pôr em foco/em acentuado relevo 222, 457, 525
pôr em fogo 824
pôr em fuga/em debandada 73, 731
pôr em guarda 673
pôr em itálico/em versal/em letras garrafais/em letras de fogo 642
pôr em jogo 677
pôr em leilão/em hasta pública 796
pôr em letra de forma 591
pôr em liberdade 750, 760
pôr em linha de pontaria 278
pôr em lista 86
pôr em lugar de alguém 147
pôr em lugar diverso 140
pôr em lugar seguro 664
pôr em moda 851
pôr em montão 72
pôr em movimento 284, 677
pôr em mútua relação 12
pôr em obra 680, 686
pôr em ordem 60, 660, 673
pôr em paz 723
pôr em pé de guerra 722
pôr em perigo 665
pôr em posta 162, 479
pôr em posta a lei 739
pôr em prática 680, 727
pôr em pratos limpos 518
pôr em público/em letras de forma 529, 531
pôr em relação 9

pôr em relevo 457, 478, 557, 931
pôr em risco 665
pôr em riste 673
pôr em uso/em prática 677
pôr em ventura 675
pôr em vigor 755, 924
por empréstimo 787
por encheio 50
por encher 53
por encontro 156
por ende (ant.) 476
por engano 458, 621
por enquanto 118
pôr entre 228
por entre 631
por entre o fogo dos combates 722
por equidade 922
por erro 621
por escala 58
pôr espeques a 215
por essa razão 8
por esse lado 448
por esse modo 8
por esse motivo 476
por esta ou qualquer outra via 631
por esta vez 118
por estimativa 466
por excelência 33, 642
por exemplo 79, 522
por extenso 50, 573
por fas ou por nefas 604
por favor 942
por favor! 765
por fila singela 69
por fim 133, 476
pôr fim 142, 729
por fim de contas 476
por forma alguma 32
por fora 220, 813
pôr fora de casa 297
pôr fora de combate/da arena 158, 731
pôr fora de perigo 664
pôr fora do lugar 61
Por fora muita farofa, por dentro mulambo só 852
Por fora, corda de viola, por dentro, pão bolorento 852
por força 154
por força 52, 476
por força das/d'armas 157, 964
por força de 155
por forma alguma 32
por forma nenhuma 764
por formalidade 613
pôr freio/cobro/dique 142
por gosto 602
por graça 842
por graça de Deus e unânime aclamação dos povos 737
por graça especial 760
por graus 26, 35, 275
por grosso 50, 639, 794
por hac vice 79
por hipótese 514
por hora 118
por índole 820
por inferência 467
por influência de 170
por informações recebidas 527
por inteiro 50
por intermédio de 170, 631, 632
por interposta pessoa 631
por intervalos 70
por intervenção de 631, 632
por intuição 477
pôr isca ao anzol 545
por isso 155, 476, 632
por junto 50, 639
por justiça 922
por laços de sangue 11

pôr lenha na fogueira | pôr-se de fora

pôr lenha na fogueira 35
por linhas travessas 629
por lista 609
por livre e refletida escolha 600
pôr longe das vistas 528
por longo tempo 110
pôr macumba em 992
por maior 572
por maioria de razão 476
por mais que 469
por mal 601
por mal de 619
por mal de meus/nossos pecados 828
por mandado de 741
por mão de 631
pôr mãos à obra 622, 676
por mar 267
pôr mau-olhado em 992
por meio de 157,170, 278, 631, 632
por meio do qual 631
por meios lícitos ou ilícitos 631
por menagem 751
por menos que 469
por mera formalidade 643
por milagre 156
por minha honra 535, 768
por miúdo 51, 573, 594
por modo de osga 545
por motivo de 155
por motivos interesseiros 943
por *motu proprio* 600
por muito que 469
por muito tempo
pôr na balança 461, 476
pôr na conta de 805
pôr na mesa 763
pôr na rampa 531
pôr na rua 297, 750
pôr na tipoia 214
pôr na tulha a colheita 775
por nada 815
pôr nas costas de 926
pôr nas estrelas/nos cornos da lua 482
pôr nas mãos de 763, 783, 784
pôr nas nuvens 931
por natureza 820
por necessidade 601, 630
por nenhuma condição 32, 536
pôr no andar da rua/no ar 972
pôr no arquivo (desus.) 782
pôr no caminho de (alguém) 470, 763
pôr no esquecimento 506
pôr no índex 761
pôr no limbo 506
pôr no micro-ondas 907, 972
pôr no plural 100
pôr no prego 771, 788
pôr no rol do esquecimento 506, 918
pôr no seu antigo esplendor 660
pôr no seu bojo 191
pôr no trabalho 677
pôr nódoa 649
pôr nos eixos 60
pôr nos trilhos 60, 658
pôr notícias em circulação 531
pôr o baraço na garganta de alguém 830
pôr o carro diante dos bois 699
pôr o caso em si 451
pôr o cérebro em atividade 451
pôr o coração acima do estômago 942
pôr o dedo em cima 490
pôr o estômago acima de tudo 943
pôr o ouvido à escuta 418, 457
pôr o pé em terra 342

pôr o pé no estribo 293
pôr o pé no pescoço a alguém 907
pôr o ponto final 729
pôr o preto no branco 518, 590
pôr o rabo entre as pernas 879
pôr o remate a 650, 729
pôr o selo a 729
por onde 155
por ordem 58, 741
por ordem cronológica 114
por ordem de 755
pôr os cornos a alguém 961
pôr os olhos em alguém 82
pôr os olhos furtados em 443
pôr os olhos no chão 837
pôr os papéis para correr (pop.) 903
pôr os pés à parede 606, 719
pôr os pingos/pontos nos ii/is 461, 518, 532, 543
pôr os pontos muito altos 885, 942
pôr ou ficar alguém a pão e água 956
por outra 522
por outras palavras 522
por outro lado 14, 30
por ouvir dizer 527
por palpite 477
pôr para escanteio 930
pôr para fora 529
pôr paradeiro a 142
por partes 51, 53, 79
pôr patente 937
pôr pé em terra 292
por pensamento 451
por períodos invariáveis 138
pôr por terra/por postas 162, 934
pôr posdata em 115
por pouco que 469
por precisão 630
pôr preço 812
por preço algum 536
por preço arrastado 815
por preço muito baixo e com prejuízo 815
por prestação/ões 51, 53
por processos condenáveis 945
por próprio 602
por providência divina 601
por quaisquer meios 631
por qualquer custo 604
por qualquer preço 601, 815
por qualquer sacrifício 604
por que 631
por que cargas d'água? 155, 461
por que modo? 627
por que razão? 461
por quê? 155, 461
por quem és! 765
por quem se pode pôr a mão no fogo 939
por querer 600, 611, 620
pôr sal na ferida 835
por saltos 70
por saltos bruscos 59
por seu próprio risco 926
por seu querer 600
por seu turno 148
por seus embargos 487
por si 87
por sistema 481, 613
por soalhas a alguma coisa 529
por sobre os ombros 676
por sofreadas 70
por sombras escuras 556
por sorte 621
por sua alta recreação 600, 602
por sua conta e risco 926
por sua própria vontade e gosto 600

por subrepção 544
por tabela 58
por tacha 874
por tafularia 840
pôr *tefilin* 990
por tentativa 675
pôr termo (a) 142, 361
pôr termo às dissensões 723
por título honorífico 873
por toda a extensão longitudinal 200
por toda a parte 180
por todo 52
por todos os meios 602, 760
por todos os séculos e séculos 112
por todos os títulos 474
por todos/quaisquer meios 632
por tradição 124
por tralhas-malhas 702
pôr trancas à porta depois de roubado 135, 645
pôr tudo de quarentena/de molho 587
por tudo isso 469
por turnos 138
por último remate 476
por um abraço dar um baraço 917
por um cabelo 32
pôr um dique/um paradeiro (a) 624, 706, 761
pôr um freio 67
por um golpe de pena 737
por um lambisco 152
por um nada 152
pôr um nó na garganta de 479
pôr um paradeiro/dique (a) 624, 706, 761
pôr um ponto final 67
por um pouco 152
pôr um prego na roda 67, 142, 706
pôr um punhal ao peito de 909
por um quase nada 152
pôr um rastilho 626
pôr um refreadouro a 174
por um termo 102
por um triz 32,152
pôr uma ária em canto 416
pôr uma coisa acima de toda a prova 478
por uma linha 152
pôr uma marca em/sobre 457, 550
pôr uma pedra em cima 730
pôr uma questão 461
por uma tutamela 815
por unanimidade 488
por ventura 470
por via aérea 267
por via de 278
por via de regra 78, 80, 82, 613
por virtude de 615
por vontade 600
pôr/meter a laços 796
pôr/meter a saque 791
pôr/meter no são 660
pôr/tirar a limpo 595
pôr/traçar limites 751
pôr/vender em praça 796
porão 207, 211
poraquê 366
porca 210, 374
porcalhão 653
porcalho 129
porcalhota 129
porção 51, 786
porcaria 653
porcarico 370
porcelana 191, 384, 557
porcentagem 813
porcino 412

porcionário 785
porcionista 541
porciúncula 51
porco 366, 373, 412, 653, 699, 954, 954a, 961
porco sujo (pop.) 978
porco, vozes de 412
porco-espinho 253, 901
porejar 295, 348
porejar saúde 654
porém 18, 30, 704, 932
porem-se os cabelos em pé 860
porfia 604a, 606, 686, 713, 720
Porfia mata veado e não besteiro cansado 604a
porfiadamente 765
porfiado 606, 682, 686
porfiador 606
porfiar 686, 713, 720
porfiar em 606, 719
porfiar-se 27
porfioso 69, 110, 141,143, 604a, 606, 682, 686, 713, 720
porfirizar 330
pórfiro 323
porisma 461
pormenores 79, 527, 573, 594, 643
pormenorização 459
pormenorizadamente 594
pormenorizado 459
pormenorizar 79, 527, 573, 594
pornochanchada 599
pornocracia 737
pornografia 961
pornográfico 961
pornografismo 579, 961
pornógrafo 962
poro 260, 350
pororoca 348
porosidade 260, 322
poroso 252, 260, 322
porpianho (reg.) 232
porquanto 155
porque 462, 476
porquê 155
porquê e portanto 615
porque me chamo leão 925
porqueira 653
porqueiro 370, 412
porquidade 653
porquidão 653
porquinho-da-índia 366
porráceo 435
porrada 276
porrão 191, 193
porre 959
porretada 972
porrete 276, 727
porro 393
Porrot 727
pôr-se a 676, 680, 824
pôr-se a andar 623
pôr-se à disposição 725
pôr-se à fresca 225, 226
pôr-se à mercê de 717
pôr-se à moda/à última moda 851
pôr-se a pé 307
pôr-se a salvo 666
pôr-se a trabalhar 676
pôr-se à vontade 226
pôr-se ao fresco 623
pôr-se ao largo 287
pôr-se às maiores com alguém 885
pôr-se bem com Deus/com os homens 944, 952
pôr-se davante 706
pôr-se de emboscada/de salto 528, 530
pôr-se de festas 836
pôr-se de fora 603

pôr-se de pé | pousar os joelhos em terra

pôr-se de pé 212
pôr-se de salto/de alcateia/de emboscada 528, 530
pôr-se de tromba 900
pôr-se em contato com 716
pôr-se em debandada 671
pôr-se em defesa 459
pôr-se em guarda 459, 717
pôr-se em harmonia 23
pôr-se em lugar de 147
pôr-se em ocasião de 665
pôr-se em ordem de combate 673
pôr-se em paralelo 27
pôr-se em proporção 23
pôr-se em risco 665
pôr-se longe das vistas 449
pôr-se mal com alguém 889
pôr-se na frente 719
pôr-se na pireza (pop.) 623
pôr-se nos bicos do pé 719
pôr-se o sol 126
pôr-se ombro a ombro com 27
porta 197, 231, 260, 294, 295, 627, 632
porta falsa 717
Porta Otomana 696
porta, som de 402a
porta-aviões 722, 726, 727
porta-bandeira 726
porta-cocheira 260
porta-colo 191
portada 64, 234, 260
portador 271, 510, 534
porta-espada 215
porta-estandarte 726
portageiro 785
portagem 812
portal 66, 231, 260
portalira 597
portaló 66, 260
porta-manta 191
porta-mantô 191
porta-novas 527, 532, 534
portanto 155, 476, 478, 615
portão 260, 627
porta-paz 998
porta-penas (poét.) 830
portar 270
portaria (decreto) 480, 741, 963
portar-se 692
portar-se com honestidade 939
portar-se honradamente 939
portar-se mal 699
portar-se na altura 861
portas afora 220
porta-seios 225
portátil 193, 270, 320
porta-vexilo 726
porta-voz 64, 418, 524, 527, 532, 534, 631
porte 192, 240, 270, 448, 642, 692, 812, 851
porte desengraçado 846
portear 807
porteira 260
porteiro 263
portela 244, 260
portelo 260
portento 83, 872
portentoso 870
pórtico 66, 231, 260
pórticos da História 873
portilha 420a, 717
portinhola 260
porto 265, 293, 343, 666
porto de salvamento 731
porto franco 815
porto limpo 656
porto sujo 665
porto suspeito 657
portucha 260
portuchos 260

portuga (depr.) 565
portugal velho 912, 939
portuguesar 563, 567
portuguesismo 560, 567
portulacáceo 367
portunhol 563
Portuno 341
portuoso 343
portus corporis 363
porvindouro(s) 63, 65, 121, 167
porvir 121, 152
pós 117
pós de jasmim (do cão) 299
posar de 855
posdata 115
posdatado 115
posdatar 115
pós-diluviano 117
pose 183, 240, 448, 855
pós-escrito 65
pós-existência 152
posfácio 65, 67
pós-graduação 537, 542
pós-graduar-se 538
posição 7, 8, 48, 71, 117, 182, 183, 240, 448, 625, 737, 873
posição falsa 704
posição na sociedade 873
posicionamento 184
posicionar(-se) 182
posiopese 70
positivação 535
positivamente 535
positivamente inaudito 870
positividade 1, 474
positivismo 474, 984, 989
positivista 989
positivo 1, 8, 31, 82, 84, 476, 484, 494, 534, 535
positura 8
pós-meridiano 126
posologia 662
pospasmo 70
pospasto 298
posponente 63
pospor 39, 63, 133, 282, 773, 930
posposição 281
pospositivo 63,117
posposto 925
possança 159, 639
possante 159
posse(s) 186, 632, 737, 780, 803
Posse 777
posse comitatus 737, 965
posse de si mesmo 604
posse em comum 778
posse exclusiva 777
posse futura 777
posse mansa e pacífica 777
posse secular 777
posseiro 188, 779
possessão 184, 777, 780
possesso 503, 900, 945
possessor 777, 779
possessório 777
possibilidade(s) 176, 177, 472, 484, 803, 822
Possibilidade 470
possibilitar 470
possível 156, 177, 470, 621, 705
possivelmente & *adj.* 470
possuído 777, 820
possuído de 824
possuído de inveja 921
possuidor & *v.* 777
Possuidor 779
possuinte 779
possuir 777, 780
possuir as graças o coração de alguém 888
possuir autoridade 737
possuir grossos cabedais 803
possuir o coração de 897

possuir qualidades 820
possuir saber à légua 490
possuir sentimentos de virtude 944
possuir um grande fundo de 639
possuir um grande fundo de virtude 944
possuir uma vastidão de conhecimentos 490
possuir-se 484, 486
possuir-se de seu papel 599
possuir-se de uma ideia 451
post 527, 534, 592
post hoc ergo propter hoc 477
post homines natos 112
post mortem 363
post obit 360, 363
post scriptum 65
posta 51, 191, 534, 637, 786, 965
postal 534
postar 184, 527
poste 212, 215, 265, 550, 975
posteiro 117
postejar 44, 51
postemão 253
postemeiro 67, 834
pôster 531
posteramente & *adj.* 167
postergação 83, 773, 925, 930
postergação da lei 964
postergar 53, 55, 133, 282, 460, 605, 773, 925, 930
Posteridade 167
posteridade 65, 117, 121
posterior 63, 67, 117, 235, 281
posterioridade 63, 235
Posterioridade 117
posteriormente & *adj.* 235
póstero(s) 63, 65, 117, 121, 167
posteroexterior 235
posteroinferior 235, 236
posterointerior 235
pósteros 121
posterossuperior 235
postiça (de navio) 39
postiço 39, 545
postigo 66, 260, 420a
postigo 420a
postigo 66
postila 39
postilhão 268, 534
post-mortem 360
post-nato/pós-nato 117
posto 7, 71, 75, 183, 184, 292, 625, 737, 873, 876
posto à boa ordem 59
posto avançado 234
posto em contato 199
posto em frente 199
posto em síntese 596
posto que 30, 179, 469
postre ou postres 298
postremeiro 67
postremo 67
postrimeiro 67
post-scriptum 39, 592
postulação 534, 765
postulado 80, 476, 514, 538
postulante 765, 767, 996
postular 765
postulatum 514
postumária 117
póstumo 67, 117, 133, 167
postura 8, 183, 240, 448, 680, 692, 826, 847, 852, 963
potage 298
potagem 298
potamita 366
potamografia 348
potável 298, 337
pote 191, 193
potência 26, 84, 157, 159
potência intelectual 492

potenciação 85
potencial 2, 157
Potencial de guerra 727
potencialidade 157, 470
potenciar 85
potens corporis 654
potentado 33, 175, 739, 745, 875
potente 157, 404, 682
poterna 260, 530
potest fieri ut fallar 469
potestade 157, 159, 739, 745
Potestade 976
poto (poét.) 298
Potosi 803
pot-pourri 41, 400, 415
potranca 129
potreia 395
potreiro 636, 797
potril 370
potro 129, 975
pouca profundidade 209
pouca vontade 133
pouca-vergonha 133, 940, 961
pouco 25, 32, 103, 195, 641
pouco a pouco 26,174, 275
pouco audível 405
pouco carinhoso 907
pouco carregado 429
pouco caso 929
pouco comum 137, 642, 870
pouco denso 322
pouco distinto 852
pouco edificante 945
pouco esforçado 624
pouco exemplar 614
pouco firme 605
pouco fixo 429
pouco importa 643, 866
pouco inclinado a 603
pouco inclinado à indulgência 914a
pouco mais ou menos 32
pouco menos 651
pouco morigerado 945
pouco necessário 678
pouco profundo 491
pouco rendoso 169
pouco satisfatório 647
Pouco se me dá 866
Pouco se nos dando que... 823
pouco sólido 491
pouco-caso ou nenhum caso 930
poucochinho 32
poucos 100
poule 775
poupado 670, 687, 817
poupado à pira inexorável do tempo 110
poupança 817
poupar 572, 623, 670, 678, 740, 817, 906, 914
poupar o inimigo 914
poupar os vencidos 914
poupar-se 623, 927a
Pouquidade 103
pouquidade 32, 641, 643
pouquidão 103, 137, 180a, 193, 641, 643
Pouquidão 32
pouquinho 32, 103
pour épater (les bourgeois) 477, 855, 882
pour rire 853
pourparler 695, 696
pousada 189, 265, 687
pousadeiro 189, 235
pousado 265
pousadouro 235
pousar 142, 183, 184, 267, 292, 687
pousar o pé 215
pousar os joelhos em terra 990

697

pousar sua observação em | preeminência

pousar sua observação em 450
pousio 371, 687
pouso 189, 666, 687
poutar 292
poviléu 877
povo 102, 188, 372
povoação 189
povoado 186, 189
povoado ou sombreado de árvores 367
povoador 188
povoar 52,161, 184, 186, 188
povoar a alma de ilusões 515
povoar de 637
povoar de árvores 371
povoar de mortos 361
povoar de trevas 539
povoar o espírito 451
povoléu 877
pozolana 635
praça 189, 726, 796, 799
praça de comércio 799
praça de guerra 717
praça forte/fortificada 666, 717
pracear 796
pracejar 882
pracista (bras.) 894
pradaria 344, 367
prado 344, 367, 371
pradoso 344
praga 72, 619, 908
pragal 169
pragalhar 908
pragana 205
pragmática 80, 613, 882
pragmático 613
pragonimíase 655
praguejado 908
praguejar contra 908
praguento 934
praia 231, 342, 840
praia(s) estigiana(s) 360, 982
prancha 204, 292, 440e, 592, 627
prancha à vela 273
pranchada 716, 972
pranchão 204
pranchear 972
prancheta (de fios) 263
prândio 298, 840
pranteadeira 839
pranteador 839
prantear 839
prantivo 839
pranto 839
pranto sentido 839
prásino 435
prasmar (ant.) 932
prasme 488, 932
prata 430, 800
prata sem liga 650, 948
pratalhada 25, 298
pratalhaz 31, 298
pratas (gír.) 800
prateação 430
prateado 430, 432, 440a
prateadura 430, 223, 420, 430, 847
pratear 126, 223, 420, 430, 847
prateleira 191, 215
prática 537, 582, 588, 613, 625, 677, 680, 692, 772, 926, 998
prática abusiva 679
prática condenável 940
prática constante e consagrada 613
prática de atos condenáveis 947
prática do mundo 892
praticabilidade 470, 705
praticador 690
praticamente 5
praticante 493, 541, 690, 701, 772, 987
praticante 987

praticar 82, 170, 580, 677, 680, 772
praticar a tolerância 740
praticar a virtude 944
praticar ações pouco dignas 945
praticar ações rasgadas 816
praticar ações vis 940
praticar atos contrários à virtude 961
praticar atos luxuriosos 961
praticar desatinos 825, 900, 923, 925
praticar despropósito 503
praticar escândalos 874
praticar excessos/abusos 964
praticar falsidades revoltantes 940
praticar feitiçaria & *subst.* 992
praticar o bem/a caridade 906, 910
praticar o binágio 998
praticar seu dever 922
praticar sobre vários assuntos 588
praticar um crime 947
práticas ascéticas 955
praticável 470 705
prático 169, 673, 289, 960, 968
praticola 366
praticultor 371
praticultura 371
pratilheiro 416
prato(s) 191, 213, 251, 298, 417
prato de lentilha(s) 615, 784, 973
prato de resistência 298
prato do dia 532, 588
pratos da balança 922
pravidade 649, 907
pravo 649, 907
praxe 80, 143, 613, 627, 677, 680, 882
praxista 82, 122, 613, 882
praza a Deus! 865
praza aos céus 865
prazente 829
prazentear 827, 829, 838, 933
prazenteiramente 31, 829, 831
prazenteiro 377, 602, 827, 829, 831, 836, 933
prazer 377, 600, 602, 829, 831, 954
Prazer 827
prazer de fazer o bem 906
prazer dos sentidos 954
prazer físico 377, 827, 829
prazer moral 836
prazeres sensuais 377
prazeroso 377, 827, 829
prazimento 762, 829
praz-me 762
prazo 106, 133
pré-adamita 124
preado 503
pré-agônico 62, 360
preamar 35, 52, 102, 151, 206, 337, 348, 639
preamar pelas ervas 639
preambular 62, 573
preâmbulo 64, 573
preanunciar 511
prear 781, 791
prebenda 681, 995
prebostal 759
preboste 745, 967
precação 765
preçado 897
precariedade 53, 149, 475, 651, 674
precário 53, 111, 149, 475, 651, 665, 674, 704, 812
precatado 864

precatar(-se) 459, 664, 668, 864
precato (ant.) 864
precatório 765
precaução 459, 510, 626, 664, 673, 864
precaucionar-se 864
precautelar-se 864
precaver(-se) 459, 510, 668, 673, 864
prece 765, 990
precedência 116, 280, 873
Precedência 62
precedente(s) 62, 64, 80, 122, 613, 673, 692
precedentemente & *adj.* 62
preceder 62, 116, 280
precedido de 281
preceito 80, 496, 471, 963
Preceito 697
preceito que perdeu valor/validade 927
preceitual 697
preceituar 741
preceituário 80, 596, 697
preceptivo 741
preceptor 540
precessão 62, 116
Precessão 280
preciência 976
precingir 229
precinta 45, 232
precintar 43, 229
preciosidade 618, 644
preciosismo 568, 579, 855
precioso 642, 644, 648, 844, 897, 921
preciosos despojos 362
precipício 198, 208, 217, 649, 667
precipitação 132, 135, 274, 306, 310, 321, 481, 499, 601, 612, 684, 863
precipitadamente 59, 132
precipitado 111, 132, 321, 330, 458, 481, 499, 612, 682, 684, 863
precipitar 132, 134, 321, 684, 907
precipitar-se 173, 306, 310, 481
precipitar-se em 348
precipitar-se em torrentes 348
precipitar-se sobre 622, 708
precípite 212, 217, 274, 665
precípite e cego 863
precipitoso 212, 217, 665, 863
precípuo 3, 5, 630, 642, 778
precisado 641
precisão 494, 518, 572, 630, 641, 772, 804
precisão de maquinismos 494
precisão de relógio 80
precisão matemática 494
precisar 79, 106, 474, 494, 596, 630, 641, 804
precisar a causa 155, 522
precisar de correção 932
precisar de quatro óculos 443
precisianismo 988
precisiano 988
preciso 474, 494, 518, 525, 572, 596, 639
preciso estudar a oportunidade 134
precitado 116
precito(s) 945, 949, 971, 988
preclaro 420, 490, 845, 873, 944
preclusão 402
preço 147, 644, 648, 809, 972, 973
Preço 812
preço alto/excessivo/exorbitante/escorchante 814
preçobaixo/ínfimo/diminuto/convidativo 815
preço corrente preço fixo 812

preço de amigo 815
preço de arrematação 815
preço de mercado 812
preço justo 812
preço sugerido 812
preço vil 812
precoce 132, 135, 674
precocidade 132, 135, 674
precógnito 490, 510
preconceber 481, 611, 626
preconcebidamente & *adj.* 155
preconcebido 155, 611
preconceito(s) 465, 481, 608, 611, 911, 988, 992
preconceituado 611
preconcepção 481
preconição 490
precônio 931
preconização 931
preconizador 527, 695
preconizar 695, 931
pré-contrato 963
precorrer 62,116, 280
precursador 64
precursar 62, 116, 280
precursivo 62
precursor 62, 64, 66, 116, 280, 512, 668, 673
Precursor 64
predativo 789
predatório 789
predecessor(es) 64, 166
predefinição 511, 611
predefinir 511, 611
predeliberação 510, 611
predesignado 611
predestinação 601, 611
predestinação de S. Paulo 601
predestinado & *v.* 601
predestinado 648, 962, 977
predestinar 152, 601, 611, 976
predeterminação 600, 601, 620, 976
Predeterminação 611
predeterminado 611, 620
predeterminar 152, 601, 611, 626, 976
predial 189, 780
prédica 537, 586, 998
predicação 535, 537
predicado(s) 5, 698, 820
predicador 996
predicamentar 60
predicamentar sob 76
predicamento 7, 8
predicante 582 , 996
predição 64, 507, 550, 668
Predição 511
predicar 537, 582, 695
predicativo 535
predicatório 931
predicável 535, 695
predileção 481, 609, 820, 865, 897
predileta 897
predileto 609, 897, 899
prédio 189, 780
prédio serviente/dominante 780
prédios rústicos 780
predispor 611, 615, 673
predispor-se 602
predisposição 5, 176, 602, 820
predisposto 602, 615, 820
predito 62, 104, 116
predizer 116, 507, 510, 511
predominação 157, 175, 33, 737
predominança 175
predominância 157, 175, 737
predominante 78, 175, 580, 737
predominar 78, 175, 737
predomínio 33, 157, 175, 737
preeminência 33, 62, 175, 210, 693, 737, 873, 875, 876

preeminente | preservador

preeminente 33, 642, 873
preeminentemente 31
preempção 795
preencher 52, 224, 680, 729, 772
preencher as deficiências 52
preencher lacunas 658
preencher o seu fim 170
preencher os claros 660
preencher os deveres/ as funções/as obrigações inerentes a um cargo/a um emprego/a uma comissão 737
preencher sua palavra 772
preencher um cargo 737
preenchimento 52, 224, 680, 729, 772
preensão 781
pré-espírito 317
preestabelecer 62, 626, 673
preexaminar 461
preexcelência 648
preexcelente 648
preexcelso 206, 574, 648, 845, 873, 942, 976
preexistência 116
preexistente 116
preexistir 116
prefação 64
prefaciar 62, 488, 590, 931
prefácio 64, 66, 998
prefeito 694, 745, 759
prefeitura 737
preferência 62, 609, 820, 865, 897
preferencial 609
preferencialmente & *adj.* 609
preferido 897, 899
preferir 33, 609, 865, 897
preferir a morte à desonra 719
preferir o incerto ao certo 699
prefica 839
prefiguração 511, 515
prefiguramento 512
prefigurar(-se) 481, 511, 514, 515, 525
prefinir 62, 114, 611
prefixar 37, 39, 62, 611
prefixar o tempo 114
prefixo 39, 64, 562
prefulgir 420
prega 207, 258
pregação 537, 841, 990, 998
pregado (reg.) 959
pregador 540, 582, 996
pregador de ideias novas 742
pregadura 43
pregagem 43
pregamento & *v.* 43
pregão 527, 529, 741, 799, 903
pregão vitatório 975
pregar 43, 258, 441, 529, 535, 537, 695, 880, 884, 931, 998
pregar aos peixes 539, 589
pregar aos ventos 645
pregar calote 808
pregar como cera 46
pregar no deserto 539, 589, 645, 930
pregar palas a alguém 545
pregar petas 546
pregar sermão a 932
pregar um cão a 808
pregar uma estopada de algumas horas 841
pregar uma peça 545
pregareta(s) 996
pregar-se em casa 893
prego 45, 633, 959
pregoar(-se) 531, 884, 931
pregoeiro 263, 527, 534, 796, 935, 936
progresso 62, 116
prégua 666

pregueado 258
preguear 258
preguiça 172, 275, 366, 460, 681, 683
preguiçar 685
preguiceira 685
preguiceiro 275, 683
preguiçosamente 133
preguiçoso 174, 275, 624, 645, 683
preguntar 461
pregustar 390
pré-história 122, 124
pré-histórico 124
preia 828
preitear 725, 873, 879
preitegar 725
preitesia 769
preito 725, 743, 749, 769, 928, 931
preito de obediência 743
preito e homenagem 743
prejudicação 481
prejudicar 160, 481, 649, 659, 934, 940
prejudicial 649, 735, 830, 907, 925
prejudicial à saúde 657
prejudiciar 481
prejuízo(s) 619, 649, 776, 808, 992
prejulgamento 481, 510, 606
prejulgar 481
prelação 609
prelacia 995
prelacial 995
prelaciar 995, 998
prelada 694, 996
preladia 995
prelado 996
prelado superior 996
prelatício 995, 996
prelatura 995
prelazia 995
preleção 537, 586
prelecionar 537, 582
prelegado 784
preletor 540
prelevar 33, 307, 617, 918
prelibação 116, 507, 510
prelibar 116, 390, 507, 510, 827
preliminar(es) 62, 64, 116, 673
prélio 720
prelo 531, 591
prelucidação 522
prelúcido 420
preludiar 62, 415
prelúdio 64, 415
preluzir 33, 62, 420
preluzivo 62, 64
prema 45, 739, 744
premar 739, 744
prematuração 132, 135
prematuramente 132
prematurar 132
prematuridade 132, 674
prematuro 24, 132, 135, 508, 674
premeditação 510, 611, 620, 626
premeditadamente 611
premeditar 611, 620, 626
premência 175, 615, 630, 642, 684, 744
premência do tempo 735
premência dos negócios 625, 682
premente 319, 630, 735, 744
premer 72, 203, 319, 321
premiado 698
premiar 784, 973
premido pelas circunstâncias 744
premido pelo tempo 684
prêmio 618, 731, 733, 775, 610, 815, 973

prêmio de seus esforços 731
premissa(s) 64, 467, 476, 514
premissa maior 476
premissa menor 476
premoção 976
premonição 511
premunir(-se) 668, 864
premunire 974
prenda(s) 157, 698, 763, 784, 820
prendado 698
prendar 698, 763, 7 84, 973
prender 9, 43, 155, 184, 288, 331, 706, 751, 781, 789, 829, 903, 916
prender a atenção/a ideia/o pensamento/o espírito/as vistas 457
prender a atenção/o espírito 824
prender à boia 43
prender a respiração 507
prender com feitiços 829
prender o burro 901a
prender o coração 615, 829, 870, 897
prender o espírito 642
prender os olhos 642, 870
prender prazer 829
prender/subjugar/cativar o coração 845
prender-se 704
prender-se com bagatelas 549, 605, 699
prender-se em teias de aranha 605
prendre la balle au bond 134
prenhe 52, 72, 161, 639, 640
prenhe de surpresas 121
prenhez 161, 168
prenhidão 168
prenoção 481, 491, 510
prenome 564
prenominal 564
prenominar 564
prenotar 510
prensa 591, 633
prensa tipográfica 591
prensar 195, 319, 321, 739, 751
prenunciação 511
prenunciador 64
prenunciar 121, 510, 511
prenunciativo 511
prenúncio 121, 510, 511
prenúncio de males 668
prenúncios 64
preocupação (de) 458, 606, 620, 828, 865
preocupado 457, 458
preocupar(-se) 458, 606, 642, 830
preocupar o pensamento 451
préon 316
preordenação 976
preordenar 152, 601, 611, 976
preparação 60, 413, 537
Preparação 673
preparação de alimentos 673
preparação de homens 673
preparação de peles 673
preparação do solo 673
preparadamente & *adj.*
preparado 48, 662, 673
preparado com artifício 855
preparado para 673
preparador 540, 673
preparando & *v.* 673
preparar 54, 161, 590, 601, 611, 626, 650, 673, 705
preparar para 673
preparar para exame 537
preparar para os maus dias 673
preparar um plano 626
preparar um remédio 662

preparar-se 225, 526, 673, 864
preparar-se para 507, 538
preparar-se para a luta 604, 720
preparativo 64, 673
preparatoriano 541
preparatório(s) 62, 116, 537, 673
preparo 54, 490, 537, 673, 675
preponderação 33, 157, 175, 319, 615, 642, 737
preponderante 33, 157, 319, 474, 642, 737
preponderantismo 739
preponderar 33, 175, 217, 319, 615, 642
preponência 62, 116, 609
preponente 62
prepor(-se) 39, 62, 116, 199, 280, 609
preposição 64, 116, 199
prepositivo 62
preposteração 61, 146, 218, 497
preposterar 61, 146, 218, 497
prepóstero 59, 218, 497, 853
preposto 631, 746, 758
prepotência 157, 175, 739, 964
prepotente 175, 885
pré-rafaelismo 122
pré-rafaelista 122, 124
prerrogativa 737, 748, 924
prerrogativa de sangue 737
presa 253, 620, 733, 781, 828
Presa 793
presbiopia/presbitia 443
présbita 443
presbiterado 995
presbiteral 995
presbiterial 996
presbiteriano 984
presbitério 996
presbítero 996
presbitismo 443
presciência 510
presciente 510, 864
prescindir (de) 55, 678, 930
prescindir dos seus direitos 886
prescindir-se de 53
prescrever 695, 741, 756, 924, 926
prescrição 124, 613, 662, 678, 697, 741, 756, 925
prescrições 998
prescri(p)tivo 613, 761
prescriptor 761
prescritível 924
prescrito 141, 924, 925
prescrito pelo destino 601
presença 1, 234, 448, 692
Presença 186
presença de espírito 498, 826, 864
presenciador 444
presencial 186
presencialmente 186
presenciar 186, 441
presentâneo 113, 157, 170
presentarem os campos a cor da terra 169
presente 79, 118, 123, 134, 186, 474, 525, 707, 763, 784
presenteador 784, 816
presentear 763, 784, 816, 892
presentemente 118
presentes interesseiros 933
presepada 884
presépio 189, 370, 752
preservação 141, 150, 664, 717, 976
Preservação 670
preservado 141, 664
preservador 670

preservar(-se) | primo-segundo e prima-segunda...

preservar(-se) 150, 664, 670, 717, 864, 937, 976
preservativo 664, 670,
presidência 693, 737
presidencial 737
presidencialismo 737
presidente 693, 694, 745, 963
presidente do conselho 759
presidiar 717, 751
presidiário 752, 754
presídio 717, 752
presídio de segurança máxima 752
presidir 693
presidir ao julgamento 480
presidir os destinos do Estado 737
presidir um julgamento 965
presiganga 752
presilha 45
presilheiro 548
preso (a) 9, 43, 613, 751, 821, 926, 938
Preso 754
preso de delírio e inanição 655
Preso por ter cão e preso por não ter 923
preso por um fio 665
presos por 712
pressa 132, 274, 682, 735
Pressa 684
pressagiador 510
pressagiar 116, 121, 510, 511, 668
presságio 64, 121, 510, 511, 512, 550, 665
pressagioso 510, 511
pressago 510, 511
pressão 157, 171, 175, 319, 630, 739, 744, 964
pressentido 418, 510
pressentimento(s) 64, 121, 381, 477, 510, 514, 527
pressentimentos lúgubres 859
pressentir 380, 418, 510, 511
pressentir a voz de 418
pressentir os aplausos da posteridade 873
pressirrostro 440c
presso 572
presso pede 275
pressum vulnus 378
pressupor 472, 481, 510, 514
pressuposição 481, 514, 617, 620
pressuroso 264, 602, 682, 684, 894
prestabilidade 644
prestação 51, 800, 807, 809
prestação de serviços 690
prestadiamente 644
prestadio 644, 648, 894, 906
prestador de serviços 690
prestamente 684
prestamista 787, 805
prestança 644
prestância 644
prestante 644, 648, 873
prestar 644, 707, 784
prestar ajuda 707
prestar as derradeiras homenagens 839
prestar atenção 418, 457, 459, 864
prestar culto 991
prestar declarações 467
prestar falso testemunho 938
prestar fiança 768, 771
prestar homenagem (a) 879, 894, 928, 930
prestar honras 873, 928
prestar juramento 535, 768
prestar mão forte 707
prestar obediência 743

prestar ouvido 602
prestar preito/homenagem 928
prestar serviço(s) 644, 690, 707, 746, 906
prestar socorro 717
prestar tributo a 928
prestar um desserviço 699
prestar-se a 602, 886
prestar-se a tudo 886
prestar-se a vícios torpes contra a natureza 961
prestar-se a vilanias para conseguir alguma coisa 933
prestar-se ao ridículo/ao desfrute 853
prestativo 602, 644, 648
prestável 644, 894
preste (ant.) 996
prestes (a)132, 274, 673, 684
prestes a acontecer 152
prestes a estourar/a arrebentar 824, 825
prestes a manifestar-se 152
prestes 111, 274, 505, 682, 705
Presteza 132
prestidigitação 443, 544, 545, 698, 992
prestidigitador 548, 599
prestigiação 443, 992
prestigiar 159, 928
prestigiar com a sua palavra 931
prestígio 175, 443, 481, 737, 873, 897, 993
prestigioso 175, 545, 642, 928, 992
prestigioso e respeitável 873
prestímano 548
préstimo 644, 707
prestimoso 644
prestíssimo 413, 415
préstito 69, 268
préstito fúnebre 363
presto 113, 132, 274, 413, 415
presumido 481, 853, 855, 878, 880, 885
presumir 414, 475, 484, 514, 880, 885
presumir muito de si 880
presumir-se 880
presumível 472, 514
presunção 472, 481, 484, 510, 514, 515, 858, 878, 880
Presunção e água benta 880
presunção extrema 884
presuntivo 167, 472, 514, 924
presunto 434
presúria (ant.) 925
presúria 263, 775, 964
pretalhão 159
pretejar 431
pretendedor 865
pretendente 767, 865, 897
pretender 535, 617, 620, 741, 865, 924
pretendida 897
pretendido 545, 617, 765, 855, 865, 878, 880, 884, 924
pretensioso 499, 643, 853, 855, 878, 880
pretenso 155, 514, 544, 545, 546, 565, 617
pretensor 767, 865, 897
preterição 460, 773, 925, 930
preterido 925
preterir 33, 53, 460, 624, 649, 678, 764, 773, 867, 925, 930
preterir as leis universais 83
pretérito 122
pretermissão 55, 773, 925
pretermitir 53, 55, 460, 773, 925, 930

preternatural 83, 870, 976, 980
pretextar 469, 544, 617
pretexto 499, 544, 546, 617, 855
Pretidão 431
preto 421, 431
preto como azeviche/como carvão/como a meia-noite 431
preto e branco 429
pretor 967
pretoria 965
pretório 966
prevalecente 78, 141
prevalecer 1, 33, 78, 175, 851
prevalecer-se 677
prevalecer-se de 679, 878, 885
prevalência 33, 175
prevalente 1, 33, 141, 175, 731
prevaricação 544, 940
prevaricador(a) 923, 940, 941, 945, 962
prevaricar 481, 523, 544, 679, 927, 940, 961
prevenção 459, 481, 510, 611, 664, 668, 673, 713, 864
prevenido 459, 713, 860, 864, 923
preveniente 62,132, 906
prevenir 459, 510, 511, 527, 611, 623, 664, 668, 673, 695, 864
prevenir as ordens 886
prevenir em favor de 829
prevenir-se 673, 864
preventivo 662, 664, 668, 669, 695
prever 121, 498, 507, 510, 511, 514
prever de acordo com a lógica 510
prevérbio 64
prévia 116
previamente & *adj.* 116
previdência 507, 514, 664, 673, 864
Previdência 510
previdente 510, 817, 864
previdentemente & *adj.* 510
prévio 62, 116
previsão 121, 459, 498, 507, 510, 511, 550, 626, 673, 811, 864
previsibilidade 871
previsível 871
previso 994
previsto 155, 507, 511
prezado 897, 939
prezar 888, 928
prezar a verdade 543
prezar bem 931
prezar-se 939
prezar-se de 884
prezável 648, 906, 939, 944
priapismo 212, 961
priceço 847
prima 108, 374
prima acies 64
prima donna 642
prima facie 441, 448, 472, 516
prima luce 125
prima tonsura 995
primacial 33, 642
primado 33, 62, 116, 995
prima-dona 599, 700
primagem 813
primal 33, 62, 66
primar 33, 462, 648, 650, 686
primar pela formosura 845
primar pelo apuro requintado 937
primar pelo desregramento 954
primar por 820
primariamente 33
primário 62, 66, 116, 153, 542, 642

primata(s)/primate(s) 175, 500, 873, 875
prima-terceira (filha de primo-segundo e prima-segunda) 11
prima-terceira (filha de tio bisavô e tia bisavó) 11
primavera 108, 383a
primavera da vida 131
primaveril 123
primaz 62, 996
primazia 33, 62, 116, 490, 873, 995
primeira etapa 66
primeira experiência 675
primeira idade 127
primeira infância 127
primeira mocidade 131
primeira pedra 673
primeira quadratura 138
primeira raiada 125
primeira sizígia 138, 199
primeiramente 62, 66
primeiranista 541
primeiro 33, 62, 66, 99, 116, 122
primeiro alvor da manhã 125, 422
primeiro branquejar do horizonte 125
primeiro degrau 66, 207
primeiro eu, segundo eu, terceiro eu 943
primeiro experimento 675
primeiro na paz, o primeiro na guerra, o primeiro no coração dos seus concidadãos, o 498
Primeiro os meus 943
primeiro quartel da vida 127
primeiro raio de luz 125
primeiro trágico 599
primeiro/ segundo (etc.) turno 138
primeiro-ministro 553
primeiros albores da manhã 125
primeiros clarões 62
primeiros passos 66
primeiros rudimentos 491
primeiros tartareios 66, 127
primeiros tempos 122
primeiros vagidos 66, 127
primeiro-sargento 745
primeiro-tenente 745
primevo 62, 66, 116, 122, 124
primiceria 124
primicério 33, 130
primícias 64, 116, 154, 161, 784, 809
primidiça 131, 161
primigênio 66
primigeno 66, 124
primípara 168, 367, 440c
primitiva 66, 153
primitivamente 62,124
primitivismo 674
primitivo 62, 66, 116, 124, 153
primo 62, 66, 84, 116, 648, 650
Primo avulso 704
primogênito 64, 66, 129, 130, 167
primogenitor(a) 166
primogenitura 62,116, 124, 167
primo-irmão/prima-irmã (filhos de tio e tia) 11
primoponendo 62, 66
primor 459, 578, 648, 650, 845, 850
primordial 62, 66, 116, 153, 642
primordialmente 122
primórdio(s) 64, 66, 122, 153
primoroso 578, 650, 845
primo-segundo e prima-segunda (filhos de tio-avô e tia-avó) 11

primo-terceiro... | profetisa

primo-terceiro (filho de primo-segundo e prima-segunda) 11
primo-terceiro (filho de tio bisavô e tia bisavó) 11
primum mobile 153, 615
primus inter pares 33, 650
princesa 33, 745, 845, 875
principado 181, 780
principais 875
principal 33, 210, 233, 348, 630, 642, 648, 694
principal ou mais favorecida 50
principal pagador 807
principalidade 62, 116
principalmente 31, 33, 79, 609, 642
príncipe 33, 745, 875
Príncipe da paz 976
príncipe das trevas 978
príncipe deste mundo 978
príncipe do ar, o 978
príncipe dos apóstolos 977
príncipe dos demônios 978
príncipe herdeiro 779
príncipe real 779
príncipes da Igreja 996
principescamente & *adj.* 882
principesco 377, 648, 737, 803, 873, 875, 882
principia 496
principiante 66, 123, 541, 614, 701
principiar 66
principiis obsta 673
princípio 5, 56, 66, 80, 153, 476, 514, 615, 630, 697
princípio consagrado 484
princípio e o fim 642
princípio fontanal 153
princípio recebido 484
princípio vital 615
princípios 316, 496, 692
princípios basilares 80
prior 62, 996
priora 996
priorado 995
prioral 996
prioreza 996
Prioridade 116
prioridade 62, 280
prioritário 609
priorizar 62, 609
prisão 182, 666, 751, 971, 972
Prisão 752
prisão domiciliar 752
prisco 122, 124
prisional 752
prisioneiro 751, 754
prisma 244, 428, 445
prismático 428, 440, 445
prístino 122, 124
pritaneu 542
privação 53, 630, 641, 776, 789, 804, 953
privação da vista 442
privação de autoridade 738
privação dos sacramentos 998
privação dos sentidos 612
privada 653, 692
privado 79, 641, 776, 789, 888, 899
privado da razão 503
privado da vista 442
privado dos direitos e privilégios de cidadãos 925
privamento 789
privança 888
privar 38, 641, 706, 888
privar alguém de reger sua pessoa e bens 925
privar da intimidade de 888
privar da vista 442
privar de 55, 761, 789
privar de agir 158

privar de forças 160
privar-se de 678, 782
privativo 5, 79, 789
privilegiado 33, 168, 413, 648, 656, 760, 873, 924, 927a
privilegiar 28, 33, 648, 658, 760, 873, 924, 927a
pro 644, 775
pro aris et focis 717, 910
pro bono publico 910
pro derelicto 460
pró e contra 615
pro forma 643
pro hac vice 118, 134
pro rata 786
pro re nata 8, 79,134, 770
pro vano 732
proa 234, 878, 880, 884
proar 278
probábil 472
probabile mendacium 546
probabilidade 156, 177
Probabilidade 472
probabilismo 472
probabilítica 626
probabilizar 472
probante 463, 478
probativo 463
probatório 463, 478
Probatum est 478
probidade 498, 772, 873, 926, 942, 944
Probidade 939
problema 2, 454, 461, 519, 533
problema de difícil solução 704
problemático 475, 485, 519
problematizar 475, 485, 519
probo 543, 873, 922, 939, 942
probóscida 234, 250
procacidade 885, 895, 901
procax moribus 961
procedência 153
procedente 154, 476
procedente de 184
proceder 151, 154, 167, 170, 282, 480, 680, 692
proceder a 680
proceder à leitura de 538
proceder ajuizadamente 864
proceder com 692
proceder com discrição 498
proceder com honradez/com integridade/com lisura/com decência/com consciência/ dentro da razão 939
proceder com retidão 922
proceder contra 969
proceder impecavelmente 944
proceder mal 895, 945
proceder nobre e cavalheirescamente 939
proceder sobre bases incertas 621
procedimento 151, 613, 680, 692, 969
procedimento irregular 947
procela 173, 315, 349, 667
procelária 668
proceleusmático 597
proceloso 173, 349, 665, 735, 825
prócer 33, 694, 873
proceridade 159, 192, 206
prócero 206
proces verbal affidavit 551
processado 153
processão 153
processar 680, 922, 969
processar uma causa 967
processional 69
processionalmente 882
processionário 998
processo(s) 86, 551, 627, 632, 680, 692, 697, 922, 938, 963, 969, 972

processos inquisitoriais 739
procidência 306
procissão 69, 266, 268, 882
proclama 529, 903
proclamação 529
proclamação 755
proclamador 164, 534
proclamar 482, 525, 529, 531, 535, 755, 931
proclamar a sua emancipação política 489
proclamar aos quatro ventos 873
proclamar-se 964
proclivis ad libidinem 961
proco (desus.) 897
procônsul 739, 745, 759
proconsulado 737, 739
proconsular 737, 759
procrastinação 133, 683
procrastinar 106, 133, 730
procrastinatório 133
procriação 161, 168
procriador 164, 166, 168
procriar 35, 153, 161, 168, 359
procriativo 168
procronismo 115
proctalgia 378
proctologia 662
procumbente 213
procumbere humi 725
procumbir 213, 361, 773
procumbir 990
procura 461, 609, 675, 795
procuração 755, 759
procurador 690, 694, 758, 968
procurador fiscal 968
procurador-geral do Estado/ da República 968
procurar 153, 286, 288, 461, 463, 507, 609, 615, 620, 622, 675, 707, 763, 765, 968
procurar a Deus 950
procurar atrair 933
procurar atrair a atenção a 882
procurar conseguir uma empresa com todo o esforço 676
procurar por tentativa 675
procurar refúgio & *subst.* 664
procurar remir a culpa 952
procurar saber 461
procurar sarna para se coçar 713
procurar sobressair 882
procurar uma circunstância atenuante 937
procurar uma saída 937
procustiano 82
prodição 940
Prodigalidade (exagerada) 818
prodigalidade 638, 639, 640, 816, 942
prodigalizar 640, 680, 784, 816, 818
prodigalizar benefícios 648
prodigamente & *adj.* 816, 818
prodigar 818
prodígio 83
Prodígio 872
prodigiosamente 81
prodigioso 31, 471, 870, 987
pródigo 638, 639, 640, 818, 912, 949
pródigo de louvores 931
prodigus animæ 863
proditor 941
proditório 940
prodrômico 64
pródromo(s) 64, 116, 550, 668
produção 153, 154, 163, 164, 525, 692a
Produção 161

produção gráfica 692a
producente 476
produtibilidade 168
produtivamente & *adj.* 161, 168
Produtividade 168
produtividade 644, 682
produtivo 157,161, 168, 515, 775
produto(s) 48, 84, 154, 161, 167, 775, 798, 800, 810
produto da combustão 388
produto da imaginação 2, 4
produto híbrido 83
produto parcial 84
produto químico/farmacêutico 662
produtor 161, 168, 371, 593
Produtor 164
produtor gráfico 559, 591
produzido 161, 225
produzidor 164
produzir 1, 153, 161, 168, 359, 467, 515, 525, 535, 590, 648, 690, 810
produzir aborrecimento 841
produzir acidentes de luz 556
produzir comichão 380
produzir dor 830
produzir efeito 171
produzir equimose em 378
produzir fruto/resultado 644
produzir impressão 375
produzir prazer 829
produzir sentimento penoso 830
produzir som 402
produzir testemunho 467
proeinal 62
proeiro 269
proejar 278
proemial 64, 66
proemiar 62, 590
proeminência 206, 210, 250, 307
proeminente 206, 250, 525, 642, 873
proêmio 64, 66
proeza 680, 861, 945
proezas gastronômicas 957
profalças 838
profanação 679, 874, 929, 988
profanado 988
profanador 773, 988
profanar 679, 773, 874, 929, 988
profanar ouvidos castos 961
profanete 491
profanidade 988, 989
profano 10, 57, 491, 984, 988, 989, 997
profanum vulgum 877
profecia(s) 64, 121, 510, 511, 550, 985
profectício 784
proferir 535, 580, 582, 737
proferir *brachá* (bênção) 998
proferir imprecações 908
proferir sentença 480
professar 484, 535, 537, 625, 768, 772
professar a amizade a 888
professar a justiça 922
professar em mosteiro 893
professar sincera amizade 888
professar uma opinião 484
professo 698, 996
professor 492, 540, 690
professorado 540, 542
professoral 540
professorando 540
profeta 504, 513, 985, 994, 996
profeta de manga (dep.) 513
profetar 511
profetício 154
profético 511, 985
profetisa 513

701

profetizado | próprio

profetizado & *v.* 511
profetizador 985
profetizar 121, 511
proficiência 490, 644, 698, 731
proficiente 490, 644, 698
Proficiente 700
proficuidade 168
proficuo 168, 644, 648
profilá(c)tico 662, 670, 706
profilaxia 662, 670
profissão 625, 690, 768
profissão de fé 484, 496, 535, 768
profissão liberal 625
profissional 625, 690, 698
profissionalmente & *adj.* 625
profissões, termos pejorativos para 701
profitente 987
profiteur 877
profligação 479, 659, 732
profligado 945
profligar(-se) 162, 479, 659, 679, 731, 945
profluente 282
profondo 408
pró-forma 855
prófugo 268, 607, 623
profundamente & *adj.* 208
profundar/aprofundar 35, 208, 461
profundar uma questão 538
profundas 208, 982
profundez 208
profundeza 208, 221, 498, 519
profundeza de conhecimentos 490
profundeza de pensamento 451
profundidade 31, 192, 519
Profundidade 208
profundo 31, 159, 208, 260, 341, 404, 408, 490, 519, 640, 642, 982
profundura 208
profusamente & *adj.* 102
profusão 31, 100, 102, 639, 640, 816, 818
profuso 102, 200, 573, 640
progênie 65, 161, 166, 167
progênito 167
progenitor(a) 166
progenitura 167
progimnasma 454
prognatismo 250
prógnato 440d
progne 366
prognose 511, 514
prognosis 511
prognosticação 511
prognosticador 511
prognosticar 116, 510, 511
prognóstico 64, 510, 511, 514, 626, 668
prógono 64, 673
programa 86, 484, 511, 620, 626, 633
programador 690
programar 673
progredimento 282, 313
progredir 35, 143, 282, 313, 358, 538, 614, 734
progressão 35, 58, 69, 264, 313
Progressão 282
progressão ascendente 35
progressista 614
progressivamente 35, 109
progressivo 26, 35, 69, 282, 658
progresso 35, 109, 143, 144, 282, 313, 538, 658, 731
progresso da ciência 490
proh pudor! 874, 900, 932
proibição 536, 751
Proibição 761
proibido 761, 964

proibir 706, 761
proibitivamente 761
proibitivo 761
proibitório 761
projeção 250, 276, 284, 554, 673, 811
projetador 626
projetar 276, 284, 522, 620, 626, 673
projetar a agonia sua sombra sobre 360
projetar luz 467
projetar luz sobre 518
projetar seu clarão 518
projetar sombra 424
projetar-se 250
projetil 284, 727
projetis 154
projetista 626
projeto 555, 611, 620, 625, 626, 858
projeto de vida 625
projetura 250
prol 775
pró-labore 810
prolação 133, 480, 580, 582
Prolação 407
prolapso 295, 297, 306
prolatar 480
prolator 480
prolator de sentença 967
prolatus ab ira 900
prole 65, 117, 129, 161, 167
prolegômenos 64, 491
prolepse 64, 115, 479
proletariado 877
proletário(s) 877
proliferação 35, 104, 163, 168
proliferar 35, 104, 168
prolífero 161, 168
prolificação 35, 104, 163
prolificar 104, 161
prolífico 161, 168, 644
prolixidade 517, 577, 640
Prolixidade 573
prolixo 200, 517, 573, 577, 584, 640
prolocutor 540
prologar 590
prólogo 64, 66, 599
prolongação 110, 133
prolongado 69, 133, 407, 457
prolongamento 39, 69, 200, 281
prolongar(se) 69, 110, 133, 199, 200, 236, 573
prolóquio 496
proluxidade 573
proluxo 573, 851, 855, 882
promanante 154
promanar 154
promessa 763, 769, 771, 858
Promessa 768
promessa bem fundada 858
promessa jurídica 769
promessa solene 535
prometeano 359
prometedor 134, 698, 734, 858
prometedor de um céu menos sombrio 858
prometer 176, 507, 510, 535, 762, 763, 770, 858, 926
prometer bastante 472
prometer em contrato 768
prometer montes de ouro/mundos e fundos/mares e montes 549, 768, 858, 884
prometer muito 511
prometer palmada/pancada/porrada (chulo) 909
Prometeu 359
prometida 903
prometido 768, 903
prometimento 768

promiscuamente 59
promiscuidade 41, 59, 465a
promíscuo 41, 59, 81, 374a, 447, 621
promissão 768
promissivo 858
promissor 123, 134, 698, 734, 768, 858
promissória 771, 805, 806
promissório 768, 858
promitente 768, 858
promitente comprador 779
promoção 658, 680, 973
promontório 206, 250, 342
promotor 164, 615, 626, 690, 922, 938
promovedor 690
promover 153, 176, 658, 680, 686, 707, 737, 973
promover a generalização 78
promover a germinação/a multiplicação de 168
promover desordem 720
promover diligências 680
promover discórdia 24
promover obstáculos 704
promulgação 531, 741, 963
promulgador 745
promulgar 529, 963
promulgar uma lei 741
pronação 213, 217, 820
pronau 66, 1000
prono 176, 217, 820
prontidão 111, 113, 132, 505, 602, 668, 673, 682, 804
prontificar-se 602, 673, 906
pronto 111, 113, 132, 157, 170, 225, 598, 507, 602, 644, 673, 682, 684, 698, 703, 729, 804
pronto e lesto 682
prontuário 527, 593, 636, 644
prónubo 903
pronúncia defeituosa do *s* ou *z* 583
pronúncia difícil das letras *g*, *k* e *x* 583
pronúncia do *r*, defeito na 583
pronúncia viciosa do *l* 583
pronúncia, defeitos na 583
pronunciação 580
pronunciadamente 31
pronunciado 446, 525, 938
pronunciamento 529, 531, 586, 742
pronunciamento das urnas 480
pronunciar 480, 529, 535, 580, 582, 737, 969, 972
pronunciar com clareza 580
pronunciar sem pausa nem entonação 583
pronunciar sentença 480
pronunciar seu julgamento 480
pronunciar-se 480, 529, 604
pronunciar-se contra 742
pronunciar-se por 609
pronúncio 758
pronus deterioribus 907
propagação 35, 73, 168, 531
propagação da espécie 161
propagador 527, 540
propaganda 484, 531, 537
propagandista 540, 935
propagar 73, 78, 270, 302, 529, 531
propagar a espécie 161
propagar o incêndio 835
propagar-se 35, 194, 264
propagar-se ao longe 408
propagar-se como incêndio 531
propagável 168
propalação 529, 531
propalar(-se) 321, 529, 531,532
propano 334

proparoxítono 562, 580
propatia 64
propedêutica 64, 491, 537
propedêutico 64, 537
propelente 284
propelir 276, 284
propendência 611
propender 176, 217, 481, 602, 820
propender para 609
Propendo a crer que... 475
propensão 176, 481, 602, 820, 865
propenso (a) 176, 177, 600, 602, 615, 707, 820, 897
propenso ao mal 907
propiciação 30, 918, 952, 976
propiciar 134, 615, 723, 763, 826, 831, 914, 952, 976, 990
propiciar a sorte a alguém 156
propiciatoriamente & *adj.* 952
propiciatório 784, 952, 1000
propiciedade 646
propício 23, 134, 602, 644, 646, 648, 707, 734
propício à saúde 656
propileu 66, 1000
propina 784, 791, 809
propinador 792
propinar 298, 763, 784
propinar veneno 663
propinoduto 481, 775, 791, 818
propinquidade 17, 121, 197, 199
propínquo(s) 9, 121, 197, 199
proplástica 692a
própole 263
proponente 763
propor 514, 535, 695, 763
propor em juízo 969
propor um quesito 461
propor uma ação 969
propor uma ação contra 938
propor uma questão 461
proporção 9, 26, 80, 82, 84, 192, 642
proporção harmoniosa 242
proporcionado 23, 639
proporcional 9, 17, 26, 80, 84, 242
proporcionalidade 17, 58, 80, 242
proporcionalmente & *adj.* 84
proporcionar 23,134, 153, 763, 784
proporcionar prazer 377, 929
propor-se (a) 675, 763, 768
proposição 454, 476, 496, 514, 566, 763
propositadamente 600
propositado 155, 611
proposital 600, 620
proposital 620
propositalmente 611, 620
propositar 23
propósito 278, 600, 604, 620, 692,
proposta 514, 620, 626, 763, 768
proposta conciliatória 724
proposta de paz 724
propriação 498
propriamente 186, 564
propriamente dito 494
propriedade 157, 182, 189, 342, 371, 646, 777, 800, 803, 922
Propriedade 780
propriedade perfeita/imperfeita 780
propriedade pessoal 780
propriedade urbana/rural 780
proprietário 745, 779
proprietários indivisos 778
próprio 17, 79, 134, 494, 534, 646, 698, 777, 926

próprio de bobo | psicoterapia

próprio de bobo 501
próprio de um rei 803
proprio motu 600
propter hoc 155
propugnação 717
propugnáculo 215, 717
propugnador 164, 717
propugnar 686, 717, 937
propugnar pela liberdade de seu constituinte 937
Propulsão 284
propulsar 264, 276, 277, 284, 615
propulsivo 284
propulsor 267, 284, 615
prorrogação 110, 133
prorrogar 110, 133
prorrogativo 133
prorromper (em)173, 295, 508, 824, 900
prorromper em assuadas 929
prorromper em choro 839
prorromper em gritos 411
prorromper em pranto 839
prorrompimento 508
prosa 493, 584, 588, 692a, 843, 878, 880, 884
Prosa 598
prosador 593, 594, 598, 892
prosaico 499, 575, 598, 841, 843
prosaísmo 575, 598, 843
prosápia 855, 878, 880, 884, 885
prosar 598
proscênio 234, 599, 728
proscenium 234
proscrever 162, 610, 678, 756, 761, 893, 932, 971, 972
proscrição 55, 610, 756, 761, 893, 908
proscrito 893, 949
prosear 584
prosecco 959
proselitismo 537
prosélito 541, 607, 711, 987
prosista 584, 588, 598
prosódia 597
prosódico 580
prosopografia 448
prosopopeia 521
prospecção 673
prospecto 86, 448, 472, 507, 510, 626
prosperamente 618, 731, 734
prosperar 161, 648, 658, 731, 734, 803
prosperidade 35, 618, 731, 829
Prosperidade 734
prosperidade econômica/financeira 734
próspero 377, 648, 731, 734, 827
prossecução 69
prosseguimento 69, 143
prosseguir 69, 143, 282, 604a, 680
prosseguir a obra assombrosa de devastação 162
prossilogismo 476
prostatalgia 378
prosternação 308, 879, 990
prosternado 725
prosternar(-se) 207, 308, 725, 879, 928, 990
prosternar-se aos pés de 914
prostibulário 961, 962
prostíbulo 961
prostilo 1000
prostituição 659, 679, 874, 961
prostituído 659
prostituidor 962, 679
prostituir(-se) 659, 679, 874, 961
prostituir-se aos poderosos 886
prostituta 962
prostração 158, 160, 162, 213, 308, 605, 655, 683, 688, 725, 823, 828, 837, 886, 901a, 928, 987

prostrado 207, 213, 725, 837, 928
prostrar 158, 207, 213, 308, 361, 688
prostrar-se 308, 725, 886, 894, 914, 928, 990
prostrar-se aos pés de 914, 990
protagonista 599, 615, 700
prótase 64, 496
protático 64
proteano 149
proteção 175, 618, 664, 666, 670, 707, 717, 737, 751, 906, 937
protecionismo 751
protegedor 906, 912
proteger(-se) 159, 459, 648, 664, 666, 670, 707, 717, 906, 931, 937
protegido 664, 746, 890, 899
proteico 81
proteiforme 81, 149
protelar 133
protelatório 133
proteron 218
protérvia 173, 885
protervo 173, 885
prótese 35
protestação 768
protestado 808
protestante 489, 536, 983a
protestantismo 489, 983a
protestar 462, 489, 535, 708, 719, 764, 766, 768, 808, 932
protestar contra 536
protestar respeito e vassalagem 743
protestativo 462
protesto 462, 468, 489, 535, 536, 719, 764, 768, 832, 932
Protesto! 742, 489
protestos de admiração e estima/de alto apreço e distinta consideração 928
protestos de amizade 888
protético 35
protetor 664, 711, 717, 745, 753, 890, 906, 912, 937, 968
protetora 424
protetora dos pobres e endividados 977
protetorado 175, 737, 751
protetoral 664, 737
protetório 664, 906
Proteu 81, 149
protímia 906
protista 193
protocanônico 985
protocolar 551
protocolo 551, 626, 769, 851, 882
protomártir 64, 280, 673, 977
protomédico (ant.) 662
próton 316
protonauta 64, 269, 673
protonotário 553, 968
protopapa 996
protoparente 373
protoplasma 22, 56, 168
protoplasto 22, 373
protótipo 80, 123, 500, 650, 873, 948
Protótipo 22
protozoários 193
protraimento 110, 200
protrair 110, 133, 200, 301, 573
protuberância(s) 206, 250, 318, 423
protuberante 250
protutela 664
protutor 540, 753
prouvera Deus 865
prova 390, 446, 461, 463, 467, 476, 478, 550, 558, 591, 626, 675, 704, 735, 821, 828, 830
prova de fogo 828

prova do artista 558
prova dos noves 478
prova evidente/farta/sensível/palpável/inconsussa/nítida/completa/insofismável 478
prova oral/documental/plena/semiplena/circunstancial/de outiva/de ouvido/extrínseca/intrínseca/cumulativa/*ex parte*/presuntiva 467
provação 478, 704, 735, 828, 830
provado 476, 478, 490, 494
provadura 390
provança 390, 478
provar 85, 151, 298, 390, 463, 478, 525, 550, 675, 821, 865
provar a justiça de sua causa 937
provar à saciedade 478
provar com raciocínio convincente 478
provar demonstrativamente 478
provar forças com 720
provar fortuna 665
provar lanças 720
provar o alegado 467
provar por *a* + *b* 478
provar sua inocência 970
provar uma negativa 468
provar verdadeiro 494
provará 51
provar-se homem 861
provável 136, 177, 472, 484, 858
provavelmente & *adj.* 472
provecto 490, 698
provedor 694
provedoria 693
proveitável 644
proveito 618, 644, 677, 731, 775
proveitoso 168, 618, 644, 646, 648, 775, 810
proveniência 153
proveniente de 154
provento 775
prover 459, 673, 817, 864
prover alguém num cargo 755
prover ao bem público 910
prover de remédio 662
prover de sustento 298
prover do necessário 637, 673
prover um cargo 755
proverbial 490, 496
Proverbialmente & *adj.* 496
provérbio 80, 496, 566
prover-se 673
prover-se de mantimentos 637
prover-se para os dias de inverno 637, 817
proveta 191
próvida formiga 690
providência 510, 673
Providência 976
providencial 23, 134, 601, 646, 648, 734, 829
providenciar 673, 741
providências 680
providente 134, 459, 498, 510, 648, 673, 734, 817
provido 637, 640
próvido 673, 817, 864
provido de cálice 367
provimento(s) 298, 637, 673, 755
província 51, 181, 189, 625
provincial 79, 181, 189, 563, 996
provincialado/provincialato 995
provincialismo 563
provincianismo 79, 563, 583, 613
provinciano 188, 852

provindo 154
provir 154, 167
Provisão 637
provisão 298, 343, 632, 636, 639, 673, 741, 755, 770, 798, 803
provisional 8, 111, 755
provisionar 637, 755
provisioneiro 637
provisões 637
provisões de boca 298
provisor 996
provisorado 995
provisório 8, 111 475, 770
provocação 615, 715, 824, 865, 902, 929
provocador 615, 715, 824, 865, 902
provocadoramente 715
provocante 615, 715, 824, 829, 865, 898, 900, 902, 961
provocar 153, 375, 615, 705, 713, 715, 824, 830, 865, 889, 900
provocar a guerra 722
provocar apreensões 860
provocar conflitos 649
provocar desordens 720
provocar dor 830
provocar escândalo 932
provocar gargalhadas 853
provocar reparos 457
provocar um desdenhoso dar de ombros 643
provocativo 615, 824, 829, 865, 902
provocatório 615, 829
proxeneta 758, 797, 962
proxenético 797, 962
proxenetismo 961
proximamente 152, 197, 651
Proximidade 197
proximidade(s) 199, 227
próximo 11, 17, 121, 152, 197 199, 372, 890
próximo findo 122
próximo passado 122
Proximus ardet Ucalegon 667
prudência 174, 459, 498, 510, 585, 664, 668, 740, 826, 864
prudencial 826, 864
prudens adulandi 935
prudente 174, 459, 498, 721, 864, 953
prudentemente 953
pruído 375, 380
pruir 375, 380, 865
prumada 212
prumo 212, 375, 380, 612, 825, 864, 865
prurido de falar 584
pruriente 380, 865
prurigem 375
pruriginoso 375, 945
prurigo 380
prurir 375, 380, 615, 865
pschiu! 403
pseudo 2, 544, 545, 565, 884
pseudonímia 565
pseudônimo 563, 565
Pseudorrevelação 986
psicanálise 450
psicanalista 492, 690
psicografia 992
psicógrafo 994
psicologia 450
psicológico 134, 450
psicologista 450
psicólogo 450, 492, 690
psicomancia 511
psicometria 450
psicopata 504, 913
psicopatia 450, 503
psicose 450, 503
psicoterapia 662

psicótico | quadrático

psicótico 504
psique 450
psiquiatra 450, 492, 662
psíquico 317, 450
psiquismo 317, 450, 822
psitacismo 573, 579, 584
psitaco 584
psitáculo 584
psiu! 403, 457
ptarmia 409
ptármico 392, 409
pterodáctilo 440c
pua 262
pub 959
puberdade 131
púbere 131
pubescência 131, 255
pubescente 131, 255
pubescer 131
pública forma 19, 21
publicação 161, 531, 591, 593
publicação periódica 593
publicado 527, 531
publicador 531, 593
publicamente & *adj.* 531
publicano (dep.) 797
publicar 531, 535, 591
publicar os banhos/proclamas 903
publicar *urbi et orbi* 531
publicidade 525, 527
Publicidade 531
publicista 593, 968
publicitário 531, 690
público 372, 418, 444, 490, 525, 531, 599, 910
público e notório 474
publícola 910
puçanga (bras.) 662
púcaro 191
pucela 960
pucelage 127, 960
pucelle 129
pudendo 960
pudente 960
pudera! 535
pudibundo 434, 881, 960
pudicícia 944, 960
pudico 879, 881, 953, 960
pudim 298, 324, 354, 396
pudor 822, 939, 960
pudor virginal 960
puelar 127
puerícia 127
puericultura 161, 537
pueril 127, 129, 477, 499, 575, 643
puerilidade 127, 643
puerilizar 129
puérpera 161
puerperal 161
puerpério 161
puf! 688
puff 225
púgil 159, 720, 726
pugilato 720
pugilismo 840
pugilista 159, 720, 726
pugilo 103
pugna 720
pugnace 720
pugnacidade 720, 861
pugnador 726
pugnar 713, 719, 720, 722
pugnável 475
pugnaz 720, 861, 901
puído 331, 659
puir 255, 331
pujança 25, 31, 157, 168, 206, 367, 574, 639
pujança das formas 159
pujante 157, 159, 168, 206, 639, 731, 861

pujar 33, 686, 814
pulador & *v.* 309
pulante 309, 683
pulantissátiros 309
pulão 877
pula-pula 309
pular 53, 55, 274, 303, 309, 460, 552
pular de contente 831
pular o coração a alguém 838
pular o coração de alegria 831
pulchre 488
pulcinella 599
pulcrícomo 845
pulcritude 845
pulcro 845
pule de dez 601
pulga 193, 309
pulgão 165
pulgoso 653
pulguedo 653
pulguento 653
pulha 34, 545, 546, 643, 842, 874, 877, 940, 941
pulhastro 886, 941
pulhice 804, 874, 940
pulmão 404
pulmões 349, 351, 440e, 580
pulmonar 440e
pulo 55, 309, 325
pulôver 225, 384
púlpito 542, 582, 1000
pulquérrimo 845
pulsação 138, 314, 407
pulsante 314
pulsão 601, 615
pulsar 138, 276, 284, 289, 314, 821
pulsar do coração 688
pulsar o coração 359
pulsar o coração a alguém 858
pulsar o coração com intensidade 824
pulsátil 149
pulsear 159, 416
pulseira 247, 847
pulsímetro 114
pulso 138, 159, 314, 440e, 737, 781
pulso livre 775
pultáceo 354
pululação 168
pululância 168, 194
pulular 1, 102, 161, 168, 639
pulveráceo 330
pulvéreo 330
pulverescência 330
Pulverização 330
pulverização 330, 371, 479
pulverizado 330, 495
pulverizador 330, 337
pulverizar 44, 73, 328, 330, 331, 337, 339, 371, 479
pulverizável 330
pulveroso 330
pulverulência 330
pulverulento 330
pum 401
pum! 406
punaré 366, 440b
punção 260, 262, 461, 558
punção lombar 662
punçar 260, 461
punceta 253
puncionar 260
punctura 378, 558
pundonor 861, 939
pundonoroso 861, 873, 939, 953
pungarecos 662
pungente 171, 253, 378, 392, 398, 821, 830, 932
pungibarba 129
pungimento 950
pungir 378, 392, 529, 615, 830

pungir a impaciência a alguém 825
pungitivo 171, 378, 830
punguista 792
punhada 972
punhado 25, 32, 51, 103
punhado de notícias 532
punhal 253, 262, 727, 830
punhalada 716, 830
punhete 225
punho(s) 225, 633, 781
punho de ferro 737
punho/mão/guante/luva de ferro 739
punição 971
Punição 972
punição física/moral 972
puníceo 434
púnico 477, 940
punido & *v.* 972
punidor 972, 975
punir 919, 971, 972, 976
punir por 720
punitivo 972
punitório 972
punível 649, 945, 947, 972
punk 415
pupila 129, 441, 746
pupilagem 127, 538
pupilar 129, 412
pupilo 129, 541, 890, 899
pur et simple 42
pura (cachaça) 959
pura 1
pura aparência 882
pura e simplesmente 31, 32
puramente & *adj.* 703
purana 986
puré 330
pureia 298
pureza (ausência de mistura) 42
pureza 425, 446, 543, 578, 580, 650, 652, 703, 849, 850, 946
Pureza 960
pureza d´alma/de coração 939
purga 652
purgação 652, 952
purgante 652, 662
purgar 652, 653, 952
purgar o espírito de preconceitos 658
purgativo 652, 662, 952
purgatório 828, 952, 982
puridade 533, 578, 946
purificação 42, 652, 658, 952
purificado 987
purificador 652
purificar 42, 652, 656, 658, 952
purificar-se na frágoa do sofrer 952
purificativo 952
purificatório 952
Purim 998
purinha (cachaça) 959
purismo 578, 855
purista 578, 855
puritanismo 739, 855, 955, 984, 988
puritano 739, 855, 955, 984, 988, 988a
puro 42, 425, 446, 494, 543, 567, 576, 578, 648, 650, 652, 656, 703, 827, 849, 850, 939, 944, 946, 960, 987, 990
puro engano! 536
puro sangue 271
púrpura 434, 437, 875, 876, 995
purpurado 996
purpural 747
purpurar 434, 437, 737, 755, 995
purpurear 434, 437
purpurejar 434, 437
púrpureo 434, 437

purpurina 434
purpurino 434, 437
purpurizar 434, 437
purulento 653
pururuca 328, 901
pus 333, 401, 653
puseísta/puseysta 984
puseyismo 984
pusilânime 605, 738, 860, 862, 886
pusilanimidade 605, 738, 860, 862, 886
pústula 250, 655, 940, 949
pustulado 945
pustulento 643, 945
pustuloso 653
puta (chulo) 962
putanheiro (pop.) 962
putativo 155, 484, 514, 924
puteiro (chulo) 961
puto (chulo) 900
puto da vida (chulo) 900
putredinoso 659
putrefação 401, 653, 657
putrefaciente 659
putrefativo 659
putrefato 653, 659
putrefazer 401, 653, 659
putrefeito 653
putrescência 401, 653
putrescente 659
pútrido 401, 643, 657, 659
putrificar 401, 653, 659
putrilagem 653
puxada 285
puxadinho 851, 854
puxado 814, 851
puxador 792
puxante 285, 392
puxão 276, 285, 301, 550
puxão de orelhas 972
puxar 200, 280, 285, 288, 296, 301, 378, 615, 914
puxar a carroça 623
puxar a rédea 275
puxar à sirga 285
puxar da cachimônia 451
puxar da/pela bolsa 807
puxar de uma perna 275
puxar do peito 686
puxar o saco 886, 933
puxar os cordões 175, 693
puxar para 176
puxar para alguém 888
puxar para baixo 319
puxar pela voz 411
puxar por 17, 537
puxar-se 851
puxa-saco 886, 933
puxa-saquice 933
puxa-saquismo 886
puxativo 285
puxavante 253
puxo 378

Q
Q. E. D. 478
Q.I. = quem indicou 175, 481
quackerismo 826
quadernado 367
quadra 71, 95,106, 550, 597, 728
quadrado 84, 95, 244
quadragésima 108, 956, 998
quadragesimal 956, 998
quadragésimo 99
quadrangular 244
quadrângulo 244
quadrantal 95, 244
quadrante 51,97, 234, 247
quadrante solar 114
quadrar 23, 82, 95, 212, 240, 644, 646
quadrático 95, 244

quadratim | que diz?

quadratim 591
quadratiz 245
quadratura 95, 244, 556
quadratura do círculo 471
quadratura dum círculo 471
quadraturista 559
quadrela 232, 730
quadrelo 727
quadrialado 440c
quadricapsular 367
quadricolor 440
quadricórneo 97
quadriculação 19
quadriculado 97
quadricular 95, 97
quadrículo 95
quadricúspide 97, 253
quadridentado 97, 253, 440c
quadridigitado 440c
quadriênio 108
quadrifender 97
quadrifendido 97
quadrífido 97
quadriflóreo 97
quadrifônico 402a
quadrifonte 95
quadriforcado 97
quadriforme 20a, 81, 95, 96, 234, 244
quadriga 95, 271, 272
quadrigêmino 96
quadrigúmeo 97, 244, 253
quadríjugo 285
quadril 236, 440e
quadrilateral 244
quadrilátero 244, 717
quadrilha 31, 72, 95, 102, 148, 314, 712, 726, 840
quadrilha de ladrões 792
quadrilheiro 792, 965
quadrilobado 97
quadriloculado 97
quadrilongo 244
quadrilunulado 440
quadrímano 440c
quadrimembre 440c
quadrimestre 108
quadrimosqueado 440
quadrimotor 273
quadringentenário 883
quadringentésimo 99
quadrinha 597
quadripartição 97
quadripartido 97
quadripartir 97
quadripenado 440c
quadrirreme (ant.) 726
quadris 235
Quadrisseção (divisão em quatro partes) 97
quadrissecado 97
quadrissecar 97
quadrissilábico 95, 97, 562
quadrissílabo 562
quadrissulcado 97
quadrissulco 259
quadrívio 537, 560
quadro 75, 86, 231, 448, 554, 556, 594, 599, 692a, 1000
quadro de gênero 556
quadro histórico 556
quadro sinóptico 86, 596
quadrúmano 366
quadrunvirato 737
quadrupedante 268, 366, 491
quadrupedar 366
quadrúpede 366, 501
quadruplicação 35
Quadruplicação 96
quadruplicado 96
quadruplicar 35, 96
quadruplicata 640
quádruplo 96

qual 17
qual a razão? 461
qual história! 487
qual lá! 487
qual! 487
qual... ou qual...! 536
qualidade(s) 5, 75, 176, 550, 642, 875
qualidade inata 5
Qualidades 820
qualificação 480, 698
qualificado 23, 642, 698, 873
qualificado para 924
qualificar 480, 564, 873, 924
qualificar de 938
qualificativo 480
qualis ab incepto 141
qualitativo 5, 25, 78, 156, 475, 609a
qualquer dia 119
qualquer que 78
qualquer um 78
quand même 708
quando 106, 119, 120
quando alguém tirar numa peneira leite de um bode 107
quando caírem juntos dois domingos 107
quando eu for papa 107
quando fizer sol na eira e chover no nabal 107
quando for caso que 151, 514
Quando há vento molha-se a vela 134
quando Inês já era morta 67
Quando já lhe fogem os últimos lampejos da vida 360
quando mal se precatava 508
quando menos 32
quando menos se esperava 508
quando mesmo 708
quando muito 32
quando não 18
quando o Amazonas correr para cima, ou se incendiar 107
Quando seja mister que 630
Quando te derem um porquinho acode logo com o baracinho 134
Quando trata de fugir, é sempre capitão 862
quando um burro voar 107
quando um camelo passar no fundo de uma agulha 107
quando? 461
Quando que bonus dormitat Homerus 495
quantia 25, 31, 800
quantia recebida 810
Quantidade 25
quantidade 26, 31, 72, 100, 192, 639
quantidade de coisas ruins 649
quantidade diminuta 32
quantidade finita 32
quantidade negativa 100a, 643
quantidades desconhecidas 491
quantioso 31, 644, 803
quantitativamente 25, 100
quantitativo 25, 31
quanto 25, 812
quanto a 9
quanto antes 116, 132, 684
Quanto maior a altura, maior a queda 735
quanto mais 35, 514
Quanto pior, melhor 832
quantum 25, 786
Quantum mutatus!
quantum satis 639
quantum sufficit 639
quão assim 627

Quão mal apreçamos os serviços! 917
quaquaversum 278
quaquerismo ou quacrismo 984
quarenta 98
quarentão 130
quarentena 87, 98, 108, 664, 670, 998
quarentenar 664, 670
quarentenário 664, 670
quaresma 116, 956, 998
quaresmal 138, 956, 998
quaresmar 956, 990
quark 316
quartã 657
quartado 95, 97
quarta-feira de trevas/de cinzas 998
quartano (de um quarteiro) 97
quartão 97, 271
quartário (de qualquer medida) 97
quarteado 440
quartear 97, 440
quarteirão 97, 812
quarteiro (de um moio) 97
quartejar 97
quartel 97, 108, 189, 740, 914
quartel de saúde 666
quartela 215
quartel-general 74, 183, 189, 222, 290, 737
quartel-mestre 637
quarterão 97
quarteto 72, 415, 597, 692a
quartilho 97, 189
quarto 97, 99, 189, 191, 593, 990
quarto crescente 138
quarto minguante 138
quartola (de um tonel) 97
quartos para alugar 499
quartzífero 323
quartzite 323
quartzo 323
quartzo cristalino 323
quartzoso 323
quasca 188
quase 32, 651
quase a 152
quase bom 651
quase imperceptível 405
quase poeta 597
quase sempre 613
Quasímodo 846, 998
quássia 395
quassina 395
quassite 395
quaternal 95
quaternário 96, 413
quaternidade 72
Quaternidade 95
quaterno 96
quatorzada 25
quatorze 98
quatralvo 440a
quatríduo 108
quatro 95, 98
quatro costados, os 11
quatrocentista 124
quátuor 415
quatuorvirato 737
quatuórviro 745
quê 704
que a consciência repele 945
que a natureza fez assim de nascimento 5
que a nossa fantasia não pode conceber 471
que a razão não pode admitir 471, 497
que a serra 124
Que a terra lhe seja leve 360

que abrange só uma espécie 367
que acende êxtase(s) 821, 829
que acontece geralmente 613
que ainda não explicou para que veio ao mundo 501
que ainda não foi utilizado 123
que ainda não logrou sua estreia 20
que ameaça desabar 665
que anda de ramo em ramo preparando-se para voar 366
que anda pelas nuvens 366
que apanhou escaldadela 509
que aqui vai! 870
que as palavras não descrevem, o 872
que assenta bem 845
que atinge os limites do fantástico 485
que brada aos céus 945
que brilha pelo que de fato vale 873
que brilha pelos falsos ouropéis de que se veste 879
que cai depois de murcho (cálice das flores) 367
que chama a atenção 847
que chega até 199
que cheira a matérias fecais (sujo) 401
que choca com as leis da honra 945
que chovam azagaias 604
que circunda 227
Que coisa! 508
que come lagartos 366
que come raízes 366
que contém pólen 367
que contém uma só semente 367
que contende com os nervos 830
que continua 730
que corre 118
que coxeiam do mesmo pé 17
que cresce entre pedras 367
que cresce nas searas 367
que cresce sob a epiderme dos vegetais 367
que cresce sobre rochedos 367
que cumpre fazer é, O... 630
que dá flores globosas 367
que dá fruto duas vezes no ano 367
que dá fruto ou flor só uma vez 367
que dá frutos arredondados 367
que dá na vista 882
que dá um número de ramos superior ao normal 367
que dá vida e alento 630
que denota amizade 888
que desafia a ação do tempo 159
que desconhece o desânimo 604
que desponta no horizonte 152
que Deus acoime os teus crimes! 908
que Deus ainda não criou 2
que Deus lhe dê a glória 360
que Deus nos há de conceder 121
que Deus seja servido 865
que Deus tenha em glória 360
que Deus tenha na sua glória 360
que deve calar 476
que deve/deveria ser 922
que diabo! 900
que diz? 461

que é da natureza da palha | que vive nas rochas

que é da natureza da palha 412
que é divino e humano 976
que é feito de avanço e recuos 605
que é impoluto em vida e livre de culpa 939
que é possível 470
que emana da vontade 600
que enxerga longe 498
que escapa ao tato 381
que está a entrar pelos olhos a dentro 474
que está ligado pelos laços de afeto/de confiança 888
que está longe da verdade 546
que está longe de traduzir a verdade 546
que está nos limites do permissível 760
que está nos limites do possível 470
que está por suceder 121
que está por vir 121
que está sobranceiro 152
que está sobre as folhas ou aderente a elas 367
que estreleja nos corações 944
que estuda e que analisa 490
que excede a lotação 102
que expirou 122
que exprime os doces gozos da alma 838
que fala à alma 821
que fala com artifício 544
que farte 639
que faz calar o adversário 476
que faz vibrar as cordas do coração 821
que fecha as portas do céu 945
que floresce ou rebenta na primavera 367
que for, soará, O 601
que forma um só por 89
que fortifica e eleva os corações 944
que frutifica em vagem 367
que gosta de se aquecer ao sol 128
que grita vingança 945
Que há de novo? 455
que há de vir 121
Que há? 455, 461
que história! 536
Que importa a? 866
Que importa! 866
que inspira aversão 898
que inspira compaixão 643
que inspira saudades 833
que já passou pela ampulheta do tempo 122
que lá vai, lá vai, O 918
que mais de perto priva com a verdade 494
que mal se adivinha 526
que mal se sente 320
que mete nojo 653
Que monta que? 823
Que monta quê? 866
que nada deve 807
que não admite expiação 945
que não ata nem desata 605
que não causa dano 648
que não conduz a coisa alguma 175a
que não conhece a vivacidade 579
que não conhece algemas 748
que não conhece as procelas/as agruras das vida 734
que não conhece lei nem tolerância 739
que não conhece limites ou restrições 748

que não conhece ondulações 213
que não corresponde à expectativa 732
que não dá fruto 412
que não dá semente 367
que não deixa descendente 360
que não deixou vestígio 552
que não desbota 428
que não disse ao que veio 678
que não dobra os joelhos 951
que não dorme 457, 682
que não é natural 855
que não está sujeito a condições restritivas 748
que não exige sacrifício pecuniário 815
que não fez testamento 360
que não foi herdado 6
que não foi surpresa 507
que não inspira confiança 923
que não inventou a pólvora 501
que não merece as honras de um comentário 643
que não merece elogios 947
que não merece menção 643
que não merece reparos 643
que não pertence a este mundo 987
que não pode ser tratado com luvas de pelica 704
que não poupa ninguém 934
que não presta para nada 645
que não sabe enganar 703
que não sabe perdoar 919
que não se abre (fruto) 367
que não se adjetivam 14, 179
que não se coaduna com 14
que não se compreende 932
que não se desvia 246
que não se encontra em parte alguma 187
que não se pode aturar 830
que não se pode desprezar 642, 744
que não se queixa da sorte 831
que não se sabe para que veio ao mundo 645
que não tem as formas devidas 241
que não tem justificativa 923
que não tem língua 581
que não tem nada de extraordinário 871
que não tem nome 649, 874, 940
que não tem obstáculos 760
que não tem preço 645, 648
que não tem valia 877
que não teve nascença 2
que não vale a canseira 643
que não vale a pena 643
que não vale a tinta e o papel 645
que não vale um caracol/uma palha 645
que não vem ao caso 10
que nasce ao lado das folhas 367
que nasceu sob a influência de mau astro 735
que nem o demo pode decifrar 519
que nunca pés humanos romperam 497
que o azeite 124
que o berço dá só o túmulo o leva 5
que o interesse conduz como boi pela soga 943
que o peito acende e a cor ao gesto muda 824
Que o Senhor se compadeça de sua alma 360

que obriga a grandes despesas 814
que os fatos contradizem 546
que os fatos não contradizem 494
que os sentidos não revelam 447
que pare um filho de cada vez 366
que parece estar vivo 17
que passou, passou, O 918
que pensa 490
que pode acontecer 470
Que prego! 688
que preza e cultua a verdade 543
que produz açúcar 367
que produz esquecimento 506
que produz flores ou frutos de diferente natureza 367
que produz óleo 367
que produz seda 366
que produz vinho 367
que promete muito 698
que recua 252
que rege 963
que registra memória de homem 870
que remédio! 601
que repercute de vale em vale 404
que ressalta 250
que rói madeira 366
que sacode/preocupa/agita a cidade 532
que se alimenta de animais ou substâncias em decomposição 366
que se alimenta de arroz 366
que se alimenta de coisas putrefatas 366
que se alimenta de milho 366
que se alimenta de moscas 366
que se avilta 874, 945
que se colhe pelo s. João 367
que se deixa facilmente empolgar pelo medo 862
que se deixa levar facilmente 605
que se desenvolve no próprio tecido de uma planta 367
que se deve fazer 926
que se eleva acima do último remígio de asa 206
que se exige de 630
que se intitula de 565
que se não deixa dominar 604
que se não divide 50
que se oculta 533
que se operou num repente 612
que se pode bem 564
que se pode contar nos dedos 103
que se põe por baixo 207
que se presta a muitos comentários 642
que se recomenda pela sua capacidade 698
que se repete todos os dias 613
que se reproduz pela divisão do seu próprio corpo 366
que se semeia ou cultiva 367
que se sustenta de raízes 366
que se vê a cada passo 871
que se vê a olhos desarmados 446
que segue uma direção dada 246
que será, será, O 601
que só abrolha espinhos 169
que só tem um fruto 367
que só tem uma nervura sem ramificação (folha) 367

que sobrenada 305
que tal? 870
que tanta honra faz 873
que tanto desvanecimento causa 873
que tem a duração do relâmpago 113
que tem asas amarelas 366
que tem bela cor 428
que tem cabimento 888
que tem cachos 367
que tem caule 367
que tem certo ar de família 17
que tem cinco válvulas 367
que tem de ser 601, 859
que tem dois cotilédones 367
que tem donaire 845
que tem flores masculinas e femininas 367
que tem folhas em forma de coração 367
que tem folhas semelhantes às da oliveira 367
que tem forma de umbela 367
que tem muitas raízes 367
que tem muitos pistilos em cada flor 367
que tem nervuras em forma de palha 367
que tem o brilho das coisas novas 123
que tem o caráter de generalidade 78
que tem o viço da mocidade 131
que tem ou produz muitas flores 367
que tem ou produz muitos frutos 367
que tem ou produz sementes 367
que tem pecíolo 367
que tem perispermo ou albume 367
que tem pétalas 367
que tem por norma a opressão 739
que tem quatro apêndices em forma de asa 367
que tem quatro cápsulas 367
que tem quatro frutos 367
que tem quatro pétalas 367
que tem quatro sépalas (cálice) 367
que tem raízes 367
que tem tomo 467, 484, 642
que tem um só corpo reprodutor 367
que tem urna ou cápsula em forma de urna 367
que termina em forma de unha (pétala) 367
que toca em 199
que todo estudante sabe 490
que traz no seu bojo 510
que vai morrer em 199
que vale é a lei do mais forte, O 925
que vale um poema de glórias 873
que veicula a morte 657
que vergonha! 874, 932
que viajou muito 268
que vige 963
que vive com pouca morigeração 945
que vive dentro do corpo dos animais 366
que vive em grupos ou bandos 366
que vive entre pedras 366
que vive na(s) água(s) 366
que vive nas árvores 366
que vive nas rochas 366

que vive nas sombras 367
que vive no ar 366
que vive nos prados 366
que vive nos rios 366
que vive retirado do trato 893
quê? 461
quebra 44, 70, 217, 651, 713, 773, 776, 808, 844, 927
quebra da promessa 940
quebra de amizade 889
quebra de compromisso 808
quebra de decoro parlamentar 791
quebra do padrão 800
quebra-cabeça 461, 533, 830
quebra-costas 189
quebrada 217, 248, 256, 343
quebradamente 113, 508
quebradeira 158, 533, 688, 808, 837
quebradeira de cabeça (enigma) 461
quebradela de sinos 407
quebradiço 160, 328
quebrado 160, 629, 688, 804, 808
quebrado de dor 828
quebrado de forças 158
quebrador 773
quebradura 655
quebra-esquinas 683, 897
quebra-luz 422
quebra-mar 666, 706
quebramento 688, 773, 837, 927
quebrança 173, 348
quebrantado 128, 688, 828
quebrantado de saúde 655
quebrantador 773, 964
quebrantamento 356, 773, 927
quebrantamento do corpo 655
quebrantar 160, 469, 773, 834, 964
quebrantar o ânimo 837, 860
quebrantar um juramento 940
quebrantável 624
quebranto 160, 172, 175, 649, 683, 823, 837, 992, 993
quebra-queixo 392
quebrar 44, 83, 142, 162, 174, 279, 328, 330, 420, 429, 529, 582, 645, 659, 756, 773, 804, 808
quebrar a banca 734
quebrar a cabeça 455
quebrar a energia 158
quebrar a fé 607, 757
quebrar a harmonia 16a
quebrar a ira em alguém 900
quebrar a monotonia 20a
quebrar a paz 173
quebrar a promessa/a palavra 940
quebrar a unanimidade 489
quebrar as arestas 731
quebrar as cachoeiras 705
quebrar as soltas 818, 824, 825, 954
quebrar cabeça a alguém 765
quebrar com sono 683
quebrar esquina 629
quebrar grilhões 750
quebrar o bichinho do ouvido 841
quebrar o coração com 821
quebrar o coração de medo 860
quebrar o fio a 70
quebrar o fio da vida a alguém 361
quebrar o(s) ímpeto(s) 718, 919
quebrar o jejum 298
quebrar o jugo 742
quebrar o respeito a alguém 929
quebrar os cornos a alguém 879

quebrar os ouvidos a alguém 841
quebrar os pontos a uma donzela 961
quebrar um olho ao diabo 906
quebrar uma lança com 720
quebrar-se 162, 279
quebrar-se o coração a alguém 860
quebras 813
quebrável 328
quebreira 172, 158, 688, 837
quebro 412, 855
quebro do corpo 855
quebro dos olhos 902
queda 5, 36, 162, 176, 306, 602, 609, 698, 732, 735, 764, 820, 865, 945, 988
queda-d'água 337, 348
queda do câmbio 800
queda para trás 661
queda repentina 146
quedar(-se) 141, 142, 265, 681
quedar-se estático e imóvel 870
quediva 745, 759
quedo 174, 265, 870
quedo e quedo 275
quefazer 625
queijar 686
queijaria 691
queijeira 691
queijeiro 188, 690
queima 171, 384, 815, 966
queima de estoque 813
queimação 171, 384
queimada 371, 384
queimado 440a, 900
queimadouro 975
queimadura 378, 382, 384
queimamento 384
queimante 171, 382, 384
queimar 162, 171, 378, 382, 384, 392, 815, 818
queimar a largada 116
queimar as pestanas 538
queimar em efígie 929
queimar incenso 931
queimar nervosa e 933
queimar o(s) último(s) cartucho(s) 686, 729
queimar-se 822, 900
queimar-se nos olhos de 897
queimo 392
queimor 382, 392
queimoso 171, 382, 392
queira ou não 601
queixa 411, 616, 832, 839, 932, 938
queixa entrecortada de lágrimas 839
queixada 298
queixar 411
queixar-se 155, 616, 828, 832, 839, 938
queixar-se de 603, 655, 900
queixo 298, 440e
queixoso 832, 839, 868, 900, 924, 938
queixudo (bras.) 606
queixume 832, 833, 839
quejando 17, 75
quelha 189, 627
quelonófago 298
quelonografia 368
quem "faz justiça pelas próprias mãos" 975
Quem abrolhos semeia, espinhos colhe 718
Quem bate esquece, quem apanha nunca esquece 919
Quem com ferro fere, com ferro será ferido 718
quem dera! 865

Quem deve a Deus paga ao Diabo 947
Quem diria que...? 508
quem diria? 870
Quem em mais alto nada mais presto se afoga 735
Quem espera sempre alcança 275
Quem estiver isento de culpa, que atire a primeira pedra 937
Quem faz a política sou eu 604
quem indicou 481
Quem muito abarca, pouco aperta 865
Quem muito pede, muito fede 765
Quem não aparece, esquece 187
Quem não canta, dança 812
Quem pode dizer? 475
Quem porfia, mata caça 604a
Quem quer os fins, quer os meios 604
Quem quer ser enganado, que o seja 545, 547
Quem sabe? 475
Quem tem filhos tem cadilhos 167
Quem torto nasce tarde ou nunca se endireita 5
Quem vai adiante bebe água limpa 116
Quem vier atrás, feche a porta (Mateus) 943
quem? 461
quena 417
quenga 962
quente 173, 359, 377, 382, 392, 722, 824
quente como pimenta 392
quente do miolo 901
quentemente & adj. 382
quentura 382
quer dizer 516
quer queira quer não 601
querco (poét.) 873
querela 476, 713, 839, 938
querelado 938
querelador 938
querelante 924, 924, 938
querelar 924, 938
querelar-se 839
quereloso 938
queremos dizer 79, 522
querena 207
querenar (o navio) 660
querenar 217
querença 74, 897
querenços 897, 906
querente 865
querer 484, 514, 600, 602, 604, 620, 741, 762, 765, 865
querer a 897
querer a alguém como as meninas dos olhos/como os seus olhos 897
querer abarcar o mundo com as pernas 699
querer aclarar 461
querer antes 609
querer comer alguém aos bocados 897
querer contar as flores da primavera 717
querer crer 488
querer Deus/o céu/a sorte/o destino que 601
querer dizer 516
querer e não querer 605
querer engolir alguém 898
querer fazer do quadrado redondo 732

querer pôr em pratos limpos 461
querer provar que o preto é branco e o quadrado redondo 477
querer que lhe metam papas na boca 683
querer quebrar um feixe de varas (impossibilidade) 158
querer remediar o irremediável 471
querer saber amanhã o que ignora hoje 538
querer sol na eira e chuva no nabal 471, 868
querer ter o dom da ubiquidade 471
Querer uma no papo e outra no saco 868
Queres conhecer o vilão? 885
Queres conhecer o vilão? mete-lhe o bordão na mão 545
querida 897
queridinho 899
querido 897, 899, 906
querima/querimônia (ant.) 839, 938
querimonioso 839
quermesse 799
quernite 430
Quero e quero 604
Quero porque quero 604
Quero ver 715
Quero, posso e mando 600, 741
Quero-o, ordeno-o, que a minha vontade substitua a razão (Juvenal) 964
querosene 356, 388
querseno 342
querúbico 977
querubim 845, 897, 977
querubínico 897, 977
quérulo 839
quesito 461
questa 839
questão 454, 461, 476, 713, 720
questão a ser solucionada 461
questão aberta 475
questão de fato 151
questão de lana-caprina/de lã de cabra/de/lã de cágado 643
questão de vida e morte 642
questão de vida ou morte 630
questão delicada/irritante/complicada/embaraçosa 704
Questão está sub judice 969
questão forense 969
questão fútil/sem proveito 643
questão intrincada/aberta/complexa/irritante 461
questão principal 461
questão sub judice 713
questionado 475, 485, 495
questionador 476
questionar 461, 476, 485, 536, 764
questionar por 713
questionável 475, 485, 495
questiúncula 476, 643
questões quodlibéticas 477
questor 801, 967
questuário 819
questuoso 775
queue 65
qui hurlent de se trouver ensemble 14, 179
qui nía pas le sue 804
qui pro quo 842
Qui vult decipi, decipiatur 547
Quia nominor leo 925
quiasmo 569
quibanda 784
quibuca 268
quiçá 470, 475

quicé | radiação

quicé 253
quiche 298
quício 43, 45, 312
quid ferre recusent 157
Quid novi? 455
quid pro quo 27, 30, 147, 148, 713, 718, 973
quid pro quod 794
quid valeant humeri 157
quidam 877
quididade 5
quiditativo 5
Quidquid delirant reges 495
quiescente 265, 687
quieta non movere 265, 681
quietação 174, 265, 403, 681, 687, 721
quietamente & *adj.* 265
quietar(-se) 174, 403, 687
quietismo 265, 403, 823
quieto 174, 265, 403, 721
quieto-calmo 685
Quietude 141, 174, 265, 403, 683, 687, 721, 826
quilatar 466, 480
quilate 75, 319, 648, 650, 820
quilhar 961
quilíade 98, 102
quilificação 144
quilificar 144
quilificativo 144
quiliógono 244
quilo 319
quilogrâmetro 159
quilombo 189, 530
quilombola 623
quilometragem 466
quilometrar 466
quilométrico 200
quilômetro 31, 200
quimalanca (Angola) 913
quimanga 191
quimbembe 189
quimbembeque(s) 993
quimbete(s) 840, 961
quimbundo 568
quimera 4, 83, 497, 515
quimérico 2, 317, 497, 515, 870
quimerista 515
quimerizar 515
química 144, 316
química orgânica 357
químico 492, 662, 690
quimificar 144
quimificativo 144
quimo 354
quimofobia 860
quina 244, 253
quinar 48
quinário 98
quincálogo 484, 926, 983a
quincha (bras.) 223
quinchoso 181
quincôncio 98, 219
quincunce 98, 219
quindecágono 244
quindecenvirato 737
quindênio 98
quindim 847, 902
quingentário (godos) 745
quingentésimo 99
quinhão 25, 32, 51, 786
quinhentismo 122, 569
quinhentista(s) 124, 560
quinhoar 778, 786
quinhoeiro 778, 779
quinólogo 492
quinquagenário 128, 130
quinquagésima 108, 998
quinquagésimo 99
quinquedentado 253
quinquefendido 99
quinquefoliado 367

quinquênio 108
quinquepartido 99
quinquevalvular 367
quinquevirato 737
quinquídio 108
quinquífido 99
quinquilharia 840, 847
quinta 189, 371, 780
quinta de granjearia 780
quinta substância 320
quinta/sexta-feira das endoenças 998
quinta/sexta-feira santa 998
quintação 99, 103
quinta-essência 3, 5, 33, 320, 398
quinta-feira santa 998
quintal 181, 319
quintalada 319
quintalejo 181
quintalório 181
quintão 780
quintar 99, 103, 361, 972
quinteiro 181, 188, 371, 779
quintessência 316, 650
quinteto 415, 597, 692a
quintilha 597
quinto(s) 98, 99, 812, 973, 982
quintunvirato 737
quintupleta 272
quintuplicação 35
quintuplicar 35, 98
quíntuplo 98
quinze 98
quinzena 108
quinzenal 108, 136
quinzenário 531, 593
quiosque 799
quiproquo 495
quiquiriqui 412, 643
quiralgia 378
quirela 330
quiriri 403
quirites 372
quirografia 590, 692a
quirologia 550
quirológico 550
quiromancia 511
quiromante 513
quironomia 582
quirônomico 582
quirônomo 582
quirotonia 609
Quis custodiet istos custodes? 459
Quis vult decipi decipiatur 545
quisto 10, 24, 57, 250, 888, 897
quistoso 10
quitação 771, 782, 807, 918, 952
quitação peremptória 360
quitado 807
quitador 807
quitamento 624, 905
quitança 807, 952
quitanda 799
quitandar 625
quitandeira 895
quitandeiro 797
quitar(-se) 293, 623, 624, 706, 718, 776, 782, 807, 905
quitar a vida terrena 360
quitar questões 864
quita-sol 223
quite 30, 807, 905
quito (desus.) 905
quito 807, 905
quitute 298, 394
quixotada 863, 884
quixotesco 515, 699, 884
quixotice 884
quixotismo 825, 884
quixotismo louco/desatinado 863

quizila 24, 489, 610, 713, 720, 832
quizila/quizília 867, 900
quizilar(-se) 841, 900
quizilento 901
quizília 713, 841, 889
quo animo 620
quociente 84
quod Deus avertat! 766
Quod erat demonstratum 478
Quod fere fieri solet 613
Quod natura datur nemo negare potest 5
quod ore (lat.)/quodore (pop.) 959
quodlibet 461, 477, 842
quodlibetal 842
quondam 122
quórum 696
Quorum pars magna fui 690
Quot capita, tot sententiæ 713
Quot homines tot setentiæ 489
quota 786, 800, 807, 809, 812
quotidiano 136, 138
quotista 779
quotizar(-se) 707, 807
quotizar-se ou cotizar-se 709

R

rã 309, 412
rã e sapo, vozes de 412
rabaça 843
rabaçaria 645
rabaceiro 298
rabada 235
rabadão (ant.) 370
rabadela 235
rabadilha 235
rabado 235
rabalvo 440a
rabanada 276, 309, 349
rabanada de vento 349
rabão 440a
rabavento 267
rabaz 789, 792
rabioste 235
rabiote 235
rabdologia 85
rabdomancia 511
rabeador 264
rabeadura 264
rabear 264, 900
rabear 281
rabeca 416, 417
rabeca do casamento 167
rabecada 932, 934
rabecão 363
rabeco (Douro) 269
rabeira 40, 235, 281, 551, 622, 653
rabeiro 551
rabejar 200
rabela 371
rabelho 371
rabequista 416
rabi 996
rábia 173, 503, 649, 898
rabiça 235, 371
rabicão 440a
rabicho 45, 235, 440b,
rabicho de um cabo 975
rábico 173, 503
rabicurto 440a
rabidez 867
rábido 503, 821, 900
rabifurcado 440c
rabigo 440c, 682
rabileiro 416
rabilongo 440a
rabinato/rabinado 995
rabinice 264, 606, 832, 885, 895, 901a
rabínico 995, 996
rabino 995, 996

Rabino da Galileia 976
rabiosca 590
rabiosque 235
rabioste 235
rabiote 235
rabisca 550, 555
rabiscador 590, 593, 701
rabiscar 555, 556, 590
rabisco(s) 590
rabisseco 169, 203, 367
rabisteco 235
rabo(s) 39, 67, 214, 235, 874, 945
rabo de tatu 975
rabo preso 481
rabolaria de palavras 517, 573
raboleva 39, 857
raboso 235, 940
rabotar 255
rabote 255
rabucar 146, 306
rabudo 235, 940, 978
rabuge 868, 895
rabugem 608, 901a
rabugento 128, 608, 837, 895, 900, 901, 901a
rabugice 608, 868, 901a
rabujar 128, 868, 901a
rabujaria 901a
rabujento 606, 868
rábula 493, 701, 968
rabulão 884, 968
rabular 477, 517, 884, 968
rabulária 477, 584, 884
rabulice 477, 545
rabulista 701, 968
raça 11, 69, 75, 153, 166, 372
raça de! 908
raça irritadiça dos poetas 597
ração 51, 298, 786
ração ordinária 298
raças vindouras 167
racemado 367
racha 70, 198, 259
rachadeira 371
rachadela 44, 70, 260
rachado 91, 410, 414, 651
rachador 371
rachadura 44, 198, 651, 732
rachar 44, 91, 328, 349, 659
rachar a diferença 29, 774
rachar com açoites 972
rachar de pancadas 972
racimado 72
racimo 72
racimoso 72
raciocinação 450, 476
raciocinador 476
raciocinar 450, 476
raciocinar com sutilezas 477
raciocinar mal 477
raciocinativamente & *adj.* 476
raciocinativo 476
raciocínio 450, 451
Raciocínio 476
raciocínio falso 477
raciocínio falso ou vicioso 477
raciocínio suasório 476
racionabilidade 450, 476
racionais 372
racional 84, 450, 472, 476, 502, 998
racionalidade 450, 472, 502
racionalismo 476, 595, 989
racionalista 476, 989
racionalmente 476
racionável (p. us.) 472
racismo 911
raçoeiro 784
raconteur 594
raconto (ant.) 594
Radamanto 982
radar 717, 722, 726, 727
radiação 291, 420

radiado | rascunhar

radiado 291
radiador 384
radiante 125, 291, 423, 827, 831, 838, 845, 873
radiante de 821
radiar 291, 420
radicação 613
radicado 150
radical 5, 52, 84, 146, 153, 606, 642
radicalização 668
radicalmente 31
radicar-se 124, 613
radicar-se no espírito de alguém a convicção de 474
radicável 6
radiciação 85
radicifloro 367
radiciforme 367
radicívoro 366
radicoso 367
radícula 211
radicular 211
rádio 440e, 531, 532, 534, 580, 633
radioatividade 171
radiografar 461, 554
radiografia 554
radiograma 532
radiojornalismo 532
radiolários 193
radiologia 662
radiologia e diagnóstico por imagem 662
radiômetro 244
radiosa 125
radioscopia 461
radioscópico 461
radioso 420, 836
radioterapia 662
radix 153
radoter 499
radoteur 501
rafa 348, 804, 865, 957
rafado 124, 804, 957
rafar 124, 331, 380, 659, 679
rafeiro 366, 664, 886, 936
rafiar (ant.) 902
ragífero 256
ragout 298
ragtime 415
ragu 298
raia 25, 199, 227, 233, 440e, 495, 550, 720
raiado 440
raiano 233
raiar 66, 116, 125, 248, 259, 420, 440, 446
raid 716, 791
raide 716, 722
rainha 33, 745
rainha da noite 318
rainha do céu 977
raio(s) 32, 113, 165, 173, 200, 202, 246, 253, 270, 420, 508, 649, 667, 682, 720, 735, 872, 972
raio de conforto 831
raio de eloquência 582
raio de esperança 858
raio de luz 505 508, 612
raio de sol 827
raio *laser* 262
raiola 840
raios da guerra (poét.) 727
raios da Igreja/do Vaticano 908, 998
raios da lua 422
raios te partam/te comam! 908
raiva 173, 503, 655, 867, 898, 900
raiva por 865
raivar 824, 825, 900
raivar de ciúmes 920
raivar de cólera 173
raivar de inveja 921

raivar por 865
raivecer 173, 900
raivejar 173, 900
raivento 900
raivinha 735, 867
raivosamente 31
raivoso 173, 503, 821, 824, 898, 900, 901
raiz 45, 66, 84, 153, 207, 211, 562, 615
raiz de cabelo 440e
raiz de dente 440e
raiz mestra 153
raiz quadrada 84
raizeiro 662, 701
raízes de uma equação 480a
raiz-forte 392
rajá 745
rajada 349, 735, 825
rajada de 825
rajada de cólera 900
rajada de eloquência 582
rajadas de vendavais 162
rajado 440
rajar 228, 440
rala 402a
ralação 828, 830
ralaço 460
ralado de amarguras 828
ralado de ciúmes 920
ralado de saudade 833
ralador 330
raladura 330, 830
ralampadejar 113
ralão 940
ralar 330, 331, 412, 475, 830
ralar-se 821
ralar-se de ciúmes 920
ralé 176, 682, 877
raleadura 322
ralear 322
raleira 641
raleiro 641
raleza 322
ralhação 932
ralhar 402a, 412, 932
ralho 884, 932
ralhos 713, 932
Ralidade 322
rallentando 415
ralo 260, 322, 330, 818
ramá 135
rama 591
ramada 210, 367, 370
Ramadã 956, 990, 998
ramado 242
ramagem 367
Ramaiana 986
ramal 627
ramalhada 367, 405
ramalhado 99
ramalhar 402a
ramalhete 72, 847
ramalho 669
ramalhudo 242, 243, 404, 440d, 577
ramaria 367
rambolho 45
rameira 962
rameiro 366, 440c, 795
rameloso 443
ramento(s) 40, 51
ramerrame 613, 871
ramerraneiro 613
ramerrão 16, 80, 104, 407, 613
ramificação 73, 91, 99, 167, 242, 291
ramificar 51, 91, 99
ramificar-se 291
ramilhete 400
raminho 400
ramo(s) 11, 51, 72, 166, 167, 367, 400, 551, 625, 655, 669, 847

ramo de ar 655
ramo de oliveira 723
ramontana 278
ramosidade 242, 367
ramoso 242, 321
rampa 217, 599, 627, 717
rampante 212, 307
ramudo 242, 321
ramúsculo 367
ranalha 330
ranar (bras.) 131
rançar 124, 401
rancescer 124, 401
ranchada (de rapazes) 72
ranchar 198
rancheiro 298
ranchel 189, 712
rancho 72, 189, 712
rancidez 401
râncido 124, 401, 653
râncio 401
ranço 124, 395, 401
rancor 173, 649, 867, 898, 907
rancor torna crédulo, O 898
rancorosamente 919
rancoroso 898, 919
rançoso 104, 124, 395, 401, 573, 653, 841, 843
rand 800
rande pedaço 51
rândio (ant.) 298
randômico 137, 139, 151, 621
ranel 59
ranfo 791
rangar 298
rangedeira 402a
rangedura 410
ranger 331, 402a
ranger de dentes 839, 900
ranger os dentes 821, 826
rangido 402a, 410
rangido de dentes 821
rangífer 271
rangir 402a
rango 298
rangomela 898
ranguejar 605
ranheta 901
ranhetice 124, 868
ranho 299, 653
ranhoso 653
ranhura 257
ranicultura 370
ransfixão 260
ransverter 140
rantonha 846
rap 415, 840
rapa 840, 957
rapa-açorda 683
rapace 789
rapacidade 789, 865
rapadouro 169
rapadura 396
rapagão 129
rapalha 40
rapapé(s) 308, 886, 933
rapar 195, 330, 331, 361, 789, 791
rapariga 129, 374, 962
raparigaça 129
raparigada 129
raparigota 129
rapa-tábuas 690, 701
rapa-tacho(s) 957
rapaz 129, 373
rapazelho 129
rapaziada 129, 840
rapazito 129
rapazola 129
rapazote 129
rapé 392
rapel 840
rapidamente 266, 274
rapidez 113, 266, 274, 684

rápido 113, 132, 272, 274, 682
rápido como o pensamento 111, 113
rápido como uma seta & *subst.* 274
rapina 775, 789, 791
rapinador 789
rapinagem 775, 789, 791
rapinante 789, 792
rapinar 775, 789, 791
rapinhar 791
rapioca 683, 840
rapioqueiro 840
raposa 366, 401, 412, 702
raposa velha e muito sabida 702
raposa, vozes de 412
raposas que têm uma cruz negra no dorso 440c
raposeira 959
raposeiro 702
raposia 702
raposinhar 702
raposinho 401
raposino 412, 702
raposo 702
rapprochement 714
rapsódia 51, 70, 415, 597
rapsodista 597
rapsodo 597
raptador 792
raptar 789, 791
rapto (poét.) 274
rapto 274, 582, 789, 791, 961
rapto dos sentidos 827, 870
raptor 792
raquialgia 378
raquiano 440e
raquidiano 440e
ráquis 215
raquítico 160, 193, 201, 499
raquitismo 160, 193, 491, 655
raquitismo moral 945
rã-rã 412
rara avis 648
raramente & *adj.* 137
raras vezes 137
rarear 53, 103, 137, 322, 641, 651
rarear o dinheiro na bolsa de alguém 804
rarefação 103, 322
rarefaciente 322
rarefatível 322
rarefativo 322
rarefato 103, 322
rarefazer 103, 322
rarefeito 103, 322
Rareia-lhe o dinheiro no bolso 804
rareza 137
raridade 103, 137, 322, 872
rarípilo 440c
raro 33, 83, 103, 137, 322, 473, 642, 648, 870
raro como diamante azul 137
raro como eclipse total do Sol 137
rasa 812
rasamente & *adj.* 209
rasante com o chão 207
rasar 195, 199, 209, 251, 267, 308, 331, 466
rasca 545, 786, 959
rascada 704
rascadura 331, 378
rascância 395
rascante 395
rascão 460, 683, 746
rascar 51, 330, 331, 402a
rascar a asa 902
ráscoa 746, 962
rascoeira 962, 460, 683
rascunhar 590

709

rascunho 22, 551, 626, 674
rasgação de seda (gír.) 933
rasgada 840
rasgadamente 525, 543, 703
rasgadela 44, 260, 773
rasgado 31, 180
rasgado de acerba dor 828
rasgadura 44, 259, 260
rasgão 44, 198, 259, 260, 773
rasgar 44, 125, 162, 198, 259, 260, 302, 378, 673, 756, 773, 930
rasgar a carne 952
rasgar novos horizontes 658
rasgar o coração 830
rasgar o véu 522
rasgar os ares/o espaço 267
rasgar os véus que encobrem 518
rasgar seda (gír.) 933
rasgar-se 121
rasgo(s) 259, 260, 525, 582, 590, 648, 680, 816, 906, 939
rasgo de cavalheirismo 942
rasgo de generosidade 784
rasgo de valor 861
raso 207, 209, 251, 255, 491, 776, 849
rasoura 162, 918
rasourar 27, 162, 213, 251
raspa 51, 330
raspadeira 552, 652
raspadinha 385, 387
raspador 552
raspadura 209, 330, 522
raspagem 209, 331, 552
raspança 209, 331, 552
raspão 209, 331
raspar 195, 199, 209, 330, 331, 552, 652
raspar-se 623
rasqueta 652
rastear 207, 281, 461
rastear-se 886
rasteira 276, 545, 716
rasteiramente & *adj.* 207
rasteiro 207, 209, 275, 575, 683, 843, 874, 877, 886, 940
rastejadura 275, 281
rastejamento 886
rastejante 207, 683, 725, 843, 874, 877, 886, 940
rastejar 207, 275, 281, 461, 622, 843, 886
rastejar(-se) 886, 940
rastejo 275, 281, 402a, 461, 886
rastilha 255
rastilho 388, 522
rastilho de pólvora 631, 667
rasto 235, 550, 551, 622
rastolho 59
rastreador 622
rastrear 281, 461, 622
rastreiro 275, 843, 877, 886
rastrilho 706, 727
rastro 551, 622
rasura 209, 552, 651
rata 135
ratada 608, 853
ratafia 959
ratantã 402a
ratão 608, 853
rataplã 402a, 407
rataplão 402a
ratar 298
ratazana 792, 846, 857
rateador 786
ratear 786
rateio 786
rateiro 366, 622, 817
ratice 606, 608, 853
ratificação 467, 488, 762, 769
ratificar 467, 488, 535, 760, 769
ratinar 256

ratinhar 641, 812, 817, 819
ratinheiro 366
ratinho 817, 877
ratívoro 298
rato 168, 193, 366, 412, 432, 608, 792, 853
rato de armário 792
rato de biblioteca 455, 492
rato de sacristia (depr.) 988a
rato pelado 702
rato sábio 500
rato, vozes de 412
ratoeira 545
ratona 846
ratoneiro 792
ratonice 791
raucíssono 405, 410
raudal (ant.) 348
raudão ou rosilho 440a
raulim (Pegu) 996
rav 996
rave 415, 740
ravina 258, 259, 348
ravinar 259
ravinhoso (ant.) 900, 901
ravinoso 259
razão 9, 86, 134, 153, 450, 476, 490, 498, 532, 551, 615, 811, 922
razão aritmética 84
razão de cabo de esquadra 546, 617
razão de ser 620, 987
razão especiosa 617
Razão Eterna 976
razão física 155
razão intuitiva 477
razão justificativa 467
razão ou relação 84
razão por diferença 84
razão por quê 153, 155, 615
razão por quociente 84
razia 162, 716, 791
razoabilidade 498
razoado 476, 922
razoamento 476
razoar 450, 476
razoar uma causa 937
razoável 174, 472, 476, 498, 502, 639, 831, 922
razoável no preço 815
razoavelmente 502
razões 476
razões de cabo de esquadra/de quiquiriqui 477
razões de marmeleiro 744
razões de marmelo 964
re infecta 730, 732
reabastecer 637
reabilitação 660, 790, 970
reabilitado & *v.* 660
reabilitar 660, 790, 937, 970
reabilitar-se 944, 950, 990
reabsorção 296
reabsorver 296
reação 30, 171, 179, 277, 325, 462, 660, 708, 719, 739
Reação ao discurso 587
reacender 615
reacionário 145, 179, 277, 607, 613, 710, 739
readquirir 775
readquirir o tempo perdido 660
reafirmar 535
reagente 30, 171, 277, 463, 719
reagir 30, 171, 277, 719
reagir à altura da ofensa 718
reagir contra 179, 708
reagir sobre 9
reajuste 812
real 1, 84, 267, 474, 494, 543, 737, 800, 942
real a real 819

real vara 747
realçar 14, 35, 250, 446, 457, 482, 658
realçar(-se) 658, 873
realce 35, 642, 873
realegrar-se 896
realejo 104, 407
realengo 737
realeza 1, 737, 845, 882
realidade 1, 494, 849
realidade gélida 1
realidade sinistra 509
realimentação 626
realismo 494, 737, 849
realista 737
realização 680
realizar 161, 170, 450, 625, 680, 692, 729
realizar milagres 731
realizar-se 151, 625
realizável 470
realmente & *adj.* 1, 494, 543
realmente 494, 535
reamanhecer 660
reanimação 163, 660, 689, 829
reanimar 159, 163, 660, 824, 858, 861
reanimar-se 660, 689
reaparecer 104, 136, 163, 446, 448, 660
reaparecimento 136, 163, 448
reapossar-se 790
reaquecimento 660
reaquisição 775
reaquistar 775
reaquistar o tempo perdido 660
reassunção 775
reastrear 466
reatar 43
reatar relações 723
reatividade 822
reativo 30, 171, 277, 462, 463
reato 926, 950, 971
reator 273
reaver 775, 790
reaviar 537
reaviar-se 278
reavisado 864
reavisar 668, 695
reavisar-se 864
reaviso 668, 695
reavivar 615, 824
rebab 417
rebaixa 813
rebaixamento 308, 659, 874, 886, 933
rebaixar 283, 308, 649, 659, 679, 879
rebaixar(-se) 874, 886, 933, 940
rebaixo 257
rebalsado 345
rebalsar 337, 345, 945
rebalsar-se 657
rebanhada 72
rebanhio 72
rebanho 72, 102, 366, 712, 886, 997
rebanho caprino 72
rebarba 253, 257, 591
rebarbativo 243, 440d, 843, 846, 852
rebate 508, 510, 615, 668, 669, 716, 813, 824
rebate falso 532, 669
rebatedor 797
rebater 179, 245, 277, 283, 289, 314, 462, 468, 479, 536, 719, 813
rebater a violência/os agravos 718
rebatimento 277, 813
rebatinha 713, 840, 865
rebato 207, 215
rebel 742

rebelado & *v.* 742
rebelão 606, 742
rebelar 742
rebeldaria 179, 606, 719, 742
rebelde 159, 606, 719, 726, 742
rebeldia às leis naturais 83
rebelião 719, 742
rebém 975
rebenque 975
rebenquear 972
rebentão 153, 655
rebentar 35, 154, 173, 292, 295, 328, 348, 402a, 406, 508
rebentar as algemas 750
rebentar as nuvens 529
rebentar de 640
rebentar de cólera 900
rebentar de curiosidade 455
rebentar de fome 865
rebentar de saúde 654
rebentar na mão 732
rebentar o tímpano do ouvido 404
rebentar por alguma coisa 865
rebentarem logo os frutos de seus esforços 731
rebentina 173, 503, 825, 898
rebentinha 173, 503, 825
rebento 51, 66, 129, 153, 154, 167, 367
rebentos d'alma 167
rebitar 254
rebite 245, 254
rebo 323, 330
reboar 402a, 408
rebocado 223
rebocador 273, 280, 285
rebocadura 223
rebocar 204, 280, 285
reboco 204, 223
rebojo 667
rebolado 249, 314, 315
rebolão 884, 887
rebolar 312, 314
rebolaria 852, 884
rebolear 311, 312
rebolear-se 314
rebolear-se na lama 653
reboleira (do bosque) 221
reboliço 315, 404, 825
rebolir 312, 684
rebolo 253, 323
rebombo 402a, 408
reboníssimo 648
reboque 285
reboquear 285
rébora 131
reborar 488, 769
rebordão 674
rebordo 231
rebordosa 24, 713
rebotalho 40, 643, 645
rebotar 254, 289
rebotar-se 158, 823, 866, 867
reboto 491, 499
rebraço 717
rebramar 173, 402a, 404, 408, 412, 900
rebramir 402a, 408
rebrilhar 420
rebro (ant.) 104
rebrotar 136
rebuçado 223, 528, 544, 650
rebuçar 469, 528
rebuçar plano sinistro 544
rebuçar-se 225, 528, 530, 544
rebuçar-se em 544
rebuço 544
rebugeira 608
rebuliço 59
rebulir 494, 578, 650, 658
rebusca 461
rebuscado 574, 855

rebuscar | reconstituição

rebuscar 455, 461, 577
rebuscar a frase 577
rebusco 461
rebusnar 412
rebusqueiro 455
recachar 718, 855
recachar-se 878, 885
recacho 845, 855, 878, 885
recadista 534
recado 527, 532, 664, 741, 755
recado que trazem é de amigo / Mas debaixo o veneno vem encoberto (Camões) 545
recados 892, 894
Recaída 661
recaída 145, 659, 951
recaidiço 951
recair 661, 951
recair na tristeza 828
recair sobre 595
recaixo 850
recalcado 526
recalcar 276, 321, 526, 528, 826
recalcitrância 719, 742
recalcitrante 277, 606, 719, 742, 951
recalcitrar 276, 277, 606, 661, 719, 742, 951
recalmão 834
recamado 318, 639, 803
recamado de joias 803
recamador 847
recamar 223, 440, 577, 847
recamar o céu 186
recâmara 191, 221, 530, 633
recambiar 148, 283, 313, 718, 764, 790
recambiar o som 408
recambó 148
recamo 577, 847
recantar 607
recanto 530, 893
recapitulação 104, 505, 594, 596
recapitular 104, 505, 594, 596
recargar 719
recatado 864, 879, 881, 953, 960
recatar 528
recatar-se 664, 864
recativo 746, 749, 916
recato 528, 530, 576, 664, 864, 879, 939, 960
recavar 252, 606, 682
recear 605, 860
Recebe castigo de teu crime 972
recebedor 191, 785
recebedoria 802
recebendo forma 240
receber 191, 296, 488, 522, 775, 777, 780, 785, 789, 810, 892, 894, 903
receber a comunhão 990
receber a incumbência/o encargo 755
receber a recompensa 973
receber a senha 886
receber com cerimônia glacial 895
receber com galas 892
receber com pálio 928
receber com pálio/com grande cerimônia 882
receber conhecimentos / informações 538
receber consorte 903
receber de braços abertos 888, 892
receber de braços abertos/com obsequiosa solicitude 894
receber em família 892
receber estrias ou um cálido banho de luz 420
receber falsa impressão 495
receber impressão 821

receber ingratidão 917
receber leis/ordens de 743
receber mal 895, 932
receber menção honrosa 931
receber o Viático/os últimos sacramentos 360
receber ordens 741
receber os sacramentos 987, 990
receber quitação 807
receber sua dispensa 756
receber um juramento 768
recebido & *v.* 785
recebido 82, 474, 484, 488, 490, 613, 775
recebido de mão em mão 124
Recebimento 785
recebimento 775, 903
receio 603, 665, 860, 862
receita 626, 662, 695, 697, 775, 780, 800
Receita 810
receitar 695
receituário 596, 697
recém (designativo de há pouco) 118
recém-chegado 292
recém-criado 123
recém-fundado 66, 123
recém-nado 127, 129
recém-nascido 127, 129
recém-parido 123, 127, 129
recém-saído do forno 123
recém-vindo 292
recenar 430, 436
recendência 400
recender um aroma de 400
recendor 400
recenseamento 85, 466, 551
recensear 85, 86, 457, 461, 466
recenseio 85, 466
recental 129
recente 118, 122, 123, 505
recentemente 118, 123
receoso 860
receoso de dizer 475
Recepção 296
recepção 54, 76, 292, 294, 785, 789, 892, 894, 931
recepção cordial 892
receptabilidade 375
receptacular 191
Receptáculo 191
receptáculo 189, 252, 530, 636, 802
receptador 191, 792
receptar 191, 785, 791, 940
receptibilidade 822
receptível 922
receptividade 375, 602, 822
receptivo 375, 762, 821, 822
receptor 191, 785
recesso 221, 530, 893
recesso da alma/do coração/da mente 820
rechã 206, 344
rechaçar 162, 289, 479, 708, 731, 764
rechaço 289, 610, 719, 764
rechassar 277, 283, 616, 717, 719
rechasso 479, 706, 717
rechauffé 298, 384
recheado 52, 640
recheadura 640
rechear 52, 190, 224, 577, 637, 640, 784, 803
rechear(-se) 194
rechear-se bastante 803
rechego 530
recheio 190, 224, 298, 639, 817
rechiar 402a, 410, 412
rechinado 410
rechinante 410
rechinar 402a, 409, 410, 412

rechinir 402a
rechino 402a, 410
rechonchudo 192
recibo 771, 807
reciclagem 138, 625
reciclar(-se) 138, 625
recidiva 661, 951
Recife 667
recife 250, 346, 706
recifoso 665, 706
recinto 181, 189, 662, 697, 932
recipiendário 76, 294, 892
recipiendiário 785
recipiente 191, 785
reciprocação 12, 718
reciprocamente & *adj.* 12, 148
reciprocar 12, 27, 30, 148, 488, 714
reciprocidade 12, 148
recíproco 12, 148, 718
récita 599
recitação 594
recital 415, 416
recitar , 580, 582, 594
recitativo 415, 597
Reclama seu direito a um lugar ao sol 1
reclamação 489, 616, 630, 741, 765
reclamante 767, 924
reclamar 468, 519, 616, 630, 741, 765, 832, 924
reclamar a atenção/a ideia/o pensamento/o espírito/as vistas 557
reclamar com instância 765
reclamar contra 489, 536
reclame 531
reclamo 457, 489, 545, 615, 630, 741
reclinação 217
reclinar-se 217, 687
reclinatório 215, 687
recluir 751
reclusamente & *adj.* 893
reclusão 87, 528, 666, 751, 752
Reclusão 893
reclusar 751
recluso 754, 893
recobramento 689
recobrar 660, 775
recobrar a razão/o juízo 502
recobrar as forças 689
recobre 544
recobro 689, 775, 790
recochilado 950
recognição 488
recognitivo 505
recoitar 384
recoito 384
recole(c)to 996
recolecta ou recoleta 996
recoleição 772
recoleto 893, 944
recolher 72, 609, 664, 775, 785, 892, 906
recolher ao xadrez 751
recolher em armazém 636
recolher em sepultura 363
recolher nos braços 902
recolher os preciosos despojos de 363
recolher-se 283, 294, 451, 505, 893
recolher-se a bom viver 893
recolher-se à cama 683
recolher-se a um convento 893
recolher-se aos bastidores 403, 479, 585
recolher-se para pensar 451
recolhida 997
recolhido 526, 893
recolhimento 666, 687, 879, 881, 893, 960

recolho 349, 359, 402a, 405
recoligir 72
recomendação 695, 741
recomendações 892, 894, 928
recomendado 890
recomendar 695, 906
recomendar à estima pública 873
recomendar segredo 533
recomendar-se 820
recomendar-se a alguém 894
recomendar-se pela sua capacidade 490
recomendar-se por 457
recomendar-se por si mesmo 931
recomendatório 695, 931
recomendável 931
recompensa 30, 618, 876, 916
Recompensa 973
recompensador 775
recompensar 922, 973
recompensar alguém da insolência com uma bofetada 972
recompensar-se das fadigas 687
recompensável 775, 931
recompilar 596
recompor 48, 54, 60, 163, 240, 660, 723
recomposição 48, 163, 714, 723
recôncavo 221, 252, 343, 666, 667
reconcentração 72, 585
reconcentrado 585
reconcentrar-se 451, 505, 893
reconciliação 23, 723, 918, 952
reconciliar 23, 723, 831, 998
reconciliar-se 918
reconciliar-se com 826
reconciliativo 918
reconciliatório 723
reconciliável 23
recôndito 68, 221, 491, 519, 528
reconditório 221, 530, 666
recondução 755
reconduzir 660, 790
reconfigurar 140
reconfortador 648, 834
reconfortante 648, 834
reconfortar 834
reconfortativo 834
reconforto 834
recongraçar 723
reconhecer 441, 467, 480, 480a, 488, 490, 505, 529, 760, 916
reconhecer a firma 467, 550
reconhecer a situação do lugar 278
reconhecer a sua desgraça 874
reconhecer atenuantes 469
reconhecer o erro 495
reconhecer o seu erro 950
reconhecer os serviços de alguém 973
reconhecer sua falta de talento 491
reconhecer-se culpado 950
reconhecido 494, 550, 916
reconhecimento 441, 461, 488, 505, 529, 535, 762, 772, 916, 973
reconhecimento da falta 950
reconhecimento de firma 467, 550
reconhecível 446, 518
reconhecível por 550
reconher 463
reconquista 660, 689, 775
reconquistar 660, 775
reconquistar as forças 689
reconsideração 451, 756
reconsiderar 607, 624, 756
reconstituição 660

711

reconstituinte 159, 662
reconstituir 54, 159, 163, 660
reconstrução 163, 660
reconstruir 163, 594, 660
recontar 594
recontente 831
reconto 594
recontro 151, 199, 276, 720
reconvenção 718, 932, 969
reconversão 660
reconverter 660
reconvindo 969
reconvir 718, 932, 938, 969
recopilação 596
recopilador 19
recopilar 596
recordação 505, 833
recordador 505, 883
recordar 505, 713
recordar-se 505, 833
recordativamente & *adj.* 505
recordativo 17, 505, 833, 883
recordatório 505, 833
recordo 505, 833
reco-reco 417
recorrência 311, 660
recorrente 311, 489, 767, 924, 969
recorrer 311, 461, 489, 677, 765, 924
recorrer a alguém 765
recorrer à memória 505
recorrer aos bons ofícios de 724, 765
recorrer às armas 719, 720, 722
recorrido 938, 969
recortar 198, 240, 248, 252, 257
recorte 198, 247, 248, 252
recorte dentado 252
recortes 609
recortilha 633
recostar-se 687
recosto (ant.) 217
recova 812
récova ou récua (de cavalgaduras) 72
recovagem 72, 812
recovar 270
recoveiro 268, 271, 797
recovo 687
recozer 384
recrava 257
recreação 687, 840
recrear 687, 829
recrear-se 685, 840
recreativo 829, 840
recreio 685, 840
recremento 653
recrescer 35, 640
recrescimento 35
recrestar 384
recriar 163
recriminação 718, 932, 937, 938
recriminador 938
recriminar 932
recriminatório 938
recrudescência 35, 661, 835
recrudescer 35, 659, 661
recrudescimento 35, 835
recruta(s) 541, 547, 637, 701, 707, 726
recrutado 744
recrutador 965
recrutamento 72, 660
recrutar 76, 159, 615, 637, 658, 660, 707, 722, 775
rectus in curia 946
recua 283
recuada 277, 283
recuadamente & *adj.* 277
recuado & *v.* 277
recuamento 277, 283
recuar 145, 179, 277, 283, 325, 607, 613, 623, 732, 862

recuar de muitos séculos 659
recuar num afastamento contínuo e saudoso 122
recuar suas fronteiras 36
recuar-se 275
recúbito 687
reculade 283
reculer pour mieux sauter 673
recumbente 213, 687
recumbir 213, 687
recunhar 163
Recuo 277
recuo 145, 179, 252, 283, 287, 607, 623, 659
recuperação 660, 775, 789, 790
recuperação de forças 689
recuperar 30, 660, 775, 789, 790
recuperar a liberdade 671
recuperar a saúde 654
recuperar as forças 689
recuperar/conquistar a liberdade 750
recuperativo 660, 790
recuperatório 660, 790
recuperável 660
recurso(s) 489, 617, 626, 632, 637, 707, 780, 800, 803, 969
recursos escassos 804
recurvar 245
recurvo 245
Recusa 764
recusa 77, 245, 536, 603, 610, 719, 742, 761, 895
recusa gesticulada 764
recusa peremptória/formal 764
recusação 764
recusado 77, 764
recusador 489, 603, 764
recusante 489, 742, 764
recusar 55, 77, 462, 536, 603, 610, 764, 867, 932
recusar a crer 487
recusar aplausos/assentimento 489
recusar-se 893, 925
recusável 764
redação 531, 569
redar 622
redarguição 462, 468, 479, 937, 938
redarguidor 462
redarguir 462, 468, 938
redator 531, 591, 593
rede 214, 215, 219, 314, 545, 622, 702, 704
rede social 592
rede social virtual 534
rédea(s) 693, 706, 737, 747, 752
redemoinhar 173, 312
redemoinho 173, 349, 667
redenção 660, 672, 748, 750, 775, 790, 952, 976
redenho 545
redente 717
redentismo 672
redentor 664, 750, 912
Redentor 976
redescender 306
redibição 796
redibir 756, 796
redigir 590
redil 74, 189, 232, 370, 752
redimido 450, 672, 748
redimir 658, 660, 664, 672, 750, 790, 970
redimir ou remir 30
redimível 672
redingote 225
redintegração 660
redintegrar 660
redintegratio amoris 607
redito 62
rédito 775

redivivo 660, 873
redizer 104, 535
redobração 90
redobramento 35, 90
redobrar 35, 90, 104, 412
redobrar esforços 686
redobre 402a, 407, 412, 544, 702
redobro 90, 96
redolência 398
redolente 398, 400
redoma 191, 227, 943, 1000
redomão 129, 271
redondamente 31, 52, 247, 525, 535
redondar 247, 249
redondear 247, 249
redondel 728
redondeza(s) 197, 227, 247
redondilhas 597
redondo 52, 192, 201, 245, 247, 249, 525, 535, 703
redor 227
redouça 214, 314
redouçar 214, 314
redrar 371
redução 36, 103, 144, 195, 725, 776, 813
redução a pó 330
redução à quinta parte 99
redução de frações ao mesmo denominador 85
redução nos preços 815
reducente 36
reductio ad absurdum 476, 479
Redundância 640
redundância 303, 517, 573, 639, 645
redundante 517, 573, 640
redundantemente & *adj.* 640
redundar 640
redundar em 144, 153
reduplicação 90
reduplicar 90
redutibilidade 149
redutível 36, 144, 149
redutível a 27
reduto 717
reduzido 34, 103, 201
reduzido à última expressão 203
reduzido à última extremidade 704
reduzido a um esqueleto 659
reduzido ao silêncio 403
reduzido aos últimos extremos 665
reduzir 38, 60, 103, 201, 308, 596, 813
reduzir a autoridade a frangalhos 742
reduzir a cinzas 384
reduzir à condição de escravo 749
reduzir a dinheiro 796
reduzir à escravidão 749
reduzir à escritura pública 590
reduzir à expressão mais simples 479
reduzir à impotência 158
reduzir à mendicidade 804
reduzir à metade 91
reduzir à obediência 749
reduzir a pó 330
reduzir à pobreza/à miséria 804
reduzir à prosa 598
reduzir à quarta parte 97
reduzir à terça parte 94
reduzir ao silêncio 479
reduzir comissões 813
reduzir(-se) 195
reduzir-se a 144
reduzir-se a cinzas 384

reduzir-se a nada/a pó/a cinzas/a frangalhos 162
reduzir-se a pó 328, 732
reedificar 163, 660
reeditar 163
reeleger 609
reeleição 609
reembolsar 660, 785, 790, 807
reembolso 807, 810
reempossar 660
reencontro 720
reentrada 267
reentrância 252
reentrante 244, 252
reenviar 277, 283, 313, 408, 718, 764, 790
reenvidar 718, 919
reerguer(-se) 163, 660
reerguimento 660
reestabelecer 163
reexpedir 313, 790
reexportação 295
reexportar 790
refalsado 544, 940
refalsar 544
refalseado 544
refalseamento 544
refalsear 940
refazer 30, 159, 298, 637, 658
refazer as forças 689
refazer-se das forças 689
refazimento 30
refece 544, 705, 874, 877, 940, 945
refectivo 662
refectório 662
refega 349, 686, 720
refego 258
refeição 298, 689
refeito 159
refeito de forças 689
refeitório 191
refém 771
refender 44, 328, 378, 557
refendimento 250, 557, 558
referee 480, 967
referência 9, 155, 467, 527, 532, 550, 695
referenciar 9
referenda 488, 963
referendar 550, 931, 963
referendário 745, 967
referente 9, 516
referido 62
referimento 594
referir 9, 155, 527, 594
referir-se 9, 79, 516
referir-se a 467
referível 155
refermentar 353
referta 708, 713
refertar 468, 536, 708, 713, 720
refervente 382
referver 173, 315, 353, 384, 404
referver a cabeça em projetos 515
refestela 681, 831
refestelar-se 377, 681, 685, 831
refestelo 681, 831
refetivo 159
refez 705
refil 190
refilar 35, 462, 606, 718, 719, 938
refilhar 367
refilho 367
refinação 652
refinado 31, 52, 525, 531, 650, 652, 698, 874, 940
refinadura 652
refinamento 650, 652, 658
refinar 35, 42, 650, 652
refinaria 652, 691
refincar 300

refle | rei do mundo

refle 727
refletidamente 620
refletido 498, 502, 604, 611, 864
refletido e ponderado 826
refletidor 445
refletir 19, 104, 277, 279, 283, 408, 420, 451, 457, 498, 864
refletir o azul do céu 438
refletir-se 170, 175, 880
refletir-se em 642
refletor 445
reflexão 21, 277, 283, 408, 420, 451, 453, 457, 476, 498, 595, 955
reflexão necessária 498
reflexão tardia 451
reflexionar 277, 451, 457
reflexivo 12
reflexo 12, 21, 154, 277, 283, 325, 420, 490, 505, 551
reflexo especular 443
reflorescência 367
reflorescente 367
reflorescer 123, 161, 367, 658
reflorescimento 367
reflorir 123, 161, 367, 658
refluência 277, 283
refluente 277, 283
refluir 277, 283, 286, 348, 661
réfluo 283
refluxo 36, 277, 283, 659
refluxo minguante da maré 207
refocilamento 660
refocilamento de forças 689
refocilante 689
refocilar 159, 660
refocilar as forças 689
refocilar o espírito 687
refocilar-se 685
refogado 393
refogar 393
refolhado 544
refolhamento 544
refolhar 544
refolhar-se 544
reforçado 159, 192
reforçar 35, 159, 467, 707, 717
reforçar a luz do Sol com a de uma lamparina 645
reforçativo 35
reforço *(aumento)* 37
reforço(s) 35, 37, 39, 635, 637, 707, 726
reforjar 163
reforma 140, 144, 637, 658, 660, 681
Reforma 984
reformação 660
reformado 128, 984
reformar 144, 658, 660
reformar o seu juízo 607
reformar os abusos 660
reformar-se 681
reformatório 658, 944
refossete 717
refração 279, 420
refrangente 279, 420
refranger 277, 420
refranger-se 279
refrangibilidade 279
refrangível 279
refranzear 842
refrão 104, 496, 597
refratário 603, 606, 623, 719, 742, 867
refratário ao fogo 385
refratar-se 279
refrativo 279
refrato 279, 420
refreado 953
refreadouro 752
refreamento 623
refreamento das paixões 826

refrear 174, 275, 469, 616, 706, 708, 749, 751, 761, 817
refrear a revolta 826
refrear a língua 585, 864
refrear impor silêncio às paixões 944
refrear-se 609a, 623, 681, 740, 826, 953
refrega 686, 713, 720, 722, 889
refrega de vento 349
refregar 258, 720, 722
refreio 142, 174, 751
refrém 496
refrescada 385
refrescado & *u.* 385
refrescamento 385
refrescante 383a, 829
refrescar 339, 349, 385, 637, 829
refrescar(-se) 383a, 689
refrescata 385
refrescativo 385
refresco 385, 387, 637, 689, 834
refricare cicatricen 835
refrigeração 376, 385
refrigerador 385
Refrigerador 387
refrigerante 298, 385, 387, 829
refrigerar 385, 834
refrigerativo 383a, 385, 834
refrigeratório 385, 834
refrigério 174, 689, 827, 834
refugar 53, 55, 289, 297, 610, 764, 867, 930
refugiado 268, 623, 671
refugiar-se 294, 528, 623, 664, 666
Refúgio 666
refúgio 265, 530, 632, 664, 666, 671, 717, 893, 937
refugir 623
refugo 40, 643, 645
refugo da sociedade 949
refulgência 420
refulgente 420
refulgir 420, 873
refulgurar 420
refundar 208
refundir 146, 335, 384, 658
refundir-se 449
refusação 764
refusar 764
Refutação 479
refutação 77, 462, 468, 536
refutado 77, 495
refutador 462, 468, 479
refutar 77, 462, 468, 479, 485, 536, 603, 708, 764
refutatório 462, 479
refutável 77, 477, 479
rega 337, 339, 348
rega-bofe(s) 840, 954
regaçar 258
regaço 215, 221, 712, 892, 983a
regaço da família 189
regaço do prazer 954
regada 780
regadeira 348
regadia 337
regadinho 840
regadio 339
regado 339
regador 337, 348
regadura 337
regaladamente 377
regalado 377, 394, 639
regalão 840, 957
regalar 763, 784, 829
regalar com pancadas 972
regalar-se 298, 377, 394, 827
regalar-se com jantares opíparos 954
regalengo 737
regalia 618, 747, 748, 924

regalo 225, 377, 384, 394, 689, 827, 829, 831, 924
regalona (f.) 683
regalório 377, 829, 840
regambolear 840
reganhar 660, 775
regar 298, 337, 339, 348
regar com vinho 298
regar de lágrimas 839
regar no deserto 158
regata 337, 720
regatão 795, 797
regatar 794, 795, 796
regateado 812
regatear 483, 603, 764, 784, 795, 812, 817
regatear mealha por mealha 819
regateio 764, 795
regateira 797, 895
regateiramente 885
regateirão 901
regateiro 797
regato 348
regatona 901
regedor 745
regedoria 481
regelado 383
regelante 383
regelar 385
regelo 385
regência 542, 567, 692, 693, 737, 755
regência trina 737
regeneração 163, 658, 660, 976, 987
regeneração batismal 998
regenerado 987
regenerar 163, 658, 660
regenerar-se 952
regentar 693, 737
regente 413, 415, 540, 694, 737, 745, 759
reger 175, 537, 693, 737, 963
reger uma cadeira 537
regerar 163
reggae 415
régia 189, 875
régia estirpe 875
Região 181
região 342, 682
região atrás do joelho 440e
região da morte 657
região de ar podre 657
região dos mortos 363
região inóspita 657
região lombar 235, 440e
região occipital 235
região púbica 961
região temporal 236
regicida 361
regicídio 361
regicismo 738
regime 8, 692, 697, 737, 745
regime alimentício 662
regime sanitário 656
regimental 697
regimento 80, 693, 697, 726, 741, 963
Regina Coeli 990
régio 737, 803, 816
regiões baixas 961
regiões do etéreo azul 318
regiões dos devaneios 515
regiões infernais 982
regiões tropicais 382
regional 79, 181, 563
regionalismo 79, 481, 563, 911
regirar 311
regiro 311, 312
registador 553
registar 76
registrado 76, 551

Registrador 553
registrador 551, 594
registrar 60, 114, 551
registrar como verdadeiro 484
registrar no pensamento/na memória/na mente/na ideia/na lembrança 505
registrar o movimento das transações comerciais 811
Registro 551
registro 76, 86, 467, 505, 527, 550, 551, 594, 771
rego 259, 350
regoadura 259
regoliz 396
regorgitar 102
regorjeado 407, 412
regorjear 412
regorjeio 407, 412
regougar 405, 410, 412, 580, 583, 900
regougar com as raposas 714
regougo 410, 412
regozijar 829
regozijar-se 827, 836, 838, 883
regozijar-se com o mal alheio 907
Regozijo 838
regozijo 827, 831, 836, 840
regra(s) 22, 58, 80, 82, 484, 537, 592, 613, 692, 697, 817, 864
regra áurea 85
regra de procedimento 692
regra de três 85
regraciar 916
regradamente 174
regrado 58, 60, 138, 498, 817, 953
regrar 60, 590, 693, 737, 817
regrar-se 692, 953
regra-três 634
regraxar 556
regraxo 556
Regressão 283
regressão 287
regressar 145, 277, 283
regressivo 145, 277, 283
regresso 145, 283, 292
regreta 591
régua(s) 133, 200, 466, 590
régua de cálculo 85
regueira 348, 350
regueiro 348
reguengo 737
reguengueiro 188
reguingar 462
regulação 697
regulado 58
regulamentação 963
regulamentar 60, 924, 963
regulamentário 963
regulamento 693, 697, 963
regular 16, 60, 82, 138, 314, 494, 498, 613, 639, 646, 651, 693, 741, 812, 926, 953
regular 693
regular a marcha/o andamento de 693
regular é fazer, O 613
regular pelo molde de 19
regularidade 16, 23, 58, 138, 242, 494, 926
Regularidade 80
regularidade de forma 242
regularizar 60, 658, 963
regularmente 80, 82, 494, 651
regulete 847
régulo 175, 739
regurgitar 348, 639, 640
rei 33, 626, 715, 875
Rei da glória 976
rei de copas 738
rei de... 650
rei do mundo 372

rei dos animais 366
rei dos metais 800
Rei dos reis 976
reicua 253
reimoso 352
reimpressão 21, 163, 591
reimprimir 163, 591
reina 298
Reina a maior licença e impudor 954
reinação 840
reinadio 840, 844
reinado 33, 175, 737
reinado do pavor 860
reinado do terror 739, 828
reinante 118, 175, 737
reinar 1, 33, 78, 175, 657, 693, 737, 842, 851
reinar perfeita concórdia 714
reinar no coração de 897
reinar o bom gosto 850
reinar silêncio 403
reincidência 141, 606, 661, 951
reincidente 606, 661, 951
reincidir 661, 951
reincidir na transgressão 964
reincorporar 48
reinícola 181, 188, 968
reino 33, 181, 737, 780
reino animal 366
reino de Plutão 982
reino dos céus 981
reino escuro de Sumano 982
reino eterno 981
reino mineral 358
reino vegetal 367
reino/trono/presença de Deus 981
reinol 181, 188
reinstalar 660
reintegração 660, 790
reintegrar 660, 790
reintegro 660
reinvestimento 790
reira(s) 235, 378
reisados 998
reiteração 104, 136, 535
reiterado 136
reiterar 104, 136, 143, 535
reiterativo 104
reiterável 104
reitor 694, 745, 996
reitorado 693, 995
reitoral 747
reitoria 693, 995
reiuna 727
reiuno 271, 737
reivindicação 741, 775
reivindicador 924, 938
reivindicar 741, 775
reivindicar os direitos da verdade 536, 543
reivindicar os seus direitos 924
reixa 420a
reizete 739
rejeição 55, 77 289, 297, 462, 489, 536, 603, 623, 719, 764, 867, 889, 932
Rejeição 610
rejeitado 462, 610, 898
rejeitar 55, 77, 289, 297, 462, 479, 485, 536, 603, 610, 623, 678, 764, 867, 889
rejeitar 610
rejeitar a esposa 905
rejeitável 925
rejubilar(-se) 827, 829, 836
rejúbilo 827
rejurar 535
Rejuro que... 535
rejuvenescer 123, 131, 145, 318, 660, 944
rejuvenescido 689

rejuvenescimento 658, 660
rela 545
relação 11, 17, 85, 86, 464, 527, 551, 594, 892
Relação 9
relacionamento 372, 888
relacionar(-se) 9, 76, 155, 464, 551, 594, 888
relacionar-se com 890
relações 588, 888
relações amigáveis 888
relações de mútua dependência 12
relações íntimas 888
relações tensas 889
relambório 575
relampadejar 420
relâmpago 113, 274, 420, 423
relampaguear 113, 420
relampaguear no cérebro 451, 612
relampear 420
relampejar 113, 420, 508
relampejar na memória 505
relançar 441
relance 113, 441
relancear 113, 441
relancear os olhos 457
relance-d'olhos 441
relapsão 606, 661, 951
relapsia 606, 661, 951
relapso 460, 606, 624, 661, 738, 742, 951
relar 412
relasso 885, 961
relatar 527, 532, 594, 967
relativamente & *adj.* 9
relativizar 469
relativo 6, 9
relativo a 454
relativo à beldroega 367
relativo à produção da seda 366
relativo ao cálice das flores 367
relativo às aves 366
relato 532, 594
relator 527
relatório 551, 594
relaxação 47, 160, 174, 460
relaxado 172, 460, 653, 699, 823, 927, 961
relaxamento 460, 624, 773, 945
relaxar 160, 174, 324, 624, 659, 687, 740, 918, 927a
relaxar da prisão 750
relaxar o espírito 452
relaxar-se 927
relaxe 47
relaxidão 460
relaxista 740
relaxo 460, 927
relegação 270, 297
relegado ao abandono 624
relegar 185, 297
relegar ao abandono 624, 782
relegar ao plano das coisas inúteis 930
relego 636
releição 538
releixo 228, 250, 253, 627
relembrar 104, 505, 883
relentar 339
relento 339, 348
reles 34, 391, 575, 643, 645, 649, 841, 852, 874, 877, 930
relevado 250
relevamento 918
relevamento ou perdão da culpa 970
relevância 23, 642
relevante 642
relevar 250, 630, 642, 740, 834, 918, 926, 927a

relevar da culpa imputada 970
relevé 298
relevo 220, 250, 642, 873
relha 253
relhada 972
relheira 259
relho 975
relicário 191, 998, 1000
relicário de virtudes cívicas 873
religião 983, 987
Religião da Humanidade 986
religião/igreja reformada 984
religiões 996
religionário 987, 988
religiosa professa 996
religiosamente 926
religiosamente exato 494
religiosidade 987
religioso 772, 914, 926, 983, 987, 988a, 996
religioso eliano 996
religioso menor 996
relimar 650
relinchar 412
relincho 412
relinquição 782
relinquir 782
relíquia(s) 40, 362, 505, 551, 648, 998, 1000
relíquia do passado 124
reliquiæ 362
relíquias sagradas 362
relógio 114
relógio analógico 114
relógio atômico 114
relógio-d'água 114
relógio da morte 668
relógio de areia 114
relógio de longitude 114
relógio de pêndulo 114
relógio de quartzo 114
relógio de repetição 104
relógio digital 114
relógio solar 114
relógio, som de 402a
relojoaria 691
relojoeiro 690
reloucado 503
relumbrar 420
relutância 179, 603, 606, 616, 719, 742, 867
relutante 603, 606, 719
relutar 603, 606, 719, 720, 867
reluzir 420, 873
reluzir de um fulgor vivíssimo 420
relva 344
relvado 344, 367
relvar 223, 367
relvejar 223
relvoso 367
remada 267
remador 269
remadura 267
remalho 219
remanchão 683
remanchar 133, 683
remancho 133, 683, 685, 687
remanente 40
remanescente 40, 640
remanescer 40, 106, 640
remansado 265, 683, 687
remansear 174, 683, 687, 721
remanso 174, 265, 343, 345, 403, 683, 687, 721
remansosamente & *adj.* 687
remansoso 174, 265, 683, 685, 687, 721
remar 206, 264, 267, 305
remar contra a maré 304, 704, 719, 732, 735

remar o seu remo 804
remarcação 815
remascar 298, 451
remastigar 298, 451
rematada loucura 499
rematado 503
rematado 52, 503, 525, 650
rematar 67, 210, 729, 795
remate 26, 52, 65, 67, 154, 210, 233, 480, 729
rematuramente 135
remedar 19, 104, 412
remediar 637, 654, 658, 660, 707, 731, 864, 937
remediar abusos ou desordens 658
remediar as discórdias 723
remediar uma doença 662
remediável 660, 662, 858
Remédio 662
remédio 480a, 618, 632, 660, 707, 717, 834
remédio soberano/heroico 662
remeiro 269, 273, 274
remela 653
remelado 653
remelar 653
remelento 653
remelgado 243, 440d
remeloso 653
remembrança 505
remembrar 505
rememoração 505, 883
rememorar 505, 883
rememorativo 505, 883
rememorável 873
remêmoro 505, 873
remendado 440
remendão 225, 660, 701, 852
remendar 41, 440, 658, 660, 699
remendar a língua 563
remendeiro 225, 701
remendo 32, 51, 70, 440, 495, 555, 617, 658, 699
remendo de outro pano 15
remendo de pano diferente 24
remenicar 462, 468, 606, 718
remerecer 924
remessa 25, 31, 807
remessar 276
remesso 716
remetedura 716
remetente 592
remeter 270, 284, 488, 716, 755, 763, 784, 790
remeter para logo 133
remeter tudo para o dia seguinte 605
remeter-se 467, 762
remeter-se ao silêncio 585
remetida 716
remetimento 716
remexer(-se) 61, 175, 264, 315, 461
remexido 59, 264
remição 672
remido 450, 672, 748
rêmige 267, 269
remígio 267, 278
remigração 295
remigrar 283
reminha 777
reminiscência 17, 505, 833
reminiscente 833
remir 658, 664, 672, 750, 807, 918, 952, 970, 976
remir as perdas 30
remir os pecados (com esmolas) 952
remir uma fortaleza 731
remirar 441, 457, 870
remirar voluptuosamente 902
remissa 133

remissão | repoltrear-se

remissão 142, 160, 174, 738, 740, 748, 750, 914, 927a
remissão de culpas 918
remissão de uma dívida 952
remissível 918
remissivo 679, 918
remisso 133, 172, 275, 460, 603, 683, 735
remissor 750
remissório 750
remitência 70, 138
remitente 70, 138
remitir 138, 160, 807, 834, 918
remitir o rigor 740
remo 267, 337, 633, 840
remo, som de 402a
remoçado 656
remoçador & *v.* 660
remoçamento 658
remoção 38, 44, 185, 270, 301, 756, 972
remoçar 123, 131, 145, 658, 660, 856, 929, 932
remodelação 658
remodelador & *v.* 146
remodelar 144, 146, 658
remoela 713, 929
remoer 104, 298, 330, 451, 841, 972
remoinhar 61
remoinho 312, 315, 348, 349
remoinhoso 312, 349
remolhar 337
remolho 655
remonta 637
remontado 124, 196, 206, 873
remontar 155, 305, 307, 482, 505, 658, 660
remontar à infância da humanidade 112
remontar ao século passado 124
remontar aos tempos antigos 122
remontar o voo 206, 305
remontar-se 990
remontável 155
remonte 196, 635, 658
remoque 856
remoqueador 929
remoquear 842, 856, 932
rêmora 46, 133, 706
remorado 133
remorar 133
remordaz 830
remordedor 830
remorder 104, 451, 830, 841
remorder a consciência 950
remorder-se 821
remorder-se de raiva 900
remordido de ciúmes 920
remordido de inveja 921
remoroso 133, 706
remorso 603, 950
remorso punge-lhe a consciência, O 950
remoto 11, 122, 124, 196, 506, 526
remover 38, 140, 185, 270
remover alguém do cargo 756
remover do espírito 452
remover um pesadelo 834
removimento 270
removível 270, 643, 858
rempli de soi-même 880
remugir 404, 908
remuneração 775, 807, 809, 810, 812, 973
remunerado & *v.* 973
remunerador 644, 775, 807, 973
remuneradoramente & *adj.* 973
remunerar 644, 784, 807, 809, 973
remunerativo 644, 775, 807, 973
remuneratório 644, 775, 807, 973

remuneroso 644, 775, 807
rena 271
renal 440e
renascença 163, 660
renascente 163
renascer 66, 136, 163, 446, 944
renascimento 163, 660
renavegar 283
rencontre 199
renda 219, 231, 775, 803, 810, 847
rendar 229, 847
rendaria 691
rendatário 785
rendedouro 775
rendedura 725
rendeiro 188, 690, 779
render 147
render 65, 161, 168, 688, 731, 744, 763, 775, 784, 790, 810, 824, 914
render 168
render à boia 43
render alguém com peitas 615
render com peitas 784
render fama 873
render graças 916
render graças a 990
render graças a Deus 831, 838
render homenagens 873
render o espírito a Deus 360
render o mortal corpo à morte 360
render obediência 743
render preito e homenagem 743
render preito/homenagem 928
render vidas à morte 361
render/depor/abater/arriar as armas 725
render-se 725, 827, 886
render-se à clemência dos vencedores 725
render-se à discrição 725
render-se ao sono 683
render-se aos anos 128
render-se aos apetites 945
rendez-vous 74, 892, 961
rendição 147, 725, 750
rendidamente 879
rendido 160, 725, 827, 870, 897, 916
rendilha 219, 847
rendilhado das frases 578
rendilhar 577, 847
rendimento(s) 810, 892, 896, 973
rendoso 644, 775, 810, 973
renegado 607, 907, 984
renegador 607
renegar 483, 485, 607, 708, 756, 757, 908, 930, 988, 989
renegar a fé e a pátria 940
renete 253
rengo 160, 275, 440a
renguear (cavalo) 275
renhido 31, 159, 173, 606, 825, 900
renhimento 713
renhir 606, 713, 722
reniforme 245
Renitência 719
renitência 179, 323, 603, 606, 719, 742, 951
renitente 179, 719
renitir 179, 323, 606, 719
renmimbi 800
renome 893, 931
renova 51, 129
renovação 104, 123, 163, 505, 660
renovamento 90, 104, 163
renovar 90, 104, 123, 163, 505, 658, 660, 883

renovar na memória 505
renovar o ar 656
renovar os conhecimentos com alguém 892
renovar uma ferida 835
renovar-se 104, 117, 136
renovar-se nas virtudes 944
renovar-se no vício 945
renovo 51, 129, 153, 167, 367
renque 69
rentabilidade 625
rentar 462, 715, 902
rente 199, 201, 207
rente a 197
rente com 197
rente de 197
rentear 162, 226, 308, 789, 791, 814, 902
rentear a praxe 146
rentura 731
renuir 603, 624, 764
renúncia 536, 624, 738, 757, 764, 782, 927a, 942
renúncia de si próprio 953
renunciação 607, 757, 942
renunciamento 942
renunciante & *v.* 757
renunciar 603, 624, 678, 738, 757
renunciar a bens materiais 942
renunciar a toda esperança 859
renunciar à vida monacal 607
renunciar ao direito de propriedade 782
renunciar ao mundo 893
renunciar ao raciocínio 477
renutrir 298
renzilha 720, 889
reocupar 660, 775
reorganização 658, 660
reorganizar 144, 163, 658, 660
repa 226, 440e
reparação 30, 455, 720, 952, 973
reparadeira 455
reparado 664
reparador 658, 660, 662, 952, 973
reparar 30, 451, 455, 457, 658, 660, 673, 717, 864, 952, 973
reparar bem 457
reparar contra o frio 38
reparar o golpe 664
reparar o mal 952
reparar-se com o escudo de 717
reparar-se da perda de 775
reparatório 658, 973
reparável 858
reparo 455, 457, 658, 660, 717
repartição 625, 786
repartidor 786
repartimento 44, 786
repartir 51, 73, 784, 786, 924
repartir em duas partes 91
repartir-se 457, 682
repas 205
repassado 639, 820, 821
repassado de amor e carinho 648
repassado de mágoa/de sentimento 839
repassar 296, 302, 538, 783
repasse 370, 783
repastar 827, 840
repastar-se 298
repasto 298, 840
repatriação 294, 790
repatriamento 294
repatriar(-se) 283, 294, 790
repelão 276, 284, 716
repelar 285
repelência 289, 610, 653, 719, 764

repelente 289, 649, 653, 830, 867, 898, 961
repelir 55, 277, 284, 289, 297, 603, 610, 708, 717, 719, 764, 867, 932
repelir a ideia de 536
repelir uma afronta 919
repelir violência com violência 718
repelir-se 14
repente 608, 612, 825, 842, 901
repentino 111, 113, 132, 508, 612, 684
repentista 416, 597, 844
repercussão 21, 154, 175, 277, 408, 642
repercussivo 277
repercusso 21, 277, 408
repercutir 277, 283, 408, 642, 961
reperdido 961
repertório 72, 86, 114, 492, 550, 599, 636
repeso 950
repetenado 885
repetenado/repetanado 884
repetenar-se 685
repetência 104, 136
repetente 104, 541
Repetição 104
repetição 13, 17, 19, 21, 90, 136, 143, 640, 645, 660
repetidamente & *adj.* 104
repetidas vezes 136
repetidas/sucessivas/ inúmeras vezes 104
repetido 104, 136
repetidor 540
repetimento 104, 136
repetir 19, 37, 89, 90,104, 136, 163, 408, 573, 584, 841
repetir de cor 505
repetir na súmula 596
repetir-se 104, 573
repetitivo 104, 136, 407, 517, 573, 613
repicagem 407
repica-ponto 650
repicar 402a, 404, 407
repicar em salvo 669
repimpado 885
repimpar-se 377, 681, 685, 687, 831, 957
repinchado 878
repinicar 402a, 407
repinique 402a, 407, 417
repintalgado 440
repintar 19
repique 402a, 407
repique festivo dos sinos 838
repiques de sino 882
repiquete 217, 407, 669
repisa 104, 211, 330
repisado 104
repisador 841
repisar 104, 330, 573, 841
replay 104
repleção 639, 640, 869
replenado 52, 251, 640
repletar 50
repleto 52, 72, 102, 190, 639, 640, 869
Réplica 468
réplica 17, 19, 462, 718, 842, 937
replicação 462
replicador 462
replicante 462
replicar 19, 462, 479, 718, 842
replicativo 479
repolegar 258
repolho 193, 249
repolhudo 192, 194, 249
repoltrear-se 681, 685

715

répondre en normand 544
repontar 125, 270, 446, 462, 716, 895
repor 660, 790
reportação 174, 953
reportado 174, 953
reportagem 527, 532, 594
reportar 532, 594, 740, 826
reportar-se 174, 467, 826, 953
reportar-se a 467
repórter 527, 532, 534, 593, 594
reportório 114, 636
reposição 184, 600
repositório 191, 562, 636, 746, 1000
reposte 633
reposteiro 530
repotrear-se 377
repousado & *v.* 687
repousar 141, 142, 183, 215, 265, 363, 685, 687
repousar à beira do sepulcro 360
repousar confiança em 467
repousar em 9, 199, 484
repousar nas amarras 265
repousar sobre os seus louros 265
repouso 141, 142, 172, 215, 265, 360, 660, 681, 683, 685, 834
Repouso 687
repoussé 250
repreender 932
repreensão 932, 972
repreensão 972
repreensão solene 908
repreensível 649, 845, 874, 932, 947
repreensivo 932
repreensor 480
represa 211, 215, 232, 263, 343, 348, 350
represadura 718, 789
represália 718, 919
represar 142, 261, 337, 345, 348, 706, 751, 781, 789, 826
represatório 142
Representação 554
representação 19, 516, 527, 550, 594, 599, 932
representação defeituosa 555
representação gráfica 554
representação teatral 599
representado 554
representador & *v.* 554
representamento 554
representante 690, 755, 758, 759
representante da imprensa 534, 593
representante de casas comerciais 758
representante do povo 696
representar *(teatro)* 554
representar 19, 516, 550, 554, 556, 594, 599, 755, 759
representar a alguém 527
representar bem o seu papel 599
representar contra 468, 485
representar de 544
representar importante papel 644
representar notável papel em 680
representar papel saliente 175
representar uma farsa 544
representar uma inutilidade 645
representar-se 515
representar-se sob 554
representativo 550, 554, 737
representável 554
representear 148, 718, 784

repressão 179, 739, 751
reprimenda 932, 972
reprimido 953
reprimir 142
reprimir 174, 275, 469, 528, 706, 708, 739, 751, 826
reprimir o sorriso 837
réprobo(s) 907, 945, 949, 988
reprochar 932
reproche 932
Reprodução 163
reprodução 19, 21, 104, 136, 161, 402a, 408, 554, 660
reprodução caricatural 21
reprodutivo 161, 163
reprodutor 161, 373
reproduzir 19, 104, 136, 163, 402a, 408, 590, 660
reproduzir-se 104
reproduzir-se mensalmente 138
reprofundar 310
reprova 932
Reprovação 932
reprovação 930, 934
reprovação enérgica 908
reprovado 932
reprovador 932, 936
reprovar 761, 932
reprovável 945
repruir 380, 824
reprurir 380
reptação 715
reptamento 715
reptante 366, 715, 886
reptar 715, 938
reptar a tradição 614
réptil 366, 886, 935, 949
repto 715
república 372, 910
república das letras 490, 560
república literária 560
república unitária/parlamentar/federativa 737
republicanismo 737
republicanizar 910
republicano 740, 877
republico 740, 912
repudiação 905
repudiado 905
repudiar 489, 536, 610, 624, 708, 756, 764, 867, 905, 927
repudiar a dívida 808
repudiar as dívidas 808
repúdio 55, 536, 610, 624, 756, 764, 773, 905
repugnância 14, 24, 395, 603, 610, 649, 653, 719, 867, 898
repugnante 24, 401, 603, 616, 649, 653, 830, 846, 867, 874, 886, 898, 930, 932, 940, 945
repugnante 874
repugnar 24, 179, 395, 610, 649, 653, 708, 719, 764, 867, 932
repugno 764
repulsa 277, 289, 603, 610, 708, 719, 732, 764, 867, 889, 930, 932
repulsa 289
Repulsão 289
repulsão 297, 603, 610, 708, 719, 764, 867, 900, 932
repulsar 289, 603, 610, 708, 719, 764, 867, 930
repulsão 289, 395, 719, 830, 846, 867, 898, 961
repulso 610, 764
repulsor 610
repulular 136, 163
reputação 873
reputado 155
reputar 480, 484, 812
reputar-se 880
repuxado 851

repuxar 200, 215, 283, 285, 305, 348
repuxo 215, 260, 305, 348
requebrado 897
requebrar 314, 855, 902
requebrar a voz 416
requebrar-se 315
requebro 315, 412, 550, 902
requebro de voz/de olhos 550
requebros 855
requeimado do tempo 124
requeimado pela febre 655
requeimar 384, 392, 433
requeime 392, 397
requentar 382, 384
requente 104
requerente 765, 767
requerer 630, 741, 765, 902
requerer concordata 808
requerido 924
requerimento 765, 963
requesta 720, 765
requestar 288, 302, 765, 861
réquiem 415, 839
Requiescat in pace 360
requinta 417
requintar 33, 650
requintar de intensidade 35
requintar na impenitência 951
requintar-se 459, 855
requinte 5, 33, 210, 225, 459, 465, 498, 578, 650, 658, 845, 850, 855
requisição 630, 741, 765
requisitar 630, 741, 765
requisito 630
requisitório 461
rês 366, 941
res angusta domi 804
rés do chão 189, 207, 211
Res ipsa loquitur 525
res judicata 474, 480
Res judicata pro veritate habetur 474
res nom verba 680
rescaldado 509
rescaldar 384
rescaldeiro 386
rescaldo 384, 386
rescaldo das paixões 481
rescindimento 756
rescindir 756, 764, 964
rescisão 38, 44, 756
rescisório 756
rescrição 462, 800
rescrito 462, 592, 741, 550, 594, 595
resenhar 527, 594, 595
reserva 139, 147, 498, 533, 585, 634, 636, 637, 769, 770, 814, 826, 864, 879, 881, 939
reserva 147
reserva mental 546
reservada 653
reservado 191, 528, 533, 585, 620, 864, 879
reservado 139, 507, 601, 609, 620, 670, 678, 781, 817, 864
reservar segredo 533
reservar-se 176
reservatório 191, 343
reservista 726
resfolegado 174, 826
resfolegadouro 351
resfolegar 348, 349, 402a, 687, 689
resfôlego 349, 359, 402a, 405, 687
resfolgar 402a
resfolgo 402a, 687
resfriado 655, 823

resfriadouro 387
Resfriamento 385
resfriamento 174, 660
resfriamento de relações sociais 713
resfriar 174, 385, 616, 826, 837
resgatador 750
resgatar 147, 660, 672, 750, 760, 775, 790, 807, 927a, 952, 970, 973, 976
resgatar do esquecimento 505
resgatar um penhor 772
resgatar uma dívida 807
resgatar-se 750
resgatável 672
resgate 30, 660, 672, 750, 771, 790, 807, 812, 918, 927a, 952, 970, 973
resgate 970
resguardar 234, 457, 459, 670, 717, 937
resguardar como santas as leis da amizade 888
resguardar de 664
resguardar-se 717, 864, 953
resguardo 459, 662, 664, 670, 717, 864, 928, 939, 960
residência 189
residente 188
residir 186
resíduo 40, 330, 653
resíduos da digestão 299
resignação 624, 725, 738, 743, 782, 826, 879
Resignação 757
resignadamente & *adj.* 725
resignado 605, 725, 743, 826, 831, 879
resignante 757
resignar 624, 738, 757, 832
resignar-se 601, 725, 757, 826, 879
resignatário 757
resiliação 756
resiliência 324, 327, 600, 719
resiliente 327
resilir 756
Resina 356a
resinar 356a
resinento 356a
resinífero 356a
resinoso 352, 356a
resipiscência 950
resisitir 600
Resistência 179
resistência 141, 159, 277, 321, 323, 327, 600, 704, 706, 708, 719, 726, 742, 889
resistência elétrica 384
resistência voluntária 179
resistente 110, 159, 179, 321, 323, 327, 606, 708, 719, 742
resistir 110, 141, 159, 179, 670, 708, 717, 719, 742, 764
resistir a 821
resistir à onda 708
resistir à prova 648
resistir à rutura 327
resistir à tempestade 660
resistir a toda prova 494
resistir ao perpassar do tempo/ à sucessão dos anos 112
resistir às dores 828
resistir *magna vi* 604, 606
resistir voluntariamente 179
reslumbrar 425, 446
reslumbre 420
resma 72, 593
resmalho 219
resmonear 405, 583, 895
resmoninhador 901
resmuda 140, 218
resmungão 832, 895

resmungar 405, 580, 583, 832, 895, 900
resolto 604
resolução 49, 144, 171, 451, 454, 461, 480, 600, 620, 626, 686, 861
Resolução 604
resolução de uma dificuldade 480a
resolução final e irrevogável 604
resolução heroica 604
resoluto 600, 604, 606, 682, 861
resolúvel 144
resolver 49, 462, 480, 480a, 522, 604, 737
resolver de antemão 611
resolver de comum acordo 488
resolver uma dificuldade 480a, 705
resolver-se 54, 600, 604, 861
resolver-se a praticar 676
resolver-se em 144
resolver-se em duas palavras 596
resolver-se em pó 645
resolvido 604, 769
resolvido a 604
respaldar 213, 251, 255
respaldo 215, 717, 937, 1000
respançadura 552
respançamento 552
respançar 552
respectivamente 786
respectivo 9, 12, 79, 926, 928
respeitabilidade 873, 929, 939, 953, 960
respeitado & venerando 928
respeitado 642, 670, 678
respeitado pela antiguidade 124
respeitador 987
respeitante 9
respeitar 9, 82, 234, 670, 743, 772, 860, 906, 914, 928, 987
respeitar-se 926, 939
respeitável 31, 642, 870, 873, 875, 928, 939, 953
respeito 153, 457, 743, 749, 772, 829, 873, 888, 894
Respeito 928
respeito pessoal 481
respeito subserviência 743
respeitos 928
respeitosamente & *adj.* 928
respeitoso 894, 928
respiga 609, 673
respigadura 609
respigar 72, 596, 609, 775
respigar conhecimentos /informações 538
respigo 609
respinchar 277
respincho 277
respingão 742, 887
respingar 276, 277, 402a, 661, 713, 719, 742, 885, 895, 951
respingo 277
respiração 349, 359, 364, 405
respiração ofegante e precipitada 688
respiração, som de 402a
respiráculo 359
respiradouro 260, 295, 351, 671
respirante 359
respirar 1, 349, 359, 398, 467, 516, 687, 689
respirar bondade/ódio etc. 820
respirar mais desafogado 834
respirar novos ares 266
respirar o mesmo ar que outrem 186
respirar vingança 907
respiratório 440e

respirável 656
respiro 260, 295, 351, 687, 808
resplandecência 420, 845
resplandecer 420, 525, 873
resplandecer de sangue 434
resplandor 420
resplendecer 420, 845
resplendente de luz 420
resplender 420
respléndido 845
resplendor 247, 420, 873
resplendor da verdade 543
resplendoroso 420
respondão 887, 895, 901
respondedor 462, 895
respondência 592, 892
respondente 462, 467, 771
respondente 938
responder 23, 27, 234, 237, 408, 462
responder à chamada 186
responder à letra/ao pé da letra 718
responder à provocação 719
responder *ad rem* 604
responder ao fim/à opinião 731
responder asperamente/acremente/com uma vênia seca e silenciosa 895
responder com a dignidade de seus direitos 924
responder com atrevimento 885
responder com entono 878
responder com modo altaneiro 895
responder com palavras agradecidas 916
responder com sete pedras na mão 885
responder por 759, 771, 806, 926
responder por contrariedade aos articulados 937
respondível 477
responsabilidade 774, 806, 926, 947
responsabilizar 155, 938
responsabilizar-se 625, 770, 926
responsabilizar-se pelo pagamento de 788
responsabilizar-se por 771
responsar 990, 992
responsar os defuntos 998
responsável 771, 926, 947
responsável por 806
responsivo 462, 468
responso 932, 990, 992, 993, 998
responsório 990, 998
Resposta 462
resposta 468, 480a, 522, 842
resposta esmagadora/completa/cabal 479
resposta má/torta/grosseira/incivil 895
resposta negativa 764
resposta torta 885
respostada 842, 885
respostada/repostada 895
resquício 32, 40, 51, 193, 198
rés-rés com 197
ressaber 390, 490
ressabiado 485, 702, 822, 837, 860, 901
ressabiar 490, 698, 702
ressábio/ressaibo 900
ressaca 343, 348, 607
ressaibo 390, 395
ressair 250, 642
ressaltado 250
ressaltar 250, 277, 283, 525, 642, 873

ressaltar a todos os espíritos 525
ressaltear 277, 283
ressalto 55, 250, 283, 325, 495, 535, 769, 770, 927a
ressalva de entrelinha 535
ressalvar 664, 770, 927a
ressaque 800
ressarcimento 30
ressarcir 30, 973
ressarcir o tempo perdido 660
ressaudar 894
ressecado 340
ressecar 340
resseco 340
ressentido 822, 832, 900
Ressentimento 900
ressentimento 898, 907
ressentimentos pessoais 889
ressentir-se 651, 822
ressentir-se com alguém 900
ressentir-se da ferrugem de seu tempo 491
ressentir-se de 175
ressequido 193, 340
ressequir 340
ressicação 340
ressicar 340
resso pede 275
ressoante 402, 408
ressoar 104, 402, 402a, 404, 408, 527
ressobrar 640
Ressonância 408
ressonância 104, 402, 404, 579
ressonância magnética 662
ressonante 408
ressonar 408, 411, 683
ressoprar 349
ressorção 296
ressorver 296
ressudação 295
ressudar 295
ressumar 295, 529
ressumbrar 295, 297, 525, 529
ressunção 660
ressunta 104, 596
ressuntivo 662
ressupinação 213
ressupinado 213
ressupino 213
ressurgimento 660
ressurgir 163, 446, 660
ressurreição 163, 614, 648, 660, 981
ressurtir 446
ressurtir ao ar 305
ressuscitação 163, 505, 660, 981
ressuscitado 660
ressuscitar 123, 163, 505, 660
restabelecer 660, 672, 790
restabelecer a calma 861
restabelecer a ordem 60
restabelecer as forças 689
restabelecer na posse 660
restabelecer-se 654, 660
restabelecimento 660, 689
restabelecimento da memória 505
restabelecimento/reatamento das relações 723
restagnação 345
restante 40, 640
restantemente & *adj.* 40
restar 40, 141, 640, 641, 806
Restauração 660
restauração 145, 163, 658, 689, 790
restauração de forças 660
restaurado & restaurativo 660
restaurador 559, 656, 660, 662
restaurante 189
restaurar 163, 660, 662, 672, 790

restaurar a harmonia 723
restaurar as forças 689
restaurativamente & *adj.* 660
restaurativo 834
restaurável 660
reste/riste 215
réstea de sol 420
réstia 69
restilar 652
restilo 959
restinga(s) 342, 367, 667
restingueiro 188
Restituição 790
restituição 660, 807
restituição à liberdade 750
restituidor 790
restituir 660, 790
restituir à bem-aventurança 987
restituir à graça divina 998
restituir à liberdade 750
restituir à pátria 283
restituir a paz 723
restituir ao estado primitivo 660
restituir o dano 30
restituir-se à pátria 294
restituitório 660, 790
restituivel & *v.* 790
restivar 371
Resto 40
resto 84, 117, 643
restojo 40
restolhada 72, 404
restolhada de mortos 361
restolhar 402a, 404
restolho 40, 404, 645
restos 362, 551, 645
restos mortais 362
restos orgânicos 357, 362
restos respeitáveis 362
restribar 606
restribar-se 708
restrição 36, 55, 103, 462, 469, 708, 744, 761
Restrição 751
restrição mental 520, 528
restrição nas despesas 817
restringência 103, 751
restringente 751
restringidamente 751
restringimento 739, 751
restringir 36,103, 174, 179, 201, 229, 469, 641, 751, 761, 817, 826
restringir os horizontes de 659
restringir-se 304, 826
restringir-se ao principal 576
restringível 743
restritamente 32, 751
restritivo 462, 751, 761
restrito 32, 53, 193, 201, 533, 739, 751
restropecção 451
restrugir 402a, 408
resulta 154, 480
resultado 48, 84, 154, 480, 480a, 729, 775, 810
resultado da imitação 21
resultado de investigação ou indagação 480a
resultado favorável 731
resultante 48, 154
resultante de 154
resultar 154
resumido 572, 596
resumidor 596
resumir(-se) 36, 201, 572, 596
resumo 201, 572, 596
resvaladiço 217, 255, 665
resvaladio 667
resvaladouro 217, 255, 667
resvaladura 255, 306, 665
resvalante 160, 659

resvalar | reverendo

resvalar 264, 306
resvalar em culpa 947
resvalar em erro 495, 945
resvalar o pé a alguém 945
resvalar para um perigo 665
resvalarem lágrimas nas faces 839
resvalo 217
resvés 207, 494
retábulo 554, 556, 594, 1000
Retaguarda 235
retaguarda 65, 235, 281
retal 235
retalgia 378
retalhação anatômica 44
retalhado 44, 51
retalhar 44, 378, 649, 716, 786, 830
retalhar a carne 383
retalhar a terra com o arado 371
retalhar anatomicamente 49
retalhável 44, 51
retalheiro tascante 797
retalho(s) 32, 51, 193, 204, 205, 645
retalho de terra 181
Retaliação 718
retaliação 718, 919
retaliado & *v.* 718
retaliador & *v.* 718
retaliar 148, 718, 919
retame 396
retanchar 201, 371
retangular 212
retangularidade 244
retângulo 244
retardação 133, 706
retardado 133
retardador 133
retardadura 706
retardamento 133, 275, 706
retardança 133
retardão 275
retardar 110, 133, 706
retardar-se 275
retardatário 133
retardativo 133, 275, 603
retardatório 133
retardio 133, 275
retém 640
retém ou retenho 636
retemperar-se 689
Retenção 781
retenção 133, 505, 749, 752, 777, 789
retência 781
retentiva 505
retentivo 781
retentor 781
reter 706, 749, 751, 775, 781, 789
reter com firmeza 789
reter de memória 505
reter intato 670, 678
reter no pensamento/na memória/na mente/na ideia/na lembrança 505
reter preso 751
retesado 323
retesar 200, 323, 325
retesável 325
retesia 713, 720
retesiar 713, 720
reteso 323
reteúdo 751
reticência 70, 528, 585, 730
reticente 585
retícula 219, 445
reticulação 219, 248
reticulado 219
reticular 219
retículo 219
retidão 246, 703, 820, 922, 939

retidão moral 944
retido & *v.* 781
retido por 926
retido por ventos contrários 706
retificação 660
retificado & *v.* 246
retificar 246, 494, 658, 660
retiforme 214, 219, 246
retígrado 246
retilíneo 246
retina 441
retinérveo 367
retiniano 441
retinim 402a, 404, 408
retinim 402a, 404, 408
retinir 402a, 404, 407, 408, 412, 824
retinite 443
retintim 402a, 407
retinto 431, 440b
retiração 591
Retirada 287
retirada 277, 283, 293, 607, 623, 624, 671, 757, 893
retirado 196, 893
retiramento 893
retirante 268, 287, 295
retirar 36, 38, 277, 773
retirar a confiança a alguém 889
retirar a expressão/a sua palavra 607
retirar do uso 678
retirar-se 187, 283, 449, 623
retirar-se à vida privada 893
retirar-se corrido e envergonhado 879
retirar-se da sociedade 893
retirar-se da vista 528
retirar-se de 287, 293, 624, 782
retirar-se do caminho 279
retirar-se do mundo 893
retirar-se do trato social 893
retiro 189, 528, 530, 666, 687, 893, 990
retitude 246, 922
reto 212, 235, 244, 246, 440e, 494, 498, 543, 703, 740, 922, 939
retocar 494, 578, 650, 658, 660, 729
retomada 660, 775, 789
retomar 660, 789
retoque 650
retorcer 241, 248, 523
retorcer-se 378, 477, 855
retorcido 565
retórica 577, 582
retorição 582
retoricar 577, 582
retoricismo 582
retórico 517, 573, 577, 582, 584
retornamento 283
retornança 283
retornar 283, 790
retorno 148, 277, 283, 311, 784, 790, 973
retorquir 462, 718
retorquível 477
retorsão 468, 919
retorta 42, 144, 191, 336, 386, 691
retossigmoidoscopia 662
retouça 314
retouçador 713
retouçar 223
retouçar 314, 840
retouçar-se 315
retouço 840
retração 195, 283, 285, 528, 681
retraçar 893
retraço 645

retraído 187, 283, 585, 881, 893
retraimento 195, 252, 283, 585, 623, 879, 881, 893
retrair 122, 195, 528
retrair a promessa 607
retrair de 706
retrair-se 283, 507, 585, 623, 681, 864, 866, 881, 893
retrair-se e dilatar-se 325
retranca 45
retransido 383, 860
retransir 294, 529, 821
retratação 485, 536, 607, 624, 756, 757, 950, 952
retratador 559
retratar 19, 554, 594, 607, 757
retratar-se 661, 880, 950
retrátil 195
retratilidade 195
retratista 559
retrativo 195
retrato 17, 19, 21
retrato 554, 556, 594, 692a
retremer 314
retreta 741, 746
retrete 221, 530, 653
retribuição 30, 718, 807, 916, 972, 973
retribuir 148
retribuir 30, 148, 714, 718, 784, 790, 807, 973
retribuir com ingratidão 917
retrilhado 104
retrilhar 104, 266
retrilhar as pegadas de 19
retrincado 523, 544, 545, 702
retrincar 402a, 477, 523, 544, 679
retriz 278
retro 64
retro! 881
retroação 179, 277, 283
retroagir 122, 283, 756
retroalimentação 626
retroar 407, 408
retroatividade 122, 283, 756
retroativo 277, 283, 756
retrocedente 283
retrocedentemente & *adj.* 283
retroceder 145, 277, 283, 659
retrocedimento 277, 283
retrocessão 277, 659
retrocessivo 283
retrocesso 145, 277, 283, 287, 659
retroflexão 277, 283
retroflexo 283
retrogradação 145, 283, 659, 661
retrogradar 283, 659, 661
retrógrado 122, 145, 283, 606, 613, 659
retrogredir 145
retrogressão 145, 283
retroseiro 225
retrospecção 122, 283, 505
retrospectivo 283
retrospecto 122, 283, 505
retrosseguir 283
retrotrair 283
retrovender 796
retrovendição 796
retroversão 218
retroverter 122, 218, 283
retrucar 462, 468, 718
retruque 462, 718
retumbância 408
retumbante 31, 402, 404, 577, 580
retumbar 104, 402a, 407, 408,
retumbo 404, 408
retundir 174, 289, 751, 781, 726
réu 938, 949, 971

reuma 299, 333
reuma/reima 337
reumatalgia 378
reumático 128, 378
reumatismo 378
reumatologia 662
reunião 31, 37, 43, 348, 696, 714, 840, 892
Reunião 72
reunião social 72, 892
reunidamente & *adj.* 72
reunido & *v.* 72
reunir 37, 43, 50, 72, 290, 741, 775, 892
reunir em código 963
reunir em um todo 50
reunir esforços 709
reunir ideias 451, 505
reunir qualidades 820
reunir-se 709, 712
revalidação 924
revalidar 924
revanche 718, 919
revedor 480
revel 606, 742
revelação 478, 480a, 525, 529
Revelação 985
revelador 467
revelantismo 985
revelar 467, 480a, 525, 527, 529, 531
revelar a sua cólera/a sua graça 976
revelar certa aptidão para 698
revelar empenho 686
revelar espírito de parcialidade 481
revelar insensibilidade 823
revelar juízo claro e seguro 498
revelar manifesta parcialidade 481
revelar mau humor 895
revelar o propósito de 620
revelar o sentimento da inveja 921
revelar os segredos 529
revelar vasto cabedal/grande profundidade de conhecimentos 490
revelar-se 446
revelar-se de modo brilhante/com ostentação 525
revelar-se poltrão 862
revelho 128
revelhusco 128
revelia 742
revelim 717
revelir 279, 382
revendão 797
revendedor 797
revender 794, 796
revendilhão 797
Revenons à nos moutons 283
rever 295, 457
rever o passado 505
reverberação 277, 405, 408
reverberado & *v.* 283
reverberante 384, 386
reverberar 283, 408, 420
reverberatório 384, 386
revérbero 277, 420, 873
reverdecer 435, 505, 658
reverência 894, 928, 987
reverenciador 928
reverenciai 928
reverenciar 928, 990
reverenciável 928
reverencioso 928
reverendar 996
reverendas 998
reverendíssimo 876, 996
reverendo 876, 928, 996

reverente | ríspido

reverente 894, 928, 990
reversal 218, 768, 771
Reversão 145
reversão 146, 777, 783, 790
reversar 218
rever-se 827, 880
reversibilidade 145
reversivamente & *adj.* 145
reversível 145, 218, 283, 660
reversivo 145, 283
reverso 14, 218, 235, 237, 283, 606, 649, 708, 907, 961
reverso da mão 440e
reverso da medalha 468
reverter 144, 145, 283, 790
reverter em benefício de 644, 648
revertível 145, 283
revés 619, 732, 735
revés da fortuna 509, 735
reveses 156
revessa 219, 348
revessado 523
revessar 218
revesso 237
revestimento 6, 204, 223
revestir 157, 223, 617
revestir de chapa 204
revestir de plenos poderes 755
revestir de pompa(s) 882
revestir proporções assombrosas 31
revestir-se 225, 821
revestir-se de autoridade 737
revezamento 147, 148
revezar(-se) 138, 148
revezável 149
revezo 237, 367
revidar 718, 919
revide 718, 919
revigorado & descansado 689
Revigoramento 689
revigorante 656
revigorar 159, 656
revigorar-se 689
revinda 283
revindita 919
revingar 919
revir 283
reviramento 162, 218, 607
revirar 146, 218, 241, 245, 283, 313
revirar o caminho 283
revirar os dentes 715
revirar-se contra 719
reviravolta 140, 146, 162, 218, 248, 309, 312, 607
revirete 842, 895
revisão 461, 591, 593, 626, 658
revisor 461, 480, 591, 593, 967
revista 85, 457, 461, 527, 531, 551, 593, 596, 599, 882
revistar 457, 461
revivência 163
reviver 136, 163, 660
revivescência 163, 660, 689
revivescente 163
revivescer 163, 660
revivescível 163
revivificação 163, 359, 660
revivificar 163
revoada 72, 267
revoar 267
revocação 741, 756
revocamento 741
revocar 741, 756
revocar em dúvida 485
revocatório 741, 756
revocável 149
Revogação 756
revogação 162, 607, 756
revogado & *v.* 756
revogamento 756

revogar 536, 624, 756, 764
revogatória 756
revogatório 607, 756
revogável 858
revolta 603, 742
revoltado 489, 742, 832
revoltante 830
revoltar 649, 830, 932
revoltar-se 489, 719, 932
revoltar-se 719, 932
revoltar-se ante a ideia de 489
revoltar-se contra 898
revoltear 312
revolto 173, 218, 348, 825
revoltoso 742
Revolução 146
revolução 138, 312, 742
revolução sideral 108
revolução sinódica 108
revolucionar 123, 146, 173, 218, 742
revolucionariamente & *adj.* 146
revolucionário 20, 123, 146, 614, 726, 742
revolutear 305, 312
revoluto 59, 218
revolver 41, 61, 146, 218, 312, 315, 461, 682
revólver 727
revolver céus e terra 686
revolver na mente 451
revolver no pensamento 515
revolver os ânimos 824
revolver-se 173
revolvido 59, 825
revolvimento 315
revulsão 145, 146, 218
revulsivo 145, 171, 662
rexio 349, 383
reza 990
rezada 990
rezadeira 988a
rezadeiro 988a
rezado 531
rezador 988a, 987, 994
rezar 405, 454, 990
rezar a paulina a alguém 908
rezar responso 992
rezaria 990
rez-de-chaussée 189, 207
rezinga 713, 720
rezingão 887, 895, 901
rezingar 276, 713, 742, 868, 895
rezingueiro 713, 742, 832, 887, 895, 901
ria 343, 348
riacho 348
rial 800
riba 217, 342
ribada 342
ribaldaria 545, 702, 940
ribaldia 545
ribaldo 940, 941
ribalta 599
ribamar 342
ribança 342
ribanceira 342
ribeira 342, 348, 799
ribeirada 348
ribeiras 218
ribeirinho 227, 231, 342, 343, 348
ribeiro 348
ribésia 367
ribete 231, 348
ribombar 402a, 404, 407, 408
ribombar do trovão 872
ribombo 402a, 404
riça (galinha) 256
rica dona 875
ricaço 803

ricanho 803, 819
riçar 248, 256
ricardão 962
richarte 159, 193
rico 168, 298, 377, 394, 639, 734, 803, 810, 814, 831, 845, 847
riço 256
rico como Creso 803
rico homem 875
ricochete 277, 283
ricochetear 277, 283, 289, 313
ridendo castigat mores 842
ridente 168, 367, 836, 838
ridentem dicere verum 842
ridiculamente exótico 846
ridicularia 643, 819
Ridicularia 853
Ridicularização 856
ridicularizador & *v.* 856
ridicularizar 483, 856, 929, 988
ridicularizar-se 853
ridiculização 856
ridículo 497, 499, 643, 819, 842, 852, 853, 929
ridiculus mus 643
rifa 156, 217, 475, 621
rifão 496, 563
rifar 412, 621
rififi 713
rifle 727
rigideira 191
Rigidez 323
rigidez 150, 256, 494, 576, 579, 649, 739, 855, 895, 955
rigidez cadavérica 323
rigidez da virtude 944
rígido 82, 256, 323, 326, 494, 739, 855, 914a, 926, 955
rigor 26, 323, 382, 494, 576, 630, 737, 739, 744, 772, 828, 868, 907, 914a, 939
rigor 323
rigor da vida claustral 955
rigor mortis 360
rigor/auge do 383
rigorismo 739, 851, 855, 868
rigorismo pedantesco 855
rigorista 851, 855, 868
rigorosa 17
rigorosamente falando 494, 522
rigorosidade 80
rigoroso *(exato)* 459
rigoroso 82, 171, 459, 494, 737, 739, 772, 868, 914a, 926
rigoroso e austero no cumprimento de seus deveres 926
rijamente 173
rijeza 159, 323
rijeza de têmpera 861
rijo 171, 192, 323, 404, 642
rijo de ânimo 604a
rijo de boca 606, 742
rilhar 298, 402a
rilheira 240
rim 236
rima (de papéis) 72
rima *(poesia)* 413
rima 17, 31, 72, 198, 260, 569, 597, 639
rima rica 597
rima soante 597
rimador 597
rimador mem estro 597
rimar 23, 597
rimar alhos com bugalhos 597
rimar *invita Minerva* 597
rimbombar 402a, 407, 408
rimbombo 402a, 408
rimoso 198
rináceo 256
rinalda 72
rincão 893

rincha 51, 220, 253
rinchada 838
rinchar 402a, 410, 412
rinchavelhada 838
rincho 412
ring 728
ringir 331, 402a, 409, 410
rinoceronte 366
rins 235, 440e
Rio 348
rio 639
rio abaixo 267
rio do esquecimento 506
rio Estige 982
rios de sangue 361
ripa 204, 342
ripanço 215, 593, 683, 998
rípio 330, 517, 597
riptólemo 318
riqueza 168, 618, 639, 648, 734, 775, 780, 800, 829, 882
Riqueza 803
riqueza principesca/nababesca 803
rir 838
rir a bandeiras despregadas 838
rir à custa de 856
rir à farta 838
rir à socapa 838
rir às gargalhadas 838
rir até rebentarem as ilhargas 838
rir de 929
rir na cara/nas bochechas de alguém 856
rir nas bochechas de alguém 929
rir-se às casquinadas/cachinadas 838
rir-se de 856, 932
risada 838
risada sarcástica 929
risada, som de 402a
risbordo (de navio) 260
risca 45, 203, 233
riscado 440
riscadura 552
riscar 162, 550, 552, 554, 556, 590, 713
riscar a cama no chão com giz 804
riscar da lista de 756
riscar da memória 506
riscar de 297
riscar do número dos vivos 361
riscar por cima 33
riscar-se 757
Risco 177
risco 258, 550, 554, 665
risibilidade 838
risível 643, 838, 842, 853
riso 836, 838
riso amarelo/sardônico 932
riso de sarcasmo 856
riso escarninho 929
riso forçado/contrafeito/amarelo 509, 832
riso mefistofélico 856
riso sardônico 856
risonha 125
risonha expectativa 858
risonho 734, 827, 829, 836, 838, 858
risota 842, 856
risota/risote 856
risote 856, 929
risoto 298
rispidez 739, 895, 901
rispideza 895
ríspido 173, 383, 739, 830, 895, 907

ritmado | rosetão

ritmado 58, 120, 138, 597
rítmica 597
rítmico 58, 120, 138, 314, 413, 578
ritmo 58, 80, 104, 138, 314, 413, 569, 597, 692a,
ritmopeia 413
rito 75, 741, 963, 983, 990
Rito 998
ritornello 104
ritual 80, 527, 882, 990, 998
ritualismo 855, 882, 984, 998
ritualista 855, 882, 984, 998
ritualístico 998
rival 24, 27, 708, 710, 720, 726, 889, 891, 921
rivalidade 27, 708, 713, 720, 889, 921
rivalizar 720, 889, 891, 920
rivalizar-se 27, 708, 873
rivalizar-se com 648
rivalizar-se ou competir com 34
rixa 713, 720, 889, 901
rixador 713
rixar 713, 720
rixoso 713, 720
rizanto 367
rizar 275
rizicultura 371
rizocárpico 367
rizófago 366
rizófilo 367
rizóforo 367
RMB 800
roaz 298, 907
robe 225
Robin Hood 742
roble 206, 873
robledo 367
robô 605
roboração 467
roborante 467
roborar 159, 467
roborativo 467
roborizar 159, 467
robotização 486
robusta compleição 159
robustecer 159, 467
robustecer-se 35
robustez 159, 192, 654
robusteza 192
robustidão 159
robusto 159, 192, 476, 604a, 654
roca 329
roça 371
roçadeira 253
roçado 323, 342
roçado 659
roçador 331
roçadoura 253
roçadoura 371
roçadura 331
roçagante 882
roçagar 199, 200, 214, 402a
rocal 323, 847
rocalha 643, 847
rocambolesco 870
roçar 17, 162, 199, 201, 267, 308, 331, 371, 673
roceder 282
rocega 461
rocegar 461
roceiro 188, 371
rocha 323, 342
rocha Tarpeia 975
rochedo 150, 206, 265, 323, 667
rochedo da verdade 543
rociada 339
rociar 339
rócido 339
rocim 271
rocinante 271

rocio 339, 348
rocioso 339
rock 415
rock and roll 415
rockabilly 415
rocló 225
roço 800
rococó 852
roda(s) 31, 72, 227, 230, 247, 312, 615, 633, 639
roda da fortuna 149, 601
roda familiar 892
roda fatal 601
rodado 247
rodagem 633
rodapé 207, 530
rodapisa 207, 211
rodar 140, 213, 279, 311, 312, 402a
rodar à mercê da corrente 601
rodar pela água abaixo 732
rodar sobre os calcanhares 623
roda-viva 684
rodeante & *v.* 311
rodear 149, 227, 229, 311, 573, 629, 888, 892
rodear caminhos 629
rodear de estorvos 706
rodear-se de 709
rodeio(s) 140, 248, 311, 477, 573, 629, 671, 702
rodeira 259
rodeiro 627
rodela 247
rodeta 247
rodício 952, 975
rodilha 215, 877
rodilhão 949
rodilhar 248
rodízio 138, 148
rododáctilo 440c
rodologia 369
rodomel 396
rodopelo 312
rodopiar 149, 312
rodopio 247, 311, 312
rodouça 215
rodovia 627
rodoviário 272
roedor 830, 919
roedura 162, 331
roêmio 64
roer 162, 171, 298, 331, 649, 659, 830, 959
roer a corda 940
roer em alguma ideia 451
roer na consciência 950
roer os ossos 732
roer-se de inveja 921
rofo 256, 258, 674
rogação 765
rogações 990
rogal 362, 363, 765
rogar praga 908
rogativa 765
rogativo 765
rogatória 765
rogatório 765
rogo 765
roído de ciúmes 920
rojão 275, 382, 402a, 838
rojar 285
rojar a fronte no pó 725
rojar-se 275, 725, 879
rojar-se nas cinzas da penitência e humildade 879
rojar-se por terra 886
rojo 434
rol 31, 72, 75, 86, 551
rola 412, 946
rolado 173
rolador 412

rolamento 264, 332
rolamento de esferas 332
rolão 341
rolapso 306
rolar 214, 306, 311, 312, 402a, 412, 522, 639, 902
rolar a pedra de Sísifo 645, 732
rolar em riquezas 803
rolar no chão 839
rolar todos os diques 679
rolar-se 640
rolda 668
roldana 276, 633
roldar (ant.) 664
rôle 599, 625
roleira 423
roleiro 173
roleta 546, 621
rolha 263, 739, 941, 949
rolhar 261
rolheiro 348, 690
rolho 192
roliço 192, 249
rolimã 332
rolo 31, 86, 248, 249, 256, 341, 349, 423, 720, 889
romã 434
Roma 484, 995
Roma locuta est 474
Roma não se fez em um dia 275
romagem 266
romaica 840
romana 319
romança 415
romance 497, 515, 546, 594, 692a
romance de capa e espada 515
romancear 515, 544, 546, 563, 594
romances 692a
romancismo 515, 822
romancista 515, 593, 594
romaneio 86, 637
romanesco 515, 822, 870
romanismo 924, 963
romanista 492, 987
romanizar 515
romano 84
romanólogo 492
romanticismo 515
romântico 515, 822
romantismo 515
romantizar-se 822, 855
romanza 415
romaria 102, 266, 990
rômbico 244
rombiforme 244
rombo 198, 244, 254, 260, 499, 791
romboédrico 244
romboedro 244
romboide 244
romeiro 164, 268, 540, 987, 990
Romeu e Julieta 897
rompante 173, 276, 612, 825, 885
rompedeira 558
rompente 716, 885
romper (o mar) em flor 173
romper (relações com) 889
romper 44, 70, 142, 173, 260, 302, 303, 371, 378, 610, 731, 773
romper a harmonia 24
romper a manhã 125
romper a marcha 62, 116
romper as algemas 750
romper as hostilidades 713, 716, 722, 889
romper as nuvens 446, 529
romper com 489, 614
romper com alguém 889
romper com o passado 146
romper debate 476
romper em excessos 895

romper em riso 838
romper em soluços 839
romper lança por 717
romper lanças 713
romper na frente 280
romper o dia 125
romper o equilíbrio 28
romper o silêncio 582
romper o véu 529
romper os laços conjugais 905
romper um segredo 529
romper-se 198
romper-se com 932, 938
rompimento 44, 162, 489, 713, 889
ronca 402a, 683, 884
roncada 402a
roncador 884, 887
roncar 402a, 411, 412, 683, 715, 884
ronçaria 275, 402a, 460, 884
roncear 133, 460
ronceiro 275, 683
roncice 275, 460
ronco 402a, 410, 412, 683 884, 909
roncolho 440c
roncura 402a
ronda 311, 668
rondador 965
rondar 311, 457, 459, 664
rondear 311
rondeau 415, 597
rondó 415,597
ronha 702
ronqueira 402a, 410
ronquejar 402a, 410, 412
ronquenho 884
ronquice 408a
ronquidão 408a
ronquido 402a, 412
rom-rom 407, 412
ronronar 407, 412
rônzeo 43
rópia 885
ropografia 594
roque 415
roque progressivo 415
roqueirada 838
roqueiro 323, 476
roquete 999
rorante 339
rorejante 339
rorejar 339
rorejar o suor da face 688
rórido 339
rorífero 339
rorífluo 339
rosa 400, 434, 845
rosa dos ventos 184
rosaça 1000
rosácea 1000
rosáceo 434
rosa-crucianista/rosa-cruzista 984
rosado 434, 440b
rosal 25, 31
rosalgar 663
rosalgarino 663
rosápia 166
rosar 434
rosário 31, 69, 247, 639, 998
rosário de ilhas 346
rosar-se 434, 821, 879, 881
Rosas 739
rosas de Malherbe 111
rosca 248, 342, 702
roseiral 845
róseo 434, 648, 734, 827, 858
roséola 655
róseos 734
roseta 253, 550, 847, 876, 952, 975
rosetão 847

rosete 434
Rosh Hashaná 990, 998
rosicler 126, 434, 847
rosicler da aurora 125
rosmaninho 400
rosmano 400
rosnadela 405, 412, 583, 909
rosnadura 405, 412, 583
rosnar 405, 410, 412, 583, 895, 909
rosnar-se 532
rosnido 410
rossio 189
rostir 331
rosto 234, 440e, 448
rosto x anverso, reverso 237
rosto a rosto 186
rosto desvelado 826
rosto encarquilhado 128
rosto maciliento 839
rosto x sola 237
rostrado 440c
rostral 733
rostro 234, 542
rota 267, 278, 627, 720, 966, 995
Rotação 312
rotação 138, 311, 633
rotacismo 579
rotamente 531
rotante 312
rotar 312
rotativa 591
rotatividade 148
rotativismo 138, 148
rotativo 138, 148, 311, 312
rotatória 311
rotatório 312
roteadura 371
rotear 278, 371, 686
rotearia 371
roteirista 559, 599
roteiro 80, 266, 278, 527, 551, 594, 692a, 697
rotejar-se 532
rotiforme 247
rotina 16, 58, 80, 82, 141, 143, 150, 477, 613, 677, 871
rotineira 80
rotineiro 69, 82, 122, 150, 613
roto 73, 226, 260, 732, 773, 804
roto de mãos 818
rotogravura 591
rótula 43, 219, 244, 260, 420a, 440e
rotulado 247
rotulado à parte 10
rotular 550, 564
rotular com o nome de 564
rótulo 551
rótulo falsificado 2
rotunda 189, 249
rotundicolo 440c
rotundidade 192, 245, 247, 249
rotundo 192, 247, 249
rotura 44, 162
roubadia 791
roubado & *v.* 791
roubador 789
roubalheira 775, 791
roubar 649, 659, 775, 777, 789, 791
roubar a atenção/o pensamento 458
roubar o sossego a alguém 830
roubar os alforjes 791
roubar um beijo 902
roubar-se 623
roubar-se à vida material 515
roubar-se ao mundo 893
roubo 775, 791, 964
rouçar 961
rouco 405, 410, 581
roufenhar 410, 581

roufenho 410, 581, 583
rouleau 249
roupa 223, 225
roupa branca 225
roupa de baixo 225
roupa de franceses 643, 777a
roupa de gala/de festa 225
roupa íntima 225
roupa, som de 402a
roupagem 6, 220, 225, 569
roupão 225
rouparia 191
roupas 780
roupavelheiro 225
roupavilheiro 797
roupeta 996, 999
roupido 225
rouqueira 727
rouquejar 402a, 404, 410, 412, 581
rouquenho 410, 581
rouquice 581
rouquidão 581, 583
rouquido 402a, 581
rouxel 324
rouxinol 416, 440b
rouxinolear 412
roxeado 437
roxear 437
Roxo 437
roxo de ira 900
roxo de raiva 900
ru(p)tura 713
ru(p)utura/rotura 260
rua 181, 189, 627, 877
rua com! 932
rua! 932
ruade 276, 716
ruano/ruão 440a
ruante 366, 440c
ruão 877
ruat cúlum! 908
rubefação 434
rubefaciente 434
rubente 434
rúbeo 434
rubéola 655
rubi 434, 847
Rubicão 233, 704, 706
rubicundo 434
rubidez 434
rúbido 434
rubificar 434
rubim 648
rublo 800
rubor 434, 821, 879, 881
ruborizar(-se) 434, 821, 824
rubrica 75, 434, 550, 564, 998
rubricar 488, 590, 963
rubro 361, 434
rubro-claro 382
ruçar 128, 432
ruço 432, 440a
ruço-cardão 432
ructação 334
ruda! 932
rude 173, 241, 256, 491, 499, 657, 674, 686, 704, 739, 830, 841, 852, 895, 929
rudemente 929
rudez 895
rudeza 256, 499, 645, 895
rudimentar 66, 193, 651, 674
rudimento(s) 66, 193, 193, 490, 491, 567
rudis indigestaque moles 241
rudis moles 241
ruela 189, 627
rufa 258
rufador 416
rufar 258, 402a, 407, 416
rufar o tambor 550, 669
rufar os tambores 882

rufar tambores 531
rufião 720, 913, 949, 962
rufista 416
ruflar 402a, 405, 412
ruflo 402a, 412
rufo 255, 258, 402a, 407, 434
rufo de tambores 669, 722, 882
ruga 258
ruge-ruge 402a, 405, 407, 532
rugido 402a, 404
rugido do leão 665, 669
rugidor 404
rugiente 404
rugífero 258
rugir 349, 402a, 404, 412, 882
rugir como leão 173
rugirem as paixões 825
rugitar 402a
rugosidade 16a, 256
rugoso 256, 258, 895
ruidar 402, 402a, 404, 405, 873, 882
ruidosamente 836
ruidoso 31, 173, 402, 404, 642, 825, 882
ruim 59, 124, 619, 649, 651, 657, 704, 830, 898, 907, 917, 932, 945
ruim como o diabo 649
ruim da bola 504
ruína(s) 40, 124, 162, 619, 649, 659, 732, 735, 808
ruína do que foi 659
ruína moral 945
Ruindade 649
ruindade 619, 651, 663, 907
ruinoso 135, 619, 649, 735, 830
ruir 146, 306, 308
ruir por terra 162, 732
ruivacento 434
ruivo 434, 439
rulo 412
rum 959
ruma 31, 72, 639
rumar a palestra no sentido de 588
rumar para 278
rumba 415
rúmen 191
rumes 726
ruminação 298
ruminar 298, 450, 451
rumo 278, 627
rumo de vida 625
rumor 402, 405, 532
rumorejar 402a, 405
rumorejar-se 532
rumorejo 405
rumores 668
rumoroso 404, 642
rumos da rosa de agulha 278
rumos da rosa dos ventos 278
runcado 51
rúnico 590
rupção natural dos dentes 127
rupestre 367
rupícola 366
ruptibilidade 328
rúptil 328
ruptilidade 328
ruptório 262
ruptura 44, 162
rural 189, 344, 367, 371, 780
ruralista 893
rurícola 371
rurígena 188
rus in urbe 189, 893
Rus merum hoc quidem est 895
rusga 713, 720
rusma 226
russiana 840
rusticação 893
rusticar 371, 385, 557

rusticidade 674, 852, 895
rústico 83, 188, 189, 367, 371, 499, 674, 780, 852, 877, 895
Rusticus expectat dum defluat amni 858
rustiquez 852, 895
rutilação 420
rutilância 420
rutilante 420
rutilar 420
rutilar com luz própria 873
rútilo 420
rutura 773
rutura/ruptura 889
rutura/ruptura dos laços conjugais 905
ruvinhos 124, 608
ruvinhoso 659, 901
ruxoxó 929

S
S. Agostinho 977
S. António 977
S. Bonifácio 977
S. Diniz 977
S. Estevão 977
S. Francisco de Assis 977
S. Francisco Xavier 977
S. Gonçalo do Amarante 903
S. João Boaventura 977
S. João Evangelista 977
S. Jorge 977
S. José 977
S. Paulo, o apóstolo 977
S. Pedro 263, 977
S. Vicente de Paulo 977
S.O.S. 669, 707
Saara 169
sabadear 988, 990
sábado de aleluia 998
sábado eterno 360
sabaio 745
sabão 356, 493, 652, 932
sabaó 726
sabatarianismo 955, 988
sabatariano 955, 988
sabático 990
sabatina 455, 461, 537, 538
sabatinar 455, 461
sabatineiro 461
sabatino 990
sabatismo 984, 988
sabatizar 988, 990
sabedor (de) 490, 492
sabedoramente 490
sabedoria 450, 490, 498, 698, 922, 976
sabedoria em ação 498
sabedório 493, 500
sabeísmo 984
sabeísta 984
sabelianismo 984
sabeliano 984
sabença 490, 527
sabença de orelha 491
saber 390, 490, 698, 731
saber à légua 490
saber a mofo 705
saber aliar qualidades raras e de primeira ordem 944
saber ao claro/de cor e salteado/de ciência certa 490
saber as linhas com que se cose 702
saber bem 394
saber com certeza 484
saber conter seus ímpetos 826
saber controlar-se 826
saber *de auditu* 490
saber de ciência própria 490
saber de cor 505
saber *de dictu* 490
saber de oitiva 490, 491

saber de que lado sopra o vento | sair furtivamente

saber de que lado sopra o vento 698
saber de que pé coxeia 702
saber do achaque da vinha 465
saber do mundo 892
saber do seu ofício 698
saber levar a barca a bom termo 698
saber mais do que as cobras 702
saber na ponta dos dedos/na ponta da língua 505
saber o que dizer 698
saber o que faz 604
saber pela raiz 490
saber pela rama 491
saber ser homem 698
saber seu papel 698
saber uma coisa *ad unguem* 490
saber uma coisa *de auditu* (de oitiva) 475
saber vender seu peixe 943
saberete 491, 702
saber-se 532
sabiá 416
sabianismo 984
sabiano 984
sabichão 493, 500
sabichão de maço e mona 493
sabichão de meia tigela 493
sabichar 461
sabichona 493
sabichoso 492, 934
sabidamente 490
sabido(s) 490, 494, 498, 500, 702, 810, 973
sabino 440a
sábio 490, 492, 498
Sábio 500
sábio como Salomão/como Sólon 498
sábio de quotiliquê 493
sábio tebano 492
sable ou saibro 330, 635
sabonetada 929
sabonete 114, 652, 932
sabor 377, 390, 600, 827
Sabor 394
sabor ácido 392
sabor antiquado 124
sabor desagradável 395
saborear 298, 377, 390, 394, 827
saborear-se com 865
saborido 394, 829
saborosidade 394
saboroso 390, 392, 394, 829
sabotador 716
sabotagem 716
sabotar 716
sabre 727
sabre de abordagem 727
sabreador 726
sabre-baioneta 727
sabreur 361
sabugal 367
sabugo 440e
sabujice 886
sabujo 366, 886, 941
sabuloso 330
saburra 653
saburrinha 653
saburrosidade 653
saca 348, 466
saca-buxa 301
sacabuxa 417
sacada 189, 250
sacadela 276
sacador 800
saca-fundo 262
sacal 841, 843
sacalão 276
saca-molas 301, 662, 701
sacana 856

sacanagem (vulg.) 940
sacanamente (vulg.) 929
sacanear 830, 856, 929, 940
sacanice (chulo) 940
sação 276, 301, 309
sacar 301, 744, 775, 800
sacar da espada 720
sacar de lustre 650
sacar os frutos de 644
sacaria 669
sacarífero 367, 396
sacarificar 144, 396
sacarina 396
sacarino 396
sacarívoro 396
sacarol 396
saca-rolhas 248, 262, 301
sacarose 396
sacaroso 396
saca-trapos 301, 702
saceliforme 367
sacelo 1000
sacerdócio 618, 648, 942, 995, 996
sacerdotal 995
sacerdotalismo 737
sacerdotalismo 995
sacerdote 912, 948, 995, 996
sacerdotisa 996
sacha 371
sachadura 371
sachar 371
sachet 400
sacho 262, 371
sachola 262, 371
sacholar 371
saciadamente 869
saciado 640, 869
saciar(-se) 52, 298, 640, 829, 841, 869
saciar a sede e o apetite 954
saciar a vista 827
saciável 869
saciedade 52, 639, 640, 841
Saciedade 869
saci-pererê 860
saco 191, 202, 791
saco de areia (bras.) 840
saco e cinzas 952
saco roto 584
sacóforo 950
sacola 191, 765
sacolé 857
sacolejar 314, 315
sacomano (ant.) 791
sacomão (ant.) 735, 792, 804
saco-roto 532
sacra 998, 1000
sacramentado 998
sacramental 613, 744
sacramentar(-se) 990, 998
sacramentar a hóstia 998
sacramentário 882, 984, 998
sacramentar-se 990
sacramento da penitência 950
sacrário 189, 191, 618, 648, 1000
sacratíssimo 976
sacre (ant.) 727
sacrífero 997
sacrificado 732
sacrificador 952, 996
sacrificar(-se) 162, 648, 784, 809, 907, 930, 942, 952, 990, 991, 998
sacrificar a existência 360
sacrificar tudo ao proveito próprio 943
sacrificar tudo aos ganhos pecuniários 943
sacrificar-se por 147, 625, 686
sacrificial 784
sacrifício(s) 162, 638, 686, 784, 942, 952, 990, 991
sacrifício das formas legais 964

sacrifício do altar 998
sacrifício expiatório/propiciatório 952
sacrifício humano 784
sacrifício incruento 998
sacrifículo 711, 997
sacrilégio 619, 679, 929, 988
sacrílego 929, 988
sacripanta/sacripante 877, 941, 988a
sacristã 997
sacristania 995
sacristão (pejorativo para) 701
sacristão 711, 997
sacristia 1000
sacro 406, 928, 998
sacro-femural 440e
sacro-ilíaco 440e
sacro-lombar 440e
sacrossanto 80, 772, 873, 924, 928, 976, 987
sacudida 315
sacudidamente 113, 173
sacudidela 185, 315, 972
sacudido 825
sacudidura 315
sacudir 185, 276, 297, 314, 315, 642, 824
sacudir a cabeça 550
sacudir a cabeça em sinal negativo 764
sacudir a poeira 836
sacudir de si 297
sacudir grilhões 750
sacudir o jugo 742, 750
sacudir o pé a alguém 972
sacudir o pó do sapato ao pé de alguém 930
sacudir o pulso 909
sacudir o sono 682
sacudir os ombros 489, 550, 930
sacudir os vagalhões 173
sacular 191
saculiforme 191
sáculo 191
sadiamente 31, 654
sádico 907
sadio 498, 648, 654, 656
sadismo 827, 907, 961
sadomasoquismo 961
sadomasoquista 962
saduceísmo 984
saduceu 984
safadice requintada 940
safado 34, 124, 649, 659, 852, 874, 885, 895, 940, 941, 945, 961
safanão 276, 301, 309
safar(-se) 274, 301, 552, 623, 659, 671, 672, 791
sáfara 169, 323
safardana 940, 941
sáfaro 169, 491, 674, 895
sáfaro do nome de Deus 991
safar-se com o rabo entre as pernas 509
safena 350
sáfica 597
sáfico 597
sáfio 491, 674, 877, 895
safira 438, 847
safírico 438
safo 659, 672, 677, 682, 698
safra 154, 371, 682, 690, 775, 973
saga 513, 594, 994
sagacidade 498, 502, 510, 698, 702, 842
sagaz 498, 500, 510, 698, 702
sagena 752
sagez (ant.) 490
sagião (ant.) 975
saginar 194, 298, 613, 615
sagitado 253
sagitário 83, 717

sagoge 64
sagração 737, 755, 873, 998
sagrada 597
sagrado 80, 363, 772, 873, 924, 928, 944, 976, 985, 987, 998
sagrado tempo penitencial 956
saguão 66, 189, 231
saguate (Ásia) 784
saia 225, 374, 717
saia-balão 225
saiaguês 877, 895
saião 885, 975
saibo 390, 395
saibreira 330
saibro 330
saibroso 330
saída 293, 295, 449, 480a, 552, 617, 632, 671, 796, 809, 842, 937
saída de emergência 671
saída em terra 292
saída forçada 301
saideira 298
saído 250
saieta 224
saimento 363
sainete 469, 784, 830, 834, 842, 856, 907
sainte 67
saionízio (ant.) 973
saioria 972
saiote 225
sair 151, 154, 250, 293, 295, 348, 531
sair a alguém 716
sair a alguém o prêmio 156
sair a campo 717, 720
sair a emenda pior (do) que o soneto 659, 732
sair à francesa 623
sair à luz 359, 531
sair a público 531
sair a sorte em preto 731
sair a terreiro 717
sair além de 33
sair ao 17
sair bem na foto 873
sair com 731
sair com vitória 731
sair da cepa torta 734
sair da concha 880
sair da infância 131
sair da madre 303, 348
sair da moda 678
sair da sua impassibilidade 680
sair de 671
sair de encontro a 716
sair de fininho 671
sair de jato 348
sair de si/fora de si 824, 900
sair de viseira erguida contra 708
sair do armário 374a
sair do cativeiro 750
sair do corro 573
sair do letargo 682
sair do ordinário/do sério 614
sair do porto 293
sair do sério 840, 842
sair do silêncio 580, 582
sair do tom 414
sair do ventre materno 359
sair dos lábios 529
sair dos quícios 659
sair em borbotões 348
sair em defesa de 717
sair em repuxo 348
sair em terra 292
sair em vão 732
sair em viagem 293
sair fora de 303
sair fora de si 503, 824
sair furtivamente 623

sair mais caro a mecha do que o sebo | sanificar

sair mais caro a mecha do que o sebo 169, 814
sair o pau à racha 17, 167
sair o tiro pela culatra 732
sair pela tangente 671
sair perdendo 28
sair por 717
sair torto 732
sair triunfante 731
sair um grande velhaco 940
sair uma coisa burlada 732
sair vitorioso 731
saírem os olhos das órbitas a alguém 900
sair-se 885
sair-se bem 731
sair-se com um enorme disparate 497
sair-se com uma resposta de espírito 842
Saiu-lhe a porca mal capada 509
Saka Dawa 998
sal 392, 393, 642, 842
sal ático 578
sal da terra 648, 734, 912, 948
sal do epigrama 842
sala 191
sala de jantar 191
sala livre 752
salabórdia 843
salacidade 961
salada 20a, 41, 59, 298
saladeira 298
salafra (gír.) 940
salafrário 545, 877, 940, 941
salamaleque(s) 886, 928, 933
salamandra 83, 386
salamantiga (pop.) 386
salame 41, 886
salangana 366
salão 191
salário 809, 810, 812, 973
salaz 961
salchicha 41
saldar 807
saldar contas (com) 807, 919
saldo 40, 800, 805, 919
saldo de contas 811
saldo devedor 806
saleiro 191, 253
salema (ant.) 892
salepo 367
salero 842
salesiana 996
salgação 992
salgadeira 363
salgadiço 342
salgado(s) 169, 392, 814, 842, 961
salgado como salmoura 392
salgalhada 41, 59
salgar 392, 670, 814, 992
salgar o terreno (para que fique maldito e estéril) 908, 972
salgueiro 839
saliência 250
saliências e depressões 248
salientar(-se) 250, 457, 820, 873
saliente 220, 250, 253, 446, 525, 642, 873
salificar 358
salinar 358
salino 392, 440b
sálio 996
salitre 392
saliva 299, 332
salivação 295, 299
salivar 295, 297
salivoso 299
salmear 416, 575, 583, 841, 990
salmilhado 440, 440b
salmo 415, 990
Salmo 914
salmodejar 416

salmodia/salmódia 415, 575, 841, 998
salmodiar 416, 575, 583, 841, 990
salmoeira 392
salmonelose 655
salmonete (pop.) 932
salmos 998
salmoura 392, 670
salmourar 392, 670
salobro 392, 395
saloio 188, 877, 895
Salomão 500
salomônico 248
salpa 423
salpicada 41
salpicado 339, 392, 440
salpicadura 32, 440
salpicão 41
salpicar 41, 73, 330, 339, 392, 440, 848, 874
salpicar de infâmia e de lama 961
salpicar(-se) de lama 874, 929
salpicar de manchas 440
salpicos 32, 339, 348, 848
salpimenta 393, 432
salpimentar 41, 392
salpisar 392
salpresar 41, 392, 440
salpresar de lama 874
salpreso 392, 440
salsa 393, 415, 692a
salsada 41, 348
salseira 298
salseiro 191, 348
salsicha (rastilho) 388
salsifré 309, 840
salsinha 493, 501
salso 392, 435
salso argento 341
salso reino 341
saltada 146, 309, 508, 716, 791, 825
saltado 250
saltador 309, 599
saltadouro 309, 545
saltante 309
saltão 309
salta-pocinhas 855
salta-pocinhas 853
saltar 154, 274, 303, 306, 309, 460, 552, 838, 840
saltar a honra e o brio de alguém pela janela 874
saltar a meta/a barreira 303
saltar aos queixos de alguém 972
saltar contente 831
saltar da cama 307
saltar da frigideira para o fogo 659
saltar da sartã e cair nas brasas 659, 732, 835
saltar logo aos olhos 518
saltar por cima de 460
salta-regra 244
saltarelo 309, 840
saltarem as lágrimas aos olhos de 839
saltaricar 309
saltarilhar 309
saltarilho 309
saltatriz 309, 599
salta-valados 309, 716
salteada 309, 716
salteado 44, 70
salteado de padecimentos físicos 655
salteador 726, 792
saltear 508, 655, 716, 791
saltear a tristeza a alguém 837
saltério 417
saltígrado 309

saltimbanco 548, 599, 844
saltimbarca 975
saltinvão 840
saltitante 309, 682
saltitar 309, 315, 573, 605, 838
salto 55, 146, 173, 206, 218, 277, 315, 348, 667
Salto 309
salto beduíno 309
salto com queda livre 309
salto com vara 309
salto em altura 309
salto em distância 309
salto mortal 146, 309, 599
salto nas trevas 463, 621, 665
salto no escuro 665
salto ornamental
salto triplo 309
saltos ornamentais 337
saltuário (ant.) 263
salubérrimo 656
salubre 656
salubridade 654
Salubridade 656
salubrificar 648, 656, 658
saludador 662, 994
saludar 992
salutar 648, 656, 944
salutífero 644, 648, 656, 662
salva 191, 406, 495, 770, 838, 883
salva sit reverentia 928
salvação 670, 672, 892, 976, 987
salvação pública 910
salvádego 973
salvado 671
salvador 664, 750
Salvador 912, 976
salvagem (ant.) 727
salvaguarda 664, 666, 670, 717, 912
salvaguardar 648, 664, 670
salvamento 731
salvamento milagroso 665
salvante 38, 55
salvar(-se) 282, 654, 664, 666, 671, 670, 672, 707, 770, 892, 894, 906, 952
salvar as aparências 544
salvar do esquecimento 505
salvar do olvido/do naufrágio 505
salvar-se em água de bacalhau 664, 671
salvas de palmas 931
salvatério 617, 632, 664, 671
salva-vidas 666
salve! 838, 894, 928
salve-se quem puder! 623, 669, 732
salvo 38, 55, 664, 672
salvo melhor juízo 469
salvo o devido respeito 469
salvo officio 926
salvo que tal lugar 469
salvo se 469
salvo seja 469
salvo-conduto 631, 664, 666, 741, 760
samango 877
samaritano 912, 948
samarra/o 996, 999
samarrão 962
samba 415, 692a, 840
samba-canção 415
sambar 840
sambarca 225
sambarco 225
samba-reggae 415
sambenitar 972
sambenito 975
sambista 559
sambódromo 728
sambuco 273

samburá 191
Samhain 998
samiel 349
samo 221, 228
sampler 417
samsara (budismo) 982
samurai (Japão) 746
sanar 658, 660, 662, 673
sanar malquerenças 723
sanativo 648, 656, 662
sanatório 656, 662
sanável 6, 660, 858
sanca 223
sancadilha 156, 276
sanção 760, 770, 924, 931, 974
sancarrão (depr.) 988a
sancionado 924
sancionador 745
sancionar 760, 762, 931, 963
sanco 203, 440e
sanções sobrenaturais 987
sancta sanctorum 1000
sanctoral 551
sanctum sanctorum 189, 221, 666, 893
sandália 225
sandalino 400
sândalo 400
sandaraca 400
sandejar 497, 499, 503
sandemaniano 984
sandeu 499, 501, 503
sandia 501
sandice 497
sandicino (desus.) 434
sandio 499
saneamento 656
sanear 289, 648, 656, 658, 800
sanedrim/sinédrio 696, 966, 995
sanefa 214, 231, 847
sanfona (fam.) 877
sanfona 417
sanfonina 414
sanfoninar 416, 841
sanfonineiro 416
sanga 350
sangen 417
sangradouro 350
sangrar 348, 378, 662, 788, 814, 828, 830
sangrar de dor 828
sangrar-se em saúde 459, 864
sangrento 361, 722
sangria 297, 387, 662, 789, 814, 959
sangue 3, 5, 11, 75, 166, 333, 434, 440e, 615, 875
sangue azul 875
sangue da alma de alguém 899
sangue plebeu 877
sanguechuva 299
sangue-frio 823, 826, 861
sangueira 361
sanguento 361, 434
sanguessuga 366, 662, 789, 959
sanguífero 361, 434
sanguificação 335
sanguificar 434
sanguinário 361, 907, 914a
sanguíneo 434, 825
sanguinho 434
sanguinidade 11
sanguino 361, 434
sanguinolento 361, 434, 907
sanguinoso 361, 434
sanguissedento 361, 907
sanha 173, 898, 900
sanhoso 173, 860, 898, 900, 907
Sanidade 502
sanidade 654, 656
sânie 333, 653, 655, 654, 655
sanificar 654, 656, 658

sanioso 653, 659
sanitário 654, 656
sanívoro 655
sanja 350
sanjar 340, 350
sanjoaneiro 367
sans culottes 742
sans dessus dessous 218
sans peur et sans reproche 650, 873
sans souci 827, 831
sansadorninho 702, 941
Sansão 159
sanscritista 492
sánscrito 560
santa casa de misericórdia 662
santa das causas impossíveis 977
Santa Edwiges 977
Santa Genoveva 977
santa ignorância!
Santa Luzia 975
Santa Madre Igreja 983a
Santa Rita de Cássia 977
Santa Sé 995
santalhão (depr.) 988a
santanário (depr.) 988a
santão (depr.) 988a
santarrão (depr.) 544, 987, 988a
Santas Escrituras 484, 985
santas páscoas! 931
santatoninho 899
santa-vitória 975
santeiro 559, 987
santidade 876, 946, 976, 987
santificação 876, 987
santificado 987
santificar 873, 883, 924, 976
santificar os dias/o nome de Deus 987, 990
santigar 990
santigar-se 988
santiguar(-se) 988, 990
santilão (depr.) 988a
santimônia 987, 988
santimonial 987, 988a
santimonioso 987, 988
santinho do pau carunchoso/do pau oco 548
Santíssima Trindade 976
Santíssimo Sacramento 998
Santo (católico) 977
santo 722, 928, 944, 946, 953, 976, 977, 985, 987, 988
Santo Antônio 903
Santo breve da marca! 870
Santo dos Santos 1000
santo dos santos 893
santo e senha 550
Santo Espírito 976
santo guerreiro 977
santo lenho 998
santo ministério 996
santo ofício 966
Santo Padre 996
santoral 998
Santos Evangelhos 985
santos ministros 996
santos óleos 998
santuário 189, 121, 221, 666, 1000
santuário das leis/da justiça 966
são 31, 82, 476, 494, 498, 502, 644, 648, 650, 654, 656, 939
são e escorreito 650, 664
são e salvo 664, 670
São favas contadas 474
São inseparáveis como a xícara e o pires 888
São João 998
são justo como a imagem da lei 922

São mais as vozes que as nozes 549
sapa 162
sapador 673, 726
sapal 345
sapar 162, 261, 716, 717
sapata 211, 225
sapatada 972
sapatão (depr.) 374a, 897
sapataria 225, 691
sapateado 692a, 840
sapatear 315, 407, 840, 900
sapateiro (pejorativo para) 701
sapateiro 225, 690
sapatela 402a
sapateta 225
sapato 225
sapato de ourelo 225
sapatorra 225
sapatos, som de 402a
sapeca 384, 897, 972
sapecar (pop.) 384
sapeira 898
sapezal 169
sápido 390, 394
sapiência 490, 527, 976
sapiência bom senso 498
sapiencial 490
sapiente 490, 498, 976
sapo 202, 621, 701, 846, 886
sapo concho 275
saponáceo 355
saporífero 390, 394
saporífico 390, 394
saprófago 366
sapróflo 653
sapudo 192, 193, 194, 202
saque 775, 791, 800
saqueador 792
saquear 775, 789, 791
saqueio 791
sarabanda 840, 932, 961
sarabandear 840
sarabatana 524, 534, 631
sarabulhada 59
sarabulho 59
saracote 264
saracoteador 268
saracotear 314, 315, 838, 855
saracotein 266, 314, 315
saracotiador 683
sarado 159, 654
sarafusco 59
saraiva 306, 383, 639
saraivada 31, 639, 716
saraivar 383
saramátulo (de veado) 253
sarambeque 840
sarampo 655
sarandalhas 40, 877
sarandi 169
sarapanel 245
sarapantão 440
sarapantar 376, 508, 824, 870
sarapatel 59
sarapintado 848
sarapintar 440, 848
sarar 654
sarau 840, 892
sarau musical 415
sarça 253, 367, 663
sarçal 367
sarcásmico 929
sarcasmo 520, 842, 856, 929, 932
sarcasticamente 929
sarcástico 520, 842, 856, 929, 932, 934
sarcina 828
sarcófago 363
sarcoma 250
sarcoma de Kaposi 655
sarçoso 253, 704
sarcospermo 367

sarcóstomo 440c
sardanapalesco 954
Sardanapalo 954a
sardanisca/sardonisca 366, 880
sardas 848
sardento 440, 848
sárdio 847
sardo 848
sardônica 439, 847
sardônico 932, 934
sardoso 848
sargente (ant.) 711, 746, 965
sargentear 314, 625, 686
sargento 745
sargento-mor 745
sariguê 366
sarigueia 366
sarilhar 723
sarilho 307, 633, 682
sarin 334, 663
sarjador 253
sarjar 662, 830
sarjeta 259, 350
sarmento 367
sarna 655
sarnento 655
sarnoso 655
sarópode 440c
sarpar 293
sarrafaçal 460, 690
sarrafaçal 460, 701
sarrafaçar/sarrafar 44, 331, 662, 699
sarrafaçar ou sarrafar 699
sarrafo 204
sarrafusca 742
sarrar(-se) 961
sarro 40, 653
SARS 655
sastre 225
Satã 978, 980
Satanás 978
satanicamente 31
satânico 907, 945, 978
satanismo 855, 978
satélite 65, 88, 249, 281, 318, 532, 693, 711, 722, 727, 739, 746
sátira 597, 856, 932
satiríase 961
satírico 842, 932, 934
satirista 961
satirizar 856, 932
sátiro 962, 980
sátiro da mais baixa espécie 962
satis superque 640
satisdação 771
satisdar 771
satisfação 377, 639, 720, 734, 772, 827, 831, 836, 869, 926, 952
satisfação de compromissos 807
satisfação de danos 30
satisfatoriamente 31, 618
satisfatório 484, 639, 648, 829, 831
satisfazer (a) 462, 484, 639, 680, 729, 760, 762, 772, 807, 829, 831, 869
satisfazer a uma necessidade fisiológica 297
satisfazer às ordens de 743
satisfazer o espírito 829
satisfazer os seus instintos 907
satisfazer suas dívidas 807
satisfazer um agravo 919
satisfazer-se 957
satisfazer-se com as suas próprias mãos 964
satisfazer-se de alguém 919
satisfeito 602, 827, 831, 869
sativo 367
sátrapa 739, 745, 954a
satrapear 739, 954

satrapia 181
satrapismo 739
saturação 52, 869
saturado (de) 48, 52, 820
saturamento por excessos ao comer 957
saturar 41, 339, 525, 640, 869
saturnais 59, 840
saturnal 954
Saturnia regna 734
saturnino 837
saturno 382
sauce piquante 393, 829
saudação 586, 892, 894, 896, 902, 928
saudade(s) 187, 832, 837, 892
Saudade 833
saudade perpétua 839
saudar 586, 883, 892, 894
saudável 644, 648, 654, 656
saúde 618, 298
Saúde 654
saúde boa/rija/perfeita/invejável/excelente 654
saúde d'alma 944
saúde! 293, 298
saudosismo 122
saudosista 122, 606, 613, 832
saudoso 360, 832, 833, 865, 873
sauna 386
saurófago 366
saurologia 368
savana 344, 367
savant 492
saveiro 273
savoir dire 521
savoir-faire 498, 698, 851
savoir-vivre 851, 891
saxátil 366, 367
sáxeo 323, 342
saxícola 366
saxofone 417
saxoso 342
saxotrompa 417
sazão 106
sazoar 673
sazonado 134, 673
sazonamento 673
sazonar 392, 650, 658, 673, 698, 729
sazonar de ditos engraçados 842
scandalum magnatum 934, 938
scanner 590
scherzando 415
scherzo 415
scholium 522
schottisch 415, 840
scintila 420
scire facias 461
scire quid valeant humeri quid ferre recusent 698
scout 534
sé 1000
se 469, 514
Sé 995
Se algo pode dar errado, certamente dará 735
sê anátema! 908
se aprouver a Deus 470
se assim é permitido falar 469
se bem que 30, 469
se Deus for servido 469, 470, 601
se Deus não mandar o contrário 470
se Deus o permitir 470
se Deus quiser 470, 601, 765
se é que se pode dizer 469
se faire valoir 884
se isto se der 8
se isto se verificar 8
se necessário for que 601
Se non é vero é bene trovato 470, 472, 546

se o vento e a chuva o permitirem 469
sé patriarcal 1000
se possível for 469
Se queres ser bom juiz 922
se tal suceder 8
Se todos fossem assim! 948
se(p)tênviro 996
Se... outros galos me cantariam 15
séance 696
seara(s) 154, 367, 371, 712
searas sem sol 645
seareiro 371
seba 371
sebáceo 355, 653
sebastianista 122, 606, 613, 832
sebe 232, 530
sebe viva 232
sebeiro 877
sebenta 551
sebentão 460
sebenteiro 541
sebentice 653
sebento 653
sebo 356, 593, 653, 701, 799
Sebo de grilo! 764
seborreia 655
seboso 653
seca 340, 382, 662, 841
secação 340
secamente & *adj.* 340
secância 219, 302
secante 219, 246, 302, 340, 841
seção 44, 51, 75, 593
secar 340, 638, 670, 789, 841
secar a voz 581
secar os cofres 818
secarrão 895
secar-se com alguém 895
secativo 340
secatório 371
secessão 44, 489
secesso (p. us.) 893
sécia 608
sécio 851, 854, 880
secional 51
secionar 44, 51, 70, 219
seco 203, 340, 410, 576, 579, 581, 641, 659, 823, 826, 841, 843, 849, 895, 914a
secreção 295, 299, 663
secreta 454, 514, 595, 653
secretamente 526, 528
secretária 551
secretariado 692
secretariar 590
secretário 553, 590, 711, 745, 746, 758
secreto 447, 526, 528, 533
sectário 489, 711, 983, 984
sectarismo 79, 481, 825, 984
secular 108, 124, 138, 984, 988, 989, 997
Secular 997
secularidade 997
secularismo 984
secularização 777, 997
secularizado 988
secularizar 988, 989, 997
século(s) 98, 108, 110, 112
século de ouro 639
século XXI 118
séculos por vir 121
secundar 159, 707
secundariamente & por dá cá aquela palha 643
secundariedade *(falta de importância)* 63
secundário 34, 542, 643, 651
secundinas 65,161
secundípara 168
secundo 90

secundogênito 167
secundum artem 82, 698
secura 169, 576, 826, 895
Secura 340
secure 253
securiforme 253
secussão 276, 824
seda 255
sedal 235
sedar 174, 882
sedativo 174, 662, 683, 834
sede 74, 183, 189, 215, 290, 641, 865, 921
Sede Apostólica 995
sede ardente 865
sede-d'alma 455
sede de autoridade 737
sede de governo 737
sede de ouro 819
sede de roubo 791
sede de sangue/de assassínio 361, 907
sede de vingança 919
sede inexaurível de saber 455
sede insaciável 820
sedear 652
sedeiro 465
sedenho 952
sedentariedade 265
sedentário 265
sedentarismo 265
sedente (poét.) 865
sedento 641, 821, 865
sedento de glórias 873
sedento de sangue 361
sedeúdo 256, 324
sedição 713, 742
sedicioso 742
sediço 104, 124, 136, 490, 613, 643, 659, 843
sedilúvio 337
sedimentar 40
sedimentário 40
sedimento 40, 653
sedoso 255, 324
sedução 377, 615, 827, 829, 845, 865, 961
seduções 902
séduto 459, 682
sedutor 544, 615, 829, 845, 865, 897, 962
seduzido 457
seduzir 545, 615, 742, 829, 845, 897, 961
seduzir o espírito/o coração 484
seduzível 961
sega 371
sega do arado 253
segadeira 371
segador 371
segadora 165, 253
segadura 371
segão 253, 371
segar 201, 308, 371
sega-vidas 361
sege 272
segetal 367
segmentar 51
segmento 51
segmento de reta 246
segnícia/segnície 460, 683
segnício 683
segnilidade 683
segredar 405, 526, 528, 533, 902
segredar ao ouvido 527
segredar da vista 528
segredeiro 528, 533
segredista 528, 533
segredo 221
segredo(s) 447, 519, 522, 526, 528, 530, 615, 626, 632, 704, 902
segredo 519

Segredo 533
segredo da natura 519
segredo de abelha/de comédia/de polichinelo/de Estado/de maçonaria 533
segredo de polichinelo 532
segredo profundo 533
segregação 44, 55, 87, 295, 299, 465, 893
segregado 87, 465, 528
segregar(-se) 10, 44, 53, 55, 87, 295, 297, 465, 538, 751
segregar-se da comunhão humana 893
segregatício 299, 893
Segue-se que 154
seguidamente 136
seguidilha 415, 597
seguidilhas satíricas 856
seguido 64, 69, 488
seguidor 281, 622, 711, 772, 984
seguimento 69
seguinte 63, 65, 117
seguintemente 132
seguir 117, 143, 281, 457, 459, 488, 613, 622, 772
seguir a abalada das perdizes 622
seguir à bandeira de 743
seguir a carreira das armas 722
seguir a corrente 16
seguir a moda 82, 851
seguir a ordem geral 871
seguir a ordem natural 82
seguir a pegada (de) 461, 622
seguir a pista de 281, 461
seguir a trilha de 481
seguir a trilha palmilhada 82
seguir alguém 457
seguir alguém em todos os caprichos 886
seguir as bandeiras de alguém 709
seguir as pegadas/os passos de 19
seguir cegamente 486
seguir com os olhos 441
seguir como norma 19
seguir de perto o original 19
seguir estritamente 743
seguir nova trilha 279
seguir o caminho de 19
seguir o comum fio 488
seguir o exemplo/a moda 488
seguir o norte 278
seguir os impulsos/ditames/conselhos 615
seguir os passos de 281
seguir os preceitos/as prescrições/os ditames 772, 926
seguir os princípios morais 939
seguir os vestígios de 455
seguir reto 246
seguir rigorosamente a linha que traçou 604
seguir sempre a linha reta 141
seguir sua marcha 109
seguir sua trajetória 680
seguir uma carreira 625
seguir uma pista 622
seguir uma progressão 69
seguir viagem 293
seguir/ir nos calcanhares de 622
seguir-se 63, 65, 69, 109, 154, 725
seguir-se como corolário 154
segunda edição 32, 104
segunda infância 128
segunda natureza 613
segunda pele 225
segunda prova 626
segunda quadratura 138

segunda sizígia 138
segunda tenção 615
segundanista 541
segundas intenções 451
segundas vistas 620
segundeiro 34, 643
segundo 8, 9, 15, 17, 23, 34, 82, 99, 108, 413, 651
segundo a ordem dos tempos 114
segundo a regra 613
segundo a rotina 82
segundo as circunstâncias 8
segundo as melhores aparências 472
segundo as prescrições do Direito 963
segundo as regras do direito/da justiça/da equidade 924
segundo esta moda 627
segundo informações recebidas 527
segundo o costume 613
segundo o costume 82
segundo o testemunho 467
segundo os cálculos matemáticos 466
segundo que 120
segundo sentido 620
segundo uma ideia preestabelecida 481
segundo-sargento 745
segundo-tenente 745
Segura as pontas! 826
segurador 771
seguramente & *adj.* 664
segurança 150, 161, 474, 484, 535, 551, 604, 717, 768, 771, 829, 858, 863, 864
segurança 161
Segurança 664
segurar 43, 46, 215, 379, 474, 535, 664, 693, 751, 771, 775, 781, 789, 826
segurar a balança 922
segurar a barra 826
segurar com fiança 771
segurar com pulso de ferro 781
segurar no braço de 902
segurar o golpe 698
segurar o lobo pelas orelhas 665
segurar pelos calcanhares 789
segurar-se 664
segure (ant.) 975
segureza 535, 664, 863, 864
seguridade 535, 664, 829, 863, 864
seguro 43, 150, 157, 214, 474, 484, 494, 604, 604a, 648, 664, 666, 698, 751, 769, 771, 819, 858, 864
seguro e preciso 474
seguro morreu de velho, O 864
seio 68, 191, 221, 222, 249, 250, 252, 343, 440e, 712, 888, 892
seio da glória 981
seio da Igreja 983a
seio de Abraão 174
seio do coração 820
seio incriado de Deus 981
seira 191, 670
seirão 191
seis 98
seis de um e seis dúzias de outro 27
seiscentismo 122, 599
seiscentista 124, 560
seisdobro 98
seita 75, 484, 983
seitas religiosas 984
seitoso 940
seiva 5, 168, 221, 333
seivoso 333, 574
seixo 323

seja assim | sem temor de contestação

seja assim 488
seja bem aparecido! 894
seja como for 604
seja este, seja aquele 78
seja lá o que for 609a
Seja o que Deus quiser 863
seja qual for o resultado 601
seja quem for 78
seja! 488, 762
sejana 752
sela 215, 225
seláceo 327
selado (torto) 245
selagão 225
selar 223, 225, 261, 467, 550, 604, 729, 769, 807, 963
selar com o sangue 717
selar-se com o sangue da vítima 361
séléa 272
seleção 465, 609, 673
selecionar 465, 609
selênico 318
selenita 188
selenografia 318
selenologia 318
selenose 848
selenóstato 445
seleta 41, 551, 596
seletar 609
seleto 609, 648, 875
selha 191
selim 215, 225
selo 7, 467, 550, 729, 747, 769
selo comemorativo 551
selo de segredo 528
selva 102, 367, 639
selva 639
selvagem(ns) 169, 173, 188, 366, 674, 701, 824, 846, 852, 861, 895, 907, 913
selvagíneo 169, 366, 674, 895
selvajaria 852, 895, 907
selvático 169, 366, 674, 852, 895
selvatiquez 895
selvatiqueza 674, 907
selvoso 674
sem 38, 187
sem a menor dúvida 535
sem a menor inclinação 213
sem a mínima conexão 10
sem abreviaturas 573
sem ação 547
sem ação e sem vontade 605
sem agravo nem apelação 474
sem altos nem baixos 939
sem ambição 866
sem animação 828
sem aparato(s) 881, 849
sem aperto nem coação 600
sem armadilhas 703
sem arte 703, 852
sem artifício 543, 703
sem aspiração 866
sem atender a sacrifícios 604
sem atropelo 922
sem aviso 113
sem aviso prévio 508
sem base 495
sem brilho 422, 575
sem brio 940
sem bulha 403
sem bússola 279
sem cálice 367
sem casa 185
sem causa justificada 156, 615a
sem cerimônia 600, 881, 895
sem certeza 485
sem cessar 136
sem circunlóquios 525
sem cogitação prévia 612
sem colorido 575
Sem comentários 525

sem compasso 414
sem competidor 33
sem condições de fixidez 149
sem confeição 42
sem conserto 859
sem considerações pessoais 922
sem conta 102
sem conta nem peso 465a, 466, 639
sem contestação/contradita 474
sem conto 640
sem cuidado 460
sem cura 859
sem curvas nem inflexões 246
sem custar um vintém 815
sem custo 705
sem declinar nome 78
sem demora 132, 684
sem descanso 604a
sem descontinuar 136, 604a
sem desfalecimento 69, 132, 604a, 606, 686
sem desígnio 621
sem desigualdade(s) 213, 251
sem deslize 939
sem destino 621
sem detença 132
sem Deus 945
sem direito nem avesso 150
sem dignidade 940
sem discrepância de um só 709
sem discrepância de uma coma 19
sem discrepar (d)uma coma 13, 494
sem disfarce 525
sem dispêndio próprio 815
sem distinção 852
sem distinção de cor política 922
sem distinção de gregos e troianos 922
sem dizer água vai 508
sem dizer ai Jesus 508
sem dizer palavra 585
sem dizer: água vai 113
sem dobrez 535, 543
sem dono 782
sem dúvida 154, 474, 478, 488, 762
sem eclipse 69,136
sem efeito 925
sem efeito legal 964
sem eira nem beira 804
sem elegância 577
sem elevação 843
sem elevação nem depressão 251
sem elevação nem sublimidade 575
sem embargo de 30, 708
sem emenda 951
sem encanto poético 843
sem entrar na conta 55
sem entrar nos pormenores 596
sem escolha 621
sem escolha de meios 631
sem escrúpulos (morais) 940
sem esmorecimento 604a
sem espontaneidade 603
sem estabilidade 270
sem estudadas negaças 881
sem eufemismo 525
sem exame nem distinção 465a
sem exame nem reflexão 486
sem exceção 16, 78, 80
sem exemplo 20, 83
sem extensão 317
sem falhar 474
sem falta 474, 604a
sem faltar ao seu dever 926

sem faltar nada 52
sem faltar um til 52
sem fazer tuz nem buz 403
sem fel 879
sem fim 105, 112, 200, 573
sem firmeza 665
sem fraquejar 604a
sem fronteiras 180
sem fundamento 2, 546
sem futuro 859
sem galas 576
sem gosto 852
sem graça 391, 579, 828
sem hesitação e tibieza 604
sem hesitar 132, 604
sem igual 33, 83
sem importância 32, 103, 643, 645, 871
sem imputabilidade 874, 945
sem imputação 945
sem incidentes 16
sem individualizar 78
sem intenções maldosas 946
sem interesse 815
sem intermitência 69, 136
sem ir ao fogo 674
sem jaça 425, 650, 845, 873, 939
sem jeito nem maneira 497
sem juízo 499
sem junta 323
sem lar 185
sem lastro 605
sem lavores 849
sem lei 945
sem lhe faltar um jota/um til 50
sem liga 42
sem ligação com 10
sem limite(s) 105, 639
sem lisonja 543
sem livro 505
sem luz 491
sem mais aquela 608, 849, 881
sem mais cá nem mais lá 525
sem mais nem menos 13, 608
sem mais preâmbulo 132, 604
sem mais razão 604, 612
sem mais tardança 132
sem mais tardar 111, 132, 684
sem malícia 703
sem malícia ou artifício 543
sem mancha 650, 652, 939
sem margem 105, 180
sem medida 640
sem medir/regatear sacrifícios 604
sem medo 604
sem motim 405
sem mudar uma palavra 494
sem nada que lhe faça sombra 33
sem nenhuma realidade 317
sem névoas 446
sem nexo 517
sem nome 565
sem norte 279
sem nuança 27
sem número 640
sem nuvens 420, 425, 827
sem o mais leve saibo de remorso 914a
sem obrigação 815
sem obstáculos 705
sem ódio nem parcialidade 922
sem ódio nem preconceito 922
sem ódio nem prejulgamento 922
sem ondulação 16, 213
sem outra solução 859
sem par 15, 18, 33, 83, 87, 650, 873
sem paralelo 20, 33, 83, 648, 650
sem parança 604a

sem parar 684
sem pau nem pedra 705, 740, 894
sem pé nem cabeça 497
sem peias 748
sem pender nem para um nem para outro lado 212
sem pensar 612
sem perda de tempo 113, 684
sem perder de vista 457
sem perigo 664
sem perspectiva 859
sem peso nem medida 818
sem pestanejar 132, 265, 604, 823, 861
sem pospor ou antepor uma vírgula 494
sem precedente(s) 18, 20, 31, 83, 137, 614
sem preço 648, 815
sem preferência 621, 866, 922
sem prejuízo de 648
sem premeditação 621
sem preparo prévio 674
sem prestanejar 113
sem prévia combinação 612
sem prévia reflexão 612
sem princípios 945
sem proteção 665
sem prudência 863
sem qualificativo 932, 940
sem que 8
sem querer exagerar o valor de 469
sem razão nem rima 608
sem rebuço(s) 525, 531, 535, 543, 703
sem receio de contradita 535
sem recursos 641
sem redenção 601, 859
sem referência a 10
sem referência pessoal 78
sem reflexão 460
sem refolho(s) 494, 525, 543, 703, 772
sem rei nem roque 279, 683
sem relevo 213, 251
sem religião 945
sem relutância 602
sem remédio 471, 601, 659, 859
sem remissão 859
sem remuneração 808
sem reputação 874
sem receio de hipocrisia 543
sem requinte de sofisma 476, 494
sem reserva 525, 531, 601
sem respiro nem pestanejo 457
sem restrição 16, 78, 601
sem resultado 732
sem retribuição 815
sem rima 598
sem rima nem razão 615a
sem ritmo nem rima 598
sem rival 33, 648
sem rodeios 522, 525, 572, 576
sem rufo de tambores 528
sem rumo 279
sem sacrifício 815
sem sal 841
sem segundo 18, 87
sem seiva 160
sem sentido 517
sem sentimento 843
Sem significação 517
sem sobressalto 826
sem solução de continuidade 604a
sem sombra de dúvida 474
sem sombra/resquício/laivos de dúvida 474
sem tardança 132
sem temor de contestação 535

sem temor de desmentido | sentir as coisas

sem temor de desmentido 543
sem termo(s) 105, 180, 639
sem testemunhas 528
sem teto 185
sem tino 458
sem tirar nem pôr 13, 19, 27, 494
sem tirte nem guarte 113, 508
sem títulos/direitos/privilégios 925
sem tom nem som 497
sem toque de cornetas 528
sem toque de trombeta 881
sem torcer caminho 246
sem trabalhar 683
sem trelho nem trabalho 59, 699
sem um centavo 804
sem um sabor de remorso 951
sem uma voz dissonante a quebrar a unanimidade 488
sem usura 639
sem vaidades de língua 881
sem veneno 703
sem ventura de mim! 839
sem vida 360, 828
sem vir ao caso 24, 135
sem virtudes 874
sem vislumbre de interesse material 942
sem vista 442
sem vontade 547
semáfora 560
semáforo 423, 550
semana 108
Semana Santa 138, 998
semanal 108, 136, 138
semanário 531, 593
semantema 560
semântica 516, 560
semântico 516, 560
sematologia 516
sematologia/semasiologia 992
sematológico 516
semblante 5, 220, 234, 448, 821
semblante 5, 234, 448, 821
semblante carrancudo/carregado/severo 832, 895, 901
sembrar (ant.) 448
sem-cerimônia 885
sêmea 330
semeador 164, 371, 540, 996
semeadouro 371
semeadura 371, 673
semear 73, 153, 168, 371, 529, 531, 537, 615, 673, 713
semear a palavra divina 998
semear cizânia 713, 907
semear dissensões 898
semear em terreno sáfaro 645
semear o bem 648
semear ódio 898
semear tropeços no caminho de 706
semear ventos e colher tempestades 732
semeável 17, 371
semel 161,167
semelhança 9, 19, 464, 554
Semelhança 17
semelhança bem acabada 17
semelhança fiel 17
semelhança perfeita 13
semelhante 9, 17, 21, 464, 890
semelhante à tênia 366
semelhante a uma raiz 367
semelhante ao sangue 434
semelhantemente 17, 37
semelhar(-se) 17, 448, 464
sêmen 161, 222, 330, 352
semental 161, 371
sementar 73, 371, 713
semente 32, 66, 153, 161, 167, 193, 222, 330

semente foi lançada em terreno fértil, A 858
sementear 673
sementeira 153, 166, 371
sementeiro 164, 371
semestral 108, 136, 138
semestre 108
semestreiro 138
semialma (f.) 501
semiânime 360
semianual 138
semibárbaro 913
semibreve 413
semicadáver 360
semicapro 83
semichas 640
semicircular 245
semicírculo 247
semicolcheia 413
semicúpio 337
semicúpula 245
semideiro 627
semideus 861, 873, 948
semidiafaneidade 427
semidiáfano 427
semidiapasão 413
semiditongo 561
semidítono 413
semidivino 873
semiesfera 249
semifendido 91
semífero 83
semifluido 352
semifusa 413
semigelado 352
semigola 246
semi-interno 541
semilunar 245
semimorto 360, 422
seminal 153, 161
seminário (desus.) 161
seminário 168, 370, 542, 636
seminarista 541
seminarístico 537
seminífero 367
semínima 413
seminivérbio 582
seminu 285
semínula 32, 330
semiografia 550
semiologia 516, 522, 550
semiopaco 427
semiótica 550, 560
semiparente 11
semipedal 193, 200
semipelúcido 427
semipleno 53
semipoeta 597
semirracional 499
semirreta 246
semirreto 217, 244
semiscarúnfio (pop.) 846
semissábio 491, 493
semitom 413
Semitransparência 427
semitransparente 427
semiusto 384
semíviro 746
semivivo 360
sem-lar 893
sem-número 100
semoto 44, 87, 196
semovente(s) 264, 366, 780
sem-par 944
semper paratus 673
sempiternidade 112, 976
sempiterno 112, 124, 976
sempre 16, 69, 106, 112
sempre ao seu lado! 488
sempre assim 80
sempre que 119, 613
sempre verde 110
sem-préstimo 645

sem-razão 477, 923
sem-vergonha 940, 961
sem-vergonhice 885, 940
Senado 963
senador 694, 696
senão 18, 30, 53, 495, 651, 704, 848, 945
senão 30
senário 98
senatorial 696
senatório 696
senatus 696
senatus consultus 741
senda 613, 627
sendal 223
sendeira 497, 499
sendeirada 497, 499
sendeirice 497
sendeiro 271, 877, 886, 941
sendo esse o caso 8
sene 395
senegalesco 382
senescal 745, 746
senescalia 737
senescência 128
sengo (ant.) 498
senha 722
senhor 372, 373, 745, 779, 875, 876
Senhor 976
senhor absoluto 175
senhor de baraço e cutelo 739
senhor de suas ações 604
senhor feudal 875
senhora 374, 903
Senhora da Anunciada 977
senhoraça 854, 877
senhoraço 877
senhorear(-se) 490, 731, 749, 749, 751
senhorear-se de 518, 775, 789
senhoria 737, 876
senhoriagem 800
senhorial 777, 779, 878
senhoril 779, 845, 875, 878
senhorio 737, 777, 779, 780
senhorita 960
senil 128
senilidade 124, 128
sênio (ant.) 124, 128
sênior 49
senioridade 128
seno 212, 217
senões 945
sensabor 391, 843
sensaborão 391, 575, 841, 843
sensaboria 391, 575, 713, 843
sensação 375, 821, 870
sensação agradável 831
sensação de frio 665
sensação de segurança 664
sensação deleitosa 377
sensação do frio 383
sensação do perigo 665
sensação do tato 380
sensacional 574, 642, 824
sensal 375
sensatamente 498
sensatez 849
sensato 174, 498, 502, 864, 879
Sensibilidade [tb. física] 375
sensibilidade 494, 498, 822, 914
sensibilidade moral 375
sensibilidade moral/física 822
sensibilidade tátil 379
sensibilizado 821
sensibilizador 375
sensibilizante 375
sensibilizar(-se) 375, 821, 822, 824, 914, 916
sensiente 375, 821
sensificar 375
sensitiva 375, 822

sensitivo 375, 380, 482, 821, 822, 830
sensível 26, 316, 375, 380, 413, 446, 639, 743, 821, 822, 830, 868, 906, 914
sensível a *(conhecedor)* 498
sensivelmente 31, 821
sensivo 375, 380
senso 476
senso comum/reto 498
senso de humor 836, 842
sensorial 450, 821
sensório 375, 420, 821
sensório comum 450
sensorium 450
sensual 377, 827, 829, 897, 954, 961
sensualidade 377, 827, 865, 897, 954, 961
sensualidade imoderada 961
sensualismo 827, 954
Sensualista 954a
sensualizar-se 954
sentar alguém à sua mesa 892
sentar em cima 781
sentar praça 76
sentar-se num barril de pólvora 665
Sente-me o coração que... 510
sentença 360, 480, 496, 535, 566, 741
sentença absolvitória 970
sentença arbitral 480
sentença condenatória 971
sentença de moralistas 496
sentença dos canhões 722
sentença dos dados 156
sentença interlocutória 480
sentenciador 480
sentenciar 152, 480, 601, 967, 971
sentenciosidade 574
sentencioso 480, 496, 535, 574, 577
sentidamente 821
sentido 278, 375, 450, 454, 457, 516, 620, 837
sentido arrastado 523
sentido equivalente 522
sentido implícito 526
sentido oculto 526
sentido velado 526
sentido! 457, 668
sentiente 821
sentimental 822, 837, 855
sentimentalidade 822
sentimentalismo 821, 822, 855
sentimento(s) 453, 477, 510, 820, 837, 900, 915, 926
Sentimento 821
sentimento de bem-estar 831
sentimento de repulsão 395
sentimento de vergonha 874
sentimento do decoro 939
sentimento instintivo do recato 960
sentimento interno 926
sentimento religioso 987
sentimentos da honra e do dever 939
sentina 653, 954a, 961
sentinela 87, 444, 664, 666, 668, 753
sentir 375, 377, 379, 418, 484, 510, 518, 821, 828
sentir a cara em brasa 821
sentir a influência de 175
sentir a saúde fugir pelos pulmões 655
sentir a sua pequenez 928
sentir a última dor 360
sentir as asas da morte roçarem-lhe frias pela fronte 360
sentir as coisas 510

727

sentir bem de alguém 897
sentir comichões 380
sentir depressão 837
sentir desânimo 837
sentir desinclinação por 603
sentir ferroadas/picadas 380
sentir fugir a luz dos olhos 688
sentir mal de alguém 898
sentir na cabeça de alguém 514
sentir o bafejo da aura popular 873
sentir o cheiro de longe 510
sentir o rosto em brasa 881
sentir o terreno fugir-lhe aos pés 665
sentir os rumores surdos de 526
sentir por alguém 906
sentir prazer 827
sentir que dias mais felizes o aguardam 858
sentir remorso 950
sentir repugnância/fastio 867
sentir saudades 833
sentir sensação de alívio 834
sentir soçobrar toda a sua alma 859
sentir ternura por 897
sentir um formigueiro 380
sentir uma esperança 858
sentir-se 900
sentir-se bem 654
sentir-se dos excessos 688
sentir-se empolgado pela inveja 921
sentir-se enojado de 932
sentir-se fresco 689
sentir-se incomodado & *adj.* 655
sentir-se outro 689
sentir-se tomado de amargura e sobressaltos 828
senzala 189
senzala 749, 751, 752
separabilidade 44, 47
separação 44, 47, 55, 73, 87, 187, 198, 291, 465, 713, 903, 905
separação da mesa e da cama 905
separação de corpos 903, 905
separação judicial 905
separação violenta 44
separadamente & *adj.* 44
separado 15, 44, 73, 893, 903, 905
separador 465
separar 10, 38, 44, 73, 87, 91, 198, 228, 229, 465, 609, 905
separar em seus elementos 49
separar o joio do trigo 609
separar o meu do teu 786
separar o tasco do linho/o vil do precioso/o joio do trigo 465
separarem-se as partes coaguláveis das serosas 321
separar-se 287, 489, 623, 866, 893
separar-se de 293
separatio a mensa et thoro 905
separatio a vinculo matrimonii 905
separatismo 489, 742, 911, 984
separável 44
sépia 433
sepícola 371
seposição (ant.) 686, 765
seposo 503
septena 597
septeto 415
septicemia 655
septicole 206
septicorde 417

septiforme 81, 83
septíssono 417
septívoco 415, 416
septo 228
septuagésimo 99
septuaginta 985
séptuor 415
sepulcral 363, 408, 581
sepulcrário 363, 657
sepulcro 363, 657
sepulcro caiado 544, 548
sepultação 751
sepultado (em) 208, 229, 363, 528
sepultado nas cinzas de longo esquecimento 506
sepultado no olvido 506
sepultador 363
sepultar 300, 363, 528
sepultar-se 310, 449
sepultar-se em vida 893
sepultar-se num claustro 893
sepulto 363
sepultura 363, 657
sepultureiro 363
sequaz 65, 281, 711, 746
sequela 39, 65, 154, 281, 712
Sequência (o que vem depois) 63
sequência 69, 117, 281, 990
sequência de ideias vãs e incoerentes 858
sequência de saliências e depressões 256
sequência lógica 476
sequente 63, 65, 281
sequer 32
sequestração 789
sequestrado 893
sequestrado do mundo 893
sequestrador 913, 949
sequestrar 87, 751, 761, 789, 971, 974
sequestrar-se 893
sequestro 87, 665, 761, 789, 964, 974
sequidão 340
sequinhoso (desus.) 340
sequioso 340, 455, 641, 865
sequioso de lucros 819
sequioso de novidades 455
séquito 65, 75, 88, 235, 266, 268, 281, 712, 746, 906
ser 1, 3, 249, 256, 359, 448, 625
ser a base de 56
ser a cara de 17
ser a causa de 153
ser a causa determinante 153
ser a encarnação viva e perfeita da honra 939
ser a essência da abnegação 942
ser a essência da honradez 939
ser a essência de 820
ser a expressão da beleza 845
ser a fábula de alguém 853
ser a figura culminante de 873
ser a fotografia de 550
ser a imagem de 554
ser a ingratidão personificada 917
ser a linha de 615
ser a morte em pé 655
ser a negação de 699
ser a obstinação em pessoa 606
ser a ovelha negra 940
ser a questão 494
ser a segurança palavra vã 665
ser a sementeira de discórdias 907
ser a sombra de 88
ser a sorte/o destino/o fadário de alguém 151

ser a sua viva essência 630
ser a tampa da panela de alguém (pop.)
ser a última palavra 650
ser a viva refutação de 536
ser abandonado & *adj.* 624
ser abnegado & *adj.* 942
Ser Absoluto 976
ser absolvido & *adj.* 970
ser absurdo 497
ser acéfalo 491
ser aceito 76
ser adepto de 484
ser adjetivo explicativo 5
ser admitido 76
ser adulado & *adj.* 933
ser advogado de Pôncio Pilatos 683
ser agente 680
ser agitado & *adj.* 315
ser agudo & *adj.* 253
ser águia 894
ser alegre & *adj.* 836
ser alfaiate 690
ser alguém 642, 875
ser alguma coisa 642
ser alheio a 623
ser alto & *adj.* 206, 404
ser aluno de 538
ser alvo da atenção de 457
ser alvo dos olhares e da atenção geral 642
ser amaldiçoado & *adj.* 908
ser amigo & *adj.* 888
ser amigo da taça 959
ser andrógino 374a
ser anestesiado 376
ser anfitrião 892
ser anormal & *adj.* 83
ser anunciado 117
ser apanhado de surpresa 508, 674
ser apanhado em flagrante 947
ser apanhado na malha urdida por 547
ser apenas o necessário 639
ser apontado a dedo 873
ser apreciador de 394
ser aprovado simplesmente/plenamente/com distinção 731, 931
ser aquoso & *adj.* 337
ser árbitro da situação 737
ser arrebatado do número dos vivos 360
ser arreburrinho de alguém 886
ser áspero de gênio 901
ser assaltado pela maledicência invejosa 934
ser astuto & *adj.* 702
ser ativo 686
ser ato de justiça 922
ser atraído 319
ser auxiliar precioso 707
ser avarento & *adj.* 819
ser azedo 901
ser azul & *adj.* 438
ser babaqueira (bras.) 738
ser baço & *adj.* 422
ser bafejado pela fortuna 734
ser baixo & *adj.* 207
ser barato & *adj.* 815
ser baú de alguém 888
ser belo & *adj.* 845
ser bem cabido 134
ser bem que 922
ser bem recebido 731
ser bem-sucedido 731
ser *bene trovato* 546
ser benemérito da pátria 873
ser benevolente & *adj.* 906
ser bestial no comer 957

ser bissexual 374a
ser boa bisca (pej.) 940, 945
ser boa peça 940
ser boa pinga 945
ser boa tesoura (alfaiate) 698
ser boateiro 532
ser bom & *adj.* 648
ser bom de febras 604
ser bom garfo 298, 865
ser bom patriota 910
ser bom pincel 556
ser boneco de engonço 749
ser branco & *adj.* 430
ser branco e preto 520
ser caixa 533
ser calmo & *adj.* 826
ser caluniado & *adj.* 934
ser candidato a 763
ser capa de ladrões 791
ser capaz de 157
ser capaz de pôr alguém na cadeia e jogar a chave fora 934
ser caprichoso 608
ser carta fora do baralho 175a
ser castigado & *adj.* 972
ser catana 934
ser cauteloso & *adj.* 864
ser cego & *adj.* 442
ser célebre/famoso & *adj.* 873
ser celibatário 960
ser central & *adj.* 222
ser céptico quanto a 485
ser chamado & *adj.* 564
ser chamado ao tribunal de Deus 360
ser chapa (gír.) 888
ser cheio de vento 878
ser ciumento & *adj.* 920
ser classificado no número de 785
ser cocoguento & *adj.* 380
ser coisa do momento 612
ser comido por uma perna 547
ser comissionado & *adj.* 755
ser como o cão com o gato 889
ser como s. Tomé 485
ser como um relógio 772, 926
ser como uma cera 822
ser como uma folha de álamo/como grimpa 607
ser compatível & *adj.* 23
ser compatriota de 888
ser compêndio de todas as virtudes 944
ser composto 54
ser compreensivo/tolerante 906
ser côncavo & *adj.* 252
ser conciso & *adj.* 572
ser condescendente 906
ser conduzido pelo nariz 547
ser conforme à razão 474
ser conhecido por 564
ser conivente 760
ser consequência lógica de 154
ser constituído 48, 54
ser consultado à pantana 609
ser contrário 14, 179
ser conveniente & *adj.* 646
ser cópia escarrada 17
ser coração lavado 543
ser corajoso & *adj.* 861
ser corrido & *adj.* 879
ser cortês & *adj.* 894
ser covarde & *adj.* 862
ser credor de 805, 924
ser crédulo 486, 547
ser criado & *subst.* 746
ser criado 3
ser cuidadoso & *adj.* 459
ser culpado & *adj.* 947
ser curioso & tomar interesse em 455
ser curto & *adj.* 201

ser curto de vista | ser interno

ser curto de vista & *adj.* 443
ser curvo & *adj.* 245
ser da atribuição 157
ser da banda podre (pop.) 945
ser da breca 702, 704
ser da competência 157
ser da cor da esmeralda 435
ser da cor da romã 434
ser da cor de carne viva 434
ser da feição de alguém 484
ser da intimidade de 888
ser da pele de Judas 907
ser da pele do diabo 264
ser da (sua) alçada 157, 924
ser dado a entender que 522
ser das pontinhas 702
ser de 780
ser de 9
ser de alguém à face do altar/ perante Deus e a sociedade 903
ser de alto coração 939
ser de anos já maduros 128
ser de arrasar 845
ser de atitudes definidas 604
ser de atitudes francas e desassombradas 604
ser de baixa condição 877
ser de bofes lavados 906
ser de bom contentamento 831
ser de botar água na boca 865
ser de cabeça leve 499
ser de cabo de esquadra 497
ser de canelos 159
ser de casa/do seio de alguém 888
ser de casca grossa 895
ser de constituição forte e robusta 159
ser de derreter corações 845
ser de dimensões acanhadas & *adj.* 32
ser de direito restrito 924
ser de diversas cores 440
ser de encher os olhos 845
ser de estrela e beta 702
ser de etiqueta 744
ser de exceção 873
ser de feição/de bom humor/a essência da cortesia 894
ser de ferro 159
ser de grande alcance 858
ser de humor acre 901
ser de insignificância microscópica 34
ser de livre/fácil acesso 892
ser de mau contento 868
ser de mel 602, 825
ser de mister 630
ser de molde a causar admiração 870
ser de nariz arrebitado 878, 901
ser de nascimento ilustre 875
ser de opinião 484
ser de peso 467, 642
ser de pouca sorte 735
ser de pouco alcance 219
ser de presilha 545
ser de préstimo 707
ser de resultados benéficos 648
ser de rigor 744
ser de sabor açucarado 396
ser de sensibilidade delicada 822
ser de sobejo 640
ser de telhas acima 519
ser de toda a atualidade 642
ser de toldo o ponto sabido 531
ser de uma falsidade revoltante 940
ser de uma horizontalidade monótona 141, 213
ser de uma transparência cristalina 518

ser de utilidade a (alguém) 707, 906
ser de ver 642
ser decorrido 109
ser deficiente visual 442
ser denso & *adj.* 321
ser depois 117
ser deputado 759
ser derrotado 732
ser desagradável ao paladar 395
ser desbocado & adj. 961
ser descontínuo 70
ser desejado 865
ser deselegante & *adj.* 579
ser desgraçado & *adj.* 735
ser desigual & *adj.* 28
ser desinclinado & *adj.* 603
ser desonesto & *adj.* 940
ser despeitado 921
ser desprezado & adj. 930
ser dessemelhante & *adj.* 18
ser destruído & *adj.*162
ser devasso & *adj.* 961
ser devedor 806
ser dever de 926
ser devoto de 394, 897
ser diferente & *adj.* 15
ser difícil & *adj.* 704
ser difícil de contentar-se 868
ser difuso & *adj.* 573
ser digno de 924
ser digno de atenção 642
ser digno de compaixão 853
ser digno de registo 931
ser digno de zombaria 853
ser dispensável 175a, 643
ser dissonante/desafinado & *adj.* 414
ser distinguido com o mandato 609
ser diverso 16a
ser do número de 76
ser do sexo feminino 374
ser do sexo masculino 373
ser doce & *adj.* 396
ser dócil & *adj.* 602
ser dominado 725
ser dos Seres 976
ser dotado de certa aptidão para 698
ser dotado de inteligência privilegiada 498
ser dotado de qualidades 820
ser duro & *adj.* 323
ser duro da moleira 499
ser duro de ouvido 419
ser duvidoso (incerto) 485
ser eclipsado 34
ser econômico & *adj.* 817
ser egoísta 819, 943
ser elástico & *adj.* 325
ser eleito & *adj.* 609
ser elemento componente de 56
ser elemento decisivo/preponderante 175
ser elogiado & *adj.* 931
ser elogiado por homem elogiável 931
ser eloquente & *adj.* 582
ser embrulhado 547
ser encarregado de 755
ser enganado 547, 699
ser enganador 545
ser engenhoso 515
ser entidade abstrata 317
ser equilibrado & *adj.* 502
ser equívoco & *adj.* 520
ser errôneo & *adj.* 495
ser erudito & *adj.* 490
ser escravo das suas paixões 945
ser espectador 441

ser espírito de contradição 708
ser esquecido & *adj.* 506
ser estreito & *adj.* 203
ser estrondoso 404
ser estudioso & *adj.* 538
ser evidente 467
ser exagerado & *adj.* 549
ser excitado & *adj.* 824
ser excluído 55
ser externo & *adj.* 220
ser exuberante em 825
ser fácil & *adj.* 705
ser fácil de manejar 324
ser fácil de se transportar 320
ser fado de alguém 601
ser falho em 491
ser falso & *adj.* 544
ser fama/voz corrente/notório/do domínio público 531
ser fanático por (alguém) 865, 897
ser *fashion* 82
ser favorável à liberdade política e civil 740
ser fecundo & *adj.* 168
ser feio & *adj.* 846
ser feiticeiro 994
ser feito 54
ser feliz 377
ser feliz em negócio 794
ser fértil 515
ser fértil em 821
ser fértil em intrigas & *subst.* 907
ser fétido & *adj.* 401
ser fiador 806
ser fiel a 772
ser filho de 154
ser financiável 805
ser firme diante de 719
ser flexível 324
ser fluido & *adj.* 333
ser formado 48, 54
ser forte & *adj.* 159
ser fraca roupa 643, 877
ser fraco & *adj.*160
ser frágil & *adj.* 328
ser fragrante 400
ser freguês de 795
ser frequentador de 892
ser frequente & *adj.* 136
ser frio 383
ser frouxo & *adj.* 738
ser fruto da imaginação 2
ser fuente & *adj.* 582
ser função de 154
ser gaitado 932
ser generoso com dinheiro alheio 818
ser gente 131, 875
ser genuíno & *adj.* 494
ser geral & *adj.* 78
ser glutão 298, 957
ser governado por 737
ser grande 31, 192
ser grande a torpeza de suas palavras e ações 940
ser grato & *adj.* 916
ser grego 519
ser guiado/dirigido 82
ser guindado para um cargo 737
ser hábil 498, 698
ser habitual 613
ser harmonioso 413
ser herdado 5
ser homem de ação 680
ser homem de alguém 858
ser homem de consciência & *subst.* 939
ser homem de iniciativas 676
ser homem de miolo 498
ser homem de muitas posses 803

ser homem de nervo 159
ser homem de reflexão 498
ser homem de segredo 533
ser homem de seu país 910
ser homem de veras 543
ser homem dos diabos/levado do diabo 907
ser homem sem princípios 491
ser homem/mulher para 861
ser homossexual 374a
ser honrado 922
ser honrado/digno/idôneo/ reto/correto 939
ser horizontal & *adj.* 213
ser hospedado 892
ser hóspede em 491
ser humilde & *adj.* 879
ser idêntico & *adj.*13
ser ignorante & *adj.* 491
ser igual & *adj.* 27
ser ilegal & *adj.* 964
ser ilógico 477
ser iluminado 420
ser imaterial & *adj.* 317
ser imbecil & *adj.* 499
ser impenitente & *adj.* 951
ser imperfeito & *adj.* 651
ser impertinente 929
ser impetuoso & *adj.* 863
ser ímpio & *adj.* 988
ser importante & *adj.* 642
ser impossível 471, 704
ser impotente 642
ser impotente para explicar 519
ser improdutivo & *adj.* 169
ser improvável 473
ser imutável & *adj.* 141
ser inábil & *adj.* 699
ser incapaz de mentir 543
ser incerto & *adj.* 475
ser incluído & *adj.* 76
ser incompreensível & *adj.* 519
ser inconstante & *adj.* 624
ser inconveniente & *adj.* 647
ser incrédulo & *adj.* 487
ser incurioso 456
ser independente 10, 803
ser indevido & *adj.* 925
ser indiferente & *adj.* 866
ser indigno 874
ser indiscreto 499
ser indulgente & *adj.* 918
ser ineficaz 175a
ser inerente & *adj*5
ser inesperado & *adj.* 508
ser inestendível a 924, 925
ser infeliz 732
ser inferior 34
ser infinito 105
ser influente & *adj.* 175
ser informado & *adj.* 527
ser inglório & *adj.* 874
ser ingrato & *adj.* 917
ser inimigo & *adj.* 889
ser injusto & *adj.* 923
ser inocente & *adj.* 946, 960
ser inodoro 399
ser inofensivo & *adj.* 648
ser insalubre & *adj.* 657
ser insensível & *adj.* 376, 823
ser insípido & *adj.* 391
ser insolente & *adj.* 885
ser instantâneo & *ad.j* 113
ser instrumento dócil 631
ser insuficiente & *adj.* 641
ser insulso & *adj.* 843
ser inteligente & *adj.*498
ser inteligível & *adj.* 518
ser intemperante & *adj.* 954
ser intempestivo & *adj.* 135
ser interditado 925
ser intermitente & *adj.* 70
ser interno & *adj.* 221

729

ser intratável & *adj.* 901a
ser intuito de 620
ser inútil 175a, 645
ser invejoso & *adj.* 921
ser inverídico & *adj.* 546
ser invisível 447
ser irascível & *adj.* 901
ser irreligioso 989
ser irresoluto & *adj.* 605
ser irreverente 929
ser irritável/irritadiço/explosivo 901
ser isento & *adj.* 927a
ser jejuno em 491, 519
ser justo 922
ser ladrão 791
ser largo & *adj.* 202
ser legal 963
ser leigo/profano em 491
ser leve & *adj.* 320
ser leve da cabeça 499
ser liberal & *adj.* 816
ser limpo 652
ser livre 748
ser livre com alguém 888
ser longo & *adj.* 200
ser loquaz & *adj.* 584
ser louco & *adj* 503
ser louco/doido por alguém 897
ser ludibriado 486, 495
ser luva para mão de 23
ser má forma 945
ser madrugador 116
ser *magna pars* 680
ser maior 131
ser mais papista que o papa 549
ser mais propício à mentira do que à verdade 477, 546
ser mais que 33
ser mais realista que o rei 549
ser maldizente & *adj.* 934
ser mal-encarado 846
ser malévolo & *adj.* 907
ser malsoante 414
ser malsucedido 699, 732, 932
ser mandachuva 175
ser mandado & *adj.* 741
ser manifesto 525
ser martirizado 828
ser material & *adj.* 316
ser mediador 724
ser meio 29
ser meio caminho andado 731
ser melhor & *adj.* 658
ser mentiroso 544, 546
ser merecedor 924
ser mero espectador 609a
ser mesmo uma galinha 160
ser mesquinho 819
ser mestre 490
ser mestre e remestre na arte de 698
ser mimoso de 161, 639
ser moderado & *adj.* 174
ser moderno & *adj.* 123
ser modesto & *adj.* 881
ser morgado da maledicência 934
ser moroso em 730, 764
ser mortal 372
ser muita a satisfação de alguém 831
ser muito aprendiz em 699
ser muito aprendiz em diplomacia 699
ser muito boa boca 957
ser muito bom garfo 957
ser muito eloquente 467
ser muito espirituoso 842
ser muito inteligente em 490
ser muito mal-agradecido 917

ser muito outra a verdade 536
ser muito reservado 585
ser muito suscetível 822
ser multado & *adj.* 974
ser nascido ontem 127, 699
ser natural/previsível/rotineiro 871
ser necessário 630
ser neutro & *adj.* 609a
ser niquento 868
ser no número singular 87
ser nobre & *adj.* 875
ser nocivo & *adj.* 649
ser nota dissonante 489
ser nulo 175a
ser nulo e vazio 2
ser numeroso & *adj.* 102
ser o algoz/o carrasco de alguém 914a
ser o alimento de 644
ser o anjo da paz 723
ser o árbitro de 175, 693
ser o assunto para o comentário da semana 532
ser o beliz de alguém 897
ser o braço direito de alguém 707
ser o campeão 33
ser o cão chupando manga (pop.) 907
ser o depositário da esperança de 858
ser o descanso de (alguém) 707, 926
ser o destino de 156
ser o detentor/titular de 693, 737, 781
ser o detentor de um cargo 625
ser o diabo em forma de gente (pop.) 907
ser o efeito 154
ser o efeito natural/lógico/forçado de 154
ser o enlevo de todos os olhares 457
ser o Evangelho do dia 532
ser o expoente de 550
ser o forte de 490
ser o gato de três cores 870
ser o ideal de 865
ser o joguete das ondas e dos ventos 315
ser o lanterna 235
ser o leão do dia 873
ser o leão que dorme 526
ser o máximo 650
ser o meio e o fim 630
ser o melhor amigo de alguém 888
ser o mestre de 537
ser o mimo da fortuna 734
ser o morgado das invejas 921
ser o *nec plus ultra* de 855
ser o porta-voz de 759
ser o prato do dia 934
ser o precursor 511
ser o primeiro a atirar a pedra 938
ser o primeiro a romper a marcha 280
ser o primeiro em predomínio 175
ser o princípio 630
ser o próprio 13
ser o propugnáculo de 717
ser o receptáculo de 191, 290
ser o reflexo de 154
ser o refúgio e a morada de 639
ser o rei (de) & *subst.* 33
ser o retrato de 17
ser o sinal/o símbolo de 550
ser obediente & *adj.* 743

ser objeto de luxo 645
ser oblíquo & *adj.* 217
ser obra de um instante 111
ser obrigado a despesas excessivas 814
ser obrigado a retratar-se/a cantar a palinódia/a confessar-se vencido 479
ser obrigatório/compulsório/impositivo 744
ser obstinado & *adj.* 606
ser obumbrado por 34
ser óbvio que 518
ser ocioso & *adj.* 685
ser oco da cabeça 499
ser odiento & *adj.* 898
ser oferecida à lubricidade de 961
ser ofuscado 34
ser opaco & *adj.* 426
ser oportuno & *adj.* 134
ser oposicionista 708
ser oposto & *adj.* 237
ser oprimido & *adj.* 739
ser orador completo 582
ser orgulhoso & *adj.* 878
ser original & *adj.* 20
ser oriundo de 154
ser ostentador & *adj.* 882
ser ouro sobre azul 23, 134
ser pachorrento 683, 685
ser paralelo 216
ser parcial 925
ser parte a alguém em juízo 969
ser parte proeminente 680
ser participante 680
ser passado 151, 122
ser passado para trás 486, 547
ser passível de censura 932
ser patife & *subst.* 940
ser pau mandado 886
ser pau para toda colher 886
ser pau para toda obra 631
ser peixe e carne 520
ser penitente & *adj.* 950
ser pensante 372
ser pequeno & *adj.* 193
ser perfeito & *adj.* 650
ser perfeito cavalheiro 894
ser perfumado & *adj.* 400
ser perjuro 940
ser perseverante & *adj.* 604a
ser persuadido & *adj.* 615
ser pesado & *adj.* 319
ser pesado a alguém 645, 804
ser picante & *adj.* 392
ser piedoso & *adj.* 987
ser pincel amestrado 556
ser pior para 659
ser plebeu & *adj.* 877
ser pobre 804
ser poder moderador 740
ser poderoso & *adj.* 157
ser por 609
ser por Deus que 601
ser possível & *adj.* 470
ser posto em liberdade 970
ser pouco 32
ser pouco frequentador 893
ser pouco inclinado à indulgência 739
ser precedido de 281
ser preciso/indispensável que 926
ser presa de 791
ser preservado de 671
ser presidente 737
ser preso/encarcerado 751, 974
ser preterido 917, 925
ser preto & *adj.* 431
ser previdente 817

ser primeiro 280
ser processado & *adj.* 969
ser pródigo/generoso/magnânimo 818, 910
ser proeminente & *adj.* 250
ser profissional 690
ser profundo & *adj.* 208
ser progressista 614
ser propenso & *adj.* 820
ser propenso a repentes de cólera 901
ser propriedade de 777
ser propriedade sua 780
ser próprio (a) 644, 646
ser prosador 598
ser prosista 598
ser provável & *adj.* 472
ser proveniente de 154
ser público e notório 531
ser puro 42
ser qualidade essencial 5
ser questão líquida 474
ser ralo & *adj.* 137, 322
ser raso 209
ser rebocado 281
ser recebido 484, 775, 785
ser reciprocamente oposto 179
ser recompensado & *adj.* 973
ser reconhecido 916
ser reenviado 279
ser refutado & *adj.* 479
ser regular 82
ser rei de si mesmo 748
ser rejeitado 277
ser relaxado & *adj.* 927
ser rendoso & *adj.* 775
ser repreendido 932
ser reprovado 732
ser reprovado no exame 932
ser repulsivo 846
ser resoluto & *adj.* 604
ser responsável por 153
ser reto 246
ser revelado 529
ser revogado & *adj.* 756
ser rico & *adj.* 803
ser ridículo & *adj.* 853
ser riscado do livro dos viventes 360
ser rival 27
ser romano em Roma 714
ser roubado 791
ser rude & *adj.* 895
ser ruína do que foi 659
ser sabedor de 450, 490
ser saboroso 394
ser sacador de letras 800
ser salubre & *adj.* 656
ser secreto & *adj.* 533
ser segundo tomo de 17
ser sem dono 777a
ser semelhante & *adj.*17
ser sementeira de 153
ser semifluido & *adj.* 352
ser sempre ouvido 175
ser sempre seu timbre/sua divisa de honra 939
ser senhor de 698
ser senhor de seu nariz 600, 748
ser senhor de suas ações 748
ser senhor e possuidor de 780
ser sensível & *adj.* 375, 822
ser separado & *adj.* 44
ser servido 737
ser servil & *adj.* 886
ser severo & *adj.* 822
ser silencioso & *adj.* 585
ser simples 849
ser simples máquina 749
ser simultâneo & *adj.* 120
ser sincero & *adj.* 703
ser sobremanhã 125

ser sóbrio | serviçal

ser sóbrio & *adj.* 953
ser sociável & *adj.* 892
ser soldado 722
ser solteiro/a & *adj.* 904
ser sombra 738
ser sua seiva 630
ser sua vida íntima 630
ser substituído & *adj.* 147
ser suficiente & *adj.* 639
ser superadito 37
ser superior 33, 873
ser suplantado 34
ser suportado & *adj.* 215
Ser Supremo 976
ser surdo 419, 764
ser surpreendido 156
ser suscetível de 470
ser taful no seu ofício 698
ser talentoso 698
ser tanto quanto é necessário 639
ser tão maldizente que nem a si poupa 934
ser tardo/remisso & *adj.* 133
ser teatro de 151, 728
ser tenaz & *adj.* 327
ser terra 372
ser testemunha de 728
ser testemunha de ouvida 441
ser testemunha ocular 441
ser testemunha presencial 441
ser tido e havido como verdadeiro 484
ser toda aos torcicolos (a estrada) 248
ser todo contentamento 831
ser todo injustiça 923
ser todo olhos 459
ser todo ouvidos 418, 457, 602, 762
ser todo prostração & *subst.* 158
ser tolerante & *adj.* 740
ser transexual 374a
ser transferido & *adj.* 270
ser transitório & *adj.* 111
ser transparente & *adj.* 425
ser trino e uno 976
ser um abismo de 639
ser um acidente 6
ser um almoço 111
ser um anjo caído (fig.) 945
ser um áporo 471
ser um azougue 698
ser um barra 159
ser um cesto roto 499
ser um coração aberto 703
ser um cordeiro 703
ser um desacerto & *subst.* 495
ser um desastre 135
ser um dia de juízo 735, 830
ser um dos encantos da vida 829
ser um dos melhores conhecedores de 490
ser um espírito de porco/um desalmado 907
ser um flecheiro para 698
ser um gozo para o espírito 829
ser um ilustre desconhecido 877
ser um jogo da fortuna 601
ser um monstro de ingratidão 917
ser um monstro de maldades/de má raça 907
ser um monstro de rancor 919
ser um na natureza e trino nas pessoas 976
ser um pau mandado 631
ser um poço de 825
ser um poço de dinheiro 803

ser um podão 158
ser um pouco ferido na asa 503
ser um prolongamento de 34
ser um regalo para o espírito 829
ser um repertório de/um abismo de erudição/uma mina de saber/uma biblioteca viva 490
ser um revoltado (contra) 83, 489
ser um revoltado/um desambientado/um excêntrico 20
ser um santo 944
ser um túmulo 533
ser uma consciência 950
ser uma das figuras mais belas da História 873
ser uma esponja 959
ser uma iniquidade & *subst.* 923
ser uma lástima 645
ser uma lerna de desventuras 828
ser uma língua afiada 934
ser uma mina de 161
ser uma necessidade 630
ser uma pedra de escândalo 932
ser uma pilha de nervos 822
ser uma pulga no ouvido 841
ser uma qualidade acidental 6
ser uma questão a resolver 475
ser uma raridade 137
ser uma ruína do que foi 124, 128, 874
ser uma surpresa 137, 156
ser único 87
ser uniforme & *adj.*16
ser útil & *adj.* 644
ser vagaroso & *adj.* 275
ser vaidoso & *adj.* 880
ser vazio de significação 517
ser velho 124
ser veloz & *adj.* 274
ser verdade 494
ser verdadeira obra de arte 845
ser verdadeiro & *adj.* 494, 543
ser verde & *adj.* 435
ser vermelho & *adj.* 434
ser versado em 490
ser versátil & *adj.* 607
ser vertical & *adj.* 212
ser vesgo 443
ser veterano em 698
ser viciado & *adj.* 945
ser vigiado 459
ser vingativo & *adj.* 919
ser violento 173
ser virtuoso 922, 944, 987
ser visita de 888
ser visível 525, 529
ser visto 186
ser vítima da ganância de 814
ser vítima da ingratidão 917
ser vítima de 547, 828
ser vítima dos ladrões 791
ser vizinho 199
ser vizinho parede e meia com 199
ser vulgar & *adj.* 852
ser *workaholic* 682
ser/estar certo & *adj.* 474
ser/estar ativo & *adj.* 682
ser/estar contíguo & *adj.* 199
ser/não ser menos duro 323
ser/tornar cego & *adj.* 254
ser/tornar sujo & *adj.* 653
ser/tornar-se feliz & *adj.* 734
ser/tornar-se negligente & *adj.* 460
ser/tornar-se pior & *adj.* 659
ser/tornar-se visível 446
será possível?! 870

Será? 475
seráfico 829, 897, 944, 977, 987
serafim 845, 897, 948, 977
serão 686, 840, 892
serapilheira 223
sereia 83, 341, 374, 416, 615, 979, 994
serem a corda e o caldeirão/a corda e a caçamba 888
serem chegados os fados de alguém 360
serem como cão e gato/gato e rato 889
serem da mesma laia 16, 27
serem da mesma panelinha 709
serem dois corações num só 897
serem farinha do mesmo saco 16, 27
serem galhos da mesma árvore 16
serem improfícuos todos os esforços 732
serem o dia e a noite 14
serem ótimas as relações 714
serem poucos 103
serem unha e carne 888
serenada 415
serenar 36, 174, 721, 826
serenar a irritação 826
serenata 415, 902
serendipidade 621
serenidade 174, 265, 403, 425, 446, 498, 721, 740, 826, 864, 922
serenidade de alma 831
serenim 892
sereníssimo 876
sereno 174, 265, 275, 339, 348, 349, 425, 446, 721, 826, 831, 861, 864
seres 357
seres pensantes 372
seresma 130, 160, 395, 501, 645, 653, 846
seresta 840
seresteiro 597
sergeta (f.) 880
seriação 58, 60
seriado 58, 138
serial 58, 69, 138
seriamente 31, 535
seriário 58, 69
seriatim 58, 79, 275
sericaia (Malaca) 394
seríceo 255
sericícola 366, 370
sérico 255
seríola 370
sericultor 370
série 31, 58, 69, 71, 72, 84, 451, 639,
série de cortiços 370
série de notas/de críticas/de explicações/de esclarecimentos 522
série ininterrupta de acidentes funestos 735
seriedade 498, 576, 642, 837, 939
seriema, vozes de 412
serigrafar 558
serigrafia 558, 692a
seriíssimo 543
seringa 337, 348
seringação 337, 841
seringado 337
seringadela 337
seringal 367
seringar 297, 337, 841
seringatório 337
seringueiro 371
sério 457, 498, 543, 642, 830, 737, 939, 953

sério-cômico 853
sermão 476, 586, 932, 990, 998
sermoa 586, 998
sermões de lágrimas 839
sermonário 586, 998
sermonizar 582
seró (asiát.) 273
seroada 840, 892
seroar 455, 686, 892
serôdio 133, 275, 460
serosidade 333, 337
seroso ou soroso 333
serpe 248, 846, 913
serpeante 248
serpear 244, 248, 279, 311, 348
serpejante 248, 348
serpejar 248
serpentão 417
serpente 130, 248, 409, 548, 846, 913, 949
serpente da calúnia 934
serpente do ciúme 920
serpente maldita 978
serpenteante 248
serpentear 248, 311
serpenticida 361
serpentífero 649, 898, 907
serpentiforme 248
serpentígeno 248, 649, 898
serpentígero 649, 898, 907
serpentina 248, 272, 423, 990
serpentina de fogo 423
serpentiniforme 311
serpentino 248, 311, 366
serpes 847
serpes de cristal 348
serpete 371
serra 206, 253, 257, 342
serra, som de 402a
serração da velha 840
serradela 44
serrado 253
serradura 330
serrafaçar 44
serragem 330
serralhar 686
serralharia/serralheria 691
serralheiro 690
serralheria/serralharia 691
serralho (fig.) 961
serrana 415, 840
serrania 206, 341
serranias do mar 173
serranice 895
serranilha 415
serrano 188, 256
serrão 253
serrar 44, 412, 686
serraria 691
serrátil 231, 244, 253, 674
serrazina 767, 841
serrazinar 104, 765, 841
serreado 244, 257
serrear 257
sérreo 231, 253, 257
serreta 257
serridênteo 257
serril 188, 257
serrilha 231, 751
serrilhar 751, 847
serrotar 44
serrote 253
sertã 191
sertanejo 188
sertão 68, 221, 344, 674
Sertório 941
serva 746
serve! 831
servente 707, 746
serventia 176, 260, 644, 677, 749
serventuário 147
serviçal 88, 644, 648, 682, 707, 746, 894, 906

servicial | siléptico

servicial 746
serviço(s) 170, 260, 618, 625, 644, 677, 686, 707, 894, 916, 990, 998
serviço ativo 722
servidão 260, 302, 627, 749
servidão penal 972
servidiço 124, 659
servidor 711, 746, 894
servil 19, 494, 746, 879, 886, 928, 933, 935
servilha 225, 273
servilheta 746
servilismo 21, 879, 933
Servilismo 886
servilmente 746, 886, 933
servir 23, 625, 644, 707, 746, 749
servir a 707
servir a Deus/os preceitos da religião 987
servir a mercê/o benefício feito 916
servir a Pátria 910
servir aos intentos de 644
servir como 625, 680
servir como medianeiro 724
servir de 692
servir de alcofa/de alcoviteiro/de pau de cabeleira 961
servir de aprendiz 673
servir de arauto/de introdutor 511, 531
servir de árbitro 724
servir de cena 853
servir de dano 659
servir de despejo 191
servir de escudo/de muro 717
servir de espetáculo 853
servir de fiador 771
servir de freio 616
servir de guia 537
servir de instrumento 631, 644
servir de interventor & *subst.* 631
servir de lição 644
servir de mediador 724
servir de modelo/de espelho/de chavão 22, 851, 944
servir de obstáculo 706
servir de pábulo 853
servir de pábulo à maledicência 934
servir de paradigma 22
servir de parteiro 662
servir de pau de cabeleira 897
servir de ponto 599
servir de pratinho a alguém 853
servir de proveito 644
servir de receptáculo 785
servir de regra/de espelho/de modelo/de paradigma 22, 650
servir de risota 499, 853
servir de substituto/de sucedâneo/de sucessor 147
servir de suporte 215
servir de timbre/de quilate/de padrão 650
servir de/para 644
servir fielmente 743
servir o vinho 892
servir-se (de) 677, 762, 789, 894
servir-se do pretexto 617
servir-se mal de 523, 679
Servo 746
servo da gleba 746
sesgo 217, 243, 248
sesma 99
sesmar 623, 786
sesmaria 181, 674, 780, 779
sesmeiro 779
sesmo (ant.) 233, 786
sesquipedal 192, 200
sesquipedalidade 200
sessão 696
sessão permanente 719
sessar (bras.) 465
sessenta 98
séssil 46
sesso 235
sesta 382, 683, 687
sestear 385
sestro 239, 601, 608
sestroso 608
seta 253, 262, 274, 378, 550, 649, 727, 830, 856, 929
seta, som de 402a
setada 716, 830
setas do amor 897
sete maravilhas do mundo 872
sete sacramentos 998
setear 378, 716, 830
seteira 257, 420a, 717
seteiro 726
setemesinho 111, 127, 129
setêmplice (poét.) 258
setenta 98, 108, 116, 990
setênfluo (poét.) 348
setênio 108
seteno (desus.) 108, 665
setenta 98
setentrião 278, 383
setentrional 278
setia 273, 350
setial 215, 1000
setibundo 865
setífero 255, 366
setiforme 98, 255
setígero 255, 366
setilha 597
setimal 98
sétimo 98, 99
sétimo céu 827
setingentésimo 99
setor 7, 51, 247, 625, 717, 728
setoura 253
setuagenário 128, 130
setuagésima 108, 998
setuplicar 98
seu 777
seu a seu dono, O 786
seu crédito 771
seu do coração 888
Seu humilde criado (ironicamente) 764
Seu nome está vinculado indelevelmente a... 873
seu vizinho 781
seus dias estão (avaramente) contados 601, 735, 859
seus esforços resolveram-se em pó, Os 732
seus estratagemas voltam-se contra ele um a um, Os 732
seus, os 11
sevandija 886, 941
sevandijar 874, 885
sevandijar-se 886, 940
seve 168
severa 461
severamente & *adj.* 739
severiano 984
severidade 171, 173, 383, 494, 574, 576, 739, 830, 849, 895, 914a
severidade e correção de formas 576
severo 82, 242, 378, 383, 494, 576, 606, 642, 737, 739, 830, 837, 849, 868, 900, 914a, 926, 932, 955
sevícia(s) 828, 830, 907, 914a, 974
seviciar 378, 649, 830, 907, 974
sevilhana 253
sevo 361, 378, 739, 914a
sevoflurano 376
sexagenário 128, 130
sexagésima/o 99, 108, 998
sexangulado 244
sexangular 244
sexcentésimo 99
sexdigital 83, 243, 440d
sexdigitário 83, 243, 440d
sexenal 138
sexênio 108
sexo 75, 897
sexo desbarbado 374
sexo feminino 374
sexo fraco 374
sexo frágil 374
sexologia 662
sexta-feira santa/da paixão 998
sextante 99, 244, 247, 445
sextavar 244
sexteto 692a, 415
sextilha 597
sextina 597
sexto 99
sextodécimo 593
sêxtulo 319
sextunvirato 737
sextuplicação & *v.* 35
sextuplicar 35, 98
sêxtuplo 98
sexual 897
sexualidade 897
sezão 657
sezonático 657
sezonismo 655, 657, 663
sfogato 415
sforzando 415
Shabat 990
Shavuot 998
shekel 800
Sherlock Holmes 527
Sherlock Holmes e Watson 890
shhh! 403
shibboleth 550
shigelose 655
shilling 800
shofar 417
shofet (hebraico) 967
shrapnell 727
Shrek 83, 846
Shri Krishna Jayanti 998
si hoc fas est dictu 469
Si sic omnes! 948
sialismo 295, 299
sibar 273
sibarismo 954
sibarita 954a
sibarítico 954
sibaritismo 954
Sibéria 383
siberiano 383
Sibila 513, 979
sibila 949, 994
Sibilação 409
sibilação 932
sibilamento 409
sibilância 409
sibilante & *v.* 409
sibilar 349, 402a, 409, 412
sibilino 511, 519
sibilismo 511, 992
sibilítico 519
síbilo 409, 412
sic 19, 494
Sic itur ad astra 360, 873
Sic transit gloria mundi 735, 874
Sic volo sic jubeo 477, 600, 741
Sic vos non vobis 791, 923
sica 253
sicariato 910
sicário 361, 949
sicativo 340
siccus 369
sicera 959
siciliana 840
sicofancia 886
sicofanta 527, 548, 886, 936, 941
sicofântico 886
sicofantismo 527, 934, 940
sicrano 78, 372
SIDA 655
sideração 158, 162, 173, 361
sideral 318
sidéreo 318
sidérico 358
siderismo 991
siderografia 558
sideromancia 511
siderotecnia 358, 692a
siderotécnico 358
siderurgia 358
siderúrgico 358
sidur 998
sienite 323
siembarquer sans biscuits 674
sien tirer d'affaires 731
sifão 244, 248, 337, 350
sifílis 655
siflar 402a
sifônico 248, 350
sifonoide 244, 350
sigilar 261, 467, 550, 729, 769
sigilo 550, 533
sigla 533, 560, 561
sigma 561
sigmático 561
sigmatismo 579
sigmóideo 248
signa 550
Significação 516
significação 522, 642
significação ampla/geral/substancial/familiar/literal/singela/natural/rigorosa/verdadeira/honesta/luminosa/irrestrita/exata 516
significação duvidosa 519
significação está à tona, A 525
significado 516, 522
significante 516
significar 153, 511, 516, 527, 550, 566, 642, 969
significativamente 516
significativo 516, 518, 522, 642
significatório 516
signo 550, 554, 560
signo de salomão/signo-salomão 993
signos do zodíaco 318
signo-samão 244
Sílaba 562
silabação 562
silabada 495, 562, 568
silabar 538, 561
silábico 562
sílabus 983a
silenciar 158, 403, 479, 581, 731
silêncio 53, 55, 265, 526, 528, 533, 581, 585
Silêncio 403
silêncio absoluto 403
silêncio amplo 403
silêncio completo 403
silêncio de túmulo fechado 403
silêncio gélido 403
silêncio mortal 403
silêncio noturno 403
silêncio sepulcral 403
silêncio solene 403
silêncio terrível 403
silêncio! 403
silenciosa 633
silenciosamente & *adj.* 403, 585
silencioso 403, 585
silente (poét.) 403
silepse 521, 567
siléptico 521

sílex | sistólico

sílex 318, 323, 388
sílfide 845, 979
Silfo 979
silha (ant.) 215, 370
silhal 370
silhão 215, 225, 236, 717
silhueta 1, 230, 556
sílica pura 323
silicícola 367
silicone 224
silicose 655
silingórnio (burl.) 544, 548
silk screen 558
silo 597, 636, 670, 856
silogismo 476
silogizar 476
silografia 856
silógrafo 597
silva 253, 596, 597, 952
silvado 169, 253, 367
silvar 402a, 409, 412
silvático 367
silvedo 169
silveiral 367
silveiro 440b
silvestre 367, 371, 674, 852
silvícola 168
silvicultor 371
silvicultura 371
silvo 402a, 409, 412
sim 462, 488, 535, 760, 762
Simão Estelita 893
simbiose 709
simbolicamente & *adj.* 550
simbólico 520, 550
simbolismo 519, 550, 990
simbolista 519
simbolização 550
simbolizar 516, 521, 550, 554
símbolo 84, 147, 550, 554, 560, 998
símbolo dos amores de alguém 899
Simchat Torá 998
Simetria 242
simetria 27, 58, 82, 138, 569, 579, 845
simetria bilateral 242
simetricamente & *adj.* 242
simétrico 27, 58, 237, 242
simetrizar 240
simiano 412
simiesco 366, 846, 853
símil (poét.) 17
similação 19
similar 17, 464, 662
similar na forma 240
similaridade 17, 27, 75, 464, 554
similaridade de forma 240
símile 17, 464
similitude 17, 27, 82, 464
similitudinário 17
símio 19, 366, 412
simonia 964
simoníaco 941, 988
simonte 392
simpatia 175, 481, 602, 609, 714, 820, 821, 865, 888, 897, 906, 914, 915, 931
simpático 829, 845, 894, 897, 906
simpatizante 488, 711, 890, 906
simpatizar (com) 714, 888, 897, 906, 915
simpiezômetro 338
simples 32, 42, 58, 87, 486, 499, 501, 514, 518, 547, 570, 572, 703, 705, 849, 879, 881, 960
simples de ânimo 648
simples farsa 643
simples gracejo 643
simples questão de fato 494
simplesmente & *adj.* 87
simplesmente inacreditável 870

simpleza 42, 486, 547, 849, 881, 960
símplices 56, 662
simplicidade 42, 58, 486, 491, 499, 518, 543, 547, 570, 576, 674, 879, 881, 960
Simplicidade 849
simplicidade, simpleza 703
simplicista 662
simplificação 36, 60
simplificada 562
simplificar 36, 42, 60, 518, 849
simplificável 149
símploce 521
simploriedade 491
simplório 499, 501, 547
simpúvio (ant.) 959
simulação 19, 544, 673
simulacro 2, 17, 19, 21, 448, 544, 555
simulador 548
simular 19, 544
simultaneamente 109, 120
simultaneidade 120, 178, 216
simultâneo 120, 178, 216
simum 349, 382
sina 152, 550, 601
sinagelástico 72, 366
sinagoga 440e, 450, 1000
sinais 560, 839
sinais característicos 79, 550
Sinais característicos do homem 440d
sinais coincidantes 550
sinais diacríticos 550
sinais do tempo 512, 668
sinais maçônicos 550
sinais prognósticos 655
sinais telegráficos 550
sinal 32, 505, 512, 525, 550, 551, 560, 771, 809, 848, 872
sinal característico 550
sinal da cruz 983a
sinal de perigo 669
sinal diacrítico 550
sinal luminoso 423
sinal manual 550
sinal seguro 478
sinal semafórico 668
sinal somatório 84
sinalagmático 769
sinalar 550
sinalefa 53, 201, 596
sinaleiro 534
sinalética 550, 551
sinalização 550, 692a
sinalizar 550, 625
sinápico 392, 662
sinapismo 662
sinapizar 392, 662
sinartrose 323
sinceiro 839
sincelada 383
sincelo 383
sinceramente 543
sinceridade 525, 543, 703, 939
sinceridade de coração 821
sincero 543, 703, 821, 894, 902, 939
sincipital 210, 440e
sincipúcio 210, 440e
sinciput 440e
sínclise 228
sinclítica 228
sinclítico 228
síncopa 413
sincopado 201
sincopar 201
síncope 36, 70, 158, 201, 413, 572
sincotiledôneo 367
sincraniano 440e
síncrese 14
sincrético 609

sincretismo 24, 29, 41, 609, 774, 984
síncrise 237
sincrítico 14
sincronicamente & *adj.* 120
sincronicidade 120
sincrônico 120, 216
Sincronismo 120
sincronismo 216
sincronista 120
sincronístico 120
sincronizar 88, 118, 120, 595
síncrono 118, 120
sindáctilo 440c
sindesmografia 357
sindesmologia 357
sindesmose 43
sindicador 461
sindicalizar(-se) 712
sindicância 461
sindicante 461
sindicar 455, 461
sindicateiro 711
sindicato 696, 709, 712
síndico 461, 745, 967
síndrome 655
síndrome de Alport 655
síndrome de imunodeficiência adquirida 655
síndrome de Sjörgen 655
síndrome do choque tóxico 655
sine delectu 59
sine die 107, 119, 133
sine ira et studio 922
sine prole 169
sine qua non 630, 642, 770
sine sordibus 816
sinecura 681
sinecurista 683
sinédoque 521, 569
sinédrio 696, 996
sineiro 997
sinérese 54, 201, 596
sinergia 171, 714
sinérgico 171
sínese 516
sinestesia 560, 569
sineta 417, 1000
sinete 550, 747, 769
sínfise 43
sinfisiano 43
sinfonia 413, 415, 714
sinfônica 415
sinfônico 413
singelamente & *adj.* 849
singeleira 545
Singeleza 42
singeleza 518, 576, 674, 703, 849, 879, 881, 960
singelo 518, 525, 572, 576, 648, 674, 703, 705, 849, 879, 881
singradura 293
síngrafo 806
singrar 293
singrar o oceano 267
singular 20, 57, 79, 83, 100a, 503, 608, 648, 852, 870, 873
Singularidade 100a
singularizar 79, 100a
singularizar-se 20, 608
singularmente 31
singultar 839
singulto (ant.) 839, 833
singultoso 839
Sinistra 239
sinistro 135, 239, 361, 511, 512, 619, 649, 665, 735, 830, 860, 909
sinizese 561
sino 417, 550, 1000
sino rachado 408a
sino sem badalo 645
sino, som de 402a

sinodal 696, 995
sinodático 995
sínodo 72, 696, 995
sinonímia 13
sinonimizar 27, 516
sinônimo 13, 27, 516, 522
sinônimo perfeito 13
sinônimos (emprego exagerado) 579
sinopse 86, 96
sinóptico 596
sino-saimão 244
sinóvia 352
sinquise 218, 519, 521, 567, 577, 579
sintático 567
sintaxe 58, 60, 567
síntese 48, 476, 478, 572, 596
síntese dos cuidados de alguém 899
sintético(s) 48, 596, 635
sintetizado 596
sintetizador 417
sintetizar 48, 476, 572, 596
sintoma 5, 550, 655, 668
sintomático 511, 550, 669
sintomatologia 522
sintomia 572, 596
sintonia 46, 457, 714
sintonizado 457
sinuca 840
sinuosidade 245, 258, 607, 629
Sinuosidade 248
sinuoso 248, 311, 607
sinusite 655
sipaio ou sipai 726
sirage 356
sire 876
sirena/sirene 410, 550, 669
sirga 285
sirgagem 285
sirgar 285
sirgo 366
sirigaita 880
Sírio 318, 423
siroco 349, 382
sirtes 667
sirva-te isso de lição! 972
sirvente ou sirventesca 597
sisa 791, 812
siseiro 785, 965
Sísifo 735
sismal 146
sísmico 146, 173
sismo 146
sismógrafo 668
sismômetro 668
siso 498, 864
sisório (pop.) 864
sissomia 83
sistema 58, 490, 613, 626, 627, 677, 692, 697
sistema antimíssil 717
sistema de opiniões 484
sistema de Pitágoras/de Carnaro 953
sistema de vigilância por satélite 717
sistema feudal 737
sistema métrico decimal 466
sistema orográfico 206
sistema planetário/solar/do mundo 318
sistema reprodutor 440e
sistematicamente 58, 477, 481, 606, 611, 613
sistemático 58, 60, 80, 481
sistematização & *v.* 60
sistematizar 60, 626
sistêmico 440e
sistolar 195
sístole 195, 314
sistólico 195

sistro 417
sisudez(a) 498, 826, 832, 864
sisudo 864
site 184, 527
sitiador 716
sitiante 716
sitiar 261, 716, 765
sitiar com assiduidade a porta a alguém 765
sítio 182, 183, 189, 261, 716, 780
sítio afastado 196
sito 183, 184, 653
Situação 183
situação 8, 71, 151, 156
situação angustiosa/desesperadora 665
situação crítica 704
situação favorável/lisongeira/próspera 734
situado 183, 184
situado à volta de 227
situar(-se) 182, 183, 184
siva savoanos 840
Siva/Shiva 979
sivaísmo ou shivaísmo 983a
sizar 791
ski aquático 337
skype 592
slang 563
smartphone 534, 633
smoking 225
smorzando 412
SMS 592
Snider 727
só 44, 87, 706, 893
só conhecer a superfície plana 939
só conhecer o número um 943
só de palavras 884
só encarar uma face 477
só na aparência 544
Só não vê quem é cego 525
só por acaso 137
só por um milagre 137
só ter uma saída 601
Só trouxe no bojo o cabedal de suas boas intenções 732
soabrir 260
soada 402, 415, 521, 642
soado 642
soalhado 204
soalhar 204, 340, 416
soalheira 217, 382, 384
soalheiro 382, 934
soalho 204, 211, 255
soante 402
soão (ant.) 278
soap opera 599
soar 17, 114, 402, 402a, 408, 412, 532
soar a hora fatal 360
soar a última 361
soar a última/a derradeira/a extrema hora 360
soar bem no ouvido 413
soar um rumor 532
soar uma nova aos ouvidos de 532
soarem as trombetas/as sirenes 669
soarem os clarins/as trombetas 550
sob 34, 106, 207
sob a abóbada celeste 318
sob a alegação de 617
sob a capa de 544
sob a cor 617
sob a couraça de 664
sob a dependência de 177
sob a égide de 664
sob a luz das estrelas 126, 220
sob a marca/a capa/a forma/o disfarce da religião 988

sob a mesma bandeira 712
sob a premência de 155
sob a premência do momento 744
sob a pressão de 744
sob as asas protetoras de 664
sob as mãos 673
sob as ordens 749
sob as vistas da polícia 938
sob as vistas de 186
sob coberta 543
sob condição 770
sob disfarce 528
sob este prisma 448
sob falsas aparências 545
sob hipoteca 787
sob juramento 535, 768
sob minha palavra de honra 535, 768
sob o azorrague de 749
sob o broquel 664
sob o comando de 749
sob o controle de 743
sob o dossel 664
sob o estafado pretexto de 617
sob o império das circunstâncias 8, 744
sob o império de 155, 737
sob o manto protetor de 664
sob o martelo 796
sob o olhar de alguém 446
sob o patrocínio de 760
sob o peso de seus louros 873
sob o rótulo de 545
sob o sol 1, 180
sob os auspícios de 737, 760
sob palavra 751, 768
sob pena de 974
sob pretexto 603, 744
sob qualquer prisma que se encare 494
sob registro 551
sob revisão 673
sob selo 768
sob o reinado de 106
sob sua exclusiva responsabilidade 926
sob todos os aspectos 52, 494
sob todos os respeitos 9
sob um céu azul 318
sob um nome que lhe não pertence 565
sob um prisma falso 495
sob uma saraivada de balas 722
sob vigilância 938
soba 739
sobalçar 307, 482, 931
sobalçar-se 878
sobcoxa 211
sobeira 231
sobejamente 31, 639
sobejar 40, 640
sobejidade de palavras 573
sobejidão 640
sobejo(s) 40, 639, 640, 645
soberania 33, 175, 737, 885, 976
soberania popular 748
soberanizar 737, 873, 931
soberano 33, 159, 175, 648, 737, 739, 745, 748, 800, 845
Soberano Arquiteto do universo 976
soberba 855, 878, 885
soberbaço 878, 885, 887
soberbão 878, 885, 887
soberbo 168, 206, 348, 845, 847, 873, 878, 880, 885, 930
soberboso (pop.) 878
sobérdio (ant.) 640
sobernal 688
sobestar 34
sobgrave 415

sobnegar 528
sóbola (ant.) 206
sóbole 129, 154, 161, 167
sóbolo 206
soborralhar 384
soborralho 384
sobpé 211
sobpor 773, 925, 939
sobra(s) 40, 640, 645
sobraçar 215, 781
sobraçar-se com alguém 88
sobradamente 31
sobradar 206
sobrado 189, 206, 640
sobrancear 206, 640, 885
sobranceiro 33, 192, 250, 826, 878, 885
sobrancelha 205, 245, 441
sobranceria 855, 878, 885
sobrar 40, 206, 639, 640
sobrasar 384
sobre (seguido de verbo no infinitivo) 37
sobre 9, 206
sobre a cabeça 152
sobre as espáduas 307
sobre o flanco 236
sobre o tapete 151, 454
sobre seguro 664
sobre ser poeta 37
sobre seus passos 283
sobre si mesmo 312
sobreabundante 640
sobreabundar 640
sobreaguar 337
sobrealcunha 565
sobreapelido 564, 565
sobrearco capialçado 420a
sobreaviso 459, 864
sobrebainha 191
sobrecabado (p. us.) 206
sobrecâmara 189
sobrecapa 223
sobrecarga 319, 640, 830
sobrecarregado (de) 319, 688, 806, 926
sobrecarregar 549, 640, 649, 659, 679, 812, 830
sobrecarregar a memória 505
sobrecarregar (de impostos) 812
sobrecarregar-se 806
sobrecarregar-se de trabalho 682
sobrecarta 223, 467
sobrecasaca 225
sobreceleste 976
sobrecelestial 976
sobrecenho 205, 832, 846
sobrecéu 223
sobrechegar 117, 151, 508
sobrecheio 640
sobrecinga 45
sobreclaustro 1000
sobrecomum 374a
sobrecopa 263
sobrecu 39
sobredental 220
sobredente 253
sobredeprimir 549
sobredito 62, 116
sobredivino 976
sobredourar 223, 420, 435, 477, 482, 549, 847
sobre-eminência 648
sobre-eminente 210, 648
sobre-entender 693
sobre-erguer 307, 549
sobre-esperar 858
sobre-estar 281
sobre-exagero 482
sobre-exaltar 482, 549, 931
sobre-excedente 640

sobre-exceder 33, 40, 303, 640, 873
sobre-exceder à medida do espírito 519
sobre-excelente 648, 845, 873, 976
sobre-exceler 33
sobre-excitação 825
sobre-excitar-se 825
sobreface 220
sobrefoliáceo 220, 367
sobregoverno 693, 737
sobregoverno eclesiástico 995
sobre-humano 31, 317, 471, 650, 976
sobrejacente 206
sobrejuiz 967
sobrelanço 763
sobrelevar 33, 206, 307, 731, 826
sobrelevar de importância 642
sobreloja 189
sobrelouvar 549
sobremaneira 31, 640
sobremanhã 125
sobremaravilhar 549, 870
sobremesa 65, 67, 298
sobremodo 31
sobrenadar 206, 305, 320
sobrenadar ao naufrágio 505
sobrenatural 31, 83, 317, 870, 976, 980
sobrenaturalidade 83
sobrenome 564
sobrenomear 564, 565
sobrenumerável 31, 102, 105
sobrolho 878, 885
sobrepaga 973
sobrepasto 298
sobrepeliz 223, 999
sobrepensado 611, 620
sobrepensar 451, 620
sobrepeso 319, 640
sobrepor 223, 609
sobreposição 37, 199
sobreposse 603, 640
sobreposto(s) 206, 847
sobrepratear 223, 430
sobrepreço 812
sobrepujamento 303, 640
sobrepujança 640
sobrepujar 33, 175, 206, 210, 305, 549, 731
sobrepujar perigos 861
sobrepujar todas as normas da praxe 33
sobrerrestar 40, 110, 141
sobrerroda 706
sobrerrolda 668
sobrerroldar 459
sobrerronda 668
sobrerrondar 459
sobrerrosado 434
sobrescrever 467, 590
sobrescritar 278, 590
sobrescrito 278, 550
sobressair 33, 206, 250, 446, 642, 820, 873
sobressalente 40, 636
sobressaltado 860
sobressaltar(-se) 303, 508, 773, 821, 860
sobressalteado 824
sobressaltear 308, 860
sobressalto 378, 508, 665, 706, 821, 860
sobressarar 662
sobressaturar 640
sobresselente 640
sobresser 142
sobrestancial 3
sobrestante 65, 694
sobrestar 70, 121, 142, 152, 292, 451, 623
sobrestatório 970

sobrestimação | soltar um grito de alarma

sobrestimação 482
sobrestimado 482
sobrestimar 482
sobretarde 126
sobreteima 606
sobreter 219
sobreterrestre 342
sobretudo 33, 225, 384, 609, 642
sobrevalorizar 482
sobrevença (ant.) 151, 508
sobrevento 349, 508
sobrevestes 225
sobrevir 63, 117, 151, 508
sobrevirtude 225, 530, 999
sobrevivência 110, 117, 141
sobrevivente 40, 110, 117, 141, 671
sobreviver 40, 110, 117, 141, 660, 671
sobrevivo 40
sobriamente & *adj.* 953
sobriedade 174, 498, 502, 578, 849, 850, 864, 879, 953
Sobriedade 576
sobrinha-bisneta (filha de sobrinho-neto e sobrinha-neta) 11
sobrinha-neta (filha de sobrinha ou sobrinho) 11
sobrinha-trineta (filha de sobrinha-bisneta e sobrinho-bisneto) 11
sobrinho 11
sobrinho e sobrinha (filhos de irmão ou irmã) 11
sobrinho-bisneto (filho de sobrinho-neto e sobrinha-neta) 11
sobrinho-neto (filho de sobrinha ou sobrinho) 11
sobrinho-trineto (filho de sobrinha-bisneta e sobrinho-bisneto) 11
sóbrio 174, 498, 502, 572, 576, 826, 849, 850, 864, 881, 953, 958
sóbrio 498
sobrolho 245, 441
sobrostrado 253
socado 192
socairo 530, 666
soçaite 875
socalcar 330, 826
socalco 210, 251
socancra 545, 548, 702, 819
socapa 526, 545, 702
socar 300, 659, 720
socarrão 545, 702, 941
socate 276
socava 252, 530
socavado 645
socavão 530
socavar 252, 545, 702
sochantrear 625
sochiar 449
Sociabilidade 892
sociabilizar 892
social 372, 892
socialaite 875
social-democracia 737
socialismo 737, 778, 910
socialista 737, 778, 910
socialite 875
socialização 777
socializar 892, 910
sociável 41, 892
sociavelmente & *adj.* 892
sociedade 178, 372, 709, 712, 778, 892
Sociedade do anel 890
Sociedade dos Amigos 984
societário 711, 778
societas sceleris 709
sócio 88, 778, 890

sociologia 372, 910
sociológico 372
sociólogo 492, 690
soco 211, 215, 225, 276, 716, 972
soco! (bras.) 932
soçobrado 732
soçobrar 146, 162, 304, 306, 310, 665, 731, 732
soçobrar no negro abismo da infâmia 874
soçobro 146, 659, 665, 735, 859
soco-inglês 276
socórdia (desus.) 683, 862
socorredor 711
socorrer 644, 662, 707, 784, 906
socorrer-se de 677
socorrista 707
socorro 662, 707, 906, 910
Socorro! 665, 669, 672, 707
socorros da medicina 662
sodalício 712, 888, 997
sodomia 961
sodômico 961
sodomista 962
sodomita 962
soeiras 613
soerguer 307, 658
soerguimento & *v.* 307
soez 645, 649, 852, 874, 932, 945
sofá 215
sofi/cã 745
sofisma 477, 497, 499, 523, 539, 544, 617
sofisma revoltante 497
sofismar 477, 523, 544
sofismável 485
sofista 492, 548
sofística 477
sofisticação 477, 658, 850
sofisticado 850
sofisticar 477, 679
sofisticaria 477
sofístico 477, 497
sofito 847
sofomania 491, 855
sofomaníaco 493, 855
sofômano 855
Sofre e abstém-te 942
sofrear 36, 142, 174, 751, 864
sofrear a bravura 174
sofrear-se 174, 826
sofredor(es) 828, 877
sôfrego 173, 264, 682, 684, 824, 825, 865, 957
sôfrego de falar 584
sofreguice 682, 825, 957
sofreguidão 132
sofreguidão 132, 682, 684, 820, 825, 865, 943, 857
sofrer 175, 655, 821, 826, 828
sofrer alteração profunda na sua estrutura 146
sofrer as consequências de 974
sofrer castigo 972
sofrer da bola 503
sofrer das faculdades 503
sofrer de nanismo/nanocormia/nanomelia 193
sofrer de poliopia 482, 549
sofrer desarranjo mental 503
sofrer golpe mortal 162
sofrer grandes danos 828
sofrer maus tratos 378
sofrer modificação 144
sofrer quebra 643
sofrer redução 36
sofrer sério revés 732
sofrer tenaz oposição 708
sofrer um desaire 874
sofrer um eclipse 449, 528
sofrer uma decepção 509
sofrer uma dor 378
sofrer uma sangria 809

sofrer/incorrer em uma perda 776
sofrimento 378, 619, 649, 655, 663, 821, 832
Sofrimento 828
sofrimento físico 378
sofrimento moral 619
sofrível 32, 628, 639, 643, 648, 651, 831
sofrivelmente 32, 651
sofrivelmente bem 32
soga 45
sogra 215
soi disant 155, 535, 544, 546, 565, 884
soído 402
soirée 840
sojicultura 371
sol 249, 318, 382, 420, 423, 492, 745, 873
sol a pino 125
sol brilha para todos, O 922
sol da justiça 976
sol de inverno 843
sol do entendimento 450
sol e dó (pop.) 415
Sol lucet omnibus 922
sol poente 126
sol posto 659
sola 207, 211, 215, 635
sola do pé 440e
solapa 252, 702
solapado 528
solapar 160, 162, 252, 528, 545, 659, 702
solapar-se 664
solar (tocar solo) 417
solar (mansão) 189, 875
solar (do Sol) 318
solarengo 875
solário 114
solatium 973
solau 597
solavanco 309, 315, 839
solaz 834, 840
solcris (ant.) 449
solda 45
soldada 809, 973
soldadeiro 746
soldadesca 712, 726
soldado (pejorativo para) 701
soldado 711, 717, 726
soldado de fortuna 726
soldado de leva 726
soldado desertor 607
soldadura 43, 46
soldagem 46
soldar 43, 45, 46, 660, 807
soldo 810, 973
solecismo 477, 495, 579
Solecismo 568
solecista 568
soledade 833, 893
soleira 66, 207, 215, 231
solene 531, 535, 642, 837, 845, 882, 990
solenemente 31
solenidade 642, 840, 873, 882, 883, 990, 998
solenização 883
solenizar 883
solenoide 248
solércia 545, 702
solerte 487, 498, 545, 702
soleta 211, 207
soletração 561, 562
soletrar 491, 522, 538, 561
solevantar 307
solevantar os caracteres 824
solevar 307
solfar 658
solfeggio 415
solfejar 416, 580

solfejo 415
solfista 416
solhado 204
solho 204
solicitação 288, 615, 695, 741, 765
solicitador 758, 767, 968
solicitante 288, 765, 767, 865
solicitar 288, 741, 760, 765, 865, 968
solicitar a atenção/a ideia/o pensamento/o espírito/as vistas 457
solicitar favor 906
solicitar os corações dos grandes 933
solícito 264, 459, 602, 644, 682, 860, 894, 902, 906
solicitude 132, 459, 602, 682, 816, 860, 865, 906, 926
solidamente 31
solidamente constituído 159
solidamente educado 490
solidão 87, 180, 528, 687, 893
solidar 321, 467, 488
solidariamente 707
solidariedade 52, 372, 488, 709, 778, 816, 829, 906, 910, 944
solidário 488, 707, 709, 712, 906
solidarizar-se 488, 709, 712, 778, 816
solidarizar-se (com) 707, 709, 712, 778, 816
sólidas 428
sólidas esperanças 858
solidéu 225, 999
solidez 52, 150, 159, 321, 327, 474, 498, 604
solidificação 321, 323, 385
solidificado 321
solidificar(-se) 43, 46, 159, 321
sólido 110, 150, 159
sólido 3, 43, 52, 321, 327, 474, 476, 494, 604a
solifugo 893
soliloquiar 589
solilóquio 582, 586, 589
soliloquista 589
solimão 663
solinhadeira 276
solinhar 201, 240, 322, 673
sólio 215, 747
sólio estelífero 318
solípede 366, 440c
solipsismo 880, 943
solipsista 943
solista 413, 416
solitária 87, 655, 752
solitário 44, 70, 87, 187, 247, 847, 893
solitário dos Çáquias 979
sólito 613
solo 211, 342, 415, 692a, 840
Sólon 500
sol-posto 126, 128
solstício 318
solta 45, 173, 284
soltar 44, 47, 580, 582, 750, 760
soltar a imaginação 515
soltar a língua 961
soltar a voz 411, 416
soltar ais e lamentos 839
soltar as rédeas 760
soltar balão de ensaio 463
soltar foguetes 838
soltar grito de alarma 531
soltar gritos descompassados 839
soltar o freio a alguém 750
soltar/estar soltando fogo/fumaça pelas ventas 900
soltar soluços 839
soltar um grito de alarma 550

soltar voo | sotaina

soltar voo 293
soltar-se 173, 360, 672, 825, 954
soltar-se em doestos 907, 929
soltar-se em liberalidades 816
soltar-se em palavras 584
solteiramente & *adj.* 904
solteirão 130, 904
solteiro 44, 87, 904
solteirona 130, 904
solto 10, 44, 47, 598, 748, 927a, 961
solto de língua 584
soltura 299, 462, 480a, 522, 655, 672, 748, 750, 885, 961
solução 65, 154, 335, 462, 480, 480a, 522, 807
solução conciliatória 774
solução de continuidade 44, 53, 70, 198
soluçar 349, 402a, 580, 839
soluçar em grandes tremores 173
soluçar um adeus 293
solucionar 462, 480, 480a, 522
soluço 349, 833, 839
soluços de Jó 839
soluçoso 839
solus 87
soluto 44, 47, 333, 748, 927a
solúvel 144, 333, 335
solvabilidade 803, 807
solvável 807
solvência 803, 807
solvente 807
solver 335, 462, 480a, 522, 807
Som 402
som 402a, 413, 580, 627, 692a
som abafado/surdo 408a
som alto 404
som áspero/desagradável 410
som de água 402a
som de alimentos ao fogo 402a
som de andar de animais 402a
som de apito 402a
som de árvore 402a
som de asas 402a
som de automóvel 402a
som de bala 402a
som de beijo 402a
som de bomba 402a
som de campainha 402a
som de canhão 402a
som de carro de bois 402a
som de chicote 402a
Som de coisas 402a
som de fogo 402a
som dos maracás 715
som fraco 405
som plangente 839
som repetido e prolongado 407
som sibilante 409
som súbito e violento 406
som vazio 517
som, aparelho de 633
soma 25, 37, 50, 84, 490, 639, 739, 800
soma de conhecimentos 490
soma redonda 800
somar 27, 37, 43, 72, 85, 201, 596
somática 316
somático 3, 316
somatologia 316
somatório 37, 50, 84, 85, 800
somatoscópico 216
Sombra 424
sombra 4, 21, 32, 65, 88, 168, 203, 223, 281, 339, 360, 362, 367, 421, 422, 443, 491, 515, 533, 556, 651, 664, 860, 980
sombra de diferença 15
sombra de esperança 858
sombra de governo 738
sombra de homem 605

sombra de Nino/de Banquo 88, 950
sombra de outra sombra 32
sombra de sombra 101
sombra do túmulo 360
sombra e água fresca 377
sombra fresca 424
sombra negra 735
sombras 945
sombras chinesas 448
sombras da morte 360
sombras do mistério 533
sombras dos mortos 362
sombras dos sem-luz 442
sombreado 422, 556
sombrear 223, 421, 424, 556, 651, 837
sombreira 422
sombreiro 223, 225, 424
sombrejar 421, 424
sombriamente 31, 900
sombrinha(s) 223, 424, 443
sombrio 353, 421, 422, 424, 426, 432, 519, 649, 735, 739, 837, 839, 901a
sombroso 424
somenos 28, 34, 643, 651
somente 87
some-te! 449, 908, 932
somilher (casa real) 530
somítego 819
somiticaria 819
somítico/somítego 819
sonambulação 266
sonambulismo 266
sonâmbulo 266, 268, 421, 477, 497, 515
sonância 413
sonante 402, 404, 413
sonarento 275, 683
sonata 415
sonatina 415
sonda 208, 262, 461
sondagem 208, 455, 461, 675
sondar 208, 455, 457, 461, 463, 466, 490, 675
sondar até o fundo 461
sondar o terreno 864
sondareza 461
sondável 209
soneca 683
sonega 808
sonegação 528, 808
sonegar 528, 552, 791, 808, 927, 940
sonegar-se 927a
soneira 683, 823
sonetar 597
sonetear 597
soneteiro 597
sonetilho 597
sonetista 597
soneto 597
soneto com estrambote 597
songa-monga 548
sonhada fantasia 515
sonhado 546
sonhador 458, 515
sonhar 451, 458, 515, 626, 858
sonhar com 620, 858
sonhar sonhos de ouro 836
sonhar sonhos encantados 827
sonho 4, 111, 471, 495, 515, 643, 683, 865
sonho de Alnaschar 858
sonho de louco 471
sonho de poeta 471
sonhos dourados 858
sonial 823
sônico 402
sonido 402
sonífero 376, 683, 841, 843
sonílloquo 683

sonípede 412
sono 265, 376, 683, 687, 823
sono cheio/férreo/de chumbo/de inocência 683
sono da morte 360
sono das leis 918
sono do esquecimento 360
sono do repouso 360
sono do trespasse 360
sono do túmulo 360
sono dos justos 360
sono dos mortos 360
sono nervoso 683
sonoite 126, 422
sonolência 275, 376 683, 823
sonolência letárgica 655
sonolento 104, 172, 275, 458, 683, 843
sonômetro 413
sônomo 321, 323
sonoplastia 692a
sonoridade 402, 413
sonoro 402, 413, 417, 577
sonoroso 31, 402, 404, 413
sonsa 702
sonsice 702
sonsinho 702
sonso 545, 702
sopa 298, 352
sopão 959
sopapo 972
sopé 211
sopear(-se) 174, 211, 275, 609a, 731, 826, 879, 930
sopeira (fam.) 746
sopeiro 683, 749
sopesar(-se) 27, 215, 319, 451, 607, 817
sopetear 339, 394, 827
sopiar (fam.) 998
sopitação 526
sopitado 526, 683
sopitar 160, 526, 528, 683, 826, 834, 858
sopitável 526
sopito 526, 683
sopontadura 457, 550
sopontar 457
soporativo 683, 841
soporífero 662, 683, 841
soporífico 683, 841
soporizar 683, 841
soporoso 683
soportal 66
sopradela 405
soprano 415, 580
soprar 1, 284, 297, 338, 347, 349, 417, 527, 582, 695, 824
soprar ao ouvido de alguém 533
soprar aos ouvidos 580
soprar aragem fresca 383a
soprar frio e quente 520
soprar o fogo 824
soprar quente e frio 477, 544, 940
sopresar 789
sopro 113, 175, 295, 338, 349, 359, 615
sopro vital 642
soquear 972
soqueira 276
soquete 225, 263, 276, 972
soquetear 276, 321, 972
sorar 321, 333, 335
sordes 653
sordícia 653
sordida verba 579
sordidez 653, 819, 874, 886, 940, 943, 945
sordidez da bajulação 933
sordidez egoística 943
sórdido 641, 649, 653, 819, 846, 874, 943, 945, 961

sorites 476
sorna 683, 841, 877
sornar 683
sorneiro 683
soro 333, 335, 337, 662
sóror 876, 996
soror Phebi 318
sorores vipereœ 173
sorrabar 281, 933
sorratear 791
sorrateiramente 528, 702
sorrateiro 528, 702
sorrelfa 526, 545, 702, 819,
sorrelfo 544
sorridente 664, 734, 826, 831, 836, 838, 845, 858
sorridentemente 31
sorrir 1, 377, 836, 838, 902
sorrir a alguém 865
sorrir-se para 902
sorriso(s) 377, 827, 838, 902
sorriso de desprezo 930
sorte(s) 16a, 72, 75, 152, 156, 601, 621, 735
sorte das armas 722
sorte de Ícaro 732
sorte está lançada, A 601
sorte grande 156, 618, 621, 803, 904
sorte má/adversa/madrasta 735
sorteado 20a, 621, 726
sortear 60, 621
sortear com pelouros 609
sorteio 621, 636
sortela 247
sortes Homerica 992
sortes Sanctorum 992
sortes Virgilianœ 156, 621, 992
sortido 20a
sortilégio 511, 621, 992
sortilego 513, 992, 994
sortilha 247
sortimento 20a, 41, 72, 440, 636, 637, 639, 798
sortir 20a, 41, 637
sortir de diversas cores 440
sorumbático 585, 837
sorvado 659
sorvalhada 59
sorvar 659
sorvedeiro 818
sorvedela 296
sorvedouro 198, 260, 312, 315, 348, 449, 667
sorvedura 296
sorver 162, 296, 298, 398, 827
sorver delícias 827
sorver o cálice da amargura 828
sorver terras 274
sorver uma pitada 296, 392
sorver/engolir lágrimas/injúrias/a pílula/em seco 725
sorver-se 310
sorvete 385, 387
sorvo 32, 296, 298
sósia 17, 634
soslaio 217
sosquinar-se 602
sossegado 174, 265, 403, 664, 721
sossegar 174, 265, 683, 687, 723, 826, 834
sossego 174, 265, 275, 403, 664, 687, 721, 823, 826
sosso 635
sostra ou costra 653
sôt à triple étage 501
sota 268, 685, 687, 702
sota-cocheiro 268
sota-comitre 694
sotaina 550, 876, 996, 999

sótão 189, 210
sota-piloto 269
sotaque 583, 856
sotaventear 267, 278
sota-vento 236, 278
sótea 189
soterramento 363
soterrar 223, 363
soto-capitânea (ant.) 726
soto-capitão 269, 694
soto-ministro 996
soto-pôr 53, 55, 460, 773, 925, 930
sotrançção 545, 548
sotto voce 581
soturnez 901a
soturnidade 901a
soturno 382, 403, 421, 422, 837, 860
soul 415
Sounderbound 769
sous tous les rapports 52
souto 367
sova 972
sova de pauladas 972
sovaco 244, 440e
sovado 104
sovaquinho 401
sovar 41, 276, 324, 716, 720, 921, 972
sovela 262
sovelão 262
sovelar 260, 615
soviético 739
sovietismo 737
sovina 262, 819
sovinada 856, 907
sovinar 830
Sovinaria 819
sovinice 819
sozinho 87, 706, 893
spa 656
spagíria 144
spalla 416
speciali gratia 760
spécialité 79
Spero meliora 858
Spes sibi quisque 604
spirare mendacia 546
spiritual 415
spirituoso 415
spleen 837, 866
spolia opima 793
sponte sua 600
spretæ injuria formæ 929, 934
staccato 413, 415
staminet 189
stare super antiquas vias 613, 670, 681
state of the art 650
statu quo 141, 122
statu quo ante 145
status 8, 71, 183
stealth 722
steeplechase 622, 720
Stet pro ratione voluntas 600
stillicidium 348
street-dance 840
striptease 226
studio 556, 691
Stupete, gentes! 872
Stupor omnes difixit 509
Sua alma, sua palma 973
Sua Alteza Imperial 876
Sua Alteza Real 876
sua baixa do serviço 756
sua estrela brilha com fulgor intenso, A 734
Sua estrela começa a empalidecer 735
Sua glória viverá *in æternum* 873
Sua sentença está lavrada 601
Sua sorte está lavrada 735

sua tenda em 150
Sua vida pende de um fio 655
suador 384
suadouro 382, 386
suão 382
suar 295, 297, 382, 682, 686
suar por todos os poros 382
suarda 356, 653
suarento 682
suasão 537, 615
suasivo 484, 615
suasório 484, 615
suave 174, 332, 377, 383a, 405, 413, 578, 648, 705, 740, 829, 845, 897, 906
suavemente 618
suavidade 174, 324, 332, 377, 413, 578, 740, 829, 850, 879
suaviter in modo 826
suavizamento 937
suavizante 829
suavizar 174, 320, 469, 829, 834
sub divo 1, 338
sub Jove 338
sub judice 151, 454, 461, 770, 969
sub luce 125
sub rosa 528
sub silencio 403, 458
sub sole 1
sub sole 318
sub spe rati 475
sub suo periculo 926
subácido 397
subadministrar 707
subaéreo 318, 342
subalimentado 203, 956
subalternar(-se) 34,138,148, 749
subalternidade 749, 874, 886
subalternização 874
subalternizado 34
subalternizar(-se) 34, 749, 874, 886
subalterno 34, 726, 746, 749, 886
subaquático 208, 310, 343, 526
subarbusto 367
subarrendamento 783
subarrendar 771, 783
subastral 318
subavaliado 483
subavaliar 483
subchefe 147
subcinerício 382, 432, 526
subclavicular 440e
subcomissão 696
subcomissário 147
subconjuntival 440e
subcontrário 237
subcorrente 348, 526
subcostal 440e
subcutâneo 221, 440e, 526
subdeão 996
subdécuplo 99
subdelegação 755
subdelegar 755
subdiaconato 995
subdiácono 996
subdicotomia 91
subdiretor 147
subdividir(-se) 51, 91, 291
subdivisão 44, 51, 91
subdivisionário 51
subdivo 220, 318
subdominante 413
subduplo 91
subeditor 593
subemprazamento 769
subemprazar 769, 783
subenfiteuse 769, 783
subenfiteuta 779
subenfiteuticar 769, 783
subenfitêutico 769
subentender 514, 522
subentendido 526

subestimação 483, 823
subestimado 483
subestimar 483
subfeudatário 749
subgove 318
subgrave 413
sub-hastação 795
sub-hastar 796
subida 35, 217, 264, 307, 658, 737, 873,
Subida 305
subida do câmbio 800
subido 31, 578, 814, 873, 942
subimento 35
subinte 35
subir 35, 206, 395, 599, 658
subir a 812
subir a cólera ao rosto 900
subir a cor ao rosto 879
subir à Torá 990
subir à tribuna 582
subir ao altar/ao púlpito 998
subir ao câmbio 800
subir ao céu 360
subir ao maior grau 825
subir ao Parnaso 597
subir ao patíbulo 972
subir ao trono/à curul presidencial 737
subir aos ares 320
subir de pensamento 885
subir de ponto 35
subir de ponto alguma coisa 482
subir de preço 814
subir em consideração 734
subir em espiral 305
subir na estima pública 873
subir na virtude 944
subir o câmbio 800
subir o preço 814
subir o rubor às faces 821
subir o sangue à cabeça 900
subir o vinho ao cérebro/à cabeça 959
subir um furo no conceito de 658
subitamente 508
subitâneo 612
subito 113
súbito 113, 508
súbito acesso 825
subjacente 207
subjeção 461
subjetivar 317
subjetividade 5
subjetivismo 317, 943
subjetivo 2, 4, 5, 317, 450
subjicere alicui verbo duas res 523, 545
sub-Jove 1, 220, 626
subjugação 725, 731, 749, 824
subjugado 725, 827
subjugante 882
subjugar(-se) 174, 175, 615, 722, 731, 749, 751, 826, 827, 829, 886
subjugar prazer 829
subjunção 37
subjuntivo 37
sublacustre 343, 526
Sublata causa, tollitur effectus 153
sublevação 742
sublevar 307, 742, 824
sublimação 307, 336, 482, 652
sublimado 306, 336, 526, 578, 763
sublimar(-se) 206, 307, 321, 336, 482, 578, 650, 652, 873, 931, 990
sublimatório 336
sublime 206, 307, 574, 578, 642, 648, 650, 845, 870, 873, 942
Sublime Porta 696
sublimes e modestas 944
sublimidade 206, 307, 574, 578, 648, 845, 872, 873, 882, 942

sublimidade prática da força 964
sublinear 228
sublinhamento 580
sublinhar 457, 535, 550, 580, 590, 642
sublocação 783
sublocar 771, 783
sublunar 318
submarino 208, 273, 310, 341, 716, 722, 726, 727
submaxilar 440e
submental 440e
submergido & *v.* 310
submergir 146, 162, 208, 300, 306, 310, 337, 528, 640
submersão 300, 528
submersível 310
submerso 208, 310, 337, 528
submeter 34, 174, 461, 731
submeter a prova 463
submeter a rigoroso interrogatório 461
submeter à sua autoridade 737
submeter a votação 609
submeter -se (a) 175, 601, 725, 739, 743, 749, 774, 826, 879, 886
submeter-se ao *stare decisus* 82
submetimento 743
submetralhadora 727
subministrador 637
subministrar 637, 784
submissamente & *adj.* 749
submissão 34, 602, 743, 749, 826, 879, 886
Submissão 725
submisso 602, 725, 743, 749, 826, 879, 886, 928
submúltiplo 51, 84, 440
subnasal 440e
subordinação 9, 28, 34, 58, 63, 631, 725, 743, 749
subordinado 9, 34, 631, 643, 644, 725, 726, 746, 749
subordinante 9
subordinar 28
subordinar-se 9, 725
subordinativo 9
subornar 615, 763, 784, 795, 940
suborno 30, 481, 615, 784, 795
subpor 460, 773
subprefeito 147
sub-repção 544, 775, 791
sub-repticiamente 528
sub-reptício 528, 546, 775, 791
sub-rogação 147, 755, 783
sub-rogador 755, 783
sub-rogante 755
sub-rogar 147, 755, 783, 787
sub-rogatório 755, 783
subscrever 488, 590, 707, 769, 784, 809, 931
subscrição 765, 784
subscritor 784
subsecivo 40, 640
subsecutivo 63, 69
subseguir 117
subsequência 63, 117
subsequente 63, 65, 117, 281
subsequentemente & *adj.* 117
subserviência 176, 481, 631, 886
subserviente 631, 743, 749
subsidiado 746
subsidiar 707, 746, 784, 807, 809
subsidiário 176, 707
subsídio 707, 784, 809, 810, 973
subsilentio 526
subsistência 1, 141, 150, 298
subsistente 40
subsistir 1, 40, 141, 150, 359
sub-sole 220
subsolo 221, 342
substabelecer 147

substabelecer os poderes | superfluidade

substabelecer os poderes 755
substabelecimento 755
substância 3, 5, 56, 221, 316, 329, 398, 516, 572, 596, 630, 642
substância espiritual e abstrata 317
substância informe 241
substanciado 596
substancial 1, 3, 298, 316, 321, 494
Substancialidade 3
substancialidade 316
substancialismo 3, 316
substancialização 3
substancializar 3, 316
substancialmente 3, 596
substancialmente verdadeiro 494
substanciar 159, 298, 467, 494, 572, 596, 924
substancioso 298, 467, 494, 527
substantificar 3, 79, 316
substantífico 298, 467
substantivar 565, 567
substantivo 1, 3, 562, 564
substantivo próprio 564
substatório 142
Substituição 147
substituição 783
substituição de uma consoante forte por outra fraca 583
substituição trunfo 626
substituído & *v.* 147
substituinte 147
substituir 30, 63, 65, 147, 148, 755, 783
substituir a força do direito pelo direito da força 739
substituir formas antigas por formas novas 658
substituível 147
substituto 65, 147, 634, 759
substração (ant.) 950
substrato 3, 204, 215, 221
substratum 204, 211, 215, 221, 316
substrução 215
substrutura 211
subsulano 349
subsultar (poét.) 309, 315
subsultum 315
subsultus 315
subtendente 246
subtender 246
subtensa 246
subtenso 246
subterfúgio(s) 477, 481, 544, 546, 617, 671, 702, 773
subterfúgios sofísticos 477
subterfugir 477, 617
subterrado 528
subterrâneo 189, 208, 252, 526, 528, 530
subtérreo 208, 528
subtilmente 528
subtítulo 593
subtração 36, 85, 776, 789, 791
Subtração 38
subtraendo 38, 84
subtraído & *v.* 38
subtrair 36, 38, 85, 789, 791, 818
subtrair ao conhecimento/à vista de 528
subtrair-se 623, 671, 927a
subtrair-se à vista 449
subtrativo & *v.* 38
suburbano 189, 227
subúrbio 189, 197, 227
subvalorização 483
subvalorizar 483
subvenção 637, 707, 784
subvencionar 707
subversão 61, 146, 162, 218, 308, 742

subversivo 146, 162, 218, 742, 860
subversor 146, 162, 218
subvertedor 162
subverter 61, 146, 162, 218, 308, 479, 523, 742, 808
sucção 157
sucedâneo 65, 147
Sucedâneo 634
sucedenho (Beira) 151, 731
suceder 63, 65, 151, 731
suceder a 147
suceder ao mesmo tempo que 120
suceder-se 69, 117
sucedido 151
sucedimento 63, 151, 731
Sucessão 281
sucessão 63, 69, 104, 117, 136, 167, 281, 451, 783, 784
sucessão de triunfos 731
sucessividade 63
sucessivo 63, 69
sucesso 63, 151, 618, 621, 676, 729, 734, 829
Sucesso 731
sucessor(es) 117, 121, 147, 167, 281
Sucessor 65
sucessor de 779
sucessor de s. Pedro 996
sucessoriamente & *adj.* 65
sucessório 65
súcia 72, 683, 712
suciar 72, 683, 709
suciar-se 712
suciata 840
sucinto 201, 572, 596
súcio 683, 941
suco 5, 298, 333, 642, 648, 650
suco e substância 596
sucoso 298, 333, 352
Sucot 998
súcubo 207, 913, 978, 980
suculento 298, 333, 339, 352, 354, 394, 639, 648
sucumbir 158, 306, 360, 688, 725, 732, 773, 837, 859
sucumbir ao ferro de 361, 725
sucumbir às armas/ao ferro de 725
sucuri 441, 913
sucursal 39, 51
sudário 31, 363, 527, 594, 649, 998, 1000
sudatório 295, 382, 384
sudeiro 363
súdito 348, 746
sudoestar 278, 349
sudoeste (S.W. ou S.O.) 278
sudoku 840
sudorífero 295, 382, 384, 386
sudorífico 295, 384
sudra (Índia) 877
sueca 840
suelto 531
suestar 278, 349
sueste (S.E.) 278
suéter 225, 384
sueto 685, 687
sufete (Cartago) 967
sufíbulo (vestais) 999
suficiência 52, 698
Suficiência 639
suficiente 639, 698, 953
suficiente para enlouquecer alguém 830
suficientemente & *adj.* 639
sufismo 983a
sufista 984
sufixar 39, 63
sufixo 39, 65, 562
suflê 298

sufocação 361
sufocado 403, 405
sufocante 382, 401
sufocar 142, 158, 162, 174, 179, 261, 581, 640, 706, 739, 751, 826
sufocar-se 821
sufoco 804, 806
sufragâneo 996
sufragar 363, 931
sufragar com responsos os defuntos 990
sufragar o nome de 609
sufrágio(s) 609, 998
sufrágios da Igreja 363
sufragista 609
sufumigação 652
sufumigar 652
sufumígio 652
sufusão 41
sugadouro 789
sugar/sucar 296, 298, 775, 789
sugerir 505, 514, 515, 527, 615, 695
sugerir à memória 505
sugerir uma questão 461
sugerir-se na cabeça 451
sugestão 505, 514, 516, 527, 615, 626
sugestionar 514, 615, 992
sugestivo 505, 514, 516, 594, 642
sugesto 542
suggestio falsi 544, 546
sugilação 429
sugilar 378
sui generis 79, 83
suíça 131
suicídio 361
suídeo 366
suíngue 415
suindara (bras.) 512
suinicida 361
suíno 366
suinocultura 370
suíte 415
sujamente & *adj.* 653
sujar 653, 659, 848, 874, 934
sujar as mãos 940
sujar as mãos de sangue 919
sujeição 34, 177, 625, 725, 732, 743, 826, 886
Sujeição 749
sujeitar 34, 731, 749, 751
sujeitar a exame 461
sujeitar-se 82, 177, 602, 725, 743, 770
sujeito 177, 317, 372, 373, 454, 665, 725, 743, 746, 749, 877, 926
sujeito a 176, 475, 602, 749
sujeito a investigação 461
sujeito à lei da gravidade 319
sujeitório 372, 877
sujidade(s) 40, 426, 460, 643, 645
Sujidade 653
sujo 426, 460, 653, 674, 852, 874, 930, 961
sujo de erros 495
sul 236, 278
sul e norte 237
sulaventear 278
sulcado & *v.* 259
sulcado de 16a
sulcar 259, 267
sulco 198, 209, 252, 258
Sulco 259
sulcus 259
sulfúreo 388
sulfuroso 388
sultana 745, 746
sultanato 181
sultão/soldão 739, 745, 962
suma 594, 596
Suma Perfeição 976
sumaca 273

sumagral 367
sumagrar 431, 673
sumagreiro 673
sumamente 31, 596
sumarento 333, 339
sumariamente 132, 596, 964
sumariar 596
sumário 86, 111, 505, 572, 593, 594, 596, 964
suma-se! 449
sumiço 2, 449, 776, 791
sumidade 210, 492, 873
sumidiço 447
sumido 187, 196, 203, 405, 447, 449, 528
sumidouro 191, 350, 449, 667, 818
sumidura 449
sumir(-se) 2, 4, 67, 109, 162, 196, 304, 306, 310, 449, 528, 623, 671, 776
sumir-se a voz 581
sumir-se o dinheiro na voragem de 809
sumista 593, 596
summum bonum 827
summum jus 922
sumo 33, 206, 210, 333
Sumo Bem 976
sumo grau 210
sumo pontífice 33, 996
sumoso 333
sumpção 296, 298
sumpto 809
sumptus effusi 818
súmula 594, 596
sumum bonum 618
Suna 986
sundeque 972
sunga 225
sunita 983a
suntuário 800, 809, 814, 882
suntuosidade 845, 882
suntuoso 428, 803, 809, 814, 845, 847, 882
suo Marte 686, 698
suo motu 600
Suo sibi gladio hunc jugulo 479, 718
suor 295
suor(es) frio(s) 821, 828, 860
supedâneo 211, 215, 1000
supeditar 637, 784
superabundância 640, 803
superabundante 52, 640
superabundantemente 640
superabundar 640
superação 33
superadição 37
superado 124
superar 33, 162, 303, 731
superável 470, 643, 858
superavit 805
superchreie 545
supercílio 245, 441
supercilioso 243, 832, 895
superdominante 413
supereminência 206, 210, 648, 873
supereminente 206, 210, 648, 873
superevangélia (ant.) 999
superexcelência 648, 650
superexcitação 825
superexcitado 825
superfaturamento 776, 812, 818
superfaturar 812, 818
superfetação 37, 168, 640, 645
superficial 6, 53, 209, 220, 460, 491, 643
superficialmente 491
superfície 180, 210, 220, 448
superfino 42, 648
superfluidade 33, 40, 573, 640, 645

738

supérfluo | sutura

supérfluo 40, 640, 645
Super-Homem 159
super-homem 500, 873
superintendência 692, 693
superintendente 694
superintender 693
superior 28, 33, 210, 601, 642, 648, 650, 694, 745, 873
superior à razão humana 519
superior ao seu século 498
superior às forças da natureza 83
Superior Tribunal de Justiça 922
superiora 694
superiorato 995
superioridade — maneiras de indicar 33
superioridade 28, 62, 75, 642, 648, 650, 731
Superioridade 33
superioridade de vistas 942
superiorizar 33, 648, 931
superiormente 31, 33
superjunção 37
superlativamente 31
superlativar 33
superlativo 33
superlotado 52
supernal 33, 210, 976, 981
supernatural 976
superno 33, 210, 976, 981
súpero 33, 210
superpor 37, 199, 223
superposição 37, 223
supersaturação 640
supersaturado 52, 640
supersensível 317
superstição 486, 992
supersticioso 486, 984, 772
superstições 515
supérstite 110, 117, 141
superstratum 6, 220
supertônica 413
supervacâneo 640, 645
supervácuo 640
supervalorização 482
supervalorizado 482
supervalorizar 482
superveniência 117
superveniente 117
supervisão 693
supervivência 110, 141
supervivente 40, 110, 141
supetão 276
supimpa 394
supinação 213
supinamente 31
supinidade 823
supino 33, 206, 213, 873
suplantação 33, 147
suplantar 33, 147, 731, 739, 773, 879
suplementar 37, 39, 52, 84, 640
suplementário 37
suplemento 147, 39, 52
suplente 147, 759
supletivo 52
supletório 37, 52, 147
súplica 615, 765, 990
súplica especial 914
suplicação 765
suplicado 969
suplicamento 765
suplicante 765, 767, 865, 969
suplicar 765
suplicar a proteção de 990
suplicatório 765
súplice 765
suplicado 972, 975
suplicar 830, 972, 974
suplício 378, 619, 828, 830, 972, 974

suplício da roda 975
suplício de Tântalo 865
suplícios eternos 974
supondo-se que 469
supor 475, 514, 515
suportabilidade 740
suportação 821
suportal 215
suportar 159, 170, 215, 670, 719, 740, 760, 821, 826, 828, 914
suportar a pressão de 207
suportar o assalto de 821
suportar o pairo/o choque/o embate/a mecha (fam.) 826
suportar o peso de 625
suportável 743
suporte 175, 211, 265, 633, 666, 670, 673, 707, 937
Suporte 215
suposição 475
Suposição 514
suposição fundada em probabilidades 858
supositar 3
suposítício 514, 515
supositivo 2, 514, 545
supostamente 514, 617
suposto 2, 3, 155, 514, 545
suposto que 514
supra 62
supracitado 62, 116
supradito 62, 104, 116
supralapsário 984
supramencionado 62, 116
supramundano 648, 939
supranatural 976
supranaturalismo 983
supranumerário 39, 599, 636, 640
suprassumo 33, 210, 650
supra-summum 210, 650
Suprema Corte 966
Suprema Inteligência 976
Suprema Sabedoria 976
supremacia 33, 157, 175, 615, 693, 737
supremo 33, 210, 642, 648, 665, 737, 873, 976
Supremo Arquiteto 976
supremo bem 619, 976
supremo direito 922
Supremo Tribunal Federal 922, 963
supressão 38, 53, 55, 62, 528, 756
Supressão 552
suprido 637
suprimento 37, 39, 637, 787
suprimido 552
suprimir 2, 30, 38, 53, 55, 158, 162, 201, 460, 552, 678, 739, 756
suprimir o remorso 907
suprimir obstáculos 705
suprir 37, 52, 637, 707, 864
suprir a falta (de) 147, 755
suprir o impedimento de 147
supuração 299, 653
supurar 299
supurativo 299
supuratório 299
suputação (desus.) 85, 466
suputar (ant.) 85, 466
sura 990
surda 752
surdamente 528
surdear 419
Surdez 419
surdina 408a
surdir 154, 267, 282, 295, 446
surdista 269, 664, 666
surdo 405, 408a, 417, 419, 458, 528, 561, 823
surdo aos conselhos 606

surdo aos gritos da consciência 951
surdo como teiú 419
surdo-mudo 419, 581
surfe 840
surgidouro 292
surgidouro de livre tença 666
surgimento 448
surgir 66, 125, 151, 292, 295, 446, 448
surgir a estrela vespertina 126
surgir a memória do letargo 505
surgir à mente 505
surgir aos olhos de 529
surgir de novo como cogumelo 136, 163
surgir entre 228
surgir no porto 292
surgir tropeços no caminho de 706
Surgit amari aliquid 651
surmenage 688
suro 243, 440c
surpreendente 31, 508, 829, 870
surpreendentemente 508
surpreender 508, 702, 829, 870
surpreender a morte a alguém 360
surpreender(-se) 508
Surpresa 508
surpresa 509, 621, 870
surpresar 870
surpreso 458, 475, 509, 870
surra 972
surrado 124, 659, 677
surrão 191, 653
surrar 673, 972
surrento 653
surriada 353, 716, 929
surriada! 509
surriba 371
surribar 371
surripiar 791
surround 402a
surrupiar 789, 791, 818
sursis 671, 672, 750
sursum corda! 990
surtida 716
surtir mal 732
surto 265, 267, 282, 448, 525
surtos da fantasia 515
surtout 225
suruba (chulo) 961
surucucu 913
sururu (bras.) 315
surveillance 693
sus! 615, 680, 681
susce(p)tibilidade 157, 176, 177, 603, 615, 820, 822, 901
susce(p)tibilizar-se 822, 900
susce(p)tível (de) 176, 177, 822, 901
susce(p)tível de mudança 149
suscitamento 824
suscitar 153, 161, 173, 175, 485, 514, 615, 708, 824
suscitar desejo 865
suscitar embaraço 706
suscitar uma questão 461
suserania 737
suserano 737, 745
súsino 400, 430
suso 62, 206
susodito 116
suspeita 475, 485, 487, 490, 510, 514, 860, 920
suspeitar 475, 484, 485, 514, 920
suspeito 475, 657, 860, 923, 938
suspeitoso 485, 487, 585, 649, 860
suspender 70, 142, 307, 972

suspender a ação/o movimento 751
suspender a execução 756
suspender a respiração 507, 870
suspender as garantias constitucionais 925
suspender de ordens 756, 972
suspender o braço 142
suspender pagamentos 808
suspender-se 206, 214, 609a
suspensão 70, 142, 214, 265, 413, 475, 507, 624, 761, 808, 972
suspensão das garantias constitucionais 739
suspensão de hostilidades 723
suspensão de ordens/de exercício 756
suspensão de trabalhos 687
suspense 507, 692a
suspensivo 142
suspenso 206, 214, 265, 458, 475, 605, 609a
suspensório 215
suspicácia 485, 487, 603, 605, 920
suspicaz 485, 603, 605, 920, 923
suspirar 349, 402a, 405, 412, 839
suspirar por 865, 897
suspiro(s) 405, 833, 839
suspiros dos jardins 839
suspiroso 833, 865
sussuradamente & *adj.* 405
sussurrante 405
sussurrar 402a, 405, 412, 533, 580
sussurro 402a, 532, 580, 583
Sussurro 405
sustança 298
sustar 133, 142, 706, 761
sustatório 133, 142
sustenido 413
sustenizar 413
sustentação 298, 670, 707
sustentáculo 215, 707
sustentador 298
sustentante 298
sustentar 143, 170, 215, 298, 467, 474, 488, 535, 670, 707, 809, 826, 924, 931, 937, 976
sustentar com igual fulgor o pró e o contra 477
sustentar controvérsias 476
sustentar luta 720
sustentar o cerco 717
sustentar o espírito 537
sustentar o peso do inimigo 717, 719
sustentar um paradoxo 477
sustento 298, 637, 707, 809
sustento do espírito 829
suster 215, 719, 826
suster-se 826
sustimento 800
sustinência 800
sustinente 215
susto 508, 621, 860
su-sudoeste (S.S.W. ou S.S.O.) 278
su-sueste (S.S.E.) 278
suta 244
sutache 847
sutiã 225
sutil 32, 317, 320, 322, 329, 375, 403, 477, 498, 698, 702
sutil e fútil 477
sutileza 320, 322, 481, 498, 698, 702, 842
sutilezas de sofisma 477
sutilidade 322
sutilização 322
sutilizar 322, 477
sutura 43

sutural 43
suturar 43
suum cuique 780, 786, 790, 922
suxar 44, 324
suxo 44, 324
svedenborgiano 984
swing 415
syllabus 484, 596

T
t'arrenego! 908
taba 189
tabacaria 799
tabacino 392
tabaco 392
tabagismo 392, 679
tabanca (África) 189
tabaquear 392
tabaquear o caso 588
tabaqueira 392
tabaquista 392
tabardo 225
tabaréu 188, 701
tabaxir 396, 556
tabefe 972
tabela 75, 86, 812
tabelar 86
tabelião 553, 968
tabeliar 968
tabelioa 561
tabernáculo 189, 1000
tabernal 653, 799
taberneiro 653
tabernório 799
tabi 256
tabica 324
tábido 203, 649, 657, 659
tabífico 649, 657, 659
tabique 232
tabizar 256
tabla 204
tablado 441, 542, 599, 728
table d'hôte 298
tableau 556, 599
tablete 662
tablilha 632
tabo (asiát.) 273
taboca 367
tabu 761
Tábua 86, 204, 426
tábua de salvação 632, 666
tábua rasa 493, 501
tabuado 232
tabuinhas 422
tábula (ant.) 945
tabula rasa 2, 187, 491, 552
tabulado 211
tabulagem 945
tabular 204
tabulário 593
tabuleiro 191, 215, 251, 255, 344
tabuleta 550
taburno 211, 215, 305, 307, 363
taça 191, 959, 975
taça circiana 954
taça de Circe (intemperança) 377
taçada 190, 959
tacamaca 356a
tacanharia 819
tacanhear 499, 819
tacanhez 499
tacanhice 499, 819
tacanho 499, 643, 819
tacaniça 223
tacape (tupi) 727
taceira 799
tacha 45, 191, 651, 848, 945
tachada 190
tachar 565, 932
tachar de 938
tachismo 692a
tacho 191
tachonar 43, 440

tácito 517, 526
taciturnidade 526, 581, 901a
Taciturnidade 585
taciturno 581, 585, 893, 901
taco 31, 51
taekwondo 840
tafegar (reg.) 174
tafiá (cachaça) 959
taful 698, 851, 854, 945, 949
taful de 698
tafular 851, 854, 882
tafularia 851
tafulhar 261
tagantada 619, 972
tagante 975
tagarela 532, 584
tagarelar 407, 499, 517, 529, 584, 588
tagarelice 517, 532, 584, 588
tagarote 804
tagaté (fam.) 902
tage 747
tágides 979
taifa (ant.) 726
taimado 702
taipa 232
Taís 962
tajã 727
tal 17, 79, 565
tal como 17
tal e qual 17, 27
tal e quejando 34, 651
Tal não sucede porém 536
tal pai, tal filho 17, 167
tal qual 13, 488
Tal qual era 141
tal qualmente 17
talabarte 215
talalgia 378
talambor 45
tálamo(s) 440e, 903
talanqueira 189
talante 600
talão 807
talapão (bud.) 996
talar 162, 259, 791
talas 704
talassemia 655
talassiarca (ant.) 745
talássico 341
talassocracia 341, 737
talassografia 341
talco 544, 852
talentaço 498
talentão 498
talento 450, 490, 498, 538, 698, 820
talento militar 722
talentoso 698
talha 191
talhada 51
talhadeira 558
talhado 23, 646, 769
talhado de molde 23, 134, 646
talhado para 698, 924
talhador 253, 298
talhadura 240
talha-mar 666
talhamento 240
talhão 204, 215
talhar 51, 198, 240, 321, 557, 611, 673, 786
talhar bem 698
talhar carapuças 929
talhar derrota para 278, 286
talhar pelo/ao largo 816
talhar sua conduta 680
talhe 240, 448, 550
talher 298
talho 215, 257
Tália 599
talim 215
talinheira 627

talionar 718
talionato 718
talisca 32, 51, 252
talismã 993
talismânico 992
talit 999
Talmude 985
talmúdico 477, 985
talo 215
taluda (pop.) 618
taludão 129, 159
taludar 217
talude 217, 717
taludo 131, 159
talvegue 207, 208, 233
talvez 470, 475, 514
tamanco 225
tamanduá (bras.) 704
tamanhão 159, 192
tamanhinho 193
Tamanho 192
tamanho 25, 31, 75, 192, 200
tamanquear 266
tamanqueiro 225
tamanqueiro de obra grossa 701
tamarma (ant.) 337
tambarane 993
tambatajá 191
tambeira ou tameira 903
também 37
tambo (ant.) 903, 975
tambor 249, 416, 417
tambor, som de 402a
tamborete 215
tamboril 417
tamborilada 414
tamborilar 407, 416
tamborileiro 407, 416
tamborilete 417
tamborim 417
Tamen veritas est 543
tamis 465
tamisar 465
tamo (ant.) 903
tampa 223, 263
tampado 261
tampão 228, 263, 706
tam-tam 417
tanado 433
tanaria 673
tanchão 371
tanchar 371
tandem 200, 272
taneco 978
tanga 225, 226
tangalheira 746
tanganhão 548, 749, 797
tangantar 972
tangantear 972
tangão 212
tangar 226
tange-foles 455, 461
tangência 199
tangenciar 199, 209, 267
tangente 199, 246, 632, 671
tanger 114, 281, 402a, 407, 416, 417
tanger a lira 416, 597
tangere ulcus 505
tangibilidade 316
tangir 402a, 416
tangível 3, 316, 379, 446, 494, 525, 639, 644
tanglomanglo/tangolomango 840, 993
tango 415, 692
tanho 191
tanino 397
taninoso 397
tanjão 683
tanoar 686
tanoaria 691

tanoeiro 690
tanque 191, 343, 636, 716, 722, 727
tanquia (ant.) 226
tanquista 726
tanso 499, 501, 683
Tant sien faut 489
tantã 504
tantalização 615
Tantas cabeças, tantas sentenças 489
tantas componere lites 723
Tantas vezes vai o cântaro à fonte que lá fica 735
tantíssimo 31
tantito 32
tanto 31
Tanto anda quanto desanda 607
tanto assim que 17
Tanto faz assim como assado 609a, 866
tanto melhor! 931
Tanto melhor 858
Tanto monta... como... 823
tanto pior! 832
tanto por tanto 27
tanto quanto 476
tanto quanto possível 52
tanto que 120
tão logo 120
tão opostos como branco e preto 14
tão opostos como luz e trevas 14
tão parecidos como ovo com espeto 18
tão só 32
tão-babalão 402a
tapa 263, 476, 972
tapa-boca 476, 972
tapada 232, 371
tapado 321, 491, 499, 501
tapador 223
Tapador 263
tapadouro 263
tapagem 530, 706
tapamento 261, 706
tapa-olhos 972
tapar 223, 528
tapar a boca 403, 479
tapar a boca a/de alguém 581
tapar a boca de 479
tapar o Sol com peneira 645
tapar os olhos 458
tapar os ouvidos 419
tapeador (bras.) 548
tapear 544
tapeçar 223
tapeçaria 223, 367, 556
tapeçarias 847
taperá (bras.) 366
tapera 124, 659
tapetar 223
tapete 211, 213, 223, 324
tapete de verdura 344, 367
tapigo 232, 530
tapiocano 188
tapir 192
tapiz 223
tapizar 223
tapuio 188
tapulhar 261
tapulho 263
tapume 232, 530
taquara 367
taquari 324, 727
taqueômetro 244
taquigrafar 590
taquigrafia 590
taquigráfico 590
taquígrafo 553
tara 5, 36, 319, 651, 663, 813
tarado 503, 651

taralhão | tempérie

taralhão 501, 885
taralhar 402a, 412
tarambecos 633
tarambote (pleb.) 415
taramela 45, 261, 263, 584
taramelar 412, 584
taramelear 412, 584
tarantela 415, 840
tarântula 913
tarântula do ciúme 920
tarapantão 402a
tarar 813
tarará 402a
tarasca 727, 846, 901
tarasco (reg.) 349
tarasco 349, 383, 860, 893, 895
tarasquento (vento) 349
tardada 133
tardamento 133
tardança 133
tardar 133
Tarde (noite) 126
tarde 135
tarde de rosas 126
tarde demais 645
tardego 275, 685
tardeiro 133
tardeza 133
tardiamente & *adj*. 133
tardião 133, 275
tardígrado 133, 275
tardiloquência 583
tardinheiro 133, 275, 685
tardio 133, 135, 275, 460
tardívago 133
tardo 133, 275, 683, 685
tardonho 133, 275, 685
tarear 972
tarecada 499
tareco 264, 501, 643
tarefa 537, 625, 686, 755, 926
tarefa ingente/hercúlea/augiana/sisifiana/pesada 704
tarefa sem repouso 682
tarefeiro 690
tarega 701, 797
tareia 972
tarela 584
tarequice 499
tari 959
tarifa 809, 812
tarifário 812
tarima 215
tarimba 215, 722
tarimbado 700
tarimbar 722
tarimbeiro 726
tarimbeiro 895
tarja 231, 550, 839
tarjar 229, 550, 839
tarjeta 231, 592
taró (gír.) 383
tarolo 388
tarouco 128, 499
tarouquice 499
tarraçada 25, 31, 959
tarracho 193
tarraco 193
tarrada 190, 273
tarrafa 219, 548
tarrafar 622
tarrafear 622
tarraga (ant.) 840
tarranquém 273
tarranquim (asiát.) 273
tarrantês de 184
tarraxa 45
tarro 191
tarso 235, 440e
tartada (asiát.) 273
tartamelear 583
tartamelo 583
tartamudear 583

tartamudez 583
tartamudo 583
tartana 273
tartanha 273
tartaranha 877
tartaranho 583
tartarear 412, 583
tartareio 583
tartáreo 982
tartárico 982
tártaro 583, 653, 982
tártaro emético 663
tartaruga 130, 133, 275, 275, 846
tartuficar 544, 545
tartufice 544
tartufismo 544
tartufo (depr.) 988a
tartufo 544, 548, 988a
Tarzan e Chita 890
tasca 189, 799, 959
tasqueiro 797
tasquinha 953
tasquinhar 298, 465, 953
tassalho 51
tatá 166
tatá! 505
tatalar 402a
tatambá (bras.) 493, 583
tataranha 605
tataranhar 583, 605
tataranho 605
tatarez 583
tátaro 583
tate! 459, 669
tatear 379, 461, 463, 475, 675, 699
tatear nas trevas 442
tatear nas trevas e no erro 495
tatibitate 583, 605
tática 544, 620, 625, 626, 673, 692, 698, 702, 722
tática fabiana 133, 681
tático 626, 700, 722, 726
tátil 316, 379
tatilidade 379
Tato 379
tato 465, 498, 698, 702, 826, 850, 892
tato obtuso 381
tatu (bras.) 840
tatuagem 440
tatuar 440
tatura 379
tau 67, 999
taumaturgia 870, 976, 992
taumaturgo 976, 977, 992, 994
táureo 412
tauricéfalo 83
tauricida 361
tauricórneo 440c
taurífero 367
tauriforme 412
taurino 412
tauródromo 728
tautocronia 216
tautocronismo 120
tautócrono 120
tautofonia 16, 575, 579
tautologia 13, 104, 573, 640, 645
tautológico 640
tautologizar 104
tautometria 16, 141, 549, 575, 579, 855
tautossilabismo 104
tauxiar 434
tauxiar o rubor as faces de 821
tavanês 699, 720
tavanês buliçoso 682
tavão 193
taverna 189, 799, 959
taverneiro 797
taxa 809, 812, 813

taxar 466, 480, 741, 813, 938
taxar de 929
taxar o valor de 812
taxativo 474, 535, 737, 741, 744, 926
táxi 272
taxidermia 368
taxímetro 200
taxinomia 60
tazza 191
tchutchuca 845
team 759
teandria 983
teândrico 976
teantropia 983
teantropo 976
tear 691
teatino 777a, 996
teatral 599, 855, 882
teatralidade 882
teatro 74, 441, 554, 599, 692a, 728, 840
teatro ambulante 448
teatro da guerra 728
teatro de arena 599
Tebaida 893
teca 800
tecedor 949
tecedura 219
tecelão 690
tecer 41, 161
tecer as mais revoltantes mentiras 934
tecer elogios a 931
tecer um plano 626
techno 415, 840
tecido 219, 329
teclado 417
teclado 590, 633
técnica 505, 697, 698
tecnicismo 698
técnico 82, 673, 690, 698, 700
tecnologia 563
teco-teco 273
ted 800
te-déum 838, 883, 916, 990
tedífero 423
tédio 16, 603, 837, 841, 867, 869
tediosidade 852
tedioso 16, 704, 830, 841
tedium vitæ 841
tefe-tefe 402a, 688, 821
tefilin 999
tegumentar 223
tegumento 223
teia 219, 359, 423, 626, 728
teia das justas 728
teia de aranha 320, 545, 643, 653
teia de Penélope 645
teias 477
teias de aranha 481
teias de Penélope 730
teiga 191, 466
teima 606, 742
teimar 104, 606
teimar aos pés juntos 606
teimice 606
teimosia 486, 606, 719
teimosice 606
teimoso 110, 136, 481, 487, 604a, 606
teimoso como um jumento 606
teiró 485, 603, 713, 889
teísmo 984, 987, 989
teísta 983a, 987
teixe 847
tejadilho 223
tela 219, 556
telalgia 378
telamone 215
telangectasia 194

telantógrafo 534
telão 599
teleférico 307
telefonar 527, 592
telefone 418, 534, 633
telefonema 532, 592
telefonia 592
telefonia móvel 592
telefônico 592
telefonizar 592
telefonizar seus cumprimentos 592
telefoto 534, 554, 592
telegrafar 527, 592
telegráfico 274, 534, 592
telégrafo 274, 534, 668
telégrafo sem fio 534
telégrafo semafórico 550
telegrama 532, 592
telejornal 532
telejornalismo 527, 532
telenoticiário 527
teleologia 620
telépodo 200
telescópico 196, 445, 447
telescópio 445, 633
telescritor 534
telésia 425, 430
telespectador 444
teletipo 592
televisão 527, 531, 633
televisionar 554
telex 534
telha 608
telhado 223, 608
telhado de valadio 223
telha-vã 223
telheiro 189
telhice 608
telhudo 503
telim 402a
telônio 225, 799
telúrico 318, 342
tem piedade 914
tema 454, 516, 562, 595
tema celeste 511
tema das palestras 588
tema de todas as palestras 532
temão 234, 278
temático 562
temblar 413
temer 860
temerário 481, 497, 665, 860, 861, 863
temeridade 699
Temeridade 863
temeroso 860
Têmis 922
temível 860
Temon 911
Temon de Atenas 803
temor 665, 860, 939
têmpera 75, 323, 556, 820, 861, 939
temperado 174, 383, 413, 639, 740
temperamento 5, 48, 176, 329, 413, 820
temperamento bilioso 901
temperamento sombrio 901a
temperança 174, 944, 958, 960
Temperança 953
temperar 23, 41, 159, 174, 323, 392, 393, 413, 429, 670, 673, 723, 834
temperar desavindos 723
temperar o dardejar do sol 385
temperatura 8
temperatura elevada 382
temperatura moderada 383a
temperatura rubra 384
tempérie 382

741

temperilha 648, 695, 834, 937
tempero 39, 41, 673
Tempero 393
tempestade 146, 165, 173, 315, 348, 349, 667, 825, 900
tempestade de aplausos 931
tempestade no ar 667
tempestade num copo d'água 482, 509, 549, 643, 884
tempestade, som de 402a
tempestear 348
Tempestividade 132, 134
tempestivo 23, 132, 134
tempestuar 173, 348, 404
tempestuoso 173, 348, 349, 649, 665, 735
templo *(de diversas religiões)* 189
Templo 1000
templo da eterna glória 873
Tempo 106
tempo 134, 338, 413
tempo abafadiço 382
tempo antigo 122
tempo atual 118
tempo bem empregado 731
tempo bem mudado 119
tempo de agora 118
tempo de protrombina 662
tempo desocupado 685
Tempo diferente (diferente do presente) 119
tempo diverso 119
tempo do onça 122
Tempo é dinheiro 684
tempo grosso 315
tempo imemorial 122
tempo impróprio/inadequado 135
tempo intermediário 106
Tempo presente 118
tempo próprio 134
tempo vindouro 121
têmpora 236, 990
Tempora mutantur nos et mutamur in illis 140
Tempora mutantur 607
Tempora si fuerint nubila solus eris 735
temporada 106, 109, 110, 111, 113, 315, 348, 667, 989, 997
temporalidade 111, 803, 997
temporalizar 111, 988, 989
temporâmente 135
temporâneo 111
temporão 24, 116, 132, 135, 674
temporário 111, 113
têmporas 956
temporização 133
temporizamento 133
temporizar 110, 133
tempos antediluvianos 122
tempos apagados 491
tempos de outrora 122
tempos e pessoas 20a
tempos fabulosos 122
tempos idos 122
tempos passados 122
tempos pré-históricos 122
tempos primitivos 122
tempos que correm 118
tempos que não voltam mais 122
tempos remotos 122
temulência 959
temulento 959
tenacidade 46, 159, 505, 604, 604a, 606, 781, 819
Tenacidade 327
tenacidade de aço 606
Tenalgia 378
tenalha 717
tenalhão 717

tenax propositi 604
tenaz 46, 301, 327, 604a, 606, 686, 781, 819
tenaz e parco de suas coisas 819
tenazes 386, 781
tença 777, 973
tenção 278, 600, 604, 620, 626, 720, 865
tencionado 600
tencionar 600, 620
tencioneiro 606
tençoeiro 606, 713
tenda 144
tenda 189, 223, 691, 959
tendal 814
tendão 45, 159
tende ponto! 403
tendeiro 797
Tendência 176
tendência 5, 79, 602, 609, 620, 698, 820
tendenciosidade 923
tendencioso 523, 649, 907, 923
tendente 176, 644
tendentemente & *adj.* 176
tender 176, 273, 278, 286, 602
tênder 636, 644, 707
tender a 153
tender para a decrepitude 128
tendilha 189, 959
tendo em vista essa circunstância 8
tendola 189
tenebrário 423, 990
tenebricosidade 421, 519
tenebricoso 421, 491, 503, 519
tenebroso 126, 421, 491, 519, 649, 735, 830, 860, 874
tenência 613, 777
tenente 745
tenente-coronel 745
tenente-general 745
tenesmo 378
tenesmódico 378
tenha mão! 142
Tenha paciência! 764
Tenho dito 729
tênia 655
teníase 655
tenífugo 662
tenioide 366
tênis 225, 840
tenor 415, 580
tenra idade 127
tenreiro 129
tenro 160, 324, 383a, 394
tensa 272
tensão (jur.) 484
tensão 157, 159, 171, 200, 323, 484, 549
tensão social 668
tenso 200, 323
tenta 262, 461
tentação 615, 675, 845, 865
tentaculado ou tentaculífero 440c
tentáculo 632, 781
tentadiço 945
tentador 394, 615, 829, 845, 865, 978
tentame 675
tentame ou tentâmen 463
tentamento 463
tentar 463, 622, 675, 865
tentar a paciência 704
tentar a sorte 621
tentar efeitos oratórios 577
tentar em vão 471
tentar fortuna 463, 621
tentar fortuna/aventuras 675
tentar o possível 686
tentar os mares 675

tentar remediar o irremediável 859
tentar uma empresa 676
tentativa 463, 675, 702
tentativamente 675
tentativo 463, 615, 675
tente diabri 223
tenteador 463
tenteamento 463
tentear 457, 461, 463, 817
tentear o caminho 463
tento 450, 457, 459, 498
tento! 459
tentório189, 223
Tênue 32, 160, 193, 203, 322, 328, 422, 429
tenuicórneo 440c
tenuidade 32, 203, 322
tenuifloro 367
tenuifoliado 367
tenuípede 440c
tenuipene 440c
tenuirrostro 440c
teocal (México) 1000
teocracia 737, 983, 995
teocraticamente 477, 739
teocrático 477, 983, 995
teocratizar 995
teodiceia 983
teodolito 200, 244, 445
teófago (depr.) 988a
teofania 985, 998
teofobia 989
teófobo 989
teogonia 979, 983, 986
teologar 983
teologastro (depr.) 983
Teologia 983
teologia natural/revelada/dogmática 983
teológico 983
teologismo 984
teologizar 983
teólogo 983, 996
teomancia 511
teomania 503
teomaníaco 503, 504
teomante 513
teomitia 983
teomitologia 979
teonimia/teonímia 983
teopatia 987
teopneustia 985
teopnêustico 985
teopsia 985, 986, 998
teor 7, 80, 454, 516
teor de conduta 692
teorema 80, 454, 476, 496, 514
teorético 514
teoria 72, 155, 453, 476, 484, 490, 514
teórica 155, 490
teoricamente 450, 514
teórico 476, 514, 515
teorista 515
teorizar 60, 155, 514
teoro 513
teose 981, 991
teosébia 990
teosofia 983, 992
teosófico 992
teosofismo 989, 992
teósofo 994
tepe 635
tepês (pop.) 606
tepidez 382, 383a
tépido 377, 382
tepor 382, 383a
Tépsis 599
ter (muitos) nervos 901a
ter 48, 191, 484, 637, 775, 777, 780
ter a aparência de 17

ter a aparência de velhice 124
ter a arte de 545
ter a balança 480
ter a balança dos destinos de 693
ter a bolsa bem provida 803
ter a bolsa bem redonda 803
ter a bolsa chata 804
ter a cargo 926
ter a concepção lenta 499
ter a consciência de 821
ter a consciência larga/elástica 940
ter a consciência limpa 944
ter a cor da flor do linho 438
ter a cor do ébano 431
ter a desgraça de 874
ter a direção 693
ter a doçura de 396
ter a dureza do granito & *subst.* 323
ter a elasticidade da borracha 325
ter a faca e o queijo na mão 157, 737
ter a faculdade 157
ter a fala gelada na garganta 585, 860
ter a férula 737
ter a gentileza de 879
ter a goela estanhada 376
ter a insídia da serpente 545
ter a lança em riste 720
ter a língua grossa/a sua ponta de vinho/dois grãos na asa 959
ter a mão feliz 731
ter a mão leve 972
ter a mira em 620
ter a morte à cabeceira 360, 655
ter a morte no coração 828
ter a paixão de ajuntar dinheiro 819
ter a páscoa ao domingo 141
ter a pasta de 693
ter a peito 686
ter a pele grossa/de rinoceronte 376
ter a perversão do uranismo & *subst.* 961
ter a pique 604, 620, 686
ter a posse de 777
ter a precedência 62
ter a precedência/a primazia 873
ter a primazia 642
ter a rédea curta a alguém 737
ter a serviço 746
ter a seu cargo 693, 746
ter a significação de 516
ter a solidez do granito 150
ter a sua demanda ajuizada 969
ter a sua hora chegada 360
ter a sua marcha 151
ter a sua residência em 186
ter a vista embaciada/turbada 443
ter ação 175, 178
ter acesso de furor 503
ter acessos de mania 503
ter aduela de menos 503
ter afinidade com 888
ter agraz no olho 498
ter alguém atravessado na garganta 898
ter alguém de sua mão 707
ter alguém em seu favor 937
ter alguém fechado na mão 737
ter alguém pela proa 708, 889
ter alguém sob seu mando/de mangas 749
ter alguma coisa nos lábios 620

ter amante teúda e ... | ter na alma a resistência ...

ter amante teúda e manteúda 961
ter amargos de boca 828
ter amizade a 888
ter amor à pele 860
ter amor por/a 897
ter amores 897
ter aparência/aspecto 448
ter ares de 448
ter arestas nos olhos 442
ter arestins 264
ter argueiro na vista 443
ter arte 702
ter as chilenas calçadas 673
ter as faculdades auditivas embotadas 419
ter as faculdades auditivas muito apuradas 418
ter as manhas da raposa para furtar 791
ter as mãos hirtas 383
ter as mãos rotas 816
ter as mãos sujas de sangue 947
ter as rédeas de 693
ter as rédeas na mão 737
ter as suas cartas limpas 931
ter atingido a idade núbil 131
ter atividade & *subst.* 682
ter autoridade 737, 963
ter autoridade sobre 693
ter avançamento 250
ter aversão 867
ter aversão a 898
ter azar a alguém 898
ter bacorinhos 161
ter barbas para 861
ter beiços grudados (fam.) 585
ter bela tesoura 698
ter bicho carpinteiro 264
ter birra com alguém 898
ter boa dicção 580
ter boa outiva 418
ter boa perspectiva 472
ter boa prosa 842
ter boa vista 441
ter boas ideias 515
ter boas mãos 698
ter boas pernas 654
ter boas referências 939
ter boas saídas 842
ter boas salas 892
ter boca de prata 582
ter boca de riso 836
ter bojo para 157
ter bolha 503
ter bom apetite 865
ter bom arnaz 957
ter bom estômago 654, 725
ter bom gosto 850
ter bom nariz/bom faro 398
ter bom natural 826
ter bom nome na praça 805
ter bom olho 498, 636
ter bom ouvido 416, 418
ter bom palavreado 582
ter bom passo 275
ter bom resultado 644
ter bom resultado/bom êxito 731
ter bom sangue 159
ter bom tato 379
ter bons bofes/bom coração/ coração de pomba/sentimentos humanos 906
ter bons repentes 842
ter bons sentimentos 939
ter bucho de ema 957
ter bulas para tudo 914a
ter cabelinho/cabelo na venta 901
ter cabelo no coração 863
ter cabelos no coração 914a, 919

ter capelo em 490
ter cara de defunto 655
ter cara para 885
ter caráter 939
ter caráter aberto 703
ter carradas de direito 924
ter carta branca para 737
ter caruncho 128
ter catarata/névoas nos olhos 442
ter cautela 864
ter caveira de burro 735
ter cérebro 620
ter certa aptidão para 698
ter cheiro muito ativo/muito brando 398
ter chorume 803
ter ciúmes & *subst.* 920
ter ciúmes de 920
ter cócegas na língua 584
ter coerência & *subst.* 46
ter coito 961
ter coleira larga 803
ter comércio com 961
ter como objetivo 620
ter como propriedade 777
ter como resultado 153
ter como séquito 280
ter como seu 780
ter como verdadeiro 484
ter compasso no olho 441
ter concepção viva 451
ter concepções sublimes 498
ter confiança 484
ter confiança em 858
ter conhecido dias melhores 124, 735, 804, 858
ter conhecido melhores dias 659
ter conhecimento 527
ter consciência 939
ter consciência de 450, 490
ter consideração 642
ter conta e juízo 698
ter conta em si 864
ter contas a ajustar 947
ter cópula carnal com 961
ter coração de estalagem 897
ter coração de mármore/de gelo/de neve 823
ter coração de pedra/de bronze 914a
ter coração terno/sensível/mimoso 822
ter corpo e forma 316
ter couro de rinoceronte 823
ter crédito 805
ter crise de nervos 825
ter cuidado 459
ter culpa de 153
ter culpa no cartório 947
ter cunho ou caráter próprio 20
ter curso 800
ter curso forçado 800
ter dares e tomares com 713
ter dares e tomares com alguém 961
ter de cumprir o seu fadário 601
ter de ficar obrigado/responsável por 926
ter de ordenado 785
ter de seu 777
ter de/que 630
ter decidido gosto para 865
ter declividade 217
ter decorrido & *adj.* 122
ter dedo 698
ter dedo para 698
ter dedos de fada 698
ter dedos de prata 698
ter desconfiança 475

ter despeito por 878
ter determinação & *subst.* 604
ter diante dos olhos 505, 772
ter diarreia 297
ter dignidade 939
ter dinheiro como bagaço 803
ter direito 924
ter dívidas 806
ter dois corações 544
ter domínio sobre 777
ter domínio útil 777
ter dupla significação 520
ter efeito suspensivo 142
ter em alta consideração 931
ter em apreço 888
ter em depósito 637
ter em giro 794
ter em grande consideração 888, 928
ter em grande conta 482
ter em grande mercê 916
ter em mãos 676
ter em mente 457
ter em muito 888
ter em nada 483
ter em perspectiva 858
ter em perspectiva/em mira/em vista 507
ter em pouca conta 483
ter em pouca ou nenhuma conta 930
ter em preço 897
ter em recato uma coisa 528
ter em segredo 528
ter em vigor 924
ter em vista/em mira/em mente 620
ter empregos diversos 644
ter entojo a alguém 898
ter entrada de leão e saída de sendeiro 732
ter entradas de leão e paradas/ saídas de sendeiro 862
ter escassos meios de subsistência 804
ter esperança 858
ter espinha com alguém 713
ter Espírito Santo de orelha 499
ter estremecimento 375
ter estrondoso triunfo 731
ter existência subjetiva 317
ter expectativa de 472
ter exuberância de 168
ter falta de 630, 804
ter fama 873
ter fantasias 608
ter fases como a Lua 607
ter fé 474, 858, 987
ter feito jus a 924
ter férias 687
ter firmeza 604a
ter fôlego de gato 110
ter folga 687
ter força de colorido 428
ter força sobre 170
ter futuro 803
ter gana/osga a/em alguém 898
ter gênio irascível 901
ter gênio muito avesso 901a
ter glória em 884
ter goela de pato 823
ter graça às pilhas 842
ter grande alegria 827
ter grande cabida com 888
ter grande desejo 802, 865
ter grande dote 803
ter grande estima/afeição/carinho a/por 888
ter grande significação 642
ter homem pela frente 708, 719
ter horas canónicas para 138

ter ideias avançadas 740
ter ideias contrárias ao progresso 613
ter imaginativa fecunda 515
ter império sobre si mesmo 826
ter ímpetos de mau gênio 901
ter indulgência para com 760
ter influência & *subst.* 175
ter inimizade/malquerença 889
ter inteligência com 592
ter intimidade com 888
ter já a moleira dura 499
ter juízo 498
ter jurisdição apenas sobre o papel 738
ter lábia 702
ter lisonjeiro acolhimento 484
ter lombo para 826
ter lua 503
ter lugar (gal.) 151
ter lume de/algumas luzes/ cheiro de/umas ensaboadelas de 491
ter lume no olho 359, 698
ter má boca 868
ter má vontade 603
ter macaquinhos no sótão 503
ter mando e mão 737
ter maneiras 894
ter manifesta superioridade sobre 175
ter mão de ferro 739
ter mão em 142, 751
ter mãos em algo 761
ter mau cheiro 401
ter mau êxito 732
ter mau focinho 846
ter mau paladar/má boca 395
ter maus bofes/cabelos no coração/coração de víbora/má índole 907
ter maus dedos para 699
ter maus dedos para organista 645
ter medo & *subst.* 860
ter medo de sua própria sombra 862
ter meios 803
ter meios para viver folgadamente 803
ter memória fiel 505
ter memória fraca 506
ter menoridade de votos 932
ter menosprezo por 878
ter modos enigmáticos 855
ter morte gloriosa 873
ter móvito 674
ter muita condescendência para com todos 879
ter muita extensão 200
ter muita lábia 545
ter muita sensibilidade 494
ter muita teca 803
ter muitas falhas 651
ter muito a ponto que 604
ter muito a ponto uma coisa 459
ter muito bago 803
ter muito espírito 842
ter muito fundo 208
ter muito pano para mangas 639
ter muito que fazer 682
ter muito sal na conversa 842
ter muitos entresseios 702
ter muitos entressolhos 585
ter muitos fumos 878
ter muitos pontos de contato 17
ter mundo 892
ter na alma a resistência de granito 604a

743

ter na memória | teratogenia

ter na memória 505
ter na ponta da língua 582
ter na sua composição 54
ter na terra uma ilíade de triunfos 873
ter na unha 777
ter nas mãos 625, 777
ter nascido com mau fado/sob estrela funesta 735
ter nascido de princípios irregulares 83
ter nascido ontem 123
ter natureza com 888
ter náuseas 297
ter nega para 699
ter negros pressentimentos 837
ter nervos 822
ter névoa nos olhos 443
ter no coração de alguém um altar 897
ter no mais subido/alto grau 931
ter nó na garganta 581, 585
ter no pensamento/na memória/na mente/na ideia/na lembrança 505
ter nobreza de sentimentos 740
ter noção de 490
ter nome 564
ter nos lábios 582
ter nos ombros 625
ter o cabelo com muitas brancas 128
ter o campo livre 748
ter o céu na terra 827
ter o coração ao pé da boca 584, 822
ter o coração na boca 703
ter o coração na boca/no rosto 543
ter o coração na sola do pé 907, 919
ter o coração seco 914a
ter o corpo castigado de trabalho 688
ter o despejo de 885
ter o diabo no corpo 901
ter o dom da palavra 582
ter o dom da ubiquidade 682
ter o dom de adaptação e de mutação 607
ter o domínio útil 777
ter o efeito de cataplasma na cabeça de defunto 645
ter o espírito torto 923
ter o foro de fidalgo da casa imperial 875
ter o instinto de 698
ter o juízo aboleimado 499
ter o juízo fora do lugar 503
ter o juízo no lugar 502
ter o leme na mão 693
ter o macho cópula com a fêmea 168
ter o nome de 564
ter o ouvido fácil a 547
ter o passo seguro 459
ter o perfume de 398
ter o poder de querer ou de não querer 775
ter o purgatório em vida 828
ter o rabo preso 481
ter o riso amarelo 509
ter o rosto carregado 837, 900
ter o sabor de 390
ter o sangue de inocente(s) nas mãos 947
ter o sangue fogoso/quente 903
ter o sangue na guerra 863
ter o sangue quente 863
ter o seu arranjo 803

ter o seu nome inscrito nos fastos da história 873
ter o seu quê 704
ter o seu quinhão 680
ter o seu tanto de 821
ter o seu tempo livre 685
ter o supremo poder 737
ter o talento solerte dos velhacos 702
ter obrigação de 926
ter ódio figadal 898
ter odor 398, 400
ter olho à 865
ter olho grande/gordo em (pop.) 921
ter olhos de águia 498
ter olhos de águia/de lince 441
ter olhos de Argos 459
ter olhos de inveja 921
ter olhos em si 459
ter olhos na ponta do(s) dedo(s) 379, 698
ter orgasmo 897
ter origem 154
ter os braços mortos 160
ter os dentes botos 397
ter os olhos abertos 498
ter os olhos abotoados 442, 458
ter os olhos fitos em alguém 19
ter os olhos sobre alguém 459
ter os olhos vendados 442
ter os ouvidos a consertar/no ferreiro 419
ter os ouvidos abetumados 460, 487
ter os seus longes de 510
ter ouvido de percevejo 418
ter ouvido delicado 418
ter ouvidos e não ouvir 923
ter paciência de um santo 826
ter palavra de rei 604
ter palavreado 702
ter pancada 503
ter pancada na mola 503
ter para si 514
ter parte ativa 680
ter parte em 178, 488, 709, 778
ter parte no luto/na dor de alguém 915
ter passaportes para 737
ter pátria 66
ter pavio (muito) curto 901
ter pé 209
ter pedras no coração 914a
ter pela mão 693
ter pendor/inclinação/jeito para 698
ter peneira nos olhos 443, 519
ter peneira/poeira nos olhos 442, 699
ter perfeito conhecimento de 490
ter pesar de 950
ter pilhas de graças 842
ter pintada nos olhos a indolência & *subst.* 683
ter piques com alguém 713
ter poder 157
ter poder em si 826, 939
ter poder liberatório 800
ter ponderado espírito de justiça e de equidade 922
ter por alguém verdadeiro fanatismo 897
ter por bem 480
ter por bom 602
ter por missão 755
ter por nome 564
ter por seguro 474
ter por seguro que 484
ter posses para 698, 803
ter pouca probabilidade 473
ter pouco peso 320

ter poucos recursos 804
ter prazer 827
ter precedência 33
ter precisão 630
ter predileção para 820
ter preferência(s) 33, 897
ter preocupações de 880
ter presente 505
ter préstimo 644
ter presunção 880
ter pretensões a 865
ter privilégio 820
ter pronunciado gosto por 827
ter propensão para 602
ter propósito 620
ter qualidades 820
ter que prestar conta de 932
ter que ver 704
ter que ver com 9, 680
ter queda ou gosto para 602
ter quizília a alguém 889
ter rancor/fel no coração 898
ter rasca na assadura 810
ter razão de ser 922
ter referência 9
ter relação 9
ter relações com 888, 892
ter relações ilícitas com 961
ter remitência 138
ter repentes 901
ter resguardo/dieta 953
ter rugas na cara 704
ter ruim paga pelos favores feitos 917
ter saber à légua 490
ter sangue de barata 725, 826
ter sangue nas veias 863
ter saudades 833
ter saudade(s) de 122, 505, 832
ter sede 183
ter sede a alguém 907
ter semelhança 17
ter sempre em/na mente 451
ter sensações agradáveis 827
ter sentido pejorativo 520
ter seu arranjo (pop.) 961
ter seu desfecho/remate 67
ter seu lugar 134, 470, 472
ter seu nome consolidado 873
ter seu pé de meia 817
ter seu sucesso 161
ter seu tanto de 820
ter seus cochilões 460
ter seus dias 901
ter seus momentos de vacilações 605
ter sorriso de mofa 932
ter sua crónica escandalosa 874
ter sua lua/seus dias de lua 608
ter suas cartas limpas 731
ter suas coisas 704
ter suas coisas boas 648
ter suas desvantagens 651
ter suas horas de ócio 685
ter suas provas feitas 490
ter sumiço 449
ter suores frios 828
ter suspeitas 485
ter talento 698
ter tantas fases como a lua 149
ter tática da vida 698
ter telha 503
ter telhado de vidro 947
ter tento 698
ter tido sua época 122
ter toda probabilidade 472
ter todas as horas tomadas 682
ter todo empenho em 865
ter todos os matadores 377
ter todos os títulos para 820
ter travor como fel 395
ter tudo a seu favor 705

ter tudo para 472
ter tudo que lhe é preciso 377
ter um acesso de 612
ter um alto QI 498
ter um ar alegre 838
ter um caráter augusto/exemplar 944
ter um direito/atribuições 924
ter um esquecimento em 376
ter um fim determinado 620
ter um grande coração 816
ter um lindo palmo de cara 845
ter um malentendido com 713
ter um nome feito 490
ter um nome/uma tradição a zelar 939
ter um parafuso a menos 503
ter um peso no coração 833
ter um *quid* que o distingue do comum dos homens 873
ter um reflexo argênteo 420
ter um véu diante dos olhos 481
ter uma decepção 509
ter uma espinha atravessada na garganta 704
ter uma fala com 588
ter uma fava preta 932
ter uma figura musculosa 159
ter uma grande alta 814
ter uma odisseia de glórias 873
ter uma ofensa na garganta 919
ter uma salmoura no inferno 908
ter uma sombra que o enturva 651
ter uma triste reputação 874
ter umas lambuzadelas de 491
ter unha na palma da mão 791
ter uns rebates de febre 655
ter valimento/graça/favor com alguém 888
ter valimento/sangue azul/foros e privilégios de nobreza 875
ter venda nos olhos 491
ter ventas 901
ter vento e maré 705, 731, 734
ter verdadeiro fanatismo por 865
ter vida 1, 359
ter vigor 963
ter visão clara 490
ter visão nítida de 518
ter viso de verdade 470
ter vista de 441
ter vista de lince 441
ter vistas de lince/olhos de Argo 498
ter vontade 600
ter vontade de 620, 865
ter vontade invencível de dormir 683
ter vontade própria 600
ter voz em 609
ter/apanhar o penacho 737
ter/levar alguma coisa a peito 459
ter/mostrar/sentir compaixão 914
ter/possuir emprego 625
ter/possuir/achar/encontrar/dispor de meios 632
ter/revelar manifesta predileção por 481
terapeuta 662
terapêutica 662
terapêutico 662
terapia 662
teratogenia 83

teratologia | tibórnia

teratologia 83, 855
teratológico 83
teratopagia 88, 89
teratópago 89
terça 108
terça parte 51
terçado (ant.) 727
terçador 726
terçar 48, 94, 219, 717
terçar armas com 720
tercedia 133, 806, 808
terceira idade 128
terceira potência 92
terceiro 94, 99, 767
terceiro céu 981
tercena (ant.) 636
tercenário 779
tercetar 597
terceto 92, 597
terciarão 245
terciário 92
tércio décimo 99
terciopelo 324
terciopeludo 256, 324, 440c
tércios 94
terço 69, 94, 998
terçogo 250
terçol 250
terebintina 356a
térebra 262, 717
terebração 260, 378
terebrante 378
terebrar 260, 378
terem as terras sede 340
terem origem comum 153
terem pontos de vista diversos 713
teres 780
teres atques rotundus 249
tergeminado 93
tergêmino 93
tergiversação 283, 477, 629
Tergiversação 607
tergiversador 607
tergiversar 477, 544, 605, 607, 773, 862
tergo 235, 550
teriacal 395
teriacologia 663
teriaga 395
termal 382
termântico 384
termas 386
termiatria 386
térmico 382, 386
terminação 67, 233, 729
terminado & *v.* 67
terminal 67, 233, 292, 293, 655
terminante 474, 494
terminar 67, 729
terminar os dias 360
terminativo 67
término 67, 233, 292, 729
terminologia 562, 563
termiteira 189
termo 233
termo 8, 26, 67, 84, 233, 292, 342, 454, 551, 562, 564, 729
Termo 71
termo fatal 360
termo médio 29, 639
termo técnico 564
termobarômetro 389
termodinâmica 382
termoeletricidade 382
termógrafo 389
termologia 382
termomagnetismo 382
termomanômetro 389
termomecânica 382
termometria 382
termômetro 382
Termômetro 389

termômetro 382, 466
termometrógrafo 389
termomultiplicador 389
termoquímica 382
termos 476, 770
termos depreciativos de comidas 298
termos depreciativos para clérigos 996
termos pejorativos para profissionais 701
termoscopia 389
termoscópio 389
termossifão 389
ternamente & *adj.* 897
ternário 93, 413
terníflo 112
terninho 225
terno 92, 225, 413, 648, 822, 829, 833, 834, 897, 902, 906, 914
ternura 822, 897, 902, 914,
terolero 504, 840
Terpsícore 416
terque quaterque beatus 827
Terra 342
terra 45, 189, 249
terra cansada 169
terra da Promissão 168, 639
terra da verdade 363
terra de aluvião 342
terra em que os rios são de leite e mel 168
terra firma 215
terra firme 215, 342
terra incógnita 491, 533
terra maninha 674
terra natal 153
terra sertaneja 674
terra vegetal 168
terra virgem 674
terra virgem/inexplorada/desconhecida/obscurantista 491
terraço 213, 441
terracota 384, 557
terrada 273, 726
terral 342
terramoto 146, 165, 173
terra-nova 366
terrantês de 153
terraplenado 251
terraplenagem 213, 251, 673
terraplenar 16, 213, 251
terrapleno 213, 251
terráqueo 318, 342, 372
terreal 342, 989
terrear 169
terreiro 207, 1000
terrejola 189
terremoto 146, 165, 649, 667
terrenal 318, 342
terrenho 342
terrenhos 349
terreno 318, 342
terreno apauado 345
terreno de pousio 674
terreno estéril 182
terreno pantanoso 344
terreno resvaladiço 667
terrento 429
térreo 207, 318, 342, 429
terrestre 318, 342
terréu 169
terriço 371
terrícola 168
terrificante 649, 739, 830, 860
terrificar 860, 739, 830, 860
terrina 191
terríolo 189
terríssono 404, 860
territorial 181, 342
território 181,3 42, 780
território nacional 726
terrível 31, 378, 649, 830, 860

terror 692a, 860
terrorismo 665, 668, 716, 739, 860, 907
terrorista 716, 739, 907, 911, 913, 949
terroristmo 665
terrorizar 739
terroso 429, 432, 436
terrulento 429
ter-se com 720
ter-se em conta de 880
ter-se em grande conta 482, 880
ter-se em grande conta 880
ter-se teso com alguém 708
terso 255, 567, 578
tersol (ant.) 999
tertium quid 18, 48, 83
tertúlia 840, 892, 959
tesadeira 633
tesão 276, 323, 377, 827, 865, 880, 897
tesar 323
tese 454, 476, 514, 595
Teseu 960
tesidão 323, 880
tesmóteta 967
teso 200, 210, 212, 256, 323
teso e reteso 200
tesoura 253, 701, 936
tesourada 934
tesourar 44, 51, 53, 55, 934
Tesouraria 802
tesoureiro 758
Tesoureiro 801
tesoureiro da igreja 997
tesouro 562, 618, 636, 648, 780, 800, 802
tesouro oculto 528, 803
tessela 223
téssera 550
tesserário 746
tessitura 219, 329
testa 234, 440e
testa de ferro 593
testa enrugada 895
testaça (pop.) 234
testação (ant.) 974
testáceo 440c
testaço 606
testada 234
testamentário 758, 779
testamenteiro 758
testamento 771
testamento de mão comum 771
testamento inoficioso 925
testar 463, 675, 784
teste 463, 673, 675
testeira 234
testemônio (ant.) 21
testemunha 233, 444, 467, 550, 551, 903, 922, 967
testemunha jurada 444
testemunha juramentada 467
testemunha ocular/auricular/presencial/de vista/de ouvido 444
testemunha visual 186
testemunha visual/de ouvido/auricular/presencial 467
testemunhador 535
testemunhal 467, 441, 444, 467, 525, 922
testemunhar a favor 937
testemunhável 494
testemunho 467, 478, 535, 922
testes (vários) 662
testicondo 440a
testículo 440e
testificação 467
testificar 467
testigo (ant.) 444

testilha 713
testilhar 713
testo 263, 450, 604
testudaço 243
testudo 243, 275, 440d, 606
tesura 276, 323, 579, 612, 880
teta 153, 250, 440e, 636, 639, 648
tétano 655
tetar 127
tetas fartas da natureza 168
teté 840
tête exaltée 503
tête montée 825
tête-à-tête 197, 588
tetérrimo 846
tetim 45
Tétis 341
teto 189
tetracárpico 367
tetrácero 440c
tetracólon 566
tetracórdio 417
tetradáctilo 440c
tetraédrico 244
tetraedro 244
tetrafalangarquia 737
tetráfido 97
tetragonal 244
tetrágono 244
tetragrama 562
tetrâmetro 97
tetrâmetro 597
tetraneto 167
tetraneto e tetraneta 11
tetrapétalo 367
tetrápode 440c
tetráptero 367
tetráptero 440c
tetrarca 745
tetrarquia 737
tetrassépalo 367
tetrassílabo 562
tetrástico 597
tetrástilo 189, 1000
tetravô 130, 166
tetravô e tetravó 11
tetricamente 31
tétrico 421, 649, 830, 837, 839, 860, 901a
tétrico da escuridão 421
tetro 421, 735, 837, 860
tetroftalmo 83, 440c
tetudo 243
teu 777
teurgia 992
teurgista 994
teurgo 994
teutônico 561
têxtil 219, 329
texto 22, 454, 494, 516, 593
texto e espírito constitucional 963
textual 494
textuário 593
Textura 329
textura 7, 329
textural 329
texturizar 329
texugo 192, 202
tez 223
TGV 272
tiara 747, 847, 995, 999
tibericamente 31
tibérico 739, 907
tibi! 870
tíbia 215
tibial 215
tibieza 160, 623, 681, 683, 738, 823, 862
tibieza de ânimo 605
tíbio 460, 603, 605, 823
tiborna 59
tibórnia 59

745

tibornice | titular

tibornice 59
tição 388, 431, 978
tição do inferno 949
tiçonado 384
ticuna 663
tiflografia 442
tiflologia 442
tifo 655
tifoemia 657
tigela 191
tigelada 41
tigre 173, 412, 861, 913, 949
tigrino 366, 907
tijolo 204, 384, 635
tijucal 345, 653
tijuco 345, 653
tijucupaua (bras.) 345
tijucupava (bras.) 345
tijupá 189
tijupar 189
til 590
tílburi 272
tilha (de navio) 223
tilhado 223
tilim 402a
tilintar 402a, 405, 407
tiloma 250
tilose 250
timão 127
timbale 417
timbaleiro 416
timbó 622, 663
timbrar 459, 550, 602, 604, 686, 878, 938
timbrar em ser justo 939
timbre 402, 413, 459, 550, 580, 939
timbroso 459, 926, 939
time 759
timele 599, 952
Timeo Danaos et dona ferentes 485
Timeo Danaos 864
timiama 400
timiatecnia 400
timidamente 860
timidez 475, 605, 860, 879, 881
tímido 475, 605, 623, 699, 738, 860, 879, 881
timocracia 737, 803
Timon de Atenas 893
timoneiro 267, 269, 694, 745, 873
timorato 605, 623, 699, 860, 881, 926
timpanismo 194
timpanite 194
tímpano 418
timpanzinar(-se) 194
tim-tim por tim-tim 19, 494, 573
tina 191
tinalgia 378
tinalha 191
tincal 45
tincar 45
tinctório 428
tínea 165
tinelo 191
tineta 606, 608, 698
tingar-se 623
tingidor 428
tingir 41, 428, 440
tingir as mãos de sangue 361
tingir de rósea cor 434
tingir de sangue 739
tingir-se de rubro o céu 126
tingueiro 269, 273
tingui de peixe ou cupuim 622
tinguijada 622
tinguijar (bras.) 622
tinha 651
tinhoso 653, 978

tinido 402a, 412, 412
tinidor 410
tininte 410
tinir 402a, 404, 402, 410, 412
tino 450, 457, 477, 498, 502, 698, 864
tinote 191, 450
tinta(s) 32, 428, 556, 590, 643
tinta que com ele se gasta 643
tintamarre 404
tintangalhar 412
tinteiro 590
tintinabular 402a, 407
tintinábulo 417
tintinar 402a, 407
tinto 428, 874
tinto de sangue 361
tintor 428
tintorial 428
tintura 32, 428, 491
tinturaria 428
tintureiro 428
tio 11, 876
tio e tia 11
tio-avô e tia-avó 11
tio-bisavô e tia-bisavó 11
tiorba 417
tiorga (pop.) 959
tio-trisavô e tia-trisavó 11
tipa 374, 962
tipicidade 79
típico 79, 82, 521, 550
tipificação 79
tipificar 79, 550
tipo 5, 22, 75, 240, 372, 373, 550, 561, 877
tipocromia 591
tipografar 591
tipografia 591
tipográfico 591
tipógrafo 591
tipoia 215, 962
tipometria 591
tiptologia 992
tiptólogo 994
tique 378, 550, 820
tique-taque 314, 402a, 407, 821
tiquetaquear 402a
tique-tique 407, 412
tira 51, 193, 203, 205, 932
tira que tira 604a, 606, 686
tira-bragal 215
tiracolo 215
tirada 110, 266, 586, 680, 857
tirada decorativa 517
tiradente(s) 662, 701
tirado das canelas (pop.) 851
tirado do natural 21
tira-fundo 45, 262
tiragem 351, 531, 558, 591, 593
tira-jejum (bras.) 298
tirana 840, 949
tiranete 739
Tirania 739
tirania 679, 747
tiranicamente 739
tiranicida 750
tiranicídio 750
tirânico 649, 739, 907
tiranizar 706, 739
tirano 739, 745, 907, 913
tirante 55, 215
tirante a azul e loio 437
tirante a cinzento 432
tirante a verde 435
tirão 266, 276, 541
tirar 36, 38, 55, 162, 226, 285, 301, 590, 614, 775, 777, 791, 810, 813, 860
tirar a alguém os olhos 789
tirar a alguém os olhos da cara 814
tirar a braveza 370

tirar a camisa a alguém 804, 907
tirar a culpa a 937
tirar a esperança de 509
tirar a força a alguém 158
tirar a lã a alguém 545
tirar a limpo 461
tirar a pele 819
tirar a prova 463
tirar a prova dos noves 494
tirar a rolha da boca 584
tirar à sorte 621
tirar a sorte grande 734
tirar a sua a limpo 919, 939
tirar a umidade a 340
tirar a vida a alguém 361
tirar a vigência de uma lei 756
tirar água/leite de pedra 471
tirar alguém da lama 906
tirar alguém de seu compasso 508
tirar alguém do erro em que labora 527
tirar as cadeias 750
tirar as cataratas a/de alguém 527, 529
tirar as insígnias 756
tirar as teias de aranha a alguém 529
tirar conclusão 478
tirar conclusões 476
tirar conclusões precipitadas 481
tirar da cabeça de 616
tirar da espada 716
tirar da vista 447
tirar das garras de 672
tirar de 789
tirar de alguma coisa a ideia 452
tirar de dificuldades 658, 672
tirar de um propósito 616
tirar desforra/vingança de 919
tirar do bucho 525
tirar do espírito 452
tirar dois proveitos ao mesmo tempo 775
tirar dos gonzos/dos trilhos 61
tirar indução de indícios 514
tirar induções 476
tirar leite de um bode na peneira 471
tirar licença 687
tirar lucros 810
tirar o alheio 791
tirar o amargor 396
tirar o ânimo 616
tirar o chapéu 894
tirar o corte 174
tirar o horóscopo de alguém 511
tirar o pão a alguém 756
tirar o pé do lodo 658
tirar o pelo a alguém 972
tirar o rebuço 529
tirar o seu da reta 927a
tirar o sono 824
tirar o sono a 830
tirar o sono a alguém 921
tirar onda com 856
tirar os defeitos a 658
tirar ou deitar abaixo a máscara 529
tirar partido 658
tirar partido de 677
tirar por força/por violência 789
tirar proveito de 731
tirar pública forma de 590
tirar sardinha com a mão do gato 702
tirar sardinha com a pata do gato/com a mão dos outros 544

tirar sons 416
tirar sortes 621
tirar sujidades 652
tirar um peso de cima 834
tirar uma carga de cuidados 834
tirar uma conclusão 480
tirar uma espinha da garganta de alguém 705, 834
tirar vantagem/proveito 698
tirar vantagem/proveito de 677
tirar/diminuir a sensibilidade 376
tirar/quebrar o selo 529
tirar-se da lama e cair no atoleiro 659
tirar-se da lama e meter-se no atoleiro 699
tirar-se de 671
tira-teimas 476, 562, 975
tiré à quatre épingles 855
Tirésias 513
tirete 45
tirintintim 402a
tírio 434
tiritante 383
tiritar 315, 383
tiritar de queixos 383, 860
tiritir 402a
tiro 154, 284, 406, 716, 840
tiro avesso 732
tiro cego 621, 716
tiro de artilharia 716
tiro de misericórdia 619, 732, 972
tiro de pólvora seca 158
tiro para o ar 463
tiro pela culatra 732
tiro, som de 402a
tiro/golpe de misericórdia 67
tirocinante 541
tirocínio 538, 625, 673, 677
tirolico-tico 840
tiroliro 416, 417
tiromancia 511
tiromântico 511
tiros de roqueira 838
tiroteio 402a, 713, 716, 720, 407
tirso (de Baco) 747
tisana 662
Tishá be Av 998
tísica galopante 655
tísico 655
Tisífone 173
tisna 384, 431
tisnada 190
tisnado 384
tisnadura 384
tisnar 384, 431, 848, 874
tisne 848, 874
Titã 159, 980
titã 192, 307
titânico 159, 173, 192, 686, 704
Titão 318
titela 384, 642, 648
títere 547, 554, 599, 601, 605
titerear 599, 605, 737
titeriteiro 599, 844
titia 130, 904
titilação 377, 380
titilamento 377, 380
titilante 380
titilar 375, 380
titilar a vaidade de 880
titiloso 380
Tito 910
titocola 45
titônia 125
titubeação 583, 605
titubear 485, 583, 605, 732
titular 540, 5510 564, 759, 779, 875

titulatura | tomar precauções

titulatura 565
tituleiro 363, 551
título 64, 66, 75, 153, 454, 467, 550, 564, 593, 755, 771, 780, 924
Título 876
título a 924
título de venda/de/doação/de propriedade 780
título precário 780
tiufadia (ant.) 102
tlim 402a
tmese 218, 270
toa 285
toada 75, 413, 415, 532, 613
toalete 225
toalha 204, 213, 999
toalhinha 999
toar 17, 402, 402a, 407
toca 189, 530
tocadete 959
tocadilho 840
tocado 821
tocado de admiração e amor 821
tocado de amor e admiração 928
tocado de pinga 959
tocado de vinho 959
tocador 271, 416
tocaiar 507, 530
tocaio 520, 564
tocante 822
tocar 9, 114, 121, 156, 199, 281, 292, 402a, 407, 415, 416, 417, 621, 824, 914, 926
tocar a 924, 926
tocar a alguém 785
tocar a avançar 722
tocar a bambão 839
tocar a finados 363, 402a
tocar à leva 293
tocar a pavana a alguém 972
tocar a rebate 550
tocar ao coração 822
tocar aos foles 529
tocar as raias de 17
tocar com as mãos 379
tocar de leve 331
tocar de leve à água 267
tocar de leve a superfície 460
tocar de perto 642
tocar de raspão 199
tocar em surdina 408a
tocar em um assunto 595
tocar na ferida 830
tocar na matadura 822
tocar na matadura/no ponto nevrálgico 835
tocar no ponto fraco 479
tocar no ponto nevrálgico 824
tocar o azul 206
tocar o ponto mais alto 210
tocar o sino a rebate 669
tocar os pauzinhos 702
tocar por sorte 251
tocar rabeca 932, 934
tocar tambor 104
tocar trombeta 531
tocarem-se os ossos 892
tocarocha! 536
tocarocho! 536
tocarola 415, 894, 902
tocata 415
tocha 388, 423
tocheira 423
tocheiro 423
tocho 727
toco 40, 51
tocografia 161
tocologia 161
toconomia 161
tocotecnia 161
toda a brida 274

toda a gente 78, 372
toda a verdade e nada mais que a verdade 543
todas as horas 106
todas as vezes que 119
todavia 18, 30
Todo 50
todo(s) 50, 52, 78, 488
todo ano 110
Todo Misericordioso 976
todo o decurso do ano 106, 110
todo o mundo 78, 372
todo o santíssimo dia 106
todo o tempo 106
todo olhos 457
Todo poder é suspeito 738
Todo Poderoso 976
todo poderoso 976
todo santíssimo dia 104, 110
todos absolutamente 488
todos livres entre si 367
todos os corações 78
todos os dois (gal.) 89
Todos os pássaros comem trigo e quem paga é o pardal 923
todos os pontos de vista 52
Todos os seus patos são cisnes 482
todos que 78
Todos são iguais perante a Lei 963
Todos têm o seu pé de pavão 651
toesa 440e
toga 747
togado 492, 967
toicinho 356
toira 901
toirão 129
tojal 367
tola 450
tolã 545
tolamente 863
tolaz 547
tolda 223
toldado de negras nuvens 859
toldar 223, 421, 424, 519, 528, 653, 837
toldarem-se os ares 507
toldarem-se/turvarem-se os ares 669
toldar-se 959
toldo 223, 424
toledo 499
toleima 499
toleirão 499, 501
tolejar 499
tolerabilidade 740
tolerada 962
tolerado 643, 648, 651
tolerância 372, 465a, 488, 600, 602, 738, 760, 762, 821, 826, 906
Tolerância 740
tolerante 602, 740, 760, 826, 906, 914, 918
tolerantemente 740
tolerantismo 740, 821
tolerar 488, 738, 740, 760, 821, 826, 828, 914, 918
tolerável 32, 174, 639, 643, 648, 651, 831, 918
tolhedura (de ave de rapina) 299
tolheita 706, 761
tolher 706, 751, 761
tolher a vista 442
tolher o desenvolvimento 179
tolher o desenvolvimento de 160
tolher o passo a 706
tolhido 158, 376, 383
tolhimento 376, 706, 751
tolice 497, 499

tolina (chulo) 545
tolinar 545
tolineiro 548
Tolo 501
tolo 486, 493, 497, 499, 547, 643, 699, 853
tolontro 378
tom 7, 159, 171, 325, 402, 413, 415, 428, 580, 692a, 851
tom de proteção 855, 884
tom doutoral 855
Tom e Jerry 891
tom nasal 583
tomada 782, 789
tomada à força 789
tomadia 789
tomadiço 901
tomado 824
tomado de febre alucinante 825
tomador 789
tomados 258
tomadoura 348
tomadouro 337
tomadura 378
tomahawk 727
tomão 800
tomar 292, 296, 298, 522, 609, 676, 761, 762, 775, 781, 785, 788, 789, 791, 810, 902, 903
tomar a dianteira 62, 116, 132, 642
tomar a direção 693
tomar à direita/à esquerda 279
tomar à força/de assalto 789
tomar a forma cônica 203
tomar a iniciativa/a mão 66
tomar a liberdade de 748, 885
tomar a liberdade de dizer 514
tomar a liberdade de pedir 765
tomar a mão a quem lhe dá o pé 885
tomar a média 29, 466, 774
tomar a mulher em camisa 903
tomar a nuvem por Juno 481, 547, 699
tomar a precedência 280
tomar a sério 822
tomar a si 676
tomar a sombra pela substância/a nuvem por Juno 486
tomar a sombra pelo corpo 495, 699
tomar alguém em seu deúdo (ant.) 888
tomar alguém por conta 856
tomar aparência/aspecto 448
tomar ares 266
tomar as coisas em grosso 822
tomar as coisas por onde elas queimam 483
tomar as de vila-diogo 623
tomar as dores por alguém 717
tomar as necessárias providências 673
tomar as proporções de 35, 144
tomar as rédeas de 737
tomar aspecto sombrio 900
tomar caminho 658, 944
tomar capelo 873
tomar carne 194
tomar carne humana 3
tomar colo 486
tomar como certo tudo que ouve 486
tomar como estabelecido 484
tomar como verdadeiro 484
tomar confiança 885
tomar conhecimento de 450

tomar conselho(s) 451, 695
tomar conta 625
tomar conta de 737
tomar conta de alguma coisa 676
tomar corpo 35
tomar cuidado 459, 668, 864
tomar cuidado(s) de 457, 670, 707
tomar da pena 590
tomar das mãos de 789
tomar desforço 919
tomar despique 919
tomar em arrendamento 771
tomar em consideração 451, 465, 469, 760
tomar emprestado 788, 806
tomar emprestado de Pedro para pagar a Paulo 788
tomar espaço 250
tomar familiaridade com 888
tomar férias 687
tomar fogo 824
tomar fôlego 687, 689
tomar freio nos dentes 173
tomar gosto por 827
tomar grandes proporções 642
tomar interesse por 642, 906
tomar liberdades 895
tomar lição 537
tomar língua 461
tomar medidas 611
tomar mulher 903
tomar nas mãos 676
tomar nota de 505, 551
tomar novos ares 689
tomar num sentido 522
tomar o alto 267
tomar o céu com a mão 645
tomar o colo 33
tomar o compromisso de 768
tomar o costume 613
tomar o exemplo de 19
tomar o freio nos dentes 825
tomar o fresco/a refrescata 385
tomar o horóscopo de alguém 511
tomar o lugar de 147
tomar o nascimento de alguém 511
tomar o panal a alguém 707
tomar o partido de 609
tomar o partido de alguém 707
tomar o passo a alguém 274
tomar o peso a 451
tomar o peso de 319
tomar o pulso 461, 463, 864
tomar o trem 293
tomar o véu/o hábito 893
tomar ordens/véu 995
tomar outro 609
tomar outro rumo 15
tomar para si 789, 926
tomar parte ativa em 680
tomar parte em 488, 644, 680
tomar passaporte para o céu/para o inferno 360
tomar passe(s) 992
tomar pé 150, 209
tomar pé em 731
tomar por empresa alguma coisa 676
tomar por esposo 903
tomar por pretexto/desculpa 617
tomar por termo 551
tomar posse 66, 775
tomar posse de 780
tomar pouso 265
tomar praça 147
tomar precaução 459, 664
tomar precauções 673

747

tomar propósito | tornar útil

tomar propósito 864
tomar quartel 184
tomar rapé 392
tomar rumo favorável 658
tomar rumo para 278
tomar satisfação de uma injúria 919
tomar sobre os ombros 676, 680
tomar sobre si 459, 620, 926
tomar sobre si/à sua conta/sob a sua responsabilidade 768
tomar tento 457, 864
tomar um caminho tortuoso e resvaladiço 945
tomar um porre/um pileque/umas e outras/umazinha/todas 959
tomar uma feição peremptória 474
tomar vento 671
tomar voo 267
tomar voz por alguém 709
tomar vulto 35, 642
tomar/assumir iniciativa 676
tomar/fincar pé 184
tomar/levar a sério 459
tomar/levar alguém na garupa 234
tomara! 765, 858
tomar-se de mão 716
toma-sol 367
tomatada 393
tomate 393, 434
tomates podres 929
tombadilho 206
tombador 217, 306
tombamento 551
tombar 306, 308, 551, 732
tombar sem vida 360
tombé des nues 20, 83
tombo 86, 306, 551
tômbola 621, 765
tombolar 621, 775
tomento 205, 324
tomentoso 256, 324
tomo 593, 642
Tomo a liberdade de dizer 535
tomografia 662
tomografia computadorizada 662
tomografia por emissão de positrões 662
tom-tom 417
tona 210, 220, 223
tonadilha 415
tonalidade 413, 428
tonante 173, 404, 407
Tonante 979
tone 273
tonel 191, 249
tonelada 31, 319
tonelagem 192
toneletes 717
tonfa 727
tônica 413, 561
tonicidade 159, 171, 654
tônico 159, 171, 562, 580, 656, 662
tonificação 689
tonificante 159, 648, 656, 662
tonificar 159
tonificar o organismo 656
tonilho 405, 415
tonina 129
toninha 129
tonino 129
tonitroante 173, 404, 580
tonitroar 402a
tonítruo 404
tonitruoso 404
tono 415
tonômetro 413

tons quentes 556
tonsar 226, 789, 804, 814
tonsurado (depr.) 996
tonsurar 755, 789, 791, 814, 995
tonta (chulo) 450
tontaria 497
tontear 497
tontice 497, 499
tontina 810, 910
tonto 376, 404, 499, 503, 821, 870, 959
tontura 158, 206, 825
topada 276
topar 151, 156, 276, 480a, 488
topar com 292, 775
topa-tudo 682
topaz (Malaca) 524
topaz (no Oriente) 987
topázio 436, 847
tope 210, 276, 550, 847
tope da gávea 210
topetada 378, 716
topetar 206, 210, 305
topetar-se 880, 885
topete 256, 885
topetudo (bras.) 861
topiaria 371, 692a, 847
topiário 371, 847
Tópico 454
tópico 595, 596
topo 206, 210, 276
topo da escada 873
topófago 860
topofobia 860
topografia 183, 594
topográfico 466
topógrafo 466, 786
topologia 183
toponímia 183, 564
topônimo 183, 564
toponomástica 183
topotesia (descrição de lugar imaginário) 183
toque 199, 276, 402a, 406, 415, 416, 650, 850, 892, 894
toque das avemarias 126
toque de clarim 669, 883
toque de corneta 928
toque de Deus 612
toque de rebate 722
toque de recolher 741, 752
toque de reunir 550, 669, 741
toque de trombeta(s) 404, 882, 884
toque desafinado 414
toque meduloso 556
toque-emboque 840
Tor 979
Tora 985
torácico 440e
toracometria 440e
toral 225
torar 51
tórax 252, 440e
torçal 45, 205, 752, 847
torção 248
torcaz 440c
torcedela 523
torcedor 865
torcedura 243, 248, 311, 477, 523, 651
torcer 241, 245, 248, 378, 477, 523
torcer a cara 867
torcer a orelha 950
torcer o caminho lógico 477
torcer o focinho à vista de 832, 932
torcer o nariz 764, 867, 932
torcer o rosto/o nariz 930
torcer o sentido 477
torcer o sentido de 523
torcer-se em convulsões 378

torcicolo 248, 520
torcida 388, 597
torcido 248, 523
torcilhão 243, 299
torcionário 789
torçolho 250
tordilho 440a
tordo 412, 416
tordo, vozes de 412
toreumatografia 558
torêutica 557, 558, 692a
tormenta 315, 349, 735
tormentar 830
tormento 378, 619, 649, 704, 828, 830, 972
tormento de Sísifo 732
tormento de Tântalo 507
tormento do lagar 972
tormento por adesão a uma causa 952
tormentório 173
tormentoso 173, 378, 704, 830
torna 30
torna-boda 903
tornada 145
tornadiço 607, 742
tornado 146, 312, 349, 667
tornafio 253
tornar (invisível e *adj.*) 447
tornar 462, 756, 790
tornar à luz 660
tornar a suceder 104
tornar abatido e *adj.* 837
tornar afeiçoado 897
tornar agradável 829
tornar agradecido e *adj.* 916
tornar agudo e *adj.* 253
tornar amargoso e *adj.* 395
tornar áspero e *adj.* 256
tornar baço e *adj.* 422
tornar branco e *adj.* 430
tornar cansado e *adj.* 688
tornar carne 316
tornar cego e *adj.* 442
tornar célebre e *adj.* 873
tornar central e *adj.* 222
tornar certo 474
tornar completo e *adj 52*
tornar comprido e *adj.* 200
tornar conceituado e enobrecido 658
tornar contente 831
tornar contíguo e *adj.* 199
tornar contumaz 606
tornar crônico 124
tornar curto e *adj.*201
tornar descrente 485
tornar deselegante e *adj.* 579
tornar deserto 361
tornar desigual e *adj.* 28
tornar desumano 914a
tornar difícil e *adj.* 704
tornar digno da estima pública 873
tornar discordante e *adj.* 24
tornar doce e *adj.* 396
tornar durável 110
tornar em fumo 645
tornar em lâminas 204
tornar empolado e *adj.* 577
tornar escorregadio 255
tornar esférico e *adj.* 249
tornar estreito e *adj.* 203
tornar estúpido e *adj.* 499
tornar exato 494
tornar fácil e *adj.* 705
tornar fecundo e *adj.* 168
tornar feliz 734
tornar firme um empréstimo 787
tornar forma humana 316
tornar forte e *adj.* 159
tornar fraco e *adj.*160

tornar franco 260
tornar (*gasoso*) 334 336
tornar gostoso 394
tornar hábil e *adj.* 698
tornar horizontal e *adj.* 213
tornar ignorante e *adj.* 491
tornar igual e *adj.* 27
tornar ilegível 552
tornar impossível 471
tornar impotente 158, 160
tornar inalienável 781
tornar incerto 475
tornar incomunicável 87
tornar inexistente e *adj.* 2
tornar infeliz 830
tornar inferior e *adj.* 34
tornar ininteligível e *adj.* 519, 539
tornar inoportuno 135
tornar insalubre e insalubrificar 657
tornar insensível e *adj.* 376, 823
tornar insípido e *adj.* 391
tornar insuficiente e *adj.* 641
tornar inteligível 518, 522
tornar inútil 645, 674
tornar lasso 326
tornar leve e *adj.* 320
tornar limpo e *adj.* 652
tornar livre 624, 750
tornar louco e *adj.* 503
tornar macio e *adj.* 324
tornar maior e agraudar 35
tornar mais alto 206
tornar mais grave/mais difícil 835
tornar manifesto 525, 529
tornar melhor 658
tornar menor 36
tornar menos denso 103
tornar moderado e *adj.* 174
tornar necessário e *adj.* 630
tornar novo e *adj.* 123
tornar oblíquo e *adj.* 217
tornar obstinado 606
tornar oportuno e *adj.* 134
tornar ou tornar-se duro 323
tornar ou tornar-se sólido e *adj.* 321
tornar pando 194
tornar pequeno e *adj.* 193
tornar pequeno/mais pequeno e *adj.* 195
tornar pesado 319
tornar picante e *adj.* 392
tornar plano e *adj.* 251
tornar pobre e *adj.* 804
tornar possível 470
tornar pouco crível 536
tornar preto e *adj.* 431
tornar provável e *adj.* 472
tornar público 527, 531
tornar quente 384
tornar quite 807
tornar ralo e *adj.* 322
tornar redondo e *adj.* 247
tornar rico e *adj.* 803
tornar saliente 642
tornar salubre 656
tornar seguro e *adj.* 664
tornar seguro contra 673
tornar sem efeito 552
tornar semelhante e *adj.* 17
tornar sensível 375, 822
tornar simples e *adj.* 42, 849
tornar sociável e *adj.* 892
tornar solitário e *adj.* 87
tornar transparente e *adj.* 425
tornar úmido e *adj.* 339
tornar unânime 488
tornar uno e indivisível 50
tornar útil 644, 677

tornar vagaroso | traduzir

tornar vagaroso & *adj.* 275
tornar vaidoso & *adj.* 880
tornar válido 467
tornar verdadeiro 494
tornar vertical & *adj.* 212
tornar viciado & *adj.* 945
tornar vicioso 659
tornar violento & *adj.* 173
tornar(-se) superior & *adj.* 33
tornar(-se) visível & *adj.* 446
tornar-se 144
tornar-se arcaico 678
tornar-se carrancudo 900
tornar-se caudaloso 639
tornar-se desusado 124
tornar-se digno de 924
tornar-se frouxo no cumprimento de seus deveres 927
tornar-se grado 875
tornar-se grande 192
tornar-se grave 837
tornar-se impetuoso 173
tornar-se incomunicável 893
tornar-se insensível 823
tornar-se insensível aos sofrimentos alheios 914a
tornar-se irado 173
tornar-se lânguido 683
tornar-se mais dilatado & *adj.* 194
tornar-se mau & *adj.* 907
tornar-se meigo 879
tornar-se necessário 601
tornar-se negligente 460
tornar-se o mimoso de 897
tornar-se para alguém o próprio ar e o sopro vital 630
tornar-se pequeno & *adj.* 193
tornar-se polido & *adj.* 894
tornar-se proprietário 775
tornar-se prudente & *adj.* 864
tornar-se púbere & *adj.* 131
tornar-se quite 807
tornar-se sarcástico 856
tornar-se sério 498
tornar-se simpático 897
tornar-se sombrio 901a
tornar-se surdo & *adj.* 419
tornar-se tributário 743
tornar-se um exemplar de virtude 944
tornar-se uniforme 16
tornar-se uso 613
tornar-se visível 448
tornar-se/ fazer-se velho 128
torna-viagem 283, 645
torneado 413, 578, 845
tornear 227, 230, 240, 245, 249, 255, 311, 720
tornear um período/uma frase 578
tornearia 692a
torneio 230, 476, 572, 720, 840
torneios do corpo 845
torneira 260, 263, 295
tornilheiro 607, 623
tornilho 665, 704, 972
torniquete 263, 550, 706, 975
torno 255
tornozelo 211, 440e
toro (nupcial) 903
toro 51, 211
torpe 243
torpe 874, 886, 932, 940, 945, 961
torpedear 716, 731
torpedeiro 716, 726, 727
torpedo (mensagem por celular) 534
torpedo 366, 527, 592, 663, 716, 722, 727
torpente 376, 683
torpeza 649, 874, 886, 940, 945, 961

torpidade 940
tórpido 376, 683
torpilha 371
torpor 172, 376, 683, 823
torquês 781
torradeira 386
torrado 431, 440b
torragem 384
torrão 32, 181, 342
torrão natal 189
torrão nativo 189
torrar 384, 606, 815
torraz-borraz (pleb.) 59
torre 150, 206, 743, 752, 1000
torre de menagem 717
torre de observação 550, 668
torre de Pisa 217
torreado 206
torreante 206
torreão 206
torrear 206, 305, 902
torrear ou torrejar 717
torrefação 384
torrefato 384
torreira do sol 382
torrejar 206
torrencial 348, 639
torrencialmente 348
torrencioso 639
torrente 274, 348, 639
torrente de lágrimas 582, 584, 839,
torrentoso 173, 348
torresmo 356
tórrido 382, 384
torrificar 384
torrinha 206, 599
torroso 354
torso 206, 440e, 554
torta 298, 396
tortelos 443
torto 217, 218, 243, 245, 248, 443, 477, 495, 523, 651, 923
torto da vista 443
tortulho 202
tortuosamente 940
tortuosidade(s) 217, 243, 248, 629, 940, 945
tortuoso 248, 279, 477, 495
tortura 243, 378, 619, 828, 830, 972, 974
torturado 833
torturador 974
torturar 378, 649, 830, 907, 972, 974
torva 706
torvação 901a
torvamente 900
torvar 900
torvar de susto 860
torvar-se 837
torvelinhar 173, 312
torvelinho 312, 667
torvelinho de vento 349
torvo 837, 860, 901
tosa 972
tosado 776
tosão 223, 876
tosar 226, 789, 791, 814, 934, 972
tosar até matar 361, 584
tosar de morte 361, 584
toscamente 460
toscanejar 683
tosco 34, 241, 256, 575, 651, 674, 852
tosquia 201, 789, 814
tosquiadela 201, 789, 814
tosquiado 776
tosquiador 789, 792, 814
tosquiar 195, 201, 226, 776, 789, 791, 804, 814
tosse convulsiva 655
tosse raivosa 655

tossegoso 655
tossir 349, 655
tostadeira 386
tostadura 384
tostão 800
tostar 384
toste 132, 274, 752, 892, 894
total 50, 52, 84, 729, 800
totalidade 50, 78
totalidade da existência 3
totalitarismo 737
totalizar 50
totalmente 31, 50, 52
totalmente confiável 890
totidem verbis 19, 494
toties quoties 136
totis viribus 686
totó 366, 853, 857
toto coelo 52
totó piruleta 877
totum contimens 690
touca 127, 999
toucado 225
toucar 210, 225, 227, 247, 847, 873
touceira 367
toucinho 356
tougue 550
toujours perdrix 104, 869
toupeira 130, 493, 613, 846
tour 840
tour de force 680, 698, 702
tourada 720
toural 622
touraria(s) 411, 713
toureador 726
tourear 622, 715, 716
tourear/tourejar 720
toureio 720
toureiro 159, 366, 726
tourejar 622, 716
touril 370
tourinha 720
touro 159, 192, 366, 373, 412, 861
touro de bronze 975
touro, vozes de 412
touromaquia 720
touruno 201, 440b
tout au contraire 14
tout ensemble 720
touta (pop.) 235
toutear 499
toutiço 235, 450
toxemia 663
toxicar 663
tóxico 392, 657, 663
toxicografia 663
toxicologia 663
toxicomania 667
toxidade 663
toxina 663
toxocaríase 655
toxoplasmose 655
trabalhadeira 690
trabalhado 821
trabalhador 824
trabalhador 604a, 682, 686
trabalhão 686
trabalhar 677, 680, 682, 686, 690
trabalhar a imagem
trabalhar assiduamente 604a
trabalhar com afã 686
trabalhar como 625
trabalhar como mouro no serviço de Deus 683
trabalhar como um cavalo/ escravo/condenado 686
trabalhar dia e noite 686
trabalhar disfarçadamente 702
trabalhar em diamante 654
trabalhar em vão 645
trabalhar em vão/*ad gloriam* 732

trabalhar grátis *pro Deo* 942
trabalhar na sua profissão 625
trabalhar para 176
trabalhar para bispo 683
trabalhar por 620
trabalheira 625, 682, 686
Trabalho 625
trabalho 154, 161, 170, 625, 680, 704
trabalho árduo 704
trabalho assíduo 604a
trabalho aturado 686
trabalho braçal 680
trabalho cerebral/mental 451
trabalho de sapa 702, 717
trabalho de Sísifo 471, 645, 730, 732
trabalho diário 625
trabalho em vão 304, 645
trabalho livre/servil/manual/ mecânico/braçal 686
trabalho manual 680
trabalho penoso/difícil/exaustivo/rude 686
trabalho perdido 645
trabalhos 828
trabalhos forçados 686, 972, 974
trabalhoso 217, 688, 704, 830
trábea (ant.) 747
trabordo 270
trabucar 162, 306, 686, 716, 731
trabuco 392, 727
trabuqueiro 792
trabuzana 349, 655, 837, 957, 959
traça 165, 329, 551, 702, 722
traçado (maçonaria) 594
traçado 594, 626, 959
tracalhaz 51
tracanaz 51
tração 270, 594, 949
Tração 285
traçar (um quadro) por mão de mestre 594
traçar 550, 554, 590, 626
traçar a extrema entre 229
traçar em memorável oração 582
traçar novos rumos 146
traçar um paralelo 9
traçar uma linha de separação 465, 609
traçar uma norma 692
tracasserie 763
tracejar 550, 554, 556, 594, 596
tracionar 285
tracista 612
traço 79, 200, 259, 448, 551, 590, 626
traço de pena 590
traço de união 45
traço reto 246
tracoma 442, 655
tracônico 544, 940
traconismo 544, 940
traços gerais 240, 448
tracto 51
tractos de polé 716
tradear 260
tradição 124, 594, 613, 677, 692
tradicional 124, 594, 613
tradicionalismo 141, 150, 613
tradicionalista 612, 613
tradicionário 613
tradições 985
trado 260, 262
tradução 516
tradução livre/literal/servil 522
tradutor 524
traduzidor (dep.) 524
traduzir 154, 516, 522, 554, 566

749

traduzir a verdade | transverberar a alguém...

traduzir a verdade 543
trafegar 266, 680, 686, 794
tráfego 266, 270, 682, 686
trafeguear 794
traficância 545, 791, 940
traficante 701, 792, 797, 907, 913, 941, 949
traficar 791, 794, 940
tráfico 667, 794, 964
tráfico de drogas/de armas/de escravos 907
tráfico de influência 481
tráfico negreiro 749
tragacanto 356a
tragadeira (pop.) 351
tragador & *v.* 296
tragadouro 667
traga-mouros 887
tragar 162, 296, 298, 821
tragédia (teatro) 692a
tragédia 361, 599, 619, 828, 830
trágica 599
trágico 361, 599, 619, 649, 821, 909
tragicomédia 599
tragicômico 599, 853
trago 51, 298
trágula 727
trágus 418
traição 361, 544, 607, 742, 940
traiçoeiramente 940
traiçoeiro 528, 544, 665, 702, 940, 941
traidor 607, 940, 941
traineira 273
trair 525, 607, 940
traírem a alguém as suas reminiscências 495
trair-se 446
trait 448
traita 278
trajar 225
trajar com apuro 851
traje 225
traje a rigor 225
traje de dó 839
traje de passeio 225
traje domingueiro 225
traje esporte 225
traje leve 225
trajes caseiros 225
trajes menores 225
trajeto 264, 266, 627
trajetória 264, 278, 627, 692
trajo 448
trajos domingueiros 851
trajos menores 226
tralha 219, 545
tralhoada 59
trama 205, 219, 329, 545, 611, 626, 702, 709
tramado 219
tramar 219, 329, 544, 611, 626
trambicar 702
trambique 702, 791, 808
trambiqueiro 548, 702, 808
trambolhada 25
trambolhão 218, 275, 306, 583
trambolhar 218, 306, 583
trambolho 45, 202, 319, 706
tramelo 129
trâmite(s) 71, 627, 632
tramoeiro 808
tramoia 545, 611, 626, 702, 709, 808, 940
tramoiar 545
tramontana 278
tramontar 126
trampa 545
trampão 548, 940
trampear 940
trampista 548, 940
trampolim 599

trampolina 702
trampolinagem 702, 940
trampolinar 545
trampolineiro 545, 548, 702, 940, 941
trampolinice 545, 940
tramposo 545, 653, 940
trâmuei 272
tranar 267, 302
trança 214, 219, 248, 256
tranca 261, 706, 941
trancada 706
trançado 219, 261
trancafiar 261, 751
trancamento 261
trançar 219
trancar 261, 552, 756, 761
trancar a matrícula 297
trancar a porta 142, 297
trancelim 219
tranchant 604
tranco 309, 821
trangalhadanças 192, 243, 846
trangola 192, 203, 846
tranqueira 706
tranqueta 261
tranquia 706
tranquibernar 940
tranquiberneiro 545, 941
tranquibérnia 545, 940
tranquiberniar 545
tranquibernice 545
tranquilidade 141, 174, 265, 403, 664, 721, 829, 831
tranquilização 174, 826
tranquilizador 858
tranquilizar 174, 721, 723, 826, 831, 834
tranquilizar-se 826
tranquilizar-se a respeito por esse lado 484
tranquilo 174, 265, 403, 664, 714, 721, 826
tranquito (bras.) 271
transa 897
transação 151, 680, 769, 794
transação vergonhosa 940
transacionar 769, 794
transamazônico 196
transar 897, 961
transatlântico 196, 273
transato 62, 67, 122, 769, 797
transbordamento 348, 639, 640
transbordante 52, 102, 639, 640
transbordar 168, 186, 295, 303, 348, 825
transbordo 303
transcalência 384
transcedência 640
transcedentalista 450
transceder 648
transcendência 33, 303, 650
transcendental 33, 78, 317, 519
transcendentalismo 450, 519
transcendente 33, 78, 303, 519, 704, 873
transcender 31, 33, 78, 640
transcender os limites 303
transcoar 295
transcolar 295
transcontinental 196
transcorrente & indefinido 109
transcorrer 106, 109, 151, 303
transcorrido 122
transcrever 19, 551
transcrição 19, 21
transcrito 21
transcritor 19
transcurar 460, 930
Transcursão 303
transcursar 109, 303
transcurso 106

transcurso 303
transcurso do tempo 109
transe 8, 665, 683, 706, 735, 804, 828
transe de morte 823
transepto 1000
transeunte 266, 268, 444, 374a
transexualismo 374a
transferência 133, 185, 783, 784
Transferência 270
transferência de propriedade 270
transferido & *v.* 270, 783
transferidor 244
transferir 133, 185, 270, 783, 784, 972
transferir *sine die* 133
transferível 270, 783
transfiguração 140, 998
transfigurar 140, 144
transfixão 260, 302
transfixar 260, 302
transformação 140, 144, 658
transformação radical 658
transformar 140, 146, 330
transformar em massa informe 241
transformar num açougue 361
transformar-se 54, 530
transformar-se em 144
transformar-se numa fogueira 384
transformável 144, 149
transformismo 316
transformista 316, 599, 607
transfretano 196
trânsfuga 607
trânsfuga dos bons costumes 565
transfúgio 607
transfugir 607
transfundir 41, 140, 270
transfusão 41, 270
transgredir 83, 303, 614, 742, 773, 927, 964
transgressão 83, 303, 742, 773, 947
Transgressão 927
transgressivo 303, 773
transgressor & *v.* 303
transgressor 303, 614, 742, 773, 927
transição 140, 144, 264, 270
transido 820, 821, 824, 860
transido de frio 383
Transigência 623
transigência 607, 723, 740, 762, 774, 906
transigente 740
transigir 469, 488, 605, 607, 623, 628, 723, 740, 760, 762, 774
transitar 264, 302
transitável 260
trânsito 144, 244, 264, 270, 302, 360, 627
Transitoriedade 111
transitoriedade 149
transitório 111, 113
transivar-se 279
translação 140, 270, 311, 981
translatício 521
translato 521
translucidar 425
translucidez 425, 427, 446
translúcido 322, 425, 446
transluzir 420, 425, 446
transmarino 196
transmigração 140, 144, 270, 981
transmigrar 270
transmissão 270, 302, 531, 537
Transmissão 783
transmissão de calor 784
transmissão de poderes 755

transmissibilidade 149
transmissível & *v.* 270
transmitir 270, 527, 655, 783, 784
transmitir à tela 556
transmitir à tela o quadro de 594
transmitir aos leitores 531
transmitir por delegação 755
transmitir-se através dos tempos 775
transmontano 57, 188, 196
transmontar 33, 303
transmontar-se 449
transmudação 144
transmudar 140, 144, 146
transmutabilidade 149
transmutação 140, 144
transmutar 140, 267, 302
transnominação 521
transoceânico 196
transordinário 31, 83, 640
transparecer 425, 446, 525, 529
transparecer a cólera no rosto 900
Transparência 425
transparência 322, 446, 518, 525, 570, 960
transparência cristalina 42
transparentar 425, 518, 525
transparente 42, 322, 425, 446, 518, 570
transparente como a gaze 518
transpassado de dores/de setas 828
transpassar 302
transpiração 295, 299
transpirar 295, 339, 382, 529, 532
transplantação 270
transplantar 270
transplante 270, 662
transplatino 196
transponível 470
transpor 218, 270, 303
transpor as raias 173
transportação 270
transportado 824
transportamento 870
transportar 270, 350, 829
transportar-se a outros céus 266
transportar-se em êxtase 827
transportável 320
transporte 264, 266, 270, 272, 783, 825, 827
transporte de ódio 901
transportes amorosos 897
transposição 148, 185, 218, 270
transposição 185
transposição 218
transposição 270
transposição de polos 146
transrenano 188, 196
transtornar 61, 140, 218, 241, 503, 523, 679, 732, 821, 824
transtorno 59, 61,503, 509, 619, 704, 732, 735, 828
transtrocar 218
transubstanciação 140, 998
transubstancial 140
transubstanciar 140, 998
transudação 295, 302
transudar 295
transumanar 316
transumância 270
transumar 270
transunto 21
transvasamento 270
transvasar 270
transverberar 154, 525
transverberar a alguém pelo semblante (a dor) 821

750

transversal | tremular

transversal 202, 217, 219
transversalidade 217
transverso 217
transverter 61, 218, 503, 522
transviado 279
transviar 649, 945, 961
transviar aos mais ruinosos erros 495, 539
transviar-se 945
transvio 279, 961, 988
transvisto 446
trapa 545
trapaça 545, 621, 702, 940
trapaçaria 940
trapacear 544, 545
trapaceiro 545, 548, 702, 808, 940, 941
trapacento 940
trapada 645
trapagem 645
trapalhada 59, 626, 699
trapalhado 352
trapalhão 226, 699, 701, 852, 941
trapalheco 645
trapalhice (nudez) 225
trapalhice 226, 699
trape! 972
trapear 402a
trapeira 189, 420a
trapeiro 683, 701, 797, 877
trapejar 402a
trape-zape 402a
trapeziforme 214, 244
trapézio 214, 599
trapezoedro 244
trapezoidal 244
trapezoide 214, 244
trapiche 633, 636
trapicheiro 637
trapista 797, 996
trapizonda 959
trapo 32, 225, 645
trapola/trapolas 941
traque 297, 401, 406
traqueal 351
traqueano 351
traquear 537, 698
traqueia 260, 351, 440e
traquejado 698
traquejar 537, 622, 698
traqueliano 440e
traqueostomia 260
traque-traque 402a
traquina 264
traquinada 264, 682, 840
traquinagem 836
traquinar 682, 840
traquinas 264, 682, 825
traquinice 264, 682, 840
trasanteontem 122
trasbordar 639, 640
trascâmara 189
traseira 235
traseiro 235
trasfega 270
trasfegadura 270
trasfegar 270
trasfêgo 270
trasfogueiro 388
trasfoliar 19
trasgo 129, 860, 980
trasguear 682
trasladação 270, 522
trasladar 270, 522
traslado 21, 22
trasmudar 144
trasorelho 250
traspassação 303
traspassamento 303
traspassar 260, 302, 303, 378, 773, 783, 830, 927
traspasse 270, 302, 303, 360, 783
traspasso 133, 270, 378

traspés 128, 276, 945
trastalhão 941
traste 633, 941
trastejar 545, 605, 607, 637, 794, 941
trastes velhos 643
trasvisto 874, 898, 945
tratabilidade 602
tratadista 593, 595
tratadista de direito civil 968
tratado 593, 595, 723, 769
tratamento 662, 692, 876
tratantada 545, 702, 940
tratante 545, 808, 940, 941
tratantice 545, 940
tratar 298, 454, 476, 595, 654, 677, 769, 794
tratar alguém a contrapelo 895
tratar bem 906
tratar com alguém mão por mão 894
tratar com carinho e desvelo 902
tratar com descortesia 895
tratar com desprezo 460, 930
tratar com desrespeito 929
tratar com indiferença/com frieza 930
tratar com indulgência 906
tratar com insolência 885
tratar com mimo 902
tratar com negligência 460
tratar com soberba 878, 885
tratar com todo o rigor das leis da guerra 907
tratar como filho 902
tratar de 588, 620, 625, 662, 673, 746
tratar de alcançar 622
tratar de conseguir 675
tratar de leve 572
tratar mal 929
tratar sem respeito nem consideração 930
tratar superficialmente 572
tratar um negócio a contrapelo 699
Trata-se de 454
tratativa 769
tratável 705, 892, 894
tratear 830
trátil 285
trato(s) 23, 378, 588, 769, 888, 892
trato íntimo 490
trato mercantil 794
trator 285, 371
tratório 285
trauma 378, 830
traumático 378, 662, 830
traumatismo 378, 830
traumatologia 662
trauta (de caça) 551
trauta (p. us.) 622
trautear 416
trava (parte superior de cruz) 210
trava 751
travação 9, 43
trava-contas 713
travado 43, 583
travadura 706
travança 706
travão 633, 706
travar 43
travar a língua 583
travar com peias 706
travar combate 708, 722
travar conhecimento/amizade/afeição 888
travar conversação 588
travar da espada 716
travar luta corporal 716, 720

travar-se braço a braço/corpo a corpo com alguém 720
travar-se de razões 713
trave 45, 215
travejamento 329
travejar 215
travento 395
través 217
travessa (parte superior de cruz) 210
travessa 189, 191, 253, 260, 298, 627
travessão 45, 70, 349, 706
travessear 838
travesseiro (suporte) 265
travesseiro 215, 324
travessia 266, 267
travessio 627
travesso 149, 236, 264, 458, 629, 682, 825
travessura 264, 309, 682, 702, 836, 840
travesti 21, 856, 897
traviata 962
travo 390, 395
travo de tristeza 837
travoela 262
travor 395
travoso 395
trazer 153, 154, 161, 191, 215, 225, 467, 484, 525, 527, 588, 677, 763, 775
trazer à arena da discussão 476
trazer à baila 467
trazer à baila/balha 476, 485
trazer a barba sobre o ombro 459, 864
trazer a barriga à boca 161
trazer a boca fechadinha a sete chaves 528
trazer a campo 467
trazer a campo/á baila 527
trazer a cotio 225
trazer à ideia 516
trazer à lembrança 505
trazer à luz 525
trazer à maturidade/perfeição 729
trazer à memória 505
trazer à sombra 60
trazer à presença de 270
trazer a público 529, 531
trazer a soldo 746
trazer à tona 307, 476
trazer à tona/à publicidade/à luz 529
trazer água ao moinho 644
trazer água para o moinho 775
trazer alguém em roda-viva 907
trazer alguém nas palmas da mão 897
trazer alguém nas palmas/nas palminhas da mão 894
trazer alguém no regaço 902
trazer alguém pelo beiço 737
trazer ao bom caminho 660
trazer ao grêmio da Igreja 987
trazer aparência/aspecto 448
trazer bom rendimento 810
trazer braçadas de gravetos para a fogueira 900
trazer combustível 173
trazer de vista 459
trazer desgraça 649
trazer em seu bojo 152
trazer encarcerado & adj. 751
trazer nas palmas da mão 490
trazer no bojo 153, 511, 909
trazer no miolo a veneta de 451
trazer no seu bojo 526

trazer no seu séquito 88
trazer nos olhos e no coração 897
trazer o coração no rosto 703
trazer o dó por alguém 839
trazer o inferno no coração 828, 859, 950
trazer o nome de 564
trazer o rei na barriga 878
trazer o rei na barriga 880, 885
trazer para casa 775
trazer para o plenário 467
trazer para perto 197
trazer perigo no seu bojo 665
trazer sangue novo 824
trazer tudo na casa dianteira 882
trazer um cadeado na boca 403
trazer vontade 865
trebelhar (desus.) 840
trebelho 840
trecho 51, 198, 593, 596
tredécimo 99
tredo 665
trêfego 264, 682, 702, 713, 720, 742, 836
trégua 106, 142, 672, 687, 721, 723, 724, 970
treina 298, 613
treinado 698
treinador 540, 673
treinagem 537
treinamento 537, 613, 673
treinar 370, 537, 613, 673
treino 537, 675
treita 545, 551
treita medida 613
treitento 702
trejeitador 501, 853
trejeitar 855
trejeitear 929
trejeito 243, 550, 855, 857
trejeito 857
trejurar 535
Trejuro que... 535
trela 584, 588, 760
trem 272, 298
trem da alegria 818
trem, som de 402a
trema 550, 590
tremalho 219
tremar 590
trem-bala 272
tremebrilhar 422
tremebundo 860
tremedal 653, 945
tremedeira 862
tremelear 383, 860
tremelica 862
tremelicar 128, 160, 383, 860
tremelicoso 128, 383, 860
tremelique(s) 315, 860
tremeluzente 420
tremeluzir 128, 420, 422
tremendo 31, 830, 860
tremer 149, 160, 314, 315, 383, 407, 422, 821
tremer como varas verdes 860
tremer de raiva 860
tremer de súbito 380
tremer nas bases 862
treme-treme 366
tremido 475
tremifusa 413
trêmito (bras.) 821, 824
tremonha 191
tremor 173, 315, 383, 665, 821, 860
tremor de terra 146, 173, 667, 821
trempe 92, 386
tremulante 422
tremular 149, 206, 214, 422, 605

751

tremulina | tristeza

tremulina 420
tremulinar 420, 422
trêmulo 128, 160, 315, 383, 415, 422, 583, 821, 825, 860
trêmulos 847
tremuloso 383, 821, 825, 860
tremura 315, 383, 665
trena 45
trenó 272
treno 839
trenos de Jeremias 839
trepadeira 248, 305, 367
trepador 305
trepanação 260
trepanar 260
trépano 262
trépano de coroa 262
trepar 305, 961
trepidação 315, 825
trepidante 860
trepidar 160, 402a, 605, 860
trepidez 821
trépido 348, 860
tréplica 462, 937
treplicar 462, 479
três 92, 98
três irmãs 601
três pessoas divinas 976
três vezes feliz 827
tresandar (a) mau cheiro 401
tresandar 283, 313, 659, 743
trescalante 400
trescalar 398, 400
trescalo 398, 400
tresdobrado 93
tresdobrar 93
tresdobre 93
tresdobro 93
tresfolegar 349, 688
tresgastar 638, 818
tresler 499, 523
tresloucado 173, 503, 504, 824
tresloucar 503
tresmalhado & *v.* 279
tresmalhar 279
tresmalhar-se 304
tresmalho 219, 304
tresnoitar 682, 824, 825
treso 907
trespassar 821
trespasse 303, 360
trespasso 302
tressuado 688
tressuar 382, 688
trestampar 497, 499
tresvariado 503, 504
tresvariar 497, 499, 503, 825
tresvario 503, 825
tresvoltear 311
treta 544, 702
treteiro 702
trevas 421, 431, 442, 491, 526
trevas cimérias 421
trevas da morte eterna 360
trevo 311
trevoso 421, 491, 735, 860
treze 98
trezena 98, 108, 990
trezeno 99
trezentos 98
tríade 92
triaga ou teriaga (dep.) 662
Trialidade 92
triândrico ou *triandro* 367
triândrio 367
triangular 244
triângulo 244, 417
trianual 138
triarquia 737
triatlo 337, 840
tríbade 962
tribadismo 961
tribásico 93

tribo 75, 166, 372
tribofe 621
tribometria 331
tribômetro 331
tríbraco 597
tribul 166
tribulação 735, 828, 837
tribuna 542, 582, 922
tribuna sagrada 1000
tribunal 696, 922, 965
Tribunal 966
tribunal da penitência 950, 1000
tribunal de contas 811, 966
tribunal de honra 939
tribunal de justiça 696
tribunal de justiça/da relação/do júri 966
tribunal de última instância 474
tribunal eclesiástico/pontifício 995
tribunal marcial 966
tribunal veneziano 739, 913
tribunato 966
tribuneca 681, 966
tribunício 582, 742
tribuno 582, 967
tribunocracia 737, 966
tributar 784, 812, 928
tributário 348, 743
tributarista 811
tributar-se 743
tributo 743, 784, 809, 812
trica 477, 532, 588
tricampeão 92
tricana 129
tricapsular 367
tricas 544, 702
tricéfalo 83
tricelular 367
tricentenário 883
tricentésimo 99
tricêntrico 222
tricicleta 272
triciclo 272
tricliniário 746
triclínio 191
tricoide 205
tricolor 440
tricomoníase 655
tricorne 94, 253
tricórnio 225, 747
tricoso 702
tricotomia 94
tricotômico 94
tricótomo 94
tricuríase 655
tricúspide 94, 253
tridáctilo 440c
tridentado 253
tridente 253, 341, 727, 747
tridênteo 341
tridentífero 341, 747
tridentígero 341
tridentino 983a
tridêntio 747
tríduo 108, 116, 990
tríduo sacro ou pascal 998
trienado 108
trienal 138
triênio 108
trietéride 108
trifacial 94
trifauce (poét.) 83, 868, 957
trifauce 94
trífido 94
trifloro 94, 367
trifólia 371
trifoliado 367
triforme 20a, 81, 92, 93
trifurcação 94
trifurcado 94
trifurcar 94

triga 684
trigal 371
trigamia 903
trígamo 903
trigança 684
trigar-se 684
trigêmeo 11, 17, 88, 92
trigêmino 11, 94
trigésimo 99
trígino 367
triglota 490, 492
trigono 244
trigonocéfalo 440c
trigonometria 244
trigonométrico 85
trigoso 684
trigrama 562
trigueiro 431, 433
triguenho 431
trilar 402a, 407, 412
trilar de apitos 713
trilateral 236, 242, 244
trilátero 244
trilha 551, 622, 627
trilha batida 613
trilha sonora 692a
trilhado 82, 124, 490
trilhão 98, 266, 330, 378, 461
trilhar a vereda da desonra 945
trilhar a vereda da virtude 944
trilheiro 93
trilho 627
trilice 205
trilíngue 490, 492, 560, 590
triliteral 93
trilo 402a, 407, 412, 415
trilobado 94
trilogia 92, 599
trilogístico 93
trílogo 588
trilongo 597
trimembre 94
trimensal 138
trímero 94
trimestral 108, 126, 138
trimestre 108
trímetro 597
trimorfia 81
trimorfismo 94
trimorfo 81, 94
trimúrti 92
trina essência 976
trinado 407, 412, 413, 415, 847
trinalidade 92
trinar 407, 412, 416
trinca 72, 92
trincadeira 298
trincado de malícia 702
trincadura 273
trinca-espinha 203
trincafiar 751
trincafio 702
trincalhos 417
trincar 298, 412
trincar a sedela 859
trincar a sedela a alguém 545
trincha 220, 253
trinchante 171, 253
trinchar 51
trincheira 666, 717
trinchete 253
trincho 298, 618, 632
trinco 45, 261
trincolejar 402a
trincolhos 840
Trindade 126, 976
trindade 72, 92
trinervado/trinérveo 92, 94, 367
trineto 167
trineto, trineta 11
trinfar 412

trinidade 92
trinir 412
trinitário 92, 996
trino 92, 412
trinômine (poét.) 564
trinômio 92
trinque(s) 850, 851
trinta 98
Trinta cães a um osso 865
trinta e um 621
trintanário 268
trintena 98, 99
trio 92, 415, 692a
tripa 221, 440e, 532
tripalhada 653
tripalium 975
tripanossomíase americana 655
trípara 161
tripartição 94
tripartir 94
tripartível 94
tripé 92, 215, 324
tripeça 92, 215, 386
tripeiro (depr.) 565
tripétalo 367
tripetrepe 275, 528
triple 93
triplicação 35
Triplicação 93
triplicado 93
triplicar 35, 93
triplicata 21, 92, 93, 640
tríplice 93
triplicidade 93
triplo 93
trípoda 511
trípode 92, 94, 215, 511
tríptico 593
tripudiar 34, 315, 840, 885, 945
tripudiar sobre 773, 930
tripudiar sobre a lei 964
tripudiar sobre os destinos de um povo 739
tripúdio 961
tripulação 188, 269, 759
tripulante 269
tripular 269, 278, 637, 673
triquestroques 477, 495, 520
trique-traque 840
triquetraz 264
tríquetro 244
triquina 655
triquinado 655
triquinose 655
triquinoso 655
trirregno 737, 747, 995
trirreme (ant.) 273
trirretângulo 244
triságio 990
trisavô 130, 166
trisavô, trisavó 11
triscar 402, 402a
trispermo 367, 412
trissar 412
trisseccado 94
Trisseção 94
trissecar 94
trissecular 124
trissetor 94
trissetriz 94
trissilábico 94, 562
trissílabo 92, 94, 562
trisso 412
trissulco 94, 259
tristaminífero 367
triste 422, 432, 735, 828, 830, 837, 839, 841, 950
triste de mim! 839
triste fadário 735
tristemente 31, 837
Tristeza 837
tristeza 828, 832, 901a

tristeza suave 833
trístico 58
tristimania 837
tristonho 422, 837, 839
tristura (ant.) 837
Tritão 341
triteísmo 984
triteísta 984
triteístico 984
triticultura 371
tritongo 92, 561
trituração 298, 330
triturador 330
triturar 162, 276, 298, 328, 330, 479
triturar as pestanas 538
triturar o coração 830
triunfador 731
triunfal 733
triunfante 282, 731, 838
triunfar 731
triunfar o favoritismo 923
triunfo 731, 733, 838, 884
triunfo venturoso 731
triunviral 745
triunvirato 737
triúnviro 745
trivial 80, 82, 298, 490, 499, 517, 613, 643, 841, 852, 871
trivialidade 517, 643, 645, 843, 852
trívio 94, 244
trivogal 561
triz 113
troada 716
troante 404, 407
troar 402a, 404
Troca 148
troca 783, 794, 840, 842, 856
troca de cartas 592
troca de ideias 588
troca do *s* por outra letra 583
trocadilho(s) 17, 477, 497, 520, 563, 842
trocado & *v.* 148
trocado(s) 520, 842
trocaico 597
trocar 148, 495, 794, 856
trocar alhos por bugalhos 495
trocar as bolas 495
trocar com desconto 813
troçar de 856, 929
trocar documentos 476
trocar ideias 588
trocar mutuamente 12
trocar olhares com 550
trocar olhares de inteligência 668
trocar palavras 713
trocar por 609
trocar tiros 718
trocarem-se as últimas despedidas 293
trocar-se o claro dia em noite escura 735
trocarte 262
trocas e baldrocas 545
troca-tintas 555, 607, 699, 941
troca-troca 147
trocaz 412
trochada 972
trocho 727
trociscar 51
trocisco 51
trocista 842, 844, 856
troço (bras.) 299
troço (de soldados) 72, 726
troço (ó) 102
troco 103, 462, 800
Troféu 733
troféu 550, 551, 731, 873, 883
troficidade 822
trófico 298

trofologia 298
troglodita 893, 895
troles-boles 607
trolha 701, 877
trolho 193
trom 402a, 404, 727
tromba 234, 250, 315, 348, 832
tromba-d'água 337
trombadinha 792
trombeiro 416
trombejar 412
trombeta 416, 417, 534, 722
trombeta da fama 873
trombeta de guerra 722
trombeta, som de 402a
trombetada 404
trombetear 402a, 404, 416, 529, 531, 873, 931
trombeteiro 416, 884
tromblom 225
trombone 417
trombudo 440d
trombudo 832, 846, 900
trompa 417
trompe l'oeil 443, 556
trompete 417
tronar 402a, 404, 407
troncar 201
tronchar 201, 241
troncho 241, 440b
tronchuda (couve) 367
tronco 50, 66, 153, 166, 215, 241, 752, 975
troneira 717
trono 189, 206, 215, 402a, 404, 747
trono supremo 737
tronqueiro 753
tropa 102, 271, 712
tropa fandanga 877
tropas 726
tropas de linha 726
tropas mercenárias 726
tropeada 412
tropear 402a, 412
tropeçar 265, 305, 495, 605, 704, 706, 732, 945
tropeço 651, 706
trôpego 128, 275
trôpego da língua 583
tropeiro (bras.) 271
tropel (de cavalos) 72
tropel 59, 402a, 412
tropelia 264, 702, 720, 907
tropelias 735
tropelias da sorte 732
tropical 228, 382
trópico 382
trópico de Câncer 247
trópico de Capricórnio 247
trópicos 247
tropo 521
tropologia 521
tropológico 521
troponômico 140
troquel 240
troqueu 597
troquilheira 962
tróquilo 231
trotador 271, 274
trotão 271
trotar 266, 274, 402a
trote 275, 402a
trote rasgado 274
trotear 402a
troteiro 268, 271
trottoir 627
trouvaille 775
trouxa 72

trova(s) 597, 856
trovador 597
trovão 173, 402a, 404, 872
trovão, som de 402a
trovar 597
trovas burlescas 856
trovejante 404
trovejar 402a, 404, 407, 708, 909, 932
trovejar contra 908
troviscada 622, 663
troviscar 402a, 407
trovisco 663
trovista 597
trovoada 173
trovoar 402a, 404, 407
trovoso 404
truanaz 844
truanear 842
truanice 840, 857
trução 501, 599, 844, 857
trucar de falso 477, 495, 544
truces oculi 909
trucidação 361
trucidar 361
trucilar 412
truculência 907, 925
truculentamente 31
truculento 907
trufeira 367
truncação 38
truncado 51, 53, 241
truncamento 241
truncar 38, 51, 53, 201, 241, 544, 679
trunfa 225, 256, 440e
trunfar 731
trunfo 175, 642, 650, 731
truque 545, 702
trust 712
truticultura 370
truz! 306
tsunâmi 667
tu 79, 876
Tu és aço e eu ferro que te maço 718
tu mesmo 79
Tu quoque 718
tuba 417
tuba da epopeia 873
tuba poética 597
tubagem 350
tubarão 123, 792, 868
tubeira 260
tubel 423
tuberculado 250
tubercular 250
tuberculose 655
tuberculoso 655
tuberosidade 250
tuberoso 250
tubífero 350
tubiforme 350
tubixaba (bras.) 745
tubo 260, 350 351
tubulação 350
tubulado 350
tubular 260, 350
tubulares 417
tubuloso 350
tudel 351
tudo 50, 520, 642, 899
tudo em cima! 831
Tudo está perdido 732
Tudo indica que... 472
Tudo lhe corre à medida dos seus desejos 734
Tudo lhe faz sombra 921
tudo ou nada 604
tudo que lhe veio às mãos ficou ornado 850
tudo que tem corpo e forma 316

tudo que vibra e palpita 1
Tudo se esvai e tudo finda! 140
Tudo vale a pena se a alma não é pequena (Fernando Pessoa) 906
tudo-nada 32, 643
tufado 250, 256
tufão 165, 274, 312, 349, 667, 825
tufar(-se) 194, 878
tufo(s) 206, 256, 322
tufoso 194
tugir 405
tugue 361, 949
tugúrio 189, 666
tuição (ant.) 937
tuim (bras.) 584
tuíste 415
tuitivo 664, 717, 937
tularemia 655
tule 427
tulha 636
tulipa 440
tulipáceo 440
tum 402a
tumba 363, 735
tumba catumba! 972
tumbeiro 363
tumbice (fam.) 735
tumefação 194
tumefacto 194
tumefazer(-se) 194
tumeficar(-se) 194
tumente 194
tumescer(-se) 194
tumidez 194
túmido 192, 194, 250
tumor 194, 250, 655
tumoroso 194
tumular 363, 533
túmulo 363
tumulto 59, 171, 173, 315, 402, 411, 682, 713, 820, 742, 825
tumultuado 61
tumultuar 173, 404
tumultuar o coração 821
tumultuariamente 59
tumultuário 59, 173
tumultuário 742, 825
tumultuoso 59, 173, 742, 825
tumuroso 250
tuna 683
tunador 683
tunante 683
tunantear 683
tunar 683
tunda 972
tundra 344, 367
túnel 260, 350, 627
tunga 775, 791
tungar 775, 789
túnica 225, 999
túnica albugínea 441
túnica de Néssus 619, 649
túnica molesta
Tunica proprior pallio est 922
tunicela 999
tuno 683
Tupã 979
tupé (bras.) 340
tupeba 348
tupeva (bras.) 348
turamão/turgimão 524
turba 102, 372
turbamulta (de malfeitores) 72
turbante 225
turbar 61, 218, 424, 649, 653, 824
turbar-se 821, 825
turbativo 824
túrbido 59, 421, 424, 426, 653, 824
turbilhão 72, 312, 315, 348, 349
turbilhonar 173, 312
turbina 312, 633

turbinação | undação

turbinação 312
turbinado 248
turbinagem 224
turbinar 224, 312
turbinoso 248, 311, 312, 348
turbulência 173, 315, 667, 742, 825
turbulento 173, 713, 720, 742, 825, 901
turca 959
turco 903
turdídeo 366
turf 728
turfa 388
turfeira 636
turgescência 194, 577, 640
turgescente 194, 577
turgescer(-se) 194, 577
turgidez 194, 250, 577
túrgido 194, 250, 577, 579, 640
turgimão 962
turibular 933
turibulário 933, 935
turíbulo 933, 998, 1000
turícremo (poét.) 933
turiferar 933
turiferário 935
turífero 400, 933
turificação 400, 933, 998
turificador 933, 935
turificar 933
turino 400
turismo 264, 266, 840
turista 268
turma (de examinandos, examinadores) 72
turma 712
turnê 266, 267
turno 72, 138
turpilóquio 961
turquesa 438, 847
turquesado 438
turquimão 524
turquina 438
turra 606, 713, 720
turrão 606
turrar 606
turrice 606
turrífrago 716, 727
turrígero 717
túrrio 606
turrista 606
turturejar 412
turturinar 412
turturino 366
turumbamba (bras.) 59
turuna 720, 861
turvação 426, 653
turvar 421, 424, 426, 519, 653, 824
turvar as águas 465a
turvar o juízo 503
turvar os claros horizontes 713
turvarem-se os horizontes 704
turvejar 421, 424, 426, 653, 824
turvo 59, 424, 426, 519, 653
turvo da vista 442
tuta e meia 643
tutano 5, 68, 221
tutela 459, 537, 664, 749
tutelado 129
tutelagem 749
tutelar 664, 717, 749
tutilimúndi 41, 78, 372, 448
tutor 540, 664, 753
tutorar 749
tutorear 749
tutoria 537, 664
tutriz 664, 753
tutu (bras.) 860
tuxaúa 745
tuyère 386

twist 415
twitter 527, 840

U

uamiri (bras.) 727
ubá (bras.) 273
uberdade 168, 734, 803
úbere 168
ubérrimo 168
ubertoso 168
Ubinam gentium! 508, 870
ubiquação 186, 976
ubiquidade 180, 186, 976
ubíquo 186, 976
uca 959
ucasse 741
ucha 636
uchão 637, 694
ucharia 636
udômetro 348
ufa! 688, 870
ufanar-se 878
ufania 855, 878, 880
ufano 873, 878, 880, 884
ufanoso 878
ui! 870
uia 278
uimbembeques 214
uirari (bras.) 663
uísque 298, 959
uisqueria 959
uivar 349, 402a, 410, 412
uivo 402a, 410, 412
ukase 741
ukelele ou guitarra havaiana 417
ulanos 726
úlcera 378, 619, 655, 830
úlcera mole venérea 655
ulceração 830, 907
ulcerar 659, 830
úlceras quirônias 655
ulceroso 655
ulemá 967, 995, 996
úleo 191
uliginário 339, 345
uliginoso 345, 352
Ulisses 289, 702
ulna 440e
ulo (bras.) 839
ulofobia 503, 867
ulosa 200
ulterior 63, 65, 117, 121, 133
ulterioridade 63, 117
última camada social 877
última cartada 626
última demão 729
última estação 128
última fileira 235
última geração 123
última hora 360
última jornada 360
última moda 123
última morada 363
última palavra 123
última quadra 128
ultima ratio 744
ultima ratio regum 722, 727
última saída 601
ultima Thule 67, 196
última vontade 771
ultimação 729
ultimamente 122, 123, 133
ultimar 67, 729
últimas 8, 67
últimas ânsias da agonia 360
ultimato 604,741, 744, 770
ultimatum 474, 604, 620, 741, 770
último 34, 62, 63, 67, 122, 123, 235
último degrau 67, 210
último quartel da vida 128
último recurso 601

último reduto 666
último retoque 729
último sono 360
últimos arquejos 360
últimos arrancos 360
últimos paroxismos 360
últimos sacramentos 360
ultor 919
ultra crepidan 471
ultra vires 471
ultraexigente 868
ultrajado 898
ultrajante 649, 874, 929, 934, 988
ultrajar 649, 874, 907, 929, 934, 961
ultraje 173, 619, 649, 659, 874, 907, 929, 934, 947
ultraje à divindade 988
ultraje ao pudor 961
ultraje dos tempos 124
ultrajoso 649, 874, 929, 934
ultraleve 273
ultraliberal 740, 989
ultraliberalismo 740, 989
ultramar 438
ultramarino 196
ultramontanismo 983a, 995
ultramontano 57,196, 987, 988a, 995
ultrapassado 124, 852
ultrapassagem 303
ultrapassar 33, 206, 303
ultrapassar em astúcia 545
ultrapassar o entendimento 519
ultrarrealista 855
ultrassonografia 662
ultrice (poét.) 919
ultriz 919
ultrôneo (des.) 602
ululação 412
ululante 839
ulular 349, 402a, 412
ululoso 839
um 50, 87, 98, 100a
um a um 26
Um abuso não autoriza outro 679
um acervo de heresias e incoerências disparatadas 497
um aluvião de mentiras 546
um amontoado de cacaborradas/de rodilhas 497
um apontoado de 639
um apontoado de rodilhas 575
um cego verta isso 525
um certo número 100
um dentre mil 83, 648, 948
um desses dias 119
um dia desses 121
um e outro 89
um Einstein 498
um falar e dois entenderes 520
um fio de voz 405
um lampejo de novidades 532
um logro a alguém 545
um não seco/raso/desenganador/liso/redondo 764
um não sei quê 475, 845
um nobre par de irmãos 890
um número avultado de 102
um nunca findar 105
um ou mais por cento 813
um painel de horrores 828
um par de 25
um par de galhetas 89
um paradeiro a 162
um por um 79, 87
um pouco 32, 51
um quê 3, 32, 51, 848
um quê de 651
um *quid* 372
um sem-fim 105

um sexto 100a
um simples olhar 441
um só 87
um tal quidam 372
um tantito 103
um tanto 32, 51, 651
um terço 100a
um único 87
uma aspiração de verdade 455
uma bolada 803
Uma coisa é...outra é... 15
uma coxia de desconchavos 497
uma das individualidades mais úteis 873
uma dos diabos 173, 619
uma efusão de 639
uma enormidade de ordem jurídica 964
Uma mão lava a outra e ambas o rosto 709
uma ou outra vez 137
Uma palavra e um golpe 720
uma palha 643
uma única voz 87
uma vez por todas 52, 609
uma vez que 469, 514
umbandista (em cultos afro-brasileiros) 996
umbela 223, 1000
umbelado ou *umbelífero* 367
umbigada 276
umbigo 68, 222, 440e,
umbilical 222
umbilicus 222
umbraculiforme 367
umbráculo 225
umbrais da História 873
umbral 66, 215, 294
umbrático 2,168, 421, 424, 519, 521
umbrátil 2, 168, 421, 424, 464, 515, 521
umbreira 215
umbria 217, 424
umbrícola 367, 424
umbrífero 421, 424
umbro 366
umbroso 367, 421, 424
umectação 335, 339
umectante 339
umectar 335, 339
umectativo 339
umedecer 337, 339
umedecido & *v.* 339
umedecimento 339
umente 339
úmero 440e
Umidade 339
umidade 352
umidifobo 340
úmido 337, 339
uminal 210
umo 168
umpção 298
um sete um 941
una (poét.) 66
una voce 488
unanimar 488
unânime 488
unanimemente 488, 714
unanimidade 488, 709, 714
unar (ant.) 50
unca visto 83
unção 332, 355, 821, 824, 976, 987
úncia 32, 200
uncial 561, 590
unciário 779
unciforme 244, 245
uncinado 244, 440c, 781
uncirrostro 440c
undação 348

undante 348
undecágono 244
undecênviro 967, 975
undécimo 99
undícola 341, 366
undífero 348
undíflavo 348
undífluo 348
undíssono 348
undívago 267, 273, 341
undoso 341, 348
unduloso 348
Ungido 976
ungido do Senhor 745, 996
ungir 175, 615, 755, 998
unguentáceo 355
unguentário 355, 400
unguento 356, 662
unguicolado 440c
unguiculado 367
unguinoso 355
úngula 781
unha com/e carne 890
unha de fome 819
unha negra 111
unhada 378
unhante 792
unhar 378, 720
unhas 615, 781
unialado 440c
uniangular 244
união 41, 43, 48, 72, 178, 290, 709, 712, 714, 888, 903
união de vistas 23
união hipostática 976
uniarticulado 440c
unicamente 87
unicidade 33, 100a
único 18, 20, 33, 44, 83, 87,100a
único na história 870
unicolor 428
unicorne 253, 440c
unicórneo 253
unicórnio 83
unicroísmo 428
uníclo 45
unicúspide 253
unidade 50, 51, 52, 78, 87, 88, 100a, 466, 488, 714, 976
unidade de 84
unidade de comando 488
unidade de vistas 714
unidade trina 976
unidades de medida de luz 423
unidamente 46, 52
unido 43, 46, 88, 178, 199, 709, 712, 714, 888, 903
unidos por 712
unificação 48, 87, 290
unificar 16, 42, 48, 50, 58, 60, 78, 80,138, 141, 225, 255, 374a, 550
uniformemente & *adj.* 16
uniformemente admitido 80
Uniformidade 16
uniformidade 17, 23, 78, 80, 242
uniformizado 60
uniformizar 60, 78
uniformizar-se 16, 225
unigamia 903
unígamo 903
unigênito 167
unijugado 89
unilateral 481, 769
unilateralidade 481
unilíngue 590
unilocular 252
uníloquo 489
uninérveo ou *uninervado* 367
uninominal 564
unípara 161,168, 366, 374, 440c
unipedal 83
unipessoal 87
unipétalo 367

unir 37, 43, 290, 321, 723
unir fileiras 709
unir por casamento 903
unir(-se) 13, 46, 178, 709, 712
unir-se a 88
unissexuado 367, 372
unissonância 23, 413, 488
uníssono 413, 488
unitário 100a, 737
unitarismo 737
unitivo 43
univalve 367
universal 78, 372
universalidade 50, 78
universalizar 78
universalmente 180
universidade 537, 542
universitário 78, 537, 540, 542
universo 3, 180
Universo 318
universo em expansão
univocalismo 579
unívoco 78, 518
uno 50, 87
uno saltu 113
uno saltu duos apros capere 698
uno spiritu 69, 111
uno verbo 572
unóculo 443
uns bons pares de 31
Uns comem figos, a outros arrebenta a boca 923
untadela 332, 355
untadura 355
untar 223, 356a,
untar as mãos 615
untar as mãos a/ de alguém 784, 795, 940
untar com gordura 332
unto 223, 356
untuosidade 332
Untuosidade 355
untuoso 355, 886, 933, 935, 988
untura 332, 355, 491
únula 244
up to date 123
upa 309
UPA 662
upa japicaí 663
upanda (Angola) 969
upercut 276
upgrade 658
upérrimo 123
upstart 877
úptil 328
up-to-date 851
úraco 45, 440e
uralite 635
uranálise 662
urânio 388
uranismo 961
uranista 962
uranografia 318
uranógrafo 318
uranograma 318
uranologia 318
uranometria 318
uranorama 448, 554
uranoscopia 318, 511
urbada 276
urbanidade 829, 851, 892, 894
urbanista 690
urbanita 188
urbano 189, 780, 894
urbanos 780
urca 130, 202, 846
urca/urco (bras.) 31
urco 263, 271
urdido 219
urdidor 949
urdidura 219, 329, 626, 907
urdimaça 532

urdimaças 548, 907, 949
urdimalas 548
urdir 161, 219, 282, 329, 626
urdir a intriga 702
urdir armadilha 545
urdume 626
uredo 375, 380
urente 382, 384
ureter 350, 440e
ureteralgia 378
uretra 350, 440e
uretral 350
uretralgia 378
urgência 132, 630, 642, 684
urgente 601, 630, 682, 684
úrgico 601, 630
urgir 132, 173, 622, 630, 684, 765
urim e thumim (hebreus) 999
urinar 297, 299
urinol 191, 653
urmana (bras.) 706
urna 363, 609
urna cinerária 363
urnígero 367
urobrânquio 440c
urodelo 235, 440c, 945
urodinia 378
urogenital 440e
urografia 662
urologia 662
urológico 440e
uromelia 83
urômelo 83
uropigial 235
uropígio 39, 235
uróscopo 662
urrar 402a, 412
urreca (ant.) 243
urro 412
ursídeo 366
ursino 412
urso (fig.) 893, 895
urso 412, 541, 846
ursulina 996
urtiga 378, 645, 663
urtigar 378
urtir 153
urubu 431, 819
urubu, vozes de 412
urucu (bras.) 434
urucubaca 699, 735
urutu (bras.) 913
urzal 169
usabilidade 644
usado 490, 613, 677, 852
usança 80, 613, 677
usar 225, 638, 677
usar babadouro 127
usar com moderação 953
usar da liberdade 748
usar de afetação 855
usar de artifício 544
usar de cautela 864
usar de delongas 133
usar de epíquea 740
usar de microscópio 549
usar de paliativos 662
usar de perfídias 940
usar de reticências 528
usar de rodeios/de manha 702
usar de subterfúgios 477
usar de todos os expedientes 686
usar de traição/de má-fé 940
usar de treta 702
usar de um direito/de suas atribuições 924
usar nome falso 565
usar o nome de 564
usar para com todos de muita política 894
usar/empregar/aplicar mal 679

usar-se 677
usável 677
usco 442
Use e abuse 677
Use mas não abuse 677
useiro e vezeiro 613, 945
usitado 80
uso 80, 502, 613, 644, 851
Uso 677
uso de pesos e medidas 466
usque ad nauseam 867
ustão 384
uste 72
ustório 384
ustrina (ant.) 363
ustulação 384
ustular 340, 384
usual 80, 82, 104, 474, 562, 613
usuário 779, 795
usucapião 777
usucapiente 779
usucapir 775
usucapto 775
usufruir 677, 777, 827
usufruir de certa aptidão para 698
usufruir vantagem/proveito 698
usufrutar 677
usufruto 677, 777
usufrutuar 777, 827
usufrutuário 188, 779
usura 787, 806, 819
usurar 787, 819
usurário 787, 805, 819, 943
usureiro 819
usurpação 303, 737, 738, 739, 775, 789, 791, 923, 925
usurpado 925
usurpador 722, 738, 739, 745, 789
usurpar 303, 739, 777, 789, 791, 925
usus loquendi 582
utano 221
utar 465
uteiro divisório 233
utensílio 633
utente 677
úternum servans sub pectore vulnus 919
útero 191, 221, 440e
uteromania 961
uti possidetis 141, 777, 781
útil 176, 618, 630, 631, 644, 646, 648, 677
utilidade 176, 618, 642, 646, 677
Utilidade 644
utilitário 272, 644, 910
utilitarismo 644, 910
utilitarista 910
utilização 644, 677
utilizante 677
utilizar 644, 677
utilizar-se 677, 789
utilizar-se de 467, 644, 677
utilmente & *adj.* 644
utopia 4, 471, 515, 858
Utopia 639
utópico 471, 515
utopista 515, 858
utrículo 191
utriforme 191
utrofia 298
uva 249
uvas verdes 617
úvea 441
uvenco (poét.) 129
úvido 339
úvula 440e
uxoriano 903
uxoricida 361
uxoricídio 361

uxte! | vasa

uxte! 908, 930, 932
uzífuro/uzífur 434

V

vá à merda! (chulo) 930
vá à tabua! 930
vá às favas! 930, 932
vá bugiar! 930
vá catar coquinho! 930
vá para o diabo! 900
vá pentear macacos! 932
vá se ferrar! 930
Vá! 762
vaca 366, 374
vaca (voz da) 412
vaca de leite 168, 636
vacante 187
vação (reg.) 501
vação 188
vacar 187, 681
vacaril 412
vacarino 412
vacatura 187
vacilação 149, 314, 475, 605, 607
vacilante 149, 160, 475, 605, 659, 665
vacilar 124, 149, 160, 275, 279, 314, 460, 485, 495, 605, 659, 699
vacilo 605
vacina 662, 670
vacinação 670
vacinal 670
vacinar 670
vacínico 670
vacuidade 2, 53, 187, 517, 544, 575, 641
vacum 366, 412
vácuo 2, 53, 180, 187, 198, 252
vacuum 187
Vade in pace 970
vade retro! 145, 932
vadear 209, 267, 302
vadeável 209
vade-mecum 527, 596
vadeoso 209
vadiagem 266, 683
vadiar 683
vadiice 683
vadio 683, 877, 940, 941
Væ victis! 722
væ victis! 909
vaga(s) 102, 187, 341, 348, 641, 685
vaga insinuação 550
vaga-avante 269
vagabundagem 266, 683
vagabundear 264, 266, 279, 683
vagabundo 73, 149, 185, 266, 268, 279, 621, 623, 683, 940, 941, 949
vágado 158
vagalhão 341, 348
vaga-lume 423
vagalumear 420, 422
vagamundear 266, 279, 683
vagamundo 268, 279, 683
vaganau 683, 941
vagão 272
vagar 73, 134, 185, 187, 264, 266, 275, 515, 621, 683, 685, 687
vagar à mercê das ondas 267
vagar nos ares 507, 532
Vagareza 275
vagareza 110, 128, 133, 266, 685
vagarosa (gír.) 752
vagarosamente 133, 266, 275
vagaroso 133, 160, 172, 275, 460, 605, 683, 685
vagatura 142
vagido 839
vagina 350, 440e
vaginal 350
vaginiforme 350
vagínula 191

vagir 127, 839
vago 78, 187, 279, 405, 447, 465a, 475, 515, 519, 571, 641, 777a
vago pressentimento 510
vago-mestre 745
vagoneta 272
vagonete 272
vaguear 266, 279, 515, 621, 683
vaguejar 264, 515, 621
vagueza 556, 571
Vai em paz (fig.) 970
vai não vai 32, 152
vai para um ano que 122
Vai por mim 536
vai senão quando 113, 508
Vai ter troco! 909
vaia 462, 489, 832, 929, 932
vaia contra alguém 929
vaiar 462, 929, 932
vaicia (Índia) 371
Vaidade 880
vaidade 482, 499, 645, 878, 884
vaidade é o orgulho dos outros, A (Sacha Guitry) 880
vaidosamente & *adj.* 880
vaidoso 481, 878, 880, 884
vai-não-vai 113
vai-te para as areias gordas!/ para os mares amarelos! 908
vaivém 151, 264, 314, 659, 682, 732
vala 259, 343, 350
vala comum 363
valada 350
valado 181, 229, 232, 350
valar 229, 232, 717
valdeiro 683
valdevino(s) 804, 818, 877, 941
valdo (ant.) 804, 818
vale 252, 800, 805, 806
vale postal 800
valeat quantum 467
valedio 800
valedor 912, 948
valeira 232
valeiro 252
valejo 252
valentaço 720, 861, 884, 887
valentão 720, 726, 884, 887
valente 726, 861
valentia 861, 884
valentia imortal 861
valer 27, 800, 812, 906
valer menos do que 643
valer por todos os mais 33
valer por volumes 467
valer tanto como 27
valer-se de 677
valet de chambre 746
valet de place 524, 527
valeta 232, 259, 350
valete 626, 746
valete et plaudite! 931
valetudinário 128, 160, 655
valetudinarismo 655
válgio (ant.) 255
valha a verdade 469, 543
valhacouto 189, 530, 666, 717, 791
Valhala (escandinavo) 981
Valha-me Deus! 665
váli 745
valia 642, 644, 648
validade 157
validar 467, 963
validez 157
válido 157, 159, 171, 476, 494, 644, 654, 963
valido 746, 888, 890, 899
valimento 175, 642, 644, 737
valioso 31, 642, 644
valise 191
valo 232, 717, 728

valor(es) 642, 644, 648, 812, 820, 861, 944
valor dum alfinete 643
valor equivalente 147
valor estimativo 812
valor futuro 800
valor intrínseco 812
valor nominal/real/atual 800
valor numérico 25
valor pecuniário 812
valorização 658
valorização da moeda 800
valorizar 648, 658, 814
valorizar a moeda 800
valoroso 159, 604, 682, 722, 861
Valquírias 845, 979
valsa 415, 692a, 840
valsar 840
valverde 59, 382
válvula 263, 666, 706
válvula de segurança 671
valvulado 263
valvular 263
vãmente 732
vamos à trincadeira!
vampírico 789
vampirismo 789, 868, 907, 992
vampiro 83, 792, 860, 913, 980
van 272
vandálico 162, 852, 907, 929
vandalismo 162, 649, 852, 907, 929
vândalo 165, 852, 913, 949
vanglória 855, 878, 880, 884
vangloriar-se 878, 880, 884
vanglorioso 878, 880, 884
vanguarda 33, 64, 234, 280, 668
vanguarda *prima acies* 280
vanguardear 62
vanguardeiro 64, 280
vanguardista 234
vanguejar 160, 264, 605
vaniloquência 517
vaniloquente 517, 884, 887
vanilóquio 517, 884
vanilóquo 517, 880, 884, 887
vanitas vanitatum 645
vanitas vanitatum 880
vant 727
vantagem(ns) 33, 618, 644, 677, 731, 775
vantagem pecuniária 800
vantajosamente 31, 33
vantajoso 644, 646, 648, 775
vante 234
vão 2, 158, 175a, 198, 260, 477, 495, 497, 544, 545, 645, 732, 843, 866, 880
vápido 391, 575
vapor(es) 273, 334, 353, 398, 515
vaporário 351
vaporar-se 67, 336
vaporável 336
vaporífero 336
Vaporização 336
vaporizador 336
vaporizar 336
vaporizável 336
vaporosidade 322
vaporoso 160, 203, 322, 334, 425, 515, 519, 845
vapular 972
vaqueiro 366, 370, 746
vaquiano 280
vara (de porcos) ou persigal 72
vara 200, 215, 466, 727, 747, 975, 993
vara branca (dos juízes) 747
vara vermelha (dos vereadores) 747
varada 972
varador 466
varadouro 74

varal (varais) 214, 215, 234
varancada 972
varanda 189, 599
varão 373
varão ilustre 33, 873
varapau 200, 203, 206, 215, 727
varar 302, 303, 821, 870
varbatim et litteratim 494
varear 269, 466
vareio 503
vareiro 440b
varejador 461
varejar 349, 461, 466, 972
varejeira 653
varejista 797
varejo 716, 722, 794
varela 727
vareta 215, 727
varga 345
vargedo 344
variabilidade 16a, 605, 624
variação 15, 140, 415
variado 16a, 18, 20a, 81, 440, 624, 639
variante 627
variar 16a, 18, 20a, 140, 149, 279, 440, 503, 624
variar de jeito 324
variável 139, 149, 475, 605, 624
variavelmente & *adj.* 149
varicela 655
Variedade 20a
variedade 15, 75, 81, 83, 100, 503, 605, 624
Variegação 440
variegado 15, 16a, 20a, 41, 81, 440
variegar 100, 149, 440
variforme 16a, 20a
varina (asiát.) 273
varinel (asiát.) 273
varinha adivinhatória 550
varinha de condão/mágica 993
varinha de fada 146
varino (asiát.) 273
vário(s) 15, 20a, 81, 102, 149, 440, 475, 489, 536, 605, 607
varíola 655
variz 250
varja 344
varlete 746
varoa 159, 873
varola farroma 887
varonia 167, 373
varonil 159, 861, 873
varonilidade 159, 861
varrão 373
varrasco 373
varredela 284, 289, 652
varredor 652
varredoura 361
varredouro 162, 545, 652
varredura 40, 652, 653
varrer 162, 284, 349, 610, 652, 719, 789
varrer as ameias 716
varrer da mente 506
varrer de 289, 297, 756
varrer do cenário 55
varrer do cenário da vida 361
varrer do espírito 452
varrer do pensamento 458
varrer os cofres 818
varrer palavras 552
varrer sua testada 937
varrido 503
varsoviana 840
varuda 367
varudo 440c
várzea 344, 367, 371
varzino 344, 371
vasa 352, 649, 653

vasado em moldes diferentes | venoso

vasado em moldes diferentes 15, 18
vasado em moldes inteiramente novos 20
vasca(s) 67, 173, 360, 825, 828
vascolejar 61, 70, 314, 315
vasconcear 583
vasconço 519, 563
vascoso 173, 360, 825
vascular 260
vasculhador 461
vasculhar 284, 457, 461, 652
vasculho 284, 652
vaseiro (veado pequeno) 366
vaselina 332, 356
vasento 653
vasilha 191
vaso 191, 350
vaso capilar 440e
vaso noturno 191, 653
Vaso ruim não quebra 949
vasoso 653
vasqueiro 137, 187, 443, 641
vasquejar 67, 360
vasquim 225
vasquinha 225
vassalagem 725, 743, 749
vassalar (p. us.) 725
vassalo 188, 348, 746
vassoura 652
vassourar 162, 349, 652
vasteza 31, 180, 192, 642
vastidão 25, 31, 180, 192, 200, 642
vasto 31, 180, 192, 196, 202
vasto campo etéreo 318
vatapá 392
vate 513
vatel 746
vaticanismo 983a
vaticanista 987
Vaticano 995
vaticinação 511
vaticinador 511, 513, 985
vaticinante 511, 985
vaticinar 121, 511
vaticinar mau fado 735
vaticínio 121, 511, 512
vatídico 511
vatricoso 846
Vau 209
vau 627, 667
vaudeville 415, 599
vaus cegos 209, 346, 667
vaza-barris 667
vazado 820
vazadouro 653
vazante 32, 36, 103, 207, 283, 348, 641
vazão 796
vazar ('esvaziar', 'fazer ou deixar sair') 53, 195, 297, 306, 314, 348, 425
vazar ('dar forma') 240, 252
vaziez 575
vazio 4, 53, 187, 236, 252, 477, 491, 499, 517, 544, 545, 575, 641, 643, 645
vazio como argumento 477
vazio de 546
Vê que estás à mão de semear! 909
veação 622
veado 274, 309, 366, 373, 374a, 412, 897, 961
veado, vozes de 412
veador 622
veador da casa régia 745
vectação 266, 270
Veda (ou Vedas) 986
vedação 261, 761
vedalhas 784, 903
vedar 161, 706, 761

vedar a entrada 55, 761
vedeta 64, 666, 668
védico 986
vedidade 986
vedor 461, 694, 746
vedro (ant.) 124
vedro 128, 232
veemência 171, 173, 574, 682, 821, 825
veemente 173, 574, 630, 821, 824, 825
veementemente 31
Vegetabilidade 365
vegetação 339, 365, 367
vegetação perene 168
Vegetal 367
vegetal 356, 367, 635, 662
vegetalino 367
vegetalizar 365
vegetante 823
vegetar 1, 359, 683, 823
vegetar a coorte dos sibaritas 954
vegetarianismo 953
vegetariano 298, 953
vegetarismo 953
vegetativo 683, 823
vegete 130, 852, 853, 897
végeto 192, 683
veia 176, 203, 205, 350, 440e, 602, 636, 698, 820
veia cômica 836
veicular (v.) 270, 350
Veículo (terrestre) 272
veículo 266, 531, 631, 711
veículo aéreo não tripulado 727
veículo anfíbio 727
veículo blindado 727
veículo marítimo/aéreo 273
veiga 344, 371
veio 5, 630, 636, 642
veiros 223
veja lá! 459, 669
veja! 441, 457
vela ('de embarcação') 267, 273
vela ('fonte de luz') 388, 423, ('vigília') 682
vela do joanete 210
vela maria 210
velacho (bras.) 565
velado 447, 528
velador 459
veladura ou velatura 556
vela-maria 206, 210
velamento 528
velar ('esperar', 'cuidar', 'estar atento') 133, 441, 457, 459, 682, 825, 906, 990
velar ('cobrir', 'escurecer') 223, 421, 424, 528
velar à noite 133
velar-se 449
velário 223
velas, som de 402a
velear 637
veleidade 499, 600, 607, 608, 865
veleira (de freira) 746
veleiro (de frade) 746
veleiro 273
velejar 293
velejar no mesmo bote 709
velejar sob bandeira falsa 544
veleta 149, 607
velha 374
velha carta de marear 700
velha escola 606, 613
velha história 104
velha raposa 700
velha Serpente 978
velhacada 544, 702, 941
velhacamente & *adj.* 702
velhacão 702, 941, 949

velhacar 940, 941
velhacaria 528, 544, 545, 698, 702, 940, 945
velhacaz 702, 941, 949
velhaço 130
Velhaco 941
velhaco 544, 548, 702, 808, 940, 949
velhaco escanado/escamado 702, 941
velhada 124
velhão 130
velhaquear 702, 940, 941
velhaquesco 897, 940
velhaquete 941
Velharia 124
velhez 128
Velhice 128
velhice 110
velho 104, 124, 128, 130, 150, 158, 373, 613, 659
velho soldado 700
Velho Testamento 985
velho tonto 501
velhori (cavalo) 432, 440a
velhota 130
velhote 130
velhusca 130
velhusco 128, 130
velhustro 130
velicativo 392
velífero 273
veliho 225
velim, nolim 159, 474, 601, 604
velis et remis 267, 274
velis plenis 274
veliscar 615
velite (ant.) 726
velívago 267, 273
velívolo 267, 273, 274
velo 223, 256
veloce 274
veloce (música) 415
Velocidade 274
velocidade 111, 132, 264
velocino 83, 223
velocípede 272
velocipedia 272
velocipedismo 272
velódromo 728
velório 990
veloso 256
veloz 113, 274, 682
velozmente 132, 274, 684
veludíneo 324
veludo 255, 324, 377
veludoso 255, 324
veluti in speculum 17, 446
venábulo 632, 727
venal 350, 440e, 812, 923, 940, 943
venalidade 481, 940
venatório 622
vencedor 731
vencer 33, 142, 174, 264, 479, 615, 705, 731, 749, 775, 785, 826
vencer a iniquidade 923
vencer de fadiga 688
vencer distância 282
vencer incômodos 682
vencer na porfia 731
vencer uma dificuldade 731
vencer uma ladeira 305
vencer/estreitar distâncias 266
vencido 67, 605, 683, 725, 732, 827, 837
vencido mas não convencido 489
vencimentos 809, 810, 973
vencível 158, 624
Venda 796
venda(s) 442, 625, 783, 794, 799, 959

venda a crédito 805
venda a retalho/a varejo 796
venda pela internet 796
venda por grosso/por atacado 796
vendar os olhos 442, 528
vendaval 146, 165, 349, 735
vendável 796
vendedor 794, 796, 797
vendedor ambulante 797
vendedor com bufarinha 797
vendedouro 799
vendeiro 637, 797
vender 783, 794, 796
vender a alma ao diabo 940
vender a consciência 607, 940
vender à rasa 796
vender arrastado 815
vender às rebatinhas 796
vender bem 814
vender bulas 544
vender caro a vida 719, 722
vender gato por lebre 545
vender mel ao colmeiro 640
vender por 812
vender por bom preço 814
vender por cima do alvo 814
vender por dez réis de mel coado 815
vender por tuta e meia 815
vender siso a Catão 640
vender-se 940
vender-se caro 187
vendeta 718
vendibilidade 796
vendição 796
vendido 509
vendilhão 797, 941
vendinha 959
vendível 783, 794, 796, 812
vendola 799
venefício 907, 993
venéfico 657
venenífero 657, 663
venenípara 657
Veneno 663
veneno 165, 619, 649, 907, 913, 949
venenosidade 663, 907
venenoso 649, 657, 663, 907
venera 550
venera 876
venerabilidade 939
venerabundo 928
veneração 928, 990
venerado 500
venerador 890
venerando 124, 128, 873, 876, 939
venerar 928
venerário 961
venerável 124, 500, 694, 873, 928, 944, 977
venéreo 897, 961
vênero 318, 897
venessecção 662
veneta 149, 503, 608, 612
veneziana 351, 422, 530
Venha cá se é capaz 715
venha cá! 286
venham! 286
Veni, vidi, vici 682, 731
vênia 308, 760, 892, 894, 902, 928
veniaga 79, 794, 819, 940
veniagar 794, 940
venial 643, 918, 946
venialidade 643, 918
Veniam petimusque damusque vicissim 918
venida 716
veniente occurrere morbo 673
venífluo 333, 348, 350
venoso 333, 348, 350, 440

venta | verrumar

venta 260, 351, (ant. = ventana) 420a
ventana 349, 420a
ventanear 349
ventanejar 349
ventania 274, 349
ventanista 792
ventapopa 731, 734
ventar 338, 349
ventarola 349
ventígeno 349
ventilação 338, 349, 461, 476
ventilado 260, 349
ventilador 312, 349, 351, 385, 465
ventilar 260, 338, 349, 351, 385, 652
ventilar um assunto 595
ventilar uma questão 461, 476
ventilativo 349
Vento 349
vento 274, 338, 601
vento contrário 706, 735
vento da desgraça 735
vento do norte 383
vento espanhol 383
vento frio 383
vento leve 349
vento marulheiro/ponteiro/ repugnante 735
vento ponteiro 708, 735
vento, som de 402a
ventoinha 149, 312, 607
ventor 366
ventos adversos 649
ventos bonançosos 734
ventos de feição/de servir 734
ventos de repiquete 349
ventos favoráveis/feitos 734
ventos galernos 705, 734
ventos gerais 349
ventos mareiros/propícios/ prósperos 734
ventos quentes 349
ventosa sarjada 662
ventosamente & *adj.* 349
ventosidade 297, 334, 349, 401
ventoso 338, 349, 499, 885
ventral 191
ventre 153, 191, 221, 250
ventre à terre 274
ventrecha 189, 221
ventrícola 954, 957
ventricular 191
ventrículo 191
ventriloquia 580
ventripotente 243, 440d, 868, 957
ventrudo 243, 440d, 846
ventura 152, 156, 618, 621, 665, 675, 731, 734, 827
venturar-se 675
ventureiro 156, 475, 621
venturo 121
venturoso 134, 665, 734, 827, 861
venue 183
vênula 349
Vênus 318, 845, 897
venusino 597
venustidade 845
venusto 842, 845
ver 266, 441, 484, 602
ver a morte de perto 665
ver a olhos furtados 443
ver alguém com bons olhos 865
ver as coisas com os olhos da amizade/do coração 906
ver as coisas com os olhos da fé 486
ver as coisas com os olhos da tolerância 740
ver através de um prisma 443

ver através de vidro escuro 491
ver através de vidro opaco 519
ver bem no futuro 510
ver claro 441, 480a
ver claro e pronto 510, 518
ver com ambos os olhos 441
ver com antecipação 510
ver com bons olhos 482, 602, 858, 906
ver com maus olhos 483, 859
ver com olhos apaixonados 481
ver com os olhos da inveja 483, 921
ver de palanque 444, 609a, 664
ver de que lado sopra o vento 463
ver em espírito 515
ver estrelas ao meio-dia 378, 828
ver indeferida sua petição 764
ver longe 498, 510
ver manchas no sol 868
ver nas suas verdadeiras cores 480a
ver num argueiro um cavaleiro 481
ver o céu aberto 827
ver o fundo à canastra 480a, 705
ver o futuro com muita antecipação 510
ver o jogo mal parado 859
ver o lado brilhante do quadro 836
ver o rosto a alguém 719
ver onde está o vento 698
ver os seus planos desfeitos 732
ver passar o seu aniversário 883
ver por seus olhos 441
ver por um canudo 509
ver por um óculo 509, 732
ver por um prisma ilusório as coisas de meio perfil 481
ver seus direitos postergados 925
ver tudo através de um prisma róseo 836
ver tudo com um microscópio 482
ver tudo cor-de-rosa 836, 858
ver tudo na escuridão 519
ver tudo negro 483, 837, 859
ver uma bruxa 682, 704
vera causa 153
Veracidade 543
veracidade 494, 525, 939
vera-efígie 21, 554
veranear 385, 685, 687, 689
verão 18, 382
veras 494
verascópio 445
veraz 494, 543, 939
verba 51, 505, 800
verbal 562, 564, 580, 582
verbalmente 562
verbare lapidem 158, 645, 732
verbatim 494
verbatim et litteratim 19
verbena 400
verberação 932
verberar 932, 972
verbete 51, 86, 505, 551
verbi gratia 522
verbiage 517, 573
verbiagem 517
verbo 562, 586
Verbo Divino 976
Verbo Encarnado 976
Verbo incriado 976
verborragia 573, 582, 640
verborrágico 573, 640
verborreia 517, 573, 582, 584
verborreico 640

verbosidade 573, 584
verboso 573, 582, 584
verbum ad verbum 19, 562
verbum pro verbo 494
verbum sapienti 527
verdacho 435
verdade 484, 494, 543, 976, 983a
verdade absoluta/austera 494
verdade completa/crua 494, 529
verdade honesta 494
verdade inconcussa 494, 543
verdade incontestada/integral/ intrínseca/limpa/luminosa 494, 529
verdade por base 543
verdade por fim 543
verdade por princípio 543
verdade primeiro que tudo, A 543
verdade pura/rigorosa/sincera/singela/sóbria 494
verdade verdadíssima (fam.) 494, 543
verdadeira fé 983a
verdadeira imagem 554
verdadeiramente 488, 494, 543
verdadeiro 1, 17, 42, 474, 476, 494, 543, 924, 939
verdades reveladas 987
verdasca 727, 975
verdascada 716, 972
verdascar 716, 972
Verde 435
verde 123, 129, 132, 135, 367, 435, 491, 674
verde-abacate 435
verde-água 435
verdeal 435
verdear 435
verde-bandeira 435
verdecer 435
verde-cré 435
verde-escuro 365, 435
verde-esmeralda 435
verde-gaio 435
verde-garrafa 435
verde-jade 435
verdejante 168, 367, 435
verdejar 435
verde-mar 435
verde-montanha 435
verde-negro 435
verde-seco 435
verdete 395, 435
verdizela 160, 203
verdizelos 423
verdoengo 435, 674, 730
verdor 159, 435, 699
verdoso 367, 435
verdugo 361, 739, 913, 949, 975
verdura(s) 131, 159, 339, 367, 435, 608
vere numerare flores 471
vereação 693, 966
vereador 694, 745, 965
verear 693
verecúndia 879, 881
verecundo 881
vereda 260, 302, 627, 692
veredicto 480, 490, 922, 971
verga 206, 210, 231, 324
vergalhada 716, 940, 972
vergalhar 972
vergalho 975
vergão 250, 378
vergar 158, 245, 324, 879
vergar-se 308, 319, 725, 886
vergar-se ao peso da desgraça 735
vergar-se ao prestígio da força 725
vergar-se ao sopro pestilento do vício 945

vergasta 975
vergastada 378
vergastar 932, 972
vergel 371
vergonha 821, 874, 879, 881, 960, 961
vergonhaça 879, 961
vergonhosa (planta) 822
vergonhoso 649, 874, 932, 945, 961
vergôntea 11, 51, 129, 153, 167, 367
vergueiro 975
veridicidade 543
verídico 494, 543
verificação 463, 771
verificado 474, 490
verificado com a mais escrupulosa imparcialidade 474, 494
verificar 463, 467, 478, 480a, 609
verificar com a maior minuciosidade 494
verificar por ensaios/por tentativas 463
verificar uma conta 811
verificar-se 151
verificável 470
verisificação 597
veríssimo 543
Veritas quamvis dura 543
verme 193, 366
verme que nunca morre 982
verme roedor 659, 950
vermelhaço 434
vermelhado & *v.* 434
vermelhão 434
vermelhar 434
Vermelhidão 434
vermelho 86, 434, 742
vermelho como brasa 434
vermelho e amarelo 439
vermelhusco 434
vermicida 662
vermiculado 248, 367
vermicular 248
vermiculoso 248
vermiculura 248
vermiforme 248
vermífugo 662
verminado 639
verminar 830
verminose 649
vermívoro 298
vermute 959
vernacular 560
vernaculidade 567
vernaculismo 578
vernaculista 578
vernáculo 221, 560, 567
vernal 123
vernante 367
vernier 193, 466
verniz 6, 32, 220, 223, 356, 491, 556, (fig.) 894, 937
verno 123
vero 494, 543
vero procul 544
verônica 234, 998
veros ad unguem 597
verossímil 472
verrina 481, 932, 934, 938
verrinário 932, 934
verrineiro 936
verrucária 367
verrucífero 243, 440d
verruga 250
verruga genital 655
verruga plantar 655
verrugoso 243, 440d
verruguento 243, 440d
verruma 262
verrumão 262, 701
verrumar 260, 451

versada | vidência

versada 168
versado 490, 698, 700
versado em 490
versado em magia 980
versal 561, 591
versalete 561, 591
versalhada 597
versão 522, 532
versar 9, 270, 454, 468, 595, 597, 677
versar as folhas 538
versaria 597
versaria exótica 597
versátil 149, 605, 607
versatilidade 139, 149, 485, 607
ver-se 1, 480
ver-se à brocha 704
ver-se azul 704
ver-se em calças pardas 704
ver-se em enleio 704
ver-se em palpos de aranha 519
ver-se em terrível colisão 665
ver-se gago 475, 519, 704
ver-se grego 704
ver-se livre de 672, 757, 776
ver-se nas garras da miséria 804
ver-se/andar em pancas 704
versejador 597
versejar 597
versicolor 440
versículo 51
versificador 597
versificar 597
versífico 597
versista 597
verso 51, 235, 597
verso de arte maior 597
verso elegíaco 597
verso intercalar 597
verso leonino 597
verso menor 597
versúcia (des.) 702
versus 708
versutíloquo 544
versuto 702
vértebra 215
vertebrado 366, 440c
vertedouro 217
vertedura 640
vertente 217
verter 348
verter dinheiro por muitas bicas 818
verter doçura nos corações ulcerados 834
verter lágrimas amaríssimas 839
verter para 522
verter por muitas bicas 639
verter/derramar sentido pranto 839
vertical 212
Verticalidade 212
verticalizar 212
vértice 210, 244
vertigem 158, 206, 274, 503, 688, 825
vertiginoso 274, 312, 503
vertigo 312
verve 515, 821
Vesak 998
vesânia 503
vesânico 503
vesano 503
vesco (desus.) 298
vesgo 243, 440d, 443, 481, 923
vesguear 443, 923
vesgueiro 443
vesical 250
vesicante 384, 727
vesicar 384

vesicatório 171, 384
vesícula 249, 250, 384
vesícula biliar 440e
vesicular 191, 249, 250, 260, 440e
vesiculoso 249, 250, 260
vespa 901, 913, 936
vespeiro 667
vésper 126, 278
Vésper 318
véspera(s) 62, 108, 116, 126, 990
véspera de Tibe 107
vesperal 126, 998
vésperas sicilianas 716
vespérias 461
véspero 126
vespertinamente & *adj.* 126
vespertino 126, 531
vessadouro 371
vessar 371
vestal 960, 996
veste talar 747
vestes 225
vestes 851
vestes canónicas ou litúrgicas 999
vestes infantis 225
vestes ridículas 853
vestes sacerdotais 225
véstia 225
vestiaria 225
vestiário 225
vestibular 62
vestíbulo 66, 181, 189, 191, 231, 418
vestido 225
vestido com elegância 851
vestido roçagante 225
vestidura 225
Vestigia nulla retrorsum 143, 282, 604a
vestígio(s) 32, 259, 449, 550, 551
vestimenta 225
vestir 223, 225, 544
vestir a alva dos condenados 972
vestir a armadura 673
vestir a lena 873
vestir a *toga virilis* 131
vestir burel 839
vestir calças 373
vestir de 428
vestir *talit* 990
vestir-se 999
vestir-se com esmero/com primor/com elegância 851
vestir-se de cores brilhantes 852
vestir-se de saco 952
vestuário 6, 225, 448
vetar 761, 764
veteranice 124
veterano 130, 541, 700, 726
veterinária 370
veterinário (pejorativo para) 701
veterinário 370, 690
veteris vestigia flammæ 505, 613
vetiver (Índia) 400
veto 761
vetor 246, 278
vetorial 278
vetustade 122, 124
vetustez 124
vetusto 122, 124, 128
véu(s) 223, 225, 421, 550, 999
véu da morte 360
véu flâmeo (ant.) 530
vexação 828, 830
vexador 907
vexame 649, 828, 830, 874, 879, 907, 929

vexaminoso 934
vexar 649, 739, 830, 879, 907
vexata questio 704, 713
vexatório 649, 739, 830, 879
vexilário 726
vexilo 550
vez 134
vezeireiro 370
vezeiro 606, 951
vezo 613, 851, 945
Vi claramente visto 441
Vi com estes olhos que a terra há de comer 441
vi et armis 686, 744
via 278, 627
via estreita 672
via férrea 627
Via Láctea 318, 423, 873
viabilidade 470, 811
viabilizar 470
viação 272, 627
viador 268, 746
viaduto 45, 627
viageiro 266, 268
viagem 264, 266, 302
viagem à lua 515
viagem espacial 267
viagem marítima 267
viagem por água ou ar 266
viagíssimo 268
viajado 266
viajador 268
viajante 266
Viajante 268
viajar 266
viajar a vapor 267
viajar de pelo a pelo 266
viajar nos espaços imaginários 515
viajar sem chapéu (pop.) 360
viajar terras 266
viajata (fam.) 266
viandar 266
viandeiro 957
viar 162
vias nasais 440e
via-sacra 828
viático 298, 637, 998
viaticum 637
viatura 272
viável 110, 470
viba 396
víbora 663, 901, 913, 949
vibordo 206
vibração 314, 402, 821, 825
vibrafone 417
vibrante 149, 314, 404, 578, 639, 824
vibrar 1, 114, 149, 276, 284, 314, 215, 402, 402a, 821, 822, 825
vibrar 114
vibrar a mesma corda 841
vibrar as cordas 416
vibrar golpe 659
vibrar golpe certeiro 698
vibrar golpe mortal 361
vibrar o golpe de montante 361
vibrar o primeiro golpe 716
vibrar raios 420
vibrar um golpe 276, 680, 716
vibrar uma corda 824
vibrátil 149, 574, 578, 822
vibratilidade 574
vibratório 149, 314
vibrissas 398
viburno 248
viçar 1, 35
vicarial 995
vicariato 995
vice(-) 634, 759
vice-almirante 745
vice-diretor 694

vicejante 168, 367
vicejar 367, 845
vice-morte 360, 376
vicenal 138
vicênio 108
vicente 366, 431
vicentino 987
vice-presidente 147
vice-real 759
vice-regência 755
vice-regente 758, 759
vice-rei 745, 755, 759
vicésimo 99
vice-versa 12, 14, 148
viciação 659
viciado 657, 945
viciamento 659
viciar 523, 649, 657, 659, 945
viciar uma conta 811
vicilino 366
vicinal 199, 627
vicinalidade 199
vício 392, 495, 649, 651, 667, 945
vício do jogo 825
vícios de linguagem 568
vícios orgânicos 583
viciosamente & *adj.* 945
viciosidade 945
vicioso 477, 659, 932, 938, 945
vicissitude 8, 149, 151, 156, 619, 704, 732, 735
vicissitudes da guerra 722
vicissitudes humanas 735
vicissitudinário 149, 151, 156
viço 159, 168, 367
vida 1, 151, 153, 574, 594, 682, 692
Vida 359
vida andeja de soldado 722
vida anedótica 594
vida animal 364
vida austera consagrada ao bem 944
vida claustral 893
vida cómoda/agradável/tranquila 827
vida contemplativa 955, 987
vida de amor livre 961
vida de arrasto 804
vida de bordel 961
vida de cão 378
vida de cão com gato 713
vida de porco 683
vida de sibarita 954
vida de sua vida 167
vida desregrada/animal 954
vida dos quartéis 722
vida em comum 709
vida eremítica/concentrada 893
vida escandalosa/desregrada 945
vida espiritual 987
vida está por um fio, A 360
vida eterna 152
vida febril 682
vida futura 359, 981
vida histórica de 594
vida íntima 630
vida intrauterina 66, 526
vida noturna 892
vida nova 614
vida pecaminosa/desregrada 945
vida pública 692
vida regalada 734, 954
vida tranquila 721
vida vegetal 365
vidar 371
vide 467
videira 367
videiro 682
videlicet 79, 522
vidência 992

vidente | vírgula

vidente 441, 443, 444, 504, 513, 525, 994
vídeo 692a
videoclipe 531
videoteipe 554, 594
vidma 45
vidraçaria 799
vidraças 420a
vidrado(s) 360, 422, 429, 865
vidrar 223, 422
vidraria 691
vidrento 328, 422, 822
vidrilhos 847
vidrino 328
vidro 328, 425, 822
vidroso 160, 328, 422, 822
vidual 905
vieiro 636
viela 189, 627
vient de paraitre 123
viés 217, 820
viga 215
vigamento 215, 329
viga-mestra 215
vigar 215, 329
vigararia 995
vigária 996
vigarial 147
vigário 759
vigário apostólico/capitular/ da vara/do Cristo/forâneo/ geral 996
vigário de Roma/de Jesus Cristo 996
vigarista 548, 702, 792
vigência *fas et jura* 963
vigente 118, 677, 963
viger 1, 677, 924, 963
vigere memoria 505
vigésimo 99
vigésimo primeiro/segundo... etc. 99
vigia 188, 264, 420a, 444, 459, 664, 666, 668, 753, 864
vigiador 263, 753
vigiar 444, 457, 459, 507, 664, 693
vigiar os passos de alguém 459
vigieiro 370
vígil 457, 459
vigilância 457, 459, 498, 664, 682, 717, 751, 781, 864
vigilância! 668
vigilante 457, 459, 498, 664, 666, 673, 753, 772, 864
vigilante noturno 666
vigília 116, 360, 459, 507, 682, 990
vigor 131, 157, 159, 168, 171, 604, 654, 682
Vigor de expressão 574
vigorar 1, 159, 677, 755, 924, 963
vigorite 727
vigorizar 924
vigorosa figura de lutador 873
vigorosamente & *adj.* 574
vigoroso 157, 159, 476, 516, 572, 574, 654
vil 32, 621, 649, 830, 862, 874, 877, 886, 940, 945
vil metal 800
vila 189
vilanaço 819
vilanagem 819, 874, 940
vilanaz 819, 940, 945
vilancete 597
vilancico 597
vilanesco 819, 940
vilania 649, 819, 940
vilão 188, 746, 819, 877, 929, 930, 940, 949
vilão chapado 941
vilar 189

vilarinho 189
vilegiatura 266, 656, 687
vilegiaturar 385
vilegiaturista 268
vilela 189
vileta 189
vileza 874, 940, 945
vílico 745
vilificar 659, 934
vilificar-se 945
vilipendiador 932, 936
vilipendiar 483, 874, 885, 929, 930, 934
vilipêndio 874, 907, 929
vilipendioso 932, 934
vilório (dep.) 189
vilosidade 256
viloso 256
vilota 189
vilta 874, 929, 934
viltança (ant.) 874
viltar 483, 874, 929, 934
vime 324
vimíneo 324
viminoso 324
vin d'honneur 292
vináceo 959
vinagrado 397
vinagrar 397
vinagre 397, 440b, 819
vinagrento 397
vinagreta 397
vinagrinho 392
vinaigrette 400
vinário 959
vincado 258
vincar 258
vincendo 806
vincilho 324
vincituro 858
vinco 258
vinculação 9, 888
vincular 43, 45, 744, 749
vincular-se por intermédio 903
vinculatório 43
Vínculo 45
vínculo 9, 752, 781
vínculo matrimonial/conjugal 903
vinculum matrimonii 903
vinda 121, 264, 292
vindicação 468, 937
vindicar 924, 937
vindicativo 937
víndice 919
vindiço 6, 57, 156, 292
vindicta 718
vindima 154, 371, 618, 636, 775
vindimador 371
vindimal 371
vindimar 371, 775
vindimeiro 371
vindimo 371
vindita 718, 919
vindo de 154
vindo do céu/das nuvens 508
vindouro(s) 63, 65, 121, 167
vínea 727
víneo 959
vingado & *v.* 919
vingador 919
vingança 718, 898, 900
Vingança 919
vingar 303, 305, 919, 937
vingar o empenho 923
vingar uma altura 305
vingativamente 919
vingatividade 919
vingativo 898, 901, 907, 919
vinha 371
vinha do Senhor 983a
vinhaça 959

vinháceo 959
vinhadego 371
vinhadeiro 371
vinhal 371
vinhão 959
vinhataria 371
vinhateiro 371
vinhedo 371
vinheiro 371
vinheta 558, 847
vinhetista 559
vinho 298, 959
vinho da mesma pipa 17
vinho de outra pipa 15
vinhoca (dep.) 959
vinhote 959
Vini capacissimus est 959
vinícola 371
vinicultor 371
vinicultura 371
vinífero 367
vinolência 959
vinolento 959
vintavo 99
vinte 98
vintém 32, 643, 800
vintena 98, 99, 784
vinteneiro (ant.) 722, 745
vinteno 99
viola 417
viola caipira 417
viola d'amor (*viola d'amore*) 417
viola de doze cordas 417
viola de gamba 417
violação 83, 303, 773, 925, 927, 929
violação da lei/da disciplina 742, 964
violação da promessa 940
violáceo 437
violado & *v.* 773
violão 417
violão de 7 cordas 417
violar 614, 679, 739, 742, 773, 907, 925, 927, 929, 961, 964
violar a simetria 243
violar as mais sagradas garantias da liberdade individual 739
violar direitos 923
violar o direito de 925
Violência 173
violência 276, 649, 684, 739, 825, 900, 964
violência urbana 667
violentamente 31, 173, 744, 964
violentar 173, 300, 303, 523, 649, 744, 907, 961
violento 59, 113, 171, 173, 274, 684, 739
violento 59, 171, 173, 274, 684, 739, 825, 900
violeta 437
violete (gal.) 437
violinista 416
violino 417
violoncelista 416
violoncelo 417
vip 642, 694, 875
vipéreo 907, 934
viperino 907, 934
vir 117, 151, 292, 775
vir a alguém de casta 5
vir à balha/à baila 505, 588
vir à cachimônia 451
vir a calhar 134
vir à catrapós 274
vir à conclusão 480
vir à existência 66
vir a juízo com alguém 969
vir à luz/a furo 66, 446, 529
vir à luz da publicidade 531
vir à luz do dia 446

vir a manhã surgindo 125
vir à memória/ao pensamento 451, 505
vir à moda 613
vir a pelo 134
vir à prática 588
vir a propósito 644
vir à puxada 719
vir à razão 488
vir a saber-se 531
vir a ser 144
vir a talho de foice 134, 156, 646
vir à tona 305, 320, 529, 642
vir abaixo 306
vir ambiguæ fidei 607
vir antes 62, 116
vir ao conhecimento de 490, 527
vir ao mundo 359
vir aos ouvidos/ao conhecimento de 527
vir às boas 488, 723
vir às mãos (de) 490, 716, 783
vir chegando 152
vir com as mãos à cara 885
vir com desculpas especiosas 937
vir com rodeios 544, 573
vir com sete pedras na mão 885
vir das nuvens/do céu 508
vir de longe 124
vir de queda em queda 306
vir depois 63, 65
vir em auxílio de 707
vir em seguida 63
vir em socorro de 672
vir fora de propósito 647
vir fora de tempo 135
vir na vanguarda 62
vir perdida da baralha 508
vir por tablilha 632
vir primeiro 62
vir sem aviso prévio 508
vir tarde 135
vira (ant.) 727
viração 349
vira-casaca 607, 941
virado da bola 504
virago 159, 192, 901
virar 140, 144, 218, 959
virar a cabeça a 615
virar a cara para alguém
virar as costas 623, 930
virar casaca 607
virar de borco 218
virar de bordo 283, 607
virar de querena 217, 623
virar fumaça 732
virar o rosto para outro lado 932
virar uma nova página 140
virar-se 278
virar-se em sentido contrário 218
viravolta 146, 147, 148, 151, 218, 248, 732, 735
virente 367, 435, 648, 734
virga férrea 739, 964
virgem 20, 123, 129, 491, 678, 904, 953, 960
virgem das virgens 977
Virgem Maria 960, 977
Virgem Santíssima 977
virginal 648, 953, 960
virginalidade 946
virgindade 674, 904, 946, 953, 960
vírgineo 960
virginibus puerisque 960
virgo 550, 960
vírgula 142, 590

virgular | vocalidade

virgular 550, 567, 590
virgulta 324
viridar 435
viridente 168, 367, 435, 648
viril 131, 861, 1000
virilha 244
virilidade 131, 159, 373, 861
virilizante 648
virilizar as tibiezas 824
virilizar o organismo 656
viripotente 131, 159
virola 245, 247
viroso 401, 649, 653, 657, 663
virose 655
virotão 727
virote 727
virtu 850
virtual 2, 317, 470, 515, 526
virtualidade 470
virtualmente 5
virtude 5, 157, 170, 498, 618, 648, 939, 953, 960
Virtude 944
virtude especial 157
virtude primacial 922
virtudes cardeais/teologais 944
virtuosamente & *adj*. 944
virtuose 413, 416, 559
virtuosidade 416, 850
virtuoso 416, 648, 850, 939, 944, 946, 953, 960
virulência 171, 574, 649, 825, 895, 898, 900
virulento 649, 657, 663, 898, 907
vírus 655, 663, 727
vis a tergo 284
vis à vis 237
vis conservatrix 670
vis et armis 173
vis inertia 157, 172
vis inertiæ 179, 823
vis magna 5
vis medicatrix naturæ 662
vis mortua 157
vis viva 157
visagem(ns) 855, 980
visão 4, 443, 453, 515, 980
Visão 441
visão fantasmagórica 443, 860
Visão imperfeita 443
visar (a) 278, 620
visar/apor o visto em 931
visar somente os seus interesses 943
viscata munera 933
visceral 5, 221
visceralmente 5, 31
vísceras 5, 221, 653, 820
visceroso 221
visco 352, 615
viscondado 875
visconde 875, 876
viscondessa 875, 876
viscosidade 46, 352
viscoso 45, 46, 332, 352
viseira 530, 717
visgo 45, 352, 545
visguento 45, 352
visíbil (ant.) 446
visibilidade 316, 531
Visibilidade 446
visiometria 441
visionar 503, 515
visionário 4, 443, 471, 503, 504, 515, 984
visita 131, 186, 299, 892
visita aos enfermos 998
visita da saúde 360
visita de médico 111
visita de pêsames 915
visita domiciliária 461
visitador 461, 694, 890

visitar 186, 892, 894, 976
visitar amiúde 186
visitar-se com alguém 888
visiva 441
visível 220, 316, 441, 446, 448, 490, 494
visivelmente & *adj*. 446
visivo 446
vislumbrar 422, 441, 443
vislumbre 17, 32, 422, 448, 472, 490, 491, 514
viso 210, 441, 448, 472, 550
visonha 860, 980
visório 441
vispar-se 623
vispere! 932
víspora 156, 840
vista 441, 448, 453, 484, 507, 554, 556, 620
vista aguda/aquilina/penetrante/clara/arguta/esmerilhadora/escrutinadora 441
vista cansada 443
vista curta 441, 443
vista-d'olhos 441, 596
vista da saúde 668
vista de teatro 599
vista do alto 441
vistas 481, 599
vistas largas 498
visto 476, 550, 931
visto que 155, 476, 615
vistor (ant.) 461
vistoria 461
vistoriador 461
vistoriar 461
vistorizar 461
vistoso 123, 428, 829, 845, 847, 882
visual 186, 440e, 441
visualidade 440, 441, 446
visualizar 515
visualmente 441
vital 1, 359, 642
vitaliciar-se 112
vitaliciedade 112
vitalício 69, 110
vitalidade 150, 157, 159, 359, 574
vitalismo 359
vitalização 359
vitalizante 648
vitalizar 359
vitam impendere vero 939
vitando 945
vitelífero 436
vitelino 436
vitelo 129
viticomado 847
viticultor 371
viticultura 371
vitífero 367
vitiligo 655
vítima 361, 547, 735, 828, 952, 971, 975
vítima piacular 938
vitimado (por) 732, 828
vitimar 361, 649, 731
vitimário 361, 952
vitivinicultor 371
vitória 33, 272, 731
vitoriar 931
vitorioso 282, 731, 884
vitral 420a
vítrea palidez 360
vítreo 255, 328, 422, 425
vitrescibilidade 323
vítrice 731
vitrificação 323
vitrina 799
vitualha(s) 298, 637
vítulo 129
vituperador 936

vituperar 483, 932, 934
vituperativo 932
vituperável 874, 945
vitupério 483, 874, 932, 934
vituperioso 874
vituperoso 945
viúva 374
viuvar 905
viuvez 87, 905
viúvo/a 44, 87, 903, 905
viva(s) 348, 838
viva atenção 682
viva essência 630
viva! 931
vivace 415
vivacidade 298, 420, 428, 516, 578, 682, 822, 827, 836, 845
vivamente 31, 359
vivandeira 797
vivandière 797
vivar 411
vivaz 682, 822, 836, 863
vivedor 607, 943
vivedouro 110
viveirista 371
viveiro 102, 153, 168, 189, 343, 370, 636, 639, 691
viveiro de plantas 371
vivejar 734
vivência 1
vivenda 189, 692
vivente(s) 1, 357, 359, 372
viver 1, 186, 359, 873
viver à cavaleira 882
viver à discrição 683
viver à regalona 377
viver à sombra da lei 748, 963
viver à sombra de alguém 681
viver a vida que pediu a Deus 377
viver abaixo da linha da probreza 804
viver aos dias 804
viver às sopas da caridade 804
viver com ostentação 734
viver com parcimônia 819
viver como cão com gato 713
viver como um corpo estranho 893
viver como um rei 882
viver confortavelmente 377
viver da/pela graça de Deus 683, 804
viver das mãos de Deus/da sua indústria/como Deus é servido 804
viver de 298
viver de caretas 547
viver de sua agência 804
viver de uma esperança 858
viver dias calamitosos 735
viver e deixar viver 826
viver em apuros 804
viver em boa harmonia 714
viver em boa inteligência 714
viver em comum 186
viver em grande azáfama 625
viver em mancebia 961
viver em observância 955
viver em paz 721
viver entre prazeres 377
viver fidalgamente/à larga/em mar de rosas 803
viver fora do seu século 83
viver fora do seu tempo 20
viver mal com 713
viver na intimidade 892
viver na lama/em continuadas privações 804
viver na memória 505
viver na moleza 377
viver na obscuridade 874, 877

viver na opulência 803
viver na pindaíba 804
viver no mesmo ambiente 186
viver no sufoco 804
viver num eterno abril 377
viver num leito de rosas 377
viver num permanente maio 377
viver num reino encantado 827
viver numa bruma impenetrável de demência 503
viver numa jiga-joga 749
viver numa perene inferioridade 643
viver numa Tebaida 893
viver obcecado por uma ideia 505
viver pelo giz e guarente 690
viver segregado & *adj*. 893
viver separado & *adj*. 905
viver sob o constrangimento de tremendas aperturas 804
viver vida folgada 377, 734
viver vida regalada 377
viver vida retirada 893
viverem intimamente um com o outro 714
víveres 298, 635, 637
viverrídeo 896
viveza 428, 682
viveza de engenho 698
viveza de imaginação 498
vívido 420, 428, 516
vivificação 359
vivificante 359
vivificar 159, 359, 658
vivificativo 359
vivífico 359
vivípara 168
vivissecção 378, 907
vivo(s) 1, 171, 231, 274, 359, 372, 375, 378, 420, 428, 498, 574, 682, 698, 821, 825, 842
vivório (dep.) 838
vix medicatrix 660
Vixenu 979
vixnutismo 984
vixnutista 983a
vizindade 17
vizindário 197, 199
vizinhança(s) 17, 197, 199, 227, 890
vizinhar 199
vizinho 17, 197, 199, 890
vizir 759
voador 274, 599
voadouros 632
voadura 267
voante 274
voar 67, 106, 109, 111, 264, 267, 274, 293, 320, 498
voar de boca em boca 531, 532
voar em céu de brigadeiro 377, 831
voar muito alto 206
voar nas asas da fantasia 515, 858
voar pelos ares 173
voaria 622
vocabular 562
vocabulário 86, 518, 560, 562
vocabularista 593
vocabulista 593
vocábulo 562
vocábulo de origem recente 563
vocábulos depreciativos 586
vocábulos depreciativos para partes do corpo 440e
vocação 176, 611, 625, 820
vocal 415, 580, 692a
vocalidade 580

vocalise 415
vocalismo 415
vocalista 416
vocalização 580
vocalizar 416, 580
vocalizo 415
você 876
Você me paga! 909
Você sabe com quem está falando? 925
Você/ele não perde por esperar! 909
voce-ditesta 410
vociferação 404, 411, 580, 932
vociferante 404
vociferar 173, 411, 832
vociferar contra 932
voejar 267, 293
voejo 267, 330
voga 529, 613, 851, 873
vogal 561
vogar 820, 531, 532, 677
vogar ao sabor da corrente 315
vogue (asiát.) 273
vogue la galère 604a
volante 111, 149, 264, 267, 273, 274, 305, 312, 366, 531, 605, 607
volantim 268
volataria 622
volátil 149, 320, 334, 336, 799
volatilidade 320, 334, 336
volatilizado 336
volatilizar 67, 336
volatização 336
volatório 267, 273
vol-au-vent 298
vôlei 840
volição 600, 609, 620
volitação 267
volitante 267, 366
volitar 267
volitivo 600
volível 600, 760, 865
volta 30, 138, 145, 244, 245, 266, 277, 283, 292, 311, 629, 790, 840
volta à mocidade 660
volta a um mau estado 661
volta regular 136
Voltando à vaca fria 283
voltar 30, 136, 277, 279, 283
voltar a cara 867
voltar à carga 104, 573
voltar à estaca zero 277
voltar a face 867
voltar a ser o que era 660
voltar a si 660, 689
voltar à vaca fria 660
voltar ao estado neutro 660
voltar ao estado primitivo 660
voltar ao primitivo estado 145
voltar as armas contra 278
voltar as costas (a) 458, 867, 895, 929, 930
voltar as vistas para 625
voltar atrás 607
voltar com a palavra atrás 607, 940
voltar de cima para baixo 218
voltar de novo à vida 660
voltar de vela 279
voltar em seu proveito os males alheios 943
voltar periodicamente 138
voltar sobre si 283
voltarem para alguém todos os olhares/todas as esperanças 858
voltarete 840
voltário 607
voltar-se o feitiço contra o feiticeiro 732
voltas 258
voltas sucessivas 138

volteador 599
volteadura 311, 312, 607
volteamento 311
voltear 248, 279, 311, 312, 605, 629
voltear na maroma 599, 607
volteio 311, 312, 607, 629
volteiro 311, 605
voltejador 607
voltejar 311, 312, 605
voltejo 311
voltívolo 311, 312, 605
volúbil 607
volubilidade 149, 584, 607, 624
volume 25, 31, 192, 593
voluminoso 192
volumoso 31, 192
voluntariamente 600, 827
voluntariedade 600, 602
voluntário 488, 600, 602, 726
voluntariosidade 600
voluntarioso 481, 600, 606, 878
volúpia 377, 827, 897, 954
voluptade 961
voluptário 954a, 962
voluptatibus deditum esse 961
voluptuário 377, 954
voluptuosidade 377, 897, 954, 961
voluptuoso 377, 827, 829, 897, 954, 954a, 961
voluta 248
volutabro 377, 653
volutação 312
volutear 311
volúvel 140, 149, 584, 605, 607, 608, 624
volver 283, 461
volver as vistas para 457
volver as vistas para um passado muito longínquo 122
volver os olhos para o passado 833
Volveram-se muitos anos... 122
volver-se no pó 725, 879
volvido 122
vomição 297
vomitar 297, 527, 529, 790
vomitar brasas 932
vomitar impropérios 929
vomitar mentiras 546
vômito 297, 653
vomitório 171
Vontade 600
vontade 602, 608, 615, 620, 865
vontade de Deus 601
vontade de ferro 604
vontade do Céu 601
vontade e o arbítrio se arvoram em reguladores, A 481
vontade indomável/inquebrantável/própria 604
vontade mudável 605
voo(s) 111, 267, 274, 525
voo de um boi 471
voo descendente 310
voo do espírito 515
voo espacial 267
voos da fantasia 515
voracidade 865, 868, 957
voragem 198, 208, 260, 312, 315, 348, 449, 667
voraginoso 162, 665, 868
voraz/vorace 162, 173, 296, 865, 868, 957
vórtice 312, 348, 349, 667
vorticidade 312
vorticoso 312, 348, 349, 665
vossemecê 876
vosso 777
votação 609
votado ao abandono 624
votante 609
votar 480, 488, 609, 677, 784

votar à execração 908
votar ao desprezo/ao abandono 930
votar ao esquecimento 506
votar aversão 867
votar contra 489, 708
votar/consagrar estima 888
votar-se (a) 676, 680
votar-se a uma pobreza voluntária 955
votía mares! 870
votivo 768
voto 480, 535, 609, 768, 784, 865
voto cumulativo 609
voto secreto 609
vovente 768
vovó 166
vox et praetera nihil 4, 158, 517, 880, 884
Vox faucibus hæsit 581
vox populi 488, 531, 609
voz 402, 411, 532, 950
Voz 580
voz amiga 668
voz áspera/desafinada 581
voz boa/delicada/forte/musical 580
voz comum 488
voz corrente do boato 532
voz da consciência 926
voz de comando 550, 722
voz de comando/advertência/execução 741
voz de polichinelo 410
voz deliberativa 609
voz desagradável 583
voz do povo 588, 609
voz pública 532
voz triste e lamentosa do cão 412
vozaria 411
vozeamento 411
vozear 411, 412, 580
vozeada 59, 404, 411, 821
vozeio 411
vozeirada 402
vozeirão 404, 411
vozeiro 584, 968
vozeria 580
vozerias descompostas 713
vozerio 402, 404, 411, 580
vozes de animais 364
Vozes de animais 412
vozes de burro não chegam ao céu 499
vulcânico 382, 825
vulcanizar 384, 824
vulcano (poét.) 382
Vulcano 690
vulcão 386
vulgacho 877
vulgar 34, 78, 80, 82, 124, 136, 490, 529, 575, 613, 643, 841, 843, 852, 871
vulgaridade 517, 579, 643, 852
vulgarizar 529, 531
vulgarmente & *adj.* 852
vulgarmente conhecido por 565
vulgata (p. us.) 877
vulgívago 874, 886, 940, 945, 961
vulgo 372, 877
vulgo profano 493, 877
vulgocracia 737, 877
vulnerabilidade 328, 477, 665, 822
vulneral 662, 834
vulnerante 830
vulnerar 649, 830
vulnerário 662, 834
vulnerativo 830
vulnerável 177, 328, 477, 665
vulnífico 253, 378, 727

vulnus immedicabile 67, 619
vulnus insanabile 67, 619
vulpino 366, 544, 702
vulto 1, 175, 192, 372, 642
vulto histórico 873
vultoso 31, 192
vulturino 366
vulva 440e
vurmo 333, 653
vurmoso 333, 653

W

walkie-talkie 633
warrant 741, 800
warrant 800
Washington 500
western 692a
whamola 417
whisky 959
whist 840
Whitworth 727
wiclefismo ou wycliffismo 984
wiclefista ou wycliffista 984
wind-surf 840
workaholic 682, 686

X

x 491
xá 745
xácara 594
xacoco 391, 843
xador 225
xadrez 219, 240, 752, 840
xadrezar 219
xairel 223, 225
xale 223, 225
xamã 994
xamanismo (Ásia) 992
xamanista 994
Xangô 979
xanteína 436
xantelasma 436
xanteloma 436
xantena 847
xântico 436
xantina 428
Xantipo 901
xanto (ant.) 436, 847
xantocromia 436
xantoma 436
xantopsia 436
xantóptero 366
xantorrizo 367
xantose 436
xantospermo 367
xará 520, 564
xara 284, 378, 727
xarapim 564
xareta 545, 717
xaréu (prov.) 383
Xariá 985
xaroco (Port.) 382, 383
xaropada 497, 517, 841, 843
xaropar 662
xarope 352, 396, 662
xaroposo 352, 396, 843
xastre (ant.) 225
xátula 191
xauter 268, 280, 524, 527
xavecar (gír.) 902
xaveco (gír.) 897
xadado 840
xeíta 983a
xenagia 726
xendengue 243
xenelasia 761, 911
xenófilo 910
xenofobia 911
xenofobismo 911
xenófobo 911
xenogênese 161
xenomania 910
xepa 815

xeque 745
xeque-mate 731, 732
xequerê 417
xereta 886
xerifado 965
xerife 745, 875
xerife/xarife 876
xerofagia 956
xerófago 956
xerófito 340, 367
xerografia 340, 342
xerox 21
xeta (bras.) 902
xéu 877
xexé 857
xiba (bras.) 840, 961
xibante 851
xícara 191, 252
xicarar-se 959
xifópago (fig.) 888
xiita 983a
xila 244
xilindró (gír.) 752
xilocarpo 367
xilófago 366
xilofone
xilofória (hebreus) 990
xilóforo 996
xiloglifia 558
xilóglifo 559
xilografar 558
xilografia 558
xilográfico 558
xilógrafo 559
xilogravura 556
xilólatra 991
xilolatria 991
xingamento 929
xingar 929, 932
xintó/xintoísmo 984
xintoísta 984
xípeto 288
xipofagia 88, 89
xipófago 89
xisto 204
xistocarpo 367
xistoso 204
xixica 784
xô! 930
xucro 674
xumberga (reg.) 959
xumbergar 959
xumbregado 959
xurumbambos 643

Y
y 491
yen 800
yin e yang 89

Z
z 491
zabaneira 962
zabelê 366
zabumba 417
zabumbar 404, 416
zaco 996
zadona (ant.) 750
zagaia/azagaia 727
zagal 129, 370
zagalejo 370
zagunchada 378, 856, 932
zagunchar 378, 716, 932, 972
zaguncho 727, 975
zãibo 443
záimbo 243
zaino 440a
zambaio 443
zamboa 501
zambra (ant.) 840
zambro 243, 440b
Zamiel 978

zampar 298, 957
zampronha
zanaga 443
zanga 713, 828, 841, 867, 900
zangadamente 31, 900
zangadiço 901
zangado 832, 900, 901
zangalhão 192, 243
zangalho 192, 243
zângano 701, 792, 797
zangão 683, 701
zangar(-se) 832, 891, 900
zangaralhão 192, 243
zangaralhar 414
zangarrear (dep.) 412, 416
zanguizarra 411, 414
zangurriana (dep.) 415, 959
zanolho 443
zanzão 407
zanzar 683
zarabatana 727
zarandalha 643
zaranza 458, 460, 501, 682, 701
zaranzar 683
zarcão 434
zarco 440a, 440d
zarelhar 682
zarelho 57, 682
zarolho 243, 443
zarpar 267, 293
zarra 332
zarro 959
zarzuela 415, 597, 599
zazo (Japão) 996
zê 67
zé-cuecas 501, 645, 877
zé da véstia 372, 877
zé dos anzóis 372, 877
zebedeu 877
zebra 412, 440
zebrado 440
zebral 412, 440
zebrar 440
zebrário 412, 440
zebroide 412, 440
zebrum 366, 431, 440a
zebu 366
zé faz formas 877
zéfiro 349
zé-godes 877
zegoniar 934
zeimão (reg.) 645, 877
zelação 423
zelador da boa linguagem 578
zelar 459, 693, 920
zelar de 459
zelar pelos interesses da coletividade 910
zelar por 459
zelo(s) 459, 485, 682, 686, 772, 821, 865, 920, 926, 939
zelo da reputação própria 939
zeloso 459, 682, 821, 825, 865, 920, 926, 939
zeloso de suas prerrogativas 737
zelote 606, 711
zelotipia 503, 920, 921
zen 721, 826
zen-budismo 998
Zenda-vesta 986
Zende 986
zendicismo 984, 986
zenha 330
zé-ninguém 877
zenir 402a
zenital 210
zênite 33, 125, 210
zeófago 298, 438
zepelim 273, 726
zé-povinho 877
zé-povo 877

zé-prequeté 877
zé-quitólis 877
zerê (bras.) 443
zeribando 975
zero 4, 100a, 643
Zero 101
zero à esquerda 645, 877
zesto 220
zetacismo 579, 583
zetética 461
zetético 461
zeugma 521, 567
Zeus 979
zichar 348
zicho 348
zigócero 440c
zigodáctilo 440c
zigue-zague 248, 279, 605, 629
ziguezagueado 629
ziguezaguear 244, 248, 279, 311, 315, 605
zigue-zigue 407, 840
zigurate 206
zimbório 206, 250
zimbrar 402a, 972
zimbro 339
zimótico 655
zina 68, 210, 382
zina/coração/plenitude/pino do inverno 383
zincar 223
zincografar 558
zincografia 558
zincógrafo 559
zingamocho 210, 338
zingarear 683
zíngaro 268
zingrar 856, 930
zinguerrear 410
zinho 32, 193, 897, 899, 902
zinir 402a, 409, 412
zinzinular *(andorinha)* 412
zique-zique 412
zircônia 847
zizaneiro 532
zizaniar 532
ziziar 412
zoada 402, 404, 405, 407, 411
zoante 561
zoantropia 503
zoantropo 503, 504
zoar 402a, 404, 412
zodíaco 230, 318, 873
zoeira 402, 404, 411
zoilo (dep.) 461, 480, 701, 936
Zoilo 481
zoina 499, 503
zoipeira 653
zoísmo 368
Zollverein 769
zomba zombando 842
zombador 988
zombar (de) 460, 842, 856, 929
zombar dos mais rijos golpes 323
zombaria 840, 856, 929, 988
zomba-zombando 856
zombeirão 856
zombetear 842, 856
zombeteiro 842, 844, 856
zombo 41
zona 51, 181, 204, 230, 247, 251
zona fria 383
zona proibida 726
zonado 440
zoncho 633
zontró 633
zonzo 499
zoobia 357, 359
zoóbio 366, 440c
zoobiologia 357
zooemática 428, 434

zooética 368
zoofitário 412
zoofítico 366
zoófitos 412
zoofobia 370
zoóforo 210
zoogenia 368
zoogeografia 368
zoografar 368
zoografia 368
zoógrafo 368
zooiatra 370
zoolatria 370, 984, 991
zoolatrologia 370
zoologia 357
Zoologia 368
zoológico 368
zoologista 368
zoomania 368, 370
zoomorfia 368
zoomorfismo 368, 984
zoomorfose 368
zoonomia 368
zoonômico & *subst.* 368
zoonomista 368
zootaxia 368
zootecnia 368
zootécnico 370
zootomia 368
zopo 130, 655, 683
zorate/zorato 503, 504
zornão 962
zornar 412
zoroástrico 986, 991
zoroastrismo 986, 991
zoroastrista/zoroastriano 984, 986
Zoroastro 986
zorra 272, 411, 702
zorreiro 683
Zorro e Tonto 890
zóster 230, 247
zote 501
zoupeiro 128, 275, 655, 683
zoura 299
zourar 297
zuavos 726
zuido 405, 407
zuidouro 407
zuir 407
zumba! 306
zumbaia 886, 933
zumbaiar 933
zumbaiar o corpo 933
zumbaieiro 886, 935
zumbar 407, 412
Zumbi 742
zumbi 860
zumbido 405, 407, 409, 412
zumbir 405, 407, 409, 412
zumbrar 324
zumbrir-se 725, 879
zum-zum 405, 407, 412, 532, 907
zunideira 407
zunido 404, 407, 412
zunir 274, 402a, 404, 407, 409, 410, 412
zunzunar 405, 407, 412, 531, 532
zupar 716, 972
zura 819
zurbada 276
zureta 504
zurrapa 959
zurrar 412, 580
zurraria 412
zurre! 908
zurro 412
zurzidela 972
zurzidor & *v.* 975
zurzir 716, 972
zwinglianismo 984
zwingliano 984

Editor
Paulo Geiger

Produção
Ilustrarte Design e Produção Editorial
Sonia Hey

Revisão
Eduardo Carneiro Monteiro
Fatima Amendoeira Maciel
Michele Mitie Sudoh

Diagramação e capa
Ilustrarte Design e Produção Editorial

Capa
Luiz Saguar